大山隠岐国立公園

富士箱根伊豆国立公園

山陰海岸国立公園

秩父多摩甲斐国立公園

阿蘇くじゅう国立公園

瀬戸内海国立公園

妙高戸隠連山国立公園

足摺宇和海国立公園

利尻礼文サロベツ国立公園

上信越高原国立公園

慶良間諸島国立公園

本書収載法令及び
自然公園法・施行令・施行規則三段対照表 PDF
ダウンロードのご案内

○本書には、本書収載法令及び自然公園法・施行令・施行規則の三段対照表の PDF ファイルをダウンロードしてご利用いただけるサービスが付属しています。

PDF の収録内容

- 『五訂　自然公園実務必携』(PDF 形式)
- 『自然公園法・施行令・施行規則三段対照表』(PDF 形式)

※本書の改訂や絶版、弊社システムの都合上などにより、予告なくサービスを終了させていただく場合がございます。あらかじめご了承ください。

ダウンロードの方法

① Web ブラウザのアドレスバーに次のダウンロードページの URL を入力してください。(https://www.chuohoki.co.jp/movie/8752/)

② 五訂 自然公園実務必携の付録データダウンロードページが開きます。

③ ZIP ファイルをクリックしてください。

④ パスワードを入力してください。

⑤ ZIP ファイルを開くと、PDF ファイルが開きますのでご活用ください。

パスワード

「五訂　自然公園実務必携」
パスワード
ゆっくりはがしてください

動作環境

- 閲覧機器　パソコン、タブレットにてご覧いただけます。
- 設定等　インターネットに接続できる環境と Web ブラウザ及び PDF ファイルが表示できるアプリケーションが必要です。
- ご注意　ご案内の PDF ファイルの提供は、ご講読いただいているお客様向けの限定サービスです。当該目的の範囲外でのファイルの無断複製及び無断頒布は禁じます。

五訂

自然公園実務必携

環境省自然環境局国立公園課●監修

中央法規

凡　例

〈内容現在・構成〉

本書は次のとおり構成した。また、法令については令和４年７月21日までに発行された官報を原典とし、令和４年８月１日現在の内容で収載した。

第１編　自然公園法
第２編　公園計画に係る実務
第３編　公園事業の決定に係る実務
第４編　管理運営計画に係る事務
第５編　公園事業の執行、行為許可等に係る実務
第６編　自然公園法に基づく事業計画制度等
第７編　風景地保護協定及び公園管理団体
第８編　利用の促進・適正化に関する制度
第９編　事業・交付金要綱等
第10編　環境省所管国有財産の管理業務
第11編　自然公園に係る税制
第12編　巻末資料

〈インターネットサービス〉

購読者は、無料で本書の内容をインターネットからPDFファイルをダウンロードして閲覧できる。詳細については、巻頭を参照されたい。

〈委任・参照条文〉

第１編第１章の法令には、委任、参照条文を各条文のあとに〔委任〕、〔参照条文〕と見出しを付して収録し、原条文の解釈や運用の便をはかった。この場合に次の約束をする。

⑴　「　」を付した語句はその条文中にあるもので、「　」の付していない語句は、説明上の便宜のために用いたものである。

⑵　単に「法」、「令」、「規則」とあるのは、自然公園法、自然公園法施行令及び自然公園法施行規則を示す。

⑶　条、項、号の区分は次による。

条＝アラビア数字　5
項＝ローマ数字　Ⅴ

号＝和数字　五

◆「委任・参照条文」とは？

委　任

法律、政令等法令の条文中には、「政令で定める……」、「○○省令で定める……」あるいは「△△大臣が定める……」といった文言がある。これらは、その条文自体には詳細を定める規定を置かず、別の法令に委ねており、これが「委任」である。

委任条項を調べるのは至難であるが、本書では、条文のあとに〔委任〕と付して委任条項を記しているので容易に調べることができる。

事例　自然公園法第２条

（定義）

第２条　この法律において、次の各号に掲げる用語の意義は、それぞれ当該各号に定めるところによる。

一～五　略

六　公園事業　公園計画に基づいて執行する事業であつて、国立公園又は国定公園の保護又は利用のための施設で政令で定めるものに関するものをいう。

七　略

〔委任〕

第六号の「政令」＝令１

解　説

〔委任〕で記載してあるのは、自然公園法施行令第１条に委任事項が明示されていることを示している。

自然公園法施行令第１条は、次のようになっている。

（公園事業となる施設の種類）

第１条　自然公園法（昭和32年法律第161号。以下「法」という。）第２条第６号に規定する政令で定める施設は、次に掲げるものとする。

一　道路及び橋

二～十二　略

参照条文

委任のように他の条文にその規定を委ねてはいないものの、その条文に密接な関係がある条文あるいは、補足的な規定が置かれている条文を「参照条文」という。

本書では、委任と同様に〔参照条文〕と付して参照条項を記している。

事例　自然公園法第30条

（報告徴収及び立入検査）

第30条　環境大臣又は都道府県知事は、第24条から次条までの規定の施行に必要な限度において、指定認定機関に対し、その認定関係事務に関し報告を求め、又はその職員に、指定認定機関の事務所に立ち入り、指定認定機関の帳簿、書類その他必要な物件を検査させ、若しくは関係者に質問させることができる。

2　前項の規定による立入検査をする職員は、その身分を示す証明書を携帯し、関係者に提示しなければならない。

3　略

〔参照条文〕

「証明書」の様式＝規則16

解　説

〔参照条文〕で記載してあるのは、自然公園法施行規則第16条に証明書の様式についての条文があることを示している。

自然公園法施行規則第16条は、次のようになっている。

（証明書の様式）

第16条　法第17条第３項、第30条第２項、第35条第３項、第37条第３項、第42条の７第２項又は第62条第４項の規定により当該職員の携帯する証明書は、様式第４による。

委任・参照条文の活用により、難解な法令を理解する上で利便を図ることができます。是非、ご活用下さい。

自然公園実務必携

目　次

第１編　自然公園法

第２編　公園計画に係る実務

第１章　国立公園の指定、見直し

第２章　国立公園の公園計画指定書、公園計画書の作成

第３章　国定公園・都道府県立自然公園関係

第４章　国立・国定公園の指定植物・指定動物関係

第５章　他行政との調整

第３編　公園事業の決定に係る実務

第４編　管理運営計画に係る事務

第５編　公園事業の執行、行為許可等に係る実務

第１章　公園事業の執行認可等に係る実務

第１節　公園事業執行等取扱要領

第２節　運用通知

第２章　自然公園における法面緑化指針

第３章　規制行為に係る許可・届出に係る実務

第１節　許可、届出等取扱要領

第２節　審査基準関係

第３節　運用通知

３　火山防災対策関係

第６編　自然公園法に基づく事業計画制度等

第１章　利用拠点整備改善計画制度

第２章　自然体験活動促進計画制度

第３章　生態系維持回復事業

第４章　国立公園×国有林連携事業

第７編　風景地保護協定及び公園管理団体

第８編　利用の促進・適正化に関する制度

第１章　利用調整地区

第２章　利用のための規制

第３章　その他の利用適正化施策

第１節　自動車利用適正化

第９編　事業・交付金要綱等

第１章　自然公園等事業

第２章　施行通知及び運用通知等

第11編　自然公園に係る税制

第１章　税制関係法令

第２章　運用通知等

第12編　巻末資料

第１章　法律の改正等に係る施行通知

第4章　早見表

第 1 編
自然公園法

◉自然公園法

〔昭和32年6月1日
法律第161号〕

改正 昭和37年5月16日法律第140号・昭和37年9月15日法律第161号・昭和45年4月1日法律第13号・昭和45年5月16日法律第61号・昭和45年12月25日法律第140号・昭和46年5月31日法律第88号・昭和47年6月3日法律第52号・昭和47年6月22日法律第85号・昭和48年9月1日法律第73号・昭和53年7月5日法律第87号・平成2年6月5日法律第26号・平成5年11月19日法律第92号・平成11年7月16日法律第87号・平成11年12月22日法律第160号・平成14年2月8日法律第1号・平成14年4月24日法律第29号・平成16年6月9日法律第84号・平成17年4月27日法律第33号・平成18年6月2日法律第50号（平成18年法律第114号による改正）・平成21年6月3日法律第47号・平成23年6月24日法律第74号・平成23年8月30日法律第105号・平成25年6月14日法律第44号・平成26年6月13日法律第69号・令和元年6月14日法律第37号・令和3年5月6日法律第29号・令和4年6月17日法律第68号（未施行　58頁参照）

目次　頁

第1章　総則

（目的）

第１条　この法律は、優れた自然の風景地を保護するとともに、その利用の増進を図ることにより、国民の保健、休養及び教化に資するとともに、生物の多様性の確保に寄与することを目的とする。

〔改正〕

一部改正＝平14年４月法律29号・21年６月47号

〔参照条文〕

「優れた自然の風景地」＝法２二～四　「保護」、「利用」＝法20～37等

（定義）

第２条　この法律において、次の各号に掲げる用語の意義は、それぞれ当該各号に定めるところによる。

一　自然公園　国立公園、国定公園及び都道府県立自然公園をいう。

二　国立公園　我が国の風景を代表するに足りる傑出した自然の風景地（海域の景観地を含む。次章第６節及び第74条を除き、以下同じ。）であつて、環境大臣が第５条第１項の規定により指定するものをいう。

三　国定公園　国立公園に準ずる優れた自然の風景地であつて、環境大臣が第５条第２項の規定により指定するものをいう。

四　都道府県立自然公園　優れた自然の風景地であつて、都道府県が第72条の規定により指定するものをいう。

五　公園計画　国立公園又は国定公園の保護又は利用のための規制又は事業に関する計画をいう。

六　公園事業　公園計画に基づいて執行する事業であつて、国立公園又は国定公園の保護又は利用のための施設で政令で定めるものに関するものをいう。

七　生態系維持回復事業　公園計画に基づいて行う事業であつて、国立公園又は国定公園における生態系の維持又は回復を図るものをいう。

〔改正〕

一部改正＝昭45年５月法律61号・46年５月88号・平11年12月160号・14年４月29号・21年６月47号

〔委任〕

第六号の「政令」＝令１

（国等の責務）

第３条　国、地方公共団体、事業者及び自然公園の利用者は、環境基本法（平成５年法律第91号）第３条から第５条までに定める環境の保全についての基本理念にのつとり、優れた自然の風景地の保護とその適正な利用が図られるように、それぞれの立場において努めるとともに、相互に連携を図りながら協力するよう努めなければならない。

２　国及び地方公共団体は、自然公園に生息し、又は生育する動植物の保護が自然公園の風景の保護に重要であることにかんがみ、自然公園における生態系の多様性の確保その

他の生物の多様性の確保を旨として、自然公園の風景の保護に関する施策を講ずるものとする。

〔改正〕

旧第２条の２として追加＝昭45年12月法律140号、一部改正＝昭47年６月法律85号・平５年11月92号、一部改正し本条に繰下＝平14年４月法律29号、一部改正＝令３年５月法律29号

〔参照条文〕

類似規定＝環境基本法６～９、景観法３～６

（財産権の尊重及び他の公益との調整）

第４条　この法律の適用に当たつては、自然環境保全法（昭和47年法律第85号）第３条で定めるところによるほか、関係者の所有権、鉱業権その他の財産権を尊重するとともに、国土の開発その他の公益との調整に留意しなければならない。

〔改正〕

旧第３条の一部改正＝昭47年６月法律85号・平５年11月92号、第４条から第９条を削り本条に繰下＝平14年４月法律29号

〔参照条文〕

「所有権」＝民法206　「鉱業権」＝鉱業法５・11～13　「財産権」の尊重＝日本国憲法29

第２章　国立公園及び国定公園

第１節　指定

旧第１節を削り旧第２節を本節に繰上＝平14年４月法律29号

（指定）

第５条　国立公園は、環境大臣が、関係都道府県及び中央環境審議会（以下「審議会」という。）の意見を聴き、区域を定めて指定する。

２　国定公園は、環境大臣が、関係都道府県の申出により、審議会の意見を聴き、区域を定めて指定する。

３　環境大臣は、国立公園又は国定公園を指定する場合には、その旨及びその区域を官報で公示しなければならない。

４　国立公園又は国定公園の指定は、前項の公示によつてその効力を生ずる。

〔改正〕

旧第10条の一部改正＝昭46年５月法律88号・47年６月85号・平11年７月87号・12月160号、一部改正し本条に繰上＝平14年４月法律29号

〔参照条文〕

「指定」の実地調査＝法62　「指定」の協議＝法67Ⅰ　「指定」の経過規定＝法附則Ⅲ　「区域」の競合＝法71・81

（指定の解除及び区域の変更）

第６条　環境大臣は、国立公園の指定を解除し、又はその区域を変更しようとするときは、関係都道府県及び審議会の意見を聴かなければならない。

２　環境大臣は、国定公園の指定を解除し、又はその区域を変更しようとするときは、関係都道府県及び審議会の意見を聴かなければならない。ただし、その区域を拡張するに

は、関係都道府県の申出によらなければならない。

３　前条第３項及び第４項の規定は、国立公園又は国定公園の指定の解除及びその区域の変更について準用する。

〔改正〕

旧第11条の一部改正＝昭46年５月法律88号・平11年７月87号・12月160号、一部改正し本条に繰上＝平14年４月法律29号

〔参照条文〕

「区域」拡張の協議＝法67Ⅰ

第２節　公園計画

旧第３節を本節に繰上＝平14年４月法律29号、節名改正＝平21年６月法律47号

（公園計画）

第７条　国立公園に関する公園計画は、環境大臣が、関係都道府県及び審議会の意見を聴いて決定する。

２　国定公園に関する公園計画は、環境大臣が、関係都道府県の申出により、審議会の意見を聴いて決定する。

３　公園計画は、国立公園又は国定公園ごとに、当該公園内の自然の風景地の保護とその適正な利用を図るための規制に関する事項、公園事業に関する事項その他必要な事項について定めるものとする。

４　環境大臣は、必要があると認めるときは、公園計画において、質の高い自然体験活動の促進に関する基本的な事項を定めることができる。

５　環境大臣は、公園計画を決定したときは、その概要を官報で公示し、かつ、その公園計画を一般の閲覧に供しなければならない。

〔改正〕

旧第12条の一部改正＝昭46年５月法律88号・平11年７月87号・12月160号、本条に繰上＝平14年４月法律29号、一部改正＝平21年６月法律47号・令３年５月29号

〔参照条文〕

「公園計画」＝法２五　「公園事業」＝法２六　「決定」の実地調査＝法62　「決定」の協議＝法67Ⅰ　「決定」の経過規定＝法附則Ⅳ

（公園計画の廃止及び変更）

第８条　環境大臣は、国立公園に関する公園計画を廃止し、又は変更しようとするときは、関係都道府県及び審議会の意見を聴かなければならない。

２　環境大臣は、国定公園に関する公園計画を廃止し、又は変更しようとするときは、関係都道府県及び審議会の意見を聴かなければならない。ただし、その公園計画を追加するには、関係都道府県の申出によらなければならない。

３　前条第５項の規定は、環境大臣が公園計画を廃止し、又は変更したときについて準用する。

〔改正〕

旧第13条の一部改正＝昭46年５月法律88号・平11年７月87号・12月160号、一部改正し本条に繰上＝平14年４月法律29号、一部改正＝平21年６月法律47号・令３年５月29号

〔参照条文〕

「変更」の協議＝法67Ⅰ

（協議会による公園計画の変更の提案）

第８条の２　第16条の２第１項に規定する協議会は第16条の３第１項に規定する利用拠点整備改善計画について、第42条の２第１項に規定する協議会は第42条の４第１項に規定する自然体験活動促進計画について、環境大臣に対し、その作成のために必要な国立公園に関する公園計画の変更をすることを提案することができる。この場合においては、当該提案に係る公園計画の素案その他環境省令で定める書類を添付しなければならない。

2　環境大臣は、前項の規定による提案を踏まえた公園計画の変更をする必要がないと判断したときは、その旨及びその理由を当該提案をした協議会に通知しなければならない。

3　第16条の７第１項に規定する協議会は同条第３項において準用する第16条の３第１項に規定する利用拠点整備改善計画について、第42条の３第１項に規定する協議会は第42条の４第１項に規定する自然体験活動促進計画について、関係都道府県に対し、その作成のために必要な国定公園に関する公園計画の変更に係る環境大臣に対する申出をすることを提案することができる。この場合においては、当該提案に係る公園計画の素案その他環境省令で定める書類を添付しなければならない。

4　前項の関係都道府県は、同項の規定による提案を踏まえた公園計画の変更に係る申出をする必要がないと判断したときは、その旨及びその理由を当該提案をした協議会に通知しなければならない。

〔改正〕

追加＝令３年５月法律29号

〔委任〕

第１・３項の「環境省令」＝規則１Ⅰ

第３節　公園事業

本節追加＝平21年６月法律47号

（公園事業の決定）

第９条　国立公園に関する公園事業（以下「国立公園事業」という。）は、環境大臣が、審議会の意見を聴いて決定する。この場合において、審議会が軽微な事項と認めるものについては、審議会の意見を聴くことを要しない。

2　国定公園に関する公園事業（以下「国定公園事業」という。）は、都道府県知事が決定する。

3　環境大臣は、国立公園事業を決定したときは、その概要を公示しなければならない。

４　都道府県知事は、国定公園事業を決定したときは、その概要を公示しなければならない。

５　第１項及び第３項の規定は環境大臣が行う国立公園事業の廃止又は変更について、前項の規定は都道府県知事が行う国定公園事業の廃止又は変更について準用する。

〔改正〕

一部改正＝令３年５月法律29号

（協議会による公園事業の決定等の提案）

第９条の２　第16条の２第１項に規定する協議会は、環境大臣に対し、第16条の３第１項に規定する利用拠点整備改善計画の作成のために必要な国立公園事業の決定又は変更をすることを提案することができる。この場合においては、当該提案に係る国立公園事業の素案その他環境省令で定める書類を添付しなければならない。

２　環境大臣は、前項の規定による提案を踏まえた国立公園事業の決定又は変更をする必要がないと判断したときは、その旨及びその理由を当該提案をした協議会に通知しなければならない。

３　前２項の規定は、第16条の７第１項に規定する協議会について準用する。この場合において、これらの規定中「国立公園事業」とあるのは「国定公園事業」と、第１項中「環境大臣」とあるのは「都道府県知事」と、「第16条の３第１項」とあるのは「第16条の７第３項において準用する第16条の３第１項」と、前項中「環境大臣は、前項」とあるのは「前項の都道府県知事は、同項」と読み替えるものとする。

〔改正〕

追加＝令３年５月法律29号

〔委任〕

第１項の「環境省令」＝規則１の２Ⅰ

〔参照条文〕

第３項の「準用」＝規則１の２Ⅲ

（国立公園事業の執行）

第10条　国立公園事業は、国が執行する。

２　地方公共団体及び政令で定めるその他の公共団体（以下「公共団体」という。）は、環境省令で定めるところにより、環境大臣に協議して、国立公園事業の一部を執行することができる。

３　国及び公共団体以外の者は、環境省令で定めるところにより、環境大臣の認可を受けて、国立公園事業の一部を執行することができる。

４　第２項の協議をしようとする者又は前項の認可を受けようとする者は、環境省令で定めるところにより、次に掲げる事項を記載した協議書又は申請書を環境大臣に提出しなければならない。

一　氏名又は名称及び住所並びに法人にあつては、その代表者の氏名

二　第２条第６号に規定する政令で定める施設（以下この条において「公園施設」という。）の種類

三　公園施設の位置

四　公園施設の規模

五　公園施設の管理又は経営の方法

六　前各号に掲げるもののほか、環境省令で定める事項

5　前項の協議書又は申請書には、公園施設の位置を示す図面その他の環境省令で定める書類を添付しなければならない。

6　第２項の協議をした者又は第３項の認可を受けた者（以下「国立公園事業者」という。）は、第４項各号に掲げる事項を変更しようとするときは、公共団体にあつては環境大臣に協議しなければならず、国及び公共団体以外の者にあつては環境大臣の認可を受けなければならない。ただし、環境省令で定める軽微な変更については、この限りでない。

7　前項の協議をしようとする者又は同項の認可を受けようとする者は、環境省令で定めるところにより、変更に係る事項を記載した協議書又は申請書を環境大臣に提出しなければならない。

8　第５項の規定は、前項の協議書又は申請書について準用する。

9　国立公園事業者は、第６項ただし書の環境省令で定める軽微な変更をしたときは、遅滞なく、その旨を環境大臣に届け出なければならない。

10　第３項又は第６項の認可には、国立公園の保護又は利用のために必要な限度において、条件を付することができる。

〔改正〕

旧第14条の一部改正＝昭46年５月法律88号・平11年７月87号・12月160号、旧第９条に繰上＝平14年４月法律29号、本条に繰下＝平21年６月法律47号、一部改正＝平23年８月法律105号

〔委任〕

第２項の「政令」＝令２　第２・３項の「環境省令」＝規則１の３　第４項本文の「環境省令」＝規則２Ⅰ　第六号の「環境省令」＝規則２Ⅱ　第５項の「環境省令」＝規則２Ⅲ　第６項ただし書「環境省令」＝規則３　第７項の「環境省令」＝規則４

〔参照条文〕

「公園事業」＝法２六・９　「執行」の実地調査＝法62　「執行」の協議＝法67Ⅲ　「軽微な変更」の届出＝規則５　「執行」費用の負担・補助＝法55～61　罰則＝法83一二・87・88

（改善命令）

第11条　環境大臣は、国立公園事業の適正な執行を確保するため必要があると認めるときは、前条第３項の認可を受けた者に対し、当該国立公園事業に係る施設の改善その他の当該国立公園事業の執行を改善するために必要な措置を執るべき旨を命ずることができる。

〔改正〕

追加＝平21年６月法律47号

〔参照条文〕

罰則＝法85・87

（承継）

第12条　国立公園事業者（第10条第３項の認可を受けた者に限る。）が国及び公共団体以外の者にその国立公園事業の全部を譲渡する場合において、譲渡人及び譲受人があらかじめその譲渡及び譲受けについて環境大臣の承認を受けたときは、譲受人は、譲渡人に係る国立公園事業者の地位を承継する。

２　国立公園事業者である法人が合併（国立公園事業者である法人と国立公園事業者でない法人の合併であつて、国立公園事業者である法人が存続するものを除く。）又は分割（その国立公園事業の全部を承継させるものに限る。）をした場合において、合併後存続する法人若しくは合併により設立される法人又は分割によりその国立公園事業の全部を承継する法人（以下この項において「合併法人等」という。）が公共団体である場合にあつては環境大臣に協議したとき、合併法人等が国及び公共団体以外の法人である場合にあつては環境大臣の承認を受けたときは、当該合併法人等は、当該国立公園事業者の地位を承継する。

３　国立公園事業者が死亡した場合において、相続人（相続人が２人以上ある場合において、その全員の同意によりその国立公園事業を承継すべき相続人を選定したときは、その者。以下この条において同じ。）がその国立公園事業を引き続き行おうとするときは、その相続人は、被相続人の死亡後60日以内に環境大臣に申請して、その承認を受けなければならない。

４　相続人が前項の承認の申請をした場合においては、被相続人の死亡の日からその承認を受ける日又は承認をしない旨の通知を受ける日までは、被相続人に対してした第10条第３項の認可は、その相続人に対してしたものとみなす。

５　第３項の承認を受けた相続人は、被相続人に係る国立公園事業者の地位を承継する。

〔改正〕

追加＝平21年６月法律47号、一部改正＝平23年８月法律105号・令３年５月29号

〔参照条文〕

「承継」の協議又は「承認」の申請＝規則６

（国立公園事業の休廃止）

第13条　国立公園事業者は、国立公園事業の全部若しくは一部を休止し、又は廃止しようとするときは、環境省令で定めるところにより、あらかじめ、その旨を環境大臣に届け出なければならない。

〔改正〕

追加＝平21年６月法律47号

〔委任〕

「環境省令」＝規則７

〔参照条文〕

罰則＝法88

（認可の失効及び取消し等）

第14条　国立公園事業として行う事業が他の法令の規定により行政庁の許可、認可その他の処分を必要とするものである場合において、その処分が取り消されたとき、その他その効力が失われたときは、当該事業に係る第10条第３項の認可は、その効力を失う。

２　前項の規定により第10条第３項の認可が失効したときは、当該認可が失効した者は、その日から30日以内に、その旨を環境大臣に届け出なければならない。

３　環境大臣は、第10条第３項の認可を受けた者が次の各号のいずれかに該当するときは、同項の認可を取り消すことができる。

一　第10条第６項若しくは第９項又は前条の規定に違反したとき。

二　第10条第10項の規定により同条第３項又は第６項の認可に付された条件に違反したとき。

三　第11条の規定による命令に違反したとき。

四　偽りその他不正の手段により第10条第３項又は第６項の認可を受けたとき。

〔改正〕

追加＝平21年６月法律47号、一部改正＝平23年８月法律105号

〔参照条文〕

「認可の失効」の届出＝規則８　罰則＝法88

（原状回復命令等）

第15条　環境大臣は、第10条第３項の認可を受けた者がその国立公園事業を廃止した場合、同項の認可が失効した場合又は同項の認可を取り消した場合において、国立公園の保護のために必要があると認めるときは、当該廃止した者、当該認可が失効した者又は当該認可を取り消された者に対して、相当の期限を定めて、その保護のために必要な限度において、原状回復を命じ、又は原状回復が著しく困難である場合に、これに代わるべき必要な措置を執るべき旨を命ずることができる。

２　前項の規定により原状回復又はこれに代わるべき必要な措置（以下この条において「原状回復等」という。）を命じようとする場合において、過失がなくて当該原状回復等を命ずべき者を確知することができないときは、環境大臣は、その者の負担において、当該原状回復等を自ら行い、又はその命じた者若しくは委任した者にこれを行わせることができる。この場合においては、相当の期限を定めて、当該原状回復等を行うべき旨及びその期限までに当該原状回復等を行わないときは、環境大臣又はその命じた者若し

くは委任した者が当該原状回復等を行う旨をあらかじめ公告しなければならない。

3　前項の規定により原状回復等を行おうとする者は、その身分を示す証明書を携帯し、関係者に提示しなければならない。

〔改正〕

追加＝平21年６月法律47号

〔参照条文〕

罰則＝法82一・87

（国定公園事業の執行）

第16条　国定公園事業は、都道府県が執行する。ただし、道路法（昭和27年法律第180号）その他他の法律の定めるところにより、国が道路に係る事業その他の事業を執行することを妨げない。

2　都道府県以外の公共団体は、環境省令で定めるところにより、都道府県知事に協議して、国定公園事業の一部を執行することができる。

3　国及び公共団体以外の者は、環境省令で定めるところにより、都道府県知事の認可を受けて、国定公園事業の一部を執行することができる。

4　第10条第４項及び第５項の規定は第２項の協議及び前項の認可について、第10条第６項から第９項まで、第12条第２項及び第13条の規定は第２項の協議をした者について、第10条第６項から第10項まで、第11条から第13条まで、第14条第３項及び前条の規定は前項の認可を受けた者について、第14条第１項及び第２項の規定は前項の認可について準用する。この場合において、これらの規定中「環境大臣」とあるのは「都道府県知事」と、第10条第10項中「国立公園」とあるのは「国定公園」と、第11条、第14条第１項及び前条第１項中「国立公園事業」とあるのは「国定公園事業」と、第12条第１項から第３項までの規定中「その国立公園事業」とあるのは「その国定公園事業」と、同条第２項中「公共団体である」とあるのは「都道府県以外の公共団体である」と、第13条中「国立公園事業の」とあるのは「国定公園事業の」と、前条第１項中「国立公園の」とあるのは「国定公園の」と読み替えるものとする。

〔改正〕

旧第15条の一部改正＝平11年７月法律87号、旧第10条に繰上＝平14年４月法律29号、旧第11条を削り一部改正し本条に繰下＝平21年６月法律47号、一部改正＝平23年８月法律105号・令３年５月29号

〔委任〕

第２・３項の「環境省令」＝規則９

〔参照条文〕

「他の法律の定めるところ」の例＝道路法12、砂防法６　「執行」の協議＝法67Ⅳ　「協議」の届出及び「認可」申請手続＝規則９　「執行」費用の負担・補助＝法55～61　罰則＝82一・83一二・85・87・88

（国立公園における協議会）

第16条の２　国立公園の区域をその区域に含む市町村又は都道府県は、市町村にあつては

単独で又は共同して、都道府県にあつては当該都道府県の区域内の市町村であつて当該国立公園の区域をその区域に含むものと共同して、当該国立公園の区域内における第36条第１項に規定する集団施設地区その他の公園の利用のための拠点（以下「利用拠点」という。）となる区域（以下「利用拠点区域」という。）について、国立公園事業に係る施設の整備改善を中心とした当該利用拠点の質の向上のための整備改善に関し必要な協議を行うための協議会を組織することができる。

2　前項に規定する協議会は、次に掲げる者をもつて構成する。

一　市町村のみが組織する場合にあつては当該市町村、市町村及び都道府県が共同して組織する場合にあつては当該市町村及び都道府県

二　当該利用拠点区域内において国立公園事業を執行し、又は執行すると見込まれる者

三　当該利用拠点区域内の施設、土地又は木竹であつて利用拠点の整備改善に関する事業（以下「利用拠点整備改善事業」という。）に係るものの所有者又は使用及び収益を目的とする権利を有する者

四　その他当該市町村又は都道府県が必要と認める者

3　当該国立公園の区域内において国立公園事業を執行し、又は執行しようとする者は、当該国立公園事業に係る施設の整備改善を含む地域における利用拠点の質の向上のための整備改善に関して協議を行う協議会が組織されていない場合にあつては、市町村又は都道府県に対して、第１項に規定する協議会を組織するよう要請することができる。

4　市町村又は都道府県は、第１項の規定により協議会を組織したときは、遅滞なく、環境省令で定めるところにより、その旨を公表しなければならない。

5　当該利用拠点区域内において国立公園事業を執行し、又は執行しようとする者及び第２項第３号に掲げる者であつて第１項に規定する協議会の構成員でないものは、同項の規定により協議会を組織する市町村又は都道府県に対して、自己を当該協議会の構成員として加えるよう申し出ることができる。

6　前項の規定による申出を受けた市町村又は都道府県は、正当な理由がない限り、当該申出に応じなければならない。

7　第１項に規定する協議会は、必要があると認めるときは、関係行政機関に対して、資料の提供、意見の表明、説明その他必要な協力を求めることができる。

8　第１項に規定する協議会において協議が調つた事項については、当該協議会の構成員は、その協議の結果を尊重しなければならない。

9　前各項に定めるもののほか、第１項に規定する協議会の運営に関し必要な事項は、当該協議会が定める。

〔改正〕

追加＝令３年５月法律29号

〔委任〕

第４項の「環境省令」＝規則９の２

（利用拠点整備改善計画の認定）

第16条の３　前条第１項に規定する協議会において、公園計画に基づき、環境省令で定めるところにより、当該協議会の構成員である市町村の区域内の国立公園の区域内における利用拠点区域について、公園事業に係る施設の整備改善を中心とした利用拠点の質の向上のための整備改善に関する計画（以下「利用拠点整備改善計画」という。）を作成したときは、当該協議会の構成員である市町村又は都道府県及び当該利用拠点整備改善計画に記載された利用拠点整備改善事業を実施しようとする者は、共同で、環境大臣の認定を申請することができる。

２　利用拠点整備改善計画には、次に掲げる事項を記載するものとする。

一　利用拠点整備改善計画の区域（以下この条において「計画区域」という。）

二　計画区域における利用拠点の質の向上のための整備改善に関する基本的な方針

三　利用拠点整備改善計画の目標

四　前号の目標を達成するために行う利用拠点整備改善事業の内容、実施主体及び実施時期

五　第10条第２項の協議又は同条第３項の認可を要する利用拠点整備改善事業にあつては、同条第４項各号に掲げる事項

六　第10条第６項の協議若しくは認可又は同条第９項の規定による届出を要する利用拠点整備改善事業にあつては、同条第４項各号に掲げる事項のうち変更に係るもの

七　計画期間

八　その他環境省令で定める事項

３　利用拠点整備改善計画は、景観法（平成16年法律第110号）第８条第１項に規定する景観計画に適合するものでなければならない。

４　環境大臣は、第１項の規定による認定の申請があつた場合において、当該申請に係る利用拠点整備改善計画が次の各号のいずれにも適合するものであると認めるときは、その認定をするものとする。

一　公園計画に照らして適切なものであること。

二　当該利用拠点整備改善計画の実施が計画区域における利用拠点の質の向上に寄与するものであると認められること。

三　当該国立公園の保護に支障を及ぼすおそれがないものであること。

四　円滑かつ確実に実施されると見込まれるものであること。

５　環境大臣は、当該国立公園の保護又は利用のため必要があると認めるときは、その必要な限度において、前項の認定に条件を付し、及びこれを変更することができる。

６　環境大臣は、第４項の認定をしたときは、環境省令で定めるところにより、当該認定に係る利用拠点整備改善計画の概要を公表しなければならない。

〔改正〕

追加＝令３年５月法律29号

〔委任〕

第１項の「環境省令」＝規則９の３　第２項第八号の「環境省令」＝規則９の４Ⅱ　第６項の「環境省令」＝規則９の５

（認定を受けた利用拠点整備改善計画の変更）

第16条の４　前条第４項の認定を受けた利用拠点整備改善計画の変更をしようとするときは、第16条の２第１項に規定する協議会において当該変更に係る利用拠点整備改善計画を作成し、当該協議会の構成員である市町村又は都道府県及び当該利用拠点整備改善計画に記載された利用拠点整備改善事業を実施しようとする者は、共同で、環境大臣の認定を受けなければならない。ただし、環境省令で定める軽微な変更については、この限りでない。

２　前条第４項の認定（前項の変更の認定を含む。次条第１項及び第16条の６において同じ。）を受けた者は、前項ただし書の環境省令で定める軽微な変更をしたときは、遅滞なく、その旨を環境大臣に届け出なければならない。

３　前条第４項から第６項までの規定は、第１項の変更の認定について準用する。

〔改正〕

追加＝令３年５月法律29号

〔委任〕

第１項ただし書の「環境省令」＝規則９の６

〔参照条文〕

第３項の「準用」＝規則９の５

（認定の取消し）

第16条の５　環境大臣は、第16条の３第４項の認定を受けた利用拠点整備改善計画（変更があつたときは、その変更後のもの。次条において同じ。）が同項各号のいずれかに適合しなくなつたと認めるときは、その認定を取り消すことができる。

２　環境大臣は、前項の規定により認定を取り消したときは、遅滞なく、その旨を公表するものとする。

〔改正〕

追加＝令３年５月法律29号

（国立公園事業に関する特例）

第16条の６　利用拠点整備改善事業を実施しようとする者が、その利用拠点整備改善計画について第16条の３第４項の認定を受けたときは、当該認定を受けた利用拠点整備改善計画に記載された利用拠点整備改善事業のうち、第10条第２項若しくは第６項の協議をし、同条第３項若しくは第６項の認可を受け、又は同条第９項の規定による届出をしなければならないものについては、これらの規定により協議をし、認可を受け、又は届出をしたものとみなす。

〔改正〕

追加＝令３年５月法律29号

（国定公園における協議会等）

第16条の７　国定公園の区域をその区域に含む市町村は、単独で又は共同して、当該国定公園の区域内における利用拠点区域について、国定公園事業に係る施設の整備改善を中心とした当該利用拠点の質の向上のための整備改善に関し必要な協議を行うための協議会を組織することができる。

２　前項に規定する協議会は、次に掲げる者をもつて構成する。

一　当該市町村

二　当該利用拠点区域内において国定公園事業を執行し、又は執行すると見込まれる者

三　当該利用拠点区域内の施設、土地又は木竹であつて利用拠点整備改善事業に係るものの所有者又は使用及び収益を目的とする権利を有する者

四　その他当該市町村が必要と認める者

３　第16条の２（第１項及び第２項を除く。）から前条までの規定は、第１項に規定する協議会について準用する。この場合において、第16条の２第３項並びに第16条の３第１項、第４項第３号及び第５項中「国立公園の」とあるのは「国定公園の」と、第16条の２第３項及び第５項並びに前条の見出し中「国立公園事業」とあるのは「国定公園事業」と、第16条の２第３項から第６項まで、第16条の３第１項及び第16条の４第１項中「市町村又は都道府県」とあるのは「市町村」と、第16条の２第４項中「第１項」とあるのは「第16条の７第１項」と、同条第５項中「第２項第３号」とあるのは「第16条の７第２項第３号」と、第16条の３第１項及び第４項から第６項まで、第16条の４第１項及び第２項並びに第16条の５中「環境大臣」とあるのは「都道府県知事」と、第16条の３第２項第５号中「第10条第２項」とあるのは「第16条第２項」と、「同条第４項各号」とあるのは「同条第４項において準用する第10条第４項各号」と、同項第６号中「第10条第６項」とあるのは「第16条第４項において準用する第10条第６項」と、「同条第９項」とあるのは「第16条第４項において準用する第10条第９項」と、「同条第４項各号」とあるのは「第16条第４項において準用する第10条第４項各号」と、前条中「第10条第２項若しくは第６項」とあるのは「第16条第２項若しくは同条第４項において準用する第10条第６項」と、「同条第３項若しくは第６項」とあるのは「第16条第３項若しくは同条第４項において準用する第10条第６項」と、「同条第９項」とあるのは「第16条第４項において準用する第10条第９項」と読み替えるものとする。

４　都道府県知事は、前項において準用する第16条の３第４項の認定（前項において準用する第16条の４第１項の変更の認定を含む。）をしようとする場合において、その申請に係る利用拠点整備改善計画に記載された利用拠点整備改善事業として行う行為が第20条

第５項、第21条第５項又は第22条第５項の環境省令で定める行為に該当するときは、環境大臣に協議しなければならない。

〔改正〕

追加＝令３年５月法律29号

〔参照条文〕

第３項の「準用」＝規則９の７～の11

（報告徴収及び立入検査）

第17条　環境大臣は第10条第３項の認可を受けた者に対し、都道府県知事は第16条第３項の認可を受けた者に対し、この節の規定の施行に必要な限度において、その国立公園事業若しくは国定公園事業の執行状況その他必要な事項に関し報告を求め、又はその職員に、その国立公園事業若しくは国定公園事業に係る施設に立ち入り、設備、帳簿、書類その他の物件を検査させ、若しくは関係者に質問させることができる。

２　環境大臣又は都道府県知事は、この節の規定の施行に必要な限度において、第16条の３第４項（前条第３項において準用する場合を含む。）の認定（第16条の４第１項（前条第３項において準用する場合を含む。）の変更の認定を含む。）を受けた者に対し、当該認定を受けた利用拠点整備改善計画（変更があつたときは、その変更後のもの。以下「認定利用拠点整備改善計画」という。）の実施状況その他必要な事項に関し報告を求め、又はその職員に、認定利用拠点整備改善計画に係る土地若しくは建物内に立ち入り、認定利用拠点整備改善計画に係る建物、帳簿、書類その他の物件を検査させ、若しくは関係者に質問させることができる。

３　前２項の規定による立入検査をする職員は、その身分を示す証明書を携帯し、関係者に提示しなければならない。

４　第１項及び第２項の規定による権限は、犯罪捜査のために認められたものと解釈してはならない。

〔改正〕

追加＝平21年６月法律47号、一部改正＝令３年５月法律29号

〔参照条文〕

「証明書」の様式＝規則16　罰則＝法86一・87

（政令への委任）

第18条　この節に定めるもののほか、公園事業の執行に関し必要な事項は、政令で定める。

〔改正〕

追加＝平21年６月法律47号

（清潔の保持）

第19条　国又は地方公共団体は、国立公園又は国定公園内の道路、広場、キャンプ場、ス

キー場、水泳場その他の公共の場所について、必要があると認めるときは、当該公共の場所の管理者と協力して、その清潔を保持するものとする。

〔改正〕

旧第16条の２として追加＝昭45年12月法律140号、旧第12条に繰上＝平14年４月法律29号、本条に繰下＝平21年６月法律47号

〔参照条文〕

「清潔の保持」＝廃棄物の処理及び清掃に関する法律５

第４節　保護及び利用

旧第４節を旧第３節に繰上＝平14年４月法律29号、本節に繰下＝平21年６月法律47号

（特別地域）

第20条　環境大臣は国立公園について、都道府県知事は国定公園について、当該公園の風致を維持するため、公園計画に基づいて、その区域（海域を除く。）内に、特別地域を指定することができる。

２　第５条第３項及び第４項の規定は、特別地域の指定及び指定の解除並びにその区域の変更について準用する。この場合において、同条第３項中「環境大臣」とあるのは「環境大臣又は都道府県知事」と、「官報」とあるのは「それぞれ官報又は都道府県の公報」と読み替えるものとする。

３　特別地域（特別保護地区を除く。以下この条において同じ。）内においては、次の各号に掲げる行為は、国立公園にあつては環境大臣の、国定公園にあつては都道府県知事の許可を受けなければ、してはならない。ただし、非常災害のために必要な応急措置として行う行為又は第３号に掲げる行為で森林の整備及び保全を図るために行うものは、この限りでない。

一　工作物を新築し、改築し、又は増築すること。

二　木竹を伐採すること。

三　環境大臣が指定する区域内において木竹を損傷すること。

四　鉱物を掘採し、又は土石を採取すること。

五　河川、湖沼等の水位又は水量に増減を及ぼさせること。

六　環境大臣が指定する湖沼又は湿原及びこれらの周辺１キロメートルの区域内において当該湖沼若しくは湿原又はこれらに流水が流入する水域若しくは水路に汚水又は廃水を排水設備を設けて排出すること。

七　広告物その他これに類する物を掲出し、若しくは設置し、又は広告その他これに類するものを工作物等に表示すること。

八　屋外において土石その他の環境大臣が指定する物を集積し、又は貯蔵すること。

九　水面を埋め立て、又は干拓すること。

十　土地を開墾しその他土地の形状を変更すること。

十一　高山植物その他の植物で環境大臣が指定するものを採取し、又は損傷すること。

十二　環境大臣が指定する区域内において当該区域が本来の生育地でない植物で、当該区域における風致の維持に影響を及ぼすおそれがあるものとして環境大臣が指定するものを植栽し、又は当該植物の種子をまくこと。

十三　山岳に生息する動物その他の動物で環境大臣が指定するものを捕獲し、若しくは殺傷し、又は当該動物の卵を採取し、若しくは損傷すること。

十四　環境大臣が指定する区域内において当該区域が本来の生息地でない動物で、当該区域における風致の維持に影響を及ぼすおそれがあるものとして環境大臣が指定するものを放つこと（当該指定する動物が家畜である場合における当該家畜である動物の放牧を含む。）。

十五　屋根、壁面、塀、橋、鉄塔、送水管その他これらに類するものの色彩を変更すること。

十六　湿原その他これに類する地域のうち環境大臣が指定する区域内へ当該区域ごとに指定する期間内に立ち入ること。

十七　道路、広場、田、畑、牧場及び宅地以外の地域のうち環境大臣が指定する区域内において車馬若しくは動力船を使用し、又は航空機を着陸させること。

十八　前各号に掲げるもののほか、特別地域における風致の維持に影響を及ぼすおそれがある行為で政令で定めるもの

4　環境大臣又は都道府県知事は、前項各号に掲げる行為で環境省令で定める基準に適合しないものについては、同項の許可をしてはならない。

5　都道府県知事は、国定公園について第３項の許可をしようとする場合において、当該許可に係る行為が当該国定公園の風致に及ぼす影響その他の事情を考慮して環境省令で定める行為に該当するときは、環境大臣に協議しなければならない。

6　第３項の規定により同項各号に掲げる行為が規制されることとなつた時において既に当該行為に着手している者は、同項の規定にかかわらず、引き続き当該行為をすることができる。この場合において、その者は、その規制されることとなつた日から起算して３月以内に、国立公園にあつては環境大臣に、国定公園にあつては都道府県知事にその旨を届け出なければならない。

7　特別地域内において非常災害のために必要な応急措置として第３項各号に掲げる行為をした者は、その行為をした日から起算して14日以内に、国立公園にあつては環境大臣に、国定公園にあつては都道府県知事にその旨を届け出なければならない。

8　特別地域内において木竹の植栽又は家畜の放牧（第３項第12号又は第14号に掲げる行為に該当するものを除く。）をしようとする者は、あらかじめ、国立公園にあつては環境大臣に、国定公園にあつては都道府県知事にその旨を届け出なければならない。

9　次に掲げる行為については、第３項及び前３項の規定は、適用しない。

一　公園事業の執行又は認定利用拠点整備改善事業（認定利用拠点整備改善計画に係る利用拠点整備改善事業をいう。以下同じ。）として行う行為

二　認定生態系維持回復事業等（第39条第１項又は第41条第１項の規定により行われる生態系維持回復事業及び第39条第２項若しくは第41条第２項の確認又は第39条第３項若しくは第41条第３項の認定を受けた生態系維持回復事業をいう。以下同じ。）として行う行為

三　認定自然体験活動促進事業（第42条の６第１項に規定する認定自然体験活動促進計画に係る第42条の２第２項第２号に規定する自然体験活動促進事業をいう。以下同じ。）として行う行為

四　第43条第１項の規定により締結された風景地保護協定に基づいて同項第１号の風景地保護協定区域内で行う行為であつて、同項第２号又は第３号に掲げる事項に従つて行うもの

五　通常の管理行為、軽易な行為その他の行為であつて、環境省令で定めるもの

〔改正〕

旧第17条の一部改正＝昭45年５月法律61号・12月140号・46年５月88号・平２年６月26号・11年７月87号・12月160号、一部改正し旧第13条に繰上＝平14年４月法律29号、一部改正し本条に繰下＝平21年６月法律47号、一部改正＝平23年８月法律105号・令３年５月29号

〔委任〕

第３項第六号の「環境大臣が指定」＝昭46年環告42号等　第八号の「環境大臣が指定」＝平15年環告57号　第十三号の「環境大臣が指定」＝平18年環告97号　第十八号の「政令」＝令３　第４項の「環境省令」＝規則11・附則Ⅲ　第５項の「環境省令」＝規則11の３　第９項第五号の「環境省令」＝規則12

〔参照条文〕

「特別地域」の区分＝規則９の12　「指定」の協議＝法67Ⅰ　「指定」の経過規定＝法附則Ⅵ　「許可」の条件＝法32　行為の許可申請書＝規則10　中止命令等＝法34　報告徴収等＝法35　土地所有者等との協議＝規則11の２　不許可による損失補償＝法64　既着手行為等の届出書＝規則15の２　国に関する特例＝法68　都道府県が処理する事務＝法附則Ⅸ、令附則Ⅱ　罰則＝法82二・87

（特別保護地区）

第21条　環境大臣は国立公園について、都道府県知事は国定公園について、当該公園の景観を維持するため、特に必要があるときは、公園計画に基づいて、特別地域内に特別保護地区を指定することができる。

２　第５条第３項及び第４項の規定は、特別保護地区の指定及び指定の解除並びにその区域の変更について準用する。この場合において、同条第３項中「環境大臣」とあるのは「環境大臣又は都道府県知事」と、「官報」とあるのは「それぞれ官報又は都道府県の公報」と読み替えるものとする。

３　特別保護地区内においては、次の各号に掲げる行為は、国立公園にあつては環境大臣の、国定公園にあつては都道府県知事の許可を受けなければ、してはならない。ただし、非常災害のために必要な応急措置として行う行為は、この限りでない。

一　前条第３項第１号、第２号、第４号から第７号まで、第９号、第10号、第15号及び

第16号に掲げる行為

二　木竹を損傷すること。

三　木竹を植栽すること。

四　動物を放つこと（家畜の放牧を含む。）。

五　屋外において物を集積し、又は貯蔵すること。

六　火入れ又はたき火をすること。

七　木竹以外の植物を採取し、若しくは損傷し、又は落葉若しくは落枝を採取すること。

八　木竹以外の植物を植栽し、又は植物の種子をまくこと。

九　動物を捕獲し、若しくは殺傷し、又は動物の卵を採取し、若しくは損傷すること。

十　道路及び広場以外の地域内において車馬若しくは動力船を使用し、又は航空機を着陸させること。

十一　前各号に掲げるもののほか、特別保護地区における景観の維持に影響を及ぼすおそれがある行為で政令で定めるもの

4　環境大臣又は都道府県知事は、前項各号に掲げる行為で環境省令で定める基準に適合しないものについては、同項の許可をしてはならない。

5　都道府県知事は、国定公園について第３項の許可をしようとする場合において、当該許可に係る行為が当該国定公園の景観に及ぼす影響その他の事情を考慮して環境省令で定める行為に該当するときは、環境大臣に協議しなければならない。

6　第３項の規定により同項各号に掲げる行為が規制されることとなつた時において既に当該行為に着手している者は、同項の規定にかかわらず、引き続き当該行為をすることができる。この場合において、その者は、その規制されることとなつた日から起算して３月以内に、国立公園にあつては環境大臣に、国定公園にあつては都道府県知事にその旨を届け出なければならない。

7　特別保護地区内において非常災害のために必要な応急措置として第３項各号に掲げる行為をした者は、その行為をした日から起算して14日以内に、国立公園にあつては環境大臣に、国定公園にあつては都道府県知事にその旨を届け出なければならない。

8　次に掲げる行為については、第３項及び前２項の規定は、適用しない。

一　公園事業の執行又は認定利用拠点整備改善事業として行う行為

二　認定生態系維持回復事業等として行う行為

三　認定自然体験活動促進事業として行う行為

四　第43条第１項の規定により締結された風景地保護協定に基づいて同項第１号の風景地保護協定区域内で行う行為であつて、同項第２号又は第３号に掲げる事項に従つて行うもの

五　通常の管理行為、軽易な行為その他の行為であつて、環境省令で定めるもの

〔改正〕

旧第18条の一部改正＝昭45年12月法律140号・46年５月88号・平２年６月26号・11年７月87号・12月160号、一部改正し旧第14条に繰上＝平14年４月法律29号、一部改正し本条に繰下＝平21年６月法律47号、一部改正＝平23年８月法律105号・令３年５月29号

〔委任〕

第３項第十一号の「政令」＝令４　第４項の「環境省令」＝規則11　第５項の「環境省令」＝規則12の２　第８項第五号の「環境省令」＝規則13

〔参照条文〕

「指定」の協議＝法67Ⅰ　「指定」の経過規定＝法附則Ⅵ　「許可」の条件＝法32　行為の許可申請書＝規則10　中止命令等＝法34　報告徴収等＝法35　土地所有者等との協議＝規則11の２　不許可による損失補償＝法64　既着手行為等の届出書＝規則15の２　国に関する特例＝法68　罰則＝法82二・87

（海域公園地区）

第22条　環境大臣は国立公園について、都道府県知事は国定公園について、当該公園の海域の景観を維持するため、公園計画に基づいて、その区域の海域内に、海域公園地区を指定することができる。

２　第５条第３項及び第４項の規定は、海域公園地区の指定及び指定の解除並びにその区域の変更について準用する。この場合において、同条第３項中「環境大臣」とあるのは「環境大臣又は都道府県知事」と、「官報」とあるのは「それぞれ官報又は都道府県の公報」と読み替えるものとする。

３　海域公園地区内においては、次の各号に掲げる行為は、国立公園にあつては環境大臣の、国定公園にあつては都道府県知事の許可を受けなければ、してはならない。ただし、非常災害のために必要な応急措置として行う行為又は第１号、第４号、第５号及び第７号に掲げる行為で漁具の設置その他漁業を行うために必要とされるものは、この限りでない。

一　第20条第３項第１号、第４号及び第７号に掲げる行為

二　環境大臣が指定する区域内において、熱帯魚、さんご、海藻その他の動植物で、当該区域ごとに環境大臣が農林水産大臣の同意を得て指定するものを捕獲し、若しくは殺傷し、又は採取し、若しくは損傷すること。

三　海面を埋め立て、又は干拓すること。

四　海底の形状を変更すること。

五　物を係留すること。

六　汚水又は廃水を排水設備を設けて排出すること。

七　環境大臣が指定する区域内において当該区域ごとに指定する期間内に動力船を使用すること。

八　前各号に掲げるもののほか、海域公園地区における景観の維持に影響を及ぼすおそれがある行為で政令で定めるもの

４　環境大臣又は都道府県知事は、前項各号に掲げる行為で環境省令で定める基準に適合

しないものについては、同項の許可をしてはならない。

5　都道府県知事は、国定公園について第３項の許可をしようとする場合において、当該許可に係る行為が当該国定公園の海域の景観に及ぼす影響その他の事情を考慮して環境省令で定める行為に該当するときは、環境大臣に協議しなければならない。

6　第３項の規定により同項各号に掲げる行為が規制されることとなつた時において既に当該行為に着手している者は、同項の規定にかかわらず、引き続き当該行為をすることができる。この場合において、その者は、その規制されることとなつた日から起算して３月以内に、国立公園にあつては環境大臣に、国定公園にあつては都道府県知事にその旨を届け出なければならない。

7　海域公園地区内において非常災害のために必要な応急措置として第３項各号に掲げる行為をした者は、その行為をした日から起算して14日以内に、国立公園にあつては環境大臣に、国定公園にあつては都道府県知事にその旨を届け出なければならない。

8　次に掲げる行為については、第３項及び前２項の規定は、適用しない。

一　公園事業の執行又は認定利用拠点整備改善事業として行う行為

二　認定生態系維持回復事業等として行う行為

三　認定自然体験活動促進事業として行う行為

四　通常の管理行為、軽易な行為その他の行為であつて、環境省令で定めるもの

〔改正〕

追加＝平21年６月法律47号、一部改正＝平23年８月法律105号・令３年５月29号

〔委任〕

第４項の「環境省令」＝規則11　第５項の「環境省令」＝規則13の２　第８項第四号の「環境省令」＝規則13の３

〔参照条文〕

「許可」の条件＝法32　行為の許可申請書＝規則10　中止命令等＝法34　報告徴収等＝法35　既着手行為等の届出書＝規則15の２　国に関する特例＝法68　都道府県が処理する事務＝法附則Ⅸ、令附則Ⅱ　罰則＝法82二・87

（利用調整地区）

第23条　環境大臣は国立公園について、都道府県知事は国定公園について、当該公園の風致又は景観の維持とその適正な利用を図るため、特に必要があるときは、公園計画に基づいて、特別地域又は海域公園地区内に利用調整地区を指定することができる。

2　第５条第３項及び第４項の規定は、利用調整地区の指定及び指定の解除並びにその区域の変更について準用する。この場合において、同条第３項中「環境大臣」とあるのは「環境大臣又は都道府県知事」と、「官報」とあるのは「それぞれ官報又は都道府県の公報」と読み替えるものとする。

3　何人も、環境大臣が定める期間内は、次条第１項又は第７項の認定を受けてする立入りに該当する場合を除き、利用調整地区の区域内に立ち入つてはならない。ただし、次

に掲げる場合は、この限りでない。

一　第20条第３項、第21条第３項若しくは前条第３項の許可を受けた行為（第68条第１項後段の規定による協議に係る行為を含む。）又は第20条第６項後段若しくは第８項、第21条第６項後段若しくは前条第６項後段の届出をした行為（第68条第３項の規定による通知に係る行為を含む。）を行うために立ち入る場合

二　非常災害のために必要な応急措置を行うために立ち入る場合

三　公園事業を執行するため、又は認定利用拠点整備改善事業を行うために立ち入る場合

四　認定生態系維持回復事業等を行うために立ち入る場合

五　認定自然体験活動促進事業を行うために立ち入る場合

六　第43条第１項の規定により締結された風景地保護協定に基づいて同項第１号の風景地保護協定区域内で行う行為であつて、同項第２号又は第３号に掲げる事項に従つて行うものを行うために立ち入る場合

七　通常の管理行為、軽易な行為その他の行為であつて、環境省令で定めるものを行うために立ち入る場合

八　前各号に掲げるもののほか、環境大臣又は都道府県知事がやむを得ない事由があると認めて許可した場合

〔改正〕

旧第15条として追加＝平14年４月法律29号、一部改正し本条に繰下＝平21年６月法律47号、一部改正＝令３年５月法律29号

〔委任〕

第３項第七号の「環境省令」＝規則13の５

〔参照条文〕

「指定」の協議＝法67Ⅰ　土地所有者等との協議＝規則13の４　「許可」の条件＝法32　中止命令等＝法34　報告徴収等＝法35　国に関する特例＝法68　罰則＝法83三・87

（立入りの認定）

第24条　国立公園又は国定公園の利用者は、利用調整地区の区域内へ前条第３項に規定する期間内に立ち入ろうとするときは、次の各号のいずれにも適合していることについて、国立公園にあつては環境大臣の、国定公園にあつては都道府県知事の認定を受けなければならない。ただし、第７項の認定を受けて立ち入る場合は、この限りでない。

一　国立公園又は国定公園を利用する目的で立ち入るものであること。

二　風致又は景観の維持とその適正な利用に支障を及ぼすおそれがないものとして、環境省令で定める基準に適合するものであること。

２　前項の認定を受けようとする者は、環境省令で定めるところにより、国立公園にあつては環境大臣に、国定公園にあつては都道府県知事に認定の申請をしなければならない。

3　環境大臣又は都道府県知事は、第１項の認定の申請に係る立入りが同項各号のいずれにも適合していると認めるときは、同項の認定をするものとする。

4　環境大臣又は都道府県知事は、第１項の認定をしたときは、環境省令で定めるところにより、立入認定証を交付しなければならない。

5　第１項の認定を受けた者は、前項の立入認定証を亡失し、又はその立入認定証が滅失したときは、環境省令で定めるところにより、国立公園にあつては環境大臣に、国定公園にあつては都道府県知事に申請をして、その立入認定証の再交付を受けることができる。

6　第１項の認定を受けた者は、当該利用調整地区の区域内に立ち入るときは、第４項の立入認定証を携帯しなければならない。

7　国立公園又は国定公園の利用者であつて環境省令で定める要件に適合する者は、その監督の下に、他の利用者を利用調整地区の区域内へ前条第３項に規定する期間内に立ち入らせようとするときは、その者及びその者の監督の下に立ち入る者の立入りが第１項各号のいずれにも適合していることについて、国立公園にあつては環境大臣の、国定公園にあつては都道府県知事の認定を受けることができる。

8　第２項から第６項までの規定は、前項の認定について準用する。この場合において、第５項中「亡失し」とあるのは「その者若しくはその者の監督の下に立ち入る者が亡失し」と、第６項中「受けた者」とあるのは「受けた者及びその者の監督の下に立ち入る者」と読み替えるものとする。

〔改正〕

旧第16条として追加＝平14年４月法律29号、一部改正し本条に繰下＝平21年６月法律47号

〔委任〕

第１項第二号の「環境省令」＝規則13の６　第２項の「環境省令」＝規則13の７　第４項の「環境省令」＝規則13の８　第５項の「環境省令」＝規則13の９　第７項の「環境省令」＝規則13の10

〔参照条文〕

「認定」の手数料＝法31　罰則＝法83四・86二・87・89

（指定認定機関）

第25条　環境大臣は国立公園について、都道府県知事は国定公園について、その指定する者（以下「指定認定機関」という。）に、前条に規定する環境大臣又は都道府県知事の事務（以下「認定関係事務」という。）の全部又は一部を行わせることができる。

2　指定認定機関の指定（以下この条から第29条までにおいて単に「指定」という。）は、認定関係事務を行おうとする者の申請により行う。

3　次の各号のいずれかに該当する者は、指定を受けることができない。

一　未成年者

二　心身の故障によりその認定関係事務を適確に行うことができない者として環境省令

で定める者

三　破産手続開始の決定を受けて復権を得ない者

四　禁錮以上の刑に処せられ、又はこの法律若しくは自然環境保全法の規定により刑に処せられ、その執行を終わり、又は執行を受けることがなくなつた日から起算して２年を経過しない者

五　第29条第２項又は第３項の規定により指定を取り消され、その取消しの日から起算して２年を経過しない者

六　法人であつて、その役員のうちに前各号のいずれかに該当する者があるもの

4　環境大臣又は都道府県知事は、指定をしたときは、指定に係る利用調整地区に関する認定関係事務を行わないものとする。

5　環境大臣又は都道府県知事は、指定をしたときは、その旨をそれぞれ官報又は都道府県の公報で公示しなければならない。

6　指定認定機関がその認定関係事務を行う場合における前条の規定の適用については、同条第１項及び第７項中「国立公園にあつては環境大臣の、国定公園にあつては都道府県知事」とあり、同条第２項及び第５項（これらの規定を同条第８項において準用する場合を含む。）中「国立公園にあつては環境大臣に、国定公園にあつては都道府県知事」とあり、並びに同条第３項及び第４項（これらの規定を同条第８項において準用する場合を含む。）中「環境大臣又は都道府県知事」とあるのは、「指定認定機関」とする。

〔改正〕

旧第17条として追加＝平14年４月法律29号、一部改正し本条に繰下＝平21年６月法律47号、一部改正＝令元年６月法律37号

〔委任〕

第３項第二号の「環境省令」＝規則13の12

〔参照条文〕

「指定」の申請＝規則13の11

（指定の基準）

第26条　環境大臣又は都道府県知事は、前条第２項の申請に係る利用調整地区につき他に指定認定機関の指定を受けた者がなく、かつ、当該申請が次に掲げる基準に適合していると認めるときでなければ、指定をしてはならない。

一　職員、認定関係事務の実施の方法その他の事項についての認定関係事務の実施に関する計画が、認定関係事務の適確な実施のために適切なものであること。

二　前号の認定関係事務の実施に関する計画を適確に実施するに足りる経理的及び技術的な基礎を有するものであること。

三　認定関係事務以外の業務を行つている場合には、その業務を行うことによつて認定関係事務の公正な実施に支障を及ぼすおそれがないものであること。

四　前３号に定めるもののほか、認定関係事務を公正かつ適確に行うことができるものであること。

〔改正〕

旧第18条として追加＝平14年４月法律29号、本条に繰下＝平21年６月法律47号

（指定認定機関の遵守事項）

第27条　指定認定機関は、その認定関係事務の開始前に、環境省令で定めるところにより、その認定関係事務の実施に関する規程を定め、環境大臣又は都道府県知事の認可を受けなければならない。これを変更しようとするときも、同様とする。

2　指定認定機関は、毎事業年度の事業計画及び収支予算を作成し、その事業年度の開始前に（指定を受けた日の属する事業年度にあつては、指定を受けた後遅滞なく）環境大臣又は都道府県知事の認可を受けなければならない。これを変更しようとするときも、同様とする。

3　指定認定機関は、毎事業年度の経過後３月以内に、その事業年度の事業報告書及び収支決算書を作成し、環境大臣又は都道府県知事に提出しなければならない。

4　指定認定機関は、環境大臣又は都道府県知事の許可を受けなければ、その認定関係事務の全部又は一部を休止し、又は廃止してはならない。

5　環境大臣又は都道府県知事は、指定認定機関が前項の許可を受けてその認定関係事務の全部若しくは一部を休止したとき、又は指定認定機関が天災その他の事由によりその認定関係事務の全部若しくは一部を実施することが困難となつた場合において必要があると認めるときは、その認定関係事務の全部又は一部を自ら行うものとする。

6　環境大臣若しくは都道府県知事が前項の規定により認定関係事務の全部若しくは一部を自ら行う場合、指定認定機関が第４項の許可を受けてその認定関係事務の全部若しくは一部を廃止する場合又は環境大臣若しくは都道府県知事が第29条第２項若しくは第３項の規定により指定を取り消した場合における認定関係事務の引継ぎその他の必要な事項は、環境省令で定める。

〔改正〕

旧第19条として追加＝平14年４月法律29号、一部改正し本条に繰下＝平21年６月法律47号

〔委任〕

第１項の「環境省令」＝規則13の13　第６項の「環境省令」＝規則13の16

〔参照条文〕

事業計画等の「認可」の申請＝規則13の14　「許可」の申請＝規則13の15　罰則＝86三・87

（秘密保持義務等）

第28条　指定認定機関（その者が法人である場合にあつては、その役員。次項において同じ。）及びその職員並びにこれらの者であつた者は、認定関係事務に関して知り得た秘密を漏らし、又は自己の利益のために使用してはならない。

２　指定認定機関及びその職員で認定関係事務に従事する者は、刑法（明治40年法律第45号）その他の罰則の適用については、法令により公務に従事する職員とみなす。

〔改正〕

旧第20条として追加＝平14年４月法律29号、本条に繰下＝平21年６月法律47号

〔参照条文〕

罰則＝法84

（指定認定機関に対する監督命令等）

第29条　環境大臣又は都道府県知事は、第24条から第31条までの規定の施行に必要な限度において、指定認定機関に対し、認定関係事務に関し監督上必要な命令をすることができる。

２　環境大臣又は都道府県知事は、指定認定機関が第25条第３項各号（第５号を除く。）のいずれかに該当するに至つたときは、指定を取り消さなければならない。

３　環境大臣又は都道府県知事は、指定認定機関が第27条の規定に違反したとき、同条第１項の規程によらないでその認定関係事務を実施したとき、第１項の規定による命令に違反したとき、その他その認定関係事務を適正かつ確実に実施することができないと認めるときは、指定を取り消すことができる。

４　第25条第５項の規定は、前２項の規定による指定の取消しについて準用する。

〔改正〕

旧第21条として追加＝平14年４月法律29号、一部改正し本条に繰下＝平21年６月法律47号、一部改正＝令元年６月法律37号

（報告徴収及び立入検査）

第30条　環境大臣又は都道府県知事は、第24条から次条までの規定の施行に必要な限度において、指定認定機関に対し、その認定関係事務に関し報告を求め、又はその職員に、指定認定機関の事務所に立ち入り、指定認定機関の帳簿、書類その他必要な物件を検査させ、若しくは関係者に質問させることができる。

２　前項の規定による立入検査をする職員は、その身分を示す証明書を携帯し、関係者に提示しなければならない。

３　第１項の規定による権限は、犯罪捜査のために認められたものと解釈してはならない。

〔改正〕

旧第22条として追加＝平14年４月法律29号、一部改正し本条に繰下＝平21年６月法律47号

〔参照条文〕

「証明書」の様式＝規則16　罰則＝法86一・87

（手数料）

第31条　国立公園について第24条第１項若しくは第７項の認定又は同条第５項（同条第８項において準用する場合を含む。）の立入認定証の再交付を受けようとする者は、実費を

勘案して政令で定める額の手数料を国（指定認定機関が認定関係事務を行う場合にあつては、指定認定機関）に納めなければならない。

2　都道府県は、地方自治法（昭和22年法律第67号）第227条の規定に基づき第24条第1項若しくは第7項の認定又は同条第5項（同条第8項において準用する場合を含む。）の立入認定証の再交付に係る手数料を徴収する場合においては、第25条の規定により指定認定機関が行う認定又は立入認定証の再交付を受けようとする者に、条例で定めるところにより、当該手数料を当該指定認定機関に納めさせることができる。

3　前2項の規定により指定認定機関に納められた手数料は、当該指定認定機関の収入とする。

〔改正〕

旧第23条として追加＝平14年4月法律29号、旧第24条を削り一部改正し本条に繰下＝平21年6月法律47号

〔委任〕

第1項の「政令」＝令5

〔参照条文〕

「手数料」の納付＝規則13の16

（条件）

第32条　第20条第3項、第21条第3項、第22条第3項及び第23条第3項第8号の許可には、国立公園又は国定公園の風致又は景観を保護するために必要な限度において、条件を付することができる。

〔改正〕

旧第19条の一部改正＝昭45年5月法律61号、一部改正し旧第25条に繰下＝平14年4月法律29号、一部改正し本条に繰下＝平21年6月法律47号、一部改正＝令3年5月法律29号

〔参照条文〕

中止命令等＝法34　「条件」による損失補償＝法64　都道府県が処理する事務＝法附則Ⅸ、令附則Ⅱ　罰則＝法83五・87

（普通地域）

第33条　国立公園又は国定公園の区域のうち特別地域及び海域公園地区に含まれない区域（以下「普通地域」という。）内において、次に掲げる行為をしようとする者は、国立公園にあつては環境大臣に対し、国定公園にあつては都道府県知事に対し、環境省令で定めるところにより、行為の種類、場所、施行方法及び着手予定日その他環境省令で定める事項を届け出なければならない。ただし、第1号、第3号、第5号及び第7号に掲げる行為で海域内において漁具の設置その他漁業を行うために必要とされるものをしようとする者は、この限りでない。

一　その規模が環境省令で定める基準を超える工作物を新築し、改築し、又は増築すること（改築又は増築後において、その規模が環境省令で定める基準を超えるものとなる場合における改築又は増築を含む。）。

二　特別地域内の河川、湖沼等の水位又は水量に増減を及ぼさせること。
三　広告物その他これに類する物を掲出し、若しくは設置し、又は広告その他これに類するものを工作物等に表示すること。
四　水面を埋め立て、又は干拓すること。
五　鉱物を掘採し、又は土石を採取すること（海域内においては、海域公園地区の周辺１キロメートルの当該海域公園地区に接続する海域内においてする場合に限る。）。
六　土地の形状を変更すること。
七　海底の形状を変更すること（海域公園地区の周辺１キロメートルの当該海域公園地区に接続する海域内においてする場合に限る。）。

2　環境大臣は国立公園について、都道府県知事は国定公園について、当該公園の風景を保護するために必要があると認めるときは、普通地域内において前項の規定により届出を要する行為をしようとする者又はした者に対して、その風景を保護するために必要な限度において、当該行為を禁止し、若しくは制限し、又は必要な措置を執るべき旨を命ずることができる。

3　前項の処分は、第１項の届出をした者に対しては、その届出があつた日から起算して30日以内に限り、することができる。

4　環境大臣又は都道府県知事は、第１項の届出があつた場合において、実地の調査をする必要があるとき、その他前項の期間内に第２項の処分をすることができない合理的な理由があるときは、その理由が存続する間、前項の期間を延長することができる。この場合においては、同項の期間内に、第１項の届出をした者に対し、その旨及び期間を延長する理由を通知しなければならない。

5　第１項の届出をした者は、その届出をした日から起算して30日を経過した後でなければ、当該届出に係る行為に着手してはならない。

6　環境大臣は国立公園について、都道府県知事は国定公園について、当該公園の風景の保護に支障を及ぼすおそれがないと認めるときは、前項の期間を短縮することができる。

7　次に掲げる行為については、第１項及び第２項の規定は、適用しない。
一　公園事業の執行又は認定利用拠点整備改善事業として行う行為
二　認定生態系維持回復事業等として行う行為
三　認定自然体験活動促進事業として行う行為
四　第43条第１項の規定により締結された風景地保護協定に基づいて同項第１号の風景地保護協定区域内で行う行為であつて、同項第２号又は第３号に掲げる事項に従つて行うもの
五　通常の管理行為、軽易な行為その他の行為であつて、環境省令で定めるもの
六　国立公園、国定公園若しくは海域公園地区が指定され、又はその区域が拡張された

際既に着手していた行為

七　非常災害のために必要な応急措置として行う行為

〔改正〕

旧第20条の一部改正＝昭45年５月法律61号・46年５月88号・48年９月73号・平11年７月87号・12月160号、一部改正し旧第26条に繰下＝平14年４月法律29号、一部改正し本条に繰下＝平21年６月法律47号、一部改正＝令３年５月法律29号

〔委任〕

第１項本文の「環境省令で定めるところ」＝規則13の18ⅠⅡ、「環境省令で定める事項」＝規則13の18Ⅲ　第一号の「環境省令」＝規則14　第７項第五号の「環境省令」＝規則15

〔参照条文〕

報告徴収等＝法35　処分による損失の補償＝法64　国に関する特例＝法68ⅢⅣ　都道府県が処理する事務＝法附則Ⅸ、令附則Ⅱ　罰則＝法85・86四五・87

（中止命令等）

第34条　環境大臣は国立公園について、都道府県知事は国定公園について、当該公園の保護のために必要があると認めるときは、第20条第３項、第21条第３項、第22条第３項若しくは第23条第３項の規定、第32条の規定により許可に付された条件又は前条第２項の規定による処分に違反した者に対して、その保護のために必要な限度において、その行為の中止を命じ、又はこれらの者若しくはこれらの者から当該土地、建築物その他の工作物若しくは物件についての権利を承継した者に対して、相当の期限を定めて、原状回復を命じ、若しくは原状回復が著しく困難である場合に、これに代わるべき必要な措置を執るべき旨を命ずることができる。

2　前項の規定により原状回復又はこれに代わるべき必要な措置（以下この条において「原状回復等」という。）を命じようとする場合において、過失がなくて当該原状回復等を命ずべき者を確知することができないときは、環境大臣又は都道府県知事は、その者の負担において、当該原状回復等を自ら行い、又はその命じた者若しくは委任した者にこれを行わせることができる。この場合においては、相当の期限を定めて、当該原状回復等を行うべき旨及びその期限までに当該原状回復等を行わないときは、環境大臣若しくは都道府県知事又はその命じた者若しくは委任した者が当該原状回復等を行う旨をあらかじめ公告しなければならない。

3　前項の規定により原状回復等を行おうとする者は、その身分を示す証明書を携帯し、関係者に提示しなければならない。

〔改正〕

旧第21条の一部改正＝昭45年５月法律61号・46年５月88号・平11年12月160号、一部改正し旧第27条に繰下＝平14年４月法律29号、一部改正し本条に繰下＝平21年６月法律47号

〔参照条文〕

立入検査＝法35　都道府県が処理する事務＝法附則Ⅸ、令附則Ⅱ　関連規定＝行政代執行法２　罰則＝法82一・87

（報告徴収及び立入検査）

第35条　環境大臣は国立公園について、都道府県知事は国定公園について、当該公園の保護のために必要があると認めるときは、第20条第３項、第21条第３項、第22条第３項若しくは第23条第３項第８号の規定による許可を受けた者又は第33条第２項の規定により行為を制限され、若しくは必要な措置を執るべき旨を命ぜられた者に対して、当該行為の実施状況その他必要な事項について報告を求めることができる。

２　環境大臣は国立公園について、都道府県知事は国定公園について、第20条第３項、第21条第３項、第22条第３項、第23条第３項第８号、第33条第２項又は前条の規定による処分をするために必要があると認めるときは、その必要な限度において、その職員に、当該公園の区域内の土地若しくは建物内に立ち入り、第20条第３項各号、第21条第３項各号、第22条第３項各号、第23条第３項第８号若しくは第33条第１項各号に掲げる行為の実施状況を検査させ、又はこれらの行為の風景に及ぼす影響を調査させることができる。

３　前項の規定による立入検査又は立入調査をする職員は、その身分を示す証明書を携帯し、関係者に提示しなければならない。

４　第１項及び第２項の権限は、犯罪捜査のために認められたものと解してはならない。

〔改正〕

旧第22条の一部改正＝昭45年５月法律61号・46年５月88号・平11年７月87号・12月160号、一部改正し旧第28条に繰下＝平14年４月法律29号、一部改正し本条に繰下＝平21年６月法律47号、一部改正＝令３年５月法律29号

〔参照条文〕

第３項の「証明書」の様式＝規則16　都道府県が処理する事務＝法附則Ⅸ、令附則Ⅱ　罰則＝法86六七・87

（集団施設地区）

第36条　環境大臣は国立公園について、都道府県知事は国定公園について、当該公園の利用のための施設を集団的に整備するため、公園計画に基づいて、その区域内に集団施設地区を指定するものとする。

２　第５条第３項及び第４項の規定は、集団施設地区の指定及び指定の解除並びにその区域の変更について準用する。この場合において、同条第３項中「環境大臣」とあるのは「環境大臣又は都道府県知事」と、「官報」とあるのは「それぞれ官報又は都道府県の公報」と読み替えるものとする。

〔改正〕

旧第23条の一部改正＝昭46年５月法律88号・平11年７月87号・12月160号、一部改正し旧第29条に繰下＝平14年４月法律29号、本条に繰下＝平21年６月法律47号

（利用のための規制）

第37条　国立公園又は国定公園の特別地域、海域公園地区又は集団施設地区内においては、何人も、みだりに次に掲げる行為をしてはならない。

一　当該国立公園又は国定公園の利用者に著しく不快の念を起こさせるような方法で、

ごみその他の汚物又は廃物を捨て、又は放置すること。

二　著しく悪臭を発散させ、拡声機、ラジオ等により著しく騒音を発し、展望所、休憩所等をほしいままに占拠し、嫌悪の情を催させるような仕方で客引きをし、その他当該国立公園又は国定公園の利用者に著しく迷惑をかけること。

三　野生動物（鳥類又は哺乳類に属するものに限る。以下この号において同じ。）に餌を与えることその他の野生動物の生態に影響を及ぼす行為で政令で定めるものであつて、当該国立公園又は国定公園の利用に支障を及ぼすおそれのあるものを行うこと。

2　国又は都道府県の当該職員は、特別地域、海域公園地区又は集団施設地区内において前項第２号又は第３号に掲げる行為をしている者があるときは、その行為をやめるべきことを指示することができる。

3　前項に規定する職員は、その身分を示す証明書を携帯し、関係者に提示しなければならない。

〔改正〕

旧第24条の一部改正＝昭45年５月法律61号、一部改正し旧第30条に繰下＝平14年４月法律29号、一部改正し本条に繰下＝平21年６月法律47号、一部改正＝令３年５月法律29号

〔委任〕

第１項第三号の「政令」＝令６

〔参照条文〕

第３項の「証明書」の様式＝規則16　罰則＝法86八九・87

第５節　生態系維持回復事業

本節追加＝平21年６月法律47号

（生態系維持回復事業計画）

第38条　環境大臣及び生態系維持回復事業を行おうとする国の機関の長（以下この条において「環境大臣等」という。）は、国立公園における生態系維持回復事業の適正かつ効果的な実施に資するため、公園計画に基づき、審議会の意見を聴いて、国立公園における生態系維持回復事業に関する計画（以下「生態系維持回復事業計画」という。）を定めるものとする。

2　都道府県知事は、国定公園における生態系維持回復事業の適正かつ効果的な実施に資するため、公園計画に基づき、国定公園における生態系維持回復事業計画を定めることができる。

3　生態系維持回復事業計画においては、次に掲げる事項を定めるものとする。

一　生態系維持回復事業の目標

二　生態系維持回復事業を行う区域

三　生態系維持回復事業の内容

四　前３号に掲げるもののほか、生態系維持回復事業が適正かつ効果的に実施されるために必要な事項

４　環境大臣等又は都道府県知事は、生態系維持回復事業計画を定めたときは、その概要を公示しなければならない。

５　環境大臣等は、生態系維持回復事業計画を廃止し、又は変更しようとするときは、審議会の意見を聴かなければならない。

６　第４項の規定は、環境大臣等又は都道府県知事が生態系維持回復事業計画を廃止し、又は変更したときについて準用する。

（国立公園における生態系維持回復事業）

第39条　国は、国立公園内の自然の風景地の保護のため生態系の維持又は回復を図る必要があると認めるときは、国立公園における生態系維持回復事業計画に従つて生態系維持回復事業を行うものとする。

２　地方公共団体は、環境省令で定めるところにより、その行う生態系維持回復事業について国立公園における生態系維持回復事業計画に適合する旨の環境大臣の確認を受けて、当該生態系維持回復事業計画に従つてその生態系維持回復事業を行うことができる。

３　国及び地方公共団体以外の者は、環境省令で定めるところにより、その行う生態系維持回復事業について、その者がその生態系維持回復事業を適正かつ確実に実施することができ、及びその生態系維持回復事業が国立公園における生態系維持回復事業計画に適合する旨の環境大臣の認定を受けて、当該生態系維持回復事業計画に従つてその生態系維持回復事業を行うことができる。

４　第２項の確認又は前項の認定を受けようとする者は、環境省令で定めるところにより、次に掲げる事項を記載した申請書を環境大臣に提出しなければならない。

一　氏名又は名称及び住所並びに法人にあつては、その代表者の氏名

二　生態系維持回復事業を行う区域

三　生態系維持回復事業の内容

四　前３号に掲げるもののほか、環境省令で定める事項

５　前項の申請書には、生態系維持回復事業を行う区域を示す図面その他の環境省令で定める書類を添付しなければならない。

６　第２項の確認又は第３項の認定を受けた者は、第４項各号に掲げる事項を変更しようとするときは、地方公共団体にあつては環境大臣の確認を、国及び地方公共団体以外の者にあつては環境大臣の認定を受けなければならない。ただし、環境省令で定める軽微な変更については、この限りでない。

７　前項の確認又は同項の認定を受けようとする者は、環境省令で定めるところにより、変更に係る事項を記載した申請書を環境大臣に提出しなければならない。

８　第５項の規定は、前項の申請書について準用する。

９　第２項の確認又は第３項の認定を受けた者は、第６項ただし書の環境省令で定める軽

微な変更をしたときは、遅滞なく、その旨を環境大臣に届け出なければならない。

〔委任〕

第２項の「環境省令」＝規則15の４　第３項の「環境省令」＝規則15の５　第４項本文の「環境省令」＝規則15の６Ⅰ　第四号の「環境省令」＝規則15の６Ⅱ　第５項の「環境省令」＝規則15の６Ⅲ　第６項ただし書の「環境省令」＝規則15の７　第７項の「環境省令」＝規則15の８

（認定の取消し）

第40条　環境大臣は、前条第３項の認定を受けた者が次の各号のいずれかに該当するときは、同項の認定を取り消すことができる。

一　国立公園における生態系維持回復事業計画に従つて生態系維持回復事業を行つていないと認めるとき。

二　その生態系維持回復事業を適正かつ確実に行うことができなくなつたと認めるとき。

三　前条第６項又は第９項の規定に違反したとき。

四　第42条の規定による報告をせず、又は虚偽の報告をしたとき。

五　偽りその他の不正の手段により前条第３項又は第６項の認定を受けたとき。

（国定公園における生態系維持回復事業）

第41条　都道府県は、国定公園内の自然の風景地の保護のため生態系の維持又は回復を図る必要があると認めるときは、国定公園における生態系維持回復事業計画に従つて生態系維持回復事業を行うことができる。

2　国及び都道府県以外の地方公共団体は、環境省令で定めるところにより、その行う生態系維持回復事業について国定公園における生態系維持回復事業計画に適合する旨の都道府県知事の確認を受けて、当該生態系維持回復事業計画に従つてその生態系維持回復事業を行うことができる。

3　国及び地方公共団体以外の者は、環境省令で定めるところにより、その行う生態系維持回復事業について、その者がその生態系維持回復事業を適正かつ確実に実施することができ、及びその生態系維持回復事業が国定公園における生態系維持回復事業計画に適合する旨の都道府県知事の認定を受けて、当該生態系維持回復事業計画に従つてその生態系維持回復事業を行うことができる。

4　第39条第４項及び第５項の規定は第２項の確認及び前項の認定について、同条第６項から第９項までの規定は第２項の確認を受けた者について、同条第６項から第９項まで及び前条の規定は前項の認定を受けた者について準用する。この場合において、これらの規定中「環境大臣」とあるのは「都道府県知事」と、前条第１号中「国立公園」とあるのは「国定公園」と読み替えるものとする。

〔委任〕

第２・３項の「環境省令」＝規則15の９

（報告徴収）

第42条　環境大臣は第39条第３項の認定を受けた者に対し、都道府県知事は前条第３項の認定を受けた者に対し、その生態系維持回復事業の実施状況その他必要な事項に関し報告を求めることができる。

第５節の２　質の高い自然体験活動の促進のための措置

本節追加＝令３年５月法律29号

（協議会）

第42条の２　国立公園の区域をその区域に含む市町村又は都道府県は、市町村にあつては単独で又は共同して、都道府県にあつては当該都道府県の区域内の市町村であつて当該国立公園の区域をその区域に含むものと共同して、当該国立公園の区域について、質の高い自然体験活動の促進に関し必要な協議を行うための協議会を組織することができる。

２　前項に規定する協議会は、次に掲げる者をもつて構成する。

一　市町村のみが組織する場合にあつては当該市町村、市町村及び都道府県が共同して組織する場合にあつては当該市町村及び都道府県

二　当該国立公園の区域内において自然体験活動の促進に関する事業（以下「自然体験活動促進事業」という。）を実施し、又は実施すると見込まれる者

三　当該市町村の区域内の施設、土地又は木竹であつて自然体験活動促進事業に係るものの所有者、使用及び収益を目的とする権利を有する者又は管理者

四　その他当該市町村又は都道府県が必要と認める者

３　第16条の２第３項から第９項までの規定は、第１項に規定する協議会について準用する。この場合において、同条第３項中「国立公園事業を執行し、又は執行しようとする者は、当該国立公園事業に係る施設の整備改善を含む地域における利用拠点の質の向上のための整備改善」とあるのは「自然体験活動促進事業を実施し、又は実施しようとする者は、当該自然体験活動促進事業を実施し、又は実施しようとする地域における質の高い自然体験活動の促進」と、同条第４項中「第１項」とあるのは「第42条の２第１項」と、同条第５項中「当該利用拠点区域内において国立公園事業を執行し、又は執行しようとする者及び第２項第３号」とあるのは「当該国立公園の区域内において自然体験活動促進事業を実施し、又は実施しようとする者及び第42条の２第２項第３号」と読み替えるものとする。

〔参照条文〕

「協議会」の公表＝規則15の10

第42条の３　国定公園の区域をその区域に含む市町村は、単独で又は共同して、当該国定公園の区域について、質の高い自然体験活動の促進に関し必要な協議を行うための協議会を組織することができる。

２　前項に規定する協議会は、次に掲げる者をもつて構成する。

一　当該市町村

二　当該国定公園の区域内において自然体験活動促進事業を実施し、又は実施すると見込まれる者

三　当該市町村の区域内の施設、土地又は木竹であつて自然体験活動促進事業に係るものの所有者、使用及び収益を目的とする権利を有する者又は管理者

四　その他当該市町村が必要と認める者

3　第16条の２第３項から第９項までの規定は、第１項に規定する協議会について準用する。この場合において、同条第３項中「国立公園の」とあるのは「国定公園の」と、「国立公園事業を執行し、又は執行しようとする者は、当該国立公園事業に係る施設の整備改善を含む地域における利用拠点の質の向上のための整備改善」とあるのは「自然体験活動促進事業を実施し、又は実施しようとする者は、当該自然体験活動促進事業を実施し、又は実施しようとする地域における質の高い自然体験活動の促進」と、同項から同条第６項までの規定中「市町村又は都道府県」とあるのは「市町村」と、同条第４項中「第１項」とあるのは「第42条の３第１項」と、同条第５項中「当該利用拠点区域内において国立公園事業を執行し、又は執行しようとする者及び第２項第３号」とあるのは「当該国定公園の区域内において自然体験活動促進事業を実施し、又は実施しようとする者及び第42条の３第２項第３号」と読み替えるものとする。

（自然体験活動促進計画の認定）

第42条の４　第42条の２第１項又は前条第１項に規定する協議会（以下この項及び次条第１項において単に「協議会」という。）において、公園計画に基づき、環境省令で定めるところにより、当該協議会の構成員である市町村の区域内の国立公園又は国定公園の区域について、質の高い自然体験活動の促進に関する計画（以下「自然体験活動促進計画」という。）を作成したときは、当該協議会の構成員である市町村又は都道府県及び当該自然体験活動促進計画に記載された自然体験活動促進事業を実施しようとする者は、共同で、国立公園にあつては環境大臣の、国定公園にあつては都道府県知事の認定を申請することができる。

2　自然体験活動促進計画には、次に掲げる事項を記載するものとする。

一　自然体験活動促進計画の区域（以下この条において「計画区域」という。）

二　計画区域における質の高い自然体験活動の促進に関する基本的な方針

三　自然体験活動促進計画の目標

四　前号の目標を達成するために行う自然体験活動促進事業の内容及び実施主体

五　計画期間

六　その他環境省令で定める事項

3　環境大臣又は都道府県知事は、第１項の規定による認定の申請があつた場合において、当該申請に係る自然体験活動促進計画が次の各号のいずれにも適合するものである

と認めるときは、その認定をするものとする。

一　公園計画に照らして適切なものであること。

二　当該自然体験活動促進計画の実施が計画区域における質の高い自然体験活動の促進に寄与するものであると認められること。

三　当該公園の保護に支障を及ぼすおそれがないものであること。

四　円滑かつ確実に実施されると見込まれるものであること。

4　都道府県知事は、前項の認定をしようとする場合において、その申請に係る自然体験活動促進計画に記載された自然体験活動促進事業として行う行為が第20条第５項、第21条第５項又は第22条第５項の環境省令で定める行為に該当するときは、環境大臣に協議しなければならない。

5　環境大臣又は都道府県知事は、当該公園の保護又は利用のため必要があると認めるときは、その必要な限度において、第３項の認定に条件を付し、及びこれを変更することができる。

6　環境大臣又は都道府県知事は、第３項の認定をしたときは、環境省令で定めるところにより、当該認定に係る自然体験活動促進計画の概要を公表しなければならない。

〔委任〕

第１項の「環境省令」＝規則15の11　第２項第六号の「環境省令」＝規則15の12　第６項の「環境省令」＝規則15の13

（認定を受けた自然体験活動促進計画の変更）

第42条の５　前条第３項の認定を受けた自然体験活動促進計画の変更をしようとするときは、協議会において当該変更に係る自然体験活動促進計画を作成し、当該協議会の構成員である市町村又は都道府県及び当該自然体験活動促進計画に記載された自然体験活動促進事業を実施しようとする者は、共同で、国立公園にあつては環境大臣の、国定公園にあつては都道府県知事の認定を受けなければならない。ただし、環境省令で定める軽微な変更については、この限りでない。

2　前条第３項の認定（前項の変更の認定を含む。以下同じ。）を受けた者は、前項ただし書の環境省令で定める軽微な変更をしたときは、遅滞なく、その旨を、国立公園にあつては環境大臣に、国定公園にあつては都道府県知事に届け出なければならない。

3　前条第３項から第６項までの規定は、第１項の変更の認定について準用する。

〔委任〕

第１項ただし書の「環境省令」＝規則15の14

（認定の取消し）

第42条の６　環境大臣又は都道府県知事は、第42条の４第３項の認定を受けた自然体験活動促進計画（変更があつたときは、その変更後のもの。次条第１項において「認定自然体験活動促進計画」という。）が第42条の４第３項各号のいずれかに適合しなくなつたと認めるときは、その認定を取り消すことができる。

2　環境大臣又は都道府県知事は、前項の規定により認定を取り消したときは、遅滞なく、その旨を公表するものとする。

（報告徴収及び立入検査）

第42条の7　環境大臣又は都道府県知事は、この節の規定の施行に必要な限度において、第42条の4第3項の認定を受けた者に対し、認定自然体験活動促進計画の実施状況その他必要な事項に関し報告を求め、又はその職員に、認定自然体験活動促進計画に係る土地若しくは建物内に立ち入り、認定自然体験活動促進計画に係る工作物、書類その他の物件を検査させ、若しくは関係者に質問させることができる。

2　前項の規定による立入検査をする職員は、その身分を示す証明書を携帯し、関係者に提示しなければならない。

3　第1項の規定による権限は、犯罪捜査のために認められたものと解釈してはならない。

〔参照条文〕

第2項の「証明書」の様式＝規則16　罰則＝法86一・87

第6節　風景地保護協定

旧第4節として追加＝平14年4月法律29号、本節に繰下＝平21年6月法律47号

（風景地保護協定の締結等）

第43条　環境大臣若しくは地方公共団体又は第49条第1項の規定により指定された公園管理団体で第50条第1項第1号に掲げる業務のうち風景地保護協定に基づく自然の風景地の管理に関するものを行うものは、国立公園又は国定公園内の自然の風景地の保護のため必要があると認めるときは、当該公園の区域（海域を除く。）内の土地又は木竹の所有者又は使用及び収益を目的とする権利（臨時設備その他一時使用のため設定されたことが明らかなものを除く。）を有する者（以下「土地の所有者等」と総称する。）と次に掲げる事項を定めた協定（以下「風景地保護協定」という。）を締結して、当該土地の区域内の自然の風景地の管理を行うことができる。

一　風景地保護協定の目的となる土地の区域（以下「風景地保護協定区域」という。）

二　風景地保護協定区域内の自然の風景地の管理の方法に関する事項

三　風景地保護協定区域内の自然の風景地の保護に関連して必要とされる施設の整備が必要な場合にあつては、当該施設の整備に関する事項

四　風景地保護協定の有効期間

五　風景地保護協定に違反した場合の措置

2　風景地保護協定については、風景地保護協定区域内の土地の所有者等の全員の合意がなければならない。

3　風景地保護協定の内容は、次に掲げる基準に適合するものでなければならない。

一　自然の風景地の保護を図るために有効かつ適切なものであること。

二　土地及び木竹の利用を不当に制限するものでないこと。

三　第１項各号に掲げる事項について環境省令で定める基準に適合するものであること。

4　地方公共団体が風景地保護協定を締結しようとするときは、あらかじめ、国立公園にあつては環境大臣に、国定公園にあつては都道府県知事に協議し、同意を得なければならない。ただし、国定公園について都道府県が当該都道府県の区域内の土地について風景地保護協定を締結する場合は、この限りでない。

5　第１項の公園管理団体が風景地保護協定を締結しようとするときは、あらかじめ、国立公園にあつては環境大臣の、国定公園にあつては都道府県知事の認可を受けなければならない。

〔改正〕

旧第31条を一部改正し本条に繰下＝平21年６月法律47号、一部改正＝令３年５月法律29号

〔委任〕

第３項第３号の「環境省令」＝規則15の15

（風景地保護協定の縦覧等）

第44条　環境大臣、地方公共団体又は都道府県知事は、風景地保護協定を締結しようとするとき、又は前条第５項の規定による風景地保護協定の認可の申請があつたときは、環境省令で定めるところにより、その旨を公告し、当該風景地保護協定を当該公告の日から２週間関係者の縦覧に供さなければならない。

2　前項の規定による公告があつたときは、関係者は、同項の縦覧期間満了の日までに、当該風景地保護協定について、環境大臣、地方公共団体又は都道府県知事に意見書を提出することができる。

〔改正〕

旧第32条を本条に繰下＝平21年６月法律47号

〔委任〕

第１項の「環境省令」＝規則15の16

（風景地保護協定の認可）

第45条　環境大臣又は都道府県知事は、第43条第５項の規定による風景地保護協定の認可の申請が、次の各号のいずれにも該当するときは、当該風景地保護協定を認可しなければならない。

一　申請手続が法令に違反しないこと。

二　風景地保護協定の内容が、第43条第３項各号に掲げる基準に適合するものであること。

〔改正〕

旧第33条を一部改正し本条に繰下＝平21年６月法律47号

（風景地保護協定の公告等）

第46条　環境大臣、地方公共団体又は都道府県知事は、風景地保護協定を締結し、又は前条の認可をしたときは、環境省令で定めるところにより、その旨を公告し、かつ、当該風景地保護協定の写しを公衆の縦覧に供するとともに、風景地保護協定区域である旨を当該区域内に明示しなければならない。

〔改正〕

旧第34条を本条に繰下＝平21年６月法律47号

〔委任〕

「環境省令」＝規則15の17

（風景地保護協定の変更）

第47条　第43条第２項から第５項まで及び前３条の規定は、風景地保護協定において定めた事項の変更について準用する。

〔改正〕

旧第35条を一部改正し本条に繰下＝平21年６月法律47号

（風景地保護協定の効力）

第48条　第46条（前条において準用する場合を含む。）の規定による公告のあつた風景地保護協定は、その公告のあつた後において当該風景地保護協定区域内の土地の所有者等となつた者に対しても、その効力があるものとする。

〔改正〕

旧第36条を一部改正し本条に繰下＝平21年６月法律47号

第７節　公園管理団体

旧第５節として追加＝平14年４月法律29号、本節に繰下＝平21年６月法律47号

（指定）

第49条　環境大臣は国立公園について、都道府県知事は国定公園について、国立公園又は国定公園内の自然の風景地の保護とその適正な利用を図ることを目的とする一般社団法人又は一般財団法人、特定非営利活動促進法（平成10年法律第７号）第２条第２項の特定非営利活動法人その他環境省令で定める法人であつて、次条第１項各号に掲げる業務を適正かつ確実に行うことができると認められるものを、その申請により、公園管理団体として指定することができる。

２　環境大臣又は都道府県知事は、前項の規定による指定をしたときは、当該公園管理団体の名称、住所及び事務所の所在地を公示しなければならない。

３　公園管理団体は、その名称、住所又は事務所の所在地を変更しようとするときは、あらかじめ、国立公園にあつては環境大臣に、国定公園にあつては都道府県知事にその旨を届け出なければならない。

４　環境大臣又は都道府県知事は、前項の規定による届出があつたときは、当該届出に係る事項を公示しなければならない。

〔改正〕

旧第37条の一部改正＝平18年６月法律50号、本条に繰下＝平21年６月法律47号、一部改正＝平25年６月法律44号・令３年５月29号

〔委任〕

第１項の「環境省令」＝規則15の18

〔参照条文〕

第１項の「指定」基準＝規則15の19

（業務）

第50条　公園管理団体は、次に掲げる業務を行うものとする。

一　風景地保護協定に基づく自然の風景地の管理その他の自然の風景地の保護に資する活動を行うこと。

二　国立公園又は国定公園内の施設の補修その他の維持管理を行うこと。

三　前２号に掲げる業務に附帯する業務を行うこと。

２　公園管理団体は、前項各号に掲げる業務のほか、次に掲げる業務を行うことができる。

一　国立公園又は国定公園の保護とその適正な利用の推進に関する情報又は資料を収集し、及び提供すること。

二　国立公園又は国定公園の保護とその適正な利用の推進に関し必要な助言及び指導を行うこと。

三　国立公園又は国定公園の保護とその適正な利用の推進に関する調査及び研究を行うこと。

四　前３号に掲げる業務に附帯する業務を行うこと。

〔改正〕

旧第38条を本条に繰下＝平21年６月法律47号、一部改正＝令３年５月法律29号

（連携）

第51条　公園管理団体は、環境大臣及び地方公共団体との密接な連携の下に前条第１項第１号に掲げる業務を行わなければならない。

〔改正〕

旧第39条を本条に繰下＝平21年６月法律47号、一部改正＝令３年５月法律29号

（改善命令）

第52条　環境大臣又は都道府県知事は、公園管理団体の業務の運営に関し改善が必要であると認めるときは、公園管理団体に対し、その改善に必要な措置を執るべき旨を命ずることができる。

〔改正〕

旧第40条を本条に繰下＝平21年6月法律47号

〔参照条文〕

罰則＝法85・87

（指定の取消し等）

第53条　環境大臣又は都道府県知事は、公園管理団体が前条の規定による命令に違反したときは、その指定を取り消すことができる。

2　環境大臣又は都道府県知事は、前項の規定により指定を取り消したときは、その旨を公示しなければならない。

〔改正〕

旧第41条を本条に繰下＝平21年6月法律47号、一部改正＝平25年6月法律44号

（情報の提供等）

第54条　国及び地方公共団体は、公園管理団体に対し、その業務の実施に関し必要な情報の提供又は指導及び助言を行うものとする。

〔改正〕

旧第42条を本条に繰下＝平21年6月法律47号

第8節　費用

旧第5節を旧第6節に繰下＝平14年4月法律29号、本節に繰下＝平21年6月法律47号

（公園事業の執行に要する費用）

第55条　公園事業の執行に要する費用は、その公園事業を執行する者の負担とする。

〔改正〕

旧第25条を旧第43条に繰下＝平14年4月法律29号、本条に繰下＝平21年6月法律47号

〔参照条文〕

適用除外＝法61

（国の補助）

第56条　国は、予算の範囲内において、政令の定めるところにより、公園事業を執行する都道府県に対して、その公園事業の執行に要する費用の一部を補助することができる。

〔改正〕

旧第26条を旧第44条に繰下＝平14年4月法律29号、本条に繰下＝平21年6月法律47号

〔委任〕

「政令」－令7

（地方公共団体の負担）

第57条　国が国立公園事業を執行する場合において、当該国立公園事業の執行が特に地方公共団体を利するものであるときは、当該地方公共団体に、その受益の限度において、その執行に要する費用の一部を負担させることができる。

2　前項の規定により国立公園事業の執行に要する費用の一部を地方公共団体に負担させようとする場合においては、国は、当該地方公共団体の意見を聴かなければならない。

〔改正〕

旧第27条を一部改正し旧第45条に繰下＝平14年４月法律29号、一部改正し本条に繰下＝平21年６月法律47号

（受益者負担）

第58条　国又は地方公共団体は、公園事業の執行により著しく利益を受ける者がある場合においては、その者に、その受益の限度において、その公園事業の執行に要する費用の一部を負担させることができる。

〔改正〕

旧第28条を旧第46条に繰下＝平14年４月法律29号、本条に繰下＝平21年６月法律47号

〔参照条文〕

徴収方法等＝法60

（原因者負担）

第59条　国又は地方公共団体は、他の工事又は他の行為により公園事業の執行が必要となつた場合においては、その原因となつた工事又は行為について費用を負担する者に、その公園事業の執行が必要となつた限度において、その費用の全部又は一部を負担させることができる。

〔改正〕

旧第29条を旧第47条に繰下＝平14年４月法律29号、本条に繰下＝平21年６月法律47号

（負担金の徴収方法等）

第60条　前３条の規定による負担金の徴収方法その他負担金に関して必要な事項は、政令で定める。

〔改正〕

旧第30条を旧第48条に繰下＝平14年４月法律29号、本条に繰下＝平21年６月法律47号

〔委任〕

「政令」＝令８・９

〔参照条文〕

「負担金」の強制徴収＝法66

（適用除外）

第61条　この節の規定は、公園事業のうち、道路法による道路に係る事業及び他の法律にその執行に要する費用に関して別段の規定があるその他の事業については、適用しない。

〔改正〕

旧第31条を旧第49条に繰下＝平14年４月法律29号、本条に繰下＝平21年６月法律47号

〔参照条文〕

「他の法律」の規定の例＝道路法49～62、砂防法14

第９節　雑則

旧第６節を旧第７節に繰下＝平14年４月法律29号、本節に繰下＝平21年６月法律47号

（実地調査）

第62条　環境大臣は国立公園若しくは国定公園の指定、公園計画の決定若しくは公園事業の執行又は国立公園の公園事業の決定に関し、都道府県知事は国定公園の指定若しくはその区域の拡張に係る申出、公園計画の決定若しくは追加に係る申出若しくは公園事業の決定又は公園事業の執行に関し、環境大臣以外の国の機関は公園事業の執行に関し、実地調査のため必要があるときは、それぞれ当該職員をして、他人の土地に立ち入らせ、標識を設置させ、測量させ、又は実地調査の障害となる木竹若しくは垣、さく等を伐採させ、若しくは除去させることができる。ただし、道路法その他他の法律に実地調査に関する規定があるときは、当該規定の定めるところによる。

2　国の機関又は都道府県知事は、当該職員をして前項の規定による行為をさせようとするときは、あらかじめ、土地の所有者（所有者の住所が明らかでないときは、その占有者。この条において以下同じ。）及び占有者並びに木竹又は垣、さく等の所有者にその旨を通知し、意見書を提出する機会を与えなければならない。

3　第1項の職員は、日出前及び日没後においては、宅地又は垣、さく等で囲まれた土地に立ち入つてはならない。

4　第1項の職員は、その身分を示す証明書を携帯し、関係者に提示しなければならない。

5　土地の所有者若しくは占有者又は木竹若しくは垣、さく等の所有者は、正当な理由がない限り、第1項の規定による立入り又は標識の設置その他の行為を拒み、又は妨げてはならない。

〔改正〕

旧第32条の一部改正＝昭46年5月法律88号・平11年7月87号・12月160号、一部改正し旧第50条に繰下＝平14年4月法律29号、一部改正し本条に繰下＝平21年6月法律47号

〔参照条文〕

「国立公園若しくは国定公園の指定」＝法5　「公園計画の決定」＝法7　「公園事業の執行」＝法10・16　「他の法律」の規定の例＝道路法66、砂防法23　行為による損失の補償＝法64　「所有者」「占有者」＝民法180～205・206～264　「住所」＝民法22～24　「証明書」の様式＝規則16　罰則＝法86十・87

（公害等調整委員会の裁定）

第63条　第20条第3項、第21条第3項、第22条第3項又は第33条第2項の規定による環境大臣又は都道府県知事の処分に不服がある者は、その不服の理由が鉱業、採石業又は砂利採取業との調整に関するものであるときは、公害等調整委員会に裁定を申請することができる。この場合には、審査請求をすることができない。

2　行政不服審査法（平成26年法律第68号）第22条の規定は、前項の処分につき、処分をした行政庁が誤つて審査請求又は再調査の請求をすることができる旨を教示した場合に準用する。

〔改正〕

旧第34条の一部改正＝昭37年９月法律161号・45年５月61号・46年５月88号・47年６月52号・平11年12月160号、旧第33条を削り一部改正し旧第51条に繰下＝平14年４月法律29号、一部改正し本条に繰下＝平21年６月法律47号、一部改正＝平26年６月法律69号

〔参照条文〕

「公害等調整委員会」＝公害等調整委員会設置法

（損失の補償）

第64条　国は国立公園について、都道府県は国定公園について、第20条第３項、第21条第３項若しくは第22条第３項の許可を得ることができないため、第32条の規定により許可に条件を付されたため、又は第33条第２項の規定による処分を受けたため損失を受けた者に対して、通常生ずべき損失を補償する。

２　前項の規定による補償を受けようとする者は、国に係る当該補償については環境大臣に、都道府県に係る当該補償については都道府県知事にこれを請求しなければならない。

３　環境大臣又は都道府県知事は、前項の規定による請求を受けたときは、補償すべき金額を決定し、当該請求者にこれを通知しなければならない。

４　国又は都道府県は、第62条第１項の規定によるそれぞれの当該職員の行為によつて損失を受けた者に対して、通常生ずべき損失を補償する。

５　第２項及び第３項の規定は、前項の規定による損失の補償について準用する。この場合において、第２項及び第３項中「環境大臣」とあるのは、「第62条第１項に規定する実地調査に関する事務を所掌する大臣」と読み替えるものとする。

〔改正〕

旧第35条の一部改正＝昭45年５月法律61号・46年５月88号・平11年７月87号・12月160号、一部改正し旧第52条に繰下＝平14年４月法律29号、一部改正し本条に繰下＝平21年６月法律47号

〔参照条文〕

補償請求＝規則17

（訴えの提起）

第65条　前条第３項（同条第５項において準用する場合を含む。）の規定による決定に不服がある者は、その通知を受けた日から６月以内に訴えをもつて補償すべき金額の増額を請求することができる。

２　前項の訴えにおいては、国又は都道府県を被告とする。

〔改正〕

旧第36条の一部改正＝昭37年５月法律140号・47年６月85号、一部改正し旧第53条に繰下＝平14年４月法律29号、一部改正＝平16年６月法律84号、本条に繰下＝平21年６月法律47号

（負担金の強制徴収）

第66条　この法律の規定により国に納付すべき負担金を納付しない者があるときは、環境大臣は、督促状によつて納付すべき期限を指定して督促しなければならない。

２　前項の場合においては、環境大臣は、環境省令の定めるところにより、延滞金を徴収

することができる。ただし、延滞金は、年14.5パーセントの割合を乗じて計算した額を超えない範囲内で定めなければならない。

3　第１項の規定による督促を受けた者がその指定する期限までにその納付すべき金額を納付しないときは、環境大臣は、国税滞納処分の例により前２項に規定する負担金及び延滞金を徴収することができる。この場合における負担金及び延滞金の先取特権の順位は、国税及び地方税に次ぐものとする。

4　延滞金は、負担金に先立つものとする。

〔改正〕

旧第37条の一部改正＝昭45年４月法律13号・46年５月88号・平11年12月160号、一部改正し旧第54条に繰下＝平14年４月法律29号、本条に繰下＝平21年６月法律47号

〔委任〕

第２項の「環境省令」＝規則18

〔参照条文〕

「国に納付すべき負担金」＝法57～59　「国税滞納処分の例」＝国税徴収法８～26　「先取特権」＝民法303

（利用の増進のための情報の提供等）

第66条の２　国及び都道府県は、国立公園又は国定公園の利用の増進に資するため、国内外における国立公園又は国定公園に関する情報の提供及び普及宣伝を行うように努めるものとする。

〔改正〕

追加＝令３年５月法律29号

（協議）

第67条　環境大臣は、国立公園若しくは国定公園の指定、その区域の拡張若しくは公園計画の決定若しくは変更又は国立公園の特別地域、特別保護地区、海域公園地区若しくは利用調整地区の指定若しくはその区域の拡張をしようとするときは、関係行政機関の長に協議しなければならない。

2　都道府県知事は、国定公園の特別地域、特別保護地区、海域公園地区又は利用調整地区の指定又はその区域の拡張をしようとするときは、関係行政機関の長に協議しなければならない。

3　環境大臣以外の国の機関は、第10条第１項の規定により国立公園事業を執行しようとするときは、環境大臣に協議しなければならない。

4　国の機関は、第16条第１項ただし書の規定により国定公園事業を執行しようとするときは、都道府県知事に協議しなければならない。

〔改正〕

旧第39条の一部改正＝昭45年５月法律61号・46年５月88号・平11年７月87号・12月160号、旧第38条を削り一部改正し旧第55条に繰下＝平14年４月法律29号、一部改正し本条に繰下＝平21年６月法律47号

（国に関する特例）

第68条　国の機関が行う行為については、第20条第３項、第21条第３項、第22条第３項又は第23条第３項第８号の規定による許可を受けることを要しない。この場合において、当該国の機関は、その行為をしようとするときは、あらかじめ、国立公園にあつては環境大臣に、国定公園にあつては都道府県知事に協議しなければならない。

２　都道府県知事は、国定公園について前項の規定による協議を受けた場合において、当該協議に係る行為が当該国定公園の風致又は景観に及ぼす影響その他の事情を考慮して環境省令で定める行為に該当するときは、環境大臣に協議しなければならない。

３　国の機関は、第20条第６項後段、第７項若しくは第８項、第21条第６項後段若しくは第７項、第22条第６項後段若しくは第７項又は第33条第１項の規定により届出を要する行為をしたとき、又はしようとするときは、これらの規定による届出の例により、国立公園にあつては環境大臣に、国定公園にあつては都道府県知事にその旨を通知しなければならない。

４　環境大臣又は都道府県知事は、第33条第１項の規定による届出の例による通知があつた場合において、当該公園の風景を保護するために必要があると認めるときは、当該国の機関に対し、風景の保護のために執るべき措置について協議を求めることができる。

〔改正〕

旧第40条の一部改正＝昭45年５月法律61号・46年５月88号・平11年７月87号・12月160号、一部改正し旧第56条に繰下＝平14年４月法律29号、一部改正し本条に繰下＝平21年６月法律47号、一部改正＝平23年８月法律105号・令３年５月29号

〔委任〕

第２項の「環境省令」＝規則19

（権限の委任）

第69条　この法律に規定する環境大臣の権限は、環境省令で定めるところにより、地方環境事務所長に委任することができる。

〔改正〕

旧第56条の２として追加＝平17年４月法律33号、本条に繰下＝平21年６月法律47号

〔委任〕

「環境省令」＝規則20

（事務の区分）

第70条　第20条第１項、同条第２項において準用する第５条第３項、第21条第１項、同条第２項において準用する第５条第３項、第22条第１項、同条第２項において準用する第５条第３項及び第67条第２項（利用調整地区に係る部分を除く。）の規定により都道府県が処理することとされている事務は、地方自治法第２条第９項第１号に規定する第１号法定受託事務とする。

〔改正〕

旧第40条の２として追加＝平11年７月法律87号、一部改正し旧第57条に繰下＝平14年４月法律29号、一部改正し本条に繰下＝平21年６月法律47号

（原生自然環境保全地域との関係）

第71条　自然環境保全法第14条第１項の規定により指定された原生自然環境保全地域の区域は、国立公園又は国定公園の区域に含まれないものとする。

〔改正〕

旧第40条の２として追加＝昭47年６月法律85号、旧第40条の３に繰下＝平11年７月法律87号、旧第58条に繰下＝平14年４月法律29号、本条に繰下＝平21年６月法律47号

第３章　都道府県立自然公園

（指定）

第72条　都道府県は、条例の定めるところにより、区域を定めて都道府県立自然公園を指定することができる。

〔改正〕

旧第41条を旧第59条に繰下＝平14年４月法律29号、本条に繰下＝平21年６月法律47号

〔参照条文〕

「条例」＝地方自治法14　実地調査＝法76　「区域」の競合＝法81

（保護及び利用）

第73条　都道府県は、条例の定めるところにより、都道府県立自然公園の風致を維持するためその区域内に特別地域を、都道府県立自然公園の風致の維持とその適正な利用を図るため特別地域内に利用調整地区を指定し、かつ、特別地域内、利用調整地区内及び当該都道府県立自然公園の区域のうち特別地域に含まれない区域内における行為につき、それぞれ国立公園の特別地域、利用調整地区又は普通地域内における行為に関する前章第４節の規定による規制の範囲内において、条例で必要な規制を定めることができる。

2　都道府県は、条例で、都道府県立自然公園に関し認定関係事務の実施のため必要がある場合に、都道府県知事が第25条から第31条までの規定の例により指定認定機関を指定し、当該指定認定機関に認定関係事務を行わせることができる旨を定めることができる。

3　都道府県は、都道府県立自然公園の利用のための施設を集団的に整備するため、条例の定めるところにより、その区域内に集団施設地区を指定し、かつ、第37条の規定の例により、条例で、特別地域及び集団施設地区内における同条第１項各号に掲げる行為を禁止することができる。

〔改正〕

旧第42条を一部改正し旧第60条に繰下＝平14年４月法律29号、一部改正し本条に繰下＝平21年６月法律47号

〔参照条文〕

「特別地域」＝法20　「指定」の協議＝法79　処分による損失の補償＝法77　「集団施設地区」＝法36　罰則の根拠＝法90

（風景地保護協定）

第74条　都道府県は、条例で、都道府県立自然公園に関し自然の風景地の保護のため必要

がある場合に、地方公共団体又は次条の規定に基づく条例の規定により指定された公園管理団体が前章第６節の規定の例により土地の所有者等と風景地保護協定を締結することができる旨を定めることができる。

〔改正〕

旧第61条として追加＝平14年４月法律29号、一部改正し本条に繰下＝平21年６月法律47号

（公園管理団体）

第75条　都道府県は、条例で、都道府県立自然公園に関し自然の風景地の保護とその適正な利用を図るため必要がある場合に、都道府県知事が前章第７節の規定の例により公園管理団体を指定することができる旨を定めることができる。

〔改正〕

旧第62条として追加＝平14年４月法律29号、一部改正し本条に繰下＝平21年６月法律47号

〔参照条文〕

罰則の根拠＝法90

（実地調査）

第76条　都道府県は、条例で、都道府県立自然公園に関し実地調査のため必要がある場合に、都道府県知事が第62条の規定の例により当該職員をして他人の土地に立ち入らせ、又は同条第１項に規定する標識の設置その他の行為をさせることができる旨を定めることができる。

〔改正〕

旧第43条を一部改正し旧第63条に繰下＝平14年４月法律29号、一部改正し本条に繰下＝平21年６月法律47号

〔参照条文〕

罰則の根拠＝法90

（損失の補償）

第77条　都道府県は、第73条第１項の規定に基づく条例の規定による処分又は前条の規定に基づく条例の規定による当該職員の行為によつて損失を受けた者に対して、通常生ずべき損失を補償しなければならない。

〔改正〕

旧第44条を一部改正し旧第64条に繰下＝平14年４月法律29号、一部改正し本条に繰下＝平21年６月法律47号

（公害等調整委員会の裁定）

第78条　第73条第１項の規定に基づく条例の規定による都道府県知事の処分に不服がある者は、その不服の理由が鉱業、採石業又は砂利採取業との調整に関するものであるときは、公害等調整委員会に裁定を申請することができる。この場合には、第63条第１項後段及び第２項の規定を準用する。

〔改正〕

旧第45条の一部改正＝昭37年９月法律161号・45年５月61号・47年６月52号、一部改正し旧第65条に繰下＝平14年４月法律29号、一部改正し本条に繰下＝平21年６月法律47号

〔参照条文〕

「公害等調整委員会」＝公害等調整委員会設置法

（協議等）

第79条　都道府県は、都道府県立自然公園の特別地域又は利用調整地区の指定又はその区域の拡張をしようとするときは、国の関係地方行政機関の長に協議しなければならない。

2　都道府県が第73条第１項の規定に基づく条例で都道府県立自然公園の区域内における行為につき規制を定めた場合における国の機関が行う行為に関する特例については、第68条の規定の例による。

〔改正〕

旧第46条を一部改正し旧第66条に繰下＝平14年４月法律29号、一部改正し本条に繰下＝平21年６月法律47号

（報告、助言又は勧告）

第80条　環境大臣は、都道府県に対し、都道府県立自然公園に関し、必要な報告を求めることができる。

2　環境大臣は、都道府県に対し、都道府県立自然公園の行政又は技術に関し、必要な助言又は勧告をすることができる。

〔改正〕

旧第47条の一部改正＝昭46年５月法律88号・平11年12月160号、旧第67条に繰下＝平14年４月法律29号、本条に繰下＝平21年６月法律47号

（国立公園等との関係）

第81条　国立公園若しくは国定公園又は自然環境保全法第14条第１項の規定により指定された原生自然環境保全地域の区域は、都道府県立自然公園の区域に含まれないものとする。

〔改正〕

旧第48条の一部改正＝昭47年６月法律85号、旧第68条に繰下＝平14年４月法律29号、本条に繰下＝平21年６月法律47号

〔参照条文〕

「区域」＝法５・72

第４章　罰則

第82条　次の各号のいずれかに該当する場合には、当該違反行為をした者は、１年以下の懲役又は100万円以下の罰金に処する。

一　第15条第１項（第16条第４項において準用する場合を含む。）又は第34条第１項の規定による命令に違反したとき。

二　第20条第３項、第21条第３項又は第22条第３項の規定に違反したとき。

〔改正〕

旧第49条の一部改正＝昭48年９月法律73号・平２年６月26号、一部改正し旧第69条に繰下＝平14年４月法律29号、一部改正し本条に繰下＝平21年６月法律47号、一部改正＝令３年５月法律29号

〔参照条文〕

「懲役」＝刑法９・12　「罰金」＝刑法９・15

第83条　次の各号のいずれかに該当する場合には、当該違反行為をした者は、６月以下の懲役又は50万円以下の罰金に処する。

一　第10条第３項又は第16条第３項の認可を受けた者が、第10条第６項（第16条第４項において準用する場合を含む。）の規定に違反して、第10条第４項各号（第16条第４項において準用する場合を含む。）に掲げる事項を変更したとき。

二　第10条第10項（第16条第４項において準用する場合を含む。）の規定により認可に付された条件に違反したとき。

三　第23条第３項の規定に違反したとき。

四　偽りその他不正の手段により第24条第１項又は第７項の認定を受けたとき。

五　第32条の規定により許可に付された条件に違反したとき。

〔改正〕

旧第50条の一部改正＝昭45年５月法律61号・48年９月73号・平２年６月26号、一部改正し旧第70条に繰下＝平14年４月法律29号、一部改正し本条に繰下＝平21年６月法律47号、一部改正＝令３年５月法律29号

第84条　第28条第１項の規定に違反した者は、６月以下の懲役又は50万円以下の罰金に処する。

〔改正〕

旧第71条として追加＝平14年４月法律29号、一部改正し本条に繰下＝平21年６月法律47号

第85条　第11条（第16条第４項において準用する場合を含む。）、第33条第２項又は第52条の規定による命令に違反したときは、当該違反行為をした者は、50万円以下の罰金に処する。

〔改正〕

旧第51条の一部改正＝昭48年９月法律73号・平２年６月26号、一部改正し旧第72条に繰下＝平14年４月法律29号、一部改正し本条に繰下＝平21年６月法律47号、一部改正＝令３年５月法律29号

第86条　次の各号のいずれかに該当する場合には、当該違反行為をした者は、30万円以下の罰金に処する。

一　第17条第１項若しくは第２項、第30条第１項若しくは第42条の７第１項の規定による報告をせず、若しくは虚偽の報告をし、又はこれらの規定による立入検査を拒み、妨げ、若しくは忌避し、若しくは質問に対して陳述をせず、若しくは虚偽の陳述をしたとき。

二　偽りその他不正の手段により第24条第５項（同条第８項において準用する場合を含む。）の立入認定証の再交付を受けたとき。

三　第27条第４項の許可を受けないで認定関係事務の全部を廃止したとき。

四　第33条第１項の規定に違反して、届出をせず、又は虚偽の届出をしたとき。

五　第33条第５項の規定に違反したとき。

六　第35条第１項の規定による報告をせず、又は虚偽の報告をしたとき。

七　第35条第２項の規定による立入検査又は立入調査を拒み、妨げ、又は忌避したとき。

八　国立公園又は国定公園の特別地域、海域公園地区又は集団施設地区内において、みだりに第37条第１項第１号に掲げる行為をしたとき。

九　国立公園又は国定公園の特別地域、海域公園地区又は集団施設地区内において、第37条第２項の規定による当該職員の指示に従わないで、みだりに同条第１項第２号又は第３号に掲げる行為をしたとき。

十　第62条第５項の規定に違反して、同条第１項の規定による立入り又は標識の設置その他の行為を拒み、又は妨げたとき。

〔改正〕

旧第52条の一部改正＝昭45年５月法律61号・48年９月73号・平２年６月26号、一部改正し旧第73条に繰下＝平14年４月法律29号、一部改正し本条に繰下＝平21年６月法律47号、一部改正＝令３年５月法律29号

第87条　法人の代表者又は法人若しくは人の代理人、使用人その他の従業者が、その法人又は人の業務に関して第82条、第83条、第85条又は前条の違反行為をしたときは、行為者を罰するほか、その法人又は人に対して、各本条の罰金刑を科する。

〔改正〕

旧第53条を一部改正し旧第74条に繰下＝平14年４月法律29号、一部改正し本条に繰下＝平21年６月法律47号

〔参照条文〕

「法人」＝民法33

第88条　第10条第９項、第13条又は第14条第２項（これらの規定を第16条第４項において準用する場合を含む。）の規定に違反して、届出をせず、又は虚偽の届出をした者（第10条第３項又は第16条第３項の認可を受けた者に限る。）は、20万円以下の過料に処する。

〔改正〕

追加＝平21年６月法律47号

第89条　第24条第６項（同条第８項において準用する場合を含む。）の規定に違反して立入認定証を携帯しないで立ち入つた者は、10万円以下の過料に処する。

〔改正〕

旧第75条として追加＝平14年４月法律29号、一部改正し本条に繰下＝平21年６月法律47号

第90条　第73条、第75条又は第76条の規定に基づく条例には、その条例に違反した者に対して、その違反行為の態様に応じ、それぞれ、第82条から第87条まで及び前条に定める処罰の程度を超えない限度において、刑又は過料を科する旨の規定を設けることができる。

〔改正〕

旧第54条を一部改正し旧第76条に繰下＝平14年４月法律29号、一部改正し本条に繰下＝平21年６月法律47号

〔参照条文〕

対応規定＝地方自治法14Ⅲ

附　則　抄

（施行期日）

1　この法律は、昭和32年10月１日から施行する。

（国立公園法の廃止）

2　国立公園法（昭和６年法律第36号）は、廃止する。

（経過規定）

3　この法律の施行の際現に国立公園法第１条の規定により指定されている国立公園又は同法第11条ノ２第１項の規定により指定されている国立公園に準ずる区域は、それぞれ、この法律による国立公園又は国定公園とみなし、その区域は、それぞれ、この法律による国立公園又は国定公園の区域とみなす。

4　この法律の施行の際現に国立公園法の規定により決定されている国立公園計画若しくは国立公園に準ずる区域に関する計画又は国立公園事業は、それぞれ、この法律に基いて決定された国立公園若しくは国定公園に関する公園計画又は国立公園に関する公園事業とみなす。

5　この法律の施行の際現に国立公園法第８条第１項の規定により指定されている特別地域又は同法第８条ノ２第１項の規定により指定されている特別保護地区は、それぞれ、この法律に基いて指定された国立公園の特別地域又は特別保護地区とみなす。

6　この法律の施行前に国立公園法又はこれに基く命令の規定によつてなされた許可、認可、申請その他の行為は、この法律又はこれに基く命令に当該規定に相当する規定があるときは、当該相当規定によつてなされたものとみなす。

7　国立公園法若しくはこれに基く命令の規定によつて許可その他の処分若しくは届出その他の手続を要しなかつた行為でこの法律若しくはこれに基く命令の規定によつて新たに許可その他の処分若しくは届出その他の手続を要することとなつたもの又は国立公園法若しくはこれに基く命令の規定によつて届出をもつて足りた行為でこの法律若しくはこれに基く命令の規定によつて、許可その他の処分を要することとなつたもののうち、この法律の施行の際現に着手しているものについては、この法律若しくはこれに基く命令の規定による処分若しくは手続を要せず、又は従前の例による届出をもつて足りる。

8　この法律の施行前にした行為に対する罰則の適用については、なお従前の例による。

（都道府県が処理する事務）

9　この法律に規定する環境大臣の権限に属する事務の一部は、政令で定めるところにより、当分の間、政令で定める都道府県の知事が行うこととすることができる。

〔改正〕

全部改正＝平11年７月法律87号・12月160号

〔委任〕

「政令」＝令附則Ⅱ

10　環境大臣は、前項の都道府県を定める政令の立案をしようとするときは、関係都道府県の知事の申出により、これを行うものとする。

〔改正〕

全部改正＝平11年７月法律87号・12月160号

（国の無利子貸付け等）

11　国は、当分の間、都道府県に対し、第56条の規定により国がその費用について補助することができる公園事業で日本電信電話株式会社の株式の売払収入の活用による社会資本の整備の促進に関する特別措置法（昭和62年法律第86号）第２条第１項第２号に該当するものに要する費用に充てる資金について、予算の範囲内において、第56条の規定により国が補助することができる金額に相当する金額を無利子で貸し付けることができる。

〔改正〕

追加＝平14年２月法律１号、一部改正＝平14年４月法律29号・21年６月47号

12　前項の国の貸付金の償還期間は、５年（２年以内の据置期間を含む。）以内で政令で定める期間とする。

〔改正〕

追加＝平14年２月法律１号

〔委任〕

「政令」＝令附則Ⅵ

13　前項に定めるもののほか、附則第11項の規定による貸付金の償還方法、償還期限の繰上げその他償還に関し必要な事項は、政令で定める。

〔改正〕

追加＝平14年２月法律１号

〔委任〕

「政令」＝令附則Ⅷ・Ⅸ

14　国は、附則第11項の規定により都道府県に対し貸付けを行つた場合には、当該貸付けの対象である公園事業について、第56条の規定による当該貸付金に相当する金額の補助を行うものとし、当該補助については、当該貸付金の償還時において、当該貸付金の償還金に相当する金額を交付することにより行うものとする。

〔改正〕

追加＝平14年２月法律１号、一部改正＝平14年４月法律29号・21年６月47号

15　都道府県が、附則第11項の規定による貸付けを受けた無利子貸付金について、附則第12項及び第13項の規定に基づき定められる償還期限を繰り上げて償還を行つた場合（政令で定める場合を除く。）における前項の規定の適用については、当該償還は、当該償還期限の到来時に行われたものとみなす。

〔改正〕

追加＝平14年２月法律１号

〔委任〕

「政令」＝令附則Ｘ

附　則（平成21年法律第47号）抄

（施行期日）

第１条　この法律は、公布の日〔平成21年６月３日〕から起算して１年を超えない範囲内において政令で定める日〔平成22年４月１日〕から施行する。ただし、次の各号に掲げる規定は、当該各号に定める日から施行する。

一　附則第８条の規定　公布の日

（自然公園法の一部改正に伴う経過措置）

第２条　第１条の規定による改正後の自然公園法（以下「新自然公園法」という。）第15条（新自然公園法第16条第４項において準用する場合を含む。）の規定は、この法律の施行の日以後に新自然公園法第10条第３項又は第16条第３項の認可に係る国立公園事業又は国定公園事業を廃止した者、当該認可が失効した者及び当該認可を取り消された者について適用する。

第３条　この法律の施行の際現に第１条の規定による改正前の自然公園法（次条において「旧自然公園法」という。）第24条第１項の規定により指定されている海中公園地区は、新自然公園法第22条第１項の規定により指定された海域公園地区とみなす。

第４条　この法律の施行の際現に旧自然公園法第24条第６項又は第７項に規定する者に該当している者であって、同条第６項又は第７項の規定による届出をしていない者についての行為に着手している旨又は行為をした旨の届出については、なお従前の例による。

２　この法律の施行前に旧自然公園法第24条第３項の規定によりされた許可若しくは許可の申請又は同条第６項若しくは第７項の規定によりされた届出（この法律の施行後に前項の規定によりなお従前の例によりされた届出を含む。）は、新自然公園法第22条第３項の規定によりされた許可若しくは許可の申請又は同条第６項後段若しくは第７項の規定によりされた届出とみなす。

（罰則に関する経過措置）

第７条　この法律の施行前にした行為に対する罰則の適用については、なお従前の例による。

（政令への委任）

第８条　附則第２条から前条までに規定するもののほか、この法律の施行に関し必要な経過措置は、政令で定める。

（検討）

第９条　政府は、この法律の施行後５年を経過した場合において、新自然公園法及び新自然環境保全法の施行の状況を勘案し、必要があると認めるときは、新自然公園法及び新自然環境保全法の規定について検討を加え、その結果に基づいて必要な措置を講ずるものとする。

附　則（令和元年法律第37号）抄

（施行期日）

第1条　この法律は、公布の日〔令和元年6月14日〕から起算して3月を経過した日から施行する。ただし、次の各号に掲げる規定は、当該各号に定める日から施行する。

一　〔前略〕次条〔中略〕の規定　公布の日

二　〔前略〕第166条〔中略〕の規定　公布の日から起算して6月を経過した日

（行政庁の行為等に関する経過措置）

第2条　この法律（前条各号に掲げる規定にあっては、当該規定。以下この条及び次条において同じ。）の施行の日前に、この法律による改正前の法律又はこれに基づく命令の規定（欠格条項その他の権利の制限に係る措置を定めるものに限る。）に基づき行われた行政庁の処分その他の行為及び当該規定により生じた失職の効力については、なお従前の例による。

（検討）

第7条　政府は、会社法（平成17年法律第86号）及び一般社団法人及び一般財団法人に関する法律（平成18年法律第48号）における法人の役員の資格を成年被後見人又は被保佐人であることを理由に制限する旨の規定について、この法律の公布後1年以内を目途として検討を加え、その結果に基づき、当該規定の削除その他の必要な法制上の措置を講ずるものとする。

附　則（令和3年法律第29号）

（施行期日）

1　この法律は、公布の日から起算して1年を超えない範囲内において政令で定める日〔令和4年4月1日〕から施行する。ただし、次項の規定は、公布の日〔令和3年5月6日〕から施行する。

（政令への委任）

2　この法律の施行に関し必要な経過措置は、政令で定める。

（検討）

3　政府は、この法律の施行後5年を経過した場合において、この法律による改正後の自然公園法（以下この項において「新法」という。）の施行の状況を勘案し、必要があると認めるときは、新法の規定について検討を加え、その結果に基づいて必要な措置を講ずるものとする。

〔参　考〕

◉刑法等の一部を改正する法律の施行に伴う関係法律の整理等に関する法律（抄）

〔令和４年６月17日
法　律　第　68　号〕

第１編　関係法律の一部改正

第15章　環境省関係

（自然公園法の一部改正）

第423条　自然公園法（昭和32年法律第161号）の一部を次のように改正する。

第25条第３項第４号中「禁錮」を「拘禁刑」に改める。

第82条から第84条までの規定中「懲役」を「拘禁刑」に改める。

第２編　経過措置

第４章　その他

（経過措置の政令への委任）

第509条　この編に定めるもののほか、刑法等一部改正法等の施行に伴い必要な経過措置は、政令で定める。

附　則　抄

（施行期日）

1　この法律は、刑法等一部改正法〔刑法等の一部を改正する法律（令和４年法律第67号）〕施行日〔公布の日（令和４年６月17日）から起算して３年を超えない範囲内において政令で定める日〕から施行する。〔以下略〕

◉自然公園法施行令

〔昭和32年９月30日
政令第２９８号〕

改正　昭和37年７月２日政令第281号・昭和45年６月15日政令第182号・昭和46年６月30日政令第219号・昭和48年３月31日政令第37号・昭和48年９月29日政令第278号・平成２年７月10日政令第211号・平成２年７月10日政令第214号・平成３年７月５日政令第229号・平成６年３月16日政令第42号・平成６年９月19日政令第303号・平成８年５月11日政令第138号・平成11年12月３日政令第387号・平成12年２月14日政令第31号・平成12年６月７日政令第313号・平成13年３月22日政令第58号・平成14年２月８日政令第27号・平成14年３月25日政令第60号・平成15年２月５日政令第34号・平成15年３月24日政令第68号・平成16年３月17日政令第42号・平成17年３月30日政令第89号・平成17年６月29日政令第228号・平成17年11月16日政令第340号・平成18年３月23日政令第54号・平成19年３月28日政令第74号・平成21年３月25日政令第54号・平成22年２月15日政令第13号・令和３年９月17日政令第258号

（公園事業となる施設の種類）

第１条　自然公園法（昭和32年法律第161号。以下「法」という。）第２条第６号に規定する政令で定める施設は、次に掲げるものとする。

一　道路及び橋

二　広場及び園地

三　宿舎及び避難小屋

四　休憩所、展望施設及び案内所

五　野営場、運動場、水泳場、舟遊場、スキー場、スケート場及び乗馬施設

六　他人の用に供する車庫、駐車場、給油施設その他の自動車に燃料又は動力源としての電気を供給するための施設及び昇降機

七　運輸施設（主として国立公園又は国定公園の区域内において路線又は航路を定めて旅客を運送する自動車、船舶、水上飛行機、鉄道又は索道による運送施設、主として国立公園又は国定公園の区域内において路線を定めて設けられる道路運送法（昭和26年法律第183号）第２条第８項の一般自動車道及び主として旅客船の用に供する係留施設をいう。）

八　給水施設、排水施設、医療救急施設、公衆浴場、公衆便所及び汚物処理施設

九　博物館、植物園、動物園、水族館、博物展示施設及び野外劇場

十　植生復元施設及び動物繁殖施設

十一　砂防施設及び防火施設

十二　自然再生施設（損なわれた自然環境について、当該自然環境への負荷を低減するための施設及び良好な自然環境を創出するための施設が一体的に整備されるものをい

う。以下同じ。）

〔改正〕

旧第４条の一部改正＝昭45年６月政令182号・48年９月278号・平２年７月211号・214号・３年７月229号、旧第１～３条及び旧第２章の章名を削り一部改正し本条に繰上＝平11年12月政令387号、一部改正＝平15年２月政令34号、旧第１章の章名を削り一部改正＝平22年２月政令13号、一部改正＝令３年９月政令258号

（政令で定める公共団体）

第２条　法第10条第２項に規定する政令で定める公共団体は、港湾法（昭和25年法律第218号）に定める港務局とする。

〔改正〕

旧第５条を削り旧第６条を本条に繰上＝平11年12月政令387号、一部改正＝平15年２月政令34号・22年２月13号

（特別地域における風致の維持に影響を及ぼすおそれがある行為）

第３条　法第20条第３項第18号の政令で定める行為は、環境大臣が指定する道路（主として歩行者の通行の用に供するものであつて、舗装がされていないものに限る。次条において同じ。）において車馬を使用することとする。

〔改正〕

追加＝令３年９月政令258号

（特別保護地区における景観の維持に影響を及ぼすおそれがある行為）

第４条　法第21条第３項第11号の政令で定める行為は、環境大臣が指定する道路において車馬を使用することとする。

〔改正〕

追加＝令３年９月政令258号

（認定等に関する手数料）

第５条　法第31条第１項の政令で定める手数料の額は、次の各号の区分に応じ、それぞれ当該各号に定めるものとする。

一　法第24条第１項の認定　１人につき1800円を超えない範囲内において環境大臣が利用調整地区ごとに定める額

二　法第24条第５項（同条第８項において準用する場合を含む。）の立入認定証の再交付　再交付を受けようとする立入認定証１枚につき1000円を超えない範囲内において環境大臣が利用調整地区ごとに定める額

三　法第24条第７項の認定　イに掲げる額にロに掲げる額を加えた額

イ　2000円を超えない範囲内において環境大臣が利用調整地区ごとに定める額

ロ　1000円を超えない範囲内において環境大臣が利用調整地区ごとに定める額に当該認定を受けようとする者の監督の下に立ち入る者の数を乗じた額

〔改正〕

旧第18条として追加＝平15年２月政令34号、旧第19条に繰下＝平17年11月政令340号、旧第３～17条及び旧第２章の章名並びに旧第18条を削り一部改正し旧第３条に繰上＝平22年２月政令13号、本条に繰下＝令３年９月政令258号

（野生動物の生態に影響を及ぼす行為）

第６条　法第37条第１項第３号の政令で定める行為は、次に掲げるものとする。

一　野生動物（法第37条第１項第３号に規定する野生動物をいう。次号において同じ。）に餌を与えること。

二　野生動物に著しく接近し、又はつきまとうこと。

〔改正〕

追加＝令３年９月政令258号

（補助金の額）

第７条　法第56条の規定による国の補助は、次の各号に掲げる施設の新設、増設又は改設に要する費用の額（当該新設、増設又は改設を行う場合において収入金があるときは、当該額から収入金を控除した額）のうち、環境大臣が定める種目及び算定基準に従つて算定した額の２分の１以内について行う。

一　道路及び橋

二　広場及び園地

三　避難小屋

四　休憩所

五　野営場

六　駐車場

七　桟橋

八　給水施設、排水施設及び公衆便所

九　博物展示施設

十　植生復元施設及び動物繁殖施設

十一　砂防施設及び防火施設

十二　自然再生施設

〔改正〕

旧第22条の一部改正＝昭46年６月政令219号・平８年５月138号、旧第18条に繰上＝平11年12月政令387号、一部改正＝平12年６月政令313号、一部改正し旧第19条に繰下＝平15年２月政令34号、旧第20条に繰下＝平17年11月政令340号、一部改正し旧第４条に繰上＝平22年２月政令13号、本条に繰下＝令３年９月政令258号

（負担金の徴収方法等）

第８条　国は、法第58条の規定により公園事業の執行に要する費用の一部を負担させようとする場合においては、負担させようとする者の意見を聴かなければならない。

〔改正〕

旧第23条を旧第19条に繰上＝平11年12月政令387号、一部改正し旧第20条に繰下＝平15年２月政令34号、旧第21条に繰下＝平17年11月政令340号、一部改正し旧第５条に繰上＝平22年２月政令13号、一部改正し本条に繰下＝令３年９月政令258号

第９条　法第58条の規定により地方公共団体が徴収する負担金に関する事項については、当該地方公共団体の条例で定める。

〔改正〕

旧第24条の一部改正＝昭45年６月政令182号、旧第20条に繰上＝平11年12月政令387号、一部改正し旧第21条に繰下＝平15年２月政令34号、旧第22条に繰下＝平17年11月政令340号、一部改正し旧第６条に繰上＝平22年２月政令13号、本条に繰下＝令３年９月政令258号

附　則　抄

（施行期日）

1　この政令は、昭和32年10月１日から施行する。

（都道府県が処理する事務）

2　法に規定する環境大臣の権限に属する事務のうち次に掲げるもので、指定区域（別表に掲げる都道府県の区域に属する国立公園の区域内の区域のうち当該都道府県の知事の申出に係るもので、環境大臣が指定するものをいう。）に係るものは、当該都道府県の知事が行うこととする。この場合においては、法中前段に規定する事務に係る環境大臣に関する規定（法第64条第２項、第３項及び第５項を除く。）は、当該都道府県の知事に関する規定として当該都道府県の知事に適用があるものとする。

一　次に掲げる行為以外の行為（２以上の都道府県の区域にまたがるものを除く。）に関する法第20条第３項の規定による許可及び法第32条の規定による条件の付加に関する事務

イ　その高さが13メートル又はその水平投影面積が1000平方メートルを超える工作物（住宅及び仮工作物を除く。）の新築、改築又は増築（改築又は増築後において、その高さが13メートル又はその水平投影面積が1000平方メートルを超える工作物（住宅及び仮工作物を除く。）となる場合における改築又は増築を含む。）

ロ　砂防法（明治30年法律第29号）第１条に規定する砂防設備、漁港漁場整備法（昭和25年法律第137号）第３条に規定する漁港施設、港湾法第２条第５項に規定する港湾施設、海岸法（昭和31年法律第101号）第２条第１項に規定する海岸保全施設又は地すべり等防止法（昭和33年法律第30号）第２条第３項に規定する地すべり防止施設の新築

ハ　ダム、水門又はパラボラアンテナの新築、改築又は増築

ニ　法第20条第３項第２号に掲げる行為（森林法（昭和26年法律第249号）第５条第１項の地域森林計画に定める伐採に関する要件に適合するものを除く。）並びに法第20条第３項第４号、第５号及び第９号に掲げる行為

ホ　ゴルフコースの用に供するために行う土地の形状の変更（面積が1000平方メートル以下の土地に係るものを除く。）

二　次に掲げる行為（２以上の都道府県の区域にまたがるものを除く。）に関する法第22条第３項の規定による許可及び法第32条の規定による条件の付加に関する事務

イ　法第20条第３項第７号に掲げる行為

ロ　法第22条第３項第２号、第５号及び第７号に掲げる行為

三　次に掲げる行為（２以上の都道府県の区域にまたがるものを除く。）に関する法第33条第１項の規定による届出の受理、同条第２項の規定による命令、同条第４項の規定による期間の延長及び同条第６項の規定による期間の短縮に関する事務

イ　法第33条第１項第１号及び第５号に掲げる行為（海域公園地区の周辺１キロメートルの当該海域公園地区に接続する海域内においてするものを除く。）

ロ　法第33条第１項第３号及び第６号に掲げる行為

四　前３号に規定する許可又は届出を要する行為に関する法第34条の規定による命令に関する事務

五　法第35条第１項の規定による報告徴収（第１号及び第２号に規定する許可を受けた者並びに第３号に規定する命令を受けた者に係るものに限る。）並びに同条第２項の規定による立入検査及び立入調査（前各号に掲げる事務の処理に関するものに限る。）に関する事務

〔改正〕

旧第３項の全部改正＝平11年12月政令387号、一部改正＝平12年２月政令31号・６月313号・14年３月60号・15年２月34号・22年２月13号、旧第２項を削り一部改正し本項に繰上＝令３年９月政令258号

〔委任〕

「指定区域」＝平成12年環境庁告示第４号

〔参照条文〕

「立入検査」等の証明書＝規則附則Ⅴ

（事務の報告）

3　都道府県知事は、前項に規定する事務を行つたときは、環境省令で定めるところにより、その旨及びその内容を環境大臣に報告しなければならない。

〔改正〕

旧第４項の全部改正＝平11年12月政令387号、一部改正＝平12年６月政令313号、一部改正し本項に繰上＝令３年９月政令258号

〔委任〕

「環境省令」＝規則附則Ⅳ

4　前項に規定する環境大臣の権限は、地方環境事務所長に委任する。

〔改正〕

旧第５項として追加＝平22年２月政令13号、本項に繰上＝令３年９月政令258号

（事務の区分）

5　附則第２項及び第３項の規定により都道府県が処理することとされている事務は、地方自治法（昭和22年法律第67号）第２条第９項第１号に規定する第１号法定受託事務とする。

〔改正〕

旧第６項の全部改正＝平11年12月政令387号、一部改正し旧第７項に繰下＝平22年２月政令13号、旧第６項を削り一部改正し本項に繰上＝令３年９月政令258号

（国の貸付金の償還期間等）

6　法附則第12項に規定する政令で定める期間は、５年（２年の据置期間を含む。）とする。

〔改正〕

旧第７項として追加＝平14年２月政令27号、一部改正し旧第８項に繰下＝平22年２月政令13号、一部改正し本項に繰上＝令３年９月政令258号

7　前項に規定する期間は、日本電信電話株式会社の株式の売払収入の活用による社会資本の整備の促進に関する特別措置法（昭和62年法律第86号）第５条第１項の規定により読み替えて準用される補助金等に係る予算の執行の適正化に関する法律（昭和30年法律第179号）第６条第１項の規定による貸付けの決定（以下「貸付決定」という。）ごとに、当該貸付決定に係る法附則第11項の規定による国の貸付金（以下「国の貸付金」という。）の交付を完了した日（その日が当該貸付決定があつた日の属する年度の末日の前日以後の日である場合には、当該年度の末日の前々日）の翌日から起算する。

〔改正〕

旧第８項として追加＝平14年２月政令27号、旧第９項に繰下＝平22年２月政令13号、本項に繰上＝令３年９月政令258号

8　国の貸付金の償還は、均等年賦償還の方法によるものとする。

〔改正〕

旧第９項として追加＝平14年２月政令27号、旧第10項に繰下＝平22年２月政令13号、本項に繰上＝令３年９月政令258号

9　国は、国の財政状況を勘案し、相当と認めるときは、国の貸付金の全部又は一部について、前３項の規定により定められた償還期限を繰り上げて償還させることができる。

〔改正〕

旧第10項として追加＝平14年２月政令27号、旧第11項に繰下＝平22年２月政令13号、本項に繰上＝令３年９月政令258号

10　法附則第15項に規定する政令で定める場合は、前項の規定により償還期限を繰り上げて償還を行った場合とする。

〔改正〕

旧第11項として追加＝平14年２月政令27号、旧第12項に繰下＝平22年２月政令13号、本項に繰上＝令３年９月政令258号

附　則（平成22年政令第13号）

（施行期日）

第１条　この政令は、自然公園法及び自然環境保全法の一部を改正する法律（以下「改正法」という。）の施行の日（平成22年４月１日）から施行する。

（経過措置）

第２条　改正法第１条の規定による改正後の自然公園法（以下「新自然公園法」という。）第10条第９項（新自然公園法第16条第４項において準用する場合を含む。以下この条において同じ。）の規定は、改正法の施行の日以後に新自然公園法第10条第９項に規定する変更をした者について適用する。

第３条　この政令の施行前に第１条の規定による改正前の自然公園法施行令（以下「旧自然公園法施行令」という。）第３条（旧自然公園法施行令第16条及び第17条において準用する場合を含む。）の申請書又は協議書に係る申請又は申出がされた場合における認可又は同意並びに当該認可又は同意に係る施設の供用開始及び管理又は経営の方法の届出（管理又は経営の方法の変更の届出を除く。）については、なお従前の例による。

第４条　この政令の施行前に旧自然公園法施行令第６条第１項（旧自然公園法施行令第16条及び第17条において準用する場合を含む。次項において同じ。）の規定により承認の申請又は協議の申出がされた場合における承認又は同意及び当該承認又は同意に係る施設の供用開始については、なお従前の例による。

２　この政令の施行前に旧自然公園法施行令第６条第１項の規定によりされた承認又は同意（この政令の施行後に前項の規定によりなお従前の例によりされた承認又は同意を含む。）は、新自然公園法第10条第６項（新自然公園法第16条第４項において準用する場合を含む。）の規定によりされた認可又は同意とみなす。

第５条　この政令の施行前に旧自然公園法施行令第７条（旧自然公園法施行令第16条及び第17条において準用する場合を含む。）の規定によりされた承認の申請又は届出は、新自然公園法第13条（新自然公園法第16条第４項において準用する場合を含む。）の規定によりされた届出とみなす。

第６条　この政令の施行前に旧自然公園法施行令第８条第１項（旧自然公園法施行令第16条及び第17条において準用する場合を含む。）の規定により承認の申請若しくは届出がされた場合又は事業の譲渡につき他の法令の規定により行政庁の認可その他の処分の申請がされた場合における地位の承継については、なお従前の例による。

第７条　この政令の施行前に発生した事項につき旧自然公園法施行令第11条（旧自然公園法施行令第16条及び第17条において準用する場合を含む。）の規定により届け出なければならないこととされている事項の届出については、なお従前の例による。

第８条　この政令の施行前に旧自然公園法施行令第４条第１項（旧自然公園法施行令第６条第２項において準用する場合を含む。）、第６条第１項、第７条若しくは第12条第３項（これらの規定を旧自然公園法施行令第17条において準用する場合を含む。）の規定又は旧自然公園法施行令第12条第１項若しくは第13条（これらの規定を旧自然公園法施行令第17条において準用する場合を含む。）の規定による命令に違反した行為（附則第３条又は第４条第１項の規定によりなお従前の例によることとされる場合におけるこの政令の施行後にした行為を含む。）を理由とする認可の取消しについては、なお従前の例による。

２　この政令の施行前に改正法第１条の規定による改正前の自然公園法第９条第３項又は第10条第３項の認可を受けた者（この政令の施行後に附則第３条の規定によりなお従前の例により認可を受けた者を含む。）についての新自然公園法第14条第３項の規定の適用については、旧自然公園法施行令第９条（旧自然公園法施行令第17条において準用する場合を含む。）の規定により付された条件（この政令の施行後に附則第３条、第４条第１項又は第６条の規定によりなお従前の例により付された条件を含む。）は、新自然公園法第10条第10項の規定により付された条件とみなす。

第９条　国立公園事業又は国定公園事業の執行の認可を受けた者（以下この条において「国立公園事業者等」という。）がこの政令の施行前に国立公園事業者等でなくなった場合（譲渡、合併又は分割により国立公園事業者等でなくなった場合を除く。）における当該国立公園事業者等であった者に対する原状回復命令等については、なお従前の例による。

第10条　この政令の施行前にした行為に対する罰則の適用については、なお従前の例による。

別表（附則第２項関係）

一　宮城県
二　山形県
三　福島県
四　群馬県
五　埼玉県
六　東京都
七　新潟県
八　富山県
九　石川県
十　福井県
十一　山梨県
十二　長野県
十三　岐阜県
十四　静岡県
十五　鳥取県
十六　岡山県
十七　山口県
十八　福岡県
十九　長崎県
二十　宮崎県
二十一　鹿児島県

〔改正〕

追加＝平12年２月政令31号、一部改正＝平15年３月政令68号・16年３月42号・17年３月89号・18年３月54号・19年３月74号・21年３月54号・令３年９月258号

◉自然公園法施行規則

〔昭和32年10月11日
厚生省令第41号〕

改正　昭和33年７月８日厚生省令第20号・昭和37年７月２日厚生省令第36号・昭和38年６月14日厚生省令第25号・昭和40年３月22日厚生省令第14号・昭和45年４月15日厚生省令第13号・昭和45年６月27日厚生省令第35号・昭和46年６月22日厚生省令第17号・昭和46年７月１日総理府令第41号・昭和48年９月29日総理府令第48号・昭和49年４月１日総理府令第12号・昭和57年７月３日総理府令第31号・昭和61年４月10日総理府令第30号・昭和63年７月15日総理府令第40号・平成２年10月２日総理府令第50号・平成５年10月29日総理府令第49号・平成６年３月25日総理府令第17号・平成７年11月30日総理府令第55号・平成８年５月11日総理府令第27号・平成９年11月26日総理府令第59号・平成12年３月24日総理府令第23号・平成12年７月17日総理府令第80号・平成12年８月14日総理府令第94号・平成13年３月29日環境省令第９号・平成13年６月29日環境省令第25号・平成14年３月29日環境省令第11号・平成14年６月27日環境省令第17号・平成14年12月26日環境省令第28号・平成15年３月25日環境省令第６号・平成16年３月29日環境省令第６号・平成16年12月16日環境省令第27号・平成17年３月４日環境省令第３号・平成17年３月29日環境省令第８号・平成17年４月19日環境省令第11号・平成17年５月25日農林水産・環境省令第２号・平成17年９月20日環境省令第20号・平成17年12月15日環境省令第33号・平成18年３月30日環境省令第12号・平成19年１月29日環境省令第３号・平成19年４月20日環境省令第11号・平成22年３月29日環境省令第４号・平成23年８月30日環境省令第17号・平成23年９月30日環境省令第25号・平成23年11月30日環境省令第32号・平成26年６月11日環境省令第21号・平成26年８月８日環境省令第25号・平成27年２月20日環境省令第３号・平成27年５月19日環境省令第21号・平成29年３月23日環境省令第３号・平成30年４月17日環境省令第10号・令和元年９月30日環境省令第７号・令和元年10月31日環境省令第11号・令和２年12月１日環境省令第28号・令和４年３月14日環境省令第５号

目次　頁

第１章　公園計画

本章追加＝令４年３月環令５号

第１条　自然公園法（昭和32年法律第161号。以下「法」という。）第８条の２第１項及び第３項に規定する環境省令で定める書類は、次の各号に掲げる事項を記載した書面とする。

一　法第８条の２第１項又は第３項の規定による提案（以下この条において「提案」という。）を行う協議会（法第16条の２第１項、第16条の７第１項、第42条の２第１項又は第42条の３第１項に規定する協議会をいう。以下この条において同じ。）を組織した市町村又は都道府県

二　提案を行う協議会の名称及び構成員の氏名又は名称

三　提案の理由

２　環境大臣又は都道府県知事は、前項各号に掲げるもののほか、提案を踏まえた公園計画の変更又は公園計画の変更に係る申出に関し必要があると認めるときは、当該提案をした協議会に対し、当該提案に係る場所及びその周辺の風致若しくは景観の状況若しくは特質又は当該提案に係る国立公園若しくは国定公園の利用の状況を記載した書類その他の必要な書類の提出を求めることができる。

第１章の２　公園事業

旧第１章を本章に繰下＝令４年３月環令５号

（公園事業の決定等の提案に係る添付書類）

第１条の２　法第９条の２第１項に規定する環境省令で定める書類は、次の各号に掲げるものとする。

一　次に掲げる事項を記載した書面

イ　法第９条の２第１項の規定による提案（以下この項及び次項において「提案」という。）を行う協議会を組織した市町村又は都道府県

ロ　提案を行う協議会の名称及び構成員の氏名又は名称

ハ　提案の理由

二　当該国立公園事業の概要を記載した書面

２　環境大臣は、前項各号に掲げるもののほか、提案を踏まえた公園事業の決定又は変更に関し必要があると認めるときは、当該提案をした協議会に対し、当該提案に係る場所及びその周辺の風致若しくは景観の状況若しくは特質又は当該提案に係る国立公園の利用の状況を記載した書類その他の必要な書類の提出を求めることができる。

３　第１項の規定は法第９条の２第３項において準用する同条第１項に規定する環境省令で定める書類について、前項の規定は法第９条の２第３項において準用する同条第１項の規定による提案について準用する。この場合において、第１項第１号イの規定中「法第９条の２第１項」とあるのは「法第９条の２第３項において準用する同条第１項」と、「市町村又は都道府県」とあるのは「市町村」と、同項第２号中「国立公園事業」とあるのは「国定公園事業」と、前項中「環境大臣」とあるのは「都道府県知事」と、

「国立公園」とあるのは「国定公園」と読み替えるものとする。

〔改正〕

追加＝令４年３月環令５号

（国立公園事業の執行の協議又は認可）

第１条の３　法第10条第２項の協議又は同条第３項の認可は、公園施設ごとに協議し、又は認可を受けるものとする。

〔改正〕

旧第１条の全部改正＝平22年３月環令４号、一部改正＝平23年11月環令32号、一部改正し本条に繰下＝令４年３月環令５号

（国立公園事業の執行の協議又は認可の申請）

第２条　法第10条第４項の執行の協議又は認可の申請は、書面を提出する方法又は電子情報処理組織（情報通信技術を活用した行政の推進等に関する法律（平成14年法律第151号）第６条第１項に規定する電子情報処理組織をいう。以下同じ。）を使用する方法をもつて行うものとする。

２　法第10条第４項第６号に規定する環境省令で定める事項は、次の各号に掲げるものとする。

一　公園施設の構造（自然公園法施行令（昭和32年政令第298号。以下「令」という。）第１条第７号の施設（以下「運輸施設」という。）にあつては、当該施設が風景に及ぼす影響を明らかにするために必要な事項に限る。）

二　令第１条第１号から第９号までに掲げる公園施設にあつては、その施設の供用開始の予定年月日

三　工事の施行を要する場合にあつては、その施行の予定期間

３　法第10条第５項に規定する環境省令で定める書類は、次の各号に掲げるものとする。ただし、運輸施設に関する国立公園事業にあつては、第７号、第８号及び第11号に掲げる書類を、公共団体が執行する公園施設に関する国立公園事業にあつては、第１号、第２号、第６号から第８号まで、第11号及び第12号に掲げる書類を除くとともに、行為の規模が大きいため、第３号から第５号まで及び第10号に掲げる縮尺の図面によつては適切に表示できないと認められる場合にあつては、当該施設の規模及び構造に応じて、適切と認められる縮尺の図面をもつて、これらの図面に替えることができる。

一　個人にあつては、住民票の写し

二　法人にあつては、登記事項証明書

三　公園施設の位置を明らかにした縮尺２万5000分の１程度の地形図

四　公園施設の付近の状況を明らかにした縮尺5000分の１程度の概況図及び天然色写真

五　公園施設の規模及び構造（運輸施設にあつては、当該施設が風景に及ぼす影響を明らかにするために必要な事項に限る。）を明らかにした縮尺1000分の１程度の各階平面

図、２面以上の立面図、２面以上の断面図及び意匠配色図並びに事業区域内にある公園施設の配置を明らかにした縮尺1000分の１程度の配置図

六　法人にあつては、定款、寄附行為又は規約

七　公園施設の管理又は経営に要する経費について収入及び支出の総額及び内訳を記載した書類その他公園施設を適切に管理又は経営することができることを証する書類

八　工事の施行を要する場合にあつては、事業資金を調達することができることを証する書類

九　令第１条第３号に掲げる宿舎に関する国立公園事業であつて、特定の者の優先的な使用を確保する仕組みを設けるものにあつては、当該仕組み及び当該事業の執行による国立公園の保護又は利用の増進の内容を明らかにした書類

十　工事の施行を要する場合にあつては、木竹の伐採、修景のための植栽その他当該工事に付随する工事の内容を明らかにした書類及び縮尺1000分の１程度の図面

十一　工事の施行を要する場合にあつては、積算の基礎を明らかにした工事費概算書

十二　国立公園事業の執行に必要な土地、家屋その他の物件を当該事業の執行のために使用することができることを証する書類

十三　国立公園事業の執行に関し土地収用法（昭和26年法律第219号）の規定により土地又は権利を収用し又は使用する必要がある場合にあつては、その収用又は使用を必要とする理由書

4　環境大臣は、前項各号に掲げるもののほか、法第10条第２項の協議又は同条第３項の認可に関し必要があると認めるときは、当該協議又は認可の申請をした者に対し、縮尺1000分の１程度の構造図、給排水計画図その他の必要な書類の提出を求めることができる。

5　前２項の書類の添付については、第１項の規定の例による。

〔改正〕

全部改正＝平22年３月環令４号、一部改正＝平23年11月環令32号・令元年９月７号・４年３月５号

（変更の協議又は認可を要しない軽微な変更）

第３条　法第10条第６項ただし書に規定する環境省令で定める軽微な変更は、次の各号に掲げるものとする。

一　法第10条第４項第１号又は第５号に掲げる事項の変更（ただし、第５号に掲げる事項の変更にあつては、令第１条第３号に掲げる宿舎に関する国立公園事業であつて、特定の者の優先的な使用を確保する仕組みを設けようとするものを除く。）

二　前条第２項第１号から第３号までに掲げる事項の変更（ただし、第１号に掲げる事項の変更にあつては公園施設の規模、色彩又は形態の変更を伴わないものに限る。）

〔改正〕

全部改正＝平22年３月環令４号、一部改正＝平23年11月環令32号・令４年３月５号

（国立公園事業の内容の変更の協議又は認可の申請）

第４条　法第10条第７項の規定による変更の協議又は認可の申請は、次の各号に掲げる事項を記載した協議書又は申請書を環境大臣に提出して行うものとする。

一　氏名又は名称及び住所並びに法人にあつては、その代表者の氏名

二　変更の内容

三　変更しようとする年月日

四　変更を必要とする理由

五　工事の施行を要する場合にあつては、その施行の予定期間

２　法第10条第８項において準用する同条第５項に規定する環境省令で定める書類は、第２条第３項第３号及び第４号に掲げる書類のほか、変更に係る第２条第３項各号に掲げる書類（同項第３号及び第４号に掲げるものを除く。）とする。

３　環境大臣は、前項に定めるもののほか、法第10条第６項の協議又は認可に関し必要があると認めるときは、当該協議又は認可の申請をした者に対し、縮尺1000分の１程度の構造図、給排水計画図その他の必要な書類の提出を求めることができる。

〔改正〕

全部改正＝平22年３月環令４号、一部改正＝平23年11月環令32号・令４年３月５号

（変更の協議又は認可を要しない軽微な変更の届出）

第５条　法第10条第９項の規定による届出は、次の各号に掲げる事項を記載した届出書を環境大臣に提出して行うものとする。

一　氏名又は名称及び住所並びに法人にあつては、その代表者の氏名

二　変更の内容

三　変更した年月日

四　変更を必要とする理由

〔改正〕

全部改正＝平22年３月環令４号、一部改正＝平23年11月環令32号

（承継の協議又は承認の申請）

第６条　法第12条第１項の承認を受けようとする者は、次の各号に掲げる事項を記載した申請書を環境大臣に提出するものとする。

一　譲渡人及び譲受人の氏名又は名称及び住所並びに法人にあつては、その代表者の氏名

二　公園施設の種類

三　公園施設の管理又は経営の方法

四　国立公園事業を譲渡しようとする年月日

五　国立公園事業を譲渡しようとする理由

２　前項の申請書には、次の各号に掲げる書類を添付するものとする。

一　譲受人が個人の場合にあつては、譲受人の住民票の写し
二　譲受人が法人の場合にあつては、譲受人の定款、寄附行為又は規約及び登記事項証明書
三　第２条第３項第３号、第４号及び第12号に掲げる書類
四　譲受人が行う公園施設の管理又は経営に要する経費について収入及び支出の総額及び内訳を記載した書類その他譲受人が公園施設を適切に管理又は経営することができることを証する書類
五　令第１条第３号に掲げる宿舎に関する国立公園事業であつて、譲受人が譲り受けた後に特定の者の優先的な使用を確保する仕組みを設けるものにあつては、当該仕組み及び当該事業の執行による国立公園の保護又は利用の増進の内容を明らかにした書類
六　譲渡及び譲受けに係る譲渡人及び譲受人の意思の決定を証する書類

3　法第12条第２項の規定による承継の協議をしようとする者又は承認を受けようとする者は、次の各号に掲げる事項を記載した協議書又は申請書を環境大臣に提出するものとする。
一　合併後存続する法人若しくは合併により設立される法人又は分割によりその国立公園事業の全部を承継する法人（以下「合併法人等」という。）の名称及び住所並びにその代表者の氏名
二　国立公園事業者である法人の名称及び住所並びにその代表者の氏名
三　公園施設の種類
四　合併又は分割した年月日
五　合併又は分割した理由

4　前項の協議書又は申請書には、次の各号に掲げる書類を添付するものとする。
一　合併法人等の定款、寄附行為又は規約及び登記事項証明書
二　第２条第３項第３号、第４号及び第12号に掲げる書類
三　合併契約書及び合併により消滅した国立公園事業者の登記事項証明書又は分割契約書

5　法第12条第３項の規定による相続の承認の申請は、次の各号に掲げる事項を記載した申請書を提出して行うものとする。
一　相続人の氏名及び住所並びに被相続人との続柄
二　被相続人の氏名、住所及び死亡年月日
三　公園施設の種類

6　前項の申請書には、次の各号に掲げる書類を添付するものとする。
一　第２条第３項第１号、第３号、第４号及び第12号に掲げる書類
二　被相続人との続柄を証する書類
三　相続人が２人以上ある場合においては、その全員の同意により国立公園事業を承継

すべき相続人として選定されたことを証する書類

〔改正〕

全部改正＝平22年３月環令４号、一部改正＝平23年11月環令32号・令元年９月７号・４年３月５号

（国立公園事業の休廃止の届出）

第７条　法第13条の規定による届出は、国立公園事業を休止又は廃止しようとする日の１月前までに、次の各号に掲げる事項を記載した届出書を提出して行うものとする。

一　氏名又は名称及び住所並びに法人にあつては、その代表者の氏名

二　公園施設の種類

三　休止しようとする場合にあつては、休止しようとする国立公園事業の範囲、休止予定期間及び休止期間中の公園施設の管理方法

四　廃止しようとする場合にあつては、その予定年月日及び廃止後の公園施設の取扱い

2　前項の届出書には、第２条第３項第３号及び第４号に掲げる書類を添付するものとする。

〔改正〕

全部改正＝平22年３月環令４号

（認可の失効の届出）

第８条　法第14条第２項の規定による届出は、次の各号に掲げる事項を記載した届出書を提出して行うものとする。

一　氏名又は名称及び住所並びに法人にあつては、その代表者の氏名

二　公園施設の種類

三　失効した年月日

四　失効した理由

2　前項の届出書には、次の各号に掲げる書類を添付して行うものとする。

一　第２条第３項第３号及び第４号に掲げる書類

二　他法令の規定による行政庁の許可、認可その他の処分が取り消されたこと、その他その効力が失われたことを証する書類

〔改正〕

全部改正＝平22年３月環令４号、一部改正＝平23年11月環令32号

（国定公園事業に関する規定の準用）

第９条　第１条の３及び第２条の規定は、法第16条第２項の協議及び同条第３項の認可について、第３条から第５条まで、第６条第３項及び第４項並びに第７条の規定は法第16条第２項の協議をした者について、第３条から第７条までの規定は法第16条第３項の認可を受けた者について、前条の規定は法第16条第３項の認可について準用する。この場合において、第１条の３、第２条、第４条、第６条及び第７条中「国立公園事業」とあるのは「国定公園事業」と、第２条第１項中「法第10条第４項の執行の協議又は認可」

とあるのは「法第16条第４項において準用する法第10条第４項の執行の協議又は認可」と、第２条第２項中「法第10条第４項第６号」とあるのは「法第16条第４項において準用する法第10条第４項第６号」と、同条第３項中「法第10条第５項」とあるのは「法第16条第４項において準用する法第10条第５項」と、「公共団体」とあるのは「都道府県以外の公共団体」と、同項第９号及び第６条第２項第５号中「国立公園の」とあるのは「国定公園の」と、第２条第４項、第４条から第６条まで中「環境大臣」とあるのは「都道府県知事」と、第３条第１項中「法第10条第６項ただし書」とあるのは「法第16条第４項において準用する法第10条第６項ただし書」と、同項第１号中「法第10条第４項第１号又は第５号」とあるのは「法第16条第４項において準用する法第10条第４項第１号又は第５号」と、第４条第１項中「法第10条第７項」とあるのは「法第16条第４項において準用する法第10条第７項」と、同条第２項中「法第10条第８項において準用する同条第５項」とあるのは「法第16条第４項において準用する法第10条第８項において準用する同条第５項」と、同条第３項中「法第10条第６項」とあるのは「法第16条第４項において準用する法第10条第６項」と、第５条中「法第10条第９項」とあるのは「法第16条第４項において準用する法第10条第９項」と、第６条第１項中「法第12条第１項」とあるのは「法第16条第４項において準用する法第12条第１項」と、同条第３項中「法第12条第２項」とあるのは「法第16条第４項において準用する法第12条第２項」と、同条第５項中「法第12条第３項」とあるのは「法第16条第４項において準用する法第12条第３項」と、第７条第１項中「法第13条」とあるのは「法第16条第４項において準用する法第13条」と、第８条第１項中「法第14条第２項」とあるのは「法第16条第４項において準用する法第14条第２項」と読み替えるものとする。

〔改正〕

全部改正＝平22年３月環令４号、一部改正＝平23年11月環令32号・令４年３月５号

（国立公園における協議会の公表）

第９条の２　法第16条の２第４項の規定による公表は、次の各号に掲げる事項について行うものとする。

一　協議会（法第16条の２第１項に規定する協議会をいう。第９条の４及び９条の６において同じ。）の名称及び構成員の氏名又は名称

二　協議の対象となる利用拠点区域

２　法第16条の２第４項の規定による公表は、インターネットの利用その他の適切な方法により行うものとする。

〔改正〕

追加＝令４年３月環令５号

（国立公園における利用拠点整備改善計画の認定の申請）

第９条の３　法第16条の３第１項の規定による認定の申請（以下この条において「認定の

申請」という。）をしようとする者は、様式第１による申請書を環境大臣に提出しなければならない。

2　前項の申請書には、次の各号に掲げる書類を添付するものとする。ただし、区域の規模が大きいため、第１号及び第２号に掲げる縮尺の図面によつては適切に表示できないと認められる場合にあつては、当該区域の規模に応じて適切と認められる縮尺の図面をもつて、これらの図面に替えることができる。

一　計画区域の位置を明らかにした縮尺２万5000分の１程度の地形図

二　計画区域及びその付近の状況を明らかにした縮尺5000分の１程度の概況図及び天然色写真

三　法第10条第２項の協議又は同条第３項の認可を要する法第16条の３第２項第４号に規定する利用拠点整備改善事業（以下この条及び次条において「利用拠点整備改善事業」という。）に関する次に掲げる書類（運輸施設に関する国立公園事業に係る利用拠点整備改善事業にあつてはイに掲げる書類、公共団体が執行する公園施設に関する国立公園事業に係る利用拠点整備改善事業にあつてはイに掲げる書類のうち第２条第３項第３号及び第４号に掲げる書類に限る。）

イ　第２条第３項第１号から第４号まで、第６号、第12号及び第13号に掲げる書類

ロ　公園施設を適切に管理又は経営することができることを証する書類

四　法第10条第６項の協議又は認可を要する利用拠点整備改善事業に関する第２条第３項第３号及び第４号に掲げる書類並びに国立公園事業の変更に係る前号イ及びロに掲げる書類（同項第３号及び第４号に掲げる書類を除く。）

五　法第20条第３項、第21条第３項又は第22条第３項の許可を要する利用拠点整備改善事業に関する第10条第２項第１号及び第２号に掲げる図面

六　法第33条第１項の規定による届出を要する利用拠点整備改善事業に関する第10条第２項第１号及び第２号に掲げる図面

3　環境大臣は、前項各号に掲げるもののほか、法第16条の３第４項の規定による認定に関し必要があると認めるときは、当該認定の申請をした者に対し、当該申請に係る利用拠点整備改善計画が法第16条の３第４項各号に適合することを確認するために必要な書類の提出を求めることができる。

4　認定の申請は、書面を提出する方法又は電子情報処理組織を使用する方法をもつて行うものとする。

〔改正〕

追加＝令４年３月環令５号

（国立公園における利用拠点整備改善計画の記載事項）

第９条の４　利用拠点整備改善事業の実施主体の記載は、個人にあつては氏名及び住所を、法人にあつては名称、住所及び代表者の氏名を明示してするものとする。

２　法第16条の３第２項第８号に規定する環境省令で定める事項は、次の各号に掲げるものとする。

一　利用拠点整備改善計画の名称

二　利用拠点整備改善計画を作成した協議会の名称及び構成員の氏名又は名称

三　利用拠点整備改善計画に係る事務の実施体制

四　法第20条第３項、第21条第３項又は第22条第３項の許可を要する利用拠点整備改善事業にあつては、当該許可を要する行為に係る第10条第１項第２号、第４号及び第６号に掲げる事項

五　法第33条第１項の規定による届出を要する利用拠点整備改善事業にあつては、当該届出を要する行為に係る行為の種類、場所及び施行方法

六　その他参考となるべき事項

〔改正〕

追加＝令４年３月環令５号

（国立公園における認定を受けた利用拠点整備改善計画の公表）

第９条の５　法第16条の３第６項（法第16条の４第３項において準用する場合を含む。）の規定による公表は、インターネットの利用その他の適切な方法により行うものとする。

〔改正〕

追加＝令４年３月環令５号

（国立公園における利用拠点整備改善計画の軽微な変更）

第９条の６　法第16条の４第１項ただし書に規定する環境省令で定める軽微な変更は、次の各号に掲げるものとする。

一　利用拠点整備改善事業の実施主体の氏名若しくは名称、住所又は法人の代表者の氏名の変更

二　利用拠点整備改善事業の実施時期の変更

三　利用拠点整備改善計画を作成した協議会の構成員の変更又は当該協議会の構成員の氏名若しくは名称の変更

四　第３条各号に掲げる変更

五　計画期間の変更

六　前各号に掲げるもののほか、変更後の利用拠点整備改善計画が法第16条の３第４項各号のいずれにも適合することが明らかであると認められる変更

〔改正〕

追加＝令４年３月環令５号

（国定公園における協議会の公表）

第９条の７　第９条の２の規定は、法第16条の７第３項において準用する法第16条の２第４項の規定による公表について準用する。この場合において、第９条の２第１項第１号

中「法第16条の２第１項に規定する協議会をいう。第９条の４及び９条の６において同じ」とあるのは「法第16条の７第１項に規定する協議会をいう。第９条の９及び第９条の11において同じ」と読み替えるものとする。

〔改正〕

追加＝令４年３月環令５号

（国定公園における利用拠点整備改善計画の認定の申請）

第９条の８　法第16条の７第３項において準用する法第16条の３第１項の規定による認定の申請（以下この条において「認定の申請」という。）をしようとする者は、様式第２による申請書を都道府県知事に提出しなければならない。

2　前項の申請書には、次の各号に掲げる書類を添付するものとする。

一　第９条の３第２項第１号、第２号、第５号及び第６号に掲げる書類

二　法第16条第２項の協議又は同条第３項の認可を要する法第16条の７第３項において準用する法第16条の３第２項第４号に規定する利用拠点整備改善事業（以下この条及び次条において「利用拠点整備改善事業」という。）に関する次に掲げる書類（運輸施設に関する国定公園事業に係る利用拠点整備改善事業にあつてはイに掲げる書類、都道府県以外の公共団体が執行する公園施設に関する国定公園事業に係る利用拠点整備改善事業にあつてはイに掲げる書類のうち第９条において準用する第２条第３項第３号及び第４号に掲げる書類に限る。）

イ　第９条において準用する第２条第３項第１号から第４号まで、第６号、第12号及び第13号に掲げる書類

ロ　公園施設を適切に管理又は経営することができることを証する書類

三　法第16条第４項において準用する法第10条第６項の協議又は認可を要する利用拠点整備改善事業に関する第９条において準用する第２条第３項第３号及び第４号に掲げる書類並びに前号イ及びロに掲げる書類（同項第３号及び第４号に掲げる書類を除く。）

3　第９条の３第３項の規定は法第16条の７第３項において準用する法第16条の３第１項の規定による認定について、第９条の３第４項の規定は法第16条の７第３項において準用する法第16条の３第１項の規定による認定の申請について準用する。この場合において、第９条の３第３項中「環境大臣」とあるのは「都道府県知事」と読み替えるものとする。

〔改正〕

追加＝令４年３月環令５号

（国定公園における利用拠点整備改善計画の記載事項）

第９条の９　第９条の４の規定は、法第16条の７第３項において準用する法第16条の３第２項第８号に規定する環境省令で定める事項について準用する。

〔改正〕

追加＝令４年３月環令５号

（国定公園における認定を受けた利用拠点整備改善計画の公表）

第９条の10　第９条の５の規定は、法第16条の７第３項において準用する法第16条の３第６項（法第16条の７第３項において準用する法第16条の４第３項において準用する場合を含む。）の規定による公表について準用する。

〔改正〕

追加＝令４年３月環令５号

（国定公園における利用拠点整備改善計画の軽微な変更）

第９条の11　第９条の６の規定は、法第16条の７第３項において準用する法第16条の４第１項ただし書に規定する環境省令で定める軽微な変更について準用する。この場合において、第９条の６第４号中「法第10条第２項若しくは第６項の協議、同条第３項若しくは第６項の認可又は同条第９項」とあるのは「法第16条第２項若しくは第16条第４項において準用する法第10条第６項の協議、法第16条第３項若しくは第16条第４項において準用する法第10条第６項の認可又は法第16条第４項において準用する法第10条第９項」と、「法第10条第４項第５号に掲げる事項の変更並びに第３条第２号」とあるのは「法第16条第４項において準用する法第10条第４項第５号に掲げる事項の変更並びに第９条において準用する第３条第２号」と、同条第６号中「法第16条の３第４項各号」とあるのは「法第16条の７第３項において準用する法第16条の３第４項各号」と読み替えるものとする。

〔改正〕

追加＝令４年３月環令５号

第２章　保護及び利用

（特別地域の区分）

第９条の12　国立公園又は国定公園に関する公園計画のうち、保護のための規制に関する計画を定めるに当たつては、特別地域（特別保護地区を除く。以下同じ。）を次の各号のいずれかに掲げる地域に区分するものとする。

一　第１種特別地域（特別保護地区に準ずる景観を有し、特別地域のうちでは風致を維持する必要性が最も高い地域であつて、現在の景観を極力保護することが必要な地域をいう。）

二　第２種特別地域（第１種特別地域及び第３種特別地域以外の地域であつて、特に農林漁業活動についてはつとめて調整を図ることが必要な地域をいう。）

三　第３種特別地域（特別地域のうちでは風致を維持する必要性が比較的低い地域であつて、特に通常の農林漁業活動については原則として風致の維持に影響を及ぼすおそれが少ない地域をいう。）

〔改正〕

旧第９条の２として追加＝昭49年４月総令12号、本条に繰下＝令４年３月環令５号

（特別地域、特別保護地区及び海域公園地区内における行為の許可申請書）

第10条　法第20条第３項、第21条第３項又は第22条第３項の規定による許可を受けようとする者は、次の各号に掲げる事項を記載した申請書を、国立公園にあつては環境大臣に、国定公園にあつては都道府県知事に提出しなければならない。

一　氏名又は名称及び住所並びに法人にあつては、その代表者の氏名

二　行為の種類

三　行為の目的

四　行為の場所

五　行為地及びその付近の状況

六　行為の施行方法

七　着手及び完了の予定日

２　前項の申請書には、次の各号に掲げる図面を添えなければならない。ただし、行為の規模が大きいため、次の各号に掲げる縮尺の図面によつては適切に表示できないと認められる場合にあつては、当該行為の規模に応じて適切と認められる縮尺の図面をもつて、これらの図面に替えることができる。

一　行為の場所を明らかにした縮尺２万5000分の１程度の地形図

二　行為地及びその付近の状況を明らかにした縮尺5000分の１程度の概況図及び天然色写真

三　行為の施行方法を明らかにした縮尺1000分の１程度の平面図、立面図、断面図及び意匠配色図

四　行為終了後における植栽その他修景の方法を明らかにした縮尺1000分の１程度の図面

３　環境大臣又は都道府県知事は、前項各号に掲げるもののほか、法第20条第３項、第21条第３項又は第22条第３項の許可に関し必要があると認めるときは、当該許可の申請をした者に対し、縮尺1000分の１程度の構造図その他の必要な書類の提出を求めることができる。

４　申請に係る行為（道路の新築及び農林漁業のために反復継続して行われるものを除く。）の場所の面積が１ヘクタール以上である場合又は申請に係る行為がその延長が２キロメートル以上若しくはその幅員が10メートル以上となる計画になつている道路の新築（法の規定による許可を現に受け又は受けることが確実である行為が行われる場所に到達するためのものを除く。）である場合にあつては、第１項の申請書には、前項各号に掲げる図面のほか、次に掲げる事項を記載した書類を添えなければならない。

一　当該行為の場所及びその周辺の植生、動物相その他の風致又は景観の状況並びに特

質

二　当該行為により得られる自然的、社会経済的な効用

三　当該行為が風致又は景観に及ぼす影響の予測及び当該影響を軽減するための措置

四　当該行為の施行方法に代替する施行方法により当該行為の目的を達成し得る場合にあつては、当該行為の施行方法及び当該方法に代替する施行方法を風致又は景観の保護の観点から比較した結果

５　環境大臣又は都道府県知事は、第１項に規定する申請書の提出があつた場合において、申請に係る行為が当該行為の場所又はその周辺の風致又は景観に著しい影響を及ぼすおそれの有無を確認する必要があると認めたときは、申請者に対し、前項各号に掲げる事項を記載した書類の提出を求めることができる。

〔改正〕

一部改正＝昭45年６月厚令35号・46年７月総令41号・48年９月48号・平12年３月23号・８月94号・15年３月環令６号・22年３月４号・令４年３月５号

（特別地域、特別保護地区及び海域公園地区内の行為の許可基準）

第11条　法第20条第３項第１号、第21条第３項第１号及び第22条第３項第１号に掲げる行為（仮設の建築物（土地に定着する工作物のうち、屋根及び柱又は壁を有するものをいい、建築設備（当該工作物に設ける電気、ガス、給水、排水、換気、暖房、冷房、消火、排煙若しくは汚物処理の設備又は煙突、昇降機若しくは避雷針をいう。第20条第９号イ⑸において同じ。）を含む。以下同じ。）の新築、改築又は増築に限る。）に係る法第20条第４項、第21条第４項及び第22条第４項の環境省令で定める基準（以下この条において「許可基準」という。）は、次のとおりとする。ただし、既存の建築物の改築、既存の建築物の建替え若しくは災害により滅失した建築物の復旧のための新築（申請に係る建築物の規模が既存の建築物の規模を超えないもの又は既存の建築物が有していた機能を維持するためやむを得ず必要最小限の規模の拡大を行うものに限る。）又は学術研究その他公益上必要であり、かつ、申請に係る場所以外の場所においてはその目的を達成することができないと認められる建築物の新築、改築若しくは増築（以下「既存建築物の改築等」という。）であつて、第１号、第５号及び第６号に掲げる基準に適合するものについては、この限りでない。

一　設置期間が３年を超えず、かつ、当該建築物の構造が容易に移転し又は除却することができるものであること。

二　次に掲げる地域（以下「特別保護地区等」という。）内において行われるものでないこと。

イ　特別保護地区、第１種特別地域又は海域公園地区

ロ　第２種特別地域又は第３種特別地域のうち、植生の復元が困難な地域等（次に掲げる地域であつて、その全部若しくは一部について文化財保護法（昭和25年法律第

214号）第109条第１項の規定による史跡名勝天然記念物の指定若しくは同法第110条第１項の規定による史跡名勝天然記念物の仮指定（以下「史跡名勝天然記念物の指定等」という。）がされていること又は学術調査の結果等により、特別保護地区又は第１種特別地域に準ずる取扱いが現に行われ、又は行われることが必要であると認められるものをいう。以下同じ。）であるもの

⑴　高山帯、亜高山帯、風衝地、湿原等植生の復元が困難な地域

⑵　野生動植物の生息地又は生育地として重要な地域

⑶　地形若しくは地質が特異である地域又は特異な自然の現象が生じている地域

⑷　優れた天然林又は学術的価値を有する人工林の地域

三　当該建築物が主要な展望地から展望する場合の著しい妨げにならないものであること。

四　当該建築物が山稜線を分断する等眺望の対象に著しい支障を及ぼすものでないこと。

五　当該建築物の屋根及び壁面の色彩並びに形態がその周辺の風致又は景観と著しく不調和でないこと。

六　当該建築物の撤去に関する計画が定められており、かつ、当該建築物を撤去した後に跡地の整理を適切に行うこととされているものであること。

2　法第20条第３項第１号、第21条第３項第１号及び第22条第３項第１号に掲げる行為（申請に係る国立公園若しくは国定公園の区域内において公園事業若しくは農林漁業に従事する者その他の者であつて、申請に係る場所に居住することが必要と認められるものの住宅及び昭和50年４月１日（同日後に申請に係る場所が特別地域、特別保護地区又は海域公園地区に指定された場合にあつては、当該指定の日。以下「基準日」という。）において申請に係る場所に現に居住していた者の住宅若しくは住宅部分を含む建築物（基準日以後にその造成に係る行為について法第20条第３項、第21条第３項又は第22条第３項の規定による許可の申請をした分譲地等（第４項に規定する分譲地等をいう。）内に設けられるものを除く。）の新築、改築若しくは増築又はこれらの建築物と用途上不可分である建築物の新築、改築若しくは増築（前項の規定の適用を受けるものを除く。）に限る。）に係る許可基準は、前項第２号から第５号までの規定の例によるほか、当該建築物の高さ（避雷針及び煙突（寒冷地における暖房用等必要最小限のものに限る。）を除いた建築物の地上部分の最高部と最低部の高さの差をいう。以下この項、第４項及び第６項において同じ。）が13メートル（その高さが現に13メートルを超える既存の建築物の改築又は増築にあつては、既存の建築物の高さ）を超えないものであることとする。ただし、既存建築物の改築等であつて、前項第５号に掲げる基準に適合するものについては、この限りでない。

3　法第20条第３項第１号、第21条第３項第１号及び第22条第３項第１号に掲げる行為

（農林漁業を営むために必要な建築物の新築、改築又は増築（前２項の規定の適用を受けるものを除く。）に限る。）に係る許可基準は、第１項第２号から第５号までの規定の例による。ただし、前項ただし書に規定する行為に該当するものについては、この限りでない。

4　法第20条第３項第１号、第21条第３項第１号及び第22条第３項第１号に掲げる行為（集合別荘（同一棟内に独立して別荘（分譲ホテルを含む。）の用に供せられる部分が５以上ある建築物をいう。以下同じ。）、集合住宅（同一棟内に独立して住宅の用に供せられる部分が５以上ある建築物をいう。以下同じ。）若しくは保養所の新築、改築若しくは増築、分譲することを目的とした一連の土地若しくは売却すること、貸付けをすること若しくは一時的に使用させることを目的とした建築物が２棟以上設けられる予定である一連の土地（以下「分譲地等」という。）内における建築物の新築、改築若しくは増築又はこれらの建築物と用途上不可分である建築物の新築、改築若しくは増築（前３項又は次項の規定の適用を受けるものを除く。）に限る。）に係る許可基準は、第１項第２号から第５号までの規定の例によるほか、次のとおりとする。ただし、第２項ただし書に規定する行為に該当するものについては、この限りでない。

一　保存緑地（第９項第４号及び第５号に規定する保存緑地をいう。以下この項において同じ。）において行われるものでないこと。

二　分譲地等内における建築物の新築、改築又は増築にあつては、当該建築物が２階建以下であり、かつ、その高さが10メートル（その高さが現に10メートルを超える既存の建築物の改築又は増築にあつては、既存の建築物の高さ）を超えないものであること。

三　分譲地等以外の場所における集合別荘、集合住宅又は保養所の新築、改築又は増築にあつては、当該建築物の高さが13メートル（その高さが現に13メートルを超える既存の建築物の改築又は増築にあつては、既存の建築物の高さ）を超えないものであること。

四　当該建築物に係る敷地の範囲が明らかであり、かつ、その敷地面積（当該敷地内に保存緑地となるべき部分を含むものにあつては、当該保存緑地の面積を除いた面積。以下同じ。）が1000平方メートル以上であること。

五　集合別荘又は集合住宅の新築、改築又は増築にあつては、敷地面積を戸数で除した面積が250平方メートル以上であること。

六　総建築面積（同一敷地内にあるすべての建築物の建築面積（建築物の地上部分の水平投影面積をいう。以下この項において同じ。）の和をいう。第６項において同じ。）の敷地面積に対する割合及び総延べ面積（同一敷地内にあるすべての建築物の延べ面積（建築基準法施行令（昭和25年政令第338号）第２条第１項第４号に掲げる延べ面積をいう。第14条第１号イにおいて同じ。）の和をいう。以下同じ。）の敷地面積に対する割合が、次の表の上欄に掲げる地域の区分ごとに、それぞれ同表の中欄及び下欄に掲げるとおりであること。

第２種特別地域	20パーセント以下	40パーセント以下
第３種特別地域	20パーセント以下	60パーセント以下

七　当該建築物の水平投影外周線で囲まれる土地の勾配が30パーセントを超えないものであること。

八　前号に規定する土地及びその周辺の土地が自然草地、低木林地、採草放牧地又は高木の生育が困難な地域（以下「自然草地等」という。）でないこと。

九　当該建築物の地上部分の水平投影外周線が、公園事業に係る道路又はこれと同程度に当該公園の利用に資する道路（以下「公園事業道路等」という。）の路肩から20メートル以上、それ以外の道路の路肩から５メートル以上離れていること。

十　当該建築物の地上部分の水平投影外周線が敷地境界線から５メートル以上離れていること。

十一　当該建築物の建築面積が2000平方メートル以下であること。

5　法第20条第３項第１号、第21条第３項第１号及び第22条第３項第１号に掲げる行為（基準日前にその造成に係る行為について第20条第３項、第21条第３項又は第22条第３項の規定による許可の申請をし、若しくは基準日前にその造成に係る行為を完了し、若しくは基準日以後にその造成に係る行為について法第20条第６項、第21条第６項若しくは第22条第６項の規定による届出をした分譲地等内における建築物の新築、改築若しくは増築又はこれらの建築物と用途上不可分である建築物の新築、改築若しくは増築（第１項から第３項までの規定の適用を受けるものを除く。）に限る。）に係る許可基準は、第１項第２号から第５号まで並びに前項第１号及び第２号の規定の例によるほか、次のとおりとする。ただし、第２項ただし書に規定する行為に該当するものについては、この限りでない。

一　当該建築物の建築面積（建築基準法施行令第２条第１項第２号に掲げる建築面積をいう。以下この項において同じ。）が2000平方メートル以下であること。

二　当該建築物に係る敷地の範囲が明らかであり、かつ、総建築面積（同一敷地内にあるすべての建築物の建築面積の和をいう。）の敷地面積に対する割合及び総延べ面積の敷地面積に対する割合が、次の表の上欄に掲げる地域及び敷地面積の区分ごとに、それぞれ同表中欄及び下欄に掲げるとおりであること。

第２種特別地域内における敷地面積が500平方メートル未満	10パーセント以下	20パーセント以下
第２種特別地域内にお	15パーセント以下	30パーセント以下

ける敷地面積が500平方メートル以上1000平方メートル未満		
第２種特別地域内における敷地面積が1000平方メートル以上	20パーセント以下	40パーセント以下
第３種特別地域	20パーセント以下	60パーセント以下

6　法第20条第３項第１号、第21条第３項第１号及び第22条第３項第１号に掲げる行為（前各項の規定の適用を受ける建築物の新築、改築又は増築以外の建築物の新築、改築又は増築に限る。）に係る許可基準は、第１項第２号から第５号まで並びに第４項第７号及び第９号から第11号までの規定の例によるほか、次のとおりとする。ただし、第２項ただし書に規定する行為に該当するものについては、この限りでない。

一　当該建築物の高さが13メートル（その高さが現に13メートルを超える既存の建築物の改築又は増築にあつては、既存の建築物の高さ）を超えないものであること。

二　当該建築物に係る敷地の範囲が明らかであり、かつ、総建築面積の敷地面積に対する割合及び総延べ面積の敷地面積に対する割合が、前項第２号の表の上欄に掲げる地域及び敷地面積の区分ごとに、それぞれ同表の中欄及び下欄に掲げるとおりであること。

7　法第20条第３項第１号、第21条第３項第１号及び第22条第３項第１号に掲げる行為（車道（分譲地等の造成を目的としたものを除く。）の新築に限る。）に係る許可基準は、次のとおりとする。

一　特別保護地区又は第１項第２号ロ⑴から⑷までに掲げる地域であつて、その全部若しくは一部について史跡名勝天然記念物の指定等がされていること若しくは学術調査の結果等により、特別保護地区に準ずる取扱いが現に行われ、若しくは行われることが必要であると認められるもの内において行われるものでないこと。ただし、次に掲げる基準に適合するもの又は砂防工事等地形若しくは植生の保全に資すると認められる事業を行うために行われるものであつてロ及びハ並びに次号ロからホまでに掲げる基準に適合するものについては、この限りでない。

イ　地表に影響を及ぼさない方法で行われるものであること。

ロ　当該車道が次のいずれかに該当すること。

⑴　農林漁業、鉱業又は採石業の用に供される車道であつて、当該車道を設けること以外にその目的を達成することが困難であると認められるもの

⑵　地域住民の日常生活の用に供される車道

⑶　公益上必要であり、かつ、当該車道を設けること以外にその目的を達成することが困難であると認められる車道

⑷　法の規定に適合する行為の行われる場所に到達するために設けられる車道であつて、当該車道を設けること以外にその目的を達成することが困難であると認められるもの

⑸　法の規定に適合する行為により設けられた工作物又は造成された土地を利用するために必要と認められる車道

ハ　当該行為により生じた残土を特別地域、特別保護地区又は海域公園地区内において処理するものでないこと。ただし、特別地域以外の地域に搬出することが著しく困難であると認められ、かつ、第２種特別地域又は第３種特別地域内においてその風致の維持に支障を及ぼさない方法で処理することとされている場合にあつては、この限りでない。

二　前号本文に規定する地域以外の地域内において行われるものにあつては、前号ハの規定の例によるほか、次に掲げる基準に適合するものであること。

イ　前号ロの規定の例によること。ただし、専ら自転車の通行の用に供される道路の新築にあつては、この限りでない。

ロ　盛土部分の土砂の流出又は崩壊を防止する措置が十分に講じられるものであること。

ハ　法面が、交通安全上又は防災上必要やむを得ない場合を除き、緑化されることになつているものであつて、その緑化の方法が郷土種を用いる等行為の場所及びその周辺の状況に照らして妥当であると認められるものであること。ただし、法面が硬岩である場合その他の緑化が困難であると認められる場合は、この限りでない。

ニ　線形を地形に順応させること又は橋りよう、桟道、ずい道等を使用することにより、大規模な切土又は盛土を伴わないよう配慮されたものであること。

ホ　擁壁その他付帯工作物の色彩及び形態がその周辺の風致又は景観と著しく不調和でないこと。

8　法第20条第３項第１号、第21条第３項第１号及び第22条第３項第１号に掲げる行為（車道（分譲地等の造成を目的としたものを除く。）の改築又は増築に限る。）に係る許可基準は、前項第１号ハ及び第２号ロからホまでの規定の例によるほか、当該車道が新たに同項第１号本文に規定する地域を通過することとなるものでないこととする。

9　法第20条第３項第１号、第21条第３項第１号及び第22条第３項第１号に掲げる行為（分譲地等の造成を目的とした道路又は上下水道施設の新築、改築又は増築に限る。）に係る許可基準は、第７項第１号ハ及び第２号ロからホまでの規定の例によるほか、次のとおりとする。

一　特別保護地区等又は自然草地等内において行われるものでないこと。

二　道路又は上下水道施設の新築、改築又は増築に関連する分譲地等（以下「関連分譲地等」という。）の造成が特別保護地区等又は自然草地等内において行われるものでな

いこと。

三　関連分譲地等の造成の計画において、１分譲区画の面積（当該分譲区画内に保存緑地となるべき部分を含むものにあつては、当該保存緑地の面積を除いた面積）がすべて1000平方メートル以上とされていること。

四　前号に規定する計画において、勾配が30パーセントを超える土地及び公園事業道路等の路肩から20メートル以内の土地をすべて保存緑地とすることとされていること。

五　第３号に規定する計画において、前号に規定する保存緑地以外に関連分譲地等の全面積の10パーセント以上の面積の土地を保存緑地とすることとされていること。

六　第３号に規定する計画において保存緑地とされた土地において新築を行うものでないこと。

七　関連分譲地等が次に掲げる基準に適合する方法で売買されるものであること。

イ　分譲区画とされるべき土地及び保存緑地とされるべき土地の区分を購入者に図面をもつて明示すること。

ロ　購入後において１分譲区画を保存緑地となる部分を除いた面積が1000平方メートル未満になるように分割してはならない旨及びそのように分割した場合には当該分割後の土地における建築物の新築、改築又は増築については法第20条第３項、第21条第３項又は第22条第３項の規定による許可を受けられる見込みのない旨を分譲区画の購入者に書面をもつて通知すること。

八　第３号に規定する計画において、下水処理施設、ごみ処理施設等環境衛生施設が整備される等分譲地等の造成がその周辺の風致又は景観の維持に支障を及ぼすことがないよう十分配慮されていること。

九　関連分譲地等の全面積が20ヘクタール以下であること。

10　法第20条第３項第１号、第21条第３項第１号及び第22条第３項第１号に掲げる行為（屋外運動施設の新築、改築又は増築に限る。）に係る許可基準は、第１項第３号及び第４号並びに前項第１号の規定の例によるほか、次のとおりとする。

一　申請に係る場所以外の場所においてはその目的を達成することができないと認められるものであること。

二　申請に係る場所が、法第20条第３項又は第21条第３項の許可を受けて木竹の伐採が行われた後、５年を経過していない場所でないこと。ただし、木竹の伐採が僅少である場合は、この限りでない。

三　総施設面積（同一敷地内にあるすべての工作物（屋外運動施設のほか、建築物、駐車場、道路等を含む。）の地上部分の水平投影面積の和をいう。）の敷地面積に対する割合が、第２種特別地域に係るものにあつては40パーセント以下、第３種特別地域に係るものにあつては60パーセント以下であること。

四　当該屋外運動施設の水平投影外周線で囲まれる土地の勾配が10パーセントを超えな

いものであること。

五　当該屋外運動施設の地上部分の水平投影外周線が、公園事業道路等の路肩から20メートル以上、それ以外の道路の路肩から５メートル以上離れていること。

六　当該屋外運動施設の地上部分の水平投影外周線が敷地境界線から５メートル以上離れていること。

七　同一敷地内の屋外運動施設の地上部分の水平投影面積の和が2000平方メートル以下であること。

八　当該屋外運動施設に係る土地の形状を変更する規模が必要最小限であると認められること。

九　当該行為による土砂の流出のおそれがないこと。

十　支障木の伐採が僅少であること。

十一　当該屋外運動施設の色彩及び形態がその周辺の風致又は景観と著しく不調和でないこと。

11　法第20条第３項第１号、第21条第３項第１号及び第22条第３項第１号に掲げる行為（風力発電施設の新築、改築又は増築に限る。）に係る許可基準は、第１項第５号及び第６号並びに前項第２号、第８号及び第10号の規定の例によるほか、次のとおりとする。

一　第１項第２号から第４号までの規定の例によること。ただし、学術研究その他公益上必要であり、かつ、申請に係る場所以外の場所においてはその目的を達成することができないと認められる風力発電施設の新築、改築又は増築にあつては、この限りでない。

二　野生動植物の生息又は生育上その他の風致又は景観の維持上重大な支障を及ぼすおそれがないものであること。

12　法第20条第３項第１号、第21条第３項第１号及び第22条第３項第１号に掲げる行為（太陽光発電施設の新築、改築又は増築であつて、土地に定着させるものに限る。）に係る許可基準は、第１項第５号及び第６号、第10項第２号及び第８号並びに前項第２号の規定の例によるほか、次のとおりとする。

一　第１項第２号から第４号までの規定の例によること。ただし、同一敷地内の太陽光発電施設の地上部分の水平投影面積の和が2000平方メートル以下であつて、学術研究その他公益上必要であり、かつ、申請に係る場所以外の場所においてはその目的を達成することができないと認められる太陽光発電施設の新築、改築又は増築にあつては、この限りでない。

二　第４項第７号、第９号及び第10号並びに第10項第10号の規定の例によること。ただし、同一敷地内の太陽光発電施設の地上部分の水平投影面積の和が2000平方メートル以下であつて、次に掲げる基準のいずれかに適合する太陽光発電施設の新築、改築又は増築にあつては、この限りでない。

イ　学術研究その他公益上必要であり、かつ、申請に係る場所以外の場所においてはその目的を達成することができないと認められること。

ロ　地域住民の日常生活の維持のために必要と認められること。

ハ　農林漁業に付随して行われるものであること。

三　自然草地等内において行われるものでないこと。ただし、前号ただし書に規定する行為に該当するものについては、この限りでない。

四　当該行為による土砂及び汚濁水の流出のおそれがないこと。

13　法第20条第３項第１号、第21条第３項第１号及び第22条第３項第１号に掲げる行為（前各項の規定の適用を受ける工作物の新築、改築又は増築以外の仮設の工作物の新築、改築又は増築に限る。）に係る許可基準は、第１項第１号及び第６号の規定の例によるほか、次のとおりとする。

一　第１項第２号から第４号までの規定の例によること。ただし、次に掲げる行為のいずれかに該当するものについては、この限りでない。

イ　地下に設けられる工作物の新築、改築又は増築

ロ　既存の工作物の改築又は既存の工作物の建替え若しくは災害により滅失した工作物の復旧のための新築（申請に係る工作物の規模が既存の工作物の規模を超えないもの又は既存の工作物が有していた機能を維持するためやむを得ず必要最小限の規模の拡大を行うものに限る。）

ハ　学術研究その他公益上必要であり、かつ、申請に係る場所以外の場所においてはその目的を達成することができないと認められる工作物の新築、改築又は増築

二　当該工作物の外部の色彩及び形態がその周辺の風致又は景観と著しく不調和でないこと。ただし、特殊な用途の工作物については、この限りでない。

三　照明装置を用いて特別保護地区、特別地域又は海域公園地区内の森林又は河川その他の自然物について照明を行うものについては、次に掲げる基準に適合すること。ただし、学術研究その他公益上必要と認められるもの又は病害虫の防除のために行われるものは、この限りでない。

イ　色彩及び形態がその周辺の風致又は景観と著しく不調和でないこと。

ロ　期間及び時間が必要最小限であると認められるものであること。

ハ　当該照明を行う範囲が必要最小限と認められるものであること。

ニ　動光又は点滅を伴うものでないこと。

ホ　野生動植物の生息又は生育上その他の風致又は景観の維持上重大な支障を及ぼすおそれがないものであること。

ヘ　特別保護地区内の森林又は河川その他の自然物について行うものでないこと。

14　法第20条第３項第１号、第21条第３項第１号及び第22条第３項第１号に掲げる行為（前各項の規定の適用を受ける工作物の新築、改築又は増築以外の工作物の新築、改築

又は増築に限る。）に係る許可基準は、前項各号の規定の例によるほか、次のとおりとする。

一　廃棄物の処理及び清掃に関する法律（昭和45年法律第137号）第８条第１項に規定する一般廃棄物の最終処分場又は同法第15条第１項に規定する産業廃棄物の最終処分場を設置するものでないこと。

二　次に掲げる基準のいずれかに適合するものであること。

イ　当該工作物の地上部分の水平投影外周線が公園事業道路等の路肩から20メートル以上離れていること。

ロ　学術研究その他公益上必要と認められること。

ハ　地域住民の日常生活の維持のために必要と認められること。

ニ　農林漁業に付随して行われるものであること。

ホ　既に建築物の設けられている敷地内において行われるものであること。

ヘ　前項第１号イ又はロに掲げる行為のいずれかに該当するものであること。

15　法第20条第３項第２号に掲げる行為及び法第21条第３項第１号に掲げる行為（法第20条第３項第２号に掲げる行為に限る。）に係る法第20条第４項及び第21条第４項の環境省令で定める基準は、次のいずれかとする。

一　第１種特別地域内において行われるもので、次に掲げる基準に適合するものであること。

イ　単木択伐法によるものであること。

ロ　当該伐採が行われる森林の最小区分ごとに算定した択伐率が当該区分の現在蓄積の10パーセント以下であること。

ハ　当該伐採の対象となる木竹の樹齢が標準伐期齢に見合う年齢に10年を加えたもの以上であること。ただし、立竹の伐採にあつては、この限りでない。

二　第２種特別地域内において行われるもので、次に掲げる基準のいずれかに適合するものであること。

イ　択伐法によるものにあつては、次に掲げる基準に適合するものであること。

⑴　当該伐採が行われる森林の最小区分ごとに算定した択伐率が、用材林にあつては当該区分の現在蓄積の30パーセント以下、薪炭林にあつては当該区分の現在蓄積の60パーセント以下であること。

⑵　当該伐採の対象となる木竹の樹齢が標準伐期齢に見合う年齢以上であること。ただし、立竹の伐採にあつては、この限りでない。

⑶　公園事業に係る施設（令第１条第７号、第10号及び第11号に掲げるものを除く。）及び集団施設地区（以下「利用施設等」という。）の周辺（造林地、要改良林分及び薪炭林を除く。）において行われる場合にあつては、単木択伐法によるものであること。

ロ　皆伐法によるものにあつては、イ⑵の規定の例によるほか、次に掲げる基準に適合するものであること。

⑴　１伐区の面積が２ヘクタール以内であること。ただし、当該伐採後に当該伐区内に残される立木の樹冠の水平投影面積の総和を当該伐区の面積で除した値が10分の３を超える場合又は当該伐区が利用施設等その他の主要な公園利用地点から望見されない場合は、この限りでない。

⑵　当該伐区が、皆伐法による伐採が行われた後、更新して５年を経過していない伐区に隣接していないこと。

⑶　利用施設等の周辺（造林地、要改良林分及び薪炭林を除く。）において行われるものでないこと。

三　第３種特別地域内において行われるものであること。

四　学術研究その他公益上必要と認められるもの、地域住民の日常生活の維持のために必要と認められるもの、病害虫の防除、防災若しくは風致の維持その他森林の管理のために行われるもの又は測量のために行われるものであること。

16　法第20条第３項第３号に掲げる行為に係る同条第４項の環境省令で定める基準は、次のとおりとする。

一　申請に係る場所以外の場所においてはその目的を達成することができないと認められるものであること。

二　当該損傷の対象となる木竹の生育に支障を及ぼすおそれがないものであること。

17　法第20条第３項第４号に掲げる行為（露天掘りでない方法によるものに限る。）並びに法第21条第３項第１号及び第22条第３項第１号に掲げる行為（露天掘りでない方法による法第20条第３項第４号に掲げる行為に限る。）に係る許可基準は、次のとおりとする。

一　特別保護地区又は海域公園地区内において行われるものでないこと。ただし、次に掲げる基準のいずれかに適合するものについては、この限りでない。

イ　既存の泉源、水源等の掘替えのために行われるものであること。

ロ　農林漁業の用に供するために慣行的に行われるものであること。

ハ　学術研究その他公益上必要であり、かつ、申請に係る場所以外の場所においてはその目的を達成することができないと認められるものであること。

二　坑口又は掘削口が第１種特別地域又は第２種特別地域若しくは第３種特別地域のうち植生の復元が困難な地域等内に設けられるものでないこと。ただし、前号イからハまでに掲げる基準のいずれかに適合するものについては、この限りでない。

18　法第20条第３項第４号に掲げる行為（露天掘りによるものに限る。）並びに法第21条第３項第１号及び第22条第３項第１号に掲げる行為（露天掘りによる法第20条第３項第４号に掲げる行為に限る。）に係る許可基準は、次のいずれかとする。

一　法第20条第３項、第21条第３項又は第22条第３項の規定による許可を受け、又は法

第20条第６項、第21条第６項又は第22条第６項の規定による届出をして現に露天掘りによる鉱物の掘採又は土石の採取を行つている者がその掘採又は採取を行つている土地に隣接した土地において生業の維持のために行うもの（第２号又は第４号の規定の適用を受けるものを除く。）にあつては、次に掲げる基準に適合するものであること。

イ　特別保護地区等内において行われるものでないこと。

ロ　自然的、社会経済的条件にかんがみ、掘採又は採取の期間及び規模が必要最小限と認められるものであること。

ハ　当該掘採又は採取の方法が著しい自然の改変を伴うものでないこと。

ニ　当該掘採又は採取に係る跡地の整理に関する計画が定められており、かつ、当該跡地の整理を適切に行うこととされているものであること。

二　河川にたい積した砂利を採取するものであつて採取の場所が採取前の状態に復することが確実であると認められるものにあつては、前号イの規定の例によるほか、当該採取が河川の水を汚濁する方法で行われるものでないこと。

三　第３種特別地域（植生の復元が困難な地域等を除く。）内において行われるもの（第１号、第２号又は第４号の規定の適用を受けるものを除く。）にあつては、現在の地形を大幅に改変するものでないこと。

四　既に鉱業権が設定されている区域内における鉱物の掘採にあつては、第１号イの規定の例によるほか、次に掲げる基準に適合するものであること。

イ　露天掘りでない方法によることが著しく困難であると認められるものであること。

ロ　平成12年４月１日以後に鉱業権が設定された区域内において行われるものにあつては、主要な利用施設等の周辺で行われるものでないこと。

五　前各号の規定の適用を受ける行為以外の行為にあつては、特別地域内において行われるものであつて、前項第１号イからハまでに掲げる基準のいずれかに適合するものであること。

19　法第20条第３項第５号に掲げる行為及び法第21条第３項第１号に掲げる行為（法第20条第３項第５号に掲げる行為に限る。）に係る法第20条第４項及び第21条第４項の環境省令で定める基準は、第11項第２号の規定の例によるほか、次のとおりとする。

一　次に掲げる基準のいずれかに適合するものであること。

イ　学術研究その他公益上必要と認められること。

ロ　地域住民の日常生活の維持のために必要と認められること。

ハ　農業又は漁業に付随して行われるものであること。

二　水位の変動についての計画が明らかなものであること。

三　特別保護地区又は次に掲げる地域であつて、その全部若しくは一部について史跡名勝天然記念物の指定等がされていること若しくは学術調査の結果等により、特別保護地区に準ずる取扱いが現に行われ、若しくは行われることが必要であると認められるものに支障を及ぼすおそれがないものであること。ただし、基準日においてこれらの地域において法第20条第３項又は第21条第３項の規定による許可を受け、又は法第20条第６項又は第21条第６項の規定による届出をして現に行われているものであり、かつ、従来の行為の規模を超えない程度で行われるものにあつては、この限りでない。

イ　野生動植物の生息地又は生育地として重要な地域

ロ　優れた天然林又は学術的価値を有する人工林の地域

ハ　優れた風致又は景観を有する河川又は湖沼等

20　法第20条第３項第６号に掲げる行為及び法第21条第３項第１号に掲げる行為（法第20条第３項第６号に掲げる行為に限る。）に係る法第20条第４項及び第21条第４項の環境省令で定める基準は、次のとおりとする。

一　当該汚水又は廃水の処理施設が技術的に最良の機能を有すると認められるものであること。

二　当該汚水又は廃水が法第20条第３項第６号又は第21条第３項第１号の規定により環境大臣が指定した湖沼又は湿原の水質の維持に著しい支障を及ぼすおそれがないものであること。

21　法第20条第３項第７号に掲げる行為並びに法第21条第３項第１号及び第22条第３項第１号に掲げる行為（法第20条第３項第７号に掲げる行為に限る。）に係る許可基準は、次のいずれかとする。

一　所在地、名称、商標、営業内容その他の事業のために必要である事項を明らかにするために行われるもの又は土地、立木等の権利関係を明らかにするために行われるものにあつては、当該広告物等（広告物その他これに類する物又は広告その他これに類する物をいう。以下同じ。）が次に掲げる基準に適合するものであること。

イ　店舗、事務所、営業所その他の事業所の敷地内若しくは事業を行つている場所において掲出され、若しくは設置され、又は表示されるものであること。

ロ　表示面の面積が５平方メートル以下であり、かつ、同一敷地内又は同一場所内における表示面の面積の合計が10平方メートル以下のものであること。

ハ　広告物等を設置する場合にあつてはその高さが５メートル、広告物等を掲出し又は表示する場合にあつてはその表示面の高さが５メートル（工作物に掲出し又は表示するものにあつては、当該工作物の高さ）以下のものであること。

ニ　光源を用いる広告物等にあつては、次に掲げる基準に適合すること。

⑴　照明の範囲が必要最小限であると認められるものであること。

⑵　期間及び時間が必要最小限であると認められるものであること。

⑶　動光又は点滅を伴うものでないこと。

ホ　色彩及び形態がその周辺の風致又は景観と著しく不調和でないこと。

二　店舗、事務所、営業所、住宅、別荘、保養所その他の建築物又は事業を行つている場所へ誘導するために行われるものにあつては、前号ニからホまでの規定の例によるほか、次に掲げる基準に適合するものであること。
　イ　設置の目的及び地理的条件に照らして必要と認められること。
　ロ　広告物等の個々の表示面の面積が1平方メートル以下であること。
　ハ　複数の内容を表示する広告物等にあつては、その表示面の面積の合計が10平方メートル以下であること。
　ニ　広告物等を設置する場合にあつてはその高さが5メートル、広告物等を掲出し又は表示する場合にあつてはその表示面の高さが5メートル以下のものであること。
　ホ　既に複数の広告物等が掲出され、若しくは設置され、又は表示されている地域において行われるものにあつては、当該行為に伴う広告物等の集中により周辺の風致又は景観との調和を著しく乱すものでないこと。
三　指導標、案内板その他の当該地の地理若しくは自然を案内し若しくは解説するもの又は当該地と密接な関係を持つ歴史上の事件若しくは文学作品等について当該地とのかかわりを紹介するために行われるものにあつては、第1号ニからホまで及び前号ニの規定の例によるほか、広告物等が次の基準に適合するものであること。
　イ　表示面の面積が5平方メートル（複数の内容を表示する広告物等にあつては、10平方メートル）以下であること。
　ロ　設置者名の表示面積が300平方センチメートル以下であること。
　ハ　一の広告物等に設置者名が重複して表示されるものでないこと。
四　広告物等としての機能を有するベンチ、くず箱等の簡易な物を設置するものにあつては、第1号ホ及び前号ハの規定の例によるほか、広告物等が次の基準に適合するものであること。
　イ　表示面積が300平方センチメートル以下であること。
　ロ　商品名の表示がないものであること。
　ハ　設置者の営業内容の宣伝の文言を用いるものでないこと。
五　前各号の規定の適用を受ける行為以外の行為にあつては、救急病院、警察等特殊な用途の施設を示すために行われるもの、地域の年中行事等として一時的に行われるもの、地域住民に一定事項を知らしめるためのものであつて地方公共団体その他の公共的団体により行われるもの、社寺境内地等において祭典、法要その他の臨時の行事に関して行われるもの又は保安の目的で行われるものであること。

22　法第20条第3項第8号に掲げる行為に係る同条第4項の環境省令で定める基準は、次のとおりとする。ただし、地域住民の日常生活の維持のために必要と認められるもの若しくは農林漁業に付随して行われるものであつて第5号から第9号までに掲げる基準に適合するもの又は公益上必要であつて第3号及び第5号から第9号までに掲げる基準に適合するものについては、この限りでない。

一　第１種特別地域又は第２種特別地域若しくは第３種特別地域のうち植生の復元が困難な地域等若しくは自然草地等内において行われるものでないこと。

二　廃棄物（廃棄物の処理及び清掃に関する法律第２条第１項に規定する廃棄物をいう。以下同じ。）を集積し、又は貯蔵するものでないこと。

三　申請に係る場所以外の場所においてはその目的を達成することができないと認められるものであること。

四　自然的、社会経済的条件にかんがみ、集積又は貯蔵の期間及び規模が必要最小限と認められるものであること。

五　集積し、又は貯蔵する物が樹木その他の遮へい物により利用施設等その他の主要な公園利用地点から明瞭に望見されるものでないこと。

六　集積し、又は貯蔵する高さが10メートルを超えないものであること。

七　集積し、又は貯蔵する土地の外周線が、公園事業道路等の路肩から20メートル以上、それ以外の道路の路肩から５メートル以上離れていること。

八　集積し、又は貯蔵する土地の外周線が敷地境界線から５メートル以上離れていること。

九　集積し、又は貯蔵する物が崩壊し、飛散し、及び流出するおそれがないこと。

十　支障木の伐採が僅少であること。

十一　集積又は貯蔵に係る跡地の整理に関する計画が定められており、かつ、当該跡地の整理を適切に行うこととされているものであること。

23　法第20条第３項第９号に掲げる行為、法第21条第３項第１号に掲げる行為（法第20条第３項第９号に掲げる行為に限る。）及び法第22条第３項第３号に掲げる行為に係る許可基準は、次のとおりとする。

一　次に掲げる地域内において行われるものでないこと。ただし、当該行為が学術研究上必要であり、かつ、申請に係る場所以外の場所においてはその目的を達成することができないと認められるものについては、この限りでない。

イ　特別保護地区若しくは第１種特別地域又はこれらの地先水面

ロ　海域公園地区

ハ　次に掲げる地域であつて、その全部又は一部について史跡名勝天然記念物の指定等がされていること又は学術調査の結果等により、特別保護地区又は第１種特別地域に準ずる取扱いが現に行われ、又は行われることが必要であると認められるもの

(1)　野生動植物の生息地又は生育地として重要な水辺地又は水面

(2)　優れた風致若しくは景観を有する自然海岸、自然湖岸その他の水辺地又はこれらの地先水面

二　次に掲げる基準のいずれかに適合するものであること。

イ　学術研究その他公益上必要と認められること。

ロ　地域住民の日常生活の維持のために必要と認められること。

ハ　農業又は漁業に付随して行われるものであること。

ニ　既存の埋立地又は干拓地の地先において行われるものであること。

三　当該行為又はこれに関連する行為が当該行為の場所に隣接する水辺地又は水面の風致又は景観の維持に及ぼす支障の程度が軽微であること。ただし、前号ニに掲げる基準に適合するものにあつては、この限りでない。

四　廃棄物の埋立てによるものでないこと。

24　法第20条第３項第10号に掲げる行為及び法第21条第３項第１号に掲げる行為（法第20条第３項第10号に掲げる行為に限る。）に係る法第20条第４項及び第21条第４項の環境省令で定める基準は、次のとおりとする。

一　特別保護地区、第１種特別地域又は第２種特別地域若しくは第３種特別地域のうち植生の復元が困難な地域等内において行われるものでないこと。ただし、当該行為が学術研究その他公益上必要であり、かつ、申請に係る場所以外の場所においてはその目的を達成することができないと認められるもの又は現に農業の用に供されている農地内において行われる客土その他の農地改良のための行為については、この限りでない。

二　集団的に建築物その他の工作物を設置する敷地を造成するために行われるものでないこと。

二の二　土地を階段状に造成するものでないこと（農林漁業を営むために必要と認められるものは除く。）。

三　ゴルフ場の造成のために行われるものでないこと。ただし、既存のゴルフコースの改築のために行われるものについては、この限りでない。

四　廃棄物の埋立てによるものでないこと。ただし、既に土石の採取等によりその形状が変更された土地において廃棄物を埋め立てる場合であつて、埋立て及びこれに関連する行為により風致の維持に新たに支障を及ぼすことがなく、埋立て及びこれに際して行われる修景等の措置により従前より好ましい風致を形成することとなるときは、この限りでない。

五　申請に係る場所以外の場所においてはその目的を達成することができないと認められるものであること。ただし、農林漁業を営むために必要と認められるものについては、この限りでない。

六　開墾し、又は形状を変更する土地の範囲が必要最小限と認められるものであること。

七　当該行為による土砂の流出のおそれがないものであること。

25　法第20条第３項第11号及び第13号に掲げる行為に係る同条第４項の環境省令で定める

基準は、次のとおりとする。

一　学術研究その他公益上必要であり、かつ、申請に係る場所以外の場所においてはその目的を達成することができないと認められるものであること。

二　採取し若しくは損傷しようとする植物、捕獲し若しくは殺傷しようとする動物又は採取し若しくは損傷しようとする卵に係る動物が申請に係る特別地域において絶滅のおそれがないものであること。ただし、当該動植物の保護増殖を目的とし、かつ、当該特別地域における当該動植物の保存に資する場合は、この限りでない。

26　法第20条第３項第12号に掲げる行為に係る同条第４項の環境省令で定める基準は、次のいずれかとする。

一　前項第１号に掲げる基準に適合するものであること。

二　災害復旧のために行われるものであること。

27　法第20条第３項第14号に掲げる行為に係る同条第４項の環境省令で定める基準は、第25項第１号の規定の例によるほか、法第20条第３項第14号の規定により環境大臣が指定する動物が家畜である場合における当該家畜である動物の放牧にあつては、当該放牧が反復継続して行われるものでないこととする。

28　法第20条第３項第15号に掲げる行為及び法第21条第３項第１号に掲げる行為（法第20条第３項第15号に掲げる行為に限る。）に係る法第20条第４項及び第21条第４項の環境省令で定める基準は、その周辺の風致又は景観と著しく不調和である色彩に変更するものでないこととする。ただし、特殊な用途の物の色彩の変更については、この限りでない。

29　法第20条第３項第16号及び第17号に掲げる行為並びに法第21条第３項第１号に掲げる行為（法第20条第３項第16号に掲げる行為に限る。）に係る法第20条第４項及び第21条第４項の環境省令で定める基準は、次のいずれかとする。

一　申請に係る場所以外の場所においてはその目的を達成することができないと認められる行為であつて、次に掲げる基準のいずれかに適合するものであること。

イ　学術研究その他公益上必要と認められるものであること。

ロ　野生動植物の生息又は生育上その他の風致の維持上支障を及ぼすおそれがないものであること。

二　地域住民の日常生活の維持のために必要と認められるものであること。

30　令第３条に規定する行為及び令第４条に規定する行為に係る法第20条第４項及び第21条第４項の環境省令で定める基準は、次のいずれかとする。

一　申請に係る場所以外の場所においてはその目的を達成することができないと認められる行為であつて、次に掲げる基準のいずれかに適合するものであること。

イ　学術研究その他公益上必要と認められるものであること。

ロ　野生動植物の生息又は生育上その他の風致又は景観の維持上支障を及ぼすおそれ

がないものであること。

二　地域住民の日常生活の維持のために必要と認められるものであること。

31　法第21条第３項第２号、第７号及び第９号に掲げる行為に係る同条第４項の環境省令で定める基準は、次のとおりとする。

一　学術研究その他公益上必要と認められるもの、地域住民の日常生活の維持のために必要と認められるもの、病害虫の防除、防災若しくは景観の維持その他森林若しくは野生動植物の保護管理のために行われるもの又は測量のために行われるものであって、かつ、申請に係る場所以外の場所においてはその目的を達成することができないと認められるものであること。

二　採取し若しくは損傷しようとする植物、捕獲し若しくは殺傷しようとする動物又は採取し若しくは損傷しようとする卵に係る動物が申請に係る特別保護地区において絶滅のおそれがないものであること。ただし、在来の動植物の保存その他当該特別保護地区における在来の景観の維持のために必要と認められる場合又は当該動植物の保護増殖を目的とし、かつ、当該特別保護地区における当該動植物の保存に資する場合は、この限りでない。

32　法第21条第３項第３号及び第８号に掲げる行為に係る同条第４項の環境省令で定める基準は、次のいずれかとする。

一　第25項第１号に掲げる基準に適合するものであること。

二　植栽し、又は種子をまこうとする地域に現存する植物と同一種類の植物を植栽し、又はその種子をまくものであること（在来の景観の維持に支障を及ぼすおそれがないと認められるものに限る。）。

三　災害復旧のために行われるものであること。

33　法第21条第３項第４号から第６号まで及び第10号並びに第22条第３項第５号及び第７号に掲げる行為に係る法第21条第４項及び第22条第４項の環境省令で定める基準は、第25項第１号の規定の例によるほか、当該行為が反復継続して行われるものでないこととする。

34　法第22条第３項第２号に掲げる行為に係る同条第４項の環境省令で定める基準は、次のとおりとする。

一　第25項第１号に掲げる基準に適合するものであること。

二　捕獲し若しくは殺傷し、又は採取し若しくは損傷しようとする動植物が申請に係る海域公園地区において絶滅のおそれがないものであること。ただし、当該動植物の保護増殖を目的とし、かつ、当該海域公園地区における当該動植物の保存に資する場合は、この限りでない。

35　法第22条第３項第４号に掲げる行為に係る同条第４項の環境省令で定める基準は、第23項第３号及び第25項第１号の規定の例による。

36　法第22条第３項第６号に掲げる行為に係る同条第４項の環境省令で定める基準は、第25項第１号の規定の例によるほか、当該汚水又は廃水が海域公園地区の水質の維持に著しい支障を及ぼすおそれがないものであることとする。

37　その自然的、社会経済的条件から判断して前各項に規定する基準の全部又は一部を適用することが適当でないと、国立公園にあつては環境大臣が、国定公園にあつては都道府県知事が認めて指定した特別地域、特別保護地区又は海域公園地区内の区域及び当該区域内において行われる法第20条第３項各号、第21条第３項各号又は第22条第３項各号に掲げる行為については、環境大臣又は都道府県知事は、それぞれ当該基準の特例を定めることができる。

38　法第20条第３項各号、第21条第３項各号及び第22条第３項各号に掲げる行為に係る許可基準は、前各項に規定する基準のほか、次のとおりとする。

一　申請に係る地域の自然的、社会経済的条件から判断して、当該行為による風致又は景観の維持上の支障を軽減するため必要な措置が講じられていると認められるものであること。

二　申請に係る場所又はその周辺の風致又は景観の維持に著しい支障を及ぼす特別な事由があると認められるものでないこと。

三　申請に係る行為の当然の帰結として予測され、かつ、その行為と密接不可分な関係にあることが明らかな行為について法第20条第３項、第21条第３項又は第22条第３項の規定による許可の申請があつた場合に、当該申請に対して不許可の処分がされることとなることが確実と認められるものでないこと。

〔改正〕

全部改正＝平12年３月総令23号、一部改正＝平12年７月総令80号・８月94号・15年３月環令６号・16年３月６号・17年３月８号・９月20号・12月33号・22年３月４号・27年５月21号・30年４月10号・令４年３月５号

（土地所有者等との協議）

第11条の２　法第20条第３項第16号及び第21条第３項第１号（法第20条第３項第16号に係る部分に限る。）の区域の指定に当たつては、その区域内の土地について所有権、地上権又は賃借権（臨時設備その他一時使用のため設定されたことが明らかなものを除く。）を有する者（以下「土地所有者等」という。）の財産権を尊重し、土地所有者等と協議すること。

〔改正〕

追加＝平15年３月環令６号、一部改正＝平22年３月環令４号

（許可に当たつて環境大臣との協議を要する国定公園の特別地域に係る行為）

第11条の３　法第20条第５項に規定する環境省令で定める行為は、次に掲げるものとする。

一　国定公園の区域のうち、特に水鳥の生息地として国際的に重要な湿地に関する条約

第2条1に規定する登録簿に掲げられている湿地の区域であつて環境大臣が指定するもの（以下「指定湿地」という。）又は世界の文化遺産及び自然遺産の保護に関する条約第11条2に規定する一覧表に記載されている同条約第1条に規定する文化遺産が所在する場所及びその周辺の区域若しくは同条約第2条に規定する自然遺産の区域であつて環境大臣が指定するもの（以下「指定世界遺産区域」という。）内において行われる次に掲げる行為

イ　その高さ（工作物の地上部分の最高部と最低部の高さの差をいう。以下この号及び第12条の2第1号において同じ。）が13メートル又はその水平投影面積が1000平方メートルを超える工作物（住宅及び仮工作物を除く。）の新築、改築又は増築（改築又は増築後において、その高さが13メートル又はその水平投影面積が1000平方メートルを超える工作物（住宅及び仮工作物を除く。）となる場合における改築又は増築を含む。）

ロ　砂防法（明治30年法律第29号）第1条に規定する砂防設備、漁港漁場整備法（昭和25年法律第137号）第3条に規定する漁港施設、港湾法（昭和25年法律第218号）第2条第5項に規定する港湾施設、海岸法（昭和31年法律第101号）第2条第1項に規定する海岸保全施設（堤防又は胸壁にあつては、当該施設と一体的に設置された樹林を除く。第12条第6号の2において同じ。）又は地すべり等防止法（昭和33年法律第30号）第2条第3項に規定する地すべり防止施設の新築

ハ　ダム、水門又はパラボラアンテナの新築、改築又は増築

ニ　法第20条第3項第2号に掲げる行為（森林法（昭和26年法律第249号）第5条第1項の地域森林計画に定める伐採に関する要件に適合するものを除く。）並びに法第20条第3項第4号及び第9号に掲げる行為

ホ　ゴルフコースの用に供するために行う土地の形状の変更（面積が1000平方メートル以下の土地に係るものを除く。）

二　指定湿地内又は指定世界遺産区域内の河川、湖沼等の水位又は水量に増減を及ぼさせる行為

三　指定湿地又は指定世界遺産区域内に法第20条第3項第6号の規定により環境大臣が指定した湖沼又は湿原の全部又は一部が含まれる場合にあつては、当該湖沼又は湿原に係る同号に掲げる行為

〔改正〕

旧第11条の2として追加＝平12年3月総令23号、一部改正＝平12年8月総令94号・14年3月環令11号、一部改正し本条に繰下＝平15年3月環令6号、一部改正＝平22年3月環令4号・26年8月25号・27年5月21号・29年3月3号

〔参照条文〕

第一号の「指定湿地」＝平12環告13号等、「指定世界遺産区域」＝平12環告14号等

（特別地域内における許可又は届出を要しない行為）

第12条　法第20条第９項第５号に規定する環境省令で定める行為は、次の各号に掲げるものとする。

一　溝、井せき、とい、水車、風車、農業用又は林業用水槽等を新築し、改築し、又は増築すること。

二　門、生垣、その高さが３メートル以下であり、かつ、その水平投影面積が30平方メートル以下であるきん舎等を新築し、改築し、又は増築すること。

三　社寺境内地又は墓地において、鳥居、灯ろう、墓碑等を新築し、改築し、又は増築すること。

四　道路その他公衆の通行し、又は集合する場所から20メートル以上の距離にあつて、かつ、その水平投影面積が1000平方メートル以下である炭がま、炭焼小屋、伐木小屋、造林小屋、畜舎、納屋、肥料だめ等を新築し、改築し、又は増築すること（改築又は増築にあつては、改築又は増築後において、その水平投影面積が1000平方メートル以下であるものに限る。）。

五　ひび、えりやな類、漁具干場、漁舎等を新築し、改築し、又は増築すること。

六　法第20条第３項の許可を受けた行為又はこの条の各号に掲げる行為を行うために必要な工事用の仮工作物（宿舎を除く。）を新築し、改築し、又は増築すること。

六の二　河川法（昭和39年法律第167号）第３条第２項に規定する河川管理施設（樹林帯を除く。）、砂防法第１条に規定する砂防設備、森林法第41条第１項又は第３項の規定により行う保安施設事業に係る施設、海岸法第２条第１項に規定する海岸保全施設、地すべり等防止法第２条第３項に規定する地すべり防止施設又は急傾斜地の崩壊による災害の防止に関する法律（昭和44年法律第57号）第２条第２項に規定する急傾斜地崩壊防止施設を改築し、又は増築すること。

六の三　下水道法（昭和33年法律第79号）第２条第３号に規定する公共下水道、同条第４号に規定する流域下水道若しくは同条第５号に規定する都市下水路を改築し、又は増築すること。

七　港湾法第２条第５項に規定する港湾施設又は同条第３項及び第４項に規定する港湾区域若しくは臨港地区以外の場所に設置する航路標識その他船舶の交通の安全を確保するために必要な施設若しくは廃油処理施設、航空保安施設、自記雨量計、積算雪量計その他気象、地象若しくは水象の観測に必要な施設又は鉄道若しくは軌道のプラットホーム（上家を含む。）を改築し、又は増築すること。

七の二　漁港漁場整備法第３条第１号に掲げる施設若しくは同条第２号イ、ロ若しくはハに掲げる施設（同号イに掲げる施設については駐車場及びヘリポートを除き、同号ハに掲げる施設については公共施設用地に限る。）又は沿岸漁業（沿岸漁業改善資金助成法（昭和54年法律第25号）第２条第１項に規定する沿岸漁業（総トン数10トン以上20トン未満の動力漁船（とう載漁船を除く。）を使用して行うものを除く。）をいう。以下この号において同じ。）の生産基盤の整備及び開発を行うために必要な沿岸漁業の構造の改善に関する事業に係る施設を改築し、又は増築すること。

八　信号機、防護柵、土留よう壁その他鉄道、軌道又は自動車道の交通の安全を確保するために必要な施設を改築し、若しくは増築すること（信号機にあつては、新築を含む。）。

九　文化財保護法第115条第１項の規定により史跡名勝天然記念物の管理に必要な施設を新築し、改築し、又は増築すること。

十　道路の舗装及び道路のこう配緩和、線形改良その他道路の改築で、その現状に著しい変更を及ぼさないもの

十の二　宅地又は道路に送水管、ガス管、電線等を埋設すること。

十の三　野生鳥獣の保護増殖のための巣箱、給じ台、給水台等を設置すること。

十の四　測量法（昭和24年法律第188号）第10条第１項に規定する測量標又は水路業務法（昭和25年法律第102号）第５条第１項に規定する水路測量標を設置すること。

十の五　境界標（不動産登記規則（平成17年法務省令第18号）第77条第１項第９号に規定する境界標をいう。）を設置すること。

十の六　受信用アンテナ（テレビジョン放送の用に供するものに限る。）を設置すること。

十の七　電波法（昭和25年法律第131号）第２条第４号に規定する無線設備を改築し、又は増築（新たに増築する無線設備の高さが、既存の無線設備の高さ又はそれが付帯する工作物の高さのうちいずれか高い方の位置を超えないものに限り、かつ、増築部分の最高部と最低部の高さの差が２メートル以下であるものに限る。）すること。

十の八　既存の電線、電話線又は通信ケーブル（以下「電線等」という。）を改築すること又は既存の電線等に沿つて電線等を新築若しくは増築すること（既存の電線等の色彩と同等と認められるものに限る。）。

十の九　既存の電線等に付帯する工作物を新築、改築又は増築すること（既存の電線等の色彩と同等と認められるものに限る。）。

十の十　変圧器その他の電柱に付帯する設備を改築又は増築すること（当該電柱の高さを超えないものに限る。）。

十の十一　支持物から他の支持物を経ずに需要場所の引込口に至る電線、電話線又は通信ケーブル並びに引込みに要する設備を設置すること。

十の十二　野生鳥獣による人、家畜、農作物、森林又は生態系に対する被害を防ぐためにカメラを設置し、又は柵、金網その他必要な施設（その高さが３メートルを超えない施設であつて、道路その他公衆の通行し、又は集合する場所から20メートル以上離れているものに限る。）を新築し、改築し、若しくは増築すること。

十の十三　特定外来生物による生態系等に係る被害の防止に関する法律（平成16年法律

第78号）第２条第１項に規定する特定外来生物（以下この条及び第13条において「特定外来生物」という。）の防除又は保安の目的で、カメラを設置すること。

十の十四　環境大臣が指定する地域以外の地域において既存の建築物の屋根面に太陽光発電施設（当該施設の色彩及び形態が、国立公園又は国定公園の風致の維持に支障を及ぼすおそれがないものとして、環境大臣が指定する色彩及び形態であるものに限る。）を設置すること。

十の十五　国立公園にあつては環境省、国定公園にあつては都道府県が、公園の保護又は適正な利用の推進のために人の立入りを防止するための柵又は当該公園の利用者数を計測するための機器その他の仮設の工作物（高さが３メートル以下であり、かつ、その水平投影面積が３平方メートル以下であるものに限る。）を新築し、改築し、又は増築すること。

十一　宅地の木竹を伐採すること。

十二　自家用のために木竹（法第20条第３項第11号の環境大臣が指定する植物（以下「採取等規制植物」という。）であるものを除く。）を択伐（塊状択伐を除く。）すること。

十二の二　生業の維持のため、必要な範囲内で竹（高さが50センチメートル以内のものに限る。）を伐採すること。

十二の三　施設又は設備の維持管理を行うため必要な範囲内で竹（高さが３メートル以内のものに限る。）を伐採すること。

十三　桑、茶、こうぞ、みつまた、こりやなぎ、桐、果樹その他農業用に栽培した木竹を伐採すること。

十四　枯損した木竹又は危険な木竹を伐採すること。

十五　森林の保育のために下刈し、つる切し、又は間伐すること。

十五の二　電線路の維持に必要な範囲内で木竹を伐採すること。

十五の三　道路（主として歩行者の通行の用に供するものを除く。）、鉄道又は軌道の交通の障害となる木竹を伐採すること。

十六　牧野改良のためにいばら、かん木等を除去すること。

十六の二　牧野その他の草原の維持のために必要な範囲内で竹又はかん木を伐採すること。

十六の三　採取等規制植物の保護増殖のために必要な範囲内で竹又はかん木を伐採すること。

十七　削除

十七の二　宅地の木竹を損傷（法第20条第３項第３号の環境大臣が指定する区域内において損傷するものに限る。以下この条において同じ。）すること。

十七の三　自家用のために木竹（採取等規制植物であるものを除く。次号において同じ。）を損傷すること。

十七の四　生業の維持のために必要な範囲内で木竹を損傷すること。

十七の五　農業を営むために必要な範囲内で木竹を損傷すること。

十七の六　漁業を営むために必要な範囲内で木竹を損傷すること。

十七の七　枯損した木竹又は危険な木竹を損傷すること。

十七の八　病害虫の防除のために必要な範囲内で木竹を損傷すること。

十七の九　災害からの避難、災害復旧又は防災のために必要な範囲内で木竹を損傷すること。

十七の十　施設又は設備の維持管理を行うために必要な範囲内で木竹を損傷すること。

十七の十一　電線路の維持のために必要な範囲内で木竹を損傷すること。

十七の十二　牧野その他の草原の維持のために必要な範囲内で木竹を損傷すること。

十七の十三　採取等規制植物の保護増殖のために必要な範囲内で木竹を損傷すること。

十七の十四　環境教育等による環境保全の取組の促進に関する法律（平成15年法律第130号）第２条第３項に規定する環境教育を行うために必要な範囲内で木竹を損傷すること。

十七の十五　国又は地方公共団体が法令に基づきその任務とされている遭難者を救助するための業務（当該業務及び非常災害に対処するための業務に係る訓練を含む。）、犯罪の予防又は捜査その他の公共の秩序を維持するための業務その他これらに類する業務を行うために必要な範囲内で木竹を損傷すること。

十七の十六　土地又は木竹の所有者又は使用及び収益を目的とする権利を有する者がその所有又は権利に係る土地の維持管理を行うために必要な範囲内で木竹を損傷すること（土地又は木竹の所有者又は使用及び収益を目的とする権利を有する者の同意を得て行う場合を含む。）

十七の十七　法令の規定による検査、調査その他これらに類する行為を行うために必要な範囲内で木竹を損傷すること。

十八　宅地内の土石を採取すること。

十九　土地の形状を変更するおそれのない範囲内で、鉱物を掘採し、又は土石を採取すること。

二十　道路その他公衆の通行し、又は集合する場所から20メートル以上の距離にある地域で、鉱物の掘採のため試すいを行うこと。

二十一　宅地又は田畑内の池沼等の水位又は水量に増減を及ぼさせること。

二十二　特別地域が指定され、又はその区域が拡張された際既にその新築、改築又は増築に着手していた工作物を操作することによつて、河川、湖沼等の水位又は水量に増減を及ぼさせること。

二十二の二　耕作の事業に伴う汚水又は廃水を排出すること。

二十二の三　森林施業に伴う汚水又は廃水を排出すること。

二十二の四　漁船から汚水又は廃水を排出すること。

二十二の五　養魚の事業に伴う汚水又は廃水を排出すること。

二十二の六　漁港漁場整備法第25条の規定により指定された漁港管理者が維持管理する同法第３条に規定する漁港施設から汚水又は廃水を排出すること。

二十二の七　宅地内で行う家畜の飼育に伴う汚水又は廃水を排出すること。

二十二の八　建築基準法（昭和25年法律第201号）第31条第２項に規定する屎尿浄化槽（建築基準法施行令第32条に規定する処理対象人員に応じた性能を有するものに限る。）から汚水又は廃水を排出すること。

二十二の九　住宅から汚水又は廃水を排出（し尿の排出を除く。）すること。

二十二の十　河川法第３条第２項に規定する河川管理施設、砂防法第１条に規定する砂防設備、森林法第41条第１項又は第３項の規定により行う保安施設事業に係る施設、海岸法第２条第１項に規定する海岸保全施設、地すべり等防止法第２条第３項に規定する地すべり防止施設又は急傾斜地の崩壊による災害の防止に関する法律第２条第２項に規定する急傾斜地崩壊防止施設から汚水又は廃水を排出すること。

二十二の十一　下水道法第２条第３号に規定する公共下水道若しくは同条第４号に規定する流域下水道へ汚水若しくは廃水を排出すること又はこれらの施設から汚水若しくは廃水を排出すること。

二十三　地表から2.5メートル以下の高さで、広告物等を建築物の壁面に掲出し、又は工作物等に表示すること。

二十四　法令の規定により、又は保安の目的で、広告物に類するものを掲出し、若しくは設置し、又は広告に類するものを工作物等に表示すること。

二十五　鉄道若しくは軌道の駅舎又は自動車若しくは船舶による旅客運送事業の営業所若しくは待合所において、駅名板、停留所標識、料金表又は運送約款若しくはこれに類するものを掲出し、若しくは設置し、又は工作物等にこれらを表示すること。

二十六　森林又は野生動植物の保護管理のための標識を掲出し、又は設置すること。

二十六の二　漁港漁場整備法第34条第１項の規定により定められた漁港管理規程に基づき、標識その他これに類するものを掲出し、若しくは設置し、又は工作物等に表示すること。

二十六の二の二　特定外来生物の防除の目的で、標識その他これに類するものを掲出し、若しくは設置し、又は工作物等にこれらを表示すること。

二十六の三　1.5メートル以下の高さで、かつ、10平方メートル以下の面積で物を集積し、又は貯蔵すること。

二十六の四　耕作の事業に伴う物の集積又は貯蔵で明らかに風致の維持に支障のないもの

二十六の五　森林の整備又は木材の生産に伴い発生する根株、伐採木又は枝条を森林内に集積し、又は貯蔵すること。

二十六の六　木材の加工又は流通の事業に伴い発生する木くずを集積し、又は貯蔵すること。

二十六の七　河川法第３条第１項に規定する河川その他の公共の用に供する水路の管理のために必要な物を集積し、又は貯蔵すること。

二十六の八　砂防法第１条に規定する砂防設備の管理又は維持のために必要な物を集積し、又は貯蔵すること。

二十六の九　海岸法第２条第２項に規定する一般公共海岸区域若しくは同法第３条第１項に規定する海岸保全区域の管理のために必要な物を集積し、又は貯蔵すること。

二十六の十　地すべり等防止法第３条第１項に規定する地すべり防止区域の管理のために必要な物を集積し、又は貯蔵すること。

二十六の十一　急傾斜地の崩壊による災害の防止に関する法律第３条第１項に規定する急傾斜地崩壊危険区域の管理のために必要な物を集積し、又は貯蔵すること。

二十六の十二　港湾法第２条第５項に規定する港湾施設において荷役の目的に必要な物を集積し、又は貯蔵すること。

二十七　宅地内において採取等規制植物を採取し、又は損傷すること。

二十七の二　農業を営むために必要な範囲内で採取等規制植物を損傷すること。

二十七の二の二　牧野その他の草原の維持のために必要な範囲内で採取等規制植物を損傷すること。

二十七の二の三　採取等規制植物の保護増殖のために必要な範囲内で当該採取等規制植物を損傷すること。

二十七の二の四　国、地方公共団体又は特定外来生物の防除を目的とする催し（国又は地方公共団体が実施するものであつて、あらかじめ、その内容及び実施期間を記載した書面が、国立公園にあつては環境大臣、国定公園にあつては都道府県知事に提出されたものに限る。）に参加した者が、特定外来生物である植物（木竹を除く。）を採取し、又は損傷すること。

二十七の三　農業を営むために法第20条第３項第12号の規定により環境大臣が指定する植物を植栽し、又は植物の種子をまくこと（同号の環境大臣が指定する区域内において行うものに限る。次号において同じ。）。

二十七の四　森林の整備及び保全を図るために法第20条第３項第12号の規定により環境大臣が指定する植物を植栽し、又は植物の種子をまくこと。

二十七の五　環境大臣が指定する地域以外の地域において木竹を植栽すること（法第20条第３項第12号に掲げる行為に該当するものを除く。以下この条において同じ。）。

二十七の六　宅地内に木竹を植栽すること。

二十七の七　桑、茶、こうぞ、みつまた、こりやなぎ、桐、果樹その他農業用に栽培する木竹又は現存する木竹と同一種類の木竹を植栽すること。

二十七の八　有害なねずみ族、昆虫等を捕獲し、若しくは殺傷し、又はそれらの卵を採取し、若しくは損傷すること。

二十七の九　国、地方公共団体又は特定外来生物の防除を目的とする催し（国又は地方公共団体が実施するものであつて、あらかじめ、その内容及び実施期間を記載した書面が、国立公園にあつては環境大臣、国定公園にあつては都道府県知事に提出されたものに限る。）に参加した者が、特定外来生物である動物を捕獲し、若しくは殺傷し、又は当該動物の卵を採取し、若しくは損傷すること。

二十七の十　傷病その他の理由により緊急に保護を要する動物を捕獲し、又はそれらの卵を採取すること。

二十七の十一　遭難者の救助に係る業務を行うために犬（法第20条第３項第14号の環境大臣が指定するものに限る。以下この条において同じ。）を放つこと（同号の環境大臣が指定する区域内において放つものに限る。以下この条において同じ。）。

二十七の十二　特定外来生物による生態系等に係る被害の防止に関する法律第９条の２第１項の規定による主務大臣の許可に係る特定外来生物の放出等をすること。

二十七の十三　人の生命、身体及び財産に危害を加え、自然環境保全上の問題を生じさせるおそれがない犬であつて、次に掲げるもの。

イ　警察犬、狩猟犬その他これらと同等と認められるものを、その目的のために放つこと。

ロ　野生鳥獣による人、家畜又は農作物に対する被害を防ぐために犬を放つこと。

二十七の十四　家畜を係留放牧すること（法第20条第３項第14号に掲げる行為に該当するものを除く。）。

二十八　都市公園法（昭和31年法律第79号）第２条第１項に規定する都市公園又は都市計画法（昭和43年法律第100号）第４条第６項に規定する都市計画施設である公園若しくは緑地を設置し、又は管理すること（都市公園法施行令（昭和31年政令第290号）第５条第６項に掲げる施設のうち、園内移動用施設である索道、鋼索鉄道、モノレールその他これらに類するもの（以下「園内移動用施設である索道等」という。）及び都市計画法第18条第３項（同法第21条第２項において準用する場合を含む。）の規定により国土交通大臣に協議し、その同意を得た都市計画に基づく都市計画事業の施行として行う場合以外の場合における高さが13メートルを超え、又は水平投影面積が1000平方メートルを超える工作物（園内移動用施設である索道等を除く。）を新築し、改築し、又は増築すること（改築又は増築後において、高さが13メートルを超え、又は水平投影面積が1000平方メートルを超えるものとなる場合における改築又は増築を含む。）を除く。）。

二十九　前各号に掲げるもののほか、工作物等を修繕するために必要な行為

二十九の二　農業を営むために立ち入ること。

二十九の三　森林の保護管理のために立ち入ること。

二十九の四　林道の整備に当たつて必要な事前調査のために立ち入ること。

二十九の五　森林法第25条若しくは第25条の２に規定する保安林、同法第29条若しくは第30条の２に規定する保安林予定森林、同法第41条に規定する保安施設地区若しくは同法第44条に規定する保安施設地区予定森林の管理若しくはそれらの指定を目的とする調査又は同法第41条第１項若しくは第３項に規定する保安施設事業の実施に当たつて必要な事前調査のために立ち入ること。

二十九の六　河川法第３条第１項に規定する河川その他の公共の用に供する水路の管理又はその指定を目的とする調査（同法第６条第１項に規定する河川区域の指定、同法第54条第１項の規定による河川保全区域の指定又は同法第56条第１項の規定による河川予定地の指定を目的とするものを含む。）のために立ち入ること。

二十九の七　砂防法第１条に規定する砂防設備の管理若しくは維持又は同法第２条の規定により指定された土地の監視のために立ち入ること。

二十九の八　海岸法第２条第２項に規定する一般公共海岸区域又は同法第３条第１項に規定する海岸保全区域の管理のために立ち入ること。

二十九の九　地すべり等防止法第２条第４項に規定する地すべり防止工事の実施に当たつて必要な事前調査、同法第３条第１項に規定する地すべり防止区域の管理又は同項の規定による地すべり防止区域の指定を目的とする調査のために立ち入ること。

二十九の十　急傾斜地の崩壊による災害の防止に関する法律第３条第１項に規定する急傾斜地崩壊危険区域の管理又は同項の規定による急傾斜地崩壊危険区域の指定を目的とする調査のために立ち入ること。

二十九の十一　文化財保護法第109条第１項に規定する史跡名勝天然記念物の管理又は復旧のために立ち入ること。

二十九の十二　測量法第３条の規定による測量のために立ち入ること。

二十九の十三　削除

二十九の十四　土地又は木竹の所有者又は使用及び収益を目的とする権利を有する者がその所有又は権利に係る土地における行為を行うために立ち入ること（土地又は木竹の所有者又は使用及び収益を目的とする権利を有する者の同意を得て行う場合を含む。）。

二十九の十五　法第20条第３項第16号又は第21条第３項第１号（法第20条第３項第16号に係る部分に限る。）の規定により環境大臣が指定する区域内に存する施設の維持管理を行うために立ち入ること。

二十九の十六　法第20条第３項第16号又は第21条第３項第１号（法第20条第３項第16号

に係る部分に限る。）の規定により環境大臣が指定する区域の隣接地において、法第20条第３項若しくは第21条第３項の許可を受けた行為又はこの条の各号若しくは第13条各号に規定する行為を行うため、やむを得ず通過する目的で立ち入ること。

二十九の十七　犯罪の予防又は捜査、遭難者の救助その他これらに類する業務を行うために立ち入ること。

二十九の十八　法令の規定による検査、調査その他これらに類する行為を行うために立ち入ること。

二十九の十九　森林施業のために車馬若しくは動力船を使用し、又は航空機を着陸させること。

二十九の二十　漁業を営むために車馬若しくは動力船を使用すること。

二十九の二十一　漁業取締のために車馬若しくは動力船を使用し、又は航空機を着陸させること。

二十九の二十二　河川法第３条第１項に規定する河川その他の公共の用に供する水路の管理又はその指定を目的とする調査（同法第６条第１項に規定する河川区域の指定、同法第54条第１項の規定による河川保全区域の指定又は同法第56条第１項の規定による河川予定地の指定を目的とするものを含む。）のために車馬若しくは動力船を使用し、又は航空機を着陸させること。

二十九の二十三　砂防法第１条に規定する砂防設備の管理若しくは維持又は同法第２条の規定により指定された土地の監視のために車馬若しくは動力船を使用し、又は航空機を着陸させること。

二十九の二十四　海岸法第３条に規定する海岸保全区域の管理のために車馬若しくは動力船を使用し、又は航空機を着陸させること。

二十九の二十五　地すべり等防止法第３条第１項に規定する地すべり防止区域の管理又は同項の規定による地すべり防止区域の指定を目的とする調査のために車馬若しくは動力船を使用し、又は航空機を着陸させること。

二十九の二十六　急傾斜地の崩壊による災害の防止に関する法律第３条第１項に規定する急傾斜地崩壊危険区域の管理又は同項の規定による急傾斜地崩壊危険区域の指定を目的とする調査のために車馬若しくは動力船を使用し、又は航空機を着陸させること。

二十九の二十七　土地改良法（昭和24年法律第195号）第２条第２項第１号に規定する土地改良施設の管理のために車馬若しくは動力船を使用し、又は航空機を着陸させること。

二十九の二十八　港則法（昭和23年法律第174号）第２条に規定する港の区域内において動力船を使用すること。

二十九の二十九　海上運送法（昭和24年法律第187号）第３条の規定により一般旅客定

期航路事業の免許を受けた者、同法第20条の規定により不定期航路事業の届出をした者又は同法第21条の規定により旅客不定期航路事業の許可を受けた者が当該事業を営むために動力船を使用すること。

二十九の三十　国又は地方公共団体が法令に基づきその任務とされている遭難者を救助するための業務（当該業務及び非常災害に対処するための業務に係る訓練を含む。）、犯罪の予防又は捜査その他の公共の秩序を維持するための業務、交通の安全を確保するための業務、水路業務その他これらに類する業務を行うために車馬若しくは動力船を使用し、又は航空機を着陸させること。

二十九の三十一　公園管理団体が行う法第50条第１項各号及び第２項各号に掲げる業務のために必要な行為であつて、その行為の内容及び実施期間を記載した書面が14日前までに国立公園にあつては環境大臣、国定公園にあつては都道府県知事に提出されたものを行うこと。

二十九の三十二　国立公園において絶滅のおそれのある野生動植物の種の保存に関する法律（平成４年法律第75号）第10条第１項の規定による環境大臣の許可に係る行為として、法第20条第３項各号に掲げるものを行うこと。

二十九の三十三　絶滅のおそれのある野生動植物の種の保存に関する法律第47条第１項に規定する認定保護増殖事業等（次条において「認定保護増殖事業等」という。）の実施のために必要な行為として、法第20条第３項各号に掲げるものを行うこと。

二十九の三十四　特定外来生物による生態系等に係る被害の防止に関する法律第３章の規定による防除の実施のために必要な行為として、法第20条第３項各号に掲げるものを行うこと。

二十九の三十五　鳥獣の保護及び管理並びに狩猟の適正化に関する法律第28条の２第１項から第５項までの規定による保全事業の実施のために必要な行為として、法第20条第３項各号に掲げるものを行うこと。

二十九の三十六　鳥獣の保護及び管理並びに狩猟の適正化に関する法律第９条第１項の規定により、国立公園にあっては環境大臣の許可、国定公園にあっては都道府県知事の許可に係る行為として、法第20条第３項各号に掲げるものを行うこと。

二十九の三十七　鳥獣の保護及び管理並びに狩猟の適正化に関する法律第14条の２第１項の規定による指定管理鳥獣捕獲等事業による指定管理鳥獣の捕獲に伴う行為として、法第20条第３項各号に掲げるものを行うこと。

三十　道路、駐車場、運動場、芝生で覆われた園地、植生のない砂浜その他の原状回復が可能な場所において、地域の活性化を目的とする自然を活用した催しを実施するため、工作物を新築し、改築し、若しくは増築し、広告物等を建築物の壁面に掲出し、若しくは設置し、若しくは工作物等に表示し、小規模に土地の形状を変更し、又は屋根、壁面、塀、橋、鉄塔、送水管その他これらに類するものの色彩を変更すること

（一時的に行われ、当該催しの終了後遅滞なく原状回復が行われるものであり、かつ、当該催しに関し、地方公共団体が作成する次に掲げる事項を記載した計画であつて、当該催しの開始の日の30日前までに、国立公園にあつては環境大臣、国定公園にあつては都道府県知事に提出されたものに基づき行われるものに限る。以下この号において「工作物の新築等」という。）。

イ　催しの名称、概要、主催者名、開催場所及び開催期間

ロ　風致の維持のために行われる措置の内容

ハ　原状回復を確実に実施するための体制及び方法並びにその実施期限

ニ　工作物の新築等に着手する15日前までに、その概要を、国立公園にあつては環境大臣、国定公園にあつては都道府県知事に通知する旨

三十一　前各号に掲げる行為に付帯する行為

〔改正〕

一部改正＝昭33年７月厚令20号・37年７月36号・40年３月14号・45年６月35号・46年６月17号・７月総令41号・57年７月31号・63年７月40号・平２年10月50号・９年11月59号・12年３月23号・８月94号・13年６月環令25号・14年３月11号・６月17号・15年３月６号・16年３月６号・12月27号・17年３月８号・５月農水環令２号・18年３月環令12号・19年１月３号・22年３月４号・23年８月17号・９月25号・26年６月21号・27年２月３号・30年４月10号・令４年３月５号

（許可に当たつて環境大臣との協議を要する国定公園の特別保護地区に係る行為）

第12条の２　法第21条第５項に規定する環境省令で定める行為は、次の各号に掲げるものとする。

一　その高さが50メートル又はその地上部分の容積が３万立方メートルを超える工作物の新築、改築又は増築（改築又は増築後において、その高さが50メートル又はその地上部分の容積が３万立方メートルを超える工作物となる場合における改築又は増築を含む。）

二　面積が20ヘクタールを超える土地の開墾その他土地の形状の変更又は水面の埋立て若しくは干拓

三　第11条の３第２号に掲げる行為

四　指定湿地内又は指定世界遺産区域内において行われる法第21条第３項各号に掲げる行為（前各号及び次号に掲げる行為を除く。）

五　指定湿地又は指定世界遺産区域内に法第21条第３項第１号の規定により環境大臣が指定した湖沼又は湿原の全部又は一部が含まれる場合にあつては、同号に掲げる行為のうち当該湖沼又は湿原に係る法第20条第３項第６号の規定に係るもの

〔改正〕

追加＝平12年３月総令23号、一部改正＝平12年８月総令94号・15年３月環令６号・22年３月４号・29年３月３号

〔参照条文〕

第四号の「指定湿地」＝平12環告13号等、「指定世界遺産区域」＝平12環告14号等

（特別保護地区内における許可又は届出を要しない行為）

第13条　法第21条第８項第５号に規定する環境省令で定める行為は、次の各号に掲げるものとする。

一　前条第６号の３、第９号、第10号の４、第22号の２、第22号の４、第22号の８から第22号の11まで、第24号（道路標識、区画線及び道路標示に関する命令（昭和35年総理府建設省令第３号）の規定によるものに限る。）、第26号、第27号の２の４、第27号の８から第27号の10まで、第27号の12、第29号から第29号の12まで、第29号の14から第29号の18まで、第29号の29又は第29号の31に掲げる行為

二　危険な木竹を伐採すること。

三　危険な木竹を損傷すること。

四　国又は地方公共団体が法令に基づきその任務とされている遭難者を救助するための業務を行うために必要な範囲内で木竹を損傷すること。

五　削除

六　削除

七　削除

八　削除

九　削除

十　遭難者の救助に係る業務を行うために犬を放つこと。

十の二　人の生命、身体及び財産に危害を加え、自然環境保全上の問題を生じさせるおそれがない犬であつて、次に掲げるもの。

イ　警察犬その他これと同等と認められるものを、その目的のために放つこと。

ロ　野生鳥獣による人、家畜又は農作物に対する被害を防ぐために犬を放つこと。

十一　漁業法（昭和24年法律第267号）第60条第１項に規定する漁業権（同条第５項第１号に規定する第１種共同漁業又は同項第５号に規定する第５種共同漁業に係るものに限る。）の存する水面において、漁業の免許を受けた者が当該漁業権に係る水産動植物を放ち、植栽し又はまくこと。

十二　水産資源保護法（昭和26年法律第313号）第23条第１項の規定により農林水産大臣が定める人工ふ化放流に関する計画又は道県知事が定める人工ふ化放流に関する計画に基づきさけ又はますを放流すること。

十三　特別保護地区内で捕獲した動物又は採取した動物の卵を捕獲又は採取後直ちに当該捕獲又は採取をした場所に放つこと。

十四　道路、社寺境内地等において清掃のために行う法第21条第３項第６号又は第７号に掲げる行為

十五　国又は地方公共団体が法令に基づきその任務とされている遭難者を救助するための業務を行うために必要な範囲内で植物（木竹を除く。）を損傷すること。

十六　魚介類（法第20条第３項第13号の環境大臣が指定するものを除く。）を捕獲し、又は殺傷すること。

十七　削除

十八　森林の保護管理及び森林施業を目的とする調査のために動力船を使用し、又は航空機を着陸させること。

十九　漁業を営むために動力船を使用すること。

二十　漁業取締のために動力船を使用し、又は航空機を着陸させること。

二十一　河川法第３条第１項に規定する河川その他の公共の用に供する水路の管理又はその指定を目的とする調査（同法第６条第１項に規定する河川区域の指定、同法第54条第１項の規定による河川保全区域の指定又は同法第56条第１項の規定による河川予定地の指定を目的とする調査を含む。）のために動力船を使用し、又は航空機を着陸させること。

二十二　砂防法第１条に規定する砂防設備の管理若しくは維持又は同法第２条の規定により指定された土地の監視のために動力船を使用し、又は航空機を着陸させること。

二十三　海岸法第３条に規定する海岸保全区域の管理のために動力船を使用し、又は航空機を着陸させること。

二十四　地すべり等防止法第３条第１項に規定する地すべり防止区域の管理又は同項の規定による地すべり防止区域の指定を目的とする調査のために動力船を使用し、又は航空機を着陸させること。

二十五　急傾斜地の崩壊による災害の防止に関する法律第３条第１項に規定する急傾斜地崩壊危険区域の管理又は同項の規定による急傾斜地崩壊危険区域の指定を目的とする調査のために動力船を使用し、又は航空機を着陸させること。

二十六　土地改良法第２条第２項第１号に規定する土地改良施設の管理のために動力船を使用し、又は航空機を着陸させること。

二十七　国又は地方公共団体が法令に基づきその任務とされている遭難者を救助するための業務、犯罪の予防若しくは捜査その他の公共の秩序を維持するための業務又は交通の安全を確保するための業務を行うために車馬を使用すること。

二十八　国又は地方公共団体が法令に基づきその任務とされている遭難者を救助するための業務（当該業務及び非常災害に対処するための業務に係る訓練を含む。）、犯罪の予防又は捜査その他の公共の秩序を維持するための業務、交通の安全を確保するための業務、水路業務その他これらに類する業務を行うために動力船を使用し、又は航空機を着陸させること。

二十九　国立公園において絶滅のおそれのある野生動植物の種の保存に関する法律第10条第１項の規定による環境大臣の許可に係る行為として、法第21条第３項各号に掲げるものを行うこと。

三十　認定保護増殖事業等の実施のために必要な行為として、法第21条第３項各号に掲げるものを行うこと。

三十一　特定外来生物による生態系等に係る被害の防止に関する法律第３章の規定による防除の実施のために必要な行為として、法第21条第３項各号に掲げるものを行うこと。

三十二　鳥獣の保護及び管理並びに狩猟の適正化に関する法律第28条の２第１項から第５項までの規定による保全事業の実施のために必要な行為として、法第21条第３項各号に掲げるものを行うこと。

三十三　鳥獣の保護及び管理並びに狩猟の適正化に関する法律第９条第１項の規定により、国立公園にあっては環境大臣の許可、国定公園にあっては都道府県知事の許可に係る行為として、法第21条第３項各号に掲げるものを行うこと。

三十四　国立公園において鳥獣の保護及び管理並びに狩猟の適正化に関する法律第14条の２第５項の規定により環境省が実施する指定管理鳥獣捕獲等事業又は同条第７項の規定により環境省から委託を受けた指定管理鳥獣捕獲等事業による指定管理鳥獣の捕獲に伴う行為として、法第21条第３項各号に掲げるものを行うこと。

三十五　国定公園において鳥獣の保護及び管理並びに狩猟の適正化に関する法律第14条の２第１項の規定により都道府県が実施する指定管理鳥獣捕獲等事業又は同条第７項の規定により都道府県から委託を受けた指定管理鳥獣捕獲等事業若しくは同条第５項の規定により国の機関が実施する指定管理鳥獣捕獲等事業又は同条第７項の規定により国の機関から委託を受けた指定管理鳥獣捕獲等事業による指定管理鳥獣の捕獲に伴う行為として、法第21条第３項各号に掲げるものを行うこと。

三十六　前各号に掲げる行為に付帯する行為

〔改正〕

一部改正＝昭38年６月厚令25号・46年６月17号・７月総令41号・63年７月40号・平２年10月50号・12年３月23号・８月94号・14年12月環令28号・15年３月６号・16年３月６号・17年５月農水環令２号・12月環令33号・19年１月３号・22年３月４号・23年８月17号・26年６月21号・27年２月３号・30年４月10号・令２年12月28号・４年３月５号

（許可に当たつて環境大臣との協議を要する国定公園の海域公園地区に係る行為）

第13条の２　法第22条第５項に規定する環境省令で定める行為は、次に掲げるものとする。

一　その容積が３万立方メートルを超える工作物の新築、改築又は増築（改築又は増築後において、その容積が３万立方メートルを超える工作物となる場合における改築又は増築を含む。）

二　面積が20ヘクタールを超える海面の埋立て若しくは干拓又は海底の形状の変更

三　指定湿地又は指定世界遺産区域内において行われる法第22条第３項各号（第６号を除く。）に掲げる行為

四　海域公園地区の区域内に指定湿地又は指定世界遺産区域内の全部又は一部が含まれる場合にあつては、当該海域公園地区内において行われる法第22条第３項第６号に掲げる行為

〔改正〕

追加＝平22年３月環令４号

〔参照条文〕

第三号の「指定湿地」＝平12環告13号等、「指定世界遺産区域」＝平12環告14号等

（海域公園地区内における許可又は届出を要しない行為）

第13条の３　法第22条第８項第４号に規定する環境省令で定める行為は、次の各号に掲げるものとする。

一　第12条第６号の３、第22号の２、第22号の８から第22号の11まで又は第29号の31に掲げる行為

二　港湾法第２条第６項の規定により港湾施設とみなされた外郭施設又は係留施設であつて、海域公園地区が指定され、若しくはその区域が拡張された際現に同項の規定による認定がなされているもの又は法第22条第３項の許可を受けて設置されたもの（法第68条第１項の規定による協議を了して設置されたものを含む。）を改築し、又は増築すること（既存の施設の規模と同程度のものに限る。）。

三　航路標識その他船舶の交通の安全を確保するために必要な施設又は気象、地象若しくは水象の観測に必要な施設を改築し、又は増築すること。

四　海底の形状を変更するおそれのない範囲内で、鉱物を掘採し、又は土石を採取すること。

五　学校教育法（昭和22年法律第26号）第96条の規定に基づき大学が附置する臨海実験所等の研究施設における研究計画又は正規の教育課程（都道府県知事に届け出たものに限る。）に基づいて行う法第22条第３項第２号に掲げる行為

六　藻場、干潟等における海底の底質等を改善するための耕耘その他海底の形状の変更で、その現状に著しい変更を及ぼさないもの

七　専ら海上の航行の用に供する船舶を係留すること。

八　法令の規定により航路標識その他船舶の交通の安全を確保するための施設を係留し、又は気象、地象若しくは水象の観測に必要な機器を係留すること。

九　船舶又は積荷の急迫した危難を避けるため、必要な応急措置として仮工作物を新築し、又は物を係留すること。

十　敷設又は修理中の電気通信事業法（昭和59年法律第86号）第140条第１項に規定する水底線路の位置を示す浮標を係留すること。

十一　水産資源保護法第21条第１項に規定する保護水面の管理計画に基づいて行う行為

十二　電気事業法（昭和39年法律第170号）第42条の規定による保安規程に基づき、電

気工作物を点検し、又は検査するために必要な行為

十三　海洋汚染等及び海上災害の防止に関する法律（昭和45年法律第136号）第３条第１号に規定する船舶又は同条第10号に規定する海洋施設から汚水又は廃水を排出すること。

十四　森林施業のために動力船を使用すること。

十五　漁港漁場整備法第４条に規定する漁港漁場整備事業を実施するために動力船を使用すること。

十六　漁港漁場整備法第26条の規定により漁港管理者が、適正に、漁港の維持、保全及び運営その他漁港の維持管理を行うために動力船を使用すること。

十七　遊漁船業の適正化に関する法律（昭和63年法律第99号）第３条第１項の規定により遊漁船業の登録を受けた者が、同法第２条第１項に規定する遊漁船業を行うために動力船を使用すること。

十八　港湾運送事業法（昭和26年法律第161号）第４条の規定により一般港湾運送事業、はしけ運送事業又はいかだ運送事業の許可を受けた者がそれぞれ一般港湾運送事業、はしけ運送事業又はいかだ運送事業を行うために動力船を使用すること。

十九　港湾法第２条第３項に規定する港湾区域、同法第37条第１項に規定する港湾隣接地域又は同法第56条第１項の規定により都道府県知事が公告した水域において動力船を使用すること。

二十　海岸法第３条に規定する海岸保全区域の管理のために動力船を使用すること。

二十一　美しく豊かな自然を保護するための海岸における良好な景観及び環境の保全に係る海岸漂着物等の処理等の推進に関する法律（平成21年法律第82号）第２条第２項に規定する海岸漂着物等及び海域におけるごみその他の汚物又は不要物の収集又は運搬を行うために動力船を使用すること。

二十二　外国船舶が海洋法に関する国際連合条約第19条に定めるところによる無害通航である航行として動力船を使用すること。

二十三　船舶又は積荷の急迫した危難を避けるために動力船を使用すること。

二十四　自衛隊がその任務を遂行するために動力船を使用すること。

二十五　郵便物の取集、運送及び配達を行うために動力船を使用すること。

二十六　国又は地方公共団体が法令に基づきその任務とされている遭難者を救助するための業務（当該業務及び非常災害に対処するための業務に係る訓練を含む。）、犯罪の予防又は捜査その他の公共の秩序を維持するための業務、交通の安全を確保するための業務、水路業務その他これらに類する業務を行うために動力船を使用すること。

二十七　前各号に掲げるもののほか、工作物等を修繕するために必要な行為

二十八　前各号に掲げる行為に付帯する行為

〔改正〕

追加＝平22年３月環令４号、一部改正＝令２年12月環令28号・４年３月５号

（土地所有者等との協議）

第13条の４　利用調整地区の指定に当たつては、その区域内の土地所有者等の財産権を尊重し、土地所有者等と協議すること。

〔改正〕

旧第13条の２として追加＝平15年３月環令６号、本条に繰下＝平22年３月環令４号

（利用調整地区における認定等を要しない行為）

第13条の５　法第23条第３項第７号に規定する環境省令で定める行為は、国立公園又は国定公園の利用者以外の者が行うものであつて次の各号に掲げるものとする。

一　特別地域内で行われる行為で次に掲げるもの

イ　第12条第６号、第６号の２、第７号（港湾施設及び航路標識その他船舶の交通の安全を確保するために必要な施設に係る部分に限る。）、第７号の２、第８号、第10号の２、第10号の４、第10号の15、第14号、第15号、第15号の２、第17号の７、第17号の11、第24号、第26号、第26号の２、第27号の２の４、第27号の５、第27号の９、第29号の19、第29号の28又は第29号の31から第29号の37までに掲げる行為

ロ　農林漁業を営むために行う第12条第１号、第４号、第５号、第19号及び第27号の８に掲げる行為

二　特別保護地区内で行われる行為で次に掲げるもの

イ　第13条第１号（第12条第26号、第27号の２の４又は第27号の９に係る部分に限る。）、第18号又は第29号から第36号までに掲げる行為

ロ　農林漁業を営むために行う第13条第１号（第12条第27号の８に係る部分に限る。）に掲げる行為

三　海域公園地区内で行われる行為で次に掲げるもの

イ　第13条の３第２号、第３号（港湾施設及び航路標識その他船舶の交通の安全を確保するために必要な施設に係る部分に限る。）、第８号（航路標識その他船舶の交通の安全を確保するために必要な施設に係る部分に限る。）、第９号、第11号、第15号から第18号まで又は第22号から第25号までに掲げる行為

ロ　漁業を営むために行う第13条の３第４号、第６号及び第７号に掲げる行為

四　農業を営むために通常行われる行為

五　森林の保護管理のために行われる行為

六　林道の整備に当たつて必要な事前調査を行うこと。

七　森林法第25条若しくは第25条の２に規定する保安林、同法第29条若しくは第30条の２に規定する保安林予定森林、同法第41条に規定する保安施設地区若しくは同法第44条に規定する保安施設地区予定森林の管理若しくはそれらの指定を目的とする調査又は同法第41条第１項若しくは第３項に規定する保安施設事業の実施に当たつて必要な

事前調査を行うこと。

八　漁業を営むために通常行われる行為

九　漁業取締の業務を行うこと。

十　河川法第３条第１項に規定する河川その他の公共の用に供する水路の管理又はその指定を目的とする調査（同法第６条第１項に規定する河川区域の指定、同法第54条第１項の規定による河川保全区域の指定又は同法第56条第１項の規定による河川予定地の指定を目的とするものを含む。）を行うこと。

十一　砂防法第１条に規定する砂防設備の管理若しくは維持又は同法第２条の規定により指定された土地の監視を行うこと。

十二　海岸法第２条第２項に規定する一般公共海岸区域又は同法第３条第１項に規定する海岸保全区域の管理を行うこと。

十三　地すべり等防止法第２条第４項に規定する地すべり防止工事の実施に当たつて必要な事前調査、同法第３条第１項に規定する地すべり防止区域の管理又は同項の規定による地すべり防止区域の指定を目的とする調査を行うこと。

十四　急傾斜地の崩壊による災害の防止に関する法律第３条第１項に規定する急傾斜地崩壊危険区域の管理又は同項の規定による急傾斜地崩壊危険区域の指定を目的とする調査を行うこと。

十五　航路標識の維持管理その他の船舶の交通の安全を確保するための行為

十六　鉱業権を有する者が行う第12条第19号又は第20号に掲げる行為

十七　文化財保護法第109条第１項に規定する史跡名勝天然記念物の管理又は復旧を行うこと。

十八　測量法第３条の規定による測量を行うこと。

十九　土地又は木竹の所有者又は使用及び収益を目的とする権利を有する者がその所有又は権利に係る土地において行う行為

二十　利用調整地区の区域内に存する施設を維持管理する行為

二十一　利用調整地区以外の区域において、この条の各号に規定する行為を行うため、やむを得ず通過すること。

二十二　国又は地方公共団体が法令に基づきその任務とされている遭難者を救助するための業務（当該業務及び非常災害に対処するための業務に係る訓練を含む。）、犯罪の予防又は捜査その他の公共の秩序を維持するための業務、交通の安全を確保するための業務、水路業務その他これらに類する業務を行うこと。

二十三　法令の規定による検査、調査その他これらに類する行為

二十四　環境省、都道府県若しくは公園管理団体の職員又は環境省若しくは都道府県から委託を受けた者が利用調整地区の巡視又は調査を行うこと。

二十五　前各号に掲げる行為に付帯する行為

〔改正〕

旧第13条の３として追加＝平15年３月環令６号、一部改正＝平16年３月環令６号・17年３月８号・５月農水環令２号・12月環令33号・19年１月３号、一部改正し本条に繰下＝平22年３月環令４号、一部改正＝平30年４月環令10号・令４年３月５号

（立入りの認定の基準）

第13条の６　法第24条第１項第２号に規定する環境省令で定める基準は、次に掲げるものとする。

一　利用調整地区の区域内の風致又は景観の維持とその適正な利用に支障を及ぼすおそれがないものとして、国立公園にあつては環境大臣が、国定公園にあつては都道府県知事が利用調整地区ごとに定める人数又は船舶（ろかい又は主としてろかいをもつて運転する舟を含む。）の隻数の範囲内であること。

二　利用調整地区の区域内の風致又は景観の維持とその適正な利用に支障を及ぼすおそれがないものとして、国立公園にあつては環境大臣が、国定公園にあつては都道府県知事が利用調整地区ごとに定める期間内であること。

三　利用調整地区において、風致又は景観の維持とその適正な利用に支障を及ぼすおそれのあるものとして次に掲げる行為を行うものでないこと。

イ　生きている動植物（食用に供するもの及び身体障害者補助犬法（平成14年法律第49号）第２条に規定する身体障害者補助犬を除く。）を故意に持ち込むこと。

ロ　野生動物に餌を与えること。

ハ　野生動物の生息状態に影響を及ぼす方法として、国立公園にあつては環境大臣が、国定公園にあつては都道府県知事が利用調整地区ごとに定める方法により撮影、録音、観察その他の行為を行うこと。

ニ　ごみその他の汚物又は廃物を捨て、又は放置すること。

ホ　球技その他これに類する野外スポーツをすること。

ヘ　非常の場合を除き、屋外において花火、拡声器その他これらに類するものを用い、必要以上に大きな音又は強い光を発すること。

四　国立公園にあつては環境大臣が、国定公園にあつては都道府県知事が利用調整地区ごとに定める注意事項を守るとともに、自己の責任において立ち入るものであること。

五　前各号に掲げるもののほか、利用調整地区内の風致又は景観の維持とその適正な利用に支障を及ぼすおそれがないものとして、国立公園にあつては環境大臣が、国定公園にあつては都道府県知事が利用調整地区ごとに定める基準に適合するものであること。

〔改正〕

旧第13条の４として追加＝平15年３月環令６号、一部改正し本条に繰下＝平22年３月環令４号

（立入りの認定の申請）

第13条の7　法第24条第2項（同条第8項において準用する場合を含む。）の規定による認定の申請は、次に掲げる事項を記載した申請書を環境大臣、都道府県知事又は指定認定機関に提出して行うものとする。

一　申請者の氏名及び住所

二　申請者の監督の下に立ち入る者の合計の人数（法第24条第7項の認定に係る申請を行う場合に限る。）

三　立ち入ろうとする利用調整地区の名称

四　立ち入ろうとする期間

五　立入りの目的

六　立入りの方法

七　前各号に掲げるもののほか、その他必要な事項

2　前項の申請書には、申請者が前条第3号から第5号までの基準を遵守して立ち入ることを約する書面を添付しなければならない。

〔改正〕

旧第13条の5として追加＝平15年3月環令6号、一部改正し本条に繰下＝平22年3月環令4号

（立入認定証の記載事項）

第13条の8　法第24条第4項（同条第8項において準用する場合を含む。）の立入認定証には、次に掲げる事項を記載するものとする。

一　利用調整地区の名称

二　立入認定証の有効期間

三　立入りの認定を受けた者の氏名

四　前3号に掲げるもののほか、その他必要な事項

2　環境大臣、都道府県知事又は指定認定機関は、前項の立入認定証の交付に際して、利用者に対し、第13条の6第4号に規定する注意事項その他の利用調整地区の区域内の風致又は景観の維持及びその適正な利用を図るために必要な事項について、書類の交付その他の適切な方法により、説明を行うものとする。

〔改正〕

旧第13条の6として追加＝平15年3月環令6号、一部改正し本条に繰下＝平22年3月環令4号

（立入認定証の再交付）

第13条の9　法第24条第5項（同条第8項において準用する場合を含む。）の規定による立入認定証の再交付の申請は、次に掲げる事項を記載した申請書を環境大臣、都道府県知事又は指定認定機関に提出して行うものとする。

一　申請者の氏名及び住所

二　再交付を必要とする枚数（法第24条第7項の認定に係る申請を行う場合に限る。）

三　認定を受けた利用調整地区の名称

四　立入認定証の番号及び交付年月日
五　立入認定証を亡失し、又は立入認定証が滅失した事情
〔改正〕
旧第13条の７として追加＝平15年３月環令６号、一部改正し本条に繰下＝平22年３月環令４号

（他の利用者をその監督の下に立ち入らせることができる者の要件）
第13条の10　法第24条第７項に規定する環境省令で定める要件は、その者の監督の下に立ち入る者の立入りが、法第24条第１項各号のいずれにも適合するよう、必要に応じ、当該者を監督し、必要な指導を行うことができる知識及び能力を有していることとする。
〔改正〕
追加＝平22年３月環令４号

（指定認定機関の指定の申請等）
第13条の11　法第25条第２項の規定による指定の申請は、次に掲げる事項を記載した申請書を環境大臣又は都道府県知事に提出して行うものとする。
一　氏名又は名称及び住所並びに法人にあつては、その代表者の氏名
二　認定関係事務を行おうとする事務所の所在地
三　認定関係事務を行おうとする利用調整地区の名称
四　認定関係事務を開始しようとする年月日
２　前項の申請書には、次の各号に掲げる書類を添付するものとする。
一　定款又は寄附行為及び登記事項証明書又はこれらに準ずるもの
二　申請の日の属する事業年度の直前の事業年度の貸借対照表及び当該事業年度末の財産目録又はこれらに準ずるもの（申請の日の属する事業年度に設立された法人にあつては、その設立時における財産目録）
三　申請者が法人である場合は、役員の氏名及び履歴を記載した書類
四　認定関係事務の実施の方法に関する計画を記載した書類
五　申請者が法第25条第３項各号の規定に該当しないことを説明した書類
六　前各号に掲げるもののほか、その他参考となる事項を記載した書類
〔改正〕
旧第13条の８として追加＝平15年３月環令６号、一部改正＝平17年３月環令３号、一部改正し本条に繰下＝平22年３月環令４号

（法第25条第３項第２号の環境省令で定める者）
第13条の12　法第25条第３項第２号の環境省令で定める者は、精神の機能の障害によりその認定関係事務を適確に行うに当たつて必要な認知、判断及び意思疎通を適切に行うことができない者とする。
〔改正〕
追加＝令元年10月環令11号

（認定関係事務の実施に関する規程の認可の申請等）

第13条の13　法第27条第１項前段の規定による認可の申請は、その旨を記載した申請書に認定関係事務の実施に関する規程を添えて、これを環境大臣又は都道府県知事に提出して行うものとする。

2　法第27条第１項後段の規定による認可の申請は、次に掲げる事項を記載した申請書を環境大臣又は都道府県知事に提出して行うものとする。

一　変更しようとする事項

二　変更しようとする年月日

三　変更の理由

〔改正〕

旧第13条の９として追加＝平15年３月環令６号、一部改正し旧第13条の12に繰下＝平22年３月環令４号、本条に繰下＝令元年10月環令11号

（事業計画等の認可の申請等）

第13条の14　法第27条第２項前段の規定による認可の申請は、その旨を記載した申請書に事業計画書及び収支予算書を添えて、これを環境大臣又は都道府県知事に提出して行うものとする。

2　法第27条第２項後段の規定による認可の申請は、次に掲げる事項を記載した申請書を環境大臣又は都道府県知事に提出して行うものとする。

一　変更しようとする事項

二　変更しようとする年月日

三　変更の理由

〔改正〕

旧第13条の10として追加＝平15年3月環令６号、一部改正し旧第13条の13に繰下＝平22年３月環令４号、本条に繰下＝令元年10月環令11号

（認定関係事務の休廃止の許可の申請）

第13条の15　法第27条第４項の規定による許可の申請は、次に掲げる事項を記載した申請書を環境大臣又は都道府県知事に提出して行うものとする。

一　休止し、又は廃止しようとする認定関係事務の範囲

二　休止し、又は廃止しようとする年月日

三　休止しようとする場合にあつては、その期間

四　休止又は廃止の理由

〔改正〕

旧第13条の11として追加＝平15年３月環令６号、一部改正し旧第13条の14に繰下＝平22年３月環令４号、本条に繰下＝令元年10月環令11号

（認定関係事務の引継ぎ等）

第13条の16　指定認定機関は、環境大臣又は都道府県知事が法第27条第５項の規定により認定関係事務の全部若しくは一部を自ら行う場合、同条第４項の許可を受けて認定関係

事務の全部若しくは一部を廃止する場合又は環境大臣若しくは都道府県知事が法第29条第２項若しくは第３項の規定により指定を取り消した場合には、次に掲げる事項を行わなければならない。

一　認定関係事務を環境大臣又は都道府県知事に引き継ぐこと。

二　認定関係事務に関する帳簿及び書類を環境大臣又は都道府県知事に引き継ぐこと。

三　その他環境大臣又は都道府県知事が必要と認める事項

〔改正〕

旧第13条の12として追加＝平15年３月環令６号、一部改正し旧第13条の15に繰下＝平22年３月環令４号、本条に繰下＝令元年10月環令11号

（認定等に関する手数料の納付）

第13条の17　法第31条第１項に規定する手数料については、国に納付する場合にあつては第13条の７又は第13条の９の申請書に、それぞれ当該手数料の額に相当する額の収入印紙をはることにより、指定認定機関に納付する場合にあつては法第27条第１項に規定する認定関係事務の実施に関する規程で定めるところにより、これを納付しなければならない。

２　前項の規定により納付された手数料は、これを返還しない。

〔改正〕

旧第13条の13として追加＝平15年３月環令６号、旧第13条の14・15を削り一部改正し旧第13条の16に繰下＝平22年３月環令４号、本条に繰下＝令元年10月環令11号

（普通地域内における行為の届出）

第13条の18　法第33条第１項の規定による届出は、行為の種類、場所、施行方法、着手予定日及び第３項に規定する事項を記載した届出書を提出して行うものとする。

２　前項の届出書には、第10条第２項各号に掲げる図面を添えなければならない。

３　法第33条第１項の環境省令で定める事項は、次の各号に掲げるものとする。

一　行為者の氏名又は名称及び住所並びに法人にあつては、その代表者の氏名

二　行為の目的

三　行為地及びその付近の状況

四　行為の完了予定日

〔改正〕

旧第13条の３として追加＝昭48年９月総令48号、旧第13条の４に繰下＝平12年３月総令23号、一部改正＝平12年８月総令94号、一部改正し旧第13条の６に繰下＝平15年３月環令６号、一部改正し旧第13条の17に繰下＝平22年３月環令４号、本条に繰下＝令元年10月環令11号

（工作物の基準）

第14条　法第33条第１項第１号に規定する環境省令で定める基準は、次の各号に掲げる区域の区分に従い、工作物の種類ごとに当該各号に定めるとおりとする。

一　海域以外の区域

イ　建築物　高さ13メートル又は延べ面積1000平方メートル

ロ　送水管　長さ70メートル

ハ　鉄塔　高さ30メートル

ニ　船舶の係留施設　長さ50メートル

ホ　ダム　高さ20メートル

ヘ　鋼索鉄道　延長70メートル

ト　索道　傾斜亘長600メートル又は起点と終点の高低差200メートル

チ　別荘地の用に供する道路　幅員２メートル

リ　遊戯施設（建築物を除く。）　高さ13メートル又は水平投影面積1000平方メートル

ヌ　太陽光発電施設　同一敷地内の地上部分の水平投影面積の和1000平方メートル

二　海域の区域（次号の区域を除く。）

イ　船舶の係留施設又は港湾若しくは漁港の外郭施設　長さ50メートル

ロ　イに掲げる工作物以外の工作物　海面上の高さ５メートル又は海面における水平投影面積100平方メートル

三　海域公園地区の周辺１キロメートルの当該海域公園地区に接続する海域の区域

イ　導管又は電線　長さ70メートル

ロ　船舶の係留施設又は港湾若しくは漁港の外郭施設　長さ50メートル

ハ　イ及びロに掲げる工作物以外の工作物　高さ５メートル又は水平投影面積100平方メートル

〔改正〕

全部改正＝昭45年６月厚令35号、一部改正＝昭46年７月総令41号・48年９月48号・平12年８月94号・15年３月環令６号・22年３月４号・27年５月21号

（普通地域内における届出を要しない行為）

第15条　法第33条第７項第５号に規定する環境省令で定める行為は、次の各号に掲げるものとする。

一　第12条第１号から第10号の15まで、第19号から第22号まで、第23号から第26号の２の２まで、第28号、第29号若しくは第29号の31から第29号の37までに掲げる行為又は第13条の３第２号から第４号まで、第６号、第９号、第11号、第12号若しくは第27号に掲げる行為

二　農業、林業、漁業若しくは鉱業の用に供する索道又は鉄道事業法施行規則（昭和62年運輸省令第６号）第47条第２号に規定する特殊索道のうち滑走式のものを新築し、改築し、又は増築すること。

三　地表から１メートル以下の高さで、広告物等（表示面の面積が１平方メートル以下であるものに限る。）を設置すること（同一敷地内又は同一場所内における広告物等の表示面の面積の合計が５平方メートル以下の場合に限る。）。

四　宅地内の池沼等を埋め立てること。

五　土地改良法第２条第２項各号に掲げる土地改良に関する事業（同項第４号に掲げるものを除く。）として池沼等を埋め立てること。

六　宅地内の鉱物を掘採し、又は土石を採取すること。

七　露天掘りでない方法により、鉱物を掘採し、又は土石を採取すること。

八　鉱物を掘採し、又は土石を採取することであつて面積が200平方メートル（海底にあつては100平方メートル）を超えず、かつ、高さが５メートルを超える法を生ずる切土又は盛土を伴わないもの

九　宅地内の土地の形状を変更すること。

十　工作物でない道又は河川その他の公共の用に供する水路の設置又は管理のために土地の形状を変更すること。

十一　文化財保護法第92条第１項に規定する埋蔵文化財の調査の目的で、土地の発掘のために土地の形状を変更すること。

十二　土地の開墾その他農業又は林業を営むために土地の形状を変更すること。

十三　養浜のために土地の形状を変更すること。

十四　土地又は海底の形状を変更することであつて面積が200平方メートル（海底にあつては100平方メートル）を超えず、かつ、高さが５メートルを超える法を生ずる切土又は盛土を伴わないもの

十五　魚礁の設置その他漁業生産基盤の整備又は開発のための行為

十六　道路、駐車場、運動場、芝生で覆われた園地、植生のない砂浜その他の原状回復が可能な場所において、地域の活性化を目的とする自然を活用した催しを実施するため、工作物を新築し、改築し、若しくは増築し、広告物等を建築物の壁面に掲出し、若しくは設置し、若しくは工作物等に表示し、又は小規模に土地の形状を変更すること（一時的に行われ、当該催しの終了後遅滞なく原状回復が行われるものであり、かつ、当該催しに関し、地方公共団体が作成する次に掲げる事項を記載した計画であつて、当該催しの開始の日の30日前までに、国立公園にあつては環境大臣、国定公園にあつては都道府県知事に提出されたものに基づき行われるものに限る。以下この号において「工作物の新築等」という。）。

イ　催しの名称、概要、主催者名、開催場所及び開催期間

ロ　風景の維持のために行われる措置の内容

ハ　原状回復を確実に実施するための体制及び方法並びにその実施期限

ニ　工作物の新築等に着手する15日前までに、その概要を、国立公園にあつては環境大臣、国定公園にあつては都道府県知事に通知する旨

十七　前各号に掲げる行為に付帯する行為

十八　前条第１号に規定する基準を超える工作物の新築、改築又は増築（改築又は増築後において同号に規定する基準を超えるものとなる場合における改築又は増築を含

む。）以外の工作物の新築、改築又は増築に付帯する行為

〔改正〕

全部改正＝昭48年９月総令48号、一部改正＝昭63年７月総令40号・平２年10月50号・12年３月23号・８月94号・15年３月環令６号・17年３月８号・18年３月12号・22年３月４号・30年４月10号・令４年３月５号

（既着手行為等の届出書）

第15条の２　法第20条第６項から第８項まで、第21条第６項若しくは第７項又は第22条第６項若しくは第７項の規定による届出は、次の各号に掲げる事項を記載した届出書を提出して行うものとする。

一　氏名又は名称及び住所並びに法人にあつては、その代表者の氏名

二　行為の種類

三　行為の目的

四　行為の場所

五　行為の施行方法

六　行為の完了の日又は予定日

２　前項の届出書には、第10条第２項各号に掲げる図面を添えなければならない。ただし、法第20条第７項、第21条第７項又は第22条第７項の規定による届出にあつては、第10条第２項第１号に掲げる図面を添えれば足りる。

〔改正〕

追加＝昭48年９月総令48号、一部改正＝平12年３月総令23号・15年３月環令６号・22年３月４号

（許可の申請書又は届出書の添付図面等の省略等）

第15条の３　法第20条第３項、第21条第３項若しくは第22条第３項の規定による許可を受けた行為又は法第33条第１項の規定による届出を了した行為の変更に係る許可の申請又は届出にあつては、第10条第２項及び第３項又は第13条の18第２項の規定により申請書又は届出書に添えなければならない図面又は書類（以下この条において「添付図面等」という。）のうち、その変更に関する事項を明らかにしたものを添えれば足りる。

２　前項の変更に係る許可の申請又は届出にあつては、変更の趣旨及び理由を記載した書面を申請書又は届出書に添えなければならない。

３　第１項に該当するもののほか、法第20条第３項、第21条第３項若しくは第22条第３項の規定による許可の申請又は法第20条第６項若しくは第８項、第21条第６項、第22条第６項若しくは第33条第１項の規定による届出に係る行為が、軽易なものであることその他の理由により添付図面等の全部を添える必要がないと認められるときは、当該添付図面等の一部を省略することができる。

〔改正〕

追加＝昭48年９月総令48号、一部改正＝平12年３月総令23号・15年３月環令６号・22年３月４号・23年８月17号・29年３月３号・令元年10月11号

第３章　生態系維持回復事業

本章追加＝平22年３月環令４号

（国立公園における生態系維持回復事業の確認）

第15条の４　地方公共団体が、法第39条第２項の確認を受ける場合は、次の各号に該当することについて、環境大臣の確認を受けるものとする。

一　その行う生態系維持回復事業が国立公園における生態系維持回復事業計画に適合すること。

二　その行う生態系維持回復事業の内容が次のいずれかに該当すること。

イ　生態系の状況の把握及び監視

ロ　生態系の維持又は回復に支障を及ぼすおそれのある動植物の防除

ハ　動植物の生息環境又は生育環境の維持又は改善

ニ　生態系の維持又は回復に必要な動植物の保護増殖

ホ　生態系の維持又は回復に資する普及啓発

ヘ　イからホまでに掲げる事業に必要な調査等

〔改正〕

一部改正＝令４年３月環令５号

（国立公園における生態系維持回復事業の認定）

第15条の５　国及び地方公共団体以外の者が、法第39条第３項の認定を受ける場合は、次の各号に該当することについて、環境大臣の認定を受けるものとする。

一　その者が次のいずれにも該当しないこと。

イ　精神の機能の障害によりその生態系維持回復事業を適正かつ確実に行うに当たつて必要な認知、判断及び意思疎通を適切に行うことができない者

ロ　法の規定により刑に処せられ、その執行を終わり、又は執行を受けることがなくなつた日から起算して２年を経過しない者

二　その行う生態系維持回復事業が国立公園における生態系維持回復事業計画に適合すること。

三　その行う生態系維持回復事業の内容が前条第２号イからヘまでのいずれかに該当すること。

〔改正〕

一部改正＝平23年８月環令17号・令元年10月11号

（生態系維持回復事業の確認又は認定の申請）

第15条の６　法第39条第４項の生態系維持回復事業の確認又は認定の申請は、書面を提出する方法又は電子情報処理組織を使用する方法をもつて行うものとする。

２　法第39条第４項第４号に規定する環境省令で定める事項は、生態系維持回復事業を行う期間とする。

３　法第39条第５項に規定する環境省令で定める書類は、次の各号に掲げるものとする。

一　生態系維持回復事業を行う区域を明らかにした縮尺２万5000分の１以上の地形図
二　生態系維持回復事業の実施方法等を記載した生態系維持回復事業実施計画書
三　国及び地方公共団体以外の者が、法第39条第３項の認定を受ける場合は、前条第１号イ及びロの規定に該当しないことを説明した書類

4　前項の書類の添付については、第１項の規定の例による。

〔改正〕

一部改正＝令元年10月環令11号

（変更の確認又は認定を要しない軽微な変更）

第15条の７　法第39条第６項ただし書に規定する環境省令で定める軽微な変更は、同条第４項第１号に掲げる事項に係る変更とする。

（生態系維持回復事業の内容の変更の確認又は認定の申請）

第15条の８　法第39条第６項の規定による変更の確認又は認定を受けようとする者は、次の各号に掲げる事項を記載した申請書を環境大臣に提出して行うものとする。

一　氏名又は名称並びに法人にあつては、その代表者の氏名
二　変更の内容
三　変更を必要とする理由

（国定公園における生態系維持回復事業の確認及び認定）

第15条の９　第15条の４から前条までの規定は、国定公園における生態系維持回復事業の確認及び認定について準用する。この場合において、これらの規定中「環境大臣」とあるのは「都道府県知事」と、「国立公園」とあるのは「国定公園」と、第15条の４中「地方公共団体」とあるのは「都道府県以外の地方公共団体」と、「法第39条第２項」とあるのは「法第41条第２項」と、第15条の５中「法第39条第３項」とあるのは「法第41条第３項」と読み替えるものとする。

第３章の２　質の高い自然体験活動の促進のための措置

本章追加＝令４年３月環令５号

（国立公園又は国定公園における協議会の公表）

第15条の10　第９条の２の規定は、法第42条の２第３項又は第42条の３第３項において準用する法第16条の２第４項の規定による公表について準用する。この場合において、第９条の２第１項第１号中「法第16条の２第１項に規定する協議会をいう。第９条の４及び９条の６において同じ」とあるのは「法第42条の２第１項又は第42条の３第１項に規定する協議会をいう。第15条の12及び第15条の14において同じ」と、第９条の２第１項第２号中「利用拠点区域」とあるのは「国立公園又は国定公園の区域」と読み替えるものとする。

（自然体験活動促進計画の認定の申請）

第15条の11　法第42条の４第１項の規定による認定の申請（以下この条において「認定の

申請」という。）をしようとする者は、様式第３による申請書を、国立公園にあつては環境大臣に、国定公園にあつては都道府県知事に提出しなければならない。

２　前項の申請書には、次の各号に掲げる書類を添付するものとする。ただし、区域の規模が大きいため、第１号に掲げる縮尺の図面によつては適切に表示できないと認められる場合にあつては、当該区域の規模に応じて適切と認められる縮尺の図面をもつて、これらの図面に替えることができる。

一　計画区域の位置を明らかにした縮尺２万5000分の１程度の地形図

二　法第20条第３項、第21条第３項又は第22条第３項の許可を要する自然体験活動促進事業に関する第10条第２項第１号及び第２号に掲げる図面

三　法第33条第１項の規定による届出を要する自然体験活動促進事業に関する第10条第２項第１号及び第２号に掲げる図面

３　環境大臣又は都道府県知事は、前項各号に掲げるもののほか、法第42条の４第３項の規定による認定に関し必要があると認めるときは、当該認定の申請をした者に対し、当該申請に係る自然体験活動促進計画が法第42条の４第３項各号に適合することを確認するために必要な書類の提出を求めることができる。

４　認定の申請は、書面を提出する方法又は電子情報処理組織を使用する方法をもつて行うものとする。

（自然体験活動促進計画の記載事項）

第15条の12　自然体験活動促進事業の実施主体の記載は、個人にあつては氏名及び住所を、法人にあつては名称、住所及び代表者の氏名を明示してするものとする。

２　法第42条の４第２項第６号に規定する環境省令で定める事項は、次の各号に掲げるものとする。

一　自然体験活動促進計画の名称

二　自然体験活動促進計画を作成した協議会の名称及び構成員の氏名又は名称

三　自然体験活動促進計画に係る事務の実施体制

四　法第20条第３項、第21条第３項又は第22条第３項の許可を要する自然体験活動促進事業にあつては、当該許可を要する行為に係る第10条第１項第２号、第４号及び第６号に掲げる事項

五　法第33条第１項の規定による届出を要する自然体験活動促進事業にあつては、当該届出を要する行為に係る行為の種類、場所及び施行方法

六　計画区域における適正な利用に係る啓発に関する事項

七　その他参考となるべき事項

（認定を受けた自然体験活動促進計画の公表）

第15条の13　法第42条の４第６項（法第42条の５第３項において準用する場合を含む。）の規定による公表は、インターネットの利用その他の適切な方法により行うものとする。

（自然体験活動促進計画の軽微な変更）

第15条の14　法第42条の５第１項ただし書に規定する環境省令で定める軽微な変更は、次の各号に掲げるものとする。

一　自然体験活動促進事業の実施主体の氏名若しくは名称、住所又は法人の代表者の氏名の変更

二　自然体験活動促進事業の実施時期の変更

三　自然体験活動促進計画を作成した協議会の構成員の変更又は当該協議会の構成員の氏名若しくは名称の変更

四　計画期間の変更

五　前各号に掲げるもののほか、変更後の自然体験活動促進計画が法第42条の４第３項各号のいずれにも適合することが明らかであると認められる変更

第４章　風景地保護協定及び公園管理団体

旧第３章として追加＝平15年３月環令６号、本章に繰下＝平22年３月環令４号

（風景地保護協定の基準）

第15条の15　法第43条第３項第３号に規定する環境省令で定める基準は、次に掲げるものとする。

一　風景地保護協定区域は、その境界が明確に定められていなければならない。

二　風景地保護協定区域は、現に耕作の目的又は耕作若しくは養畜の業務のための採草若しくは家畜の放牧の目的（以下「耕作の目的等」という。）に供されておらず、かつ、引き続き耕作の目的等に供されないと見込まれる農用地以外の農用地を含んではならない。

三　風景地保護協定区域内の自然の風景地の管理の方法に関する事項は、枯損した木竹又は危険な木竹の伐採、木竹の本数の調整、整枝、火入れ、草刈り、植栽、病害虫の防除、植生の保全又は復元、歩道等施設の維持又は補修その他これらに類する事項で、自然の風景地の保護に関連して必要とされるものでなければならない。

四　風景地保護協定区域内の自然の風景地の保護に関連して必要とされる施設の整備に関する事項は、植生の保全又は復元のための施設、巣箱、管理用通路、さくその他これらに類する施設の整備に関する事項で、自然の風景地の適正な保護に資するものでなければならない。

五　風景地保護協定の有効期間は、５年以上20年以下でなければならない。

六　風景地保護協定に違反した場合の措置は、違反した者に対して不当に重い負担を課するものであつてはならない。

七　風景地保護協定は、関係法令及び関係法令に基づく計画と整合性のとれたものでなければならない。

八　風景地保護協定は、河川法又は海岸法その他これらの関係法令の規定に基づく公共

用物の管理に特段の支障が生じないものでなければならない。

〔改正〕

旧第15条の４を一部改正し旧第15条の10に繰下＝平22年３月環令４号、本条に繰下＝令４年３月環令５号

（風景地保護協定の公告）

第15条の16　法第44条第１項（法第47条において準用する場合を含む。）の規定による公告は、次に掲げる事項について、公報、掲示その他の方法で行うものとする。

一　風景地保護協定の名称

二　風景地保護協定区域

三　風景地保護協定の有効期間

四　風景地保護協定区域内の自然の風景地の管理の方法

五　風景地保護協定区域内の自然の風景地の保護に関連して必要とされる施設が定められたときは、その施設

六　風景地保護協定の縦覧場所

〔改正〕

旧第15条の５を一部改正し旧第15条の11に繰下＝平22年３月環令４号、本条に繰下＝令４年３月環令５号

（風景地保護協定の締結の公告）

第15条の17　前条の規定は、法第46条（法第47条において準用する場合を含む。）の規定による公告について準用する。

〔改正〕

旧第15条の６を一部改正し旧第15条の12に繰下＝平22年３月環令４号、本条に繰下＝令４年３月環令５号

（公園管理団体となることができる法人）

第15条の18　法第49条第１項に規定する環境省令で定める法人は、会社又は森林組合法（昭和53年法律第36号）に規定する森林組合とする。

〔改正〕

追加＝令４年３月環令５号

（公園管理団体の指定基準）

第15条の19　法第49条第１項の規定による公園管理団体の指定は、次の各号に掲げる基準に適合していると認められるものについて行うものとする。

一　自然の風景地の保護とその適正な利用の推進を目的とするものであること。

二　自然環境に関する科学的知見を有していることその他法第50条第１項各号及び同条第２項各号に掲げる業務（同項各号に掲げる業務にあつては、当該公園管理団体の業務として行うものに限る。以下同じ。）を適正かつ確実に行うことができる技術的な基礎を有するものであること。

三　十分な活動実績を有していることその他法第50条第１項各号及び同条第２項各号に掲げる業務を適正かつ確実に行うことができる人員及び財政的基礎を有するものであ

ること。

四　法第50条第１項各号及び同条第２項各号に掲げる業務を公正かつ適確に行うことができるものであること。

五　会社又は森林組合にあつては、国立公園若しくは国定公園の植生の保全その他の自然の風景地の保護に資する活動又は主として歩行者の通行の用に供する道路その他の施設の補修その他の維持管理に係る実績を有していること。

〔改正〕

旧第15条の７を一部改正し旧第15条の13に繰下＝平22年３月環令４号、一部改正し本条に繰下＝令４年３月環令５号

第５章　雑則

旧第３章を旧第４章に繰下＝平15年３月環令６号、本章に繰下＝平22年３月環令４号

（証明書の様式）

第16条　法第17条第３項、第30条第２項、第35条第３項、第37条第３項、第42条の７第２項又は第62条第４項の規定により当該職員の携帯する証明書は、様式第４による。

〔改正〕

一部改正＝平12年３月総令23号・15年３月環令６号・22年３月４号・令４年３月５号

（補償請求書）

第17条　法第64条第２項（同条第５項において準用する場合を含む。）の規定により補償を請求しようとする者は、次の各号に掲げる事項を記載した請求書を環境大臣又は都道府県知事に提出しなければならない。

一　氏名又は名称及び住所並びに法人にあつては、その代表者の氏名

二　補償請求の理由

三　補償請求額の総額及びその内訳

〔改正〕

一部改正＝昭46年７月総令41号・平12年３月23号・８月94号・15年３月環令６号・22年３月４号

（延滞金）

第18条　法第66条第２項に規定する延滞金は、年10.75パーセントの割合を乗じて計算した額とする。

〔改正〕

一部改正＝昭45年４月厚令13号・平15年３月環令６号・平22年３月４号

（環境大臣との協議を要する国定公園に係る国の機関の行なう行為）

第19条　法第68条第２項に規定する環境省令で定める行為は、次の各号に掲げる当該行為が行われる区域の区分に従い、当該各号に定めるものとする。

一　特別地域　第11条の３各号に掲げる行為

二　特別保護地区　第11条の３第２号並びに第12条の２第１号、第２号、第４号及び第５号に掲げる行為

三　海域公園地区　第13条の２各号に掲げる行為

〔改正〕

全部改正＝平12年３月総令23号、一部改正＝平12年８月総令94号・15年３月環令６号・22年３月４号・29年３月３号

（権限の委任）

第20条　法及びこの省令に規定する環境大臣の権限のうち、次の各号に掲げるものは、地方環境事務所長に委任する。ただし、第８号、第15号、第18号、第19号、第21号（法第40条第４号に規定する権限に限る。）、第22号及び第25号に掲げる権限については、環境大臣が自ら行うことを妨げない。

一　法第10条第２項から第４項まで及び第10項に規定する権限（工事の施行を要しないものに限る。）

二　法第10条第６項、第９項及び第10項に規定する権限

三　法第12条第１項から第３項までに規定する権限

四　法第13条に規定する権限

五　法第14条第２項に規定する権限

六　法第16条の３第５項に規定する権限（同条第４項の認定の条件の変更に係るものに限る。）

七　法第16条の４に規定する権限

八　法第17条第１項及び第２項に規定する権限

九　法第20条第３項（次に掲げる行為に係る部分に限る。）及び第６項から第８項までに規定する権限

イ　法第20条第３項第１号に掲げる行為（次のいずれかに該当するものに限る。）

⑴　その高さ（増築にあつては、増築部分に係る最高部と最低部の高さの差をいう。以下この号、次号イ⑴において同じ。）又は水平投影面積（増築にあつては、増築部分の水平投影面積をいう。以下この号、次号イ⑴及び第11号イ⑴において同じ。）が、第11条第37項の規定により環境大臣が定めた基準に適合した工作物の新築又は増築

⑵　その高さが25メートル以下であり、かつ、その水平投影面積が4000平方メートル以下である工作物の新築又は増築（⑶から⑻までに掲げるものを除く。）

⑶　国の機関又は地方公共団体が行う災害復旧又は防災のために必要な工作物（防潮堤を除く。）の新築又は増築（⑷から⑻までに掲げるもの又はニ⑵に掲げる行為を伴うものを除く。）

⑷　その水平投影面積が4000平方メートル以下である道路（法面等道路付帯施設を含む。）の新築又は増築

⑸　その高さ（建築設備を除いて算定した高さをいう。）が13メートル以下であり、

かつ、その水平投影面積が2000平方メートル以下である建築物の新築又は増築

⑹　電柱（電話柱を含む。）の新築又は増築

⑺　住宅及び仮工作物の新築又は増築

⑻　農業、林業又は漁業の用に供する索道の新築又は増築

⑼　工作物の改築

ロ　法第20条第３項第２号及び第３号に掲げる行為

ハ　法第20条第３項第４号に掲げる行為（次のいずれかに該当するものに限る。）

⑴　ボーリング機械を用いて行う土石の採取（地熱開発に係るもののうち、坑口又は掘削口が特別地域に設けられるものを除く。）

⑵　掘採又は採取する量が１立方メートル以下の鉱物の掘採又は土石の採取

⑶　河川、湖沼及び海岸にたい積した砂利の採取（採取の場所が採取前の状態に復することが確実であると認められるものに限る。）

⑷　法第20条第３項の規定による許可を受け、現に露天掘りによる土石の採取を行つている者がその採取を行つている土地に隣接した土地において生業の維持のために行う土石の採取

ニ　法第20条第３項第５号に掲げる行為（次のいずれかに該当するものに限る。）

⑴　水位又は水量を減少させる行為

⑵　水位又は水量を増加させる行為（当該行為により陸域から水域に変わる面積が１万平方メートル以下のもの又は法第20条第３項の規定による許可を受け、現に水位又は水量に増減を及ぼしている者が水位の変動についての計画を変更するものに限る。）

ホ　法第20条第３項第６号から第８号までに掲げる行為

ヘ　法第20条第３項第９号に掲げる行為（埋立て又は干拓をする土地の水平投影面積が1000平方メートル以下のもの（普通地域にまたがつて行われるものにあつては、普通地域内の埋立て又は干拓の面積を含めた水平投影面積が1000平方メートル以下のもの）に限る。）

ト　法第20条第３項第10号に掲げる行為（土地の形状を変更する面積が１万平方メートル以下のものに限る。）

チ　法第20条第３項第11号から第18号までに掲げる行為

十　法第21条第３項（次に掲げる行為に係る部分に限る。）、第６項及び第７項に規定する権限

イ　法第20条第３項第１号に掲げる行為（次のいずれかに該当するものに限る。）

⑴　その高さが13メートル以下であり、かつ、その水平投影面積が1000平方メートル以下である工作物の新築又は増築（⑵及び⑶に掲げるものを除く。）

⑵　国の機関又は地方公共団体が行う災害復旧又は防災のために必要な工作物（防

潮堤を除く。）であつて、その高さが25メートル以下であり、かつ、その水平投影面積が4000平方メートル以下であるものの新築又は増築（(3)に掲げるもの及びニ(2)に掲げる行為を伴うものを除く。）

(3)　仮工作物の新築又は増築

(4)　工作物の改築

(5)　第12条第１号から第６号の２まで、第７号から第８号まで、第10号から第10号の４まで及び第10号の６に掲げる行為

ロ　法第20条第３項第２号に掲げる行為

ハ　法第20条第３項第４号に掲げる行為（次のいずれかに該当するものに限る。）

(1)　掘採又は採取する量が１立方メートル以下の鉱物の掘採又は土石の採取

(2)　河川、湖沼又は海岸にたい積した砂利の採取（採取の場所が採取前の状態に復することが確実であると認められるものに限る。）

(3)　第12条第18号から第20号までに掲げる行為

ニ　法第20条第３項第５号に掲げる行為（次のいずれかに該当するものに限る。）

(1)　水位又は水量を減少させる行為

(2)　水位又は水量を増加させる行為（当該行為により陸域から水域に変わる面積が１万平方メートル以下のもの又は法第21条第３項の規定による許可を受け、現に水位又は水量に増減を及ぼしている者が水位の変動についての計画を変更するものに限る。）

ホ　法第20条第３項第６号、第７号、第10号（土地の形状を変更する面積が2500平方メートル以下のものに限る。）、第15号及び第16号並びに法第21条第３項第２号から第11号までに掲げる行為

ヘ　第12条第21号、第22号及び第28号に掲げる行為

十一　法第22条第３項（次に掲げる行為に係る部分に限る。）、第６項及び第７項に規定する権限

イ　法第20条第３項第１号に掲げる行為（次のいずれかに該当するものに限る。）

(1)　その水平投影面積が1000平方メートル以下である工作物の新築又は増築

(2)　仮工作物の新築又は増築

(3)　工作物の改築

(4)　第12条第１号から第６号の２まで、第７号から第10号の４まで及び第10号の６に掲げる行為

ロ　法第20条第３項第４号に掲げる行為（次のいずれかに該当するものに限る。）

(1)　掘採又は採取する量が１立方メートル以下の鉱物の掘採又は土石の採取

(2)　第12条第18号から第20号までに掲げる行為

ハ　法第20条第３項第７号並びに第22条第３項第２号、第５号から第７号に掲げる行

為

十二　法第23条第３項第８号に規定する権限

十三　法第24条第１項、第２項、第４項、第５項、第７項及び第８項に規定する権限

十四　法第27条第５項に規定する権限

十五　法第30条第１項に規定する権限

十六　法第32条に規定する権限（地方環境事務所長の許可に係るものに限る。）

十七　法第33条第１項、第２項、第４項及び第６項に規定する権限

十八　法第34条第１項及び第２項に規定する権限（地方環境事務所長の許可に係るものに限る。）

十九　法第35条第１項及び第２項に規定する権限

二十　法第39条第２項、第３項、第６項及び第９項に規定する権限

二十一　法第40条に規定する権限

二十二　法第42条に規定する権限

二十三　法第42条の４第５項に規定する権限（同条第３項の認定の条件の変更に係るものに限る。）

二十四　法第42条の５に規定する権限

二十五　法第42条の７第１項の権限

二十六　法第62条第１項及び第２項に規定する権限

二十七　法第67条第３項に規定する権限（第１号ロからホまでに掲げる行為に係るものに限る。）

二十八　法第68条第１項（第９号イからチまで、第10号イからヘまで及び第11号イからハまでに掲げる行為に係る協議に関する部分に限る。）、第３項及び第４項に規定する権限

二十九　第10条第４項に規定する権限

三十　第12条第27号の２の４、第27号の９、第29号の31又は第30号に規定する権限

三十一　第13条第１号（第12条第27号の２の４、第27号の９、第29号の31に係る部分に限る。）に規定する権限

三十二　第13条の８第２項に規定する権限

三十三　第15条第１号（第12条第29号の31に係る部分に限る。）又は第16号に規定する権限

〔改正〕

全部改正＝平22年３月環令４号、一部改正＝平23年８月環令17号・27年５月21号・30年４月10号・令４年３月５号

附　則

（施行期日）

1　この省令は、公布の日〔昭和32年10月11日〕から施行する。

（地種区分未定の特別地域内における行為の許可基準）

2　第９条の12の規定による特別地域の区分が行われていない特別地域内において行われる行為（次項に規定する行為を除く。）については、当該行為が第２種特別地域内において行われるものとみなして、第11条第１項から第26項まで及び第35項の規定を適用する。

〔改正〕

旧附則第３項として追加＝平12年３月総令23号、一部改正＝平15年３月環令６号・16年３月６号・17年12月33号・27年５月21号、旧第２項を削り一部改正し本項に繰上＝令４年３月環令５号

（地種区分未定の特別地域内における森林施業の許可基準）

3　第９条の12の規定による特別地域の区分が行われていない特別地域内の民有林において森林施業として行われる法第20条第３項第２号に掲げる行為に係る同条第４項の環境省令で定める基準は、第11条第15項及び第35項の規定にかかわらず、森林法第５条第１項の地域森林計画に定める伐採に関する要件に適合するものであることとする。

〔改正〕

旧附則第４項として追加＝平12年３月総令23号、一部改正＝平12年８月総令94号・15年３月環令６号・16年３月６号・17年12月33号・22年３月４号・27年５月21号、一部改正し本項に繰上＝令４年３月環令５号

（事務の報告）

4　令附則第３項の規定による報告は、事務の処理後速やかに、次の各号に掲げる事務の種類ごとに、当該各号に定める事項を記載した書類を提出して行うものとする。

一　令附則第２項第１号及び第２号に掲げる事務並びに同項第３号に掲げる事務のうち届出の受理に関するもの

イ　法第20条第３項若しくは法第22条第３項の規定による許可若しくは不許可の処分（以下この号において「処分」という。）又は法第33条第１項の規定による届出（以下この号において「届出」という。）の受理の別

ロ　処分を受けた者又は届出をした者の氏名又は名称及び住所並びに法人にあつては、その代表者の氏名

ハ　処分を受け又は届出をした行為の種類

ニ　処分を受け又は届出をした行為の場所

ホ　処分をした日又は届出を受理した日

ヘ　許可の場合にあつては許可に付した条件の有無、不許可の場合にあつてはその理由

二　令附則第２項第３号に掲げる事務（前号に規定するものを除く。）及び同項第４号に掲げる事務

イ　法第33条第２項の規定による命令、同条第４項の規定による期間の延長、同条第６項の規定による期間の短縮又は法第34条の規定による命令（以下この号において

「命令等」という。）の別

ロ　命令等の相手方の氏名又は名称及び住所並びに法人にあつては、その代表者の氏名

ハ　命令等に係る行為の種類、場所その他の内容

ニ　命令等の内容

ホ　命令等をした日

三　令附則第２項第５号に掲げる事務

イ　法第35条第１項の規定による報告徴収又は同条第２項の規定による立入検査若しくは立入調査（以下この号において「報告徴収等」という。）の別

ロ　報告徴収等の相手方の氏名又は名称及び住所並びに法人にあつては、その代表者の氏名

ハ　報告徴収等に係る行為の場所

ニ　報告徴収等をした日

〔改正〕

旧附則第５項として追加＝平12年３月総令23号、一部改正＝平15年３月環令６号・22年３月４号、一部改正し本項に繰上＝令４年３月環令５号

（証明書の様式）

5　令附則第２項第５号に規定する立入検査及び立入調査に係る法第35条第３項の規定により当該職員の携帯する証明書は、様式第４による。

〔改正〕

旧附則第６項として追加＝平12年３月総令23号、一部改正＝平15年３月環令６号・22年３月４号、一部改正し本項に繰上＝令４年３月環令５号

附　則（平成22年環境省令第４号）抄

（施行期日）

第１条　この省令は、自然公園法及び自然環境保全法の一部を改正する法律（平成21年法律第47号）の施行の日（平成22年４月１日）から施行する。

（旧規則の規定に基づく手続に関する経過措置）

第２条　この省令の施行の際現にこの省令による改正前の自然公園法施行規則（以下「旧規則」という。）の規定によりされている同意又は認可の申請書又は届出書並びにこれらの添付書類及び図面は、この附則に別段の定めがあるものを除き、この省令の施行後は、この省令による改正後の自然公園法施行規則（以下「新規則」という。）の相当規定に基づいて、新規則の規定により提出されている同意又は認可の申請書又は届出書並びにこれらの添付書類及び図面とみなす。

（供用開始期日の延期の承認申請書等に関する経過措置）

第３条　この省令の施行の際現に改正前の自然公園法施行令（以下「旧施行令」という。）第４条第２項の規定により申請しなければならないこととされている供用開始期日の延

期の承認申請書については、なお従前の例による。

第４条　この省令の施行の際現に旧施行令第５条の規定により届け出なければならないこととされている管理又は経営方法の変更については、なお従前の例による。

第５条　この省令の施行前に発生した事項につき旧施行令第11条（旧施行令第16条及び第17条において準用する場合を含む。）の規定により届け出なければならないこととされている届出書の記載事項又は添付書類については、なお従前の例による。

（自然公園法施行令第１条第７号の施設に関する経過措置）

第６条　この省令の施行前に改正前の自然公園法第９条第２項若しくは第３項又は第10条第２項若しくは第３項の公園事業の執行の同意又は認可を受けた自然公園法施行令第１条第７号の施設については、改正後の自然公園法第10条第４項第５号に掲げる事項に係る変更について同意又は認可の申請書の提出を要しない。

（行為の許可基準に関する経過措置）

第７条　新規則第11条並びにこの省令による改正後の自然環境保全法施行規則第17条及び第23条の規定は、この省令の施行後にされる自然公園法第20条第３項、第21条第３項又は第22条第３項及び自然環境保全法第25条第６項又は第27条第５項の規定による許可の申請について適用し、この省令の施行前にされたこれらの規定による許可の申請については、なお従前の例による。

（処分、申請等に関する経過措置）

第８条　この省令の施行前に環境大臣が法令の規定によりした許可その他の処分又は通知その他の行為（以下「処分等」という。）は、相当の地方環境事務所長がした処分等とみなし、この省令の施行前に法令の規定により環境大臣に対してした申請その他の行為（以下「申請等」という。）は、相当の地方環境事務所長に対してした申請等とみなす。

（様式に関する経過措置）

第９条　この省令の施行前に交付されたこの省令による旧規則様式第１、様式第２、様式第３、様式第４及び様式第６による証明書、及びこの省令による改正前の自然環境保全法施行規則様式第１、様式第２及び様式第３は、その有効期間内においては、新規則の規定による証明書とみなす。

附　則（平成27年環境省令第21号）

（施行期日）

1　この省令は、平成27年６月１日（以下「施行日」という。）から施行する。

（経過措置）

2　この省令による改正後の自然公園法施行規則（以下「新規則」という。）第11条の規定は、施行日以後にされる自然公園法第20条第３項、第21条第３項又は第22条第３項の規定による許可の申請について適用し、施行日前にされたこれらの規定による許可の申請については、なお従前の例による。

3　平成27年7月31日までの間に新築、改築又は増築に着手される太陽光発電施設については、新規則第14条第1号ヌの規定は、適用しない。

附　則（令和4年環境省令第5号）抄

（施行期日）

第1条　この省令は、自然公園法の一部を改正する法律の施行の日（令和4年4月1日）から施行する。

（行為の許可基準に関する経過措置）

第2条　この省令による改正後の自然公園法施行規則（第4条において「新規則」という。）第11条の規定は、この省令の施行後にされる自然公園法第20条第3項、第21条第3項又は第22条第3項の規定による許可の申請について適用し、この省令の施行前にされたこれらの規定による許可の申請については、なお従前の例による。

（処分、申請等に関する経過措置）

第3条　この省令の施行前に環境大臣が自然公園法の規定によりした許可その他の処分又は通知その他の行為（以下この条において「処分等」という。）は、相当の地方環境事務所長がした処分等とみなし、この省令の施行前に同法の規定により環境大臣に対してした申請その他の行為（以下この条において「申請等」という。）は、相当の地方環境事務所長に対してした申請等とみなす。

（様式に関する経過措置）

第4条　この省令の施行前に交付されたこの省令による改正前の自然公園法施行規則様式第1から様式第6までによる証明書は、その有効期間内においては、新規則の規定による証明書とみなす。

様式第一（第９条の３関係）

利用拠点整備改善計画に係る認定申請書

年　　月　　日

環境大臣　殿

申請者
住　　所
氏　　名

自然公園法第16条の３第１項の規定に基づき、別紙の計画について認定を申請します。

〔改正〕
全部改正＝令４年３月環令５号

様式第二（第９条の８関係）

利用拠点整備改善計画に係る認定申請書

年　　月　　日

都道府県知事　殿

申請者
住　　所
氏　　名

自然公園法第16条の７第３項において準用する法第16条の３第１項の規定に基づき、別紙の計画について認定を申請します。

〔改正〕
全部改正＝令４年３月環令５号

様式第三（第15条の11関係）

自然体験活動促進計画に係る認定申請書

年　　月　　日

環境大臣（都道府県知事）　殿

申請者
住　　　所
氏　　　名

自然公園法第42条の４第１項の規定に基づき、別紙の計画について認定を申請します。

〔改正〕
全部改正＝令４年３月環令５号

様式第四（第16条関係）

（第１面）

<table>
<tr><td>

第　　　号

立入検査等をする職員の携帯する身分を示す証明書

所属庁
職　名
氏　名
生年月日　　　年　　月　　日生
　年　月　　日交付
　年　月　　日限り有効

写真

環境大臣（都道府県知事）　　　　印

</td></tr>
</table>

（第２面）

この証明書を携帯する者は、下表に掲げる自然公園法又は自然公園法施行令の条項のうち、該当の有無の欄に丸印のある条項により立入検査等をする職権を有するものです。

自然公園法又は自然公園法施行令の条項	該当の有無
自然公園法第17条第１項	
自然公園法第17条第２項	
自然公園法第30条第１項	
自然公園法第35条第２項	
自然公園法第37条第２項	
自然公園法第42条の７第１項	
自然公園法第62条第１項	
自然公園法施行令附則第２項の規定により適用する自然公園法第35条第２項	

（備考）１　この証明書は、用紙１枚で作成することとする。

２　該当の有無の欄に、立入検査等をする職権を有する場合は「○」を、有しない場合は「―」を記載すること。

３　裏面には、参照条文を記載することができる。

〔改正〕

全部改正＝令４年３月環令５号

◉自然公園法施行令附則第３項に規定する指定区域

〔平成12年２月14日
環境庁告示第４号〕

改正　平成15年３月25日環境省告示第31号・平成16年３月26日環境省告示第18号・平成17年３月30日環境省告示第25号・平成18年３月24日環境省告示第68号・平成19年３月30日環境省告示第21号・平成19年８月30日環境省告示第79号・平成21年３月27日環境省告示第10号・平成24年３月16日環境省告示第40号・平成29年３月７日環境省告示第18号

自然公園法施行令（昭和32年政令第298号）附則第３項の規定に基づき、指定区域を次のとおり指定し、平成12年４月１日から施行する。

自然公園法施行令附則第３項に規定する指定区域は、次の各号に掲げる都道府県について、それぞれ当該各号に定める区域とする。

一　宮城県　同県の区域に属する三陸復興国立公園の区域
二　山形県　同県の区域に属する磐梯朝日国立公園の区域
三　福島県　同県の区域に属する日光国立公園、尾瀬国立公園及び磐梯朝日国立公園の区域
四　群馬県　同県の区域に属する日光国立公園及び尾瀬国立公園並びに同県利根郡みなかみ町の区域に属する上信越高原国立公園の区域
五　埼玉県　同県の区域に属する秩父多摩甲斐国立公園の区域
六　東京都　同都の区域に属する富士箱根伊豆国立公園及び秩父多摩甲斐国立公園の区域並びに小笠原国立公園の区域
七　新潟県　同県の区域に属する尾瀬国立公園、中部山岳国立公園、上信越高原国立公園、磐梯朝日国立公園及び妙高戸隠連山国立公園の区域
八　富山県　同県の区域に属する中部山岳国立公園及び白山国立公園の区域
九　石川県　同県の区域に属する白山国立公園の区域
十　福井県　同県の区域に属する白山国立公園の区域
十一　山梨県　同県の区域に属する富士箱根伊豆国立公園、秩父多摩甲斐国立公園及び南アルプス国立公園の区域
十二　長野県　同県の区域に属する中部山岳国立公園、上信越高原国立公園、秩父多摩甲斐国立公園、妙高戸隠連山国立公園及び南アルプス国立公園の区域
十三　岐阜県　同県の区域に属する中部山岳国立公園及び白山国立公園の区域
十四　静岡県　同県の区域に属する富士箱根伊豆国立公園及び南アルプス国立公園の区域

十五　鳥取県　　同県の区域に属する大山隠岐国立公園及び山陰海岸国立公園の区域
十六　岡山県　　同県の区域に属する瀬戸内海国立公園及び大山隠岐国立公園の区域
十七　山口県　　同県の区域に属する瀬戸内海国立公園の区域
十八　福岡県　　同県の区域に属する瀬戸内海国立公園の区域
十九　長崎県　　同県の区域に属する雲仙天草国立公園の区域及び西海国立公園の区域
二十　宮崎県　　同県の区域に属する霧島錦江湾国立公園の区域
二十一　鹿児島県　同県の区域に属する雲仙天草国立公園、霧島錦江湾国立公園、屋久島国立公園及び奄美群島国立公園の区域

◉自然公園法施行規則第11条の３第１号、第12条の２第４号及び第13条の２第３号に規定する国定公園の指定湿地

〔平成12年３月21日
環境庁告示第13号〕

改正　平成15年３月31日環境省告示第38号

自然公園法施行規則（昭和32年厚生省令第41号）第11条の２第３号、第12条の２第２号及び第13条の２第３号の規定に基づき、自然公園法施行規則第11条の２第３号、第12条の２第２号及び第13条の２第３号に規定する国定公園の指定湿地を次のとおり指定し、平成12年４月１日から施行する。

指定湿地の区域を表示した図面は、環境庁及び関係都道府県の都道府県庁に備え付けて供覧する。

自然公園法施行規則第11条の３第３号、第12条の２第２号及び第13条の14第３号に規定する国定公園の指定湿地は、次のとおりとする。

第一　佐渡弥彦米山国定公園

一　名称及び区域

名　称	区　域
佐潟	新潟県新潟市赤塚及び西蒲原郡巻町大字越前浜の各一部

二　区域を表示した図面（省略）

第二　越前加賀海岸国定公園

一　名称及び区域

名　称	区　域
片野鴨池	石川県加賀市片野町の一部

二　区域を表示した図面（省略）

第三　琵琶湖国定公園

一　名称及び区域

名　称	区　域
琵琶湖	滋賀県大津市木下町及び由美浜の各一部 滋賀県彦根市石寺町及び新海町の各一部 滋賀県長浜市祇園町、相撲町、田村町及び高橋町の各一部 滋賀県近江八幡市沖島町、佐波江町、津田町、野村町、牧町及び南津田町

の各一部

滋賀県草津市下物町、北山田町、下笠町、南山田町、志那町、志那中町、下寺町及び山田町の各一部

滋賀県守山市赤野井町、今浜町、小浜町、幸津川町、木浜町、杉江町、洲本町及び山賀町の各一部

滋賀県滋賀郡志賀町大字北小松、大字北浜、大字木戸、大字中浜、大字八屋戸及び大字南船路の各一部

滋賀県野洲郡中主町大字菖蒲、大字安治、大字野田、大字喜合及び大字吉川の各一部

滋賀県神崎郡能登川町大字栗見出在家の一部

滋賀県坂田郡米原町大字朝妻筑摩の一部

滋賀県坂田郡近江町大字宇賀野及び大字世継の各一部

滋賀県東浅井郡湖北町大字今西、大字海老江、大字延勝寺、大字尾上及び大字東尾上の各一部

滋賀県東浅井郡びわ町大字安養寺、大字大浜、大字川道、大字下八木、大字早崎、大字南浜、大字細江、大字益田及び大字八木浜の各一部

滋賀県伊香郡高月町大字片山の一部

滋賀県伊香郡木之本町大字飯浦及び大字山梨子の各一部

滋賀県伊香郡西浅井町大字塩津浜、大字岩熊、大字菅浦及び大字月出の各一部

滋賀県高島郡マキノ町大字海津及び大字知内の各一部

滋賀県高島郡今津町大字今津、大字北抑、大字浜分、大字深清水及び大字南新保の各一部

滋賀県高島郡安曇川町大字北船木、大字南船木、大字横江浜及び大字四津川の各一部

滋賀県高島郡高島町大字勝野の一部

滋賀県高島郡新旭町大字饗庭、大字旭、大字太田、大字針江、大字深溝及び大字藁園の各一部

滋賀県蒲生郡安土町下豊浦及び常楽寺の各一部

二　区域を表示した図面（省略）

〔平成20年10月30日
環境省告示第86号〕

自然公園法施行規則（昭和32年厚生省令第41号）第11条の３第３号の規定に基づき、琵

琶湖国定公園の指定湿地を次のとおり変更し、公布の日〔平成20年10月30日〕から適用する。

変更後の指定湿地の区域を表示した図面は、環境省及び滋賀県庁に備え付けて供覧する。

一　拡張する区域

滋賀県近江八幡市白王町及び円山町の各一部

滋賀県蒲生郡安土町下豊浦及び常楽寺の各一部

滋賀県近江八幡市及び蒲生郡安土町所在西の湖の各一部

滋賀県近江八幡市所在長命寺川の全部

二　区域を示した図面（省略）

〔平成17年11月4日
環境省告示第137号〕

自然公園法施行規則（昭和32年厚生省令第41号）第11条の3第3号、第12条の2第2号及び第13条の14第3号の規定に基づき、自然公園法施行規則第11条の3第3号、第12条の2第2号及び第13条の14第3号に規定する国定公園の指定湿地を次のとおり指定し、平成17年11月8日から施行する。

指定湿地の区域を表示した図面は、環境省及び関係都道府県の都道府県庁に備え付けて供覧する。

自然公園法施行規則第11条の3第3号、第12条の2第2号及び第13条の14第3号に規定する国定公園の指定湿地を次のとおり指定する。

第一　暑寒別天売焼尻国定公園

一　名称及び区域

名　称	区　域
雨竜沼湿原	北海道雨竜郡雨竜町338番地の一部

二　区域を表示した図面（省略）

第二　若狭湾国定公園

一　名称及び区域

名　称	区　域
三方五湖	福井県三方郡美浜町所在日向湖の全部 福井県三方郡美浜町及び三方上中郡若狭町所在久々子湖の全部 福井県三方上中郡若狭町所在水月湖、菅湖及び三方湖の全部

二　区域を表示した図面（省略）

第三　秋吉台国定公園

一　名称及び区域

名　　称	区　　　　域
秋吉台地下水系	山口県美祢郡美東町大字赤及び大字大田の各一部 山口県美祢郡秋芳町大字秋吉、大字青景及び大字別府の各一部

二　区域を表示した図面（省略）

第四　沖縄海岸国定公園

一　名称及び区域

名　　称	区　　　　域
慶良間諸島海域	沖縄県島尻郡渡嘉敷村大字渡嘉敷及び大字阿波連の地先海面 沖縄県島尻郡座間味村大字座間味、大字阿真及び大字阿嘉の地先海面

二　区域を表示した図面（省略）

〔平成24年７月３日
環境省告示第110号〕

自然公園法施行規則（昭和32年厚生省令第41号）第11条の３第３号の規定に基づき、自然公園法施行規則第11条の３第３号に規定する国定公園の指定湿地を次のとおり指定し、平成24年７月３日から施行する。

指定湿地の区域を表示した図面は、環境省及び関係都道府県の都道府県庁に備え付けて供覧する。

自然公園法施行規則第11条の３第３号に規定する国定公園の指定湿地を次のとおり指定する。

第一　大沼国定公園

一　名称及び区域

名　　称	区　　　　域
大沼	北海道亀田郡七飯町字大沼町、字上軍川、字西大沼及び字東大沼の各一部 北海道亀田郡七飯町所在大沼、小沼及び蓴菜沼の全部

二　区域を表示した図面（省略）

第二　越前加賀海岸国定公園

一　名称及び区域

名　　称	区　　　　域
中池見湿地	福井県敦賀市大字樫曲、大字泉及び大字津内の各一部

二　区域を表示した図面（省略）

〔平成24年７月５日
環境省告示第111号〕

自然公園法施行規則（昭和32年厚生省令第41号）第11条の３第３号の規定に基づき、自然公園法施行規則第11条の３第３号に規定する国定公園の指定湿地を次のとおり指定し、公布の日から施行する。

指定湿地の区域を表示した図面は、環境省及び愛知県庁に備え付けて供覧する。

自然公園法施行規則第11条の３第３号に規定する国定公園の指定湿地を次のとおり指定する。

第一　愛知高原国定公園

一　名称及び区域

名　　称	区　　域
東海丘陵湧水湿地群	愛知県豊田市上高町、矢並町及び山中町の各一部

二　区域を表示した図面（省略）

◉自然公園法施行規則第11条の３第１号、第12条の２第４号及び第13条の２第３号に規定する国定公園の指定世界遺産区域

〔平成12年３月21日
環境庁告示第14号〕

改正　平成15年３月31日環境省告示第38号

自然公園法施行規則（昭和32年厚生省令第41号）第11条の２第３号、第12条の２第２号及び第13条の２第３号の規定に基づき、自然公園法施行規則第11条の２第３号、第12条の２第２号及び第13条の２第３号に規定する国定公園の指定世界遺産区域を次のとおり指定し、平成12年４月１日から施行する。

指定世界遺産区域の区域を表示した図面は、環境庁及び関係都道府県の都道府県庁に備え付けて供覧する。

自然公園法施行規則第11条の３第３号、第12条の２第２号及び第13条の14第３号に規定する国定公園の指定世界遺産区域は、次のとおりとする。

津軽国定公園

一　名称及び区域

名称	区域
白神山地	青森県西津軽郡岩崎村内国有林弘前森林管理署鰺ヶ沢事務所深浦森林管理センター113林班の全部並びに111林班及び112林班の各一部 青森県西津軽郡深浦町内国有林弘前森林管理署鰺ヶ沢事務所深浦森林管理センター120林班及び121林班の各一部

二　区域を表示した図面（省略）

〔平成16年７月15日
環境省告示第44号〕

自然公園法施行規則（昭和32年厚生省令第41号）第11条の３第３号、第12条の２第２号及び第13条の14第３号の規定に基づき、自然公園法施行規則第11条の３第３号、第12条の２第２号及び第13条の14第３号に規定する国定公園の指定世界遺産区域を次のとおり指定し、平成16年７月15日から施行する。

指定世界遺産区域の区域を表示した図面は、環境省、奈良県庁及び和歌山県庁に備え付けて供覧する。

自然公園法施行規則第11条の３第３号、第12条の２第２号及び第13条の14第３号に規定する国定公園の指定世界遺産区域は、次のとおりとする。

高野龍神国定公園

一　名称及び区域

名　称	区　域
紀伊山地の霊場と参詣道	奈良県吉野郡野迫川村大字北股及び北今西の各一部 奈良県吉野郡野迫川村内国有林奈良森林管理事務所伯母子国有林817林班の一部 奈良県吉野郡十津川村大字杉清の一部 和歌山県伊都郡高野町内国有林和歌山森林管理署紀北森林計画区212林班の一部 和歌山県伊都郡高野町大字高野山、大滝及び相ノ浦の各一部

二　区域を表示した図面（省略）

◉租税特別措置法に基づく国立公園又は国定公園の特別地域と同等の規制を受ける都道府県立自然公園の特別地域の認定

〔平成22年10月22日
環境省告示第65号〕

租税特別措置法（昭和32年法律第26号）第34条の２第２項第24号及び第65条の４第１項第24号の規定に基づき、次に掲げる自然公園法（昭和32年法律第161号）に基づく都道府県立自然公園の特別地域を、同法に基づく国立公園又は国定公園の特別地域と同等の規制を受けるものとして認定したので、告示する。

なお、平成15年４月環境省告示第56号（租税特別措置法に基づき国立公園又は国定公園の特別地域と同等の規制を受ける都道府県立自然公園の特別地域を認定した件）、平成15年４月環境省告示第59号（租税特別措置法に基づき国立公園又は国定公園の特別地域と同等の規制を受ける都道府県立自然公園の特別地域を認定した件）、平成15年７月環境省告示第73号（租税特別措置法に基づき国立公園又は国定公園の特別地域と同等の規制を受ける都道府県立自然公園の特別地域を認定した件）、平成15年９月環境省告示第94号（租税特別措置法に基づき国立公園又は国定公園の特別地域と同等の規制を受ける都道府県立自然公園の特別地域を認定した件）、平成15年10月環境省告示第103号（租税特別措置法に基づき国立公園又は国定公園の特別地域と同等の規制を受ける都道府県立自然公園の特別地域を認定した件）、平成15年11月環境省告示第124号（租税特別措置法に基づき国立公園又は国定公園の特別地域と同等の規制を受ける都道府県立自然公園の特別地域を認定した件）、平成16年１月環境省告示第２号（租税特別措置法に基づき国立公園又は国定公園の特別地域と同等の規制を受ける都道府県立自然公園の特別地域を認定した件）、平成16年９月環境省告示第52号（租税特別措置法に基づき国立公園又は国定公園の特別地域と同等の規制を受ける都道府県立自然公園の特別地域を認定した件）及び平成16年10月環境省告示第56号（租税特別措置法に基づき国立公園又は国定公園の特別地域と同等の規制を受ける都道府県立自然公園の特別地域を認定した件）は、廃止する。

和歌山県及び鹿児島県の各県立自然公園の特別地域

〔平成23年１月14日
環境省告示第１号〕

租税特別措置法（昭和32年法律第26号）第34条の２第２項第24号及び第65条の４第１項第24号の規定に基づき、次に掲げる自然公園法（昭和32年法律第161号）に基づく都道府県立自然公園の特別地域を、同法に基づく国立公園又は国定公園の特別地域と同等の規制を受けるものとして認定したので、告示する。

富山県及び京都府の各府県立自然公園の特別地域

〔平成23年３月30日
環境省告示第20号〕

租税特別措置法（昭和32年法律第26号）第34条の２第２項第24号及び第65条の４第１項第24号の規定に基づき、次に掲げる自然公園法（昭和32年法律第161号）に基づく都道府県立自然公園の特別地域を、同法に基づく国立公園又は国定公園の特別地域と同等の規制を受けるものとして認定したので、告示する。

福島県、香川県、大分県及び宮崎県の各県立自然公園の特別地域

〔平成23年９月12日
環境省告示第60号〕

租税特別措置法（昭和32年法律第26号）第34条の２第２項第24号及び第65条の４第１項第24号の規定に基づき、次に掲げる自然公園法（昭和32年法律第161号）に基づく都道府県立自然公園の特別地域を、同法に基づく国立公園又は国定公園の特別地域と同等の規制を受けるものとして認定したので、告示する。

栃木県、山梨県、愛知県、岡山県及び島根県の各県立自然公園の特別地域

〔平成24年８月23日
環境省告示第128号〕

租税特別措置法（昭和32年法律第26号）第34条の２第２項第24号及び第65条の４第１項第24号の規定に基づき、次に掲げる自然公園法（昭和32年法律第161号）に基づく都道府県立自然公園の特別地域を、同法に基づく国立公園又は国定公園の特別地域と同等の規制を受けるものとして認定したので、告示する。

埼玉県、三重県及び兵庫県の各県立自然公園の特別地域

〔平成26年１月23日
環境省告示第11号〕

租税特別措置法（昭和32年法律第26号）第34条の２第２項第24号及び第65条の４第１項第24号の規定に基づき、次に掲げる自然公園法（昭和32年法律第161号）に基づく都道府県立自然公園の特別地域のうちの一部の地域を、同法に基づく国立公園又は国定公園の特別地域と同等の規制を受けるものとして認定したので、告示する。

千葉県の県立自然公園の第一種特別地域

◉自然公園法第20条第3項第8号の規定に基づく許可を受けなければ屋外において集積し、又は貯蔵してはならない物

〔平成15年4月1日
環境省告示第57号〕

自然公園法（昭和32年法律第161号）第13条第3項第7号の規定に基づき、許可を受けなければ屋外において集積し、又は貯蔵してはならない物を次のとおり指定する。

土石、廃棄物の処理及び清掃に関する法律（昭和45年法律第137号）第2条第1項に規定する廃棄物、資源の有効な利用の促進に関する法律（平成3年法律第48号）第2条第4項に規定する再生資源及び同条第5項に規定する再生部品

◉国立公園及び国定公園ごとにその特別地域内において許可を受けなければ捕獲し、若しくは殺傷し、又はその卵を採取し、若しくは損傷してはならない山岳に生息する動物その他の動物（抄）

〔平成18年７月７日
環境省告示第97号〕

改正　平成24年３月16日環境省告示第37号・平成26年３月５日環境省告示第29号・令和２年２月28日環境省告示第20号

自然公園法（昭和32年法律第161号）第13条第３項第11号の規定に基づき、次に掲げる国立公園及び国定公園ごとにその特別地域内において許可を受けなければ捕獲し、若しくは殺傷し、又はその卵を採取し、若しくは損傷してはならない山岳に生息する動物その他の動物を次のとおり指定し、平成18年７月20日から施行する。

〔注〕内容については以下の URL を参照

https://www.env.go.jp/nature/np/animal_prot/index.html

◉国立公園及び国定公園ごとにその特別地域内において許可を受けなければ採取等してはならない高山植物その他これに類する植物の指定(抄)

〔昭和55年３月25日
環境庁告示第23号〕

改正　昭和56年３月23日環境庁告示第34号・昭和56年12月15日環境庁告示第119号・昭和57年５月15日環境庁告示第62号・昭和57年６月10日環境庁告示第73号・昭和57年11月29日環境庁告示第134号・昭和62年11月24日環境庁告示第73号・平成２年10月２日環境庁告示第68号・平成２年11月29日環境庁告示第94号・平成８年10月２日環境庁告示第65号・平成18年12月26日環境省告示第167号・平成19年８月３日環境省告示第63号・平成19年８月30日環境省告示第77号・平成22年12月３日環境省告示第90号・平成23年１月17日環境省告示第４号・平成24年３月16日環境省告示第38号・平成25年５月24日環境省告示第57号・平成25年８月２日環境省告示第72号・平成26年３月５日環境省告示第28号・平成27年３月27日環境省告示第47号・平成27年５月26日環境省告示第78号・平成28年２月８日環境省告示第16号・令和２年３月16日環境省告示第27号・令和２年４月13日環境省告示第50号・令和２年６月18日環境省告示第57号・令和３年２月４日環境省告示第９号・令和３年３月15日環境省告示第15号・令和３年３月24日環境省告示第20号・令和３年12月27日環境省告示第92号・令和４年４月４日環境省告示第46号

自然公園法（昭和32年法律第161号）第17条第３項第８号の規定に基づき、次に掲げる国立公園及び国定公園ごとにその特別地域内において許可を受けなければ採取し、又は損傷してはならない高山植物その他これに類する植物を次のとおり指定する。

〔注〕内容については以下のURLを参照

https://www.env.go.jp/nature/np/plant_prot/index.html

第２編

公園計画に係る実務

第１章　国立公園の指定、見直し

○国立公園及び国定公園の候補地の選定及び指定について

〔平成25年５月17日　環自国発第1305171号
各都道府県知事・各地方環境事務所・釧路・長野・那覇
自然環境事務所長宛　環境省自然環境局長通知〕

国立公園及び国定公園の候補地の選定及び指定については、別添の要領によることとする。なお、「自然公園選定要領」（昭和27年９月）及び「自然公園指定要領」（昭和27年９月）は、廃止する。

（別　添）

国立公園及び国定公園の候補地の選定及び指定要領

１　国立公園及び国定公園の候補地の選定

国立公園及び国定公園の候補地は、全国的な観点から検討を行い、以下の要件を満たす地域を選定する。

⑴　第１要件　景観

①国立公園の景観

偉大さ、雄大さ、美しさ、原生性、希少性、特殊性、固有性及び地学的現象の劇的性のいずれか又は複数の観点から、同一の風景型式中、我が国の風景を代表するとともに、傑出した自然の風景を有する地域。

②国定公園の景観

我が国の風景を代表し、国立公園に準じて傑出性が高い自然の風景を有する地域又は優れた自然の風景地であり、広域からの多人数による利用に供するために保護し、利用を促進することが適当である地域。

③候補地の考え方

候補地の選定に当たっては、自然の風景地を景観の特徴により風景型式に分類し、その形式が支配する景観区を決定する。傑出性の高い景観の特徴を簡潔に表現する主題を設定し、その主題と関連性の深い景観要素を決定するとともに、その主題と景観要素を考慮して、景観区の基本区域を決定し、候補地とする。また、基本区域の外側に優れた自然の風景地等がある場合は、付加区域として候補地に選定することができる。風景型式の例は別紙のとおりとする。

候補地は、原則として一つの景観区から構成されるものとするが、二つ以上の景観区が隣接し、かつ、利用上緊密な一連の関係が存在するとともに、両者の景観の傑出性、規模等に係る評価が近似する場合においては、二つ以上の景観区をあわせて、一つの候補地とすることができる。

⑵　第２要件　規模

①国立公園の候補地

原則として約３万ヘクタール以上の区域面積（海域を含む。以下同じ。）を有すること。ただし、海岸又は島しょ（本土（本州、北海道、四国及び九州）以外の島をいう。以下同じ。）を主体とする候補地にあっては、原則として約１万ヘクタール以上の区域面積を有すること。

②国定公園の候補地

原則として約１万ヘクタール以上の区域面積を有すること。ただし、海岸又は島しょを主体とする候補地にあっては、原則として約3000ヘクタール以上の区域面積を有すること。

⑶　第３要件　自然性

①国立公園の候補地

原生的な景観核心地域が原則として約2000ヘクタール以上の区域面積を有すること。ただし、海岸を主体とする候補地にあっては、景観核心地域となる海岸線が原則として約20キロメートル以上の延長、島しょを主体とする候補地にあっては景観核心地域が原則として約1000ヘクタール以上の区域面積を有すること。

②国定公園の候補地

原生的な景観核心地域が原則として約1000ヘクタール以上の区域面積を有すること。ただし、海岸を主体とする候補地にあっては、景観核心地域となる海岸線が原則として約10キロメートル以上の延長、島しょを主体とする候補地にあっては景観核心地域が原則として約500ヘクタール以上の区域面積を有すること。

⑷　第４要件　利用

候補地への到達の利便性若しくはその収容力又は利用の多様性若しくは特殊性からみて、多人数による利用が可能であること。

⑸　第５要件　地域社会との共存

候補地について、国立公園又は国定公園として保護及び利用することについて地域社会の理解が得られること。

⑹　第６要件　全国的な配置

国立公園の候補地及び国定公園の候補地のうち国立公園に準じて傑出性が高い自然の風景を有する地域については、全国的な配置は考慮しない。

国定公園の候補地のうち、優れた自然の風景地であり、広域からの多人数による利用に供するために保護し、利用を促進することが適当である地域については、全国的に配置の適正を図る。

2　国立公園及び国定公園の指定

⑴　指定区域の考え方

国立公園及び国定公園の指定区域は、基本区域の多くを含むように努める。また、付加区域には、公園において想定される利用形態を明確にした上で、公園利用を行うために必要となる区域を含めるように努めるとともに、基本区域における良好な景観及び風致を維持するために関連性の深い区域であり、景観及び風致を保護する上で緩衝地帯となる区域を含めるように努める。

⑵　指定作業

国立公園及び国定公園の指定に当たっては、「国立公園及び国定公園の調査要領」（平成25年５月17日付け環自国発第1305172号自然環境局長通知）を参考にして、必要な調査を行うとともに、「国立公園の公園計画作成要領」、「国立公園の指定書、公園計画書並びに公園区域及び公園計画変更書作成要領」及び「国立公園の区域図及び公園計画図作成要領」（平成25年５月17日付け環自国発第1305173号自然環境局長通知）に従って指定書及び公園計画書を作成し、区域を指定及び公園計画を決定する。その際、「国立公園の公園計画等の見直し要領について」（平成25年５月17日付け環自国発第1305174号自然環境局長通知）に準拠して作業を行う。

（別紙）

国立公園及び国定公園を対象とした風景型式の例

国立公園及び国定公園の対象となる自然の風景地は広範囲に及ぶことから、大規模な地形区分及び生態系を対象として区分し、比較的小規模な地形、地質、日本列島の形成史、生態系の種類等を考慮したうえで風景型式を決定する。以下に、国立公園及び国定公園を対象とした風景型式を例示するが、風景の形式分類は自然環境及び社会環境の変化、新たな知見の集積等の理由により変化することが想定されるものである。

大規模な地形区分			風景型式の例
山地	火山	孤峰	火山性孤峰：成層火山、火山岩尖、溶岩円頂丘、火山砕屑丘、寄生火山、爆裂火口
		連峰	火山性連峰：成層火山、火山岩尖、溶岩円頂丘、火山砕屑丘、寄生火山、火口群、爆裂火口
		群峰	火山性群峰：成層火山、火山岩尖、溶岩円頂丘、火山砕屑丘、寄生火山、火口群、爆裂火口
		カルデラ	カルデラ（カルデラ壁及びカルデラ原を含む）
	非火山	孤峰	非火山性孤峰：深成岩主体、堆積岩主体、カール
		連峰	非火山性連峰：深成岩主体、堆積岩主体、カール
		群峰	非火山性群峰：深成岩主体、堆積岩主体、カール
高原	火山		火山性高原：メサ、ビュート
	非火山		非火山性高原：メサ、ビュート
湖沼			湖沼：火口湖群、カルデラ湖、火山原湖、堰止湖、断層湖、潟湖
河川	峡谷		峡谷：深成岩主体、堆積岩主体、穿入蛇行
	自然河川		自然河川：自由蛇行
湿地			高層湿原、中間湿原、低層湿原
カルスト地形			カルスト台地
海岸	リアス式海岸		リアス式海岸：鋸歯状、樹枝状
	海食海岸		海食崖
	砂浜・砂州・砂嘴		砂浜、砂州、砂嘴、砂丘
	海成段丘		海成段丘、サンゴ礁段丘

半島		半島：深成岩主体、堆積岩主体、火山岩主体
島しょ	多島海	内海多島海、外海多島海
	列島・孤島	列島、孤島
海域	湾	湾
	サンゴ礁	サンゴ礁、礁湖
	干潟	前浜干潟、河口域干潟

生態系	風景形式の例
陸域	自然林生態系（北方針葉樹林、北方針広混交林、夏緑樹林、夏緑樹林（日本海側型）、夏緑樹林（太平洋側型）、照葉樹林、亜熱帯林、亜熱帯林（海洋島型））、自然草原生態系、自然海岸生態系、島しょ生態系
陸水域	河川生態系、湖沼生態系、湿地生態系
海域	サンゴ礁生態系、干潟生態系
その他	固有種が集中して分布している地域、日本列島の地形地質の形成史を反映した特徴的な生態系が成立している地域、多様な生態系が複合的に一体となって豊かな風景を形成している地域

○国立公園及び国定公園の調査要領について

〔平成25年５月17日　環自国発第1305172号
各都道府県知事・各地方環境事務所・釧路・長野・那覇自然環境事務所長宛　環境省自然環境局長通知〕

国立公園及び国定公園の指定、公園計画の決定、公園区域の変更及び公園計画の変更に当たっての調査については、別添の要領によることとする。なお、「国立公園基本調査標準」（昭和28年10月）は、廃止する。

〔別　添〕

国立公園及び国定公園の調査要領

国立公園及び国定公園の指定、公園計画の決定、公園区域の変更並びに公園計画の変更に当たっての調査は、公園の特性（風景形式、景観区の主題及び核心地域）を踏まえ、本要領を参考にして必要な事項について実施する。

調査に当たっては、自然環境保全基礎調査、学術論文、観光ガイド、登山地図等の既存の文献による調査及び専門的知見を有する者、行政担当者、事業者等へのヒアリング調査を行うとともに、必要に応じて現地調査を実施する。収集した情報については、地理情報システム（GIS）として整備することが望ましい。また、指定等を行う予定区域に接する周辺部についても調査することが望ましい。

1　景観要素

(1)　地形

・陸域については、縮尺２万５千分の１地形図（国土地理院発行）及び衛星写真又は航空写真を収集する。

・海域については、縮尺５万分の１又は縮尺１万分の１海底地形図及び日本全域海岸線データ（財団法人日本水路協会発行）を収集する。

・以下の地形項目に該当する地形の分布を調査するとともに、写真撮影を行い、写真撮影位置及び写角を記録する。そのうち、特に重要な地形については、地形の成因、伝説、いわれ、地名の由来等に関する情報の収集を行う。

・第３回自然環境保全基礎調査自然景観資源調査、日本の典型地形（国土地理院）、日本の地形レッドデータブック第１集及び第２集（2000・2002、小泉・青木）等に選定されている地形について調査するとともに、世界又は日本ジオパークに登録されているジオサイトについても位置、内容等を調査する。

表　地形項目

①大地形	大起伏山地、小起伏山地、隆起準平原のある山地・丘陵、断層山地・地塁、曲隆山地、丘陵、洪積台地、曲降盆地、断層盆地、堆積平野、多島海
②地殻の変動による地形	非火山性孤峰、構造盆地、地震断層、活断層崖（横ずれ含む)、その他の断層崖、撓曲崖、活褶曲、衝上断層、断層湖、堰止湖、隆起波食棚、隆起海食洞、隆起サンゴ礁、二重山稜・線状凹地、地割れ、噴砂現象、断崖・岩壁、岩塊斜面・岩海
③火山の活動による地形	成層火山、火山岩尖、溶岩円頂丘、火山砕屑丘、寄生火山（火山)、火口、爆裂火口、カルデラ（カルデラ壁)、火口湖、カルデラ湖・火山原湖、溶岩流、溶岩台地、火山性高原、火砕流台地、火砕流凹地、火山麓扇状地、流れ山（流丘)、堰止湖、溶岩末端崖、溶岩トンネル、枕状溶岩、溶岩樹型、地獄・泥火山・噴泉塔、火山岩頸
④地質を反映した地形	カルスト台地、カッレンフェルト、ドリーネ、ウバーレ、ポリエ、鍾乳洞、石灰華段丘、石灰華ドーム、円錐カルスト、塔状カルスト、沈水カルスト、平頂峰（キャップロック)、メサ、ビュート、ケスタ、非対称谷、残丘、花崗岩ドーム、岩峰・岩峰群、奇石怪石・巨石群、天然橋・岩門・石門、柱状節理・板状節理、バッドランド、地すべり地、地すべりによって生じた凹地、池、千枚田、蜂の巣状構造
⑤河川の作用による地形	峡谷、懸谷、滝及び滝壷、ナメ・淵、甌穴群（ポットホール)、土柱、穿入蛇行、還流丘陵、河川争奪地形、風隙、谷中分水界、堰止湖、湖岸段丘、谷底平野、谷戸（谷津・谷地)、埋積谷、河岸段丘及び段丘崖、瀞、瀬、扇状地、沖積錐、合流扇状地、網状流、天井川、水無川、湧泉・湧泉群、自然河川、自由蛇行（自然蛇行)、自然堤防、旧河道、後背湿地、河畔砂丘、三日月湖、落堀（押堀)、三角州、延長川、マッドランプ、残丘、断崖・岩壁
⑥海の作用による地形	多島海、リアス海岸（溺れ谷)、岩石海岸、波食棚、海食台、鬼の洗濯岩、海成段丘、海食崖、海食洞、岩門、ノッチ、潮吹き穴、きのこ岩、甌穴群（ポットホール)、岩礁、砂浜、浜堤、砂州、砂嘴、トンボロ及び陸繋島、砂紋、砂丘・風紋、砂丘間湖、三稜石、潟湖（ラグーン)、干潟（前浜干潟、河口域干潟、潟湖干潟)、マングローブ湿地、サンゴ礁、礁湖、ビーチロック、サーフベンチ、津波石

⑦氷河・周氷河の作用による地形	カール、氷食による岩壁、アレート、氷食尖峰、氷食谷、羊背岩、モレーン、周氷河性波状地、デレ、化石周氷河現象、岩塊流、岩石氷河、化石構造土、クリオペディメント、麓屑面、永久凍土、パルサ、構造土、アースハンモック、谷地坊主、雪食凹地、ペイブメント、風食裸地、アバランチシュート、非対称山稜、非対称谷
⑧その他の地形	隆起準平原、準平原遺物、鋸歯状山稜、キレット、大規模崩壊地、崩壊地、崩壊堆積地形、土石流堆積地形、崖錐、風穴、ペディメント、鉄穴（かんな）流し跡地、高層湿原・池塘、中間湿原、低層湿原、湖沼、堰止湖、厚い段丘礫層、地層等の見える大露頭、指標テフラの見える露頭、断層露頭、不整合露頭、特徴的な稜線

⑵　地質

・縮尺５万分の１地質図（産業技術総合研究所発行）を基本とし、該当するものがない場合には、同所発行の縮尺７万５千分の１又は縮尺20万分の１を収集する。

・以下の項目①～⑤に該当する地質のうち、公園利用上重要なもの（露頭、化石産地等の観察に適しているもの）の分布を調査するとともに、写真撮影を行い、写真撮影位置及び写角を記録する。特に重要な地質については、地質の成因、重要性（地史等を説明する背景、生物の生息・生育・植生遷移等を制限するメカニズム等）、産出する化石の年代・種類等に関する情報の収集を行う。

・日本列島ジオサイト地質百選（2007・2010、社団法人全国地質調査業協会連合会、特定非営利活動法人地質情報整備・活用機構）等に選定されている地質について調査するとともに、世界ジオパーク又は日本ジオパークに登録されているジオサイトについても位置、内容等を調査する。

①地球の地史又は日本列島の形成過程を知る上で重要な地質

②特徴的な生物の生息・生育基盤として重要な役割を果たしている地質（蛇紋岩、かんらん岩、石灰岩等）

③植生遷移の進行状況に影響を与えている地質のうち重要なもの

④化石（化石林）を産する地質のうち重要なもの

⑤典型性・希少性の観点から重要な地質

⑶　植生及び野生生物

・陸域については、縮尺２万５千分の１植生図（自然環境保全基礎調査植生調査）を基本とし、該当するものがない場合には、同調査の縮尺５万分の１を収集する。植生図は、必要に応じて植生自然度（自然環境保全基礎調査植生調査）別、針葉樹－落葉広葉樹－常緑広葉樹の別等の整理を行う。

・森林基本計画図（民有林及び国有林）等を整理し、林齢、樹種等について調査する。

・海域については、藻場、干潟、サンゴ礁生態系の分布を調査するとともに、必要に応じて藻場及びサンゴの被度、構成種等を調査する。また、自然海岸及び半自然海岸の分布について調査する。

・野生生物の分布状況を調査する。特に、以下の項目に該当する項目について調査する必要性が高い。なお、対象とする野生生物の分布情報が十分に得られない場合は、必要に応じて、当該生物種の生態特性を基に潜在的に分布する可能性が高い地域を抽出する。

①当該地域の固有種、絶滅のおそれのある種、南限・北限等の分布限界種、遺存種等の分布に特徴がある種が分布する地域

②海鳥の繁殖地・越冬地、海獣類の上陸・繁殖地、ウミガメ類の産卵地等の、多くの個体が集結する地域

③お花畑、湿生花園、新緑・紅葉、巨樹・巨木、鯨類が頻繁に目撃される海域等の優れた自然景観が見られる地域（巨樹・巨木については第４・６回自然環境保全基礎調査巨樹・巨木林調査が参照できる）

④クマ類、大型猛禽類等のアンブレラ種や、地域を代表・象徴する野生生物の分布する地域

・日本の重要湿地500（平成14年、環境省）、特定植物群落（第２・３回自然環境保全基礎調査特定植物群落調査）、原生流域（第５回自然環境保全基礎調査河川調査）、重要野鳥生息地（日本野鳥の会選定）等に選定されている生態系について調査する。

・捕獲・採取等を禁止する動植物種の指定（自然公園法（昭和32年法律第161号）第20条第３項第11号及び第13号並びに第22条第３項第２号）を行う場合は、指定予定の区域内に生息する動物種又は植物種の目録（インベントリ）の作成を行う。

⑷　自然現象

・特定の場所において恒常的又は繰り返し出現するもので、以下のものの出現場所・範囲を調査するとともに、写真撮影を行い、地形図上に写真撮影位置及び写角を記述する。

・そのうち、特に重要なものについては、自然現象の発生メカニズム、観察できる時期・条件等に関する情報の収集を行う。

①火山現象	地獄、間欠泉、噴火、噴泥、泥火山現象、噴泉、噴泉塔、噴気、温鉱泉

②気象現象	霧（海霧、川霧、山霧、雲海）、氷河、万年雪、雪田、雪渓、雪形、霧氷、樹氷、結氷（御神渡）
③海洋現象	波濤、潮吹き、干満、渦潮、流氷、鳴き砂
④水象現象	湧水、渦流

⑸　文化景観

・周囲の自然環境と調和し、一体をなして存在するもので、以下のものの分布を調査するとともに、写真撮影を行い、写真撮影位置及び写角を記録する。

・そのうち、特に重要なものについては、伝統、伝説、いわれ、農業及び漁業の維持管理手法、行事及び祭りの手順、民謡の歌詞等に関する情報の収集を行う。

種類	景観要素
① 宗教景観	社寺、仏閣、社叢林、参詣道、修験道の霊場、教会、自然崇拝対象物（夫婦岩）等
②集落景観	漁村、山村、農村、宿場町、門前町等
③産業景観	棚田・千枚田、段々畑、美林、養殖筏、石干見（魚垣）、放牧等
④その他	史跡・遺跡、防風林、防潮林、砂防林、風俗（行事、祭り、民謡、民芸）、自然の恵みを活用した生活・食に関する文化等

２　権利制限、産業等

⑴　土地所有

・国有地（国有林、その他の国有地）、公有地（県有地、市町村有地、共有地、入会地）、社寺有地及び私有地の別並びにそれぞれの面積を調査する。

・必要に応じて法務局が管理する地籍簿又は市町村が管理する地籍調査結果、土地台帳等を基に詳細な土地所有者を調査する。

⑵　法規制等

・以下の法規制等について、種類、名称、位置、面積及び指定年月日等を調査する。

①保安林、保護林、緑の回廊（国有林）

②砂防指定地、採石権設定箇所、採石場、鉱区（試掘、採掘及び施業中の別）、温鉱泉に関する権利設定箇所

③文化財（史跡、名勝及び天然記念物について、国指定、都道府県指定及び市町村指定）

④海岸保全区域、近郊緑地保全区域、河川区域

⑤土地利用基本計画における五地域区分及び細区分

⑥鳥獣保護区（国指定及び都道府県指定）、国内希少野生動植物種、生息地等保護

区
⑦景観計画区域、分譲地
⑧演習場等

(3) 産業

・以下の産業等の実施状況について位置、内容等を調査する。
①森林施業方法（育成単層林、育成複層林及び天然生林）、伐採方法、伐期等
②漁業権設定海域（共同漁業権、区画漁業権及び定置漁業権）、保護水面、港湾区域、漁港区域等
③鉱山、精錬所、採石地等
④発電所（鉄管路、導水管、堰堤等を含む）、送電線（大規模なもの）等

3 社会状況

・関係する市町村における、人口、産業別就業人口、主たる産業及びこれらの推移を調査する。
・当該地域に関する歴史を調査する。

4 自然環境の利用状況及び施設

・以下の施設等について位置及び名称を調査するとともに、各施設の管理者、年間利用者数及びその推移、最盛期１日の最大利用者数、利用期間、最大収容力、訪れる外国人の主な国籍及び使用言語等について調査する。
・バス、鉄道、索道、船舶等の公共交通機関の運行状況を調査する。
・主要都市からの交通アクセスの状況（陸海空別の所要時間、便数等）を調査する。
・関係市町村の年間観光客数及びその推移を調査する。
・エコツーリズム等の体験型利用については、実施主体、活用しているフィールドの位置、プログラム、利用者数等を調査する。
・対象地域内の主要な視点場（公園事業道路等の候補路線を含む）、対象地域外からの眺望のための主要な視点場からの可視領域及び視認頻度を調査する。
・関係市町村の年間観光消費額について調査する。

種類	施設
①交通	道路（国道、県道、市町村道、林道、私道、専用自動車道、歩道、自転車道、里道（赤道・赤線））、駐車場、鉄道、軌道、索道、係留施設（埠頭、桟橋、船溜）、船舶運輸事業（航路、連絡船等）、水路（青線・普通河川）、飛行場、航空機運輸事業、給油施設、昇降機
②宿泊	宿舎（ホテル、旅館、民宿、簡易宿所、山小屋等）、野営場（テント場を含む）

③保健休養	園地、運動場、水泳場、舟遊場、スキー場、スケート場、乗馬施設、釣魚場、休憩所、展望施設、案内所
④教化	博物館、植物園、動物園、水族館、博物展示施設、野外劇場
⑤衛生・その他	給水施設、排水施設、医療救急施設、公衆浴場、公衆便所、汚物処理施設
⑥保護	植生復元施設、動物繁殖施設、砂防施設、防火施設、自然再生施設

○国立公園一覧

単位：ha（令和４年３月31日現在）

	国立公園名	指定年月日	面積（陸域）	関係都道府県
1	利尻礼文サロベツ	1974(昭49).９.20	24,512	北海道
2	知床	1964(昭39).６.１	38,954	北海道
3	阿寒摩周	1934(昭９).12.４	91,413	北海道
4	釧路湿原	1987(昭62).７.31	28,788	北海道
5	大雪山	1934(昭９).12.４	226,764	北海道
6	支笏洞爺	1949(昭24).５.16	99,473	北海道
7	十和田八幡平	1936(昭11).２.１	85,534	青森、岩手、秋田
8	三陸復興	1955(昭30).５.２	28,539	青森、岩手、宮城
9	磐梯朝日	1950(昭25).９.５	186,375	山形、福島、新潟
10	日光	1934(昭９).12.４	114,908	福島、栃木、群馬
11	尾瀬	2007(平19).8.30	37,222	福島、栃木、群馬、新潟
12	上信越高原	1949(昭24).９.７	148,194	群馬、新潟、長野
13	秩父多摩甲斐	1950(昭25).７.10	126,259	埼玉、東京、山梨、長野
14	小笠原	1972(昭47).10.16	6,629	東京
15	富士箱根伊豆	1936(昭11).２.１	121,749	東京、神奈川、山梨、静岡
16	中部山岳	1934(昭９).12.４	174,323	新潟、富山、長野、岐阜
17	妙高戸隠連山	2015(平27).３.27	39,772	新潟、長野
18	白山	1962(昭37).11.12	49,900	富山、石川、福井、岐阜
19	南アルプス	1964(昭39).６.１	35,752	山梨、長野、静岡
20	伊勢志摩	1946(昭21).11.20	55,544	三重
21	吉野熊野	1936(昭11).２.１	61,406	三重、奈良、和歌山
22	山陰海岸	1963(昭38).７.15	8,783	京都、兵庫、鳥取
23	瀬戸内海	1934(昭９).３.16	67,308	大阪、兵庫、和歌山、岡山 広島、山口、徳島、香川 愛媛、福岡、大分
24	大山隠岐	1936(昭11).２.１	35,353	鳥取、島根、岡山
25	足摺宇和海	1972(昭47).11.10	11,345	愛媛、高知
26	西海	1955(昭30).３.16	24,646	長崎
27	雲仙天草	1934(昭９).３.16	28,279	長崎、熊本、鹿児島
28	阿蘇くじゅう	1934(昭９).12.４	73,017	熊本、大分

29	霧　島　錦　江　湾	1934(昭９).３.16	36,605	宮崎、鹿児島
30	屋　　久　　島	2012(平24).３.16	24,566	鹿児島
31	奄　美　群　島	2017(平29).３.７	42,196	鹿児島
32	や　ん　ば　る	2016(平28).９.15	17,352	沖縄
33	慶　良　間　諸　島	2014(平26).３.５	3,520	沖縄
34	西　表　石　垣	1972(昭47).５.15	40,658	沖縄
	合　　計		2,195,638	

○国定公園一覧

単位：ha（令和４年３月31日現在）

	国定公園名	指定年月日	面積(陸域のみ)	関係都道府県
1	厚岸霧多布昆布森	2021(令３).３.30	32,566	北海道
2	暑寒別天売焼尻	1990(平２).８.１	43,559	北海道
3	網走	1958(昭33).７.１	37,261	北海道
4	ニセコ積丹小樽海岸	1963(昭38).７.24	19,009	北海道
5	日高山脈襟裳	1981(昭56).10.１	103,447	北海道
6	大沼	1958(昭33).７.１	9,083	北海道
7	下北半島	1968(昭43).７.22	18,641	青森
8	津軽	1975(昭50).３.31	25,966	青森
9	早池峰	1982(昭57).６.10	5,463	岩手
10	栗駒	1968(昭43).７.22	77,303	岩手、宮城、秋田、山形
11	蔵王	1963(昭38).８.８	39,635	山形、宮城
12	男鹿	1973(昭48).５.15	8,156	秋田
13	鳥海	1963(昭38).７.24	28,955	秋田、山形
14	越後三山只見	1973(昭48).５.15	102,700	新潟、福島
15	水郷筑波	1959(昭34).３.３	34,956	茨城、千葉
16	妙義荒船佐久高原	1969(昭44).４.10	13,123	群馬、長野
17	南房総	1958(昭33).８.１	5,690	千葉
18	明治の森高尾	1967(昭42).12.11	777	東京
19	丹沢大山	1965(昭40).３.25	27,572	神奈川
20	佐渡弥彦米山	1950(昭25).７.27	29,464	新潟
21	能登半島	1968(昭43).５.１	9,672	石川、富山
22	越前加賀海岸	1968(昭43).５.１	9,794	石川、福井
23	若狭湾	1955(昭30).６.１	19,197	福井、京都
24	八ケ岳中信高原	1964(昭39).６.１	39,857	長野、山梨
25	中央アルプス	2020(令２).３.27	35,116	長野
26	天竜奥三河	1969(昭44).１.10	25,720	長野、静岡、愛知
27	揖斐関ケ原養老	1970(昭45).12.28	20,219	岐阜
28	飛騨木曽川	1964(昭39).３.３	18,074	岐阜、愛知
29	愛知高原	1970(昭45).12.28	21,740	愛知

30	三　河　湾	1958(昭33).4.10	9,457	愛知
31	鈴　鹿	1968(昭43).7.22	29,821	三重、滋賀
32	室生赤目青山	1970(昭45).12.28	26,308	三重、奈良
33	琵　琶　湖	1950(昭25).7.24	97,601	滋賀、京都
34	丹後天橋立大江山	2007(平19).8.3	19,023	京都
35	京都丹波高原	2016(平28).3.25	69,158	京都
36	明治の森箕面	1967(昭42).12.11	963	大阪
37	金剛生駒紀泉	1958(昭33).4.10	23,119	大阪、奈良、和歌山
38	氷ノ山後山那岐山	1969(昭44).4.10	48,803	兵庫、鳥取、岡山
39	大和青垣	1970(昭45).12.28	5,742	奈良
40	高野龍神	1967(昭42).3.23	19,198	奈良、和歌山
41	比婆道後帝釈	1963(昭38).7.24	8,416	鳥取、島根、広島
42	西中国山地	1969(昭44).1.10	28,553	島根、広島、山口
43	北長門海岸	1955(昭30).11.1	12,384	山口
44	秋　吉　台	1955(昭30).11.1	4,502	山口
45	剣　山	1964(昭39).3.3	20,961	徳島、高知
46	室戸阿南海岸	1964(昭39).6.1	6,230	徳島、高知
47	石　鎚	1955(昭30).11.1	10,683	愛媛、高知
48	北　九　州	1972(昭47).10.16	8,107	福岡
49	玄　海	1956(昭31).6.1	10,152	福岡、佐賀、長崎
50	耶馬日田英彦山	1950(昭25).7.29	85,024	福岡、熊本、大分
51	壱岐対馬	1968(昭43).7.22	11,946	長崎
52	九州中央山地	1982(昭57).5.15	27,096	熊本、宮崎
53	日豊海岸	1974(昭49).2.15	8,518	大分、宮崎
54	祖　母　傾	1965(昭40).3.25	22,000	大分、宮崎
55	日南海岸	1955(昭30).6.1	4,542	宮崎、鹿児島
56	甑　島	2015(平27).3.16	5,447	鹿児島
57	沖縄海岸	1972(昭47).5.15	4,872	沖縄
58	沖縄戦跡	1972(昭47).5.15	3,127	沖縄
	合　計		1,494,468	

○国立公園の公園計画等の見直し要領

〔令和４年４月１日　環自国発第2204016号
各地方環境事務所長等宛　自然環境局長通知〕

国立公園の公園区域及び公園計画（以下「公園計画等」という。）の見直しは以下によることとする。なお、本要領において「国立公園に係る公園計画の作成等について」（令和４年４月１日付け環自国発第2204015号自然環境局長通知）の別紙１「国立公園の公園計画作成要領」及び別紙２「国立公園の指定書、公園計画書並びに公園区域及び公園計画変更書作成要領」は、それぞれ「計画要領」及び「指定書等要領」というものとする。

1　公園計画等の見直しの目的

国立公園（以下「公園」という。）をとりまく自然的・社会的条件の変化に公園計画を対応させるため公園計画等について所要の改訂を行うことを目的とする。

2　公園計画等の見直しの作業区分

⑴　再検討

再検討とは、昭和48年11月以前に指定された公園について、当該公園指定後の自然的・社会的条件の変化に対応して、当初の公園計画等の全般的な見直し作業をいう。なお、当該公園が性格の異なる複数の地域からなる場合は地域ごとに変更することができるものとする。

その際、特別保護地区及び地種区分が未定の特別地域についてはこれを決定するとともに、利用施設計画についてもその設定を促進するものとする。

⑵　点検

点検とは、再検討が終了した公園又は昭和48年11月以降に指定された公園について、公園又は地域単位で、おおむね５年ごとに実施する公園計画等の見直し作業をいう。なお、公園計画等の変更の必要性も含めて現行公園計画等を見直した結果、公園計画等の変更までに及ばなかった場合においても、点検が終了したものとみなすものとする。

⑶　一部変更

一部変更とは、上記以外の公園計画等の変更であって、次の事情により公園計画等の一部について見直しを実施する必要性が生じた場合において行う、所要部分のみの公園計画等の変更をいう。

ア　火山活動、土砂崩壊その他災害若しくは突発的事情が発生し、又はそのおそれがある等により、公園の適正な保護及び利用の安全確保等の観点から、早急に公園計画等を変更する必要が生じた場合

イ　環境省が自然公園の保護又は適正な利用の観点から、政策的に規制、施設の直轄整備、利用拠点の整備改善又は自然体験活動の促進を早急に進めるために公園計画等を変更する必要が生じた場合

ウ　離島振興法（昭和28年法律第72号）に基づく離島振興計画やその他の地域振興計画が策定又は変更され、自然的、社会的実情に照らして当該公園の保護又は適正な利用に資すると認められる場合

エ　自然公園法（昭和32年法律第161号。以下「法」という。）第８条の２第１項に基づく公園計画の変更の提案を踏まえ、早急に公園計画等を変更する必要が生じた場合

３　公園計画等の見直しの基本的な方針

⑴　公園区域

公園区域については次の場合に変更を検討する。ただし、地域の開発を目的とする公園区域の削除は原則として行わないものとする。

ア　公園区域線の明確化を図るために必要な場合

イ　これまで公園区域の拡張について検討中の場合又は学術調査報告等により新たに公園区域への編入が必要と判断された場合

ウ　公園区域の境界に接して既に市街化が著しく進行する等、自然公園の区域として存続させる意義が薄れ、公園区域の削除が適当と判断された場合。

この場合、現行公園区域に隣接し比較的良好な自然環境が残されている地域があれば区域に包含するなど、努めて当該公園全体の質的な維持向上を図るものとする。

⑵　基本方針

ア　公園の風致景観及び自然環境の変化並びに公園利用状況等の変化及び今後の予測等を踏まえ、公園のビジョン、管理運営方針、特別地域等の指定方針又は施設の整備方針等について必要に応じた見直しを行うものとする。

イ　自然体験活動の実施状況や自然環境、社会情勢等の変化を踏まえ、質の高い自然体験活動の促進に関する基本方針の見直しを検討するものとする。

⑶　規制計画

ア　最近の社会的条件等の変化も踏まえ、学術調査報告等の資料に基づいて、区域内の各部分について風景の質の再評価を行い、計画要領第４・Ⅱ・１・⑴及び⑵に掲

げる自然風景の質に応じた規制計画となるよう見直すものとする。

イ　自然公園法施行規則（昭和32年厚生省令第41号。以下「規則」という。）第11条第37項の規定に基づき、環境大臣が規則第11条第１項から第36項に規定する基準に係る特例を定めている場合には、その特例の内容により、現行の地種区分を維持するか、地種区分の変更を行うか、又は特別地域の区域から削除するかを検討する。

ウ　管理の適正化を図るため、各地区ごとの保護対象とこれについての保護管理の方針を明らかにするよう努めるものとする。

エ　優れた自然の風景地における利用の多様化及び増大に対処し、適正な公園利用の確保と一帯の自然景観の保全を図るため、地域の実情に応じた利用規制の方策についても幅広く検討することとし、必要に応じて利用調整地区の指定を検討するものとする。

オ　地種区分線ごとにその境界線の明確化を図る。

⑷　事業計画

ア　施設計画

㋐　自然環境の保全を図りつつ自然景観の質に対応した適正な公園利用の場を確保し、良質かつ持続可能な利用を促進する観点から、社会情勢の変化を踏まえ、公園利用の実態、風致景観への影響等を勘案し、施設計画を見直すものとする。その際、事業執行状況を踏まえ、既存施設計画に基づく事業実施の必要性、可能性も含めて検討するものとする。

㋑　損なわれた自然環境の再生を始め、必要な保護施設計画について、積極的に取り込むよう検討するものとする。

㋒　既存の利用施設計画も含め、利用者層や自然条件等を踏まえた整備の方針を明らかにするよう努めるものとする。また、利用拠点の整備改善の実施状況や自然環境、利用状況等の変化を踏まえ、集団施設地区等の整備方針の見直しを検討するものとする。

㋓　他省庁の所管する事業で、公園施設に馴染むものについては、原則として施設計画施設として位置付けるものとし、関係省庁との調整を図るものとする。

㋔　計画に当たっては、自然再生施設、博物展示施設、マイカー規制用駐車場等であって、自然公園内の損なわれた自然環境について、当該自然環境への負荷を低減し良好な自然環境を創出するためと認められ、又は計画施設の利用者の大部分が公園利用者であると認められ、その機能を発揮させる上で、公園の区域外に整備することが必要不可欠な場合を除き、公園区域内に計画するものとする。

㋕　長距離自然歩道については既設の歩道を含めて自然歩道線として整理統合し、一本化する。

イ　生態系維持回復計画

㋐　生態系維持回復計画に基づき、生態系維持回復事業計画を策定して同事業を実施し、モニタリングを行った結果、生態系維持回復計画の位置又は実施方針を変更する必要があると判断される場合には、生態系維持回復計画を見直すこととする。

ウ　自然体験活動計画

㋐　自然体験活動の実施状況や自然環境、社会情勢等の変化や、認定自然体験活動促進計画による自然体験活動促進事業の実施状況等を踏まえ、変更する必要があると判断される場合には、自然体験活動計画を見直すこととする。

４　公園計画等の見直し実務

⑴　公園計画等の見直し作業の開始時期

ア　再検討

再検討が終了していない公園については、早急にこれを実施するものとする。

イ　点検

再検討又は点検の終了した年度（官報告示日の属する年度）の翌年度から起算して３年度目を超える国立公園を管轄する各地方環境事務所、釧路、信越及び沖縄奄美自然環境事務所並びに四国事務所（以下「事務所」という。）に対して、自然環境局国立公園課（以下「国立公園課」という。）から点検作業を開始するよう通知を行う。当該点検において検討すべき事項もあわせて通知するものとする。通知を受けた事務所は、情報収集、整理を行う等、点検作業を開始し、調査等の状況に応じて点検作業の開始を国立公園課に申し出るものとする。なお、地域の自然的、社会的条件の変化が著しい場合、地域からの要望がある場合等必要があれば、点検に着手することは妨げない。

ウ　一部変更

上記２・⑶・アからエまでに掲げる状況が生じた場合、速やかに作業の開始を国立公園課に申し出るものとする。

⑵　作業主体

ア　検討作業の取りまとめは、国立公園課において行うが、資料の収集、解析、素案作成等の各段階ごとに事務所が担当国立公園管理事務所（国立公園管理官事務所、自然保護官事務所、広島事務所及び福岡事務所を含む。）と連携し、関係都道府県等と緊密な連絡の下にその協力を得て作業を進めるものとする。

イ　この作業に当たっては、国の関係行政機関、関係都道府県及び市町村とも事前に十分連絡調整を図ることとする。特に特別地域の地種区分等保護規制計画を検討するに当たっては、必要に応じて地元関係者に説明を行うなど納得協力を得るものとする。

⑶　作業順序

作業の順序は別紙1のとおりとする。

なお、作業の実施に当たっては、以下の点に留意されたい。

ア　基本方針及び作業スケジュール（案）について

事務所は、公園計画等の見直しを行う対象、見直しの考え方等を明らかにした点検等の基本方針及び作業スケジュール（案）を作成し、国立公園課に提出するとともに、その指示に従うこととする。その際、公園計画等の変更に係る試案を添付することが望ましい。

イ　意見聴取について

事務所は、関係都道府県及び市町村等に対し、当該作業の趣旨及び検討範囲について説明し、十分な理解を得るよう努めるとともに、点検等の基本方針及び作業スケジュールに従い、当該スケジュールにおいて指定した期間において意見の聴取等を行うこと。意見聴取後は、速やかに国立公園課に報告することとする。なお、意見聴取は、必要に応じて国の関係地方行政機関や、説明会の開催等を通じて地域住民に対しても行うことができる。

この段階で向こう5年間を見通した上で、公園計画等に変更すべき箇所がないと判断された場合には、関係都道府県及び市町村（国の関係地方行政機関に対して意見聴取を行った場合には同機関も含む。）に意見照会を行い、その回答を国立公園課に報告をした上で、国立公園課からの点検等の終了の通知をもって点検作業を終了することとする。

ウ　素案について

事務所は、基本方針及び作業スケジュールに対する関係都道府県及び市町村の意見を聴取した後、素案の案について国立公園課と調整の上、素案を作成し、関係都道府県及び市町村へは意見照会を行い、国の関係地方行政機関とは調整を図ることとする。

また、この際、土地利用基本計画の変更に係る都道府県の関係部局との調整を開始することとする。

エ　事務所案について

事務所は、素案に対する関係都道府県及び市町村の同意の意思が確認されるとともに、国の関係地方行政機関との調整の結果、口頭了解が得られ次第、素案の案からの変更事項について国立公園課と調整の上、事務所案を作成し、国立公園課宛てに公文にて提出することとする。

オ　パブリックコメントについて

環境省原案に対するパブリックコメントの募集及び意見の取りまとめは国立公園課において行うものとする。この間に事務所は、国の関係地方行政機関及び関係都道府県に対する協議及び公文照会（以下「協議等」という。）の準備を進め、パブリックコメント終了後は、速やかに意見を集約・反映し、協議等を実施することとする。

この際、事務所は協議等に対する国の関係地方行政機関及び関係都道府県からの回答文書については、速やかにその写しを国立公園課に提出することとする。

カ　事前協議

国立公園課は、国の関係地方行政機関に対する協議等の終了後、国の関係行政機関に対し事前協議を行う。

キ　正式協議

国立公園課は、国の関係行政機関との事前協議終了後、国の関係行政機関及び関係都道府県知事に対し、法第67条第１項に基づく環境大臣協議及び法に基づく、都道府県知事への意見照会を行う。

ク　中央環境審議会への諮問

国立公園課は、キの正式協議終了後、中央環境審議会への諮問を行う。

ケ　官報告示

国立公園課は、中央環境審議会からの答申後、２か月以内を目安に官報告示を行う。告示後、関係事務所及び都道府県等へ告示内容について通知する。

コ　必要な図書等

作業途上における各段階の案については、指定書等要領の様式１、様式２及び様式３のうち、必要なものを作成し、添付すること。公園計画等の見直しに当たっては、GIS データを作成することが望ましい。GIS データを作成した場合は、国立公園課に提出することとする。

サ　その他

ア～キの協議又は報告については原則として電子情報処理組織を使用する方法をもって行うものとする（協議の相手方との調整により書面を求められた場合にはこの限りでない。）。

5　関係行政機関との調整について

⑴　公園計画等の見直しに当たっては、区域変更図、保護規制計画変更図、施設計画変更図等の図面によりあらかじめ関係市町村及び都道府県庁内の次に掲げる関係部局と十分調整を図るものとする。

ア　林務（民有林に係る場合）

イ　農務（農地に係る場合）

ウ　水産（陸水域、海域、漁港に係る場合）

エ　土木（道路、河川、海岸、港湾、都市計画に係る場合）

オ　土地対策（区域の指定、変更、解除に係る場合）

⑵　関係省庁と協議を必要とする場合については、別紙２のとおり実施することとなる

ので、事前に関係行政機関と十分調整を図るものとする。

6 公園計画の変更の提案について

(1) 法第８条の２第１項に基づく協議会による公園計画の変更の提案は、事務所にて受け付ける。提案に当たっては、以下の書類の提出を求めるものとする。

ア 提案書（協議会を組織した市町村又は都道府県、協議会の名称、協議会の構成員の氏名又は名称、提案の理由を記載する）

イ 提案に係る公園計画の素案（公園計画書及び公園計画図に準じて作成する）

(2) 事務所は、提案の内容を踏まえて必要があると認めるときは、以下の書類の追加提出を求めるものとする。

ア 当該提案に係る場所及びその周辺の風致若しくは景観の状況又は特質

イ 当該提案に係る公園の利用の状況

(3) 事務所は、提案の内容を国立公園課に報告し、国立公園課との調整を踏まえて公園計画の変更の必要性を検討し、変更する必要があると判断したときは、再検討又は点検にあわせて、又は一部変更として、公園計画等の見直し作業を行うものとする。

(4) 事務所は、提案の内容を踏まえて公園計画を変更する必要がないと判断したときは、その旨の意見を付して、速やかに国立公園課に報告するものとする。国立公園課は、提案の内容を踏まえて公園計画を変更する必要がないと判断したときは、その旨及びその理由を当該提案をした協議会に事務所を経由して通知するものとする。

(5) 協議会は、各々の協議会が利用拠点整備改善計画又は自然体験活動促進計画を作成する上で必要な事項について提案ができる。提案内容としては、利用拠点整備改善計画作成のための提案として、利用施設計画の追加、集団施設地区又は単独施設の整備方針等の変更が想定され、自然体験活動促進計画のための提案として、基本方針及び自然体験活動計画への質の高い自然体験活動の促進に関する記載の追加又は変更、利用調整地区等の新規指定又は変更等が想定される。利用拠点整備改善計画及び自然体験活動促進計画の趣旨を踏まえると、原則として、地域の開発を目的とする公園区域の削除や保護規制計画の変更に係る提案は想定していない。

（別紙１）　　国立公園の公園区域及び公園計画の点検に関する作業手順

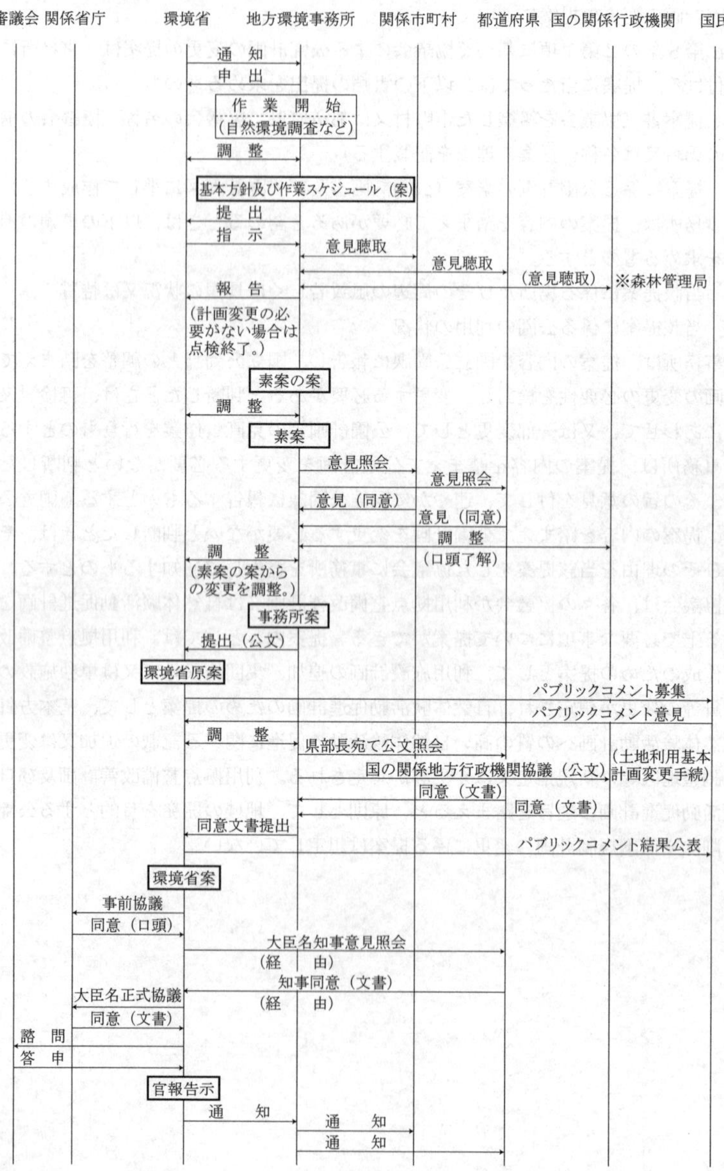

（別紙２）

各案件の協議を要する関係行政機関の一覧

関係省庁	地方行政機関 ＼ 要協議案件	公園区域、公園計画及び公園計画に基づく事項							保護規制計画関連事項											備考
		公園指定又は区域の拡張	公園計画の決定又は変更（変更は削除の場合を除く）	特別地域の指定又は区域の拡張	特別保護地区の指定又は区域の拡張	海域公園地区の指定又は区域の拡張	利用調整地区の指定又は区域の拡張	集団施設地区の指定又は区域の拡張	木竹損傷規制区域の指定	汚水又は廃水の排出規制区域	採取等規制植物の指定	植栽等規制植物及び区域の指定	捕獲等規制動物の指定	放出規制動物及び区域の指定	立入り規制区域の指定	乗入れ規制区域の指定	車馬使用規制道路の指定	捕獲等規制動植物の指定	動力船使用規制区域及び期間	
内閣府		○	○	○	○	○	○													沖縄県の場合に限る。
	沖縄総合事務局	○	○	○	○	○	○													〃
警察庁															(通知)		○			
	都道府県公安委員会																○(通知)			協議に加え、指定時に通知を行う。
財務省																				
	財務局	○	○	○	○		○	○												財務省所管国有地に係る場合に限る。
文部科学省		○※1	○※1	○※1	○※1	○	○※2	○※1		○			○※1			○※2				※１は、文化財保護法に基づく史跡名勝天然記念物又は文部科学省所管国有財産に係る場合に限る。 ※２は、※１又は埋蔵文化財が含まれる場合に限る。
	都道府県教育委員会	○	○	○	○	○	○	○		○			○			○				文化財保護法に基づく史跡名勝天然記念物又は文部科学省所管国有財産に係る場合に限る。

農林水産省		○	○	○	○		○	○		○	○	○	○		○	○		○		「集団施設地区の指定又は区域の拡張」については、国有林等農林水産省所管国有地に係る場合に限る。
	地方農政局	○	○	○	○		○	○							○	○				北海道の場合を除く。（＊１）「集団施設地区の指定又は区域の拡張」については、農林水産省所管国有地に係る場合に限る。
	森林管理局	○	○	○	○		○	○		○		○			○	○	○			国有林に係る場合に限る。
経済産業省		○	○	○	○	○	○			○						○			○	
	経済産業局	○	○	○	○	○	○			○						○			○	
国土交通省		○	○	○	○	○	○	○	○	○		○			○	○＊２＊３		○	○	「集団施設地区の指定又は区域の拡張」については都市計画区域に係る場合に限る。
	地方整備局	○	○	○	○	○	○		○	○		○			○	○＊２＊３		○	○	北海道の場合を除く。
	北海道開発局	○	○	○	○	○	○	○	○	○		○			○	○＊２＊３		○	○	北海道の場合に限る。
	地方運輸局	○	○	○	○	○	○								○	○＊２＊３		○	○	
	管区海上保安本部	○	○	○	○	○	○													海面に接する公園の場合に限る。
防衛省					○	○	○													
	防衛局				○	○	○								○					

備考

(1)　この表において、要協議案件の欄ごとに○印が付されている関係行政機関の長と協議を行うこととする。

(2)　公園区域の削除については、協議を要することとしないが、公園区域の拡張の際に協議対象となっている関係行政機関に対し、必要に応じて情報提供を行うこと。

(3)　公園計画のうち、保護又は利用のための施設計画の決定又は変更については、関係省庁が当該施設を所管・監督する場合（例えば道路法に基づく道路→国土交通省（地方整備局）、道路運送法に基づく一般自動車道→国土交通省（地方運輸局）、又は当該施設を設けようとする土地を所有する場合）に限って協議するものとする。

ただし、これ以外の場合であっても、当該施設が文化財保護法に基づく史跡名勝天然記念物に係る場合にあっては文化庁（都道府県教育委員会）に対して、当該施設が動物繁殖施設である場合にあっては農林水産省（地方農政局、森林管理局）に対して協議するものとする。

(4) 公園計画のうち生態系維持回復計画の決定又は変更については、生態系維持回復事業の区域に、河川法第６条第１項に規定する「河川区域」、同条第２項に規定する「高規格堤防特別区域」、同条第３項に規定する「樹林帯区域」及び同法第54条に規定する「河川保全区域」、海岸法第２条第２項に定義する「一般公共海岸区域」及び同法第３条に規定する「海岸保全区域」、砂防法第２条で指定する土地、地すべり等防止法第３条に規定する「地すべり防止区域」及び同法第４条に規定する「ぼた山崩壊防止区域」、急傾斜地の崩壊による災害の防止に関する法律第３条に規定する「急傾斜地崩壊危険区域」、並びに、土砂災害警戒区域等における土砂災害防止対策の推進に関する法律第７条に規定する「土砂災害警戒区域」又は同法第９条に規定する「土砂災害特別警戒区域」が含まれる場合に限って、国土交通省（地方整備局又は北海道開発局）に協議するものとする。

＊１　北海道にあっては、土地利用基本計画の変更を伴う場合は、地方農政局を農林水産省農村振興局（農村政策課）と読み替える。

＊２　離島振興対策実施地域、奄美群島及び小笠原諸島において指定するもの。

＊３　河川区域又は海岸保全区域若しくは一般公共海岸区域と重複又は隣接する場合は、河川管理者又は海岸管理者と協議するものとする。

第２章　国立公園の公園計画指定書、公園計画書の作成

○国立公園に係る公園計画の作成等について

〔令和４年４月１日　環自国発第2204015号
各地方環境事務所等宛　自然環境局長通知〕

自然公園法（昭和32年法律第161号）第２条第５号に規定する公園計画について、国立公園に係る公園計画、指定書、公園計画書並びに公園区域図等の作成については、次に掲げる別紙１から別紙３までの要領に沿って行うものとする。

別紙１　国立公園の公園計画作成要領

別紙２　国立公園の指定書、公園計画書並びに公園区域及び公園計画変更書作成要領

別紙３　国立公園の区域図及び公園計画図等作成要領

（別紙１）

国立公園の公園計画作成要領

目次　　頁

第1　公園計画の目的

自然公園法（昭和32年法律第161号。以下「法」という。）第7条第1項に規定する国立公園に関する公園計画は、国立公園（以下「公園」という。）の風致景観を維持するための方針を明らかにし、併せて公園として適正な利用を推進するための方針を示すことにより、公園の適正な運営を行うための基本的な指針とすることを目的とする。

第２　公園計画の構成

公園計画は、基本方針、規制計画（保護のための規制に関する計画（以下「保護規制計画」という。）及び利用のための規制に関する計画（以下「利用規制計画」という。））及び事業計画（施設に関する計画（以下「施設計画」という。）、生態系の維持又は回復のための生態系維持回復事業に関する計画（以下「生態系維持回復計画」という。）及び質の高い自然体験活動の促進に関する基本的な事項（以下「自然体験活動計画」という。））によって構成され、公園計画書及び公園計画図をもって明らかにするものとする。なお、公園計画の体系は別図によるものとする。

第３　公園計画の作成に当たっての留意事項

公園計画の作成に当たっては、公園の保護と適正な利用との整合性に留意し、その立案は自然環境保全基礎調査、重要生態系監視地域モニタリング推進事業（通称モニタリングサイト1000）、各種学術調査等の最新の資料を十分参酌するとともに、地域の文化・社会的背景、公園利用の実態等各種情報を考慮するものとする。その際、必要に応じ、「国立公園及び国定公園の調査要領」（平成25年５月17日付け環自国発第1305172号環境省自然環境局長通知）を参考とした景観、利用状況等の調査を実施するものとする。

第４　計画事項及び関連事項

Ⅰ　基本方針

基本方針とは、当該公園計画の作成に当たっての基本方針であり、公園の「ビジョン」及び「管理運営方針」等について、次の事項を基本に記載する。

「ビジョン」とは、公園の風景型式及び公園の利用の現況並びにそれらの特性を踏まえ、公園の風致景観を保護するとともに、その特性に対応した適正な利用が行われるよう、中長期的な視点に立ち、公園の望ましい姿（公園の保護すべき資源、利用の方向性等）、公園が提供すべきサービス（役割、機能）、公園の価値や保全・利用の目標を分かりやすく示したものである。

「管理運営方針」は、ビジョンの実現に向け公園を管理運営していくに当たっての方向性を示したものであり、「保護に関する事項」と「利用に関する事項」に分けて記載する。「保護に関する事項」として、当該公園の主要な保護対象及びそれらの保護管理の方針、特別地域（特別保護地区並びに第１種、第２種及び第３種特別地域）、海域公園地区及び利用調整地区等の指定方針等について記載する。また、「利用に関する事項」として、主たる利用形態、公園区域内外にわたる利用動線の現況と今後の方針、主要な利用拠点又は利用施設の配置及び整備の方針、特定の地域における利用規制に関する方針等を記載する。

また、当該公園における他法令に基づき作成された計画や運用に関する方針（エコツーリズム推進法（平成19年法律第105号）に基づくエコツーリズム全体構想や自然再生推進法に基づく自然再生全体構想に対する計画策定及びその運用に対する方針等）を必要に応じて記載する。

Ⅱ　規制計画

1　保護規制計画等

保護規制計画は、一定の公用制限の下で風致景観の維持及び適正な利用の推進を図るため、その特性に応じ公園の区域を区分するものとする。

⑴　特別地域

ア　選定要件

特別地域は、優れた風致景観を有する陸域（最高高潮時における汀線より陸側又は最低低潮時における汀線と最高高潮時における汀線との間のうち陸域としている地域）であって、次に掲げるもののうちから選定するものとする。

㈠　優れた自然の状態を維持する必要がある地域

㈡　利用上重要な土地及びその周辺地で、適正な環境を保全する必要がある地域

㈢　社寺、史跡、霊場、伝説地、伝統的又は風土的建築様式を備えた集落地等の文化景観が、周囲の自然と相まって特徴ある景観を呈している地域

㈣　自然景観の育成が必要であり、かつ、復元の見込みのある地域

㈤　㈠から㈣までに掲げるもののほか、特定の風致景観を維持する必要がある地域

イ　特別地域の区分

特別地域は、特別保護地区及びその他の特別地域に区分するものとする。これらの区分は、風致景観の特質に基づき行うものとし、その区分に当たっては、他の法益との調整を図る等適切な保護管理が行われるように留意するものとする。

㈠　特別保護地区

特別保護地区は、特別地域内で特に厳重に景観の維持を図る必要のある地区であって、次に掲げるもののうちから選定するものとする。

a　特定の自然景観が原生的な状態を保持している地域

b　高山帯、亜高山帯、風衝地、湿原等、人為の影響を受けやすい地域

c　植物の自生地又は野生動物の生息地若しくは繁殖地として重要な地域

d　地形、地質が特異である地域又は特異な自然現象が生じている地域

e　優れた天然林の地域

f　林齢が特に高く、かつ学術的価値を有する人工林の地域

㈡　特別地域の地種区分

特別地域の区域から特別保護地区を除いた部分は、非常に多岐にわたる要

素を含み、風致の維持の必要性も異なるので、これを自然公園法施行規則（昭和32年厚生省令第41号）第９条の12の規定に基づき第１種、第２種及び第３種に区分するものとする。

⑵　海域公園地区

ア　選定要件

海域公園地区は、優れた海域景観の維持及び適正な利用を図る海域（最低低潮時における汀線より海側及び最低低潮位における汀線と最高高潮時における汀線との間のうち海域としている地域）であって、次に掲げるもの及びそれと密接な関わりを有する隣接する海域のうちから選定するものとする。

㋐　海底の地形、地質、海水の清澄さ、特異な自然現象等により優れた海域の景観を呈している海域

㋑　サンゴ類の生息地、藻場、干潟、岩礁域等、優れた自然の状態を維持する必要がある海域

㋒　野生動植物の生息地、生育地又は繁殖地として重要な海域（上記㋑の海域を除く。）

㋓　石干見（魚垣）等の文化景観が、周囲の自然と相まって特徴ある景観を呈している海域

㋔　自然景観の育成が必要であり、かつ復元の見込みがある海域

㋕　地形、地貌、その他自然景観上特別地域と一体的に景観を維持する必要がある海域（特別保護地区又は特別地域が海域に接している場合、その地先（汀線から１㎞の範囲が想定されるが、周囲の地形、地貌その他の自然環境の状況に応じて、個別に検討するものとする。））

㋖　利用上重要な海域で適正な環境を保全する必要がある海域

㋗　㋐から㋖までに掲げるもののほか、特定の風致景観を維持する必要がある海域

⑶　利用調整地区

利用調整地区の指定は、特別地域又は海域公園地区内において、一定のルールとコントロールの下で適正な公園利用を行うことにより、将来にわたって良好な自然環境を享受し、併せてより質の高い自然体験が得られる場を確保するために行われるものである。多数の者による利用若しくは無秩序な利用等によって当該地域における風致景観の維持、自然環境の保護若しくは質の高い利用環境への支障が生じている区域又は支障が生じるおそれがある区域について指定するものとする。

なお、指定に当たっては、その区域内の土地について、所有権、地上権又は賃借権（臨時施設その他一時使用のために設置されたことが明らかなものを除く。）

を有する者（以下「土地所有者等」という。）の財産権を尊重し、原則として土地所有者等の同意を取るべきものである。

環境大臣が定める利用を調整する期間については、指定目的上、規制を必要とする期間に限定して設定する。例えば、植生の保護を目的とした立入制限を行う利用調整地区にあっては、積雪によって立入りによる植生保護上の支障が生じないことが確実な時期がある場合には、当該期間を除いて定めるものとする。

なお、次に掲げる区域については、利用調整地区の趣旨になじまないので、原則として当該地区に含まないよう配慮すること。

(ア) 農地及び採草放牧地

(イ) 利用者の数を制限しないことを前提に整備が行われている区域

(ウ) 既設の都市公園及び特定地区公園の区域

(エ) 臨港地区及び港湾法（昭和25年法律第218号）に規定する港湾計画において土地利用を計画している区域

(4) 保護規制計画関連事項

法第20条第３項第３号の規定により木竹の損傷を規制する区域（以下「木竹損傷規制区域」という。）、法第20条第３項第６号及び法第21条第３項第１号の規定により汚水又は廃水の排出を規制する湖沼又は湿原及びこれらの周辺１キロメートルの区域（以下「汚水又は廃水の排出規制区域」という。）、法第20条第３項第11号の規定により採取又は損傷を規制する植物（以下「採取等規制植物」という。）、法第20条第３項第12号の規定により指定された植物を植栽し、又は当該植物の種子をまくことを規制する区域（以下「植栽等規制植物及び区域」という。）、法第20条第３項第13号の規定により捕獲し若しくは殺傷又は当該動物の卵の採取若しくは損傷を規制する動物（以下「捕獲等規制動物」という。）、法第20条第３項第14号により指定された動物を放つことを規制する区域（以下「放出規制動物及び区域」という。）、法第20条第３項第16号及び法第21条第３項第１号の規定により指定する期間内に立入りを規制する区域（以下「立入規制区域及び期間」という。）、法第20条第３項第17号の規定により車馬若しくは動力船を使用し、又は航空機を着陸させることを規制する区域（以下「乗入れ規制区域及び期間」という。）、法第22条第３項第２号の規定により指定された動植物の捕獲若しくは殺傷又は採取若しくは損傷を規制する区域（以下「捕獲等規制動植物及び区域」という。）、法第22条第３項第７号の規定により指定する期間内に動力船の使用を規制する区域（以下「動力船使用規制区域及び期間」という。）、自然公園法施行令（昭和32年政令第298号）（以下「令」という。）第３条及び第４条の規定により車馬の使用を規制する道路（主として歩行者の通行の用に供するものであって、舗装がされていないものに限る。以下「車馬使用規制道路及び期間」という。）並びに法第33条の規定による普通地域は、保護規制計画に密接に関連するものであるので、保護規制計画関連事項として定めるものとする。

ア　特別地域関係

(ア)　木竹損傷規制区域

木竹損傷規制区域の指定は、特定の地域に多くの利用者が訪れるようになった結果、木竹の損傷により優れた風致の維持に影響が及ぼされることを防ぐために行われるものであり、次に掲げる要件を備えているもののうちから選定するものとする。

a　世界自然遺産地域等として登録され、その生態系の価値が世界的にも評価されている区域

b　木竹の損傷が現に問題となっている区域

(イ)　汚水又は廃水の排出規制区域

特別地域（特別保護地区を含む。）内に存する湖沼又は湿原は、当該地域の風致景観の核心をなすものが多く、排出された汚水又は廃水の流入による水質の悪化を極力抑える必要があり、次に掲げる要件を備えているもののうちから選定するものとする。

a　排出された汚水又は廃水の流入による水質の悪化が進んでいないこと。

b　湖沼又は湿原の水質を保全するため、当該湖沼又は湿原の周辺において、汚水又は廃水の排出を規制する必要があるものであること。

(ウ)　採取等規制植物

採取等規制植物の指定は、特別地域（特別保護地区を除く。）内において、学術的価値のあるもの又は風致を構成する主要な植物が採取等されることによる優れた風致や自然環境への影響を防ぐために行われるものであり、観賞用、園芸用、薬草用等として採取され易く、規制を行わなければ絶滅するおそれのある植物を選定するものとする。採取等規制植物の選定は、「国立・国定公園特別地域内において採取等を規制する植物（指定植物）の選定方針の策定について」（平成27年８月）によるものとする。

(エ)　植栽等規制植物及び区域

植栽等規制植物及び区域の指定は、特別地域（特別保護地区を除く。）内において、当該地域が本来の生育地ではない植物が植栽等されることによる優れた風致や自然環境への影響を防ぐために行われるものであり、本来の生育地ではない植物が植栽等されることにより、当該地域に本来生育する種との競合、駆逐、交雑、風致の変化等、風致の維持に影響を及ぼしている又は及ぼすおそれのある種及び区域について指定するものとする。

(オ)　捕獲等規制動物

捕獲等規制動物の指定は、特別地域（特別保護地区を除く。）内において、学術的価値のあるもの又は風致を構成する主要な動物が捕獲等されることによる優れた風致や自然環境への影響を防ぐために行われるものであり、捕獲等規制動物の選定は、「国立・国定公園特別地域内において捕獲等を規制する動物の選定について」（令和４年４月１日付け環自国発第2204019号自然環境局長通知）によるものとする。

(カ) 放出規制動物及び区域

放出規制動物及び区域の指定は、特別地域（特別保護地区を除く。）内において、当該地域が本来の生息地ではない動物が放出されることによる優れた風致や自然環境への影響を防ぐために行われるものであり、本来の生息地ではない動物が放出されることにより、当該地域に本来生息する種との競合、駆逐、交雑、風致の変化等、風致の維持に影響を及ぼしている又は及ぼすおそれのある種及び区域について指定するものとする。

(キ) 立入規制区域及び期間

立入規制区域の指定は、特別地域内において、人の立入りにより破壊されやすい脆弱な自然について、当該区域に立ち入る者によってその貴重な自然が壊されることを防ぐために行われるものであり、特別の事由がない限り、特別保護地区又は第１種特別地域に指定されている区域であって、次のいずれかに該当し、人の立入りによって回復困難な影響を受けるおそれがある区域について指定するものとする。

なお、指定（区域の拡張及び期間の延長を含む。）に当たっては、関係都道府県及び関係市町村の意見を聴き、同意を得るとともに、土地所有者等の財産権を尊重し、原則として土地所有者等の同意を取るべきものである。

a　高山帯、亜高山帯、風衝地、湿地等植生復元の困難な区域

b　野生動植物の生息地、生育地又は繁殖地として重要な区域

c　地形、地質が特異である区域又は特異な自然現象が生じている区域

d　当該特別地域の風致景観を構成する自然環境が上記ａ～ｃに準じて脆弱又は貴重である区域

ただし、次に掲げる区域については、立入規制区域の趣旨になじまないため、指定の対象とはしないものとする。

a　利用者の数を制限しないことを前提に整備が行われている区域

b　現に農林業が実施されている区域

また、期間を設けて立入規制区域を指定するのは、立入りによって影響を受ける自然環境要素が明らかに時期的に限られる場合のみとすること（例：積雪期における植生等保護のための立入規制区域を設定する場合等）。

(ク)　乗入れ規制区域及び期間

乗入れ規制区域の指定は、特別地域（特別保護地区を除く。以下この項において同じ。）の風致景観を構成する植生、野生動植物の生息・生育環境等の悪化を防止する見地から行われるものであり、次に掲げるもののうちから選定するものとする。

a　現在車馬等を使用すること等が相当程度行われている区域で、そのために植生、野生動植物の生息・生育環境の破壊等自然環境への影響が生じているか、そのおそれが大きくなっている区域

b　現在車馬等を使用すること等は行われていないが、それによる被害が将来生じることが十分に予想され、かつ、厳正な保護を図る必要がある区域であって、次のいずれかに該当する区域を含む区域

(a)　高山帯、亜高山帯、風衝地、湿原等植生復元の困難な区域

(b)　野生動植物の生息地、生育地又は繁殖地として重要な区域

(c)　地形、地質が特異である区域又は特異な自然現象が生じている区域

(d)　優れた天然林又は学術的価値を有する人工林の区域

(e)　当該特別地域の風致景観を構成する自然環境が上記(a)～(d)に準じて脆弱又は貴重である区域

また、特別地域の区域のうち、道路、広場、田、畑、牧場及び宅地は、法の規定により、乗入れ規制区域から除くこととなるが、この他次に掲げる区域については、乗入れ規制区域の趣旨になじまないものと考えられるので、当該地区に含まないよう配慮すること。

a　自然を改変して造成された区域又は自然が改変されることが明らかな区域であって、その性格上車馬の使用等が頻繁に行われ、かつ境界が明らかにされている区域（例：ゴルフ場、リゾートクラブ施設その他車馬の使用等が行われるスポーツ・レジャーのための施設や用地。防衛省が権原を有する自衛隊の駐屯地、演習地、試験場等。）。

b　営造物として設置・管理されている面的広がりを持つ施設であって、維持管理上必要な車馬の使用等による自然環境への影響が軽微であると認められる施設の区域（例：都市公園又は特定地区公園（社会資本整備重点計画法施行令（平成15年政令第162号）第２条第２号に規定する公園をいう。以下同じ。）。

なお、スキー場については、当該スキー場敷地内の自然環境の現状及び車馬の使用等の実態からみて乗入れ規制地区に含める必要性の有無を個別に判断する。

期間を設けて乗入れ規制区域に設定するのは、車馬の使用等によって影響

を受ける自然環境要素が明らかに時期的に限られる場合のみとすること（例：冬期間飛来する水鳥の保護のため乗入れ規制地区を指定する場合等）。

(ケ) 車馬使用規制道路及び期間

車馬使用規制道路の指定は、特別地域（特別保護地区を含む。）内において、車馬等が乗入れることにより、登山道のような脆弱な未舗装の歩道やその周辺の優れた風致や自然環境へ影響を与えることを防ぐために行われるものであり、原則として、現在、車馬等の乗入れ規制が行われている区域にある登山道等のうち、当該登山道等の態様（利用の状況、幅員、脆弱性等）から二輪車等の規制の必要性があるものについて、指定するものとする。

また、その際に、特定の登山道等を指定対象とする方法以外に、高山域など、区域一体で荒廃等が生じやすい区域において、当該区域で車馬等の乗入れ規制が行われている場合には、当該区域内の登山道等全てを指定対象とすることも考えられる。

ただし、農業を営むために現在車馬を使用することが相当程度行われている道路及び道路法（昭和27年法律第180号。）上の道路については、車馬の使用の規制の趣旨になじまないものと考えられるので、選定しないよう配慮すること。また、道路法上の道路において車馬の使用を規制する必要性がある場合には、道路管理者及び都道府県公安委員会等と調整の上、道路交通法に基づく歩行者用道路の交通規制の実施を依頼する、若しくは道路法上の道路の路線を廃止した上で自然公園法上の規制対象とする又は道路法上の歩行者専用道路として位置付けし直す対応を行う必要がある。

なお、現在、期間を設けて車馬等の乗入れ規制が行われている区域にある登山道等を指定する場合には、原則として、当該登山道等についても、同様の期間を設けて車馬の使用を規制することとする。

イ 海域公園地区関係

(ア) 捕獲等規制動植物及び区域

捕獲等規制動植物については、当該海域公園地区において学術的価値のあるもの又は海域景観を構成する主要な動植物を対象として指定するものとし、区域については、それらの生息地又は生育地、繁殖地等について指定するものとする。

なお、動植物及び区域の指定に当たっては、漁業の支障とならないよう地元漁業関係者の意見を徴するものとする。

(イ) 動力船使用規制区域及び期間

動力船使用規制区域の指定は、海域公園地区の海域景観を構成する動植物の生息・生育環境等の悪化を防止する必要がある海域で、次に掲げるもののうちから選定するものとする。

a　現在動力船が相当程度使用されている海域で、そのためにサンゴ、海鳥、海藻、海草等の野生動植物の生息・生育環境の破壊、野生動物の採餌、繁殖への影響等自然環境への影響が生じているか、そのおそれがある区域

b　現在動力船は使用されていない又は使用はわずかであるが、それによる被害が将来生じることが十分に予想され、かつ、当該海域の野生動植物の生息・生育環境等が特に脆弱又は貴重であり、厳正な保護を図ることが必要な区域

ただし、次に掲げる区域については、動力船使用規制区域の趣旨になじまないため、指定の対象とはしないものとする。

a　マリーナ等のマリンレジャー施設が存在する区域

b　港湾区域

c　港湾間、離島航路における船舶が航行する区域

d　港湾法（昭和25年法律第218号）第２条第８項に定める開発保全航路、海上交通安全法（昭和47年法律第115号）第２条第１項に定める航路等船舶の主要な航路となっている区域

e　港湾法第37条第１項の規定する港湾隣接地域

f　港湾法第56条第１項の規定により都道府県知事が公告した水域

g　港則法（昭和23年法律第174号）第２条の港の区域

ウ　普通地域

普通地域は、公園区域のうち特別地域及び海域公園地区以外の区域をいい、例えば次のような地域がこれに該当する。

(ア)　地形、地貌、その他自然景観上特別地域又は海域公園地区と一体をなす地域内の集落地、農耕地、森林、海域等であって、景観の維持を図る必要性は特別地域又は海域公園地区ほど高くはないが、風景の保護を図る必要がある地域

(イ)　特別地域又は海域公園地区の保護又は利用上必要な地域

a　海域公園地区の周囲少なくとも４km以内の海域

b　特別地域における主要な展望地からの眺望の対象となっている汀線から５km以内の海域（汀線から５km以内の海域を基本とするが、汀線から５kmを超える海域であっても、主要な展望地から眺望の対象となっている等、一体的に風景の保護を図る必要がある海域については指定の対象とすることが望ましい。）

２　利用規制計画

利用規制計画は、特に優れた自然の風景地における公園利用の増大に対処し、これの適正な利用と周辺の自然景観の保護を図るため、エコツーリズム推進法第10条などによる立入規制、マイカー規制等の公園利用に係る規制を行う必要がある場合に定めるものとする。

計画としては、対象地区の利用現況と当該地区の適正な利用の在り方を踏まえ、利用の時期、方法等に関し、特別に調整し、制限し、又は禁止する必要のある事項について定めるものとする。

Ⅲ　事業計画

1　施設計画

⑴　保護施設計画

保護施設計画は、当該公園の景観又は景観要素の保護及び利用上の安全を確保するため、令第1条第10号から第12号までに掲げる施設（以下「保護施設」という。）について、必要な個々の施設の配置と整備方針を定めるものである。各施設の定義及び計画上の留意事項は、別表のとおりとする。

⑵　利用施設計画

利用施設計画は、公園における多様な利用形態のうち、当該公園にふさわしいものについて積極的にその増進を図ることを目的として、計画的に施設の整備を行うことにより、利用者を誘導するため、集団施設地区及び令第1条第1号から第9号までに掲げる施設（以下「利用施設」という。）について、その配置と整備方針を定めるものである。

利用施設計画を定めるに当たっては、次の事項に留意するほか、各施設の定義及び計画上の留意事項は、別表のとおりとする。

また、利用施設計画は、当該公園内に現に存在し、又は将来設置が見込まれる利用施設全てに関して網羅的に定めるものではなく、公園という優れた自然の風景地の中で、適正な利用を増進するため必要不可欠なものを定めるものとする。

さらに、利用施設計画は、適正な利用を増進するために必要な施設及びその適地を今後の実現の可能性の見通しの上に立って定めるものとする。

ア　集団施設地区

㈠　選定要件

集団施設地区は、区域を画し、整備方針に基づき、公園の利用及び管理のための施設を総合的に整備し、快適な公園利用の拠点とする地区であり、次の要件を備えるものについて選定するものとし、特定の地域に偏在しないよう留意するものとする。

a　大規模な自然改変を伴わずに、ある程度多数の利用者を収容する施設整備が可能な地況であること。

b　保健的条件が良好なこと。

c　災害に対して安全なこと。

d　土地所有関係等が計画の樹立、遂行に適していること。

(イ)　区域

集団施設地区の区域は、地形、植生等の自然条件を勘案しつつ、利用及び管理のための施設の種類と規模に応じて定めるものとする。

(ウ)　整備方針

集団施設地区内の各区域の特性を考慮して設定された整備計画区ごとに整備方針を定めるものとする。ただし、地区全域にわたる道路、給排水施設等の基盤施設については、施設ごとに定めるものとする。

a　整備計画区の設定に当たっての留意事項は、以下のとおりとする。

(a)　地区内の自然条件、利用形態、設けようとする施設の種類又は内容等に着目して設定すること。

(b)　原則として整備方針の異なる計画区ごとに設定することとするが、整備主体が単一である場合等で複数の整備計画区を設定する必要性に乏しい地区については、地区全体を一つの整備計画区としてもよいこと。

b　整備方針は、以下の内容について定めるものとする。

(a)　当該整備計画区の性格、機能及び整備目標

(b)　設けようとする施設の種類及び配置等

(c)　（必要に応じ）整備に当たっての基本方針、配慮事項等

イ　利用施設

利用施設については、単独施設（道路及び運輸施設以外の利用施設をいう。）、道路及び運輸施設に区分して定めるものとする。

各施設の定義及び計画上の留意事項は、別表のとおりとする。ただし、道路（車道、自転車道及び歩道）、宿舎、避難小屋、スキー場及び運輸施設のうち鉄道及び索道についての留意事項は、以下のとおりとする。

(ア)　道路（車道）

a　車道は、公園利用の特性に見合った利用者の流れを確保するための手段として、次に掲げるいずれかの機能を有するものを定めるものとする。

(a)　公園利用地点への連絡

(b)　公園の主要利用地点相互間の連絡

(c)　車窓又は車道沿線の特定地点からの景観鑑賞

b　車道の新設に当たっては、公園利用上からみて必要性が明らかなものに限るとともに、計画に当たっては、地形、地質、気象、動物、植物等に関する調査を行い、原則として次に掲げる地域を通過するもの又はこれらの

地域に重大な影響を与えるおそれのあるものは除くものとする。

(a) 原生的自然環境を保持している地域

(b) 高山帯、亜高山帯、急傾斜地、崩壊しやすい地形・地質の地域等緑化復元の困難な地域

(c) 野生植物の生育地又は野生動物の生息地若しくは繁殖地として重要な地域

(d) 特別保護地区及び特別保護地区に準ずる優れた景観を保持している地域

c 計画に定める車道は、公園内にある車道の全てを対象とする必要はなく、公園利用の機能が多少認められても、他の機能がより強いものは対象としない。例えば、地域住民の生活や諸産業の振興のみに資するための車道や、２以上の主要都市を連絡するような主要幹線道路（高速道路、国道、主要地方道等及びこれらのバイパス）は、公園内を通過することとなっていても公園計画には定めないものとする。

(イ) 道路（自転車道）

自転車道については、その特性及び自転車道の整備に伴う自然破壊や徒歩利用への障害等につき、慎重に配慮しつつ、特に次の事項に留意して定めるものとする。

a 原則として次の地域には計画しないこと。

(a) 第４・Ⅲ・１・(2)・イ利用施設・(ア)道路（車道）・ｂに掲げる地域

(b) 河川敷、海浜、湖岸等の水辺の地域

b 計画される地域の現地形が、平たん地又は緩傾斜地であること。

c 自転車道の整備により、徒歩利用の安全性及び快適性が妨げられるおそれがないこと。

d 計画に定められた車道に附帯される自転車道については、自転車道としては計画しないものとし、自転車道と歩道の両機能を１本の道路で共用するものについては自転車道として計画すること。

(ウ) 道路（歩道）

a 歩道を定めるに当たっては、特に次の事項に留意するものとする。

(a) 利用の質及び量、自然性、眺望、既存ルート等を総合的に勘案し、適切なルートを設定すること。

(b) 高度の登山技術又は深い経験を必要とする専門的な登山ルート（ロッククライミング、沢登り、藪こぎ、山スキー等のいわゆるバリエーションルート）は計画しないこと。

(c) 原則として、歩道専用路について定めることとするが、歩道専用路以

外の道路であっても、歩道専用路と連続して一体として利用するため、案内標識、解説施設等の整備を要するものについては、この限りでないこと。また、クロスカントリースキー、乗馬利用等の用にも供される道路の場合、徒歩利用の安全性及び快適性を妨げない場合に限る。

(d)　上述の徒歩利用以外の利用が想定される場合については、その旨整備方針に明記すること。

b　歩道は、公園利用の基幹的な施設として、利用者層や自然条件等、地域の特性に見合った徒歩利用を確保するため、園地計画に基づく園地内の移動、散策等のために整備される「園路」との機能分担に留意しつつ、次の分類に沿って計画するものとする。

(a)　探勝歩道

(b)　登山道等

c　歩道分類ごとの定義と留意事項を以下に示す。

(a)　探勝歩道

自然観察、自然探勝を行うための徒歩利用の用に供される歩道をいう。特別な経験や技術を持たないが、ある程度の体力と装備を有する公園利用者を想定し、自然環境の保全と良質な自然体験の確保に十分留意するものとする。

(b)　登山道等

登山若しくは自然海岸の縦走など、自然との深いふれあいのための徒歩利用の用に供される歩道をいう。地域特性を踏まえ、読図能力などの相応の経験と技術、体力と装備を有する公園利用者を想定し、自然環境の保全と適正利用の観点からの必要最小限の整備を実施するものとする。

※　園路

公園利用者の園地内の移動、散策、自然観察等のための徒歩利用の用に供される施設をいう。多様な利用者層を想定し、自然環境の保全への十分な配慮を行った上で、快適性、安全性を一定程度確保するものとする。必要に応じて、路面舗装やバリアフリー化を進めるものとする。

(エ)　宿舎

宿舎を定めるに当たっては、次の事項に留意するものとする。

a　計画に定める宿舎は、公園内に現に存在し、又は将来設置が見込まれる宿泊施設の全てを対象とするものではなく、適正な公園利用を増進する上で必要不可欠なもののみを対象とするものであること。

b　自然環境が良好に保たれており、快適な利用を行うことができる地区であること。

c　土地所有関係等が、計画的な施設整備及び適正な管理経営を行うのに適当な地区であること。

(オ)　避難小屋

避難小屋は、山岳等の厳しい自然条件下における適正な公園利用を推進する上で必要な場合に、登山者等の安全確保、休憩利用を想定した避難施設として定めるものとする。

(カ)　スキー場

a　スキー場は、他の施設に比して大規模であることから公園の風致景観の保護及び利用上極めて大きな影響力を持っているので、新設されるスキー場の計画を定めるに当たっては、特に次の事項に留意するものとする。

(a)　特別保護地区又は第１種特別地域外の地域であること。

(b)　地形、地質、気象、動物、植物等に関する調査を行い、原則として次に掲げる地域に係るもの又はこれらの地域に重大な影響を与えるおそれのあるものは除くこと。

①　野生植物の生育地又は野生動物の生息地若しくは繁殖地として重要な地域

②　地形、地質が特異である地域又は特異な自然現象が生じている地域

③　優れた天然林又は学術的価値を有する人工林の地域

④　高山植物群落、高標高の天然林、風衝地又は湿原等の人為の影響を受け易い地域

⑤　利用者の主要な眺望対象となっている地域

(c)　積雪、風、気温等の気象条件がスキー場立地に適していると認められる地域であること。

(d)　土地所有関係等が計画的な施設整備及び適正な管理経営を行うのに適当な地域であること。

(e)　雪崩等の災害が発生するリスクに係る検討が十分行われ、災害発生リスクが低いコース等の設定を行うことができる地域であること。

b　鉄道、鉄道事業法施行規則（昭和62年運輸省令第６号）第47条第１号に規定する普通索道及び同条第２号に規定する特殊索道（滑走式のものを除く。）を設ける場合はスキー場とは別に計画するものとするが、特殊索道のうち専らスキー場事業の用に供するものについてはスキー場として計画するものとし、スキー場事業専用の普通索道については、スキー場に含めて計画しても差し支えないこと。

c　屋内スキー場、人工グラススキー場等の人工的なスキー場、競技専用ス

キー場、高度のスキー技術を必要とするスキー場等の特定の利用者を対象とするスキー場は計画しないこと。

㈷　運輸施設（鉄道及び索道）

鉄道及び索道（専らスキー場事業の用に供する特殊索道を除く。）（以下「鉄道等」という。）は、①公園の主要展望地点への到達、②搬器上又は車窓からの景観鑑賞等の機能を有するものについて定めるものとするが、他の運輸施設に比して、公園の風致景観の保護及び利用上極めて大きな影響力をもっているので、計画を定めるに当たっては、特に次の事項に留意するものとする。

a　新設される鉄道等については、特別保護地区及び第１種特別地域並びに原則として第４・Ⅲ・１・⑵・イ利用施設・㈹スキー場・ａ・⒝に掲げる地域には計画しないこと。

b　次のいずれにも該当する場合に限ること。

⒜　多数の利用者を運搬しても特別保護地区及び第１種特別地域並びに第４・Ⅲ・１・⑵・イ利用施設・㈹スキー場・ａ・⒝に掲げる地域の風致景観の保護上重大な支障がない場合

⒝　道路の新設又は改良を行う場合よりも、地貌の変更の程度が少ないと認められる場合

⒞　乗降地に、多数の利用者を収容することができる広場、園地、展望施設等を合理的に配置することができる適地を有する場合

2　生態系維持回復計画

生態系維持回復計画は、シカ、オニヒトデ等による食害の深刻化、他地域から侵入した動植物による在来の動植物の駆逐等による生態系への被害が予想される場合、その被害を未然に防止することを目的に予防的な観点から必要な取組を行うとともに、生態系への被害が生じている場合には、生態系が完全に損なわれてしまう前に迅速な対応を講じることにより、更なる被害の拡大を食い止め、当該生態系本来の姿へと早期に回復を図っていくことが必要な場合に定めるものとする。

生態系維持回復計画については、対象とする生態系の現況を踏まえ、名称、位置、事業の実施方針等を定めるものとする。

3　自然体験活動計画

公園の風致景観及び自然環境、利用状況等の公園ごとの特性を踏まえ、質の高い自然体験活動の促進に関して、当該公園において自然体験活動を促進する上で踏まえるべき自然資源の特性、当該公園における質の高い自然体験活動の促進に関する基本的な方針等を必要に応じて定めるものとする。

質の高い自然体験活動の促進に関する基本的な方針としては、公園の特徴や価値

を踏まえた望ましい利用形態、利用環境の整備、利用に関するルール又はマナーの設定、人材の確保及び育成、利用者の人数の管理又は利用者の費用負担の仕組みの導入等に関する方針が想定される。

第５　公園計画等の見直し

公園区域及び公園計画の見直しについては、「国立公園の公園計画等の見直し要領」（令和４年４月１日付け環自国発第2204016号自然環境局長通知）によるものとする。

（別図）

公園計画体系図

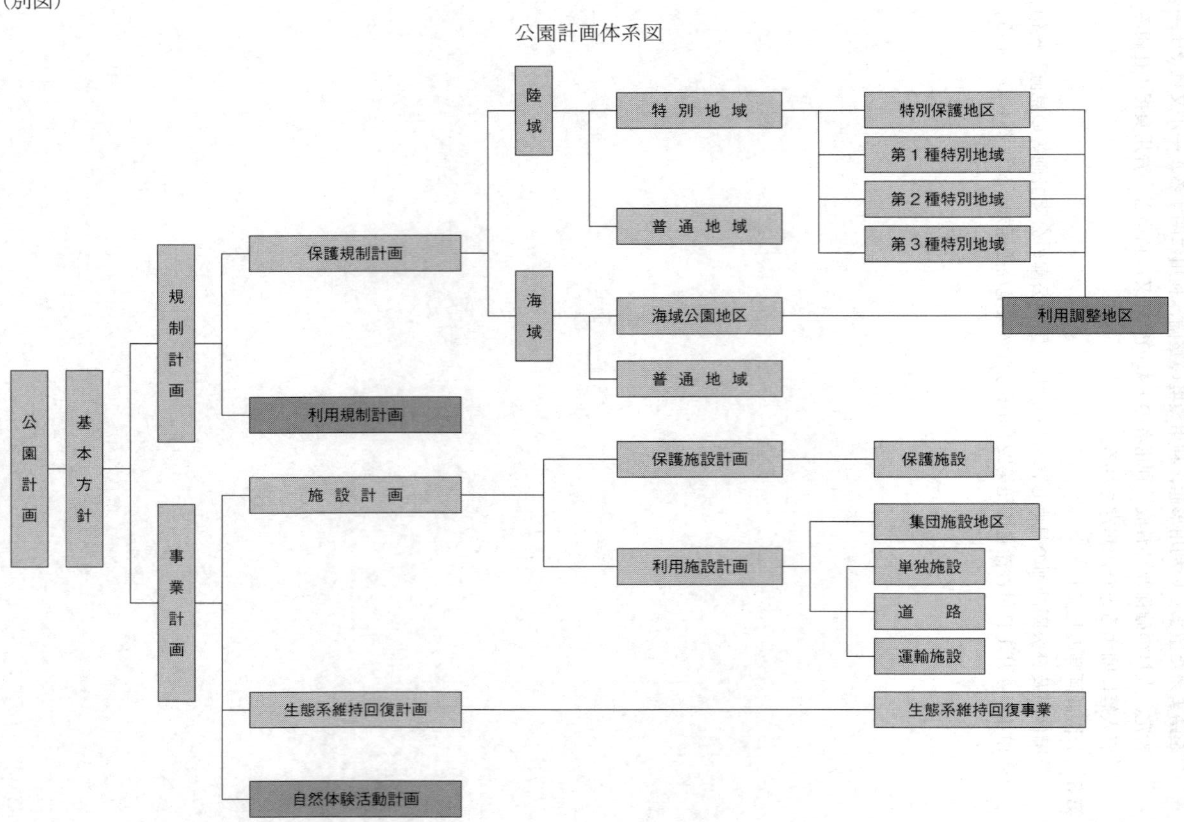
公園計画
基本方針
規制計画
事業計画
保護規制計画
利用規制計画
施設計画
生態系維持回復計画
自然体験活動計画
陸域
海域
特別地域
普通地域
海域公園地区
普通地域
特別保護地区
第1種特別地域
第2種特別地域
第3種特別地域
利用調整地区
保護施設計画
利用施設計画
保護施設
集団施設地区
単独施設
道路
運輸施設
生態系維持回復事業

（別表）

令第１条に掲げる施設の定義と計画上の留意事項

令第１条に掲げる各施設の定義は、次表のとおりとする。なお、次表に掲げる各施設には、令第１条に掲げる施設であって当該施設に附帯し、かつ機能的に密接な関係にある他の施設（以下「附帯施設」という。）を含むものとする。

１　利用施設

令第１条	番号	施設名	定　　義	計画上の留意事項
第１号	1	道路（車道）	自然公園を利用する不特定多数の者（以下「公園利用者」という。）の自動車利用の用に供される道路をいう。	第４・Ⅲ・１・⑵・イ利用施設・㋐道路（車道）参照。
	2	道路（自転車道）	公園利用者の自転車利用の用に供される道路をいう。	第４・Ⅲ・１・⑵・イ利用施設・㋑道路（自転車道）参照。
	3	道路（歩道）	公園利用者の徒歩利用の用に供される道路をいう。	１　第４・Ⅲ・１・⑵・イ利用施設・㋒道路（歩道）参照。 ２　同一敷地内に起終点がある道路密度の高いものは園地における園路とする。
	4	橋	河川、湖沼等の水面、低地又は他の交通路の上に架設して公園利用者の通路とされるものをいう。	
第２号	5	広場	乗降地又は利用中心地に公園利用者の離合集散の利便を図るために設けられる施設であって、一定の土地の広がりを有するものをいう。	
	6	園地	公園利用者の散策、水遊び、ピクニック、デイキャンプ、風景鑑賞、自然観察等自然との積極的なふれあいを図	専ら水泳又は潜水を行うために設けられる施設は水泳場とする。

			るために設けられる施設（園路、芝生地等）であって、一定の土地の広がりを有するものをいう。	
第３号	7	宿舎	公園利用者の宿泊の用に供される施設をいう。	1　第４・Ⅲ・１・⑵・イ利用施設・㈡宿舎参照。 2　旅館業法（昭和23年法律第138号）第２条第１項に規定する「旅館業」を営む施設は原則として宿舎とする。
	8	避難小屋	公園利用者が山岳等において、一時難を避けるために設けられる避難施設をいう。	第４・Ⅲ・１・⑵・イ利用施設・㈥避難小屋参照。
第４号	9	休憩所	公園利用者の休憩又は飲食の用に供される施設をいう。	1　原則として建築物を伴うものとする。 2　公園利用者のための公衆便所、売店、テレワークスペース、託児スペース、情報提供施設又は解説員研修施設等を付属するものを含むものとする。
	10	展望施設	公園利用者が自然の風景を眺望するために設けられる施設（展望台、あずまや、海中展望塔等の工作物をもつもの。)をいう。	
	11	案内所	公園利用者の利用コース、興味対象等について教示案内するために設けられる施設（案内事務所及びこれに併設される解説員研修施設等の建築物をもつもの。)をいう。	

第5号	12	野営場	公園利用者の野営の用に供される施設（テントサイトのほか、これに併設される簡易な宿泊施設、炊事場、野外炉、給水施設、便所等を含む。）をいう。	
	13	運動場	公園利用者が、主に野外においてスポーツを行うために設けられる施設であって、一定の土地の広がりを有するものをいう。	1　舟遊場、スキー場及び乗馬施設以外の施設をいう。 2　周辺の風致景観及び利用状況と調和する場合に限る。 3　屋内運動施設（体育館、屋内プール、屋内スケート場等。）のみの場合は含めないものとする。
	14	水泳場	公園利用者が野外において、水遊び、水泳又は潜水利用を行うために設けられる施設をいう。	1　他の季節にピクニック、休憩、散策等に利用されている場合は、園地としても差し支えない。 2　自然条件からみて、管理施設及び便益施設（脱衣、休憩、洗身等のための施設）を設置することができるものに限る。 3　屋内プールは含めないものとする。
	15	舟遊場	公園利用者が自然の水面を利用して舟遊びを行うために設けられる施設をいう。	マリーナは舟遊場とする。
	16	スキー場	公園利用者のスキーの用に供されるコース、ゲレンデ等の滑走面又は鉄道事業法施行	1　第4・Ⅲ・1・⑵・イ利用施設・㈮スキー場参照。

			規則（昭和62年運輸省令第６号）第47条に規定する索道等の施設をもつ一定の土地の広がりを有するものをいう。 上記の施設を夏季の利用に供する場合には、これもスキー場事業に含むものとする。	２　スキー場の一部として整備するクロスカントリースキー利用の用に供される道路（歩道）を含むものとする。 ３　夏季利用については、事業地内で利用が完結する場合に限るものとする。
	17	スケート場	公園利用者のスケートの用に供される天然又は人工の氷面をもつ野外の施設をいう。	屋内スケート場は含めないものとする。
	18	乗馬施設	公園利用者の乗馬の用に供される施設（厩舎、馬けい場、馬場等）をもつ一定の土地の広がりを有するものをいう。	
第６号	19	車庫	公園利用者の運送の用に供される乗用車、バス等を収容保管するために設けられる施設をいう。	
	20	駐車場	公園利用者の運送の用に供される乗用車、バス等を一時駐車させるために設けられる一定の土地の広がりを有する施設をいう。	
	21	燃料等供給施設	公園利用者の運送の用に供される乗用車、バス等に燃料（水素を含む。）又は動力源としての電気を供給するために設けられる施設をいう。	
	22	昇降機	展望等のために公園利用者の昇降輸送の用に供される施設をいう。	昇降機によらなければ、適正な公園利用を行うことができないと認め

				られる場合に限る。
第７号	23	運輸施設（自動車運送施設）	自動車により、公園利用者を運送する事業等（道路運送法（昭和26年法律第183号）第３条第１号に規定する一般旅客自動車運送事業等）を営むための施設をいう。	第４・Ⅲ・１・⑵・イ利用施設・㈠道路（車道）に準ずるものとする。
	24	運輸施設（船舶運送施設）	海上運送法（昭和24年法律第187号）第２条第２項に規定する船舶運航事業及び同法第44条の規定により、同法の規定が準用される船舶運航の事業（公園利用者を運送するものに限る。）を営むための施設をいう。	
	25	運輸施設（水上飛行機運送施設）	航空法（昭和27年法律第231号）第２条第16項に規定する航空運送事業（水上飛行機を使用し、公園利用者を運送するものに限る。）を営むための施設をいう。	水上飛行機によらなければ、適正な公園利用を行うことができないと認められる場合に限る。
	26	運輸施設（鉄道運送施設）	鉄道事業法（昭和61年法律第92号）第３条の規定による許可を受けて営まれる鉄道事業（公園利用者を運送するものに限る。）を営むための施設（駅舎、駅前広場、駐車場等を含む。）をいう。	第４・Ⅲ・１・⑵・イ利用施設・㈦運輸施設（鉄道及び索道）参照。
	27	運輸施設（索道運送施設）	鉄道事業法施行規則（昭和62年運輸省令第６号）第47条に規定する普通索道事業及び特殊索道事業（専らスキー場事業の用に供するものを除く。）のうち、公園利用者を運送する事業を営むための施設	第４・Ⅲ・１・⑵・イ利用施設・㈦運輸施設（鉄道及び索道）参照。

			（駅舎、駅前広場、駐車場等を含む。）をいう。	
	28	運輸施設（一般自動車道）	道路運送法（昭和26年法律第183号）第２条第５項に規定する自動車道事業を営むためのものであって公園利用者の自動車利用の用に供される施設（一般自動車道等）をいう。	1　専用自動車道路は自動車運送施設とする。 2　第４・Ⅲ・１・⑵・イ利用施設・㈠道路（車道）に準ずるものとする。
	29	運輸施設（係留施設）	公園利用者の用に供される旅客船を係留するために設けられる施設（桟橋、浮桟橋、岸壁、物揚場等）をいう。	専用桟橋は船舶運送施設に含めるものとする。
第８号	30	給水施設	公園利用者に飲料水等を供給するために設けられる施設（取水井、貯水池、給水管等）をいう。	1　居住者のみを対象とした施設は含めないものとする。 2　宿舎、園地等個々の施設に付帯させるのではなく、特定の地区又は複数の施設に給水するため設けられるものとする。
	31	排水施設	集団施設地区等の施設地又は公園利用者の集中する地区において雨水又は汚水を適切に処理し環境衛生上良好な状態に保つために設けられる排水管、浸透池、浄化施設等の施設をいう。	1　居住者のみを対象とした施設は含めないものとする。 2　宿舎、園地等個々の施設に付帯させるのではなく、特定の地区又は複数の施設からの排水を処理するため設けられるものとする。
	32	医療救急施設	公園利用者の急病又は遭難その他突発的な事故による負傷等に対して救急的診療処置を行うために設けられる施設	季節的に開設される場合も含むものとする。

			をいう。	
	33	公衆浴場	保健休養のために温泉等を利用して、公園利用者の入浴の用に供される施設をいう。	
	34	公衆便所	公園利用者の用に供される便所をいう。	
	35	汚物処理施設	集団施設地区等の施設地又は公園利用者の集中する地区において、し尿又はごみその他の廃棄物を集積又は処理するために設けられる施設をいう。	1　居住者のみを対象とした施設は含めないものとする。 2　宿舎、園地等個々の施設に付帯させるのではなく、特定の地区又は複数の施設からのし尿又はごみその他の廃棄物を集積又は処理するために設けられるものとする。
第９号	36	博物館	博物館法（昭和26年法律第285号）第２条に規定する公園利用者の用に供される博物館であって、主にその公園における自然、歴史、民俗、産業等に関する資料を収集し、保管し、展示するために設けられる施設をいう。	
	37	植物園	主としてその公園の地域固有の植物を一区画の中で、できるだけ自然の生態のまま公園利用者に観察させるために設けられる施設をいう。	
	38	動物園	主としてその公園の地域固有の動物を一区画の中で、できるだけ自然の生態のまま公園利用者に観察させるために設けられる施設をいう。	

	39	水族館	主としてその公園の地域固有の魚類、両生類その他の水生動物を公園利用者に観察させるために設けられる施設（海中展望塔を含む。）をいう。	
	40	博物展示施設	主としてその公園の地形、地質、動物、植物、歴史等に関し、公園利用者が容易に理解できるよう、解説活動及び模型、写真、図表等の展示施設を用いた展示を行うために設けられる施設（ビジターセンター及びこれに併設される自然研究路、解説施設、解説員研修施設等）をいう。	
	41	野外劇場	公園利用者に対する解説活動又は利用者の娯楽、団らんの用に供される野外施設をいう。	

２　保護施設

令第１条	番号	施設名	定　　義	計画上の留意事項
第10号	1	植生復元施設	植生を復元するために設けられる施設及び植生の復元地をいう。	災害又は公園利用者の過剰利用その他の理由により、衰退しているか又はそのおそれのある自然植生を対象とする。
	2	動物繁殖施設	公園内に生息する野生の昆虫類、魚類、鳥類、哺乳類等の動物の繁殖又は生息数の維持を図るために設けられる施設（ふ化場、養魚池、給餌施設、野生復帰施設等）をいう。	1　生息環境の悪化その他の理由により、生息数が減少しているか又はそのおそれのある特定の野生動物を対象とする。 2　釣魚施設は含めない

				ものとする。
第11号	3	砂防施設	公園内の特定の景観又は利用施設を山崩れ、地すべり、土砂流出、水害等から守るために設けられる施設をいう。	
	4	防火施設	森林又は利用施設を火災から守るために設けられる施設（望ろう、防火用水施設、消火施設、防火帯等）をいう。	
第12号	5	自然再生施設	損なわれた自然環境について、当該自然環境への負荷を低減するための施設及び良好な自然環境を創出するための施設が一体的に整備されるものをいう。	1　災害又は人為その他の理由により、過去に損なわれた生態系その他の自然環境を対象とする。 2　具体的な例は参考「自然再生施設の例」を参照。

（参考）自然再生施設の例

再生する自然環境	自然環境への負荷を低減するための施設	良好な自然環境を創出するための施設
河川	・非コンクリート護岸	・蛇行水路 ・遊水池
湿原	・湿原への土砂流入を防止する施設・地下水位の低下を防止する施設	・タンチョウ営巣用の中州 ・キタサンショウウオの生息池
干潟	・浸食防止用潜堤	・覆砂による人工干潟
藻場	・浸食防止用潜堤	・海藻生育基盤
サンゴ礁	・赤土流入防止施設（沈砂池等）・オニヒトデ侵入防止用ネット	・サンゴ生育基盤（魚礁）

（別紙２）

国立公園の指定書、公園計画書並びに公園区域及び公園計画変更書作成要領

目次　　頁

第１　通則

国立公園（以下「公園」という。）に関する指定書、公園計画書並びに公園区域及び公園計画変更書は、本要領の定めるところにより作成する。

なお、本要領において、自然公園法は「法」と、自然公園法施行令は「令」と、自然公園法施行規則は「規則」という。

第２　指定書

Ⅰ　指定書の位置付け及び様式

指定書は指定理由、地域の概要及び公園区域から成り、公園区域の全体像を示したもので、様式第１によることとする。

また、法第５条第１項の規定に基づき区域を定めて公園を指定するに当たり、関係都道府県及び中央環境審議会の意見を聴く際は、指定書（案）をもって意見を聴くものとする。

なお、法第５条第３項の規定に基づき、公園を指定する旨及びその区域を官報に公示する場合は、指定書のうち、表１に掲げる内容を公示するものとする。

Ⅱ　指定書の変更

指定書の変更は第４に規定する公園区域及び公園計画変更書によって行われ、同書を作成する場合は、同時に同書によって変更された後の指定書（案）を作成しなければならない。

第３　公園計画書

Ⅰ　公園計画書の位置付け及び様式

公園計画書は、基本方針、規制計画、事業計画、参考事項及び供覧用総括図から成り、公園計画の全体像を示したもので、様式第２によることとする。なお、規制計画及び事業計画の項には、別紙１「国立公園の公園計画作成要領」において関連事項として掲げられているものについても明記するものとする。

また、法第７条第１項の規定に基づき公園計画を決定するに当たり、関係都道府県及び中央環境審議会の意見を聴く際は、公園計画書（案）をもって、計画事項につい

て意見を聴くものとする。

なお、法第７条第５項の規定に基づく公園計画の決定に関する官報公示は、公園計画書のうち表２に掲げる内容を公示することとし、公園計画を一般の閲覧に供する場合は、公園計画書をもって行うこととする。

Ⅱ　公園計画書の変更

公園計画書の変更は第４に規定する公園区域及び公園計画変更書によって行われ、同書を作成する場合は、同時に同書によって変更された後の公園計画書（案）を作成しなければならない。

第４　公園区域及び公園計画変更書

Ⅰ　公園区域及び公園計画変更書の位置付け及び様式

公園区域及び公園計画変更書は公園区域及び公園計画の変更内容を示したものであり、様式第３によるものとする。

また、法第６条第１項の規定に基づき公園区域を変更等する又は法第８条第１項に基づき公園計画を変更等するに当たり、関係都道府県及び中央環境審議会の意見を聴く際は、公園区域及び公園計画変更書（案）をもって意見を聴くものとする。

なお、公園区域及び公園計画の変更等に関する官報公示は、それぞれ公園区域及び公園計画書変更書のうち、表３に掲げる内容を公示するものとする。

Ⅱ　公園区域及び公園計画変更書の作成に係る留意事項

公園区域及び公園計画変更書を作成するに当たっては、公園区域及び公園計画の見直しのうち、再検討、点検又は一部変更のいずれによるものかを明示するものとする。

第５　指定書、公園計画書並びに公園区域及び公園計画変更書の書式

指定書、公園計画書並びに公園区域及び公園計画変更書の大きさは日本産業規格(JIS) Ａ４判（一部の頁はＡ３を折り込んだＡ４判）とする。

（表１：公園区域の指定に関する官報公示の方法）

官報公示事項	官報公示の方法
法第５条第３項の規定に基づく公園区域の指定及びその区域の官報公示	様式第１（表１：公園区域（陸域）表）及び（表２：公園区域（海域）表）の記載内容の一部

（表２：公園計画の決定に関する官報公示の方法）

官報公示事項	官報公示の方法
法第７条第５項の規定に基	・様式第２（表１：特別地域総括表）の記載内容の一部

づく公園計画の決定概要の官報公示	・様式第２（表２：特別保護地区総括表）の記載内容の一部 ・様式第２（表４：第１種特別地域総括表）の記載内容の一部 ・様式第２（表６：第２種特別地域総括表）の記載内容の一部 ・様式第２（表８：第３種特別地域総括表）の記載内容の一部 ・様式第２（表10：海域公園地区表）の記載内容の一部 ・様式第２（表11：利用調整地区表）の記載内容の一部 ・様式第２（表26：集団施設地区表）の記載内容の一部 ・様式第２（表27：単独施設表）の記載内容の一部 ・様式第２（表28：道路（車道）表）の記載内容の一部 ・様式第２（表29：道路（自転車道）表）の記載内容の一部 ・様式第２（表30：道路（歩道）表）の記載内容の一部 ・様式第２（表31：運輸施設表）の記載内容の一部 ・様式第２（表32：生態系維持回復計画表）の記載内容の一部 ・様式第２・３・⑶自然体験活動計画の記載内容の一部
法第20条第２項の規定において準用する法第５条第３項の規定に基づく特別地域の指定の官報公示	様式第２（表１：特別地域総括表）の記載内容の一部
法第21条第２項の規定において準用する法第５条第３項の規定に基づく特別保護地区の指定の官報公示	様式第２（表２：特別保護地区総括表）の記載内容の一部
法第22条第２項の規定において準用する法第５条第３項の規定に基づく海域公園地区の指定の官報公示	様式第２（表10：海域公園地区表）の記載内容の一部
法第23条第２項の規定において準用する法第５条第３項の規定に基づく利用調整	様式第２（表11：利用調整地区表）の記載内容の一部

地区の指定の官報公示	
法第36条第２項において準用する法第５条第３項の規定に基づく集団施設地区の指定の官報公示	様式第２（表26：集団施設地区表）の記載内容の一部

（表３：公園区域の変更及び公園計画の変更等に関する官報公示の方法）

官報公示事項	官報公示の方法
法第６条第３項の規定において準用する法第５条第３項の規定に基づく公園区域の変更等の官報公示	様式第３（表３：公園区域（陸域）変更表及び表４：公園区域（海域）変更表）の記載内容の一部
法第８条第３項の規定において準用する法第７条第５項の規定に基づく公園計画の変更等概要の官報公示	・様式第３（表６：特別地域変更表）の記載内容の一部 ・様式第３（表７：特別保護地区変更表）の記載内容の一部 ・様式第３（表８：第○種特別地域変更表）の記載内容の一部 ・様式第３（表９：海域公園地区追加表）又は（表10：海域公園地区変更表）の記載内容の一部 ・様式第３・第２・３・(1)・ウにおいて準用する様式第２（表11：利用調整地区表）又は様式第３（表11：利用調整地区変更表）の記載内容の一部 ・様式第３・第２・４・(1)・イ・(ア)（集団施設地区の新設又は追加の場合）において準用する様式第２（表26：集団施設地区表）又は様式第３（表25：区域変更表）、（表26：集団施設地区表）若しくは（表27：集団施設地区削除（解除）表）の記載内容の一部 ・様式第３・第２・４・(1)・イ・(イ)（単独施設の追加の場合）において準用する様式第２（表27：単独施設表）又は様式第３（表28：単独施設変更表）若しくは（表29：単独施設削除表）の記載内容の一部 ・様式第３・第２・４・(1)・イ・(ウ)（道路の追加の場合）において準用する様式第２（表28：道路（車道）表）、（表29：道路（自転車道）表）若しくは（表30：道路（歩道）表）又は様式第３（表30：道路（車道

	（自転車道、歩道））削除表）若しくは（表31：道路（車道（自転車道、歩道））変更表）の記載内容の一部 ・様式第３・第２・４・⑴・イ・㈤（運輸施設の追加の場合）において準用する様式第２（表31：運輸施設表）又は様式第３（表32：運輸施設削除表）、（運輸施設の路線の延長、短縮、経路変更等の場合）において準用する様式第３（表31：道路（車道（自転車道、歩道））変更表）の記載内容の一部 ・様式第３（表33：生態系維持回復計画変更表）の記載内容の一部 ・様式第３（表34：自然体験活動計画変更表）の記載内容の一部
法第20条第２項の規定において準用する法第５条第３項の規定に基づく特別地域の指定の解除及び区域の変更の官報公示	様式第３（表６：特別地域変更表）の記載内容の一部
法第21条第２項の規定において準用する法第５条第３項の規定に基づく特別保護地区の指定の解除及び区域の変更の官報公示	様式第３（表７：特別保護地区変更表）の記載内容の一部
法第22条第２項の規定において準用する法第５条第３項の規定に基づく海域公園地区の指定の解除及び区域の変更の官報公示	様式第３（表９：海域公園地区追加表）又は（表10：海域公園地区変更表）の記載内容の一部
法第23条第２項の規定において準用する法第５条第３項の規定に基づく利用調整地区の指定の解除及び区域の変更の官報公示	様式第３・第２・３・⑴・ウにおいて準用する様式第２（表11：利用調整地区）又は様式第３（表11：利用調整地区変更表）の記載内容の一部
法第36条第２項において準用する法第５条第３項の規	様式第３・第２・４・⑴・イ・㈠（集団施設地区の新設又は追加の場合）において準用する様式第２（表26：集

定に基づく集団施設地区の指定の解除及び区域の変更の官報公示	団施設地区表）又は様式第３（表25：区域変更表)、（表26：集団施設地区表）若しくは（表27：集団施設地区削除（解除）表）の記載内容の一部

様式第１　指定書

＜標題＞

○○○○国立公園

指定書

年　　月　　日

環　　境　　省

留意事項

１　特定部分の指定書とする場合は、公園名に続けて（○○地域）と当該部分の名称を記載する。

２　法第５条第１項の規定に基づき区域を定めて公園を指定するにあたり、関係都道府県及び中央環境審議会の意見を聴く際は、指定書の下に［新規指定］と記載する。

目次

1　指定理由

2　地域の概要

⑴　景観の特性

ア　地形、地質

イ　植生・野生生物

ウ　自然現象

エ　文化景観

⑵　利用の現況

⑶　社会経済的背景

ア　土地所有別

国有地　　　ha、　公有地　　　ha、　私有地　　　ha

イ　人口及び産業

ウ　権利制限関係

3　公園区域

○○○○国立公園（○○地域）の区域を次のとおりとする。

（表1：公園区域（陸域）表）

都道府県名	区　　　　　域	面　積（ha）	
○　○　県 （都、道、府）	（全国市町村要覧の順序にならい市町村ごとにまとめて記載する。） （国有林の場合） ○○市内 ○○郡○○町（村）内 国有林○○森林管理署○○林班、○○林班 （全　部） 及び○○林班 （各一部）	○○	
	○○市内 ○○郡○○町（村）内 国有林○○森林管理署○○林班、○○林班及び○○林班の全部並びに○○林班、○○林班及び○○林班の各一部	○○	
	（国有林以外の場合） ○○市		

<table>
<tr><td></td><td>○○郡○○町（村）
○○、○○及び○○の（全　部）
（各一部）</td><td>○○</td><td></td></tr>
<tr><td></td><td>○○市
○○郡○○町（村）
○○、○○及び○○の全部並びに○○、○○及び○○の各一部
（湖沼を含む場合）
○○市内
○○郡○○町（村）内
○○湖の全部（一部）</td><td>○○</td><td></td></tr>
<tr><td></td><td></td><td>小計</td><td>○○</td></tr>
<tr><td>○　○　県
（都、道、府）</td><td>（同一市町村に国有林と国有林以外とが存する場合、国有林を先に掲げる。）
○○市内
○○郡○○町（村）内
国有林○○森林管理署○○林班、○○林班及び
○○林班の（全　部）
（各一部）
○○市
○○郡○○町（村）
○○、○○及び○○の全部並びに○○、○○及び○○の各一部</td><td>○○</td><td></td></tr>
<tr><td></td><td></td><td>小計</td><td>○○</td></tr>
<tr><td colspan="4">（地先海岸、地先島しょ及び地先岩礁を含む場合）
これらの地域の地先海岸、地先島しょ及び地先岩礁の各一部を含む。</td></tr>
<tr><td colspan="2">合　　　　計</td><td colspan="2">○○</td></tr>
</table>

（表２：公園区域（海域）表）

区　　　　域	面積（ha）
○○県（都、道、府）○○市（○○郡○○町、村）の地先海面の一部	○○
○○県（都、道、府）○○市（○○郡○○町、村）の地先海面の一部	○○
合　　　　計	○○

留意事項

1　1の「指定理由」には、公園を指定する理由を、風景形式、景観区、傑出性の高い景観の特徴を示す主題（テーマ）、その主題と関連性の深い景観要素を明確にした上で、簡明に記述する。

2　2・(1)の「景観の特性」には、当該公園の景観に関して特記すべき事項について地形、植生、野生生物等の分野ごとに簡明に記述する。

3　2・(2)の「利用の現況」には、年間利用者数、主たる利用形態等について記述する。

4　2・(3)・アの「土地所有別」には、それぞれ陸域の面積について掲げる。

5　2・(3)・イの「人口及び産業」には、区域内の居住者人口の概数、主たる産業構成について記述する。

6　2・(3)・ウの「権利制限関係」の記述は次例のとおりとする。

(ア)　保安林

（種類）	（位置）	（重複面積（ha））	（指定年月日）
水源かん養	○○県○○郡 ○○町地内	○○	大○・○・○
風　　致	○○県○○郡 ○○村地内	○○	昭○・○・○

(イ)　鳥獣保護区

（名称）	（位置）	（重複面積（ha））	（当初指定年月日）
○○○○	○○県○○郡 ○○村地内	○○ （うち特保○○）	昭○・○・○

(ウ)　史跡名勝天然記念物

（名称）	（位置）	（指定年月日）
○○○○	○○県○○郡 ○○町地内	昭○・○・○

(エ)　その他

（海岸保全区域、近郊緑地保全区域等）

7　公園区域表は日本産業規格（JIS）A４判横書縦長とする。

(1)　市町村の記載順序は、全国市町村要覧（指定書又は公園計画書作成時における市町村要覧編集委員会編集の全国市町村要覧をいう。以下同じ。）の掲載順序による（複数の都道府県におよぶ場合の都道府県の順序も同様とする。以下同じ。）。

(2)　国有林の林班については、例えば、1．2．5．6．7．9．14．15林班のそれぞれの全部が公園区域に含まれ、かつ、3．4．8．10．11．12．13．16林班のそれぞれの一部が公園区域に含まれるような場合は、「1林班、2林班、5林班から7林班まで、9林班、14林班及び15林班の全部並びに３林班、４林班、８林班、10林班から13林班まで及び16林班の各一部」と記載する。なお、例えば、１林班の全部と２林班の一部のような場合には、「１林班の全部及び２林班の一部」と記載する。

⑶　国有林以外の場合では、表中の○○には、市町村名に続く次の字名や街区名等を用いる。また、番外地等の場合は、「番外地」等としても差し支えない。

なお、字名や街区名等は「全部」及び「一部」ごとにそれぞれ五十音順に並べる。

⑷　「面積」の単位はhaとし、小数点以下は四捨五入する。

陸域の面積は、市町村ごとに記載する。複数の都道府県におよぶ場合は、「面積」の左欄に市町村ごとの面積を、右欄に都道府県ごとの小計を記載する。なお、都道府県が単独である場合には、欄を区分する必要はない。

海域の面積は、一連の連続する海域ごとに記載する。

面積については、私有地が含まれない場合は、それぞれの土地を所管する国の機関又は地方公共団体より教示された面積を記載し、私有地が含まれる場合又は全てが私有地である場合には、ＧＩＳソフト等を用いて算出した数字を記載する。国有地又は公有地の面積が不明の場合も同様とする（以下公園区域、特別地域及び特別保護地区の面積において同じ。）。

8　別添図面として、区域図を作成する。

様式第２　公園計画書

<標題>

○○○○国立公園

公園計画書

年　　月　　日

環　　境　　省

留意事項

１　特定部分の公園計画書とする場合は、公園名に続けて（○○地域）と当該部分の名称を記載する。

２　法第７条第１項の規定に基づき公園計画を決定するに当たり、関係都道府県及び中央環境審議会の意見を聴く際は、公園計画書の下に［新規指定］と記載する。

目次

別添　供覧用総括図

留意事項

1　該当する項目に係る変更がない場合は、当該項目を抹消し、番号を繰り上げるものとする。

1　基本方針

留意事項

1　ビジョン及び管理運営方針として、公園の風致景観及び自然環境、利用状況等の国立公園ごとの特性を踏まえた国立公園の望ましい姿（国立公園の保護すべき資源又は公園の利用の方向性等）、国立公園が提供すべきサービス（役割、機能）、国立公園の価値や保全・利用の目標を分かりやすく示したビジョン及び、ビジョンの実現にむけ国立公園を管理運営していくに当たっての方向性を示した管理運営方針を記述する。

2　保護に関する事項として、当該公園の主要な保護対象及びそれらの保護管理の方針、特別地域（特別保護地区並びに第１種、第２種及び第３種特別地域）、海域公園地区、利用調整地区等の指定方針、保護施設の整備方針、生態系の維持又は回復のための事業の実施方針等について記述する。

3　公園利用に関する事項として、当該公園における主たる利用形態（次表参照）、公園区域内外にわたる利用動線の現況と今後の方針、特定の地域における利用規制に関する方針、主要な利用拠点又は利用施設の配置及び整備の方針、公園利用者へ提供する公園サービス、質の高い自然体験活動の促進に関する方針（望ましい利用形態、テーマ、ストーリー、ゾーン設定の考え方等）等について記述する。また、当該公園における他法令における計画策定や運用に関する対応方針（エコツーリズム推進法に基づくエコツーリズム全体構想や自然再生推進法に基づく自然再生全体構想に対する計画策定及びその運用に対する方針等）を必要に応じて記述する。

◎国立公園における利用形態の例

1　登山
2　ハイキング、ピクニック、キャンプ
3　スキー、スケート
4　ボート、ヨット等舟遊び、水泳、ダイビング、スノーケリング
5　自然探勝（動植物、地形、地質等）
6　人文研究（史跡、遺跡、社寺、民俗、行事等）
7　ドライブ、水上遊覧
8　休養、避暑、避寒
9　野外スポーツ
10　写生、撮影
11　逍遥
12　エコツアー

2　規制計画

(1)　保護規制計画等

ア　特別地域

次の区域を特別地域とする。

（表１：特別地域総括表）

都道府県名	区　域	面積（ha）
○　○　県 （都、道、府）	（全国市町村要覧の順序にならい、市町村ごとにまとめて記載する。） （国有林の場合） ○○市内 ○○郡○○町（村）内 国有林○○森林管理署○○林班、○○林班及び○○林班の（全　部） （各一部）	○○ 国　○○ 公　○ 私　○
	○○市内 ○○郡○○町（村）内 国有林○○森林管理署○○林班、○○林班及び○○林班の全部並びに○○林班、○○林班及び○○林班の各一部	○○ 国　○○ 公　○ 私　○
	（国有林以外の場合） ○○市 ○○郡○○町（村） ○○、○○及び○○の（全　部） （各一部）	○○ 国　○○ 公　○○ 私　○○
	○○市 ○○郡○○町（村） ○○、○○及び○○の全部並びに○○、○○及び○○の各一部 （湖沼を含む場合） ○○市内 ○○郡○○町（村）内 ○○湖の全部（一部）	○○ 国　○○ 公　○○ 私　○○
		小計　○○
○　○　県	（同一市町村に国有林と国有林以外とが存する場	

<table>
<tr><td>（都、道、府）</td><td>合、国有林を先に掲げる。）
○○市
○○郡○○町（村）内
国有林○○森林管理署○○林班、○○林班及び
○○林班の（全　部）
（各一部）
○○市
○○郡○○町（村）
○○、○○及び○○の全部並びに○○、○○及び○○の各一部</td><td colspan="2">

○○
〔国　○○〕
〔公　○○〕
〔私　○○〕</td></tr>
<tr><td></td><td></td><td>小計</td><td>○○</td></tr>
<tr><td colspan="4">（地先海岸、地先島しょ及び地先岩礁を含む場合）
これらの地域の地先海岸、地先島しょ及び地先岩礁の各一部を含む。</td></tr>
<tr><td colspan="2">合　　　　計</td><td colspan="2">○　○</td></tr>
</table>

留意事項

1　本表は日本産業規格（JIS）Ａ４判縦長とする。

2　「区域」の記載方法は、様式第１の３の（公園区域表）の「区域」に準ずる。変更する部分について、原則として関係市町村の字まで（国有林にあっては林班まで）地名の抽出を行う。なお、区域を変更しない場合であっても区域全域について同様に地名の確認を行うこととする。

3　「面積」は市町村ごとに記載する。単位はhaとし、小数点以下は四捨五入する。複数の都道府県におよぶ場合は、都道府県ごとの小計を記載する。なお、都道府県が単独である場合には、小計欄を設ける必要はない。

(ア)　特別保護地区

特別地域のうち、次の区域を特別保護地区とする。

（表２：特別保護地区総括表）

都道府県名	区　　　　域	面積（ha）
合　　　　計		

〔留意事項
　１　本表は日本産業規格（JIS）Ａ４判縦長とする。
　２　記載方法は、（表１：特別地域総括表）に準ずる。〕

（表３：特別保護地区内訳表）

名　称	区　　　　　域	地区の概要	面積（ha）
○○岳	（国有林の場合） ○○県（都、道、府）○○市内 ○○郡○○町（村）内 国有林○○森林管理署 ○○林班、○○林班及び○○林班の全部並びに○○林班、○○林班及び○○林班の各一部		○○ 〔国　○○ 公　○○ 私　○○〕
○○湿原	（国有林以外の場合） ○○県（都、道、府）○○市 ○○郡○○町（村） ○○、○○及び○○の全部並びに○○、○○及び○○の各一部		○○ 〔国　○○ 公　○○ 私　○○〕
○○島	（島の場合であっても原則として上記のとおり記載するものとするが、より明確にするために、次例のとおり記載しても差し支えない。） ○○県（都、道、府）○○市 ○○郡○○町（村） ○○の一部 （○○島の全部） ○○の一部 （○○島の全部及び付近の島しょ） ○○の一部 （○○島の一部） ○○の一部 （○○島の一部及び付近の島しょ）		○○ 〔国　○○ 公　○○ 私　○○〕
（地先海岸、地先島しょ及び地先岩礁を含む場合） これらの地域の地先海岸、地先島しょ及び地先岩礁の各一部を含む。			
合　　計			○　○

留意事項
1　本表は日本産業規格（JIS）Ａ４判横長とし、北側に位置するものから順に記載する。
2　「名称」は地形図等から判断して、当該地区の位置を表示するのに適当と思われるものを適宜選定して付す。
3　「区域」が国有林以外の場合では、表中の○○には、市町村名に続く次の街区名等を用いる。また、番外地等の場合は、「番外地」等としても差し支えない。
　なお、街区名等は「全部」及び「一部」ごとにそれぞれ五十音順に並べる。
4　「地区の概要」には、個々の地区の自然景観の特性及び特別保護地区とする理由、保全の方針、利用の現況と方針について簡明に記載する。
5　「面積」の単位はhaとし、小数点以下は四捨五入する。

(イ)　第１種特別地域

次の区域を第１種特別地域とする。

（表４：第１種特別地域総括表）

都道府県名	区　域	面積（ha）
合　計		

留意事項
1　本表は日本産業規格（JIS）Ａ４判縦長とする。
2　記載方法は（表１：特別地域総括表）に準ずる。

（表５：第１種特別地域内訳表）

名　称	区　域	地区の概要	面積（ha）
○○山東斜面			
○○湖西岸			
○○道路沿線			

合　　　　　　　　　　　　　　　　　計	

〔留意事項
1　本表は日本産業規格（JIS）Ａ４判横長とする。
2　第１種特別地域を位置、広がり、風致の質等により適宜区分する。この場合、複数の小面積の地域をまとめて同一の区分とすることは差し支えない。
3　北側に位置するものから順に記載する。
4　「名称」は地形図等から判断して、当該区分された第１種特別地域の位置を表示するのに適当と思われるものを適宜選定して付す。
5　「区域」の記載方法は、（表３：特別保護地区内訳表）に準ずる。
6　「地区の概要」には、個々の区分ごとの自然景観の特性及び第１種特別地域とする理由、保全の方針、利用の現況と方針について簡明に記載する。〕

(ウ)　第２種特別地域

次の区域を第２種特別地域とする。

（表６：第２種特別地域総括表）

都道府県名	区　　　　　域	面積（ha）
合　　　　計		

〔留意事項
1　本表は日本産業規格（JIS）Ａ４判縦長とする。
2　記載方法は、２・(1)・ア・(イ)の「第１種特別地域」に準ずる。〕

（表７：第２種特別地域内訳表）

名　称	区　　　　　域	地区の概要	面積（ha）
合　　　　計			

〔留意事項
1　本表は日本産業規格（JIS）Ａ４判横長とする。
2　記載方法は、（表５：第１種特別地域内訳表）に準ずる。〕

(エ) 第３種特別地域

次の区域を第３種特別地域とする。

（表８：第３種特別地域総括表）

都道府県名	区　　　　　域	面積（ha）
合　　　　　　計		

留意事項
1　本表は日本産業規格（JIS）Ａ４判縦長とする。
2　記載方法は、２・(1)・ア・(イ)の「第１種特別地域」に準ずる。

（表９：第３種特別地域内訳表）

名　称	区　　　　　域	地区の概要	面積（ha）
合　　　　　　計			

留意事項
1　本表は日本産業規格（JIS）Ａ４判横長とする。
2　記載方法は、（表５：第１種特別地域内訳表）に準ずる。

イ　海域公園地区

海域公園地区を次のとおりとする。

（表10：海域公園地区表）

番号	名　称	位　　　　　置	地区の概要	面積（ha）
	○○○○	○○県（都、道、府） ○○市 ○○郡○○町（村） ○○地先		
	○○○○	○○県（都、道、府） ○○市 ○○郡○○町（村）		

		○○島地先		

留意事項
1　本表は日本産業規格（JIS）Ａ４判横長とする。
2　「番号」は地区の位置する都道府県、市町村に応じ、全国市町村要覧の掲載順に付す。
3　「地区の概要」には、当該地区の自然景観の特性及び海域公園地区を指定する理由、保全の方針、利用の現況と方針を簡明に記載する。
4　「面積」には、海域公園地区区域図を基にＧＩＳソフト等を用いて算出した数字を記載する。
5　「面積」の単位はhaとし、小数点第１位までとし、第２位を四捨五入する。

ウ　利用調整地区

利用調整地区を次のとおりとする。

（表11：利用調整地区表）

名称	区　　域	地種区分	区域の概要	面積（ha）	備考

留意事項
1　本表には法第23条第１項の規定に基づき指定する利用調整地区について記載する。なお、本表は日本産業規格（JIS）Ａ４判横長とする。
2　「名称」及び「区域」の記載方法は（表３：特別保護地区内訳表）に準ずる。
3　「区域の概要」には、当該区域の自然景観の特性及び利用の現況、指定する理由、利用調整の方針を簡明に記載する。
4　「面積」には、既存の資料を基に記載するものとするが、不明の場合にはＧＩＳソフト等を用いて算出した数字を記載する。面積の単位はhaとし、小数点以下を四捨五入する。
5　「備考」には、時期を限定して指定する必要がある場合、「規制期間は毎年○月○日から○月○日までとする」と明記する。なお、規制期間の変動が予測される場合は、「規制期間は、積雪が消滅してから積雪が始まるまでの期間とし、各年ごとに別に定める」等と記載する。

エ　関連事項

㈠　木竹損傷規制区域

木竹の損傷を規制する区域を次のとおりとする。

（表12：木竹損傷規制区域表）

名　称	区　　　　　　　　　　域	地区の概要	面積（ha）
合　　　　　　　　　計			

留意事項

1　本表には、第20条第３項第３号の規定により木竹の損傷を規制する区域について記載する。なお、本表は日本産業規格（JIS）Ａ４判横長とする。

2　木竹損傷規制区域を位置、広がり、分布状況等により適宜区分する。この場合、複数の小面積の地域をまとめて同一の区分とすることは差し支えない。

3　北側に位置するものから順に記載する。

4　「名称」は地形図等から判断して、当該区分された木竹損傷規制区域の位置を表示するのに適当と思われるものを適宜選定して付す。

5　「区域」の記載方法は、（表３：特別保護地区内訳表）に準ずる。

6　「地区の概要」には、個々の区分ごとの自然環境の特性及び木竹損傷規制区域とする理由、保全の方針について簡明に記載する。

7　「面積」は既存の資料を基に記載するものとするが、不明の場合には、ＧＩＳソフト等を用いて算出した数字を記載する。「面積」の単位はhaとし、小数点第１位までとし、第２位を四捨五入する。

(イ)　汚水又は廃水の排出規制区域

汚水又は廃水の排出の規制に係る区域を次のとおりとする。

（表13：汚水又は廃水の排出規制区域表）

名　称	位　　　　　置	地域地区	湖沼（湿原）の概要	面積（ha）
〇〇湖及びその周辺１km	〇〇県（都、道、府） 〇〇市内 〇〇郡〇〇町（村）内	特別保護地区		

留意事項

1　法第20条第３項第６号又は法第21条第３項第１号の規定により汚水又は廃水の排出を規制する区域について記載する。なお、本表は日本産業規格（JIS）Ａ４判横長とする。

２　「湖沼（湿原）の概要」には、当該湖沼又は湿原の特性、保全の方針及び指定する理由を簡明に記載する。
３　「面積」には、既存の資料を基に記載するものとするが、不明の場合には、ＧＩＳソフト等を用いて算出した数字を記載する。「面積」の単位はhaとし、小数点第１位までとし、第２位を四捨五入する。

(ウ)　採取等規制植物

採取又は損傷を規制する植物を次のとおりとする。

（表14：採取等規制植物表）

科　　名	種　　名（ミズゴケ科の植物にあっては属名）

留意事項
１　本表には、法第20条第３項第11号の規定により採取又は損傷を規制する植物を掲げる。なお、本表は日本産業規格（JIS）Ａ４判横長とする。
２　植物の記載順序は、「国立・国定公園特別地域内において採取等を規制する植物（指定植物）の選定方針の策定について」（平成27年８月）によるものとする。

(エ)　植栽等規制植物及び区域

植物を植栽し、又は当該植物の種子をまくことを規制する植物及びその区域を次のとおりとする。

（表15：植栽等規制植物及び区域表）

名　称	区　　域	地種区分	区域の概要	面積（ha）	植栽等規制植物

留意事項
１　本表には法第20条第３項第12号の規定に基づき植物を植栽し、又は当該植物の種子をまくことを規制する区域及びその植物について記載する。なお、本表は日本産業規格（JIS）Ａ４判横長とする。
２　「名称」及び「区域」の記載方法は（表３：特別保護地区内訳表）に準ずる。
３　「区域の概要」には、当該区域の自然環境の特性及び指定する理由、保全の方針を簡明に記載する。
４　「面積」には、既存の資料を基に記載するものとするが、不明の場合には、

ＧＩＳソフト等を用いて算出した数字を記載する。「面積」の単位はhaとし、小数点第１位までとし、第２位を四捨五入する。

5　「植栽等規制植物」には、植栽又は種子をまくことを規制する植物の種名を区域ごとに記載する。植物の種名の記載順序は、学名のアルファベット順とする。なお、記載する植物数が多い場合は「別表のとおり」と記載し、（表14：採取等規制植物表）に準ずる別表を掲げる。

(オ)　捕獲等規制動物

捕獲し若しくは殺傷又は当該動物の卵の採取若しくは損傷を規制する動物を次のとおりとする。

（表16：捕獲等規制動物表）

科　　名	種　　名

留意事項

法第20条第３項第14号の規定に基づき捕獲し若しくは殺傷又は当該動物の卵の採取若しくは損傷を規制する動物を掲げる。

(カ)　放出規制動物及び区域

動物を放つことを規制する区域及びその動物は次のとおりとする。

（表17：放出規制動物及び区域表）

名　称	区　　域	地種区分	区域の概要	面積（ha）	放出規制動物

留意事項

1　本表には法第20条第３項第14号の規定に基づき動物を放つことを規制する区域及びその動物について記載する。なお、本表は日本産業規格（JIS）Ａ４判横長とする。

2　「名称」及び「区域」の記載方法は（表３：特別保護地区内訳表）に準ずる。

3　「区域の概要」には、当該区域の自然環境の特性及び指定する理由、保全の方針を簡明に記載する。

4　「面積」には、既存の資料を基に記載するものとするが、不明の場合には、ＧＩＳソフト等を用いて算出した数字を記載する。「面積」の単位はhaとし、小数点第１位までとし、第２位を四捨五入する。

5　「放出規制動物」には、放出を規制する動物を区域ごとに記載する。なお、記載する植物数が多い場合は「別表のとおり」と記載し、（表16：捕獲等規制動物表）に準ずる別表を掲げる。

(キ)　立入規制区域及び期間

立入りを規制する区域及び期間を次のとおりとする。

（表18：立入規制区域及び期間表）

名　称	区　　　域	地種区分	区域の概要	面積（ha）	期間

留意事項

1　本表には法第20条第３項第16号又は法第21条第３項第１号の規定に基づき立入りを規制する区域及び期間について記載する。なお、本表は日本産業規格（JIS）Ａ４判横長とする。

2　「名称」及び「区域」の記載方法は（表３：特別保護地区内訳表）に準ずる。

3　「区域の概要」には、当該区域の自然景観の特性及び指定する理由、保全の方針を簡明に記載する。

4　「面積」には、既存の資料を基に記載するものとするが、不明の場合にはＧＩＳソフト等を用いて算出した数字を記載する。面積の単位はhaとし、小数点以下を四捨五入する。

5　「期間」には、時期を限定して指定する必要がある場合、「規制期間は毎年○月○日から○月○日までとする」と明記する。なお、規制期間の変動が予測される場合は、「規制期間は、積雪が消滅してから積雪が始まるまでの期間とし、各年ごとに別に定める」等と記載する。

(ク)　乗入れ規制区域及び期間

車馬若しくは動力船を使用し、又は航空機を着陸させることを規制する区域及び期間を次のとおりとする。

（表19：乗入れ規制区域及び期間表）

名　称	区　　　域	地種区分	区域の概要	面積（ha）	期間

留意事項

1　本表には法第20条第３項第17号の規定に基づき車馬若しくは動力船を使用し、又は航空機を着陸させることを規制する区域及び期間について記載する。

なお、本表は日本産業規格（JIS）Ａ４判横長とする。

2　「名称」及び「区域」の記載方法は（表３：特別保護地区内訳表）に準ずる。なお、特別地域の全域を乗入れ規制区域とする場合には、「特別地域の全域（特別保護地区並びに道路、広場、田、畑、牧場及び宅地の区域を除く。）」とすることで足りるものとする。また、湖沼、河川等の水面のみを指定区域とする場合には、市町村名まで地名の拾い出しを行った上で、「（○○湖の水面の区域）」「（○○から○○に至る○○川の河川区域）」というように表記する。

3　「区域」の表示の末尾には、必ず「（以上の区域のうち、道路、広場、田、畑、牧場及び宅地の区域を除く。）」と表記する。

4　「区域の概要」には、当該区域の自然景観の特性及び指定する理由、保全の方針を簡明に記載する。

5　「面積」には、既存の資料を基に記載するものとするが、不明の場合にはＧＩＳソフト等を用いて算出した数字を記載する。面積の単位はhaとし、小数点以下を四捨五入する。

6　「期間」には、時期を限定して指定する必要がある場合、「規制期間は○月○日から○月○日までとする」と明記する。

㋘　車馬使用規制道路及び期間

車馬の使用を規制する道路及び期間を次のとおりとする。

（表20：車馬使用規制道路及び期間表）

番号（計画道路番号等）	名称又は路線名	区域又は区間	地種区分	区域又は区間の概要	期間

留意事項

1　本表には令第３条又は第４条の規定に基づき車馬を使用することを規制する道路及び期間について記載する。なお、本表は日本産業規格（JIS）Ａ４判横長とする。

2　「番号」は、路線ごとに付すものとし、その順序は、起点の位置する都道府県、市町村に応じ、全国市町村要覧の掲載順とする。同一市町村の場合には北側に位置するものより付す。なお、計画道路の場合、（表30：道路（歩道）表）に記載の番号を括弧内に記載する。計画道路以外の道路の場合には、括弧内にアルファベットを付す。

3　「名称」及び「区域」の記載方法は（表３：特別保護地区内訳表）に準ずる。なお、特別保護地区等に含まれる全ての道路について乗入れを規制する場合には、「特別保護地区内に含まれる全ての道路（主として歩行者の通行の用に供するものであって、舗装がされていないものに限る。)」等とすることで足りるものとする。また、特定の道路を指定路線とする場合には、「路線名」及び「区間」を（表28：道路（車道）表）に準じて記載する。「路線名」について、計画道路の場合、計画路線名を記載し、計画道路以外の道路の場合には通称を用いて表記する。

4　「区域又は区間の概要」には、当該区域又は区間の自然景観の特性及び指定する理由、保全の方針を簡明に記載する。

5　「期間」には、時期を限定して指定する必要がある場合、「規制期間は○月○日から○月○日までとする」と明記する。

(コ)　捕獲等規制動植物及び区域

海域公園地区において、捕獲若しくは殺傷又は採取若しくは損傷を規制する動植物及びその区域を次のとおりとする。

（表21：捕獲等規制動植物及び区域表）

海域公園地区名	区　　域	区域の概要	面積（ha）	捕獲等規制動植物

留意事項

1　本表には法第22条第３項第２号の規定に基づき、動植物の捕獲若しくは殺傷又は採取若しくは損傷を規制する区域及びその動植物について記載する。なお、本表は日本産業規格（JIS）Ａ４判横長とする。

2　「区域」には、当該海域公園地区全域を捕獲等規制区域とする場合は「全域」とし、その一部又は複数の捕獲等規制区域を指定する場合は適宜の名称を記載する。

3　「区域の概要」には、当該区域の自然環境の特性及び指定する理由、保全の方針を簡明に記載する。

4　「面積」には、既存の資料を基に記載するものとするが、不明の場合には、ＧＩＳソフト等を用いて算出した数字を記載する。「面積」の単位はhaとし、小数点第１位までとし、第２位を四捨五入する。

5　「捕獲等規制動植物」には、捕獲等を規制する動植物を区域ごとに記載する。動植物の記載順序は、熱帯魚、さんご、海藻、その他の動植物の順に、分類学上高等な種から下等な種に向かって記載する。なお、記載する植物数が多い場合は「別表のとおり」と記載し、（表14：採取等規制植物表）及び（表16：捕獲等規制動物表）に準ずる別表を掲げる。

(サ)　動力船使用規制区域及び期間

動力船の使用を規制する区域及び期間は次のとおりとする。

（表22：動力船使用規制区域及び期間表）

名　称	区　　域	海域公園地区名	区域の概要	面積（ha）	期間

留意事項

1　本表には法第22条第３項第７号の規定に基づき指定する動力船使用規制区域及び期間について記載する。なお、本表は日本産業規格（JIS）Ａ４判横長とする。

2　「名称」及び「区域」の記載方法は（表10：海域公園地区表）に準ずる。なお、海域公園地区の全域を動力船使用規制区域とする場合には、「○○海域公園地区の全域」とすることで足りるものとする。

3　「区域の概要」には、当該区域の自然景観の特性及び指定する理由、保全の方針を簡明に記載する。

4　「面積」には、既存の資料を基に記載するものとするが、不明の場合にはＧＩＳソフト等を用いて算出した数字を記載する。面積の単位はhaとし、小数点以下を四捨五入する。

5　「期間」には、時期を限定して指定する必要がある場合、「規制期間は○月○日から○月○日までとする」と明記する。

(シ)　普通地域

普通地域の区域は、次のとおりである。

（表23：普通地域表）

都道府県名	区　　　　域	面積（ha）
		○○
		○○
陸　　域　　合　　計 （普通地域に海域を含む場合に記載する。）		○○
陸域公園区域の地先海面の一部 （普通地域に海域を含む場合に記載する。）		○○
合　　　　計		○○

留意事項
1　本表は日本産業規格（JIS）Ａ４判縦長とする。
2　陸域の記載方法は、（表１：特別地域総括表）に準ずる。

オ　面積内訳

（表24：地域地区別土地所有別面積総括表）　　　　（単位：面積 ha、比率%）

地域区分		特別地域												普通地域（陸域）			合計（陸域）			海域公園地区※	普通地域（海域）※	合計（海域）※
地種区分		特別保護地区			第1種			第2種			第3種											
土地所有別		国	公	私	国	公	私	国	公	私	国	公	私	国	公	私	国	公	私			
（○○都道府県）	土地所有別面積	○○	○○	○○	○○	○○	○○	○○	○○	○○	○○	○○	○○	○○	○○	○○	○○	○○	○○			
	地種区分別面積						○○			○○			○○									
	地域地区別面積			○○									○○									
	地域別面積												○○			○○			○○			
（○○都道府県）	土地所有別面積																					
	地種区分別面積																					
	地域地区別面積																					
	地域別面積																			○ヶ所 ○○.○	○○	○○
合計	土地所有別面積	○○	○○	○○	○○	○○	○○	○○	○○	○○	○○	○○	○○	○○	○○	○○	○○	○○	○○			
	地種区分別 面積（比率）						○○ （○○.○）			○○ （○○.○）			○○ （○○.○）									
	地域地区別 面積（比率）			○○ ○○.○									○○ ○○.○									
	地域別 面積（比率）												○○ （○○.○）			○○ （○○.○）			○○ （100）	○ヶ所 ○○.○ （○○.○）	○○ （○○.○）	○○ （○○.○）

※海域は国の所有に属する公有水面であり、県別に面積を表示することはできないため、○○国立公園全体の数値を示している。

留意事項

1　本表は日本産業規格（JIS）A３判横長とする。

2　都道府県が単独である場合には、合計欄のみとする。

3　海域は国の所有こ属する公有水面であり、県別に面積を表示することはできないため、当該国立公園全体の数値を記載する。

4　国有地及び公有地の面積は、不明の場合を除き、それぞれの土地を所管する国の機関又は地方公共団体より教示された面積の計を記載する。
5　面積の単位は ha とし、小数点以下は四捨五入する（海域公園地区については、小数点第１位までとし、第２位を四捨五入する。）。
6　面積比率の単位は％とし、小数点第１位までとし、第２位を四捨五入する。

（表25：地域地区別市町村別面積総括表）　　（単位：ha）

地域地区 / 市町村名			特別地域					普通地域（陸域）	合計（陸域）	海域公園地区 ※	普通地域（海域） ※	合計（海域） ※
			特保	第1種	第2種	第3種	小計					
○○県（都、道、府）	○○市											
	○○郡	○○町										
		○○村										
小計												
○○県（都、道、府）	○○市											
	○○郡	○○町										
		○○村										
小計												
合計												

※海域は国の所有に属する公有水面であり、県別等に面積を表示することはできないため、○○国立公園全体の数値を示している。

留意事項
1　本表は日本産業規格（JIS）Ａ３判横長とする。
2　市町村の記載順序は、全国市町村要覧の掲載順序による。
3　面積の単位は ha とし、小数点以下は四捨五入する（海域公園地区の場合には、小数点第１位までとし、第２位を四捨五入する。）。

⑵　利用規制計画

（利用規制を行う必要がある場合、対象とする地区、利用の現況と規制の必要性及び方法等について記述する。）

3　事業計画

(1)　施設計画

ア　保護施設計画

（令第１条第10号、第11号及び第12号に掲げる施設について整備する必要がある場合に、おおむねの位置、整備する理由及び方針等について記述する。具体的に定める場合には、（表27：単独施設表）に準じて、保護施設表を掲げる。この場合、以下の表の番号を順にずらす。）

イ　利用施設計画

(ア)　集団施設地区

集団施設地区を次のとおりとする。

（表26：集団施設地区表）

<table>
<tr><th>番号</th><th>名　称</th><th>区　域</th><th>計画目標</th><th>整備計画区及び基盤施設</th><th>整備方針</th><th colspan="3">面　積（ha）</th></tr>
<tr><td rowspan="9"></td><td rowspan="9">○○山麓</td><td rowspan="9">（国有林の場合）
○○県（都、道、府）○○市内
○○郡
○○町（村）内国有林○○森林管理署○○林班及び○○林班の全部並びに○○林班及び○○林班の各一部
（国有林以外の場合）
○○県（都、道、府）○○市
○○郡
○○町（村）○○及び○○の全部並びに○○及び○○の各一部</td><td rowspan="9"></td><td>○　○　区</td><td></td><td colspan="3">○○.○</td></tr>
<tr><td>○　○　区</td><td></td><td colspan="3">○○.○</td></tr>
<tr><td>○　○　区</td><td></td><td colspan="3">○○.○</td></tr>
<tr><td>道路（歩道）</td><td></td><td colspan="3" rowspan="2"></td></tr>
<tr><td>給水施設</td><td></td></tr>
<tr><td></td><td></td><td>国</td><td>公</td><td>私</td></tr>
<tr><td colspan="2" rowspan="2">面　積　計</td><td>○○.○</td><td>○○.○</td><td>○○.○</td></tr>
<tr><td colspan="3">○○.○</td></tr>
</table>

番号	名　称	区　域	計画目標	整備計画区及び基盤施設	整備方針	面　積（ha）
	○○湖畔					

留意事項

1　本表は日本産業規格（JIS）Ａ３判横長とする。

2　「番号」は、集団施設地区ごとに付するものとし、その順序は、位置する都道府県、市町村に応じ、全国市町村要覧の掲載順とする。

3　「名称」及び「区域」の記載方法は（表３：特別保護地区内訳表）に準ずる。

4　「計画目標」には、地区の性格付け、将来目標等を記載する。

5　「整備計画区及び基盤施設」には、各整備計画区の名称及びこれらに共通の車道、歩道、上下水道施設等の基盤施設を掲げる。なお、整備計画区の名称は、当該整備計画区の位置（東部、南部等）、地名（〇〇川東、△△湖岸等）などを用いるかあるいは、単に第一、第二・・・等とする。ただし、集団施設地区ごとに記し方は統一すること。

6　「整備方針」には、利用拠点の質の向上のための整備改善に関する基本的な事項として、各整備計画区の性格、機能及び整備目標（整備イメージ）、設けようとする施設の種類及び配置等に関する方針、並びに必要に応じ整備に当たって配慮すべき事項（環境保全、町並み形式、脱炭素社会形成への取組方針、多言語対応、ユニバーサルデザイン対応等、施設整備上の配慮事項等）を記載する。

7　「面積」には、集団施設地区計画図を基に、ＧＩＳソフト等を用いて算出したものを記載する。「面積」の単位はhaとし、小数点第１位までとし、第２位を四捨五入する。

8　別添図面として、利用施設計画図（集団施設地区区域図）を作成する。

(イ) 単独施設

単独施設を次のとおりとする。

（表27：単独施設表）

番号	種類	位置	整備方針	告示年月日
	○○○	○○県（都、道、府） ○○市 ○○郡○○町（村） （○○○○）		

留意事項

1 本表は日本産業規格（JIS）Ａ４判横長とする。

2 「番号」については、次の手順に従って整理した上で、個々の施設ごとに付す。

ア 施設の位置する市町村に応じ、全国市町村要覧の掲載順に並べる。

イ 同一市町村にあっては、北側に位置するものから並べる。

ウ 同一の位置に複数の施設を設ける場合は、令第１条に掲げる順序に並べる。

3 「種類」には、園地、宿舎等令第１条に掲げる施設の種類を記載する。

4 「位置」は、市町村名までとし、市町村名に続く次の街区名等又は地形図等から判断して当該計画位置を表示するのに適当と思われる地名通称を括弧書する。

5 「整備方針」には、当該施設の設置目的、整備の方針等を記載する。

(ウ) 道路

a 車道

車道を次のとおりとする。

（表28：道路（車道）表）

番号	路線名	区間	主要経過地	整備方針	告示年月日
	○○○○線	起点—○○県（都、道、府） ○○市 ○○郡○○町（村） （○○○○） 終点—○○県（都、道、府） ○○市			

		○○郡○○町（村） （○○○○・国立公園境界）			
	○○○○線	起点―○○県（都、道、府） ○○市 ○○郡○○町（村） （○○○○・車道分岐点） 終点―○○県（都、道、府） ○○市 ○○郡○○町（村） （○○○○・車道合流点）			

留意事項

1　本表は日本産業規格（JIS）Ａ３判横長とする。

2　起終点の考え方については当該車道の目的に応じて出発地側を起点、目的地側を終点とするが、両端が同等の意味を有する場合は次による。

ア　公園区域外からの車道については、公園区域を横切るものは北側の入口を起点とし、公園区域内に終点をもつものは入口を起点とする。

イ　他の計画車道から分岐する車道については、分岐点を起点とする。両端が他の計画車道に連絡する車道については、北側の端を起点とする。

ウ　他の計画車道と関わりなく計画される車道については、北側の端を起点とする。

3　「番号」は、路線ごとに付すものとし、その順序は、起点の位置する都道府県、市町村に応じ、全国市町村要覧の掲載順とする。同一市町村の場合には北側に位置するものより付す。

4　「路線名」は、起終点の位置、主要経過地、当該車道の特徴等を参考にして適宜選定する。

5　「区間」は⑴で示した考え方により起終点を定め、市町村名まで記載し、地名通称又は市町村名に続く次の街区名等を括弧書する。起終点が公園境界である場合には、（○○○○（地名通称）・国立公園境界）と記載する。他の計画車道と連絡する場合には、起点側は（○○○○・車道分岐点）、終点側は（○○○○・車道合流点）と記載する。なお、同一路線が公園区域を数箇所出入する場合は、「起点」、「終点」、「起点」、「終点」というように並べて記載する。

6　「主要経過地」には、沿線の主要な集落、利用拠点等について記載する。

7　「整備方針」には、当該車道の利用の特性、整備の方針等を記載する。自転車道を併設する場合にはその旨及び区間を明らかにする。

b　自転車道

自転車道を次のとおりとする。

（表29：道路（自転車道）表）

番号	路　線　名	区　　　　間	主要経過地	整備方針	告示年月日
	○○○○線	起点― 終点―			

留意事項

1　本表は日本産業規格（JIS）Ａ３判横長とする。

2　起終点の考え方及び表の記載方法については、（表28：道路（車道）表）に準ずる。

c　歩道

歩道を次のとおりとする。

（表30：道路（歩道）表）

番号	路　線　名	区　　　　間	主要経過地	整備方針	告示年月日
	○○○○線	起点― 終点―			

留意事項

1　本表は日本産業規格（JIS）Ａ３判横長とする。

2　起終点の考え方及び表の記載方法については、（表28：道路（車道）表）に準ずるものとするが、「区間」については、他の計画歩道と連絡する場合に限り、「歩道分岐点」又は「歩道合流点」とあわせて記載する。

3　「整備方針」には、当該歩道の利用の特性、整備の方針を記載する。整備方針を記載する際には、本通知別紙１・第４・Ⅲ・１・⑵・イ・㈣・ｂに掲げる歩道の分類のいずれに該当するのか明確にする。

㈣　運輸施設

運輸施設を次のとおりとする。

（表31：運輸施設表）

番号	路線名	種類	位置又は区間	主　要 経過地	整　備 方　針	告　示 年月日
	（単独施設に	○○○○	○○県（都、道、府）			

	類似するもの）		○○市 ○○郡○○町（村） （○○○○）			
	○○○○線（路線が定められるもの）	○○○○	起点— 終点—	○○○○		

留意事項

1　本表は日本産業規格（JIS）Ａ４判横長とする。

2　係留施設等単独施設に類似するものの記載方法については、（表27：単独施設表）に、一般自動車道等路線が定められるものの起終点の考え方及び記載方法については、（表28：道路（車道）表）に準ずる。

3　「番号」については施設ごとに付すものとし、その順序については単独施設に類似するものにあってはそれが位置する市町村、路線が定められているものにあっては、それの起点が位置する市町村に応じ、全国市町村要覧の掲載順とする。

⑵　生態系維持回復計画

生態系維持回復計画を次のとおりとする。

（表32：生態系維持回復計画表）

番号	名称	位置	事業の実施方針	告示年月日

留意事項

1　本表は日本産業規格（JIS）Ａ４判縦長とする。

2　「名称」には、生態系維持回復計画の名称を記載する。

3　「事業の実施方針」には、生態系維持回復事業の実施方針を記載する。

⑶　自然体験活動計画

留意事項

公園の風致景観及び自然環境、利用状況等の公園ごとの特性を踏まえ、質の高い自然体験活動の促進に関する基本的な事項（当該公園において自然体験活動を促進する上で踏まえるべき自然資源の特性、当該公園における質の高い自然体験活動の促進に関する基本的な方針等）を記載する。

質の高い自然体験活動の促進に関する基本的な方針としては、公園の特徴や価値を踏まえた望ましい利用形態、利用環境の整備、利用に関するルール又はマナ一の設定、人材の確保及び育成、利用者の人数の管理又は利用者の費用負担の仕組みの導入等に関する方針が想定される。

4　参考事項

⑴　過去の経緯

留意事項

「公園区域の指定」、「特別地域の指定」等主として区域の指定及び変更並びに保護規制計画の変更に係る過去の経緯について時系列で掲げる。

⑵　その他

留意事項

その他参考となるべき事項があれば記述する。

別添　供覧用総括図

留意事項

供覧用総括図を袋に入れて添付する。

様式第３　公園区域及び公園計画変更書

＜標題＞

〇〇〇〇国立公園

公園区域及び公園計画変更書

［再検討・第〇次点検・一部変更］

年　　月　　日

環　　境　　省

留意事項

1　特定部分の変更書とする場合は、公園名に続けて（〇〇地域）と当該部分の名称を記載する。

2　変更書の下に公園区域及び公園計画の見直しに係る作業区分（再検討、点検又は一部変更の別）を記載する。点検の場合はその数次も明記する。

3　公園区域の変更のみの場合は、標題を「公園区域変更書」とする。また、公園計画の変更のみの場合は、標題を「公園計画変更書」とする。

目次

〔留意事項
該当する項目に係る変更がない場合は、当該項目を抹消し、番号を繰り上げるものとする。〕

第１　公園区域の変更

1　変更理由

〔留意事項
作業区分を明確とするとともに、公園区域を変更する理由を簡明に記載する。〕

2　指定理由の変更内容

指定理由を次のとおり変更する。

（表１：指定理由変更表）

変更後	変更前

〔留意事項
1　本表は、日本産業規格（JIS）Ａ４判横長とする。
2　上記「1　変更理由」を踏まえて、様式第１指定書の「1　指定理由」を変更する必要がある場合は、上記の新旧対照表の形式によって、変更内容を明らかにするものとする。〕

3　地域の概要の変更内容

地域の概要を次のとおり変更する。

（表２：地域概要変更表）

変更後	変更前

留意事項
1　本表は、日本産業規格（JIS）Ａ４判横長とする。
2　上記「1　変更理由」を踏まえて、様式第１指定書の「2　地域の概要」を変更する必要がある場合は、上記の新旧対照表の形式によって、変更内容を明らかにするものとする。

4　変更する公園区域

〇〇〇〇国立公園の区域の一部を次のとおり変更する。

（表３：公園区域（陸域）変更表）

番号	区分	変更部分の区域	変更理由	面積（ha）
	拡張	（国有林の場合） 〇〇県（都、道、府）〇〇市内 〇〇郡〇〇町（村）内 国有林〇〇森林管理署〇〇林班、〇〇林班及び〇〇林班の （全　部） （各一部）		A［国 公 私］
	〃	（国有林以外の場合） 〇〇県（都、道、府）〇〇市 〇〇郡〇〇町（村） 〇〇、〇〇及び〇〇の （全　部） （各一部） （地先海岸、地先島しょ及び地先岩礁を含む場合） 〇〇県（都、道、府）〇〇市 〇〇郡〇〇町（村） 〇〇、〇〇及び〇〇地先海岸、地先島しょ及び地先岩礁の （全　部） （各一部）		B［国 公 私］

	削除			△C〔国△ 公△ 私△〕
	〃			△D〔国△ 公△ 私△〕
			変更部分面積計	（A＋B）－（C＋D）〔国 公 私〕
			変更前公園面積	E〔国 公 私〕
			変更後公園面積	E＋｛(A＋B）－（C＋D)｝〔国 公 私〕

（表４：公園区域（海域）変更表）注：【主２】・【副７】は、「公園区域変更図」の主図・副図の番号を示す。

番号	区分	変更部分の区域	変更理由	面積（ha)
1【副７】	拡張			A
2【主２】	〃			B
	削除			△C
	〃			△D
			変更部分面積計	（A＋B）－（C＋D）

変 更 前 公園面積	E
変 更 後 公園面積	E＋｛(A＋B）－（C＋D)｝

留意事項

1　本表は日本産業規格（JIS）Ａ４判横長とする。

2　拡張又は削除する部分ごとに記載するものとし、拡張部分を先に掲げる。

3　「番号」は、拡張又は削除する部分ごとに付すものとし、その順序は、当該部分に係る都道府県、市町村に応じ、全国市町村要覧の掲載順とする。また、必要に応じてこの部分に「公園区域変更図」の主図や副図の番号を記載する。

4　「変更部分の区域」には拡張又は削除する部分のみを記載するものとし、記載方法は、様式第１の３の（公園区域表）の「区域」に準ずる。なお、区域を変更しない箇所についても、区域全体について地名の確認を行うこととする。

5　「面積」の単位はhaとし、小数点以下は四捨五入する。

6　別添図面として、区域変更図を作成する。

第２　公園計画の変更

1　変更理由

留意事項

再検討、点検又は一部変更の別を明確とするとともに、公園計画を変更することとなった理由、作業の基本方針、主たる変更内容等を明らかにする。

2　基本方針の変更内容

基本方針を次のとおり変更する。

（表５：基本方針変更表）

変更後	変更前

留意事項

1　本表は、日本産業規格（JIS）Ａ４判横長とする。

2　上記「1　変更理由」を踏まえて、様式第２公園計画書の「1　基本方針」を変更する必要がある場合は、上記の新旧対照表の形式によって、変更内容を明らかにするものとする。

3　規制計画

⑴　保護規制計画等

保護規制計画等の一部を次のとおり変更する。

ア　特別地域

（特別地域の区域の一部変更の場合）

特別地域の区域の一部を、次のとおり変更する。

（表６：特別地域変更表）

都道府県名	変更後		変更前	
	区　域	面積（ha）	区　域	面積（ha）
			変更部分面積合計	
			変更前特別地域面積	
			変更後特別地域面積	

留意事項

1　本表は日本産業規格（JIS）Ａ４判横長とする。

2　記載方法については、様式第２の（表１：特別地域総括表）に準ずるものとする。

(ア)　特別保護地区

（特別保護地区の新設の場合）

特別地域のうち、次の区域を特別保護地区とする。

留意事項

1　様式第２の（表２：特別保護地区総括表）及び（表３：特別保護地区内訳表）と同様の表を掲げる。

2　特別地域の区域変更を伴う場合は、本文の番号をずらす。

3　別添図面として、保護規制計画変更図を作成する。

（特別保護地区の区域の一部変更の場合）

特別保護地区の区域の一部を、次のとおり変更する。

（表７：特別保護地区変更表）

番号	区分	内　　容	名　称	変更部分の区域	変更理由	面　積（ha）
	拡張	特別地域の拡張	○○岳			A
	〃	第○種特別地域からの振替				B
	削除	特別地域の縮小				△C

	〃	第○種特別地域への振替				△D
					変更部分面積計	（A＋B）－（C＋D）
					変更前特別保護地区面積	E
					変更後特別保護地区面積	E＋{（A＋B）－（C＋D）}

留意事項

1　本表は日本産業規格（JIS）A４判横長とする。

2　拡張又は削除する部分ごとに記載するものとし、拡張部分を先に掲げる。

3　「番号」は拡張又は削除する部分ごとに付すものとし、その順序は、当該部分に係る都道府県、市町村に応じ、全国市町村要覧の掲載順とする。

4　「内容」には、特別地域の拡張に伴って、当該拡張する部分を特別保護地区とする場合にあっては「特別地域の拡張」と、従前第１種特別地域であったものを特別保護地区とする場合にあっては「第１種特別地域からの振替」というように記載する。

5　「名称」には、現行の特別保護地区の名称を記載する。飛地として新規に特別保護地区を追加する場合は、地形図等から判断して、当該地区の位置を表示するのに適当と思われるものを適宜選定して付す。

6　その他の記載方法については、（表３：公園区域（陸域）変更表）に準ずる。

7　特別地域の区域変更を行う場合は、本文の番号をずらす。

8　別添図面として保護規制計画変更図を作成する。

(イ)　第１種特別地域～(エ)　第３種特別地域

（第１種、第２種又は第３種特別地域の区域の一部変更の場合）

第○種特別地域の区域の一部を、次のとおり変更する。

（表８：第○種特別地域変更表）

番号	区分	内　　容	名　称	変更部分の区域	変更理由	面　積（ha）
	拡張	特別地域の拡張	○○岳			A
	〃	特別保護地区からの振替				B

	〃	第○種特別地域からの振替				Ｃ
	削除	特別地域の縮小				△Ｄ
	〃	特別保護地区への振替				△Ｅ
	〃	第○種特別地域への振替				△Ｆ
					変更部分面積計	（Ａ＋Ｂ＋Ｃ）－（Ｄ＋Ｅ＋Ｆ）
					変更前第○種特別地域面積	Ｇ
					変更後第○種特別地域面積	Ｇ＋｛(Ａ＋Ｂ＋Ｃ）－（Ｄ＋Ｅ＋Ｆ)｝

留意事項

1　本表は日本産業規格（JIS）Ａ４判横長とする。

2　記載方法については、(特別保護地区の区域の一部変更の場合）に準ずる。

3　特別地域内で振替を行う場合、例えば第３種の一部を第１種に変更する場合は、第１種の拡張に関する表と、第３種の削除に関する表をそれぞれ作成する。

4　他の変更を伴う場合は適宜本文の番号をずらす（以下それぞれの変更の場合において同じ。)。

5　別添図面として、保護規制計画変更図を作成する。

イ　海域公園地区

（海域公園地区の新設の場合）

海域公園地区を次のとおりとする。

留意事項

1　様式第２の（表10：海域公園地区表）と同様の表を掲げる。なお、本表は日本産業規格（JIS）Ａ４判横長とする。

2　別添図面として保護規制計画変更図を作成する。

（海域公園地区の追加の場合）

次の海域公園地区を追加する。

（表９：海域公園地区追加表）

番　号	名　称	位　置	地区の概要	面積（ha）

留意事項

１　本表は日本産業規格（JIS）Ａ４判横長とする。

２　記載方法については、様式第２の（表10：海域公園地区表）に準ずるが、「番号」については、既設との通し番号とする。

３　別添図面として保護規制計画変更図を作成する。

（既設の海域公園地区の区域の一部変更又は解除の場合）

次の海域公園地区の区域の一部を変更（解除）する。

（表10：海域公園地区変更表）

番号	区分	名称	位置	告示年月日	変更(解除)理由	変更(解除)面積（ha）	変更後面積（ha）
	拡張					○○．○	
	削除					△○○．○	
	解除						

留意事項

１　本表は日本産業規格（JIS）Ａ４判横長とする。

２　拡張する海域公園地区を先に掲げる。

３　「番号」及び「名称」には、既設の海域公園地区の番号及び名称を記載する。

４　「位置」の記載方法は、様式第２の（表10：海域公園地区表）の「位置」に準ずる。

５　「変更面積」には、変更部分のみの面積を海域公園地区変更図を基に、ＧＩＳソフト等を用いて算出して記載し、「変更後面積」には、拡張又は削除された後の面積を記載する。面積の単位はhaとし、小数点第１位までとし、小数点第２位を四捨五入する。削除の場合は数字の前に△を付す。解除の場合には、解除する海域公園地区の面積を記載する。

６　別添図面として、保護規制計画変更図を作成する。

ウ　利用調整地区

（利用調整地区の新設又は追加の場合）

利用調整地区を次のとおりとする。

留意事項
1　変更後の利用調整地区について、様式第２の（表11：利用調整地区表）と同様の表を掲げる。なお、本表は日本産業規格（JIS）Ａ４判横長とする。
2　別添図面として、利用調整地区区域図を作成する。

（利用調整地区の一部変更又は解除の場合）

利用調整地区の一部を次のとおり変更（解除）する。

（表11：利用調整地区変更表）

番号	区分	名称	区域	地種区分	変更(解除)理由	変更(解除)面積（ha）	変更後面積（ha）
	拡張						
	削除						
	解除						

留意事項
1　本表は日本産業規格（JIS）Ａ４判横長とする。
2　拡張する利用調整地区を先に掲げる。
3　「番号」には、拡張、削除の箇所ごとに番号を記載する。
4　「名称」、「区域」、「地種区分」、「変更（解除）面積」の記載方法は、（利用調整地区の新設又は追加の場合）に準ずる。
5　別添図面として利用調整地区変更図を作成する。

エ　関連事項

(ア)　木竹損傷規制区域

（木竹損傷規制区域の新設又は追加の場合）

木竹の損傷を規制する区域を次のとおりとする。

留意事項
1　変更後の木竹損傷規制区域について、様式第２の（表12：木竹損傷規制区域表）と同様の表を掲げる。
2　別添図面として、木竹損傷規制区域図を作成する。

（木竹損傷規制区域の一部変更又は解除の場合）

木竹の損傷を規制する区域の一部を次のとおり変更（解除）する。

（表12：木竹損傷規制区域変更表）

番号	区分	名称	区域	地種区分	地区の概要	変更（解除）理由	変更(解除)面積（ha）	変更後面積（ha）
	拡張							

	削除							
	解除							

留意事項

1　本表は日本産業規格（JIS）Ａ４判横長とする。

2　拡張する木竹損傷規制区域を先に掲げる。

3　「番号」には、拡張、削除の箇所ごとに番号を記載する。

4　「名称」、「区域」、「地種区分」、「面積」の記載方法は、（木竹損傷規制区域の新設又は追加の場合）に準じる。

5　別添図面として、木竹損傷規制区域変更図を作成する。

(イ)　汚水又は廃水の排出規制区域

（汚水又は廃水の排出規制区域の新設又は追加の場合）

汚水又は廃水の排出の規制区域を次のとおりとする。

留意事項

1　変更後の汚水又は廃水の排出規制区域について、様式第２の（表13：汚水又は廃水の排出規制区域表）と同様の表を掲げる。

2　別添図面として、汚水又は廃水の排出規制区域図を作成する。

（汚水又は廃水の排出規制区域の一部変更又は解除の場合）

汚水又は廃水の排出の規制区域を次のとおり変更（解除）する。

（表13：汚水又は廃水の排出規制区域変更表）

番号	区分	名称	位置	地域地区	湖沼（湿原）の概要	変更（解除）理由	変更（解除）面積（ha）	変更後面積（ha）

留意事項

1　本表は日本産業規格（JIS）Ａ４判横長とする。

2　拡張する汚水又は廃水の排出規制区域を先に掲げる。

3　「番号」には、拡張、削除の箇所ごとに番号を記載する。

4　「名称」、「区域」、「地域地区」、「面積」の記載方法は、（汚水又は廃水の排出規制区域の新設又は追加の場合）に準じる。

5　別添図面として、汚水又は廃水の排出規制区域変更図を作成する。

(ウ)　採取等規制植物

採取等規制植物を次のとおり追加（削除）する。

（表14：採取等規制植物変更表）

区　　分	種　　名（科　　名）
追加	
削除	

(エ)　植栽等規制植物及び区域

（植栽等規制植物及び区域の新設又は追加の場合）

植物を植栽し、又は当該植物の種子をまくことを規制する植物及びその区域を次のとおりとする。

留意事項

1　変更後の植栽等規制区域及び植物について、様式第２の（表15：植栽等規制植物及び区域表）と同様の表を掲げる。

2　別添図面として、植栽等規制区域図を作成する。

（植栽等規制植物及び区域の一部変更又は解除の場合）

植物を植栽し、又は当該植物の種子をまくことを規制する植物及びその区域の一部を次のとおり変更（解除）する。

（表15：植栽等規制区域及び植物変更表）

番号	区分	名称	区域	地種区分	地区の概要	変更（解除）理由	変更（解除）面積（ha）	変更後面積（ha）	変更する植栽等規制植物

留意事項

1　本表は日本産業規格（JIS）Ａ４判横長とする。

2　植栽等規制区域の拡張及び追加する植栽規制植物を先に掲げる。

3　「番号」には、下記(3)に掲げる区分（拡張、削除等）の箇所ごとに番号を記載する。

4　「区分」には、「拡張」、「削除」及び「解除」並びに「植栽等規制植物の追加」及び「植栽等規制植物の削除」の中から該当する事項を選んで記載する。

5　「名称」、「区域」、「地種区分」、「面積」の記載方法は、（植栽等規制区域の新設又は追加の場合）に準じる。

6　別添図面として、植栽等規制区域変更図を作成する。

(オ)　捕獲等規制動物

（捕獲等規制動物の新規指定の場合）

捕獲し若しくは殺傷又は当該動物の卵の採取若しくは損傷を規制する動物を

次のとおりとする。

〔留意事項
捕獲等規制動物について、様式第２の（表16：捕獲等規制動物表）と同様の表を掲げる。〕

（捕獲等規制動物の一部変更の場合）

捕獲し若しくは殺傷又は当該動物の卵の採取若しくは損傷を規制する動物を次のとおり追加（削除）する。

（表16：捕獲等規制動物変更表）

区　分	種　名（科　名）
追加	
削除	

〔留意事項
本表は日本産業規格（JIS）Ａ４判横長とする。〕

(カ)　放出規制動物及び区域

（放出規制動物及び区域の新設又は追加の場合）

動物を放つことを規制する区域及びその動物は次のとおりとする。

〔留意事項
1　変更後の放出規制区域及び植物について、様式第２の（表17：放出規制動物及び区域表）と同様の表を掲げる。
2　別添図面として、放出規制区域図を作成する。〕

（放出規制動物及び区域の一部変更又は解除の場合）

動物を放つことを規制する区域及びその動物の一部を次のとおり変更（解除）する。

（表17：放出規制動物及び区域表変更表）

番号	区分	名称	区域	地種区分	地区の概要	変更（解除）理由	変更（解除）面積（ha）	変更後面積（ha）	変更する放出規制動物

〔留意事項
1　本表は日本産業規格（JIS）Ａ４判横長とする。
2　放出規制区域の拡張及び追加する放出規制動物を先に掲げる。
3　「番号」には、下記(3)に掲げる区分（拡張、削除等）の箇所ごとに番号を記載する。

４　「区分」には、「拡張」、「削除」及び「解除」並びに「放出規制動物の追加」及び「放出規制動物の削除」の中から該当する事項を選んで記載する。
５　「名称」、「区域」、「地種区分」、「面積」の記載方法は、（放出規制動物及び区域の新設又は追加の場合）に準じる。
６　別添図面として、放出規制区域変更図を作成する。

㈖　立入規制区域及び期間

（立入規制区域の新設又は追加の場合）

立入りを規制する区域を次のとおりとする。

留意事項
１　変更後の立入規制地区について様式第２の（表18：立入規制区域及び期間表）と同様の表を掲げる。
２　別添図面として、立入規制区域図を作成する。

（立入規制区域の一部変更又は解除の場合）

立入りを規制区域の一部を次のとおり変更（解除）する。

（表18：立入規制区域及び期間変更表）

番号	区分	名称	区域	地種区分	変更（解除）理由	変更（解除）面積(ha)	変更後面積(ha)	変更前期間	変更後期間
	拡張								
	削除								
	解除								

留意事項
１　本表は日本産業規格（JIS）Ａ４判横長とする。
２　「区分」には、拡張、削除、解除又は期間の変更の別を記載し、拡張する立入規制区域を先に掲げる。
３　「番号」には、拡張、削除等の箇所ごとに番号を記載する。
４　「名称」、「区域」、「地種区分」、「変更（解除）面積」、「期間」の記載方法は、（立入規制地区の新設又は追加の場合）に準ずる。
５　期間又は面積に変更がない場合は変更後の欄に「変更なし」と記載する。
６　別添図面として当該立入規制地区を表示した立入規制区域変更図を作成する。

㈗　乗入れ規制区域及び期間

（乗入れ規制区域の新設又は追加の場合）

車馬若しくは動力船の使用又は航空機の着陸を規制する区域を次のとおりと

する。

〔留意事項
1　変更後の乗入れ規制区域について、様式第２の（表19：乗入れ規制区域及び期間表）と同様の表を掲げる。
2　別添図面として、乗入れ規制区域図を作成する。〕

（乗入れ規制区域の一部変更又は解除の場合）

車馬若しくは動力船の使用又は航空機の着陸を規制する区域の一部を次のとおり変更（解除）する。

（表19：乗入れ規制区域及び期間変更表）

番号	区分	名称	区域	地種区分	変更（解除）理由	変更（解除）面積(ha)	変更後面積(ha)	変更前期間	変更後期間
	拡張								
	削除								
	解除								

〔留意事項
1　本表は日本産業規格（JIS）Ａ４判横長とする。
2　「区分」には、拡張、削除又は期間の変更の別を記載し、拡張する乗入れ規制区域を先に掲げる。
3　「番号」には、拡張、削除等の箇所ごとに番号を記載する。
4　「名称」、「区域」、「地種区分」、「変更（解除）面積」、「期間」の記載方法は、（乗入れ規制区域の新設又は追加の場合）に準ずる。
5　期間又は面積に変更がない場合は変更後の欄に「変更なし」と記載する。
6　別添図面として、乗入れ規制区域変更図を作成する。〕

(ケ)　車馬使用規制道路及び期間

（車馬使用規制道路の新設又は追加の場合）

車馬の使用を規制する道路を次のとおりとする。

〔留意事項
1　変更後の乗入れ規制道路について、様式第２の（表20：車馬使用規制道路及び期間表）と同様の表を掲げる。
2　別添図面として、車馬使用規制道路図を作成する。〕

（車馬使用規制道路の一部変更又は解除の場合）

車馬の使用を規制する区域の一部を次のとおり変更（解除）する。

（表20：車馬使用規制道路及び期間変更表）

番号	区分	名称又は路線名	区域又は区間	地種区分	変更(解除)理由	変更前期間	変更後期間
	拡張						
	削除						
	解除						

留意事項

1　本表は日本産業規格（JIS）Ａ４判横長とする。

2　「区分」には、拡張、削除又は期間の変更の別を記載し、拡張する乗入れ規制道路を先に掲げる。

3　「番号」には、拡張、削除等の箇所ごとに番号を記載する。

4　「名称又は路線名」、「区域又は区間」、「地種区分」、「変更（解除）理由」、「期間」の記載方法は、（乗入れ規制道路の新設又は追加の場合）に準ずる。

5　期間に変更がない場合は変更後の欄に「変更なし」と記載する。

6　別添図面として、乗入れ規制道路変更図を作成する。

(コ)　捕獲等規制動植物及び区域

（捕獲等規制動植物及び区域の新設又は追加の場合）

海域公園地区において、捕獲若しくは殺傷又は採取若しくは損傷を規制する動植物及びその区域を次のとおりとする。

留意事項

1　変更後の捕獲等規制動植物及び区域について、様式第２の（表21：捕獲等規制動植物及び区域表）と同様の表を掲げる。

2　別添図面として、捕獲等規制動植物区域図を作成する。

（捕獲等規制動植物及び区域の一部変更又は解除の場合）

海域公園地区において、捕獲若しくは殺傷又は採取若しくは損傷を規制する動植物及びその区域の一部を次のとおり変更（解除）する。

（表21：捕獲等規制動植物及び区域変更表）

番号	区分	海域公園地区名	区域	地区の概要	変更（解除）理由	変更（解除）面積（ha）	変更後面積（ha）	変更する捕獲等規制動植物

留意事項

1　本表は日本産業規格（JIS）Ａ４判横長とする。

2　捕獲等規制区域の拡張及び追加する捕獲等規制動植物を先に掲げる。

3 「番号」には、下記(3)に掲げる区分（拡張、削除等）の箇所ごとに番号を記載する。

4 「区分」には、「拡張」、「削除」及び「解除」並びに「捕獲等規制動植物の追加」及び「捕獲等規制動植物の削除」の中から該当する事項を選んで記載する。

5 「名称」、「区域」、「面積」の記載方法は、（捕獲等規制動植物及び区域の新設又は追加の場合）に準じる。

6 別添図面として、捕獲等規制動植物区域変更図を作成する。

(サ) 動力船使用規制区域及び期間

（動力船使用規制区域及び期間の新設又は追加の場合）

動力船の使用を規制する区域及び期間は次のとおりとする。

留意事項

1 変更後の動力船の使用を規制する区域及び期間について、様式第２の（表22：動力船使用規制区域及び期間表）と同様の表を掲げる。

2 別添図面として、動力船使用規制区域図を作成する。

（動力船使用規制区域及び期間の一部変更又は解除の場合）

動力船の使用を規制する区域及び期間の一部を次のとおり変更（解除）する。

（表22：動力船使用規制区域及び期間変更表）

番号	区分	名称	区域	海域公園地区名	変更（解除）理由	変更(解除)面積（ha）	変更後面積（ha）	期間
	拡張							
	削除							
	解除							

留意事項

1 本表は日本産業規格（JIS）Ａ４判横長とする。

2 拡張する乗入れ規制地区を先に掲げる。

3 「番号」には、拡張、削除の箇所ごとに番号を記載する。

4 「名称」、「区域」、「海域公園地区名」、「変更（解除）面積」の記載方法は、（動力船使用規制区域及び期間の新設又は追加の場合）に準ずる。

5 別添図面として、動力船使用規制区域変更図を作成する。

(シ) 普通地域

普通地域の区域の一部を、次のとおり変更する。

（表23：普通地域変更表）

<table>
<tr><th rowspan="2">都道府県名</th><th colspan="2">変更後</th><th colspan="2">変更前</th></tr>
<tr><th>区　域</th><th>面積（ha）</th><th>区　域</th><th>面積（ha）</th></tr>
<tr><td></td><td></td><td></td><td></td><td></td></tr>
<tr><td></td><td></td><td></td><td></td><td></td></tr>
</table>

<table>
<tr><td rowspan="3">陸域</td><td>変更部分面積　合計</td><td></td></tr>
<tr><td>変更前　普通地域面積</td><td></td></tr>
<tr><td>変更後　普通地域面積</td><td></td></tr>
<tr><td rowspan="3">海域</td><td>変更部分面積　合計</td><td></td></tr>
<tr><td>変更前　普通地域面積</td><td></td></tr>
<tr><td>変更後　普通地域面積</td><td></td></tr>
</table>

留意事項

1　本表は日本産業規格（JIS）Ａ４判横長とする。

2　記載方法については、様式第３の（表６：特別地域変更表）に準ずるものとする。

オ　面積内訳

地域地区別土地所有別及び市町村別面積は次のとおりとなる（変更後の（地域地区別土地所有別面積総括表）を掲げる。その記載方法は様式第２（表24：地域地区別土地所有別面積総括表）に準ずる。併せて、（地域地区別市町村面積総括表）を掲げる。その記載方法は次表のとおりとする。）。

（表24：地域地区別市町村別面積総括表）　　　　（単位：ha）

地域地区／市町村名			現行 特別地域 特保	現行 特別地域 第1種	現行 特別地域 第2種	現行 特別地域 第3種	現行 特別地域 小計	現行 普通地域（陸域）	現行 合計（陸域）(A)	現行 海域公園地区※	現行 普通地域（海域）※	現行 合計（海域）（A'）※	変更後 特別地域 特保	変更後 特別地域 第1種	変更後 特別地域 第2種	変更後 特別地域 第3種	変更後 特別地域 小計	変更後 普通地域（陸域）	変更後 合計（陸域）(B)	変更後 海域公園地区※	変更後 普通地域（海域）※	変更後 合計（海域）（B'）※	増減 陸域（B－A）※	増減 海域（B'－A'）※
○○県（都、道、府）	○○市																							
	○○郡	○○町																						
		○○村																						
小計																								
○○県（都、道、府）	○○市																							
	○○郡	○○町																						
		○○村																						
小計																								
合計																								

※海域は国の所有に属する公有水面であり、県別に面積を表示することはできないため、○○国立公園全体の数値を示している。

留意事項

1　本表は日本産業規格（JIS）Ａ３判横長とする。
2　市町村の記載順序は、全国市町村要覧の掲載順序による。
3　面積の単位はhaとし、小数点以下は四捨五入する（海域公園地区の場合には、小数点第１位までとし、第２位を四捨五入する。）。
4　「増減」については、減の場合には数字の前に△を付す。
5　変更後の「小計」及び「合計」の特別地域及び普通地域の各欄の下段に小計又は合計の面積を、上段に増減面積を記載する。この場合、減には数字の前に△を付す。

⑵　利用規制計画

利用規制計画を次のとおりとする。

（様式第２の２・⑵に準じて記述する。）

4　事業計画の変更内容

⑴　施設計画

ア　保護施設計画

（保護施設計画の追加の場合）

次の保護施設計画を追加する。

（様式第３の４・⑴・イ・(イ)・（単独施設の追加の場合）に準ずる。）

（保護施設計画の変更の場合）

次の保護施設計画を変更する。

（様式第３の４・⑴・イ・(イ)・（単独施設の変更の場合）に準ずる。）

（保護施設計画の削除の場合）

次の保護施設計画を削除する。

（様式第３の４・⑴・イ・(イ)・（単独施設の削除の場合）に準ずる。）

イ　利用施設計画

（利用施設計画の変更の場合）

利用施設計画の一部を次のとおり変更する。

(ア)　集団施設地区

（集団施設地区の新設又は追加の場合）

次の集団施設地区を追加する。

留意事項

1　様式第２の（表26：集団施設地区表）と同様の表を掲げる。「番号」については、新設の場合は１からとするが、追加の場合は既設との通し番号とする。なお、本表は日本産業規格（JIS）Ａ４判横長とする。

2　別添図面として、利用施設計画変更図及び集団施設地区区域図を作成する。

（既設の集団施設地区の内容変更等の場合）

○○○○集団施設地区を、次のとおり変更する。

（表25：区域変更表）

番号	区分	名　　　称	告　示 年月日	変更部分 の 区 域	変更理由	変更面積 (ha)	変更後面積 (ha)
	拡張					○○．○	
	削除					△○○．○	

（表26：集団施設地区表）

番号	名　　称	区　　域	計画目標	整備計画区及び基盤施設	整備方針	面積（ha）

留意事項

1　区域変更表は、集団施設地区の区域を変更する場合のみに掲げる。

2　集団施設地区表については、変更に係る集団施設地区についてのみ、様式第２の（表26：集団施設地区表）と同様の表を掲げる。

3　本表は日本産業規格（JIS）Ａ４判横長とする。

4　「番号」及び「名称」は、既設の番号及び名称を記載する。

5　「変更部分の区域」については、（表３：公園区域（陸域）変更表）に準じて記載する。

6「変更面積」には、変更部分のみの面積を集団施設地区変更図を基に、ＧＩＳソフト等を用いて算出して記載し、「変更後面積」には、拡張又は縮小された後の面積を記載する。面積の単位はhaとし、小数点第１位までとし、小数点第２位を四捨五入する。削除の場合は、数字の前に△を付す。

7　他の変更を伴う場合は、本文の番号を適宜ずらす（以下それぞれ変更の場合において同じ。）。

8　別添図面として、利用施設計画変更図、利用施設計画変更図（集団施設地区変更図）を作成する。

（集団施設地区の計画からの削除又は指定の解除の場合）

次の集団施設地区を削除（解除）する。

（表27：集団施設地区削除（解除）表）

番号	名　　称	位　　　　置	告示年月日	理　　由
		○○県（都、道、府） ○○市 ○○郡○○町（村） （○○○○）		

留意事項

1　本表は日本産業規格（JIS）Ａ４判横長とする。

2　「番号」及び「名称」は、既設の番号及び名称を記載する。

3　「位置」は、様式第２の（表27：単独施設表）の「位置」に準じて記載する。

〔 4　別添図面として、利用施設計画変更図を作成する。 〕

(イ)　単独施設

（単独施設の追加の場合）

次の単独施設を追加する。

〔留意事項
1　追加するものに関し、様式第２の（表27：単独施設表）と同様の表を掲げる。この場合「番号」は既設との通し番号とする。なお、本表は日本産業規格（JIS）Ａ４判横長とする。
2　別添図面として、利用施設計画変更図を作成する。〕

（単独施設の変更の場合）

次の単独施設を変更する。

（表28：単独施設変更表）

現行					新規		理由
番号	種類	位置	整備方針	告示年月日	位置	整備方針	

〔留意事項
1　位置又は整備方針を変更するものに関し、本表を掲げる。「番号」は既設の番号を記載する。位置又は整備方針のいずれか一方のみ変更する場合、変更しないものについては、「変更なし」と記載する。なお、日本産業規格（JIS）Ａ４判横長とする。
2　別添図面として、利用施設計画変更図を作成する。〕

（単独施設の削除の場合）

次の単独施設を削除する。

（表29：単独施設削除表）

番号	種類	位置	告示年月日	理由

〔留意事項
1　「番号」は既設の番号を記載する。なお、本表は日本産業規格（JIS）Ａ４判横長とする。
2　別添図面として、利用施設計画変更図を作成する。〕

(ウ)　道路

（道路の追加の場合）

次の車道（自転車道、歩道）を追加する。

留意事項

1　追加するものに関し、様式第２の（表28：道路（車道）表）、（表29：道路（自転車道）表）又は（表30：道路（歩道）表）と同様の表を掲げる。この場合「番号」は既設との通し番号とする。なお、本表は日本産業規格（JIS）Ａ３判横長とする。

2　別添図面として、利用施設計画変更図を作成する。

（道路の削除の場合）

次の車道（自転車道、歩道）を削除する。

（表30：道路（車道（自転車道、歩道））削除表）

番号	路線名	区間	主要経過地	告示年月日	理由

留意事項

1　本表は日本産業規格（JIS）Ａ３判横長とする。削除するものに関し、様式第２の（表28：道路（車道）表）、（表29：道路（自転車道）表）又は（表30：道路（歩道）表）に準じて記載する。この場合「番号」は既設の番号を記載する。

2　別添図面として、利用施設計画変更図を作成する。

（道路の延長、短縮、経路変更の場合）

次の車道（自転車道、歩道）を次のとおり変更する。

（表31：道路（車道（自転車道、歩道））変更表）

現行					新規					理由
番号	路線名	区間	主要経過地	告示年月日	番号	路線名	区間	主要経過地	整備方針	

留意事項

1　本表は日本産業規格（JIS）Ａ３判横長とする。

2　「現行」の「番号」は既設の番号を付す。複数の道路を統合する場合には、「新規」の「番号」は現行の若い方の番号を付す。

3　その他は様式第２の（表28：道路（車道）表）、（表29：道路（自転車道）表）又は（表30：道路（歩道）表）に準じて記載する。

4　別添図面として、利用施設計画変更図を作成する。

㈤　運輸施設

（運輸施設の追加の場合）

次の運輸施設を追加する。

留意事項

1　追加するものに関し、様式第２の（表31：運輸施設表）と同様の表を掲げる。この場合「番号」は既設との通し番号とする。

2　別添図面として、利用施設計画変更図を作成する。

（運輸施設の削除の場合）

次の運輸施設を削除する。

（表32：運輸施設削除表）

番号	路線名	種　類	位置又は区間	主要経過地	告示年月日	理　由

留意事項

1　本表は日本産業規格（JIS）Ａ３判横長とする。

削除するものに関し、様式第２の（表31：運輸施設表）に準じて記載する。この場合「番号」は既設の番号を記載する。

2　別添図面として、利用施設計画変更図を作成する。

（運輸施設の路線の延長、短縮、経路変更等の場合）

次の運輸施設を次のとおり変更する。

（道路の場合と同様とする。）

⑵　生態系維持回復計画

（生態系維持回復計画の新規決定又は追加の場合）

生態系維持回復計画を次のとおりとする。

留意事項

追加するものに関し、様式第２（表32：生態系維持回復計画表）と同様の表を掲げる。

（生態系維持回復計画の一部変更又は削除の場合）

生態系維持回復計画を次のとおり変更（削除）する。

（表33：生態系維持回復計画変更表）

番号	変更後			変更前			変更理由
	名称	位置	事業の実施方針	名称	位置	事業の実施方針	

〔留意事項
1　本表は日本産業規格（JIS）Ａ４判横長とする。
2　様式第２（表32：生態系維持回復計画表）に準じて記載する。
3　新旧対照表の形式によって、変更内容を明らかにするものとする。〕

(3)　自然体験活動計画

（自然体験活動計画の新規決定又は追加の場合）

自然体験活動計画を次のとおりとする。

〔留意事項
追加するものに関し、様式第２と同様に必要事項を記載する。〕

（自然体験活動計画の一部変更又は削除の場合）

自然体験活動計画を次のとおり変更（削除）する。

（表34：自然体験活動計画変更表）

変更前	変更後

〔留意事項
自然体験活動計画を変更又は削除する必要がある場合は、上記の新旧対照表の形式によって、変更内容を明らかにするものとする。〕

5　参考事項

参考事項を次のとおり変更する。

（表35：参考事項変更表）

変更前	変更後

〔留意事項
参考事項を変更する場合で必要がある場合は、上記の新旧対照表の形式によって、変更内容を明らかにするものとする。〕

（別紙３）

国立公園の区域図及び公園計画図等作成要領

目次　頁

国立公園に関する区域図及び公園計画図等の図面は、本要領の定めるところにより作成する。

1　区域図及び区域変更図

⑴　区域図

縮尺２万5000分の１の地形図を用いて作成する。なお、これらの地形図上では表示が不明確とならざるを得ない部分については、適当な縮尺の地形図等による副図を作成する。

ア　区域線の選定

㋐　区域線は明確なものを選定することとし、原則として稜線界、沢界、河川界及び汀線（東京湾平均海面、最高高潮位又は最低低潮位における汀線のいずれかを選択することを原則とする。以下同じ。）界等地形による線並びに森林施業における事業区界、林班界及び小班界とするが、やむを得ない場合には、次に掲げるものとする。

Ａ　行政界（都道府県界、市町村界等）

Ｂ　所有別界

Ｃ　地番界、字界

Ｄ　工作物界（道路、堤防、水路等）

Ｅ　見透線、方角表示線等の直線（基点が明確な場合に限る。）、等高線、距離表示線等特殊な線界

Ｆ　保安林界等他法令の規定に基づき指定されている地域地区界（区域線が明確である場合に限る。）

㋑　区域線として河川又は道路等を用いる場合は、河川敷又は道路等の敷地の境界とし、当該河川又は道路等を区域に含めるか否かでいずれかの敷地界を選択する。道路等からの距離表示線を用いる場合は当該道路等の中心線からの距離とする。

イ　区域線の表示方法

区域線の表示は次による。

㋐　区域線の種類が異なるごとに番号を付し、凡例にならい区域線の種類を示す。

㋑　番号は最北端のものから左回りに付す。国立公園の区域（以下「公園区域」という。）が複数の地域に分かれる場合には通し番号とする。この場合、内陸部における場合には、北側に位置する公園区域を優先するものとし、海岸部における場合には、両端に位置する公園区域を比較して、より北側に位置する公園区域の側から海岸線に沿って順次移るものとする。海岸部と内陸部にまたがる場合は、当該国立公園の特性に応じていずれかを優先する。

㋒　区域線の表示は、次例による。

Ａ　行政界の場合は、「県界」、「市町村界」、「市町界」、「町村界」等とする。

Ｂ　所有別界の場合は、「国有林界」、「県有林界」等国有地又は公有地に着目して表示する。

Ｃ　見透線を用いる場合は、「見透線界（○○と○○）」とする。

Ｄ　方角表示線を用いる場合は、「○○の真北○○ｍの点と○○ｍの点を結ぶ直線界」、「⑤から真東○○ｍの点と⑤を結ぶ直線界」等とする。

Ｅ　等高線を用いる場合は、「等高線（○○ｍ）界」とする。

Ｆ　距離表示線を用いる場合は、「道路中心線から両側○○ｍ線界」、「⑤を中心とする半径○○ｍ線界」等とする。

Ｇ　道路敷界、河川敷界等の場合については、当該道路敷等を含む場合は「道路敷（含）界」等と、当該道路敷等を含まない場合は「道路敷（除）界」等とする。

Ｈ　緯度経度で示した点を結ぶ線を用いる場合は、「北緯○度○分○秒東経○度○分○秒と北緯○度○分○秒東経○度○分○秒を結ぶ線界」等とする。この際、凡例等に測地系を明記する。

㈤　区域線は幅0.5㎜の実線とする。番号を記入する円は直径10㎜とし、表示線は幅0.3㎜の実線、長さ１－３㎝を基本とし、原則として区域の外側に示す。

㈥　区域の指定原図には、区域線に沿って内側幅２㎜に水色（５Ｂ８／４）（色の表示はＪＩＳ標準色票のＨＶ／Ｃによる。以下同じ。）を帯状に彩色する。

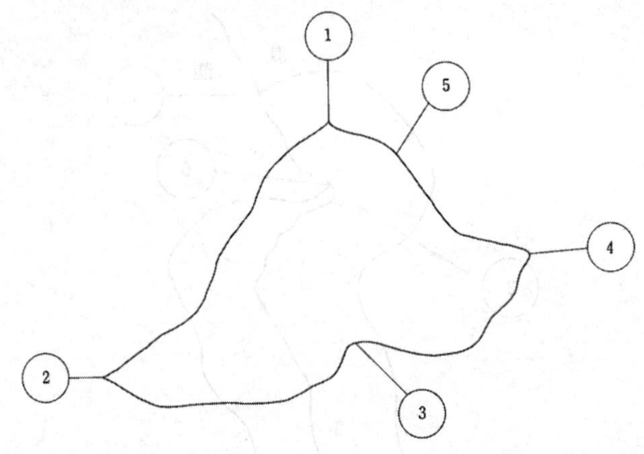

区　域　線　表　示　例

凡　　例	
①　—　②	稜　線　界
②　—　③	河　川　界
③　—　④	林　班　界
④　—　⑤	市　町　界
⑤　—　①	国 有 林 界

（図１）　内陸部の場合の表示例

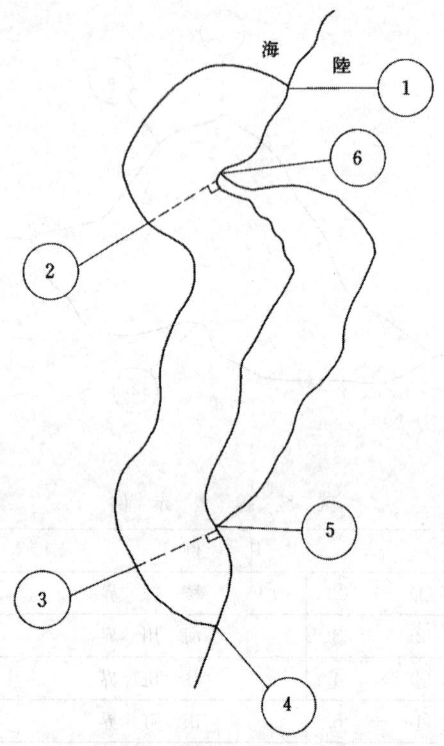

区　域　線　表　示　例

凡　例	
①　—　②	⑥中心とする半径１km線界
②　—　③	汀線（最低低潮位）から沖合１km線界
③　—　④	⑤中心とする半径１km線界
④　—　⑤	汀線（最低低潮位）界
⑤　—　⑥	国有林界
⑥　—　①	汀線（最低低潮位）界

（図２）　海岸部の場合の表示例

⑵　区域変更図

ア　区域線の選定

1・⑴・アによる。

イ　区域線の表示方法

区域線の変更（拡張又は削除）の表示は次による。

㋐　変更後の区域線は幅0.5㎜の実線で表示し、原図には新区域線に沿って内側幅2㎜に水色（5B8／4）を帯状に彩色する。

㋑　廃止される区域線は幅0.5㎜の破線（長さ3㎜間隔2㎜）で表示することを基本とする。

㋒　拡張部分は㊉拡と表示し、削除部分は削と表示する。○には、「国立公園の指定書、公園計画書並びに公園区域及び公園計画変更書作成要領」の様式第3「公園区域及び公園計画変更書」の（表3：公園区域（陸域）変更表）及び（表4：公園区域（海域）変更表）の「番号」欄に対応する番号を記載する。なお、区域線の種類のみ変更し、区域線の位置が変わらない場合には、番号及び「区域線の変更」と記載する。

㋓　新区域線の種類が異なるごとに番号を付し、例にならい区域線の種類を凡例に表示する。番号は、新区域線と旧区域線の境界となる点から開始し、左回りに順次番号を付して、元の番号に戻るように番号を付す。番号を記入する円は直径10㎜とし、表示線は幅0.3㎜の実線、長さ1～3㎝を基本とし、原則として区域の外側に示す。

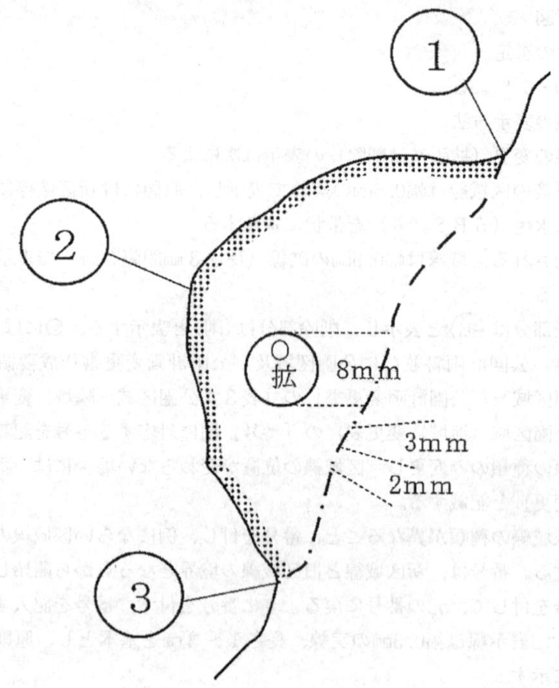

区　域　線　表　示　例

凡　　例	
【○】拡　　張	
①　－　②	○　○　界
②　－　③	○　○　界
③　－　①	○　○　界

（図３）　区域拡張の場合の表示例

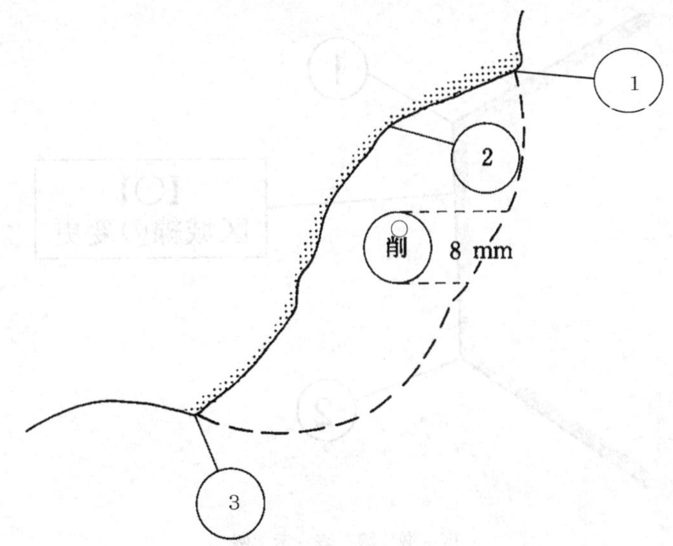

区　域　線　表　示　例

凡　　例	
【○】削　　除	
①　—　②	○　○　界
②　—　③	○　○　界
③　—　①	○　○　界

（図４）　区域削除の場合の表示例

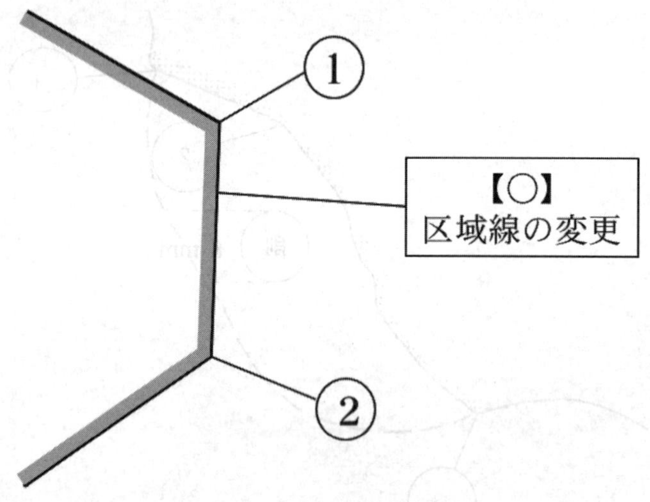

区　域　線　表　示　例

凡　　例	
【○】区　域　線　の　変　更	
変　　更　　前	
①　—　②	○　○　界
変　　更　　後	
①　—　②	○　○　界

（図５）　区域線の変更の場合の表示例

2　公園計画図等

(1)　保護規制計画図及び同変更図

保護規制計画図及び保護規制計画変更図は、原則として縮尺２万5000分の１の地形図を用いて作成する。なお、これらの地形図上では表示が不明確とならざるを得ない部分については、適当な縮尺の地形図等による副図を作成する。また、保護規制計画図及び保護規制計画変更図の記載範囲を明示した縮尺20万分の１程度の保護規制計画位置図及び保護規制計画変更図位置図を作成する。

ア　特別地域に係る保護規制計画図

(ア)　区域線等の選定方法

特別地域及び特別保護地区の区域線並びに特別地域の地種区分線の選定については、１・(1)の「区域線の選定」による。

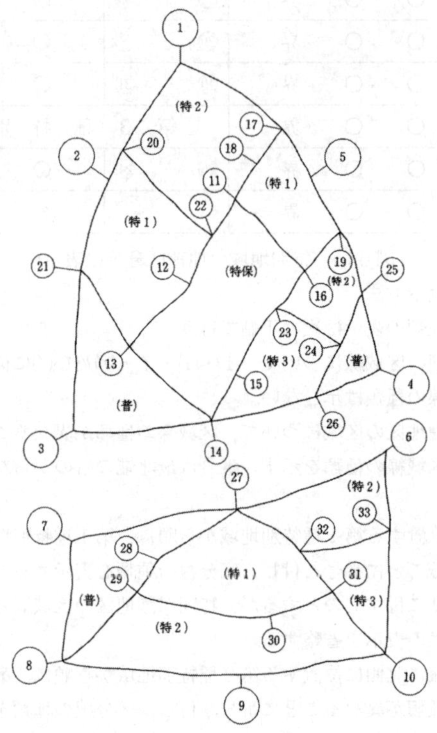

凡例			
特別保護地区		㉘ ― ㉙	○　○　界
⑪ ― ⑫	○　○　界	㉙ ― ㉚	○　○　界
⑫ ― ⑬	○　○　界	㉚ ― ㉛	○　○　界
⑬ ― ⑭	○　○　界	㉛ ― ㉜	○　○　界
⑭ ― ⑮	○　○　界	㉜ ― ㉗	○　○　界
⑮ ― ⑯	○　○　界	第２種特別地域	
⑯ ― ⑪	○　○　界	㉓ ― ㉔	○　○　界
第１種特別地域		㉔ ― ㉕	○　○　界
⑰ ― ⑱	○　○　界	㉜ ― ㉝	○　○　界
⑱ ― ⑪	○　○　界	㉙ ― ⑧	○　○　界
⑯ ― ⑲	○　○　界	⑩ ― ㉛	○　○　界
㉑ ― ⑬	○　○　界	第３種特別地域	
㉒ ― ⑳	○　○　界	㉖ ― ㉔	○　○　界
㉗ ― ㉘	○　○　界		

（図６）　特別地域の地種区分等の表示例

(イ)　区域線の表示方法

区域線の種類の表示は次の手順で行う。

A　国立公園の区域線について、１・(1)・イ・(ア)及び(イ)に従い番号を付す。ただし、区域線の種類は示さない。

B　特別保護地区の区域について、区域線の種類が異なるごとに番号を付し、例にならい区域線の種類を示す。番号は最北端のものから左回りに付すものとする。

C　北側に位置する第１種特別地域から順に、第１種特別地域に係る区分線の種類が異なるごとに番号を付し、区分線の種類を表示する。番号は最北端のものから左回りに付すものとするが、特別保護地区の区域線と重複する部分は番号及び区分線の表示を省略する。

D　Cと同様に北側に位置する第２種特別地域から順に、第２種特別地域に係る区分線の種類が異なるごとに番号を付し、区分線の種類を表示する。番号は最北端のものから左回りに付すものとするが、特別保護地区の区域線又は第１種特別地域に係る区分線と重複する部分は、番号及び区分線の表示を省略する。

E　Dと同様に北側に位置する第３種特別地域から順に、第３種特別地域に係る区分線について同様の方法で表示する。この場合、特別保護地区の区域線又は第１種特別地域若しくは第２種特別地域に係る区分線と重複する部分は、番号及び区分線の表示を省略する。

F　同一の保護規制計画図内で、特別地域が複数の地域にわかれる場合には、次の手順による。

a　内陸部における場合には、北側に位置する地域から、海岸部における場合には両端に位置する地域を比較してより北側に位置する地域の側から海岸線に沿って順次作業を行う。内陸部と海岸部にまたがる場合には、当該公園の特性に応じていずれかを優先する。

b　ａにより、１番目とされた地域について、ＢからＥまでの考え方に従い番号を付す。この場合、当該地域内に特別保護地区がない場合は、第１種特別地域から、第１種特別地域がない場合は、第２種特別地域から番号を付す。

c　次に２番目とされた地域について同様に番号を付す。番号は１番目との通し番号とする。

d　同様に最後の地域まで番号を付す。

e　（図６）の凡例にならい、特別保護地区を、ｂからｄまでの手順にかかわらず、最北端の番号　から左回りにそれぞれまとめて掲げ、第１種、第２種及び第３種特別地域ごとに、ｂからｄまでの手順に従って掲げる。

区域線及び区分線は幅0.5㎜の実線とし、番号を記入する円は、国立公園の区域線は直径10㎜、特別保護地区の区域線及び特別地域の地種区分線は直径８㎜とする。表示線は幅0.3㎜の実線、長さ１～３㎝を基本とする。

(ウ)　地域地区の区分の表示方法

地域地区の区分の表示は次による。

（表１）

地域地区	表示方法
特別保護地区	区域線の内側幅２㎜に淡橙色（５ＹＲ８／６）を帯状に彩色する。
第１種特別地域	区域線の内側幅２㎜に淡紫色（５Ｐ８／４）を帯状に彩色する。
第２種特別地域	区域線の内側幅２㎜に桃色（５Ｒ８／６）を帯状に彩色する。
第３種特別地域	区域線の内側幅２㎜に淡緑色（2.5Ｇ８／６）を帯状に彩色する。
地種区分のない特別地域	区域線の内側幅２㎜に桃色（５Ｒ８／６）を帯状に彩色する。

イ　特別地域に係る保護規制計画変更図

(ア)　区域線の選定
　２・(1)・ア・(ア)による。
(イ)　区域線の表示方法
　２・(1)・ア・(イ)による。
(ウ)　地域地区の表示方法
　変更に係る部分については（表２）のとおりとし、変更に係らない部分については、２・(1)・ア・(ウ)による。なお、表示例は（図７）のとおりである。

Ａ　変更に係る地域地区の移行関係の表示は、「○→○」の円内に表２の記号を記入する。公園区域の拡張による新しく区分されたものについては、㊀外→○とする。公園区域の削除に伴い特別地域も削除されるものは、○→㊀外とする。

Ｂ　【○】は、「国立公園の指定書、公園計画書並びに公園区域及び公園計画変更書作成要領」の様式第３「公園区域及び公園計画変更書」の（表７：特別保護地区変更表）及び（表８：第○種特別地域変更表）の「番号」欄に対応する番号を記載する。

（表２）

変更後の地域地区	記号	表示方法	
特別保護地区	㊇保	○ 【○】→ ㊇保	彩色方法は（表１）による。幅0.3㎜の実線、間隔３㎜のハッチとする。
第１種特別地域	①特	○ 【○】→ ①特	〃
第２種特別地域	②特	○ 【○】→ ②特	〃
第３種特別地域	③特	○ 【○】→ ③特	〃
普通地域	㊇普	○ 【○】→ ㊇普	〃

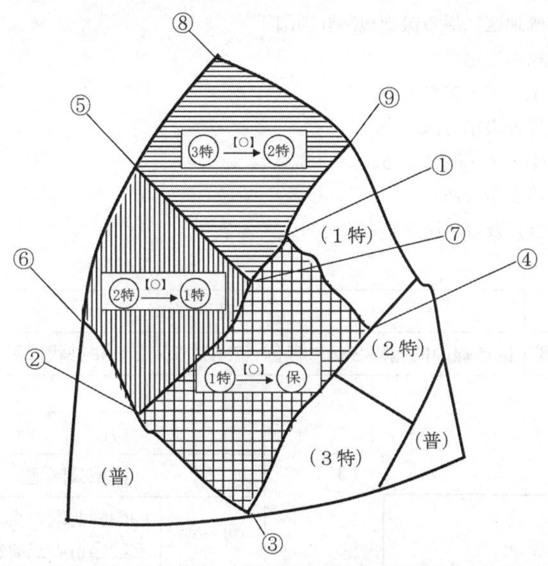

凡	例	
【 ○ 】		
① — ②	○ ○	界
② — ③	○ ○	界
③ — ④	○ ○	界
④ — ①	○ ○	界
【 ○ 】		
⑤ — ⑥	○ ○	界
⑥ — ②	○ ○	界
② — ⑦	○ ○	界
⑦ — ⑤	○ ○	界
【 ○ 】		
⑤ — ⑥	○ ○	界
⑥ — ②	○ ○	界
② — ⑦	○ ○	界
⑦ — ⑤	○ ○	界

変更に係る区域の凡例	
（格子模様）	特別保護地区
（縦線模様）	第１種特別地域
（横線模様）	第２種特別地域
変更に係らない区域の凡例	
	第１種特別地域
	第２種特別地域
	第３種特別地域
	普通地域

〔色彩方法は（表１）及び（表２）による。〕

（図７）　地域地区の表示方法の例

ウ　海域公園地区に係る保護規制計画図

(ア)　区域線の選定

２・(1)・ア・(ア)による。

(イ)　区域線の表示方法

２・(1)・ア・(イ)による。

(ウ)　地区の表示方法

（表３）及び（図８）による。

（表３）

地域地区	表示方法
海域公園地区	区域線の内側幅２㎜に青色（7.5B６／８）に帯状に彩色する。

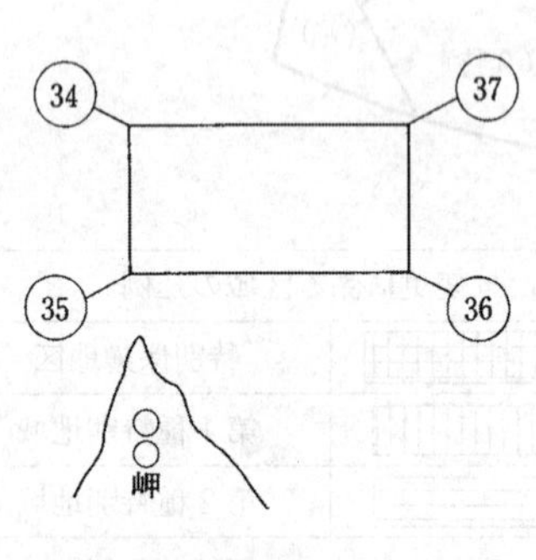

凡　例	
海域公園地区	
㉞―㉟	○○岬北端の真北○○ｍの点と○○ｍの点を結ぶ直線界
㉟―㊱	㉟と北緯○度○分○秒東経○度○分○秒を結ぶ直線界
㊱―㊲	㊱と北緯○度○分○秒東経○度○分○秒を結ぶ直線界
㊲―㉞	㊲と㉞を結ぶ直線界

（測地系は○○による）

（図８）　海域公園地区の表示方法の例

エ　海域公園地区に係る保護規制変更計画図

(ア)　区域線の選定

２・(1)・ア・(ア)による。

(イ)　区域線の表示方法

２・(1)・ア・(イ)による。

(ウ)　地区の表示方法

地区の表示は（表４）及び（図９）による。

Ａ　変更に係る地域地区の移行関係の表示は、「○→○」の円内に表４の記号を記入する。公園区域の拡張による新しく区分されたものについては、外→○とする。

Ｂ　海域公園地区から普通地域への変更については、（表２）の普通地域による。

C　【○】は、「国立公園の指定書、公園計画書並びに公園区域及び公園計画変更書作成要領」の様式第３「公園区域及び公園計画変更書」の（表９：海域公園地区追加表）又は（表10：海域公園地区変更表）の「番号」欄に対応する番号を記載する。

（表４）

変更後の地域地区	記号	表示方法	
海域公園地区	海公	普【○】→海公	彩色方法は（表３）による。幅0.3mmの実線とする。

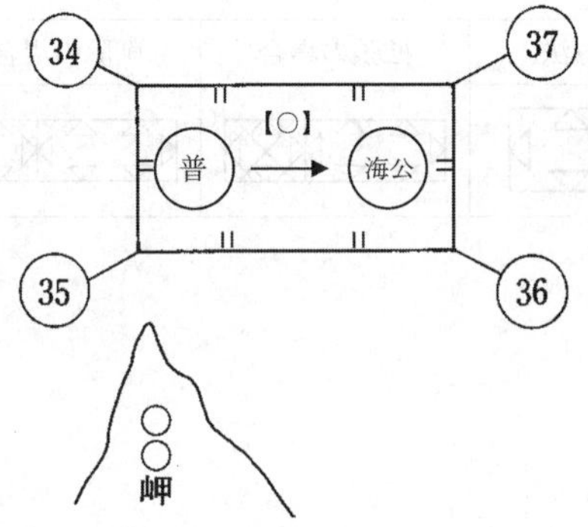

凡　例	
【　○　】	
㉞　—　㉟	○　○　界
㉟　—　㊱	○　○　界
㊱　—　㊲	○　○　界
㊲　—　㉞	○　○　界

変更に係る区域の凡例	
（図）	海域公園地区
変更に係らない区域の凡例	
（図）	普通地域

〔色彩方法は（表３）及び（表４）による。〕

（図９）　海域公園地区の変更に係る表示例

オ　利用調整地区区域図及び同変更図

(ア)　利用調整地区区域図

利用調整地区区域図の表示は（表５）のとおりとする。区域線は、北側に位置する利用調整地区区域から順に、利用調整地区区域に係る区分線の種類が異なるごとにA、B、C・・・の順に記号を付し、区分線の種類を（図10）の例にならい、表示する。記号は最北端のものから左回りに付すものとするが、特別保護地区若しくは特別地域の区域線又は地種区分線と重複する部分は記号及び区分線の凡例表示を省略する。

(イ)　利用調整地区区域変更図

利用調整地区区域の拡張、削除又は追加する部分の表示は（表５）のとおりとする。区域線は、区分線の種類が異なるごとに、（図11）の例にならい、表示する。北側に位置する利用調整地区区域から順に、利用調整地区に係る区分線の種類が異なるごとにA、B、C・・・の順に最北端のものから左回りに記号を付す。

（表５）

区域名	表示方法	拡張の場合	削除の場合	追加の場合
利用調整地区区域				

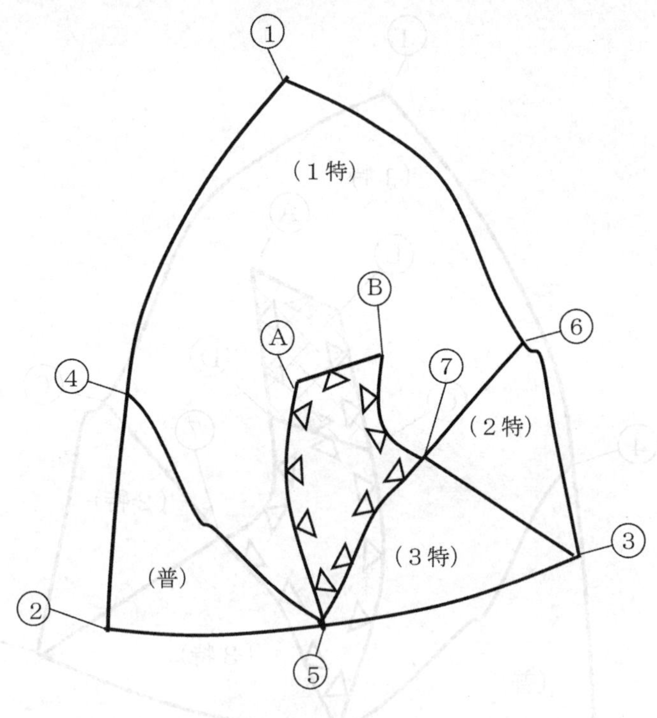

区 域 線 表 示 例

凡 例	
Ⓐ ― ⑤	○ ○ 界
⑤ ― ⑦	○ ○ 界
⑦ ― Ⓑ	○ ○ 界
Ⓑ ― Ⓐ	○ ○ 界

(図10) 利用調整地区区域図の例

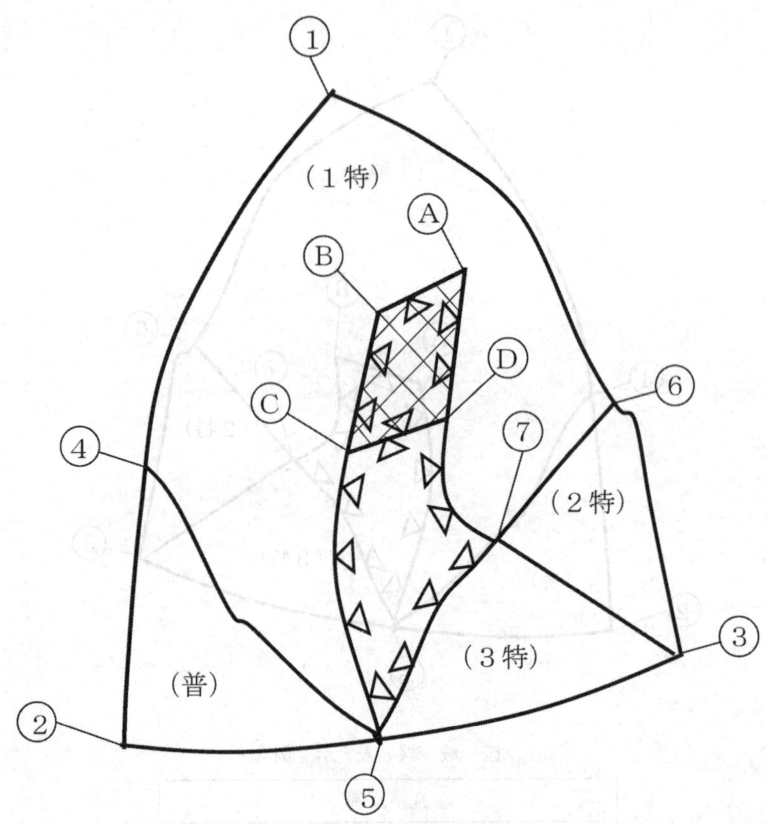

区 域 線 表 示 例

凡　例	
【○】	
Ⓐ－Ⓑ	○ ○ 界
Ⓑ－Ⓒ	○ ○ 界
Ⓒ－Ⓓ	○ ○ 界
Ⓓ－Ⓐ	○ ○ 界

(図11)　利用調整地区区域変更図の例

(2) 保護規制計画関連事項図

保護規制計画の関連事項に係る規制区域図及び変更図は、原則として縮尺２万5000分の１の地形図を用いて作成する。なお、これらの地形図上では表示が不明確とならざるを得ない部分については、適当な縮尺の地形図等による副図を作成する。また、保護規制計画の関連事項に係る規制区域図及び変更図の記載範囲を明示した縮尺20万分の１程度の保護規制計画関連事項位置図及び保護規制計画関連事項変更図位置図を作成する。

ア 木竹損傷規制区域図及び同変更図

(ア) 木竹損傷規制区域図

木竹損傷規制区域の表示は（表６）による。区域線は、北側に位置する木竹損傷規制区域から順に、木竹損傷規制区域に係る区分線の種類が異なるごとにA、B、C・・・の順に記号を付し、区分線の種類を（図10）の例にならい、表示する（なお、同一図面内に複数の保護規制計画関連事項を示す際は、事項ごとにａ、ｂ、ｃ・・・、AA、AB、AC・・・、BA、BB、BC・・・又はCA、CB、CC・・・といった異なる組み合わせの記号を適宜付す。以下同じ。）。記号は最北端のものから左回りに付すものとするが、特別保護地区若しくは特別地域の区域線又は地種区分線と重複する部分は記号及び区分線の凡例表示を省略する。

(イ) 木竹損傷規制区域変更図

木竹損傷規制区域の拡張、削除又は追加する部分の表示は（表６）による。区域線は、区分線の種類が異なるごとに、（図11）の例にならい、表示する。北側に位置する木竹損傷規制区域から順に、木竹損傷規制区域に係る区分線の種類が異なるごとにA、B、C・・・の順に最北端のものから左回りに記号を付す。

イ 汚水又は廃水の排出規制区域図及び同変更図

(ア) 汚水又は廃水の排出規制区域図

汚水又は廃水の排出規制区域の表示は（表７）による。

(イ) 汚水又は廃水の排出規制区域変更図

汚水又は廃水の排出規制区域の削除の表示は（表７）により、削除しようとする区域を示した上で、図に削除と明記する。また、同区域の追加の表示は（表７）による。

ウ 植栽等規制区域図及び同変更図

(ア) 植栽等規制区域図

植栽等規制区域の表示は（表６）による。区域線は、北側に位置する植栽等規制区域から順に、植栽等規制区域に係る区分線の種類が異なるごとにA、B、C・・・の順に記号を付し、区分線の種類を（図10）の例にならい、表示する。

記号は最北端のものから左回りに付すものとするが、特別保護地区若しくは特別地域の区域線又は地種区分線と重複する部分は記号及び区分線の凡例表示を省略する。

(イ)　植栽等規制区域変更図

植栽等規制区域の拡張、削除又は追加する部分の表示は（表６）による。区域線は、区分線の種類が異なるごとに、（図11）の例にならい、表示する。北側に位置する植栽等規制区域から順に、植栽等規制区域に係る区分線の種類が異なるごとにA、B、C・・・の順に最北端のものから左回りに記号を付す。

エ　放出規制区域図及び同変更図

(ア)　放出規制区域図

放出規制区域の表示は（表６）による。区域線は、北側に位置する放出規制区域から順に、放出規制区域に係る区分線の種類が異なるごとにA、B、C・・・の順に記号を付し、区分線の種類を（図10）の例にならい、表示する。記号は最北端のものから左回りに付すものとするが、特別保護地区若しくは特別地域の区域線又は地種区分線と重複する部分は記号及び区分線の凡例表示を省略する。

(イ)　放出規制区域変更図

放出規制区域の拡張、削除又は追加する部分の表示は（表６）による。区域線は、区分線の種類が異なるごとに、（図11）の例にならい、表示する。北側に位置する放出規制区域から順に、放出規制区域に係る区分線の種類が異なるごとにA、B、C・・・の順に最北端のものから左回りに記号を付す。

オ　立入規制区域図及び同変更図

(ア)　立入規制区域図

立入規制区域の表示は（表６）による。区域線は、北側に位置する立入規制区域から順に、立入規制区域に係る区分線の種類が異なるごとにA、B、C・・・の順に記号を付し、区分線の種類を（図10）の例にならい、表示する。記号は最北端のものから左回りに付すものとするが、特別保護地区若しくは特別地域の区域線又は地種区分線と重複する部分は記号及び区分線の凡例表示を省略する。

(イ)　立入規制区域変更図

立入規制区域の拡張、削除又は追加する部分の表示は（表６）による。区域線は、区分線の種類が異なるごとに、（図11）の例にならい、表示する。北側に位置する立入規制区域から順に、立入規制区域に係る区分線の種類が異なるごとにA、B、C・・・の順に最北端のものから左回りに記号を付す。

カ　乗入れ規制区域図及び同変更図

(ア)　乗入れ規制区域図

乗入れ規制区域の表示は（表６）による。区域線は、北側に位置する乗入れ規制区域から順に、乗入れ規制区域に係る区分線の種類が異なるごとにA、B、C・・・の順に記号を付し、区分線の種類を（図10）の例にならい、表示する。記号は最北端のものから左回りに付すものとするが、特別保護地区若しくは特別地域の区域線又は地種区分線と重複する部分は記号及び区分線の凡例表示を省略する。

(イ) 乗入れ規制区域変更図

乗入れ規制区域の拡張、削除又は追加する部分の表示は（表６）による。区域線は、区分線の種類が異なるごとに、（図11）の例にならい、表示する。北側に位置する乗入れ規制区域から順に、乗入れ規制区域に係る区分線の種類が異なるごとにA、B、C・・・の順に最北端のものから左回りに記号を付す。

キ　車馬使用規制道路指定図及び同変更図

(ア) 車馬使用規制道路指定図

車馬使用規制道路を路線で指定する場合は、縮尺２万5000分の１の地形図に、車馬使用規制道路の路線を（表８）の記号により表示する。あわせて公園区域を表示し、区域線に沿って外側幅５㎜に淡黒色（Ｎ８）を帯状に付す。

車馬使用規制道路を特別保護地区等のある区域内に含まれる全ての道路について指定する場合の表示は（表６）による。区域線は、北側に位置する規制区域から順に、規制区域に係る区分線の種類が異なるごとにA、B、C・・・の順に記号を付し、区分線の種類を（図10）の例にならい、表示する。記号は最北端のものから左回りに付すものとするが、特別保護地区若しくは特別地域の区域線又は地種区分線と重複する部分は記号及び区分線の凡例表示を省略する。

(イ) 車馬使用規制道路指定変更図

路線で指定した車馬使用規制道路の追加、削除又は変更は、縮尺２万5000分の１の地形図に、追加、削除又は変更に係る車馬使用規制道路の位置を（表８）の記号により表示する。また、（表11）の例にならい、指定路線ごとに追加、削除又は変更の別及びその名称を記載するとともに、追加、削除及び変更に係る路線を記載する。あわせて公園区域を表示し、区域線に沿って外側幅５㎜に淡黒色（Ｎ８）を帯状に付す。

車馬使用規制道路を特別保護地区等のある区域内に含まれる全ての道路について指定している場合、その区域の拡張、削除又は追加する部分の表示は（表６）による。区域線は、区分線の種類が異なるごとに、（図11）の例にならい、表示する。北側に位置する規制区域から順に、規制区域に係る区分線の種類が異なるごとにA、B、C・・・の順に最北端のものから左回りに記号を付す。

ク　捕獲等規制区域図及び同変更図

(ア) 捕獲等規制区域図

捕獲等規制区域の表示は（表６）による。区域線は、北側に位置する捕獲等規制区域から順に、捕獲等規制区域に係る区分線の種類が異なるごとにA、B、C・・・の順に記号を付し、区分線の種類を（図10）の例にならい、表示する。記号は最北端のものから左回りに付すものとするが、特別保護地区若しくは特別地域の区域線又は地種区分線と重複する部分は記号及び区分線の凡例表示を省略する。

(イ)　捕獲等規制区域変更図

捕獲等規制区域の拡張、削除又は追加する部分の表示は（表６）による。区域線は、区分線の種類が異なるごとに、（図11）の例にならい、表示する。北側に位置する捕獲等規制区域から順に、捕獲等規制区域に係る区分線の種類が異なるごとにA、B、C・・・の順に最北端のものから左回りに記号を付す。

ケ　動力船使用規制区域図及び同変更図

(ア)　動力船使用規制区域図

動力船使用規制区域の表示は（表６）による。区域線は、北側に位置する動力船使用規制区域から順に、動力船使用規制区域に係る区分線の種類が異なるごとにA、B、C・・・の順に記号を付し、区分線の種類を（図10）の例にならい、表示する。記号は最北端のものから左回りに付すものとするが、特別保護地区若しくは特別地域の区域線又は地種区分線と重複する部分は記号及び区分線の凡例表示を省略する。

(イ)　動力船使用規制区域変更図

動力船使用規制区域の拡張、削除又は追加する部分の表示は（表６）による。区域線は、区分線の種類が異なるごとに、（図11）の例にならい、表示する。北側に位置する動力船使用規制区域から順に、動力船使用規制区域に係る区分線の種類が異なるごとにA、B、C・・・の順に最北端のものから左回りに記号を付す。

（表６）

区域名		表示方法	拡張の場合	削除の場合	追加の場合
木竹損傷規制区域					
植栽等規制区域					
放出規制区域					
立入規制区域					
乗入れ規制区域					
車馬使用規制道路	特別保護地区内の全ての道路について指定する場合				
	乗入れ規制区域内の全ての道路について指定する場合				
捕獲等規制区域					
動力船使用規制区域					

（表７）

区域名	表示方法	
汚水又は廃水の排出規制区域	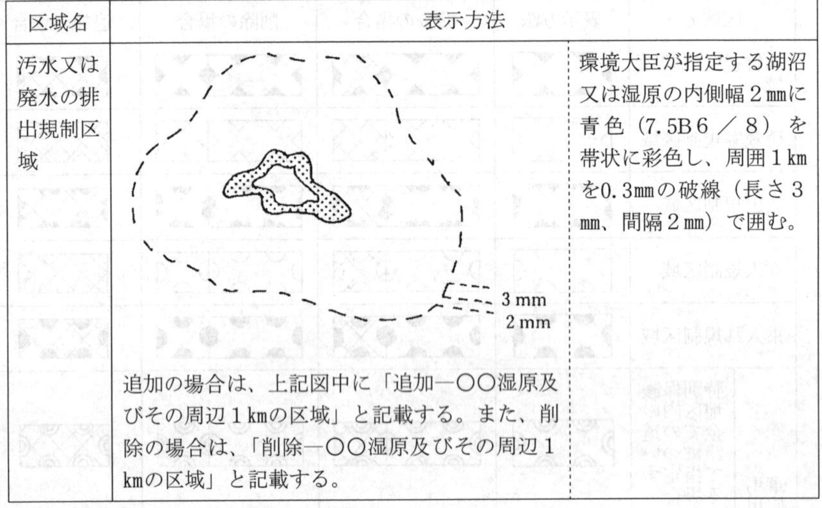 追加の場合は、上記図中に「追加－○○湿原及びその周辺１㎞の区域」と記載する。また、削除の場合は、「削除－○○湿原及びその周辺１㎞の区域」と記載する。	環境大臣が指定する湖沼又は湿原の内側幅２㎜に青色（7.5B６／８）を帯状に彩色し、周囲１㎞を0.3㎜の破線（長さ３㎜、間隔２㎜）で囲む。

（表８）

施設の種類	記　　号	彩色方法
車馬使用規制道路	3mm　3mm　6mm　3mm　幅１㎜	計画道路の場合直線部分：緑色（10ＧＹ６／10）突出部分：黒色計画道路以外の場合：黒色

留意事項

1　円は幅0.3㎜の線で描くものとし、円の大きさ及び位置は記号欄のとおりとする。ただし、円の位置については周回線又は短区間の場合は中間に１ヶ所置く。

2　計画道路の場合は、公園計画書の道路（歩道）表に掲げる番号を入れる。計画道路以外の場合は、道路（歩道）表に掲げるアルファベットを入れる。

3　起点及び終点の箇所を明示する。

⑶　施設計画図及び同変更図

ア　保護施設計画図及び同変更図

㋐　保護施設計画図

縮尺２万5000分の１の地形図に、保護施設計画の位置を（表９）の記号により表示する。あわせて公園区域を表示し、区域線に沿って外側幅５㎜に淡黒色（N８）を帯状に付す。

（表９）

施設の種類	記　号
植生復元施設	
動物繁殖施設	
砂 防 施 設	
防 火 施 設	
自然再生施設	
留意事項 1　記号は直径８㎜とする。 2　のように記号内の上部に、公園計画書の保護施設表に掲げる番号を入れる。 3　色は緑色（10ＧＹ６／10）とする。	

㋑　保護施設計画変更図

縮尺２万5000分の１の地形図に、追加又は削除に係る保護施設計画の位置を（表９）の記号により表示する。また、保護施設計画ごとに追加又は削除の別及びその名称を（図12）の例にならい、記載する。あわせて公園区域を表示し、区域線に沿って外側幅５㎜に淡黒色（Ｎ８）を帯状に付す。

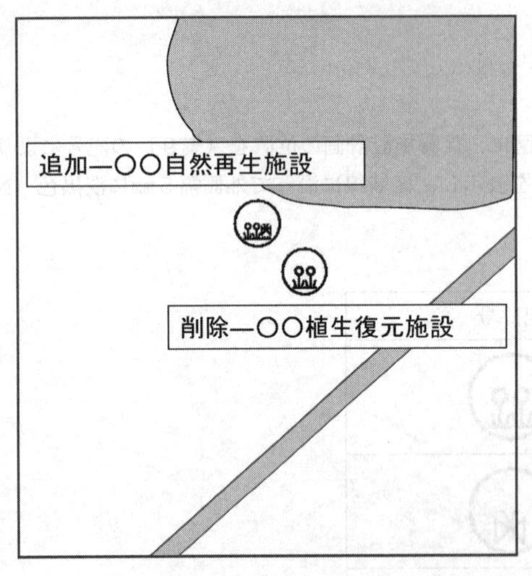

凡　例	
植生復元施設	
自然再生施設	

（図12）保護施設計画図の例

イ　利用施設計画図及び同変更図

㈠　利用施設計画図

縮尺２万5000分の１の地形図に、利用施設計画の位置又は路線を（表10）の記号により表示する。あわせて公園区域を表示し、区域線に沿って外側幅５㎜に淡黒色（Ｎ８）を帯状に付す。

（表10）

A．集団施設地区

施設の種類	記　号
集団施設地区	◎

留意事項

1　記号は内円直径６㎜、外円直径10㎜とする。

2　⑩のように記号内に公園計画の集団施設地区表に掲げる番号を入れる。

3　色は朱色（10Ｒ５／14）（内円直径６㎜、外円直径10㎜）とする。

B．単独施設

施設の種類	記号	施設の種類	記号	施設の種類	記号
広　　　場		スキー場		公衆便所	
園　　　地		スケート場		汚物処理施設	
宿　　　舎		乗馬施設		博　物　館	
避難小屋		車　　　庫		植　物　園	
休　憩　所		駐　車　場		動　物　園	
展望施設		燃料等供給施設		水　族　館	
案　内　所		昇　降　機		博物展示施設	
野　営　場		給水施設		野外劇場	
運　動　場		排水施設		ゴルフ場（継続の場合に限る）	
水　泳　場		医療救急施設			
遊　舟　場		公衆浴場			

留意事項

1　記号は直径８㎜とする。

2　　のように記号内の上部に、公園計画書の単独施設表に掲げる番号を入れる。

3　色は朱色（10R５／14）とする。

C．道路等

施設の種類	記　　号	彩色方法
車　　道	10mm　10mm　6mm　幅１㎜	朱色（10R５／14）
自転車道	5mm　5mm　6mm　幅１㎜	茶色（５ＹＲ５／10）
歩　　道	8mm　8mm　6mm　幅１㎜	緑色（10ＧＹ６／10）
橋	10　8㎜	朱色（10R５／14）

留意事項

1　円は幅0.3㎜の線で描くものとし、円の大きさ及び位置は記号欄のとおりとする。ただし、円の位置については周回線又は短区間の場合は中間に１ヶ所置く。

2　車道、自転車道及び歩道の円には、それぞれ、公園計画書の道路（車道）表、道路（自転車道）表、道路（歩道）表に掲げる番号を入れる。橋については、「B．単独施設」に準ずる。

3　車道、自転車道及び歩道については、起点及び終点の箇所を明示する。

D．運輸施設

施設の種類	記　　　号		彩色方法
自動車運送施設	5mm 5mm 10 6mm 5mm 10 5mm	幅１㎜	朱色（10R５／14）
〃 （専用車庫等単独施設に類似するもの）	10 8mm		朱色（10R５／14）
船舶運送施設	5mm 6mm 5mm	幅１㎜	青色（7.5B６／８）
水上飛行機	5mm 5mm 6mm 5mm 5mm	幅１㎜	青色（7.5B６／８）
鉄　　　道	2mm 5 6mm 2mm 2mm	幅0.8㎜	朱色（10R５／14）
索　　　道	2mm 5 6mm 2mm	幅0.8㎜	朱色（10R５／14）
一般自動車道		幅0.8㎜	朱色（10R５／14）
係　留　施　設	10 8mm		朱色（10R５／14）

留意事項

1　円は幅0.3㎜の線で描くものとし、円の大きさ及び位置は記号欄のとおりとする。ただし、円の位置については周回線又は短区間の場合は中間に１か所置く。

2　自動車運送施設、船舶運送施設、水上飛行機、鉄道、索道及び一般自動車道の円には、それぞれ、公園計画書の運輸施設表に掲げる番号を入れる。ただし、自動車運送施設のうち専用車庫等単独施設に類似するもの及び係留施設については、「Ｂ．単独施設」に準ずる。
３　自動車運送施設、船舶運送施設、水上飛行機、鉄道、索道及び一般自動車道については、起点及び終点の箇所を明示する。

(イ)　利用施設計画変更図

Ａ　集団施設地区及び単独施設（道路等及び運輸施設のうち単独施設に類似するものを含む。）

縮尺２万5000分の１の地形図に、追加又は削除に係る利用施設計画の位置を（表10）の記号により表示する。また、利用施設計画ごとに追加又は削除の別及びその名称を（図12）の例にならい、記載する。あわせて公園区域を表示し、区域線に沿って外側幅５㎜に淡黒色（Ｎ８）を帯状に付す。

Ｂ　道路等及び運輸施設（単独施設に類似するものを除く。）

縮尺２万5000分の１の地形図に、追加、削除又は変更に係る利用施設計画の位置を（表10）の記号により表示する。また、（表11）の例にならい、利用施設計画ごとに追加、削除又は変更の別及びその名称を記載するとともに、追加、削除及び変更に係る路線を記載する。あわせて公園区域を表示し、区域線に沿って外側幅５㎜に淡黒色（Ｎ８）を帯状に付す。

（表11）

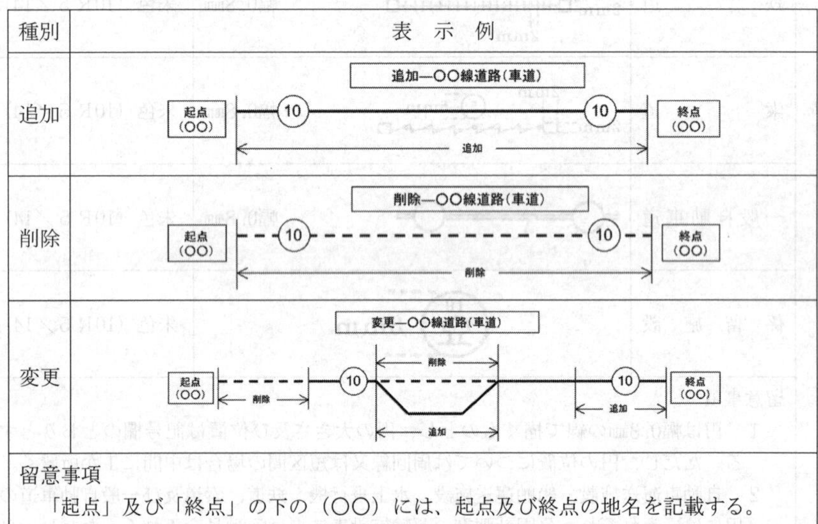

種別	表示例
追加	追加―○○線道路（車道） 起点（○○）　10　10　終点（○○） 追加
削除	削除―○○線道路（車道） 起点（○○）　10　10　終点（○○） 削除
変更	変更―○○線道路（車道） 起点（○○）　削除　10　削除　追加　10　追加　終点（○○）

留意事項

「起点」及び「終点」の下の（○○）には、起点及び終点の地名を記載する。

(ウ)　集団施設地区計画図

Ａ　面積に応じ、地割を表示するのに適当な縮尺の地形図を用いて作成する。原図には、告示年月日・番号を記載する。

B　集団施設地区の区域線及び地割線の選定については、1・(1)の「区域線の選定」に準ずるものとし、表示方法については次による。ただし、地割線については、適当な線を選定することが困難な場合は、図上で確定することも止むを得ない。

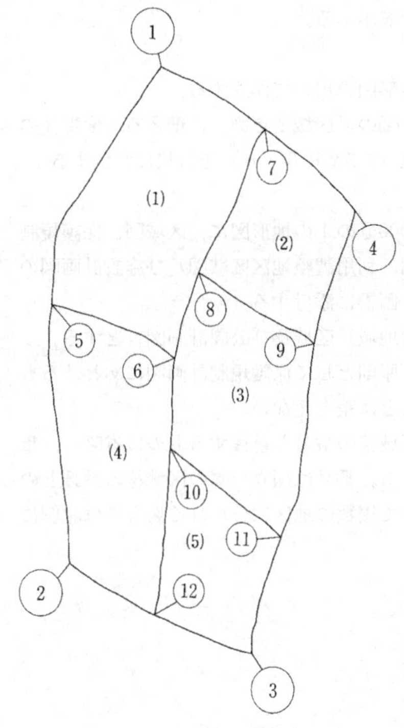

区域線及び地割線表示例

区域	
①－②	○○界
②－③	○○界
③－④	○○界
④－①	○○界
地割	
⑤－⑥	○○界
⑥－⑦	○○界
⑦－⑧	○○界
⑧－⑨	○○界
⑥－⑩	○○界
⑩－⑪	○○界
⑫－⑩	○○界

(図13)　集団施設地区の地割等の表示例

a　次の手順により番号を付し、(図13) の例にならい区域線及び地割線の種類を表示する。

(a)　集団施設地区の区域について、区域線の種類が異なるごとに番号を付す。番号は最北端のものから左回りに付す。

(b)　北側に位置する地割から順に、地割線の種類が異なるごとに番号を付す。番号の順序はAと同様とする。この場合、集団施設地区の区域線及び既に番号を付された地割線と重複する部分については、番号及び地割線の表示を省略する。

b　集団施設地区の区域線及び地割線は幅0.5㎜の実線とし、番号を記入する円は区域線については直径10㎜、地割線については、直径８㎜とする。表示線は幅0.3㎜の実線、長さ１～３㎝を基本とする。

c　既設の施設については施設の外周線又は路線を表示するものとするが、設置予定の施設については原則として表示しない。ただし、基盤施設については予定外周線又は予定路線を破線で表示する。

㈣　集団施設地区計画変更図

A　区域を表示するのに適当な縮尺の地形図を用いて作成する。

B　区域線の選定及び表示方法は、１・⑵の「区域変更図」に準ずる。変更後の区域線に沿って内側幅２㎜に淡かっ色（7.5ＹＲ６／６）を帯状に彩色する。

3　供覧用総括図

供覧用総括図は、原則として、縮尺２万5000分の１の地形図に、区域図、保護規制計画図、保護規制計画関連事項に係る区域図、利用調整地区区域図及び施設計画図の内容を網羅したものとする。本図は、公園計画書に添付する。

⑴　本図の表題は「〇〇〇〇国立公園（〇〇地域）区域及び公園計画図」とする。

⑵　特別地域の地種区分の表示については、原則として保護規制計画図にあわせるものとするが、供覧の便宜上整理しなおすことは差支えない。

⑶　区域線の番号については、国立公園の区域線の番号と重複するものは省略し、重複する部分は「国立公園界」として一括する。番号は国立公園の区域線の番号との通し番号とする。１つの特別地域内において複数の地区に分かれる場合には北側に位置するものを優先する。

⑷　凡例は次のとおりとする。

規制計画凡例	
	特別保護地区
	第１種特別地域 
	第２種特別地域 
	第３種特別地域
	海域公園地区 
	普通地域
	利用調整地区

事業計画凡例	
	集団施設地区
	○○
	○○
	車道
	歩道

（施設について、当該公園計画に係るもののみ、本要領に定める記号を、集団施設地区、単独施設、道路、運輸施設の順に彩色して掲げる。）

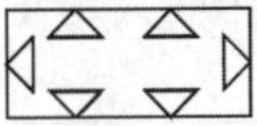

規制計画関連事項凡例			
	木竹損傷規制区域		車馬使用規制道路（特別保護地区内）
	汚水又は廃水の排出規制区域		車馬使用規制道路（乗入れ規制区域内）
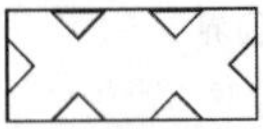	植栽等規制区域		車馬使用規制道路（計画道路）
	放出規制区域		車馬使用規制道路（計画道路以外）
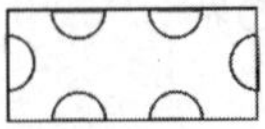	立入規制区域		捕獲等規制区域
	乗入れ規制区域	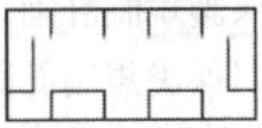	動力船使用規制区域

（縦８㎜横２㎝の長方形の内側幅２㎜に、それぞれ本要領に定める色彩を帯状に彩色する。木竹損傷規制区域等がある場合は、本要領に定める記号を彩色して掲げる。）

区　域　線　及　び　区　分　線　表　示　例

<table>
<tr><td rowspan="3">公園区域
○−○　○○界
○−○　○○界
⋮</td><td>海域公園地区
○−○　○○界
○−○　○○界
⋮</td><td>植栽等規制区域
○−○　○○界
○−○　○○界
⋮</td></tr>
<tr><td rowspan="2">利用調整地区
○−○　○○界
○−○　○○界
⋮</td><td>放出規制区域
○−○　○○界
○−○　○○界
⋮</td></tr>
<tr><td>立入規制区域
○−○　○○界
○−○　○○界
⋮</td></tr>
<tr><td>特別保護地区
○−○　○○界
○−○　○○界
⋮</td><td>木竹損傷規制区域
○−○　○○界
○−○　○○界
⋮</td><td>乗入れ規制区域
○−○　○○界
○−○　○○界
⋮</td></tr>
<tr><td rowspan="2">第○種特別地域
○−○　○○界
○−○　○○界
⋮</td><td rowspan="2">汚水又は廃水の
排出規制区域
○−○　○○界
○−○　○○界
⋮</td><td>捕獲等規制区域
○−○　○○界
○−○　○○界
⋮</td></tr>
<tr><td>動力船使用規制区域
○−○　○○界
○−○　○○界
⋮</td></tr>
</table>

〔本表は、区域図の表、保護規制計画図及び保護規制計画関連事項に係る区域図の表を合成して作成する（保護規制計画及び保護規制計画関連事項については、当該供覧用総括図の範囲に存在する事項のみを掲げる。）。可能な限り小さくまとめるものとし、区域線等の区間の表示は○$\underline{\quad}$各３㎜$\underline{\quad}$○程度としても差支えないものとする。〕

⑸　指定、区域の変更及び規制計画の変更に係る告示の年月日・番号を時系列的に次例のように掲げる。

昭和	年	月	日	厚生省告示第	号	指定
昭和	年	月	日	〃 告示第	号	区域の一部変更
昭和	年	月	日	環境省告示第	号	特別地域の指定
昭和	年	月	日	〃 告示第	号	特別保護地区の指定
昭和	年	月	日	〃 告示第	号	特別地域の地種区分の変更
昭和	年	月	日	〃 告示第	号	海中公園地区の指定
昭和	年	月	日	〃 告示第	号	区域及び公園計画再検討
平成	年	月	日	〃 告示第	号	生態系維持回復計画の追加 (○○国立公園全域)
				∫		
				第	号	

⑹ 供覧用総括図作成後において、内容に変更が生じた場合には、変更の都度部分修正を行う。

第３章　国定公園・都道府県立自然公園関係

○国定公園の指定及び公園計画の決定等について

〔令和４年４月１日　環自国発第2204017号
各都道府県知事宛　環境省自然環境局長通知〕

標記について、地方自治法（昭和22年法律第67号）第245条の４第１項の規定に基づく技術的な助言として、下記の事項を通知する。

記

1　国定公園の指定及び公園計画の決定等（再検討を含む。以下同じ。）に関する手順を別記１として示すので業務の参考とされたい。

なお、国定公園の区域の指定又は変更、公園計画の決定又は変更等と別記１に定める手順との関係については、別記１－２のとおりであるので業務の参考とされたい。

2　自然公園法（昭和32年法律第161号。以下「法」という。）第８条の２第３項に基づく協議会による公園計画の変更に係る提案については、当該提案の主体となる協議会では、提案の内容が法第８条第２項の規定に規定する都道府県知事から環境大臣に対して申出を行う必要がある公園計画の追加に該当するか否かについての判断ができるものではないことから、協議会は公園計画の追加以外の変更に係る事項も含めて都道府県知事に対して提案することとしていることに留意されたい。

なお、公園計画の変更の申出等の必要性に係る判断においては、「国立公園の公園計画等の見直し要領」（令和４年４月１日環自国発第2204016号環境省自然環境局長通知）を参考とされたい。

3　都道府県は、国定公園の指定、公園計画の決定等に係る業務を円滑に実施するため、環境省と連絡調整のうえ基本方針及び作業スケジュールを作成して作業を実施することが望ましいものである。

4　都道府県は、別記２に掲げる都道府県庁内関係部局及び別記３に掲げる国の関係地方行政機関と意見調整の上で都道府県案を作成することが望ましいものである。なお、国定公園の特別地域、特別保護地区、海域公園地区又は利用調整地区の指定又はその区域の拡張に当たっては、自然公園法第67条第２項に基づき別記３に掲げる関係行政機関の長と協議を行うものである。

5　都道府県は、国定公園の指定、公園計画の決定等について環境大臣への申出をするに当たっては、その内容について、自然環境保全法（昭和47年法律第85号）第51条第１項に規定する都道府県における自然環境の保全に関する審議会その他の合議制の機関に説明することが望ましいものである。

6　都道府県知事が、特別地域の指定、特別保護地区の指定、海域公園地区の指定、利用調整地区の指定及び集団施設地区の指定並びに公園事業の決定をした場合には、公示を行った公報及び関係図書一式を添えて速やかに当職あて送付願いたい。

（別記１）

国定公園の指定、公園計画の決定等に関する手順

1　国定公園の指定若しくはその区域の拡張又は公園計画の決定若しくは追加をするに当たり、都道府県の申出を必要とする場合

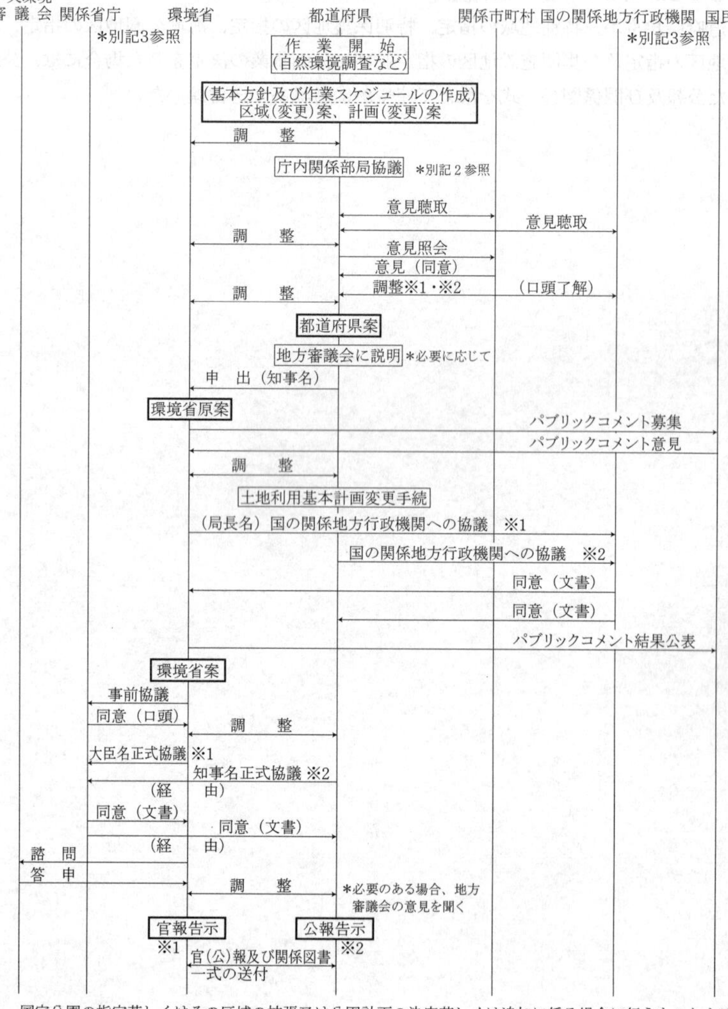

※１　国定公園の指定若しくはその区域の拡張又は公園計画の決定若しくは追加に係る場合に行うものとする。

※２　特別地域、特別保護地区、海域公園地区、利用調整地区及び集団施設地区の指定又はこれらの区域の変更に係る場合に行うものとする。

2　都道府県の申出を必要としない場合（ケース１）＝国定公園の区域の削除又は公園計画の削除をする場合

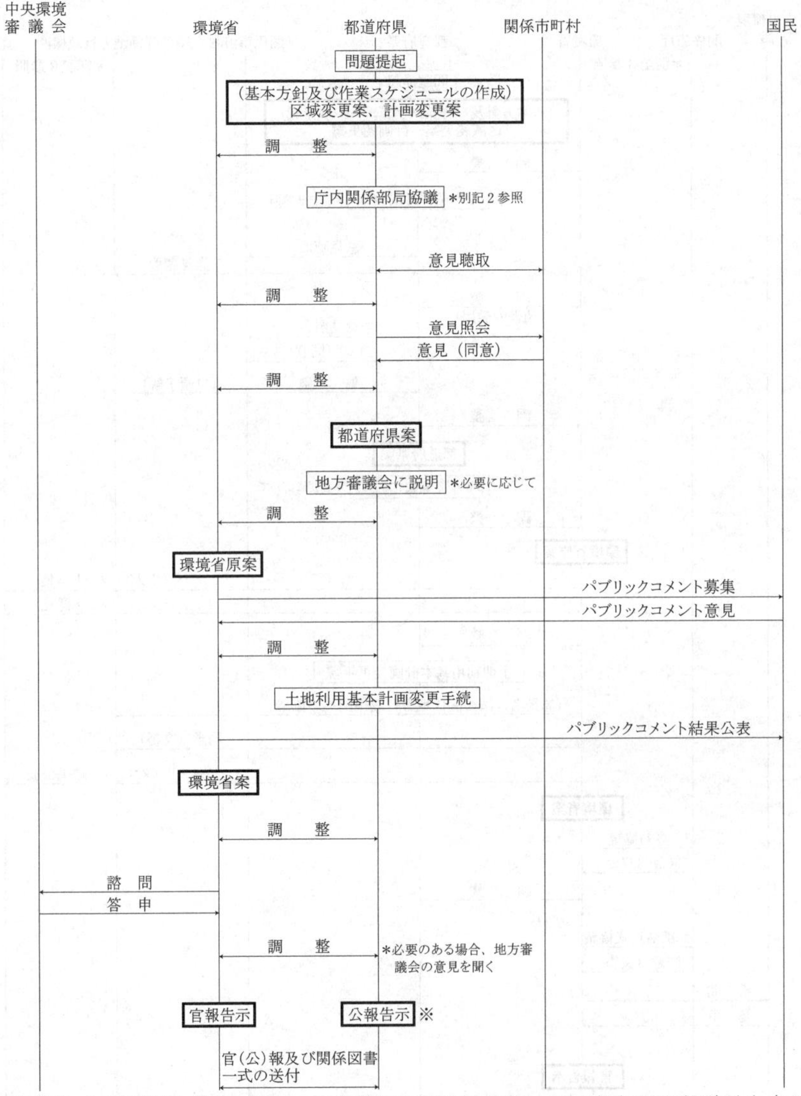

※特別地域、特別保護地区、海域公園地区、利用調整地区及び集団施設地区の指定の解除又は区域の変更（一部の消滅、区域の縮小に限る。）に係る場合に行うものとする。

３　都道府県の申出を必要としない場合（ケース２）＝国定公園の公園計画の変更をする場合

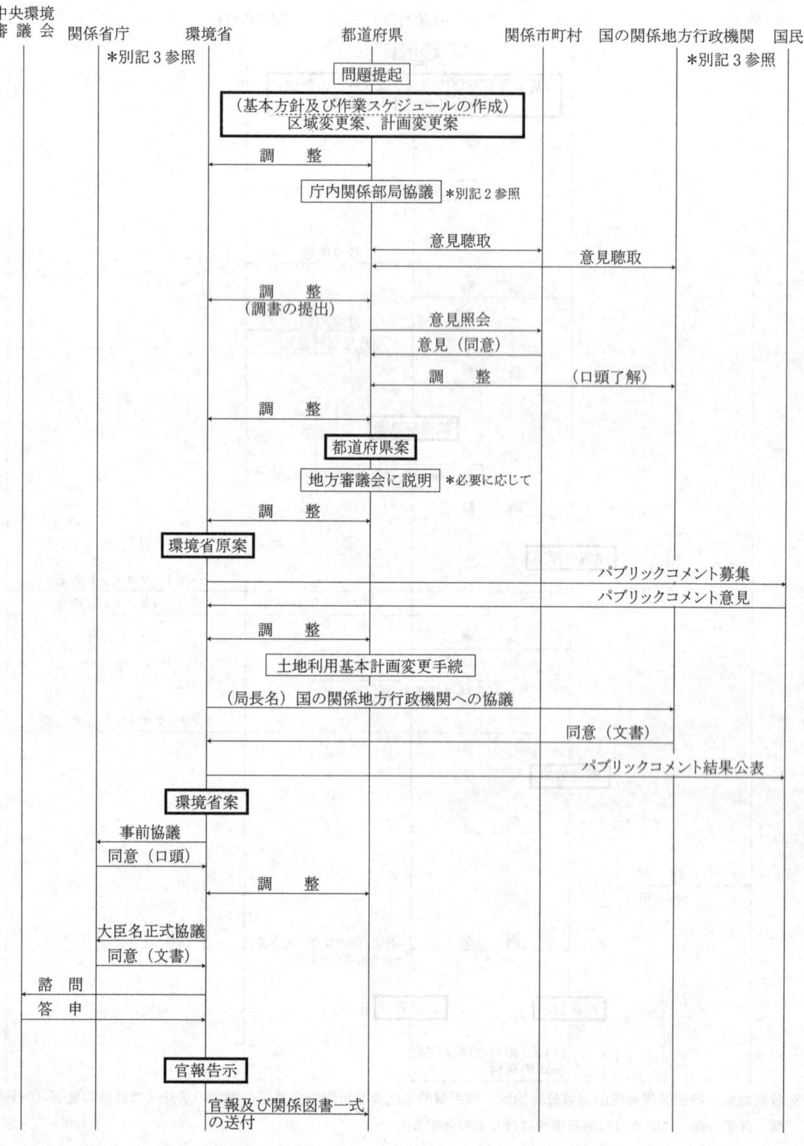

4　都道府県の申出を必要としない場合（ケース3）＝国定公園の区域の削除又は公園計画の変更（追加を除く。）をする場合

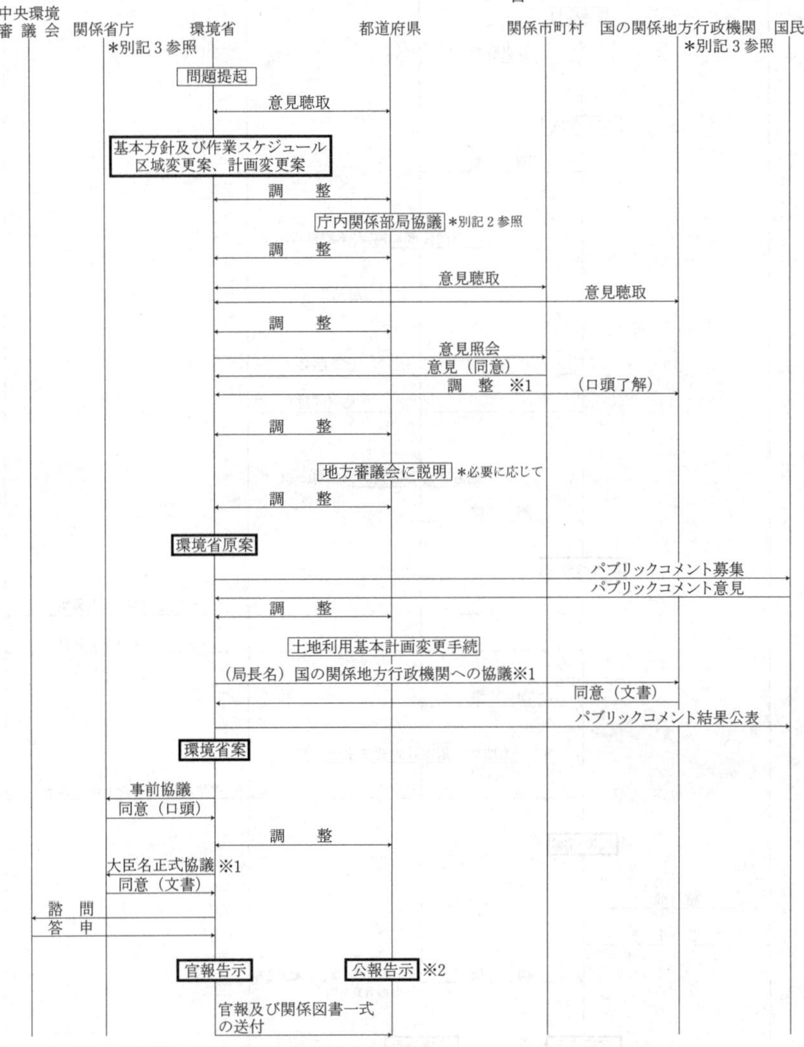

※1　国定公園の公園計画の変更に係る場合に行うものとする。

※2　特別地域、特別保護地区、海域公園地区、利用調整地区及び集団施設地区の指定の解除又は区域の変更に係る場合に行うものとする。

5　国定公園の指定の解除、又は公園計画の廃止をする場合

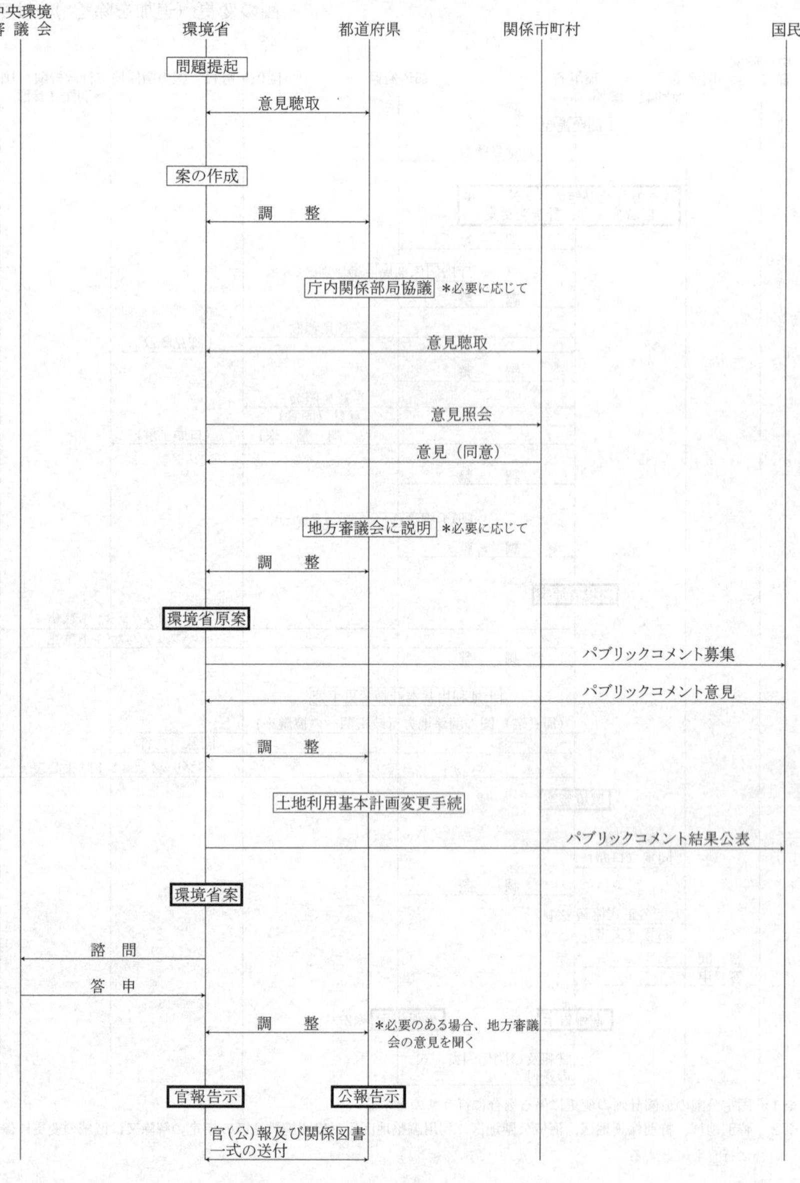

（別記1－2）

国定公園の区域の指定又は変更、公園計画の決定又は変更等の内容とそれぞれの手順

1　区域に関するもの

行　　為	内　　容	申出の必要性	手　　順
指　　定	新たに〇〇国定公園として区域を指定すること。	○	1
解　　除	指定の効力を全面的に消滅させること。		5
変更（拡張）	区域を拡げること。	○	1
変更（縮小）	区域の一部を削除すること。		2※1　4※2

2　公園計画に関するもの

行　　為	内　　容	申出の必要性	手　　順
決　　定	新規指定に伴い、新たに公園計画を定めること。 （例）(1)　基本方針の決定 (2)　特別地域の指定 (3)　特別保護地区の指定 (4)　海域公園地区の指定 (5)　利用調整地区の指定 (6)　集団施設地区の指定 (7)　保護・利用施設計画の決定	○	1
廃　　止	公園計画を全面的に消滅させること。		5
変更（追加）	既存の公園計画に新たに計画を加えること。 （例）(1)　特別地域の区域の拡張 (2)　特別保護地区の区域の拡張 (3)　海域公園地区の区域の拡張 (4)　利用調整地区の区域の追加・拡張 (5)　集団施設地区の区域の拡張 (6)　保護・利用施設計画の追加 (7)　生態系維持回復計画の追加 (8)　自然体験活動計画の追加	○	1
変更（削除）	既存の公園計画の一部を消滅させること。 （例）(1)　特別地域の区域の縮小 (2)　特別保護地区の区域の縮小 (3)　海域公園地区の区域の縮小		2※1　4※2

	⑷　利用調整地区の区域の縮小 ⑸　集団施設地区の区域の縮小 ⑹　保護・利用施設計画の削除		
変　　更	既存の公園計画の内容を変えるものであって、追加又は削除以外のもの。 （例）⑴　基本方針の変更 ⑵　特別地域の地種区分の変更 ⑶　道路の経過地の変更 ⑷　生態系維持回復計画の変更 ⑸　自然体験活動計画の変更		3※1　4※2

備考

⑴　「申出の必要性」の欄に〇印が付されている場合には、当該行為について環境大臣に申出をすること。

⑵　各行為ごとによるべき別記１の手順については、それぞれ「手順」の欄に記載されている番号に対応するものとすること。

⑶　都道府県の発議による場合は※１、環境省の発議による場合は※２の手順によること。

（別記２）

都道府県庁内関係部局一覧

1　林　　務　（民有林に係る場合）
2　農　　務　（農地に係る場合）
3　水　　産　（陸水域、海域、漁港に係る場合）
4　土　　木　（道路、河川、海岸、港湾、都市計画に係る場合）
5　土地対策　（区域の指定、変更、解除に係る場合）

（別記３）

各案件の協議を要する関係行政機関の一覧

関係省庁	地方行政機関 ＼ 要協議案件	公園区域、公園計画及び公園計画に基づく事項							保護規制計画関連事項												備考
		公園指定又は区域の拡張	公園計画の決定又は変更（変更は削除の場合を除く）	特別地域の指定又は区域の拡張	特別保護地区の指定又は区域の拡張	海域公園地区の指定又は区域の拡張	利用調整地区の指定又は区域の拡張	集団施設地区の指定又は区域の拡張	木竹損傷規制区域の指定	汚水又は廃水の排出規制区域	採取等規制植物の指定	植栽等規制植物及び区域の指定	捕獲等規制動物の指定	放出規制動物及び区域の指定	立入り規制区域の指定	乗入れ規制区域の指定	車馬使用規制道路の指定	捕獲等規制動植物の指定	動力船使用規制区域及び期間	
内閣府		○	○	○	○	○	○													沖縄県の場合に限る。
	沖縄総合事務局	○	○	○	○	○	○													〃
警察庁															（通知）		○			
	都道府県公安委員会																○（通知）			協議に加え、指定時に通知を行う。
財務省																				
	財務局	○	○	○	○		○	○												財務省所管国有地に係る場合に限る。
文部科学省		○※１	○※１	○※１	○※１	○	○※２	○※１		○			○※１			○※２				※１は、文化財保護法に基づく史跡名勝天然記念物又は文部科学省所管国有財産に係る場合に限る。 ※２は、※１又は埋蔵文化財が含まれる場合に限る。
	都道府県教育委員会	○	○	○	○	○	○	○		○			○			○				文化財保護法に基づく史跡名勝天然記念物又は文部科学省所管国有財産に係る場合に限る。

農林水産省		○	○	○	○		○	○		○	○	○	○		○	○		○		「集団施設地区の指定又は区域の拡張」については、国有林等農林水産省所管国有地に係る場合に限る。
	地方農政局	○	○	○	○		○	○							○	○				北海道の場合を除く。（＊１）「集団施設地区の指定又は区域の拡張」については、農林水産省所管国有地に係る場合に限る。
	森林管理局	○	○	○	○		○	○		○		○			○	○	○			国有林に係る場合に限る。
経済産業省		○	○	○	○	○	○			○						○			○	
	経済産業局	○	○	○	○	○	○			○						○			○	
国土交通省		○	○	○	○	○	○	○	○	○		○			○	○ ＊２ ＊３		○	○	「集団施設地区の指定又は区域の拡張」については都市計画区域に係る場合に限る。
	地方整備局	○	○	○	○	○	○		○	○		○			○	○ ＊２ ＊３		○	○	北海道の場合を除く。
	北海道開発局	○	○	○	○	○	○	○	○	○		○			○	○ ＊２ ＊３		○	○	北海道の場合に限る。
	地方運輸局	○	○	○	○	○	○								○	○ ＊２ ＊３		○	○	
	管区海上保安本部	○	○	○	○	○	○													海面に接する公園の場合に限る。
防衛省					○	○	○													
	防衛局				○	○	○								○					

備　考

⑴　この表において、要協議案件の欄ごとに○印が付されている関係行政機関の長と協議を行うこととする。

⑵　公園区域の削除については、協議を要することとしないが、公園区域の拡張の際に協議対象となっている関係行政機関に対し、必要に応じて情報提供を行うこと。

⑶　公園計画のうち、保護又は利用のための施設計画の決定又は変更については、関係省庁が当該施設を所管・監督する場合（例えば道路法に基づく道路→国土

交通省（地方整備局）、道路運送法に基づく一般自動車道→国土交通省（地方運輸局）、又は当該施設を設けようとする土地を所有する場合）に限って協議するものとする。

ただし、これ以外の場合であっても、当該施設が文化財保護法に基づく史跡名勝天然記念物に係る場合にあっては文化庁（都道府県教育委員会）に対して、当該施設が動物繁殖施設である場合にあっては農林水産省（地方農政局、森林管理局）に対して協議するものとする。

⑷　公園計画のうち生態系維持回復計画の決定又は変更については、生態系維持回復事業の区域に、河川法第６条第１項に規定する「河川区域」、同条第２項に規定する「高規格堤防特別区域」、同条第３項に規定する「樹林帯区域」及び同法第54条に規定する「河川保全区域」、海岸法第２条第２項に定義する「一般公共海岸区域」及び同法第３条に規定する「海岸保全区域」、砂防法第２条で指定する土地、地すべり等防止法第３条に規定する「地すべり防止区域」及び同法第４条に規定する「ぼた山崩壊防止区域」、急傾斜地の崩壊による災害の防止に関する法律第３条に規定する「急傾斜地崩壊危険区域」、並びに、土砂災害警戒区域等における土砂災害防止対策の推進に関する法律第７条に規定する「土砂災害警戒区域」又は同法第９条に規定する「土砂災害特別警戒区域」が含まれる場合に限って、国土交通省（地方整備局又は北海道開発局）に協議するものとする。

＊１　北海道にあっては、土地利用基本計画の変更を伴う場合は、地方農政局を農林水産省農村振興局（農村政策課）と読み替える。

＊２　離島振興対策実施地域、奄美群島及び小笠原諸島において指定するもの。

＊３　河川区域又は海岸保全区域若しくは一般公共海岸区域と重複又は隣接する場合は、河川管理者又は海岸管理者と協議するものとする。

○都道府県立自然公園の指定及び公園計画の作成について

〔令和４年４月１日　環自国発第2204018号
各都道府県知事宛　環境省自然環境局長通知〕

標記について、自然公園法（昭和32年法律第161号）第80条第１項及び第２項の規定に基づき通知する。

記

1　都道府県立自然公園の指定及び公園計画の作成について

⑴　都道府県立自然公園（以下「県立公園」という。）の指定及び公園計画の作成に当たっては、「国立公園に係る公園計画の作成等について」（令和４年４月１日付け環自国発第2204015号環境省自然環境局長通知）を参考に、都道府県ごとに要領を定め実施することが望ましいものである。

⑵　県立公園の指定に当たっては、公園計画も同時に定め、併せて特別地域を指定することが望ましいものである。

⑶　特別地域に係る保護規制計画は、第１種特別地域、第２種特別地域及び第３種特別地域に区分して定めることが望ましいものである。

⑷　特別地域内に、乗入れ規制区域、立入規制区域その他の保護規制計画関連事項を指定するに当たっては、公園計画に位置づけて行うことが望ましいものである。

⑸　利用施設計画は、公園区域全域にわたり一体的に定めることが望ましいものである。

⑹　整合性のある公園計画の下で適切な公園管理を行うことができるよう、公園計画は定期的に総点検することが望ましいものである。

⑺　県立公園の指定に係る手続は、別記１の「都道府県立自然公園の指定に関する手順（標準例）」を参考とされたい。

⑻　県立公園の指定等に当たっては、別記２に掲げる都道府県庁内関係部局及び別記３に掲げる国の関係地方行政機関の長と十分に調整を図ることが望ましいものである。

なお、特別地域及び利用調整地区の指定又はその区域の拡張に当たっては、自然公園法第79条第１項の規定に基づき、国の関係地方行政機関の長に協議することとされているので、別記３により協議願いたい。

2　環境省への報告について

⑴　都道府県は、県立公園の指定又は特別地域に係る規制計画の決定若しくは変更をしようとする場合には、事前に当職に原案を提出願いたい。

この場合、指定書（案）、公園計画書（案）及び公園計画図（案）を各一部添付願いたい。

⑵　都道府県は、県立公園の指定若しくは解除、公園区域の変更又は公園計画の決定、変更若しくは廃止をしたときは、当職に報告願いたいこと。

この場合、都道府県公報の写し、指定書、公園計画書及び公園計画図各一部を添付願いたい。

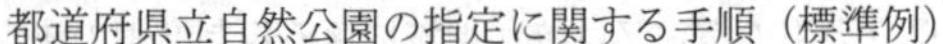

（別記１）

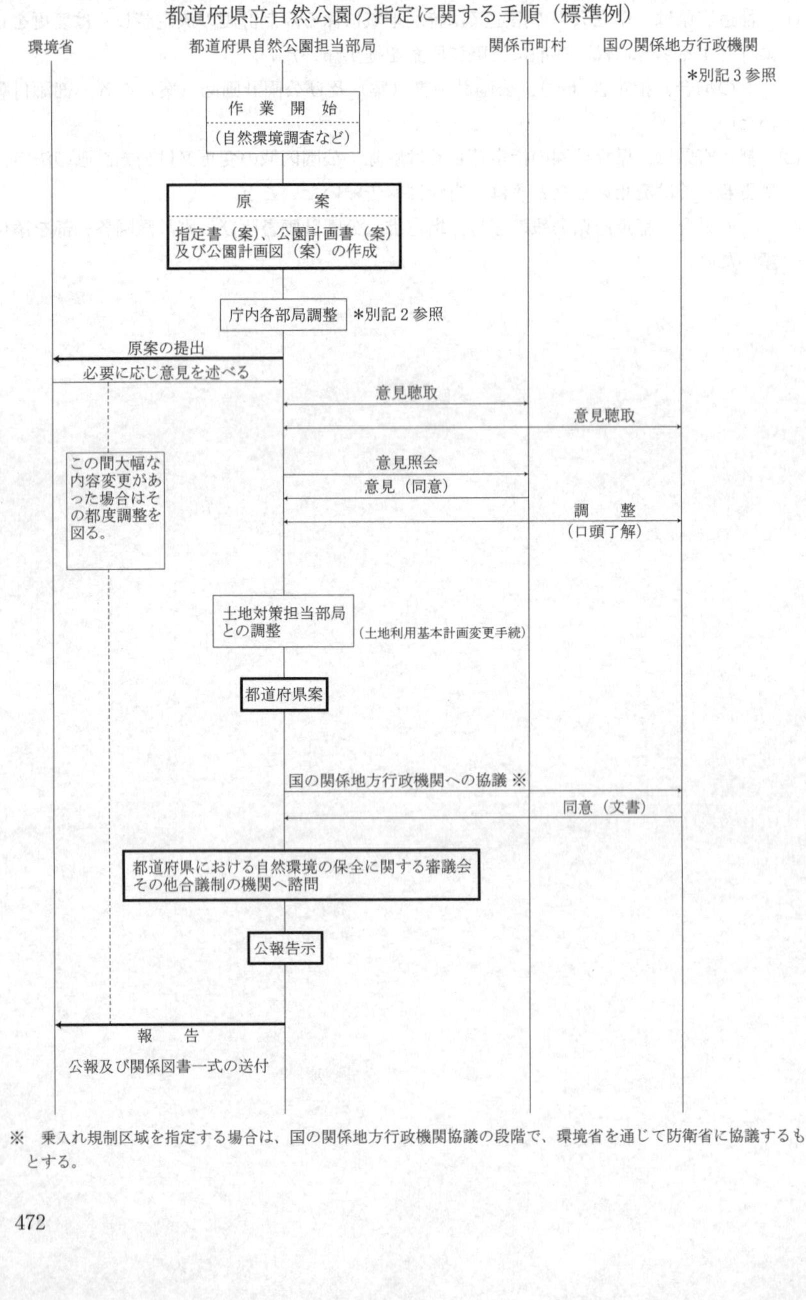

都道府県立自然公園の指定に関する手順（標準例）

環境省　／　都道府県自然公園担当部局　／　関係市町村　／　国の関係地方行政機関

＊別記３参照

作　業　開　始
（自然環境調査など）

原　　　案
指定書（案）、公園計画書（案）及び公園計画図（案）の作成

庁内各部局調整　＊別記２参照

原案の提出

必要に応じ意見を述べる

意見聴取

意見聴取

この間大幅な内容変更があった場合はその都度調整を図る。

意見照会

意見（同意）

調　　整
（口頭了解）

土地対策担当部局との調整　（土地利用基本計画変更手続）

都道府県案

国の関係地方行政機関への協議 ※

同意（文書）

都道府県における自然環境の保全に関する審議会その他合議制の機関へ諮問

公報告示

報　　告

公報及び関係図書一式の送付

※　乗入れ規制区域を指定する場合は、国の関係地方行政機関協議の段階で、環境省を通じて防衛省に協議するものとする。

（別記２）

都道府県庁内関係部局一覧

1　林　　務　（民有林に係る場合）

2　農　　務　（農地に係る場合）

3　水　　産　（陸水域、海域、漁港に係る場合）

4　土　　木　（道路、河川、海岸、港湾、都市計画に係る場合）

5　土地対策　（区域の指定、変更、解除に係る場合）

（別記３）

各案件の協議を要する関係行政機関の一覧

関係省庁	地方行政機関＼要協議案件	公園区域、公園計画及び公園計画に基づく事項					保護規制計画関連事項									備考
		公園指定又は区域の拡張	公園計画の決定又は変更（変更は削除の場合を除く）	特別地域の指定又は区域の拡張	利用調整地区の指定又は区域の拡張	集団施設地区の指定又は区域の拡張	木竹損傷規制区域の指定	汚水又は廃水の排出規制区域	採取等規制植物の指定	植栽等規制植物及び区域の指定	捕獲等規制動物の指定	放出規制動物及び区域の指定	立入り規制区域の指定	乗入れ規制区域の指定	車馬使用規制道路の指定	
内閣府	沖縄総合事務局	○	○	○	○											沖縄県の場合に限る。
警察庁															○	
	都道府県公安委員会														○（通知）	協議に加え、指定時に通知を行う。
財務省	財務局	○	○	○	○	○										財務省所管国有地に係る場合に限る。
文部科学省	都道府県教育委員会	○ ※１	○ ※１	○ ※１	○ ※２	○ ※１		○ ※１			○ ※１			○ ※２		※１は、文化財保護法に基づく史跡名勝天然記念物又は文部科学省所管国有財産に係る場合に限る。 ※２は、※１又は埋蔵文化財が含まれる場合に限る。
農林水産省	地方農政局	○	○	○	○	○							○	○		北海道の場合を除く（但し、土地利用基本計画の変更を伴う場合は、環境省を通じて農林水産省農村振興局と協議する。）。 「集団施設地区の指定又は区域の拡張」については農林水産省所管国有地に係る場合に限る。
	森林管理局	○	○	○	○	○		○					○	○	○	国有林に係る場合に限る。
経済産業省	経済産業局	○	○	○	○			○					○			

国土交通省	地方整備局	○	○	○	○		○	○		○			○ ＊１ ＊２	○		北海道の場合を除く。
	北海道開発局	○	○	○	○	○	○	○		○			○ ＊１ ＊２	○		北海道の場合に限る。
	地方運輸局	○	○	○	○		○			○			○ ＊１	○		
	管区海上保安本部	○	○	○	○											海面に接する公園の場合に限る。
防衛省	防衛局				○									○		環境省を通じて協議する。

備考

(1)　この表において、要協議案件の欄ごとに○印が付されている関係行政機関の長と協議を行うこととする。

(2)　公園計画のうち、保護又は利用のための施設計画の決定又は変更については、関係省庁が当該施設を所管・監督する場合（例えば道路法に基づく道路→国土交通省（地方整備局）、道路運送法に基づく一般自動車道→国土交通省（地方運輸局）、又は当該施設を設けようとする土地を所有する場合に限って協議するものとする。

ただし、これ以外の場合であっても、当該施設が文化財保護法に基づく史跡名勝天然記念物に係る場合にあっては文化庁（都道府県教育委員会）に対して、当該施設が動物繁殖施設である場合にあっては農林水産省（地方農政局、森林管理局）に対して協議するものとする。

（＊１）　離島振興対策実施地域、奄美群島及び小笠原諸島において指定するもの。

（＊２）　河川区域又は海岸保全区域若しくは一般公共海岸区域と重複又は隣接する場合であって、当該区域の河川管理者又は海岸管理者が国土交通大臣であるもの。

第４章　国立・国定公園の指定植物・指定動物関係

○国立・国定公園特別地域内において採取等を規制する植物（指定植物）の選定方針の策定について

〔平成27年８月３日　環自国発第1508031号
各地方環境事務所・釧路・長野・那覇自然環境事務所・高松事務所長宛　自然環境局国立公園課長通知〕

今般、自然公園法第20条第３項第11号に規定される指定植物の選定方針について、下記のとおり定めたので、了知されたい。

また、本方針に沿って、所管する国立公園における指定植物の見直し又は新規選定を順次進められたい。

なお、本件については、別添写しのとおり、各都道府県担当部局長に通知したので了知されたい。

記

指定植物の選定方針（別添１）

指定植物選定作業要領（別添２）

別添１・２　略

〔別添写〕

国立・国定公園特別地域内において採取等を規制する植物（指定植物）の選定方針の策定について

〔平成27年８月３日　環自国発第1508031号
各都道府県自然公園担当部局長宛　環境省自然環境局国立公園課長通知〕

自然公園行政の推進にあたっては、日頃よりご理解とご協力を賜り、感謝申し上げます。

環境省では、自然公園における生物多様性保全施策のさらなる拡充・強化のため、自然公園法第20条第３項第11号に規定される指定植物の選定方針について、平成25年度より専門家から成る検討会を設置し検討して参りました。今般、下記のとおり方針を取りまとめましたので、お知らせします。環境省では、本方針に基づき国立公園ごとに順次現行の指定植物を見直していく予定です。

国定公園における指定植物の選定については、従来から各都道府県より指定候補種をご提案いただいているところです。今後見直しを行う国定公園がございましたら、随時担当までご相談下さいますようお願いいたします。

記

指定植物の選定方針（別添１）

指定植物選定作業要領（別添２）

〔別添１〕

指定植物の選定方針

〔平成27年８月３日
環境省自然環境局国立公園課〕

1　経緯及び目的

国立・国定公園には、自然の風景地の保護と利用の２つの側面があり、その保護の面から、風致を維持するため公園区域内に特別地域が指定される。特別地域内においては、風致を維持するうえで支障となる可能性がある一定の行為については許可を受けなければしてはならないものとされており、これらの行為は、自然公園法（昭和32年法律第161号）第20条第３項に規定されている。同項の第11号では、「高山植物その他の植物で環境大臣が指定するものを採取し、又は損傷すること」が、国立公園にあっては環境大臣の、国定公園にあっては都道府県知事の許可を受けなければしてはならないものとして定められており、指定植物制度の根拠となっている。

指定植物制度は昭和32年の自然公園法制定時に創設され、同年に第一次の指定が、昭和40年に第二次の指定がなされたが、指定された植物の多くは高山植物であること、属指定も多く不必要な規制がかかる種があること、全国一律の指定であったことなどの問題があった。そのため、昭和51年から指定植物の改定に係る調査研究を実施するとともに、昭和54年には「指定植物改定検討会」を設置し、現行の選定方針（選定範囲、選定理由等）が策定され、これに基づき昭和55、56年に国立・国定公園ごとの指定がなされた。しかし、この指定以降、選定方針の改定は行われておらず、指定植物の見直しも、新規指定や分離独立等を行った一部の公園を除き行われていない。

さらに、平成21年６月の自然公園法の改正により、目的規定に「生物多様性の確保への寄与」が新たに加えられた。国立・国定公園は、従来から他の関係制度と密接に連携しつつ国土の自然環境を体系的に保全してきたが、国土の生物多様性保全の屋台骨として、さらに保全施策の拡充・強化を図っていくことが求められている。こうした状況の中で、指定植物制度にも、我が国全体の生物多様性を保全するために、より積極的な役割を担うことが期待されている。

これを踏まえ、平成25、26年度に指定植物選定方針等改定検討会を設置し、指定植物の選定方針を見直すための検討を行ったところである。本選定方針は、この検討の結果とりまとめられたものであり、この方針に定められた基準によって選定された植物が指定されることにより、風致の維持上重要な植物の保全の強化及び新たに自然公園法の目的に規定された生物多様性の確保に資することを目的とする。

2　指定植物の選定範囲

指定植物の選定範囲は、原則として維管束植物とし、草本及び低木である種とする。

ただし、木本のうち高木、小高木である種及び維管束植物以外の分類群であっても、風致の維持上又は生物多様性の保全上重要であり、かつ、採取・損傷により風致の維持や生物多様性の保全に著しい影響を与えるおそれのある種については、各公園で必要に応じて選定の対象とする。

選定における分類単位は、原則として種、亜種又は変種とし、品種及び雑種は各公園において選定する必要がある場合に扱うこととする。

3　指定植物選定基準

指定植物は、以下の①から⑧のいずれかの選定基準を満たし、風致の維持上又は生物多様性の保全上、その採取・損傷について規制する必要のある種*とする。

①分布の特殊性を有する種

a　分布の範囲が当該国立公園、国定公園及びその周辺に限定されている種

b　隔離分布を呈する種

c　当該国立公園、国定公園が国内における分布の東西南北の限界（もしくはそれに近い地域）となっている種

②絶滅危惧種及び希少種

a　環境省レッドリストの絶滅危惧種

絶滅危惧Ⅰ類（ＣＲ、ＥＮ）、Ⅱ類（ＶＵ）の種

b　地域的に特に個体数が少ない種

③希少な動物の生息に必要な種

希少な動物（高山蝶等）の生息域にあって、当該動物と密接な種間関係（食草等）にある種

④特殊な栄養摂取を行う種

a　食虫植物

b　腐生植物（菌従属栄養植物）

c　寄生植物

⑤特殊な条件の立地に生育する種

＊原則として種、亜種又は変種を含み、品種、雑種は選定する必要がある場合に含むものとする。「指定植物の選定範囲」参照。以下同

以下のいずれか又は複数を主要な生育地とする種

a　火山

スコリアを主とする崩壊斜面、溶岩地等の不安定な立地において、移動砂礫、降灰、噴出ガス、地熱、温泉などの複合された環境に耐性を持つ植物が生育する。

b　岩壁、岩隙地

岩隙に堆積したわずかな土壌と上方から流下する雨水に含まれる養分等により生育する。

c　特殊岩石地

石灰岩地、超塩基性岩地（かんらん岩地・蛇紋岩地等）は土壌層の発達が悪いため、母岩の含有成分による化学的条件の影響を受けやすく、生理・生態的に適応した植物が生育する。

d　崩壊性砂礫地

高山帯の荒原や雪崩による崩壊斜面等、風化した岩屑の多い不安定な立地に適応した植物が生育する。

e　雪崩斜面

融雪によって不安定で湿潤な環境となった雪崩斜面に、雪圧に抵抗力がある木本や高茎草本が生育する。

f　海岸断崖、砂丘

海からの強風、海水のしぶき、波浪等の影響を受けるため、発達した根系とクチクラ層で覆われ肥厚した茎葉をそなえた、耐塩・耐乾構造をもつ特殊な植物が生育する。

g　風衝地

風衝地は植物の蒸散作用に著しい影響を与えるため、蒸散を防ぐ巻き込んだ葉を持つ矮性常緑低木や低茎草本といった、乾燥と風圧に適応した形態をもつ植物が生育する。

h　風穴

一年を通し洞窟内から流出する冷気によって、高地性の植物が生育する。

i　雪田

多量の積雪が夏季遅くまで残る雪田地帯では、短い生育期間に適応した植物が生育する。比較的早く融雪する立地では乾燥に耐える矮性常緑低木、融雪後も湿潤な立地では低茎草本、極めて生育期間が限られ土壌が未発達な雪田底の砂礫地では蘚苔類やごく低茎の草本が特徴的に見られる。

j　高層湿原、中間湿原、湧水湿地

土壌は常に水によって飽和され、酸素の供給が少ないため、樹木の侵入は限られ、湿原に特有な草本植物が生育する。高層湿原や中間湿原は泥炭が発達し酸性土壌であり、周辺部からの無機塩類の流入が少なく貧養である。湧水湿地は不透水層の上を流れる湧水によって涵養され、貧養で粘土質又は砂礫質の土壌となる。それぞれに特有な植物が生育する。

k　池塘、流水縁

亜高山の高層湿原、中間湿原や、雪田周辺の凹地に形成される池塘は、雨水や湿原から浸出した水によって涵養され、酸性で低温・貧養な水質に特有な浮葉性の水草が生育する。一方、湿原の中を流れる川は低温であるが酸素と無機塩類に恵まれ、水中には流水に適応した沈水性の水草が、水辺には湿潤環境に適応した特徴的な植物が生育する。

l　塩沼地

泥湿地において、定期的な海水の干満を受ける場所に生育する植物は、海水の浸漬に耐えられる少数の塩生植物が生育する。

m　減水裸地（水位低下により一時的に生じる湿った裸地）

湖沼や河川等の水際で、水位が低下することにより季節的に裸地となる場所であり、減水期を待って発芽、開花する植物が見られる。

n　渓岸

河川周辺のうち、上流の狭い谷底や斜面では水流の影響が絶えず加わり、増水や転石があり、大雨で渓岸が崩れる、流されるなどの撹乱が起きる。渓岸は、過湿な環境となり、そのような環境を生育適地とする種々の蘚苔類、草本、低木が生育するほか、水流に適応し、特化した形態をもつ植物が見られる。

o　雲霧帯

小笠原諸島や南西諸島の一部の島ではほぼ常時雲や霧に覆われる場所が見られる。空中湿度が高いことから、蘚苔類やシダ、ランなどの着生植物が生育する。

p　樹幹、樹上

樹幹や枝などに着生する植物が生育する。

⑥季観を構成する特徴的な種

季節的な変化を見せる植物群落の構成種で特徴的な種

⑦園芸業者、薬種業者、マニア等の採取対象となる種

商品的価値がある種又は収集の対象となる種

⑧その他各公園の実情に応じて選定する種

選定基準①～⑦で選定されないが、学術的な観点や公園利用の観点、その他により各公園で特別に選定する必要がある場合に、本基準で選定する。

4　その他

指定植物は原則として公園単位で選定する。ただし、島嶼と本州等にまたがる公園において、特に詳細な区分けが必要であることが明らかな場合には、その区域のみを対象

とした指定植物を選定する。

別添２　略

○国立・国定公園特別地域内において捕獲等を規制する動物の選定について

〔令和４年４月１日　環自国発第2204019号
各都道府県知事・各地方環境事務所・釧路・信越・沖縄
奄美自然環境事務所長宛　自然環境局国立公園課長通知〕

自然公園法（昭和32年法律第161号）第20条第３項第13号に規定する特別地域内において捕獲等を規制する動物の選定については、次に掲げる要領等に沿って行うものとする。

（別紙１）

国立公園における動物の保護に関する基本方針

自然公園法（昭和32年法律第161号）第20条第３項第13号の規定により、国立・国定公園の特別地域においてその捕獲や殺傷行為を規制する動物として環境大臣が指定したもの（以下「指定動物」という。）の選定を行うに当たっては、本基本方針を前提として、指定動物の選定を含む動物の保護対策の検討を行うこととする。また、都道府県がその管理を担う国定公園においても、本基本方針を参考として適切な動物の保護対策が検討されることが望ましい。

１　国立公園の役割

国立公園は、特別保護地区及び特別地域において各種の開発行為が規制されるとともに自然環境の保全・再生のための各種事業が実施されることにより、動物の重要な生息地・繁殖地を保全する役割を担ってきている。また、従来より特別保護地区において動物の捕獲等が規制されているが、平成14年の自然公園法改正により、新たに特別地域においても環境大臣が指定した動物の捕獲等の行為が規制できるようになり、より広範な地域で動物の保護を行うことが可能となった。生息地等の保全のための各種取組をより一層進めるとともに、絶滅のおそれのある動植物の種の保存に関する法律等のその他の野生動物の保護施策と重複しない範囲で、本制度を有効に活用することによって国立公園における動物の保護を的確に図っていくことが重要である。

2　動物保護の重要性

野生動物は、植物とともに、特定の種に限らず動物全体が生物多様性の重要な構成要素であり、私たちの豊かな生活に欠かすことのできない存在である。このため、動物を含むすべての生物の保護とその適正な管理を実施することにより、良好な自然環境を保全し、もって現在及び将来の国民の健康で文化的な生活の確保に寄与することが必要である。また、国立公園における野生動物の中には、公園利用者の目を楽しませる景観資源として重要な役割を果たしているものもある。

しかし、現実には、様々な要因により、我が国においても多くの野生動物が絶滅の危機に瀕している。主な要因としては、気候変動による自然生態系の変化、各種改変行為による生息地等の縮小、分断、消失や人為的管理の放棄による二次的自然環境の変質、外来種（国内由来の外来種を含む。）又は外来種が交雑することにより生じた生物、ニホンジカやイノシシ等の増加による影響などが考えられる。中でも特に個体数が少ない種や生息基盤の脆弱な種には、捕獲の圧力が加わることによって、個体群の存続が危ぶまれているものもある。このような中、生息地等の縮小、分断、消失をはじめとする各種の影響に対して効果的な対策を講じることが可能な地域が、国立公園であると言える。このような地域において必要に応じて捕獲規制を含む適切な施策を実施することが、動物保護の観点から重要である。

3　保護施策の考え方

以上のような認識に立ち、国立公園において動物の保護施策を推進するに当たっての基本的な考え方は以下のとおりとする。

①　生息地・繁殖地の保全

国立公園における動物の保護は生息地・繁殖地の保全を基本とする。

特別保護地区及び特別地域における工作物の新築や土地の形状変更などの各種開発行為の規制に加え、環境大臣が指定する区域への車馬等の乗入れ規制や、環境大臣が指定する区域への人の立入り規制などを活用し、野生動物の生息地等の保全を図っていく必要がある。また、特別地域において環境大臣が指定する植物の採取等の規制を行う制度を活用して、野生動物の食草等として特に重要な植物の保護を実施していくことも必要である。

加えて、特に著しい減少が見られる草原性のチョウ類など、人為により維持されてきた里地里山等の二次的自然環境に依存する動物や、ニホンジカ、イノシシ等の増加により直接的又は間接的に影響を受ける動物の保護については、風景地保護協定、自然再生事業、生態系維持回復事業等の実施による管理的手法を積極的に活用することにより、その生息地等の保全・再生・維持回復を推進することが必要である。また、国立公園にとって重要な動物の生息に深刻な悪影響を与える外来種（国内由来の外来種を含む。）又は外来種が交雑することにより生じた生物については、適切な防除の実施が重要である。

なお、これらの施策を展開する際には、順応的管理の考え方を踏まえるものとする。特に管理的手法の導入に当たっては、的確なモニタリングを実施するとともに、その情報を種の保全に配慮しつつ関係者と共有し、必要に応じて見直しを行うものとする。

② 指定動物の選定及び保護

指定動物の選定に当たっては、別紙２「国立・国定公園特別地域内において捕獲等を規制する動物の選定要領」に基づき選定作業を実施していくものとする。

また、指定動物については、単に動物の捕獲規制等を行うのみならず、指定動物を含む生態系全体を保全する観点から、各種手法を用いた総合的な保護施策を実施することが必要である。

特に、生息数の減少が著しい種や極めて狭域に分布している種など、捕獲等によって個体群の衰退又は消失の危険性の高いものについては、選定にあたって当該特別地域以外の主要な生息地の状況についても検討を行うとともに、巡視・監視体制の強化など管理体制の充実及び地域の自主的な保全活動との連携に努めるものとする。

③ 調査研究・情報収集の推進

国立公園における野生動物の保護に係る施策を適切に実施するため、動物の生息状況等に関するモニタリングを実施する等、調査研究・情報収集の推進を図る。なお、動物の生息情報等は、研究機関の研究者のみならず、多くのアマチュア研究者等によって得られている状況に鑑み、幅広くこれらの研究者等と連携を図るものとする。

④ 普及啓発の推進

国立公園における動物の保護の必要性や対策の状況、規制区域、規制内容等について、環境省及び関係機関のホームページ、マスメディア等を通じた広報を行う。また、現場において、パンフレットの配布、看板の設置、地域住民を対象とした観察会や地域住民が参加可能な保全活動の実施等により普及啓発を図るものとする。

（別紙２）

国立・国定公園特別地域内において捕獲等を規制する動物の選定要領

1 選定方針

国立・国定公園において、国及び地方公共団体は自然公園法（昭和32年法律第161号）第３条第２項の規定により、自然公園における生物の多様性の確保を旨として自然公園の風景の保護に関する施策を講ずるものとされている。このことを踏まえ、国立・国定公園特別保護地区及び特別地域においては、開発行為の規制等により引き続き動植物の生息地・生育地の適切な保全を進めるとともに、特別保護地区における動植物の捕獲・採取等の規制及び特別地域における指定植物の採取等の規制に加えて、同法第20条第3項第13号の規定に基づき、保護を図ることが必要と認められる動物を指定し、その捕獲等を規制していくことが必要である。特別地域内において捕獲等を規制する動物として環境大臣が指定するもの（以下「指定動物」という。）は、以下の要件等により選定するものとする。

また、選定に当たっては別紙1「国立公園における動物の保護に関する基本方針」の趣旨を踏まえるものとする。

2　前提条件

・鳥類、哺乳類を除く動物界のいずれかの分類群に属する種（ただし、陸域で生息する種又は亜種（以下、「種」という。）に限る）であること。

・種として記載され学名が明確である、又は補足資料により明確に特定が可能な未記載種であること。

・外来種（国内由来の外来種を含む。）でないこと。

・絶滅のおそれのある野生動植物の種の保存に関する法律（種の保存法）第4条第3項に規定する国内希少野生動植物種（同条第6項に規定する特定第二種国内希少野生動植物種は除く）でないこと。

3　選定要件

国立・国定公園特別地域における動物の保護を図るため、鑑賞用として捕獲の対象となりやすい等により、当該地域において個体群の存続に支障をきたすおそれのある動物であって、次に掲げる要件を全て満たすものとする。

⑴　環境省又は当該公園が属する都道府県版レッドリスト若しくはレッドデータブック（以下、「レッドリスト等」という。）において、絶滅危惧Ⅰ類（CR、EN、CR＋EN）、Ⅱ類（VU）、準絶滅危惧（NT）、情報不足（DD）又は絶滅のおそれのある地域個体群（LP）のいずれか（ただし、都道府県版レッドリスト等においては、これらに準ずるカテゴリーを含む）に掲載されていること。

⑵　以下のうち、いずれか1つを満たしていること（減少要因による要件）

①　捕獲し、若しくは殺傷し、又は当該動物の卵を採取し、若しくは損傷すること（以下、「捕獲等」という。）により個体数が減少している。

②　今後、捕獲等により個体数が減少するおそれがある。

⑶　目視又は簡易な手法により野外での種の識別が可能であり、野外で生息確認が可能で、かつ、モニタリングの実現可能性があること。

⑷　以下のうち、いずれか1つを満たしていること（種の特性による要件）

①　狭域分布種、限界分布種など、分布の特殊性を有する。

②　当該公園に主要な生息地又は繁殖地が存在する。

③　学術的にみて種又は地域個体群として特に重要な価値を有する。

④　当該公園の風致景観の構成上、重要な要素として認められる。

⑸　以下のうち、いずれか１つを満たしていること（指定効果による要件）

①　指定による捕獲等規制により、当該動物の保全上の効果が見込まれる。

②　保全対策が現に実施されている、又は今後実施が見込まれる。

4　選定単位

原則として、国立・国定公園ごとに種の単位で選定する。ただし、自然科学的、社会的な背景等により、特に詳細な区域分けが必要であることが明らかな場合には、捕獲等規制が必要と考えられる区域ごとに選定するものとする。

5　留意事項

選定にあっては、必要に応じ特別地域外における個体群の生息状況、保全状況等についても検討を行うものとする。特に局所的に分布する種の選定にあっては、特別地域内での捕獲等規制の実施が他の主要な生息地における個体群存続に支障をきたすおそれの有無について検討を行うこと。さらに、そのおそれがある場合においては保全対策の実施についても検討を行うこと。

6　指定の見直し及び作業手順

⑴　指定の見直しは、「国立公園の公園計画等の見直し要領（令和４年４月１日付け環自国発第2204016号自然環境局長通知）」、「国定公園の指定及び公園計画の決定等について（令和４年４月１日付け環自国発第2204017号環境省自然環境局長通知）」等により実施される国立・国定公園計画の点検等に併せて行うものとする。なお、国立公園における動物の保護の観点から必要があれば、国立・国定公園計画の点検状況等にかかわらず見直しに着手しても差し支えない。

⑵　見直し作業の手順については、別紙３及び別紙４のとおりとする。

⑶　地方環境事務所（釧路、信越及び沖縄奄美自然環境事務所を含む。）等又は都道府県が環境本省に対し提出する指定動物リスト（案）の様式及び記入方法については、別紙5のとおりとする。

（別紙３）

国立公園特別地域内において捕獲等を規制する動物の指定に関する作業手順

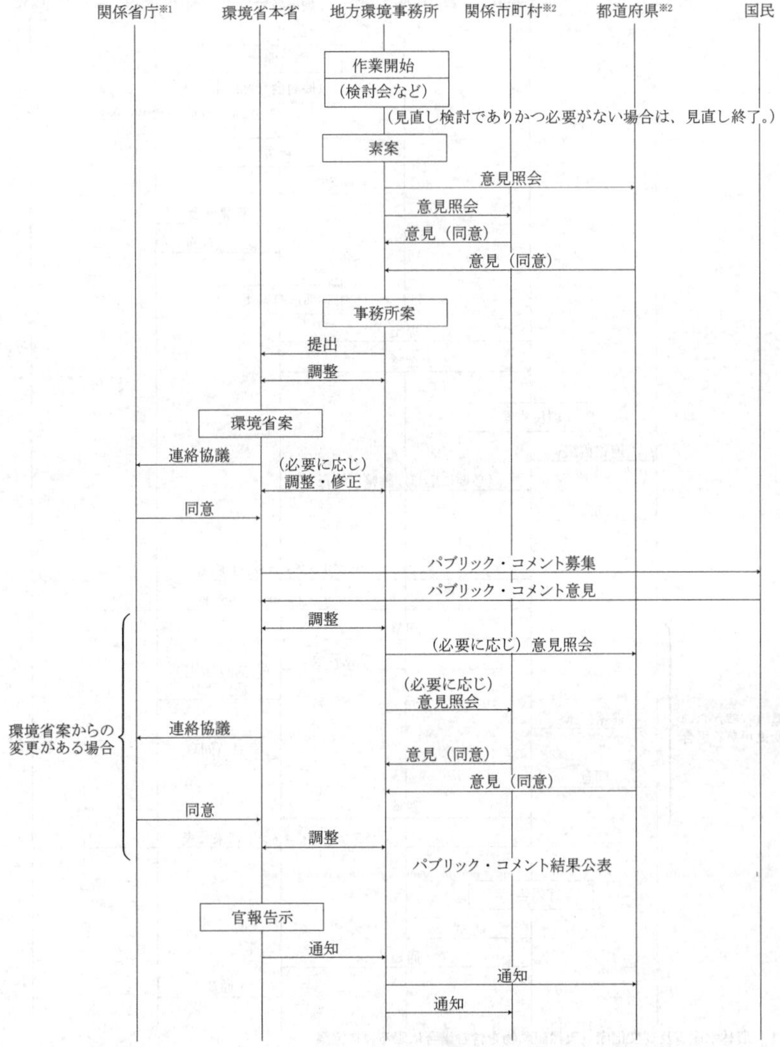

※１　農林水産省及び文化庁（天然記念物を含む場合に限る。）に協議
※２　自然公園所管部局及び教育委員会等（天然記念物を含む場合に限る。）を想定

（別紙４）

国定公園特別地域内において捕獲等を規制する動物の指定に関する作業手順

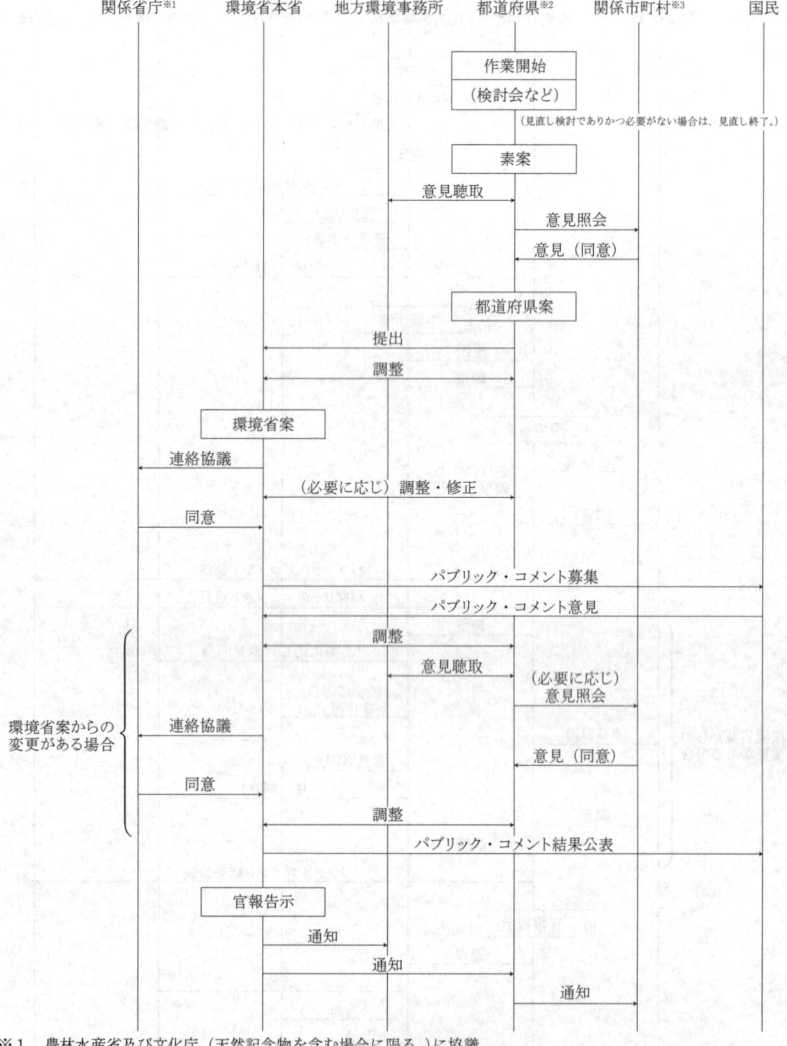

※１　農林水産省及び文化庁（天然記念物を含む場合に限る。）に協議
※２　都道府県による素案の作成にあっては、関係部局との事前調整を前提とする
※３　自然公園所管部局及び教育委員会等（天然記念物を含む場合に限る。）を想定

（別紙５）

指定動物リスト（案）の様式及び記入方法について

1．指定動物リスト（案）の様式

○○公園　指定動物リスト（案）

通し番号	綱名	目名	科名	種名				選定要件								注記根拠引用文献	備考
				和名	学名	注記(シノニム、通称名、地方名)		(1)			(2)	(3)	(4)		(5)		
						和名	学名	環境省レッドリスト	都道府県レッドリスト	都道府県レッドリスト			番号	詳細			
1	○○綱	○○目	○○科	○○	*Abcde Fghij*	○○	*Klmn Opqest*	VU			①	○	①	狭域分布	①	1	
2	○○綱	○○目	△△科	△△（△△亜種）	△△				絶滅寸前種	VU	②	○	③	限界分布(N)	②		
3	□□綱	□□目	□□科	□□	□□	□□		LP		DD	②	○	③	地域個体群	②	2	
4																	
5																	

注　注記は地方名、通称名又はシノニムを示しており、当該指定動物に含まれていることを表す。
　表中の(4)詳細の欄の「E」「W」「N」「S」は、当該公園がそれぞれ東西南北の分布限界（もしくはそれに近い地域）であることを表す。

根拠として引用した文献一覧

1　*編著者名（発行年）タイトル．出版社，発行エリア．該当ページ．*

2　*編著者名（発行年）タイトル．出版社，発行エリア．該当ページ．*

2．指定動物リスト（案）の記入方法

通し番号……………………………通し番号を記入する。

綱名…………………………………絶滅の恐れのある野生動植物の種の国際取引に関する条約（ワシントン条約）附属書の綱順に従い記載する。

目名、科名…………………………学名のアルファベット順に記載する。

和名、学名…………………………原則として環境省又は都道府県版レッドリストの和名・学名に従い、学名のアルファベット順に記載する（亜種名の表記方法についても、レッドリストの記載に従う）。

注記…………………………………通称名、地方名及びシノニム（和名及び学名）について、特筆すべきものがある場合に記載する。

選定要件……………………………選定要件の項目ごとに、適合と判断した該当要件を記入する。複数要件に適合する場合は、複数記入して差し支えない。
レッドリストについては、カテゴリーを記入する。複数の都道府県にまたがる場合は、都道府県ごとに列を分けて記入する。
(4)の限界分布については、「E」「W」「N」「S」のいずれに該当するかも記入する。

注記の根拠として引用した文献…………通称名等、注記の根拠として引用した文献の番号を記入する。また、番号と対応する文献名（図鑑、目録、論文等）は欄外又は別表に記入するものとする。

備考…………………………………必要に応じて記入する。

第5章　他行政との調整

○土地利用基本計画における五地域区分の重複する地域の土地利用の調整指導方針

（出典）国土利用計画法に基づく国土利用計画及び土地利用基本計画に係る運用指針（平成29年4月）

五地域区分	細区分	都市地域			農業地域		森林地域		自然公園地域		自然保全地域		
		市街化区域及び用途地域	市街化調整区域	その他	農用地区域	その他	保安林	その他	特別地域	普通地域	原生自然環境保全地域	特別地区	普通地区
都市地域	市街化区域及び用途地域	■											
	市街化調整区域	×	■										
	その他	×	×	■									
農業地域	農用地区域	×	←	←	■								
	その他	×	①	①	×	■							
森林地域	保安林	×	←	←	×	←	■						
	その他	②	③	③	④	⑤	×	■					
自然公園地域	特別地域	×	←	←	←	←	○	○	■				
	普通地域	⑥	○	○	○	○	○	○	×	■			
自然保全地域	原生自然環境保全地域	×	×	×	×	×	×	←	×	×	■		
	特別地区	×	←	←	←	←	○	○	×	×	×	■	
	普通地区	×	○	○	○	○	○	○	×	×	×	×	■

土地利用基本計画における五地域区分の重複する地域の土地利用の調整指導方針

［凡例］

×	制度上又は実態上、一部の例外を除いて重複のないもの
←	相互に重複している場合は、矢印方向の土地利用を優先する
○	相互に重複している場合は、両地域が両立するよう調整を図る
①	土地利用の現況に留意しつつ、農業上の利用との調整を図りながら都市的な利用を認める
②	原則として都市的な利用を優先するが、緑地としての森林の保全に努める（例：地域によっては、市街化地域に残存する森林については緑地としての森林の保全を優先する等）
③	森林としての利用の現況に留意しつつ、森林としての利用との調整を図りながら都市的な利用を認める
④	原則として農用地としての利用を優先するものとするが、農業上との利用との調整を図りながら森林としての利用を認める
⑤	森林としての利用を優先するものとするが、森林としての利用との調整を図りながら農業上の利用を認める
⑥	自然公園としての機能をできる限り維持するよう調整を図りながら都市的利用を図る

○自然公園法に基づく処分と土地利用適正化要綱等による指導との調整について

〔昭和50年５月13日　環自企第327号
各国立公園管理事務所長・駐在管理員宛　環境庁自然保護局企画調整課長通知〕

標記について、別添写のとおり各都道府県土地対策主管部長及び自然公園主管部長あて通知したので了知されるとともに、自然公園主管課と十分連絡をとり、国立公園の風致景観の保護上支障を生じると判断されるものについては、あらかじめ申し入れを行われたい。

（別　添）

〔昭和50年５月13日　環自企第327号
各都道府県自然公園主管部長宛　環境庁自然保護局企画調整課長通知〕

標記について、別添写のとおり土地対策主管部長あて要請したので了知されるとともに、自然公園内にかかる開発行為については、自然公園の風致景観を保護する観点から十分連絡調整を図られたい。

（別　添）

〔昭和50年５月13日　環自企第327号
各都道府県土地対策主管部長宛　環境庁自然保護局企画調整課長通知〕

都道府県において、一定の開発行為を適正に誘導する目的で、土地利用適正化要綱等を定めこれにより事前に種々指導されていることは自然環境の保全の観点からも適切な措置と思料され感謝しているところであるが、当該開発行為が自然公園の区域にかかる場合に、当該土地利用適正化要綱等に定める基準を全て満足させることによって、例えば道路幅が自然保護の立場からは過大である等自然公園の風致景観の保護上支障を生じることになる場合もあるので土地利用適正化要綱等の運用にあたっては、事前に自然公園関係部局と協議のうえ、自然公園行政との間にそごをきたさないよう格段の配慮を願いたく依頼する。

○新都市計画法の施行に伴う留意事項について

〔昭和44年11月26日　国発第876号
各都道府県知事宛　厚生省大臣官房国立公園部長通知〕

今般、都市計画に関する法制が全面的に改正され、都市計画法（昭和43年法律第100号。以下「新法」という。）及びその附属法令がすべて公布施行された。新法は、近年における人口及び産業の都市集中、都市及びその周辺における無秩序な開発行為等が都市環境の悪化等をもたらしている状況にかんがみ、これらの弊害を除去することを目的として制定されたものである。

従来から都市計画区域と国立・国定公園区域とは重複している場合があり、その都市計画と公園計画については相互に調整が計られて来たのであるが、新法施行後は下記のとおり取り扱うものとするので、都市計画担当部局と十分連絡協議し、また必要に応じて本職に照会する等遺憾のないようにされたい。

記

1　都市計画区域と国立・国定公園の区域との調整について

このことについては、特に明文の取り極めをしていないが、都市計画区域をいたずらに拡げることは新法の精神から望ましくないとされているので、市街化する見込みもなく、また市街化が不適当と考えられる国立・国定公園区域は、極力都市計画区域から除外する方針で臨むこと。

2　市街化区域と国立・国定公園特別地域（特別保護地区を含む。以下同じ。）との調整について

都市に近接している国立・国定公園においては都市計画区域と公園区域が重複することもあり得るが、この場合も市街化区域と特別地域が重複することは好ましくないこと。おって、都市計画法施行令（昭和44年政令第158 号。以下「新令」という。）第８条第２号ニに規定する「すぐれた自然の風景を維持するため保全すべき土地の区域」は、特別地域を含むものであること。

3　都市計画に定められる地域地区と公園計画との調整について

集団施設地区において都市計画が決定される場合において、特別用途地区又は高度地区の決定を含む場合は、都市計画担当部局は自然公園担当部局に協議することとされているので、当該集団施設地区の状況を勘案して、遺憾のないよう調整されたいこと。

4　都市計画区域内の公園事業の施行について

新法第29条の規定により、都市計画区域内において開発行為を行なう場合は、都道府

県知事の許可を要することになったが、国立・国定公園及び都道府県立自然公園の公園事業の執行として行なう開発行為は、新令第21条第24号の規定に該当するものとして取り扱い、不要許可行為となるので留意されたいこと。

5　その他

都道府県立自然公園については特段の取り極めは行なわなかったが、都市計画担当部局と連絡協議して都道府県立自然公園においても国立・国定公園に準じた風致の保護が計られるよう配慮されたいこと。

○国立・国定公園等における都市公園に設けられる都市公園施設について

〔平成５年10月１日　環自計第184号・環自国第615号
各都道府県自然公園・自然環境保全地域主管部局長宛
環境庁自然保護局計画・国立公園課長連名通知〕

今般、都市公園法施行令の一部改正が行われ、平成５年６月30日付けで公布施行されたところである。今回改正により、都市公園の公園施設の種類の増加及び公園施設を設ける際の敷地面積に関する制限の緩和等が行われ、これについて建設省都市局長より各都道府県知事あて施行通知が同日付けで行われている。

今回改正に際し、国立・国定公園等における都市公園に設けられる都市公園施設について、公園計画との調整を図る等の観点から建設省と調整し、今後は、別紙「都市公園法施行令の一部を改正する政令及び都市公園法施行規則の一部を改正する省令の制定について」の記３(7)のとおり取扱うこととなったので了知の上、国立・国定公園等で都市公園の整備が行われる際の調整にあたって、配慮されたい。

なお、野生生物主管部局へは、別途通知を行っていることを申し添える。

〈別　紙〉

○「都市公園法施行令の一部を改正する政令及び都市公園法施行規則の一部を改正する省令の制定について」

〔平成５年６月30日　建設省都公緑発第86号
各都道府県知事宛　建設省都市局長通知〕

記

１～２　略

３　公園施設の種類について（令第４条関係）

(1)～(6)　略

(7)　都市公園法施行令第４条第２項のキャンプ場、同条第４項のゴルフ場（ゴルフ練習場を含む。）、ゲートボール場、温水利用型健康運動施設及びスキー場、同条第５項の自然生態園、野鳥観察所及び体験学習施設、同条第６項の飲食店（軽飲食店を除く。）及び宿泊施設（簡易宿泊施設を除く。）は、国立・国定公園特別地域内において設置されないこと。

(8)　同条第４項のゴルフ場（ゴルフ練習場を含む。）及びスキー場は、自然環境保全法の原生自然環境保全地域、自然環境保全地域特別地区及び都道府県自然環境保全地域特別地区、鳥獣保護及狩猟ニ関スル法律の鳥獣保護区特別保護地区並びに絶滅のおそれのある野生動植物の種の保存に関する法律の生息地等保護区内において設置されないこと。

⑼〜⑽　略

４〜６　略

第３編
公園事業の決定に係る実務

○国立公園事業の決定等取扱要領

〔令和４年４月１日　環自国発第22040110号
各地方環境事務所長等宛　自然環境局長通知〕

自然公園法（昭和32年法律第161号。以下「法」という。）第９条に基づく国立公園事業の決定、廃止及び変更（以下「決定等」という。）に関しては、法、自然公園法施行令（昭和32年政令第298号。以下「令」という。）の規定によるもののほか、この要領の定めるところによる。

目次　　頁

第１　国立公園事業の決定により定める事項

国立公園事業の決定に当たっては、風致景観の保護に留意しつつ、適正な国立公園利用を推進することを目的として、公園計画に基づき執行される国立公園事業の種類、位置及び規模等の整備すべき公園施設の大綱を定めるものとする。

第２　審議会への諮問の頻度

国立公園事業の決定等について中央環境審議会（以下「審議会」という。）への諮問は、原則として年２回行うこととする。

第３　審議会への諮問に係る手続

１　地方環境事務所長による国立公園課長宛ての具申

地方環境事務所長（釧路、信越及び沖縄奄美自然環境事務所長を含む。以下同じ。）

による国立公園事業の決定等の自然環境局国立公園課長（以下「国立公園課長」という。）宛ての具申までの手続は、以下のとおりとする。

⑴　国立公園事業の決定書、廃止書又は変更書（以下「決定書等」という。）の案は、原則として地方環境事務所長が作成し、関係法定受託事務実施都県自然保護主管課の意見を聴取した上で、審議会の日程を踏まえて自然環境局国立公園課（以下「国立公園課」という。）から別途指示する期日までに国立公園課長宛てに具申すること。ただし、第6に掲げる審議会への諮問を要しないもの又は緊急に対応を要するものについてはこの限りではない。

⑵　具申に当たっては、原則として別紙様式の「国立公園事業の決定、廃止及び変更案件名一覧表」及び案件ごとに作成した決定書等の案並びに調書について、国立公園課宛てに電子データにより送付すること。決定書等の案については、「国立公園業務管理システム」によって作成したものによること。

⑶　具申に当たっては、以下の点に留意すること。

ア　大規模な施設の整備等により国立公園の風致景観の維持上の支障が懸念される案件については、具申する前にあらかじめ国立公園課と十分に調整を図ること。

イ　既に決定されている国立公園事業のうち、位置及び規模等が明確にされていないものについて、決定すべき施設の規模が増加すると認められる場合には、原則として国立公園事業の決定事項の変更を行うことにより、当該国立公園事業の位置及び規模等を明確にすること。

ただし、既に事業地及び施設の規模が定められている国立公園事業において、所定様式の図面の添付のみによって事業地の明確化を行う場合は、国立公園事業の変更を必要とせず、副図として当該図面を備えておくことにより事業地の明確化を図ること。

2　審議会の開催

地方環境事務所長の具申を踏まえ、国立公園課長は審議会への諮問及び審議会の開催に係る事務等を行う。審議会の開催に当たっては、地方環境事務所（釧路、信越及び沖縄奄美自然環境事務所を含む。以下同じ。）は具申した案件に係る補足説明等の必要な協力を行うものとする。

第4　国立公園事業の決定等の要件等

国立公園事業の決定等については、次に掲げる要件に適合しなければならない。

⑴　国立公園事業の内容が公園計画に適合していること。

⑵　国立公園事業の内容が風致景観の保護上支障のないこと。

⑶　国立公園事業の執行の見込みがあること。

なお、⑴の審査のうち、集団施設地区における国立公園事業の決定等に当たっては、具体的な配置等が、公園計画で定められた整備計画区ごとの整備方針についても適合しなければならないため、その点に留意すること。また、大規模な施設の整備等により風致景観上の支障が懸念される案件については、第3の1⑶アの国立公園課との事前調整も踏まえつつ、事前に十分な時間的余裕をもって環境影響評価調査を実施し、国立公園事業の決定の適否を判断するとともに自然環境保全のための対策を十分に講じることとする。

第5　国立公園事業の決定書等の作成

1　決定すべき国立公園事業の位置及び規模

決定すべき国立公園事業の位置及び規模は、別添1「決定すべき国立公園事業の位置及び規模」に定めるところにより決定するものとする。

2　決定書等の作成

国立公園事業の決定等に当たっては、別添2「国立公園事業の決定書等作成要領」に定めるところにより、決定書等（添付図面を含む）を作成するものとする。

3　事業決定調書の作成

国立公園事業の決定等に当たっては、別添3「国立公園事業の決定調書作成要領」に基づき、次の事項に関する事業決定調書を作成するものとする。

⑴　国立公園事業の位置及びその周辺地域の現況

⑵　整備すべき公園施設の内容

⑶　環境影響予測及び自然環境保全のための対策

第6　審議会への諮問を要しない国立公園事業の決定等

1　法第9条第1項により、公園事業の決定等のうち審議会が軽微と認めるものについては、審議会の意見を聴くことを要しないこととされている。対象となる公園事業の決定等については、「審議会の意見を聴くことを要しない軽微な国立公園事業の決定等について（令和4年4月1日中央環境審議会自然環境部会自然公園等小委員会決定）」において定められており、国立公園事業の決定、変更又は廃止のうち、新たな開発行為が伴わない国立公園の事業決定等については、原則として審議会への諮問を要しないこととされ、具体的には、既に決定されている国立公園事業を分割・統合して新たな国立公園事業として位置づけし直す場合、既存施設を新たに国立公園事業として位置付ける場合、既存の国立公園事業施設の位置又は規模等の現状に合わせて、当該国立公園事業の位置又は規模等を変更する場合、国立公園事業を廃止する場合等が該当する。

2　審議会の諮問を要するかどうかの該当に関して疑義がある場合には、あらかじめ国立公園課と調整を図ること。

3　審議会への諮問を要しない国立公園の事業決定等の具申については、別途指示する期日までに国立公園課長宛てに具申すること。具申については第3　1⑵及び⑶の手続と同様に、取り扱うこととする。

４　なお、審議会への諮問を要しない国立公園の事業決定等に該当する場合であっても、国立公園事業の決定等に当たり国立公園の保護又は利用上必要と認められる場合には、審議会に諮問することができる。この場合における審議会への諮問については第３に掲げる手続と同様に取り扱うこととする。

第７　協議会による国立公園事業の決定等の提案

法第16条の２第１項に規定する協議会（以下「協議会」という。）による法第９条の２第１項に規定する国立公園事業の決定等の提案については、以下のとおり取り扱うこととする。

⑴　協議会による国立公園事業の決定又は変更の提案は、地方環境事務所にて受け付ける。提案に当たっては、以下の書類の提出を求めるものとする。

ア　提案書（協議会を組織した市町村又は都道府県、協議会の名称、協議会の構成員の氏名又は名称、提案の理由を記載する）

イ　提案に係る国立公園事業の素案（国立公園事業の決定書等に準じて作成する）

ウ　提案に係る国立公園事業の決定又は変更の図面（国立公園事業の決定書等に準じて作成する）

⑵　地方環境事務所は、提案の内容を踏まえて必要があると認めるときは、以下の書類の追加提出を求めるものとする。

ア　当該提案に係る場所及びその周辺の風致若しくは景観の状況又は特質

イ　当該提案に係る国立公園の利用の状況

⑶　地方環境事務所長は、提案の内容を踏まえて国立公園事業の決定等の必要性を検討し、決定等をする必要があると判断したときは、第３に掲げる手順と同様に、国立公園課長宛てに具申することとする。

⑷　地方環境事務所は、提案の内容を踏まえて国立公園事業の決定等をする必要がないと判断したときは、その旨の意見を付して、速やかに国立公園課に報告するものとする。国立公園課は、提案の内容を踏まえて国立公園事業の決定等をする必要がないと判断したときは、その旨及びその理由を当該提案をした協議会に通知するものとする。

⑸　なお、協議会による提案の内容は法第９条の２第１項の規定のとおり利用拠点整備改善計画の作成のために必要なものに限定され、具体的には利用拠点における新たな国立公園事業の決定や国立公園事業の位置や規模の変更等が想定される。

第８　国立公園事業の決定等の公示

法第９条第３項及び第５項の規定による国立公園事業の決定等の公示は官報への掲載により行うこととし、官報への掲載すべき事項は決定等をする内容のうち、国立公園事業の名称、種類及び位置とする。

（別添１）

決定すべき国立公園事業の位置及び規模

決定すべき国立公園事業の位置及び規模は、国立公園事業の種類ごとに、「決定すべき国立公園事業の位置及び規模一覧表」のとおりとする。

なお、国立公園事業の位置及び規模は、国立公園の利用動向、利用上の必要性及び風致景観上の支障の程度等を考慮して適正なものとするとともに、決定に当たっては下記の事項に留意することとする。

記

1　国立公園事業の位置について

国立公園事業の位置については、原則として事業執行が見込まれる路線、区域又は位置について決定することとする。ただし、各公園施設が近接して不連続に分布する場合は、介在する事業執行が当面見込まれていない路線又は区域を含めて国立公園事業の位置とみなすことができるものとする。

2　取付け道路について

各施設への取付け道路は、施設の規模として算入することを省略することができるものとする。

3　路線について

⑴　計画路線の一部について決定する場合は、利用上のまとまりを考慮して決定する路線を定める。

⑵　路線距離は、実延長距離とする。

⑶　路線距離は枝線距離を含めて決定する。

⑷　各々の路線距離が0.5km未満の枝線に係る起終点の決定及び路線図上の路線表示は省略することができる。

また、複数の枝線を有する道路については、中心的な路線をもって起終点の決定及び路線図上の路線表示を行う。

4　区域について

⑴　園路等の線的施設の敷地については、区域面積に算入することを省略できる。

⑵　園路等の線的施設が高密度で整備される地区については、当該公園施設敷間に介在する当該公園施設敷以外の土地も含めて、区域とみなすことができる。

⑶　水泳場、舟遊場、係留施設等に係る水域の区域面積は、施設の占用許可面積等を基に算定する。水泳場及び舟遊場に係る利用水面の範囲は含まず、施設の占用許可面積等のみとする。

⑷　給水施設又は排水処理施設の区域面積は、給水又は排水処理対象区域面積を基に算定する。

5　最大宿泊者数について

最大宿泊者数は次に掲げる指標を参考に、公園利用の快適性の確保及び環境保全上の制約の観点から定めることとする。当該地域の公園利用上の特性や自然環境の状況を踏まえたその他の指標を参考に定めることも可とする。

⑴　和室の場合、寝室たる客室について畳２帖につき１人、洋室の場合、ダブルベッドは２人、ツインベッドは２人、シングルベッドは１人を目安として計算する。ただし、山小屋及びコテージについては、寝室たる客室について畳１帖につき１人を目安とする。

　また、テントサイトの場合は30㎡につき１人を目安として計算する。ただし、山岳地等においてはこの限りではない。

⑵　宿泊利用者数に対する上水の供給能力及び下水の処理能力、公園施設敷の限界等、環境保全上の制約条件等がある場合は、それらを考慮して最大宿泊者数を定める。

６　付帯施設の包括について

各施設は、令第１条に掲げる施設であって、当該施設に付帯し、かつ機能的に密接な関係にある他の施設であるところの付帯施設（以下「付帯施設」という。）を包括した国立公園事業として、決定することができるものとする。

なお、最大宿泊者数、区域面積を定めることとしていない事業において、野営場事業を付帯施設とする場合には、原則として別途最大宿泊者数、区域面積を定めることとする（当該事業に含めることができる付帯施設の一覧及び留意点については国立公園事業執行等取扱要領（令和４年４月１日付け環自国発第22040111号自然環境局長通知）別添３を参照。）。

ただし、宿舎を他の施設に包括することはできないものとする。

決定すべき国立公園事業の位置及び規模一覧表

国立公園事業の種類	国立公園事業の位置（添付図面）	国立公園事業の規模（単位）
道路（車道）	路線（路線図）	路線距離（㎞）・有効幅員（m）
道路（自転車道）	路線（路線図）	路線距離（㎞）
道路（歩道）	路線（路線図）	路線距離（㎞）
橋	路線（路線図）	路線距離（㎞）
広場	区域（区域図）	区域面積（ha）（野営場を付帯する場合　最大宿泊者数（人／日））
園地	区域（区域図）	区域面積（ha）（野営場を付帯する場合　最大宿泊者数（人／日））
宿舎	区域（区域図）	区域面積（ha）・最大宿泊者数（人／日）
避難小屋	位置（位置図）	箇所数（箇所）（野営場を付帯する場合　最大宿泊者数（人／日）・区域面積（㎡））

休憩所	区域（区域図）	区域面積（ha）
展望施設	区域（区域図）	区域面積（ha）
案内所	区域（区域図）	区域面積（ha）
野営場	区域（区域図）	区域面積（ha）・最大宿泊者数（人／日）
運動場	区域（区域図）	区域面積（ha）
水泳場	区域（区域図）	区域面積（ha）
舟遊場	区域（区域図）	区域面積（ha）
スキー場	区域（区域図）	区域面積（ha）
スケート場	区域（区域図）	区域面積（ha）
乗馬施設	区域（区域図）	区域面積（ha）
車庫	区域（区域図）	区域面積（ha）
駐車場	区域（区域図）	区域面積（ha）
燃料等供給施設	区域（区域図）	区域面積（ha）
昇降機	位置（位置図）	箇所数（箇所）
自動車運送施設	路線（路線図）	路線距離（km）
自動車運送施設（専用自動車道の場合）	路線（路線図）	路線距離（km）・有効幅員（m）
自動車運送施設（単独施設的なもののみの場合）	区域（区域図）	区域面積（ha）
船舶運送施設	路線（路線図）	路線距離（km）
水上飛行機	路線（路線図）	路線距離（km）
鉄道運送施設	路線（路線図）	路線距離（km）・最大輸送量（人／時）
索道運送施設	路線（路線図）	路線距離（km）・最大輸送量（人／時）
一般自動車道	路線（路線図）	区間距離（km）・幅員（m）
係留施設	区域（区域図）	区域面積（ha）
給水施設	区域（区域図）	区域面積（ha）・給水量（㎥／日）
排水施設	区域（区域図）	区域面積（ha）・排水処理量（㎥／日）
医療救急施設	区域（区域図）	区域面積（ha）
公衆浴場	区域（区域図）	区域面積（ha）
公衆便所	位置（位置図）	箇所数（箇所）
汚物処理施設	区域（区域図）	区域面積（ha）
博物館	区域（区域図）	区域面積（ha）
植物園	区域（区域図）	区域面積（ha）

動物園	区域（区域図）	区域面積（ha）
水族館	区域（区域図）	区域面積（ha）
博物展示施設	区域（区域図）	区域面積（ha）
野外劇場	区域（区域図）	区域面積（ha）
植生復元施設	区域（区域図）	区域面積（ha）
動物繁殖施設	区域（区域図）	区域面積（ha）
砂防施設	区域（区域図）	区域面積（ha）
防火施設	区域（区域図）	区域面積（ha）
自然再生施設	区域（区域図）	区域面積（ha）

（別添２）

国立公園事業の決定書等作成要領

国立公園事業の決定書、廃止書及び変更書は、本要領の定めるところにより作成することとする。

1　国立公園事業の決定書（添付図面を含む。）は、様式１によることとする。

2　国立公園事業の廃止書（添付図面を含む。）は、様式２によることとする。

3　国立公園事業の変更書（添付図面を含む。）は、様式３及び様式３－２によることとする。

様式1

<table>
<tr><td colspan="3">○○○○　国立公園
事　業　決　定　書</td><td>環境省告示第　　　号
年　　月　　日</td></tr>
<tr><td rowspan="4">事業決定事項</td><td colspan="2">国立公園事業の名称及び種類</td><td></td></tr>
<tr><td colspan="2">国立公園事業の位置</td><td>[○○]</td></tr>
<tr><td colspan="2">国立公園事業の規模</td><td></td></tr>
<tr><td colspan="2">添付図面</td><td></td></tr>
<tr><td rowspan="5">参考事項</td><td rowspan="2">公園計画</td><td>施設計画</td><td>告示第　　　号
年　　月　　日</td></tr>
<tr><td>規制計画</td><td>告示第　　　号
年　　月　　日</td></tr>
<tr><td colspan="2">国立公園事業者
（予定）</td><td></td></tr>
<tr><td colspan="2">工種</td><td></td></tr>
<tr><td colspan="2">備考</td><td></td></tr>
</table>

添付図面

（区域を定めるもの）

（位置を定めるもの）

（路線を定めるもの）

1　決定書

⑴　国立公園事業の名称及び種類欄

名称は、道路等にあっては施設計画の路線名、園地等の単独施設等にあっては公園計画書記載の地名通称とする。ただし、集団施設地区にあっては、各集団施設地区の名称とする。

⑵　国立公園事業の位置欄

公園計画書の記載と同一とする。ただし、集団施設地区にあっては、当該集団施設地区名を地名通称又は起終点とする。

⑶　公園計画欄

施設計画の欄には、集団施設地区の場合、「集団施設地区」と記載する。

規制計画の欄には、特別保護地区、海域公園地区、第１種特別地域、第２種特別地域、第３種特別地域、普通地域の順に、該当する地域地種区分を記載する。

⑷　告示年月日及び番号欄

規制計画の特別保護地区にあっては法第21条、海域公園地区にあっては法第22条、特別地域にあっては法第20条、普通地域にあっては法第５条、施設計画にあっては法第７条に係る告示年月日及び番号を記載する。

⑸　備考欄

・環境省直轄事業に該当する整備を含む場合は、施設整備計画の概要に関する記述の他に「環境省直轄事業」と記載する。

・公園計画の変更に伴う形式的な整理を内容とする案件の場合は、施設整備計画の概要を記載するかわりに、「公園計画の変更に伴う整理」と記載する。

2　添付図面（決定図）

⑴　使用地図及び規格

原則として、国土地理院発行の縮尺１／25,000の地形図を使用する。規格は日本産業規格（JIS）Ａ４とするが、表示しきれない場合はＡ３とする。（複数枚にわたっても可）

⑵　表示方法

・路線を定めるものにあっては、該当路線を実線で表示し、起終点を明らかにする。集団施設地区内の道路等の枝線が多くて表示が困難な路線は、代表的な路線をもって表示する。

・区域を定めるものにあっては、該当区域の区域線を表示し、必要に応じてその線種を明らかにする。なお、区域面積が５ha 未満のものについては、該当位置に直径10㎜の円を表示することで区域線の表示に代えることができるものとする。

・位置を定めるものにあっては、該当位置に直径10㎜の円を表示する。

・以上の方法で表示した国立公園事業の位置に事業の名称及び種類を明記する。

様式2

<table>
<tr><td>○○○○　国立公園
事　業　廃　止　書</td><td>環境省告示第　　　　号
年　　月　　日</td></tr>
</table>

<table>
<tr><td rowspan="4">事
業
廃
止
事
項</td><td>国立公園事業の
名称及び種類</td><td></td></tr>
<tr><td>国立公園事業の位置</td><td>[○○]</td></tr>
<tr><td>国立公園事業の規模</td><td></td></tr>
<tr><td>添　付　図　面</td><td></td></tr>
</table>

<table>
<tr><td rowspan="3">参
考
事
項</td><td rowspan="2">公
園
計
画</td><td>施　設　計　画</td><td></td><td>告示第　　　　号
年　　月　　日</td></tr>
<tr><td>規　制　計　画</td><td></td><td>告示第　　　　号
年　　月　　日</td></tr>
<tr><td colspan="2">備　　　考</td><td colspan="2">事業決定（　　年　月　日　告示第　　号）の廃止</td></tr>
</table>

作成上の留意事項

1　記載方法

決定書にならって、記載する。

なお、備考欄には、廃止前の国立公園事業の決定の告示年月日の番号も記載する。数次にわたって変更されている場合には、直前の変更に係る告示年月日及び番号を記載する。

2　添付図面（廃止図）

決定書の添付図面（決定図）にならって、作成する。

様式３

<table>
<tr><td colspan="2">○○○○　国立公園
事　業　変　更　書</td><td></td><td>環境省告示第　　号
年　月　日</td></tr>
<tr><td rowspan="5">事業変更事項</td><td></td><td>変　更　前</td><td>変　更　後</td></tr>
<tr><td>国立公園事業の名称及び種類</td><td></td><td></td></tr>
<tr><td>国立公園事業の位置</td><td>［○○］</td><td>［○○］</td></tr>
<tr><td>国立公園事業の規模</td><td></td><td></td></tr>
<tr><td>添　付　図　面</td><td></td><td></td></tr>
</table>

<table>
<tr><td rowspan="6">参考事項</td><td rowspan="2">公園計画</td><td>施　設　計　画</td><td></td><td>告示第　　号
年　月　日</td></tr>
<tr><td>規　制　計　画</td><td></td><td>告示第　　号
年　月　日</td></tr>
<tr><td colspan="2">国立公園事業者
（予定）</td><td colspan="2"></td></tr>
<tr><td colspan="2">工　　種</td><td colspan="2"></td></tr>
<tr><td colspan="2">備　　考</td><td colspan="2">事業決定（　　年　月　日　告示第　　号）の変更</td></tr>
</table>

作成上の留意事項

1　記載方法

決定書にならって、記載する。

なお、備考欄には、施設整備の概要のほか、変更前の国立公園事業の決定の告示年月日及び番号も記載する。数次にわたって変更されている場合には、直前の変更に係る告示年月日及び番号を記載する。

2　複数事業の統合

同一の計画で複数の国立公園事業の決定がなされているものを統合する等の変更を行う場合は、変更書の様式第３－２を使用することとする。

3　添付図面（変更図）

決定書の添付図面（決定図）にならって、作成する。

様式３－２

〇〇〇〇国立公園事業変更書

環境省告示第　　号
年　月　日

<table>
<tr><td rowspan="6">事業変更事項</td><td colspan="2">変　更　前</td><td colspan="2">変　更　後</td></tr>
<tr><td>国立公園事業の名称及び種類（告示年月日、番号）</td><td>国立公園事業の位置及び規模</td><td>国立公園事業の名称及び種類</td><td>国立公園事業の位置及び規模</td></tr>
<tr><td>年　月　日
告示第　号</td><td>［〇〇］
［国立公園事業の規模］</td><td rowspan="3"></td><td rowspan="3">［〇〇］
［国立公園事業の規模］
［〇〇］
［国立公園事業の規模］</td></tr>
<tr><td>年　月　日
告示第　号</td><td>［〇〇］
［国立公園事業の規模］</td></tr>
<tr><td>年　月　日
告示第　号</td><td>［〇〇］
［国立公園事業の規模］</td></tr>
<tr><td>添付図面</td><td></td><td>添付図面</td><td></td></tr>
</table>

<table>
<tr><td rowspan="4">参考事項</td><td rowspan="2">公園計画</td><td>施設計画</td><td colspan="3">年　月　日　告示第　号</td></tr>
<tr><td>規制計画</td><td colspan="3">年　月　日　告示第　号</td></tr>
<tr><td>国立公園事業者（予定）</td><td></td><td rowspan="2">備考</td><td rowspan="2">事業決定（　年　月　日　告示第　号、年　月　日　告示第　号及び　年　月　日　告示第　号）の変更</td></tr>
<tr><td>工種</td><td></td></tr>
</table>

（別添３）

国立公園事業の決定調書作成要領

国立公園事業の決定調書は、国立公園事業ごとに作成する。記載すべき項目は、次のとおりとする。

1　国立公園事業の位置及びその周辺地域の現況

⑴　位置

国立公園事業の位置及び当該国立公園内の地理的位置関係

（併せて事業地の現況天然色写真（カラー写真）を添付すること）

⑵　公園計画の現況

施設計画及び規制計画の内容（併せて公園計画図を添付すること）

⑶　自然環境の現況

・事業地の地形、植生、主要な野生動植物の生息、生育現況等

・その他、必要に応じて特異な自然現象、水質等の環境保全上特記すべきもの

⑷　土地所有者

事業地の土地所有者

⑸　権利制限関係等

事業地に係る保安林、鳥獣保護区、文化財、砂防区域、総合保養地域整備法に基づく特定施設等の指定状況。（必要に応じて図面を添付）

⑹　国立公園の保護又は利用の実態

＜保護施設＞

・当該事業の保護上の位置づけ

・事業地の利用者数及び主な利用形態

・当該市町村一帯の利用者数及び主な利用形態

・事業地の保護対象及び保護の状況

＜利用施設＞

・当該事業の利用上の位置づけ

・事業地の利用者数及び主な利用形態

・当該市町村一帯の利用者数及び主な利用形態

2　整備すべき施設の内容

⑴　整備計画

・整備予定施設の基本計画図（整備計画の概略が容易にわかるもの）

・事業主体別の既存施設の種類及び規模、整備予定施設の種類及び規模（様式は次の表のとおり）

事業主体	現行		変更後	
	公園施設の種類	規模	公園施設の種類	規模
1．○○○㈱	ホテル 駐車場 敷地	建築面積３千㎡ 収容力１千人 高さ　10m 1 ha 2 ha	変更なし	変更なし
2．○○○㈱	ホテル 駐車場 敷地	建築面積２千㎡ 収容力１千人 高さ　10m 1 ha 2 ha	ホテル 駐車場 敷地	建築面積４千㎡ 収容力２千人 高さ　15m 2 ha 3 ha
計	区域面積 最大宿泊者数 (事業決定すべき施設の規模の合計を記載する。)	4 ha ２千人	区域面積 最大宿泊者数	5 ha ３千人

⑵　保護又は利用上の必要性及び効果

国立公園事業執行の必要性及び期待される公園保護又は利用上の効果。

3　環境影響予測及び自然環境保全のための対策

施設整備が自然環境等に与える影響の予測及びその影響を軽減させるための措置。

別紙様式

国立公園事業の決定、廃止及び変更案件名一覧表

〇〇〇〇地方環境事務所

（〇〇〇〇自然環境事務所）

番号	国立公園名	事業名	決定・廃止・変更の別	事業執行者（予定）	備　　考

※作成上の留意事項

国立公園ごと（官制順）に決定、廃止、変更の順に記載する。また、各案件は、公園計画書の記載順に並べること。

第４編

管理運営計画に係る事務

○国立公園における協働型管理運営の推進について

〔平成26年７月７日　環自国発第1407073号
各地方環境事務所・釧路・長野・那覇自然環境事務所長宛　自然環境局長通知〕

改正　令和４年４月１日環自国発第22040114号

国立公園の管理においては、近年、外来種や野生鳥獣による被害等の新たな課題への能動的な対応、利用者ニーズの変化を踏まえ、地域振興に配慮した適切な利用の推進及び地域の観光や土地利用に関する計画・施策との整合性の確保が求められている。これらの課題等への長期的かつ戦略的な取組の推進について助言を得るため、平成23年度より有識者から成る「国立公園における協働型運営体制のあり方検討会（座長：東京大学下村教授）」を設置し、「国立公園における協働型管理運営を進めるための提言」（平成26年３月20日）がとりまとめられた。当該提言を受け、国立公園においては、下記のとおり地域の関係者との協働による管理運営を推進していくこととしたので通知する。

記

1　地域の関係者との協働による管理運営＊の取組を進めるに当たっては、次の事項に留意し、順次可能な地域から取組を進めること。

・各国立公園の全体又は地理的・社会的若しくは利用上まとまりを持った一定の地域において、国立公園の価値や保全・利用の目標を示したビジョン、そのビジョンを実現するための管理運営の方針及び自然環境の保全や適正な利用の推進に係る地域ルール＊＊について、環境省及び地域の関係者が共有する。

・これらのビジョン、管理運営方針等に基づき、自然環境の保全、利用施設の整備及び維持管理、利用者サービスの提供等の地域の関係者が分担して実施すべき具体的な取組内容及び役割分担について整理した行動計画又はその役割の全部若しくは一部を代替する世界自然遺産地域管理計画、国立公園満喫プロジェクトステップアッププログラムその他の計画（以下「行動計画等」という。）を作成する。

2　協働型管理運営の推進に係る体制については、国立公園における保護の課題や提供すべきサービス等について総合的に検討し、上記１の国立公園におけるビジョン、管理運営方針、行動計画及び地域ルールの協議やその実現に向けた取組の進捗管理等を行うことを目的として広範な関係者が参画する協議会（総合型協議会）又は世界自然遺産地域における地域連絡会議若しくは国立公園満喫プロジェクトに係る地域協議会その他の協議会（以下「総合型協議会等」という。）を設置すること。

また、環境省を含む総合型協議会等の構成員は、国立公園のビジョン等の当該協議会における協議事項に最大限配慮しつつ、行動計画に沿った取組を進めていくための計画づくり（自然公園法に基づく自然体験活動促進計画及び利用拠点整備改善計画等）や具体的な施策を実施していく。

3　総合型協議会等における協議を経た事項については、公園計画及び地方環境事務所長が作成する国立公園管理運営計画に次のとおり反映させ、その整合性及び実現性を担保する。

・総合型協議会等で協議された国立公園のビジョン及び管理運営方針については、公園計画の基本方針に反映させる。

・総合型協議会等で協議された行動計画等及び地域ルールについては、国立公園管理運営計画の一部として反映させる（世界自然遺産地域管理計画、国立公園満喫プロジェクトステップアッププログラム等の計画が国立公園管理運営計画の一部の役割を代替している場合を除く。）。

＊　「地域の関係者との協働による管理運営」とは、関係者が国立公園の望ましい保全・利用の目標（ビジョン）、当該国立公園の管理運営の在り方等を共有し、その共通認識に基づき、各関係者が主体的に国立公園の管理運営に資する取組を実施することをいう。

＊＊　「地域ルール」とは、国立公園の全部又は一部の地域において、自然環境や利用状況を踏まえて定める地域特有の自然環境保全及び適正利用の推進のための自主的なルールや遵守事項をいう。

○国立公園管理運営計画作成要領

〔令和４年４月１日　環自国発第22040113号
各地方環境事務所長等宛　自然環境局長通知〕

第１　目的

国立公園管理運営計画（以下「管理運営計画」という。）は、国立公園ごとに作成された公園計画に示す基本方針（「国立公園に係る公園計画の作成等について」（令和４年４月１日付け環自国発第2204015号自然環境局長通知）別紙１「国立公園の公園計画作成要領」第４のＩ参照）に記載された国立公園の風致景観及び自然環境、利用状況等の公園ごとの特性を踏まえた公園の望ましい姿、公園が提供すべきサービス、公園の価値や保全・利用の目標をわかりやすく示したビジョン（以下「ビジョン」という。）の実現を地域の多様な関係者とともに図ること、また、地域の実情に即した国立公園の適正な保護及び利用の推進を図ることを目的として作成するものとする。

第２　管理運営計画の作成対象地域

管理運営計画の作成対象地域（以下「管理運営計画区」という。）は、一体性の高い国立公園の場合は国立公園全域とし、風致景観の特性（一体性又は類似性）及び社会的特性（地域の連携体制、利用の形態等）を踏まえ、国立公園を複数の地区に区分することが合理的であると認められる場合は、その地区ごとに作成するものとする。

第３　管理運営計画の構成と内容

管理運営計画は、行動計画及び許認可等取扱方針によって構成することとし、それぞれ、原則として次に掲げる事項について記載することとする。

⑴　行動計画

行動計画は、当該国立公園のビジョンの実現に向け、環境省が地域の多様な関係者とともに実施すべき取組方策及び役割分担について定めるものであり、次の項目を記載することとする。

ア　国立公園のビジョン・管理運営方針

公園計画の基本方針に示す国立公園のビジョン及び管理運営方針を記載する。また、管理運営計画区を構成する風致景観及び自然環境の概況、利用の概況、公園計画（規制計画及び事業計画）の概況を記載する。ビジョン及び管理運営方針は、必要に応じて管理運営計画区ごとに整理して記載する。

イ　管理運営の体系

国立公園のビジョン実現に向け、管理運営計画区において実行するプロジェクト・事業ごとに、各種企画調整、計画作成及び管理運営に係る枠組み・体制（協議会、連絡会議等の設置と計画作成等の体系）について整理し、記載する。

なお、必要に応じて、管理運営計画区において実行するプロジェクト・事業を対象に作成する別の計画に、行動計画の全部又は一部を代替させることができることとする（行動計画の全部又は一部を代替させる計画を「代替計画」という。以下同じ。）。代替計画としては、世界自然遺産地域管理計画、自然再生全体構想、国立公園満喫プロジェクトに係るステップアッププログラム等が想定される。

代替計画を設定する場合には、行動計画に、代替計画の名称、対象とするプロジェクト・事業の名称、検討・協議を行う協議会等の体制その他の代替計画の概要を記載することとする。なお、代替計画を設定する場合には、その代替する範囲内について、行動計画においては以下のウ～カに係る事項の記載を省略することができることとする。

ウ　現状分析

管理運営計画区の特徴、来訪者数等のデータ、前期計画による取組の進捗及び成果、パークボランティアの会・公園管理団体その他の関係団体による活動状況、前期計画作成後の自然環境や社会状況の変化等の情報を整理の上、ビジョンの実現に向けて管理運営計画区が有する課題を分析し記載する。

エ　取組方針

国立公園のビジョン実現に向けて、現状分析で示された課題の解決に向けて実施する取組の方針、計画期間中の到達目標、取組共通の基本原則等を記載する。

オ　取組方策及び役割分担

取組方針に即し、計画期間中の到達目標を達成させるため、実施する取組方策とその役割分担等を記載する。

カ　効果検証

国立公園の管理運営に関する評価指標及び評価手法、行動計画の進捗状況の確認方法等を記載する。管理有効性評価として、生物多様性、レクリエーション利用、経済効果、地域協働等の多面的な観点から評価し、その評価結果を次期計画に反映できることが望ましい。

⑵　許認可等取扱方針

許認可等取扱方針は、自然公園法（昭和32年法律第161号。以下「法」という。）の許認可事務に係る取扱方針を定めるものである。

ア　許可、届出等取扱方針

管理運営計画区内における特別地域、特別保護地区及び海域公園地区（以下「特別地域等」という。）、普通地域、利用調整地区内において行う行為に関する許可、届出に対する措置に係る取扱方針を定めることとする。

① 審査基準・処分基準

特別地域等に係る法第20条第３項、第21条第３項、第22条第３項に基づく許可の審査基準として、自然公園法施行規則（昭和32年厚生省令第41号。以下「施行規則」という。）第11条に規定する基準の内容を地域の自然的、社会的条件に応じて具体化した基準等を定める。なお、施行規則第11条に規定する基準と重複する内容を本取扱方針において記載する必要はないこと、施行規則第11条に規定する基準の強化又は緩和については、同条第37項に規定する基準の特例を定めることにより対応することについて留意すること。

また、普通地域内において法第33条第１項の規定により届出を要する行為のうち、国立公園の普通地域の風景の保護上、大きな影響を与える可能性のある行為について、同条第２項に基づき、その行為を禁止し、若しくは制限し、又は必要な措置をとるべき旨を命ずることに際してよるべき基準である「国立公園普通地域内における措置命令等に関する処分基準」（平成13年５月28日付け環自国第212号環境省自然環境局長通知）の内容を地域の自然的、社会的条件に応じて具体化した基準等を定める。

さらには、利用調整地区への立入りに係る法第23条第３項第７号に基づく申請に対する許可について、やむを得ない事由に係る事項を定める。

② 配慮事項・指導方針等

管理運営計画区の保護のために配慮が必要な事項、申請者等への指導方針等を定める。

イ 公園事業取扱方針

管理運営計画区における公園事業の取扱方針として、次に掲げる事項を定めることとする。

① 審査基準

管理運営計画区の自然的及び社会的条件に応じ、法第10条第２項に基づく協議又は同条第３項に基づく国立公園事業の認可（同条第６項の変更の協議又は認可を含む。）の要件として、当該公園の保護のための基準（公園事業施設の形態や色彩等）又は適正な公園利用を確保するための基準（公園事業の執行に当たって遵守すべき事項等）等を定める。なお、本審査基準は「国立公園事業執行等取扱要領」（令和４年４月１日付け環自国発第22040111号自然環境局長通知）の第12の１．⑵に該当するため、留意すること。

② 指導方針・管理方針等

管理運営計画区における公園事業者への指導方針や公園事業施設の管理方針等を定める。

ウ　その他の事務に係る取扱方針

ア・イに掲げるもののほか、必要に応じて法第37条に規定する利用のための規制に係る運用方針、国立公園の利用者等を指導する取扱方針等に係る事項を定める。

エ　参考資料

その他、許認可事務を実施する上で参考となる資料を添付する。具体的には、施行規則第11条第37項に基づき定められた行為の許可基準の特例、法第20条第３項第11号又は同項第13号により環境大臣が指定する動植物の一覧、「自然公園における法面緑化指針」（平成27年10月27日付け環自国発第1510271号環境省自然環境局長通知）等が想定される。

⑶　その他の事項

その他、管理運営計画の変更理由や作成・変更の経緯、関連する計画等、管理運営計画を参照する上で必要な事項について記載をする。

第４　管理運営計画の作成手続

⑴　管理運営計画の作成及び変更

管理運営計画は、地方環境事務所長（釧路自然環境事務所長、信越自然環境事務所長及び沖縄奄美自然環境事務所長を含む。以下同じ。）が作成（変更する場合も含む。以下同じ。）するものとし、第３に掲げる行動計画（以下「行動計画」という。）及び許認可等取扱方針（以下、「取扱方針」という。）について、それぞれ分けて作成できるものとする。

なお、管理運営計画は、作成後おおむね５年を経過した場合において点検を行うこととし、その結果に基づき必要と認める場合には、変更を行うことする。点検により地方環境事務所長が見直しの必要がないと判断した場合であっては、次の５年後に再度点検を行うこととする。また、部分的な変更については必要に応じて随時実施することができる。

⑵　具体的な作業の手順

地方環境事務所長は次に掲げる手順により、管理運営計画を作成することとする（手順の概要は別紙参照。）。

ア　管理運営計画の素案の作成

地方環境事務所長は、都道府県、市町村その他の関係行政機関及び国立公園の管理運営に携わる地域関係者その他地方環境事務所長が必要と認める者の意見を十分に聴取し、管理運営計画の素案を作成する。意見の聴取に当たっては、必要に応じて第５に定める検討会を設置し活用する。

イ　自然環境局国立公園課長への協議

第３⑴ア、イの変更を伴う行動計画の変更、取扱方針の変更のうち行政手続法第６章の規定による意見公募手続をしなければならない変更については、地方環境事務所長は、素案について自然環境局国立公園課長に協議するものとする。

ウ　法定受託事務を行う都道府県知事への協議

地方環境事務所長は、管理運営計画区が自然公園法施行令（昭和32年政令第298号）附則第２項に規定する指定区域と重複する場合には、当該指定区域で法定受託事務を行う都道府県知事に対して、素案のうち取扱方針の第３⑵アに係る事項について公文により意見照会するものとする。

エ　意見公募手続及び管理運営計画案の作成

地方環境事務所長は、必要に応じ自然環境局国立公園課長と調整の上、意見公募手続を実施し、管理運営計画案を作成する。

なお、取扱方針の第３⑵ア①及びイ①に定める審査基準等については、行政手続法第５条第１項に規定する審査基準であることから、行政手続法第６章の規定による意見公募手続を行わなければならないため、留意すること。ただし、この場合であっても、許認可の審査に係らない事項等、軽微な変更であって、意見公募手続の必要がないと地方環境事務所長が判断した場合は省略できるものとする。

オ　自然環境局長への協議

地方環境事務所長は、管理運営計画案について、公文により自然環境局長に協議する。自然環境局長は、地方環境事務所長から案の協議を受けたときには、原則として２か月以内に同意の可否について回答するものとする。

なお、「イ　自然環境局国立公園課長への協議」において協議対象とされた事項以外の事項の変更については自然環境局長への協議を省略できる。

カ　管理運営計画の公表及び報告

地方環境事務所長は、管理運営計画を作成した際は、インターネット等の適当な方法によって公表するとともに、速やかに自然環境局長にその旨を報告するものとする。

また、管理運営計画の取扱方針については、事前周知を行う観点から、施行期日を定める等、公表後一定期間をおいて施行するよう配慮すること。

キ　その他

ア～カの協議又は報告については原則として電子情報処理組織を使用する方法をもって行うものとする（協議の相手方との調整により書面を求められた場合にはこの限りでない。）。

第５　管理運営計画検討会の設置

１　管理運営計画の案の検討に当たり必要があると認めるときは、地方環境事務所長は検討項目ごとに、国立公園管理運営計画検討会（以下、「検討会」という。）を開催することができる。

２　検討会は、検討項目に応じて、学識者、地元関係行政機関及び地域関係者その他の地方環境事務所長が必要と認める者により構成することとする。また、検討項目に応じて、総合型協議会、世界自然遺産地域連絡会議、国立公園満喫プロジェクト地域協議会等の既存の協議会等を活用できるものとする。

別　紙

国立公園管理運営計画の作成に関する作業手順

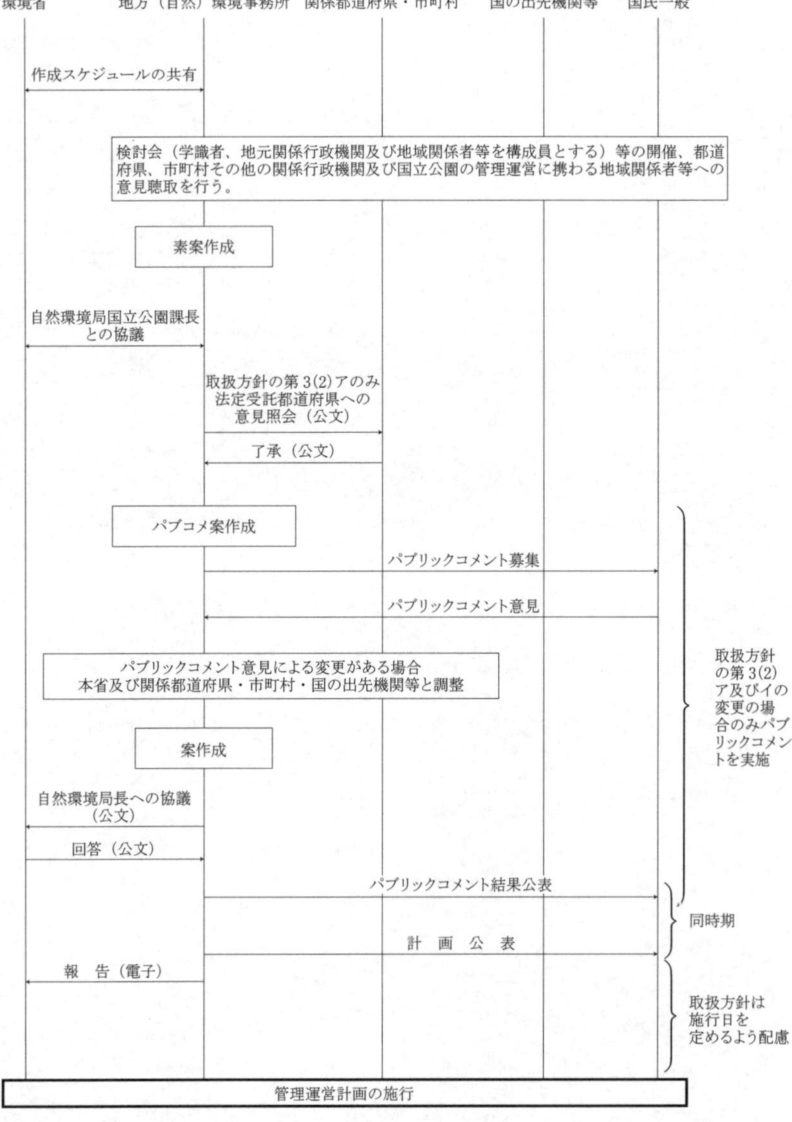

別紙

第５編

公園事業の執行、行為許可等に係る実務

第１章　公園事業の執行認可等に係る実務

第１節　公園事業執行等取扱要領

○国立公園事業執行等取扱要領

〔令和４年４月１日　環自国発第22040111号
各地方環境事務所長等宛　自然環境局長通知〕

目次　頁

第１節　総論

（通則）

第１

自然公園法（昭和32年法律第161号。以下「法」という。）第10条の規定に基づく国立公園に関する公園事業（以下「国立公園事業」という。）の執行に関しては、法、自然公園法施行令（昭和32年政令第298号。以下「令」という。）及び自然公園法施行規則（昭和32年厚生省令第41号。以下「規則」という。）の規定によるほか、この要領の定めるところによる。

（国立公園事業について）

第２

公園事業は、法第２条第６号において「公園計画に基づいて執行する事業であつて、国立公園又は国定公園の保護又は利用のための施設で政令で定めるものに関するもの」とされ、その具体的な公園事業に係る施設（以下「公園事業施設」という。）の種類は令第１条各号に掲げられており、その具体的な定義は「国立公園に係る公園計画の作成等について」（令和４年４月１日付け環自国発第2204015号自然環境局長通知）の別紙１「国立公園の公園計画作成要領」別表において定められているところである。国立公園事業については法第９条の規定により、公園計画に基づき環境大臣が決定し、環境大臣等によって執行（当該公園事業施設の設置や管理運営を指す。以下同じ。）されることとなる。そのため、国立公園事業の執行に関しては公園計画及び決定された公園事業の決定の内容との整合について常に留意する必要がある。

（国立公園事業の特例について）

第３

国立公園事業は、国立公園の保護及びその利用の増進を図るために執行されるものであることから、公園事業の執行として行う行為は法第20条第９項第１号、第21条第８項第１号、第22条第８項第１号、第23条第３項第３号及び第33条第７項第１号の規定により、特別地域（特別保護地区を含む。以下同じ。）、海域公園地区、普通地域における許可又は届出を要する行為の規制等の適用が除外されている。

ここでいう「公園事業として行う行為」は公園事業の執行と必然的な関連をもち、かつ、その執行として公園事業施設の設置又は管理経営のために行う必要最小限度の行為を意味するものと解する（例えば公園事業の執行として宿舎を新築する行為、「国立公園における通景伐採の取扱いについて（平成30年３月環自国発第1803191号）」で示す公園事業として執行されている展望施設等において必要最小限の範囲で通景伐採する行為等は、これに含まれる。）。公園事業施設は保護又は利用のための施設であって、その執行として行われる行為も多岐に渡るものであることから、国立公園事業の執行に関する申請又は協議（以下「申請等」という。）において、公園事業の執行として行われる行為で特に明確化を図る必要があるものについては、申請等の際に付記させることが望ましい。

（国立公園事業に関する申請内容等に対する指導）

第４

国立公園事業の執行に関し相談を受けたときは、国立公園事業の執行の内容及び協議書・申請書（以下「申請書等」という。）又は届出書の内容が、法、令、規則及び本要領に照らし適切なものとなるよう指導するものとする。なお、指導においては、行政手続法（平成５年法律第88号）第32条から第36条までの規定に留意する。

（国立公園事業に関する申請書等の審査等）

第５

１　地方環境事務所長は、申請者若しくは協議者（以下「申請者等」という。）又は届出者から国立公園事業の執行に関する申請書等又は届出書が提出されたときは、当該申請書等又は届出書について不備又は不足がないことを確認し、不備又は不足がある場合には相当の期間を定め、申請者等又は届出者に補正を求めることとする。

２　地方環境事務所長は、申請書等が提出された日（申請書等の不備又は不足について補正を求めた場合にあっては、当該補正がなされた日）から起算して原則として１か月以内に、本要領に定める審査事項について審査し、処理又は処分するものとする。

なお、相当の期間を経過しても申請書等の不備又は不足が補正されないときは、申請に対する処分又は協議が規則第20条に定める地方環境事務所長に委任された権限によるものである場合は、速やかに行政手続法第７条の規定によって、申請によって求められた認可、承認（以下「認可等」という。）を拒否する処分又は協議への異議を行うものとし、これ以外の場合にあっては、認可等の拒否又は協議への異議が適当である旨の意見を付して、自然環境局国立公園課長に進達することとする。

３　本省においては、第６により、各地方環境事務所長又は各自然環境事務所長から進達を受けた日から起算して原則として１か月以内に、本要領に定める審査事項について審査し、処理又は処分するものとする。

（申請書等に係る事務処理（決裁、送付又は進達）方法）

第６

１　自然保護官事務所（管理官事務所並びに広島及び福岡事務所を含む。）、国立公園管理事務所、四国事務所（以下「事務所等」という。）における申請等に関する決裁文書は、申請等に係る地域を管轄する地方環境事務所長（釧路、信越又は沖縄奄美自然環境事務所の管轄区域に係るものにあっては、それぞれ釧路、信越又は沖縄奄美自然環境事務所長）に送付する。

２　自然環境事務所における申請等の処理及び進達は、次に掲げるとおり行うものとする。

⑴　申請等の内容が地方環境事務所文書管理要領（平成23年４月１日環境政発第110401702号）により定められた自然環境事務所長の専決事項に属するものである場合にあっては、自然環境事務所長が自ら処分する。

⑵　⑴以外の場合にあって、申請等の内容が規則第20条に定められた地方環境事務所長の権限に属するものであって、かつ、認可等の拒否の処分を行う場合又は協議の内容への異議がある場合には、第７の処分の内容を通知する書面（以下「指令書」という。）の案又は回答を通知する書面（以下「回答書」という。）の案を作成し、その理由を添えて地方環境事務所長に進達する。

⑶　⑴又は⑵以外の場合にあっては、別に定める様式による調書を添えて自然環境局国立公園課長に進達する。

３　地方環境事務所における事務の処理及び決裁文書の進達は、次に掲げるとおり行うものとする。

⑴　申請等の内容が規則第20条に定められた権限に属するものである場合にあっては、地方環境事務所長が自ら処分する。

⑵　⑴以外の場合にあっては、別に定める様式による調書を添えて自然環境局国立公園課長に進達する。

（拒否の処分又は協議の内容への異議に当たっての理由の提示）

第７

１　国及び公共団体以外の者が行う認可等を拒否する処分を行う場合には、行政手続法第８条の規定により指令書にその理由を記載するものとする。

２　公共団体が行う協議の内容への異議がある場合には、行政手続法第８条の規定に準じ、回答書にその理由を記載するものとする。

第２節　執行の協議又は認可

（執行の協議又は認可の申請書等の様式）

第８

法第10条第４項の申請書等は、様式第１によるものとする。ただし、令第１条第３号の宿舎に関する国立公園事業であって、特定の者の優先的な使用を確保する仕組みを設けるもの（以下「分譲型ホテル等」という。）にあっては、令和４年４月１日付け環自国発第22040112号自然環境局国立公園課長通知「宿舎に関する国立公園事業に係る分譲型ホテル等の取扱いについて」（以下「分譲型ホテル等に係る通知」という。）に定める様式によるものとする。

また、国立公園事業に係る申請等に関する事務処理のうち、特殊な事例については別添１「国立公園事業に係る申請等に関する特殊な事例について（第２節第８関係）」によること。

（執行の協議又は認可の申請書等の記載事項）

第９

第８の申請書等の記載事項のうち、「公園施設の規模」及び「公園施設の構造」については別添２「公園施設の規模及び構造に係る記載事項（第２節第９関係）」に定める記載事項によるものとし、「公園施設の管理又は経営の方法」については次の事項を記載するものとする。ただし、分譲型ホテル等にあっては、分譲型ホテル等に係る通知に定める記載事項によるものとし、運輸施設にあっては、⑵、⑷及び⑹を記載することを要しない。

⑴　直営又は委託の別

⑵　委託する場合にあっては、受託者の氏名又は名称及び住所並びに法人にあっては、その代表者の氏名

⑶　通年供用又は季節供用の別

⑷　季節供用の場合にあっては、供用期間

⑸　料金徴収の有無

⑹　料金を徴収する場合にあっては、その標準的な額

（執行の協議又は認可の申請書等の添付書類）

第10

１　規則第２条第３項第７号に規定する書類は、以下に掲げる書類とする。

⑴　別添４「国立公園事業の執行認可における財務諸表等の審査指針」（第２節第12関係）２に掲げる書類

⑵　申請等の日の属する事業年度及び翌事業年度における事業計画書

⑶　申請等の日の属する事業年度及び翌事業年度における収支予算書（総額及び内訳を記載したもの）

２　規則第２条第３項第９号に規定する書類は、分譲型ホテル等に係る通知に定めるものとする。

３　規則第２条第３項第10号の「その他当該工事に付随する工事の内容を明らかにした書類」には、工事の施行によって発生する廃材又は残土の処理の方法を説明した書類を含めるものとする。

４　規則第２条第３項第12号に規定する書類には、宿舎に関する国立公園事業であって、当該施設の所有権を客室単位等で販売するものにあっては、分譲型ホテル等に係る通知に定める書類を含めるものとする。

（執行の協議又は認可の申請書等の審査事項）

第11

第８の申請書等については、次に掲げる事項について審査するものとする。

⑴　法第７条第１項の規定に基づく国立公園に関する公園計画（以下「国立公園計画」という。）、法第９条第１項に基づく国立公園事業の決定、「国立公園管理運営計画」

（令和４年４月１日付け環自国発第22040113号自然環境局長通知に基づき定められたものをいう。）及び別添３「国立公園事業の執行に係る付帯施設の取扱いについて」（第２節第11関係）との整合性

⑵　公園施設の位置、規模及び構造の適切性

⑶　公園施設の管理又は経営の方法の適切性

⑷　国立公園事業の執行が、風致、景観又は風景に及ぼす支障の有無

⑸　国立公園事業が適正に管理又は運営されるために必要な申請者の資産、経理的基礎及び能力の有無

⑹　国立公園事業の執行に必要な土地、その他家屋等の物件の使用の可否

⑺　その他第12の審査基準への適合の判断に必要な事項

（執行の協議又は認可の審査基準）

第12

１　法第10条第２項に基づく協議又は同条第３項に基づく認可は、申請等の内容が次に掲げる要件に適合するものに対して行うものとする。

⑴　国立公園計画及び国立公園事業の決定事項に適合すること。

⑵　国立公園管理運営計画の許認可等取扱方針の規定に適合すること。

⑶　国立公園事業を執行するに当たって当該公園事業に含め得る付帯施設（令第１条各号に掲げる施設であって、当該公園事業施設に付帯し、かつ機能的に密接な関係にある他の施設をいう。以下「付帯施設」という。）がある場合には、当該付帯施設が別添３「国立公園事業の執行に係る付帯施設の取扱いについて」（第２節第11関係）の規定に適合すること。

⑷　公園施設の位置、規模及び構造が、執行内容に対して適正であり、利用施設にあっては安全性及び利用上の快適性が確保されていること。

⑸　公園施設の管理又は経営の方法が適切であること。

⑹　申請者が、公園施設を適正に管理又は運営するために必要な資産、経理的基礎及び能力を有していること。

⑺　利用施設事業については、特定の者が優先的に使用するものでないこと。ただし、分譲型ホテル等であって、分譲型ホテル等に係る通知に定める基準に適合するものについては、この限りでない。

⑻　国立公園事業の執行が国立公園の保護又は利用に支障を及ぼすものでないこと。

⑼　国立公園事業の執行に必要な土地、その他家屋等の物件を国立公園事業の用に供するための権原を有していること。

⑽　国立公園事業の執行が、他の法令の規定により許可その他の処分を要するものであるときは、その許可等を得られる見込みがあること。

⑾　申請等の事項について客観的な挙証資料が示されていること。

2　1⑹に定める事項の具体的な審査の指標及び基準については別添４「国立公園事業の執行認可における財務諸表等の審査指針」（第２節第12関係）によるものとするものとする。

3　１の定めは、行政手続法第５条第１項に規定する審査基準及び地方自治法（昭和22年法律第67号）第250条の２第１項に規定する許認可等の基準として取り扱うこととし、行政手続法第５条第３項及び地方自治法第250条の２第１項の規定により、地方環境事務所、各自然環境事務所及び事務所等において備付けその他の適当な方法により公表するものとする。

第３節　内容の変更の協議又は認可

（内容の変更の協議又は認可の申請書等の様式）

第13

規則第４条第１項の申請書等は、様式第２によるものとする。ただし、分譲型ホテル等にあっては、分譲型ホテル等に係る通知に定める様式によるものとする。

（内容の変更の協議又は認可の申請書等の審査事項）

第14

第13の申請書等については、第11各号に掲げる事項について審査するものとする。

（内容の変更の協議又は認可の基準）

第15

1　法第10条第６項に基づく協議又は認可は、第12の１に掲げる要件に適合するものに対して行うものとする。

2　１の定めは、行政手続法第５条第１項に規定する審査基準及び地方自治法第250条の２第１項に規定する許認可等の基準として取り扱うこととし、行政手続法第５条第３項及び地方自治法第250条の２第１項の規定により、地方環境事務所、各自然環境事務所及び事務所等において備付けその他の適当な方法により公表するものとする。

（変更の協議又は認可を要しない軽微な変更の届出書の様式）

第16

規則第５条の届出書は、様式第３によるものとする。

（内容の変更の協議、認可又は届出を要しない事項）

第17

次に掲げる行為については、国立公園事業の内容の変更には該当せず、法第10条第６項の変更の協議、認可又は法第10条第９項の届出を要しない。

1　建築物の内部の構造の変更であって、軽易と認められるもの（宿舎又は野営場に関する国立公園事業であって、最大宿泊者数に変更が生じるものを除く。）

2　国立公園の区域のうち、特別保護地区又は海域公園地区に含まれない区域内にあっては、規則第12条各号に掲げる行為に該当するもの

３　特別保護地区内にあっては、規則第13条各号に掲げる行為に該当するもの
４　海域公園地区内にあっては、規則第13条の３各号に掲げる行為に該当するもの

第４節　認可の条件

（認可の条件）
第18

１　法第10条第10項の規定に基づく条件は、申請者がこれに違反した場合に、法第14条第３項第２号の規定に基づく認可の取消し又は法第83条第２号に定められた罰則が適用され得ることから、具体的かつ分かりやすい表現を用い、原則として別表に掲げる例文によるものとする。ただし、自然環境保全の観点並びに安全性又は快適性の確保等利用の観点から施設の管理等に関して付す条件については、別表に掲げる例文にかかわらず、必要に応じて適切なものを付すことができるものとする。

２　法第10条第２項の規定に基づく協議に際しては、別表に掲げる例文によって留意事項を付すことができるものとする。ただし、国立公園事業の執行において必要不可欠な事項については、留意事項の付加によらず、協議内容の変更を求めることとし、当該変更が行われない場合にあっては、当該協議の内容への異議がある旨の回答をするものとする。

３　公園施設の利用者数を報告する旨の条件が付された場合における当該報告の様式は、様式第４によるものとする。ただし、分譲型ホテル等にあっては、分譲型ホテル等に係る通知に定める様式によるものとする。

第５節　改善命令

（改善命令）
第19

１　法第11条の規定に基づく国立公園事業に係る施設の改善その他の当該国立公園事業の執行に関する改善命令は、国立公園事業の適正な執行の確保の観点から、国立公園事業の執行内容が不適当と認められるときに行うものとする。

２　公園施設の改善等を命ずる場合には、行政手続法第29条から第31条までの規定により、弁明の機会を付与するものとし、処分に当たっては、行政手続法第14条の規定により指令書にその理由を記載するものとする。

（改善命令に関する報告）
第20

各地方環境事務所長並びに釧路、信越及び沖縄奄美自然環境事務所長は、国立公園事業の執行内容が第19の１に該当し、改善を要すると認めるときは、その旨の意見を付して、その状況を様式第５により自然環境局長に報告するものとする。なお、釧路、信越及び沖縄奄美自然環境事務所長は、併せて、北海道、中部及び九州地方環境事務所長にそれぞれ報告するものとする。

第６節　承継の協議又は承認

（承継の協議又は承認申請書等の様式）

第21

1　規則第６条第１項の申請書は、様式第６によるものとする。ただし、分譲型ホテル等にあっては、分譲型ホテル等に係る通知に定める様式によるものとする。

2　規則第６条第３項の申請書等は、様式第７によるものとする。

3　規則第６条第５項の申請書は、様式第８によるものとする。

（譲渡による承継の承認申請書の審査事項）

第22

第21の１の申請書については、次に掲げる事項を審査するものとする。

⑴　承継の必要性

⑵　承継により生じる国立公園の保護又は利用上の支障の有無

⑶　国立公園事業の執行に必要な土地、その他家屋等の物件の使用の可否

⑷　その他第23の審査基準への適合の判断に必要な事項

審査事項⑶について、譲受人が当該財産の所有権等を有していない場合であっても、例えば、当該財産の所有権等の移転に係る契約書において、承継の承認を条件として当該財産の所有権等が移転することとなっている等、承認時より当該財産の所有権等の移転がされることが明らかとなっている場合には、当該事業の執行に必要な土地、その他家屋等の物件を使用できることとして取り扱って差し支えない。

（譲渡による承継の承認の審査基準）

第23

1　法第12条第１項の規定に基づく承認は、申請の内容が次に掲げる要件に適合するものに対して行うものとする。

⑴　利用施設事業については、特定の者が優先的に使用するものでないこと。ただし、宿舎に関する国立公園事業であって、分譲型ホテル等に係る通知に定める基準に適合するものについては、この限りでない。

⑵　譲渡承継後に安全性及び利用上の快適性を確保するため適切に管理又は経営がなされるものであること。

⑶　前号のほか、譲渡承継後の公園施設の管理又は経営の方法が適切であること。

⑷　譲受人が、公園施設を適正に管理又は運営するために必要な資産、経理的基礎及び能力を有していること。

⑸　譲受人が、国立公園事業の執行に必要な土地、その他家屋等の物件を国立公園事業の用に供するための権原を有していること。

⑹　他の法令の規定により許可その他の処分を要するものであるときは、譲受人が、その許可等を得られる見込みがあること。

(7)　申請の事項について客観的な挙証資料が示されていること。

２　１(4)に定める事項の具体的な審査の指標及び基準については別添４「国立公園事業の執行認可における財務諸表等の審査指針」（第２節第12関係）によるものとするものとする。

３　１の定めは、行政手続法第５条第１項に規定する審査基準として取り扱うこととし、同条第３項の規定により、地方環境事務所、各自然環境事務所及び事務所等において備付けその他の適当な方法により公表するものとする。

（合併又は分割による承継の協議又は承認申請書等の審査事項）

第24

第21の２の申請書等については、次に掲げる事項を審査するものとする。

(1)　承継の範囲及びその方法

(2)　承継により生じる国立公園の保護又は利用上の支障の有無

(3)　国立公園事業の執行に必要な土地、その他家屋等の物件の使用の可否

(4)　その他第25の審査基準への適合の判断に必要な事項

（合併又は分割による承継の協議又は承認の審査基準）

第25

１　法第12条第２項の規定に基づく協議又は承認は、申請等の内容が次に掲げる要件に適合するものに対して行うものとする。

(1)　法第10条第２項の協議をした者又は同条第３項の認可を受けた者（以下「国立公園事業者」という。）である法人の合併又は分割により、申請者等に国立公園事業の全部が承継されていること。

(2)　申請者等が、当該申請等に係る国立公園事業を適正に執行するために必要な能力を有していること。

(3)　申請者等が、国立公園事業の執行に必要な土地、その他家屋等の物件を国立公園事業の用に供するための権原を有していること。

(4)　申請等の事項について客観的な挙証資料が示されていること。

２　１の定めは、行政手続法第５条第１項に規定する審査基準及び地方自治法第250条の２第１項に規定する許認可等の基準として取り扱うこととし、行政手続法第５条第３項及び地方自治法第250条の２第１項の規定により、地方環境事務所、各自然環境事務所及び事務所等において備付けその他の適当な方法により公表するものとする。

（相続による承継の承認申請書の審査事項）

第26

第21の３の申請書については、次に掲げる事項を審査するものとする。

(1)　承継の範囲及びその方法

(2)　国立公園事業の執行に必要な土地、その他家屋等の物件の使用の可否

(3) その他第27の審査基準への適合の判断に必要な事項

（相続による承継の承認の審査基準）

第27

1 法第12条第3項の規定に基づく承認は、申請の内容が次に掲げる要件に適合するものに対して行うものとする。

(1) 国立公園事業者である被相続人の死亡により、申請者に国立公園事業の全部が承継されていること。

(2) 相続人が2人以上ある場合にあっては、申請に係る国立公園事業者の地位を申請者が承継することについて、その全員が同意していること。

(3) 申請者が、国立公園事業の執行に必要な土地、その他家屋等の物件を国立公園事業の用に供するための権原を有していること。

(4) 申請事項について客観的な挙証資料が示されていること。

2 1の定めは、行政手続法第5条第1項に規定する審査基準として取り扱うこととし、同条第3項の規定により、地方環境事務所、各自然環境事務所及び事務所等において備付けその他の適当な方法により公表するものとする。

第7節 休廃止の届出

（休廃止の届出書の様式）

第28

規則第7条の届出書は、様式第9によるものとする。

（廃止に際する原状回復等の必要性の確認）

第29

各地方環境事務所長並びに釧路、信越及び沖縄奄美自然環境事務所長は、国及び公共団体以外の者から第28の届出があった場合には、第33の1各号への適合を調査し、法第15条第1項の規定に基づく原状回復又はこれに代わるべき必要な措置（以下「原状回復等」という。）の必要性について確認するものとする。この場合において、原状回復等を命じる必要があると認めるときは、その旨を様式第10により、速やかに自然環境局長に報告するものとする。なお、釧路、信越及び沖縄奄美自然環境事務所長は、併せて、北海道、中部及び九州地方環境事務所長にそれぞれ報告するものとする。

第8節 失効、取消し等

（執行の認可の失効の届出書の様式）

第30

規則第8条の届出書は、様式第11による。

（執行の認可の失効の報告）

第31

各地方環境事務所長並びに釧路、信越及び沖縄奄美自然環境事務所長は、国及び公共団体以外の者から第30の届出書が提出された場合又は法第14条第１項の規定により法第10条第３項の認可の失効が確認された場合であって、国立公園事業者自らが第30の届出書を提出することが事実上不可能な場合にあっては、第33の１各号への適合を調査した上で、原状回復等の必要性についての意見を付して、その旨を様式第12により速やかに自然環境局長に報告するものとする。なお、釧路、信越及び沖縄奄美自然環境事務所長は、併せて、北海道、中部及び九州地方環境事務所長にそれぞれ報告するものとする。

なお、国立公園事業者が、個人の場合は戸籍上死亡している、法人にあっては登記簿上消滅している等の理由により存在しない場合は、条理上法第10条第３項の認可は失効することとなる。この場合、名あて人が不在となるため、法第15条第１項規定に基づく原状回復命令等の対象にはなり得ないが、公園事業の失効の報告については、第33の１各号への適合を調査した上で、原状回復等の必要性についての意見を付して、その旨を様式第12により速やかに自然環境局長に報告するものとする。

（国立公園事業の認可の取消しの手続）

第32

１　各地方環境事務所長並びに釧路、信越及び沖縄奄美自然環境事務所長は、法第14条第３項の規定に基づき国立公園事業の執行の認可を取り消す必要があると認めた場合には、第33の１各号への適合について調査した上で、原状回復等の必要性についての意見を付して、その旨を様式第13により速やかに自然環境局長に報告するものとする。なお、釧路、信越及び沖縄奄美自然環境事務所長は、併せて、北海道、中部及び九州地方環境事務所長にそれぞれ報告するものとする。

２　法第14条第３項の規定に基づき国立公園事業の執行の認可を取り消す場合には、行政手続法第15条から第28条の規定により聴聞を行うとともに、処分に当たっては、行政手続法第14条の規定により指令書にその理由を記載するものとする。

第９節　原状回復命令等

（原状回復命令等に当たっての手続）

第33

１　法第15条第１項の規定に基づく原状回復等を執るべき旨の命令は、次に掲げる要件に適合する場合に行うものとする。

⑴　当該公園施設が国立公園事業の執行によって生じた施設であること。

⑵　当該公園施設に関する国立公園事業の執行の認可を受けていた者以外の者が、新たに法第10条第２項の協議又は同条第３項の認可を受けて、国立公園事業の用に供するものではないこと。

⑶　当該公園施設が規則第11条各項に定める行為の許可の基準に合致しないこと。

⑷　当該国立公園施設に対して原状回復等の措置が執られないことが、当該公園施設が風致、景観又は風景の維持に著しい支障を与えるものであること。

2　法第15条第１項の規定に基づき原状回復等を命じる場合には、行政手続法第29条から第31条までの規定により弁明の機会を付与するとともに、処分に当たっては、行政手続法第14条の規定により指令書にその理由を記載するものとする。

3　法第15条第１項の規定に基づく原状回復等の命令については、特に行政上の争訟に至る可能性が高い行政処分であることから、予め法制的検討を十分に行うものとする。

4　法第15条第１項の規定に基づき原状回復等を命じるに当たっては、関係行政庁との連絡調整に努めるものとする。

（行政代執行に当たっての手続）

第34

1　法第15条第１項の規定に基づき原状回復等を命ぜられた者がこれを履行しない場合であって、他の手段によってその履行を確保することが困難であり、かつ、その不履行を放置することが著しく公益に反すると認められるときは、行政代執行法（昭和23年法律第43号）第２条の規定に基づき、その者の負担において、当該原状回復等を行い、その費用をその者から徴収する（以下「行政代執行」という。）こととする。

2　行政代執行に当たっては、同法第３条に基づく戒告を行うこととし、当該戒告は、原則として原状回復等に着手する日から起算して少なくとも１月前まで行うこととする。ただし、公益上、緊急に原状回復等に着手する必要がある場合には、この限りではない。

（簡易代執行に当たっての手続）

第35

1　第33の１⑴から⑷に該当する場合であって、過失がなくて原状回復等を命ずべき者を確知することができないときは、法第15条第２項の規定に基づき、原状回復等を行う（以下「簡易代執行」という。）こととする。

2　法第15条第２項に基づく公告は、原則として原状回復等に着手する日から起算して少なくとも１月前まで行うこととする。ただし、公益上、緊急に原状回復等に着手する必要がある場合には、この限りではない。

3　環境大臣は、法第15条第２項の規定に基づく原状回復等を管下の職員又は委任した者（以下「作業員」という。）に行わせる必要があると認めるときは、当該職員又は作業員に対し、原状回復等の実施を指示する指示書又は委任書を交付するものとする。

4　当該職員又は作業員は、原状回復等の実施に際して、同条第３項に定める身分を示す証明書とともに３の指示書又は委任書を携帯し、関係者に提示しなければならない。

第10節　報告徴収及び立入検査

（職員による報告徴収及び立入検査）

第36

1　環境大臣又は地方環境事務所長は、法第17条第１項の規定に基づく立入検査を管下の職員に行わせる必要があると認めるときは、当該職員に対し、立入検査の実施を指示する指示書を交付するものとする。

2　当該職員は、立入検査に際して、同条第２項に定める身分を示す証明書とともに１の指示書を携帯し、関係者に提示しなければならない。

第11節　国の機関の執行する国立公園事業

（国の機関の執行する国立公園事業の取扱い）

第37

法第67条第３項の規定に係る法第10条第１項の規定に基づき環境大臣以外の国の機関が執行する国立公園事業については、法第10条第２項の規定に基づき執行する公共団体が執行する国立公園事業について、法、令、規則及び本要領が定めるところに準じて取り扱うものとする。なお、環境大臣以外の国の機関が執行する国立公園事業については、「届出」を「通知」と読み替えて準用する。

また、環境大臣が執行する国立公園事業については、別に定める「直轄国立公園事業取扱要領」（平成19年７月１日環自国発第070701001号・環自総発第070701001号自然環境局国立公園課長・自然環境整備担当参事官連名通知）によるものとする。

第12節　違反行為

（違反行為の防止方法）

第38

地方環境事務所長は、次に掲げる方法により国立公園事業の執行に関する自然公園法の違反行為（以下「違反行為」という。）の防止に努めるものとする。

⑴　国立公園事業者に対し、法令の規定等を機会あるごとに周知すること。

⑵　巡視を励行すること。

⑶　申請者等に対し、当該申請等に係る処分を受ける以前に公園事業の執行に係る行為に着手しないよう指導すること。

⑷　法第10条第10項の規定に基づき付された条件及び本通知第18の２に基づく留意事項を確実に履行するよう指導すること。

（違反行為に対する措置）

第39

各地方環境事務所長並びに釧路、信越及び沖縄奄美自然環境事務所長は、違反行為を発見したときは、次に掲げる措置を講ずるものとする。なお、違反処理に当たっては、行政指導等の記録に努めることとし、処分は文書により行うものとする。

⑴　当該違反行為の中止を勧告するとともに、当該違反行為が環境大臣の処分に係る行為の場合、必要事項を調査の上速やかに当該違反行為の内容、状況及び当該違反行為

の処分に関する意見を様式第14により自然環境局長に報告すること。なお、釧路、信越及び沖縄奄美自然環境事務所長は、併せて、北海道、中部及び九州地方環境事務所長にそれぞれ報告すること。

⑵ 当該違反行為が規則第20条に定める地方環境事務所長の権限に係る行為の場合は、自ら処分すること。この場合、釧路、信越及び沖縄奄美自然環境事務所長は、様式第14により速やかに北海道、中部及び九州地方環境事務所長にそれぞれ報告すること。

⑶ 地方環境事務所長並びに自然環境事務所長は、違反行為の態様が悪質である等、特に必要があると認める場合、刑事訴訟法（昭和23年法律第131号）第239条及び第241条の規定により告発の手続をとること。なお、告発に当たっては、あらかじめ司法当局と調整を行うとともに、自然環境局長に連絡すること。なお、釧路、信越及び沖縄奄美自然環境事務所長は、それぞれ北海道、中部及び九州地方環境事務所長を経由して連絡すること。

⑷ 当該違反行為が同時に他の法令にも違反している可能性がある場合は、速やかに該当法令を所管する関係行政庁に連絡すること。

第13節　書類の交付

（不認可等に係る指令書等の交付の取扱い）

第40

次に掲げる処分に係る回答書又は指令書の交付に当たっては、処分の内容を名あて人に確実に伝達するとともに、処分のあったことを知った日を明確にするため、当該回答書又は指令書を名あて人に対し、捺印のある受領書を受ける、又は配達証明扱いで郵送することにより交付するものとする。

⑴ 法第10条第２項の規定に基づく執行の協議への異議

⑵ 法第10条第３項の規定に基づく執行の不認可

⑶ 法第10条第６項の規定に基づく公園施設等の変更の協議への異議又は不認可

⑷ 法第11条の規定に基づく公園施設等の改善の命令

⑸ 法第12条第１項から第３項までの規定に基づく承継の協議への異議又は不承認

⑹ 法第14条第３項の規定に基づく執行認可の取消し

⑺ 法第15条の規定に基づく原状回復等の命令

第14節　令附則の法定受託事務に係る事項

（地方環境事務所等の認可等に係る都道府県への情報提供等）

第41

地方環境事務所又は自然環境事務所は、それぞれの管轄区域において都道府県知事が令附則第２項に掲げる事務の処理を行っている場合において、以下に掲げる協議の申出等について同意等がされた場合には、当該同意等について、当該都道府県に対して情報提供するものとする。情報提供の内容及び頻度については都道府県の担当部局と調整の上、適切に対応することとする。

また、当該協議の申出等の同意等に先立って地方環境事務所又は自然環境事務所から都道府県に対する意見照会を行う必要がある旨の申出が当該都道府県からあったときは、具体的な照会の対象やその方法について都道府県の担当部局と調整の上、個々の協議の申出等の同意等の前に、当該都道府県に意見照会を行うものとする。また、意見照会を行う必要がない旨の申出が当該都道府県からあったときは、それ以降の意見照会は不要とする。

⑴　法第10条第２項及び第６項並びに第12条第２項の規定に基づく協議の申出

⑵　法第10条第３項及び第６項の規定による認可の申請

⑶　法第12条第１項から第３項までの規定による承認の申請

附　則

この取扱要領は、令和４年４月１日から実施する。

別添１

国立公園事業に係る認可申請等に関する特殊な事例について（第２節第８関係）

国立公園事業における認可申請等に係る事務のうち、次に掲げる事例においては、それぞれの項に示す指導方針に従って処理すること。

１　公園事業の認可（法第10条関係）

①　法第10条第３項に基づき国立公園事業に係る認可を受けた者が不存在になっており、別の者によって公園事業施設において事業が行われている場合の事務処理

以下の表１・２で示す指導方針に従って処理すること。なお、表１・２においてＡは「法第10条第３項に基づき認可を受けた国立公園事業者」、Ｂは「Ａの公園施設を譲り受け、又は借り受けている者」を指す。

表１　ＢがＡに代わって実質上国立公園事業に即した事業を行っている場合

<table>
<tr><th colspan="2">事例</th><th>指導方針</th></tr>
<tr><td colspan="2">(1)　Ａが存在（※１）し、かつ、その所在（※２）が明らかな場合</td><td>Ａには始末書を添付させた上で国立公園事業の廃止届出を行わせる。Ｂには、国立公園事業の執行の必要性に応じて、国立公園事業の執行の認可又は承継の申請を行わせる。</td></tr>
<tr><td rowspan="2">(2)　Ａは存在するが、所在が不明の場合</td><td>ア　Ａの国立公園事業の執行に必要な他法令の規定による処分が取り消され、その他その効力が失われていること（以下「他法令の許可の取消等」という。）が確認できる場合</td><td>法第14条第１項の規定によりＡに対する認可の効力は失われているため、取扱要領第31に基づき失効の報告を行う。その上で、Ｂには、国立公園事業の執行の必要性に応じて、国立公園事業の執行の認可の申請を行わせる。</td></tr>
<tr><td>イ　Ａの国立公園事業の執行において他法令の許可等を要しない場合、又は、Ａの執行に必要な他法令の許可の取消等が確認できない場合</td><td>Ａの存在及び所在について調査の上、取扱要領第32に基づき認可の取消しを行う。その上で、Ｂには、国立公園事業の執行の必要性に応じて、国立公園事業の執行の認可の申請を行わせる。</td></tr>
<tr><td colspan="2">(3)　Ａが存在しない場合</td><td>条理上、Ａに対する同意又は認可の効力は失われているため、取扱要領第31に基づき失効の報告を行う。その上でＢには、国立公園事業の執行の必要性に応じて、国立公園事業の執行の認可の申請を行わせる。</td></tr>
</table>

※１「存在」とは、個人にあっては戸籍上死亡していないことをいい、法人にあっては登記簿上消滅していないことをいう。

※２「所在」とは、個人にあっては国立公園事業者本人、法人にあっては代表者の住所又は居所をいう。

表２　Ｂが公園施設を国立公園事業に即した用に供しない場合

<table>
<tr><th colspan="2">事例</th><th>指導方針</th></tr>
<tr><td colspan="2">(1)　Ａが存在し、かつ、その所在が明らかな場合</td><td>Ａより始末書を徴収し、国立公園事業の廃止届出をさせる。</td></tr>
<tr><td rowspan="2">(2)　Ａは存在するが、所在が不明の場合</td><td>ア　Ａの国立公園事業の執行に必要な他法令の許可の取消等が確認できる場合</td><td>自然公園法第14条第１項の規定によりＡに対する認可の効力は失われているため、取扱要領第31に基づき失効の報告を行う。</td></tr>
<tr><td>イ　Ａの国立公園事業の執行において他法令の許可等を要しない場合、又は、執行に必要な他法令の許可の取消等が確認できない場合</td><td>Ａの存在及び所在について調査の上、取扱要領第32に基づき認可の取消しを行う。</td></tr>
<tr><td colspan="2">(3)　Ａが存在しない場合</td><td>条理上、Ａに対する認可の効力は失われているため、取扱要領第31に基づき失効の報告を行う。</td></tr>
</table>

②　同一地における複数種の国立公園事業の執行に係る事務処理

同一地において複数種の公園事業を執行するに当たっては、法第10条第３項の認可申請は公園事業の種類ごとに行わせるとともに、以下の事項について留意するものとする。

(1)　同一地において執行することにより、風致景観の保護及び公園事業施設の有効利用が図られること。

(2)　執行者が、同一地における他の公園事業の執行者と同一であること又は当該公園事業施設に関して執行に必要な権原を有していること。

(3)　公園事業の執行内容が、同一地における他の公園事業の適正な執行を妨げるおそれのないものであり、他の公園事業の執行者の同意を得られるものであること。

(4)　供用期間が、同一地における他の公園事業の供用期間と重複しないものであること。

③　国立公園事業者の変更に係る事務処理

(1)　法人である国立公園事業者が会社法（平成17年法律第86号）第743条等の規定により、株式会社を持分会社（合名会社・合資会社・合同会社）に変更する又は持分会社を株式会社に変更する等、法人格の同一性を保ったまま組織変更をする場合、法人の名称の変更を伴うため、法第10条第９項の規定に基づき国立公園事業の内容の軽微な変更（法人の名称変更）に係る届出をさせること。

(2)　国立公園事業者を個人から、同人が代表を務める法人に変更する場合は、国立公園事業者の人格の変更を伴うため、法第12条第１項の規定により、公園事業の譲渡手続を行わせること。

2　公園事業の承継（法第12条関係）

①　法第12条第１項に基づき、法第10条第３項の認可を受けた国立公園事業者(A)が、国及び地方公共団体以外の者(B)にその国立公園事業の一部を譲渡する場合の事務処理

・譲渡しようとする公園事業の一部について、Ａから法第10条第６項の規定に基づき変更の認可の申請をさせる。

・Ａによる申請が認可された後、Ｂから法第10条第３項に基づき譲受しようとする公園事業についての執行の認可を申請させる。

②　法第12条第２項に基づき、国立公園事業者である法人(A)が合併又は分割により設立等された法人(B)がその国立公園事業の一部を承継する場合の事務処理

①と同様に処理することとする。

別添２

公園施設の規模及び構造に係る記載事項（第２節第９関係）

国立公園事業執行等取扱要領第２節第９の「公園施設の規模」及び「公園施設の構造」について、国立公園事業執行協議書（認可申請書）（様式第１）又は国立公園事業の内容の変更の協議書（認可申請書）（様式第２）の「公園施設の規模・構造」に係る別記載事項は、当該公園施設の風致景観に及ぼす影響及び利用を増進する度合を判断するための記載事項であることを踏まえ、国立公園事業の決定事項に照らした上で、下記を参考に記載するものとする。

●共通事項

・付帯建築物は⑴、付帯道路は⑵、付帯広場・園地は⑶、付帯野営場は⑷、付帯駐車場は⑿の記載事項に準じて記載する。

・申請等に係る公園事業の執行として行う行為に伴い生じることが見込まれる風致景観への影響を審査するため、以下の事項についても記載する。

➢木竹の伐採を伴うものにあっては、その本数・樹種等を記載する。

➢土工事を伴うものにあっては、切土土量、盛土土量、残土土量及び残土の処理方法を記載する。なお、園地、運動場等の整備のために大規模に土地の形状を変更するような場合にあっては、土工面積を記載する。

➢既存施設の撤去等にあっては、当該撤去により生じた廃材・残材の処分方法及び跡地の緑化方法等を記載する。

⑴　宿舎、避難小屋、休憩所、展望施設、案内所、車庫等の建築物

・敷地面積

・建築物の概要（用途、建築物の主要構造及び階数、最高部の高さ、建築面積及び延べ面積、屋根の形状及び材料並びに色彩、外壁の材料及び色彩、収容人員、各室の用途の別及び便所の様式等）

・ごみ焼却炉等の汚物処理施設、誘導標識、案内図標識等標識及び広告物等の表示施設、取付道路及び駐車場その他の付帯施設の概要

・複数の建築物からなる施設については、用途別棟数を記載した上で、棟の類型ごとにその規模及び構造を記載する。

・同型の離れの客室を有する宿舎など、多数の同一施設を有するものについては、その標準的な規模及び構造とその棟数を記載することで足りる。

⑵　道路及び橋

・事業執行区間ごとの起点及び終点

・道路構造規格（種別 / 等級）

・延長

・幅員（有効幅員、総幅員及び幅員の構成）

・舗装の種類
・付帯施設の種類及び数等の概要
➢トンネル（延長、幅員、高さ）
➢橋（構造形式、延長、幅員、高さ、主要部分の色彩）
➢交通安全施設（ガードレール、道路情報管理等施設の種類別に数量・規模（延長又は基数等）、仕様（色彩等））
➢自動車駐車場等（施設の種類別に数量・規模、仕様）
➢防雪施設（防雪柵、スノーシェッド等施設の種類別に数量・規模、仕様）
➢防護施設（擁壁、法面保護工、落石防止施設等施設の種類別に数量・規模、仕様（色彩、表面処理法・緑化方法等））
➢その他付帯施設（付帯建築物は⑴、付帯道路は⑵、付帯広場・園地は⑶、付帯駐車場は⑿の記載事項に準じて記載する。）

⑶　広場、園地
・敷地面積
・園路（延長、幅員、舗装の種類）
・広場又は園地（植栽面積、植栽樹種、芝生面積）
・誘導標識、案内図標識等標識及び広告物等の表示施設（種類別数量）
・管理事務所、休憩所、駐車場、汚物処理施設又は倉庫その他の付帯施設の概要

⑷　野営場
・敷地面積
・収容人員
・野営場を構成する施設（テントサイト、キャビン、野外炉、炊事舎、セントラルロッジ、休憩所、キャンプファイヤーサークル等）の種類及び数等の概要
・駐車場、便所又は給排水施設その他の付帯施設の概要

⑸　運動場
・敷地面積
・運動施設の種類、数量及び面積等の概要
・修景工（植栽面積、植栽樹種、芝生面積）
・保存緑地の規模
・付帯施設の概要

⑹　水泳場
・利用水面の種類と範囲
・敷地面積
・休憩所、更衣所、シャワー室、便所、監視所、飛込台又は救急施設その他の付帯施設の概要

(7) 舟遊場
・利用水面の種類と範囲、敷地面積
・舟艇（種類、大きさ、隻数）
・桟橋、休憩所、切符売場、艇庫その他の付帯施設の概要

(8) スキー場
・敷地面積
・ゲレンデ及びコース（種類別・コースごとに延長、面積、高低差、最大傾斜度、平均傾斜度）
・リフト（種類別に延長、高低差、輸送力、支柱の数量・規模・色彩）
・保存緑地の規模
・休憩所、ロッジ、救急施設又は便所その他の付帯施設の概要

(9) スケート場
・敷地面積
・スケートリンク（滑走面積、舗装の種類）
・休憩所、更衣室、救急施設、便所その他の付帯施設の概要

(10) ゴルフ場（※ゴルフ場は、自然公園法施行令及び自然環境保全法施行令の一部を改正する政令（昭和48年政令第278号）により、公園事業となる施設から削除されている。）
・敷地面積、ホール数、コースの延長、土工量及びその面積、付帯建築物（クラブハウス、休憩所、便所等）及び付帯施設の概要

(11) 乗馬施設
・敷地面積
・馬場面積
・乗馬道の概要
・馬の頭数
・厩舎その他の付帯施設の概要

(12) 駐車場
・敷地面積
・駐車面積
・収容台数
・舗装の種類
・取付道路、連絡道路（延長、幅員、舗装の種類）
・付帯施設の概要

(13) 燃料等供給施設
・敷地面積
・燃料等の種類

・防火壁その他の付帯施設の概要

⒁　昇降機

・敷地面積

・高低差

・搬器の数量、定員等

・付帯施設の概要

⒂　船舶又は水上飛行機に係る運輸施設

・船舶又は水上飛行機の種類及び数量

・航路

・輸送能力

・付帯施設の概要

⒃　自動車に係る運輸施設

・自動車の種類及び台数

・運行経路

・道路その他の付帯施設の概要

・路線を執行する場合は⑵に準じて記載のこと。

⒄　鉄道又は索道に係る運送施設

・延長

・高低差

・輸送力

・搬器及び支柱の概要（形式、数量、定員、色彩等）

・付帯施設の概要

⒅　係留施設

・敷地面積

・施設の種類

・形式

・延長

・幅員

・主要部の構造及び材料

・付帯施設の概要

⒆　給水施設

・敷地面積

・水源の種類

・水質検査の結果

・計画給水人口

・計画給水量
・取水施設
・送水施設
・浄化滅菌施設
・配水池の規模構造
・付帯施設の概要

⒇ 排水施設
・敷地面積
・処理範囲
・計画排水量
・排水管の直径及び延長施設の種類
・終末処理等の施設の規模構造及び処理能力
・付帯施設の概要

㉑ 医療救急施設、公衆浴場、公衆便所
⑴に準じて記載のこと。

㉒ 汚物処理施設
・敷地面積
・処理範囲
・処理物件
・処理能力
・処理方法
・焼却炉の概要（形式、容量、煙突の高さ及び直径）
・付帯施設の概要

㉓ 博物館、博物展示施設
⑴に準じて記載のこと。

㉔ 植物園、動物園
・敷地面積
・園路（延長、幅員、舗装）
・付帯施設の概要

㉕ 水族館
・敷地面積
・水槽又は放魚池の規模及び数量
・給排水及び濾過装置の概要
・建築物及び付帯施設の概要

㉖ 野外劇場

・敷地面積
・収容力
・ステージ及び観覧席の概要
・付帯施設の概要

⑵⑺　植生復元施設

・敷地面積
・植物の種類及び数量並びに植栽面積（棚、給水施設等）の種類別規模及び数量
・付帯施設の概要

⑵⑻　動物繁殖施設、砂防施設、防火施設、自然再生施設

・敷地面積
・施設の種類別規模及び数量
・付帯施設の概要

別添３

国立公園事業の執行に係る付帯施設の取扱いについて（第２節第11関係）

付帯施設については「当該事業に含めることができる付帯施設の一覧」によるものとする。なお、取扱いに当たっては、以下の点に留意されたい。

(1) 具体的な公園事業の執行に当たって整備の対象とする付帯施設の種類は、公園事業の有効かつ合理的な執行に必要な施設であって、適正な公園利用の推進及び風致景観の保護上支障のないものに限られることとする。

(2) 付帯施設の位置、規模及び構造は、当該事業施設の機能を補完する施設として適当と認められる範囲内のものであることとする。なお、「当該事業施設の付帯施設」の付帯施設は、「当該事業に含めることができる付帯施設」としては認められない。

(3) 当該公園事業施設に係る公園事業の執行者以外の者についても、当該公園事業として付帯施設に係る公園事業を執行できることとする。

ただし、この場合にあっても、付帯施設に係る公園事業の位置、規模・構造及び管理経営方法が、当該事業施設のそれらに照らして適正なものであると認められる場合に限られるものとする。

(4) 当該公園事業施設に係る公園事業の執行者が不在である場合において、付帯施設のみ執行することは認められないこととする。

ただし、この場合にあっても、当該公園事業施設が公共団体によって執行される見込みがある又は執行の見込みに係る客観的な挙証資料が示されている等、当該公園事業施設が執行されることが確実であると認められる場合においては、付帯施設を先に執行することを認めても差し支えない。

(5) 付帯施設となる公園事業施設の取扱いについては公園利用及び国立公園の自然の状況の変化等に応じて柔軟に見直すことが必要であることを踏まえ、各公園事業施設に係る利用実態や自然状況について情報収集に努めることとする。

当該事業に含めることができる付帯施設の一覧

事業名	付帯施設の種類
道路（車道）	自転車道及び歩道（車道に沿って整備されるものに限る。）並びに園地、休憩所、展望施設、案内所、駐車場及び公衆便所（路傍に整備される小規模なものに限る。）
道路（自転車道）	歩道（自転車道に沿って整備されるものに限る。）並びに園地、休憩所、展望施設、案内所、駐車場及び公衆便所（路傍に整備される小規模なものに限る。）
道路（歩道）	園地、避難小屋、休憩所、展望施設、案内所、駐車場及び公衆便所（路傍に整備される小規模なものに限る。）並びに植生復元施設

橋	
広場	休憩所、案内所、野営場[※2]、駐車場及び公衆便所
園地	休憩所、展望施設、案内所、野営場[※2]、野外の運動場（小規模なものに限る。）、水泳場、舟遊場（小規模なものに限る。）、スケート場（小規模なものに限る。）、駐車場、公衆浴場、公衆便所、野外劇場及び植生復元施設
宿舎	園地、休憩所、案内所、野営場[※1]（主たる宿舎事業の収容人数を超えないものに限る。）、運動場、水泳場、舟遊場（小規模なものに限る。）、駐車場、公衆浴場及び公衆便所
避難小屋	野営場[※2]（小規模なものに限る。）、公衆便所
休憩所	園地、展望施設、案内所、駐車場、公衆浴場及び公衆便所
展望施設	園地、休憩所、案内所、駐車場及び公衆便所
案内所	休憩所、駐車場及び公衆便所
野営場	広場、園地、休憩所、案内所、野外の運動場（小規模なものに限る。）、舟遊場（小規模なものに限る。）、駐車場、公衆浴場、公衆便所及び野外劇場
運動場	園地、休憩所、案内所、水泳場、駐車場及び公衆便所
水泳場	広場、園地、休憩所、案内所、駐車場、運輸施設（係留施設）、医療救急施設及び公衆便所
舟遊場	園地、休憩所、案内所、駐車場、運輸施設（係留施設）及び公衆便所
スキー場	避難小屋、休憩所、案内所、駐車場、運輸施設（索道運送施設）、医療救急施設及び公衆便所
スケート場	園地、休憩所、駐車場及び公衆便所
乗馬施設	園地、休憩所、案内所、駐車場及び公衆便所
車庫	
駐車場	園地、休憩所、案内所及び公衆便所
燃料等供給施設	休憩所、案内所、駐車場及び公衆便所
昇降機	
運輸施設（自動車運送施設）	広場、園地、休憩所、展望施設、案内所、駐車場及び公衆便所（路傍に整備される小規模なものに限る。）

運輸施設 （船舶運送施設）	広場、園地、休憩所、案内所、駐車場、運輸施設（係留施設）及び公衆便所
運輸施設 （水上飛行機）	広場、園地、休憩所、案内所、駐車場、運輸施設（係留施設）及び公衆便所
運輸施設 （鉄道運送施設）	広場、園地、休憩所、展望施設、案内所、駐車場及び公衆便所
運輸施設 （索道運送施設）	広場、園地、休憩所、展望施設、案内所、駐車場及び公衆便所
運輸施設 （一般自動車道）	自転車道及び歩道（車道に沿って整備されるものに限る。）並びに園地、休憩所、展望施設、案内所、駐車場及び公衆便所（路傍に整備される小規模なものに限る。）
運輸施設 （係留施設）	広場、園地、休憩所、案内所、駐車場及び公衆便所
給水施設	
排水施設	
医療救急施設	駐車場
公衆浴場	園地、休憩所、案内所、駐車場及び公衆便所
公衆便所	
汚物処理施設	
博物館	広場、園地、休憩所、案内所、駐車場、公衆便所及び野外劇場
植物園	広場、園地、休憩所、案内所、駐車場、公衆便所及び野外劇場
動物園	広場、園地、休憩所、案内所、駐車場、公衆便所及び野外劇場
水族館	広場、園地、休憩所、案内所、駐車場、公衆便所及び野外劇場
博物展示施設	広場、園地、休憩所、案内所、駐車場、公衆便所及び野外劇場
野外劇場	駐車場及び公衆便所
植生復元施設	
動物繁殖施設	
砂防施設	
防火施設	
自然再生施設	

※１　宿舎において野営場を付帯施設として執行する場合には、法第９条第１項に基づき決定した最大宿泊者数の範囲内で執行認可申請を行うこと。このとき、一事業執行あたりの野営場宿泊者数が、宿舎宿泊者数を上回らないようにすること。

※２　広場、園地、避難小屋において野営場を付帯施設として執行する場合には、法第９条第１項に基づく公園事業の決定により最大宿泊者数を決定した上で執行認可申請を行うこと。なお、避難小屋の場合区域面積を決定していないため、付帯野営場の区域面積も決定すること。

別添４

国立公園事業の執行認可における財務諸表等の審査指針（第２節第12関係）

１　経緯

平成22年４月1日に施行された自然公園法（昭和32年法律第161号。以下「法」という。）の改正により、法第10条第３項の規定に基づく国立公園事業の執行認可の申請書の添付書類（同法施行規則第２条第３項第７号）に、従来の書類に加え「その他公園施設を適切に管理又は経営することができることを証する書類」を追加することとし、国立公園事業取扱要領第８の１⑴において、「法人にあっては、直前３年の各事業年度における貸借対照表及び損益計算書並びに申請の日の属する事業年度及び翌事業年度における事業計画書及び収支予算書」を提出することが義務づけられた。

その後、平成22年10月28日付け環自国発第101028001号により「国立公園事業の執行認可申請における財務諸表の審査について」が通知され、当該通知による審査基準が試行的に運用するとされた。約２年間の試行運用による全国の国立公園における審査状況を確認したところ、課題は見られたものの審査基準が適正と判断されることから、一部留意事項を追加した上で、平成25年５月10日付け環自国発第1305101号により「国立公園事業の執行認可における財務諸表等の審査指針」が通知された。

今般、令和４年４月１日環自国発第22040111号により、事務の簡素化の観点から国立公園事業執行等取扱要領に統合することとした。

２　国立公園事業執行等取扱要領　第10の１⑴の書類

国立公園事業執行等取扱要領の第10の１⑴の書類は、認可申請者の種類に応じ、以下の書類とする。

⑴　法人にあっては、直前３年の各事業年度における貸借対照表及び損益計算書（設立後３年を経過していない法人にあっては、設立後の各事業年度に係るもの）

⑵　個人にあっては、残高証明書及び直前３年の各事業年度における確定申告書

⑶　公益法人にあっては、貸借対照表及び正味財産増減計算書（設立後３年を経過していない法人にあっては、設立後の各事業年度に係るもの。正味財産増減計算書については、⑴の損益計算書のうち、純資産を正味財産合計、当期純利益は当期一般正味財産増減額と当期指定正味財産増減額の合計に読み替えて取り扱う。）。

⑷　設立後３年以内等の理由により、直前３年の貸借対照表及び損益計算書の提出が困難であると認められる場合であって、他法人との資本関係等を有する申請者にあっては、当該他法人の決算書、申請者と当該決算書の企業との資本関係等を明らかにした資料、残高証明書又は融資証明書その他の当該申請者が当該公園事業施設を適切に管理又は経営できることを証する書類

３　審査指標

審査指標として以下⑴～⑷を定める。なお、財務諸表の読み方については、別添資料

１を参考にされたい。

⑴　純資産

自己資本をいい、返済義務のない資産。「資本金」「資本余剰金」「利益剰余金」に分類される。純資産が零未満になるということは、債務超過の状況であることを示し、会社が持っている全資産を売却しても負債を全て返済できないことを意味する。

ただし、設備投資、新規出店、人員整理（退職金等の発生）等により、健全に運営されている法人であっても一時的に零未満になることが想定される。

⑵　自己資本比率

負債及び純資産の合計額（総資本）に占める純資産の割合。法人経営の安全性を判断するものであり、業種によって差が大きい。一般に30％が目標値、50％以上である場合優良企業とされるが、宿泊業、飲食業等は全業種の中でも最も低い水準である。（平成19年度発行中小企業庁編「中小企業の財務指標」（平成17年1月～12月決算額）において、「旅館その他の宿泊所」の自己資本比率の上位50％値が3.3％）

ただし、設備投資、新規出店、人員整理、資産の評価の低下（施設閉鎖、所有証券の価値の下落等）等により、健全に運営されている法人であっても一時的に低下することが想定される。

⑶　流動比率

流動負債と流動資産の比率（流動資産÷流動負債×100で算出）をいい、短期（おおむね１年以内）に現金化される資産がどの程度あるかを示すもの。業種によって差が大きく、一般に150％が目標値、200％以上である場合優良企業とされるが、宿泊業、飲食業等は全業種の中でも最も低い水準である。（平成19年度発行中小企業庁編「中小企業の財務指標」（平成17年1月～12月決算額）において、「旅館その他の宿泊所」の流動比率の上位50％値が42.3％）

ただし、設備投資、新規出店等により短期借入の増大や流動資産の減少等、健全に運営されている法人であっても一時的に低下することが想定される。

⑷　当期純利益

一定期間における企業の最終利益を示し、利益を上げていないと負債が増大することを意味する。

ただし、経常利益を上げていても人員整理等の特殊な事情（特別損失）により純利益が低減することが想定される。

４　審査基準

以下の⑴～⑷の審査基準に適合する場合は、公園施設を適正に管理又は運営するために必要な経理的基礎を有していると判断する。なお、公益法人にあっては、純資産を正味財産合計、当期純利益は当期一般正味財産増減額と当期指定正味財産増減額の合計に読み替えることとする。

申請書の進達に際しては、別添資料２の計算用シートにおいて指標の数値を算出した上で、当該書類を申請書に添付するとともに、審査基準に「(※理由書添付が必要)」と付した事項に適合すると判断する場合は、別添資料３の理由書〔様式〕を参考にその旨を説明した理由書も添付する。

(1)　純資産の値が次のいずれかに当てはまること。

・純資産の値が直前の決算において零以上であること。

・純資産の値が直前の決裁において零未満であるが、計画に沿った一時的なものであり、事業計画書及び事業収支予算書と併せて今後の業績の回復が見込まれること。(※理由書添付が必要)

(2)　自己資産比率の値が次のいずれかに当てはまること。

・直前の決算における自己資本比率が10％を越えること。

・前３期の決算における自己資本比率が３％を越えること。

・前３期の決算における自己資本比率は３％を下回るが、計画に則った一時的な低下であり、事業計画書及び事業収支予算書と併せて今後の業績の回復が見込まれること。

(※理由書添付が必要)

(3)　流動比率の値が次のいずれかに当てはまること。

・直前の決算における流動比率が100％を越えること。

・前３期の決算における流動比率が40％を越えること。

・前３期の決算における流動比率は40％を下回るが、計画に則った一時的な低下であり、事業計画書及び事業収支予算書と併せて今後の業績の回復が見込まれること。(※理由書添付が必要)

(4)　当期純利益が次のいずれかに当てはまること。

・直前の決算における当期純利益が零以上であること。

・前３期の決算における当期純利益の平均値が零以上であること。

・直前の決算における当期純利益及び前３期の決算における当期純利益の平均値が零未満であるが、一時的な低下であり、事業計画書及び事業収支予算書と併せて今後の業績の回復が見込まれること。(※理由書添付が必要)

5　留意事項

本審査指針に基づく審査に当たっては、以下の事項に留意されたい。

(1)　財務諸表の妥当性の確認

・審査指標の項目のみを集約した決算書ではなく、指標の細目の具体的内容が明らかな資料の提出を求めること。

・固定資産が減価償却されていない場合は、その理由を確認すること。

※使用することにより価値が下がる「減価償却資産」については、一定額又は一定

率で資産を分割し、減じていることが必要。

・流動資産に税金（仮払税金）が多額に計上されている場合には、その理由を確認すること。また、審査基準値に影響する多額の貸付金、未収入金、立替金が計上されている場合については、回収状況や見込みを確認すること。

・損益計算書に多額の特別利益や経常損失が計上されている場合は、内容を確認すること。

⑵　個人事業者の経理的基礎の確認

個人事業者の場合は、残高証明書の他、収支計画及び税務申告書により実際の収入状況を把握の上、収支計画との整合を確認すること。

⑶　その他

・事業計画書及び収支予算書を求めた際には、稼働率と一般管理費の増減が連動することを確認すること。

・２⑷の場合において、他法人の決算書等の審査に当たっては、申請者と当該決算書の企業との資本関係等を確認の上、４の審査基準への適合を判断し、申請者の「国立公園事業執行等取扱要領」第12の１⑹に掲げる要件への適合の参考とすること。

別添資料１

財務諸表の見方

① 貸借対照表

⑴ 貸借対照表とは

・会社のある一定時点（決算日等）における財務状態を示す決算書。

・会社が保有する資産、会社が負っている負債、そしてその差額としての純資産を表示する。

・会社の健全性を判断できる。

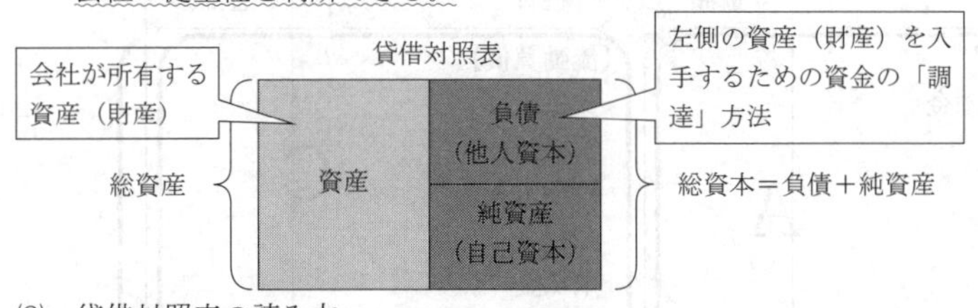

⑵ 貸借対照表の読み方

別紙１参照

② 損益計算書

⑴ 損益計算書とは

・ある一定の会計期間（１か月、１年等）に会社がいくらの利益を生み出すことができたかを示す。

・会社の本業としての売上高の合計額から、経費を差引いて、最終的な利益（当期純利益）を計算表示する。

・業績を段階的に示すことで、会社がどうやって利益（損失）を上げたかが分かる。

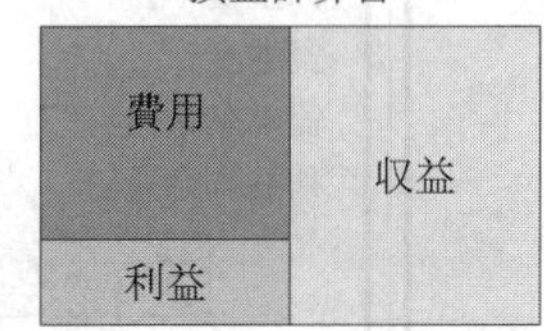

⑵ 損益計算書の読み方

別紙２参照

※貸借対照表と損益計算書の関係

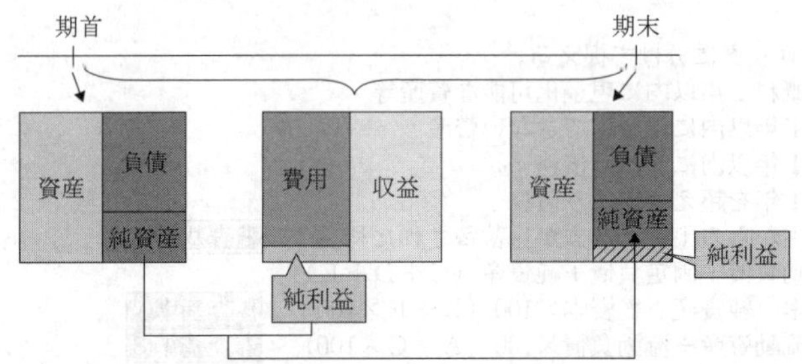

別紙１

貸借対照表

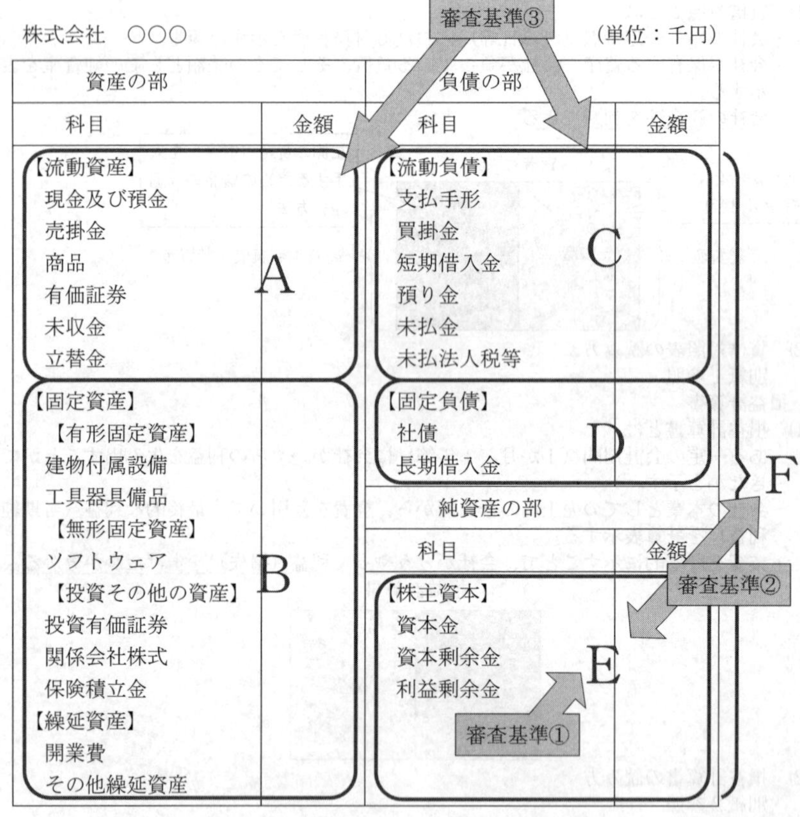

○貸借対照表の読み方

・Ａ～Ｅの５つのブロックに分けて捉える。

　Ａ　流動資産…概ね１年以内に現金化可能な資産等

　Ｂ　固定資産…１年以内に現金化できない資産

　Ｃ　流動負債…１年以内に支払う債務

　Ｄ　固定負債…１年を超えて支払う債務

　Ｅ　純資産…株主からの出資、過去から蓄積された利益　審査基準①

※Ｆ　総資本…流動負債＋固定負債＋純資産（Ｃ＋Ｄ＋Ｅ）

※　自己資本比率…純資産÷総資本×100（Ｅ÷Ｆ×100）　審査基準②

※　流動比率…流動資産÷流動負債×100（Ａ÷Ｃ×100）　審査基準③

別紙2

損益計算書

株式会社　○○○　　　　　　　　　　　　　　　　　　　（単位：千円）

科目	金額	
【　売　上　高　】		100,000
【　売　上　原　価　】		40,000
売上総利益		60,000
【　販売費及び一般管理費　】		2,000
営業利益		58,000
【　営　業　外　収　益　】		
受取利息	1,000	
雑収入	1,000	2,000
【　営　業　外　費　用　】		
支払利息	1,000	1,000
経常利益		59,000
【　特　別　利　益　】		
貸倒引当金戻入	1,000	1,000
【　特　別　損　失　】		
固定資産売却損	1,000	1,000
税引前当期純利益		59,000
法人税及び住民税等		25,000
当期純利益	審査基準④ →	34,000

○損益計算書の読み方

・段階的に見ていくことで、どのように利益を上げたかが分かる。

売上総利益…「粗利益」とも呼ばれる大雑把な利益

営業利益…会社の本業によって生じた利益

経常利益…企業の通常活動から生じた利益

税引前当期純利益…当期純利益から法人税等を差し引く前の利益

当期純利益…最終的な利益　審査基準④

別添資料２

計算用シート

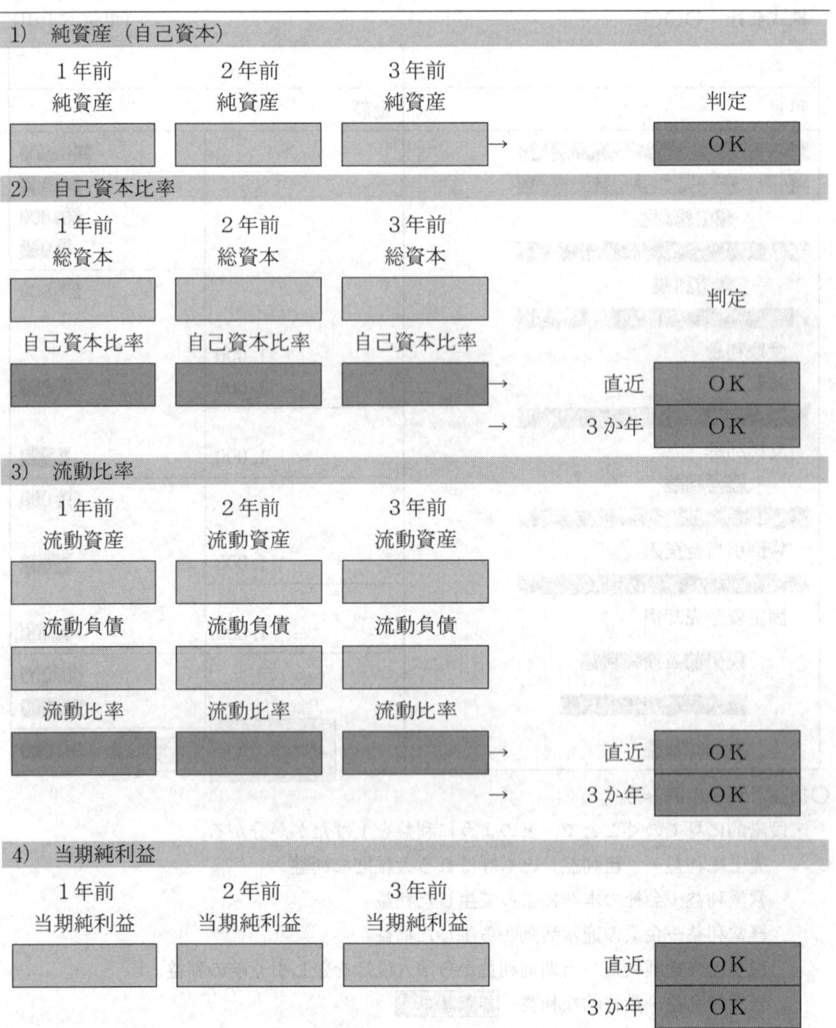

別添資料３

理由書〔様式〕

１　理由書が必要とされた指標

※複数の指標について理由書が必要とされている場合には、下記２及び３については、全ての指標について説明が可能なものとするよう留意。

２　現状についての説明

※理由書が必要とされた指標について、何故一時的にそのような状況にあるのか（背景）を説明。なお、その背景の説明について損益計算書や貸借対照表と整合性がとれているかを確認すること。

〔記載例〕

・新たな店舗のため、不動産購入を行ったことから、短期借入金が増え、流動負債が増加した。

・今回の公園事業とは別途展開している不動産業務において、不動産の価値が大幅に減少したことから、純資産が減少し、自己資本比率が一時的に減少した。

３　今後の事業について

※理由書が必要とされた指標について、今後業績が回復する見込みがあることを説明する内容。なお、その説明について事業計画書や融資証明書等との整合性がとれているかを確認すること。

〔記載例〕

今後、新たな店舗展開により〇〇％の収益増加を見込んでいるところであるとともに、既存のホテルでは、日帰り入浴の受入れや〇〇等、既存の事業についても営業努力を続けて行く予定であり、業務は回復させていく。なお、これらの事業計画については、別途〇〇銀行と相談しており、その上で、〇〇銀行より〇〇〇万円の融資を受けることとなっている。

所属団体　〇〇〇〇株式会社

代表者名　代表取締役　〇〇　〇〇　印

※申請者の所属団体・代表者名を記載

別　表

法第10条第10項の規定に基づく条件の例（第４節第18関係）

項　　目	条件例文	留意事項
一般的事項		1　申請書の記載事項として明らかにされる「支障木の伐採」等の関連行為について、その内容が妥当なものであると認められる場合は、下記留意事項で特に付すこととしているものを除き、条件は付さないものとする。 2　下記の例文以外の条件を付す必要がある場合は、法第10条第10項の主旨に留意すること。 3　２項目以上の条件を付す場合は、下記の例文の順序を参考とすること。 4　下記の例文は、特別地域における申請を対象としているので、特別保護地区における申請の場合は、「風致の保護上」とあるのは「景観の保護上」と、普通地域における申請の場合は「風景の保護上」と書き換えて用いること。 5　年月日には元号を付けることとする。また、月末を表す場合には、「30日」「31日」等を用い、「末日」は用いない。
(1) 期間の限定	工事の施行期間は、△年△月△日から△年△月△日までとすること。	1　工事の施行を伴う申請について、国立公園の保護又は利用上、工事の施行を一定の期間に限定する必要がある場合に用いる。 2　「△年」は、工事が数年にわたり、かつ毎年同一時期に工事の施行期間を限定する必要がある場合には、「毎年」とする。
(2) 支障木の処理	ア　支障木の伐採は、必要最小限とすること。	工事の施行に伴い伐採される支障木がある場合に用いる。
	イ　支障木のうち移植可能なものは、○○に移植すること。	1　移植可能であり、かつ移植すべき支障木がある場合に用いる。 2　○○には、「敷地の道路側」「建築物の

		南側」等移植すべき場所を具体的に記載する。 3　必要に応じて、アと組み合わせて用いる。 （例） 支障木の伐採は、必要最小限とするとともに、移植可能なものは……
(3) 施行上の注意	ア　工事の施行に当たっては、○○の（谷／海）側に編柵を設ける等の措置を講じて土石を崩落させないこと。	1　山岳地、海岸等の急傾斜地における工事の場合に用いる。 2　○○には、「道路」等工作物の種類を具体的に記載する。
	イ　工事の施行に当たっては、（汚濁防止膜／沈澱池）を設置する等の措置を講じて周辺（水／海）域に（土砂及び濁水／濁水）を流出させないこと。	河川、湖沼又は海に、土砂、濁水等が流出するおそれがある場合に用いる。
	ウ　工事に携わる作業員等工事関係者に対しては、植物の採取、野生動物の捕獲、ごみの投棄等風致の保護上好ましくない行為を行うことのないよう作業員心得を作成し、これを遵守させること。	多数の作業員が、工事現場及びその周辺に出入りするような工事を伴う場合に用いる。
(4) 工作物等の意匠	ア　○○には、自然石又は自然石に模したブロックを使用すること。 イ　○○は、自然石に模した表面仕上げとすること。	1　コンクリート等による人工構造物が風致に及ぼす支障を軽減するために、自然の素材を使用し、又は自然の素材に模した仕上げをする必要がある場合に用いる。 2　○○には、「擁壁」「堰堤」等対象を具体的に記載する。 3　対象が、石積み又はブロック積みの場合はアを、コンクリート造り又は石積み等との併用の場合はイを用いる。

	ウ　○○の色彩は、 ①××（色）系統とすること。 ②△△地方環境事務所（△△自然環境事務所）の指示に従うこと。 ③既存部分と同一配色とすること。	1　人工の構造物が風致に及ぼす支障を軽減するために、建築物等の色彩を指定する必要がある場合に用いる。 2　○○には、「屋根」「外壁」「増築する建築物外部」等対象を具体的に記載する。 3　色彩を指定する場合は①を用い、具体的に指定する必要がある場合は「××色とすること。」として差し支えない。 また、細部の調整が必要な場合は②を用い、増築又は改築の場合には③を用いる。
(5) 残土、廃材の処理	（残土／既存○○の撤去に伴う廃材）は、 ①国立公園区域外に搬出すること。 ②申請書添付「△△図」記載の位置において風致の保護上支障のないよう処理すること。	1　工事の施行に伴う土地の切り盛りによって残土が発生する場合又は既存施設の撤去によって廃材が生じる場合であって、国立公園区域外への搬出を指定する場合は①を用いる。 2　残土又は廃材は、国立公園区域外へ搬出することが望ましいが、現場の状況等により、国立公園区域外への搬出が合理的でない場合であって、特別地域内で風致に支障を及ぼすことなく処理できる場合には②を用いる。また、普通地域内で処理する場合には、②の「風致の保護上支障のないよう」を「適切に」と置き換えて用いる。 3　○○には、「倉庫」「電柱」等撤去する工作物を具体的に記載する。 4　「△△図」には、添付図面の名称を記載する。 5　残土及び廃材の両方を処理する必要がある場合には、「残土及び既存○○の撤去に伴う廃材は、」として一括して差し支えない。 6　必要に応じて(8)緑化と組み合わせて用いる。

		（例） 残土は、申請書添付「△△図」記載の位置において風致の保護上支障のないよう処理するとともに、当該□□には、張芝、種子吹付等により……（□□には、「土捨場」「残土処理場」等申請書に用いられている名称を記載する。）
(6) 建築物等の撤去	ア　○○は、△年△月△日までに撤去すること。	1　特に期限を決めて公園施設の一部を撤去させる必要がある場合に用いる。 2　○○には、「付帯避難小屋の全部」「既存宿舎の一部」等撤去する工作物及びその範囲を具体的に記載する。 3　(2)－3参照のこと。 4　必要に応じて、(7)跡地の整理及び(8)緑化と組み合わせて用いる。 （例） 当該○○は、△年△月△日までに撤去し、跡地は、風致の保護上支障のないよう整理するとともに、当該地域に生育する……
	イ　工事に伴う仮工作物は、行為完了後直ちに撤去すること。	1　工事に仮工作物の設置が伴う場合に用いる。 2　ア－4参照のこと。
(7) 跡地の整理	○○跡地は、風致の保護上支障のないよう整理すること。	1　工事完了後、工事箇所又はその周辺の整理が必要な場合に用いる。 2　○○には、「既存建築物撤去」「工事施行」「資材置場」等、対象を具体的に記載する。 3　必要に応じて(8)緑化と組み合わせて用いる。 （例） ○○跡地は、風致の保護上支障のないよう整理するとともに、当該地域に生育する……
(8) 緑化	ア　○○には、 ①当該地域に生育する植物と同種の植物により ②張芝、種子吹付等により	1　工事に伴い生じる裸地等の土砂の流出を防止するために緑化が必要な場合、又は構造物が風致に及ぼす支障を軽減するために修景のための植栽を必要とする場

	緑化を行うこと。	合などに用いる。 ２　〇〇には、「建築物の北側」「切土法面」「工事に伴う裸地」等、緑化を行うべき場所を具体的に記載する。 なお、道路の改良等で廃道が生ずる場合には、「廃道敷は、舗装を撤去し、客土した上、当該地域に……」のように用いる。 ３　①の「植物」は、必要に応じて「樹木」等と置き換えても差し支えない。 ４　緑化には、当該地域周辺より供給された種苗（移入種を除く）を用いることを基本とするが、当該地域周辺からの種苗の供給が困難な場合は同種の植物を用いる。また、早期に緑化が必要な場合、又は、現場の自然環境等の状況でやむを得ない場合は②を用いる。 ５　必要に応じて、⑸残土、廃材の処理、⑹建築物等の撤去、⑺跡地の整理と組み合わせて用いる。 （例文は各項目を参照のこと。）
	イ　〇〇には、当該地域周辺より供給された種苗（移入種を除く）により緑化を行うこととし、緑化工の施工に当たっては（工事の施工／土石の採取）に伴い切り取られる（表土／表土及び植物）を使用すること。	１　工事が、特別保護地区、第１種特別地域等自然環境保全上特に重要な地域において施行される場合であって、表土等を緑化工に使用する必要がある場合に用いる。 ２　アー２参照のこと。
	ウ　モルタル吹付の前面には、ロックネット等を設置した上で、つる性植物を植栽し、緑化すること。	通常の緑化工では法面の崩壊が防止できないため、やむを得ずモルタル吹付を認める場合であって、風致の保護上前面を植物により隠ぺいする必要がある場合に用いる。
⑼ 維持管理	〇〇の入り口には、当該道路の目的を明記した標識を掲出する等、一般車の乗り入れ	工事用道路等への一般車の乗り入れにより、風致の保護上著しい支障が生ずると予想される場合に用いる。

	を制限する措置を講ずること。	
(10) 報告	ア　○○の進捗状況について、天然色写真を添え、××ごとに、△△に報告すること。	1　工事が長期にわたる場合であって、その進捗状況を把握しておく必要がある場合に用いる。 2　天然色写真の添付は、特に必要な場合に求めることとし、それ以外の場合は天然色写真を添え、」を削除すること。 3　××には、「1年」「半年」「四半期」等と記載する。 4　△△には、「自然環境局長」「○○地方環境事務所長」(「○○自然環境事務所長」)等を必要に応じ使い分ける。
	イ　行為完了後、(第○項及び第○項／前○項)の履行状況について、天然色写真を添え、△△に報告すること。	1　風致の保護のため、条件の履行状況を確認する必要がある場合に用いる。 2　ア－2、4参照のこと。
	ウ　毎年4月30日までに、前年度分の月別利用者数(と平均滞在日数)に関する調書を、○○地方環境事務所長(○○自然環境事務所長)に提出すること。	1　宿舎、野営場、スキー場等で、施設の利用者数を把握しておく必要がある場合に用いる。ただし、分譲型ホテル等にあっては、分譲型ホテル等に係る通知に定める条件例文を用いる。 2　上記事業に係る当初認可においては、原則として付すものとする。
(11) 施設の供用開始	△年△月△日までに施設の供用を開始すること。	1　利用施設について、国立公園の利用上、供用開始の時期を特に事業者に義務づける必要がある場合に用いる。 2　従業員宿舎、管理棟等の管理のための施設の工事の場合には指定しない。 3　運輸施設又は道路法による道路に関する公園事業の場合は、指定しない。

様式第１

国立公園事業執行協議書（認可申請書）

＿＿＿＿国立公園内において＿＿＿＿＿事業を執行したいので、自然公園法第10条第２項（第３項）の規定に基づき、次のとおり協議（申請）します。

年　　月　　日

申請者の氏名及び住所
〔法人にあっては、名称、住所及び代表者の氏名〕

環境大臣　　　　　　殿
（○○地方環境事務所長　殿）
（○○自然環境事務所長　殿）

<table>
<tr><td>公園施設の種類</td><td colspan="2"></td></tr>
<tr><td>公園施設の位置</td><td colspan="2"></td></tr>
<tr><td>公園施設の規模・構造</td><td colspan="2"></td></tr>
<tr><td rowspan="3">公園施設の管理又は経営の方法</td><td>経営方法</td><td>直営
委託（受託者　　　　　　）</td></tr>
<tr><td>料金徴収</td><td>有　（標準的な額　　　　）
無</td></tr>
<tr><td>供用期間</td><td>通年
季節（供用期間　　　　　　）</td></tr>
<tr><td>公園施設の供用開始の予定年月日</td><td colspan="2">年　　月　　日</td></tr>
<tr><td>工事施行の予定期間</td><td colspan="2">年　　月　　日　着工
年　　月　　日　完了</td></tr>
<tr><td>備考</td><td colspan="2"></td></tr>
</table>

（備考）

1　添付書類（ただし、運輸施設に関する国立公園事業にあっては、⑺、⑻及び⑽を、協議にあっては⑴、⑵、⑹から⑻、⑽及び⑾を除く。）

⑴　個人にあっては、住民票の写し

⑵　法人にあっては、登記事項証明書

⑶　公園施設の位置を明らかにした縮尺１：25,000程度の地形図

⑷　公園施設の付近の状況を明らかにした縮尺１：5,000程度の概況図及び天然色写真（カラー写真）

⑸　公園施設の規模及び構造を明らかにした縮尺１：1,000程度の各階平面図、二面以上の立面図、二面以上の断面図及び意匠配色図並びに事業区域内にある公園施設の配置を明らかにした縮尺１：1,000程度の配置図（運輸施設に関する国立公園事業にあっては、当該施設が風景に及ぼす影響を明らかにするために必要な事項に限る。）

⑹　法人にあっては、定款、寄附行為又は規約

⑺　公園施設の管理又は経営に要する経費について収入及び支出の総額及び内訳を記載した書類その他公園施設等を適切に管理又は経営することができることを証する書類

ア　法人にあっては、直前３年の各事業年度における貸借対照表及び損益計算書又はこれらに準ずる書類

（設立後３年を経過していない法人にあっては、設立後の各事業年度に係るもの）

イ　申請の日の属する事業年度及び翌事業年度における事業計画書及び収入及び支出の総額及び内訳を明らかにした収支予算書

⑻　工事の施工を要する場合にあっては、事業資金を調達することができることを証する書類

⑼　工事の施行を要する場合にあっては、木竹の伐採、修景のための植栽その他当該工事に付随する工事の内容を明らかにした書類及び縮尺１：1,000程度の図面

⑽　工事の施行を要する場合にあっては、積算の基礎を明らかにした工事費概算書

⑾　国立公園事業の執行に必要な土地、家屋その他の物件を当該事業の執行のために使用することができることを証する書類

⑿　国立公園事業の執行に関し土地収用法の規定により土地又は権利を収用し又は使用する必要がある場合にあっては、その収用又は使用を必要とする理由書

⒀　その他、国立公園事業執行等取扱要領第11の審査事項の確認に必要な書類

2　注意

⑴　「公園施設の種類」欄には、○○線道路（車道）、○○宿舎等の国立公園事業の名称及び種類を記載すること。

⑵　「公園施設の位置」欄には、都道府県、郡、区、市町村、大字、字、小字、地番（地先）等を記載すること。ただし、道路にあっては起終点の位置を記載すること。

⑶　「公園施設の規模・構造」欄については、以下の事項に留意し、別に定める記載事項を参照の上記載すること。

ア　添付書類と照合できるよう詳細かつ明確に記載すること。

イ　施設が複数にわたる場合は、個々の施設ごとの規模を記載すること。

⑷　「公園施設の管理又は経営方法」の各欄には以下の事項を記載すること。（ただし、運輸施設に関する国立公園事業にあっては、直営又は委託の別、料金徴収の有無、通年供用又は季節供用の別のみ記載する。）

ア　直営又は委託の別。委託する場合にあっては受託者の氏名又は名称及び住所並びに法人にあってはその代表者の氏名。

イ　料金徴収の有無。料金を徴収する場合にあっては標準的な額。

ウ　通年供用又は季節供用の別。季節供用の場合にあってはその供用期間。

⑸　「備考」欄には、以下の事項を記載すること。

ア　公園施設の敷地の所有関係及び使用の可否

イ　当該事業の執行（工事の施行を含む。）が他の法令の規定により行政庁の許可、認可その他の処分を必要とするものである場合には、関係法令名及び適用条項並びにその手続の状況

ウ　公園施設の通称がある、又は付す予定がある場合は通称

エ　公園事業の執行に係る関連行為の概要

オ　当該申請（協議）に関する連絡先（電話番号又はメールアドレス）なお、申請（協議）者と担当者が異なる場合は、担当者の氏名、役職、連絡先等を記載すること。

⑹　添付書類のうち、建築物に関する各階平面図には、間取り及び客室等の用途を記載すること。

⑺　不要の文字は、抹消すること。

⑻　用紙の大きさは、日本産業規格（JIS）Ａ４とすること。

様式第２

国立公園事業の内容の変更の協議書（認可申請書）

＿＿＿＿国立公園＿＿＿＿＿事業の執行の協議をした（認可を受けた）内容を変更したいので、自然公園法第10条第６項の規定に基づき、次のとおり協議（申請）します。

年　月　日

申請者の氏名及び住所
〔法人にあっては、名称、住所及び代表者の氏名〕

○○地方環境事務所長　殿
（○○自然環境事務所長　殿）

<table>
<tr><td colspan="2">執行の協議をした（認可を受けた）年月日及び番号</td><td colspan="3">環自　許第　　号
年　月　日
（厚生省　国第　　号）</td></tr>
<tr><td rowspan="7">変更の内容</td><td colspan="2">事　項</td><td>変　更　前</td><td>変　更　後</td></tr>
<tr><td colspan="2">公園施設の種類</td><td></td><td></td></tr>
<tr><td colspan="2">公園施設の位置</td><td></td><td></td></tr>
<tr><td colspan="2">公園施設の規模・構造</td><td></td><td></td></tr>
<tr><td rowspan="3">公園施設の管理又は経営の方法</td><td>経営方法</td><td></td><td></td></tr>
<tr><td>料金徴収</td><td></td><td></td></tr>
<tr><td>供用期間</td><td></td><td></td></tr>
<tr><td colspan="2">変更しようとする年月日</td><td colspan="3">年　月　日</td></tr>
<tr><td colspan="2">工事施行の予定期間</td><td colspan="3">年　月　日　着工
年　月　日　完了</td></tr>
<tr><td colspan="2">変更を必要とする理由</td><td colspan="3"></td></tr>
<tr><td colspan="2">備　考</td><td colspan="3"></td></tr>
</table>

（備考）
1　添付書類
⑴　公園施設の位置を明らかにした縮尺１：25,000程度の地形図
⑵　公園施設の付近の状況を明らかにした縮尺１：5,000程度の概況図及び天然色写真（カラー写真）
⑶　変更に係る様式第１の添付書類⑸から⒀に掲げる書類（ただし、運輸施設に関する国立公園事業にあっては、⑺、⑻及び⑽を、協議にあっては、⑹から⑻、⑽及び⑾を除く。）
2　注　意
⑴　「執行の協議をした（認可を受けた）年月日及び番号」欄には、当該事業の執行の協議回答（認可指令）書（平成12年３月31日以前に執行の承認を受けたものにあっては承認指令書、認定を受けた利用拠点整備改善計画の利用拠点整備改善事業に係るものにあっては、みなし認可の同意書・認可書）記載のものを記入すること。
⑵　「公園施設の種類」欄には、○○線道路（車道）、○○宿舎等の国立公園事業の名称及び種類を記載すること。
⑶　「変更の内容」欄には、協議をした（認可を受けた）事項と今回変更する事項とを対比し、添付書類と照合できるよう明確に記載すること。
⑷　「公園施設の管理又は経営の方法」欄には、以下の事項を記載すること。（ただし、運輸施設に関する国立公園事業にあっては、直営又は委託の別、料金徴収の有無、通年供用又は季節供用の別に係る変更のみ記載する。）
ア　直営又は委託の別。委託する場合にあっては受託者の氏名又は名称及び住所並びに法人にあってはその代表者の氏名。
イ　料金徴収の有無。料金を徴収する場合にあっては標準的な額。
ウ　通年供用又は季節供用の別。季節供用の場合にあってはその供用期間。
⑸　「備考」欄には、以下の事項を記載すること。
ア　変更に係る公園施設の敷地の所有関係及び使用の可否
イ　当該公園施設の変更等（変更に伴う工事の施行を含む。）が他の法令の規定により行政庁の許可、認可その他の処分を必要とするものである場合は、関係法令名及び適用条項並びにその手続の状況
ウ　公園施設の通称がある、又は付す予定がある場合は通称
エ　公園事業の執行に係る関連行為の概要
オ　当該申請（協議）に関する連絡先（電話番号又はメールアドレス）なお、申請（協議）者と担当者が異なる場合は、担当者の氏名、役職、連絡先等を記載すること。
⑹　添付書類のうち、建築物に関する各階平面図には、間取り及び客室等の用途を記載すること。
⑺　不要の文字は、抹消すること。
⑻　用紙の大きさは、日本産業規格（JIS）Ａ４とすること。

様式第３

国立公園事業の内容の軽微な変更届

＿＿＿国立公園＿＿＿＿＿＿事業の内容に関し、軽微な変更をしたので、自然公園法第10条第９項の規定により、次のとおり届け出ます。

年　　月　　日

届出者の氏名及び住所

〔法人にあっては、名称、住所及び代表者の氏名〕

○○地方環境事務所長　殿
（○○自然環境事務所長　殿）

<table>
<tr><td colspan="3">執行の協議をした（認可を受けた）年月日及び番号</td><td colspan="2">環自　許第　　号
年　　月　　日
（厚生省　国第　　号）</td></tr>
<tr><td colspan="3">公園施設の種類</td><td colspan="2"></td></tr>
<tr><td rowspan="9">変更の内容</td><td colspan="2">事項</td><td>変更前</td><td>変更後</td></tr>
<tr><td colspan="2">氏名（名称、代表者の氏名）
住所</td><td></td><td></td></tr>
<tr><td colspan="2">公園施設の構造</td><td></td><td></td></tr>
<tr><td rowspan="3">公園施設の管理又は経営の方法</td><td>経営方法</td><td></td><td></td></tr>
<tr><td>料金徴収</td><td></td><td></td></tr>
<tr><td>供用期間</td><td></td><td></td></tr>
<tr><td colspan="2">供用開始予定年月日</td><td>年　月　日</td><td>年　月　日</td></tr>
<tr><td colspan="2">工事施行の予定期間</td><td>年　月　日着工
年　月　日完了</td><td>年　月　日着工
年　月　日完了</td></tr>
<tr><td colspan="2"></td><td></td><td></td></tr>
<tr><td colspan="3">変更する年月日</td><td colspan="2">年　　月　　日</td></tr>
<tr><td colspan="3">変更を必要とする理由</td><td colspan="2"></td></tr>
<tr><td colspan="3">備考</td><td colspan="2"></td></tr>
</table>

（備考）

1　「執行の協議をした（認可を受けた）年月日及び番号」及び「国立公園事業の種類」欄には当該事業の執行の協議回答（認可指令）書（平成12年３月31日以前に執行の承認を受けた場合にあっては承認指令書、認定を受けた利用拠点整備改善計画の利用拠点整備改善事業に係るものにあっては、みなし認可の同意書・認可書）記載のものを記入すること。

2　「公園施設の種類」欄には、○○線道路（車道）、○○宿舎等の国立公園事業の名称及び種類を記載すること。

3　「公園施設の構造」欄については、以下の事項に留意し、別に定める記載事項を参照の上記載すること。

ア　詳細かつ明確に記載すること。

4　「公園施設の管理又は経営の方法」欄には、以下の事項を記載すること。（ただし、運輸施設に関する国立公園事業にあっては、直営又は委託の別、料金徴収の有無、通年供用又は季節供用の別に係る変更のみ記載する。）

ア　直営又は委託の別。委託する場合にあっては受託者の氏名又は名称及び住所並びに法人にあってはその代表者の氏名。

イ　料金徴収の有無。料金を徴収する場合にあっては標準的な額。

ウ　通年供用又は季節供用の別。季節供用の場合にあってはその供用期間。

5　「備考」欄には、以下の事項を記載すること。

当該届出に関する連絡先（電話番号又はメールアドレス）なお、届出者と担当者が異なる場合は、担当者の氏名、役職、連絡先等を記載すること。

6　不要の文字は、抹消すること。

7　用紙の大きさは、日本産業規格（JIS）Ａ４とすること。

様式第4－(1)　（宿舎事業及び野営場事業の場合）

＿＿＿＿国立公園＿＿＿＿事業施設利用者数報告書

＿＿年度の利用者数を下記のとおり報告します。

年　月　日

申請者の氏名及び住所
〔法人にあっては、名称、住所及び代表者の氏名〕
連絡先電話番号（　）　－

○○地方環境事務所長　殿
（○○自然環境事務所長　殿）

記

施設の利用者数調書

<table>
<tr><td colspan="4">年度分（自　年　月　日至　年　月　日）</td></tr>
<tr><td>執行認可等を受けた年月日及び番号</td><td>年　月　日
環自　許第　号
（厚生省　国第　号）</td><td>公園施設の通　称</td><td></td></tr>
<tr><td>公園施設の位置</td><td colspan="3"></td></tr>
<tr><td>収容人員</td><td></td><td>供用期間</td><td></td></tr>
<tr><td>種別／月</td><td colspan="2">延べ宿泊者数（人日）</td><td>備考
（日最大宿泊者数）</td></tr>
<tr><td>4</td><td colspan="2"></td><td></td></tr>
<tr><td>5</td><td colspan="2"></td><td></td></tr>
<tr><td>6</td><td colspan="2"></td><td></td></tr>
<tr><td>7</td><td colspan="2"></td><td></td></tr>
<tr><td>8</td><td colspan="2"></td><td></td></tr>
<tr><td>9</td><td colspan="2"></td><td></td></tr>
<tr><td>10</td><td colspan="2"></td><td></td></tr>
<tr><td>11</td><td colspan="2"></td><td></td></tr>
<tr><td>12</td><td colspan="2"></td><td></td></tr>
<tr><td>1</td><td colspan="2"></td><td></td></tr>
<tr><td>2</td><td colspan="2"></td><td></td></tr>
<tr><td>3</td><td colspan="2"></td><td></td></tr>
<tr><td>合　計</td><td colspan="2"></td><td></td></tr>
</table>

（備考）

1　延べ宿泊者数は次のとおり計算すること。

１月に１泊が350人、２泊が61人、３泊が25人あった場合は、

350＋（61×２）＋（25×３）＝547人

2　「備考」欄には、年間で最も宿泊者数が多かった日とその宿泊者数を記載すること。

（例：562人（５月５日））

3　不要の文字は抹消すること。

4　用紙の大きさは、日本産業規格（JIS）Ａ４とすること。

様式第４－(2)　（その他の事業の場合）

＿＿＿国立公園＿＿＿＿＿＿事業施設利用者数報告書

＿＿年度の利用者数を下記のとおり報告します。

年　　月　　日

申請者の氏名及び住所
〔法人にあっては、名称、住所及び代表者の氏名〕
連絡先電話番号（　　）　　－

○○地方環境事務所長　殿
（○○自然環境事務所長　殿）

記

施設の利用者数調書

年度分（自　　年　　月　　日至　　年　　月　　日）			
執行認可等を受けた年月日及び番号	年　　月　　日 環自　　許第　　　号 （厚生省　国第　　号）	公園施設の通称	
公園施設の位置			
供　用　期　間			
月	利　用　者　数		備　考
4			
5			
6			
7			
8			
9			
10			
11			
12			
1			
2			
3			
合　　計			

（備考）
1　不要の文字は抹消すること。
2　用紙の大きさは、日本産業規格（JIS）Ａ４とすること。

様式第５

番　　号
年　月　日

自然環境局長　殿
（○○地方環境事務所長　殿）

○○地方環境事務所長
（○○自然環境事務所長）

＿＿＿＿国立公園＿＿＿＿＿＿事業に係る
公園施設の改善等に係る報告について

国立公園事業執行等取扱要領第20に基づき、次のとおり報告します。

記

⑴　国立公園事業の種類
⑵　執行認可の年月日及び番号
⑶　国立公園事業者名
⑷　公園施設の位置
⑸　改善すべき内容の概要
⑹　これまでに行った行政指導の概要
⑺　改善するために必要な措置
⑻　他法令の規定による処分の状況
⑼　その他参考事項

（備考）
１　添付書類
⑴　公園施設の位置を明らかにした縮尺１：25,000程度の地形図
⑵　公園施設の付近の状況を明らかにした縮尺１：5,000程度の概況図及び天然色写真（カラー写真）
⑶　様式第１の添付書類⑸、⑼及び⑾に準じて、改善すべき内容を明らかにした書類
２　注意
⑴　「執行認可の年月日及び番号」及び「公園施設の種類」欄には当該事業の執行の認可指令書（認定を受けた利用拠点整備改善計画の利用拠点整備改善事業に係るものにあっては、みなし認可の認可書）記載のものを記入すること。
⑵　必要に応じて、当該国立公園事業の執行に必要な他法令の規定による処分に関する書類の写し等を添付すること。

様式第６

譲渡承継による国立公園事業の承継承認申請書

____________が執行する______国立公園_________事業を承継したいので、自然公園法第12条第１項の規定に基づき、次のとおり申請します。

年　　月　　日

譲渡人の氏名及び住所
〔法人にあっては、名称、住所及び代表者の氏名〕
譲受人の氏名及び住所
〔法人にあっては、名称、住所及び代表者の氏名〕

○○地方環境事務所長　殿
（○○自然環境事務所長　殿）

執行の認可を受けた年月日及び番号	年　月　日 環自　許第　　号 （厚生省　国第　　号）	
公園施設の種類		
譲受人が行う公園施設の管理又は経営の方法	経営方法	直営 委託（受託者　　　）
	料金徴収	有　（標準的な額　　　） 無
	供用期間	通年 季節（供用期間　　　）
譲渡しようとする年月日	年　月　日	
譲渡する理由		
備考		

（備考）

１　添付書類（ただし、運輸施設に関する国立公園事業にあっては、⑹は事業に必要な行政庁の許認可書に替えることができる。）

⑴　譲受人が個人の場合にあっては、譲受人の住民票の写し

⑵　譲受人が法人の場合にあっては、譲受人の定款、寄附行為又は規約及び登記事項証明書

⑶　公園施設の位置を明らかにした縮尺１：25,000程度の地形図

⑷　公園施設の付近の状況を明らかにした縮尺１：5,000程度の概況図及び天然色写真（カラー写真）

⑸　国立公園事業の執行に必要な土地、家屋その他の物件を当該事業の執行のために使用することができることを証する書類

⑹　譲受人が行う公園施設の管理又は経営に要する経費について収入及び支出の総額及び内訳を記載した書類その他公園施設等を適切に管理又は経営することができることを証する書類

ア　法人にあっては、直前３年の各事業年度における貸借対照表及び損益計算書又はこれらに準ずる書類

（設立後３年を経過していない法人にあっては、設立後の各事業年度に係るもの）

イ　申請の日の属する事業年度及び翌事業年度における事業計画書及び収入及び支出の総額及び内訳を明らかにした収支予算書

⑺　譲渡及び譲受けに係る譲渡人及び譲受人の意思の決定を証する書類

２　注意

⑴　「執行の認可を受けた年月日及び番号」及び「公園施設の種類」欄には当該事業の執行の認可指令書（認定を受けた利用拠点整備改善計画の利用拠点整備改善事業に係るものにあっては、みなし認可の認可書）記載のものを記入すること。

⑵　「公園施設の種類」欄には、〇〇線道路（車道）、〇〇宿舎等の国立公園事業の名称及び種類を記載すること。

⑶　「譲受人が行う公園施設の管理又は経営の方法」欄には、以下の事項を記載すること。（ただし、運輸施設に関する国立公園事業にあっては、直営又は委託の別、料金徴収の有無、通年供用又は季節供用の別に係る変更のみ記載する。）

ア　直営又は委託の別。委託する場合にあっては受託者の氏名又は名称及び住所並びに法人にあってはその代表者の氏名。

イ　料金徴収の有無。料金を徴収する場合にあっては標準的な額。

ウ　通年供用又は季節供用の別。季節供用の場合にあってはその供用期間。

⑷　「備考」欄には、以下の事項を記載すること。

ア　公園施設の敷地の所有関係及び使用の可否

イ　他の法令の規定により行政庁の許可、認可その他の処分又は届出を必要とするものである場合は、関係法令名及び適用条項並びにその手続の状況

ウ　公園施設の通称がある、又は付す予定がある場合は通称

エ　公園事業の執行に係る関連行為の概要（引き継ぐ事項）

オ　当該申請に関する連絡先（電話番号又はメールアドレス）なお、申請者と担当者が異なる場合は、担当者の氏名、役職、連絡先等を記載すること。

⑸　不要の文字は、抹消すること。

⑹　用紙の大きさは、日本産業規格（JIS）Ａ４とすること。

様式第７

法人の合併（分割）による国立公園事業の承継協議書（承認申請書）

＿＿＿＿＿が執行する＿＿＿＿＿国立公園＿＿＿＿＿＿事業を承継したいので、自然公園法第12条第２項の規定に基づき、次のとおり協議（申請）します。

年　　月　　日

申請者の名称、住所及び
代表者の氏名

○○地方環境事務所長　殿
（○○自然環境事務所長　殿）

執行の協議をした（認可を受けた）年月日及び番号	環自　許第　　　　号 年　　月　　日 （厚生省　国第　　　号）
公園施設の種類	
合併（分割）法人の名称、住所及び代表者の氏名	
合併（分割）した年月日	年　　月　　日
合併（分割）した理由	
備　　　　考	

（備考）

1　添付書類

⑴　合併後存続する法人若しくは合併により設立される法人又は分割によりその国立公園事業の全部を承継する法人の定款、寄附行為又は規約及び登記事項証明書

⑵　公園施設の位置を明らかにした縮尺１：25,000程度の地形図

⑶　公園施設の付近の状況を明らかにした縮尺１：5,000程度の概況図及び天然色写真（カラー写真）

⑷　国立公園事業の執行に必要な土地、家屋その他の物件を当該事業の執行のために使用することができることを証する書類

⑸　合併契約書及び合併により消滅した国立公園事業者の登記事項証明書又は分割契約書

2　注意

⑴　「執行の協議をした（認可を受けた）年月日及び番号」欄には当該事業の執行の協議回答（認可指令）書（平成12年３月31日以前に執行の承認を受けた場合にあっては承認指令書、認定を受けた利用拠点整備改善計画の利用拠点整備改善事業に係るものにあっては、みなし認可の同意書・認可書）記載のものを記入すること。

⑵　「公園施設の種類」欄には、○○線道路（車道）、○○宿舎等の国立公園事業の名称及び種類を記載すること。

⑶　「備考」欄には、以下の事項を記載すること。

ア　他の法令の規定により行政庁の許可、認可その他の処分又は届出を必要とするものである場合は、関係法令名及び適用条項並びにその手続の状況

イ　公園施設の通称がある、又は付す予定がある場合は通称

ウ　公園事業の執行に係る関連行為の概要（引き継ぐ事項）

エ　当該申請（協議）に関する連絡先（電話番号又はメールアドレス）なお、申請（協議）者と担当者が異なる場合は、担当者の氏名、役職、連絡先等を記載すること。

⑷　不要の文字は、抹消すること。

⑸　用紙の大きさは、日本産業規格（JIS）Ａ４とすること。

様式第８

相続による国立公園事業の承継申請書

＿＿＿＿が執行していた＿＿＿＿国立公園＿＿＿＿＿＿事業を承継したいので、自然公園法第12条第３項の規定に基づき、次のとおり申請します。

　　　年　　月　　日

申請者の氏名及び住所

〇〇地方環境事務所長　殿
（〇〇自然環境事務所長　殿）

執行の認可を受けた年月日及び番号	環自　許第　　　　号 年　　月　　日 （厚生省　国第　　号）
公園施設の種類	
被相続人の氏名及び住所	
被相続人が死亡した年月日	年　　月　　日
備　　考	

（備考）

1　添付書類

⑴　相続人の住民票の写し

⑵　公園施設の位置を明らかにした縮尺１：25,000程度の地形図

⑶　公園施設の付近の状況を明らかにした縮尺１：5,000程度の概況図及び天然色写真（カラー写真）

⑷　国立公園事業の執行に必要な土地、家屋その他の物件を当該事業の執行のために使用することができることを証する書類

⑸　被相続人との続柄を証する書類

⑹　相続人が２人以上ある場合においては、その全員の同意により国立公園事業を承継すべき相続人として選定されたことを証する書類

2　注意

⑴　「執行の認可を受けた年月日及び番号」欄には当該事業の認可指令書記載のものを記入すること。

⑵　「公園施設の種類」欄には、○○線道路（車道）、○○宿舎等の国立公園事業の名称及び種類を記載すること。

⑶　「備考」欄には、以下の事項を記載すること。

ア　他の法令の規定により行政庁の許可、認可その他の処分又は届出を必要とするものである場合は、関係法令名及び適用条項並びにその手続の状況

イ　公園施設の通称がある、又は付す予定がある場合は通称

ウ　公園事業の執行に係る関連行為の概要（引き継ぐ事項）

エ　当該申請に関する連絡先（電話番号又はメールアドレス）なお、申請者と担当者が異なる場合は、担当者の氏名、役職、連絡先等を記載すること。

⑷　不要の文字は、抹消すること。

⑸　用紙の大きさは、日本産業規格（JIS）Ａ４とすること。

様式第９

国立公園事業の休止（廃止）届

＿＿＿＿国立公園＿＿＿＿＿＿事業を休止（廃止）したいので、自然公園法第13条の規定に基づき、次のとおり届け出ます。

年　　月　　日

届出者の氏名及び住所
〔法人にあっては、名称、住所及び代表者の氏名〕

○○地方環境事務所長　殿
（○○自然環境事務所長　殿）

執行の協議をした（認可を受けた）年月日及び番号	環自　許第　　　号 年　　月　　日 （厚生省　国第　　　号）
公園施設の種類	
休止しようとする公園施設の範囲	
休止の予定期間 （廃止の予定年月日）	自　　年　　月　　日　至　　年　　月　　日 （　　年　　月　　日）
休止中（廃止後）の公園施設の管理方法（取扱）	
休止（廃止）を必要とする理由	
備　　考	

（備考）

1　添付書類

⑴　公園施設の位置を明らかにした縮尺１：25,000程度の地形図

⑵　公園施設の付近の状況を明らかにした縮尺１：5,000程度の概況図及び天然色写真（カラー写真）

2　注意

⑴　「執行の協議をした（認可を受けた）年月日及び番号」欄には当該事業の執行の協議回答（認可指令）書（平成12年３月31日以前に執行の承認を受けたものにあっては承認指令書、認定を受けた利用拠点整備改善計画の利用拠点整備改善事業に係るものにあっては、みなし認可の同意書・認可書）記載のものを記入すること。

⑵　「公園施設の種類」欄には、〇〇線道路（車道）、〇〇宿舎等の国立公園事業の名称及び種類を記載すること。

⑶　「休止しようとする公園施設の範囲」欄には全部又は一部の別及び一部の場合はその範囲を記載すること。廃止の場合は空欄とすること。

⑷　「備考」欄には、以下の事項を記載すること。

ア　他の法令の規定により行政庁の許可、認可その他の処分を必要とするものである場合には、関係法令名及び適用条項並びにその手続状況

イ　休止期間中の公園施設の管理又は廃止後公園施設の取扱に関する責任者の氏名及び連絡先

ウ　当該申請に関する連絡先（電話番号又はメールアドレス）なお、申請者と担当者が異なる場合は、担当者の氏名、役職、連絡先等を記載すること。

⑸　不要の文字は、抹消すること。

⑹　用紙の大きさは、日本産業規格（JIS）Ａ４とすること。

様式第10

番　　号
年　月　日

自然環境局長　殿
（○○地方環境事務所長　殿）

○○地方環境事務所長
（○○自然環境事務所長）

＿＿＿国立公園＿＿＿＿＿＿事業の廃止について

国立公園事業執行等取扱要領第29に基づき、下記のとおり報告します。

記

⑴　国立公園事業名
⑵　執行認可の年月日及び番号
⑶　国立公園事業者名
⑷　公園施設の位置
⑸　法第15条に基づく原状回復命令等の必要性についての意見
⑹　その他参考事項

（備考）
1　添付書類
⑴　法第13条の規定に基づく届出書（添付書類を含む。）の写し
⑵　公園施設の位置を明らかにした縮尺1：25,000程度の地形図
⑶　公園施設の付近の状況を明らかにした縮尺1：5,000程度の概況図及び天然色写真（カラー写真）
2　注意
⑴　執行認可の年月日及び番号には、当該事業の執行の認可指令書（認定を受けた利用拠点整備改善計画の利用拠点整備改善事業に係るものにあっては、みなし認可の認可書）記載のものを記入すること。
⑵　法第15条に基づく原状回復命令等の必要性についての意見には、国立公園事業執行等取扱要領第33の1各号への適合について、それぞれ根拠を示し、具体的に記載すること。

様式第11

国立公園事業の執行認可失効届

＿＿＿＿国立公園＿＿＿＿＿＿事業執行の認可を失効したため、自然公園法第14条第２項の規定に基づき、次のとおり届け出ます。

年　　月　　日

届出者の氏名及び住所
〔法人にあっては、名称、住所及び代表者の氏名〕

○○地方環境事務所長　殿
（○○自然環境事務所長　殿）

執行の認可を受けた年月日及び番号	年　　月　　日　環自　許第　　　　号（厚生省　国第　　号）
公園施設の種類	
失効した年月日	年　　月　　日
失効した理由	
備考	

（備考）

1　添付書類

⑴　公園施設の位置を明らかにした縮尺１：25,000程度の地形図

⑵　公園施設の付近の状況を明らかにした縮尺１：5,000程度の概況図及び天然色写真（カラー写真）

⑶　他法令の規定による行政庁の許可、認可その他の処分が取り消され、その他その効力が失われたことを証する書類

2　注意

⑴　「執行の認可を受けた年月日及び番号」欄には当該事業の執行の認可指令書（認定を受けた利用拠点整備改善計画の利用拠点整備改善事業にあっては、みなし認可の認可書）記載のものを記入すること。

⑵　「公園施設の種類」欄には、〇〇線道路（車道）、〇〇宿舎等の国立公園事業の名称及び種類を記載すること。

⑶　「備考」欄には、失効後の公園施設の取扱に関する責任者の氏名及び連絡先を記載すること。また、当該届出に関する連絡先（電話番号又はメールアドレス）を記載すること。なお、届出者と担当者が異なる場合は、担当者の氏名、役職、連絡先等を記載すること。

⑷　不要の文字は、抹消すること。

⑸　用紙の大きさは、日本産業規格（JIS）Ａ４とすること。

様式第12

番　　号
年　月　日

自然環境局長　殿
（○○地方環境事務所長　殿）

○○地方環境事務所長
（○○自然環境事務所長）

＿＿＿＿国立公園＿＿＿＿＿＿事業の失効について

国立公園事業執行等取扱要領第31に基づき、下記のとおり報告します。

記

⑴　国立公園事業名
⑵　執行認可の年月日及び番号
⑶　国立公園事業者名
⑷　公園施設の位置
⑸　失効に至った原因
⑹　法第15条に基づく原状回復命令等の必要性についての意見
⑺　その他参考事項

（備考）
１　添付書類
⑴　法第14条第２項の規定に基づき届出があった場合にあっては、届出書（添付書類を含む。）の写し
⑵　公園施設の位置を明らかにした縮尺１：25,000程度の地形図
⑶　公園施設の付近の状況を明らかにした縮尺１：5,000程度の概況図及び天然色写真（カラー写真）
⑷　法人の解散又は国立公園事業者の死亡により失効した場合にあっては、消滅したことを示す法人の登記事項証明書の写し又は死亡したことを証する戸籍抄本
２　注意
⑴　執行認可の年月日及び番号には、当該事業の執行の認可指令書（認定を受けた利用拠点整備改善計画の利用拠点整備改善事業に係るものにあっては、みなし認可の認可書）記載のものを記入すること。
⑵　法第15条に基づく原状回復命令等の必要性についての意見には、国立公園事業執行等取扱要領第33の１各号への適合について、それぞれ根拠を示し、具体的に記載すること。

様式第13

番　　号
年　月　日

自然環境局長　殿
（○○地方環境事務所長　殿）

○○地方環境事務所長
（○○自然環境事務所長）

国立公園事業の取消処分を要する事案について

国立公園事業執行等取扱要領第32に基づき、下記のとおり報告します。

記

⑴　公園施設の種類
⑵　執行認可の年月日及び番号
⑶　国立公園事業者名
⑷　公園施設の位置
⑸　法第14条第３項の該当号
⑹　事業執行者の現況
⑺　公園施設の現況
⑻　法第15条に基づく原状回復命令等の必要性についての意見
⑼　他法令の規定による処分に状況
⑽　その他の参考事項

（備考）

1　添付書類
⑴　公園施設の位置を明らかにした縮尺１：25,000程度の地形図
⑵　公園施設の付近の状況を明らかにした縮尺１：5,000程度の概況図及び天然色写真（カラー写真）
⑶　様式第１の添付書類⑸、⑼及び⑾に準じて、取消処分の根拠及び必要性を明らかにした書類

2　注意
⑴　執行認可の年月日及び番号には、当該事業の執行の認可指令書（認定を受けた利用拠点整備改善計画の利用拠点整備改善事業に係るものにあっては、みなし認可の認可書）記載のものを記入すること。
⑵　法第14条第３項の該当号には、取消処分の根拠となる号を記載するとともに、該当すると判断される根拠を記載すること。
⑶　法第15条に基づく原状回復命令等の必要性についての意見には、国立公園事業執行等取扱要領第33の１各号への適合について、それぞれ根拠を示し、具体的に記載すること。
⑷　必要に応じて、当該国立公園事業の執行に必要な他法令の規定による処分に関する書類の写し等を添付すること。

様式第14

番　　号
年　月　日

自然環境局長　殿
（○○地方環境事務所長　殿）

○○地方環境事務所長
（○○自然環境事務所長）

自然公園法違反行為について（報告）

国立公園事業執行等取扱要領第39に基づき、下記のとおり報告します。

記

⑴　発見日時
⑵　公園施設の種類
⑶　執行認可（同意）の年月日及び番号
⑷　国立公園事業者名
⑸　公園施設の位置
⑹　違反該当条項
⑺　違反行為の内容及び状況
⑻　措置状況
⑼　他法令の規定による処分の状況
⑽　違反行為の処分に関する意見
⑾　その他参考事項

（備考）
1　添付書類
⑴　公園施設の位置を明らかにした縮尺１：25,000程度の地形図
⑵　公園施設の付近の状況を明らかにした縮尺１：5,000程度の概況図及び天然色写真（カラー写真）
⑶　様式第１の添付書類⑸、⑼及び⑾に準じて、違反行為の内容を明らかにした書類
2　注意
⑴　執行認可（同意）の年月日及び番号には、当該事業の執行の協議回答（認可指令）書（平成12年３月31日以前に執行の承認を受けたものにあっては承認指令書、認定を受けた利用拠点整備改善計画の利用拠点整備改善事業に係るものにあっては、みなし認可の同意書・認可書）記載のものを記入すること。
⑵　「違反該当条項」には、自然公園法各条項のうち違反行為にかかる条項を記載すること。
⑶　「違反行為の処分に関する意見」欄には、措置内容案（注意文書案を含む。）とその理由を記入すること。

○宿舎に関する国立公園事業に係る分譲型ホテル等の取扱いについて

〔令和４年４月１日　環自国発第22040112号
各地方環境事務所長等宛　自然環境局国立公園課長通知〕

宿舎に関する国立公園事業として分譲型ホテル等を認可等の執行等に係る取扱いについては、「国立公園事業執行等取扱要領」（令和４年４月１日付け環自国発第22040111号。以下「取扱要領」という。）によるほか、下記により行うこととしたので通知する。

記

1　定義

取扱要領第８において、宿舎に関する国立公園事業であって、特定の者の優先的な使用を確保する仕組みを設けるものを分譲型ホテル等と定義している。具体的にはコンドホテル、会員制ホテル又は企業保養所を想定している。

コンドホテルとは、ホテル施設の所有権を客室単位等で分譲販売した上で、ホテル運営会社が区分所有者等から客室等を借り上げて、一般の利用者又は区分所有者等にホテル客室として提供する経営手法をいう。区分所有者には利用上の優遇措置が設けられる。なお、旅館等であっても、同様の経営手法を採用している場合には、コンドホテルとみなす。

会員制ホテルとは、ホテル施設の所有権・利用権を客室の利用期間単位等で会員販売した上で、必要に応じてホテル運営会社が会員から客室等を借り上げて、会員又は一般の利用者にホテル客室として提供する経営手法をいう。会員には利用上の優遇措置が設けられる。なお、旅館等であっても、同様の経営手法を採用している場合には、会員制ホテルとみなす。

所有権を客室単位等で分譲販売する場合であっても、区分所有者又は会員等に対する予約の機会等に係る利用上の優遇措置が全くない場合には、分譲型ホテル等とはみなさない。

2　執行の協議又は認可及び譲渡による承継の承認の審査基準（取扱要領第12及び第23の運用指針及び細部解釈）

(1)　利用施設事業については、特定の者が優先的に使用するものでないこと。ただし、分譲型ホテル等であって、別に定める基準に適合するものについては、この限りでない。（第12の１(7)及び第23の１(1)）

「特定の者が優先的に使用するもの」については、事業の経営形態等も踏まえた上で、利用機会の公平性により判断する。利用機会の公平性は予約の機会等により判断することとし、原則として利用料金の差は考慮しないこととする。登録会員等を対象とした予約の早期開始等を実施している場合であっても、広く一般の利用者について登録が可能である場合（登録会員等の制度が広く周知され、登録者数の上限がなく、登録のための料金が無料又はごく廉価である場合など）については、特定の者が優先的に使用するものとは判断されない。

分譲型ホテル等に係る別に定める基準は下記のとおりとし、①、②のいずれにも適合するものについてのみ、認可等することとする。

①　以下のア　イ　ウのいずれにも適合するもの。

ア　特定の者が独占的に利用する客室を設けないこと。

イ　公園施設の年間延べ宿泊可能客室数のうち、７割以上について、一般の利用者の宿泊の機会が確保されていること。

ウ　季節性の強いエリアにおいては、ハイシーズンも、一定数の客室において、一般の利用者の宿泊の機会が確保されていること。

②　以下のア　イのいずれかに適合するもの。

ア　廃業施設や休業施設が目立つエリアの再活性化や上質化に資すると判断されるもの。

イ　風致景観の保護上支障を来している廃屋や老朽化施設の改築、増築又は建替えにより実施されるもの。

これらの審査基準の運用指針及び細部解釈は以下のとおり。

①ア　全ての客室が宿舎として一体的に運営されていることを求めるものであり、例えばコンドホテルについては、全ての区分所有者等がレンタルプログラム[i]に加入することにより一般の利用者の宿泊の機会を確保する必要がある。一部の客室を区分所有者等が住居や別荘として独占的に使用することは認められない。

食堂や大浴場、ラウンジ等について、区分所有者や会員等の専用施設を設けることは問題ないが、専用施設の規模が過大の場合等には、必要に応じて指導する。なお、企業保養所等については、従業員用宿舎と客室の区分が曖昧になる可能性があるため、従業員用宿舎は必要最小限の規模及び内容となっているか、確認する必要がある。

①イ　公園施設全体としての一般への開放割合を定めたものであり、例えばコンド

i　ホテル分譲を行った際、オーナーがホテル運営会社と賃貸借契約を結び、オーナーが使用しない期間に通常のホテルとして一般利用者に開放し、その運用益をオーナーに還元する仕組み。オーナーに還元する際、オペレーション費用に加え、修繕積立金等も差し引くことにより、安定したホテル運営が可能となるだけでなく、必要な建物追加投資も確実に行える仕組みとなっている。

ホテルの場合、全体の客室数に対する分譲対象の客室数の割合及び区分所有者等の利用制限の期間により判断する。一例として、分譲対象の客室数が1/2で区分所有者等の利用が２カ月以内に制限されていれば、約92%は一般に開放されていると判断される（1/2×2/12＝1/12（≒８％））。

①ウ　例えばスキーリゾートなど季節性の強いエリアにおいて、ハイシーズンに区分所有者や会員等が独占的に使用することを避けるための基準であり、季節性の強いエリアで区分所有者や会員等の利用が集中することが想定される場合においては、ハイシーズンにおける区分所有者や会員等の利用を制限するための措置を講じる必要がある。具体的には、地域の状況に応じて個別に判断されるべきであるが、①イに準じ、ハイシーズン期間中の延べ宿泊可能客室数のうち、おおむね７割について、一般の利用者の宿泊の機会が確保されていることを一つの目安として判断することが想定される。なお、ハイシーズンとしては、スキーリゾートにおける冬期等が想定され、１～２週間程度の利用の集中（例えば、正月やゴールデンウイーク等）については考慮しないこととする。

②ア　廃業施設や休業施設が無い、またはあっても即座に更新される地域ではなく、観光地として衰退傾向にある地域に新たな民間投資を誘導し、地域の再活性化や上質化の契機とすることとしたものである。

「廃業施設や休業施設」とは、公園施設に限らず観光関係施設を対象とし、商業活動その他の使用がなされていないことが常態であるものを対象とする。そのため、一時的な休業等（１年未満などを想定）については対象とはならない。

「目立つ」とは、原則として、廃業施設や休業施設の存在が風致景観の保護上支障を来している場合を対象とする。廃業施設が１軒しかない場合であっても、規模が大きい場合等は対象とし得る。また、廃業施設や休業施設が視認されにくい場合等であっても、観光地として衰退傾向にある場合には、対象とし得る。

「エリア」とは、原則として当該国立公園事業の決定区域内及びその隣接地域を対象とするが、当該国立公園事業の決定区域内及びその隣接地域の既存観光関係施設が極めて少ない等の場合には、当該国立公園事業の決定区域と一体的に利用されている周辺地域の状況も踏まえて総合的に判断する。

「再活性化や上質化に資する」と判断される例としては、例えば、当該エリアにおける従前の宿舎とは異なる客層が見込める場合、当該エリアにおける関連事業者（食事・ガイド等）への波及効果が期待される場合、食事や入浴に係る公園施設を宿泊者以外にも開放する等により従前の宿舎の収益性の向上が期待される場合、国立公園の自然環境保全に貢献する場合、地域と連携してその土地にふさわしいアクティビティを提供する場合等が想定される。なお、エリアの再活性化や上質化に資するためには地方公共団体等との合意形成が図られていることが必要であり、事前に地方公共団体等との合意形成を図るよう指導することとする。

既に国立公園事業を執行している者又は本通知の施行以降に新たに当初認可を受けてホテル等を建設した者が、建設終了後に分譲型ホテル等への変更認可を申請する場合等については、変更認可の申請時点における当該条項への適合を判断することとする。

②イ　必ずしも廃業施設や休廃業施設が目立つエリアで実施されるものでなくとも、風致景観の保護上支障を来している廃屋や老朽化施設の改築、増築又は建替えにより実施されるものを対象とする。廃屋や老朽化施設については、公園施設や観光関係施設に限らない。また、「風致景観の保護上支障を来している」については、周辺の状況や当該建物の規模・状況等に応じて総合的に判断する。

既に国立公園事業を執行している者又は本通知の施行以降に新たに当初認可を受けてホテル等を建設した者が、建設終了後に分譲型ホテル等への変更認可を申請する場合等については、資料等により建設当時の状況を客観的に確認できる場合についてのみ、当該条項への適合を判断することとする。

なお、本通知の施行以降の宿舎に関する国立公園事業の当初認可申請においては、今後、建物の建設終了後に分譲型ホテル等への変更認可を申請する場合には、改築、増築又は建替えを行う廃屋又は老朽化施設の敷地内の配置を明らかにした縮尺1000分の１程度の配置図、天然色写真及び登記事項証明書等により、建設当時の状況を客観的に判断できる必要がある旨、必要に応じて申請者に周知することが望ましい。

⑵　国立公園事業の執行に必要な土地、その他家屋等の物件を国立公園事業の用に供するための権原を有していること。（第12の１⑼及び第23の１⑸）

分譲型ホテル等のうちコンドホテル等については、公園施設の大規模修繕や建替え等に係る意見集約、意思決定が困難となる可能性が懸念されている。そのため、コンドホテル等をはじめとした、公園施設の所有権を客室単位等で販売するものについては、建物の区分所有等に関する法律（昭和37年法律第69号）に基づく区分所有者等と国立公園事業者の契約において、公園施設の耐用年数に応じた借地借家法（平成３年法律第90号）に基づく定期借地権が設定されるもの又は公園施設の大規模修繕や建替えが円滑に実施されることが見込まれる措置が講じられるもののみ、国立公園事業の用に供するための権原を有していると判断することとする。

定期借地権については、定期借地期間終了後、原則として公園施設を取り壊した上で国立公園事業者に土地が返還される（又は公園施設を国立公園事業者が買い取ることができる）ため、権利調整の観点から公園施設の建替えや解体等が困難になることは想定されない。なお、土地の所有者に関わらず、国立公園事業者と区分所有者等の契約において定期借地権が設定される必要がある。

定期借地権が設定されない場合、客室等及びそれに対応した土地の所有権が区分所有者等に移転することとなる。公園施設の大規模修繕や建替えが円滑に実施されることが見込まれる措置については、公園施設の大規模修繕や建替えに係る区分所有者等の債務不履行時に、国立公園事業者が客室等の所有権を買い取るものを想定している。例えばコンドホテルについては、区分所有者等と国立公園事業者の契約において、あらかじめ、

・区分所有者等が修繕費等を継続的に支出する。

・区分所有者等が公園施設の長期的な維持管理上必要な修繕計画の策定等を国立公園事業者に委任する。

・将来的に必要となる大規模修繕に必要な資金を区分所有者が管理組合に積立てる等の方法で確保する。

等が定められているにも関わらず、区分所有者等が履行しない時に、国立公園事業者が客室等の所有権の買取りを実施できることが契約に規定されるもの等を想定している。そのため、買取りに係る契約内容とともに、買取りの前提となる契約内容（修繕に係る費用負担、修繕計画の策定、費用の積立等）の妥当性についても併せて確認する必要がある。

また、定期借地権又は建物の大規模修繕や建替えが円滑に実施されることが見込まれる措置の設定の際の前提条件として、区分所有者等と国立公園事業者の契約において、

・区分所有者等が客室等を譲渡する場合には、既存契約を確実に引き継ぐとともに、国立公園事業者に報告する。

等が盛り込まれていることを確認する必要がある。

3　執行の協議又は認可及び譲渡による承継の承認申請書等（取扱要領第８、第９、第13及び第21の１の運用指針及び細部解釈）

⑴　執行の協議又は認可の申請書等の様式（取扱要領第８）

分譲型ホテル等に係る別に定める様式は様式第１（分譲型ホテル等の場合）のとおりとする。

⑵　執行の協議又は認可の申請書等の記載事項（取扱要領第９）

分譲型ホテル等に係る別に定める記載事項は、「公園施設の管理又は経営の方法」について、取扱要領第９の⑴～⑹の事項に加えて、次の事項を追加で記載するものとする。

① 分譲型ホテル等の該当の有無
② 分譲型ホテル等にあっては、その種類及び仕組みの概要

⑶ 内容の変更の協議又は認可の申請書等の様式（取扱要領第13）

分譲型ホテル等に係る別に定める様式は、様式第２（分譲型ホテル等の場合）のとおりとする。

⑷ 譲渡による承継の承認申請書の様式（取扱要領第21の１）

分譲型ホテル等に係る別に定める様式は、様式第４（分譲型ホテル等の場合）のとおりとする。

４ 執行の協議又は認可及び譲渡による承継の承認申請書等の添付書類（規則第２条第３項及び第６条第２項に係る取扱要領第10の運用指針及び細部解釈）

⑴ 工事の施行を要する場合にあつては事業資金を調達することができることを証する書類（規則第２条第３項第８号）

事業資金を調達することができるかどうかの確認については、分譲型ホテル等であっても、従前どおり、預金残高又は借用証書等により確認することとする。

⑵ 令第１条第３号に掲げる宿舎に関する国立公園事業であつて、（譲受人が譲り受けた後に）特定の者の優先的な使用を確保する仕組みを設けるものにあつては、当該仕組み及び当該事業の執行による国立公園の保護又は利用の増進の内容を明らかにした書類（規則第２条第３項第９号及び第６条第２項第５号）

取扱要領第10の２の別に定める書類は、以下の書類とする。

① 特定の者が優先的に宿泊する仕組みを明らかにした書類、一般の利用者の宿泊の機会を確保する仕組みを明らかにした書類及び年間延べ宿泊可能客室数のうち一般の利用者の宿泊の機会が確保される年間延べ宿泊可能客室数が占める割合を明らかにした書類（季節により利用者の数の差異が大きい地域にあっては、季節ごとの差異を明らかにした書類、分譲販売又は会員販売等の対象となる客室を明らかにした縮尺1000分の１程度の各階平面図等の書類を含む。）

② 公園施設が所在する地域の再活性化若しくは上質化に向けた取組内容を明らかにした書類又は改築、増築若しくは建替えを行う廃屋若しくは老朽化施設の敷地内の配置を明らかにした縮尺1000分の１程度の配置図、天然色写真及び登記事項証明書

⑶ 国立公園事業の執行に必要な土地、家屋その他の物件を当該事業の執行のために使用することができることを証する書類（規則第２条第３項第12号）

取扱要領第10の４の別に定める書類は、公園施設の耐用年数に応じた借地借家法（平成３年法律第90号）に基づく定期借地権が設定されること又は公園施設の大規模修繕や建替えが円滑に実施されることが見込まれる措置が講じられることが明示された建物の区分所有等に関する法律（昭和37年法律第69号）に基づく区分所有者等と国立公園事業者の契約内容を明らかにした書類とする。

5　認可の条件（取扱要領第18の３及び別表の運用指針及び細部解釈）

分譲型ホテル等に係る別に定める様式は様式第３（分譲型ホテル等の場合）とし、別に定める条件例文は別表のとおりとする。

6　その他

⑴　国立公園事業の執行者について

分譲型ホテルについては、ディベロッパーがホテルを建設し、建設後は特定目的会社等に運営を任せることも想定される。その場合、当初認可をディベロッパーが受けたのち、建設終了後に事業を特定目的会社に譲渡承継する手続きが必要となる。当初から国立公園事業の執行者の変更が予定されている場合には、あらかじめ申請書への記載を求めるとともに、手続きが円滑に進むよう配慮する必要がある。

区分所有者等との契約内容、施設の新改増築及び施設の経営や運営に責任を持つ者が国立公園事業を執行する必要があり、ディベロッパーと特定目的会社等との契約内容等に応じて、適切な者が国立公園事業を執行するよう、指導する必要がある。なお、既存の契約内容等を鑑みると１者で全ての事項に責任を持つことが難しい場合には、必要に応じて、自然公園法に係る責任が国立公園事業者に集約されていることを明らかにした念書等を添付した上で、申請するよう指導することも想定される。

特に、建物の大規模修繕や建替えが円滑に実施されることが見込まれる措置について、区分所有者等との契約主体が、やむを得ず国立公園事業者ではなく特定目的会社等となる場合には、念書等の提出により対応することも可能とする。

⑵　環境省所管地での取り扱いについて

環境省所管地については、使用許可の期間は10年、貸付けの期間は30年であり、分譲型ホテル等の建物の耐用年数と比較すると短期であることから、環境省所管地における分譲型ホテル等の認可は想定されない。

⑶　国立公園事業の執行規模について

区分所有者等も公園利用者であるため、国立公園事業の執行規模は全ての客室数における収容人数の総和を最大宿泊者数とする。

以上

別　表

項　　目	条　件　例　文	留　意　事　項
報　　告	毎年４月30日までに、前年度分の延べ宿泊者数（と平均滞在日数）及び（区分所有者／会員／社員等）の延べ宿泊客室数と延べ宿泊可能客室数に関する調書を〇〇地方環境事務所長（〇〇自然環境事務所長）に提出すること。	1　分譲型ホテル等の当初認可においては原則として付すものとする。

様式第１（分譲型ホテル等の場合）

国立公園事業執行協議書（認可申請書）

＿＿＿＿＿国立公園内において＿＿＿＿＿＿＿事業を執行したいので、自然公園法第10条第２項（第３項）の規定に基づき、次のとおり協議（申請）します。

年　月　日

申請者の氏名及び住所
（法人にあっては、名称、住所及び代表者の氏名）

環境大臣　殿
（○○地方環境事務所長　殿）
（○○自然環境事務所長　殿）

<table>
<tr><td>公園施設の種類</td><td colspan="2"></td></tr>
<tr><td>公園施設の位置</td><td colspan="2"></td></tr>
<tr><td>公園施設の規模・構造</td><td colspan="2"></td></tr>
<tr><td rowspan="4">公園施設の管理又は経営の方法</td><td>経営方法</td><td>直営
委託（受託者　　　　　　）</td></tr>
<tr><td>料金徴収</td><td>有　（標準的な額　　　）
無</td></tr>
<tr><td>供用期間</td><td>通年
季節（供用期間　　　　　）</td></tr>
<tr><td>分譲型ホテル等</td><td>有（種類・仕組み　　　　　　）
無</td></tr>
<tr><td>公園施設の供用開始の予定年月日</td><td colspan="2">年　月　日</td></tr>
<tr><td>工事施行の予定期間</td><td colspan="2">年　月　日　着工
年　月　日　完了</td></tr>
<tr><td>備考</td><td colspan="2"></td></tr>
</table>

（備考）

1　添付書類（ただし、協議にあっては⑴、⑵、⑹から⑻、⑽及び⑾を除く。）

⑴　個人にあっては、住民票の写し

⑵　法人にあっては、登記事項証明書

⑶　公園施設の位置を明らかにした縮尺1：25,000程度の地形図

⑷　公園施設の付近の状況を明らかにした縮尺1：5,000程度の概況図及び天然色写真（カラー写真）

⑸　公園施設の規模及び構造を明らかにした縮尺1：1,000程度の各階平面図、二面以上の立面図、二面以上の断面図及び意匠配色図並びに事業区域内にある公園施設の配置を明らかにした縮尺1：1,000程度の配置図

⑹　法人にあっては、定款、寄附行為又は規約

⑺　公園施設の管理又は経営に要する経費について収入及び支出の総額及び内訳を記載した書類その他公園施設等を適切に管理又は経営することができることを証する書類

ア　法人にあっては、直前３年の各事業年度における貸借対照表及び損益計算書又はこれらに準ずる書類

（設立後３年を経過していない法人にあっては、設立後の各事業年度に係るもの）

イ　申請の日の属する事業年度及び翌事業年度における事業計画書及び収入及び支出の総額及び内訳を明らかにした収支予算書

⑻　事業資金を調達することができることを証する書類

⑼　工事の施行を要する場合にあっては、木竹の伐採，修景のための植栽その他当該工事に付随する工事の内容を明らかにした書類及び縮尺1：1,000程度の図面

⑽　工事の施行を要する場合にあっては、積算の基礎を明らかにした工事費概算書

⑾　国立公園事業の執行に必要な土地、家屋その他の物件を当該事業の執行のために使用することができることを証する書類（当該施設の所有権を客室単位等で販売するものにあっては、公園施設の耐用年数に応じた借地借家法（平成３年法律第90号）に基づく定期借地権が設定されること又は公園施設の大規模修繕や建替えが円滑に実施されることが見込まれる措置が講じられることが明示された建物の区分所有等に関する法律（昭和37年法律第69号）に基づく区分所有者等と国立公園事業者の契約内容を明らかにした書類を含める。）

⑿　国立公園事業の執行に関し土地収用法の規定により土地又は権利を収用し又は使用する必要がある場合にあっては、その収用又は使用を必要とする理由書

⒀　分譲型ホテル等の場合にあっては、以下の書類（エ、オについてはそのいずれか）

ア　特定の者が優先的に宿泊する仕組みを明らかにした書類

イ　一般の利用者の宿泊の機会を確保する仕組みを明らかにした書類

ウ　年間延べ宿泊可能客室数のうち一般の利用者の宿泊の機会が確保される年間延べ宿泊可能客室数が占める割合を明らかにした書類

エ　公園施設が所在する地域の再活性化又は上質化に向けた取組内容を明らかにした書類

オ　改築、増築又は建替え行う廃屋又は老朽化施設の敷地内の配置を明らかにした縮尺1：1,000程度の配置図、天然色写真（カラー写真）及び登記事項証明書

⒁　その他、国立公園事業執行等取扱要領第11の審査事項の確認に必要な書類

2　注意

⑴　「公園施設の種類」欄には、国立公園事業の名称（○○宿舎）を記載すること。

⑵　「公園施設の位置」欄には、都道府県、郡、区、市町村、大字、字、小字、地番（地先）等を記載すること。ただし、道路にあっては起終点の位置を記載すること。

⑶　「公園施設の規模・構造」欄については、以下の事項に留意し、別に定める記載事項を参照の

上記載すること。

ア　添付書類と照合できるよう詳細かつ明確に記載すること。

イ　施設が複数にわたる場合は、個々の施設ごとの規模を記載すること。

(4)　「公園施設の管理又は経営の方法」の各欄には以下の事項を記載すること。

ア　直営又は委託の別。委託する場合にあっては受託者の氏名又は名称及び住所並びに法人にあってはその代表者の氏名

イ　料金徴収の有無。料金を徴収する場合にあっては標準的な額

ウ　通年供用又は季節供用の別。季節供用の場合にあってはその供用期間

エ　分譲型ホテル等の該当の有無。分譲型ホテル等にあっては、その種類（コンドホテル、会員制ホテル、企業保養所の別）並びに特定の者が優先的に宿泊する仕組みの概要、一般の利用者の宿泊の機会を確保する仕組みの概要及び年間延べ宿泊可能客室数のうち一般利用者の宿泊の機会が確保される年間延べ宿泊可能客室数が占める割合

(5)　「備考」欄には、以下の事項を記載すること。

ア　公園施設の敷地の所有関係及び使用の可否

イ　当該事業の執行（工事の施行を含む。）が他の法令の規定により行政庁の許可、認可その他の処分を必要とするものである場合には、関係法令名及び適用条項並びにその手続の状況

ウ　公園施設の通称がある、又は付す予定がある場合は通称

エ　公園事業の執行に係る関連行為の概要

オ　当該申請（協議）に関する連絡先（電話番号又はメールアドレス）なお、申請（協議）者と担当者が異なる場合は、担当者の氏名、役職、連絡先等を記載すること。

(6)　添付書類のうち、建築物に関する各階平面図には、間取り及び客室等の用途を記載すること。また、分譲型ホテル等にあっては、分譲販売又は会員販売等の対象となる客室を明らかにすること。

(7)　不要の文字は、抹消すること。

(8)　用紙の大きさは、日本産業規格（JIS）A4とすること。

様式第２（分譲型ホテル等の場合）

国立公園事業の内容の変更の協議書（認可申請書）

＿＿＿＿＿国立公園＿＿＿＿＿＿＿＿事業の執行の協議をした（認可を受けた）内容を変更したいので、自然公園法第10条第６項の規定に基づき、次のとおり協議（申請）します。

年　　月　　日

申請者の氏名及び住所
（法人にあっては、名称、住所及び代表者の氏名）

〇〇地方環境事務所長　殿
（〇〇自然環境事務所長　殿）

<table>
<tr><td colspan="2">執行の同意を得た（認可を受けた）年月日及び番号</td><td colspan="2">年　月　日</td><td>環自　許第　号
（厚生省　国第　号）</td></tr>
<tr><td rowspan="8">変更の内容</td><td>事項</td><td colspan="2">変更前</td><td>変更後</td></tr>
<tr><td>公園施設の種類</td><td colspan="2"></td><td></td></tr>
<tr><td>公園施設の位置</td><td colspan="2"></td><td></td></tr>
<tr><td>公園施設の規模・構造</td><td colspan="2"></td><td></td></tr>
<tr><td rowspan="4">公園施設の管理又は経営の方法</td><td>経営方法</td><td></td><td></td></tr>
<tr><td>料金徴収</td><td></td><td></td></tr>
<tr><td>供用期間</td><td></td><td></td></tr>
<tr><td>分譲型ホテル等</td><td></td><td></td></tr>
<tr><td colspan="2">変更しようとする年月日</td><td colspan="3">年　　月　　日</td></tr>
<tr><td colspan="2">工事施行の予定期間</td><td colspan="3">年　月　日　着工
年　月　日　完了</td></tr>
<tr><td colspan="2">変更を必要とする理由</td><td colspan="3"></td></tr>
<tr><td colspan="2">備考</td><td colspan="3"></td></tr>
</table>

（備考）

1　添付書類

⑴　公園施設の位置を明らかにした縮尺1：25,000程度の地形図

⑵　公園施設の付近の状況を明らかにした縮尺1：5,000程度の概況図及び天然色写真（カラー写真）

⑶　様式第１の添付書類⑸から⒁に掲げる書類のうち、変更の内容に係るもの（ただし、協議にあっては、⑹から⑻、⑽及び⑾を除く。）

2　注　意

⑴　「執行の協議をした（認可を受けた）年月日及び番号」欄には、当該事業の執行の協議回答（認可指令）書（平成12年３月31日以前に執行の承認を受けたものにあっては承認指令書）（認定を受けた利用拠点整備改善計画の利用拠点整備改善事業に係るものあっては、みなし認可の同意書・認可書）記載のものを記入すること。

⑵　「公園施設の種類」欄には、国立公園事業の名称（○○宿舎）を記載すること。

⑶　「変更の内容」欄には、協議をした（認可を受けた）事項と今回変更する事項とを対比し、添付書類と照合できるよう明確に記載すること。

⑷　「公園施設の管理又は経営の方法」欄には、以下の事項を記載すること。

ア　直営又は委託の別。委託する場合にあっては受託者の氏名又は名称及び住所並びに法人にあってはその代表者の氏名

イ　料金徴収の有無。料金を徴収する場合にあっては標準的な額

ウ　通年供用又は季節供用の別。季節供用の場合にあってはその供用期間

エ　分譲型ホテル等の該当の有無。分譲型ホテル等にあっては、その種類（コンドホテル、会員制ホテル、企業保養所の別）並びに特定の者が優先的に宿泊する仕組みの概要、一般の利用者の宿泊の機会を確保する仕組みの概要及び年間延べ宿泊可能客室数のうち一般利用者の宿泊の機会が確保される年間延べ宿泊可能客室数が占める割合

⑸　「備考」欄には、以下の事項を記載すること。

ア　変更に係る公園施設の敷地の所有関係及び使用の可否

イ　当該公園施設の変更等（変更に伴う工事の施行を含む。）が他の法令の規定により行政庁の許可、認可その他の処分を必要とするものである場合は、関係法令名及び適用条項並びにその手続の状況

ウ　公園施設の通称がある、又は付す予定がある場合は通称

エ　公園事業の執行に係る関連行為の概要

オ　当該申請（協議）に関する連絡先（電話番号又はメールアドレス）なお、申請（協議）者と担当者が異なる場合は、担当者の氏名、役職、連絡先等を記載すること。

⑹　添付書類のうち、建築物に関する各階平面図には、間取り及び客室等の用途を記載すること。また、分譲型ホテル等にあっては、分譲販売又は会員販売等の対象となる客室を明らかにすること。なお、申請内容において規模・構造に変更がない場合においても、分譲販売又は会員販売等の対象となる客室を明らかにした縮尺1：1,000程度の各階平面図等の書類を提出すること。

⑺　不要の文字は、抹消すること。

⑻　用紙の大きさは、日本産業規格（JIS）A4とすること。

様式第３（分譲型ホテル等の場合）

＿＿＿＿＿＿国立公園＿＿＿＿＿＿＿事業施設利用者数報告書

＿＿＿年度の利用者数を下記のとおり報告します。

年　月　日

申請者の氏名及び住所
（法人にあっては、名称、住所及び代表者の氏名）
連絡先電話番号（　　）　―

○○地方環境事務所長　殿
（○○自然環境事務所長　殿）

記

施設の利用者数調書

<table>
<tr><td colspan="5">年度分（自　　年　月　日至　　年　月　日）</td></tr>
<tr><td>執行認可等を受けた年月日及び番号</td><td colspan="2">年　月　日
環自　許第　号
（厚生省　国第　号）</td><td>公園施設の通称</td><td></td></tr>
<tr><td>公園施設の位置</td><td colspan="4"></td></tr>
<tr><td>収容人員</td><td colspan="2"></td><td>供用期間</td><td></td></tr>
<tr><td>種別／月</td><td>延べ宿泊者数（人日）</td><td>延べ宿泊可能客室数（部屋日）</td><td>（区分所有者／会員／社員等）の延べ宿泊客室数（部屋日）</td><td>備考（日最大宿泊者数／平均滞在日数）</td></tr>
<tr><td>4</td><td></td><td></td><td></td><td></td></tr>
<tr><td>5</td><td></td><td></td><td></td><td></td></tr>
<tr><td>6</td><td></td><td></td><td></td><td></td></tr>
<tr><td>7</td><td></td><td></td><td></td><td></td></tr>
<tr><td>8</td><td></td><td></td><td></td><td></td></tr>
<tr><td>9</td><td></td><td></td><td></td><td></td></tr>
<tr><td>10</td><td></td><td></td><td></td><td></td></tr>
<tr><td>11</td><td></td><td></td><td></td><td></td></tr>
<tr><td>12</td><td></td><td></td><td></td><td></td></tr>
<tr><td>1</td><td></td><td></td><td></td><td></td></tr>
<tr><td>2</td><td></td><td></td><td></td><td></td></tr>
<tr><td>3</td><td></td><td></td><td></td><td></td></tr>
<tr><td>合計</td><td></td><td></td><td></td><td></td></tr>
</table>

（備考）

1　「延べ宿泊者数」は次のとおり計算すること。
1月に1泊が350人、2泊が61人、3泊が25人あった場合は、
350＋（61×2）＋（25×3）＝547人

2　「延べ宿泊可能客室数」は、月ごとの宿泊可能な客室数の総計を記載すること。

3　「（区分所有者／会員／社員等）の延べ宿泊客室数」は、区分所有者／会員／社員等がその所有権や利用権等を根拠に宿泊した部屋数の実績を記載することとし、区分所有者／会員／社員等が一般客と同等の予約手続きにより宿泊した場合は数えないこと。

4　「備考」欄には、年間で最も宿泊者数が多かった日とその宿泊者数を記載すること（例：562人（5月5日））。（また、月ごとの平均滞在日数を記載すること。）

5　不要の文字は抹消すること。

6　用紙の大きさは、日本産業規格（JIS）A4とすること。

様式第４（分譲型ホテル等の場合）

譲渡承継による国立公園事業の承継承認申請書

＿＿＿＿＿＿＿が執行する＿＿＿＿＿国立公園＿＿＿＿＿＿＿＿事業を承継したいので、自然公園法第12条第１項の規定に基づき、次のとおり申請します。

年　月　日

譲渡人の氏名及び住所
（法人にあっては、名称、住所及び代表者の氏名）
譲受人の氏名及び住所
（法人にあっては、名称、住所及び代表者の氏名）

○○地方環境事務所長　殿
（○○自然環境事務所長　殿）

執行の認可を受けた年月日及び番号	年　月　日　環自　許第　号 （厚生省　国第　号）	
公園施設の種類		
譲受人が行う公園施設の管理又は経営の方法	経営方法	直営 委託　（受託者　　）
	料金徴収	有　（標準的な額　　） 無
	供用期間	通年 季節　（供用期間　　）
	分譲型ホテル等	有　（種類・仕組み　　） 無
譲渡しようとする年月日	年　月　日	
譲渡する理由		
備考		

（備考）

1　添付書類

(1)　譲受人が個人の場合にあっては、譲受人の住民票の写し

(2)　譲受人が法人の場合にあっては、譲受人の定款、寄附行為又は規約及び登記事項証明書

(3)　公園施設の位置を明らかにした縮尺1：25,000程度の地形図

(4)　公園施設の付近の状況を明らかにした縮尺1：5,000程度の概況図及び天然色写真（カラー写真）

(5)　国立公園事業の執行に必要な土地、家屋その他の物件を当該事業の執行のために使用することができることを証する書類

(6)　譲受人が行う公園施設の管理又は経営に要する経費について収入及び支出の総額及び内訳を記載した書類その他公園施設等を適切に管理又は経営することができることを証する書類

ア　法人にあっては、直前３年の各事業年度における貸借対照表及び損益計算書又はこれらに準ずる書類

（設立後３年を経過していない法人にあっては、設立後の各事業年度に係るもの）

イ　申請の日の属する事業年度及び翌事業年度における事業計画書及び収入及び支出の総額及び内訳を明らかにした収支予算書

(7)　分譲型ホテル等の場合にあっては、以下の書類（エ、オについてはそのいずれか）

ア　特定の者が優先的に宿泊する仕組みを明らかにした書類

イ　一般の利用者の宿泊の機会を確保する仕組みを明らかにした書類

ウ　年間延べ宿泊可能客室数のうち一般の利用者の宿泊の機会が確保される年間延べ宿泊可能客室数が占める割合を明らかにした書類

エ　分譲販売又は会員販売等の対象となる客室を明らかにした縮尺1：1,000程度の各階平面図等の書類

エ　公園施設が所在する地域の再活性化又は上質化に向けた取組内容を明らかにした書類

オ　改築、増築又は建替えを行う廃屋又は老朽化施設の敷地内の配置を明らかにした縮尺1：1,000程度の配置図、天然色写真（カラー写真）及び登記事項証明書

(8)　譲渡及び譲受けに係る譲渡人及び譲受人の意思の決定を証する書類

2　注意

(1)　「執行の同意を得た（認可を受けた）年月日及び番号」欄には当該事業の執行の同意回答（認可指令）書（平成12年３月31日以前に執行の承認を受けた場合にあっては承認指令書）（認定を受けた利用拠点整備改善計画の利用拠点整備改善事業に係るものにあっては、みなし認可の同意書・承認書・認可書）記載のものを記入すること。

(2)　「公園施設の種類」欄には、国立公園事業の名称（〇〇宿舎）を記載すること。

(3)　「譲受人が行う公園施設の管理又は経営の方法」欄には、以下の事項を記載すること。

ア　直営又は委託の別。委託する場合にあっては受託者の氏名又は名称及び住所並びに法人にあってはその代表者の氏名。

イ　料金徴収の有無。料金を徴収する場合にあっては標準的な額。

ウ　通年供用又は季節供用の別。季節供用の場合にあってはその供用期間。

エ　分譲型ホテル等の該当の有無。分譲型ホテル等にあっては、その種類（コンドホテル、会員制ホテル、企業保養所の別）並びに特定の者が優先的に宿泊する仕組みの概要、一般の利用者の宿泊の機会を確保する仕組みの概要及び年間延べ宿泊可能客室数のうち一般利用者の宿泊の機会が確保される年間延べ宿泊可能客室数が占める割合

(4)　「備考」欄には、以下の事項を記載すること。

ア　公園施設の敷地の所有関係及び使用の可否

イ　他の法令の規定により行政庁の許可、認可その他の処分又は届出を必要とするものである場合は、関係法令名及び適用条項並びにその手続の状況

ウ　公園施設の通称がある、又は付す予定がある場合は通称

エ　公園事業の執行に係る関連行為の概要（引き継ぐ事項）

オ　当該申請に関する連絡先（譲渡人及び譲受人の電話番号又はメールアドレス）なお、申請者と担当者が異なる場合は、担当者の氏名、役職、連絡先等を記載すること。

⑸　不要の文字は、抹消すること。

⑹　用紙の大きさは、日本産業規格（JIS）A4とすること。

○自然公園法に基づく許認可等の事務処理について

〔平成22年４月１日　環自国発第100401013号
各地方環境事務所・釧路・長野・那覇自然環境事務所・
高松事務所長宛　自然環境局国立公園課長通知〕

平成22年４月１日に「自然公園法及び自然環境保全法の一部を改正する法律」（平成21年法律第47号）が施行されることに伴い、自然公園法に基づく許認可等の様式を変更し、国立公園業務管理システムに掲載したので、適宜利用されたい。

それぞれの手続に関する様式は、別添のとおりである。

<別　添>　自然公園法に基づく許認可等様式　一覧

Ⅰ　行為許可関係

1　審査調書

2　指令書等

①特別地域内行為許可

a　鉱業、採石業又は砂利採取業との調整なし

b　鉱業、採石業又は砂利採取業との調整有り

②特別保護地区内行為許可

a　鉱業、採石業又は砂利採取業との調整なし

b　鉱業、採石業又は砂利採取業との調整有り

③海域公園地区内行為許可

a　鉱業、採石業又は砂利採取業との調整なし

b　鉱業、採石業又は砂利採取業との調整有り

④利用調整地区内への立入り許可

⑤国の機関との協議

Ⅱ　国立公園事業関係

1　事業原簿

2　事業継続台帳

3　指令書等

①当初同意等

a　同意

b　認可

②公園施設等の変更同意等

a　同意

b　認可

③法人の合併又は分割による承継同意等

a　同意

b　承認

④相続による承継承認

⑤国の機関との協議

4　直轄事業執行台帳

①当初

②変更

注　上記様式は略とし、様式Ⅱ-２「事業継続台帳」裏面の記載例のみ次頁以降に収載した。

＜別　紙＞

様式Ⅱ-2「事業継続台帳」裏面の「当初・変更前、変更後」欄の記載に当たっては、下記1から5までを例とすること。また、1から5までの事業以外の事業についてもこの記載例に準じて記載すること。なお、変更前欄の記載に当たっては、従前の台帳と十分照合すること。

記

1　道路（車道）

変　更　前	変　更　後
1．事業執行区間 ①［起点　○○市○○町○○ 　　終点　○○市○○町○○ ②［起点　○○市○○町○○ 　　終点　○○市○○町○○	1．事業執行区間 ①　変更なし ②［起点　○○市○○町×× 　　終点　○○市○○町△△
2．道路構造規格　第3種4級	2．道路構造規格　変更なし
3．設計速度　40km/h	3．設計速度　〃
4．延　長　5.8km（①＋②）	4．延　長　6.1km（①＋②）
5．幅　員 有効幅員　5.5m 総幅員　7.0m 幅員の構成　0.5m～5.5m～0.5m～0.5m （路肩）（車線）（側溝）（路肩）	5．幅　員 ｝変更なし
6．舗装の種類　アスファルト　コンクリート 7．最急縦断勾配　6％ 8．最小曲線半径　30m	6．舗装の種類 7．最急縦断勾配 8．最小曲線半径　｝変更なし
9．付帯施設の概要 ●駐車場　1か所 2,000㎡、400台収容 ●公衆便所　1棟 木造平屋建、建築面積　30㎡ 切妻屋根（茶） 外壁モルタル（クリーム）	9．付帯施設の概要 2か所 4,000㎡、800台収容 2棟 60㎡ ｝変更なし 〔　今回申請　〕 車道及び付帯施設の新設 ・車道延長　300m ・擁壁及び防護柵　延長　80m

	最高部高　8m ・法面（種子吹付）　2,000㎡ （法枠工）　3,000㎡ ・法面の最大長（切取）　10.5m （盛土）　13.0m ・駐車場　１か所、2,000㎡、400台収容 ・公衆便所　１棟、30㎡ ・土工事等 支障木伐採　50本 切土土量　900㎥ 盛土土量　700㎥ 残土土量　200㎥ （ただし、伐採木及び残土は公園区域外搬出）

（注）

①　１～９の事項は、事業執行される全体の概要について記載する。

②　事業執行区間は、工事を執行する部分のみでなく既存道路も含め、一体的に管理運営される区間を記載する。ただし、安全上その他の理由により、公園施設として把握することが不適当な区間は除く。

③　総幅員は、有効幅員（車線の幅員）に中央帯、側帯、歩道、路肩等を加えたものとする（法面部分を含めた道路敷の幅ではない。）。併せて、標準断面で幅員の構成を記載する。

④　付帯施設は、原則として歩道、駐車場、公衆便所、料金徴収所、管理事務所、トンネル及び橋について記載するが、その他特に必要と認められるものについては、この限りではない。

⑤　変更後欄には、１～９の変更部分を合わせて記載するとともに、今回申請する内容をとりまとめて記載する。土工事等は工事全体の合計数を記入のこと。

位置及び配置図

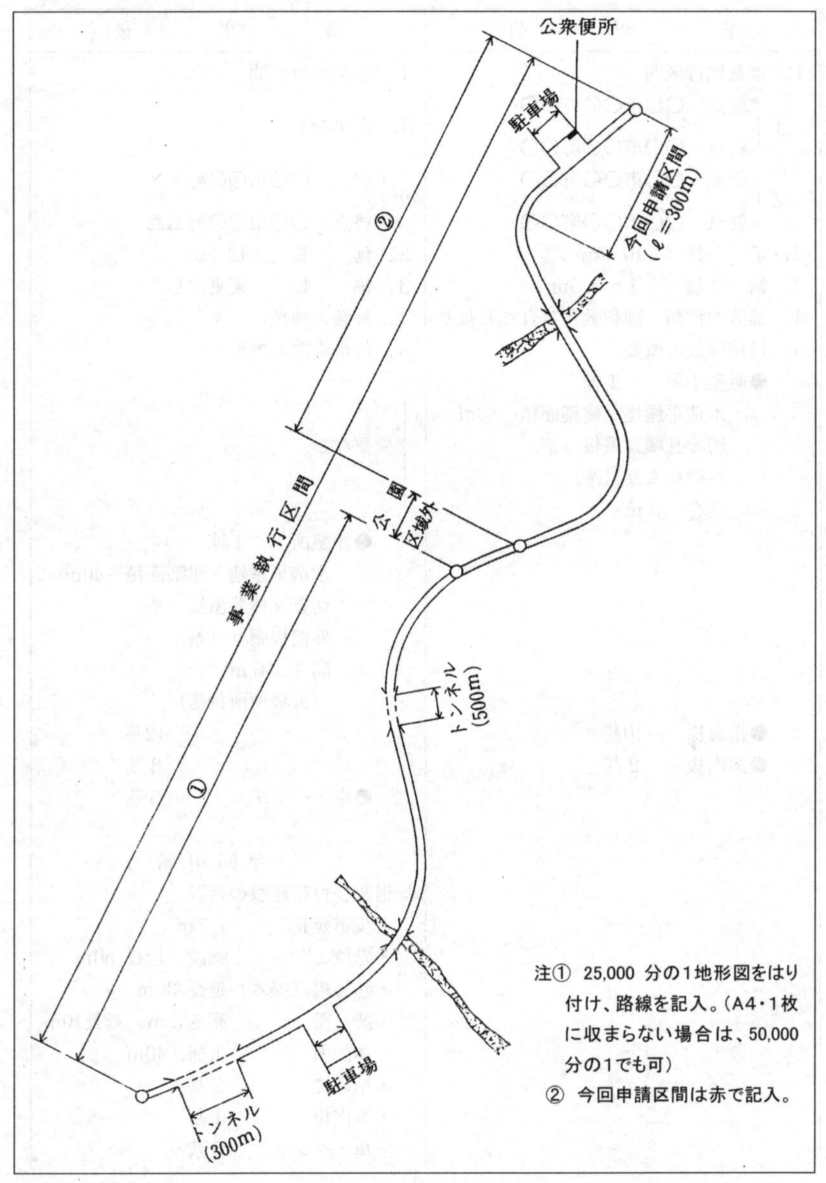
公衆便所
駐車場
今回申請区間
（ℓ＝300m）
②
事業執行区間
公園区域外
①
トンネル
(500m)
トンネル
(300m)
駐車場
注① 25,000 分の1地形図をはり付け、路線を記入。（A4・1枚に収まらない場合は、50,000 分の1でも可）
② 今回申請区間は赤で記入。

２　道路（歩道）

変　　更　　前	変　　更　　後
１．事業執行区間 ①　起点　○○市○○町○○ 　　終点　○○市○○町○○ ②　起点　○○市○○町○○ 　　終点　○○市○○町○○	１．事業執行区間 ①　変更なし ②　起点　○○市○○町×× 　　終点　○○市○○町△△
２．延　　長　10.6km	２．延　　長　12.3km
３．幅　　員　１～1.5m	３．幅　　員　変更なし
４．舗装の種類　砂利敷及び自然石張り	４．舗装の種類　〃
５．付帯施設の概要 ●避難小屋　　１棟 　木造平屋建　建築面積　80㎡ 　切妻瓦棒葺屋根（茶） 　外壁板張り（茶） 　高さ　５m	５．付帯施設の概要 変更なし ●休憩所　　１棟 　木造平屋建　建築面積　40㎡ 　切妻瓦棒葺屋根（茶） 　外壁板張り（茶） 　高さ　６m 　（公衆便所付帯）
●指導標　　10基	12基
●案内板　　２基	３基
	●卓・ベンチ　　５基
	〔　今　回　申　請　〕 歩道及び付帯施設の新設 ・歩道延長　　1.7km ・階段工　　98段、延長 50m ・防護柵（擬木）延長 30m ・擁　壁　　高さ３m、延長10m ・休憩所　　１棟、40㎡ ・指導標　　２基 ・案内板　　１基 ・卓・ベンチ　　５基

	・土工事等 支障木伐採　10本 切土土量　40㎥ 盛土土量　40㎥ 残土なし （ただし、伐採木は公園区域外搬出）

（注）

① １～５の事項は、事業執行される全体の概要について記載する。

② 事業執行区間は、工事を施行する部分のみでなく既存道路も含め一体的に管理運営される区間を記載する。ただし、安全上その他の理由により、公園施設として把握するのが不適当な区間は除く。

③ 付帯施設は、原則として避難小屋、休憩所、便所、橋、芝生園地、案内板、解説版、指導標、注意標識、卓ベンチについて記載するが、その他特に必要と認められるものについてはこの限りでない。

④ 変更後欄には、１～５の変更部分を合わせて記載するとともに、今回申請する内容をとりまとめて記載する。土工事等は工事全体の合計数を記入のこと。

位置及び配置図

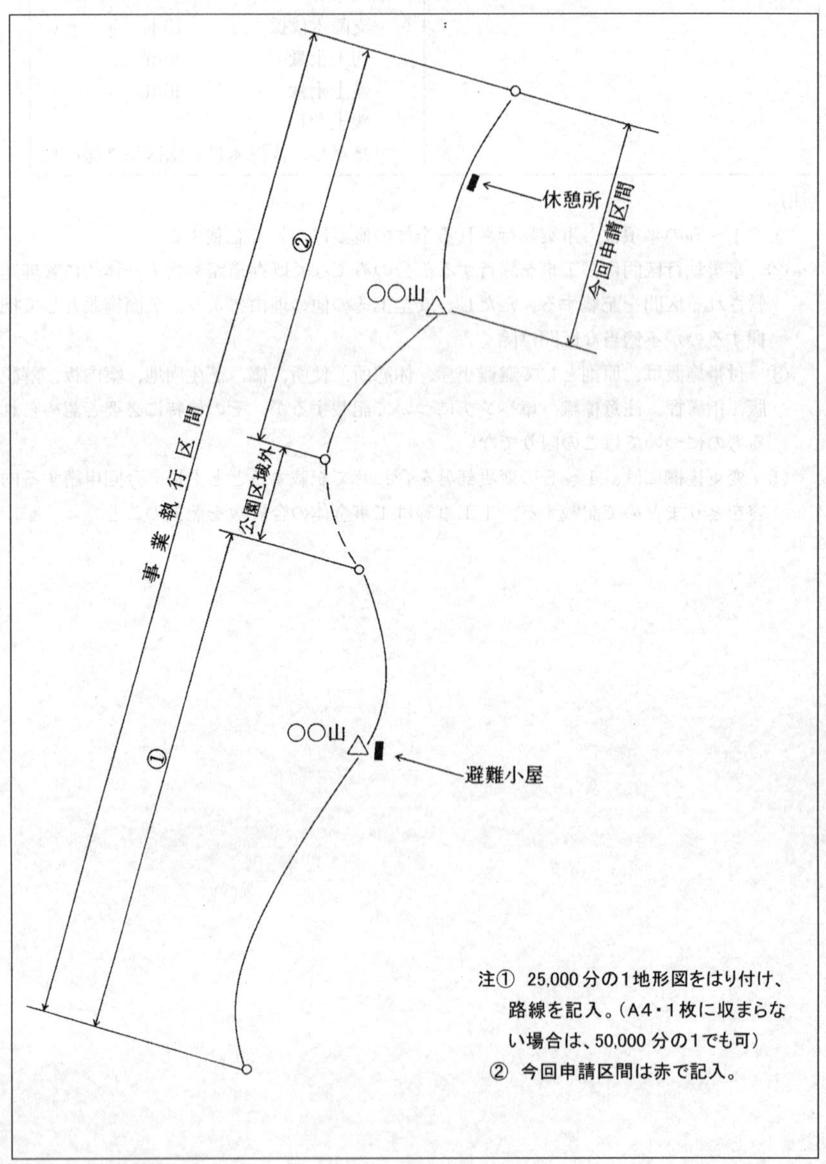
事業執行区間
①
②
公園区域外
今回申請区間
休憩所
○○山
○○山
避難小屋
注①　25,000分の1地形図をはり付け、
路線を記入。（A4・1枚に収まらない場合は、50,000分の1でも可）
②　今回申請区間は赤で記入。

3　園地

変　　更　　前	変　　更　　後
1．敷地面積　94,000㎡	1．敷地面積　変更なし
2．園　　路	2．園　　路
(1) 歩　　道　W＝ 18m　L＝250m W＝　3m　L＝500m W＝1.5m　L＝300m	(1) 歩　　道　W＝ 18m　変更なし W＝　3m　L＝780m W＝1.5m　L＝440m
(2) 広　　場　650㎡	(2) 広　　場　変更なし
3．園　　地	3．園　　地
(1) 植栽面積　38,000㎡	(1) 植栽面積　47,000㎡
(2) 芝生面積　28,000㎡	(2) 芝生面積　31,000㎡
4．付帯施設	4．付帯施設
●管理事務所 木造平屋建（事務室、便所） 切妻瓦棒葺屋根(茶)、外壁板張り(茶) 高さ 5m、建築面積 200㎡ ●休 憩 所 鉄筋コンクリート2階建 切妻瓦棒葺屋根(茶)、外壁モルタル(白) 高さ10m、建築面積370㎡、延床面積700㎡ 1F＝350㎡（食堂、厨房、事務所、便所） 2F＝350㎡（休憩室、従業員室、売店） ●駐 車 場　3,500㎡（乗用車100台） ●汚物処理施設 焼却炉　2基 浄化槽　1基（排水水質B.O.D. 20ppm） ●倉　　庫　木造平屋建 60㎡ 1棟	変更なし
	〔 今 回 申 請 〕 園地の増設 ・園地　植栽面積 9,000㎡、芝生面積 3,000㎡ ・園路　W=3m L=280m、W=1.5m L=140m ・土工事等 支障木伐採　40本 切土土量　75㎥ 盛土土量　50㎥ 残土土量　25㎥

	（ただし、伐採木及び残土は公園区域外搬出）

（注）

① １～４の事項は、事業執行される全体の概要について記載する。

② 変更後欄には、１～４の変更部分を合わせて記載するとともに、今回申請する内容をとりまとめて記載する。土工事等は工事全体の合計数を記入のこと。

位置図

注：25,000分の１地形図をはり付け、位置を記入又は見取図を記載のこと。

配置図

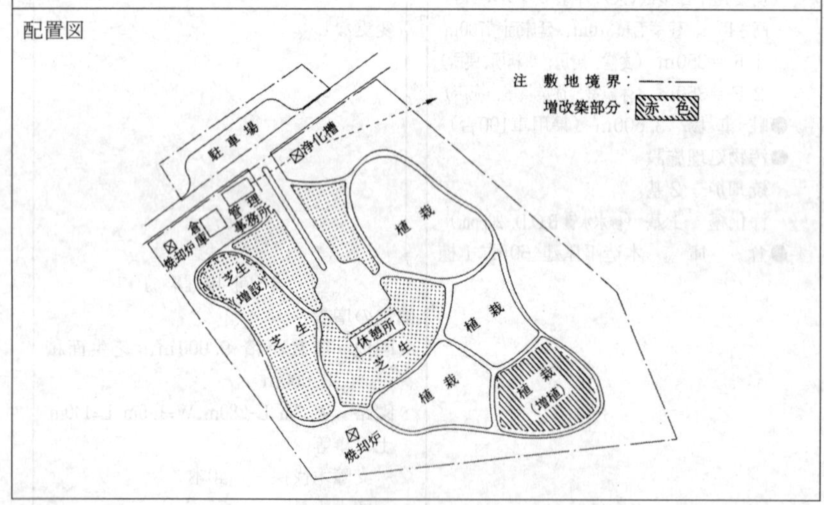

4 宿舎

変　　更　　前	変　　更　　後
1．　敷地面積　　12,000m² （環境省所管地借地） 2．宿　　舎 （本　館） 鉄筋コンクリート造3階 屋根切妻鉄板葺（茶）、外壁モルタル（茶） 高さ＝13m 建築面積＝1,050m² 延床面積＝3,000m² 1F＝1,000m² 玄関、事務室、食堂、厨房、浴場 2F＝1,000m² 広間（⑳×1）、リネン室 客室20（⑩×5、(7.5)×15） ＝165.5×1/2＝81人 3F＝1,000m² 客室（和）15（⑩×5、(7.5)×10） ＝125×1/2＝63人 （洋）10（(WB)×3、(TB)×3、 (SB)×4）＝16人 （合計）客室45室　収容人員160人 3．付帯施設 ●取付道路　W＝6.5m　L＝15m ●駐車場　　500m²（乗用車15台） ●従業員宿舎（独身用） 鉄筋コンクリート造2階建　切妻屋根 個室（⑥×10） 延床面積 700m²、高さ 7m ●浄化槽（200人槽、排水水質B.O.D.20ppm） ●取水施設（取水井・配水管φ120、□=350m）	1．敷地面積　　12,800m² （環境省所管地借地） 2．宿　　舎 （本　館） 変更なし 建築面積＝1,300m² 延床面積＝3,600m² 1F＝1,200m² 玄関、事務室、食堂、厨房、浴場、倉庫 2F＝1,200m² 広間（とりやめ）、リネン室 客室22（⑩×7、(7.5)×15） ＝185.5×1/2=91人 3F＝1,200m² 客室（和）20（⑩×10、(7.5)×10） ＝175×1/2＝88人 （洋）15（(WB)×3、(TB)×3、 (SB)×9）＝21人 （合計）客室57室　収容人員200人 3．付帯施設 変更なし 〔　今 回 申 請　〕 本館の増築 ・増築部分　建築面積＝250m² 延床面積＝600m² ・土工事等 支障木　　なし 切土土量　68m³ 盛土土量　50m³ 残土土量　18m³ （ただし、伐採木及び残土は公園区域外搬出）

（注）

① 1～3の事項は、事業執行される全体の概要について記載する。

② 本館、別館等宿舎が区分されている場合は、棟ごとに記載するとともに、建築面積、延床面積客室数、収容人員については、各棟の合計を記載する。

③　収容人員は和室の場合畳２帖を１人（広間、居室等は客室に含めず、客室の控室の畳数は客室に含める。)、洋室の場合ダブルベッド２人、ツインベッド２人、シングルベッド１人と計算する。但し、取扱方針が決定されている地区は除く。

④　客室数、収容人員は各階ごとに記入し、合計する。(四捨五入)

⑤　変更後欄には、１～３の変更部分を合わせて記載するとともに、今回申請する内容をとりまとめて記載する。土工事等は工事全体の合計数を記入のこと。

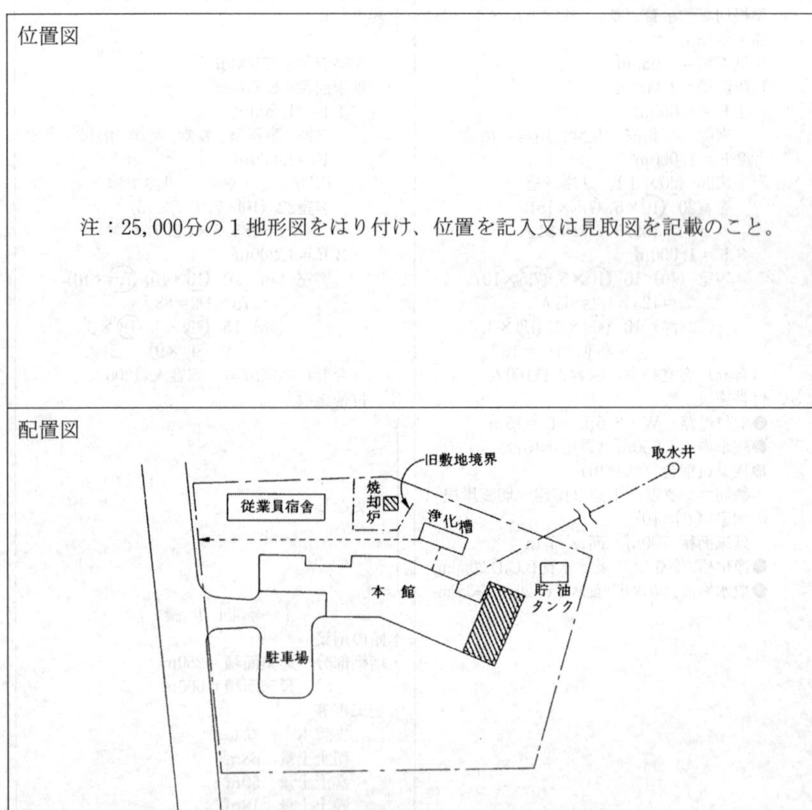

5　野営場

変　　　更　　　前	変　　　更　　　後
1．敷地面積　64,000㎡（国有林借地）	1．敷地面積　　変更なし
2．収容人員　350人	2．収容人員　　406人
3．施　　設	3．施　　設
●フリーテントサイト（30人）1,000㎡	●フリーテントサイト　変更なし
●テントサイト（3m×5m・4人）20か所	●テントサイト（3m×5m・4人）25か所
●ケビン	●ケビン
木造1戸建（25㎡・4人収容）20棟	木造1戸建（25㎡・4人収容）25棟
木造2戸建（50㎡・8人収容）20棟	木造2戸建（50㎡・8人収容）22棟
●セントラル・ロッヂ　1棟 木造平家建 切妻鉄板葺屋根（茶）・外壁板張（茶） 床面積　280㎡ ●炊事舎　木造　20㎡　2棟 ●野外炉　　5基 ●集合広場　　1,500m （ファイヤーサークルを含む） ●園　路 W＝6m　L＝160m W＝3m　L＝200m	変更なし
4．付帯施設	4．付帯施設
●駐 車 場　2,500㎡（200台）	●駐 車 場　　3,000㎡（240台）
●公衆便所　ブロック造　25㎡ 2棟 ●浄化槽（200人槽、排水水質B.O.D 20ppm） ●給水施設（取水井、ポンプ室、滅菌室、配水室）	変更なし
	●倉庫　　30㎡　　1棟
	〔　今　回　申　請　〕 野営場施設の増設及び付帯施設の新築 ・テントサイト　5か所 ・ケビン　木造1戸建　5棟 　　　　　木造2戸建　2棟 ・駐車場　500㎡（40台） ・倉庫　　30㎡　1棟 ・土工事等 　支障木伐採　20本 　切土土量　　25㎥ 　盛土土量　　25㎥ 　残土なし （ただし、伐採木は公園区域外搬出）

(注)

① １～４の事項は、事業執行される全体の概要について記載すること。

② 変更後欄には、１～４の変更部分を合わせて記載するとともに、今回申請する内容をとりまとめて記載する。土工事等は工事全体の合計数を記入のこと。

位置図

注：25,000分の１地形図をはり付け、位置を記入又は見取図を記載のこと。

配置図

フリーテントサイト
給水施設
１戸建ケビン
便所
炊事舎
野外炉
集合広場
セントラルロッジ
駐車場
野外炉
炊事舎
便所
２戸建ケビン
野外炉
倉庫

注　敷地境界：
増改築部分：赤色

第2節　運用通知

○国立公園自動車運送施設事業の取り扱いについて

〔昭和36年1月23日　国発第32号
各都道府県知事宛　厚生省大臣官房国立公園部長通知〕

標記について別紙のように取り扱い方針を決定したので通知する。

〔別　紙〕

運輸施設（自動車運送施設）事業の取り扱いについて

1　自動車運送施設のうち、自動車運送業者が専ら自己の用に供するための駐車場、待合所等の取扱いについては、バスターミナル形式の施設のみ公園事業として取り扱うものとする。

2　バスターミナルには、広場、待合所、休憩所、食堂、便所、事務室、乗降場、駐車場等を総合的に整備するものとする。

3　バスターミナルには、専用車庫、従業員宿舎等利用者に直接関係のないものは付帯させないことが望ましく、別の場所において、自然公園法第17条による工作物として扱うものとするが、やむを得ず、これらをバスターミナルと同一敷地内に設ける場合には、あわせて公園事業として把握する。

4　周囲の集落、地況、経費等の関係から、総合的なバスターミナルを設けることができず、自動車運送業者が個々の施設を設ける場合は、それぞれ自然公園法第17条による工作物として扱う。

○国立公園事業に係るテニスコートの取扱要領について

〔昭和57年５月７日　環自保第138号
各国立公園管理事務所長宛　環境庁自然保護局保護管理課長通知〕

改正　平成７年４月25日環自国第153号

今般、テニスコートを国立公園事業の運動場事業として又は宿舎事業の附帯施設として取り扱うに当たっての要領を別紙１のとおり定めたので、今後はこれに基づいて国立公園事業者を適正に指導されたい。

なお、地域の利用特性又は自然環境の状況等から本取扱要領によることが著しく不適当と当職が認めた場合には、この取扱要領によらないことができるものとする。

おって、この取扱要領の運用の方法等については、別紙２のとおりである。

○国立公園事業に係るテニスコートの取扱要領について

〔昭和57年５月７日　環自保第138号
都道府県自然公園主管部局長宛　環境庁自然保護局保護管理課長通知〕

改正　平成７年４月25日環自国第153号

今般、標記について別添写のとおり国立公園管理事務所長に通知したので了知されたい。

別紙１

国立公園事業に係るテニスコートの取扱要領

第１　運動場事業としての取扱いについて

テニスコートを運動場事業として取り扱うに当たっては、次の各号に定める要件を満たさなければならない。

１　テニスコートに係る土地の地形勾配が10パーセントを超えないものであること。

２　テニスコートの水平投影外周線が、次の各号に掲げるものからそれぞれ当該各号に掲げる距離以上離れていること。

(1)　公園事業たる道路その他、主として公園利用に供せられる道路の路肩　20メートル

(2)　(1)に掲げる道路以外の道路の路肩　５メートル

(3)　敷地境界線　５メートル

３　テニスコート建設に伴う土地形状変更の規模が必要最小限のものであること。

4　支障木の伐採が僅少であること。

5　テニスコート建設による土砂の流出のおそれがないものであること。

6　テニスコートと同面積以上の土地が同一敷地内に緑地として確保されるものであること。

7　テニスコートの周囲が当該地域に生育する樹木等により積極的に緑化修景される計画になっているものであること。

8　テニスコート及びクラブハウス等の附帯施設の意匠が周囲の自然環境と良く調和が保たれたものであること。

第2　宿舎事業の附帯施設としての取扱いについて

テニスコートを宿舎事業に附帯施設として取り扱うに当たっては、次の各号に定める要件を満たさなければならない。

1　当該宿舎事業が次に掲げる地域以外の地域にあること。

(1)　特別保護地区又は第一種特別地域

(2)　次に掲げるような貴重な自然的性質を有する地域のうち、史跡名勝天然記念物等の特別な指定がなされており、又は学術調査の結果等から(1)に掲げる地域に準ずる取扱いが現になされ又はなされることが必要であると認められる地域

ア　高山帯、亜高山帯、風衝地、湿原等植生復元の困難な地域

イ　野生動植物の生息地、生育地又は繁殖地として重要な地域

ウ　地形・地質が特異である地域又は特異な自然現象が生じている地域

エ　すぐれた天然林又は学術的価値を有する人工林の地域

(3)　風景観賞、自然探勝等が利用の中心となっている地域であって、スポーツによる利用が不適当と認められる地域

2　テニスコートに係る土地の地形勾配が10パーセントを超えないものであること。

3　テニスコート建設に伴う土地形状変更の規模が、必要最小限のものであること。

4　支障木の伐採が僅少であること。

5　テニスコートを建設するに当たって、敷地内において、緑地等が次の各号のいずれかに従い確保されているものであること。

(1)　集団施設地区の詳細計画又は地区ごとに定められた宿舎事業取扱要領等において宿舎の建ぺい率が定められており、当該建ぺい率が20パーセント以下の地区にあっては、総施設面積（敷地内にある全ての工作物（テニスコートのほか、建築物、駐車場道路等を含む。）の水平投影面積の和をいう。）の敷地面積に対する割合が、第二種特別地域内の宿舎の場合は40パーセント以下、第三種特別地域内の宿舎の場合は60パーセント以下であること。

(2)　(1)に掲げる地区以外の地区にあっては、テニスコートと同面積以上の土地が敷地（テニスコートが宿舎と同一の敷地内に建設される場合は当該宿舎敷地を、また宿

舎敷地以外の場所に建設される場合は当該テニスコート敷地をいう。）内に緑地として確保されるものであること。

6　テニスコートの面数は、宿泊収容力に見合ったものとし、宿泊収容力が100人以下の場合は、２面以下、100人を超え200人以下の場合は３面以下、200人を超え500人以下の場合は４面以下、500人を超える場合は６面以下であること。

7　テニスコートの周囲が、特にテニスコートの主要利用道路側を中心に当該地域に生育する樹木等により積極的に緑化修景される計画になっているものであること。

8　テニスコート及びその附帯施設の意匠が周辺の自然環境と良く調和が保たれたものであること。

別紙２

国立公園事業に係るテニスコートの取扱要領の運用の方法

1　削除

2　緑地の確保について

取扱要領第１・６及び第２・５・⑵で「テニスコートと同面積以上の土地が同一敷地内に緑地として確保されるもの」とされているが、当該地が国有地等のように当該事業について必要最小限の土地しか使用できない等の理由により本要件を適用させることが不適当であると認められる場合は、本要件を適用するには及ばないこと。ただし、この場合においても、テニスコートの周囲に十分緑地が残されるようにする等本要件の適用による場合と同様の効果が出るよう指導すること。

○国立公園におけるスキー場事業の取扱いについて

〔平成３年６月７日　環自国第315号
国立公園管理事務所長宛　環境庁自然保護局長通知〕

昭和54年４月１日付け環自計第250号で通知した「国立公園の公園計画作成要領等について」の別紙１の「国立公園の公園計画作成要領」の一部改正については、平成３年６月７日付け環自国第314号で通知したところであるが、今後、国立公園における公園事業のスキー場事業（以下単に「事業」という。）の決定及び執行を行うに当たっては、自然環境の保全等を図るため、下記の事項に留意することとしたので了知されたい。

なお、国立公園における事業の執行に関する細目的取扱いについては、別途、国立公園課長から通知するので申し添える。

○国立公園におけるスキー場事業の取扱いについて

〔平成３年６月７日　環自国第315号
都道府県知事宛　環境庁自然保護局長通知〕

（略）

なお、本留意事項は、国定公園についても同様に取扱われたい。

記

1　環境影響調査

事業の内容及び熟度に応じて、自然環境の保全及び安全なスキー利用が図られるよう事前に十分な調査を行い、適切な対策を講じること。

2　区域の選定

昭和54年４月１日付け環自計第250号で通知した「国立公園の公園計画作成要領等について」の別紙１の「国立公園の公園計画作成要領」の第４・Ⅲ・１・⑵・オ・㈠のaからdに掲げる事項に留意すること。ただし、既に事業の決定又は執行がなされているスキー場については、既に抵触している事項に限り風致景観上の支障等が生じない範囲内において、必要に応じてその適用を免ずることができること。

3　保存緑地

スキー場の新設（新たに敷地を求めて増設する場合を含む。）に際しては、保存緑地を、スキー場の四周及びコース、ゲレンデ等の施設間に相当の幅をもってとること。

また、各スキー場の事業区域に占める保存緑地の水平投影面積の割合（以下「保存緑地率」という。）は、70パーセント以上とすること。

なお、保存緑地率が70パーセントに満たない既設のスキー場については、少なくとも現行の保存緑地率を維持するとともに、事業区域の拡張を行う際には、拡張する区域の保存緑地率を70パーセント以上とすること。

4　施設の設置

ア　施設の規模は必要最小限とし、その意匠は周辺の環境に調和したものとすること。

イ　極力自然地形を活かして地形の改変を必要最小限とすること。

　なお、やむを得ず造成を行う場合は、下層植生及び表土を保存活用するとともに、造成に伴い生じる裸地は緑化すること。

ウ　人工降雪機の設置は、異常気象による少雪対策及び危険防止上必要と認められる場合に限ること。

○国立公園におけるスキー場事業執行取扱要領の作成について

〔平成３年６月７日　環自国第316号
国立公園管理事務所長宛　国立公園課長通知〕

「国立公園におけるスキー場事業の取扱い」については、平成３年６月７日付環自国第315号をもって自然保護局長より通知されたところであるが、今般、適切なスキー場事業の執行を図るため、事業執行の細目的取扱いに関する取扱要領を定めることとし、別紙のとおりその作成方法を定めたので通知する。

なお、昭和52年６月15日付け環自保第65号自然保護局保護管理課長通知は廃止する。

（別　紙）

スキー場事業執行取扱要領の作成について

１　目的

スキー場事業の適切な執行を図るため、平成３年６月７日付環自国第315号をもって自然保護局長より通知された「国立公園におけるスキー場事業の取扱い」に基づき、スキー場事業執行の取扱いについての細目を定め、もって風致景観の保護及び安全なスキー利用の推進を図ることを目的とする。

２　作成方法

⑴　作成主体

国立公園管理事務所長が国立公園課長の承認を受けて定めるものとする。

なお、作成に際しては、関係地方公共団体等と連絡調整を十分に図ることとする。

⑵　対象事業

決定された各事業毎に定めることとする。なお、地域の実情に応じて各地区毎にまとめて定めても差し支えない。

⑶　作成時期

各事業の決定に際して、定めることとする。

なお、事業の決定がされているものについては、本日よりおおむね１年以内に定めることとする。ただし、既に取扱要領を定めている事業については、⑷の表に掲げる取扱要領に定める事項及び内容に照らして、必要に応じて変更の手続きを速やかに行うものとする。なお、変更の手続きを行うまでの間、現行の取扱要領は従前どおり適用するものとする。

⑷　取扱要領に定める事項及び内容

次の表に掲げる事項及び内容について定めることとする。

項　　　目	決定すべき内容	作成上の留意事項
1　基本方針	・施設整備の方針	当該地区における今後のスキー場の施設整備及び自然環境の保全の方針について記載する。
2　スキー場事業区域	（区域及び区域面積）	事業決定による。事業決定により区域面積を定めていないものについては、原則として事業執行区域によることとし、区域図を添付する。 なお、スキー場事業区域とは、スキー場事業の執行の用に供される土地であって、スキー場事業施設敷及び保存緑地とする。
3　保存緑地率	・保存緑地率	局長通知の「国立公園におけるスキー場事業の取扱い」の3に基づき定める。なお、保存緑地とは、スキー場事業施設敷以外の敷地で、事業の風致維持に支障のないよう適切に維持されることが担保された樹林地及び自然草原等とする。
4　スキー場事業施設		スキー場事業施設とは、もっぱらスキー場事業の用に供するコース、ゲレンデ、リフト、建築物、駐車場及び道路等の施設とする。 なお、新設、増設又は改良の場合とでその取扱いを異にするときは、その旨を明らかにする。
(1)　滑降コース及びゲレンデ	・位置 ・幅員 ・地形勾配 ・コース、ゲレンデ間の間隔 ・造成方法 ・造成後の緑化方法	地形勾配は平均縦断地形勾配とし、必要に応じて定めることとする。 原則として郷土種で緑化することとする。
(2)　スキーリフト等	・位置 ・規模（種類別設置基数、高さ等）	スキーリフトの規模構造は、主として鉄道事業法によることとし、取扱要領では風致保護、安全、快適な利用の保持、

	・地形勾配 ・意匠	雪崩、地滑り等の災害に対する安全性の各々の観点から定める。 地形勾配とは、縦断及び横断の各地形勾配をいい、必要に応じて定めることとする。なお、縦断勾配は平均縦断地形勾配、横断勾配は各工作物設置箇所の横断地形勾配とする。
⑶　建築物	・位置 ・規模（種類別棟数、建築面積、高さ等） ・構造 ・意匠 ・汚排水処理の方法	建築物とは、休憩所、食堂、管理事務所、避難小屋等のスキー場事業の用に供する建築物とする。 建築物の高さとは、建築物の地上に露出する部分の最高部と最低地盤との差をいうものとし、建築基準法第２条第３号でいう「建築設備」を含めて算定するものとする。ただし、避雷針、煙突及びアンテナ部分を除いて算定するものとする。
⑷　標識類	・規模 ・意匠	標識類とは、当該スキー場の案内、利用上の注意等を掲出する恒常的標識をいうものとする。
⑸　その他の施設	・位置 ・規模 ・使用方法	必要に応じて定めることとする。 なお、その他の施設とは、駐車場、夜間照明施設、音響施設、人工降雪機、取り付け車道等のもっぱらスキー場事業の用に供する施設とする。
5　管理運営	・管理運営組織 ・パトロール員の配置 ・医療救急体制 ・供用期間	必要に応じて定めることとする。
6　その他	・モニタリング調査 ・利用者指導 ・融雪防止剤の使用	自然環境の保全、利用上の安全性及び快適性等に照らし、必要に応じて左欄に示したような項目を適宜追加し、その取扱を決定することとする。

○国立公園事業の執行に係る建築工事等に伴い発生する廃材等廃棄物の適正処理について

〔平成14年９月11日　環自国第356号・環自整第382号
各地区自然保護事務所長宛　国立公園課・自然環境整備課長連名通知〕

近時、国立公園事業の執行による建築物の建て替えなどに伴い、山岳地の国立公園の核心的な地域において廃材等廃棄物を不法に埋設処理した事実が発覚するなど、国立公園の保護と適正な利用の観点から極めて遺憾な事態が見られるところである。

国立公園の核心的な地域は、すぐれた自然景観を呈し、貴重かつ脆弱な自然環境を有する地域であり、廃材等廃棄物の処理については、特に厳正な対応が求められることから、今後とも域外への搬出処理を原則として取り扱って行く必要がある。

一方、一般にこれらの地域は無車道地帯であり、廃材等廃棄物の搬出が困難な条件にあることについても、先のような事態を招く一因と認識した上で、国立公園の保全管理の徹底を図ることが必要である。

このため、特に山岳地等の廃材等廃棄物の適正処理に困難を伴う地域における国立公園事業の執行については、下記に十分留意し、建築工事等に係る申請の審査等に万全を期されたい。

なお、環境省の直轄工事においても、かかる事態を惹起することがないよう「建設副産物適正処理推進要綱」（平成14年６月11日付け会計課長通知）及び「建築工事における産業副産物管理マニュアル」（平成14年６月７日付け自然環境整備課長通知）を参考に、廃棄物処理にかかる適正な設計・積算及び請負工事の監督、検査の徹底を図られたい。

記

1　国立公園事業の執行に係る申請（協議）指導に当たっては、国立公園事業者に対し、発生する廃材等廃棄物の内容、搬出処理方法等について十分説明を求め、申請書に具体的に記述するよう指導するとともに、承認（同意）に当たっては、必要に応じ、廃材等廃棄物の搬出処理方法・進捗状況及び完了報告の提出等について条件を付すこと。

2　承認（同意）後、国立公園事業者に対して、既存建築物の解体、廃材等廃棄物の国立公園区域外への搬出処理に係るスケジュールやその方法の詳細等について説明を求め、必要に応じ、現地確認を行い、完了報告等の提出を求めるなど、廃材等廃棄物の適正処理の状況確認に努めること。

○国立公園における通景伐採の取扱いについて

〔平成30年３月19日　環自国発第1803191号
各地方環境事務所長・釧路・長野・那覇自然環境事務所長宛　自然環境局国立公園課長通知〕

国立公園における展望施設、園地等展望を目的に含む施設（以下「展望施設等」という。）の周辺で展望の妨げとなっている木竹を伐採する行為（以下「通景伐採」という。）の取扱いについて整理したので、今後下記に留意して対応されたい。また、本通知は、地方自治法（昭和22年法律第67号）第245条の４第１項の規定に基づく技術的助言として各都道府県担当部局長に通知している旨申し添える。

記

1　国立公園事業である展望施設等（当該施設の敷地のうち、国立公園事業として執行される区域に限る。）内において必要最小限の範囲で通景伐採する行為（当該事業の執行者が行うものに限る。）については、自然公園法（昭和32年法律第161号。以下「法」という。）第20条第９項第１号又は第21条第８項第１号の「公園事業の執行として行う行為」に該当するため、法第20条第３項又は第21条第３項に基づく許可を要しない。また、法第10条第４項各号に掲げる事項に該当しないため、法第10条第６項に基づく公園事業の変更に係る協議又は認可の手続きも要しない。

2　１に該当しない通景伐採については、法第20条第３項第２号又は第21条第３項第１号に基づき許可を要する行為となる。

この場合にも、当該通景伐採は、自然公園法施行規則（昭和32年厚生省令第41号）第11条第15項第４号に定める許可基準（風致の維持のために行われるもの）に該当しうる。

なお、個別の行為が、１又は２に掲げる通景伐採に該当するか否かは、行為地の自然環境の状況、眺望対象、眺望方向等を考慮した上で、適切に判断されたい。

第２章　自然公園における法面緑化指針

○自然公園における法面緑化指針について

〔平成27年10月27日　環自国発第1510271号
各地方環境事務所・釧路・長野・那覇自然環境事務所長宛　自然環境局長通知〕

自然公園における生物多様性の確保の重要性に鑑み、また平成16年には特定外来生物による生態系等に係る被害の防止に関する法律案に対する附帯決議において「政府や自治体が行う緑化等の対策において、外来生物の使用は避けるように努め、地域個体群の遺伝的攪乱にも十分配慮すること」とされたことを受け、自然公園における法面・斜面の緑化の望ましいあり方を下記のとおり取りまとめたので、通知する。了知の上、その適切な取扱に努められたい。

なお、本件については、別添写しのとおり、各都道府県知事に通知したので了知されたい。

記

別添１　自然公園における法面緑化指針

別添２　自然公園における法面緑化指針解説編

別添１・２　略

〔別添写〕

自然公園における法面緑化指針について

〔平成27年10月27日　環自国発第1510271号
各都道府県知事宛　環境省自然環境局長通知〕

自然環境行政の推進においては、平素よりご理解とご協力を賜り、感謝申し上げます。

環境省では、自然公園における生物多様性の確保の重要性に鑑み、また平成16年には、特定外来生物による生態系等に係る被害の防止に関する法律案に対する附帯決議において「政府や自治体が行う緑化等の対策において、外来生物の使用は避けるように努め、地域個体群の遺伝的攪乱にも十分配慮すること」とされたことを受け、標記について関係各省との共同調査や有識者検討会を設置する等により検討して参りました。

当該検討を踏まえ、今般、自然公園における法面・斜面の緑化の望ましいあり方を下記のとおり取りまとめましたので、地方自治法（昭和22年法律第67号）第245条の４第１項の規定に基づく技術的な助言として通知します。

記

別添１　自然公園における法面緑化指針
別添２　自然公園における法面緑化指針解説編

〔別添１〕

自然公園における法面緑化指針

〔平成27年10月
環境省自然環境局〕

1　指針の位置づけ

1．1　指針の目的

本指針は、自然公園法の目的の一つである「生物の多様性の確保に寄与すること」を前提として、自然公園内において、生態系、種、遺伝子の３つのレベルでの生物多様性の保全に配慮し、周辺の環境と調和した自然回復を最終目的とする法面・斜面の緑化を行うために定める。

1．2　指針の適用範囲

本指針は、自然公園内において、公園事業の執行及び諸行為によって生ずる裸地並びに自然発生の荒廃地などの法面・斜面を対象とするすべての緑化に適用することを基本とする。

2　法面緑化の目的

自然公園内における緑化の目的は以下の３つである。
1)　侵食防止、法面の安定・強化に資すること。
2)　自然生態系の維持・修復・保全に資すること。
3)　周辺の自然景観との調和に資すること。

3　基本理念

自然公園内における緑化の基本理念は以下の３つである。
1)　自然の地域性、固有性を尊重する。
2)　対象地域の自然条件に適合した植物の導入を基本とする。
3)　自然回復の順序を尊重する。

4　基本理念に基づく方針

4．1　前提条件

1)　開発工事に伴う自然の改変は最小限にとどめること。
2)　防災上、安定した生育基盤を造ること。

3)　自然の回復力が発揮されやすい状態を造ること。
4)　地域固有の生態系に配慮し、植物を導入する場合は原則として地域性系統の植物のみを使用すること。

4．2　緑化の計画

施工対象地域内およびその周辺の植生、対象法面の状態を踏まえ、法面の安定確保を前提として、緑化目標、緑化工法、施工後の管理等についての計画を策定すること。なお、緑化に植物材料を使用する場合には、原則として地域性系統の植物のみ使用を可とすることから、必要量の植物材料を確保するための準備工（種子・表土の採取、苗木の計画栽培）の計画を早期に策定すること。

4．3　最終緑化目標

施工対象地域の植生と同様・同質の植物群落（施工対象地域に自然分布する個体群のみからなる植物群落）を最終緑化目標として設定すること。

4．4　初期緑化目標

施工対象地域に自然分布する種、および在来の自然侵入種で形成され、外来植物が過度に繁茂することなく、最終緑化目標に向けた遷移が見込める植物群落を初期緑化目標として設定すること。

4．5　緑化の工法

1)　緑化基礎工は侵食防止効果の高い工法とすること。また、生育基盤材には地域の生態系に影響を与えない材料を使用すること。
2)　植生工は、地域性種苗を用いて緑化する「地域性種苗利用工」、法面周辺からの植物の自然侵入により植生回復を図る「自然侵入促進工」、工事予定地の表土を採取して表土中の埋土種子により植生回復を図る「表土利用工」を基本とすること。
3)　外来種の侵入を未然に防止するよう、配慮すること。

4．6　使用する地域性種苗

使用する地域性種苗は、施工対象地域内およびその周辺に生育する草本類・木本類の中から選択し、施工対象地域での活着が見込める種苗とすること。

4．7　施工後の管理

1)　初期緑化目標達成までの間には、生育基盤の侵食や損壊等の状況を点検するとともに、初期緑化目標とする群落形成に必要な植生管理（植生誘導管理）を行うこと。

２）　初期緑化目標達成後には、最終緑化目標に向けた植生の推移をモニタリングしながら状況に応じて必要な管理等（監視的管理）を行うこと。

〔注〕別添２の内容については以下のURLを参照
https://www.env.go.jp/press/101554.html

第3章　規制行為に係る許可・届出に係る実務

第1節　許可、届出等取扱要領

○国立公園の許可、届出等の取扱要領

〔令和4年4月1日　環自国発第22040115号
各地方環境事務所長等・各都道府県知事宛　自然環境局長通知〕

目次　頁

第１章　総則

（通則）

第１

自然公園法（昭和32年法律第161号。以下「法」という。）において環境大臣が行うこととされている事務のうち、国立公園に係る法第20条第１項に規定する特別地域（特別保護地区を除く。以下同じ。）、第21条第１項に規定する特別保護地区、第22条第１項に規定する海域公園地区、第23条第１項に規定する利用調整地区又は第33条第１項に規定する普通地域内において行う行為に関する許可、届出、報告、違反行為に対する措置又は損失補償等に係る地方環境事務所長等が行う事務及び法附則第９項及び同項の委任に基づく自然公園法施行令（昭和32年政令第298号。以下「令」という。）附則第２項及び第３項に規定する都道府県知事が行う国立公園に係る法定受託事務（以下「法定受託事務」という。）に関しては、法、令及び自然公園法施行規則（昭和32年厚生省令第41号。以下「規則」という。）の規定によるもののほか、この要領の定めるところによる。

第２章　特別地域等に関する許可

第１節　地方環境事務所等が行う事務

（許可申請書の様式）

第２

規則第10条第１項の規定による申請書は、別記様式第１によるものとする。

（許可申請内容の事前指導）

第３

許可申請に関し相談を受けたときは、申請に係る行為の内容及び申請書の内容が法、令、規則及び本要領に照らし適切なものとなるよう指導に努めるものとする。なお、指導に際しては、行政手続法（平成５年法律第88号）第32条から第36条までの規定に留意するものとする。

また、都道府県知事が行う法定受託事務に係る許可の申請に係る事項について相談があった場合には、当該申請に係る国立公園を担当する都道府県の担当部局に相談するよう申請者に促すものとする。また、事前の相談がなく申請書が提出された場合についても、適切な宛先に提出するよう申請者に促し、申請者に不利益が生じないよう対応するものとする。

（許可申請書の審査等）

第４

1　地方環境事務所長は、申請書が提出されたときは、当該申請書について不備又は不足がないことを確認し、不備又は不足がある場合には相当の期間を定め、申請者に補正させた上で、申請書が提出された日（申請書の不備又は不足について補正を求めた場合にあっては、当該補正がなされた日）から起算して原則として１か月以内に、次の各号に掲げる事項について審査し、処理するものとする。

⑴　公園計画との関係

⑵　行為地及び行為地周辺の状況

⑶　施行方法の適否

⑷　風致景観又は行為地周辺の環境に及ぼす影響

⑸　許否に関する意見及び許可する場合の条件

⑹　他法令による処分の状況

⑺　土地所有者の諾否

⑻　その他許否の判断に必要な事項

2　申請書に不備又は不足するものがある場合に行う補正の要求は、補正に要する相当の期間を定めて行うものとする。

なお、相当の期間を経過しても申請書の不備等が補正されない場合にあっては、規則第20条に定める地方環境事務所長の処分に係る行為の場合は速やかに行政手続法第７条の規定に沿って、当該申請により求められた許可を拒否する処分（返戻等）を行うものとし、環境大臣の処分に係る行為の場合においては、「申請により求められた許可を拒否する処分が適当である」旨意見を附して自然環境局国立公園課長に進達すること。

3　地方環境事務所長は、申請書の提出があった後、規則第10条第５項の規定により同条第３項各号に掲げる事項を記載した書類の提出を求めた場合は、１の規定中「申請書」を「規則第10条第３項各号に掲げる事項を記載した書類」と読み替えて、１の規定を適用する。

4　本省においては、第５により各地方環境事務所長又は自然環境事務所長から申請書の進達を受けた日から起算して原則として１か月以内に処理するものとする。ただし、申請書の内容の不備その他の事由により指導を要する場合は、この限りでない。

（申請書に係る事務処理（決裁、送付又は進達）方法）

第５

1　自然保護官事務所（管理官事務所並びに広島及び福岡事務所を含む。）、国立公園管理事務所、四国事務所、自然環境事務所（以下「事務所等」という。）における事務の処理並びに決裁文書の送付及び進達は、「地方環境事務所行政文書管理要領」（平成23年４月

１日付け環境政発第11041702号大臣官房秘書課長通知）により定められた専決事項に従い、次に掲げるとおり行うものとする。

⑴　申請の内容が自らの専決事項に属するものである場合にあっては、自ら処理する。

⑵　申請の内容が他の専決事項に属するものである場合にあっては、当該事務所等に送付する。

⑶　前各号に掲げる場合以外の場合にあっては、別に定める様式による調書を添えて自然環境局国立公園課に進達する。

２　地方環境事務所における事務の処理及び決裁文書の進達は、次に掲げるとおり行うものとする。

⑴　申請の内容が規則第20条に規定された地方環境事務所長権限に属するものである場合にあっては、自ら処理する。

⑵　前号に掲げる場合以外の場合にあっては、別に定める様式による調書を添えて自然環境局国立公園課に進達する。

（特別地域等内における許可に関する審査基準）

第６

１　許可申請の許可の適否の審査に当たっては、規則第11条に規定する許可基準、同条第37項の規定に基づき環境大臣が定める許可基準の特例のほか、同条各項に規定する基準の内容を地域の自然的、社会的条件に応じて具体化した国立公園管理運営計画（「国立公園管理運営計画作成要領」（令和４年４月１日付け環自国発第22040113号自然環境局長通知）に基づき定められた国立公園管理運営計画をいう。以下同じ。）の許可、届出等取扱方針（以下「取扱方針」という。）によるものとする。

２　規則第11条に規定する基準の解釈及び運用に当たっては、「自然公園法の行為許可の基準の細部解釈及び運用方法について」（平成12年８月７日付け環自国第448－１号環境庁自然保護局長通知）において定める細部解釈及び運用方法（以下「細部解釈等」という。）によるものとする。

３　取扱方針及び細部解釈等は、行政手続法第５条第１項に規定する審査基準及び地方自治法（昭和22年法律第67号）第250条の２第１項に規定する許認可等の基準として取り扱うものとし、これらについては、行政手続法第５条第３項及び地方自治法第250条の２第１項の規定により、地方環境事務所及び事務所等において備付けその他の適当な方法により公にするものとする。

（許可等の拒否処分に当たっての理由の提示）

第７

申請により求められた許可を拒否する処分（返戻、不許可処分）を行う場合には、行政手続法第８条の規定により、処分の内容を通知する書面（以下「指令書」という。）にその理由を記載するものとする。

（許可に際しての条件）

第8

法第32条の規定による条件は、付された条件が履行されない場合は、法第34条第1項の規定による中止命令等あるいは法第83条の規定による罰則が適用され得ることから、具体的かつわかりやすい表現を用い、原則として別表に掲げる例文によるものとする。

（各種行為の主従の判断）

第9

1　工作物を新築しようとする際に木竹の伐採、土地の形状変更等を伴う場合等、許可申請の内容に、法第20条第3項各号、第21条第3項各号及び第22条第3項各号に掲げる行為が複数含まれている場合であって、行為の主従の判断が可能なものにあっては、主たる行為を許可対象行為とし、その他の行為は関連行為として申請書にその旨明記させるものとする。ただし、次に掲げる場合及び主たる行為以外の行為として申請されている内容が、主たる行為に伴って通常必要とされる行為の範囲を超えると判断される場合には、それぞれの行為を許可対象行為とし、個別に申請を行わせ、個別に処分を行うものとする。ただし、一方の許可申請書と他方の許可申請書と合わせて提出し、一方の許可申請書の添付図面等中に、他方の許可申請に係る行為の内容を示させることにより、他方の特別地域内の許可申請書の添付図面等を規則第15条の3第3項の規定により省略させることができる。

⑴　工作物の新築のための敷地を造成するために水面を埋め立てる場合には、水面の埋立及び工作物の新築として取り扱うものとする。

⑵　その高さが13メートル以上であり、かつ、容易に移転し、又は除却することができない構造の鉄塔（やぐら）を設けてボーリングを行う場合は、工作物の新築及び土石の採取として取り扱うものとする。

⑶　廃棄物の最終処分場のうち、遮水シート等の工作物の設置を伴う場合は、工作物の新築及び土地の形状変更として取り扱うものとする。

⑷　ダム、水門の新築に伴い、河川、湖沼等に水位又は水量の増減を及ぼさせる場合は、工作物の新築及び水位又は水量の増減を及ぼさせる行為として取り扱うものとする。

⑸　太陽光発電施設の新築に伴い、調整池等を設置する場合は、工作物の新築及び土石の採取又は土地の形状変更として取り扱うものとする。

2　特別保護地区内において、動物を放ち、木竹又は木竹以外の植物を植栽し、若しくは植物の種子をまく行為を法第21条第3項各号に掲げる他の行為とともに実施する場合であって、行為の主従の判断が可能なものにあっては、次の例のように、主たる行為を許可対象行為とし、その他の行為は関連行為として申請書にその旨明記させるものとする。

⑴　特別保護地区内で郷土種による緑化を行うことを目的として、植物の種子を採取する場合においては、緑化を行う場所及びその近隣において種子を採取する行為は、郷土種による緑化（植物の種子をまくこと）の関連行為として取り扱うものとする。

また、播種を行う場所から離れた特別保護地区内の場所において種子の採取を行う場合は、通常必要とされる行為の範囲を超えると判断され、別の行為として取り扱うものとする。

⑵　特別保護地区内において有害鳥獣を捕獲することを目的として、よく訓練された猟犬を放つ場合においては、有害鳥獣の捕獲（動物の捕獲）の関連行為として猟犬を放つことを取り扱うものとする。

（相関連した諸行為の取扱い）

第10

地質調査ボーリングとダム等の建設、発電所建設と送電線架設、温泉ボーリングと給湯管布設等一定の計画に基づいて行う相関連した諸行為については、あらかじめ当該計画の概要を当初の許可申請書に添付させ、計画全体につきその適否を判定することにより、当初の申請に係る行為とその後の申請に係る行為に対する処分が矛盾しないよう措置するものとする。

地熱開発については地熱資源が地下資源であり調査の進展に伴って情報量や確実性が高まっていくとの特性があることから、調査の段階においては、その後の発電所の建設等を許可することとは別のものと解釈し、最終的な発電事業の詳細計画の提出は必要ないものとする。ただし、地熱発電事業の出力規模、施設位置等の想定がある場合には、参考情報として提出を求めるものとする。

（特別地域と特別保護地区をまたがる行為の取扱い）

第11

許可申請に係る行為が、特別地域と特別保護地区にまたがる場合は、同一の者により一体的に行われる場合であっても、特別地域、特別保護地区ごとに申請を行わせるものとする。ただし、特別地域内の許可申請書を特別保護地区内の許可申請書と併せて提出し、特別保護地区内の許可申請書の添付図面等中に、特別地域内の許可申請に係る行為の内容を示させることにより、特別地域内の許可申請書の添付図面等を規則第15条の３第３項の規定により省略させることができる。

（処分権限のまたがる行為の取扱い）

第12

国立公園の特別地域又は特別保護地区若しくは海域公園地区内において行われる相関連する行為であって、その許可の権限が環境大臣にあるものと、規則第20条の規定により地方環境事務所長にあるものについて、一の申請書により許可の申請が行われようとしたときは、地方環境事務所長の権限に係る行為について環境大臣が処分を行うことができないことから、それぞれの処分権限ごとに申請を行わせるものとする。ただし、同一敷地内で行われる行為であって、機能上も一体不可分と判断され、一の行為のみでは目的を果たせない等密接に関連する行為にあっては、一体の行為として環境大臣が一括して処分できるものとする。

（許可後における内容の変更手続き）

第13

規則第10条第１項第１号から第６号までに規定する申請内容又は法第32条の規定による条件により確定された工事の着手若しくは完了の日の内容を、当該許可を受けた後に変更しようとする場合は、新たな申請を行わせるものとする。

なお、変更に係る新たな許可申請書の添付図面等のうち、既に許可を受けたものから変更していない内容については、許可申請書の添付図面等を規則第15条の３第３項の規定により省略させることができる。この場合においては許可申請書の備考欄に、既に許可を受けたものの変更である旨、当該許可処分の日付及び番号並びに許可に付された条件、その他必要な事項を記載させるものとする。

ただし、規則第10条第１項第１号に掲げる事項の変更については、申請者が同一人である場合に限り当該事項を届け出ることによって足りるものとする。

（特別地域の許可等を要しない催しの計画の様式）

第14

規則第12条第30号の規定による地方公共団体が作成する催しの計画は、別記様式第２による。

（その他留意事項）

第15

⑴　工作物の「高さ」とは、地上部分の最高部と最低部との差（建築物にあっては、建築基準法第２条第３号に規定する「建築設備」を含めて算定する。ただし、避雷針及び煙突（寒冷地における暖房等必要最小限のものに限る。）を除く。）をいうものとし、「水平投影面積」とは、当該工作物の占める空間の水平投影面積をいうものとする。

なお、道路にあっては、「高さ」は横断図の測点ごとの最高の法肩と最低の法尻の差のうち最大のものをいい、また、「水平投影面積」は路肩から路肩までの部分（側溝が接する場合にはこれを含む。）を算定するものとする。

また、太陽光発電施設にあっては、「高さ」及び「水平投影面積」は、同一敷地内で行われ、物理的な連続性は有していないが平面上の一様性を有するものと判断される複数の太陽光発電アレイ（設置列）及びパワーコンディショナー等関連設備をひとまとまりとして算定するものとする。

別添「工作物の高さ及び水平投影面積の測定例」も併せて参照するものとする。

⑵　「土石を採取すること」とは、温泉ボーリング、地質調査ボーリング等も含め、土

石を採取して行為地外に持ち出す行為をいい、「土地の形状を変更すること」とは行為後において行為地内における土石の総量が減少しない行為をいうものとする。

なお、規則第12条第19号の規定により許可を要しないこととされている「土地の形状を変更するおそれのない範囲内で土石を採取すること」とは、小石を拾う程度の行為をいうものとする。

⑶　標識、案内板、広告塔、遭難慰霊碑、銅像等の工作物は、「広告物その他これに類する物」として取り扱うものとする。

第２節　令附則の法定受託事務に係る事項

（事務の処理方法の準用）

第16

特別地域等に関する許可に係る都道府県知事が行う法定受託事務については、第１節に準じて事務処理を行うこととする。

（法定受託事務に係る許可申請書の様式）

第17

都道府県知事が行う法定受託事務に係る規則第10条第１項の規定による申請書は、別記様式第１によるよう、申請者を指導するものとする。この場合において、各様式中「環境大臣」とあるのは「都道府県知事」と読み替える。

（許可申請内容の事前指導）

第18

事前の相談において、環境大臣及び地方環境事務所長に提出されるべき許可の申請に係る事項について相談があった場合には、当該申請に係る国立公園を担当する地方環境事務所又は事務所等に相談するよう申請者に促すものとする。また、事前の相談がなく申請書が提出された場合についても、適切な宛先に提出するよう申請者に促し、申請者に不利益が生じないよう対応するものとする。

（法定受託事務に係る標準処理期間）

第19

都道府県知事が行う法定受託事務に係る許可又は不許可の処分は、都道府県知事に申請書が提出された日から起算して原則として１か月以内に行うものとする。ただし、申請書に不備又は不足するものがある場合であって申請書の補正を求めている場合は、この限りでない。

なお、都道府県において知事の処分に係る申請の処理期間について別に定めている場合は、この限りでない。

（法定受託事務に係る審査基準）

第20

取扱方針及び細部解釈等については、各都道府県において行政手続法第５条第１項に規定する審査基準及び地方自治法第250条の２第１項に規定する許認可等の基準として定めるとともに、行政手続法第５条第３項及び地方自治法第250条の２第１項の規定により、都道府県庁その他都道府県において法定受託事務を行う事務所において備付けその他の適当な方法により公にするものとする。

（処分権限のまたがる行為の取扱い）

第21

1　国立公園の特別地域又は海域公園地区内において行われる相関連する行為であって、その許可の権限が環境大臣又は地方環境事務所長にあるものと、令附則第２項の規定により都道府県知事にあるものについて、一の申請書により許可の申請が行われ、都道府県知事から当該申請書の送付を受けたときは、都道府県知事の権限に係る行為について環境大臣又は地方環境事務所長は処分を行うことができないことから、当該行為に係る部分を申請内容から除外するよう申請者に補正の指示を行うものとする。ただし、廃棄物の最終処分場の設置に係る工作物の新築及び土地の形状変更については、同一敷地内で行われ、構造上、機能上も一体不可分と判断され、一の行為のみでは目的を果たせない等密接に関連する行為とみなされることから、一体の行為として環境大臣又は地方環境事務所長が一括して処分できるものとする。

2　令附則第２項第１号の規定により都道府県知事が行う事務に係る行為の区分については、次に掲げる事項に留意するものとする。

⑴　令附則第２項第１号イの「住宅」とは、もっぱら日常生活の本拠として利用するために設置される建築物（居住の用に供する部分が延べ面積の２分の１以上である併用住宅を含む。）をいうものとするが、分譲又は貸付けを目的とした集合住宅、会社等の設置する従業員宿舎は「住宅」に含まないものとする。

⑵　令附則第２項第１号イの「仮工作物」とは、その構造が、容易に移転し、又は除却することができるもの（自力で移動することができない廃車等を単に地上に置いて食堂等の施設として使用している場合を含む。）であって、かつ、設置期間が３年を超えない工作物をいうものとする。

なお、「許可を受けた行為に必要な工事用の仮工作物」の新築、改築又は増築は規則第12条第６号の規定により許可を要しない行為としているが、当該仮工作物は直接工事に関わる工作物をいうものとし、資材を他の場所から搬入するために申請敷地外に設置される仮索道等はこれに含まないものとする。

⑶　同一敷地内に数個の工作物をそれぞれ独立して設置する場合には、その行為が一括して申請された場合においても、個々の工作物がそれぞれ令附則第２項第１号イに定める規模を超えないものであれば、知事権限に係る行為として取り扱うものとする。

第３節　国の機関が行う行為の取扱い

（国の機関が行う行為に対する準用）

第22

法第68条第１項の規定により国の機関が行う行為に係る協議は、第２章第２から第10まで、第12及び第13に定めるところに準じて取り扱うものとする。

（国の機関からの協議に係る都道府県への情報提供等）

第23

地方環境事務所又は自然環境事務所は、それぞれの管轄区域において都道府県知事が令附則第２項に掲げる事務の処理を行っている場合において、法第68条第１項の規定により国の機関から環境大臣又は地方環境事務所長への協議が行われた場合には、当該協議について同意した際には、当該都道府県に対して情報提供するものとする。情報提供の内容及び頻度については都道府県の担当部局と調整の上、適切に対応することとする。

また、当該協議の同意に先立って地方環境事務所又は自然環境事務所から都道府県に対する意見照会を行う必要がある旨の申出が当該都道府県からあったときは、具体的な照会の対象やその方法について都道府県の担当部局と調整の上、個々の協議の受理後、同意前に、当該都道府県に意見照会を行うものとする。また、意見照会を行う必要がない旨の申出が当該都道府県からあったときは、それ以降の意見照会は不要とする。

第３章　届出

第１節　地方環境事務所等が行う事務

（特別地域等における既着手行為等の届出書の様式）

第24

規則第15条の２の規定による届出書は、別記様式第３によるものとする。

（特別地域等における既着手行為等の届出の処理）

第25

地方環境事務所長は、法第20条第６項から第８項まで、第21条第６項若しくは第７項又は第22条第６項若しくは第７項の規定による届出書が提出されたときは、当該届出書について不備又は不足するものがないことを確認し、不備又は不足するものがある場合には届出者に補正させるものとする。

（普通地域内における行為の届出書の様式）

第26

規則第13条の17の規定による届出書は、別記様式第４によるものとする。

（普通地域内における行為の届出内容の事前指導）

第27

普通地域内における行為の届出に関し相談を受けたときは、届出に係る行為の内容及び届出書の内容が、法、令、規則及び本要領に照らし適切なものとなるよう指導に努めるものとする。なお、指導に際しては、行政手続法第32条から第36条までの規定に留意するものとする。

また、都道府県知事が行う法定受託事務に係る届出に係る事項について相談があった場合には、当該届出に係る国立公園を担当する都道府県の担当部局に相談するよう届出者に促すものとする。また、事前の相談がなく届出書が提出された場合についても、適切な宛先に提出するよう届出者に促し、届出者に不利益が生じないよう対応するものとする。

（普通地域内における行為の届出書の受理等）

第28

地方環境事務所長は、普通地域内における行為の届出書が提出されたときは、当該届出書について不備又は不足がないことを確認し、不備又は不足するものがある場合には相当の期間を定め、届出者に補正させた上で、当該届出書を受理するものとする。なお、この受理した日をもって法第33条第３項に規定する「届出があつた日」又は同条第５項に規定する「届出をした日」と取り扱うものとする。地方環境事務所長は、受理した届出書について、次の⑴から⑻までに掲げる事項について審査し、法第33条第２項の規定により当該届出に係る行為を禁止し、若しくは制限し、又は必要な措置を命ずる処分（以下「措置命令等」という。）を行う必要がある場合は、30日以内に処分するものとする。

⑴　公園計画との関係

⑵　行為地及び行為地周辺の状況

⑶　施行方法の適否

⑷　公園の風景又は行為地周辺の環境に及ぼす影響

⑸　禁止、制限又は必要な措置に関する意見

⑹　他法令による処分の状況

⑺　土地所有者の諾否

⑻　その他届出に係る措置の判断に必要な事項

（届出書の事務の処理（決裁、送付又は進達）方法）

第29

1　事務所等における事務の処理並びに決裁文書の送付及び進達は、「地方環境事務所行政文書管理要領」により定められた専決事項に従い、次に掲げるとおり行うものとする。

⑴　届出の内容が自らの専決事項に属するものである場合にあっては、自ら処理する。

⑵　届出の内容が他の専決事項に属するものである場合にあっては、当該事務所等に送付する。

⑶　前各号に掲げる場合以外の場合にあっては、届出に係る地域を管轄する地方環境事務所長に送付する。

２　地方環境事務所における事務の処理は、次に掲げるとおり行うものとする。

(1)　届出の内容が規則第20条に規定された地方事務所長権限に属するものである場合にあっては、自ら処理する。

（普通地域内における措置命令等に関する処分基準）

第30

１　措置命令等に当たっては、国立公園普通地域内における措置命令等に関する処分基準（平成13年５月28日付け環自国第212号環境省自然環境局長通知。以下「処分基準」という。）及びその内容を地域の自然的、社会的条件に応じて具体化した取扱方針によるほか、風景を保護するために必要があると認める場合に行うものとする。

２　処分基準及び取扱方針は、行政手続法第12条第１項に規定する処分基準として取り扱うものとし、これらについては、同条第２項の規定により、地方環境事務所及び事務所等において備付けその他の適当な方法により公にするものとする。

３　措置命令等を行おうとする場合には、行政手続法第29条から第31条までの規定により、弁明の機会を付与するものとし、処分に当たっては、同法第14条の規定により指令書にその理由を記載するものとする。

４　実地の調査をする必要があるとき、弁明の機会の付与に時間を要するときその他届出を受理した日から30日以内に法第33条第２項の処分を行うことができない合理的な理由があるときは、同条第４項の規定に基づき同条第２項の規定による命令を行うことができる期間を延長するものとし、その旨及び延長する理由を別記様式第５により届出者に通知するものとする。

（普通地域内における行為の届出に係る着手制限期間の短縮）

第31

法第33条第６項の規定により、同条第５項に規定する着手制限期間を短縮しようとする場合は、別記様式第６により届出者に通知するものとする。

（普通地域内における各種行為の主従の判断）

第32

普通地域内における各種行為の主従の判断については、第９に規定するところによるものとする。

（特別地域等と普通地域にまたがる行為の取扱い）

第33

１　普通地域内において届出を要する行為が特別地域、特別保護地区又は海域公園地区内で許可を要する行為と同一の者により一体的に行われる場合には、普通地域内行為届出書を特別地域等内の許可申請書と合わせて提出し、許可申請書の添付図面等中に届出に係る行為の内容を示させることにより、届出書の添付図面等を規則第15条の３第３項の規定により省略させることができる。

2　地方環境事務所長又は自然環境事務所は、普通地域内の行為に対して禁止、制限又は必要な措置を命ずる処分を行う必要があるか否かを、特別地域等内の行為の許可申請の審査と同時に行う必要があると認めるときは、第30の４の規定の例により、法第33条第２項の規定による命令を行うことができる期間を延長するものとする。

（普通地域の届出を要しない催しの計画の様式）

第34

規則第15条第16号の規定による地方公共団体が作成する催しの計画は、別記様式第２による。

第２節　令附則の法定受託事務に係る事項

（事務の処理方法の準用）

第35

特別地域等における既着手行為又は普通地域内における行為の届出等に係る都道府県知事が行う法定受託事務については、第１節に準じて事務処理を行うこととする。

（法定受託事務に係る届出書の様式）

第36

都道府県知事が行う法定受託事務に係る規則第13条の17の規定による届出書は、別記様式第４によるよう届出をする者を指導するものとする。この場合において、各様式中「環境大臣」とあるのは「都道府県知事」と読み替える。

（法定受託事務に係る行為の届出書の受理等）

第37

都道府県知事は、普通地域内における行為の届出書が提出されたときは、当該届出書について不備又は不足するものがないことを確認し、不備又は不足するものがある場合には届出者に補正させた上で、当該届出書を受理するものとする。

なお、この受理した日をもって法第33条第３項に規定する「届出があつた日」又は同条第５項に規定する「届出をした日」と取り扱うものとする。

また、事前の相談において、環境大臣及び地方環境事務所長に提出されるべき届出に係る事項について相談があった場合には、当該届出に係る国立公園を担当する地方環境事務所又は自然環境事務所に相談するよう届出者に促すものとする。また、事前の相談がなく届出書が提出された場合についても、適切な宛先に提出するよう届出者に促し、届出者に不利益が生じないよう対応するものとする。

（法定受託事務に係る処分基準）

第38

処分基準及び取扱方針については、各都道府県において行政手続法第12条第１項に規定する処分基準として定めるとともに、都道府県庁その他都道府県において国立公園に関する事務を行う事務所において備付けその他の適当な方法により公にするものとする。

（受理及び処分の権限のまたがる行為の取扱い）

第39

国立公園の普通地域内において行われる相関連する行為であって、その届出の受理又は法第33条第２項の規定による命令等の権限が地方環境事務所長にあるものと、令附則第２項の規定により都道府県知事にあるものについて、一の届出書により届出が行われ、都道府県知事から当該届出書の送付を受けたときは、都道府県知事の権限に係る行為について地方環境事務所長は受理等を行うことができないことから、当該行為に係る部分を届出内容から除外するよう届出者に補正の指示を行うものとする。

第３節　国の機関が行う行為の取扱い

（国の機関が行う行為に対する準用）

第40

法第68条第３項の規定による国の機関が行う行為に係る通知は、第３章第24から第27まで、第29及び第32に定めるところに準じて取り扱うものとする。

（普通地域内における行為の通知書の受理）

第41

地方環境事務所長は、法第68条第３項の規定により、法第33条第１項の規定による届出の例による通知があった場合においては、当該通知書について不備又は不足するものがないことを確認し、不備又は不足するものがあるときは補正させた上で、受理するものとする。

（普通地域内における国の機関の行為に対する協議の要求）

第42

地方環境事務所長は、受理した通知書について、第28⑴から⑻までに掲げる事項について審査するものとする（この場合において、「届出」を「通知」、「法第33条第２項の規定により禁止、制限又は必要な措置を命ずる」を「法第68条第４項の規定により国の機関に協議を求める」と読み替えて適用する。）。

（国の機関からの通知に係る都道府県への情報提供等）

第43

地方環境事務所又は自然環境事務所は、それぞれの管轄区域において都道府県知事が令附則第２項に掲げる事務の処理を行っている場合において、法第68条第３項の規定により国の機関から地方環境事務所長への通知が行われた場合には、当該都道府県に情報提供するものとする。情報提供の内容及び頻度については当該都道府県の担当部局と調整の上、適切に対応することとする。

第４章　利用調整地区に関する地方環境事務所等が行う事務

第１節　認定

（一般的事項）

第44

利用調整地区について、法第25条第１項の規定による指定認定機関を指定せず、地方環境事務所長が自ら法第24条第１項に規定する認定に係る事務を行う場合において、当該認定申請書の様式その他の当該認定手続きに係る必要な取扱いについては、利用調整地区ごとに定めるものとする。

認定のために必要な手続の取扱いについて定めたときは、地方環境事務所及び事務所等において備付けその他の適当な方法により公にするものとする。

第２節　許可

（許可申請書の様式）

第45

法第23条第３項第７号に規定する許可を受けるための申請書は、別記様式第７によるものとする。

（許可申請内容の事前指導）

第46

許可申請に関する事前指導は、第２章第３に定めるところにより行うものとする。

（許可申請書の審査等）

第47

１　地方環境事務所長は、申請書が提出された場合において、当該申請書について不備又は不足するものがないことを確認し、不備又は不足するものがあるときは、相当の期間を定め、申請者に補正させた上で、申請書が提出された日（申請書の不備又は不足について補正を求めた場合にあっては、当該補正がなされた日）から起算して原則として２週間以内に、次の各号に掲げる事項について審査し、処理するものとする。

⑴　行為がやむを得ないものに該当するかどうかの適否

⑵　行為地及び行為地周辺の状況

⑶　風致景観又は行為地周辺の環境に及ぼす影響

⑷　許可する場合の条件

⑸　その他許否の判断に必要な事項

２　申請書に不備又は不足するものがある場合に行う補正の要求は、補正に要する相当の期間を定めて行うものとする。

なお、相当の期間を経過しても申請書の不備等が補正されない場合にあっては、速やかに行政手続法第７条の規定に沿って申請によって求められた許認を拒否する処分（返戻等）を行うものとする。

（利用調整地区内の許可に関する審査基準）

第48

１　許可申請の許可の適否の審査に当たっては、利用調整地区の自然的、社会的条件に応じて必要な措置等を具体的に定めた取扱方針によるものとする。

２　取扱方針は、行政手続法第５条第１項に規定する審査基準及び地方自治法第250条の２第１項に規定する許認可等の基準として取り扱うものとし、これについては、行政手続法第５条第３項及び地方自治法第250条の２第１項の規定により、地方環境事務所及び事務所等において備付けその他の適当な方法により公にするものとする。

（許可の拒否処分に当たっての理由の提示）

第49

許可申請により求められた許可を拒否する処分（返戻、不許可処分）を行う場合には、行政手続法第８条の規定により、指令書にその理由を記載するものとする。

（許可に際しての条件）

第50

法第32条の規定による条件は、付された条件が履行されない場合は、法第34条の規定による中止命令等又は法第83条の規定による罰則が適用され得ることから、具体的かつわかりやすい表現を用いるものとする。

（許可後における内容の変更手続き）

第51

申請書の内容を、当該許可を受けた後に変更しようとする場合は、新たな申請を行わせるものとする。

なお、立ち入る者、人数及び日付等の軽易な事項の変更については許可申請書の備考欄に、既に許可を受けたものの変更である旨、当該許可処分の日付及び番号並びに許可に付された条件、その他必要な事項を記載させるものとする。

第３節　国の機関が行う行為の取扱い

（国の機関が行う行為に対する準用）

第52

法第68条第１項の規定による国の機関が行う利用調整地区の許可対象行為に係る協議は、第４章第45から第51までに定めるところに準じて取り扱うものとする。

第５章　報告

第１節　地方環境事務所等による報告

（許可を拒否する処分等に関する報告）

第53

地方環境事務所長は、所長権限に係る行為の申請又は届出に関する返戻、不許可処分又は措置命令等の処分を行った場合は、当該申請書又は届出書の写しに申請によって求められた許認可等を拒否した理由又は措置命令等の処分を行った理由を添えて速やかに自然環境局長に報告すること。

（地方環境事務所長等の処理件数の報告）

第54

地方環境事務所長及び自然環境事務所長は、国立公園に係る法第20条第３項、第21条第３項、第22条第３項又は第23条第３項第６号の規定による許可、法第20条第６項から第８項まで、第21条第６項若しくは第７項、第22条第６項若しくは第７項又は法第33条第１項の規定による届出の受理、第33条第２項又は第34条の規定による命令、法第68条第１項又は第４項の規定による協議、第68条第３項の規定による通知の受理に関し、前年度分の処理件数を毎年５月末日までに自然環境局長に報告するものとする。

（地方環境事務所長等の法定受託事務に係る処理件数の報告）

第55

地方環境事務所長及び自然環境事務所長は、令附則第３項の規定に基づく報告があったときは、当該報告のうち法第20条第３項又は第22条第３項の規定による許可及び不許可、法第33条第１項の規定による届出の受理、同条第２項の規定による命令並びに法第34条の規定による命令の件数について集計し、前年度分の処理件数を毎年５月末日までに自然環境局長に報告するものとする。

第２節　都道府県知事による報告

(法定受託事務に関する報告)

第56

都道府県知事は、令附則第２項に掲げる事務の処理後、速やかに規則附則第４項に規定する事項を記載した書類を、当該事務に係る国立公園を担当する地方環境事務所長又は自然環境事務所長に提出するものとする。

第６章　違反行為

第１節　地方環境事務所等による対応

(違反行為の予防及び発見)

第57

地方環境事務所長は、許可又は届出に関して次に掲げる方法により違反行為の予防及び発見に努めるものとする。

(1) 関係地方公共団体と連携して公園内及び周辺地域の住民、事業者等に対し、法令の趣旨及び規定の内容を機会あることに周知させること。

(2) 公園の区域図及び公園計画図を常に整理し、関係者の求めに応じ随時供覧できるよう備えること。

(3) 巡視を励行すること。

(4) 申請者又は届出者に対し、許可処分を受ける前又は着手制限期間の経過前に行為に着手しないよう指導すること。

(5) 条件を付して許可された行為又は制限され若しくは必要な措置を命ぜられた行為に

ついては、当該条件又は制限若しくは措置命令の履行を監督すること。

（違反行為に対する措置）

第58

地方環境事務所長及び自然環境事務所長は、許可又は届出に関して違反行為を発見したときは、次に掲げる措置を講ずるものとする。なお、違反処理については、指導等の記録に努めるものとし、最終の処理は文書により行うものとする。

⑴　違反行為の中止を勧告すること。

⑵　地方環境事務所長及び自然環境事務所長は、国立公園に係る違反行為に関する違反事実をできる限り正確に把握し、当該違反行為が環境大臣の処分に係る行為の場合、その概要、中止又は原状回復その他必要な措置に関する意見等を別記様式第8⑴により速やかに自然環境局長に報告すること。この場合、釧路、信越及び沖縄奄美自然環境事務所長は、併せてそれぞれ北海道、中部又は九州地方環境事務所長にそれぞれ報告すること。

また、当該違反行為が規則第20条に定める地方環境事務所長の処分に係る行為の場合、自ら処理する。この場合、釧路、信越及び沖縄奄美自然環境事務所長は、別記様式第8⑴により速やかに北海道、中部及び九州地方環境事務所長にそれぞれ報告し、意見を伺う。ただし、次に掲げる要件に該当する違反行為である場合は、地方環境事務所長の指示によらず、釧路、信越及び沖縄奄美自然環境事務所長が所要の措置を講ずるものとし、当該違反行為の概要及び措置状況について、別記様式第8⑵により速やかに北海道、中部又は九州地方環境事務所長にそれぞれ報告すること。

イ　当該違反行為が、第6に規定する許可に関する審査基準に適合するものであって、法第34条第1項に基づく中止又は原状回復その他必要な措置を命じる必要がないと認められること。

ロ　当該違反行為が、行為者の故意により行われたものでないこと。

⑶　地方環境事務所長及び自然環境事務所長は、違反行為の態様が悪質である等、特に必要があると認める場合、刑事訴訟法（昭和23年法律第131号）第239条及び第241条の規定により告発の手続をとること。なお、告発に当たっては、あらかじめ警察等の司法当局と調整を行うとともに、自然環境局長に連絡すること。なお、釧路、信越及び沖縄奄美自然環境事務所長は、それぞれ北海道、中部及び九州地方自然環境事務所長を経由して連絡すること。

⑷　違反行為が他の法令の規定による違反行為と重複するときは、速やかに当該法令に係る関係行政庁に連絡すること。

⑸　行為の中止を勧告した時点で、当該違反行為により災害の発生の可能性があると認められる場合には、早急に災害防止のための応急措置がとられるよう取り計らうこと。

（違反行為に対する中止命令等）
第59
法第34条第１項の規定により中止又は原状回復等を命ずる場合には、行政手続法第29条から第31条までの規定により、弁明の機会を付与するものとし、処分に当たっては、同法第14条の規定により指令書にその理由を記載するものとする。

なお、中止を命ずる場合で、公益上緊急に処分する必要がある等同法第13条第２項に該当する場合は、弁明の機会の付与の手続を執らずに速やかに処分を行うこと。

第２節　令附則の法定受託事務に係る事項

（違反行為の予防及び発見）
第60
都道府県知事は、許可又は届出に関して次に掲げる方法により違反行為の予防及び発見に努めるものとする。

⑴　地方環境事務所及び関係地方公共団体と連携して国立公園内及び周辺地域の住民、事業者等に対し、法令の趣旨及び規定の内容を機会あるごとに周知させること。

⑵　公園の区域図及び公園計画図を常に整理し、関係者の求めに応じ随時供覧できるよう備えること。

⑶　巡視を励行すること。

⑷　申請者又は届出者に対し、許可処分を受ける前又は着手制限期間の経過前に行為に着手しないよう指導すること。

⑸　条件を付して許可された行為又は制限され若しくは必要な措置を命ぜられた行為については、当該条件又は制限若しくは措置命令の履行を監督すること。

（違反行為に対する措置）
第61
都道府県知事は、許可又は届出に関して違反行為を発見したときは、次に掲げる措置を講ずるものとする。なお、措置に当たっては地方環境事務所長に連絡し、必要に応じ対応を協議するものとする。ただし、第58⑵イ又はロに掲げる要件に該当する違反行為である場合はこの限りではない。

⑴　違反行為の中止を勧告すること。

⑵　都道府県知事は、令附則第２項の規定により行う事務に係る行為についての違反行為を審査し、必要と認めるときは中止又は原状回復その他必要な措置を命ずること。

なお、原状回復その他必要な措置命令に従わない場合において、当該状況を放置することが公園の風致景観又は風景に著しく支障を与えるときは、行政代執行法（昭和23年法律第43号）の規定により必要な措置を行うこと。

⑶　行為の中止を勧告した時点で、当該違反行為により災害の発生の可能性があると認められる場合には、早急に災害防止のための応急措置がとられるよう取り計らうこ

と。

（都道府県知事の権限に係る違反処理）

第62

地方環境事務所長は、令附則第２項の規定により都道府県知事が行う事務に係る行為の違反を発見したときは、直ちに当該都道府県に連絡すること。

（処分権限の異なる違反行為の取扱い）

第63

地方環境事務所長は、違反行為の内容が相関連するものであって、当該行為に対する法第20条及び第22条の規定による許可、第33条の規定による届出又は第34条の規定による命令の権限が、環境大臣又は地方環境事務所長にあるものと令附則第２項の規定により都道府県知事にあるものに分かれる場合、環境大臣及び地方環境事務所長並びに都道府県知事はそれぞれの権限に属する違反行為についてのみ命令を行うこととなることから、それぞれの行う違反処理の内容に齟齬が生じないよう関係都道府県と密接に連絡調整を行うこと。

第７章　立入検査

（職員による立入検査等）

第64

１　環境大臣又は地方環境事務所長は、法第30条第１項及び第35条第２項の規定による立入り、検査又は調査を管下の職員に行わせる必要があると認めるときは、別記様式第９により当該職員に対し、立入り、検査又は調査の実施を指示する環境大臣又は地方環境事務所長の指示書を交付すること。

２　当該職員は、立入り、検査又は調査を行う場合は、法第30条第２項及び第35条第３項に規定する身分を示す証明書とともに１の指示書を携帯し、関係者の請求があるときは、これを提示しなければならない。

第８章　損失補償

第１節　一般的事項

（損失補償請求書の送付）

第65

地方環境事務所長は、法第64条第２項（同条第５項において準用する場合を含む。）に規定する環境大臣に対する損失補償請求書（環境大臣又は地方環境事務所長の処分若しくは環境省職員の行為に係るものに限る。）の提出を受けたときは、次の各号に掲げる事項及び資料からなる詳細な調書を添えて、自然環境局長に報告するものとする。

⑴　損失補償請求の原因となった行為許可申請書等及び指令書の写し

⑵　損失補償請求に至るまでの経緯

⑶　請求理由及び請求額の当否に関する意見並びにこれを証する資料

⑷　その他補償額決定上参考となる事項及び資料

第２節　令附則の法定受託事務に係る事項

（損失補償に係る資料の提出の要求）

第66

1　地方環境事務所長は、法第64条第１項に規定する環境大臣に対する損失補償請求書（令附則第２項の法定受託事務に係るものに限る。）の提出を受けたときは、損失補償請求書が提出された旨及び当該損失補償に係る都道府県知事の処分について自然環境局長に報告するものとする。

2　自然環境局長は、地方環境事務所長から第65の報告がなされた場合は、当該都道府県知事に対し、地方環境事務所長を経由して第65⑴から⑷までに掲げる資料を提出するよう要求するものとする。

第９章　書類の交付等

第１節　一般的事項

（拒否処分等に係る指令書の交付の取扱い）

第67

次に掲げる許可申請により求められた許可等の拒否（不許可処分を含む。）、禁止、中止命令等の処分に係る指令書の交付に当たっては、処分の内容を名宛て人に確実に伝達するとともに、処分のあったことを知った日を明確にするため、当該指令書を直接名宛て人に交付の上、捺印のある受領書を受ける、又は配達証明扱いで郵送することにより交付する。

⑴　法第20条第３項の規定による許可申請に対する許可等の拒否の処分

⑵　法第21条第３項の規定による許可申請に対する許可等の拒否の処分

⑶　法第22条第３項の規定による許可申請に対する許可等の拒否の処分

⑷　法第23条第３項第６号の規定による許可申請に対する許可等の拒否の処分

⑸　法第33条第２項の規定による普通地域における行為の禁止、制限等の処分及び同条第４項の規定による同条第３項の期間の延長の処分

⑹　法第34条第１項の規定による中止又は原状回復命令等の処分

第２節　令附則の法定受託事務に係る事項

（地方環境事務所等の許可等に係る都道府県への情報提供等）

第68

地方環境事務所又は自然環境事務所は、それぞれの管轄区域において都道府県知事が令附則第２項に掲げる事務の処理を行っている場合において、環境大臣又は地方環境事務所長等の権限に係る許可又は届出の受理等がされた場合には、当該都道府県に情報提供するものとする。情報提供の内容及び頻度については都道府県の担当部局と調整の上、適切に対応することとする。

また、当該許可に係る申請に先立って地方環境事務所又は自然環境事務所から都道府県に対する意見照会を行う必要がある旨の申出が当該都道府県の担当部局からあったときは、具体的な照会の対象やその方法について都道府県の担当部局と調整の上、個々の申請の受理後、許可前に、当該都道府県に意見照会を行うものとする。また、意見照会を行う必要がない旨の申出が当該都道府県の担当部局からあったときは、それ以降の意見照会は不要とする。

様式第１(1)

特別地域（特別保護地区、海域公園地区）内
工 作 物 の 新 （改、増） 築 許 可 申 請 書

自然公園法第20条（第21条、第22条）第３項の規定により　　　　　国立公園の特別地域（特別保護地区、海域公園地区）内における工作物の新（改、増）築の許可を受けたく、次のとおり申請します。

年　　月　　日

申請者の氏名及び住所
（法人にあっては、名称、住所及び代表者の氏名）

環境大臣　殿
（○○地方環境事務所長　殿）

目　的		
場　所		
行為地及びその付近の状況		
工作物の種類		
施行方法	敷地面積	
	規　模	
	構　造	
	主要材料	
	外部の仕上げ及び色彩	
	関連行為の概要	
施行後の周辺の取扱		
予定日	着　手	年　　月　　日
	完　了	年　　月　　日
備　考		

（備考）

1　添付図面

⑴　行為の場所を明らかにした縮尺１：25,000程度の地形図

⑵　行為地及びその付近の状況を明らかにした縮尺１：5,000程度の概況図及び天然色写真（カラー写真）

⑶　行為の施行方法を明らかにした縮尺１：1,000程度の平面図、立面図、断面図及び意匠配色図（立面図に彩色したものでも可）

⑷　行為終了後における植栽その他修景の方法を明らかにした縮尺１：1,000程度の修景図

⑸　その他、行為の施行方法の表示に必要な図面（構造図等）

2　注意

⑴　申請文の「　　　　国立公園」の箇所には当該国立公園の名称を記入すること。なお、不要の文字は抹消すること。

⑵　「目的」欄には、当該工作物を設ける目的及びその必要性を具体的に記入すること。

⑶　「場所」欄には、都道府県、市郡、町村、大字、小字、地番（地先）等を記入すること。

⑷　「行為地及びその付近の状況」欄には、地形、植生等、海域公園地区にあっては、海底の形状、着生する動植物、水深（干満）、潮流等周辺の状況を示す上で必要な事項を記入すること。なお、必要に応じてその詳細を添付図面に表示すること。

⑸　「関連行為の概要」欄には、支障木の伐採（樹種、本数、面積等）、支障となる動植物の除去、敷地造成（面積、切土盛土量等）、残土量とその処理方法、工事用仮工作物の設置等、申請行為に伴う行為の内容を具体的に記入すること。なお、必要に応じてその詳細を添付図面に表示すること。

⑹　「施行後の周辺の取扱」欄には、跡地の整理、修景のための植栽等風致景観の保護のために行う措置を記入すること。なお、必要に応じてその詳細を添付図面に表示すること。

⑺　「備考」欄には次の事項を記入すること。

ア　他の法令の規定により、当該行為が行政庁の許可、認可その他の処分又は届出を必要とするものであるときは、その手続きの進捗状況

イ　土地所有関係及び申請者が土地所有者と異なる場合は、土地所有者の諾否又はその見込み

ウ　過去に自然公園法の許可を受けたものにあっては、その旨並びに許可処分の日付、番号及び付された条件

エ　当該申請に関する連絡先（電話番号又はメールアドレス）

なお、申請者と担当者が異なる場合は、担当者の氏名、役職、連絡先等を記載すること。

⑻　申請書の用紙の大きさは、日本産業規格（JIS）Ａ４とすること。

様式第1(2)

特別地域（特別保護地区）内木竹の伐採許可申請書

自然公園法第20条（第21条）第3項の規定により　　　　国立公園の特別地域（特別保護地区）内における木竹の伐採の許可を受けたく、次のとおり申請します。

年　　月　　日

申請者の氏名及び住所
（法人にあっては、名称、住所及び代表者の氏名）

○○地方環境事務所長　殿

目的		
場所		
林況	林種及び樹種	
	林齢	
	森林面積	
	総蓄積 (a)	
施行方法	伐採種別	
	伐採樹種	
	伐採面積	
	平均樹齢	
	平均胸高直径	
	伐採材積 (b)	
	伐採材積歩合（b／a）	%
	関連行為の概要	
	伐採跡地の取扱	
予定日	着手	年　月　日
	完了	年　月　日
備考		

（備考）

1　添付図面

(1)　行為の場所を明らかにした縮尺１：25,000程度の地形図

(2)　行為地及びその付近の状況を明らかにした縮尺１：5,000程度の概況図及び天然色写真（カラー写真）

(3)　その他、行為の施行方法の表示に必要な図面

2　注意

(1)　申請文の「　　　　　国立公園」の箇所には当該国立公園の名称を記入すること。なお、不要の文字は抹消すること。

(2)　「場所」欄には、都道府県、市郡、町村、大字、小字、地番（地先）等を記入すること。

(3)　「林種及び樹種」欄には、針葉樹林、広葉樹林、混交林の別及び天然林、人工林の別並びに主な樹種を括弧書で記入すること。

(4)　「伐採種別」欄には、皆伐、単木択伐、塊状択伐等の別を記入すること。

(5)　「関連行為の概要」欄には、索道、林道、貯木場の設置（面積、切土盛土量等）、残土量とその処理方法等、申請行為に伴う行為の内容を具体的に記入すること。なお、必要に応じてその詳細を添付図面に表示すること。

(6)　「伐採跡地の取扱」欄には、伐採後の植栽計画（年次、樹種、施行方法等）等を記入すること。なお、必要に応じてその詳細を添付図面に表示すること。

(7)　「備考」欄には、次の事項を記入すること。

ア　他の法令の規定により、当該行為が行政庁の許可、認可その他の処分又は届出を必要とするものであるときは、その手続きの進捗状況

イ　土地所有関係及び申請者が土地所有者と異なる場合は、土地所有者の諾否又はその見込み

ウ　過去に自然公園法の許可を受けたものにあっては、その旨並びに許可処分の日付、番号及び付された条件

エ　当該申請に関する連絡先（電話番号又はメールアドレス）なお、申請者と担当者が異なる場合は、担当者の氏名、役職、連絡先等を記載すること。

(8)　学術研究その他公益上必要なもの、地域住民の日常生活の維持のために必要なもの、病害虫の防除・防災・風致維持その他森林の管理として行われるもの又は測量のために行われるもの、若しくは第３種特別地域において行われるものであって森林施業以外の目的で申請する場合には、「林況」のかわりに「行為地及びその付近の状況」を記載する。

また、「施行方法」については「伐採樹種」「伐採面積」「関連行為の概要」「伐採跡地の取扱」を記載することで足りるものとする。

(9)　申請書の用紙の大きさは、日本産業規格（JIS）Ａ４とすること。

様式第1(3)

特別地域（特別保護地区）内高山植物等（木竹、木竹以外の植物、落葉又は落枝）の採取（損傷）許可申請書

自然公園法第20条（第21条）第３項の規定により　　　国立公園の特別地域（特別保護地区）内における高山植物等（木竹、木竹以外の植物、落葉又は落枝）の採取（損傷）の許可を受けたく、次のとおり申請します。

年　月　日

申請者の氏名及び住所
（法人にあっては、名称、住所及び代表者の氏名）

○○地方環境事務所長　殿

目的		
場所		
行為地及びその付近の状況		
採取（損傷）物の種類		
施行方法	採取（損傷）物の数量	
	採取（損傷）方法	
	関連行為の概要	
予定日	着手	年　月　日
	完了	年　月　日
備考		

（備考）

１　添付図面

⑴　行為の場所を明らかにした縮尺１：25,000程度の地形図

⑵　その他、行為の施行方法の表示に必要な図面

２　注意

⑴　申請文の「　　　　国立公園」の箇所には当該国立公園の名称を記入すること。なお、不要の文字は抹消すること。

⑵　「場所」欄には、都道府県、市郡、町村、大字、小字、地番（地先）等を記入すること。

⑶　「行為地及びその付近の状況」欄には、地形、植生等周辺の状況を示す上で必要な事項を記入すること。なお、必要に応じてその詳細を添付図面に表示すること。

⑷　「採取（損傷）方法」欄には、使用器具の名称、採取（損傷）部分の別等を記入すること。

⑸　「関連行為の概要」欄には、特別地域（特別保護地区）内で採取した木竹以外の植物を再度植栽・播種する予定となっている場合、時期及び場所等の詳細を記入すること。

⑹　「備考」欄には、次の事項を記入すること。

ア　他の法令の規定により、当該行為が行政庁の許可、認可その他の処分又は届出を必要とするものであるときは、その手続きの進捗状況

イ　土地所有関係及び申請者が土地所有者と異なる場合は、土地所有者の諾否又はその見込み

ウ　過去に自然公園法の許可を受けたものにあっては、その旨並びに許可処分の日付、番号及び付された条件

エ　申請者以外に当該行為を行う者がいる場合は、その名前

オ　当該申請に関する連絡先（電話番号又はメールアドレス）

　なお、申請者と担当者が異なる場合は、担当者の氏名、役職、連絡先等を記載すること。

⑺　申請書の用紙の大きさは、日本産業規格（JIS）Ａ４とすること。

様式第１⑷

特別地域（特別保護地区、海域公園地区）内
鉱物の掘採（土石の採取）許可申請書

自然公園法第20条（第21条、第22条）第３項の規定により　　　　国立公園の特別地域（特別保護地区、海域公園地区）内における鉱物の掘採（土石の採取）の許可を受けたく、次のとおり申請します。

年　　月　　日

申請者の氏名及び住所
（法人にあっては、名称、住所及び代表者の氏名）

環境大臣　殿
（〇〇地方環境事務所長　殿）

目的		
場所		
行為地及びその付近の状況		
鉱物（土石）の種類		
施行方法	掘採（採取）方法	
	掘採（採取）量	
	掘採（採取）設備	
	土地の形状を変更する面積	
	掘採（採取）後の土地の形状	
	関連行為の概要	
	掘採（採取）跡地の取扱	
予定日	着手	年　　月　　日
	完了	年　　月　　日
備考		

（備考）
1　添付図面
⑴　行為の場所を明らかにした縮尺１：25,000程度の地形図
⑵　行為地及びその付近の状況を明らかにした縮尺１：5,000程度の概況図及び天然色写真（カラー写真）
⑶　行為の施行方法を明らかにした縮尺１：1,000程度の平面図、断面図
⑷　行為終了後における植栽その他修景の方法を明らかにした縮尺１：1,000程度の修景図
⑸　その他、行為の施行方法の表示に必要な図面
2　注意
⑴　申請文の「　　　　国立公園」の箇所には当該国立公園の名称を記入すること。なお、不要の文字は抹消すること。
⑵　「場所」欄には、都道府県、市郡、町村、大字、小字、地番（地先）等を記入すること。
⑶　「行為地及びその付近の状況」欄には、地形、植生等、海域公園地区にあっては、海底の形状、着生する動植物、水深（干満）、潮流等周辺の状況を示す上で必要な事項を記入すること。なお、必要に応じてその詳細を添付図面に表示すること。
⑷　「掘採（採取）方法」欄には、露天掘、坑道掘（横坑、たて坑、斜坑）等の別を記入すること。
⑸　「掘採（採取）量」欄には、容積（立方メートル）及び重量（トン、グラム）により掘採（採取）量を記入すること。
⑹　「掘採（採取）後の土地の形状」欄には、切羽跡階段状等掘採（採取）後の土地の形状について、具体的に記入すること。なお、必要に応じてその詳細を添付図面に表示すること。
⑺　「関連行為の概要」欄には、支障木の伐採（樹種、本数、面積等)、支障となる動植物の除去、ズリ処理等、申請行為に伴う行為の内容を具体的に記入すること。なお、必要に応じてその詳細を添付図面に表示すること。
⑻　「掘採（採取）跡地の取扱」欄には、跡地の整理、緑化の方法等、風致景観の保護のために行う措置及び跡地の用途を記入すること。なお、必要に応じてその詳細を添付図面に表示すること。
⑼　「備考」欄には次の事項を記入すること。
ア　他の法令の規定により、当該行為が行政庁の許可、認可その他の処分又は届出を必要とするものであるときは、その手続きの進捗状況
イ　当該行為が鉱業法第63条に規定する施業案を必要とするものであるときは、当該施業案の概要
ウ　土地所有関係及び申請者が土地所有者と異なる場合は、土地所有者の諾否又はその見込み
エ　過去に自然公園法の許可を受けたものにあっては、その旨並びに許可処分の日付、番号及び付された条件
オ　当該申請に関する連絡先（電話番号又はメールアドレス）
　なお、申請者と担当者が異なる場合は、担当者の氏名、役職、連絡先等を記載すること。
⑽　申請書の用紙の大きさは、日本産業規格（JIS）Ａ４とすること。

様式第1(5)

特別地域（特別保護地区）内水位（水量）
に増減を及ぼさせる行為許可申請書

自然公園法第20条（第21条）第３項の規定により　　　国立公園の特別地域（特別保護地区）内における水位（水量）に増減を及ぼさせる行為の許可を受けたく、次のとおり申請します。

年　　月　　日

申請者の氏名及び住所
（法人にあっては、名称、住所及び代表者の氏名）

環境大臣　殿
（○○地方環境事務所長　殿）

目的		
場所		
行為地及びその付近の状況		
施行方法	水位（水量）の増減の及ぶ範囲	
	水位（水量）の増減の原因となる行為・設備等	
	水位（水量）の増減の内容	
	関連行為の概要	
予定日	着手	年　　月　　日
	完了	年　　月　　日
備考		

（備考）

1　添付図面

⑴　行為の場所を明らかにした縮尺１：25,000程度の地形図

⑵　行為地及びその付近の状況を明らかにした縮尺１：5,000程度の概況図及び天然色写真（カラー写真）

⑶　その他、行為の施行方法の表示に必要な図面

2　注意

⑴　申請文の「　　　　国立公園」の箇所には、当該国立公園の名称を記入すること。なお、不要の文字は抹消すること。

⑵　「場所」欄には、都道府県、市郡、町村、大字、小字、地番（地先）等を記入すること。

⑶　「行為地及びその付近の状況」欄には、地形、植生、着生する動植物等周辺の状況を示す上で必要な事項及び現在の水位（水量）（一定の期間ごとに水位（水量）が異なる場合には、その期間別の水位（水量））を記入すること。なお、水量の単位は立方メートル毎秒とすること。また、必要に応じてその詳細を添付図面に表示すること。

⑷　「水位（水量）の増減の内容」欄には、申請行為による水位（最高水位、最低水位等）又は水量（取水量、放流量等）の変化を記入すること。なお、一定の期間ごとに水位（水量）の増減の内容が変わる場合には、その期間別に記入すること。また、必要に応じてその詳細を添付図面に表示すること。

⑸　「関連行為の概要」欄には、工事用仮工作物の設置等、申請行為に伴う行為の内容を具体的に記入すること。なお、必要に応じてその詳細を添付図面に表示すること。

⑹　「備考」欄には、次の事項を記入すること。

ア　他の法令の規定により、当該行為が行政庁の許可、認可その他の処分又は届出を必要とするものであるときは、その手続きの進捗状況

イ　土地所有関係及び申請者が土地所有者と異なる場合は、土地所有者の諾否又はその見込み

ウ　過去に自然公園法の許可を受けたものにあっては、その旨並びに許可処分の日付、番号及び付された条件

エ　当該申請に関する連絡先（電話番号又はメールアドレス）

なお、申請者と担当者が異なる場合は、担当者の氏名、役職、連絡先等を記載すること。

⑺　申請書の用紙の大きさは、日本産業規格（JIS）Ａ４とすること。

様式第1(6)

特別地域（特別保護地区、海域公園地区）内
汚水等の排出許可申請書

自然公園法第20条（第21条、第22条）第3項の規定により　　　国立公園の特別地域（特別保護地区、海域公園地区）内における汚水等の排出の許可を受けたく、次のとおり申請します。

年　月　日

申請者の氏名及び住所
（法人にあっては、名称、住所及び代表者の氏名）

○○地方環境事務所長　殿

目的		
場所		（指定湖沼又は湿原名）
行為地及びその付近の状況		
汚水等の種類及び原因		
施行方法	汚水等の処理施設の種類、規模及び能力	
	汚水等の水質	
	排出の時期及び量	
	指定水域等への排出方法	
	関連行為の概要	
予定日	着手	年　月　日
	完了	年　月　日
備考		

（備考）

1　添付図面

⑴　行為の場所を明らかにした縮尺1：25,000程度の地形図

⑵　行為地及びその付近の状況を明らかにした縮尺1：5,000程度の概況図及び天然色写真（カラー写真）

⑶　行為の施行方法を明らかにした縮尺1：1,000程度の排水設備の平面図、立面図、断面図

⑷　その他、行為の施行方法の表示に必要な図面（構造図等）

2　注意

⑴　申請文の「　　　　国立公園」の箇所には当該国立公園の名称を記入すること。なお、不要の文字は抹消すること。

⑵　「目的」欄には、当該排出行為の目的及びその必要性を具体的に記入すること。

⑶　「場所」欄には、都道府県、市郡、町村、大字、小字、地番（地先）等を記入すること。なお、特別地域又は特別保護地区においては指定湖沼又は湿原名もあわせて記入すること。

⑷　「行為地及びその付近の状況」欄には、地形、植生等、海域公園地区にあっては、海底の形状、着生する動植物、水深（干満）、潮流等周辺の状況を示す上で必要な事項を記入すること。なお必要に応じてその詳細を添付図面に表示すること。

⑸　「汚水等の種類及び原因」欄には、厨房からの雑排水、○○製造による工場排水等、汚水等の排出の原因となる行為及び汚水等の種類を詳細に記入すること。

⑹　「排出の時期及び量」欄には、1日当たりの排出量及びその年間における季節的変化を記入すること。

⑺　「関連行為の概要」欄には、工事用仮工作物の設置等、申請行為に伴う行為の内容を具体的に記入すること。なお、必要に応じてその詳細を添付図面に表示すること。

⑻　「備考」欄には、次の事項を記入すること。

ア　他の法令の規定により、当該行為が行政庁の許可、認可その他の処分又は届出を必要とするものであるときは、その手続きの進捗状況

イ　土地所有関係及び申請者が土地所有者と異なる場合は、土地所有者の諾否又はその見込み

ウ　過去に自然公園法の許可を受けたものにあっては、その旨並びに許可処分の日付、番号及び付された条件

エ　当該申請に関する連絡先（電話番号又はメールアドレス）

なお、申請者と担当者が異なる場合は、担当者の氏名、役職、連絡先等を記載すること。

⑼　申請書の用紙の大きさは、日本産業規格（JIS）A4とすること。

様式第１(7)

特別地域（特別保護地区、海域公園地区）内
広告物の設置等許可申請書

自然公園法第20条（第21条、第22条）第３項の規定により　　　国立公園の特別地域（特別保護地区、海域公園地区）内における　　　　の許可を受けたく、次のとおり申請します。

年　　月　　日

申請者の氏名及び住所
（法人にあっては、名称、住所及び代表者の氏名）

○○地方環境事務所長　殿

目的		
場所		
行為地及びその付近の状況		
施行方法	独立して設置する場合の敷地面積	
	広告物を掲出又は表示する工作物の種類及びその箇所	
	規模及び構造	
	主要材料	
	色彩	
	表示の内容	
	関連行為の概要	
予定日	着手	年　月　日
	完了	年　月　日
備考		

（備考）

1　添付図面

⑴　行為の場所を明らかにした縮尺１：25,000程度の地形図

⑵　行為地及びその付近の状況を明らかにした縮尺１：5,000程度の概況図及び天然色写真（カラー写真）

⑶　行為の施行方法を明らかにした縮尺１：1,000程度の平面図、立面図、断面図及び意匠配色図（立面図に彩色したものでも可）

⑷　その他、行為の施行方法の表示に必要な図面（構造図等）

2　注意

⑴　申請文の「　　　　国立公園」の箇所には当該国立公園の名称を、「　　　　の許可」の箇所には、「広告物の設置の許可」「広告の工作物への表示の許可」等許可を受けようとする行為の種別を記入すること。なお、不要の文字は抹消すること。

⑵　「場所」欄には、都道府県、市郡、町村、大字、小字、地番（地先）等を記入すること。

⑶　「行為地及びその付近の状況」欄には、地形、植生等、海域公園地区にあっては、海底の形状、着生する動植物、水深（干満）、潮流等周辺の状況を示す上で必要な事項を記入すること。なお、必要に応じてその詳細を添付図面に表示すること。

⑷　「広告物を掲出又は表示する工作物の種類及びその箇所」欄には、店舗の屋根、倉庫の壁面等、当該広告物を掲出又は表示しようとする工作物の種類と、掲出又は表示しようとする箇所を記入すること。なお、必要に応じてその詳細を添付図面に表示すること。

⑸　「関連行為の概要」欄には、支障木の伐採（樹種、本数、面積等）、支障となる動植物の除去、敷地造成（面積、切土盛土量等）、残土量とその処理方法、工事用仮工作物の設置等、申請行為に伴う行為の内容を具体的に記入すること。なお、必要に応じてその詳細を添付図面に表示すること。

⑹　「備考」欄には、次の事項を記入すること。

ア　他の法令の規定により、当該行為が行政庁の許可、認可その他の処分又は届出を必要とするものであるときは、その手続きの進捗状況

イ　土地所有関係及び申請者が土地所有者と異なる場合は、土地所有者の諾否又はその見込み

ウ　過去に自然公園法の許可を受けたものにあっては、その旨並びに許可処分の日付、番号及び付された条件

エ　当該申請に関する連絡先（電話番号又はメールアドレス）

なお、申請者と担当者が異なる場合は、担当者の氏名、役職、連絡先等を記載すること。

⑺　申請書の用紙の大きさは、日本産業規格（JIS）Ａ４とすること。

様式第1(8)

特別地域（特別保護地区）内物の集積（貯蔵）許可申請書

自然公園法第20条（第21条）第３項の規定により　　　国立公園の特別地域（特別保護地区）内における物の集積（貯蔵）の許可を受けたく、次のとおり申請します。

年　　月　　日

申請者の氏名及び住所
（法人にあっては、名称、住所及び代表者の氏名）

○○地方環境事務所長　殿

目的		
場所		
行為地及びその付近の状況		
集積（貯蔵）物の種類		
施行方法	集積（貯蔵）方法	
	土地使用面積及び集積（貯蔵）する高さ	
	関連行為の概要	
	集積（貯蔵）設備	
予定日	着手	年　　月　　日
	完了	年　　月　　日
備考		

（備考）

1　添付図面

⑴　行為の場所を明らかにした縮尺１：25,000程度の地形図

⑵　行為地及びその付近の状況を明らかにした縮尺１：5,000程度の概況図及び天然色写真（カラー写真）

⑶　行為の施行方法を明らかにした縮尺１：1,000程度の平面図、立面図

⑷　その他、行為の施行方法の表示に必要な図面

2　注意

⑴　申請文の「　　　　　国立公園」の箇所には当該国立公園の名称を記入すること。なお、不要の文字は抹消すること。

⑵　「行為地及びその付近の状況」欄には、地形、植生等周辺の状況を示す上で必要な事項を記入すること。なお、必要に応じてその詳細を添付図面に表示すること。

⑶　「関連行為の概要」欄には、支障木の伐採、転石の除去等当該行為に伴う行為の内容を具体的に記入すること。なお、必要に応じてその詳細を添付図面に表示すること。

⑷　「備考」欄には、次の事項を記入すること。

ア　他の法令の規定により、当該行為が行政庁の許可、認可その他の処分又は届出を必要とするものであるときは、その手続きの進捗状況

イ　土地所有関係及び申請者が土地所有者と異なる場合は、土地所有者の諾否又はその見込み

ウ　過去に自然公園法の許可を受けたものにあっては、その旨並びに許可処分の日付、番号及び付された条件

エ　当該申請に関する連絡先（電話番号又はメールアドレス）

なお、申請者と担当者が異なる場合は、担当者の氏名、役職、連絡先等を記載すること。

⑸　申請書の用紙の大きさは、日本産業規格（JIS）Ａ４とすること。

様式第１(9)

特別地域（特別保護地区、海域公園地区）内
水面の埋立（干拓）許可申請書

自然公園法第20条（第21条、第22条）第３項の規定により　　　　国立公園の特別地域（特別保護地区、海域公園地区）内における水面の埋立（干拓）の許可を受けたく、次のとおり申請します。

年　　月　　日

申請者の氏名及び住所
（法人にあっては、名称、住所及び代表者の氏名）

環境大臣　殿
（○○地方環境事務所長　殿）

目的		
場所		
行為地及びその付近の状況		
施行方法	埋立（干拓）面積	
	工事の方法	
	関連行為の概要	
	埋立（干拓）後の取扱	
予定日	着手	年　　月　　日
	完了	年　　月　　日
備考		

（備考）

１　添付図面

⑴　行為の場所を明らかにした縮尺１：25,000程度の地形図

⑵　行為地及びその付近の状況を明らかにした縮尺１：5,000程度の概況図及び天然色写真（カラー写真）

⑶　行為の施行方法を明らかにした縮尺１：1,000程度の平面図、断面図

⑷　行為終了後における植栽その他修景の方法を明らかにした縮尺１：1,000程度の修景図

⑸　その他、行為の施行方法の表示に必要な図面

２　注意

⑴　申請文の「　　　　　国立公園」の箇所には当該国立公園の名称を記入すること。なお、不要の文字は抹消すること。

⑵　「場所」欄には、都道府県、市郡、町村、大字、小字、地番（地先）等を記入すること。

⑶　「行為地及びその付近の状況」欄には、地形、植生等、海域公園地区にあっては、海底の形状、着生する動植物、水深（干満）、潮流等周辺の状況を示す上で必要な事項を記入すること。なお、必要に応じてその詳細を添付図面に表示すること。

⑷　「工事の方法」欄には、工事計画（時期、工種等）を記入すること。なお、必要に応じてその詳細を添付図面に表示すること。

⑸　「関連行為の概要」欄には、支障となる動植物の除去、工事用仮工作物の設置等、申請行為に伴う行為の内容を具体的に記入すること。なお、必要に応じてその詳細を添付図面に表示すること。

⑹　「埋立（干拓）後の取扱」欄には、埋立後の用途、風致景観の保護のために行う措置を記入すること。なお、必要に応じてその詳細を添付図面に表示すること。

⑺　「備考」欄には次の事項を記入すること。

ア　他の法令の規定により、当該行為が行政庁の許可、認可その他の処分又は届出を必要とするものであるときは、その手続きの進捗状況

イ　土地所有関係及び申請者が土地所有者と異なる場合は、土地所有者の諾否又はその見込み

ウ　過去に自然公園法の許可を受けたものにあっては、その旨並びに許可処分の日付、番号及び付された条件

エ　当該申請に関する連絡先（電話番号又はメールアドレス）

なお、申請者と担当者が異なる場合は、担当者の氏名、役職、連絡先等を記載すること。

⑻　申請書の用紙の大きさは、日本産業規格（JIS）Ａ４とすること。

様式第１⑽

特別地域（特別保護地区、海域公園地区）内
土地（海底）の形状変更許可申請書

自然公園法第20条（第21条、第22条）第３項の規定により　　　　国立公園の特別地域（特別保護地区、海域公園地区）内における土地（海底）の形状変更の許可を受けたく、次のとおり申請します。

年　月　日

申請者の氏名及び住所
（法人にあっては、名称、住所及び代表者の氏名）

環境大臣　殿
（〇〇地方環境事務所長　殿）

目的		
場所		
行為地及びその付近の状況		
施行方法	土地の形状を変更する面積	
	工事の方法	
	変更後の土地の形状	
	関連行為の概要	
	変更後の取扱	
予定日	着手	年　月　日
	完了	年　月　日
備考		

（備考）

１　添付図面

⑴　行為の場所を明らかにした縮尺１：25,000程度の地形図

⑵　行為地及びその付近の状況を明らかにした縮尺１：5,000程度の概況図及び天然色写真（カラー写真）

⑶　行為の施行方法を明らかにした縮尺１：1,000程度の平面図、断面図

⑷　行為終了後における植栽その他修景の方法を明らかにした縮尺１：1,000程度の修景図

⑸　その他、行為の施行方法の表示に必要な図面

２　注意

⑴　申請文の「　　　　　国立公園」の箇所には当該国立公園の名称を記入すること。なお、不要の文字は抹消すること。

⑵　「場所」欄には、都道府県、市郡、町村、大字、小字、地番（地先）等を記入すること。

⑶　「行為地及びその付近の状況」欄には、地形、植生等、海域公園地区にあっては、海底の形状、着生する動植物、水深（干満）、潮流等周辺の状況を示す上で必要な事項を記入すること。なお、必要に応じてその詳細を、添付図面に表示すること。

⑷　「関連行為の概要」欄には、支障木の伐採、支障となる動植物の除去、工事用仮工作物の設置等、申請行為に伴う行為の内容を具体的に記入すること。なお、必要に応じてその詳細を添付図面に表示すること。

⑸　「変更後の取扱」欄には、土地の形状変更後の用途、風致景観の保護のために行う措置を記入すること。なお、必要に応じてその詳細を添付図面に表示すること。

⑹　「備考」欄には、次の事項を記入すること。

ア　他の法令の規定により、当該行為が行政庁の許可、認可その他の処分又は届出を必要とするものであるときは、その手続きの進捗状況

イ　土地所有関係及び申請者が土地所有者と異なる場合は、土地所有者の諾否又はその見込み

ウ　過去に自然公園法の許可を受けたものにあっては、その旨並びに許可処分の日付、番号及び付された条件

エ　当該申請に関する連絡先（電話番号又はメールアドレス）

　なお、申請者と担当者が異なる場合は、担当者の氏名、役職、連絡先等を記載すること。

⑺　申請書の用紙の大きさは、日本産業規格（JIS）Ａ４とすること。

様式第１⑾

特別地域（特別保護地区）内木竹以外の
植物の植栽（播種）許可申請書

自然公園法第20条（第21条）第３項の規定により　　　　国立公園の特別地域（特別保護地区）内における木竹以外の植物の植栽又は播種の許可を受けたく、次のとおり申請します。

年　月　日

申請者の氏名及び住所
（法人にあっては、名称、住所及び代表者の氏名）

○○地方環境事務所長　殿

目的		
場所		
行為地及びその付近の状況		
植栽（播種）する植物の種類		
施行方法	植栽（播種）面積	
	植栽（播種）数量	
	植栽（播種）方法	
	管理方法	
	関連行為の概要	
予定日	着手	年　月　日
	完了	年　月　日
備考		

（備考）

1　添付図面

⑴　行為の場所を明らかにした縮尺１：25,000程度の地形図

⑵　行為地及びその付近の状況を明らかにした縮尺１：5,000程度の概況図及び天然色写真（カラー写真）

⑶　行為の施行方法を明らかにした縮尺１：1,000程度の平面図

⑷　その他、行為の施行方法の表示に必要な図面

2　注意

⑴　申請文の「　　　　国立公園」の箇所には当該国立公園の名称を記入すること。なお、不要の文字は抹消すること。

⑵　「場所」欄には、都道府県、市郡、町村、大字、小字、地番（地先）等を記入すること。

⑶　「行為地及びその付近の状況」欄には、地形、植生等周辺の状況を示す上で必要な事項を記入すること。なお、必要に応じてその詳細を添付図面に表示すること。

⑷　「植栽（播種）する植物の種類」欄には、植栽又は播種する植物の種類（変種である場合は、変種レベルまで）を記入すること。

⑸　「管理方法」欄には、植栽又は播種する植物種が当該地周辺の景観の維持に支障を及ぼさないための措置等を記入すること。

⑹　「関連行為の概要」欄には、支障木の伐採（樹種、本数、面積等）、支障となる動植物の除去等、申請行為に伴う行為の内容を具体的に記入するとともに、特別地域（特別保護地区）内で採取した木竹以外の植物を再度植栽・播種する場合、場所等の詳細を記入すること。なお、必要に応じてその詳細を添付図面に表示すること。

⑺　「備考」欄には、次の事項を記入すること。

ア　他の法令の規定により、当該行為が行政庁の許可、認可その他の処分又は届出を必要とするものであるときは、その手続きの進捗状況

イ　土地所有関係及び申請者が土地所有者と異なる場合は、土地所有者の諾否又はその見込み

ウ　過去に自然公園法の許可を受けたものにあっては、その旨並びに許可処分の日付、番号及び付された条件

エ　当該申請に関する連絡先（電話番号又はメールアドレス）

なお、申請者と担当者が異なる場合は、担当者の氏名、役職、連絡先等を記載すること。

⑻　申請書の用紙の大きさは、日本産業規格（JIS）Ａ４とすること。

様式第１⑿

特別地域（特別保護地区）内動物の捕獲（殺傷）
（動 物 の 卵 の 採 取（損 傷））許 可 申 請 書

自然公園法第20条（第21条）第３項の規定により　　　　国立公園の特別地域（特別保護地区）内における動物の捕獲（殺傷）（動物の卵の採取（損傷））の許可を受けたく、次のとおり申請します。

年　　月　　日

申請者の氏名及び住所
（法人にあっては、名称、住所及び代表者の氏名）

○○地方環境事務所長　殿

<table>
<tr><td colspan="2">目的</td><td></td></tr>
<tr><td colspan="2">場所</td><td></td></tr>
<tr><td colspan="2">行為地及びその付近の状況</td><td></td></tr>
<tr><td colspan="2">動物（卵）の種類</td><td></td></tr>
<tr><td rowspan="3">施行方法</td><td>捕獲（殺傷）（採取（損傷））物の数量</td><td></td></tr>
<tr><td>捕獲（殺傷）（採取（損傷））の方法</td><td></td></tr>
<tr><td>関連行為の概要</td><td></td></tr>
<tr><td rowspan="2">予定日</td><td>着手</td><td>年　　月　　日</td></tr>
<tr><td>完了</td><td>年　　月　　日</td></tr>
<tr><td colspan="2">備考</td><td></td></tr>
</table>

（備考）

１　添付図面

⑴　行為の場所を明らかにした縮尺１：25,000程度の地形図

⑵　その他、行為の施行方法の表示に必要な図面

２　注意

⑴　申請文の「　　　　　国立公園」の箇所には当該国立公園の名称を記入すること。なお、不要の文字は抹消すること。

⑵　「場所」欄には、都道府県、市郡、町村、大字、小字、地番（地先）等を記入すること。

⑶　「行為地及びその付近の状況」欄には、地形、植生等周辺の状況を示す上で必要な事項を記入すること。なお、必要に応じてその詳細を添付図面に表示すること。

⑷　「捕獲（殺傷）（採取（損傷））の方法」欄には、捕獲（殺傷）（採取（損傷））の方法、使用器具の名称等を記入すること。

⑸　「関連行為の概要」欄には、支障木の伐採（樹種、本数、面積等）、支障となる動植物の除去等、申請行為に伴う行為の内容を具体的に記入するとともに、特別地域（特別保護地区）内で捕獲した動物を再度放つ予定となっている場合、時期及び詳細を記入すること。なお、必要に応じてその詳細を添付図面に表示すること。

⑹　「備考」欄には、次の事項を記入すること。

ア　他の法令の規定により、当該行為が行政庁の許可、認可その他の処分又は届出を必要とするものであるときは、その手続きの進捗状況

イ　土地所有関係及び申請者が土地所有者と異なる場合は、土地所有者の諾否又はその見込み

ウ　過去に自然公園法の許可を受けたものにあっては、その旨並びに許可処分の日付、番号及び付された条件

エ　申請者以外に当該行為を行う者がいる場合は、その名前

オ　当該申請に関する連絡先（電話番号又はメールアドレス）

なお、申請者と担当者が異なる場合は、担当者の氏名、役職、連絡先等を記載すること。

⑺　申請書の用紙の大きさは、日本産業規格（JIS）Ａ４とすること。

様式第1⒀

特別地域（特別保護地区）内動物の放出
（家畜の放牧を含む）許可申請書

自然公園法第20条（第21条）第３項の規定により　　　　国立公園の特別地域（特別保護地区）内における動物の放出（家畜の放牧を含む）の許可を受けたく、次のとおり申請します。

年　　月　　日

申請者の氏名及び住所
（法人にあっては、名称、住所及び代表者の氏名）

○○地方環境事務所長　殿

目的		
場所		
行為地及びその付近の状況		
動物（家畜）の種類		
施行方法	動物（家畜）の数量（頭数）	
	管理方法	
	関連行為の概要	
予定日	着手	年　　月　　日
	完了	年　　月　　日
備考		

（備考）

１　添付図面

(1)　行為の場所を明らかにした縮尺１：25,000程度の地形図

(2)　行為地及びその付近の状況を明らかにした縮尺１：5,000程度の概況図及び天然色写真（カラー写真）

(3)　その他、行為の施行方法の表示に必要な図面

２　注意

(1)　申請文の「　　　　　国立公園」の箇所には当該国立公園の名称を記入すること。なお、不要の文字は抹消すること。

(2)　「場所」欄には、都道府県、市郡、町村、大字、小字、地番（地先）等を記入すること。

(3)　「行為地及びその付近の状況」欄には、地形、植生等周辺の状況を示す上で必要な事項を記入すること。なお、必要に応じてその詳細を添付図面に表示すること。

(4)　「動物（家畜）の種類」欄には、放出する動物（家畜）の種類（亜種である場合は、亜種レベルまで）を記入すること。

(5)　「管理方法」欄には、放出する動物（家畜）が当該地周辺の景観の維持に支障を及ぼさないための措置等を記入すること。なお、家畜にあっては、放牧面積、放牧施設、放牧時期を記入すること。

(6)　「備考」欄には、次の事項を記入すること。

ア　他の法令の規定により、当該行為が行政庁の許可、認可その他の処分又は届出を必要とするものであるときは、その手続きの進捗状況

イ　土地所有関係及び申請者が土地所有者と異なる場合は、土地所有者の諾否又はその見込み

ウ　過去に自然公園法の許可を受けたものにあっては、その旨並びに許可処分の日付、番号及び付された条件

エ　当該申請に関する連絡先（電話番号又はメールアドレス）

なお、申請者と担当者が異なる場合は、担当者の氏名、役職、連絡先等を記載すること。

(7)　申請書の用紙の大きさは、日本産業規格（JIS）Ａ４とすること。

様式第１⒁

特別地域（特別保護地区）内工作物
等の色彩変更許可申請書

自然公園法第20条（第21条）第３項の規定により　　　　国立公園の特別地域（特別保護地区）内における　　　　の色彩変更の許可を受けたく、次のとおり申請します。

年　　月　　日

申請者の氏名及び住所
（法人にあっては、名称、住所及び代表者の氏名）

○○地方環境事務所長　殿

目的		
場所		
行為地及びその付近の状況		
施行方法	色彩を変更する工作物	
	色彩を変更する箇所	
	現在の色彩	
	変更後の色彩	
	関連行為の概要	
予定日	着手	年　月　日
	完了	年　月　日
備考		

（備考）

１　添付図面

⑴　行為の場所を明らかにした縮尺１：25,000程度の地形図

⑵　行為地及びその付近の状況を明らかにした縮尺１：5,000程度の概況図及び天然色写真（カラー写真）

⑶　行為の施行方法を明らかにした縮尺１：1,000程度の立面図、変更後の意匠配色図（立面図に彩色したものでも可）

⑷　その他、行為の施行方法の表示に必要な図面

２　注意

⑴　申請文の「　　　　　国立公園」の箇所には当該国立公園の名称を、「　　　　の色彩変更」の箇所には「屋根の色彩の変更」、「壁面の色彩変更」等色彩を変更する工作物の箇所を記入すること。なお、不要の文字は抹消すること。

⑵　「場所」欄には、都道府県、市郡、町村、大字、小字、地番（地先）等を記入すること。

⑶　「行為地及びその付近の状況」欄には、地形、植生等周辺の状況を示す上で必要な事項を記入すること。なお、必要に応じてその詳細を添付図面に表示すること。

⑷　「関連行為の概要」欄には、工事用仮工作物の設置等、申請行為に伴う行為の内容を具体的に記入すること。なお、必要に応じてその詳細を添付図面に表示すること。

⑸　「備考」欄には、次の事項を記入すること。

ア　他の法令の規定により、当該行為が行政庁の許可、認可その他の処分又は届出を必要とするものであるときは、その手続きの進捗状況

イ　土地所有関係及び申請者が土地所有者と異なる場合は、土地所有者の諾否又はその見込み

ウ　過去に自然公園法の許可を受けたものにあっては、その旨並びに許可処分の日付、番号及び付された条件

エ　当該申請に関する連絡先（電話番号又はメールアドレス）

なお、申請者と担当者が異なる場合は、担当者の氏名、役職、連絡先等を記載すること。

⑹　申請書の用紙の大きさは、日本産業規格（JIS）Ａ４とすること。

様式第1⒂

特別地域（特別保護地区）内
指定区域内への立入り許可申請書

自然公園法第20条（第21条）第３項の規定により　　　国立公園の特別地域（特別保護地区）内の環境大臣が指定する区域内への立入りの許可を受けたく、次のとおり申請します。

年　月　日

申請者の氏名及び住所
（法人にあっては、名称、住所及び代表者の氏名）

環境大臣　殿
（○○地方環境事務所長　殿）

目的		
場所		
行為地及びその付近の状況		
立ち入る者の人数及び氏名並びに期間		
立ち入る経路又は範囲		
立ち入る方法		
予定日	着手	年　月　日
	完了	年　月　日
備考		

（備考）

1　添付図面

⑴　行為の場所を明らかにした縮尺１：25,000程度の地形図

⑵　行為地及びその付近の状況を明らかにした縮尺１：5,000程度の概況図及び天然色写真（カラー写真）

⑶　その他、行為の施行方法の表示に必要な図面

2　注意

⑴　申請文の「　　　　国立公園」の箇所には当該国立公園の名称を記入すること。なお、不要の文字は抹消すること。

⑵　「場所」欄には、都道府県、市郡、町村、大字、小字、地番（地先）等を記入すること。

⑶　「行為地及びその付近の状況」欄には、地形、植生等周辺の状況を示す上で必要な事項を記入すること。なお、必要に応じてその詳細を添付図面に表示すること。

⑷　「立ち入る者の人数及び氏名並びに期間」欄には、申請者を含めた人数、全員の氏名及び立入り期間を記入すること。

⑸　「立ち入る方法」欄には、１日２回通行する、特定の場所に留まって調査を行う等、行為地内での活動状況、頻度等を記入すること。

⑹　「備考」欄には、次の事項を記入すること。

ア　他の法令の規定により、当該行為が行政庁の許可、認可その他の処分又は届出を必要とするものであるときは、その手続きの進捗状況

イ　土地所有関係及び申請者が土地所有者と異なる場合は、土地所有者の諾否又はその見込み

ウ　過去に自然公園法の許可を受けたものにあっては、その旨並びに許可処分の日付、番号及び付された条件

エ　当該申請に関する連絡先（電話番号又はメールアドレス）

なお、申請者と担当者が異なる場合は、担当者の氏名、役職、連絡先等を記載すること。

⑺　申請書の用紙の大きさは、日本産業規格（JIS）Ａ４とすること。

様式第１⒃

特別地域（特別保護地区、海域公園地区）内車馬
（動力船、航空機）の使用（着陸）許可申請書

自然公園法第20条（第21条、第22条）第３項の規定により　　　　国立公園の特別地域（特別保護地区、海域公園地区）内における車馬（動力船、航空機）の使用（着陸）の許可を受けたく、次のとおり申請します。

年　　月　　日

申請者の氏名及び住所
（法人にあっては、名称、住所及び代表者の氏名）

○○地方環境事務所長　殿

目的		
場所		
行為地及びその付近の状況		
車馬（動力船、航空機）の種類及び数		
使用（着陸）範囲及び面積		
使用（着陸）方法		
予定日	着手	年　　月　　日
	完了	年　　月　　日
備考		

（備考）

1　添付図面

⑴　行為の場所を明らかにした縮尺１：25,000程度の地形図

⑵　行為地及びその付近の状況を明らかにした縮尺１：5,000程度の概況図及び天然色写真（カラー写真）

⑶　その他、行為の施行方法の表示に必要な図面

2　注意

⑴　申請文の「　　　　　国立公園」の箇所には当該国立公園の名称を記入すること。なお、不要の文字は抹消すること。

⑵　「場所」欄には、都道府県、市郡、町村、大字、小字、地番（地先）等を記入すること。

⑶　「行為地及びその付近の状況」欄には、地形、植生等周辺の状況を示す上で必要な事項を記入すること。なお、必要に応じてその詳細を添付図面に表示すること。

⑷　「使用（着陸）方法」欄には、自動車を時速50キロメートルで１日２回１周させる等、行為地内での活動状況、頻度等を記入すること。

⑸　「備考」欄には、次の事項を記入すること。

ア　他の法令の規定により、当該行為が行政庁の許可、認可その他の処分又は届出を必要とするものであるときは、その手続きの進捗状況

イ　土地所有関係及び申請者が土地所有者と異なる場合は、土地所有者の諾否又はその見込み

ウ　過去に自然公園法の許可を受けたものにあっては、その旨並びに許可処分の日付、番号及び付された条件

エ　当該申請に関する連絡先（電話番号又はメールアドレス）

なお、申請者と担当者が異なる場合は、担当者の氏名、役職、連絡先等を記載すること。

⑹　申請書の用紙の大きさは、日本産業規格（JIS）Ａ４とすること。

様式第１⒄

特別保護地区内木竹の植栽許可申請書

自然公園法第21条第３項の規定により　　　　　国立公園の特別保護地区内における植栽の許可を受けたく、次のとおり申請します。

年　　月　　日

申請者の氏名及び住所
（法人にあっては、名称、住所及び代表者の氏名）

○○地方環境事務所長　殿

目的		
場所		
行為地及びその付近の状況		
施行方法	植栽種別	
	植栽面積	
	植栽樹種	
	樹齢	
	植栽数量	
	植栽方法	
	管理方法	
	関連行為の概要	
予定日	着手	年　　月　　日
	完了	年　　月　　日
備考		

（備考）
1　添付図面
⑴　行為の場所を明らかにした縮尺１：25,000程度の地形図
⑵　行為地及びその付近の状況を明らかにした縮尺１：5,000程度の概況図及び天然色写真（カラー写真）
⑶　行為の施行方法を明らかにした縮尺１：1,000程度の平面図
⑷　その他、行為の施行方法の表示に必要な図面
2　注意
⑴　申請文の「　　　　国立公園」の箇所には当該国立公園の名称を記入すること。なお、不要の文字は抹消すること。
⑵　「場所」欄には、都道府県、市郡、町村、大字、小字、地番（地先）等を記入すること。
⑶　「行為地及びその付近の状況」欄には、地形、植生等周辺の状況を示す上で必要な事項を記入すること。なお、必要に応じてその詳細を添付図面に表示すること。
⑷　「植栽種別」欄には、新植又は補植等の別を記入すること。
⑸　「関連行為の概要」欄には、特別保護地区内で伐採した木竹を再度移植する場合、場所等の詳細を記入すること。
⑹　「備考」欄には、次の事項を記入すること。
ア　他の法令の規定により、当該行為が行政庁の許可、認可その他の処分又は届出を必要とするものであるときは、その手続きの進捗状況
イ　土地所有関係及び申請者が土地所有者と異なる場合は、土地所有者の諾否又はその見込み
ウ　過去に自然公園法の許可を受けたものにあっては、その旨並びに許可処分の日付、番号及び付された条件
エ　当該申請に関する連絡先（電話番号又はメールアドレス）
なお、申請者と担当者が異なる場合は、担当者の氏名、役職、連絡先等を記載すること。
⑺　申請書の用紙の大きさは、日本産業規格（JIS）Ａ４とすること。

様式第1⒅

特別保護地区内火入（たき火）許可申請書

自然公園法第21条第３項の規定により　　　　国立公園の特別保護地区内における火入（たき火）の許可を受けたく、次のとおり申請します。

年　　月　　日

申請者の氏名及び住所
（法人にあっては、名称、住所及び代表者の氏名）

○○地方環境事務所長　殿

目的		
場所		
行為地及びその付近の状況		
施行方法	火入（たき火）の及ぶ範囲	
	設備	
	火入（たき火）後の取扱	
	関連行為の概要	
予定日	着手	年　　月　　日
	完了	年　　月　　日
備考		

（備考）

1　添付図面

⑴　行為の場所を明らかにした縮尺１：25,000程度の地形図

⑵　行為地及びその付近の状況を明らかにした縮尺１：5,000程度の概況図及び天然色写真（カラー写真）

⑶　その他、行為の施行方法の表示に必要な図面

2　注意

⑴　申請文の「　　　　　国立公園」の箇所には当該国立公園の名称を記入すること。なお、不要の文字は抹消すること。

⑵　「行為地及びその付近の状況」欄には、地形、植生等周辺の状況を示す上で必要な事項を記入すること。なお、必要に応じてその詳細を添付図面に表示すること。

⑶　「備考」欄には、次の事項を記入すること。

ア　他の法令の規定により、当該行為が行政庁の許可、認可その他の処分又は届出を必要とするものであるときは、その手続きの進捗状況

イ　土地所有関係及び申請者が土地所有者と異なる場合は、土地所有者の諾否又はその見込み

ウ　過去に自然公園法の許可を受けたものにあっては、その旨並びに許可処分の日付、番号及び付された条件

エ　当該申請に関する連絡先（電話番号又はメールアドレス）

なお、申請者と担当者が異なる場合は、担当者の氏名、役職、連絡先等を記載すること。

⑷　申請書の用紙の大きさは、日本産業規格（JIS）Ａ４とすること。

様式第1⒆

海域公園地区内動物の捕獲（殺傷）
（植物の採取（損傷））許可申請書

自然公園法第22条第3項の規定により　　　　国立公園の海域公園地区内における動物の捕獲（殺傷）（植物の採取（損傷））の許可を受けたく、次のとおり申請します。

年　月　日

申請者の氏名及び住所
（法人にあっては、名称、住所及び代表者の氏名）

○○地方環境事務所長　殿

<table>
<tr><td colspan="2">目的</td><td></td></tr>
<tr><td colspan="2">場所</td><td></td></tr>
<tr><td colspan="2">行為地及びその付近の状況</td><td></td></tr>
<tr><td colspan="2">動物（植物）の種類</td><td></td></tr>
<tr><td rowspan="3">施行方法</td><td>捕獲（殺傷）（採取（損傷））物の数量</td><td></td></tr>
<tr><td>捕獲（殺傷）（採取（損傷））の方法</td><td></td></tr>
<tr><td>関連行為の概要</td><td></td></tr>
<tr><td rowspan="2">予定日</td><td>着手</td><td>年　月　日</td></tr>
<tr><td>完了</td><td>年　月　日</td></tr>
<tr><td colspan="2">備考</td><td></td></tr>
</table>

（備考）

１　添付図面

⑴　行為の場所を明らかにした縮尺１：25,000程度の地形図

⑵　その他、行為の施行方法の表示に必要な図面

２　注意

⑴　申請文の「　　　　国立公園」の箇所には当該国立公園の名称を記入すること。なお、不要の文字は抹消すること。

⑵　「場所」欄には、都道府県、市郡、町村、大字、小字、地番（地先）等を記入すること。

⑶　「行為地及びその付近の状況」欄には、海底の形状、着生する動植物、水深（干満）、潮流等周辺の状況を示す上で必要な事項を記入すること。なお、必要に応じてその詳細を添付図面に表示すること。

⑷　「捕獲（殺傷）（採取（損傷））の方法」欄には、捕獲（殺傷）（採取（損傷））の方法、使用器具の名称等を記入すること。

⑸　「備考」欄には、次の事項を記入すること。

ア　他の法令の規定により、当該行為が行政庁の許可、認可その他の処分又は届出を必要とするものであるときは、その手続きの進捗状況

イ　土地所有関係及び申請者が土地所有者と異なる場合は、土地所有者の諾否又はその見込み

ウ　過去に自然公園法の許可を受けたものにあっては、その旨並びに許可処分の日付、番号及び付された条件

エ　申請者以外に当該行為を行う者がいる場合は、その名前

オ　当該申請に関する連絡先（電話番号又はメールアドレス）

　なお、申請者と担当者が異なる場合は、担当者の氏名、役職、連絡先等を記載すること。

⑹　申請書の用紙の大きさは、日本産業規格（JIS）Ａ４とすること。

様式第1⒇

海域公園地区内物の係留許可申請書

自然公園法第22条第3項の規定により　　　　国立公園の海域公園地区内における物の係留の許可を受けたく、次のとおり申請します。

年　　月　　日

申請者の氏名及び住所
（法人にあっては、名称、住所及び代表者の氏名）

○○地方環境事務所長　殿

<table>
<tr><td colspan="2">目的</td><td></td></tr>
<tr><td colspan="2">場所</td><td></td></tr>
<tr><td colspan="2">行為地及びその付近の状況</td><td></td></tr>
<tr><td colspan="2">物の種類</td><td></td></tr>
<tr><td rowspan="4">施行方法</td><td>占有する海面の面積</td><td></td></tr>
<tr><td>係留施設</td><td></td></tr>
<tr><td>係留方法</td><td></td></tr>
<tr><td>関連行為の概要</td><td></td></tr>
<tr><td rowspan="2">予定日</td><td>着手</td><td>年　　月　　日</td></tr>
<tr><td>完了</td><td>年　　月　　日</td></tr>
<tr><td colspan="2">備考</td><td></td></tr>
</table>

（備考）

1　添付図面

⑴　行為の場所を明らかにした縮尺１：25,000程度の地形図

⑵　行為地及びその付近の状況を明らかにした縮尺１：5,000程度の概況図及び天然色写真（カラー写真）

⑶　行為の施行方法を明らかにした縮尺１：1,000程度の平面図、立面図及び断面図

⑷　その他、行為の施行方法の表示に必要な図面

2　注意

⑴　申請文の「　　　　　国立公園」の箇所には当該国立公園の名称を記入すること。なお、不要の文字は抹消すること。

⑵　「場所」欄には、都道府県、市郡、町村、大字、小字、地番（地先）等を記入すること。

⑶　「行為地及びその付近の状況」欄には、海底の形状、着生する動植物、水深（干満）、潮流等周辺の状況を示す上で必要な事項を記入すること。なお、必要に応じてその詳細を添付図面に表示すること。

⑷　「関連行為の概要」欄には、工事用仮工作物の設置等、申請行為に伴う行為の内容を具体的に記入すること。なお、必要に応じてその詳細を添付図面に表示すること。

⑸　「備考」欄には、次の事項を記入すること。

ア　他の法令の規定により、当該行為が行政庁の許可、認可その他の処分又は届出を必要とするものであるときは、その手続きの進捗状況

イ　土地所有関係及び申請者が土地所有者と異なる場合は、土地所有者の諾否又はその見込み

ウ　過去に自然公園法の許可を受けたものにあっては、その旨並びに許可処分の日付、番号及び付された条件

エ　当該申請に関する連絡先（電話番号又はメールアドレス）

なお、申請者と担当者が異なる場合は、担当者の氏名、役職、連絡先等を記載すること。

⑹　申請書の用紙の大きさは、日本産業規格（JIS）Ａ４とすること。

様式第２

特別地域（普通地域）内で行う自然を活用した催しの計画書

自然公園法施行規則第12条第30号（第15条第16号）の規定により　　国立公園の特別地域（普通地域）内における自然を活用した催しの計画書を提出します。

年　　月　　日

提出者（地方公共団体）の代表者氏名及び住所

○○地方環境事務所長　殿

催し内容	名　　　称	
	主　催　者　名	
	目　　　的	
	開　催　場　所	
	開　催　期　間	年　　月　　日から　　年　　月　　日まで
行為地及びその付近の状況		
行為の概要		
風致の維持のために行われる措置の内容		
原状回復を確実に実施するための体制及び方法並びにその実施期限		
備　　　考		

（備考）

1　計画書の「　　　　国立公園」の箇所には当該国立公園の名称を記入すること。なお、不要の文字は抹消すること。

2　「開催場所」欄には、都道府県、市郡、町村、大字、小字、地番（地先）等を記入すること。

3　「行為地及びその付近の状況」欄には、地形、植生等周辺の状況を示す上で必要な事項のほか、行為地が原状回復が可能な場所であることを示す上で必要な事項を記入すること。

4　「行為の概要」欄には、工作物の設置、広告物の掲出その他の自然を活用した催しを実施するのに必要な行為の概要を記入すること。なお、必要に応じてその詳細を添付図面に表示すること。

また、「行為の概要」が未確定の場合は、当該工作物の新築等に着手する15日前までに地方環境事務所長に、その概要を、通知すること。

5　「風致の維持のために行われる措置の内容」欄には、仮設の植生保護柵の設置、広告物の規模や色彩その他の当該地の風致の維持のために執られる配慮事項を記入すること。

6　「原状回復を確実に実施するための体制及び方法並びにその実施期限」欄には、ゴミ収集、砂浜の地ならしその他の跡地の整理のために行う措置及びその実施体制並びにその実施期限を記入すること。

7　「備考」欄には次の事項を記入すること。

ア　他の法令の規定により、当該行為が行政庁の許可、認可その他の処分又は届出を必要とするものであるときは、その手続きの進捗状況

イ　土地所有関係及び申請者が土地所有者と異なる場合は、土地所有者の諾否又はその見込み

様式第3(1)

特別地域（特別保護地区、海域公園地区）内
行　為　着　手　済　届　出　書

自然公園法第20条（第21条、第22条）第6項の規定により　　　国立公園の特別地域（特別保護地区、海域公園地区、湖沼、湿原、物）が指定（拡張）された際、行為に着手していたので、次のとおり届け出ます。

年　　月　　日

届出者の氏名及び住所
（法人にあっては、名称、住所及び代表者の氏名）

○○地方環境事務所長　殿

（備考）

記入事項及び添付図面についてはそれぞれの行為につき、様式第1に準ずること。

ただし、「行為地及びその付近の状況」及び「予定日」のうち「着手」欄は必要としない。

様式第3(2)

特別地域（特別保護地区、海域公園地区）内
非　常　災　害　応　急　措　置　届　出　書

自然公園法第20条（第21条、第22条）第7項の規定により　　　国立公園の特別地域（特別保護地区、海域公園地区）内において非常災害のために必要な応急措置をしたので、次のとおり届け出ます。

年　　月　　日

届出者の氏名及び住所
（法人にあっては、名称、住所及び代表者の氏名）

○○地方環境事務所長　殿

（備考）

記入事項及び添付図面についてはそれぞれの行為につき、様式第1に準ずること。

ただし、「行為地及びその付近の状況」及び「予定日」のうち「着手」欄は実際の着手日を記入すること。

様式第3(3)

特別地域内　　　行為届出書

自然公園法第20条第8項の規定により　　　　国立公園特別地域内において　　　　行為をいたしたく、次のとおり届け出ます。

年　　月　　日

届出者の氏名及び住所
（法人にあっては、名称、住所及び代表者の氏名）

○○地方環境事務所長　殿

（備考）

1　添付図面及び記入事項についてはそれぞれの行為につき、様式第1に準ずること。

2　申請文の「　　　　行為」の箇所には、木竹の植栽、家畜の放牧等行為の種類を記入すること。

様式第4

普通地域内　　　行為届出書

自然公園法第33条第1項の規定により　　　　国立公園普通地域内において　　　　行為をいたしたく、次のとおり届け出ます。

年　　月　　日

届出者の氏名及び住所
（法人にあっては、名称、住所及び代表者の氏名）

○○地方環境事務所長　殿

（備考）

1　添付図面及び記入事項についてはそれぞれの行為につき、様式第1に準ずること。

2　申請文の「　　　　行為」の箇所には、工作物の新築、土石の採取等行為の種類を記入すること。

様式第５

番　　　号
年　月　日

殿

○○地方環境事務所

自然公園法（昭和32年法律第161号）第33条第４項の規定に基づき、貴殿の次の届出に係る同条第３項の期間を下記のとおり延長する。

国立公園名
行為の種類
届出年月日

記

延長する期間
延長する理由

様式第６

番　　　号
年　月　日

殿

○○地方環境事務所

自然公園法（昭和32年法律第161号）第33条第６項の規定に基づき、貴殿の次の届出に係る同条第５項の期間を下記のとおり短縮する。

国立公園名
行為の種類
届出年月日

記

上記届出に係る行為に着手してはならない期間は、届出の日から　　年　　月　　日までとする。

様式第７

利用調整地区内への立入り許可申請書

自然公園法第23条第３項第７号の規定により　　　　国立公園の　　　　利用調整地区内への立入りの許可を受けたく、次のとおり申請します。

年　月　日

申請者の氏名及び住所
（法人にあっては、名称、住所及び代表者の氏名）

○○地方環境事務所長　殿

目的		
場所		
行為地及びその付近の状況		
立ち入る者の人数及び氏名並びに期間		
立ち入る経路又は範囲		
立ち入る方法		
予定日	着手	年　月　日
	完了	年　月　日
備考		

（備考）

1　添付図面

(1)　行為の場所を明らかにした縮尺１：25,000程度の地形図

(2)　行為地及びその付近の状況を明らかにした縮尺１：5,000程度の概況図及び天然色写真

(3)　その他、行為の施行方法の表示に必要な図面

2　注意

(1)　申請文の「　　　　国立公園」の箇所には当該国立公園の名称を記入すること。なお、不要の文字は抹消すること。

(2)　申請文の「　　　　利用調整地区」の箇所には当該利用調整地区の名称を記入すること。なお、不要の文字は抹消すること。

(3)　「場所」欄には、都道府県、市郡、町村、大字、小字、地番（地先）等を記入すること。

(4)　「行為地及びその付近の状況」欄には、地形、植生等周辺の状況を示す上で必要な事項を記入すること。なお、必要に応じてその詳細を添付図面に表示すること。

(5)　「立ち入る者の人数及び氏名並びに期間」欄には、申請者を含めた人数、全員の氏名及び立入り期間を記入すること。

(6)　「立ち入る方法」欄には、１日２回通行する、特定の場所に留まって調査を行う等、行為地内での活動状況、頻度等を記入すること。

(7)　「備考」欄には、次の事項を記入すること。

ア　他の法令の規定により、当該行為が行政庁の許可、認可その他の処分又は届出を必要とするものであるときは、その手続きの進捗状況

イ　土地所有関係及び申請者が土地所有者と異なる場合は、土地所有者の諾否又はその見込み

ウ　過去に自然公園法の許可を受けたものにあっては、その旨並びに許可処分の日付、番号及び付された条件

(8)　申請書の用紙の大きさは、日本産業規格（JIS）Ａ４とすること。

様式第８(1)

番　　号
年　月　日

自然環境局長　殿
（○○地方環境事務所長　殿）

○○地方環境事務所長
（○○自然環境事務所長）
（公印省略）

自然公園法違反行為について（報告・伺い）

標記について、下記（又は別紙）のとおり報告し（伺い）ます。

記

(1)　発見日時
(2)　違反行為の種類
(3)　行為者の住所氏名
(4)　行為の場所
(5)　違反行為の概要
(6)　措置状況
(7)　他法令の規定による処分の状況
(8)　違反行為の処理に関する意見
(9)　その他参考事項

（備考）

1　「違反行為の種類」欄には、工作物の新築、土石の採取等行為の種類を記入すること。

2　「違反行為の概要」欄には、天然色写真を添付すること。

3　「違反行為の処理に関する意見」欄には、措置内容案（注意文書案を含む）とその理由を記入すること。

4　「その他参考事項」欄には、既許可（処分）の行為である場合には、その日付、番号及び条件（処分）の内容を記入すること。
　なお、当該違反行為に対する処分に関する意見も記入すること。

5　行為の場所を示した縮尺１：25,000程度の地形図、縮尺１：5,000程度の概況図等を必要に応じて添付すること。

様式第８(2)

番　　　　号
年　　月　　日

○○地方環境事務所長　殿

○○自然環境事務所長
（公印省略）

自然公園法違反行為について（報告）

標記について、下記（又は別紙）のとおり報告します。

記

(1)　発見日時
(2)　違反行為の種類
(3)　行為者の住所氏名
(4)　行為の場所
(5)　違反行為の概要
(6)　措置状況
(7)　他法令の規定による処分の状況
(8)　その他参考事項

（備考）

1　「違反行為の種類」欄には、工作物の新築、土石の採取等行為の種類を記入すること。

2　「違反行為の概要」欄には、天然色写真を添付すること。

3　「その他参考事項」欄には、既許可（処分）の行為である場合には、その日付、番号及び条件（処分）の内容を記入すること。
　なお、当該違反行為に対する処分に関する意見も記入すること。

4　行為の場所を示した縮尺１：25,000程度の地形図、縮尺１：5,000程度の概況図等を必要に応じて添付すること。

5　違反者に対する注意文書の写しを附すること。

様式第９

番　　　号
年　　月　　日

自然環境局国立公園課長　　　殿
〔○○地方環境事務所国立公園課長　殿
○○自然環境事務所長　殿
○○事務所長　殿
○○首席自然保護官　殿
○○自然保護官　殿〕

環境大臣
（○○地方環境事務所長）
（公印省略）

自然公園法第30条第１項（第35条第２項）に基づく立入検査について

貴職に於いて、下記のとおり、自然公園法第30条第１項（第35条第２項）に基づく立入検査を実施されたい。

記

立入年月日：
指定認定機関（立入検査をする土地若しくは建物）：

立入検査をする職員：

（備考）

1　「指定認定機関」欄（立入検査をする土地若しくは建物）には、１行目に国立公園名及び地種区分を、２行目には、都道府県、市郡、町村、大字、地番（地先）等を記入すること。必要な場合は立入検査をする土地若しくは建物を示す図面を添付すること。

2　立入検査をする職員が複数の場合は、複数名記入すること。

別 表

項　　目	条 件 例 文	行為の事例	留 意 事 項
一般的事項			1　申請書の記載事項として明らかにされる「支障木の伐採」等の関連行為について、その内容が妥当なものであると認められる場合は、下記留意事項で特に付すこととしているものを除き、条件は付さないものとする。 2　下記の例文以外の条件を付す必要がある場合は、法第32条の主旨に留意すること。 3　２項目以上の条件を付す場合は、下記の例文の順序を参考とすること。 4　下記の例文は、特別地域における許可を対象としているので、特別保護地区における許可の場合は、「風致の保護上」とあるのは「景観の保護上」と書き換えて用いること。 5　年月日には元号を付けることとする。また、月末を表す場合には、「30日」「31日」等を用い、「末日」は用いない。
(1) 期間の限定	○○を行うことができる期間は、（許可（同意）の日／△年△月△日）から△年△月△日までとすること。	木竹の伐採 木竹の損傷 土石の採取等 水位水量の増減 物の集積等 植物の採取 動物の捕獲 他	1　行為の期間は、条件を付さない限り確定しないことから、風致の保護のために行為の期間を限定する必要がある場合に用いる。土石の採取、物の集積や植物の採取のように、採取量等を確定しても、行為が相当の長期にわたる可能性がある場合などが対象となる。申請書に期間が記載されている場合においても付すものとする。 2　○○には、「土石の採取」「高山植物の採取」等申請に係る行為を記載する。
(2) 支障木の処理	ア　支障木の伐採は、必要最小限とすること。	工作物の新築等 土石の採取等 土地の形状変更 広告物の設置等 他	行為に伴い伐採される支障木がある場合に用いる。
	イ　支障木のうち移植可能なものは、○○に移植すること。	工作物の新築等 土石の採取等 土地の形状変更 広告物の設置等 他	1　移植可能であり、かつ移植すべき支障木がある場合に用いる。 2　○○には、「敷地の道路側」「建築物の南側」等移植すべき場所を具体的に記載する。 3　必要に応じて、アと組み合わせて用いる。 （例） 支障木の伐採は、必要最小限とするとともに、移植可能なものは……

⑶ 施行上の注意	ア　工事の施行に当たっては、○○の（谷／海）側に編柵を設ける等の措置を講じて土石を崩落させないこと。	工作物の新築等 他	１　山岳地、海岸等の急傾斜地における工事の場合に用いる。 ２　○○には、「道路」等工作物の種類を具体的に記載する。
	イ　工事の施行に当たっては、（汚濁防止膜／沈澱池）を設置する等の措置を講じて周辺（水／海）域に（土砂及び濁水／濁水）を流出させないこと。	工作物の新築等 土石の採取等 水面の埋立 土地の形状変更 他	河川、湖沼又は海に、土砂、濁水等が流出するおそれがある場合に用いる。
	ウ　工事に携わる作業員等工事関係者に対しては、植物の採取、野生動物の捕獲、ごみの投棄等風致の保護上好ましくない行為を行うことのないよう作業員心得を作成し、これを遵守させること。	工作物の新築等 他	多数の作業員が、工事現場及びその周辺に出入りするような工事を伴う場合に用いる。
⑷ 工作物等の意匠	ア　○○には、自然石又は自然石に模したブロックを使用すること。 イ　○○は、自然石に模した表面仕上げとすること。	工作物の新築等 他	１　コンクリート等による人工構造物が風致に及ぼす支障を軽減するために、自然の素材を使用し、又は自然の素材に模した仕上げをする必要がある場合に用いる。 ２　○○には、「擁壁」「堰堤」等対象を具体的に記載する。 ３　対象が、石積み又はブロック積みの場合はアを、コンクリート造り又は石積み等との併用の場合はイを用いる。
	ウ　○○の色彩は、 ①　××（色）系統とすること。 ②　△△の指示に従うこと。 ③　既存部分と同一配色とすること。	工作物の新築等 広告物の設置等 他	１　人工の構造物が風致に及ぼす支障を軽減するために、工作物等の色彩を指定する必要がある場合に用いる。 ２　○○には、「屋根」「外壁」「増築する建築物外部」等対象を具体的に記載する。 ３　色彩を指定する場合は①を用い、具体的に指定する必要がある場合は「××色とすること。」として差し支えない。 また、細部の調整が必要な場合は②を用い、工作物の増築又は改築の場合には③を用いる。 ４　△△には、「自然環境局長」、「○○地方環境事務所長」、「○○自然環境事務所長」、「○○首席自然保護官」等を必要に応じ使い分ける。
⑸ 残土、廃材の処理	（残土／既存○○の撤去に伴う廃材）は、 ①　国立公園区域外に搬出すること。	工作物の新築等 土石の採取等	１　申請行為に伴う土地の切り盛りによって残土が発生する場合、既存建築物の撤去がなされる等廃材が生ずる場合に用いる。 ２　残土及び廃材は、国立公園区域外へ

	② 申請書添付「△△図」記載の位置において風致の保護上支障のないよう処理すること。	他	搬出することが望ましいが、現場の状況等により、国立公園区域外への搬出が合理的でない場合であって、特別地域内で風致に支障を及ぼすことなく処理できる場合には②を用いる。また、普通地域内で処理する場合には、②の「風致の保護上支障のないよう」を「適切に」と置き換えて用いる。 3 ○○には、「建築物」「電柱」等撤去する工作物を具体的に記載する。 4 「△△図」には、添付図面の名称を記載する。 5 残土、廃材の両方を処理する必要がある場合には、「残土及び既存○○の撤去に伴う廃材は、」として一括して差し支えない。 6 必要に応じて(8)緑化と組み合わせて用いる。 (例) 残土は、申請書添付「△△図」記載の位置において風致の保護上支障のないよう処理するとともに、当該□□には、張芝、種子吹付等により…… (□□には、「土捨場」「残土処理場」等申請書に用いられている名称を記載する。)
(6) 工作物等の撤去	ア 当該○○は、△年△月△日までに撤去すること。	工作物の新築等 広告物の設置等 他	1 申請の対象が仮工作物の場合、又は設置期間を限定することができる広告物の場合に用いる。申請書に撤去の予定日が記載されていても付すものとする。 2 ○○には、「工作物」「広告物」等と記載する。 3 必要に応じて、(7)跡地の整理、(8)緑化と組み合わせて用いる。 (例) 当該○○は、△年△月△日までに撤去し、跡地は、風致の保護上支障のないよう整理するとともに、当該地域に生育する……
	イ 当該○○が、腐朽若しくは破損した場合、又は必要がなくなった場合には直ちに撤去すること。	工作物の新築等 広告物の設置等 他	1 設置された工作物等が破損した場合など、そのまま放置されることが風致に著しい支障を及ぼすおそれがある場合に用いる。 2 アー2、3参照のこと。
	ウ 当該○○発電施設（受変電施設等の付帯する工作物を含む。)は、発電事業が終了した場合には直ちに撤去すること。	工作物の新築等	1 申請の対象が発電施設であって、発電事業終了後に放置されることが風致に著しい支障を及ぼすおそれがある場合に用いる。申請書に撤去計画が記載されていても付すものとする。 2 アー3参照のこと。
	エ 工事に伴う仮工作物は、行為完了後直ちに撤去すること。	工作物の新築等 土石の採取等	1 行為に仮工作物の設置が伴う場合に用いる。 2 アー3参照のこと。

		広告物の設置等 他	
(7) 跡地の整理	〇〇跡地は、風致の保護上支障のないよう整理すること。	工作物の新築等 土石の採取等 物の集積等 他	1　行為完了後、行為地又はその周辺の整理が必要な場合に用いる。 2　〇〇には、「既存建築物撤去」「工事施工」「資材置場」等、対象を具体的に記載する。 3　必要に応じて(8)緑化と組み合わせて用いる。 （例） 〇〇跡地は、風致の保護上支障のないよう整理するとともに、当該地域に生育する……
(8) 緑化	ア　〇〇には、 ①　当該地域に生育する植物と同種の植物により緑化を行うこと。 ②　張芝、種子吹付等により緑化を行うこと。	工作物の新築等 土石の採取等 物の集積等 土地の形状変更 他	1　行為に伴い生じる裸地等の土砂の流出を防止するために緑化が必要な場合、又は構造物が風致に及ぼす支障を軽減するために修景のための植栽を必要とする場合などに用いる。 2　〇〇には、「建築物の北側」「切取、盛土法面」「工事に伴う裸地」等、緑化を行うべき場所を具体的に記載する。 なお、道路の改良等で廃道が生ずる場合には、「廃道敷は、舗装を撤去し、客土した上、当該地域に……」のように用いる。 3　①の「植物」は、必要に応じて「樹木」等と置き換えても差し支えない。 4　緑化には、当該地域周辺より供給された種苗（移入種を除く）を用いることを基本とするが、当該地域周辺からの種苗の供給が困難な場合は同種の植物を用いる。 また、早期に緑化が必要な場合、又は現場の自然環境等の状況でやむを得ない場合は②を用いる。 5　必要に応じて、(5)残土、廃材の処理、(6)仮工作物等の撤去、(7)跡地の整理と組み合わせて用いる。 （例文は各項目を参照のこと。）
	イ　〇〇には、当該地域周辺より供給された種苗（移入種を除く）により緑化を行うこととし、緑化工の施工に当たっては（工事の施工／土石の採取）に伴い切り取られる（表土／表土及び植物）を使用すること。	工作物の新築等 土石の採取等 土地の形状変更 他	1　行為が、自然公園法施行規則第11条第１項第２号のイ又はロに掲げるような自然環境保全上特に重要な地域において行われる場合であって、表土等を緑化工に使用する必要がある場合に用いる。 2　ア－２参照のこと。
	ウ　モルタル吹付の前面には、ロックネット等を設置したうえ、つる性植物を植栽し、緑化すること。	工作物の新築等 他	通常の緑化工では法面の崩壊が防止できないため、やむを得ずモルタル吹付を許可する場合であって、風致の保護上前面を植物により隠ぺいする必要がある場合に用いる。

(9) 維持管理	○○の入り口には、当該道路の目的を明記した標識を掲出する等、一般車の乗り入れを制限する措置を講ずること。	工作物の新築等 他	林道、工事用道路等への一般車の乗り入れにより、風致の保護上著しい支障が生ずると予想される場合に用いる。
(10) 分譲地等の造成	ア　申請書添付「△△図」のとおり保存緑地を設け、現状を変更しないこと。 イ　分譲は、申請の計画どおり行うこととし、各購入者に対しては、申請書添付「△△図」記載の保存緑地を明示するとともに、個別の書面をもって別記「留意事項」を通知すること。	工作物の新築 （分譲地等の造成）	1　分譲地等を造成する場合に付すものとする。ただし、集合別荘等の建築を伴う場合であって土地の分譲を行わない場合には、イは付さないこととする。 2　「△△図」には、添付図面の名称を記載する。 3　「留意事項」については下記「参考事項」を参照のこと。
(11) モニタリング調査	当該○○が、風致又は景観に与える影響を継続的に調査し、その結果について、××ごとに、△△に報告すること。また、調査の結果、○○が風致又は景観に重大な影響を与えることが判明した場合には、△△の指示に従い適切な対策を講じること。	工作物の新築等 土石の採取等 水位水量の増減 水面の埋立 土地の形状変更 他	1　大規模な道路、ダム、風力発電施設等の新築等、当該行為が風致に重大な影響を及ぼすおそれのある行為であって、かつモニタリング調査の実施が風致の保護上必要と認められる場合に用いる。 2　○○には、申請に係る行為又は「道路」、「ダム」等の工作物の名称を記載する。 3　××には、「１年」「半年」「四半期」等と記載する。 4　△△には、「自然環境局長」、「○○地方環境事務所長」、「○○自然環境事務所長」、「○○首席自然保護官」等を必要に応じ使い分ける。 5　必要に応じて調査の対象等を具体的に記載する。
(12) 報告	ア　○○の進捗状況について、天然色写真を添え、××ごとに、△△に報告すること。	工作物の新築等 木竹の伐採 土石の採取等 水面の埋立 土地の形状変更 他	1　行為が長期にわたる場合であって、その進捗状況を把握しておく必要がある場合に用いる。 2　○○には、「工事」「土石の採取」等申請に係る行為を記載する。 3　天然色写真の添付は、特に必要な場合に求めることとし、それ以外の場合は「天然色写真を添え、」を削除すること。 4　××には、「１年」「半年」「四半期」等と記載する。 5　△△には、「自然環境局長」、「○○地方環境事務所長」、「○○自然環境事務所長」、「○○首席自然保護官」等を必要に応じ使い分ける。
	イ　行為完了後、（第○項及び第○項／前○項／跡地の整理に関する計画）の履行状況について、天然色写真を添え、△△に報告すること。	工作物の新築等 木竹の伐採 土石の採取等	1　風致の保護のため、許可条件の履行状況を確認する必要がある場合に用いる。 2　風致の保護のため、跡地の整理が計画通り行われたことを確認する必要がある場合に用いる。

		物の集積等 水面の埋立 土地の形状変更 他	３　アー３、５参照のこと。

※　参考事項

（別記）

分譲地内における別荘等の建築についての留意事項

あなたが購入した分譲地は、国立公園の特別地域内であるので、自然公園法第20条第３項各号列記の行為を行うに当たっては、環境省○○地方環境事務所長（又は○○知事）の許可を受けなければなりません。また、分譲地に建築物を新築する場合には、下記の事項に従った方法で行われなければ自然公園法による許可を受けられませんので、注意願います。

記

１　保存緑地とされた土地には、工作物を設置しないこと。

２　建築物は２階建て以下とし、その高さは10m以下とすること。

３　敷地面積（敷地内に保存緑地とされた土地を含む場合は当該保存緑地の面積を除いた面積。以下同じ。）は、１区画1,000㎡以上とし、建築物は、原則として１区画１棟とすること。

４　建築物の水平投影面積の敷地面積に対する割合は、20％以下とすること。

５　建築物に係る土地の地形勾配は、30％以下とすること。

６　建築物の水平投影外周線は、道路及び隣地境界より５ｍ以上離すこと。

７　建築物の水平投影面積は、2,000㎡以下とすること。

８　建築物の屋根の形は、陸屋根を避けて勾配屋根とすること。

９　建築物の外部の色彩は、原色を避けて周囲の自然と調和を図ったものとすること。

第２節　審査基準関係

○自然公園法の行為の許可基準の細部解釈及び運用方法について

〔平成12年８月７日　環自計第171号・環自国第448―１号
各都道府県知事宛　環境庁自然保護局長通知〕

改正　平成15年４月１日環自国第133号・平成16年４月１日環自国発第040401002号・平成22年４月１日環自国発第100401008号・令和４年４月１日環自国発第22040116号

自然公園法（昭和32年法律第161号）第17条第４項、第18条第４項及び第18条の２第４項に規定する行為の許可基準については、平成12年３月24日に公布された自然公園法施行規則の一部を改正する総理府令（平成12年総理府令第23号）により、自然公園法施行規則（昭和32年厚生省令第41号）第11条として規定したところである。

ついては、別添のとおり「自然公園法の行為の許可基準の細部解釈及び運用方法」が定められたので、地方自治法（昭和22年法律第67号）第245条の４第１項の規定に基づく技術的な助言として通知する。

○自然公園法の行為の許可基準の細部解釈及び運用方法について

〔平成12年８月７日　環自国第448―２号
各関係都道府県知事宛　環境庁自然保護局長通知〕

改正　平成15年４月１日環自国第133号・平成16年４月１日環自国発第040401002号・平成22年４月１日環自国発第100401008号・令和４年４月１日環自国発第22040116号

標記通知については、平成12年８月７日付け環自計第171号及び環自国第448―１号において、当職より、地方自治法（昭和22年法律第67号）第245条の４第１項の規定に基づく技術的な助言として通知したところであるが、自然公園法施行令（昭和32年政令第298号）附則第３項第１号及び第２号に規定する事務を行う場合にあっては、地方自治法第245条の９第１項に規定する法定受託事務を処理するに当たりよるべき基準として取り扱うこととするので、これに基づき当該事務を適切に実施されたい。

○自然公園法の行為の許可基準の細部解釈及び運用方法について

〔平成12年８月７日　環自国第448―３号
各自然保護事務所長宛　環境庁自然保護局長通知〕

改正　平成15年４月１日環自国第133号・平成16年４月１日環自国発第040401002号・平成22年４月１日環自国発第100401008号・令和４年４月１日環自国発第22040116号

自然公園法（昭和32年法律第161号）第17条第４項、第18条第４項及び第18条の２第４項に規定する行為の許可基準については、平成12年３月24日に公布された自然公園法施行規則の一部を改正する総理府令（平成12年総理府令第23号）により、自然公園法施行規則（昭和32年厚生省令第41号）第11条として規定したところである。

ついては、別添のとおり「自然公園法の行為の許可基準の細部解釈及び運用方法」を定めたので、当該通知に基づき行為許可に関する事務を適切に実施願いたい。

なお、都道府県が自然公園法施行令（昭和32年政令第298号）附則第３項第１号及び第２号に規定する事務を行う場合にあっては、地方自治法（昭和22年法律第67号）第245条の９第１項に規定する法定受託事務を処理するに当たりよるべき基準として取り扱うこととし、都道府県に通知したので、了知願いたい。

〔別　添〕

自然公園法の行為の許可基準の細部解釈及び運用方法

自然公園法（昭和32年法律第161号。以下「法」という。）第20条第４項、第21条第４項及び第22条第４項に規定する行為の許可基準である自然公園法施行規則（昭和32年厚生省令第41号。以下「規則」という。）第11条各号の規定の細部解釈及び運用方法を以下のとおり定める。

1　「屋根及び柱又は壁を有するもの」（第１項）

骨組みが簡易であり、かつ屋根及び壁が天幕、ビニール等（ガラスは除く。）で構成された工作物であって、屋根及び壁が容易に取り外し可能なもの（人の手で容易に巻き取って外せる等の仕掛けがあるものや迅速な撤去が可能なもの等。）については、建築物以外の工作物として扱う。

2　「既存の建築物の改築、既存の建築物の建替え若しくは災害により滅失した建築物の復旧のための新築」（第１項）

本ただし書きは、法による規制対象となる以前から存在する既存の建築物に関し、当該建築物を生活基盤とする所有者等の既得権を保護する観点から設けられたものである。そのため、本ただし書きの適用は、申請に係る建築物が既存の建築物と同様の用途とする場合（許可基準の適用条項に変更が生じない場合）のみに限定される。ただし、廃屋化した既存建築物の建替え等、公園の風致の維持を図る観点から、従前より好ましい状態を生ずると認められる場合は、その適用の可否を個別に判断するものとする。なお、「既存の建築物」に法第20条第３項等の許可等を受けないで違法に建てられた建築物は含まれない。また、災害復旧の場合であって、防災上の観点から、災害前に建築物が位置していた場所における新築が不合理であるときを除き、既存の建築物が位置していた場所における新築に限るものとする。(以下同じ。)

3　「(申請に係る建築物の規模が既存の建築物が有していた機能を維持するためにやむを得ず必要最小限の規模の拡大を行うものに限る。)」(第１項)

例えば、建築基準法（昭和25年法律第201号）や消防法（昭和23年法律第186号）等に規定する建築物に係る基準の改正を踏まえ、新たな基準に適合させるために、やむを得ずその規模を変更する必要がある場合等が考えられる。(以下同じ。)

4　「学術研究その他公益上必要と認められる」(第１項)

イ　学術研究のために必要な行為とは、その行為の主たる目的が学術研究のためになされるものをいい、単に学術研究が付随的な目的となっている行為は学術研究のため必要な行為とは認められないので、この観点から申請行為に関し、その申請主体、趣旨、内容、効果（研究結果の活用予定等）等を十分審査する必要がある。

ロ　公益上必要な行為とは、その行為が直接的に公益に資するものに限定して考えるべきであり、例えば、土地収用法（昭和26年法律第219号）第３条各号に掲げるような行為及び自然環境の保全を目的とした行為等が考えられる。

また、公益上必要と認められるか否かは、当該行為を当該地で行うことの公益性と当該地を当該行為から保護することの公益性を比較衡量の上、審査する必要がある。(以下同じ。)

5　「申請に係る場所以外の場所においてはその目的を達成することができないと認められる」(第１項)

「申請に係る場所以外の場所においてはその目的を達成することができないと認められる」ものとは、①当該行為の目的、内容から見て必然的にその行為地が限定されるもの又は②当該行為の目的、内容から見てその行為地が一定の範囲の地域内に限定され、かつ当該範囲の地域外で行うことが、経済的観点その他の観点から見て著しく不合理であるものをいう。①の例としては、現に地すべりが起きている土地又はそのおそれが顕著な土地における地すべり防止工事に関連してなされる行為、②の例としては、ある一定の区域を避けて設置するとその設置の意味がなくなってしまう航路標識の新築が考えられる。(60、84を除き、以下同じ。)

6　「植生の復元が困難な地域等」(第１項第２号ロ)

その地域の自然的価値が、特別保護地区又は第１種特別地域と同じ程度に高い地域であって、その地域が狭小であり、又はその自然の実態から見て、線引きにより特別保護地区又は第１種特別地域に指定することが技術的に困難であるものについて、特に貴重な自然を有する特定地域の保護のため、特別な配慮を行うものとする趣旨である。

このような取扱いは、地域地種区分制度が設けられている趣旨に鑑み、明確かつ合理的な場合に限られるべきであり、当該具体的地域における自然的価値の高さについて明確な認識が可能であることが必要である。具体的には、文化財保護法（昭和25年法律第214号）の規定に基づく史跡名勝天然記念物の指定又は仮指定がされている地域、学術調査の結果により当該地域の自然的価値が明らかにされている地域その他何らかの行政措置又は定着した地域的慣行が行われている地域が該当し得る。（以下同じ。）

7　「主要な展望地」（第１項第３号）

利用者の展望の用に供するための園地、広場、休憩所、展望施設、駐車場（他の事業の付帯施設として設けられたものを含む。）等のほか、公園事業道路等（自転車道、歩道を含む。）のうち利用者の展望の用にも供せられている区間も含まれる。（以下同じ。）

8　「主要な展望地から展望する場合の著しい妨げにならない」（第１項第３号）及び「山稜線を分断する等眺望の対象に著しい支障を及ぼすものでない」（第１項第４号）

展望及び眺望に係る支障の程度については、検討の対象地及びその周辺における保全の対象、眺望の対象並びに利用の状況を踏まえるとともに、視点場と視対象との関係を十分に把握した上で判断する必要がある。その際には、景観の視覚特性に関する代表的指標として一般的に景観アセスメントに用いられている垂直視角等に関する既存の知見を、展望や眺望に係る支障を回避するための指針及び支障の程度を評価するための目安として採用することが望ましい。

また、第１項第４号においては視点場は明示されていないが、この場合「眺望の対象を眺望する際に利用される主要な展望地（ただし、国立公園又は国定公園の区域の内外を問わない。）」が視点場に該当すると解すべきである。

「山稜線を分断する」とは、山稜が空を背景として描く輪郭線（スカイライン）の連続性が工作物の出現により切断されることを意味しており、一般的にこのような場合には特に風致景観上の支障が大きくなるとされていることから、本号における代表的な事例として掲げているものである。なお、山稜線を分断する場合であっても、山稜が眺望の方向に位置しない、又は工作物が十分遠方に位置し目立たないときについては、必ずしも眺望の対象に著しい支障を及ぼすものとはならない。（以下同じ。）

9　「色彩並びに形態」（第１項第５号）

色彩については、原色を避けることは勿論、公園利用者に必要以上の強い印象を与える色彩は用いないようにさせる必要がある。また、色彩数も必要最小限にとどめさせることが望ましい。屋根の形態については、背景となる自然風景や周辺の既存建築物と調和を図るようにする。（以下同じ。）

10　「跡地の整理を適切に行う」（第１項第６号）

当該地に建築物が存する以前の土地の状態に近い状態に復する行為をいう。（以下同じ。）

11　「申請に係る場所に居住することが必要と認められる者」（第２項）

申請に係る場所が位置する公園内において既に執行され、若しくは執行されようとしている公園事業に従事する者及び従事しようとする者、当該公園内において農林漁業、鉱業、採石業等土地に定着した産業に従事する者及び従事しようとする者、又は申請に係る場所の位置する特別地域内で現に行われ、若しくは行われようとしている事業に従事する者及び従事しようとする者等のうち、諸般の状況から申請に係る場所に居住することが必要と、特に認められる者をいう。ただし、季節的に雇用される者又は短期の雇用につくことを常態とする者は除く。

12　「基準日において申請に係る場所に現に居住していた者」（第２項）

都市計画法（昭和43年法律第100号）第34条第９号に定める開発行為として特別地域内に住宅の新築、改築若しくは増築を行おうとする者であって、当該行為に係る都道府県知事への届出を基準日前に既に完了していた者、又は基準日現在、申請に係る場所に居住していた者から相続を受けた者等が含まれる。なお、ここでいう「相続」とは民法上の規定に基づいたものであり、人の死亡によってその財産上の権利義務を他の者が包括的に承継することをいう。

13　「住宅」（第２項）

もっぱら11、12に規定する者のみが居住するための建築物をいい、集合住宅を含むものとする。

14　「住宅部分を含む建築物」（第２項）

同一建築物内に当該建築物の所有者自らの居住の用に供する部分が延べ面積の２分の１以上である建築物をいうものであり、店舗併用住宅、民宿等がこれに含まれる。

なお、延べ面積が400㎡を越えるものについては、住宅以外の部分も規模が大きくなることから、第６項において取り扱うものとする。

15　「用途上不可分である建築物」（第２項）

住宅に付随して設けられる物置、車庫等のように、主たる建築物の用途を補完するために付随して設けられる建築物、又は研修所等における宿泊棟、研修棟、食堂棟、管理棟のように、それぞれの施設単独では用途上の目的を果たせず、いずれをとっても互いに補完しあう関係にある建築物のことをいう。一つの建築物のみで用途上の目的を果たすことが可能な貸別荘群と管理棟との関係はこれに含まれない。（以下同じ。）

16　「農林漁業を営むために必要」（第３項）

「農林漁業」とは、産物の生産・収穫から販売までの行為が含まれ得るが、販売及び販売に伴う行為のみを切り離してこれを生産場所以外で行う場合は、農林漁業とみなさない。

17　「分譲することを目的とした一連の土地若しくは売却すること、貸付けをすること若しくは一時的に使用させることを目的とした建築物が２棟以上設けられる予定である一連の土地（以下「分譲地等」という。）内における建築物の新築、改築又は増築」（第４項）

集合別荘（分譲ホテルを含む。）、集合住宅又は保養所であって、分譲地等内に設けられるものは、「分譲地等内に設けられる建築物」に含まれる。

用途上不可分の関係にある２つ以上の建築物は１棟として算定するものとし、「２棟以上」には該当しない。

18　「敷地」（第４項第４号）

一つの建築物又は用途上不可分の関係にある２つ以上の建築物がある一区画の土地をいう。

なお、建築物の敷地界が所有界と一致しているか否かを問わない。貸別荘群のように、一連の土地に用途上可分な建築物を多数設けるような場合には、個々の建築物の敷地を区画させ図面等により明定させる必要がある。（以下同じ。）

19　「建築物の水平投影外周線で囲まれる土地」（第４項第７号）

建築物の地下部を含むものとする。

20　「土地の勾配」（第４項第７号）

建築物の水平投影外周線で囲まれる土地の勾配については、当該土地のうち最急部分の地形勾配を算定するものとするが、建築物の形態が複雑である場合等にあっては次の手順により算定する。

①　申請書に添付された地形図その他の地形を記した図面において、土地の形状変更を行わずに建築物を設けたと仮定した場合の当該建築物の水平投影外周線に接する部分の標高の最高点と最低点を選定する。（該当する点が複数存する場合には、最高に該当する点と最低に該当する点とを相互に結ぶ直線が最短となる場合の両点とする。）

②　最低点と等しい標高の線上の最高点から建築物の設けられる方向に向かって最短距離にある点と、当該最高点とを直線で結ぶ。同様に、最高点と等しい標高の線上の、最低点から建築物の設けられる方向に向かって最短距離にある点と、当該最低点とを直線で結ぶ。

③　②の直線のうち短い方の直線の勾配を算定する。

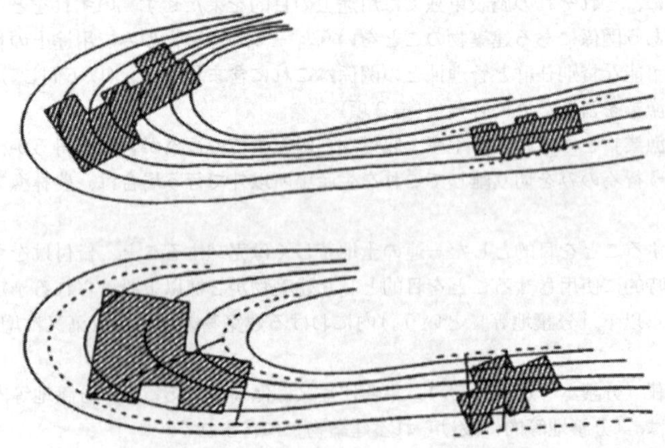

太陽光発電施設の水平投影外周線で囲まれる土地の勾配については、申請書に添付された地形図上に落とした30mメッシュごとに判断するものとし、メッシュの一辺又は対角線を基線として測定した勾配のいずれか一つでも30%を超えるメッシュの区域内全域を、30%を超える土地とする。

なお、この場合、地形勾配が30%を超えるか否かの算定は、等高線が基線と交差する本数を数えることで足りるものとし、その本数（メッシュの頂点を通過するものは含めない。また同一標高であるものは１本と数える。）が、次の表に掲げる数以上の場合に、当該勾配は30%を超えるというものとする。

基線＼等高	１m間隔の等高線	２m間隔の等高線
周辺の一辺	10	5
対角線	15	8

（例）勾配が30%を超えるものとする場合（１m間隔の等高線）

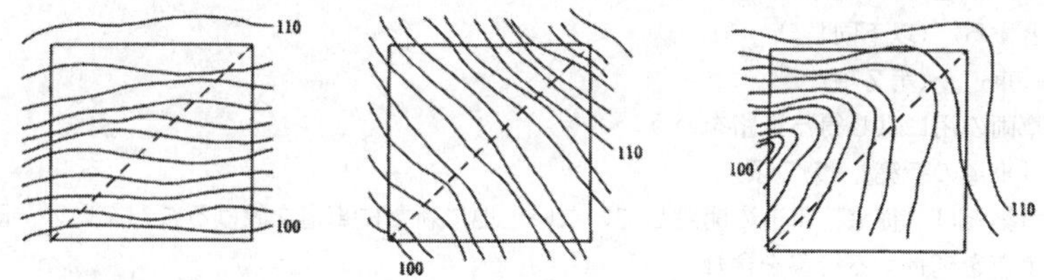

21　「前号に規定する土地及びその周辺の土地」（第４項第８号）

建築物が四囲から遮られることなく望見されることとなる場合には、当該地の風致景観に与える支障が大きいので、当該要件を定めたものである。したがって、この場合の「周辺の土地」の範囲は上記の趣旨を考慮して、それぞれ具体的な事例に即して判断されるべきものである。

22　「自然草地、低木林地、採草放牧地又は高木の生育が困難な地域（以下「自然草地等」という。）」（第４項第８号）

人の手が入らない状態で草地環境等が維持されているものだけでなく、採草、放牧、火入れ等の人為的攪乱を受けながら、自然の再生力の範囲内で持続的に維持されている半自然草地（二次草原）等についても、風致又は景観の重要な構成要素の一つであり、これに含まれる。（以下同じ。）

23　「低木林地」（第４項第８号）

気象条件等により平屋建ての建築物が、四囲から容易に望見される程度の高さしか樹木が生育し得ない樹林地をいう。

24　「高木の生育が困難な地域」（第４項第８号）

例えば、砂丘、溶岩原等の土地をいう。

25　「公園事業に係る道路又はこれと同程度に当該公園の利用に資する道路」（以下「公園事業道路等」という。）（第４項第９号）

公園事業として執行された道路（自転車道、歩道を含む。以下同じ。）及び同道路と同等の利用がなされ、管理計画等により当該公園の利用に資していると認められている公道に限るものとする。

ただし、長距離自然歩道の標識区間にあっては状況に応じて取り扱うものとする。（以下同じ。）

26　「路肩」（第４項第９号）

路肩が明確でない場合には、道路として認識され得る部分の両端を適宜路肩として選定する。なお、「路肩」については、道路構造令（昭和45年政令320号）第２条第12号に規定する定義（道路の主要構造部を保護し、又は車道の効用を保つために、車道、歩道、自転車道又は自転車歩行車道に接続して設けられる帯状の道路の部分）によるものとし、車道付帯施設として歩道、自転車道等を有する場合には、それらを含む施設の外縁とする。（以下同じ。）

27　「車道」（第７項）

車両の用に供し得る道路をいう。

28　「車道の新築」（第７項）

新築とは、従来、車道の開設していない土地に新たに車道を設けることをいい、既設の車道を延長する行為を含む。

29　「地表に影響を及ぼさない方法」（第７項第１号イ）

ずい道によるものを指すが、ずい道であっても、新築（改築又は増築）により、地下水脈が切断されること等により地表の植生等に影響を与えることが予想されるもの又は排気口が植生復元の困難な地域等の地表に露出することとなるものは除く。

30　「法の規定に適合する行為」（第７項第１号ロ⑷及び⑸）

法の規定による同意を得た行為、認可又は許可を受けた行為、届出がなされた行為及び許可又は届出を要しない行為（公園区域外で行われるものを含む。）をいう。

31　「法の規定に適合する行為の行われる場所に到達するために設けられる車道」（第７項第１号ロ⑷）

この例としては、治山工事用車道等であって、工事終了後は通れないような車道が該当する。

32　「法の規定に適合する行為により設けられた工作物又は造成された土地を利用するために必要と認められる車道」（第７項第１号ロ⑸）

この例としては、法による許可を受けて新築された休憩所等を利用するための車道が考えられる。なお、当該休憩所等の新築が法による許可を要しない場合も本要件に該当する。

33　「残土」（第７項第１号ハ）

工事の施行に伴い生ずる土砂のうち不要となる土砂をいうが、法による許可を受けて行われる行為又は許可を要しない行為に流用されるものは、ここでは残土として取り扱わない。（以下同じ。）

34　「その風致の維持に支障を及ぼさない方法で処理することとされている場合」（第７項第１号ハ）

特別地域の風致の維持に支障をきたすような残土の処理方法は認めないという趣旨であり、土砂の流出、崩壊防止措置及び捨土地の緑化等の措置が十分に講じられる計画になっているものをいう。（以下同じ。）

35　「緑化が困難であると認められる場合」（第７項第２号ハ）

緑化に用いるべき郷土種と同種の植物の入手が困難である場合等をいう。

36　「車道の改築又は増築」（第８項）

改築とは、既存の車道の幅員を超えない範囲内の舗装、勾配の緩和、線形の改良又は前記の行為とあわせて行われるのり面の改良等をいう。増築とは、既存車道の幅員を拡大する行為をいう。

37　「勾配」（第９項第４号）

申請書に添付された地形図上に落とした30mメッシュごとに判断するものとし、メッシュの一辺又は対角線を基線として測定した勾配のいずれか一つでも、30％を超えるメッシュの区域内全域を、30％を超える土地とする。

なお、この場合、地形勾配が30％を超えるか否かの算定は、等高線が基線と交差する本数を数えることで足りるものとし、その本数（メッシュの頂点を通過するものは含めない。また同一標高であるものは１本と数える。）が、次の表に掲げる数以上の場合に、当該勾配は30％を超えるというものとする。

基線＼等高	１ｍ間隔の等高線	２ｍ間隔の等高線
周辺の一辺	10	5
対 角 線	15	8

（例）　勾配が30％を超えるものとする場合（１ｍ間隔の等高線）

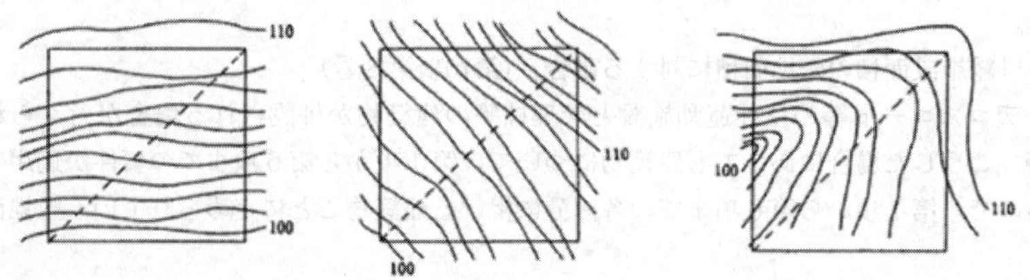

38　「関連分譲地等の全面積の10％以上の面積の土地を保存緑地とする」（第９項第５号）

保存緑地は既存の樹林地に配置するものとし、やむを得ず植生が損なわれた場所を保存緑地とする場合にあっては、当該地域周辺により供給された種苗（外来種を除く。）等を用い緑化し樹林化するものとする。

保存緑地の配置に当たっては、勾配が30％を超える土地の周辺地域も必要に応じ保存緑地とする等、風致の維持上不自然とならない配置にするよう指導する。

関連分譲地等の造成の計画において保存緑地とされた土地では、分譲地等の造成を目的とした道路又は上下水道施設が新築された後においては、原則として現状を変更してはならないものとする。

39　「保存緑地とされた土地において新築を行う」（第９項第６号）

道路又は上下水道施設が新築され、分譲地等の造成が行われた後において、新たに保存緑地において道路（駐車場を含む）又は上下水道の新築を行う場合をいう。

40　「次に掲げる基準に適合する方法で売買されるものである」（第９項第７号）

イの図面及びロの書面文案を申請に当たって添付させ、本要件で要求されている内容になっていることを確認する必要がある。

41　「関連分譲地等の全面積が20ha以下である」（第９項第９号）

20haを超える分譲地等の造成に係る道路及び上下水道施設の新築は許可しないという趣旨である。20haを超える分譲地等の造成がなされることが明らかな計画になっているものにあっては、その計画のうち20ha以下の分譲地等の造成に係る道路及び上下水道施設の新築のみを許可の判断の対象とし、さらに、この部分を許可した場合であっても、これに続く分譲地等の造成に係る道路及び上下水道施設の新築の許否の判断は、前に許可したものの分譲地等の造成が、本号に掲げる全ての要件に該当する方法で実際になされたことを確認した上で行うものとする。

なお、この場合、１回の許可に係る分譲地等の相互間には十分な緩衝緑地を設けさせることにより、各分譲地等が独立した形態とみなせることが必要である。

42　「屋外運動施設」（第10項）

もっぱら屋外において運動を行うために設けられる施設をいい、テニスコート、プール、スケート場等をいう。なお、本区分は、当該屋外運動施設の表面がコンクリート、アスファルト、アンツーカー、クレイ、人工芝等によって被われることになっている場合に適用するものとし、単に地ならしする程度の場合は、土地の形状変更として取り扱う。

43　「総施設面積の敷地面積に対する割合」（第10項第３号）

テニスコート等の屋外運動施設と管理棟等の建築物が併設される場合が考えられるが、こうした場合にあっても建築物については第１項から第６項までの要件が適用されるので、第１項から第６項までの各区分に掲げる建築物ごとに定められている敷地面積に対する割合を超えた建築物は、当該要件に適合しない。

なお、この場合、敷地面積として算定する土地には屋外運動施設の敷地面積として算定する土地を含むこととする。

44　「土地の形状を変更する規模が必要最小限であると認められること」（第10項第８号）

屋外運動施設、風力発電施設及び太陽光発電施設の設置は土地の改変面積の大きな面的な開発行為であり、それに伴う風致景観の維持上の支障が大きくなるおそれがあることを踏まえ、施設の設置に伴う土地の改変の規模を抑制する趣旨で設けられたものである。

なお、「必要最小限」とは、単なる地ならし又は工作物の基礎の設置のための床堀程度を指す。

45　「支障木の伐採が僅少であること」（第10項第10号）

屋外運動施設、風力発電施設及び太陽光発電施設の設置は土地の改変面積の大きな面的な開発行為であり、樹林地に施設が設置された場合には風致景観の維持上の支障が大きくなるおそれがあることを踏まえ、樹林地への設置を除外するという趣旨で設けたものである。伐採には、幹を伐り倒す行為だけでなく、根から掘り採る行為も含む。

なお、「僅少であること」とは、行為に伴い伐採される立木（竹類は含まない。）が僅かであることを指し、行為地の植生等の状況に応じて、本数、敷地面積に対する割合、胸高直径、樹高、樹種等の観点から、個別の事例に則して判断されるものである。

46　「野生動植物の生息又は生育上その他の風致又は景観の維持上重大な支障を及ぼすおそれがないもの」（第11項第２号）

本要件は、単にこの計画内容のみから判断しても、他に資料を参照するまでもなく、野生動植物の生育又は生息を含めて風致又は景観の維持上重大な支障が生ずることが明らかなものは許可しないという趣旨である。なお、野生動植物の生息又は生育その他の風致又は景観の状況が明らかでなく、この計画が重大な支障を及ぼすおそれの有無を判断するために必要と認められる場合にあっては、適切な事前調査の結果に基づき風致又は景観への影響評価を行う。（以下同じ。）

47　「同一敷地」（第12項第１号）

ひとまとまりの太陽光発電施設のある一団の土地をいう。なお、実質的に同一とみなせる申請者が、相互に近接する土地において、複数の太陽光発電施設の申請を行う場合においては、同一敷地内における行為として扱う。

48　「同一敷地内の太陽光発電施設の地上部分の水平投影面積の和」（第12項第１号）

同一敷地内に設置され、物理的な連続性を有していなくとも平面上の一様性を有するものと判断される太陽光発電アレイ（複数枚の太陽光発電パネルを結線し、架台等に設置したもの）及びパワーコンディショナー等の関連設備（配線、配電盤等を含む。ただし、外部系統の送電設備と接続するための配線等は除く。）の水平投影面積を合計して算定する。発電に直接関連しないその他の工作物（管理用道路等）は含まれない。

49　「地域住民の日常生活の維持のために必要と認められること」（第12項第２号ロ）

この例としては、地域住民が自己の用に供するための電力を得るための太陽光発電施設の設置が考えられ、売電が主目的のものは含まれない。

50　「農林漁業に付随して行われるもの」（第12項第２号ハ）

農林漁業を営むために必要な電力を得るための太陽光発電施設であり、この例としては、ビニールハウスに電力を供給するための太陽光発電施設の設置が考えられる。

51　「森林又は河川その他の自然物」（第13項第３号）

国立公園又は国定公園の自然の風景地としての構成要素となる自然物を指し、立木、滝のほか、岩壁や花畑、湖沼等も含まれる。プランターで造成される花壇又はコンクリート張りの池等、人工的に設けられたものは含まれない。（以下同じ。）

52　「照明を行う範囲が必要最小限と認められるもの」（第13項第３号ハ）

照明を行う目的を達成するため、必要最小限の範囲を照明するもののみ認めるという趣旨であり、光量を低くする又は照明範囲を限定する等、光が照明の対象から漏れないよう十分な措置が講じられている必要がある。（以下同じ。）

53　「伐採が行われる森林の最小区分ごとに算定した択伐率が当該区分の現在蓄積の10%以内であること」（第15項第１号ロ）

伐採予定森林が比較的大面積にわたる場合には、定められた択伐率内において伐採を平均化させる必要があるという趣旨である。

この趣旨に鑑み、森林の最小区分内においても伐採が一部の地域に集中しないよう指導することが望ましい。

なお、森林の最小区分としては、林班若しくは小班界又は土地所有界による区分を用いることが適当である。

54　「第２種特別地域において行われるもの」（第15項第２号）

第２種特別地域において木竹の伐採を行おうとしている者から事前相談を受けた場合であって、皆伐法によれば風致の維持に支障が生ずるときは、択伐法にするよう指導することが望ましい。

55　「当該区分の現在蓄積」（第15項第２号イ⑴）

当該森林区分内に存する胸高直径３cm以上の立木の材積の総和をいうものとする。

56　「標準伐期齢に見合う年齢」（第15項第２号イ⑵）

森林法第10条の５第２項第２号の規定により定められた標準伐期齢をいうものとする。

57　「第３種特別地域内において行われるもの」（第15項第３号）

第３種特別地域においては、要件を定めないということである。

58　「地域住民の日常生活の維持のために必要と認められるもの」（第15項第４号）

この例としては、地域住民が自己の用に供する薪炭等を得るために行う木竹の伐採が考えられる。

59 「測量のために行われるもの」（第15項第4号）

測量のために行われる木竹の伐採であっても、当該測量の目的となる行為が法により許可される見込みのないものについては、第38項第3号の規定により許可しないものとする。

60 「申請に係る場所以外の場所においてはその目的を達成することができないと認められるもの」（第16項）

当該範囲の地域外で行うことが、その行為地の特殊性その他の観点から見て著しく不合理であるものをいう。心ない一部の利用者によるいたずらの防止が規制の主目的であるため、森林の整備及び保全を図るために行う木竹の損傷のほか、学術研究、公益上、地域住民の日常生活の行為を含め広範囲の行為が不要許可であり、許可を要する行為は限定される。

61 「露天掘り」（第17項）

露出した鉱物若しくは土石又は表土を除いて露出させた鉱物若しくは土石を直接掘採し、又は採取することをいう（海底や湖底等水面下で行われる場合を含む。）。ただし、このようなものであって掘採又は採取の面積が1㎡を超えないものは露天掘り以外の方法によるものとして取り扱う。なお、土石の採取を行うことにより敷地を造成し、その上で工作物を新築し、改築し又は増築する行為については、工作物の新築（改築、増築）及び土石の採取として取り扱う。ただし、土石の採取に係る面積及び量が工作物の新築等に伴って通常必要とされる範囲にとどめられている場合は、主たる行為である工作物の新築等を許可申請に係る行為とし、土石の採取は関連行為として申請書にその旨明記させるものとする。（以下同じ。）

62 「自然的、社会経済的条件にかんがみ、掘採又は採取の期間及び規模が必要最小限と認められるものであること」（第18項第1号ロ）

地形そのものを改変させてしまう露天掘りによる鉱物の掘採又は土石の採取は、原則として許可しない。しかし、基準日現在生業として継続されてきた土石の採取行為が許可されなくなってしまうのは当該行為者の生活をおびやかすことになり適当でないため、生業の維持に係る場合の特例として本号を規定している。したがって本号で定める期間及び規模は、申請者等の生活を守るために必要な範囲に限定する。この場合、できるだけ早期に終掘させる方向で指導するのが適当である。

63 「現在の地形を大幅に改変するものでないこと」（第18項第3号）

この例としては、転石を採取するもの又は田畑等の地下2m程度までに存する土石を採取するもので、跡地に表土を埋め戻すことによりほぼ採取前と同様の状態に復することが可能であるものが考えられる。

64　「露天掘りでない方法によることが著しく困難と認められるもの」（第18項第４号イ）

鉱業権の対象となる鉱物が地表近くに存在する場合等であって、露天掘り以外の方法で掘採することが露天掘りで掘採する方法に比して技術的、経済的に著しく不合理と認められるものをいう。

65　「地域住民の日常生活の維持のために必要と認められること」（第19項第１号ロ）

この例としては、地域住民が自己の用に供するため引水する行為等が考えられる。

66　「水位の変動についての計画が明らかなもの」（第19項第２号）

当該行為により水位又は水量が現状と異なることとなる時期及びその範囲並びに変動量に関する計画が明らかになっているものをいう。

67　「技術的に最良の機能を有すると認められるもの」（第20項第１号）

当該汚水又は廃水の排水量及び排水先水域の現況に鑑み合理的である範囲内で、申請時において、我が国で実用化されている汚水処理施設のうち、当該地域の気象条件等からして最高水準の浄化機能を発揮し得るものをいう。

68　「環境大臣が指定した湖沼又は湿原の水質の維持に著しい支障を及ぼすおそれがないもの」（第20項第２号）

前号の要件を満たす汚水処理施設を用いた場合であっても、当該湖沼等の現況を保全しないと認められる排出は、これを許可しないものとし、他の方法により汚水等の処理を行わせるという趣旨である。

69　「表示面の面積」（第21項第１号ロ）

表示面の面積は以下の方法により算定する。

イ　表示板の場合

表示板の面積を算定する。表示板の形状により板面積の算定が困難な場合には、当該表示板を内包できる長方形又は円の面積を算定する。

なお、表示板が複数であり、かつ、それらが一連のものとなっている場合には、一連の表示板を内包できる長方形又は円の面積を１表示面として算定する。また、表示面の両面に表示されている場合は、両面合わせて１表示面とする。表示面が複数であり、かつ、それらが一連のものとなっている場合であって、表示面の配列が同一平面上にないときには、ハにより算定する。

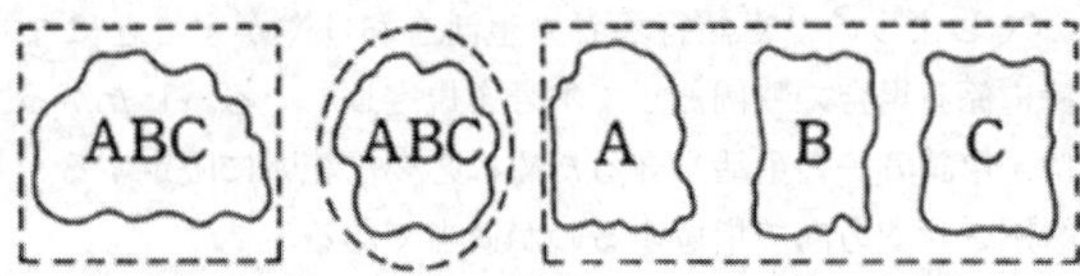

ロ　壁面等に表示する場合

表示する文字等を内包できる長方形又は円の面積を算定する。

なお、表示する文字等が複数であり、かつ、それらが一連のものとなっている場合には、一連の文字等を内包できる長方形又は円の面積を一表示面として算定する。

ハ　立体的な広告物の場合

広告物の側面積を算定する。広告物の形状により側面積の算定が困難な場合には当該広告物を内包できる円柱又は角柱の側面積を算定する。

なお、広告物が複数であり、かつ、それらが一連のものとなっている場合には、一連の広告物を内包できる円柱又は角柱の側面積を一表示面として算定する。

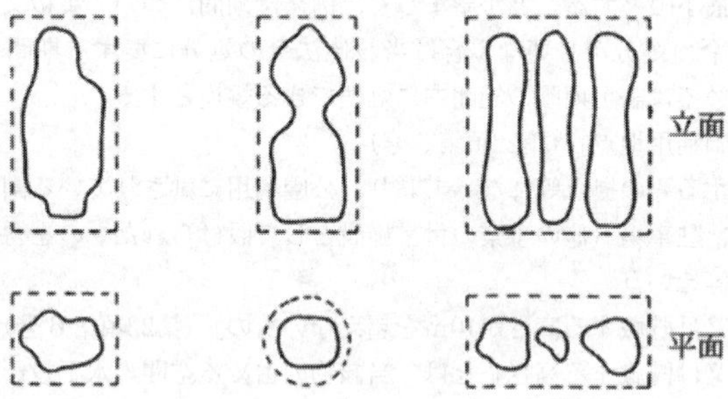

（以下同じ。）

70　「設置目的、地理的条件等に照らして必要と認められること」（第21項第２号イ）

第２号に規定する場所に誘導するという目的のため必要最小限のもののみ認めるという趣旨であり、設置場所は主要道路からの分岐点等に限られる。

71　「複数の内容を表示する広告物等にあっては、その表示面の面積の合計が10㎡以下であること」（第21項第２号ハ）

一定の地域に個々の広告物が無秩序に多数設置される場合よりも、一つの広告物に統合される方が風致景観の維持上望ましい場合には、表示面積が１㎡を超える統合広告物を認めるという趣旨である。

ただし、この場合であってもその統合広告物の表示面積は10㎡以下であり、かつ個々の表示面積は１㎡以下でなければならない。

72　「広告物としての機能を有するベンチ、くず箱等の簡易な物を設置するもの」（第21項第４号）

広告が表示されたベンチ、くず箱等の簡易施設を設置する場合に適用する。

73　「表示面積」（第21項第４号イ）

表示する文字等が複数である場合は、これらの文字等を内包できる長方形又は円の面積を表示面積として算定する。

74　「地域住民の日常生活の維持のために必要と認められるもの」（第22項）

この例としては、地域住民が自己の用に供するため土石等の指定された物を集積又は貯蔵する行為をいう。

75　「農林漁業に付随して行われるもの」（第22項）

農林漁業に伴う行為をいい、例えば、耕作の際に発生した土石等を集積する行為をいう。

76　「自然的、社会経済的条件にかんがみ、集積又は貯蔵の期間及び規模が必要最小限と認められるものであること」（第22項第４号）

物の集積は風致の維持に支障を及ぼすおそれが大きいことから集積又は貯蔵の期間及び規模は必要最小限とすることが望ましく、例えば期間について集積又は貯蔵する物の取扱いに他法令の処分が必要な場合は当該他法令の処分に要する期間を許可の期限とし、規模については許可期限の範囲内に処理できる規模とする。

77　「主要な公園利用地点」（第22項第５号）

公園を利用する際の拠点等になっており、公園利用に供されている園地、広場、休憩所、展望施設、駐車場（他の事業の付帯施設として設けられたものを含む。）等のほか、公園事業道路等をいう。

78　「集積し、又は貯蔵する高さが10ｍを超えないもの」（第22項第６号）

「集積し、又は貯蔵する高さ」とは、当該物の占める空間の水平投影面上における当該物の最高点と最低地盤との差をいうものとする。

79　「崩壊し、飛散し、及び流出するおそれ」（第22項第９号）

上記のおそれを防止するため、①集積又は貯蔵の量等により変形・腐食・損壊しない性質又は品質を有する容器の使用、②安定勾配による物の集積又は貯蔵等により適切な措置が講じられていない場合をいう。

例えば、廃棄物については、「廃棄物の処理及び清掃に関する法律等の一部改正について」（平成10年５月７日、衛環37、各都道府県・各政令市廃棄物行政主管部（局）長宛　厚生省生活衛生局水道環境部環境整備課長通知）第７廃棄物の保管基準に関する事項等を参考とし、適宜廃棄物関係部局に確認等を行った上で取り扱うものとする。

80　「集団的に建築物その他の工作物を設置する敷地を造成するために行われるものでないこと」（第24項第２号）

いわゆる分譲地造成や墓地造成、複数の太陽光発電アレイを設置するための太陽光発電施設用地の造成等、工作物等を集団的に設置するために、あらかじめ行われる造成をいうものである。

なお、道路又は上下水道施設の設置のみを行う分譲地等の造成は、工作物の新築として把握し、第９項を適用する。太陽光発電施設の設置に伴い必要最小限の土地の形状変更を行う場合は関連行為として把握し、太陽光発電施設の設置と一体の行為として第12項を適用する。

81　「土地を階段状に造成するもの」（第24項第２号の２）

傾斜地を階段状に造成するものであり、農林漁業を営むために必要と認められるものは、例えば、傾斜地の棚田や果樹園等が該当する。

82　「絶滅のおそれ」（第25項第２号）

申請に係る特別地域内において、野生植物（又は動物）の種又は個体群について、当該種又は個体群の存続に支障を来す程度にその個体の数が著しく少ないこと、その個体の数が著しく減少しつつあること、その個体の主要な生育地（又は生息地）が消滅しつつあること、その個体の生育（又は生息）の環境が著しく悪化しつつあることその他当該野生植物（又は動物）の当該特別地域における存続に支障を来す事情があることをいう。

なお、絶滅のおそれのある野生動植物の種の保存に関する法律（平成４年法律第75号）第４条第３項に規定する国内希少野生動植物種及び同法第５条第１項に規定する緊急指定種は、本要件において絶滅のおそれがあるものとして取り扱う。（以下同じ。）

83　「当該特別地域における当該植物（又は動物）の保存に資する場合」（第25項第２号）

保護増殖した個体の当該特別地域内への再導入、当該特別地域内における当該種の保存（保護増殖）に必要な知見を得るための調査研究、当該特別地域における当該種の遺伝子を保存するために必要な行為（いわゆるジーン・バンク）等がこれに当たり、専ら他地域へ当該種を移植することを目的とする行為、保護増殖した個体を販売する場合等はこれに含まない。（以下同じ。）

84　「申請に係る場所以外の場所においてはその目的を達成することができないと認められる行為」（第29項第１号）

例えば、乗入れ規制地域の指定以前から生業として長期にわたり継続して行われていた行為であって、貨物、遊漁等の船舶運航業者が自ら行う動力船の使用、法による許可を得て行われる行為の遂行、自己所有地の管理のために行う車馬の使用等が考えられる。

85　「野生動植物の生息又は生育上その他の風致の維持上支障を及ぼすおそれがないもの」（第29項第１号ロ）

例えば、静ひつな雰囲気が保たれている場所において、静ひつさを著しく阻害するような爆音を発することや、野鳥等の生息を脅かしたり、林床植生を踏み荒らすようなこと等が含まれる。

86　「地域住民の日常生活の維持のために必要と認められるもの」（第29項第２号）

例えば、地域住民が行う物資の搬送を目的とする車馬の使用等が考えられる。

87　「在来の動植物の保存その他当該特別保護地区における在来の景観の維持のために必要と認められる場合」（第31項第２号）

当該地区において、在来の動植物以外の動植物（外来種等）の生息、生育により、在来の動植物の生息、生育に支障があり、景観の維持に支障が生じている場合、あるいは生じるおそれがある場合をいう。

88　「その自然的、社会経済的条件から判断して前各項の規定による基準の全部又は一部を適用することが適当でないと、‥‥（中略）‥‥が認めて指定した‥‥（中略）‥‥区域」（第37項）

これらの区域は、以下に掲げる要件に合致する地域について定めるものとする。

イ　風致景観上の実態その他の自然的条件から見て、規則第11条第１項から第36項までに規定する行為のいずれかについて、基準を強化することに合理的な理由があり、かつ、基準を強化しても過度の受忍を強いることにはならないと認められる区域であること、又は風致景観上の実態その他の自然的条件から見て、規則第11条第１項から第36項までに規定する行為のいずれかにつき基準を緩和することに合理的な理由があり、かつ、緩和しなければ極端に社会的に不公平な取扱いとなることが明らかな区域であること。

ロ　国立公園、国定公園の特別地域、特別保護地区又は海域公園地区内の一部の地域であり、かつ、一定の面的広がりを有するものであること。

なお、森林の施業に係るこれらの区域の指定に当たっては、地域森林計画との整合性に留意する必要があることから、事前に関係部局間での調整が行われていることが望ましい。

89　「基準の特例を定める」（第37項）

基準の特例の内容については、告示するとともに、その内容を記載した書類（指定区域を示す図面がある場合は、当該図面を含む。）を申請窓口に備え付ける等の方法により公表することが適当である。

また、森林の施業に係る基準の特例を定め、又は変更若しくは廃止する場合は、地域森林計画との整合性に留意する必要があることから、事前に関係部局間での調整が行われていることが望ましい。

なお、基準の特例を定めるに当たっては、「自然公園法施行規則第11条第37項の規定による基準の特例について」（平成12年６月21日付け環自国第361号、各地区自然保護事務所長宛自然保護局長通知）により行うこととしている。

90　「許可基準は、前各項に規定する基準のほか、次のとおりとする。」（第38項）

本項は、第１項から第37項までに定める基準に加え、風致又は景観の維持を図るために必要となる共通の要件を規定したものである。

なお、森林の施業に関する本項各号の規定の適用は、国有林野（公有林野等官行造林地を含む。）にあっては国有林の地域別の森林計画（公有林野等官行造林地施業計画を含む。）、民有林にあっては地域森林計画に基づき風致の維持を考慮して行わなければならない場合に限られる。

91　「申請に係る地域の自然的、社会経済的条件から判断して、当該行為による風致又は景観の維持上の支障を軽減するため必要な措置が講じられていると認められるもの」

（第38項第１号）

本号の適用は、申請に係る地域の自然的、社会経済的条件から、個々の申請ごとに個別に判断するものではあるが、同一の類型に該当する行為に共通の支障を軽減するための措置の実施を求める必要がある場合は、あらかじめ、これらの行為に係る許可の判断に共通してその基準となるべき事項を定め、これを公表しておくことが望ましい。

92　「申請に係る場所又はその周辺の風致又は景観に著しい支障を及ぼす特別な事由があると認められるものでないこと」（第38項第２号）

国立公園及び国定公園内において法による許可を要する行為については、各種行為の区分に応じ、本条に定める審査基準を適用して判断されるべきことは当然である。

しかし、当該行為が本条各号に掲げる全ての要件に該当する場合であっても、射撃場、オートレース場、廃棄物処理施設、ある種の工場の設置等、その行為による騒音、悪臭、ふんじん等の発生により当該行為地周辺の風致又は景観に著しい支障を与えることが明らかなとき等においては風致の保護の全体的な立場からその行為を不許可とする必要があるという趣旨である。

93　「申請に係る行為の当然の帰結として予測され、かつ、その行為と密接不可分な関係にあることが明らかな行為」（第38項第３号）

ある行為の当然の帰結として予測され、かつ当該行為と密接不可分の関係にある行為が、法により不許可となることが確実な場合は、たとえその行為自体は前各項の要件全てに合致するものであっても許可しないことができる。このような例としては、地質調査ボーリングが第17項の要件に全て合致していても、これと密接不可分の関係にある工作物の新築が不許可となることが確実である場合に地質調査ボーリングを不許可とする事例が考えられる。

○自然公園法施行規則第11条第37項の規定による基準の特例について

〔平成12年６月21日　環自国第361号
各地区自然保護事務所長宛　自然保護局長〕

改正　平成22年４月１日環自国発第100401009号・令和４年４月１日環自国発第22040117号

国立公園特別地域、特別保護地区又は海域公園地区内における行為について、自然公園法施行規則第11条第37項の規定による基準の特例を定めるに際しては、下記により行うこととしたので通知する。

記

１　基準の特例の決定等の方法

基準の特例の決定は下記の方法によるものとする。

(1)　自然公園法施行規則（以下「規則」という。）第11条第37項の規定に基づく基準の特例は、別紙様式による地方環境事務所長又は釧路、信越若しくは沖縄奄美自然環境事務所から当職に対する報告により、国立公園ごとにこれを定め、官報告示により公表するものとする。

(2)　国立公園に係る法定受託事務が行われている地域に係るものについては、貴職より事前に関係都道府県の意見を十分に聴取されたい。

(3)　基準の特例を適用する区域の範囲を表示した図面は、自然環境局国立公園課（以下「国立公園課」という。）及び各地方環境事務所又は釧路、信越若しくは沖縄奄美自然環境事務所（関係自然保護官事務所等を含む。）並びに国立公園に係る法定受託事務を行う関係都道府県庁に備え付けて公表するものとする。

(4)　上記取扱いは、基準の特例の変更又は廃止の場合についても同様とする。

２　基準の特例の決定等についての基本的方針

基準の特例の決定、変更又は廃止については、以下の考え方に基づき取扱うものとする。

(1)　区域

基準の特例は、以下に掲げる要件に合致する区域について定めるものとする。

ア　風致景観上の実態その他の自然的条件から見て、規則第11条第１項から第36項までに規定する行為のいずれかについて、基準を強化することに合理的な理由があり、かつ、基準を強化しても過度の受忍を強いることにはならないと認められる区域であること、又は風致景観上の実態その他の自然的条件から見て、規則第11条第１項から第36項までに規定する行為のいずれかにつき基準を緩和することに合理的な理由があり、かつ、緩和しなければ極端に社会的に不公平な取扱いとなることが明らかな区域であること。

イ　国立公園、国定公園の特別地域、特別保護地区又は海域公園地区内の一部の地域であり、かつ、一定の面的広がりを有するものであること。

(2)　基準の特例の内容

基準の特例の内容は、以下に掲げる要件に適合するものとする。

ア　基準の特例の内容は、当該行為に対して必要最小限の内容について定めるものであること。

イ　基準の特例を適用する区域の公園計画上の地種区分の変更を必要とする程度に至らないものであること。

ただし、次に掲げる場合に該当するものにあっては、特に理由のない限り、あえて数値的基準を定めなくてもよい。

(ア)　総建築面積の敷地面積に対する割合を50パーセントを超えるほどに緩和せざるを得ない場合。

(イ)　建築物の地上部に露出する水平投影外周線の道路等からの後退距離をその間に高木の生育が困難なほどに縮小せざるを得ない場合。

3　森林施業に係る基準の特例を定める際の留意事項

森林の施業に係る基準の特例を定め、又は変更若しくは廃止する場合は、地域森林計画との整合性に留意する必要があることから、国立公園課においては林野庁と、地方環境事務所又は釧路、信越若しくは沖縄奄美自然環境事務所においては関係都道府県の民有林関係部局と事前に調整を行うものとする。

なお、「自然公園区域内における森林の施業について」（昭和34年11月９日国発第643号、都道府県知事宛国立公園部長通知）別紙（昭和34年８月12日国発第468号国立公園部長照会、昭和34年11月２日34林野指第6417号林野庁長官回答。）第１の１の３に基づき、環境庁長官が農林水産大臣として協議して特別保護地区ごとに定めた森林の施業に関する制限（規則第11条第15項第４号及び第31項から第33項までに係るものに限る。）に係る基準の特例を定める場合についても、本通知の規定によるものとする。

（様式）

番　　　　　号
年　月　日

自 然 環 境 局 長　　殿

○○地方環境事務所長
（○○自然環境事務所長）

○○国立公園に係る基準の特例の決定（変更、廃止）について

○○国立公園に係る基準の特例を定める（変更する、廃止する）必要があるので、下記のとおり報告します。

記

1　基準の特例を定める（変更する、廃止する）行為
　自然公園法施行規則第11条第○項に規定する行為

2　基準の特例を適用する区域の範囲
　○○○地区　○○県○○市内国有林○○森林管理署○○林班の一部
　　　　　　及び同県○○郡○○町大字○○の全部
　（○○○地区の範囲は別添図面のとおり）
　※　基準の特例内容が異なる場合は、同一の地区とはしないこと。
　※　基準の特例を適用する区域の地域名、当該地域の区域（公園区域の表示方法の例にならい、国有林の場合は林班名、それ以外の場合は市町村名に続く次の街区名等を用い、それぞれ「全部」又は「一部」の区別を行う。）
　※　区域の範囲は、公園計画図等の例にならい、区域線を明らかにした図面をもって表示することとし、申出に際して当該図面を添付すること。

3　基準の特例の内容
　（例）第○項中「・・・・・」とあるのは「・・・・・・」と、同項第○号中「・・・・・」とあるのは「・・・・・・」と読み替える。

4　基準の特例を定める（変更する、廃止する）理由
　（基準の特例を定め、変更し、又は廃止しなければならない理由について、具体的に記載すること。）

○国立公園普通地域内における措置命令等に関する処分基準

〔平成13年５月28日　環自国第212号
各関係都県知事宛　環境省自然環境局長通知〕

改正　平成16年４月１日環自国発第040401004号・平成22年４月１日環自国発第100401010号・平成29年３月28日環自国発第1703283号・令和４年４月１日環自国発第22040118号

自然公園法（昭和32年法律第161号。以下「法」という。）第33条第１項の届出を要する行為のうち、国立公園の普通地域の風景の保護上、大きな影響を与える可能性のある行為について、同条第２項に基づき、その行為を禁止し、若しくは制限し、又は必要な措置をとるべき旨を命ずること（以下「措置命令等」という。）に際してよるべき基準を次のとおり定めたので、当該行為に対する措置命令等に関しては本基準によるほか、本基準の内容を地域の自然的、社会的条件に応じて具体化した国立公園管理運営計画（「国立公園管理運営計画作成要領」（令和４年４月１日付け環自国発第22040113号自然環境局長通知）に基づき定められた国立公園管理運営計画をいう。）の許可、届出等取扱方針（以下「取扱方針」という。）に基づき適切な対応をとるものとする。

なお、本基準及び取扱方針に関わらず、国立公園の風景を保護するために必要であると認めるときは、措置命令等を行うことができるものであるので念のため申し添える。

1)　鉄塔の新築、改築及び増築

高さ30メートルを超える鉄塔は、周辺の広範な地域から極めて望見されやすいため、自然風景に大きな影響を与える場合がある。

このため、次の全てに適合するかどうかについて審査し、風景を保護するために必要があると認められる場合は、措置命令等を行うものとする。ただし、学術研究その他公益上必要であり、かつ、届出に係る場所以外の場所においてはその目的を達成することが困難と認められるものについてはこの限りでない。

①　当該工作物が主要な展望地から展望する場合の著しい妨げにならないこと。

②　当該工作物が山稜線を分断する等重要な眺望の対象に著しい支障を及ぼすものでないこと。

③　当該工作物の色彩及び形態がその周辺の風景と著しく不調和でないこと。ただし、特殊な用途の工作物については、この限りでない。

また、高さ30メートルを超える風力発電施設については、特にプロペラ式の風車を伴う場合、周辺の広範な地域から極めて望見又は注視されやすく、野生生物に影響を及ぼす可能性があるため、自然風景に大きな影響を与える場合がある。

このため、次の全てに適合するかどうかについて審査し、風景を保護するために必要があると認められる場合は、措置命令等を行うものとする。

① 以下の規定によること。ただし、学術研究その他公益上必要であり、かつ、届出に係る場所以外の場所においてはその目的を達成することが困難と認められるものについてはこの限りでない。

・当該風力発電施設が主要な展望地から展望する場合の著しい妨げにならないものであること。

・当該風力発電施設が山稜線を分断する等重要な眺望の対象に著しい支障を及ぼすものでないこと。

② 当該風力発電施設の色彩及び形態がその周辺の風景と著しく不調和でないこと。

③ 当該風力発電施設の撤去に関する計画が定められており、かつ、当該風力発電施設を撤去した後に跡地の整理を適切に行うこととされているものであること。

④ 当該風力発電施設に係る土地の形状を変更する規模が必要最小限であると認められること。

⑤ 野生動植物の生息又は生育上その他の風景の保護上重大な支障を及ぼすおそれがないものであること。

また、発電事業終了後に放置されると、腐朽、破損等により、自然風景に大きな影響を与える可能性が他の工作物に比べ極めて高い。このため、発電事業終了後の撤去及びその跡地の整理について措置命令を行うものとする。

なお、上記の運用に当たっては、「国立・国定公園内における風力発電施設設置のあり方に関する基本的考え方」（平成16年2月環境省自然環境局）3⑷エを参考にされたい。

2) 太陽光発電施設の新築、改築及び増築

法第33条第1項の届出を要する規模の太陽光発電施設は、周辺の広範な地域から極めて望見されやすいため、自然風景に大きな影響を与える場合がある。

このため、次の全てに適合するかどうかについて審査し、風景を保護するために必要があると認められる場合は、措置命令等を行うものとする。

① 以下の規定によること。ただし、学術研究その他公益上必要であり、かつ、届出に係る場所以外の場所においてはその目的を達成することが困難と認められるものについてはこの限りではない。

・当該太陽光発電施設が主要な展望地から展望する場合の著しい妨げにならないものであること。

・当該太陽光発電施設が山稜線を分断する等重要な眺望の対象に著しい支障を及ぼすものでないこと。

② 当該太陽光発電施設の色彩及び形態がその周辺の風景と著しく不調和でないこと。

③ 当該太陽光発電施設の撤去に関する計画が定められており、かつ、当該太陽光発電施設を撤去した後に跡地の整理を適切に行うこととされているものであること。

④ 当該太陽光発電施設に係る土地の形状を変更する規模が必要最小限であると認められること。

⑤ 野生動植物の生息又は生育上その他の風景の保護上重大な支障を及ぼすおそれがないものであること。

⑥ 当該太陽光発電施設の新築、改築及び増築による土砂及び汚濁水の流出のおそれがないこと。

⑦ 植生の復元が困難な地域等（次に掲げる地域であって、その全部若しくは一部について文化財保護法（昭和25年法律第214号）第109条第１項の規定による史跡名勝天然記念物の指定若しくは同法第110条第１項の規定による史跡名勝天然記念物の仮指定がされていること又は学術調査の結果等により、特別保護地区又は第１種特別地域に準ずる取扱いが現に行われ、又は行われることが必要であると認められるものをいう。）内において行われるものでないこと。

⑴ 高山帯、亜高山帯、風衝地、湿原等植生の復元が困難な地域

⑵ 野生動植物の生息地又は生育地として重要な地域

⑶ 地形若しくは地質が特異である地域又は特異な自然の現象が生じている地域

⑷ 優れた天然林又は学術的価値を有する人工林の地域

また、法第33条第１項の届出を要する規模の太陽光発電施設は、発電事業終了後に放置されると、腐朽、破損等により、自然風景に大きな影響を与える可能性が他の工作物に比べ極めて高い。このため、発電事業終了後の撤去及びその跡地の整理について措置命令を行うものとする。

なお、上記の運用に当たっては、「国立・国定公園内における大規模太陽光発電施設設置のあり方に関する基本的考え方」（平成27年２月環境省自然環境局）４を参考にされたい。

3) 水面の埋立て又は干拓

水面の埋立て又は干拓（以下「埋立て等」という。）は、海岸部における自然風景の根幹である海岸線を改変する行為であり、自然風景に大きな影響を与える場合がある。

このため、次の全てに適合するかどうかについて審査し、風景を保護するために必要があると認められる場合は、措置命令等を行うものとする。

① 次に掲げる場所のいずれかにおいて行われるものでないこと。ただし、学術研究その他公益上必要であり、かつ、届出に係る場所以外の場所においてはその目的を達成することが困難であると認められるものについてはこの限りでない。

イ リアス式海岸、砂浜等の優れた風景を有する自然海岸の地先水面

ロ　藻場、干潟、浅海等の優れた風景を有する水面

ハ　イ、ロのほか、主要な展望地から見て、埋立て等により風景の保護上著しい支障が及ぼされると見込まれる水面

②　埋立て等の規模及び形状が適切であると認められるものであること。

③　埋立地又は干拓地において修景等が適切に行われる計画であること。

④　埋立て等の工事に伴う汚濁が周辺水域へ拡散しない工法がとられていること。

⑤　廃棄物の埋立てによるものではないこと。

4)　露天掘りによる鉱物の掘採又は土石の採取

普通地域内において露天掘りにより行われる大規模な鉱物の掘採又は土石の採取は、風景の根幹である地形の改変を伴うことが多く、自然風景に大きな影響を与える場合がある。

このため、眺望の対象に著しい支障を及ぼすかどうか、及び跡地の整理を適切に行うこととされているかどうかについて審査し、山稜線の著しい改変を伴う場合など風景を保護するために必要があると認められる場合は、措置命令等を行うものとする。ただし、次のいずれかに適合する場合については、この限りでない。

①　法第33条第１項の規定による届出をして、現に露天掘りによる鉱物の掘採又は土石の採取を行っている者がその掘採又は採取を行っている土地に隣接した土地において生業の維持のために行うもの（②から④までの規定の適用を受けるものを除く。）にあっては、自然的、社会経済的条件にかんがみ、掘採又は採取の期間及び規模が必要最小限であり、かつ、跡地の整理を適切に行うこととされていると認められるものであること。

②　河川にたい積した砂利を採取するものであって採取の場所が採取前の状態に復することが確実であると認められるものにあっては、当該採取が河川の水を汚濁する方法で行われるものでないこと。

③　既に鉱業権が設定されている区域内における鉱物の掘採にあっては、露天掘りでない方法によることが著しく困難であると認められるものであること。

④　学術研究その他公益上必要であり、かつ、届出申請に係る場所以外の場所においてはその目的を達成することが困難であると認められるものであること。

5)　土地の形状変更

土地の形状変更のうち、廃棄物の処理及び清掃に関する法律に規定される廃棄物の最終処分場にあっては、廃棄物を埋立てることに加え、大規模な土地の形状変更を伴うことが多く、自然風景に大きな影響を与える場合がある。

このため、次のいずれかに適合する場合を除き、措置命令等を行うものとする。

①　既に土石の採取等により地形が改変された土地において最終処分場を設置する場合であって、遮水シート等の工作物の設置がないとともに、処分場の設置により新たに

風景へ影響を与えることがなく、処分場設置時及び処分後に行われる修景等の措置により、公園の風景の保護上、従前より好ましい状態を生ずることとなる場合は、その設置の可否を判断するものとする。

② 当該公園区域内で生ずる廃棄物を処理することが主たる目的の施設であって、当該普通地域外において設置することが、自然的、社会的その他の観点から見て著しく不合理な場合は、その設置について検討するものとする。

第3節　運用通知

1　既着手行為の範囲

○自然公園法適用上の疑義について

〔昭和47年8月22日　警察庁丁安発第176号
環境庁自然保護局企画調整課長宛　警察庁保安部保安課長照会〕

自然公園地域内においてつぎのような造成工事が行なわれた場合、みだしの法律適用上疑義があるので貴見を承りたく照会します。

記

1　事案の概要

宅地造成会社甲は、昭和46年6月30日付、W県告示をもって県立自然公園第3種特別地域に指定された地域内の山林1393平方メートルを昭和46年4月ごろ850万円で購入し、同月末日ごろ建設業者乙に対し別荘地造成工事を請負わせた。

建設業者乙は、該山林の別荘地造成工事のための設計、測量を土木技師丙に依頼した。

土木技師丙は、同年5月22日から7月末日までの間設計、測量を行なったが、その際丙は測量のために必要な立木の枝を若干伐採し、測量用杭の打込みを行なった。

2　照会事項

⑴　自然公園法第17条第3項ただし書に規定されている「……既に着手している行為……」のいわゆる「既着手行為」の解釈。

⑵　土木技師が特別地域に指定された日以前に、測量のため必要な立木の枝を若干伐採し、測量用杭の打込みを行なう行為は、工事のための単なる準備行為であり「既着手行為」にあたらないと解してよいか。

〔昭和47年12月18日　環自企第1,202号
警察庁保安部保安課長宛　環境庁自然保護局企画調整課長回答〕

昭和47年8月22日警察庁安発第176号で照会のあった標記のことについて、下記のとおり回答する。

記

⑴　自然公園法第17条第３項ただし書に規定されている「既着手行為」の解釈について

「既に着手していた行為」については、自然公園法第17条第３項各号の行為についてそれぞれ具体的な場合に応じて判断する必要があると考えるが、本事案については、特別地域が指定され、又は特別地域が拡張された際、現に当該行為の一部に着手していることを要し、当該行為の準備行為を行なっていたとしても既に着手している行為には含まれないものと解する。

⑵　について

貴見の通りと解する。

2　畜舎等の解釈

○自然公園法の解釈上の疑義について

〔昭和50年３月17日　環第207号
環境庁自然保護局企画調整課長宛　徳島県生活環境部長照会〕

近時、自然公園区域内において、畜産事業による大規模な畜舎、ふん尿浄化処理施設等の新・改・増築（以下「新築等」という。）あるいは敷地造成が行われる傾向があります。

このように規模が大きくなるに伴い、自然公園の風致を保護する上に大きな障害となる恐れがあり、この取扱いについて、次のとおり疑義がありますので、御回答くださるようお願いします。

１⑴　自然公園法施行規則第12条第４号（以下「規則第12条第４号」という。）に規定されている「畜舎」については、いかに大規模な畜舎であっても同号が適用されるのか。

⑵　仮に、規模によって規則第12条第４号の規定が適用されない場合があるとすれば、いかなる規模を基準とするのか。

２　畜舎の付帯施設としてのふん尿浄化処理施設、汚でい焼却炉等関連施設は、規則第12条第４号に規定する「畜舎」に含まれないと解してよろしいか。

３⑴　ふん尿浄化処理施設は、規則第12条第４号に規定する「肥料だめ等」に該当しないと解してよろしいか。

⑵　仮に該当しない場合は、「肥料だめ等」とは、どのようなものであるのか。

４　畜舎の新築等のために行われる敷地造成については、許可申請が必要であると解してよろしいか。

〔昭和50年４月４日　環自企第206号
徳島県生活環境部長宛　環境庁自然保護局企画調整課長回答〕

昭和50年３月17日付け環第207号で照会のあった標記については、下記のとおり回答する。

記

1　⑴、⑵「畜舎」については、「きん舎」についての取扱い（規則第12条第２号）と異なり、その規模の限度が示されていないことにかんがみ、その機能上「畜舎」に該当するものである限り、現行法令上はその規模の大小により取扱いを異にすることはできないと解する。

2　「畜舎」の付帯施設としてのふん尿浄化処理施設、汚でい焼却炉等関連施設は、規則第12条第４号に規定する「畜舎」に含まれないと解する。したがって畜舎の新築に伴い前記の付帯設備も設けるものにあっては、これらの付帯設備の新築に係る部分については、自然公園法による許可を得ることが必要である。

3　⑴　ふん尿浄化処理施設は、規則第12条第４号に規定する「肥料だめ等」に該当しないと解する。

⑵　「肥料だめ等」の「等」は、規則第12条第４号に列記されている「炭がま」から「肥料だめ」までの施設全体に係るものであり、農林業を営むために使用される施設であってこの号に掲げるものと同様の目的、態様を有するものが想定される。

4　個々の畜舎の新築に伴い行われる通常の規模の敷地造成は、「畜舎の新築」の行為に吸収され、自然公園法による許可を得る必要はないと解する。

この場合、「通常の規模の敷地造成」とは、大巾な土地の形状変更を伴わないものであり、かつ個々の畜舎の新築のために必要最小限の規模で行われるものを言い、畜舎団地を造成するための敷地造成又は畜舎以外の施設用地を含めて行われる敷地造成等について、これ以上の規模で行われるものについては、自然公園法による土地の形状変更の許可を得ることが必要である。

3　新増築の解釈、水面の埋立、土地の形状変更、土石の採取等の関連

○自然公園法運用上の疑義について

〔昭和51年7月12日　環自企第162号
各国立公園管理事務所長・各都道府県自然保護担当部局長宛　環境庁自然保護局企画調整課長通知〕

標記の件について、吉野熊野国立公園管理事務所長から別添1のとおり照会があり、別添2のとおり回答したので貴職におかれても了知されたい。

〔別添1〕

自然公園法運用上の疑義について

〔昭和50年8月8日　吉国管第301号
企画調整課長宛　吉野熊野国立公園管理事務所長照会〕

標記について疑義が生じたので、下記により照会します。

記

自然公園法施行規則第12条第6号の2、第6号の3、第7号、第7号の2および第8号に示される各行為の「改築し、又は増築すること」と、これらの「新築」行為との区分について、以下教示願いたい。

設問1

新たに設置する各施設の一端が、既存施設に接する場合はすべて改・増築行為として取扱うこと（法第20条第1項第1号（　）内に準拠して）、または、既存施設の延長的拡大はすべて新築行為として取扱い、これらのかさ上げ・補強等の改修のみ改・増築行為として取扱うことの適否について。

設問2

設問1の前段を適とした場合であっても、これらの行為が特別地域外から特別地域内に及んだ場合、当該特別地域においては新築行為として取扱うことの適否について。

設問3

以上に関連して、これらの行為が土石の採取、土地の形状変更または水面の埋立を伴なう場合には、土石の採取、土地の形状変更または水面の埋立として取扱うことの適否について。

自然公園法運用上の疑義について

〔昭和50年10月17日　事務連絡
企画調整課企画調整係長宛　吉野熊野国立公園管理事
務所長照会〕

さきに昭和50年８月８日吉国管第301号で照会した標記について、具体例が欠けていたため問題点が不鮮明であることが考えられるので、下記のとおり補足します。

記

設問２について

区域外または普通地域の海面に既存する防波堤等が新たに陸地側に延長され、特別地域に及ぶ内容で計画された場合、これを増築とみなし不要許可行為として取扱うことは、島しょ・岩礁景観の保護上支障があるものと思料されるので、設問１の後段を適とすることを望みたい。

設問３について

土石の採取：既存の航路・泊地等の増改築に際して、岩礁の除去・岬角の切取等が計画された場合。

土地の形状変更：既存の護岸を汀線に平行して延長し、その背後地の敷地造成が計画された場合。

水面の埋立：既存の岸壁・物揚場等の増改築に際して水面の埋立が計画された場合。

これらの各ケースについて、すべて増改築とみなし不要許可行為として取扱うことには、大いに問題があると思料する。

一方、新築とみなし、工作物としての水平投影面積が1000平方メートル以下であった場合であっても、「国立公園及び国定公園の許可、届出等の取扱要領」（昭和49年２月１日環自企第54号）第７　その他５（行為の主従の判断）後段「ただし工作物の新築のための敷地を造成するために……」に準拠し、「土石の採取」「水面の埋立」を伴う場合には環境庁長官の許可を要する行為として把握することが望ましいと思料するので、設問を適とすることを望みたい。

〔別添２〕

自然公園法運用上の疑義について

〔昭和51年７月12日　環自企第162号
吉野熊野国立公園管理事務所長宛　環境庁自然保護局
企画調整課長回答〕

昭和50年８月８日付け吉国管第301号で照会のあった標記については、下記により了知されたい。

記

設問１について

①　既存の施設の規模をこえない範囲の補強、改修等の行為を工作物の改築として把握

し、新たに設置される施設の一端が既存の施設に物理的に接続し、かつ、新たに設置されるものが既存の施設と同一の機能を有するとともに、設置後において既存の施設と一体化すると見得る場合には、新たな施設の設置は、工作物の増築として把握する。したがって、いわゆる「カサ上げ」又は「拡幅」については増築として把握する。

② 新たに設置される施設の一端が既存の施設に物理的に接続する場合であっても、たとえば道路、護岸又は堤防のように既存の工作物から無限に延長又は拡大され得るようなものにあっては、新たに延長され又は拡大される施設の設置は新築として把握する。

③ 例えば港湾施設である防波堤を設置する場合のように全体の計画が明らかにされており、かつ、設置される区域が法令に基づき明定されている場合には、同一施設を数年次にわたって設置する場合であっても当該施設全体を一括して手続させることとする。この場合、詳細な設計図書は、当初年次に設置する部分に関するもので足りるものとし、その後の単年度ごとに設置される部分についての個別の手続は要しないこととする。

設問２について

新たに特別地域内において設置される施設の一端が、既に特別地域外に設置されている施設に接続する場合の、新たに設置される部分の自然公園法第17条第３項の適用については、特別地域内における工作物の新築として把握する。

設問３について

① 水面の埋立ての工作物の新（改・増）築との区別については以下によられたい。

ア たとえば駐車場、物揚場の造成を目的として水面の埋立てを行う場合のように、場としての広がりを造成することが目的であるような行為は水面の埋立てとして把握する。

イ たとえば道路、防波堤を新（改・増）築する場合のように、場としての広がりを造成することが直接の目的ではなく、当該工作物の新（改・増）築に際して結果として必然的に一定面積上の水を排除するに過ぎない場合は、自然公園法上は工作物の新（改・増）築として把握する。

② 自然公園法施行規則第12条各号に不要許可行為として掲げられている工作物の新（改・増）築行為の範囲内には、当該工作物の新（改・増）築行為に不可避的に付随して行われる行為も含まれる。したがって当該工作物の新（改・増）築行為が不要許可行為とされている場合は、この行為に不可避的に付随して行われる行為も不要許可行為として扱うものとする。不可避的に付随して行われる行為の例としては、防波堤の新改増築に伴ってなされる当該防波堤の真下及び周辺の土地の形状変更が考えられる。

③ 航路、泊地、物揚場等は自然公園法以外の個別法上の定義によれば、「施設」の概念で把えられているが、これらの施設の造成は自然公園法第17条第３項においては工作物の新（改・増）築の行為として把えるよりも土石の採取、土地形状変更又は水面の埋立て行為として把えるべき場合が多いと思われるので取扱いには留意が必要である。

4　湖沼（人造湖を含む）における水位水量に増減を及ぼさせる行為

○国立公園内湖沼（人造湖を含む）における水位水量に増減を及ぼさせる行為について

〔昭和52年11月21日　環自保第397号
各国立公園管理事務所長・駐在管理員宛　環境庁自然保護局保護管理課長通知〕

国立公園内の湖沼における水位水量に増減を及ぼさせる行為は、景観に与える影響が大きく、自然公園法による処分に際しては、水位、時期、観光放流等の条件を付しているものである。

しかし、国立公園指定以前から河川法第23条の許可を得て水位水量に増減を及ぼさせる行為を行っているものは、自然公園法第17条第３項ただし書又は第18条第３項ただし書により既着手行為とされているが、河川法の許可内容の変更をする場合は、自然公園法上も要許可行為となる。

従って、この関連を下記調査事項により明確にし、自然公園法上違反のないよう万全を期せられたい。

なお、調査内容については参考までに当課あて送付願いたい。

記

1　自然公園法による許可を受けた者の氏名、住所、行為の目的、許可の年月日、番号及び付せられた条件

2　河川法による許可を受けた者の氏名、住所、行為の目的、許可の年月日、番号及び付せられた条件

3　許可期限のある場合の更新状況

4　許可を受けた者と漁業権者又は湖水利用観光業者等との覚書等があればその内容

5　自走可能な自動車上の広告物の解釈

○自然公園法第17条第３項第５号の解釈について

〔昭和55年５月31日　環第465号
環境庁自然保護局保護管理課長宛　徳島県生活環境部長照会〕

常日ごろは、本県自然保護行政の推進に御尽力いただき厚く感謝する次第です。

さて、剣山国定公園内の当県の管理する駐車場において本年４月26日から自走可能な軽自動車及び容易に取りはずし可能な鉄材により支えられたたて1.8メートル、横2.9メートルの広告板が掲げられている件につき、次のとおり照会します。

当該自動車が自走可能であり、かつ、当該鉄材が容易に取りはずし可能であったとしても、一度も当該自動車を運転することがないこと等から単に当該自動車が当該鉄材とともに当該広告板を支えるために用いられているにすぎないものと認められる場合には、当該行為は自然公園法第17条第３項第５号の広告物その他これに類するものの設置に該当すると解してよいか。

〔昭和55年６月17日　環自保第247号
徳島県生活環境部長宛　環境庁自然保護局保護管理課長回答〕

昭和55年５月31日付け環第465号で照会のあった標記については、貴見のとおりと解する。

6　ヘリコプターの乗り入れ

○国立、国定公園内におけるヘリコプターの乗り入れについて

〔昭和59年３月26日　環自保第109号
各都道府県知事・各国立公園管理事務所長宛　環境庁自然保護局長通知〕

改正　平成２年11月14日環自保第658号

近時、国立、国定公園内において登山者、スキーヤーの輸送を目的としたヘリコプターの乗り入れが増加する傾向にあり、地域によっては、風致景観及び静穏を保つうえに障害

となることが懸念され、また適正な公園利用を阻害することにもなりかねない。このため、国立、国定公園内におけるヘリコプターの乗り入れについて下記のとおり、取扱方針を定めたので貴職におかれても事前指導及び申請書の処理に当たっては、これにより慎重に対処願いたい。なお、ヘリコプターの乗り入れが既に行われている場合等にあっては、従来の経緯を踏まえ、本年は、弾力的に取り扱うこともやむを得ないものとする。

また、遊覧飛行等離着陸を伴わないヘリコプターの運行についても、前記の趣旨にかんがみ、その時期、時間、方法等について適切な指導を行われたい。

記

1　この取扱いによる「ヘリコプターの乗り入れ」とは、ヘリコプターを離着陸させる行為をいう。

2　特別保護地区及び乗入れ規制地域内へのヘリコプターの乗り入れの取扱いは、審査指針によるものとする。

3　乗入れ規制地域以外の特別地域内へのヘリコプターの乗り入れは、遭難救助、学術研究、山小屋への物資運搬等を目的とする場合を除き、次に該当する場合は、認めないものとする。

(1)　高山植物群落、湿原等を有する地域であって、ヘリコプターの乗り入れにより当該地域の自然環境への影響が予想される場合

(2)　野生動物の生息地、繁殖地として重要な地域であってヘリコプターの乗り入れにより野生動物への影響が予想される場合

(3)　現に、登山、スキー等の利用が行われている地域であってヘリコプターの騒音により利用環境が損なわれる場合

(4)　その他ヘリコプターの乗り入れが当該地域の自然環境に重大な影響を及ぼすことが予想される場合

4　ヘリコプターの乗り入れに関する自然公園法第17条第３項及び第18条第３項の運用については、別紙によるものとする。

別　紙

「ヘリコプターの乗り入れ」に関する自然公園法第17条第３項及び第18条第３項の運用

1　特別保護地区及び乗入れ規制地域内へのヘリコプターを着陸させる行為は、自然公園法第17条第３項第10号又は第18条第３項第８号に規定する「航空機の着陸」として把握するものとする。

この場合、風向指示器等の標識類を設置し、離着陸場を設ける行為は、「航空機の着陸」の関連行為として把握するものとする。

2　乗入れ規制地域以外の特別地域においてヘリコプターを着陸させるため、風向指示器等の標識類を設置し、離着陸場を設ける行為は、雪上に設ける場合であっても自然公園

法第17条第３項第１号に規定する「工作物の新築」として把握するものとする。

3　２の行為の許否の判断に当たっては、許可を必要とされる行為が大規模な改変行為を伴わない場合であってもヘリコプターの乗り入れ、これに伴う利用者の増加、騒音の発生等により当該地域の風致景観に著しい支障を及ぼすことが予想されるので、全体的な立場から審査し適切に対処すること。

7　国立公園普通地域内のゴルフ場造成

○国立公園普通地域におけるゴルフ場造成計画に対する指導指針について

〔平成２年６月１日　環自保第343号
各都道府県知事宛　環境庁自然保護局長通知〕

貴都道府県管下におけるゴルフ場造成計画については、開発関係要綱の適用等により種々指導が行われているものと思料する。

さて、ゴルフ場の造成を目的とした土地の形状変更については、国立公園特別地域の場合これを許可しないこととしているが、近年普通地域において、樹林地等の人工的な改変を伴うゴルフ場建設構想の事案が増加する傾向にある。

国立公園の自然環境を一体的に保全する観点からは、普通地域においてもその植生や土地形状に大規模な影響が及ぶことを避けるため十分な配慮を行う必要があるので、今後、国立公園の普通地域におけるゴルフ場造成に関しても、他の法令及び開発関係要綱等による規制に加えて別添指導指針に準拠した計画対象地の選定等について適切な指導が行われるようお願いする。

なお、造成計画を容認する場合においても、指導指針に掲げる事項について十分な措置が講じられるようあわせてお願いする。

また、国定公園の普通地域においても、本指針を勘案の上、適切な対応をとられるようお願いする。

〔別　添〕

国立公園普通地域におけるゴルフ場造成計画に対する指導指針について

1　計画対象地の制限

計画対象地の選定に当たっては極力自然樹林地を避けるものとし、自然樹林地を含む場合であっても、敷地面積の70%を超えないものであること。

2　土地形状変更の限度

(1)　現地形に順応したコース設計とするなど土地形状の変更を必要最小限とすること。なお、土地形状を変更する面積は、敷地面積の50%を超えないものであること。

(2)　急傾斜地における土地形状の変更は極力避けることとし、土地形状を変更する区域の中で地形勾配が20度を超える傾斜地の面積は、土地形状変更面積の30%を超えないものであること。

3　自然植生の保全等

敷地内の自然樹林地を極力保全するとともに表土の有効な活用を図るほか、コースに使用する芝は極力日本芝を使用する等、郷土種を使用した修景緑化に努めること。

また、野鳥、昆虫、水生生物等の生息環境の保全、創出についても、適切な配慮が行われるものであること。

さらに、水質・水源の保全等についても、必要な措置が講じられるものであること。

4　樹林地の確保

(1)　原則として造成後の樹林地の面積は、自然樹林地を中心として敷地面積の60%以上とし、かつ、造成前の樹林地面積の70%以上とすること。

(2)　コース間及び敷地の内周に存する樹林地については30m以上の幅をもって残すこと。

5　自然環境影響の調査等

計画にあたっては、事前に当該行為が自然環境に与えることとなる影響等について総合的に調査し、その結果を計画に反映させるとともに、ゴルフ場の造成中及び供用開始後を通じて、当該地域及び周辺地域の自然環境に及ぼす影響を監視し、その結果を自然環境の保全に反映させること。

○国立公園普通地域におけるゴルフ場造成計画に対する指導指針の運用について

〔平成2年6月1日　環自保第343号
各都道府県自然公園担当部局長宛　環境庁自然保護局
保護管理課長通知〕

標記指導指針については、別途自然保護局長より通知されたところであるが、その運用にあたっては、下記の事項に留意されたい。

なお、今回の指針は、現在地方公共団体において環境保全又は土地利用の適正化等の観点から要綱等に基づいて行われているゴルフ場の総数及び開発の条件等に係る規制を緩和する趣旨のものではない。

記

1　当該指導指針を適用するゴルフ場は、平成２年７月１日以降自然公園法第20条に基づく届出を受理するものを対象とするが、既に貴都道府県の条例や要綱に基づく事前協議が終了している等相当段階の指導が行われており、当該指導指針を適用することが不適当な場合はこの限りではない。

2　造成後の樹林地については、将来にわたりその保存の措置が担保されるよう、また、水質・水源の保全等の見地から、ゴルフ場事業者と協定を締結する等必要な措置を講じられたい。

なお、ゴルフ場の造成に伴って一般に利用されてきた歩道が確保できなくなる場合の代替の措置についても必要な指導を行われたい。

3　当該指導指針の語句の定義及び細部解釈は次のとおりである。

⑴　ゴルフ場には、単独のゴルフ練習場やいわゆるミニゴルフ場は含まないものとする。

⑵　自然樹林地には、二次林を含み植林地は含まないものとする。

なお、国定公園にあっては、各都道府県の植生状況に鑑みた自然性の高い樹林地として取り扱っても差し支えない。

⑶　２の土地形状を変更する面積の中には、クラブハウス、練習場、道路・駐車場等の付帯施設に係るものも含むものとする。

⑷　４の⑴の原則としてとは、自然草原、河川敷等当該指針を適用するのが不適当な場合に限り例外を認めるものである。また、造成後の樹林地には、植林により造成される樹林地を含むものとする。

⑸　樹林地の面積や幅を算定する場合は、立木の樹冠を計測するものとする。

⑹　地形勾配を算定する場合は、地形図上に落とした100メートルメッシュ毎に勾配を求めるものとする。

4　敷地の一部が国立公園普通地域にかかる場合には、普通地域内の部分について当該指導指針を適用するものとする。

8　国立・国定公園内における廃棄物処理施設の取扱いについて

○国立・国定公園内における廃棄物処理施設の取扱いについて

〔平成６年４月１日　環自計第62－１号・環自国第152号
各都道府県自然公園担当部局長宛　環境庁自然保護局
計画・国立公園課長連名通知〕

改正　平成22年４月１日環自国発第10041011号

国立・国定公園区域内における廃棄物処理施設の取扱いは、「国立・国定公園における廃棄物処理施設の取扱いについて」（平成６年４月１日付け環自計第62－１号・環自国第152号環境庁自然保護局長通知）により取り扱ってきたところであるが、今般、自然公園法施行規則の廃棄物に関する規定が改正されたことを踏まえ、国立・国定公園内の廃棄物処理施設についての取扱いを別紙のとおり定めたので通知する。

なお、「国立・国定公園における廃棄物処理施設の取扱いについて」（平成６年４月１日付け環自計第62－１号・環自国第152号環境庁自然保護局長通知）は廃止する。

別　紙

国立・国定公園内における廃棄物処理施設の設置について

国立・国定公園内における廃棄物処理施設については、以下のとおり取り扱うものとする。

第１　産業廃棄物を処理するための施設

１　国立・国定公園特別地域内

国立・国定公園の特別地域における産業廃棄物を処理するための施設については、下記のとおり取り扱うものとする。

①　最終処分場

自然公園法施行規則（以下「規則」という。）第11条第13項及び第23項に基づき、原則としてその設置は認めない。

ただし、既に土石の採取等により地形が改変された土地において最終処分場を設置する場合であって、遮水シート等の工作物の設置がなく、さらに、施設の設置により新たな風致上の支障が生ずることがなく、施設設置及び設置に際して行われる修景等の措置により、公園の風致維持上、従前より好ましい状態を生ずることとなる場合は、その設置の可否を判断するものとする。

ウ　上記２⑵イにおける優良事例としてふさわしいものであるかどうかの判断については、地熱資源が地下資源であり調査の進展に伴って情報量や確実性が高まっていくとの特性があることから、事前準備、地表調査、掘削調査、噴気試験等の地熱開発に係る段階ごとに、同イに例示された特段の取組の実施状況等について確認するとともに、次の段階における取組等について事業者から聴取する等して、次の段階に進むことの可否について判断するものとする。

ただし、地表調査及び掘削調査の段階においては、その後の発電所の建設等を許可することとは別のものと解釈し、最終的な地熱発電事業の詳細計画（設計を伴うような具体的レイアウト等）の提出は必要ないものとする。掘削調査の段階において、地熱発電事業の出力規模、施設位置等の想定がある場合には、調査の進捗により変更があるような不確実性の高い情報であることを前提としつつ、開発事業の予見可能性を高めるための参考情報として提出を求めるものとする（なお、想定がない場合はこの限りではなく、また、当該参考情報の提出の有無やその内容は許可審査そのものに影響を及ぼすものではない。また、当該参考情報は事業者の利益に直接関わるものであるため、その取扱いには十分注意することとする。）。

エ　上記２⑵ア及びイ以外においても、主として当該地域のエネルギーの地産地消のために計画されるもの又は当該地域の国立・国定公園の利用の促進若しくは公園事業の執行に資するものであって、既存の温泉水を用いるバイナリー発電など地熱開発の行為が小規模で風致景観等への影響が小さなものは認めるものとする。

⑶　普通地域

普通地域については、風景の保護上の支障等がない場合に限り、個別に判断して認めることができるものとする。

3　既存の地熱発電所の取扱い

平成24年通知発出時点で既に国立・国定公園の特別地域内で操業している６箇所の地熱発電所（大沼（後生掛）、松川、鬼首、八丁原、大岳及び滝の上（葛根田））については、新たな敷地造成を伴わない限りにおいて、上記２⑴及び⑵にかかわらず、従前同様の取扱いとする。

○「国立・国定公園内における地熱開発の取扱いについて」の解説の改正について

〔令和３年９月30日　環自国発第2109302号
各都道府県担当部局長宛　環境省自然環境局国立公園課長通知〕

平成27年に通知した「国立・国定公園内における地熱開発の取扱いについて（平成27年10月2日環自国発第1510021号・環境省自然環境局長通知）」について、「規制改革実施計画」（令和３年６月18日閣議決定）を受け、令和３年６月から９月まで開催した中央環境審議会自然環境部会自然公園等小委員会・温泉小委員会合同会議及び「地域共生型の地熱利活用に向けた方策等検討会」の審議等を踏まえて内容を見直し、令和３年９月に「国立・国定公園における地熱開発の取扱いについて（令和３年９月30日環自国発第2109301号・環境省自然環境局長通知）」として通知したところであるが、その具体的な考え方である「同通知の解説」についても別添のとおり内容を見直したので、地方自治法（昭和22年法律第67号）第245条の４第１項の規定に基づく技術的な助言として通知する。これに伴い、同解説に係る平成28年６月23日の国立公園課長通知は廃止する。

○「国立・国定公園内における地熱開発の取扱いについて」の解説の改正について

〔令和３年９月30日　環自国発第2109302号
各地方環境事務所長・各自然環境事務所長宛　自然環境局国立公園課長通知〕

平成27年に通知した「国立・国定公園内における地熱開発の取扱いについて（平成27年10月2日環自国発第1510021号・環境省自然環境局長通知）」について、「規制改革実施計画」（令和３年６月18日閣議決定）を受け、令和３年６月から９月まで開催した中央環境審議会自然環境部会自然公園等小委員会・温泉小委員会合同会議及び「地域共生型の地熱利活用に向けた方策等検討会」の審議等を踏まえて内容を見直し、令和３年９月に「国立・国定公園における地熱開発の取扱いについて（令和３年９月30日環自国発第2109301号・環境省自然環境局長通知）」として通知したところであるが、その具体的な考え方である「同通知の解説」についても別添のとおり内容を見直したので、通知する。これに伴い、同解説に係る平成28年６月23日の国立公園課長通知は廃止する。

〔注〕別添の内容については以下のＵＲＬを参照

https://www.env.go.jp/content/900488901.pdf

4　温対法関係

○地球温暖化対策の推進に関する法律の一部を改正する法律の施行に伴う自然公園法関係の手続き等について

〔令和４年４月13日　環自国発第2204134号
都道府県自然公園担当部局長・各地方環境事務所・各自然環境事務所長宛　環境省自然環境局国立公園課長・自然環境計画課長連名通知〕

地球温暖化対策の推進に関する法律の一部を改正する法律（令和３年法律第54号）については、令和３年６月２日に公布され、令和４年４月１日から施行されることとなった。

また、地球温暖化対策の推進に関する法律に基づく地域脱炭素化促進事業計画の認定等に関する省令（令和４年農林水産省・経済産業省・国土交通省・環境省令第１号）が、令和４年３月31日に公布されるとともに、地球温暖化対策の推進に関する法律施行規則の一部を改正する省令（令和４年環境省令第14号）及び地球温暖化対策の推進に関する法律第64条第４項の規定により地方環境事務所長に委任する権限を定める省令（令和４年環境省令第15号）が令和４年４月１日に公布され、令和４年４月１日から施行されることとなった。また、法律の施行に合わせ、各都道府県知事宛に、当該法制度に関する通知及び「地方公共団体実行計画策定・実施マニュアル」が発出されたところ。

本通知は、これらの内容のうち自然公園法関係等を引用し、また、地方環境事務所及び都道府県の自然公園部局における取扱い（以下の通知の枠内）を整理したものである。了知の上、その適切な施行に努められたい。

第１　法改正事項の概要と趣旨

１　2050年カーボンニュートラル宣言等を踏まえた基本理念の新設

パリ協定に定める目標を踏まえ、2050年までの脱炭素社会の実現、環境・経済・社会の統合的向上、国民を始めとした関係者の密接な連携等を、地球温暖化対策を推進する上での基本理念として規定する。これにより、政策の方向性や継続性を明確に示すことで、あらゆる主体（国民、地方公共団体、事業者等）に対し予見可能性を与え、取組やイノベーションを促進する。

２　地域脱炭素化促進事業を推進するための計画・認定制度の創設

地方公共団体が定める地球温暖化対策の実行計画に、施策の実施に関する目標を追加するとともに、市町村は、地域の再生可能エネルギーを活用した脱炭素化を促進する事業（地域脱炭素化促進事業）に係る促進区域や環境配慮、地域貢献に関する方針等を定めるよう努めることとする。市町村から、実行計画に適合していること等の認定を受けた地域脱炭素化促進事業計画に記載された事業については、関係法令（温泉法、森林法、農地法、自然公園法、河川法、廃掃法）の手続ワンストップ化等の特例を受けられることとする。これにより、地域における円滑な合意形成を図り、その地域の課題解決にも貢献する地域の再生可能エネルギーを活用した脱炭素化の取組を推進する。

３　企業の排出量情報のデジタル化・オープンデータ化の推進等

企業の排出量に係る算定報告公表制度について、電子システムによる報告を原則化するとともに、開示請求の手続なしで公表される仕組みとする。また、地域地球温暖化防止活動推進センターの事務として、事業者向けの啓発・広報活動を追加する。これにより、企業の排出量等情報のより迅速かつ透明性の高い形での見える化を実現するとともに、地域企業を支援し、我が国企業の一層の取組を促進する。

第２　地域脱炭素化促進事業の制度概要

１　地域脱炭素化促進事業

⑴　「地域脱炭素化促進事業」とは、太陽光、風力その他の再生可能エネルギーであって、地域の自然的社会的条件に適したものの利用による地域の脱炭素化（脱炭素社会の実現に寄与することを旨として、地域の自然的社会的条件に応じて当該地域における社会経済活動その他の活動に伴って発生する温室効果ガスの排出の量の削減等を行うことをいう。）のための施設（以下「地域脱炭素化促進施設」という。）の整備及びその他の地域の脱炭素化のための取組を一体的に行う事業であって、地域の環境の保全のための取組並びに地域の経済及び社会の持続的発展に資する取組を併せて行うものをいう。

⑵　「地域脱炭素化促進施設」とは、環境省令・農林水産省令・経済産業省令・国土交通省令で以下が定められている。

①　再生可能エネルギー発電設備

（※水力を電気に変換するものにあっては、その出力が３万 kW 未満のものに限る。

※地熱を電気に変換するものにあっては、その探査に係る調査のための掘削設備を含む。）

②　再生可能エネルギー熱供給設備

③　①②に掲げるものに附帯する設備又は施設であって、蓄電池設備、蓄熱設備及び水素製造・貯蔵設備その他の地域の脱炭素化の促進に資するもの

２　地方公共団体実行計画

⑴　都道府県及び指定都市等は、地方公共団体実行計画（以下「実行計画」という。）に

おいてその区域の自然的社会的条件に応じて温室効果ガスの排出量の削減等を行うための施策に関する事項を定めるものとされている。また、その他の市町村も、実行計画においてその区域の自然的社会的条件に応じて温室効果ガスの排出量の削減等を行うための施策に関する事項を定めるよう努めるものとされており、その場合においては、以下の地域脱炭素化促進事業の促進に関する事項を定めるよう努めるもととされている。

① 地域脱炭素化促進事業の目標

② 地域脱炭素化促進事業の対象となる区域（以下「促進区域」という。）

③ 促進区域において整備する地域脱炭素化促進施設の種類及び規模

④ 地域脱炭素化促進施設の整備と一体的に行う地域の脱炭素化のための取組

⑤ 地域脱炭素化促進施設の整備と併せて実施すべき取組

・地域の環境の保全のための取組

・地域の経済及び社会の持続的発展に資する取組

(2) 都道府県が実行計画において温室効果ガスの排出量の削減等を行うための施策に関する事項（３(9)の都道府県の基準を含む。）を定めようとする場合、又は市町村が実行計画において温室効果ガスの排出量の削減等を行うための施策に関する事項若しくは地域脱炭素化促進事業の促進に関する事項を定めようとする場合、地方公共団体実行計画協議会が組織されているときは当該協議会における協議をしなければならない。

(3) 国及び都道府県は、市町村に対し、実行計画の策定及びその円滑な実施に関し必要な情報提供、助言その他の援助を行うよう努めるものとする。

３ 促進区域の設定に係る国及び都道府県の基準

(1) 促進区域は、促進区域設定に係る環境省令において環境の保全に支障を及ぼすおそれがないものとして定める基準に従い、かつ、都道府県基準設定に係る環境省令で定めるところにより、都道府県が促進区域設定に関する基準を定めた場合にあっては当該基準に基づき、市町村が定める。

(2) 国が定める環境保全に係る基準は、促進区域設定に係る環境省令において以下のとおり掲げられている。

① 促進区域に含めない区域

環境保全の支障を防止する必要性が高いものとして、法令に基づき、その範囲が明確に定義され、図示されている区域（許可基準において再生可能エネルギーの立地を原則として認めていない区域）

・原生自然環境保全地域、自然環境保全地域

・国立／国定公園の特別保護地区・海域公園地区

・国立／国定公園の第１種特別地域（地熱発電のための地下部における土石の採取を行う地域を除く）

・国指定鳥獣保護区の特別保護地区
・生息地等保護区の管理地区

② 促進区域に含む場合には、指定の目的の達成に支障を及ぼすおそれがないと認められることが必要な区域及び促進区域の設定の際に環境の保全に係る支障を及ぼすおそれがないと認められることが必要な事項

a) ①以外で、環境保全の支障を防止する観点から再生可能エネルギーの立地のために環境保全の観点から一定の基準を満たすことが法令上必要な区域について、立地場所や施設の種類・規模等が当該区域の指定の目的の達成に支障を及ぼすおそれがないと認められること
・国立 / 国定公園（①の区域以外）
・生息地等保護区の監視地区
・砂防指定地
・地すべり防止区域
・急傾斜地崩壊危険区域
・保安林（水源かん養保安林、土砂流出防備保安林、土砂崩壊防備保安林、飛砂防備保安林、防風保安林、水害防備保安林、潮害防備保安林、干害防備保安林、防雪保安林、防霧保安林、なだれ防止保安林、落石防止保安林、防火保安林、魚つき保安林、保健保安林、風致保安林）

b) 環境保全の支障を防止する必要性が高いものの性質上エリアでの規制がなじまないためエリアでの規制が行われていない事項について、環境の保全に支障を及ぼすおそれがないと認められること
・国内希少野生動植物種の生息・生育への支障
・騒音その他の生活環境への支障

⑶ 国立公園、国定公園のうち、特別保護地区、海域公園地区及び第１種特別地域（地熱発電のための地下部における土石の採取を行う地域を除く）以外の区域については、地域脱炭素化促進施設の設置について許可・届出制となっており、立地場所や施設の種類・規模等が当該区域の指定の目的の達成に支障を及ぼすおそれがないことが求められる。市町村の促進区域の検討に当たっては、地方環境事務所及び都道府県とよく相談し、必要な対応について確認することとなっている。なお、当該区域の指定の目的の達成に支障を及ぼすおそれがある形での大規模な再生可能エネルギー発電施設に係る促進区域の設定は回避することが求められる。

⑷ 地域脱炭素化促進施設の種類ごとの特性や設置形態（建造物に設置・付属されるか、土地に設置されるか等）を踏まえるとともに、これらの事業特性を踏まえて環境への影響の懸念が小さい場所（例：工場跡地などの開発済の土地）から優先的に設定

することが必要である。

地方環境事務所等及び都道府県において、市町村から促進区域設定に関する相談を受けた場合及び後述の地方公共団体実行計画協議会に参加し協議する場合には、促進区域に⑵①の除外すべき区域が含まれないことを確認するとともに、②の区域についても、立地場所や施設の種類・規模等が当該区域の指定の目的の達成（国立/国定公園であれば優れた自然の風景地の保護及びその利用の増進）に支障を及ぼすおそれがないかを確認する。

⑸　都道府県の基準は、地域の自然的社会的条件に応じて任意で定めるものとされている。都道府県基準の一般的な留意事項は、以下のとおりである。

①　地域の自然的社会的条件に応じた環境の保全への適正な配慮が確保されるものであること。

②　当該都道府県が策定する地方公共団体実行計画に掲げる目標との整合が図られるものであること。

③　太陽光、風力その他の再生可能エネルギーの種類ごとの潜在的な利用可能性を踏まえたものであること。

④　国又は地方公共団体等が有する情報及び専門家等からの聴取等により得られる客観的かつ科学的な知見に基づくものであること。

⑹　都道府県が都道府県基準を定めるに当たっては、地域脱炭素化促進施設の種類毎の環境配慮事項に応じて、都道府県基準設定に係る環境省令に掲げる「収集方法」により、「収集すべき情報」を収集して整理する。例えば、太陽光発電の環境配慮事項については以下に掲げる内容を定めるものとされている。

①　騒音による生活環境への影響

②　水の濁りによる影響

③　重要な地形及び地質への影響

④　土地の安定性への影響

⑤　反射光による生活環境への影響

⑥　動物の重要な種及び注目すべき生息地への影響

⑦　植物の重要な種及び重要な群落への影響

⑧　地域を特徴づける生態系への影響

⑨　主要な眺望点及び景観資源並びに主要な眺望景観への影響

⑩　主要な人と自然との触れ合いの活動の場への影響

⑪　その他都道府県が地域の自然的社会的条件又は地域脱炭素化促進施設の種類、規模その他の事項に応じて環境の保全への適正な配慮が確保されるよう特に考慮が必要と判断する事項

(7)　都道府県が都道府県基準を定めるに当たっては、以下に掲げる情報その他都道府県が必要と判断するものを収集する。

①　環境の自然的構成要素の良好な状態の保持に関する環境配慮事項のうち大気質への影響並びに硫化水素、騒音、悪臭、反射光及び風車の影による影響：仕居がまとまって存在している地域の状況及び学校、病院その他環境の保全についての配慮が特に必要な施設の種類

②　環境の自然的構成要素の良好な状態の保持に関する環境配慮事項のうち水の汚れ、富栄養化、水の濁り、溶存酸素量及び水温による影響：水道原水取水地点（水道原水水質保全事業の実施の促進に関する法律（平成６年法律第８号）第２条第３項に規定する取水地点をいう。）等の状況

③　環境の自然的構成要素の良好な状態の保持に関する環境配慮事項のうち温泉への影響：温泉の状況

④　環境の自然的構成要素の良好な状態の保持に関する環境配慮事項のうち重要な地形及び地質への影響：地形及び地質の状況

⑤　環境の自然的構成要素の良好な状態の保持に関する環境配慮事項のうち土地の安定性への影響：土地の形状が保持される性質の状況

⑥　生物の多様性の確保及び自然環境の体系的保全に関する環境配慮事項のうち動物の重要な種及び注目すべき生息地への影響並びに植物の重要な種及び重要な群落への影響並びに地域を特徴づける生態系への影響：国又は地方公共団体の調査により確認された人為的な改変をほとんど受けていない自然環境、野生生物の重要な生息地又は生育地としての自然環境その他まとまって存在し生態系の保全上重要な自然環境の状況

⑦　人と自然との豊かな触れ合いの確保に関する環境配慮事項のうち主要な眺望点及び景観資源並びに主要な眺望景観への影響：眺望の状況及び景観資源の分布状況

⑧　人と自然との豊かな触れ合いの確保に関する環境配慮事項のうち主要な人と自然との触れ合いの活動の場への影響：野外レクリエーションを通じた人と自然との触れ合いの活動及び日常的な人と自然との触れ合いの活動が一般的に行われる施設又は場の状態及び利用の状況

(8)　都道府県基準設定に係る環境省令において、(7)の情報の収集は次に掲げる方法により行うものとされている。

①　国又は地方公共団体等が有する文献その他の資料（自然公園等、法令（条例を含む。）に基づく土地利用に関する規制等の対象となる地域の指定等の状況を示した図面等を含む。）を収集する方法

②　専門家等から科学的知見を聴取する方法

(9)　これらの情報に基づき、地域の自然的社会的条件に応じた環境の保全への適正な配

慮を確保する観点から検討を行い、この結果を踏まえ、地域の自然的社会的条件に応じた環境の保全への適正な配慮が確保されるよう以下のような基準を示すこととされている。

① 促進区域とすることが適切ではないと都道府県が判断する区域

②－１ 促進区域の設定に当たって考慮することとする環境配慮事項

②－２ 考慮することとする環境配慮事項に係る適正な配慮のための考え方等

・市町村が促進区域の設定に当たって収集すべき情報及びその収集方法

・適正な配慮のための考え方（市町村が促進区域の設定に当たって「地域の環境の保全のための取組」として位置付ける、地域の自然的社会的条件に応じた環境の保全への適正な配慮を確保する適切な措置を含む。）

> 都道府県が都道府県基準を定めようとする場合には、⑵の「国が定める環境保全に係る基準」に定める国立/国定公園（普通地域を含む。）等の区域に加え、都道府県立自然公園（普通地域を含む。）、都道府県自然環境保全地域等の都道府県が指定した保全区域についても、⑼①の都道府県として除外すべき区域とするかどうかを検討し、その検討結果を都道府県基準に規定しておくことが望ましい。

⑽ 都道府県が都道府県基準を定めるに当たっては、環境影響評価手続の対象となる規模未満の事業のうち、都道府県の定める一定規模以下の事業についての特例に係る基準についても定めることができる。

また、環境影響評価手続の対象とならない規模未満の事業のうち、地域の自然的社会的条件に応じた環境の保全の適正な配慮が確保されるものとして都道府県が地域脱炭素化促進施設の種類毎に定める規模、設置形態、立地その他の事業の態様に係る基準を満たすもの（⑵の国が定める環境保全に係る基準とは別に都道府県基準を定める必要がないと都道府県が判断するもの）については、⑼の都道府県基準の適用を除外することができる。

4 促進区域及び「地域の環境の保全のための取組」の設定

⑴ 市町村が促進区域を設定するに当たっては、3⑵及び3⑼の基準に基づくことが必要であるほか、地域の合意形成の円滑化を図り、事業の予見可能性を高めるとともに、地域における事業の需要性を確保するため、環境保全の観点や社会的配慮の観点から考慮するべき事項に留意する。また、これらの考慮の考え方については、盛土をはじめとする防災に関する検討、OECMといった新たな概念の検討が進められていることも踏まえ、適時適切な情報のアップデートや見直しを行うことも重要である。考慮するべき事項として、例えば以下のような事項が考えられる。

① 環境保全の観点から考慮することが望ましい事項

・世界自然遺産

・ラムサール条約湿地
・国指定鳥獣保護区（特別保護地区以外の区域）
・レッドリスト掲載種
・生物多様性保全上重要な里地里山（重要里地里山）
・生物多様性の観点から重要度の高い湿地（重要湿地）
・生物多様性の観点から重要度の高い海域（重要海域）
・自然再生の対象となる区域
・保護林、緑の回廊
・史跡、名勝、天然記念物及び重要文化的景観
・風致地区
・特別緑地保全地区
・歴史的風土特別保存地区
・近郊緑地特別保全地区
・環境保全の観点から配慮することが望ましい事項を示す都道府県独自制度（条例等）（都道府県立自然公園、都道府県自然環境保全地域、都道府県指定鳥獣保護区を含む。）

②　社会的配慮の観点から考慮することが望ましい事項
・河川区域
・土砂災害警戒区域等
・保安林（航行目標保安林）
・世界文化遺産
・優良農地
・港湾
・航空施設
・気象レーダー
・防衛施設
・文化財（４⑴①以外）
・社会的配慮の観点から考慮することが望ましい都道府県独自制度（条例等）

⑵　促進区域の検討に当たっては各法令や区域等に関係する関係市町村、都道府県の所管部局、地方環境事務所、森林管理局等とよく相談する必要がある。

⑶　市町村は、促進区域を設定する際に３⑵①及び３⑼①の国及び都道府県が促進区域に含めないこととする区域を確認し、促進区域として設定しないようにする。３⑵②及び３⑼②の区域や事項についても確認し、まずはこれらに該当する区域や事項がない土地から優先的に促進区域とすることを検討する。

地方環境事務所等及び都道府県において、促進区域を定めようとする市町村から相談を受けた場合及び後述の地方公共団体実行計画協議会に参画し協議する場合には、３及び４の規定に留意しながら、市町村が「促進区域」や「地域の環境の保全のための取組」の設定等の検討をするのに必要な情報提供や技術的助言を行うなど対応する。なお、秘匿性の高い情報等（希少な野生動植物の情報等）は慎重に取り扱うこととする。

⑷　「地域の環境の保全のための取組」での適切な措置としては、必要な調査の実施や、調査結果を踏まえた事業計画の立案（事業・発電設備の位置、規模、配置、構造等の検討や、環境保全措置、事後調査による対応、順応的管理による対応等）等が考えられるほか、さらに事業の実施に当たって事業者の取り組む事項として、環境保全の見地から地域で課題となっている事柄について環境の改善を図る取組や、新たな環境価値の創出を伴う取組（プラス面の環境影響をもたらす）を事業計画に盛り込むことを位置づけることも考えられる。（例：荒廃農地において地域脱炭素化促進施設を整備することによる獣害対策への貢献、周辺の荒廃地の緑化や廃屋の撤去等の実施）

5　地域脱炭素化促進事業計画

⑴　地域脱炭素化促進事業を行おうとする事業者は、当該事業に関する計画（以下「地域脱炭素化促進事業計画」という。）を作成し、実行計画を作成した市町村の認定を申請することができる。

⑵　地域脱炭素化促進事業を行おうとする事業者は、地域脱炭素化促進事業認定申請の前に、地方公共団体実行計画協議会が組織されている場合は当該協議会に協議しなければならない。

⑶　市町村は、⑴の認定申請に係る地域脱炭素化促進事業計画が実行計画に適合するものであること等の認定要件に該当するものであると認めるときは、その認定をするものとする。

⑷　市町村は、⑶の認定をしようとする場合において、認定申請に係る地域脱炭素化促進事業計画に記載された行為が、自然公園法（昭和32年法律第161号）第20条第３項の許可を受けなければならないもの又は同法第33条第１項の届出をしなければならないものであるときは、国立公園の区域内において行うものは環境大臣に、国定公園の区域内において行うものは都道府県知事に、あらかじめ協議し、その同意を得なければならない。

⑸　環境大臣又は都道府県知事は、⑷の協議があった場合において、当該協議に係る行為が、自然公園法第20条第４項の規定により同条第３項の許可をしてはならない場合に該当しないと認めるときは、同意をするものとする。

⑹　地熱資源の開発には地下資源特有の難しさ（特に地下深部の情報の取得）があるため、そのポテンシャルについては実際に掘削を含む資源調査をしなければ把握できな

い。よって、地熱に関しては施設整備のみならず掘削調査も認定申請対象となるが、資源調査段階では最終的に設置される地域脱炭素施設の規模等が決定できないため、施設整備等に関する地域脱炭素化促進事業計画の認定申請はできない。まず掘削調査段階で認定申請を受けた後、掘削調査の結果を踏まえて施設の規模等を決定し、改めて施設整備等に関する認定申請を受ける必要がある。

⑺　地域脱炭素化促進事業が複数の市町村に跨って行われる場合、事業の実施領域が含まれる全ての市町村から認定を取得する必要がある。特に地熱発電については、傾斜掘削により、再エネ設備の建設等が行われる市町村だけでなく隣の市町村の地下にまで及ぶことがあるため、地下の事業実施領域も含めて認定を取得する必要がある。

6　自然公園法の特例

⑴　５⑶の認定を受けた地域脱炭素化促進事業計画（以下「認定事業計画」という。）に従って、認定を受けた事業者（以下「認定事業者」という。）が国立公園又は国定公園の区域内において自然公園法第20条第３項の許可を受けなければならない行為を行う場合には、当該許可があったものとみなす。

⑵　認定事業計画に従って、認定事業者が国立公園又は国定公園の区域内において行う行為については、自然公園法第33条第１項及び第２項の規定は適用しないものとする。

・地方環境事務所等及び都道府県において、市町村から自然公園法において許可又は届出を要する行為が記載されている地域脱炭素化促進事業計画の認定に係る協議を受けた場合には、後述の８⑵の記載事項及び８⑶の添付書類（特に８⑷に掲げるもの）の内容を確認し、自然公園法に基づく許可又は届出が提出された場合と同様の基準により同意の可否を判断する。
・地域脱炭素化促進事業計画の申請書の記載事項又は添付書類に不備・不足等がある場合は、補正を求める。
・地域脱炭素化促進事業計画の認定に同意する際、国立公園の風致を保護するために必要な限度において、条件を付することができる。
・自然公園法において届出を要する行為が記載されている地域脱炭素化促進事業計画の認定に係る協議を受けた場合であって、当該行為が自然公園法第33条第２項に基づき当該行為を禁止し、若しくは制限し、又は必要な措置を執るべき旨を命ずるものに該当するときには、認定に同意する際に、当該行為を制限し、又は必要な措置を執るべき旨の条件を付すことができる。
・国立公園の区域内における地域脱炭素化促進事業計画の認定に係る協議を環境大臣が受けた場合であって、当該計画の内容が自然公園法施行令附則第２項に規定する都道府県知事が処理するものであるときには、環境大臣はあらかじめ当該都道府県知事に協議した上で同意の可否を判断するものとする。
・国定公園の区域内における地域脱炭素化促進事業計画の認定に係る協議を都道府県知事が受けた場合であって、当該計画の内容が自然公園法第20条第５項に規定する環境大臣に協議すべき行為に該当するときには、都道府県知事は環境大臣に協議した上で同意の可否を判断するものである。

・地域脱炭素化促進事業計画に記載されておらず、5⑷の同意をしていない行為については、本特例措置の対象ではないため、個別に自然公園法の手続が必要である。

・このように、本特例措置は、事業計画の提出・調整先が市町村にワンストップ化されることにより、事業者と関係機関との調整事務の負担軽減を図るためのものであり、許可等の基準を緩和する趣旨ではないことに留意されたい。

・なお、自然公園法第20条第３項に規定する特別地域に係る許可及び同法第33条第１項に規定する普通地域に係る届出を要する行為以外の行為は本特例措置の対象ではない。

7　地方公共団体実行計画協議会

⑴　都道府県及び市町村は、単独又は共同して地方公共団体実行計画協議会（以下「協議会」という。）を設置することができるとされている。都道府県が環境配慮の基準を定める場合、市町村が地域脱炭素化促進事業の促進に関する事項等（促進区域等の設定）を定める場合、及び事業者が地域脱炭素化促進事業計画認定申請をおこなう場合等において、あらかじめ住民その他利害関係者の意見を反映させ、円滑な地域合意を図る観点から、有識者や地域の関係者等から構成される協議会を積極的に活用することが望まれる。

⑵　協議会は、次に掲げる者をもって構成する。

①　実行計画（区域施策編）を策定しようとする都道府県及び市町村

②　関係行政機関

③　関係地方公共団体

④　地球温暖化防止活動推進員

⑤　地球温暖化防止活動推進センター

⑥　地域脱炭素化促進事業を行うと見込まれる者その他の事業者

⑦　住民その他の当該地域における地球温暖化対策の推進を図るために関係を有する者

⑧　学識経験者その他の都道府県及び市町村が必要と認める者

⑶　協議会は、再生可能エネルギー種や促進区域の種類等によって適宜構成員を変化させることが考えられ、協議会の下に再生可能エネルギー種毎に分科会を設けることも可能である。

地方公共団体の自然環境部局や地方環境事務所等も、促進区域や環境配慮事項等を検討する早期の段階から許認可制度に対する理解増進や円滑な調整を図るため、協議会の構成員として参加することが想定される。ただし、個別事業者の地域脱炭素化促進事業計画認定に関する協議会では、許認可権者は構成員ではなくオブザーバー等の立場から情報共有を行うという役割に留めておく必要がある。

・市町村の促進区域設定や都道府県の基準策定等の実行計画の記載内容を協議する協議会については、地方環境事務所等及び都道府県は、構成員として参加する。
・一方、事業者が作成する事業計画を協議する協議会については、自然公園に係る許認可担当者はオブザーバーとして参加する。これは、協議会の協議結果により後の審査内容を拘束されないためである。ただし、あらかじめ協議会で事業計画の内容等を確認し、自然公園法の審査の観点から同意し得る内容となるよう適宜調整を図ることが望ましい。

8　地域脱炭素化促進事業計画の認定の申請

⑴　地域脱炭素化促進事業計画の認定を申請しようとする者は、別記様式第１号による申請書を市町村に提出しなければならない。

⑵　地域脱炭素化促進事業計画においては、次に掲げる事項を記載しなければならない。

①　申請者の氏名又は名称及び住所並びに法人にあっては、その代表者の氏名
②　地域脱炭素化促進事業の目標（温室効果ガスの排出の量の削減等に関する目標を含む。）
③　地域脱炭素化促進事業の実施期間
④　整備をしようとする地域脱炭素化促進施設の種類及び規模その他の当該地域脱炭素化促進施設の整備の内容
⑤　④の整備と一体的に行う地域の脱炭素化のための取組の内容
⑥　④の整備及び前号の取組の用に供する土地の所在、地番、地目及び面積又は水域の範囲
⑦　④の整備及び第５号の取組を実施するために必要な資金の額及びその調達方法
⑧　④の整備と併せて実施する次に掲げる取組に関する事項
イ　地域の環境の保全のための取組
ロ　地域の経済及び社会の持続的発展に資する取組
⑨　その他環境省令・農林水産省令・経済産業省令・国土交通省令で定める事項
一　整備をしようとする地域脱炭素化促進施設等の使用期間
二　整備をしようとする地域脱炭素化促進施設等の撤去及び原状回復に関する事項

⑶　申請書には、次に掲げる書類を添付しなければならない。

①　申請者の定款又はこれに代わる書面（申請者が法人でない団体である場合は、規約その他当該団体の組織及び運営に関する定めを記載した書類）
②　申請者の最近２期間の事業報告書、貸借対照表及び損益計算書（これらの書類がない場合は、最近１年間の事業内容の概要を記載した書類

③　地域脱炭素化促進施設等の位置を明らかにした図面

④　地域脱炭素化促進施設等の規模及び構造を明らかにした図面

⑤　地域脱炭素化促進施設等を設置しようとする場所について所有権その他の使用の権限を有するか、又はこれを確実に取得することができると認められるための書類

⑥　バイオマス（高度化法施行令第4条第7号に掲げるものをいう。以下同じ。）を利用する場合にあっては、利用するバイオマスの種類毎に、それぞれの調達先その他当該バイオマスの出所に関する情報を示す書類

⑦　認定の申請に係る再生可能エネルギー発電設備を電気事業者が維持し、及び運用する電線路と電気的に接続する場合にあっては、当該接続について当該電気事業者の同意を得ていることを証明する書類の写し

⑧　認定の申請に係る地域脱炭素化促進事業について、当該認定の申請に係る地域脱炭素化促進施設等の点検及び保守に係る体制その他の当該事業の実施体制を示す書類

⑨　認定の申請に係る地域脱炭素化促進事業に係る関係法令（条例を含む。）に係る手続の実施状況を示す書類

⑩　認定の申請に係る地域脱炭素化促進事業に係る関係法令（条例を含む。）を遵守する旨の誓約書

⑪　①～⑩までに掲げる書類のほか、地域脱炭素化促進事業計画にワンストップ化特例対象法令の許可等に係る行為を記載する場合にあっては、当該行為の区分に応じ、農林水産省、経済産業省、国土交通省、環境省令別表に掲げる書類

(4)　(3)⑪に掲げる書類として、地域脱炭素化促進事業計画に記載された地域脱炭素化促進施設等の整備の内容又はその整備と一体的に行う地域の脱炭素化のための取組に係る行為が、自然公園法第20条第３項の許可を要する行為である場合は、別記様式第２の８による書類及び自然公園法施行規則（昭和32年厚生省令第41号）第10条第２項各号及び第３項各号に掲げる図面を添付しなくてはならない。

それが自然公園法第33条第１項の届出を要する行為である場合は、別記様式第２の９による書類及び自然公園法施行規則第10条第２項各号に掲げる図面を添付しなくてはならない。

9　地域脱炭素化促進事業計画の変更認定申請、認定取消し

(1)　認定事業者は、当該認定に係る地域脱炭素化促進事業計画を変更しようとするときは、変更申請書を市町村に提出し、再度市町村の認定を受けなければならない。ただし、以下に掲げる変更以外の軽微な変更については、遅滞なくその旨を市町村に届け出ればよい。

①　認定地域脱炭素化促進事業者の変更

②　認定地域脱炭素化促進事業計画に記載した地域脱炭素化促進施設等の設置の場所

若しくは形態、種類、規模、構造、出力又は色彩の変更

③　②に掲げるもののほか、認定地域脱炭素化促進事業計画に記載した地域脱炭素化促進施設等に係る主要な変更

④　認定地域脱炭素化促進事業計画に記載した地域脱炭素化促進施設等に係る保守点検及び維持管理を行う体制の変更

⑤　認定地域脱炭素化促進事業計画に記載した地域脱炭素化促進施設等の撤去及び原状回復に関する事項の変更

⑥　認定地域脱炭素化促進事業計画に記載した地域の脱炭素化のための取組の内容の変更

⑦　認定地域脱炭素化促進事業計画に掲げる次に掲げる取組に関する事項の内容の変更

イ　地域の環境の保全のための取組

ロ　地域の経済及び社会の持続的発展に資する取組

⑧　①～⑦に掲げるもののほか、地域脱炭素化促進事業計画に記載した内容の実質的な変更

⑵　認定事業者が地域脱炭素化促進事業計画を変更しようとする場合、変更後の事業計画を再度協議会に諮る必要があるとともに、市町村は関係法令の許認可権者に対して再協議を行い、同意を得る必要がある。

⑶　地熱発電については、地下資源の調査が進むにつれて事業計画が決定していく特性があるため、資源調査や施設整備等の段階毎に事業計画の認定申請が必要となる。各段階の事業内容は異なるため、市町村は段階毎に許認可権者に対しても再協議を行い、同意を得る。

⑷　市町村は、以下に掲げるいずれかに該当すると認められるときは、事業の認定を取り消すことができる。認定の取消しをしたときは、遅滞なくその旨を関係行政機関の長及び関係地方公共団体の長に通知するとともに、公表するものとする。

①　認定事業者が認定地域脱炭素化促進事業計画（⑴の変更の認定又は届出があったときは、その変更後のもの）に従って地域脱炭素化促進事業を行っていないとき。

②　認定地域脱炭素化促進事業計画が５⑶の認定要件のいずれかに該当しないものとなったとき

・当初の事業計画は各法令の許可基準に適合した上で認可されたとしても、その後の事業計画の変更により施設の規模や立地、関連行為の内容等が変更すれば許可基準に適合しなくなってしまう可能性があるため、事業計画の変更に関して市町村から地方環境事務所等及び都道府県に協議があった場合は、改めて自然公園法に基づく許可又は届出が提出された場合と同様の基準により同意の可否を判断する。

・また、同意を得た内容に違反した場合には、市町村等と連携して認定の取消しや原状回復に関する措置を検討するとともに、自然公園法上の違反行為として対処することも検討する。

第３　事務の委任について

地球温暖化対策の推進に関する法律第64条第４項の規定により地方環境事務所長に委任する権限を定める省令において、地球温暖化対策の推進に関する法律第22条の２第４項第５号の規定による環境大臣の権限（地域脱炭素化促進事業計画認定に係る市町村からの協議に対する同意）は、その市町村の区域を管轄する地方環境事務所長に委任されている。ただし、環境大臣が自らその権限を行うことを妨げないものとしている。

５⑷の地域脱炭素化促進事業計画の認定に係る市町村からの協議は、自然公園法に基づく許可又は届出が提出された場合と同様に、その地域を管轄する自然保護官事務所等において受付、進達し、自然公園法施行規則第20条に掲げる地方環境事務所長に委任された行為が含まれる場合は地方環境事務所長が、権限委任されていない上記以外の行為を含む場合は環境大臣が同意するものとする。地方環境事務所長は、環境大臣が同意するべき地域脱炭素化促進事業計画について、必要な審査を行った上で環境省本省国立公園課に進達するものとする。

※参考となるガイドライン類

発電種	参考とするガイドライン
太陽光発電	●「太陽光発電の環境配慮ガイドライン」（令和２年３月環境省） ●「事業計画策定ガイドライン（太陽光発電）」（令和３年４月資源エネルギー庁）
風力発電	●「風力発電に係る地方公共団体によるゾーニングマニュアル（第２版）」（令和２年３月環境省） ●「事業計画策定ガイドライン（風力発電）」（令和３年４月資源エネルギー庁）
中小水力発電	●「事業計画策定ガイドライン（中小水力発電）」（平成29年１月資源エネルギー庁） ●「小水力発電設置のための手引き」（平成28年３月国土交通省水管理・国土保全局）
地熱発電	●「温泉資源の保護に関するガイドライン（地熱発電関係）」（令和３年９月環境省） ●「国立・国定公園内における地熱開発の取扱いについて」及びその解説通知（令和３年９月環境省）

	●「事業計画策定ガイドライン（地熱発電）」（令和３年４月資源エネルギー庁）
バイオマス発電	●「再生可能エネルギー等の温室効果ガス削減効果に関するLCAガイドライン」（令和３年７月環境省） ●「事業計画策定ガイドライン（バイオマス発電）」（令和３年４月資源エネルギー庁）

第5節　他の行政との調整

1　鉱業権関係

○国立公園内における鉱業権の設定協議の取扱いについて

〔昭和55年11月14日　環自保第444号
各国立公園管理事務所長宛　環境庁自然保護局保護管理課長通知〕

国立公園内における鉱業権の設定に関する関係都道府県知事からの協議の取扱いについて、下記のとおり取扱方針を定め、関係書類の迅速な処理を図ることとしたので了知されたい。

記

国立公園内における鉱業権の設定協議に関する取扱方針

標記の取扱いに当たっては、将来、鉱物の掘採の許可申請等が生じた場合「国立公園内（普通地域を除く。）における各種行為に関する審査指針」（昭和49年11月20日付け環自企第570号。以下「審査指針」という。）の第三に基づき、許可し得る内容か否かにより判断するものとし、なお次に留意するものとする。

1　出願された鉱区案に次の地区が含まれる場合は、原則として不同意とする。

⑴　特別保護地区又は海中公園地区

⑵　審査指針第三・Ⅰ・二に規定する地域

⑶　総理府所管地、主要な利用施設計画地、その他関係都道府県知事により「不同意とすべし」という意見が付された地域等国立公園の保護及び利用上重要な地域

2　1に掲げる地域を含まない鉱区案であって、設備設計書等から、露天掘以外の方法での掘採を行うことになっている場合は、原則として同意するものとする。ただし、この場合、露天掘の禁止を念押しするものとする。

なお、具体的な掘採方法が不明確な場合は、あらかじめ設備設計書を提出させ、十分な検討の上判断するものとする。

○国立公園及び自然環境保全地域等における鉱業法第24条の運用について

〔平成24年７月６日　環自計発第120706001号・環自国発第120706001号
各地方環境事務所・釧路・長野・那覇自然環境事務所長宛　自然環境局長通知〕

改正　令和２年６月５日環自計発第2006052号

鉱業法の一部を改正する等の法律（平成23年法律第84号）の施行に伴い、経済産業省資源エネルギー庁において鉱業法運用通達（平成24・01・19資庁第１号）が制定され、当該通達（24－５）６において、「法第24条の規定に基づく協議の制度を基本とし、国立公園その他鉱物の掘採制限のある環境大臣の管理する区域における出願である場合には環境省地方環境事務所に対しても必要な情報の提供を求めること。」とされたところである。

実際の運用に当たっては、別添１の「鉱業法24条の運用について」（平成24年６月20日付け経済産業省資源エネルギー庁、環境省自然環境局）のとおりである。それに加え原生自然環境保全地域及び自然環境保全地域については、別添２の「自然環境保全法の運用について」（平成24年３月30日付け環自計発第120330001号）を参照するとともに、国立公園については、別添３の「国立公園内における鉱業権の設定協議の取扱いについて」（昭和55年11月14日付け環自保第444号保護管理課長通知）に準じて扱うものとする。

これらに基づき、地方環境事務所と経済産業局の連携を強化することで鉱業に対する環境面での対応の充実が図られるようお願いする。

〔別添１〕

鉱業法第24条の運用について

〔平成24年６月20日
経済産業省資源エネルギー庁
環境省自然環境局〕

改正　令和２年６月５日

鉱業法の一部を改正する等の法律（平成23年法律第84号）の施行に伴い、経済産業省資源エネルギー庁において鉱業法運用通達（平成24・01・19資庁第１号）が制定された。当該通達（24－５）６において、「法第24条の規定に基づく協議の制度を基本とし、国立公園その他鉱物の掘採制限のある環境大臣の管理する区域における出願である場合には環境省地方環境事務所に対しても必要な情報の提供を求めること。」とした。

本件についての具体的な運用は以下のとおりとする。

1 「国立公園その他鉱物の掘採制限のある環境大臣の管理する区域（以下、「国立公園等」という。)」の定義

国立公園等の定義は以下のとおりとする。

① 自然公園法（昭和32年法律第161号）第２条第２号において定義付けがなされている国立公園

② 自然環境保全法（昭和47年法律第85号）第14条第１項、第22条第１項及び第35条の２第１項においてそれぞれ定義付けがなされている原生自然環境保全地域、自然環境保全地域及び沖合海底自然環境保全地域

③ 絶滅のおそれのある野生動植物の種の保存に関する法律（平成４年法律第75号）第36条第１項において定義付けがなされている生息地等保護区

④ 鳥獣の保護及び管理並びに狩猟の適正化に関する法律（平成14年法律第88号）第28条第１項第１号において定義付けがなされている鳥獣保護区

2 「必要な情報」の求め方について

⑴ 地方環境事務所（沖合海底自然環境保全地域に係るものについては、環境省自然環境局自然環境計画課と読み替える。以下同じ。)は、経済産業局（沖合海底自然環境保全地域に係るものについては、経済産業省資源エネルギー庁資源・燃料部政策課と読み替える。以下同じ。)に対して管轄区域内の国立公園等の区域図（地種区分別（※）の表示があるもの）について、一括して提供する。

※陸域：

・国立公園：特別地域（特別保護地区、第１種～第３種特別地域)、普通地域

・自然環境保全地域：特別地区、普通地区

・生息地等保護区：管理地区、監視地区

・鳥獣保護区：特別保護地区

※海域：

・国立公園：海域公園地区、普通地域

・自然環境保全地域：海域特別地区、普通地区

・沖合海底自然環境保全地域：沖合海底特別地区

・生息地等保護区：管理地区、監視地区

・鳥獣保護区：特別保護地区

⑵ 以後、国立公園等の指定・変更等があった場合は、その都度、地方環境事務所から経済産業局に対して情報を提供する。

⑶ また、地方環境事務所は、３年ごとに経済産業局に対して情報が更新された管轄区域内の区域図を提供することとし、経済産業局はそれらのデータについて最新のデータを備えるものとする。

⑷ 経済産業局は、上記⑴～⑶の区域図に照らし、情報提供を求める際には、以下の情

報を地方環境事務所に提供すること。その上で、地方環境事務所に対して管轄区域内の次の(5)の事項について、提供を依頼する。

・出願の区域の所在地

・出願の区域の面積

・出願の区域図

・目的とする鉱物

(5)　地方環境事務所は経済産業局から上記(4)の情報が提供された場合において、以下の事項について提供する。

・出願に係る国立公園等の区域図であって、出願区域と国立公園等の重複等が示されているもの

・鉱業を実施することにより生じると想定される自然環境保全上の支障

・当該支障を回避・低減するための対策等

・当該区域の地種区分ごとの制限内容

・当該区域で鉱物を掘採するにあたり必要となる許認可等の手続き

3　経済産業局が行う鉱業権の出願に係る審査について

国立公園等における鉱業権の出願に係る審査は、以下のとおりとする。

(1)　出願の区域図において、鉱業出願地が国立公園等に重複し、又は重複する可能性があるかどうかを確認する。

(2)　鉱業出願地が国立公園等に重複し、又は重複する可能性がある場合は、経済産業局は地方環境事務所に対し２(4)の情報を提供した上で情報の提供を求める。

(3)　国立公園等において、鉱業を実施することにより生じると想定される支障がある場合は、当該支障について、地方環境事務所から提供された情報を参考に総合的に勘案し、許可、不許可の判断を下すこととする。

(4)　鉱業出願を許可する場合において、鉱物の掘採について、鉱業出願人が自然公園法等に基づき地方環境事務所の許可を受け、又は届出をする必要がある場合は、その旨を「操業注意事項」として通知する。

(5)　経済産業局は、必要があると認められるときは、２の定めに限らず、地方環境事務所に対し必要な情報を求めるものとする。

（参　考）

○鉱業法運用通達（24－５）６

法第24条の規定に基づく協議の制度を基本とし、国立公園その他鉱物の掘採制限のある環境大臣の管理する区域における出願である場合には環境省地方環境事務所に対しても必要な情報の提供を求めること。

○自然公園法（昭和32年法律第161号）

（定義）

第２条　この法律において、次の各号に掲げる用語の意義は、それぞれ当該各号に定めるところによる。

一　自然公園　国立公園、国定公園及び都道府県立自然公園をいう。

二　国立公園　我が国の風景を代表するに足りる傑出した自然の風景地（海域の景観地を含む。次章第６節及び第74条を除き、以下同じ。）であつて、環境大臣が第５条第１項の規定により指定するものをいう。

○自然環境保全法（昭和47年法律第85号）

（指定）

第14条　環境大臣は、その区域における自然環境が人の活動によつて影響を受けることなく原生の状態を維持しており、かつ、政令で定める面積以上の面積を有する土地の区域であつて、国又は地方公共団体が所有するもの（森林法（昭和26年法律第249号）第25条第１項又は第25条の２第１項若しくは第２項の規定により指定された保安林（同条第１項後段又は第２項後段において準用する同法第25条第２項の規定により指定された保安林を除く。）の区域を除く。）のうち、当該自然環境を保全することが特に必要なものを原生自然環境保全地域として指定することができる。

（指定）

第22条　環境大臣は、原生自然環境保全地域以外の区域で次の各号のいずれかに該当するもののうち、自然的社会的諸条件からみてその区域における自然環境を保全することが特に必要なものを自然環境保全地域として指定することができる。

一　高山性植生又は亜高山性植生が相当部分を占める森林又は草原の区域（これと一体となつて自然環境を形成している土地の区域を含む。）でその面積が政令で定める面積以上のもの（政令で定める地域にあつては、政令で定める標高以上の標高の土地の区域に限る。）

二　優れた天然林が相当部分を占める森林の区域（これと一体となつて自然環境を形成している土地の区域を含む。）でその面積が政令で定める面積以上のもの

三　地形若しくは地質が特異であり、又は特異な自然の現象が生じている土地の区域及びこれと一体となつて自然環境を形成している土地の区域でその面積が政令で定める面積以上のもの

四　その区域内に生存する動植物を含む自然環境が優れた状態を維持している海岸、湖沼、湿原又は河川の区域でその面積が政令で定める面積以上のもの

五　その海域内に生存する熱帯魚、さんご、海藻その他の動植物を含む自然環境が優れた状態を維持している海域でその面積が政令で定める面積以上のもの

六　植物の自生地、野生動物の生息地その他の政令で定める土地の区域でその区域における自然環境が前各号に掲げる区域における自然環境に相当する程度を維持しているもののうち、その面積が政令で定める面積以上のもの

（指定）

第35条の２　環境大臣は、自然環境保全地域以外の沖合の区域（我が国の内水及び領海（水深200メートルを超える海域に限る。）、排他的経済水域並びに大陸棚（排他的経済水域及び大陸棚に関する法律（平成８年法律第74号）第２条に規定する大陸棚をいう。）に係る海域をいう。第35条の８及び第35条の９において同じ。）でその区域の海底の地形若しくは地質又は海底における自然の現象に依存する特異な生態系を含む自然環境が優れた状態を維持していると認めるもののうち、自然的社会的諸条件からみてその区域における自然環境を保全することが特に必要なものを沖合海底自然環境保全地域として指定することができる。

○絶滅のおそれのある野生動植物の種の保存に関する法律（平成４年法律第75号）

（生息地等保護区）

第36条　環境大臣は、国内希少野生動植物種の保存のため必要があると認めるときは、その個体の生息地又は生育地及びこれらと一体的にその保護を図る必要がある区域であって、その個体の分布状況及び生態その他その個体の生息又は生育の状況を勘案してその国内希少野生動植物種の保存のため重要と認めるものを、生息地等保護区として指定することができる。

○鳥獣の保護及び管理並びに狩猟の適正化に関する法律（平成14年法律第88号）

（鳥獣保護区）

第28条　環境大臣又は都道府県知事は、鳥獣の種類その他鳥獣の生息の状況を勘案して当該鳥獣の保護を図るため特に必要があると認めるときは、それぞれ次に掲げる区域を鳥獣保護区として指定することができる。

一　環境大臣にあっては、国際的又は全国的な鳥獣の保護のため重要と認める区域

二　都道府県知事にあっては、当該都道府県の区域内の鳥獣の保護のため重要と認める区域であって、前号に掲げる区域以外の区域

〔別添２〕

「自然環境保全法の運用について」の全部改正について

〔平成24年３月30日　環自計発第120330001号
各地方環境事務所・釧路・長野・那覇自然環境事務所・高松事務所長宛　環境省自然環境局長通知〕

今般、「自然環境保全法の運用について」（昭和49年６月10日環自企第317号環境庁自然保護局長通知）の全部を別添のとおり改正したので通知する。

〔別添〕

○自然環境保全法の運用について

目次

第１　自然環境保全法の基本的目的について
第２　一般的事項
第３　自然環境保全基礎調査について
第４　自然環境保全基本方針について
第５　原生自然環境保全地域及び自然環境保全地域について
第６　都道府県自然環境保全地域について
Ⅱ　個別的事項
第１　原生自然環境保全地域及び自然環境保全地域の指定等について
　１　指定の基準及び保全計画について
　２　公聴会等について
第２　原生自然環境保全地域内における行為の制限等について
　１　原生自然環境保全地域内における行為の許可について
　２　原生自然環境保全地域内における行為の制限とならない行為について
第３　立入制限地区について
第４　自然環境保全地域特別地区及び海域特別地区について
　１　許可基準について
　⑴　特別地区の許可基準について
　⑵　海域特別地区の許可基準について
　２　一般的事項
第５　野生動植物保護地区について
第６　普通地区内における規制について
　１　着手制限制度の創設
　２　届出を要する工作物の基準について
第７　自然保護取締官の設置について
第８　原生自然環境保全地域及び自然環境保全地域における既着手行為の範囲について
第９　自然環境保全地域内における許可、届出等を要しない行為について
　１　特別地区及び海域特別地区
　⑴　特別地区内における森林施行及び保安林の区域又は保安施設地区との調整について
　⑵　海域特別地区における漁業活動との調整について
　２　普通地区
　⑴　普通地区内における保安林等との調整について
　⑵　普通地区内における漁業活動との調整について
第10　都道府県自然環境保全地域について
第11　関係地方行政機関等との調整について

第12　受益者に対し負担金を課す場合の調整について

Ⅰ　基本的事項

第１　自然環境保全法の基本目的について

我が国は地形、地質、気候、その他の自然的諸条件に恵まれた美しい豊かな自然環境に恵まれ、こうした自然環境の中で、日本独自の繊細ですぐれた文化と人間性が培われてきたが、近時の急速な社会、経済の発展に伴って、ややもすると経済的利益が優先し、自然がもともと持っていた復元力あるいは浄化力を超えた無秩序な開発行為により、我が国の良好な自然環境が随所に改変され、破壊されるなど環境の悪化が急速に進行してきた。

ところで、自然環境の保全に直接的あるいは間接的に関連する既存の法令は、自然公園法（昭和32年法律第161号）をはじめ各種の諸法令があるが、何れも法令の目的の点において、あるいは保護対象の点において、急速かつ全国的に進行しつつある自然環境の破壊を未然に防止する制度としては不十分である。

自然環境保全法（昭和47年法律第85号。以下「法」という。）は、このような事態に対処し、自然環境の保全の基本理念を明らかにし、その他自然環境の保全に関し基本となる事項を定めるとともに、自然公園法その他の自然環境の保全を目的とする法律と相まって、自然環境を保全することが特に必要な区域等の生物の多様性の確保その他の自然環境の適正な保全を総合的に推進することを目的として制定されたものである。

第２　一般的事項

１　自然環境の保全を図るためには、何よりもまず、広く国民が自然の価値を高く評価し、保護保全の精神を身に付いた習慣とすることが、あらゆる対策の第一歩であると考えられるので、法の施行に当たっては、その趣旨及び規定の内容を広く国民一般に周知させることはいうまでもないが、教育活動、広報活動等を通じて、自然環境の確保の必要性について国民の理解を深めるよう適切な措置を講じることが必要である。なお、自然環境保全地域等の区域に係る住民及び利害関係者は、法の施行に直接関係があるので、これらの者に対する周知、理解方については、特に配慮されたい。

２　自然環境保全行政は、農林漁業、鉱業、電源開発、電気事業、ガス事業、都市計画、道路、河川、文化財、運輸、通信等に関する他の行政及び諸産業に関連するところが大きいので、これらとの調整が十分図られるよう、森林管理局、地方農政局、経済産業局、地方整備局、都道府県教育委員会等と連絡を密にし、法の運用の円滑を期されたい。

第３　自然環境保全基礎調査について

自然環境保全行政を推進していくためには、国土の自然環境の状況を把握しておくことが不可欠の前提であることから、法第４条において、自然環境の保全のために講ずべき施策の策定に必要な基礎調査に関する規定が設けられている。

この調査では、これまでに日本全国の植生図の整備を行ったほか、動物分布調査、藻場・干潟・サンゴ礁の分布調査、海岸、河川・湖沼の改変状況調査など、国土全体の状況を調査している。

調査の実施は、都道府県をはじめ、全国の研究者、専門家、さらには一般の国民の協力と参加を得て行われている。

この調査の結果は、原生自然環境保全地域、自然環境保全地域及び都道府県自然環境保全地域の指定をはじめ、各種の自然環境保全施策の基礎資料として活用されている。この調査は国土の自然環境の概要を把握するためのものであり、個々の地域指定や各種の開発行為が自然環境に及ぼす影響に関する事前調査等のために用いるには、必ずしも充分なものではないので、必要に応じ、個別的な事例ごとに詳細な調査が必要である。

第４　自然環境保全基本方針について

自然環境保全行政を推進するには、人間の社会生活における自然の役割、自然環境保全の意義を明らかにし、今後の自然環境保全施策の基本的な方向課題を展望するとともに、自然環境保全地域等の指定の考え方及び保全施策のあり方、並びに自然環境保全地域等と自然公園その他の自然環境の保全を目的とする法律に基づく地域との調整に関する基本方針を明らかにする必要があり、自然環境保全基本方針（昭和48年総理府告示第30号。以下「基本方針」という。）は、かかる観点から定められたものである。

基本方針は、自然環境の保全についての国民の理解と協力を期待するとともに、国、地方公共団体等が行う自然環境保全施策や各種開発行為に対する一つの指針ともなるものであり、今後の自然環境保全行政の推進に当たっては基本方針の趣旨を十分尊重されたい。

第５　原生自然環境保全地域及び自然環境保全地域について

１　原生自然環境保全地域及び自然環境保全地域は、自然環境を適正に保全し、将来の国民に継承していくという性格の地域であり、優れた自然の風景地を保護するとともにその利用の増進を図るという性格の地域である自然公園とは、その性格を異にする。

このため、自然公園法第71条及び第81条の規定並びに法第22条第２項の規定により各々は重複しないこととされた。したがって法の運用に当たっては、原生自然環境保全地域及び自然環境保全地域の有する性格に特段の配慮を払い、法の適正な運用を図ることとする。

２　原生自然環境保全地域及び自然環境保全地域の指定に当たっては、関係都道府県の意見を聴く等の措置をとることとされているが、原生自然環境保全地域においては、原生の状態を維持するため、自然環境保全地域においては、優れた自然環境を保全するためそれぞれ厳しい行為の制限を行っていくこととしており、また、当該地域における土地利用のあり方等と関連するところも大であるので、各都道府県における自然環境の保全に関する審議会その他の合議制の機関の意見をきく等の措置を講じ、適正な指定がなされるよう配慮されたい。

第６　都道府県自然環境保全地域について

都道府県における自然環境の保全については、各都道府県において、法の規定に基づく条例を定めるほか、下記に留意して各都道府県における自然環境保全施策の総合的な推進に努めるとともに、都道府県自然環境保全地域の適正な保全に努められたい。

１　自然環境の保全を相互的に推進していくためには各都道府県における自然環境の実態を十分把握するとともに、各都道府県のおかれている自然的社会的諸条件に即した自然環境の保全を図っていくため、その基本的な方針を明らかにすることが重要であるので、かかる基本的な事項に特段の配慮を払い、これら施策の推進に努められたい。

なお、都道府県自然環境保全地域の指定の基準その他の地域に係る自然環境の保全に関する施策の基準に関する基本的な事項、及び都道府県自然環境保全地域と自然公園、緑地保全地区等との地域調整については、基本方針に定められているので、これら指定及び保全に当たっては、基本方針の趣旨を十分遵守されたい。

２　保全計画の決定及び保全事業の執行は、都道府県自然環境保全地域の保全上極めて重要な事項であるので、国の自然環境保全地域の場合に準じて措置されたい。

なお、法が保全計画及び保全事業について特別な規定を設けていないのは、その決定又は執行自体は、法の根拠がなくても都道府県が本来有する機能に基づいて行うことができるものであるからであって、保全計画及び保全事業を欠いた都道府県自然環境保全地域の保全を予想しているものではない。

３　都道府県自然環境保全地域の指定又は拡張及び都道府県自然環境保全地域に関する保全計画のうち特別地区の指定に関する事項又は当該地域における自然環境の保全のための規制に関する事項についての決定若しくは変更は、当該区域に係る住民及び利害関係人の生業及び財産権等に影響するところが大であるので、国の自然環境保全地域に関する場合に準じて、公聴会等の措置を講ずるよう配慮されたい。

なお、法が公聴会等について特別な規定を設けていないのは、それが専ら手続上の問題にすぎないという考えによるものであり、公聴会等の慎重な手続きを欠いた都道府県自然環境保全地域の指定等を予想しているものではない。

４　都道府県は、都道府県自然環境保全地域の特別地区（野生動植物保護地区を含

む。）の指定又は拡張をしようとするときは、あらかじめ森林管理局、地方農政局、経済産業局、地方整備局、都道府県教育委員会等の必要な関係地方行政機関及び環境省と十分な連絡調整を図られたい。

5 都道府県自然環境保全地域における規制は、「自然環境保全地域の特別地区（野生動植物保護地区を含む。）又は普通地区における行為に関する第４章第２節の規定による規制の範囲内」に限られるものである。この場合の「第４章第２節の規定による規制の範囲内」とあるのは、法の第４章第２節に基づく下位法令の規定による規制の範囲内ということを当然に含むものであるから、都道府県自然環境保全地域の行為の許可基準、行為の制限の対象とならない行為及び許可、届出を要しない行為等に関する規則の制定に当たっては、自然環境保全法施行規則（昭和48年総理府令第62号。以下「規則」という。）に定める範囲を逸脱しないよう留意されたい。

なお、都道府県自然環境保全地域における規制については、自然環境保全地域に準じた規制とするのが望ましいので念のため申し添える。

Ⅱ 個別的事項

第１ 原生自然環境保全地域及び自然環境保全地域の指定等について

1 指定の基準及び保全計画書について

原生自然環境保全地域及び自然環境保全地域の指定並びに保全計画については、基本方針で、その指定方針及び保全施策が定められているので、その趣旨に則り、当該地域の特性に応じて指定及び決定を行うこととするが、具体的な基準は別途通知した「自然環境保全地域等選定要領」及び「自然環境保全地域等保全計画作成要領」において定めることとし、自然環境保全基礎調査の結果を勘案しつつ進めていくこととする。

2 公聴会等について

自然環境保全地域を指定若しくは拡張する場合、又は自然環境保全地域に関する保全計画のうち、特別地区若しくは海域特別地区の指定に関する事項若しくは、当該地域における自然環境保全のための規制に関する事項について決定若しくは変更する場合において、縦覧に供された案について異議がある旨の意見書の提出があったとき、又は広く意見を聴く必要があると認めたときは、公聴会を開催するものとなっている。この公聴会の開催の方法等については、規則に定めているもののほか、下記に配慮して行うこととする。

① 公聴会は、原則として、自然環境保全地域ごとに開催するものとする。

② 公述人の選定にあたっては、異議のある旨の意見書を提出した者全員を公述人にする必要はないが、提出された意見書の要旨のうち、同趣旨のものについては、まとめてそのうちから適宜選定するとともに、その他広く各般の意見を聴くため必要と認めた者を選定するものとする。

③　開催場所及び開催時間は、公述人、住民及び利害関係人の参集の利便を十分考慮して定めるものとする。

住民及び利害関係人からの正式な意見聴取は、公聴会において行われるものであるが、事前の十分な意見聴取及び調整が必要であると考えられるので、必要に応じて都道府県又は市町村ごとに事前に説明会を開催し、十分な理解、協力が得られるよう努めることとする。

第２　原生自然環境保全地域における行為の制限等について

１　原生自然環境保全地域内における行為の許可について

原生自然環境保全地域内においては、原則として各種の行為は禁止されているが、非常災害のために必要な応急措置として行う場合のほか、環境大臣が学術研究その他の公益上の事由により特に必要と認めて許可した場合又は原生自然環境保全地域が指定され、若しくはその区域が拡張された際の既着手行為を、その指定又は区域の拡張の日から起算して３月以内に行う場合に限り行うことができるとされている。

原生自然環境保全地域の特性にかんがみ、この許可の運用にあたっては厳しい方針で臨み、著しく人命等に危害を及ぼすおそれのある災害の防止に関する場合、学術研究に関する場合等で必要最小限のものについては、許可の判断の対象となりうるものとする。

２　原生自然環境保全地域内における行為の制限の対象とならない行為について

原生自然環境保全地域内において行為の制限の対象とならない規則第３条で定める行為は、概ね次のとおりである。

①　砂防、地すべり防止、治水、その他国土の保全のための標識、くい、警報器、雨量観測施設等、小規模な工作物を設置することで、自然環境の保全に資するもの

②　気象、地象等の観測施設等当該行為の場所が限定され、他に代替することが困難であり、かつ、小規模なもので、原生自然環境保全地域の自然環境の保全に支障を及ぼすおそれがないもの

③　その他、森林の保護管理、野生鳥獣の保護増殖のための標識の設置、従来から行われていた漁業権又は入会権の行使等で、原生自然環境保全地域における自然環境の保全に支障を及ぼすおそれがないもの

第３　立入制限地区について

立入制限地区は、原生自然環境保全地域における自然環境を保全するため、人の立入りまでも規制する必要がある場所であるので、規則第３条第５号及び第６号に掲げるような権利が存し、かつ、現にかかる権利に基づいて規則第３条第５号及び第６号に掲げるような行為が行われている実態が存する地域についても、立入制限地区の性

格上立入を許容することが適当でないと考えられる。かかる点にかんがみ規則第３条第５号及び第６号に掲げる行為は、規則第５条の立入制限地区内への立入りの制限の対象とならない行為から除外したものである。

ただし、立入制限地区の指定にあたっては、あらかじめ、規則第３条第５号及び第６号に掲げるような権利及びその権利の行使の実態の存否等を十分調査し、これらの権利の行使をさまたげることがないように特段の配慮を払うこととする。

第４　自然環境保全地域特別地区及び海域特別地区について

1　許可基準について

特別地区及び海域特別地区は、自然環境保全地域の核心的な地域であるので、特別地区及び海域特別地区における自然環境の保全に与える影響をできるだけ少なくするよう適切な許可の運用を行うことが必要であるので、その許可基準は、行為の種類、形態等の別にできるだけ具体的、かつ明確な基準を定めることとした。

⑴　特別地区の許可基準について

①　工作物の新築等について

㋐　仮設のもの、地下に設けるもの、公益性の高いもの及び農林漁業、その他生業に関するものは、審査の対象とする。

㋑　㋐に掲げるもの以外の建築物については、自己の居住の用に供するために行われる場合等以外は原則として現存の建築物の敷地内又はその隣接地に限定して審査の対象とする。

また、その規模については、高さ10メートル、床面積の合計200平方メートルの範囲内のものを審査の対象とする。

㋒　その他の工作物についても、高さ10メートル、水平投影面積200平方メートルの範囲内のものを審査の対象とする。

これらのことから、規模の大きい工場、店舗、ホテル、保養所、レジャー施設等は、認められない。

②　土地の形質変更について

農業のための土地の開墾、試験研究、埋蔵文化財の発掘、河川管理等のために土地の形質を変更することは、審査の対象とする。

したがつて、ゴルフ場造成、宅地分譲又は別荘地分譲等のための土地の形質の変更は認められない。

③　鉱物の掘採、土石の採取について

試験研究、地質調査、温泉ボーリングのためのもの、又は坑道掘りによる鉱物の掘採又は土石の採取、水路内での土石の採取等については、審査の対象とする。

したがつて、露天掘りによる採石、鉱物の掘採は、認められない。

④　その他の行為について

当該行為の方法及び規模等が行為の行われる土地及びその周辺の土地の区域等における自然環境の保全に支障を及ぼすおそれが少ない場合に限り審査の対象とする。

⑵　海域特別地区の許可基準について

①　工作物の新築等について

㋐　仮設のもの及び海底下に設けるものは審査の対象とする。

㋑　その他の工作物については、漁業に関するもの、公益性の高いもの及び試験研究等に関するもの等について、審査の対象とする。

②　海底の形質変更について

試験研究、史跡名勝天然記念物の保存、船舶の交通安全等のために海底の形質を変更することは、審査の対象とする。

③　鉱物の掘採、土石の採取について

試験研究、地質調査、温泉ボーリング、海底下の鉱物又は土石の採取、船舶の交通安全等のためのものについては、審査の対象とする。

④　熱帯魚、さんご等の捕獲若しくは殺傷又は採取若しくは損傷について教育又は試験研究のためのものについては、審査の対象とする。

⑤　その他の行為について

当該行為の方法及び規模等が行為の行われる海域及びその周辺の海域等における自然環境の保全に支障を及ぼすおそれが少ない場合に限り審査の対象とする。

２　一般的事項

⑴　許可を要する行為の処分を行うにあたっては、他の各種法令に関連する事項については、当該法令による処分との連絡を十分図り、許可、不許可について極力一括処理するよう努めるとともに、国土保全、気象、地象等の観測、史跡名勝天然記念物、公益事業、交通通信等の公益性を有するもの及び農林、漁業等については、その公益性又は生業の安定を十分考慮することとする。

⑵　自然環境保全地域及び港湾区域等の有する特性にかんがみ、自然環境保全地域と港湾法（昭和25年法律第218号）第２条第３項に規定する港湾区域、同法第２条第４項に規定する臨港地区、同法第37条第１項に規定する港湾隣接地域、同法第56条第１項に規定する知事が公告した水域、公有水面埋立法施行令（大正11年勅令第194号）第32条第１号に規定する甲号港湾及び乙号港湾並びに港則法（昭和23年法律第174号）第２条に基づき定める港の区域とは重複しないこととしている。なお、このため規則第17条第１号ハ及び第23条第１号ハにおいては港湾施設等を規定しなかったものである。

⑶ 以下の区域は、法令上は保全計画に基づかなくても指定はできることとなっているが、当該区域（湖沼又は湿原については周辺１キロメートルの区域内）において、特別の規制が加わることにかんがみ、これらの指定は保全計画に基づいて行うこととする。

① 法第25条第４項第３号に規定する木竹の損傷を規制する区域

② 同項第４号に規定する植物の植栽等を規制する区域

③ 同項第５号に規定する動物の放出を規制する区域

④ 同項第６号に規定する汚廃水の排出の規制に係る湖沼又は湿原

⑤ 同項第７号に規定する車馬若しくは動力船の使用、又は航空機の着陸を規制する区域

⑥ 法第27条第３項第５号に規定する動植物の捕獲等を規制する区域

⑦ 同項第７号に規定する動力船の使用を規制する区域

第５ 野生動植物保護地区について

１ 野生動植物保護地区は、特別地区内における特定の野生動植物の保護のために、保護すべき野生動植物の種類ごとに指定するものであるが、当該野生動植物の保護地区において保護すべき野生動植物は、複数であることもありえる。

２ 野生動植物保護地区と鳥獣の保護及び狩猟の適正化に関する法律（平成14年法律第88号）に基づく鳥獣保護区特別保護地区とは、その保護対象が相互に重複する場合がありうるが、この場合鳥獣保護については、鳥獣の保護及び狩猟の適正化に関する法律の体系に基づいて保護していくことを基本とするが、自然環境を保護する必要がある場合には、両地区を重複して指定することとする。

３ 野生動植物保護地区においては、何人も、当該保護に係る野生動植物（動物の卵を含む。）を捕獲し、若しくは殺傷し、又は採取し、若しくは損傷してはならないが、規制の対象とならない行為のうち、規則で定めているものの概要は次のとおりである。

⑴ 特別地区内における行為の制限の対象とならない国又は地方公共団体の行為に係るもの

⑵ 工作物の新築等、木竹の伐採、農林漁業活動等のうち、特別地区内における許可等を要しないものに係るもの

⑶ その他、国又は地方公共団体の試験研究機関が行う試験研究、大学における教育又は学術研究等に係るもの

第６ 普通地区内における規制について

１ 着手制限制度の創設

普通地区内において届出を要する行為をしようとする場合には、自然公園法及び自然環境保全法の一部を改正する法律（昭和48年法律第73号）により、原則とし

て、その届出をした日から起算して、30日を経過した後でなければ当該届出に係る行為に着手してはならないこととされた。これは自然公園の普通地域において届出制の趣旨が十分活用され難かった点を勘案して、着手制限制度を創設したことに伴い、併せて自然環境保全地域の普通地区についても整備したものであり、これの運用については、先に通達した「自然公園法及び自然環境保全法の一部を改正する法律の施行について（昭和48年12月18日環自企第682号各都道府県知事宛環境事務次官依命通達）第３　着手制限の創設」を参照されたい。

２　届出を要する工作物の基準について

普通地区内については、工作物の新築等、土地の形質の変更、鉱物の掘採又は土石の採取、水面の埋立て又は干拓等は届出を要するとされているが、そのうち、工作物の新築等については、規則で定める規模の基準を超えるものとされており、この規則の概要は、次のとおりである。

⑴　陸域にあっては、建築物は高さ10メートル又は床面積の合計200平方メートル、道路は幅員２メートル、鉄塔、煙突等は高さ30メートル、ダムは高さ20メートル、送水管、ガス管等は長さ200メートル又は水平投影面積200平方メートル、その他の工作物は高さ10メートル又は水平投影面積200平方メートルとされている。

⑵　海域にあっては、おおむね陸域における半分の規模としている。

第７　自然保護取締官の設置について

１　原生自然環境保全地域及び自然環境保全地域内において、自然環境の保全を図っていくためには、機動的、かつ、効果的な処置を行うことが望ましいが、このためには、中止命令等の権限を自己の名で直接行使しえる自然保護取締官を適切に配置することが有効であると考えられる。このような観点から自然保護取締官の権限として自然環境保全法施行令（昭和48年政令第38号。以下「政令」という。）第３条第２項及び第３項に規定されているものは、違反行為を発見した場合等に現場において直ちに発することが有効であると考えられる中止命令及びこれに関連して必要な原状回復命令その他必要措置命令等の権限である。

２　自然保護取締官は、前述したとおり、違反行為者に対して自己の名において中止命令、原状回復命令その他必要措置命令の権限を行使しうるので、その権限の行使が恣意に流れず適正に行われるよう、その任命にあたっては、法令上定められた学識経験上の資格を有することはもちろん、その人格等についても特段の配慮を払うこととする。

第８　原生自然環境保全地域及び自然環境保全地域における既着手行為の範囲について

原生自然環境保全地域、自然環境保全地域の特別地区、海域特別地区が指定された際、既に具体的に当該工事の一部に着手していた行為については、法第17条第４項、

第25条第８項及び第９項並びに第27条第７項及び第８項の規定の適用があり、法的安定の観点から配慮が払われている。この既着手行為の範囲については、各行為について個々具体的な場合に応じて判断されるべきものであるが、鉱物の掘採、土石の採取等連続的な行為については、客観的に当該行為と一体性を有すると認められる範囲に限定されるべきもので、具体的には、鉱物の掘採にあっては施業案の届出又は認可の範囲、土石の採取にあっては、採取計画の認可の範囲、また、電源開発については工事施行認可又は工事実施認可の範囲を既着手行為の範囲として、運用することとする。

また、公有水面埋立についても、これが連続的に行われるものである場合には、埋立免許の範囲を既着手行為の範囲として運用することとする。

第９　自然環境保全地域内における許可、届出等を要しない行為について

１　特別地区及び海域特別地区

(1)　特別地区内における森林施業及び保安林の区域又は保安施設地区（以下「保安林等の区域」という。）との調整について

①　特別地区が森林の区域に指定される場合にあっては、自然環境を破壊しない限度において、健全な林業経営が持続できるよう、特別地区を指定し、若しくは拡張する場合又は特別地区に係る保全計画を変更する場合に、あらかじめ、その区域内において許容しうる木竹の伐採について定め、自然環境の保全と健全な林業経営との調和を図っておくことが適当と考えられるので、かかる観点から法第25条第３項により、環境大臣の許可を受けないで行うことができる木竹の伐採の方法及びその限度を農林水産大臣と協議して指定することとしたものである。

②　特別地区と保安林等の区域が重複して指定された地域にあっては、法第17条第１項第１号又は第３号に掲げる行為で、森林法（昭和26年法律第249号）第34条第２項の許可を受けた行為についても、法第25条の許可は要しないとされている。

これは森林法第34条及び第44条の許可の運用をみると、保安林等の機能を失わしめるような相当大規模な行為について許容されることはなく、保安林等として存続させることを前提とした小規模な行為又は仮工作物の設置等の暫定的な行為に限り許容されることとされているので、重ねて自然環境保全法上の許可を受けることを要することとしなくても、特に自然環境の保全に支障を及ぼすものではないと考えられることによるものである。

なお、保安林等の区域において、相当程度大規模な行為の許可申請があり、かつ、他の公益からみて、保安林等として存続させるよりも当該行為を優先させるべきものと判断され保安林等の指定が解除された場合には、当該自然環境

保全法にその可否の判断が任せられることになる。

なお、法第25条第４項ただし書に掲げている行為には、規則第19条第12号イに掲げる行為は含まれないと解されるので規則において許可を要しないと明記したものである。

⑵　海域特別地区における漁業活動との調整について

海域特別地区と漁業活動との調整については、海域特別地区の自然環境の保全と健全な漁業活動との調整を図り、海域特別地区における自然環境の円滑な保全を確保するため、海域特別地区の自然環境の重要な構成要素である熱帯魚、さんご、海藻その他の動植物で、海域特別地区ごとに環境大臣が農林水産大臣の同意を得て指定するものの捕獲又は殺傷若しくは損傷については、環境大臣の許可に係らしめることとするが、法第27条第３項第１号から第３号まで、第６号及び第７号に掲げる行為で漁具の設置その他漁業を行うために直接必要とされるものについては、法第27条第３項ただし書により許可は要しないこととしたものである。

⑶　特別地区、海域特別地区内における行為の制限の対象とならない国又は地方公共団体の行為及び許可等を要しない行為の規則で定められるものの概要は、おおむね次のとおりである。

①　原生自然環境保全地域内において行為の制限の対象とならない行為

②　国土保全施設、その他公益性の高い施設であって、既存のものの改築又は増築

③　農業、林業又は漁業を営むために行う行為のうち、自然環境保全地域の自然環境の保全に支障を及ぼさないもの、その他通常の管理行為又は軽易行為のうち自然環境保全地域の自然環境の保全に支障を及ぼさないもの

2　普通地区

⑴　普通地区内における保安林等との調整について

普通地区と保安林等の地域が重複している場合には、第９―１―⑴―②で述べた趣旨にかんがみ、法第28条第１項第１号から第３号までに掲げる行為で、森林法第34条第２項本文の規定に該当するものを保安林等の区域内において行う場合には、すべて森林法上の体系に任せ、自然環境保全法上の規制には係らしめないこととした。

この場合、規則第29条に規則第19条第12号イに掲げる行為を掲げていないのは、法第28条第１項ただし書前段に掲げる行為で森林法第34条第２項本文の規定に該当するものには、森林法第34条第２項各号に掲げる場合に係る行為も含まれることによるものである。

なお、第９―１―⑴―②で述べたところと同様、保安林等が解除された場合に

は，当然、自然環境保全法にその可否の判断が任せられることとなる。

⑵　普通地区内における漁業活動との調整について

海域に普通地区が指定されている場合には、漁業活動との調整を図るため、法第28条第１項第１号から第３号までに掲げる行為で海域内において漁具の設置その他漁業を行うために直接必要とされるものについては、届出を要しないこととしたものである。

⑶　普通地区内において行為の制限の対象とならない行為及び届出等を要しない規則で定める行為の概要は、おおむね次のとおりである。

①　特別地区又は海域特別地区内において、行為の制限の対象とならないとされた国又は地方公共団体の行為

②　①以外の工作物の新築、改築又は増築については、特別地区又は海域特別地区における許可等を要しないもの

③　土地（海底を含む。）の形質の変更、鉱物の掘採又は土石の採取にあっては、特別地区又は海域特別地区内における許可基準の対象としたもののうち、普通地区内における自然環境の保全に支障を及ぼすおそれのないもの

④　水面の埋立て、干拓にあっては、面積が200平方メートルを超えないものとし、海面の場合にあっては、100平方メートルを超えないもの

⑤　特別地区内の河川、湖沼等の水位、水量に増減を及ぼさせる行為については、特別地区内における田畑内の池沼等の水位水量に増減を及ぼさせるもの及び既着手行為に係る工作物の操作によるもの

⑥　農業、林業又は漁業を営むために行う行為のうち、住宅、一定規模以上の工作物の新築等、宅地の造成、土地の開墾、水面の埋立て、干拓等以外の行為

第10　都道府県自然環境保全地域について

１　都道府県自然環境保全地域については、各都道府県のおかれている地理、気象等の自然条件、あるいは経済活動等の社会的条件等が多様性を有していることにかんがみ、条例で定めるところにより、その区域における自然環境保全地域に準ずる土地の区域で、その区域の周辺の自然的社会的諸条件からみて当該自然環境を保全することが特に必要なものを指定することができるとされている。したがつて各都道府県の自然的社会的諸条件を十分勘案し、その実情に応じ当該地域の自然環境を保全していくことが可能な程度の一定のまとまりのある自然環境を有する土地の区域を指定するよう配慮されたい。

２　都道府県自然環境保全地域における保全の運用に当たっては、自然環境保全地域における規制に準ずる規制を定めることが適当であると考えられるので、自然環境保全地域における保全の運用について述べたところに準拠して、適正な運用がなされるよう配慮されたい。

3　都道府県自然環境保全地域における森林施業及び保安林等との調整については、以下の点に配慮されたい。

⑴　都道府県自然環境保全地域内に特別地区を指定した場合においては、自然環境保全地域の特別地区における行為に関する規制の範囲内において必要な規制を定めることができるとされているが、森林施業との調整を図るため、特に木竹の伐採については、国の自然環境保全地域の特別地区における場合に準じて、あらかじめ、当該特別地区内において許容できる木竹の伐採の方法及びその限度を保全計画に基づいて指定しておくことが適切であると考えられる。

この場合、森林施業計画及び地域施業計画等との調整が必要である場合も予想されるので、関係行政機関等と十分な連絡調整を行うよう、格段の配慮をされたい。

⑵　都道府県自然環境保全地域が、保安林等の区域と重複している場合の保安林等との調整については、国の自然環境保全地域の特別地区（野生動植物保護地区を含む。）又は普通地区における行為に関する規制の範囲内において必要な規制を定めることができるとされているので、法第25条第４項ただし書及び法第28条第１項ただし書の例により森林法に基づく規制との調整について定めることが必要であるので留意されたい。

4　都道府県自然環境保全地域の管理については、保全計画に基づいて適正に行われる必要があるが地域の実情に応じ、現地管理体制について配慮するとともに、必要に応じ、国の自然保護取締官に準じて自然保護取締員を設置することが適当であると考えられるが、その資格及び権限については国の自然保護取締官に準ずることとし、その運用について遺憾のないようにされたい。

5　法第58条の規定は、地方自治法第14条第３項に規定する法令の特別の定めに該当する者であり、都道府県自然環境保全地域に関する条例には条例に違反した者に対して、その違反行為の態様に応じ、それぞれ、法第53条から第57条までに定める罰則の範囲を超えない限度において罰則を設けることができる。この場合、法の規定に準じた罰則を設けることが適切と考えられるが、各都道府県の他の条例の罰則に関する規定との均衡を勘案して定めても差支えない。

6　都道府県自然環境保全地域の地域指定及び保全計画についての具体的な技術的細則については、別途通知した「都道府県自然環境保全地域指定基準」及び「都道府県自然環境保全地域保全計画作成要領」を参照されたい。

第11　関係地方行政機関等との調整について

自然環境保全行政は、他の公益、農林漁業その他の諸産業及び財産権に関連するところが大きいので法に関する都道府県の事務の遂行にあたっては、以上に述べたほか、次の点に留意し、他の公益、農林漁業その他の諸産業及び財産権との調整について配慮されたい。

この場合、自然環境保全行政の重要性にかんがみ本来の自然環境保全行政の趣旨を没却し、安易な調整の措置を講ずることのないよう十分配慮されたい。なお、連絡調整すべき関係地方行政機関等とは、概ね、森林管理局、地方農政局、経済産業局、地方整備局、都道府県教育委員会等である。

1　都道府県自然環境保全地域の特別地区（野生動植物保護地区を含む。）の指定又はその区域の拡張をしようとするときは、あらかじめ森林管理局、地方農政局、経済産業局、地方整備局、都道府県教育委員会等の必要な関係地方行政機関及び環境省と十分な連絡調整を図られたい。

2　都道府県自然環境保全地域の指定、若しくは区域の拡大又は保全計画の決定若しくは変更については、都道府県の関係部局の間において十分連絡協議のうえ、必要に応じ、あらかじめ、関係地方行政機関と連絡し、調整をすることとされたい。

なお、国有林野にかかわる地域の指定については、当該国有林野の管轄森林管理局に対し、あらかじめ協議することとされたい。

第12　受益者に対し負担金を課す場合の調整について

都道府県自然環境保全条例において、法第38条に準じた規定を定め、これに基づき負担金を課そうとする場合には、当該事業者及び関係地方行政機関と十分調整を図られたい。

別添３　略

2　農林業関係

○自然公園区域内における森林の施業について

〔昭和34年11月9日　国発第643号
各県知事宛　国立公園部長通知〕

国立公園及び国定公園区域内における森林の施業については、従来林野庁との間にとりかわした数次に亘る覚書、取り決め等によりその取扱を定めてきたところであるが、今般、林野庁と協議して、これらを整理統一のうえ合理化し、かつ、自然公園法に基づく都道府県立自然公園区域内における森林の施業にも適用できるよう、別紙のとおり定めたので、今後、自然公園区域内における森林の施業については、下により取扱に遺憾なきを期せられたい。

〔別　紙〕

自然公園区域内における森林の施業について

〔昭和34年８月12日国発第468号　国立公園部長照会
昭和34年34林野指第6,417号　林野庁長官回答〕

第１　国立公園及び国定公園

一　森林施業制限細目

1　一般事項

(1)　国立公園及び国定公園区域内の森林の施業は、国有林野（公有林野等官行造林地を含む。以下同じ。）にあっては経営計画（公有林野等官行造林地施業計画を含む。以下同じ。）、民有林にあっては地域森林計画に基づき風致の維持を考慮して行わなければならない。

(2)　経営計画又は地域森林計画を定める場合は、原則として国立公園及び国定公園の特別地域、普通地域別に施業方法を定めるものとする。

2　特別地域における制限

特別地域内における森林の施業に関する制限は、国立公園計画及び国定公園計画において定める第１種特別地域、第２種特別地域及び第３種特別地域の区分（別紙）に従いそれぞれ次のとおりとする。

ただし、第１種特別地域、第２種特別地域及び第３種特別地域の区分の未決定の特別地域内の森林の施業に関する制限については、林野庁長官と国立公園部長が協議して定めるものとする。

(1)　第１種特別地域

(イ) 第1種特別地域の森林は禁伐とする。
ただし、風致維持に支障のない場合に限り単木択伐法を行うことができる。

(ロ) 単木択伐法は、次の規定により行う。

A 伐期令は、標準伐期令に見合う年令に10年以上を加えて決定する。

B 択伐率は、現在蓄積の10%以内とする。

(2) 第2種特別地域

(イ) 第2種特別地域の森林の施業は、択伐法によるものとする。
ただし、風致の維持に支障のない限り、皆伐法によることができる。

(ロ) 国立公園計画に基づく車道、歩道、集団施設地区及び単独施設の周辺（造林地、要改良林分、薪炭林を除く）は、原則として単木択伐法によるものとする。

(ハ) 伐期令は標準伐期令に見合う年令以上とする。

(ニ) 択伐率は用材林においては、現在蓄積の30%以内とし、薪炭林においては、60%以内とする。

(ホ) 伐採及び更新に際し、特に風致上必要と認める場合は、国立公園部長は、伐区、樹種、林型の変更を要望することができる。

(ヘ) 特に指定した風致樹については、保育及び保護につとめること。

(ト) 皆伐法による場合その伐区は次のとおりとする。

A 一伐区の面積は2ヘクタール以内とする。
但し、疎密度3より多く保残木を残す場合又は車道、歩道、集団施設地区、単独施設等の主要公園利用地点から望見されない場合は、伐区面積を増大することができる。

B 伐区は更新後5年以上経過しなければ連続して設定することはできない。この場合においても、伐区はつとめて分散させなければならない。

(3) 第3種特別地域

(イ) 第3種特別地域内の森林は、全般的な風致の維持を考慮して施業を実施し、特に施業の制限を受けない（民有林にあっては、森林法第7条第4項第4号の規定に基づく普通林として取扱う）ものとする。

3 特別保護地区における制限
特別保護地区内の森林の施業に関する制限について、厚生大臣はそれぞれの地区につき農林大臣と協議して定めるものとする。

4 普通地域内における制限
風致の保護ならびに公園の利用を考慮して施業を行うものとする。

二 特別地域内の森林の施業に関する手続

1 民有林

(1) 国立公園の特別地域（第3種特別地域を除く。）内の民有林の施業に関し、都道府県知事が地域森林計画を編成するに当っては、あらかじめ森林施業制限細目に基づく森林計画区ごとの特別地域の施業要件を定め、９月末日までに厚生大臣に提出してその承認を受けるものとする。

地域森林計画の変更により特別地域の施業要件を変更する場合には、その都度これを厚生大臣に提出してその承認を受けるものとする。

⑵　国定公園の特別地域（第３種特別地域を除く）内の民有林の施業に関し、都道府県知事が地域森林計画を編成するに当っては、森林施業制限細目に基づく森林計画区ごとの特別地域の施業要件を決定するものとする。

２　国有林野

⑴　国立公園の特別地域内の国有林野の施業に関し、経営計画を編成するに当っては、自然公園法第40条第１項の規定に基づき、林野庁長官はあらかじめ当該地域の経営計画編成方針につき厚生大臣に協議するものとする。経営計画編成方針を変更する場合も同様とする。ただし、すでに協議済の経営計画と著しい変更のない場合は厚生大臣に通知することをもってこれにかえるものとする。

⑵　経営計画に基づく自動車道及び事業所の新設のうち、国立公園の第１種特別地域及び第２種特別地域について、厚生大臣が風致維持又は公園利用上特に必要があると認め前号の協議の際林野庁長官に要望したものについては、当該工事に着手するにあたり、林野庁長官はその実施計画につき当該要望事項を充分考慮するものとする。

⑶　国定公園の特別地域内の国有林野の施業に関し、経営計画を編成するに当っては、自然公園法第40条第１項の規定に基づき、営林局長はあらかじめ当該地域の経営計画編成方針につき都道府県知事に協議するものとする。経営計画編成方針を変更する場合も同様とする。ただし、すでに協議済の経営計画と著しい変更のない場合は都道府県知事に通知をもってこれにかえるものとする。

⑷　経営計画に基づく自動車道及び事業所の新設のうち、国定公園の第１種特別地域及び第２種特別地域について、都道府県知事が風致維持又は、公園利用上特に必要があると認め前号の協議の際営林局長に要望したものについては、当該工事に着手するにあたり営林局長は、その実施計画につき当該要望事項を充分考慮するものとする。

⑸　前１号及び３号によって編成された経営計画に基づいて営林局署が行う行為については、厚生大臣又は都道府県知事に協議又は通知を要しないものとする。

第２　都道府県立自然公園

都道府県立自然公園内の森林の施業については、国立公園及び国定公園の場合に準じて取扱うものとし、国有林野については、営林局長と都道府県知事が協議して定めるものとする。

（別紙）

特別地域は第１種、第２種、第３種に区分しその取扱は下による。

⑴　第１種特別地域は、特別地域中で風致維持の必要のもっとも高いもので、特別保護地区についで公園の核心的な景観の地域である。その取扱は極力現在の景観の保護を図ることとし、原則として公園計画で決定された施設のみが許容される地域である。ただし景観に及ぼす影響が極めて軽微な行為は場所によっては許容される。

⑵　第２種特別地域は、風致維持の必要度の中位のものであって、風致維持が効果的に行われるよう規制を図り、産業開発その他の行為については風致維持上必要ある場合は制限を加えることがある。ただし産業的利用との間につとめて調整をはかる。

⑶　第３種特別地域は、特別地域中では風致維持の必要度が比較的少ない地域で、風致上の規則を行うにあっては、特に景観に重大な影響を及ぼすと思われる顕著な行為を規制し、通常の産業行為は原則として許可されるものである。

○自然公園区域内における森林の施業について

〔昭和48年８月15日　環自企第516号
各都道府県知事宛　環境庁自然保護局長通知〕

標記については、昭和34年11月９日国発第643号で取扱い方針が通知されているところであるが、国立公園内の国有林の施業に関する協議内容について、別記のとおり運用することとしたので、今後、国定公園及び都道府県立自然公園の国有林の施業についても、これに準じて行なわれたい。

〔昭和48年８月15日　環自企第516号
林野庁指導部計画課長宛　環境庁自然保護局企画調整課長通知〕

標記について、別添のとおり都道府県知事および国立公園管理事務所長（国立公園管理員を含む）に通知したので了知されるとともに、今後の取扱いについてよろしく御配意願いたい。

別添　略

（別　記）

自然公園特別地域内における森林の施業について（国立公園内の国有林施業に関する協議内容の了解事項）

１　国立公園第２種特別地域（予定地を含む）以上の区域内における伐採予定個所については、その位置（林班）、面積、および数量、主たる樹種を明示して行うこと。

ただし、第２種特別地域内における択伐予定個所については必要に応じ資料の提出を求める。

2　国立公園特別保護地区及び第1種特別地域内における林道の開設にあっては、事業実施の際に、その詳細図面に基づき、当該国立公園を管轄する国立公園管理事務所長、または国立公園管理員と十分連絡を行い実施すること。

3　地域施業計画の樹立の際の一括協議における林道の開設に対し、環境庁長官からの回答のなかで「事業実施に際し詳細図面に基づき協議されたい」旨の留意事項が付された場合は次のように行うこととする。

(1)　協議内容

ア　当該林道の開設に伴う捨土処理の方法、法面の緑化の方法のほか、とくに自然保護上配慮して行う事項のうち、必要と認められるものについて具体的に記載する。

イ　関係図面として、平面図、縦断図および横断図を添付する。

(2)　協議書の提出者

ア　原則として営林署長とする。但し営林局が実行するものについては営林局長とする。

(3)　協議回答者

ア　一括協議の回答に際し、環境庁長官が「当該国立公園管理事務所長あて協議されたい」との留意事項を付したものについては、当該国立公園管理事務所長とする。

イ　その他の地域にあっては、環境庁長官とする。なお、国立公園管理員が駐在する地域にあっては、当該国立公園管理員を経由して行うこととする。

ウ　国立公園管理員を経由して環境庁長官あて協議する場合は、(1)のア及びイに掲げる内容について、あらかじめ国立公園管理員に対し十分な説明等を行い原則的に了解がなされたものについての環境庁長官あての協議書添付の関係図面は、捨土、法面緑化、附属工作物の位置及び方法等を記載した平面図のみで足りるものとする。

○自然公園区域内における森林施業に伴い造成される作業道の取扱について

〔昭和51年５月30日　環自保第59号
都道府県自然公園主管部長宛　環境庁自然保護局保護管理課長通知〕

標記について別添写(1)のとおり北海道生活環境部長より照会があり、本日別添写(2)のとおり回答したいので了知されるとともに、今後は本回答に基づき運用されたい。

〔別添写(1)〕

〔昭和51年１月27日　自然第84号
環境庁自然保護局保護管理課長宛　北海道生活環境部長照会〕

森林施業上の自動車道には林道と作業道があるが、それらの区分が不明確な現況にあるため、下記質疑事項について御教示いただきたく照会します。

記

1　現況

北海道内の国有林において、森林施業上「作業道」と呼ばれるものは、一般的には伐採地拵え、植林、下刈りまで一連の施業が完了する６～７年間使用され、下刈り終了後は自然放置により、林地に復元されている。この作業道は自然公園法にもとづく協議のなかでは、位置、構造、設置期間等が明らかにされないまま一括して林地復元を前提とした自動車道として取り扱われているが、砂利敷のものが多く部分的には橋梁、路側工等も施しており、また一部には下刈り終了後も種々の事情により半恒久的に使用されているものである。

したがって、この作業道の取り扱いを林道との関連において明確にすることが自然公園法管理上必要となってきた次第である。

2　質疑事項

(1)　自然公園法上の取扱いにおいて、下記項目について林道と作業道はどのように区分されているか。

(ア)　設置期間による区分

(イ)　設置目的による区分（伐採、植林、間伐等の一連の森林施業との関連）

(ウ)　道路構造による区分

(エ)　その他による区分

(2)　従来作業道として扱われてきたもので、(1)の区分により林道として把握されるべきものが生じた場合、「自然公園区域内における森林の施業について」（昭和34年国立公園部長通知）にかかる自然公園法上の取扱いはどのようになるか。

〔別添写⑵〕

〔昭和51年５月30日　環自保第59号
北海道生活環境部長宛　環境庁自然保護局保護管理課
長回答〕

昭和51年１月27日付け自然第84号で照会のあった標記については下記のとおり回答する。

記

１　質疑事項⑴について

自然公園法上の道路の取扱いとしては、通常は工作物の新改増築として把握し、例外的には単にブルドーザー等で地ならしする程度のものを土地の形状変更として把握するという区分はあるが、「林道」「作業道」という区分はしていない。

なお、「自然公園区域内における森林の施業について」（昭和34年11月９日国発第643号）の２の２の⑴に基づく協議においては恒久的、継続的に利用される道路であれば「林道」「作業道」の区分にかかわらず位置、規模（巾員・延長）を明らかにさせる必要があり、また伐採、搬出、造林、治山施設の設置等を行うための一時的に作設する道路についても、当該道路を設置したい旨及び目的とする行為終了後は原状に近い状態に修復する旨を明記させる必要がある。

２　質疑事項⑵について

目的とする行為終了後は、原状に近い状態に修復するという内容で協議に応じた道路が、その後において、恒久的に利用する必要が生じた場合には、その時点で改めて手続きをとらせる必要がある。

○自然公園計画の策定に係わる森林施業に関する通達解釈上の疑問点等について

〔昭和55年３月５日　自然第1,474号
環境庁自然保護局計画課長宛　埼玉県環境部長照会〕

自然公園行政につきましては、日ごろ格別の御指導を賜わり厚くお礼申し上げます。

さて、本県では県立自然公園の新規指定を予定し、公園計画の策定作業を行っているところですが、庁内調整の過程で、「自然公園区域内における森林の施業について」（昭和34年11月９日、国発第643号）に関する解釈上の疑義が生じ、調整が難行しております。

つきましては、下記の事項について、公園計画策定上の観点から、貴職の意見を照会致します。

なお、本県の県立自然公園特別地域における許否の判断は、国の審査指針を準用しているものですが、県立自然公園として特定した回答が不可能である事項は、国立公園の一般的問題として御回答下さい。

記

1　第３種特別地域内の森林施業については制限を受けないとされているが、この場合の施業には、林道、治山工事等の森林施業計画に基づく土地の形状変更、工作物の設置を行う行為も含まれるかどうか。

2　第３種特別地域においては、通常の伐採の方法及び面積について制限を受けないとされているが、制限を受ける場合もありうるかどうか。

3　昭和34年11月９日付け国発第643号の国立公園部長通知において、通知文の最後に記載のある「（別紙）特別地域地種区分の取扱い」の当該通知における意味について

4　中核林業振興地域指定地及び県造林地の一部を第３種特別地域として指定することの見解について

5　自然公園計画策定に関して、注意点及び指導事項があれば、ご教示頂きたい。

（別　紙）

（当該照会の背景）

県立西秩父自然公園（新規指定を予定）の公園計画の策定については、（財）国立公園協会に委託し作業を進めているが、第１次案（別添図面等参照）を庁内の林務課あて協議したところ、予定している特別地域案（公園区域の約45％）を大巾に削減するよう申し入れがあったものである。

その主な理由は、第３種特別地域であっても森林施業が憂慮されるとするものである。

本県は原始的なすぐれた自然は少なく、人間生活とのかかわりが強い二次的な自然が多

いが、その社会的条件から、この平凡な自然の持つ、環境保全及び野外レクリエーション利用上の価値がきわめて高く評価されております。本県の県立自然公園指定の意義もこの点にあると思われますが、特別地域を拡充しようとする場合、林務担当課に生じた危惧は今後重大な障害となる恐れがあります。

そこで、「自然公園区域内における森林の施業について」（昭和34年11月９日付け国発第643号）の解釈上の疑問点を照会し、今後の自然公園行政と林務行政の円滑化を図るものである。

〔昭和55年３月31日　環自計第60号
埼玉県環境部長宛　環境庁自然保護局計画・保護管理課長回答〕

昭和55年３月５日付け自然第1,474号で照会のあった標記については、下記のとおり回答する。

記

１　貴照会１について

第３種特別地域において特に施業の制限を受けないとされているのは、木竹の伐採に関してのみである。

２　貴照会２について

第３種特別地域における森林施業については、全般的な風致の維持に支障のないかぎり特段の制限は課されない。

３　貴照会３について

当該通達の別紙は、特別地域の地種区分及び当該地域における一般的な行為の規制の取扱いを示したものであり、特別地域の地種区分がある場合の具体的な森林施業の制限は、同通達第１の１の２本文に示すところにより行うこととしている。

なお、県立自然公園の森林施業の制限についても同通達第２に基づき国立公園及び国定公園の場合に準じて取り扱うものとされている。

４　貴照会４について

特別地域を区分する場合、通常の農林漁業活動については、原則として許容されるような地域が第３種特別地域とされており、造林地がこれに含まれることも当然あり得る。

従って、中核林業振興地域又は県造林地であっても特別地域に相当すると考えられるものにあっては、その指定を行うべきである。

５　貴照会５について

特にない。

○自然公園法に基づく国立公園又は国定公園の特別地域内における治山事業の施行に関する取扱いについて

〔昭和50年５月26日　環自企第267号
各都道府県自然公園主管部長・各国立公園管理事務所長・各駐在管理員宛　環境庁自然保護局企画調整課長通知〕

標記について、昭和50年４月23日付け50林野治第850号で林野庁長官より別添写(1)のとおり照会があり、本日別添写(2)及び(3)のとおり回答されたので了知されるとともに、下記の事項に留意して運用されたい。

記

1　取扱１(1)の既着手行為については、本来特別地域又は特別保護地区が指定又は拡張されてから３か月以内に届出又は通知を要することとされているが、過去に指定又は拡張されたものであって当該届出又は通知がなされていないものであっても、本取扱に該当する計画が現に存していたことが行為者により挙証されれば既着手行為として取扱って差支えない。この場合、速やかに当該計画の写を添えて届出又は通知を行わせられたい。

なお、工事用資材運搬路のうち恒久的な施設として設置されるもの、及び工事請負業者が独自に設ける宿舎、工事用プラント等については既着手行為には含まれない。

2　取扱１(2)のうち「年度内に施行する箇所」とは「年度内に工事に着手し完了させる箇所」というものである。したがって施設を完成させるために数年を要するような大規模なものはこれに含まれない。

〔別添写(1)〕

自然公園法に基づく国立公園又は国定公園の特別地域内における治山事業の施行に関する取扱いについて

〔昭和50年４月23日　50林野治第850号
環境庁自然保護局長宛　林野庁長官照会〕

自然公園法（昭和32年法律第161号）に基づく国立公園又は国定公園の特別地域内において治山事業等を施行する際、当該事業の円滑な実施を図るため、別紙のとおり取り扱うことについて貴見を伺いたい。

別紙

国立公園又は国定公園の特別地域内における治山事業の施行に関する取扱

いについて

1　自然公園法第17条第３項及び同法第18条第３項の取扱いについて

⑴　既に着手していた行為の範囲

治山治水緊急措置法第２条第１項に規定する治山事業に係る工事に関する一定の計画（工事に係る施設の位置、種類（工種）、規模、形態及び設置予定年次を明らかにして、所要の書類又は図面により表示したもの）が、特別地域又は特別保護地区の指定当時（特別地域又は特別保護地区の区域を拡大したものについては拡大当時）現に存し、それに基づいて工事が行われている場合には当該計画に係るその後の工事も自然公園法第17条第３項ただし書及び同法第18条第３項ただし書に規定する「既に着手していた行為」として取り扱う。

⑵　非常災害のために必要な応急措置として取扱う行為の範囲

次に掲げる事業のうち、災害防止上猶予できないものであって、災害が発生した年の４月１日に属する年度内に施行する箇所に係るものについては、自然公園法第17条第３項ただし書及び同法第18条第３項ただし書に規定する「非常災害のために必要な応急措置として行う行為」として取り扱う。

㈠　森林法第41条に規定する保安施設事業のうち当年発生災害の復旧のために緊急に施行する治山事業

㈡　公共土木施設災害復旧事業費国庫負担法又は農林水産業施設災害復旧事業費国庫補助の暫定措置に関する法律に規定する林地荒廃防止施設災害復旧事業

㈢　林地崩壊防止事業実施要綱（昭和41年11月10日付け41林野治第1,858号農林事務次官依命通達）に規定する林地崩壊防止事業

㈣　小規模山地災害対策事業実施要綱（昭和50年４月10日付け50林野治第673号農林事務次官依命通達）に規定する小規模山地災害対策事業

2　自然公園法施行令第25条第１号ハに規定する「ダム」の解釈について

治山事業で施行する堰堤、谷止、床固のうち、常時流水の存する箇所に施行する堰堤は、自然公園法施行令第25条第１号ハに規定する「ダム」に該当するものとして取り扱う。

3　事務手続について

行政の簡素化を図るため、治山事業について自然公園法第40条第１項の規定による協議又は同条第２項の規定による通知が必要とされる場合における協議又は通知は、治山治水緊急措置法第２条第１項に規定する治山事業に係る工事に関する一定の計画（工事に係る施設の位置、種類（工種）、規模、形態及び設置予定年次を明らかにして、所要の書類又は図面により表示したもの）をもって行う。

この場合、工事用資材運搬路のうち恒久的な施設として設置するものについては別途協議又は通知するものとする。

なお、地域施業計画樹立の際の一括協議に係る治山事業については、「自然公園区域内における森林施業について」（昭和34年８月12日国発第468号国立公園部長照会、34林野指第6,417号林野庁長官回答）に基づいて行うものとする。

〔別添写(2)〕

自然公園法に基づく国立公園又は国定公園の特別地域内における治山事業の施行に関する取扱いについて

〔昭和50年５月26日　環自企第267号
林野庁長官宛　環境庁自然保護局長回答〕

昭和50年４月23日付け50林野治第850号で照会のあった標記については、異存はない。

〔別添写(3)〕

自然公園法に基づく国立公園又は国定公園の特別地域内における治山事業の施行に関する取扱いについて

〔昭和50年５月26日　環自企第267号
林野庁指導部治山課長宛　環境庁自然保護局企画調整課長通知〕

昭和50年４月23日付け50林野治第850号で林野庁長官より、協議のあった標記については、本日別添のとおり回答されたが、本取扱１(2)の「非常災害のために必要な応急措置」については、国立公園管理事務所長又は国立公園管理員の管轄する区域内にあっては事前に十分連絡をとらせるとともに、自然公園法第17条第５項に基づく届出又は同法第40条第２項に基づく通知を確実に行わせるよう関係機関を指導されたい。

○森林病害虫等防除対策に関する留意事項について

〔平成９年５月30日　環自国第235号
各国立公園・野生生物事務所長宛　国立公園課長通知〕

先般、森林病害虫等防除法の一部を改正する法律（平成９年法律第11号）及びこれに伴う政省令が公布施行され、別添のとおり自然保護局企画調整課長及び水質保全局土壌農薬課長より各都道府県環境担当部局長あて通知がなされたところである。

当該通知により、森林病害虫等防除対策の対象となる地域に国立公園が含まれる場合には、当該国立公園を管轄する国立公園・野生生物事務所と連絡調整を図ることとされているため、都道府県環境担当部局から相談を受けた時は、国立公園の風致景観の保護の観点から適切に対処されたい。

〔別　添〕

○森林病害虫等防除対策に関する留意事項について（通知）

〔平成９年５月30日　環自企第246―２号・環水土第131号
各都道府県環境担当部局長宛　環境庁自然保護局企画調整・水質保全局土壌農薬課長連名通知〕

今般、森林病害虫等防除法の一部を改正する法律（平成９年法律第11号）及びそれに伴う政省令が公布施行された。この法改正は、松くい虫被害対策特別措置法（昭和52年法律第18号）が本年３月31日限りで失効したことに対応して、森林病害虫等防除法に松くい虫等による被害への対策を導入することや、薬剤による防除を環境の保全に適切な考慮を払いつつ安全かつ適正に実施するための基準を設けること等を目的とするものである。

また、改正後の森林病害虫等防除法（以下「法」という。）第７条の２第１項の規定に基づく防除の実施に関する基準（以下「防除実施基準」という。）が環境庁長官を含む関係行政機関の長との協議を経て、別添１のとおり定められるとともに、防除実施基準の運用に関する留意事項等について４月７日付けで林野庁長官から別添２のとおり通知されたところである。

さらに、法第７条の３第１項の規定に基づく防除の実施に関する基準（以下「都道府県防除実施基準」という。）の策定等に当たっての留意事項について別添３のとおり、高度公益機能森林及び被害拡大防止森林の区域の指定等に当たっての留意事項について別添４のとおり、林野庁指導部造林保全課長からそれぞれ通知されたところである。

今後は、都道府県知事が、高度公益機能森林及び被害拡大防止森林の区域指定並びに都道府県防除実施基準、樹種転換促進指針及び地区防除指針の策定を行い、市町村が地区実施計画を策定する運びとされているが、その策定又は変更の際、及び特別防除の実施の際には、前述の各通知に基づき、環境担当部局は林務担当部局から下記Ⅰのとおり協議を受けることとなっているので下記Ⅱの事項に特に留意して自然環境の保全及び公害の防止等の環境の保全に努められたい。

なお、森林病害虫等防除対策の対象となる地域に国立公園が含まれる場合には、当該国立公園を管轄する国立公園・野生生物事務所とも十分連絡調整を図り、適切に対応されたい。

記

Ⅰ　環境担当部局が協議を受ける事項

都道府県知事が、

① 法第７条の３第１項に基づく都道府県防除実施基準を策定又は変更する場合。

② 法第７条の５第１項に基づく高度公益機能森林及び被害拡大防止森林の区域を指定又は変更する場合。

③ 法第７条の６第１項に基づく樹種転換促進指針を策定又は変更する場合。

④ 法第７条の９第１項に基づく地区防除指針を策定又は変更する場合。

⑤ 法第７条の10第３項に基づき市町村から地区実施計画の策定又は変更の協議を受ける場合。

及び、特別防除の実施に当たり、

⑥ 都道府県防除実施基準の公表があった場合において、地域住民等から合理的かつ具体的な理由（環境の保全に係るものに限る。）を付して特別防除の実施について異議の申立てがあった場合。

⑦ 都道府県の環境担当部局から、合理的かつ具体的な事象を付して特別防除の実施により自然環境又は生活環境への悪影響があるとの申立てをした場合。

Ⅱ　協議における留意事項

1　都道府県防除実施基準を策定又は変更する場合の協議における留意事項（Ⅰ①関連）

都道府県防除実施基準の策定又は変更は、防除実施基準に従ってなされることとなっているので（法第７条の３第１項）、協議に当たっては、防除実施基準の以下の点が都道府県防除実施基準で明確であることを確認すること。

⑴　防除実施基準１関連

① 防除実施基準で特別防除を実施しないこととされている国内希少野生動植物種（絶滅のおそれのある野生動植物の種の保存に関する法律（平成４年法律第75号。以下「種の保存法」という。）第４条第３項に規定する国内希少野生動植物種）等の貴重な野生動植物の生息地又は生育地（防除実施基準１ア㈠）について、当該地区等の所在、生息又は分布状況等が、関係担当部局との連絡・協議の

もとに十分把握されている必要があること。

② 自然公園法（昭和32年法律第161号）第18条第１項又は鳥獣保護及狩猟ニ関スル法律（大正７年法律第32号）第８条の８第３項に基づく特別保護地区内において特別防除が実施できるのは、以下の全ての要件に適合する場合に限られること。

・地域住民から特別防除の要望があること。

・特別防除以外の方法が困難であること。

・自然環境保全上の措置について都道府県の林務担当部局と環境担当部局の間で連絡協議がなされ、自然環境の保全上支障が生じないことが確認されていること。

③ 防除実施基準１イに掲げる家屋等の周辺の森林では、当該家屋等の居住者又は管理者の意向が十分に確認されない限り、特別防除が実施できないこと。

また、１イ(イ)に掲げる地域には、自然公園の集団施設地区も含まれるが、このような場所の周辺の森林においては、管理者の意向を確認することのほか、防除実施基準２ウにあるとおり、利用者の立入りを制限する等必要な措置を講じることが特別防除実施の要件となっていること。

④ 防除実施基準１に該当する森林のうち、森林病害虫等の加害対象となる樹種の混交度の低い森林については、当該樹種がまとまって生育しており、かつ、付近の森林へのまん延源となるおそれがある場合以外は、特別防除は実施しないこと。

(2) 防除実施基準２関連

① 防除実施基準１ア(ア)に掲げる地区の周辺の森林については、防除実施基準２アに掲げるとおり、特別防除の実施に当たり、風向、風速等に注意し、当該生息地等から十分な間隔を保持する等適切な措置を講じる必要があること。

② 防除実施基準２イのとおり、特別防除の実施に当たっては、病院、学校、水源、家屋、給水施設等に薬剤が飛散・流入しないよう風向、風速等に十分注意し、これらの施設等から十分な間隔を保持する等適切な措置を講ずる必要があること。

(3) 防除実施基準４関連

① 防除実施基準４(3)のとおり、特別防除の実施に当たっては、地域の医療機関に特別防除の実施日時、使用薬剤の種類、人によって薬剤による影響の程度が異なることを配慮した的確な対応措置等を事前に連絡することが、必要であるとされていること。

２　樹種転換促進指針を策定又は変更する場合の協議における留意事項

（Ｉ③関連）

「樹種転換」は、環境保全上望ましい対策の一つであり、特に植生の遷移に考慮しつつ、現地の状況等から広葉樹等他樹種への移行を図ることが適当な森林については積極的にその移行を促進させることが自然環境保全上、適切な措置であることに留意し、対処すること。

3　特別防除の実施に当たっての協議における留意事項

（Ⅰ⑥関連）

地域住民等から異議の申立てがあった場合には、環境保全の立場から十分精査するとともに、必要に応じて現地調査の実施や学識経験者への意見聴取を行い、適切に対処すること。

4　共通的留意事項

林務担当部局からの協議に適切に対処するため、森林病害虫等防除実施予定地域の環境保全上の特性及び地域住民など利害関係者の意見について、あらかじめ把握しておく等所要の準備を行っておくこと。

5　その他

次の場合は、速やかに当庁に報告すること（国立公園に係る場合には、国立公園・野生生物事務所を経由すること。）。

①　国立・国定公園又は国設鳥獣保護区の特別保護地区において、合理的な理由に基づき特別防除をやむを得ず実施した場合。

②　特別防除を実施した結果、自然環境保全上又は生活環境保全上の観点から、何らかの問題（事故を含む。）が生じた場合。

（別添１）

森林病害虫等防除法第７条の２第１項の規定に基づく防除実施基準

〔平成９年４月７日
農林水産大臣〕

森林病害虫等防除法（昭和25年法律第53号）第７条の２第１項の規定に基づき同項の防除実施基準を次のとおり定めたので、同条第５項の規定に基づき公表する。

1　特別防除を行うことのできる森林に関する基準

特別防除は、次に掲げる森林以外の森林のうち特別防除の実施が特に必要と認められるものであり、かつ、その実施につき地域住民等関係者の理解が得られる見込みがあるものについて行うことができるものとする。

ア　次に掲げる地区等に存する森林

(ア)　国内希少野生動植物種（絶滅のおそれのある野生動植物の種の保存に関する法律（平成４年法律第75号）第４条第３項に規定する国内希少野生動植物種をいう。以下同じ。）又は天然記念物（文化財保護法（昭和25年法律第214号）第69条第１項の規定により指定された天然記念物をいう。以下同じ。）等の貴重な野生動植物の生息

地又は生育地

(イ)　自然環境保全法（昭和47年法律第85号）第26条第１項又は第46条第１項の規定により指定された野生動植物保護地区

(ウ)　自然公園法（昭和32年法律第161号）第18条第１項の規定により指定された特別保護地区又は鳥獣保護及狩猟ニ関スル法律（大正７年法律第32号）第８条の８第３項の規定により指定された特別保護地区であって、特別防除の実施により当該特別保護地区の自然環境の保全に支障を及ぼすおそれがあると認められるもの

(エ)　病院、学校、水源等の周辺

イ　次に掲げる家屋等の周辺の森林（ただし、地域住民から要望があり、かつ、当該家屋等の居住者又は管理者の意向を十分確認でき、２に掲げる事項に即して適切な防止措置を講ずることができるものを除く。）

(ア)　住宅、宿泊所その他の家屋

(イ)　公園、レクリエーション施設その他の利用者が集合する場所

ウ　次に掲げる施設等の周辺の森林その他その所在地等からみて薬剤の飛散・流入により周囲の環境に悪影響を及ぼすおそれがある森林（ただし、地域住民から要望があり、かつ、２に掲げる事項に即して適切な防止措置を講ずることができるものを除く。）

(ア)　水道、井戸その他の給水施設

(イ)　鉄道、道路その他の交通施設

エ　次に掲げる栽培地等の周辺の森林その他周囲の土地及び水面の利用状況等からみて薬剤の飛散・流入により農業・漁業その他の事業に影響を及ぼすおそれのある森林（ただし、地域住民から要望があり、かつ、３に掲げる事項に即して適切な防止措置を講ずることができるものを除く。）

(ア)　葉たばこ栽培地、桑園、茶園その他の農作物の栽培地

(イ)　採草地、放牧地、畜舎等

(ウ)　養蜂群又は蚕児に悪影響が及ぶおそれのある場所

(エ)　水産動物の増養殖場、漁場、も場又は保護水面（水産資源保護法（昭和26年法律第313号）第14条の保護水面をいう。以下同じ。）

２　特別防除を行う森林の周囲の自然環境及び生活環境の保全に関する事項

特別防除の実施に当たっては、特に次に掲げる事項に十分配慮し、特別防除を行う森林の周囲の自然環境及び生活環境の保全に努めるものとする。また、地域住民等関係者の意見を尊重するとともに、特別防除の実施の必要性及び安全性、使用薬剤、散布方法、実施時の注意事項等について地域住民等関係者への周知徹底を図り、その理解と協力を得るよう努めるものとする。

ア　国内希少野生動植物種、天然記念物等の貴重な野生動植物の生息、分布状況等につ

いて十分実態を把握し、これらの貴重な野生動植物に悪影響を及ぼさないよう適切な措置を講じるものとする。

イ　病院、学校、水源、家屋、給水施設等に薬剤が飛散・流入しないよう風向、風速等に十分注意し、これらの施設等から十分な間隔を保持する等適切な措置を講ずるものとする。

ウ　鉄道、道路その他の交通施設、公園、レクリエーション施設その他の利用者が集合する場所等の周辺の森林において特別防除を実施する場合には、実施時間等をも考慮の上、交通規制、入場規制等の必要な措置を講ずるものとする。

3　特別防除により農業、漁業その他の事業に被害を及ぼさないようにするために必要な措置に関する事項

特別防除の実施に当たっては、特別防除により農業、漁業その他の事業に被害を及ぼさないようにするために、必要な措置を講ずるものとする。この場合、特に蚕児、桑、葉たばこその他の農作物、養蜂群、水産動物の増養殖場、漁場、保護水面等については、地域の実情に応じて、関係団体等とも十分協議し、その意見を尊重した上、風向、風速等に十分注意して、対象物等からの十分な間隔の保持、蜜蜂の巣箱の移動、水産動物又はその増養殖施設等の移動又は被覆、水産種苗の放流時期との調整等の十分な被害防止対策を実施するとともに、特別防除の実施の必要性及び安全性、使用薬剤、散布方法、実施時の注意事項等について地域住民等関係者への周知徹底を図り、理解と協力を得るよう努めるものとする。

4　その他森林病害虫等の薬剤による防除に関する基本的な事項

⑴　特別防除の事業計画の策定に当たっては、関係行政機関、森林組合、利害関係者等を構成員とする連絡協議会の開催等により広範な地元関係者の意向が反映されるよう努めるとともに、森林病害虫等の防除に当たっては、地域の実態に応じ、地区説明会の開催等により地域住民等関係者の理解と協力を得つつ、円滑かつ適正に実施できるよう努めるものとする。

⑵　特別防除の実施に当たっては、使用薬剤の農薬登録における使用方法及び使用上の注意事項、農薬取締法（昭和23年法律第82号）第12条の６の規定に基づく農薬安全使用基準等を遵守し、立地条件、気象条件等を十分勘案の上、安全かつ適正な実施に努めるものとする。

⑶　特別防除の実施に当たっては、あらかじめ最寄りの保健所、病院等に特別防除の実施日時、使用薬剤の種類、人によって薬剤による影響の程度が異なることを配慮した的確な対応措置を連絡するなど万一に備えた地域医療機関への周知徹底を図るものとする。

⑷　特別防除の実施により、農業、漁業その他の事業に被害が発生し、又は周囲の自然環境及び生活環境に悪影響が生じた場合には、直ちに当該地区の特別防除を中止し、

その原因の究明に努めるとともに、適切な事後措置を講ずるものとする。

(5)　１の特別防除を行うことのできる森林に関する基準に適合する森林以外の森林で薬剤による防除が必要なものについては、地上からの薬剤による防除を適切に実施するものとする。

(6)　森林病害虫等の薬剤による防除を最も効果的な時期に実施するため、発生予察の強化に努め、薬剤による防除の効果の確保を図るものとする。

（別添２）

森林病害虫等防除法第７条の２第１項の規定に基づく防除実施基準の運用に関する留意事項並びに都道府県防除実施基準の策定について

〔平成９年４月７日　９林野造第103号
都道府県知事宛　林野庁長官通知〕

森林病害虫等防除法（昭和25年法律第53号、以下「法」という。）第７条の２第１項の規定に基づく防除実施基準（以下「防除実施基準」という。）については、本日付けで農林水産大臣から関係行政機関の長及び各都道府県知事あて通知されたところであるが、法第７条の３第１項の都道府県防除実施基準の策定に当たっては、防除実施基準に従って、別紙１「防除実施基準の運用に関する留意事項」及び別紙２「都道府県防除実施基準策定要領」に留意することとされたい。

なお、「松くい虫被害対策特別措置法第３条第１項の規定に基づく基本方針の運用に関する留意事項並びに都道府県実施計画及び地区実施計画の作成について」（平成４年４月７日付け４林野造第95号林野庁長官通達）は、本日付けをもって廃止したので、了知ありたい。

別紙１

防除実施基準の運用に関する留意事項

１　防除実施基準の１の「特別防除を行うことのできる森林に関する基準」について

(1)　防除実施基準の１の「特別防除の実施が特に必要と認められるものであり、かつ、その実施につき地域住民等関係者の理解が得られる見込みがあるもの」とは、当該森林が果たしている役割、被害の状況等からみて特別防除の実施が特に必要と判断される場合に、特別防除の必要性及び安全性、使用薬剤、散布方法、実施時の注意事項等につき、特別防除実施区域の周辺地域の住民、当該周辺地域において農業、漁業を営む者等の関係者に対して、特別防除の実施について理解が得られるものをいうものである。

(2)　防除実施基準の１のアは、同(ア)から(エ)に掲げる地区等に存する森林は特別防除の対象としないこととする趣旨であり、事前に都道府県の関係担当部局と十分連絡・協議の上、当該地区等の所在、貴重な野生動植物の生息又は分布状況等について、十分把握しておくものとする。

なお、防除実施基準の１のアの(ウ)については、地域住民から要望があり、特別防除以外の方法が困難な場合であって、かつ、都道府県の環境部局と事前に十分連絡・協議の上、特別防除により当該特別保護地区の自然環境の保全上支障が生じるおそれがないよう、適切な措置が講じられる場合に限り特別防除を実施できるものとする。

(3)　防除実施基準の１のアの(エ)の「病院、学校、水源等の周辺」とは、地形、立地条件、気象条件等現地の状況からみて、特別防除により病院、学校、水源等に悪影響を及ぼすおそれのある地区をいうものである。

(4)　防除実施基準の１のイは、同(ア)及び(イ)に掲げる家屋等の周辺等の森林については、地域住民から特別防除の実施の要望があり、かつ、当該家屋等の居住者又は管理者の意向を十分確認でき、防除実施基準の２に即して適切な防止措置を講ずることができる場合を除き、特別防除の対象としないものとする趣旨である。

なお、「当該家屋等の居住者又は管理者の意向を十分確認でき」とは、当該家屋等の居住者又は管理者の大多数の同意を得るという趣旨であり、意向を確認するに当たっては、特別防除の対象区域を明示した図面等を示し、居住者及び管理者への説明会をもって、又は、地域の代表者を通じて行うものとする。

但し、このような場合であっても、努めて特別防除以外の方法を選択するものとし、特に当該家屋等の近接地については、極力特別防除以外の方法を選択するものとする。

(5)　防除実施基準の１のウは、同(ア)及び(イ)に掲げる施設等の周辺等の森林については、地域住民から特別防除の実施の要望があり、防除実施基準の２に即して適切な防止措置を講ずることができる場合を除き、特別防除の対象としないものとする趣旨である。

(6)　防除実施基準の１のエは、同(ア)から(エ)に掲げる栽培地等の周辺等の森林については、地域住民から特別防除の実施の要望があり、防除実施基準の３に即して適切な防止措置を講ずることができる場合を除き、特別防除の対象としないものとする趣旨である。

(7)　その他防除実施基準の１に関連する留意事項は、次のとおりである。

ア　防除実施基準の１のアの(エ)、イ、ウ及びエの対象森林の範囲は、４の(1)の連絡協議会等において、立地条件、気象条件等地域の実情を踏まえて検討し、明らかにしていくものとする。

イ　防除実施基準の１のイ、ウ及びエにおいて、「地域住民から要望があり」とは、地域住民から都道府県又は市町村に対し文書等をもって要望があった場合をいうものとする。また、防除実施基準の１のイ、ウ及びエのただし書きにより特別防除を実施する場合は、地域住民からの要望及び適切な防止措置の内容について、４の(1)の連絡協議会等において明示するものとする。

ウ　加害対象となる樹種の混交度の低い森林については、当該樹種がまとまって生育しており、かつ、付近の森林へのまん延源となるおそれがある場合に限り、特別防除を実施するものとする。

エ　クルマエビ等甲殻類の増養殖場及び漁場の周辺の森林については、特別防除以外の被害対策の実施に努めるものとする。

２　防除実施基準の２の「特別防除を行う森林の周囲の自然環境及び生活環境の保全に関する事項」について

⑴　防除実施基準の２のアは、国内希少野生動植物種、天然記念物等の貴重な野生動植物の生息又は分布状況等について十分実態を把握し、貴重な野生動植物の生息地等である場合には、特別防除を実施しないものとし、特別防除を行う森林の周囲にこれら貴重な動植物の生息地等がある場合には、風向、風速等に注意し、当該生息地等から十分な間隔を保持する等適切な措置を講ずるとともに、特別防除の実施前後における当該動植物の生息又は分布状況等を調査するものとする趣旨である。

⑵　防除実施基準の２のイは、病院、学校、水源等の周辺は、特別防除の対象外としているところであるが、これらの施設の周辺以外で特別防除を実施する場合であっても、当該施設に悪影響を与えないよう、風向、風速に十分注意する等適切な措置を講ずることとしているものであり、また、住宅、宿泊所その他の家屋、水道、井戸その他の給水施設に薬剤が飛散・流入しないよう、これらの施設からの十分な間隔の保持、適切な散布方法の選択、給水施設の被覆、自動車の移動・被覆等についての周辺住民等への周知徹底等の措置を講ずるものとする趣旨である。

⑶　防除実施基準の２のウは、鉄道、道路その他の交通施設、公園、レクリエーション施設、自然公園の集団施設地区その他の利用者が集合する場所等の周辺の森林において特別防除を実施する場合には、実施時間等をも考慮の上、定時に発着する交通機関の通過時中の特別防除の中止、道路等の交通規制、う回等通学誘導、入場規制等の必要な措置を講ずるものとする趣旨である。

３　防除実施基準の３の「特別防除により農業、漁業その他の事業に被害を及ぼさないようにするために必要な措置に関する事項」について

防除実施基準の３で「特別防除により農業、漁業その他の事業に被害を及ぼさないようにするために必要な措置を講ずるものとする」としているのは、特別防除の実施により農業、漁業その他の事業に被害を及ぼさないようにするため、必要に応じ関係機関、都道府県担当部局、関係団体等と十分連絡協議した上、次のような被害防止措置を講ずるものとし、事業者等に対しその周知徹底を図るものとする趣旨である。

ア　養蚕関係

㋐　桑園等に薬剤が飛散しないよう十分な距離をとること。

㋑　蚕室等については、被覆する等の方法により薬剤の飛散・流入を防ぐこと。

(ウ)　桑園には、薬剤の飛散の有無を確認できるよう落下調査紙を設置し、桑葉への薬剤の飛散による付着のおそれがあると認められた場合には、少数の蚕児に試食を行わせ、安全を確認するとともに、その結果に異常が認められるときは、当該桑園の桑葉の給与は行わず、安全な自家桑葉又は買桑葉によって不足分を補うようにする等の措置を講ずるものとすること。

イ　養蜂関係

(ア)　養蜂業を営む者については、巣箱の一時移動等の措置を講ずること。

(イ)　自家用に採蜜をしている者については、巣箱の軒先等の安全な場所への一時移動、巣箱の被覆、冷却等適切な被害防止措置を講ずるよう指導するとともに、一時移動ができるよう努めるものとすること。

(ウ)　(ア)又は(イ)の場合において、巣箱の一時移動期間中も採蜜が可能となるよう努めること。

(エ)　蜜蜂の経済的行動範囲はおおむね半径２㎞の円内とされており、また、蜜源がない場合には６㎞程度は飛翔するとされていることから、一時移動距離及び散布区域内の放飼再開日の決定等に当たっては、これらのことを勘案するものとすること。

ウ　その他の農作物関係

(ア)　散布区域周辺に葉たばこ栽培地、茶園がある場合には、薬剤が飛散しないよう必要な距離をとる等十分留意すること。

(イ)　その他の農作物にあっても、その種類、生育時期によっては、薬剤の付着により悪影響を生じるおそれがあるものもあるので、十分留意すること。

エ　畜産関係

(ア)　畜舎及び鶏舎に薬剤が飛散しないよう距離をとるとともに、航空機の騒音による被害が発生しないよう指導すること。

(イ)　採草地及び放牧地に薬剤が飛散しないよう留意するとともに、事前の牧草の刈取り、家畜のけい留等の措置を指導すること。

オ　漁業関係

(ア)　水産動物の増養殖場等が散布区域の周辺に存する場合には、水産動物又はその養殖施設等の一時移動又は被覆、水産種苗の放流時期との調整等被害防止に万全を期すること。

(イ)　水産動物の増養殖施設、漁場、保護水面、も場等の水産資源上重要な水域の周辺にあっては風向、風速等に注意して飛散しないよう十分な距離をおいて散布するとともに、散布区域の標示等に十分留意すること。また、河川水が増養殖施設等の水源となっている場合には、河川への薬剤の飛散・流入がないよう十分配慮するとともに、必要に応じ一時的な水源の変更等の措置を指導すること。

４　防除実施基準の４の「その他森林病害虫等の薬剤による防除に関する基本的な事項」

について

⑴　防除実施基準の４の⑴は、事業計画の策定に当たり事前に関係行政機関、森林組合、利害関係者等を構成員とする連絡協議会等を開催することにより、特別防除の事業計画案の概要（対象区域を明示した図面を含む。）、防除実施基準の１のアの㈤、イ、ウ及びエの森林の範囲等について連絡協議し、地域住民等幅広い関係者の意向が反映されるよう努めるとともに、特別防除等の実施に当たっては、特別防除の必要性、被害防止措置、特別防除の環境への影響等について説明し、地域住民等関係者の特別防除に対する理解が得られるよう努めるものとする趣旨である。

この場合、連絡協議会の構成員及び運営については、地元関係者の意向が反映されることとなるよう配慮するものとする。

⑵　防除実施基準の４の⑵の「使用薬剤の農薬登録における使用方法及び使用上の法意事項、農薬取締法（昭和23年法律第82号）第12条の６の規定に基づく農薬安全使用基準等を遵守し」とは、特別防除の実施に当たっては、使用薬剤について定められた使用方法及び使用上の注意事項並びに農薬取締法第12条の６に基づき定められた農薬安全使用基準（平成４年11月30日付け４農蚕第7,129号、農林水産省公表）のうち「航空機を利用して行う農薬の散布に関する安全使用基準」を遵守するとともに、農林水産航空事業実施要領（昭和40年５月11日付け40農政Ｂ第901号）等に定める散布飛行方法、飛行散布諸元等を遵守して行うものとする趣旨である。

⑶　防除実施基準の４の⑶の「人によって薬剤による影響の程度が異なることを配慮した的確な対応措置等」とは、人によって薬剤による影響の程度の異なることに配慮し、仮に影響が生じた場合などにも、治療に当たる地元の医療機関が的確に対応できるよう、農薬中毒の症状と治療法に関する資料の地域医療機関への配布等を行うとともに、農薬の安全使用について引き続き啓発に努めることとする趣旨である。

⑷　防除実施基準の４の⑷で「適切な事後措置を講ずるものとする」としているのは、特別防除の実施により、農業、漁業その他の事業に被害が発生し、又は周囲の自然環境及び生活環境に悪影響が生じた場合において、原因が特別防除であるときは、国家賠償法に基づく損害賠償その他適切な補償などの措置を講ずるとともに、地域住民等関係者に原因を説明するなど理解を得るよう努めるものとする趣旨である。

別紙２

都道府県防除実施基準策定要領

１　趣旨

森林病害虫等防除法（昭和25年法律第53号。以下「法」という。）第７条の３第１項の定めるところにより、都道府県知事（以下「知事」という。）が行う都道府県防除実施基準の策定については、この要領の定めるところにより行うものとする。

２　都道府県実施基準の策定（変更）の手続

都道府県実施基準は、次の手続きを経て策定（又は変更）するものとする。

⑴　事前に水産担当部局、環境保全部局、文化財担当部局、建設担当部局等必要な関係部局と連絡協議の上、関係行政機関、森林組合、利害関係者等を構成員とする連絡協議会の意見を聴いて都道府県防除実施基準案（変更案）を作成する。

⑵　都道府県防除実施基準案（変更案）について関係市町村長の意見を聴く。

⑶　都道府県防除実施基準案（変更案）について都道府県森林審議会（部会）に諮問し、答申を得る。

⑷　⑶の答申を得た後農林水産大臣に協議の上、農林水産大臣から異存ない旨の回答を得た後、都道府県防除実施基準を公表するとともに、関係市町村長に通知する。

3　都道府県防除実施基準において定める事項及び様式

都道府県防除実施基準においては、特別防除を実施する森林の被害の状況、周囲の土地及び水面の利用の状況など地域の実情等を踏まえつつ、防除実施基準に定める特別防除を行うことのできる森林に関する基準に適合する森林を別記様式により定めるとともに、防除実施基準に定める特別防除を行う森林の周囲の自然環境及び生活環境の保全に関する事項、農業、漁業その他の事業に被害を及ぼさないようにするために必要な措置に関する事項等に対応して、当該都道府県における特別防除の安全かつ適切な実施を確保するために必要な事項を記載することとする。

別記様式

防除実施基準に定める特別防除を行うことのできる森林に関する基準に適合する森林の区域

所在地		面積 (ha)	区　　域
郡市名	町村名		
県　　計			

(注) 1　区域の表示については、地域森林計画対象森林にあっては、林小班、地域森林計画の対象となっていない森林については、大字、字とする。

2　面積は、ヘクタール単位とし、ヘクタール未満は四捨五入する。

（別添３）

都道府県防除実施基準の策定等に当たっての留意事項について

［平成９年４月７日　９－12
都道府県森林病害虫等防除担当課長宛　林野庁指導部
造林保全課長通知］

都道府県防除実施基準の策定及び薬剤による森林病害虫等の防除に当たっては、関係法令及び関係通達によるほか、下記事項に留意されたい。

記

１　都道府県防除実施基準の策定又は変更に当たっての留意事項について

⑴　都道府県防除実施基準の策定又は変更に当たっては、関係の道路管理者、河川管理者、海岸管理者、都市公園管理者並びに都道府県の砂防指定地及び急傾斜地崩壊危険区域の管理担当部局とあらかじめ十分に連絡協議を行うものとする。

⑵　都道府県防除実施基準の策定又は変更に当たっては、都道府県環境担当部局と十分連絡協議の上、自然環境及び生活環境の保全に十分配慮したものとすること。

⑶　都道府県防除実施基準の策定又は変更に当たっては、特別防除対象森林における天然記念物等（天然記念物に指定されているものその他の学術上貴重な動植物をいう。以下同じ。）の調査の実施及び対策の決定について、文化財保護担当部局と協議を行うものとする。

２　都道府県防除実施基準の記載事項について

⑴　都道府県防除実施基準において、特別防除の実施に当たり、天然記念物等への影響についての必要な調査を実施するとともに、当該調査に基づき必要とされる対策を講ずる旨を定めるものとする。

⑵　都道府県防除実施基準において、地域の医療機関に特別防除の実施日時、使用薬剤の種類等を事前に連絡する旨を定めるものとする。

３　特別防除の実施に当たっての留意事項について

⑴　特別防除の実施に当たっては、地域の医療機関に特別防除の実施日時、使用薬剤の種類等を事前に連絡するものとする。

⑵　都道府県防除実施基準の公表後、合理的かつ具体的な理由（環境の保全に係るものに限る。）を付して特別防除の実施について異議の申立てがあったときは、環境担当部局との間でその処理について協議するものとする。

⑶　都道府県の環境担当部局から、合理的かつ具体的な事象を付して特別防除の実施により自然環境又は生活環境への悪影響があるとの申立てがあったときは、当該地区の特別防除の実施について、直ちに環境担当部局と協議し、適切な措置を講ずるものとする。

４　薬剤による防除の実施に当たっては、関係の道路管理者、河川管理者、都市公園管理者等とあらかじめ十分連絡協議するものとする。

（別添４）

高度公益機能森林及び被害拡大防止森林の区域の指定、樹種転換促進指針の策定、地区防除指針の策定並びに地区実施計画の策定に当たっての留意事項について

〔平成９年４月１日　９―13
都道府県森林病害虫等防除担当課長宛　林野庁指導部
造林保全課長通知〕

高度公益機能森林及び被害拡大防止森林の区域の指定、樹種転換促進指針の策定、地区防除指針の策定並びに地区実施計画の策定に当たっては、関係法令及び関係通達によるほか、下記事項に留意されたい。

記

１　高度公益機能森林及び被害拡大防止森林の区域の指定について

⑴　高度公益機能森林及び被害拡大防止森林の区域の指定又は変更に当たっては、関係の道路管理者、河川管理者、海岸管理者、都市公園管理者並びに都道府県の砂防指定地及び急傾斜地崩壊危険区域の管理担当部局（以下「管理担当部局等」という。）とあらかじめ十分に連絡協議を行うものとする。

⑵　高度公益機能森林及び被害拡大防止森林の区域の指定又は変更に当たっては、都道府県環境担当部局と十分連絡協議の上、自然環境及び生活環境の保全に十分配慮したものとすること。

２　樹種転換促進指針の策定について

⑴　樹種転換促進指針の策定又は変更に当たっては、管理担当部局等とあらかじめ十分に連絡協議を行うものとする。

⑵　樹種転換促進指針の策定又は変更に当たっては、都道府県環境担当部局と十分連絡協議の上、自然環境及び生活環境の保全に十分配慮したものとすること。

３　地区防除指針の策定について

⑴　地区防除指針の策定又は変更に当たっては、管理担当部局等とあらかじめ十分に連絡協議を行うものとする。

⑵　地区防除指針の策定又は変更に当たっては、都道府県環境担当部局と十分連絡協議の上、自然環境及び生活環境の保全に十分配慮したものとすること。

⑶　地区防除指針の策定又は変更に当たっては、文化財保護担当部局と協議するものとする。

４　地区実施計画の策定について

⑴　地区実施計画の策定又は変更に当たっては、文化財保護部局に協議するよう市町村に対し、指導するものとする。

⑵　森林病害虫等防除法第７条の10第３項に基づき、市町村から地区実施計画の協議があった場合には、都道府県環境担当部局及び国立公園・野生生物事務所（地区実施計画上国立公園内において特別防除、特別伐倒駆除又は補完伐倒駆除を行う場合に限る。）と十分連絡協議を行うものとする。

なお、地区実施計画の内容及び当該計画に基づき実施される特別防除等の各種対策が防除実施基準、都道府県防除実施基準及び地区防除指針を踏まえ環境保全にも十分配慮したものとなるよう市町村に対し、十分指導するものとする。

○国立・国定公園特別保護地区および特別地域における松くい虫の防除のための伐採協議について

〔昭和39年７月18日　39林野計第413号
厚生省国立公園局長宛　林野庁長官照会〕

松くい虫は森林病害虫のなかでもとくに防除の困難なものであるが、林業経営上はもちろん、自然景観の維持のためにも、すみやかにその徹底的な駆除を行なうことが必要であるので、国立・国定公園区域内の国有林野に松くい虫の被害が発生またはまん延した場合には、被害を最小限にとどめるため、被害木の伐採についての取扱いを下記によることとしたいので協議する。

記

１　被害木の伐採については自然公園法に基づく協議を省略する。ただしこの場合には、国立公園にあっては当該公園を管轄する国立公園管理員、国定公園にあっては都道府県の担当職員に事前に連絡するものとする。

２　営林局長は１により被害木の伐採を行なった場合には、その区域、伐採材積、更新を要する場合にはその方法等につき林野庁長官を経由して厚生大臣に通知するものとする。

３　民有林については国有林野に準じて取り扱うものとする。なお、この場合には、都道府県知事から直接厚生大臣あて通知するものとする。

〔昭和39年８月７日　国発第471号
林野庁長官宛　厚生省国立公園局長回答〕

昭和39年７月18日39林野計第413号で協議のあった標記については、松くい虫の防除のため緊急を要する伐採は自然公園法第17条第５項及び第18条第５項に規定する非常災害のために必要な応急措置として取り扱うこととするが、伐採にあたってはあらかじめ前記協議書による連絡又は通知を行なわれたい。

なお、国立公園管理員の駐在しない地区については、当該都道府県の自然公園主管課に事前に連絡することとされたい。

○農業振興地域の整備に関する法律の施行に伴う留意事項について

〔昭和44年11月14日　国発第851号
各都道府県知事宛　国立公園部長通知〕

今般、農業振興地域の整備に関する法律（昭和44年法律第58号）及びその附属法令が公布施行された。本法は、近年における都市地域への人口集中と工業開発等に伴って農地の無秩序な潰廃、農業経営の粗放化等の現象が都市周辺から漸次農村地帯にも波及して行く状況にかんがみ、国土の合理的利用の観点から、農業生産基盤の整備及び開発、農業の健全な発展等を図るための条件をそなえた農業地域を計画的に保全又は形成することを目的とするものである。

本法第６条の規定により農業振興地域の指定を受けた土地は今後農用地として保全され、農業近代化のため各種の助成措置が講ぜられることが予定されている。

本法に基づく農業振興地域整備計画等と国立・国定公園の公園計画等については、下記のとおり調整することとしたので、農林担当部局と十分連絡協議のうえ遺憾のないようにされたい。

記

1　農業振興地域整備基本方針等の策定等について

都道府県知事が農業振興地域整備基本方針を定め、農業振興地域を指定し、又は農業振興地域整備計画を認可し若しくは定めようとする場合において、これらが国立・国定公園又は都道府県立自然公園の区域に係るものであるときは、当該都道府県の農林担当部局は、あらかじめ自然公園担当部局に協議することとされていること。本協議を受けた場合は、農業振興地域整備計画が自然公園内において大規模な農用地の造成又は高度の土地利用を行なうことを予定している場合等は、風致を維持し、公園の利用を円滑に保つ観点から慎重に調整を図られたいこと。

なお、国立公園特別地域に係る農業振興地域の指定及びその地域の農業振興地域整備計画については、当分の間、農林担当部局に回答する前に本職へ協議されたいこと。

2　農業振興地域整備計画に基づく行為の自然公園法上の取扱いについて

農業振興地域整備計画に基づく行為であっても、それが自然公園法第17条第３項各号に列記してある行為である場合は、同法同条同項の許可を要するものであるから留意すること。

３　国立・国定公園特別保護地区の取扱いについて

国立・国定公園特別保護地区は、その指定の趣旨にかんがみ、農業振興地域に含めないものとすること。

3　火山防災対策関係

○国立公園における火山の臨時観測点の設置等に係る取扱いについて

〔令和２年４月７日　環自国発第2004071号
各地方環境事務所・釧路・信越・沖縄奄美自然環境事務所長宛　自然環境局国立公園課長通知〕

標記取扱いについては平成28年３月29日付け環自国発第1603294－１号により通知したところであるが、今般、火山噴火予知連絡会運営要綱が改正され、総合観測班の機能は特定の火山又は特定の地域ごとに設置する部会に移されたことを踏まえ、当該通知を別添のとおり改めることとしたので通知する。

また、本通知は、地方自治法（昭和22年法律第67号）第245条の４第１項の規定に基づく技術的助言として各都道府県担当部局長に通知している旨申し添える。

なお、本通知の発出により、平成28年３月29日付け環自国発第1603294－１号通知は廃止する。

○国立公園における火山の臨時観測点の設置等に係る取扱いについて

〔令和２年４月７日　環自国発第2004071号
各都道府県担当部局長宛　環境省自然環境局国立公園課長通知〕

標記については、自然公園法（昭和32年法律第161号）に基づく国立公園における許認可等の運用に係るものとして、平成28年３月29日付け環自国発第1603294－２号により通知いたしましたが、火山噴火予知連絡会運営要綱が改正され、総合観測班の機能は特定の火山又は特定の地域ごとに設置する部会に移されたことを踏まえ、当該通知の内容を一部改め、別添のとおり各地方環境事務所長等へ通知しましたので、お知らせします。

つきましては、地方自治法（昭和22年法律第67号）第245条の４第１項の規定に基づく技術的助言として、国定公園及び都道府県立自然公園における業務の参考にしていただくようお願いいたします。

なお、本通知の発出に伴い、平成28年３月29日付け環自国発第1603294－２号通知は廃止いただくようお願いいたします。

○国立公園における火山の臨時観測点の設置等に係る取扱いについて

〔令和２年４月７日　環自国発第2004071号
気象庁地震火山部火山課長宛　環境省自然環境局国立公園課長通知〕

標記について、自然公園法（昭和32年法律第161号）に基づく国立公園における許認可等の運用に係るものとして、別添のとおり各地方環境事務所長等に通知したので、お知らせします。

【別　添】

国立公園における火山の臨時観測点の設置等に係る取扱いについて

標記については、以下のとおり取り扱うものとしたので、関係機関から具体的相談があった場合には、火山防災対策の強化に資するよう、適切かつ迅速に対応いただきたい。

1　緊急時における臨時観測点及び砂防関係設備の設置について

火山活動に異常があり、噴火が発生し、又は噴火のおそれがあるときは、観測体制を強化するため、臨時観測点（火口カメラ、望遠カメラ、地震計、GNSS（地殻変動の監視機器）、光波測距装置等）を緊急に設置する必要が生じる場合がある。

また、火山活動の活発化や噴火により土砂災害の危険性が高まっているときは、降灰の状況及び火山における土砂の状況等の調査を強化するため、土石流・火山泥流等や降灰状況の監視強化に係る砂防関係設備（監視カメラ、ワイヤーセンサー、自動降灰量計等）を緊急に設置する必要が生じる場合がある。

このように、現に火山災害が発生していない状態であっても、火山災害の危険性が高まったことに伴い、当該火山等の監視体制の強化のために国、地方公共団体又は火山噴火予知連絡会が設置する部会（ただし、部会が設置されていない場合は火山噴火予知連絡会）が緊急に行う行為については、自然公園法第20条第７項、第21条第７項及び第22条第７項に規定する「非常災害のために必要な応急措置」として行う行為に該当する。

2　緊急対策工について

火山災害に伴う土石流等の発生が予見される場合の事前対策として、砂防堰堤等の緊急対策工が必要となる場合がある。このような緊急対策工についても、それを直ちに実施しないことによって、国民の生命や財産が著しく損なわれるおそれがあると判断される場合であれば、前述の「非常災害のために必要な応急措置として行う行為」に該当しうるものである。

ただし、通常の工事同様に、設計、入札、付帯施設を含む施設の土地所有者との調整等が行われるなど設計・施工までに一定の時間を要する場合は、「非常災害のために必要な応急措置として行う行為」とは言い難いため、他の行為同様に通常の許認可の手続きを行うことが必要である。

3　利用調整地区への立入りについて

上記１及び２において「非常災害のために必要な応急措置として行う行為」と判断される行為又は当該行為に必要な事前の現地調査等のため、自然公園法第23条に規定する利用調整地区への立入りが必要となる場合は、同条第３項第２号の「非常災害のために必要な応急措置を行うために立ち入る場合」に該当する。

4　火山災害以外の災害に伴う場合について

火山災害以外の災害に伴い、臨時観測点等の設置や緊急対策工が必要となる場合についても、上記１～３を参考に適宜対応いただきたい。

第６編

自然公園法に基づく事業計画制度等

第１章　利用拠点整備改善計画制度

○国立公園における利用拠点整備改善計画取扱要領

〔令和４年４月１日　環自国発第2204012号
各地方環境事務所長等宛　自然環境局長通知〕

自然公園法（昭和32年法律第161号。以下「法」という。）第16条の２から第16条の６までの規定による国立公園における協議会の組織及び利用拠点整備改善計画の認定等に関しては、自然公園法施行規則（昭和32年厚生省令第41号。以下「規則」という。）の規定によるもののほか、この要領の定めるところによる。なお、本要領は、本制度の運用状況や社会経済状況の動向を踏まえ、適宜改正を行うものとする。

目次　頁

第１節　総則

（制度創設の背景と意義）

第１

少子高齢化・人口減少社会の中で、観光は地方創生の切り札とされており、国立公園はその地域の重要な観光資源・地域資源である。近年、国立公園の利用形態の変化等に伴い、集団施設地区等の利用拠点においては、利用者のニーズに合わなくなった事業の廃止やそれによる施設の廃屋化等が生じている。

利用拠点は自然公園法施行令（昭和32年政令第298号）第１条の公園事業に係る施設（以下「公園施設」という。）等の集積した区域であり、施設の整備改善を個々に進めるのではなく、一体的に整備改善に係る計画を作成し当該計画に沿って統一的に調和をもってその整備改善を実施することにより、利用動線の改善や機能の強化、街並み景観の改善等が図られることから、地方公共団体や公園事業者等の多様な関係者の積極的・主体的な取組を促し、それぞれの役割や事業内容を調整する場を設けるとともに、調整の結果に基づき共通の認識・方針の下で事業を実施できるように、利用拠点整備改善計画制度が創設されたものである。

（定義）

第２

１　「利用拠点」は、法第16条の２において集団施設地区その他の公園の利用のための拠点と規定されており、具体的には、当該公園の公園計画において、集団施設地区として定められた地区、又は宿舎や休憩所等の公園施設が定められた地区であって、複数の公園事業が執行されている地区が対象となる。なお、第８の４に示す利用拠点整備改善計画の区域のとおり、利用拠点の区域と利用拠点整備改善計画の区域は異なる点に留意が必要である。

２「利用拠点整備改善事業」は、利用拠点の質の向上のための整備改善に関する事業である。利用拠点の中核となるのは公園施設であることから、利用拠点整備改善事業は、公園事業の執行として整備改善を図る事業がその中核となるが、公園施設以外の施設の整備改善を行為許可により実施される事業や行為許可を要しない施設撤去のみを行う事業等も含む。具体的には以下のとおり多様な内容が想定される。

①　質の高い利用空間の創造

自然環境や歴史・文化等を活かした快適な歩行空間・滞在空間の整備や街並み景観の改善等を実施する整備事業が利用拠点整備改善事業に該当する。具体的な手法としては、休廃止施設等の撤去とその跡地の活用、建物の景観デザインやサイン・標識デザインの統一、施設配置の見直しによる利用動線の改善、歩行空間・滞在空間の確保、区域一体的な施設の脱炭素化、無電柱化、通景伐採、緑地化等に係る整備事業等が想定される。

②　公園利用に係る機能の強化

利用拠点において求められる公園利用に係る機能としては、宿泊・休憩・情報提供・自然とのふれあい等が想定され、多言語サービスや公衆無線LAN等ITインフラの提供、バリアフリー・ユニバーサルデザインへの対応も求められる。当該利用拠点の状況を踏まえ、これらの機能強化を行う整備事業が利用拠点整備改善事業に該当する。具体的な事業内容としては、利用者ニーズに応じた公園施設の種類の変更による既存施設のリノベーション、多言語対応の標識類の整備、公衆無線LAN環境の整備やトイレ洋式化、ユニバーサルデザイン化等に係る整備事業等が想定される。

第２節　協議会の組織

（協議会の組織）

第３

１　地域における重要な観光資源・地域資源となっている国立公園について、利用拠点においてどのような機能・サービスを提供し、利用空間のコンセプト等をどのように設定し、国立公園の魅力を活用していくのかについて検討・調整を行い、利用拠点整備改善計画を作成するため、国立公園を区域に含む市町村が、当該国立公園において公園施設の整備を中核とする利用拠点の質の向上のための協議会（以下「協議会」という。）を組織することができることとしている（法第16条の２第１項）。なお、都道府県についても、国立公園内の利用拠点を対象として、当該都道府県の区域内の市町村と共同し、協議会を組織できることとしている。

２　協議会は、複数の市町村又は都道府県が共同して協議会を組織することも可能であるほか、他法令に基づく既存の協議会や任意の協議会、法第42条の２第１項に規定する自然体験活動促進計画の検討を目的とした協議会等が必要な構成員等を満たしている場合には、これらを活用して協議を行うことも可能である。ただし、利用拠点整備改善計画の作成に係る主要な協議会事務は、市町村又は都道府県（市町村又は都道府県から委託を受けた者等を含む）が担う必要がある。

３　公園事業の執行者又は執行予定者は、市町村又は都道府県に対して、協議会を組織するよう要請することができることとしている（法第16条の２第３項）。要請を受けた市町村又は都道府県は、協議会を組織する必要がないと判断した時は、その旨及びその理由を当該要請をした者に通知することが望ましい。

（協議会の構成員）

第４

１　協議会は、地域の多様な関係者の積極的・主体的な取組を促すため、市町村のみ協議会を組織する場合には当該市町村、市町村及び都道府県が共同して協議会を組織する場合には当該市町村及び都道府県のほか、当該利用拠点における公園事業の執行者又は執行予定者、施設や土地等の権原を有する者、その他必要な者により構成される（法第16条の２第２項）。

２　共通の方針の下、統一的な調和をもって利用拠点の整備・改善を計画的に図ることができるよう、利用拠点整備改善事業の実施に向けては、公園施設及び公園施設以外の施設の別に関わらず、各々の施設における整備改善や土地の利用方法について決定する権利を有する者との調整が必要となる。そのため、協議会構成員には、計画を円滑かつ確実に実施するために、原則として利用拠点整備改善事業の実施に必要な施設や土地の権原を有する者が含まれている必要がある。なお、協議会構成員には協議の結果の尊重が求められる（法第16条の２第８項）ものの、実際の土地の貸付等に当たっては具体的な貸付条件の調整等が想定されるため、協議の結果に基づき土地の貸付等を行う義務が生じるものではないことに留意が必要である。また、利用拠点整備改善事業の実施に必要な物件の権原を当該事業に係る事業者が有していれば、当該事業者が協議会に参画することで、必ずしも施設や土地の所有者等の全員が協議会に含まれている必要はない。

3　その他必要な者としては、観光協会やDMO、有識者や自然保護団体、道路管理者や地域住民、地域金融機関、関係法令を所管する行政機関等、利用拠点整備改善事業の内容に応じて、多様な者が想定される。地域の望ましい将来像を描くためには経営や地域づくり等に関する有識者の参画が、自然保護上の影響が懸念される場合には自然環境保全等に関する有識者や自然保護団体の参画が、関係法令の許認可等が必要と見込まれる場合にはそれらを所管する行政機関等の参画が、効果的かつ円滑な利用拠点整備改善事業の実施のために有効と考えられる。

4　環境省は利用拠点整備改善計画の認定主体であるため、一律に各協議会の構成員となることは想定していないが、ビジターセンター等の所管する施設や土地において利用拠点整備改善事業の実施が想定される場合には、公園事業の執行者又は施設や土地の権原を有する者との立場で参画することや、主要な協議会事務を担う市町村又は都道府県（市町村又は都道府県から委託を受けた者等を含む）の事務を補助する立場で参画することがあり得るほか、必要に応じてオブザーバー等の立場で参画することも想定される。利用拠点整備改善計画は、国立公園の魅力向上に重要な役割を果たすことに鑑み、市町村等の取組を積極的に支援することが求められる。

5　当該利用拠点における公園事業の執行者又は執行予定者、施設や土地の所有者等は、市町村又は都道府県に対し、自己を協議会の構成員として加えるよう申し出ることができることとしている（法第16条の２第５項）。申出を受けた市町村又は都道府県は、正当な理由がない限り、当該申出に応じなければならない。正当な理由としては、申出を行った者の施設等が利用拠点整備改善計画の区域として想定しているエリアから離れているため、一体的な整備改善の必要性に乏しい等が想定される。また、申出を受けた市町村又は都道府県は、申出をした者を協議会の構成員として加える必要がないと判断した時は、その旨及びその理由を当該申出をした者に通知することが望ましい。

（協議会の運営）

第５

1　市町村又は都道府県が協議会を組織したときは、インターネットの利用等の方法で、協議会の名称及び構成員の氏名又は名称並びに協議の対象となる利用拠点区域の範囲を公表しなければならないものとされている（法第16条の２第４項及び規則第９条の２）。また、円滑な合意形成や策定した計画の実効性を高めるため、協議の経過又は結果等を協議会内外の広範な関係者等が把握できるよう、協議会における検討資料や議事録をインターネットの利用等の方法で適時公表することが望ましい。

2　協議会は、必要があると認めるときは、関係行政機関に対して、資料の提供、意見の表明、説明その他必要な協力を求めることができることとしている（法第16条の２第７項）が、当然本規定によらずとも任意の協力依頼等は可能である。なお、関係行政機関についても、公園事業の執行者又は執行予定者、施設や土地の所有者等及び関係法令の所管官庁等として協議会の構成員となることも想定される。

3　協議会の構成員は、協議会において協議が調った事項については、その協議の結果を尊重しなければならないこととされている（法第16条の２第８項）。協議会の運営に関して必要な事項は、協議会が定めるものとしているため、協議会の開催方式、回数、合意形成の方法等については、各協議会が定めることとなる。必要に応じて書面により開催する等も可能である。

第３節　利用拠点整備改善計画の作成

（利用拠点整備改善計画の作成）

第６

1　利用拠点整備改善計画は、国立公園に関する公園計画（以下「公園計画」という。）に基づき、協議会が作成することとしている（法第16条の３第１項）。

2　利用拠点整備改善計画は、環境大臣が定めた公園の適正な運営を行うための基本的な指針である公園計画の公園事業に関する事項や、同じく環境大臣が定めた国立公園事業の決定の内容に基づき作成されるものであるため、協議会は、利用拠点整備改善計画の作成のために必要な公園計画の変更若しくは国立公園事業の決定又は変更について、環境大臣に対して具体的な内容を提案することができることとしている（法第８条の２第１項、法第９条の２第１項）。なお、当然本規定によらずとも、任意の提案を行うことは可能である。

（利用拠点整備改善計画における特例）

第７

1　利用拠点整備改善計画について法第16条の３第１項の規定による環境大臣の認定を受けた場合、公園事業の執行に係る協議・認可等が必要な行為について、計画の認定過程において公園の保護への支障等について確認を行った上で、法第10条第２項等の協議並びに法第10条第９項の届出を受ける者であり、かつ同条第３項等の認可を行う者である環境大臣の認定が行われたものであることから、同条第２項若しくは第６項の協議をし、法第10条第３項若しくは第６項の認可を受け、又は同条第９項の届出をしたものとみなすこととしている（法第16条の６）。なお、計画期間終了後も引き続き法第10条第３項の規定による認可を受けたもの等として取り扱われることとなる（当該計画が法第16条の５第１項の規定により当該計画が取り消された場合又は当該計画の変更により当該計画が終了する前に当該計画の計画区域から除外された場合等を除く。)。

２　同様に、特別地域、特別保護地区又は海域公園地区での行為許可、利用調整地区の立入認定及び普通地域での行為の届出が必要な行為についても、各々の申請又は届出を受ける環境大臣による認定が行われたものであることから、法第20条第３項、法第21条第３項及び法第22条第３項の許可、法第23条第３項の認定並びに法第33条第１項の届出を不要とする特例措置（以下「特例措置」という。)が適用されることとしている（法第20条第９項第１号、第21条第８項第１号、第22条第８項第１号、第23条第３項第３号及び第33条第７項第１号)。

（利用拠点整備改善計画の記載事項)

第８

計画の記載事項については法第16条の３第２項各号の規定も踏まえ、次の事項について記載するものとする。

１　利用拠点整備改善計画の名称

利用拠点整備改善計画を策定する国立公園の名称及び対象とする地区名若しくは通称名等を明示する。

２　利用拠点整備改善計画を作成した協議会の名称

利用拠点整備改善計画を作成した協議会の名称を記載する。

３　計画期間

利用拠点整備改善計画の計画期間について記載する。

利用拠点整備改善計画の目標や実現可能性等を踏まえて５年から10年程度の期間を基本に設定することが望ましい。

４　利用拠点整備改善計画の区域

利用拠点の区域のうち、利用拠点整備改善事業を行うことが必要な区域（以下「計画区域」という。)を記載する。必ずしも集団施設地区等の利用拠点の区域の全てを対象とする必要はなく、目抜き通り周辺など、特に利用が集中し、利用拠点整備改善事業の効果が高い一団のエリアを計画区域として設定する等も可能である。

５　利用拠点の現状と課題

当該利用拠点における公園利用に係る機能や利用空間の現状と課題について記載する。

６　計画区域における利用拠点の質の向上のための整備改善に関する基本的な方針

当該利用拠点の質の向上に関する基本的な方針を記載する。

７　利用拠点整備改善計画の目標

当該利用拠点の質の向上に関する目標を記載する。

８　利用拠点整備改善事業の内容、実施主体及び実施時期

利用拠点整備改善事業として実施する事業の内容、実施主体及び実施時期について一覧に記載する。

利用拠点整備改善事業は第２の２に示すとおり、休廃止施設等の撤去とその跡地の活用、利用者ニーズに応じた公園事業の事業種変更等の既設施設のリノベーション、景観デザインやサイン・標識デザインの統一、無電柱化等の事業であり、利用拠点の実情に応じて必要な事業により構成し計画する。

利用拠点整備改善計画における特例を受けようとする場合には、必要とする法第16条の６並びに第20条、第21条、第22条及び第33条に基づく特例措置の内容に応じて、個票に以下の項目を記載する。

なお、公園施設を中核とする利用拠点として質の向上を図るため、利用拠点整備改善事業については、可能な限り公園事業として執行を図ることとする。

① 公園事業の執行に係る協議又は認可を要する事業の場合

(イ) 事業名

(ロ) 事業内容の概要

(ハ) 利用拠点の質の向上に係る役割

(ニ) 事業実施主体の氏名又は名称

(ホ) 公園施設の種類

(ヘ) 公園施設の位置

(ト) 公園施設の規模

(チ) 公園施設の管理又は経営の方法

(リ) 公園施設の構造（運輸施設にあっては、当該施設が風景に及ぼす影響を明らかにするために必要な事項に限る。）

(ヌ) 令第１条第１号から第９号までに掲げる公園施設にあっては、その施設の供用開始の予定年月日

(ル) 工事の施行を要する場合にあっては、その施行の着手及び完了の予定日

② 公園事業の内容の変更に係る協議、認可又は届出を要する事業の場合

(イ) 事業名

(ロ) 事業内容の概要

(ハ) 利用拠点の質の向上に係る役割

(ニ) 事業実施主体の氏名又は名称

(ホ) ①の(ホ)から(ヌ)までに掲げる事項のうち、変更に係る事項

(ヘ) 工事の施行を要する場合には、その施行の着手及び完了の予定日

③ 特別地域、特別保護地区若しくは海域公園地区での行為許可又は普通地域での行為の届出を要する行為が含まれる事業の場合

(イ) 事業名

(ロ)　事業内容の概要

(ハ)　利用拠点の質の向上に係る役割

(ニ)　事業実施主体の氏名又は名称

(ホ)　行為の種類

(ヘ)　行為の実施場所

(ト)　行為の施行方法

(チ)　行為の着手及び完了の予定日

利用拠点整備改善計画の作成段階では、一部の利用拠点整備改善事業について、公園施設の構造や行為の施行方法、着手及び完了の予定日等の詳細が明確に定まっていない場合も想定される。この場合、これらの概要について記載することとするが、概要についても定まっていない場合には特例措置の措置に係る記載から除外し、10　その他に記載し、事業内容が具体化した段階で特例措置の措置に係る記載に追加する変更を行い、法第16条の４第１項の規定による利用拠点整備改善計画の変更認定を受けることとする。

9　利用拠点整備改善計画に係る事務の実施体制

利用拠点整備改善計画を作成した協議会の構成員等の氏名又は名称及び協議会における役割を記載する。協議会における役割には、事務局、利用拠点整備改善事業の実施者又は実施予定者、施設や土地の所有者、有識者等の別を記載するほか、その他の関係者であるオブザーバー等について記載する。

10　その他

必要に応じて、今後、利用拠点整備改善計画に位置付ける予定の事業の概要、計画区域外の地域における取組や他法令に基づく取組との連携等、参考となるべき事項について記載する。

（利用拠点整備改善計画の添付書類）

第９

1　利用拠点整備改善計画の認定申請には、認定を受けようとする利用拠点整備改善計画に加え、計画区域を明らかにした縮尺１：２万5000程度の地形図、利用拠点整備改善事業ごとの実施場所及びその付近の状況を明らかにした縮尺１：5000程度の概況図を添付する。また、利用拠点整備改善計画における特例を受けようとする場合には、利用拠点整備改善事業が必要とする法第16条の６並びに第20条、第21条、第22条及び第33条に基づく特例措置の内容に応じて、以下の書類を添付する。なお、縮尺１：２万5000程度の地形図等について、一の図面で複数の利用拠点整備改善事業の位置等を示すことも可能とする。

①　公園事業の執行に係る協議又は認可を要する事業の場合（運輸施設に関する公園事業にあっては、(チ)、(リ)に掲げる書類を、公共団体が執行する公園施設に関する公

園事業にあっては、(イ)、(ロ)、(ホ)、(ヘ)、(チ)、(リ)に掲げる書類を除く）
(イ) 個人にあっては、住民票の写し
(ロ) 法人にあっては、登記事項証明書
(ハ) 公園施設の位置を明らかにした縮尺１：２万5000程度の地形図
(ニ) 公園施設の付近の状況を明らかにした縮尺１：5000程度の概況図及び天然色写真
(ホ) 法人にあっては、定款、寄附行為又は規約
(ヘ) 公園事業の執行に必要な土地、家屋その他の物件を当該事業の執行のために使用することができることを証する書類
(ト) 公園事業の執行に関し土地収用法（昭和26年法律第219号）の規定により土地又は権利を収用し又は使用する必要がある場合にあっては、その収用又は使用を必要とする理由書
(チ) 法人にあっては、直前３年の各事業年度における貸借対照表及び損益計算書（設立後３年を経過していない法人にあっては、設立後の各事業年度に係るもの）
(リ) 個人にあっては、直前３年の各事業年度における確定申告書

② 公園事業の内容の変更に係る協議又は認可を要する事業の場合（公共団体が執行する公園施設に関する公園事業にあっては、①の(ハ)、(チ)、(リ)に掲げる書類を除く）
(イ) 公園施設の位置を明らかにした縮尺１：２万5000程度の地形図
(ロ) 公園施設の付近の状況を明らかにした縮尺１：5000程度の概況図及び天然色写真
(ハ) ①の(ヘ)から(リ)までに掲げる事項のうち、変更の内容に係る事項

③ 特別地域、特別保護地区若しくは海域公園地区での行為許可又は普通地域での行為の届出を要する行為が含まれる事業の場合
(イ) 行為の場所を明らかにした縮尺１：２万5000程度の地形図
(ロ) 行為地及びその周辺の状況を明らかにした縮尺１：5000程度の概況図及び天然色写真

2　環境大臣は、認定に当たり必要があると認めるときは、上記以外の必要な書類の提出を求めることができることとされている（規則第９条の３第３項）。認定要件に適合するかどうかの判断について必要な書類を提出させれば足り、必ずしも規則第２条第３項に規定する公園事業の認可の申請等に係る必須添付書類の全てを提出させる必要はない。なお、具体的に想定されるものは以下のとおりである。
・計画全体における完成予想図、イメージパース、動線計画図、修景計画図、計画工程表
・計画区域内における建物や街路、標識・サイン等に対する景観デザイン統一のため

の意匠や色彩の方針、計画を明らかにした書類
・公園施設の規模及び構造を明らかにした各階平面図、二面以上の立面図、二面以上の断面図、構造図、意匠配色図及び給排水計画図並びに事業区域内にある公園施設の配置を明らかにした配置図
・公園施設の管理又は経営に要する経費について収入並びに支出の総額及びその内訳を記載した書類
・事業資金を調達することができることを証する書類
・令第1条第3号に掲げる宿舎に関する公園事業であって、特定の者の優先的な使用を確保する仕組みを設けるものにあっては、当該仕組みを明らかにした書類
・工事の施行を要する場合にあっては、木竹の伐採、修景のための植栽その他当該工事に付随する工事の内容を明らかにした書類及び図面
・工事の施行を要する場合にあっては、積算の基礎を明らかにした工事費概算書
・行為の施行方法を明らかにした平面図、立面図、断面図、構造図及び意匠配色図
・行為終了後における植栽その他修景の方法を明らかにした図面
・当該事業を実施する場所及びその周辺の植生、動物相その他の風致又は景観の状況並びに特質を記載した書類
・当該事業の実施により得られる自然的、社会経済的な効用を記載した書類
・当該事業の実施による風致又は景観に及ぼす影響の予測及び当該影響を軽減するための措置を記載した書類
・当該行為の施行方法に代替する施行方法により当該行為の目的を達成し得る場合にあっては、当該行為の施行方法及び当該方法に代替する施行方法を風致又は景観の保護の観点から比較した結果を記載した書類
・協議会の議事概要等、協議会の開催経過に関する書類

第4節　利用拠点整備改善計画の認定

（利用拠点整備改善計画の申請内容の事前指導）

第10

利用拠点整備改善計画の作成に関し相談を受けたときは、法、規則、本要領に照らして適切なものとなるよう指導に努めるものとする。なお、指導に際しては、行政手続法（平成5年法律第88号）第32条から第36条までの規定に留意するものとする。

（利用拠点整備改善計画の申請）

第11

協議会が利用拠点整備改善計画を作成したときは、協議会の構成員である市町村又は都道府県及び利用拠点整備改善事業を実施しようとする者は、共同で、環境大臣（国定公園の場合は都道府県知事）の認定を申請することができることとしている。申請書は規則様式第1によるものとするが、本要領において備考欄を追記しているため、必要に

応じて参考にされたい。なお、協議会の構成員のうち、利用拠点整備改善事業を実施しない者（有識者、事業を実施しない土地所有者等）については、共同申請者とはならない。

（利用拠点整備改善計画の審査）

第12

1　地方環境事務所（釧路、信越又は沖縄奄美自然環境事務所の管轄区域に係るものにあっては、それぞれ釧路、信越又は沖縄奄美自然環境事務所。以下同じ。）長は、申請者又は届出者から利用拠点整備改善計画に関する申請書又は届出書が提出されたときは、当該申請書又は届出書を確認し、不備又は不足するものがある場合には相当の期間を定め、申請者又は届出者に補正させるものとする。

2　当該計画の計画区域が、令附則第２項の規定による指定地域内に位置する場合においては、当該計画における特別地域、特別保護地区若しくは海域公園地区での行為許可又は普通地域での行為の届出を要する行為が含まれる事業について、必要に応じて都道府県へ処理方針等について情報共有を図ることとする。

3　地方環境事務所長は、申請書が提出された日（申請書の不備又は不足について補正を求めた場合にあっては、当該補正がなされた日）から起算して原則として１か月以内に、本要領に定める認定要件に基づき審査を行い、処理又は処分するものとする。

なお、相当の期間を経過しても申請書の不備又は不足が補正されないときは、認定を受けた利用拠点整備改善計画の変更に係る申請の場合は、速やかに行政手続法第７条の規定によって、申請を拒否する処分を行うものとし、利用拠点整備改善計画の認定に係る申請の場合は、認定の拒否が適当である旨の意見を付して、自然環境局国立公園課長に進達することとする。

4　自然環境局国立公園課においては、第13により、地方環境事務所長から進達を受けた日から起算して原則として１か月以内に、本要領に定める認定要件に基づき審査し、処分するものとする。

（申請書に係る事務処理（決裁又は送付）方法）

第13

1　国立公園管理事務所（国立公園管理官事務所、自然保護官事務所、広島事務所及び福岡事務所を含む。以下同じ。）における申請に関する決裁文書は、申請に係る地域を管轄する地方環境事務所長に送付する。

2　地方環境事務所における申請の処理及び進達は、次に掲げるとおり行うものとする。

①　認定を受けた利用拠点整備改善計画の変更に係る申請の場合は、地方環境事務所長が自ら処分する。

②　利用拠点整備改善計画の認定に係る申請の場合は、別に定める様式による調書を

添えて自然環境局国立公園課長に進達する。

（拒否の処分に当たっての理由の提示）

第14

利用拠点整備改善計画に関する認定を拒否する処分を行う場合には、行政手続法第８条の規定により、処分の内容を通知する書面にその理由を記載するものとする。

（利用拠点整備改善計画書の様式）

第15

利用拠点整備改善計画書は、様式第２によるものとする。

（利用拠点整備改善計画書等についての審査事項）

第16

第15の利用拠点整備改善計画書等については、次に掲げる事項について審査するものとする。

①　公園計画、国立公園事業の決定との整合性

②　区域

③　利用拠点整備改善事業の適否

④　他法令による処分の状況

⑤　土地所有者等の諾否

⑥　その他第18　利用拠点整備改善計画の認定要件への適合の判断に必要な事項

（景観計画への適合）

第17

利用拠点整備改善計画については、公園施設等の外観や色彩についても盛り込まれることが想定されるところ、景観法（平成16年法律第110号）に基づく景観計画が定められた場合においては、景観法第60条による自然公園法上の特例（法第20条第４項等に定める行為許可の基準への、景観計画に定められた基準の上乗せ規定）がある一方、利用拠点整備改善計画における特例により法第20条第３項等の許可が不要となる場合（同条第９項第１号に掲げる公園事業の執行として行う行為等）については、景観法第16条第７項第７号による届出不要が適用されず同条第１項に基づく届出が必要となる。そのため、利用拠点整備改善計画は、当該地域が景観法に基づく景観計画の区域に含まれる場合には、円滑な利用拠点整備改善計画の実施のため、当該区域における景観計画と適合するものでなければならないこととしている（法第16条の３第３項）。地方環境事務所において景観計画に係る適合について詳細を審査する必要はないが、協議会により適切に対応するよう指導すること。

なお、利用拠点整備改善計画を踏まえた景観計画が作成されることにより、利用拠点整備改善計画の計画期間終了後の良好な街並み景観の形成等につながるため、積極的な連携が図られることが期待される。

（利用拠点整備改善計画の認定要件）

第18

1　法第16条の３第４項に規定する国立公園における利用拠点整備改善計画の認定要件の細部解釈及び運用方法は以下のとおり。なお、認定要件に適合するかどうかの確認に当たっては、利用拠点整備改善計画制度が、地方公共団体や公園事業者等の多様な関係者の積極的・主体的な取組を促すことを目的とした制度である点に留意が必要である。

①　公園計画に照らして適切なものであること。

利用拠点整備改善計画については、公園計画において定められた基本方針及び集団施設地区又は利用施設の整備方針等への適合を確認する必要がある。また、利用拠点整備改善事業のうち、公園事業の執行に係る協議又は認可を要する事業については、公園計画への適合を確認する必要がある。

②　当該利用拠点整備改善計画の実施が計画区域における利用拠点の質の向上に寄与するものであると認められること。

利用拠点整備改善計画は、公園利用に係る機能の強化や質の高い利用空間の創造等により、利用拠点の効果的で満足度の高い利用につながるものである必要がある。このため、利用拠点整備改善計画が、当該公園の利用に支障を及ぼすおそれがある場合には、利用拠点の質の向上に寄与するとは認められない。

利用拠点整備改善事業のうち、公園事業の執行に係る協議又は認可を要する事業及び公園事業の内容の変更に係る協議又は認可を要する事業については、国立公園事業の決定事項への適合を確認するとともに、国立公園事業執行等取扱要領（令和４年４月１日付け環自国発第22040111号自然環境局長通知）の第11に準じて、利用施設としての適切性を確認する必要がある。

利用拠点整備改善計画の作成段階では、一部の利用拠点整備改善事業について、公園施設の構造や管理又は経営の方法等の詳細が明確に定まっていない場合も想定される。この場合、条件において遵守事項や必要な情報の追加提出等を付す又は認定時に必要な情報として追加提出を求める等の対応が想定され、当該事業が公園利用に及ぼす影響等を踏まえ、判断することとする。

③　当該国立公園の保護に支障を及ぼすおそれがないものであること。

国立公園の最大の魅力は豊かな自然環境であり、利用拠点整備改善計画は、公園の保護に支障を及ぼさないものである必要がある。

利用拠点整備改善事業のうち、公園事業の執行に係る協議又は認可を要する事業及び公園事業の内容の変更に係る協議又は認可を要する事業については、国立公園事業の決定事項への適合を確認するとともに、国立公園事業執行等取扱要領の第11に準じて、当該国立公園の保護上の支障を確認する必要がある。また、特別地域、特別保護地区若しくは海域公園地区での行為許可又は普通地域での行為の届出を要する行為が含まれる事業については、規則第11条、国立公園管理運営計画及び「国立公園普通地域内における措置命令等に関する処分基準」（平成13年５月28日付け環自国第212号自然環境局長通知）その他関係通知に準じて、当該国立公園の保護上の支障を確認する必要がある。

なお保護上の支障の確認に当たっては、規則第11条に規定する許可基準等への適合に係る確認を原則とするが、利用拠点整備改善計画における当該事業の重要性、妥当性、公益性と公園の保護に及ぼす影響等を比較衡量し判断することとし、複数の施設が多様な主体により同一の計画下で共通の方針の下、統一的に調和をもって整備されることや休廃止施設を利用者ニーズに沿って別用途に活用されること等により、公園利用に係る機能の強化や質の高い利用空間の創造等に相当程度寄与すると認められる計画においては、それを構成する各々の事業について、色彩や道路の路肩からの距離等が必ずしも上記の基準に適合しない場合であっても認め得るものであることを念頭に判断することとする。

また、利用拠点整備改善計画の作成段階では、一部の利用拠点整備改善事業について、公園施設の構造や行為の施行方法等の詳細が明確に定まっていない場合も想定される。この場合、条件において遵守事項や必要な情報の追加提出等を付す又は認定時に必要な情報として追加提出を求める等の対応が想定されるが、当該事業が公園の保護に及ぼす影響等を踏まえ、判断することとする。

④　円滑かつ確実に実施されると見込まれるものであること。

事業に必要な土地、その他家屋等の物件を事業の用に供するための権原を有していること、他の法令の規定により許可その他の処分を要するものであるときは、その許可等を得られる見込みがあること等を確認する必要がある。また、これらの前提として、利用拠点整備改善事業の実施に必要な施設や土地の権原を有する者及び関係法令を所管する行政機関等が協議会に参画していることが有効であると考えられるため、協議会の構成員についても留意する必要がある。

（認定の条件）

第19

１　法第16条の３第５項の規定に基づく条件に違反した場合には、法第16条の５第１項の規定に基づく認定の取消しが適用され得ることから、具体的かつ分かりやすい表現を用い、「国立公園事業執行等取扱要領」の別表、「国立公園の許可、届出等の取扱要領」（令和４年４月１日付け環自国発第22040115号自然環境局長通知）の別表又は本取扱要領の別表に掲げる例文を踏まえ、必要に応じて適切なものを付すこととする。

２　他者が実施する利用拠点整備改善事業の進捗状況や事業内容、当該国立公園の自然条件や利用状況の変化、追加提出のあった公園施設の構造や行為の施行方法の内容等に応じて、条件の追加や変更を行うものとする。具体例には、適正な公園利用を確保する観点から、当該公園の利用状況の変化等を踏まえ、必要に応じて複数者の工事時期の重複を避けるため、工事の施行期間に係る条件を追加・変更するなどが想定される。

3　条件の検討に当たっては、利用拠点整備改善計画制度が、地方公共団体や公園事業者等の多様な関係者の積極的・主体的な取組を促すことを目的とした制度である点に留意が必要である。

（利用拠点整備改善計画の変更に係る申請）

第20

1　法第16条の４の規定による認定を受けた利用拠点整備改善計画の変更に係る申請書（以下「変更認定申請書」という。）は、様式第３によるものとする。

2　具体的には、利用拠点整備改善計画の区域、利用拠点整備改善事業の内容及び実施主体の変更等が想定される。なお、これらの変更に係る協議会の運営方法等は、各協議会が定めることとなる。

3　変更認定申請書には、変更後の利用拠点整備改善計画書を添付するとともに、第９に示す利用拠点整備改善計画の添付書類に掲げる書類のうち変更の内容に係るものを添付することとする。また、環境大臣は、認定に当たり必要があると認めるときは、必要な書類の提出を求めることができる。

（変更認定申請書についての審査事項）

第21

変更認定申請書については、第16の①から⑥までに掲げる事項について審査するものとする。

（変更認定申請書の認定要件）

第22

1　自然公園法第16条の４第３項において準用する第16条の３第４項に規定する国立公園における利用拠点整備改善計画の変更に係る認定要件の細部解釈及び運用方法は第17のとおり。

2　利用拠点整備改善計画の変更に際しても、景観計画に適合するものである必要があるとともに、必要に応じて条件を付し、及びこれを変更することができる。

（認定の通知等）

第23

1　自然環境局長が利用拠点整備改善計画の認定を行ったとき及び地方環境事務所長が利用拠点整備改善計画の変更に係る認定を行ったときは、申請者に対し、認定の通知を行うものとする。なお、認定内容に、公園事業の執行に係る協議・認可等が必要な行為に係る事業が含まれる場合には、利用拠点整備改善事業を実施しようとする者が地方公共団体等の場合には同意書を、地方公共団体等以外の場合にあっては認可書を付すものとする。

2　自然環境局長は、1の定めにより、認定の通知を行ったときは、当該通知の写しを申請に係る地域を管轄する地方環境事務所又は国立公園管理事務所に送付するものとする。また、地方環境事務所長は、1の定めにより、利用拠点整備改善計画の変更に係る認定を行ったときは、当該通知の写しを申請に係る地域を管轄する国立公園管理事務所に送付するものとする。

3　地方環境事務所長は、1の定めにより、令附則第２項の規定による指定地域内に係る認定が行われたときは、当該通知の写しを関係する都道府県知事に送付するものとする。ただし、当該都道府県が協議会の構成員となっている場合はこの限りでない。

4　自然環境局国立公園課長は、利用拠点整備改善計画の認定及び利用拠点整備改善計画の変更に係る認定が行われた時は、インターネットの利用等の方法で、当該認定に係る利用拠点整備改善計画の概要を公表するものとする。

（利用拠点整備改善計画の軽微な変更）

第24

利用拠点整備改善計画の変更のうち、規則第９条の６各号に定める軽微な変更については、変更の認定を要せず、遅滞なく、その旨を環境大臣に届け出るのみでよいこととされている（法第16条の４第２項）。規則第９条の６を踏まえ、以下に該当する場合には、軽微な変更として取り扱うこととする。

①　第8の2、3、5、10に係る変更

②　第8の8のうち、実施主体の氏名又は名称若しくは住所の変更、実施時期期間の変更

③　第8の8①②の場合にあっては、規則第３条各号に掲げる変更

④　第8の8③の場合にあっては、㈡㈠に係る変更

⑤　第8の9のうち利用拠点整備改善計画を作成した協議会の構成員の追加及び削除、当該協議会構成員の氏名又は名称の変更、若しくは役割の変更（ただし、事務局の変更を除く）。

⑥　その他、変更後の計画が法第16条の３第４項各号のいずれにも適合することが明らかであると認められる変更

（利用拠点整備改善計画の軽微な変更に係る届出書の様式）

第25

法第16条の４第２項の規定による認定を受けた利用拠点整備改善計画の軽微な変更に係る届出書は、様式第４によるものとする。

（利用拠点整備改善計画の変更に係る申請又は届出を要しない事項）

第26

次に掲げるものについては、利用拠点整備改善事業の内容の変更に該当せず、変更に係る認定の申請又は届出を要しない。

① 建築物の内部の構造の変更であって、軽易なもの

② 国立公園の区域のうち、特別保護地区又は海域公園地区に含まれない区域内にあっては、規則第12条各号に掲げる行為に該当するもの

③ 特別保護地区内にあっては、規則第13条各号に掲げる行為に該当するもの

④ 海域公園地区内にあっては、規則第13条の３各号に掲げる行為に該当するもの

第５節　認定の取消し

（認定の取消し）

第27

認定利用拠点整備改善計画は、認定要件（法第16条の３第４項各号）に適合しなくなった場合には認定を取り消すことができる。認定要件への不適合には、法第16条の３第５項の条件が適切に履行されなかった場合も含まれる。

なお、認定の取消しの場合には、利用拠点整備改善計画の認定による特例措置の効力は当然失われる。

第６節　報告徴収

（報告徴収及び立入検査）

第28

1　地方環境事務所長は、法第17条第２項の規定により、利用拠点整備改善計画の実施状況その他必要な事項に関し報告を求めることができる。

2　地方環境事務所長は、法第17条第２項の規定に基づく立入検査を管下の職員に行わせる必要があると認めるときは、当該職員に対し、立入検査の実施を指示する指示書を交付するものとする。

3　当該職員は、立入検査に際して、法第17条第３項に定める身分を示す証明書とともに２の指示書を携帯し、関係者に提示しなければならない。

4　なお、認定を受けた利用拠点整備改善計画に従って行う公園事業に該当する事業については、公園事業の認可等を受けたこととみなされることとなるため、利用拠点整備改善事業の終了後、利用拠点整備改善事業として行う公園施設の整備改善以外の観点からの公園事業の執行状況の確認等を行う場合には、法第17条第１項に基づき報告徴収及び立入検査を実施する。加えて、利用拠点整備改善事業として行う公園施設の整備改善以外の観点から、公園事業の執行状況等を踏まえて必要と認められる場合には、法第11条に基づく改善命令を行うことが可能である。

第７節　その他

（自治体への支援及び直轄国立公園事業との連携）

第29

利用拠点整備改善計画は、国立公園の魅力向上に重要な役割を果たすことに鑑み、地方環境事務所長は、協議会の共同事務局を担うなど市町村等の取組の積極的な支援に努めるとともに、直轄国立公園事業の整備計画との連携に努めるものとする。

別　表

(1) 書類の追加提出等	ア　○○事業に係る工事の施行○日前までに、（公園施設の規模及び構造を明らかにした縮尺1000分の１の各階平面図、２面以上の立面図、２面以上の断面図、構造図、意匠配色図及び給排水計画図並びに事業区域内にある公園施設の配置を明らかにした縮尺1000分の１程度の配置図／事業資金を調達することができることを証する書類等）を、△△に提出すること。 イ　○○事業に係る工事の施行○日前までに、（行為の施行方法を明らかにした縮尺1000分の１程度の平面図、立面図、断面図、構造図及び意匠配色図等）を、△△に提出すること。 ウ　○○事業に係る工事の施行○日前までに、（公園施設の管理又は経営方法の詳細等）を、△△に報告すること。	1　公園事業の執行に係る協議又は認可を要する事業及び公園事業の内容の変更に係る協議又は認可を要する事業に係る必要書類が不足している場合には、原則として付すものとする。 2　特別地域、特別保護地区若しくは海域公園地区での行為許可又は普通地域での行為の届出を要する行為が含まれる事業に係る必要書類が不足している場合には、必要に応じて付すものとする。 3　△△には、「○○地方環境事務所長」、「○○自然環境事務所長」、「○○国立公園管理事務所長」等を必要に応じ使い分ける。
(2) 施設の構造や行為の施行方法等の指示	ア　（公園施設の構造の詳細／公園施設の管理又は経営方法の詳細／工作物等の意匠の詳細／行為の施行方法の詳細等）については、△△の指示に従うこと。	1　国立公園の保護上の支障を軽減するために、施設の構造や行為の施行方法等の詳細を指示する必要がある場合に用いる。 2　必要に応じて(1)と組み合わせて用いる。 3　△△には、「○○地方環境事務所長」、「○○自然環境事務所長」、「○○国立公園管理事務所長」等を必要に応じ使い分ける。

様式第１

利用拠点整備改善計画に係る認定申請書

年　　月　　日

環境大臣　殿

申請者

住　所

氏　名

自然公園法第16条の３第１項の規定に基づき、別紙の計画について認定を申請します。

（備考）

１　添付書類

⑴　計画区域を明らかにした縮尺１：２万5000程度の地形図

⑵　計画区域及びその付近の状況を明らかにした縮尺１：5000程度の概況図及び天然色写真

⑶　公園事業の執行に係る協議又は認可を要する事業の場合（運輸施設に関する公園事業にあっては、チ、リに掲げる書類を、公共団体が執行する公園施設に関する公園事業にあっては、イ、ロ、ホ、ヘ、チ、リに掲げる書類を除く）、当該事業ごとに以下の書類を添付すること。

イ　個人にあっては、住民票の写し

ロ　法人にあっては、登記事項証明書

ハ　公園施設の位置を明らかにした縮尺１：２万5000程度の地形図

ニ　公園施設の付近の状況を明らかにした縮尺１：5000程度の概況図及び天然色写真

ホ　法人にあっては、定款、寄附行為又は規約

ヘ　公園事業の執行に必要な土地、家屋その他の物件を当該事業の執行のために使用することができることを証する書類

ト　公園事業の執行に関し土地収用法（昭和26年法律第219号）の規定により土地又は権利を収用し又は使用する必要がある場合にあっては、その収用又は使用を必要とする理由書

チ　法人にあっては、直前３年の各事業年度における貸借対照表及び損益計算書（設立後３年を経過していない法人にあっては、設立後の各事業年度に係るもの）

リ　個人にあっては、直前３年の各事業年度における確定申告書

ヌ　その他、行為の施行方法の表示に必要な図面

⑷　公園事業の内容の変更に係る協議又は認可を要する事業の場合、当該事業ごとに以

下の書類を添付すること。（公共団体が執行する公園施設に関する公園事業にあっては、⑶のへ、チに掲げる書類を除く）

イ　公園施設の位置を明らかにした縮尺１：２万5000程度の地形図

ロ　公園施設の付近の状況を明らかにした縮尺１：5000程度の概況図及び天然色写真

ハ　⑶のへからリまでに掲げる事項のうち、変更に係る事項

ニ　その他、行為の施行方法の表示に必要な図面

⑸　特別地域、特別保護地区若しくは海域公園地区での行為許可又は普通地域での行為の届出を要する行為が含まれる事業の場合、当該事業ごとに以下の書類を添付すること。

イ　行為の場所を明らかにした縮尺１：２万5000程度の地形図

ロ　行為地及びその周辺の状況を明らかにした縮尺１：5000程度の概況図及び天然色写真

ハ　その他、行為の施行方法の表示に必要な図面

⑹　その他参考となるべき書類、図面又は写真

２　注　　意

⑴　「申請者」には、利用拠点整備改善計画を作成した協議会の構成員である市町村又は都道府県を代表として記載し、共同申請を行う当該計画に記載された利用拠点整備改善事業を実施しようとする者については別表に記載すること。

⑵　申請者が法人又は法人でない団体である場合にあっては、「住所」には「主たる事務所の所在地」を、「氏名」には「名称及び代表者の氏名」を記載すること。

⑶　用紙の大きさは、日本産業規格（JIS）Ａ４とすること。

様式第１別表

共同申請者の氏名及び住所

申請者氏名又は法人名称	法人代表者の氏名	住　所

様式第２

利用拠点整備改善計画書

１　利用拠点整備改善計画の名称

２　利用拠点整備改善計画を作成した協議会の名称

３　計画期間

年　月　日から　　年　月　日まで

（備考）

・利用拠点整備改善計画の目標等を踏まえて５～10年程度の期間を基本に設定する。

４　利用拠点整備改善計画の区域

５　利用拠点の現状と課題

５－１．現状
５－２．課題

（備考）

・５－１．現状の記載項目として、利用拠点周辺の自然環境や歴史・文化等の特徴、当該国立公園や地域観光における当該利用拠点の位置づけや役割、計画区域内の各施設の構成や配置、利用拠点において提供するサービスや機能、利用者数や宿泊者数の推移やリピーター率、満足度等の利用者の概況、街並み景観づくりのために協議・検討してきた事項や検討体制等を記載することを想定する。

・５－２．課題の記載項目として、廃屋や休止施設の存在、各施設の外観や案内看板の色彩・デザインの不統一、建物や樹木、電柱や電線による通景や展望への支障といった街並み景観に関する課題や、利用動線やユニバーサルデザイン対応等への不都合といった利用空間・滞在空間に関する課題等を記載することを想定する。

・計画期間終了に伴う計画変更の際には、前期計画における目標の達成状況について記載する。

６　計画区域における利用拠点の質の向上のための整備改善に関する基本的な方針

（備考）

・５の現状と課題の記載内容を踏まえ、当該利用拠点の魅力や特性、利用実態等の現状と課題を分析した上で、関係者と共有する地域の望ましい将来像や課題解決に向けた取組の基本的な方針を記載する。

７　利用拠点整備改善計画の目標

（備考）

・６の基本的な方針の記載事項に照らして設定した目標を記載する。利用者数、利用者の満足度、リピーター率等の数値目標、自然風景の活用・配慮等についての目標の設定が想定される。

8　利用拠点整備改善事業の内容、実施主体及び実施時期

８－１．利用拠点整備改善事業一覧

番号	氏名又は名称	事業種別	事業名	事業対象施設/事業対象地	事業概要（延長・面積等）	事業実施期間（年度）				
						Ｒ５	Ｒ６	Ｒ７	Ｒ８	Ｒ９
	利用拠点の質の向上に係る役割									
	備考					特例				
001										
002										
003										
004										

（備考）

・「氏名又は名称」欄は、利用拠点整備改善事業の事業実施主体の氏名又は名称を記載する。

・「事業種別」欄は、公園事業に該当する事業については該当する公園施設の種類を記載する。行為許可又は行為の届出を要する行為が含まれる事業については「工作物の新築」、「広告物の掲出」等該当する行為の種類を記載する。特例措置を要し

ない事業の場合には「その他」と記載する。
・「事業名」欄は、利用拠点整備改善事業名を記載する。
・「事業対象施設 / 事業対象地」欄は、利用拠点整備改善事業の実施対象となる施設の名称又は通称若しくは実施する場所を示す住所を記載する。
・「事業概要（延長・面積等）」欄は、利用拠点整備改善事業の事業概要と規模を記載する。
・「事業実施期間（年度）」欄は、工事の施行を予定する年度に「■」を記載する。
・「利用拠点の質の向上に係る役割」には、利用拠点整備改善事業により期待される効果を記載する。
・「特例」欄は、特例措置を要する事業に該当する場合に「有」、しない場合に「無」を記載する。

8－2．利用拠点整備改善事業の実施主体一覧（氏名又は名称及び住所、法人にあっては法人代表者の氏名等）

実施主体番号	申請者氏名又は法人名称	法人代表者の氏名	住　所	実施又は実施予定の利用拠点整備改善事業の事業番号
1				
2				
3				
4				
5				
6				
7				
8				

①公園事業の執行に係る協議又は認可を要する事業

<table>
<tr><td>事業番号</td><td colspan="2"></td></tr>
<tr><td>利用拠点整備改善事業名</td><td colspan="2"></td></tr>
<tr><td>事業内容の概要・利用拠点の質の向上に係る役割</td><td colspan="2"></td></tr>
<tr><td>事業実施主体の氏名（名称、代表者の氏名）</td><td colspan="2"></td></tr>
<tr><td>公園施設の種類</td><td colspan="2"></td></tr>
<tr><td>公園施設の位置</td><td colspan="2"></td></tr>
<tr><td>公園施設の規模・構造</td><td colspan="2"></td></tr>
<tr><td rowspan="3">公園施設の管理又は経営の方法</td><td>経営方法</td><td>直営
委託（受託者　　　　　　　　　　）</td></tr>
<tr><td>料金徴収</td><td>有　（標準的な額　　　　　　　　　）
無</td></tr>
<tr><td>供用期間</td><td>通年
季節（供用期間　　　　　　　　　）</td></tr>
<tr><td>公園施設の供用開始の予定年月日</td><td colspan="2">年　　月　　日</td></tr>
<tr><td>工事施行の予定期間</td><td colspan="2">年　　月　　日　着工
年　　月　　日　完了</td></tr>
<tr><td>備考</td><td colspan="2"></td></tr>
</table>

（備考）

・「公園施設の種類」欄には、〇〇休憩所、〇〇宿舎等の国立公園事業の名称及び種類を記載すること。

・「公園施設の位置」欄には、都道府県、郡、区、市町村、大字、字、小字、地番（地先）等を記載すること。

・「公園施設の規模・構造」欄には、建築物においては棟ごとの用途、主要構造及び階数、建築面積及び延べ面積、最高部の高さ、屋根の形状及び材質並びに色彩、外壁の材質及び色彩、各室の用途の別及び付帯施設の概要等を記載し、宿舎施設の場合には収容人数も記載する。園地等については敷地面積、園路の延長、幅員、舗装の種類、芝生面積等植栽面積、案内板等表示施設の概要及び付帯施設の概要を記載すること。

・「公園施設の管理又は経営の方法」の各欄には以下の事項を記載すること。

ア　直営又は委託の別。委託する場合にあっては受託者の氏名又は名称及び住所並びに法人にあってはその代表者の氏名

イ　料金徴収の有無。料金を徴収する場合にあっては標準的な額

ウ　通年供用又は季節供用の別。季節供用の場合にあってはその供用期間

・「備考」欄には、以下の事項を記載すること。

ア　公園施設の敷地の所有関係及び使用の可否

イ　他の法令の規定により行政庁の許可、認可その他の処分を必要とする場合は、関係法令名及び適用条項並びにその手続の状況

②公園事業の内容の変更に係る協議、認可又は届出を要する事業

<table>
<tr><td colspan="3">事業番号</td><td colspan="2"></td></tr>
<tr><td colspan="3">利用拠点整備改善事業名</td><td colspan="2"></td></tr>
<tr><td colspan="3">事業内容の概要・利用拠点の質の向上に係る役割</td><td colspan="2"></td></tr>
<tr><td colspan="3">事業実施主体の氏名（名称、代表者の氏名）</td><td colspan="2"></td></tr>
<tr><td colspan="3">執行の協議をした（認可を受けた）年月日及び番号</td><td colspan="2"></td></tr>
<tr><td rowspan="7">変更の内容</td><td colspan="2">事項</td><td>変更前</td><td>変更後</td></tr>
<tr><td colspan="2">公園施設の種類</td><td></td><td></td></tr>
<tr><td colspan="2">公園施設の位置</td><td></td><td></td></tr>
<tr><td colspan="2">公園施設の規模・構造</td><td></td><td></td></tr>
<tr><td rowspan="3">公園施設の管理又は経営の方法</td><td>経営方法</td><td></td><td></td></tr>
<tr><td>料金徴収</td><td></td><td></td></tr>
<tr><td>供用期間</td><td></td><td></td></tr>
</table>

工事施行の予定期間	
備考	

（備考）

・「執行の協議をした（認可を受けた）年月日及び番号」欄には、当該事業の執行の協議回答（認可指令）書（平成12年３月31日以前に執行の承認を受けたものにあっては承認指令書、認定を受けた利用拠点整備改善計画の利用拠点整備改善事業に係るものにあっては、みなし認可の同意書・認可書）記載のものを記入すること。

・「公園施設の種類」欄には、〇〇休憩所、〇〇宿舎等の国立公園事業の名称及び種類を記載すること。

・「公園施設の位置」欄には、都道府県、郡、区、市町村、大字、字、小字、地番（地先）等を記載すること。

・「公園施設の規模・構造」欄には、建築物においては棟ごとの用途、主要構造及び階数、建築面積及び延べ面積、最高部の高さ、屋根の形状及び材質並びに色彩、外壁の材質及び色彩、各室の用途の別及び付帯施設の概要等を記載し、宿舎施設の場合には収容人数も記載する。園地等については敷地面積、工作物の規模・仕様、芝生面積等植栽面積、案内板等表示施設の概要及び付帯施設の概要を記載すること。

・「公園施設の管理又は経営の方法」の各欄には以下の事項を記載すること。

ア　直営又は委託の別。委託する場合にあっては受託者の氏名又は名称及び住所並びに法人にあってはその代表者の氏名

イ　料金徴収の有無。料金を徴収する場合にあっては標準的な額

ウ　通年供用又は季節供用の別。季節供用の場合にあってはその供用期間

・「備考」欄には、以下の事項を記載すること。

ア　変更に係る公園施設の敷地の所有関係及び使用の可否

イ　公園施設の変更等が、他の法令の規定により行政庁の許可、認可その他の処分を必要とする場合は、関係法令名及び適用条項並びにその手続の状況

③特別地域、特別保護地区若しくは海域公園地区での行為許可又は普通地域での行為の届出を要する行為が含まれる事業

事業番号	
利用拠点整備改善事業名	

事業内容の概要・利用拠点の質の向上に係る役割	
事業実施主体の氏名（名称、代表者の氏名）住所	
行為の種類	
行為の実施場所	
行為の施行方法	
着手及び完了の予定日	
備考	

（備考）

・「行為の種類」の欄には、工作物の新築、増築、改築、木竹の伐採、土石の採取等行為許可又は届出を要する行為の種類について記載すること。

・「備考」の欄には、以下の事項を記載すること。

　ア　変更に係る公園施設の敷地の所有関係及び使用の可否

　イ　他の法令の規定により行政庁の許可、認可その他の処分を必要とする場合は、関係法令名及び適用条項並びにその手続の状況

９　利用拠点整備改善計画に係る事務の実施体制

協議会構成員一覧

氏名又は名称	役　割

（備考）

・利用拠点整備改善計画を作成した協議会の構成員氏名又は名称及び協議会における役割を記載する。

・役割欄には、協議会事務局、当該計画における事業実施者又は実施予定者、その他役割について記載する。必要に応じ、協議会構成員とオブザーバーとを区分し記載する。

10　その他

（備考）

・利用拠点整備改善計画に位置付ける予定の事業の概要、計画区域外地域や他法令に基づく取組との連携等を記載する。

〔注〕様式第２の記載例については以下のＵＲＬを参照
https://www.env.go.jp/nature/np/law/2021kaisei.html

様式第３

利用拠点整備改善計画変更認定申請書

年　　月　　日

＿＿地方環境事務所長　殿

申請者
住　所
氏　名

＿＿＿＿＿国立公園＿＿＿＿＿＿＿＿＿＿＿利用拠点整備改善計画の内容に関し、変更をしたいので、自然公園法第16条の４第１項の規定に基づき、別紙の計画について変更認定を申請します。

当初認定を受けた年月日及び番号	年　　月　　日 環自　許第　　　　号
変更を必要とする理由	

（備考）

1　添付書類

⑴　変更内容を反映した変更計画書の案

⑵　計画区域の範囲を明らかにした縮尺１：２万5000程度の地形図

⑶　計画区域及びその付近の状況を明らかにした縮尺１：5000程度の概況図及び天然色写真

⑷　公園事業の執行に係る協議又は認可を要する事業の場合（運輸施設に関する公園事業にあっては、チ、リに掲げる書類を、公共団体が執行する公園施設に関する公園事業にあっては、イ、ロ、ホ、ヘ、チ、リに掲げる書類を除く）、当該事業ごとに以下の書類を添付すること。（ただし、変更の内容に係るものに限る。）

イ　個人にあっては、住民票の写し

ロ　法人にあっては、登記事項証明書

ハ　公園施設の位置を明らかにした縮尺１：２万5000程度の地形図

ニ　公園施設の付近の状況を明らかにした縮尺１：5000程度の概況図及び天然色写真

ホ　法人にあっては、定款、寄附行為又は規約

ヘ　公園事業の執行に必要な土地、家屋その他の物件を当該事業の執行のために使用することができることを証する書類

ト　公園事業の執行に関し土地収用法（昭和26年法律第219号）の規定により土地又は権利を収用し又は使用する必要がある場合にあっては、その収用又は使用を必要とする理由書

チ　法人にあっては、直前３年の各事業年度における貸借対照表及び損益計算書（設立後３年を経過していない法人にあっては、設立後の各事業年度に係るもの）

リ　個人にあっては、直前３年の各事業年度における確定申告書

ヌ　その他、行為の施行方法の表示に必要な図面

⑸　公園事業の内容の変更に係る協議又は認可を要する事業の場合、当該事業ごとに以下の書類を添付すること。（ただし、変更の内容に係るものに限る。）

イ　公園施設の位置を明らかにした縮尺１：２万5000程度の地形図

ロ　公園施設の付近の状況を明らかにした縮尺１：5000程度の概況図及び天然色写真

ハ　⑷のヘからリまでに掲げる事項のうち、変更に係る事項

ニ　その他、行為の施行方法の表示に必要な図面

⑹　特別地域、特別保護地区若しくは海域公園地区での行為許可又は普通地域での行為の届出を要する行為が含まれる事業の場合、当該事業ごとに以下の書類を添付すること。（ただし、変更の内容に係るものに限る。）

イ　行為の場所を明らかにした縮尺１：２万5000程度の地形図

ロ　行為地及びその周辺の状況を明らかにした縮尺１：5000程度の概況図及び天然色写真

ハ　その他、行為の施行方法の表示に必要な図面

⑺　その他参考となるべき書類、図面又は写真

2　注　意

⑴　「申請者」には、利用拠点整備改善計画を作成した協議会の構成員である市町村又は都道府県を代表として記載し、共同申請を行う当該計画に記載された利用拠点整備改善事業を実施しようとする者については別表に記載すること。

⑵　申請者が法人又は法人でない団体である場合にあっては、「住所」には「主たる事務所の所在地」を、「氏名」には「名称及び代表者の氏名」を記載すること。

⑶　用紙の大きさは、日本産業規格（JIS）Ａ４とすること。

様式第３別表

共同申請者の氏名及び住所

申請者氏名又は法人名称	法人代表者の氏名	住　所

様式第４

利用拠点整備改善計画の軽微な変更届

年　　月　　日

＿＿地方環境事務所長　殿

届出者
住　所
氏　名

＿＿＿＿＿国立公園＿＿＿＿＿＿＿＿利用拠点整備改善計画の内容に関し、軽微な変更をしたいので、自然公園法第16条の４第２項の規定に基づき、次のとおり届け出ます。

当初認定を受けた年月日及び番号	年　　月　　日 環自　許第　　　　　　　　号
変更を必要とする理由	

軽微な変更の内容
□利用拠点整備改善計画を作成した協議会の名称の変更

変更前	変更後

□計画期間の変更

変更前	変更後
年　　月　　日から 年　　月　　日まで	年　　月　　日から 年　　月　　日まで

□利用拠点整備改善計画の現状と課題の変更

	変更前	変更後
５－１．現状		
５－２．課題		

□利用拠点整備改善計画事業の軽微な変更

①特例措置を要しない事業

事業番号			
事業名		＿＿＿＿＿＿＿＿＿＿＿＿＿事業	
内容の変更	事　項	変更前	変更後
	事業実施主体の氏名（名称、代表者の氏名）住所		
	着手及び完了の予定日	年　　月　　日着工 年　　月　　日完了	年　　月　　日着工 年　　月　　日完了

②公園事業の執行に係る協議又は認可を要する事業若しくは、公園事業の内容の変更に係る協議、認可又は届出を要する事業として認定を受けた事業の軽微な変更

事業番号			
事業名		＿＿＿＿＿＿＿＿＿＿＿＿＿事業	
公園施設の種類			
変更の内容	事　項	変更前	変更後
	事業実施主体の氏名（名称、代表者の氏名）住所		
	公園施設の構造		
	公園施設の管理又は経営の方法		
	供用開始年月日	年　　月　　日	年　　月　　日
	工事施行の予定期間	年　　月　　日着工 年　　月　　日完了	年　　月　　日着工 年　　月　　日完了

③特別地域、特別保護地区若しくは海域公園地区での行為許可又は普通地域での行為の届出を要する行為が含まれる事業として認定を受けた事業の軽微な変更

<table>
<tr><td colspan="2">事業番号</td><td colspan="2"></td></tr>
<tr><td colspan="2">事業名</td><td colspan="2">＿＿＿＿＿＿＿＿＿＿＿＿事業</td></tr>
<tr><td colspan="2">行為の種類</td><td colspan="2"></td></tr>
<tr><td rowspan="3">内容の変更</td><td>事　項</td><td>変更前</td><td>変更後</td></tr>
<tr><td>事業実施主体の氏名（名称、代表者の氏名）住所</td><td></td><td></td></tr>
<tr><td>着手及び完了の予定日</td><td>年　月　日着工
年　月　日完了</td><td>年　月　日着工
年　月　日完了</td></tr>
</table>

□その他

変更前	変更後

（備考）

1　「届出者」は、当初認定時の代表申請者とすること。

2　「認定を受けた年月日及び番号」欄には、当該計画の認定書記載のものを記入すること。

3　軽微な変更に該当する項目について、該当欄への記入をすること。欄が足りない場合には追加をすること。

4　不要な欄や文字は、抹消すること。

5　協議会構成員の変更（構成員の追加・削除、構成員の氏名又は名称の変更、構成員の役割の変更）については、変更後の一覧を添付すること。

6　注　　意

⑴　変更内容を反映した変更計画書を添付すること。

⑵　用紙の大きさは、日本産業規格（JIS）Ａ４とすること。

第２章　自然体験活動促進計画制度

○国立公園における自然体験活動促進計画取扱要領

〔令和４年４月１日　環自国発第2204013号
各地方環境事務所長等宛　自然環境局長通知〕

自然公園法（昭和32年法律第161号。以下「法」という。）第42条の２から第42条の７までの規定による国立公園における協議会の組織及び自然体験活動促進計画の認定等に関しては、自然公園法施行規則（昭和32年厚生省令第41号。以下「規則」という。）の規定によるもののほか、この要領の定めるところによる。なお、本要領は、本制度の運用状況や社会経済状況の動向の変化を踏まえ、適宜改正を行うものとする。

目次

第１節　総則

（制度創設の背景と意義）

第１

少子高齢化・人口減少社会の中で、観光は地方創生の切り札とされており、国立公園はその地域の重要な観光資源・地域資源である。今回改正は、訪日外国人旅行客の増加や団体旅行から個人旅行への旅行形態の変化等が進み、単に有名観光地や施設を巡るだけでなく、個人の興味や関心に基づいて自然と関わる旅行や地域の文化や暮らしの体験等も含めた自然の中にゆっくりと滞在する旅行のニーズが高まっていることを踏まえ、国立公園が有する自然資源の特性等を踏まえた質の高い自然体験活動の機会の提供が求められている。

このため、国立公園の魅力を有効に活用した自然体験活動の提供に関する基本的な方針を調整・決定する協議会の設置と、協議会により作成された質の高い自然体験活動の促進を目的とした自然体験活動促進計画を環境大臣が認定する制度が創設されたものである。

（定義）

第２

１　「自然体験活動」は、自然の中で、自然を活用して行われる活動を指し、具体的には、登山やハイキング、サイクリングやカヌー、自然観察、キャンプ等が挙げられ、国立公園の自然環境に根差した歴史や文化を体験する活動についても含まれる。これらの自然体験活動は、事業者が提供するガイドツアー、エコツアー等によって行われる場合や、個人や団体それぞれにおいて公園利用として行われる場合があり、環境教育活動等の一環として行われる場合もある。

２　「自然体験活動促進事業」は、国立公園における質の高い自然体験活動の促進に関する事業であり、具体的には、①キャンプ、カヌー、ガイドツアー、エコツアー等の自然体験プログラムの開発・提供、②登山道の維持管理、カヌー通行のための枝払いなどのフィールド整備、③利用ルール・マナーの作成や周知、④観光案内所やWEBサイトなどによる国立公園の利用者（以下「公園利用者」という。）への情報提供やプロモーション、⑤自転車や長靴等の機材レンタル、⑥ガイドや案内スタッフ等の人材育成、⑦自然環境や利用状況の調査・モニタリング等の多様な内容が想定される。なお、自然体験活動促進事業としてのハード整備は、登山道の補修やテント・立て看板等の一時的な設営に限定し、案内所や野営場、舟遊場等の公園の利用のための施設（以下「公園施設」という。）の整備については、自然体験活動の促進に当たり必要な施設であっても法第10条の規定による国立公園事業の執行として行われるべきものであり、原則として自然体験活動促進事業の対象とはならない。

第２節　協議会の組織

（協議会の組織）

第３

１　地域における重要な観光資源・地域資源である国立公園について、どのような自然体験プログラムを提供し、どのように国立公園の魅力を活用していくのかについて地域において検討・調整を行い、自然体験活動促進計画を作成するため、国立公園を区域に含む市町村が、当該国立公園において質の高い自然体験活動の促進に関し必要な協議を行うための協議会（以下「協議会」という。）を組織することができることとしている（法第42条の２第１項）。なお、都道府県についても、国立公園において当該都道府県の区域内の市町村と共同し、協議会を組織することができることとしている。

2　協議会は、複数の市町村又は都道府県が共同して協議会を組織することも可能であるほか、他法令に基づく既存の協議会や任意の協議会、法第16条の２第１項に規定する利用拠点整備改善計画の検討を目的とした協議会等が必要な構成員等を満たしている場合には、これらの既存の協議会を活用して協議を行うことも可能である。ただし、自然体験活動促進計画の作成に係る主要な協議会事務は、市町村又は都道府県（市町村又は都道府県から委託を受けた者等を含む）が担う必要がある。

3　当該国立公園内における自然体験活動促進事業の実施者又は実施予定者は、その国立公園が位置する市町村又は都道府県に対して、協議会を組織するよう要請することができることとしている（法第42条の２第３項において読み替えて準用する法第16条の２第３項）。要請を受けた市町村又は都道府県は、協議会を組織する必要がないと判断した時は、その旨及びその理由を当該要請をした者に通知することが望ましい。

（協議会の構成員）

第４

1　協議会は、地域の多様な関係者の積極的・主体的な取組を促すため、市町村のみ協議会を組織する場合には当該市町村、市町村及び都道府県が共同して協議会を組織する場合には当該市町村及び都道府県のほか、当該国立公園内における自然体験活動促進事業の実施者又は実施予定者、自然体験活動促進事業の実施に必要な施設や土地等の権限を有する者、その他必要な者により構成される（法第42条の２第２項）。

2　自然体験活動促進事業に、施設の使用や工作物の設置、木竹の伐採といった施設や土地等の管理や処分に係る許諾を必要とする行為を含む場合には、計画を円滑かつ確実に実施するため、協議会構成員に、原則として当該事業の実施に必要な施設、土地又は木竹の権利者又は管理者が含まれる必要がある。なお、協議会構成員には協議の結果の尊重が求められる（法第42条の２第３項において準用する法第16条の２第８項）ものの、施設や土地の所有者等が協議会への参画のみをもって安全管理等の追加的な責任が生じるものではないことや、実際の土地の貸付等に当たっては具体的な貸付条件の調整等が想定されることから、協議の結果に基づき土地の貸付等を行う義務が生じるものではないことに対し、留意が必要である。また、自然体験活動促進事業の実施に必要な物件の権原を当該事業に係る事業者が有していれば、当該事業者が協議会に参画することで、必ずしも施設や土地の所有者等の全員が協議会に含まれている必要はない。

3　その他必要な者としては、観光協会やDMO、有識者や自然保護団体、交通事業者や地域住民、関係法令を所管する行政機関等、自然体験活動促進事業の内容に応じて、多様な者が想定される。地域における望ましい自然体験活動の在り方を検討するためには観光やエコツーリズム等に関する有識者の参画が、自然保護上の影響が懸念される場合には自然環境保全等に関する有識者や自然保護団体の参画が、関係法令の許認可等が必要と見込まれる場合にはそれらを所管する行政機関等の参画が、効果的かつ円滑な自然体験活動促進事業の実施のために有効と考えられる。

4　環境省は自然体験活動促進計画の認定主体であるため、一律に各協議会の構成員となることは想定していないが、環境省の所管地内や環境省が管理する直轄施設において事業が実施される場合に土地所有者や施設管理者の立場として参画することや、ビジターセンターにおける情報発信等の自然体験活動促進事業の実施が想定される場合に、自然体験活動促進事業の実施者等との立場で参画することや、主要な協議会事務を担う市町村又は都道府県（市町村又は都道府県から委託を受けた者等を含む）の事務を補助する立場で参画することがあり得るほか、必要に応じてオブザーバー等の立場で参画することも想定される。自然体験活動促進計画は、国立公園の魅力向上に重要な役割を果たすことに鑑み、市町村等の取組を積極的に支援することが求められる。

5　自然体験活動促進事業の実施者又は実施予定者、施設や土地の所有者等は、市町村又は都道府県に対し、自己を協議会の構成員として加えるよう申し出ることができることとしている（法第42条の２第３項において読み替えて準用する法第16条の２第５項）。申出を受けた市町村又は都道府県は、正当な理由がない限り、当該申出に応じなければならない（法第42条の２第３項において準用する法第16条の２第６項）。正当な理由としては、申出を行った者による事業は自然体験活動促進事業とは認められない場合等が想定される。また、申出を受けた市町村又は都道府県は、申出をした者を協議会の構成員として加える必要がないと判断した時は、その旨及びその理由を当該申出をした者に通知することが望ましい。

（協議会の運営）

第５

1　市町村又は都道府県が協議会を組織したときは、インターネットの利用等の方法で、協議会の名称及び構成員の氏名又は名称並びに協議の対象となる区域の範囲を公表しなければならないものとされている（法第42条の２第３項において読み替えて準用する法第16条の２第４項及び規則第15条の10において読み替えて準用する規則第９条の２）。また、円滑な合意形成や策定した計画の実効性を高めるため、協議経過及び結果を協議会内外の広範な関係者等が把握できるよう、協議会における検討資料や議事録をインターネットの利用等の方法で適時公表することが望ましい。

2　協議会は、必要があると認めるときは、関係行政機関に対して、資料の提供、意見の表明、説明その他必要な協力を求めることができることとしている（法第42条の２第３項において準用する法第16条の２第７項）が、当然本規定によらずとも任意の協力依頼等は可能である。なお、関係行政機関についても、自然体験活動促進事業の実施者又は実施予定者、施設や土地の所有者等及び関係法令の所管官庁等として協議会の構成員となることも想定される。

3　協議会の構成員は、協議会において協議が調った事項については、その協議の結果を尊重しなければならないこととされている（法第42条の２第３項において準用する法第16条の２第８項)。協議会の運営に関して必要な事項は、協議会が定めるものとしているため、協議会の開催方式、回数、合意形成の方法等については、各協議会が定めることとなる。必要に応じて書面により開催する等も可能である。

第３節　自然体験活動促進計画の作成

（自然体験活動促進計画の作成）

第６

1　自然体験活動促進計画は、国立公園に関する公園計画（以下「公園計画」という。）に基づき、協議会が作成することとしている（法第42条の４第１項)。

2　自然体験活動促進計画は、環境大臣が定めた公園の適正な運営を行うための基本的な指針である公園計画に基づき作成されるものであるため、協議会は、自然体験活動促進計画の作成のために必要な公園計画の変更について、環境大臣に対して具体的な内容を公園計画の素案として提案することができることとしている（法第８条の２第１項)。提案の内容としては、当該計画の認定要件となる、公園計画の質の高い自然体験活動の促進に関する基本的な事項を想定している。なお、当然本規定によらずとも、任意の提案を行うことは可能である。

（自然体験活動促進計画における特例）

第７

1　自然体験活動促進計画について法第42条の４第１項の規定による環境大臣の認定を受けた場合、計画の認定過程において公園の保護への支障等について確認を行った上で、特別地域、特別保護地区又は海域公園地区での行為許可、利用調整地区の立入認定及び普通地域での行為の届出を受ける者である環境大臣による認定が行われたものであることから、法第20条第３項、法第21条第３項及び法第22条第３項の許可、法第23条第３項の認定並びに法第33条第１項の届出を不要とする特例措置（以下「特例措置」という。）が適用されることとしている（法第20条第９項第３号、第21条第８項第３号、第22条第８項第３号、第23条第３項第５号及び第33条第７項第３号)。

2　計画の認定による特例措置により許可等を不要とする行為の例としては、自然体験プログラムの実施に伴うテント等の設置、フィールド整備に伴う木竹の損傷やロープの設置、自然解説板の設置、利用者数調査のための登山者カウンターの設置等が挙げられる。

（自然体験活動促進計画の記載事項）

第８

計画の記載事項については法第42条の４第２項各号の規定も踏まえ、次の事項について記載するものとする。

１　自然体験活動促進計画の名称

自然体験活動促進計画を策定する国立公園の名称及び対象とする地区名若しくは通称名等を明示する。

２　自然体験活動促進計画を作成した協議会の名称

自然体験活動促進計画を作成した協議会の名称を記載する。

３　計画期間

自然体験活動促進計画の計画期間について記載する。

自然体験活動促進計画の目標や実現可能性等を踏まえておおむね５年程度の期間を基本に設定することが望ましい。

４　自然体験活動促進計画の区域

自然体験活動促進事業を行う区域（以下「計画区域」という。）を記載する。計画区域には国立公園の区域を含むこととする。自然体験活動促進事業の内容に応じて、柔軟な区域設定が可能である。

５　自然体験活動の促進に関する現状と課題

計画区域における自然体験活動の促進に関する現状と課題について記載する。

６　計画区域における質の高い自然体験活動の促進に関する基本的な方針

質の高い自然体験活動の促進にどのように取り組むかについて、公園計画の質の高い自然体験活動の促進に関する基本的な事項の該当箇所を引用し記載した上で、地域の特性や課題に応じた基本的な方針を記載する。

７　自然体験活動促進計画の目標

質の高い自然体験活動の促進に関する目標を記載する。

８　自然体験活動促進事業の内容及び実施主体

自然体験活動促進事業として実施する事業の内容、実施主体、実施場所及び実施時期について、一覧に記載する。

自然体験活動促進事業は第２の２に示すとおり、自然体験プログラムの開発・提供、フィールド整備、利用ルール・マナーの作成や周知、公園利用者への情報提供、ガイド等の人材育成等の事業であり、計画区域の実状に応じて必要な事業により構成し計画する。

特例措置を受けようとする場合には、必要とする特例措置の内容に応じ、個票に以下の項目を記載する。

①　特別地域、特別保護地区若しくは海域公園地区での行為許可又は普通地域での行為の届出を要する行為が含まれる事業の場合

(イ)　事業名

(ロ)　事業内容の概要

(ハ)　質の高い自然体験活動の促進に係る役割

(ニ)　事業実施主体の氏名又は名称

(ホ)　行為の種類

(ヘ)　行為の実施場所

(ト)　行為の施行方法

(チ)　行為の着手及び完了の予定日

②　利用調整地区の立入認定を要する行為が含まれる事業の場合

(イ)　事業名

(ロ)　事業内容の概要

(ハ)　質の高い自然体験活動の促進に係る役割

(ニ)　事業実施主体の氏名又は名称

(ホ)　立ち入ろうとする者の氏名及び住所

(ヘ)　立ち入ろうとする者の監督の下に立ち入る者の合計の人数

(ト)　立ち入ろうとする利用調整地区の名称

(チ)　立ち入ろうとする期間

(リ)　立入りの方法

特例措置を要する事業においては、自然体験活動促進計画の作成段階では行為の施行方法や着手及び完了の予定日等の詳細が明確に定まっていない場合も想定される。この場合、これらの概要について記載することとするが、概要についても定まっていない場合には特例措置の措置に係る記載から除外し、11その他に記載し、事業内容が具体化した段階で特例措置の措置に係る記載に追加する変更を行い、法第42条の５第１項の規定による自然体験活動促進計画の変更認定を受けることとする。

9　計画区域における適正な利用に係る規範及び啓発に関する事項

公園利用者及び地域の関係者が遵守すべき適正な利用に係る地域のルール・マナーとその周知啓発に係る方法を記載する。質の高い自然体験活動を促進するためには、当該地域の自然資源を適切に保全し、プログラムの質の低下を防ぐための方策が必要となる。そのため、当該地域の自然資源の特性や利用実態等を踏まえ、適正な利用のために公園利用者及び地域の関係者が遵守すべき地域のルール・マナーを定め、自然体験活動促進事業の実施者等が共通認識を持ち、当該事業の実施に際し公園利用者に周知啓発を行うための方法について記載する。

10　自然体験活動促進計画に係る事務の実施体制

自然体験活動促進計画を作成した協議会の構成員等の氏名又は名称及び協議会における役割を記載する。協議会における役割には、事務局、自然体験活動推進事業の実施者又は実施予定者、施設や土地の所有者、有識者等の別を記載するほか、その他の関係者であるオブザーバー等について記載する。

11　その他

必要に応じて、今後、自然体験活動促進計画に位置付ける予定の事業の概要、計画区域外の地域における取組や他法令に基づく取組との連携等、参考となるべき事項について記載する。

（自然体験活動促進計画の添付書類）

第９

1　自然体験活動促進計画の認定の申請には、認定を受けようとする自然体験活動促進計画に加え、計画区域を明らかにした縮尺１：２万5000程度の地形図を添付する。なお、計画区域を明らかにした地形図には、各々の自然体験活動促進事業の実施範囲についても図示することとする。また、特別地域、特別保護地区若しくは海域公園地区での行為許可又は普通地域での行為の届出に係る特例措置を受けようとする行為が含まれる事業については、以下の書類を添付する。

(イ)　行為の場所を明らかにした縮尺１：２万5000程度の地形図

(ロ)　行為地及びその周辺の状況を明らかにした縮尺１：5000程度の概況図及び天然色写真

2　環境大臣は、認定に関し必要があると認めるときは、上記以外の必要な書類の提出を求めることができることとされている（規則第15条の11第３項）。第17の認定要件に適合するかどうかの判断について必要な書類を提出させれば足り、必ずしも規則第10条第２項に規定する行為許可の申請等に係る必須添付書類の全てを提出させる必要はない。なお、具体的に想定されるものは以下のとおりである。

①　特例措置を要する事業に関する書類

・行為の施行方法を明らかにした縮尺平面図、立面図、断面図、構造図及び意匠配色図

・行為終了後における植栽その他修景の方法を明らかにした図面

・当該事業を実施する場所及びその周辺の植生、動物相その他の風致又は景観の状況並びに特質を記載した書類

・当該事業の実施により得られる自然的、社会経済的な効用を記載した書類

・当該事業の実施による風致又は景観に及ぼす影響の予測及び当該影響を軽減するための措置を記載した書類

・当該行為の施行方法に代替する施行方法により当該行為の目的を達成し得る場合にあっては、当該行為の施行方法及び当該方法に代替する施行方法を風致又は景

観の保護の観点から比較した結果を記載した書類

②その他

・協議会の議事概要等、協議会の開催経過に関する書類

第4節　自然体験活動促進計画の認定

（自然体験活動促進計画の申請内容の事前指導）

第10

自然体験活動促進計画の作成に関し相談を受けたときは、法、規則、本要領に照らして適切なものとなるよう指導に努めるものとする。なお、指導に際しては、行政手続法（平成5年法律第88号）第32条から第36条までの規定に留意するものとする。

（自然体験活動促進計画の申請）

第11

協議会が自然体験活動促進計画を作成したときは、協議会の構成員である市町村又は都道府県及び自然体験活動促進事業を実施しようとする者は、共同で、環境大臣（国定公園の場合は都道府県知事）の認定を申請することができることとしている（法第42条の4第1項）。申請書は規則様式第1によるものとするが、本要領において備考欄を追記しているため、必要に応じて参考にされたい。なお、協議会の構成員のうち、自然体験活動促進事業を実施しない者（有識者、事業を実施しない土地所有者等）については、共同申請者とはならない。

（自然体験活動促進計画の審査）

第12

1　地方環境事務所（釧路、信越又は沖縄奄美自然環境事務所の管轄区域に係るものにあっては、それぞれ釧路、信越又は沖縄奄美自然環境事務所。以下同じ。）長は、申請者又は届出者から自然体験活動促進計画に関する申請書又は届出書が提出されたときは、当該申請書又は届出書を確認し、不備又は不足するものがある場合には相当の期間を定め、申請者又は届出者に補正させるものとする。

2　当該計画の計画区域が、自然公園法施行令（昭和32年政令298号。以下「令」という。）附則第2項の規定による指定地域内に位置する場合においては、当該計画における特例措置を要する事業について、必要に応じて都道府県へ処理方針等について情報共有を図ることとする。

3　地方環境事務所長は、申請書が提出された日（申請書の不備又は不足について補正を求めた場合にあっては、当該補正がなされた日）から起算して原則として1か月以内に、本要領に定める認定要件に基づき審査を行い、処理又は処分するものとする。

なお、相当の期間を経過しても申請書の不備又は不足が補正されないときは、認定を受けた自然体験活動促進計画の変更に係る申請の場合は、速やかに行政手続法第7条の規定によって、申請を拒否する処分を行うものとし、自然体験活動促進計画の認

定に係る申請の場合は、認定の拒否が適当である旨の意見を付して、自然環境局国立公園課長に進達することとする。

4　自然環境局国立公園課においては、第13により、地方環境事務所長から進達を受けた日から起算して原則として1か月以内に、本要領に定める認定要件に基づき審査し、処分するものとする。

（申請書に係る事務処理（決裁又は送付）方法）

第13

1　国立公園管理事務所（国立公園管理官事務所、自然保護官事務所、広島事務所及び福岡事務所を含む。以下同じ。）における申請に関する決裁文書は、申請に係る地域を管轄する地方環境事務所長に送付する。

2　地方環境事務所における申請の処理及び進達は、次に掲げるとおり行うものとする。

①　認定を受けた自然体験活動促進計画の変更に係る申請の場合は、地方環境事務所長が自ら処分する。

②　自然体験活動促進計画の認定に係る申請の場合は、別に定める様式による調書を添えて自然環境局国立公園課長に進達する。

（拒否の処分に当たっての理由の提示）

第14

自然体験活動促進計画に関する認定を拒否する処分を行う場合には、行政手続法第8条の規定により、処分の内容を通知する書面にその理由を記載するものとする。

（自然体験活動促進計画書の様式）

第15

自然体験活動促進計画書は、様式第2によるものとする。

（自然体験活動促進計画書等についての審査事項）

第16

第15の自然体験活動促進計画書については、次に掲げる事項について審査するものとする。

①　公園計画との整合性

②　区域

③　自然体験活動促進事業の適否

④　他法令による処分の状況

⑤　土地所有者等の諾否

⑥　その他第17　自然体験活動促進計画の認定要件への適合の判断に必要な事項

（自然体験活動促進計画の認定要件）

第17

1　法第42条の４第３項に規定する国立公園における自然体験活動促進計画の認定要件の細部解釈及び運用方法は以下のとおり。なお、認定要件に適合するかどうかの確認に当たっては、自然体験活動促進計画制度が、地方公共団体や民間事業者等の多様な関係者の積極的・主体的な取組を促すことを目的とした制度である点に留意が必要である。

①　公園計画に照らして適切なものであること。

自然体験活動促進計画については、公園計画において定められた質の高い自然体験活動の促進に関する基本的な事項への適合を確認する必要がある。

②　当該自然体験活動促進計画の実施が計画区域における質の高い自然体験活動の促進に寄与するものであると認められること。

自然体験活動促進計画は、質の高い自然体験活動の促進により、国立公園の効果的で満足度の高い利用につながるものである必要がある。このため、自然体験活動促進計画が、当該公園の利用に支障を及ぼすおそれがある場合には、質の高い自然体験活動の促進に寄与するとは認められない。

自然体験活動促進計画の作成段階では、一部の自然体験活動促進事業について、行為の施行方法等の詳細が明確に定まっていない場合も想定される。この場合、条件において遵守事項や必要な情報の追加提出等を付す又は認定時に必要な情報として追加提出を求める等の対応が想定され、当該事業が公園利用に及ぼす影響等を踏まえ、判断することとする。

③　当該国立公園の保護に支障を及ぼすおそれがないものであること。

国立公園の最大の魅力は豊かな自然環境であり、自然体験活動促進計画は、公園の保護に支障を及ぼさないものである必要がある。

自然体験活動促進事業のうち、特別地域、特別保護地区若しくは海域公園地区での行為許可又は普通地域での行為の届出を要する行為が含まれる事業については、規則第11条、「国立公園管理運営計画作成要領」（令和４年４月１日付け環自国発第22040113号自然環境局長通知）に基づき定められた国立公園管理運営計画及び「国立公園普通地域内における措置命令等に関する処分基準」（平成13年５月28日付け環自国第212号自然環境局長通知）その他の関係通知に準じて、当該国立公園の保護上の支障を及ぼすおそれがないものであることについて確認する必要がある。

なお、保護上の支障の確認に当たっては、規則第11条に規定する許可基準等への適合に係る確認を原則とするが、自然体験活動促進計画における当該事業の重要性、妥当性、公益性と公園の保護に及ぼす影響等を比較衡量し判断することとし、当該国立公園のテーマやストーリー、自然景観等に応じた自然体験活動を多様な主体により同一の計画下で共通の方針の下提供されることにより、国立公園における効果的で満足度の高い利用を実現させるものと認められる計画においては、それを構成する各々の事業において実施される行為について、必ずしも上記の基準に適合しない場合であっても認め得るものであることを念頭に判断をすることとする。

自然体験活動促進計画の作成段階では、一部の自然体験活動促進事業について、行為の施行方法等の詳細が明確に定まっていない場合も想定される。この場合、条件において遵守事項や必要な情報の追加提出等を付す又は認定時に必要な情報として追加提出を求める等の対応が想定されるが、当該事業が公園の保護に及ぼす影響等を踏まえ、判断することとする。

また、これまでに計画区域内で実施されたことのない新たな事業内容を含む場合などには、認定要件に適合するかどうかを審査する際に、当該事業による保護上の支障の程度が判断できない場合も想定される。この場合、行為を実施する期間や頻度を限定し、実施状況をモニタリングしながらその結果を評価する社会実験的、試行的な取組となるよう計画内容を補正させた後に認定したり、認定をする際に、期間の限定とモニタリング調査・報告に係る条件を付すなどによる順応的な対応が必要とされる。

④　円滑かつ確実に実施されると見込まれるものであること。

事業に必要な施設や土地の所有者等の承諾が得られる見込みであること、他の法令の規定により許可その他の処分を要するものであるときは、その許可等を得られる見込みがあること等を確認する必要がある。また、これらの前提として、自然体験活動促進事業の実施に必要な施設や土地等の権原を有する者及び関係法令を所管する行政機関等が協議会に参画していることが有効であると考えられるため、協議会の構成員についても留意する必要がある。

2　認定自然体験活動促進事業を行う場合であれば、第7の1の特例により利用調整地区に立ち入ることができることとされていることから、利用調整地区への立入りを含む自然体験活動促進事業が計画されている場合については、当該事業が利用調整地区における利用適正化計画の趣旨目的に沿った内容であることや、利用適正化計画検討協議会と十分な調整が図られていることを確認の上、判断することとする。

（認定の条件）

第18

1　法第42条の4第5項の規定に基づく条件に違反した場合には、法第42条の6第1項の規定に基づく認定の取消しが適用され得ることから、具体的かつ分かりやすい表現を用い、「国立公園の許可、届出等の取扱要領」（令和4年4月1日付け環自国発第22040115号自然環境局長通知）の別表又は本取扱要領の別表に掲げる例文を踏まえ、必要に応じて適切なものを付すことができるものとする。

2　他者が実施する自然体験活動促進事業の進捗状況や事業内容、当該国立公園の自然条件や利用状況の変化、追加提出のあった行為の施行方法の内容等に応じて、条件の追加や変更を行うものとする。具体的には、公園の保護を図る観点又は適正な公園利用を確保する観点から、同一の場で他者が実施するプログラムの利用状況等を踏まえ、必要に応じて各プログラムの実施時期の適正化を図るため、プログラムの実施時期等に係る条件を追加・変更することなどが想定される。

3　条件の検討に当たっては、自然体験活動促進計画制度が、地方公共団体や自然体験活動促進事業の実施者等の多様な関係者の積極的・主体的な取組を促すことを目的とした制度である点に留意が必要である。

（自然体験活動促進計画の変更に係る申請）

第19

1　法第42条の４第１項の規定による認定を受けた自然体験活動促進計画の変更に係る申請書（以下「変更認定申請書」という。）は、様式第３によるものとする。

2　具体的には、自然体験活動促進計画の区域、自然体験活動促進事業の内容及び実施主体の変更等が想定される。なお、これらの変更に係る協議会の運営方法等は、各協議会が定めることとなる。

3　変更認定申請書には、変更後の自然体験活動促進計画書を添付するとともに、第９に示す自然体験活動促進計画の添付書類に掲げる書類のうち変更の内容に係るものを添付することとする。また、環境大臣は、認定に当たり必要があると認めるときは、必要な書類の提出を求めることができる。

（変更認定申請書についての審査事項）

第20

変更認定申請書については、第16の①から⑥までに掲げる事項について審査するものとする。

（変更認定申請書の認定要件）

第21

1　自然公園法第42条の５第３項において準用する第42条の４第３項に規定する国立公園における自然体験活動促進計画の変更に係る認定要件の細部解釈及び運用方法は第17のとおり。

2　自然体験活動促進計画の変更に際しても、必要に応じて条件を付し、及びこれを変更することができる。

（認定の通知等）

第22

1　自然環境局長が自然体験活動促進計画の認定を行ったとき及び地方環境事務所長が自然体験活動促進計画の変更に係る認定を行ったときは、申請者に対し、認定の通知を行うものとする。

2　自然環境局長は、１の定めにより、認定の通知を行ったときは、当該通知の写しを申請に係る地域を管轄する地方環境事務所又は国立公園管理事務所に送付するものとする。また、地方環境事務所長は、1の定めにより、自然体験活動促進計画の変更に係る認定を行ったときは、当該通知の写しを申請に係る地域を管轄する国立公園管理事務所に送付するものとする。

3　地方環境事務所長は、1の定めにより、令附則第2項の規定による指定地域内に係る認定が行われたときは、当該通知の写しを関係する都道府県知事に送付するものとする。ただし、当該都道府県が協議会の構成員となっている場合はこの限りでない。

4　自然環境局国立公園課長は、自然体験活動促進計画の認定及び自然体験活動促進計画の変更に係る認定が行われた時は、インターネットの利用等の方法で、当該認定に係る自然体験活動促進計画の概要を公表するものとする（法第42条の4第6項)。

（自然体験活動促進計画の軽微な変更）

第23

自然体験活動促進計画の変更のうち、規則第15条の14各号に定める軽微な変更については、変更の認定を要せず、遅滞なく、その旨を環境大臣に届け出るのみでよいこととされている（法第42条の5第2項)。規則第15条の14を踏まえ、以下に該当する場合には、軽微な変更として取り扱うこととする。

①　第8の2、3、5、9、11に係る変更

②　第8の8のうち、実施主体の氏名又は名称若しくは住所の変更、実施時期の変更

③　第8の8のうち、①の㈡㈦に係る変更

④　第8の8のうち、②の㈡㈭に係る変更

⑤　第8の10のうち自然体験活動促進計画を作成した協議会の構成員の追加及び削除、当該協議会構成員の氏名又は名称の変更、若しくは役割の変更（ただし、事務局の変更を除く)。

⑥　その他、変更後の計画が法第42条の4第3項各号のいずれにも適合することが明らかであると認められる変更

（自然体験活動促進計画の軽微な変更に係る届出書の様式）

第24

法第42条の5第2項の規定による認定を受けた自然体験活動促進計画の軽微な変更に係る届出書は、様式第4によるものとする。

（自然体験活動促進計画の変更に係る申請又は届出を要しない事項）

第25

次に掲げる行為については、変更に係る認定の申請又は届出を要しない。

①　国立公園の区域のうち、特別保護地区又は海域公園地区に含まれない区域内にあっては、規則第12条各号に掲げる行為に該当するもの

②　特別保護地区内にあっては、規則第13条各号に掲げる行為に該当するもの

③　海域公園地区内にあっては、規則第13条の３各号に掲げる行為に該当するもの
④　利用調整地区の立入りにあっては、規則第13条の５各号に掲げる行為に該当するもの

第５節　認定の取消し

（認定の取消し）

第26

認定自然体験活動促進計画は、認定要件（法第42条の４第３項各号）に適合しなくなった場合には認定を取り消すことができる。認定要件への不適合には、法第42条の４第５項の条件が適切に履行されなかった場合も含まれる。

なお、認定の取消しの場合には、自然体験活動促進計画の認定による特例措置の効力は当然失われる。

第６節　報告徴収

（報告徴収及び立入検査）

第27

１　地方環境事務所長は、自然体験活動促進計画の実施状況その他必要な事項に関し報告を求めることができる（法第42条の７第１項）。

２　地方環境事務所長は、法第42条の７第１項の規定に基づく立入検査を管下の職員に行わせる必要があると認めるときは、当該職員に対し、立入検査の実施を指示する指示書を交付するものとする。

３　当該職員は、立入検査に際して、法第42条の７第３項に定める身分を示す証明書とともに２の指示書を携帯し、関係者に提示しなければならない。

第７節　その他

（自然体験プログラムの提供における送迎）

第28

自然体験プログラム提供者による自家用自動車を用いた自然体験活動実施場所へのプログラム参加者の送迎について、「道路運送法における許可又は登録を要しない運送の様態について」（国自旅第338号平成30年３月30日付け国土交通省自動車局旅客課長通達）の「１．道路運送法上の許可又は登録を要しない運送の態様についての考え方」に示された考え方に従って実施する場合には、道路運送法に基づく許可又は登録を要しない（「宿泊施設及びエコツアー等の事業者が宿泊者及びツアー参加者を対象に行う送迎のための輸送について」（国自旅第239号平成23年３月31日付け国土交通省自動車交通局長通達）の「３．エコツアー等の事業者がそのツアー参加者を対象に行う送迎のための輸送について」についても併せて参考にされたい。）。

ただし、当該運送の形態によっては道路運送法違反となる可能性があることから、自然体験活動促進計画の作成に先立ち、管轄運輸支局等に事前相談することが望ましい。

運輸支局等相談窓口：https://www.mlit.go.jp/jidosha/content/001404886.pdf

別　表

(1) 書類の追加提出等	ア　○○事業に係る○○を行う○日前までに、（行為の施行方法を明らかにした縮尺１：1000程度の平面図、立面図、断面図、構造図及び意匠配色図／行為終了後における植栽その他修景の方法を明らかにした縮尺１：1000程度の図面等）を、△△に提出すること。	1　特別地域、特別保護地区若しくは海域公園地区での行為許可又は普通地域での行為の届出を要する行為が含まれる事業に係る必要書類が不足している場合には、必要に応じて付すものとする。 2　△△には、「○○地方環境事務所長」、「○○自然環境事務所長」、「○○国立公園管理事務所長」等を必要に応じ使い分ける。
(2) 行為の施行方法等の指示	ア　（工作物等の意匠の詳細／行為の施行方法の詳細等）については、△△の指示に従うこと。	1　国立公園の保護上の支障を軽減するために、行為の施行方法等の詳細を指示する必要がある場合に用いる。 2　必要に応じて(1)と組み合わせて用いる。 3　△△には、「○○地方環境事務所長」、「○○自然環境事務所長」、「○○国立公園管理事務所長」等を必要に応じ使い分ける。
(3) 認定計画に基づく事業であることの明示	ア　○○事業に係る○○を行う際には、認定計画に基づく行為／行為の実施者／であることを示す□□の掲出／着用を行うこと。 □□は行為着手前までに、△△にその詳細に係る資料を提出すること。	1　認定計画に基づく行為や行為者を他者の行為や他者と区別する必要がある場合に用いる。 2　□□には、「識別票」や「ラベル」、「腕章」や「バッチ」等を記載する。 3　△△には、「○○地方環境事務所長」、「○○自然環境事務所長」、「○○国立公園管理事務所長」等を必要に応じ使い分ける。

様式第１

自然体験活動促進計画に係る認定申請書

年　　月　　日

環境大臣　殿

申請者
住　所
氏　名

自然公園法第42条の４第１項の規定に基づき、別紙の計画について認定を申請します。

（備考）
１　添付書類
⑴　計画区域を明らかにした縮尺１：２万5000程度の地形図
なお、地形図には各々の自然体験活動促進事業の実施範囲について図示すること。
⑵　自然公園法第20条第３項、第21条第３項又は第22条第３項の許可を要する自然体験活動促進事業が計画に記載される場合にあっては、当該事業ごとに以下の書類を添付すること。
イ　行為の場所を明らかにした縮尺１：２万5000程度の地形図
ロ　行為地及びその付近の状況を明らかにした縮尺１：5000程度の概況図及び天然色写真
ハ　その他、行為の施行方法の表示に必要な図面
⑶　自然公園法第33条第１項の規定による届出を要する自然体験活動促進事業が計画に記載される場合にあっては、当該事業ごとに以下の書類を添付すること。
イ　行為の場所を明らかにした縮尺１：２万5000程度の地形図
ロ　行為地及びその付近の状況を明らかにした縮尺１：5000程度の概況図及び天然色写真
ハ　その他、行為の施行方法の表示に必要な図面
⑷　その他参考となるべき書類、図面又は写真
２　注　意
⑴　「申請者」には、自然体験活動促進計画を作成した協議会の構成員である市町村又は都道府県を代表として記載し、共同申請を行う当該計画に記載された自然体験活動促進事業を実施しようとする者については別表に記載すること。
⑵　申請者が法人又は法人でない団体である場合にあっては、「住所」には「主たる事務所の所在地」を、「氏名」には「名称及び代表者の氏名」を記載すること。
⑶　用紙の大きさは、日本産業規格（JIS）Ａ４とすること。

様式第１別表

共同申請者の氏名及び住所

申請者氏名又は法人名称	法人代表者の氏名	住　所

様式第２

自然体験活動促進計画書

１　自然体験活動促進計画の名称

２　自然体験活動促進計画を作成した協議会の名称

３　計画期間
年　　月　　日から　　　　　年　　月　　日まで

（備考）
・自然体験活動促進計画の目標等を踏まえておおむね５年程度の期間を基本に設定する。

４　自然体験活動促進計画の区域

５　自然体験活動の促進に関する現状と課題

５－１．現状
５－２．課題

（備考）
・５－１．現状の記載項目として、計画区域内の自然資源の魅力や特性、現在提供されている自然体験プログラムや情報提供等の国立公園利用の概況、利用者数の推移やリピーター率、満足度等の公園利用者の概況、利用のゾーニングやルール等の策定状況及びこれらの協議・検討の体制等を想定する。
・５－２．課題の記載項目として、自然体験プログラムの開発や提供に係る計画区域全般の課題の他、自然体験プログラム別の課題、フィールド整備、利用ルール等の周知、公園利用者への情報提供やプロモーション、人材の確保や育成に関する課題等を想定する。
・計画期間終了に伴う計画変更の際には、前期計画における目標の達成状況について記載する。

6　計画区域における質の高い自然体験活動の促進に関する基本的な方針

（備考）

・公園計画の質の高い自然体験活動の促進に関する基本的な事項より該当箇所を引用し記載した上で、地域の特性や課題に応じた基本的な方針を記載する。
・地域の特性や課題に応じた基本的な方針については、５の現状と課題の記載内容を踏まえ、当該国立公園の魅力や特性、利用実態等の現状と課題を分析した上で、関係者と共有する地域の望ましい自然体験活動のあり方や課題解決に向けた取組の基本的な方針を記載する。
・具体的な内容の例としては、当該国立公園のテーマ、公園の特徴や価値を踏まえた望ましい利用形態、エリア別に開発・提供すべき自然体験プログラムの種類や、各プログラムを円滑に実施するために必要な役割分担や調整方針、対応方針等の記載が想定される。
・これに当該国立公園の自然資源、利用実態、アクセス等を分析した上でゾーニング（区域分け）を行い、各エリアの利用の性格やタイプを設定することが可能であれば、当該ゾーニングに応じて自然体験プログラムを開発・提供することが望ましい。

7　自然体験活動促進計画の目標

（備考）

・６の基本的な方針の記載事項に照らして設定した目標を記載する。利用者数、利用者の満足度、リピーター率等の数値目標、自然環境保全への配慮等についての目標の設定が想定される。

8　自然体験活動促進事業の内容、実施主体及び実施時期

8－1．自然体験活動促進事業一覧

番号	自然体験活動促進事業名	事業の概要	実施主体	実施場所	実施時期	特例
001						
002						
003						
004						
005						

（備考）

・自然体験活動促進事業としては、①キャンプ、カヌー、ガイドツアー、エコツアー等の自然体験プログラムの開発・提供、②登山道の維持管理、カヌー通行のための枝払いなどのフィールド整備、③利用ルール・マナーの作成や周知、④観光案内所やWEBサイトなどによる国立公園の利用者への情報提供やプロモーション、⑤自転車や長靴等の機材レンタル、⑥ガイドや案内スタッフ等の人材育成、⑦自然環境や利用状況の調査・モニタリング等の多様な内容が想定される。

・「特例」欄は、特例措置を要する事業に該当する場合に「有」、しない場合に「無」を記載する。

8－2．自然体験活動促進事業の実施主体一覧（氏名又は名称及び住所、法人にあっては法人代表者の氏名等）

実施主体番号	申請者氏名又は法人名称	法人代表者の氏名	住　所	実施又は実施予定の自然体験活動促進事業の事業番号
1				
2				
3				
4				
5				
6				
7				
8				

８－３．自然体験活動促進事業（特例措置を要する個別事業）

① 特例措置を要する事業（特別地域、特別保護地区若しくは海域公園地区での行為許可又は普通地域での行為の届出を要する行為が含まれる事業）

事業番号	
事業名	
事業内容の概要・質の高い自然体験活動の促進に係る役割	
事業実施主体の氏名又は名称	
行為の種類	
行為の実施場所	
行為の施行方法	
行為の着手及び完了の予定日	
備考	

（備考）

・「事業内容の概要・質の高い自然体験活動の促進に係る役割」の欄には、質の高い自然体験活動を促進するための事業について、自然体験プログラムの開発・提供、フィールド整備、利用ルール・マナーの周知、情報提供・プロモーション、人材育成、調査・モニタリング等の事業活動の役割毎にその概要を記載すること。この際、各事業活動における対象・利用者数（参加者数）・実施頻度・実施時期の想定について記載すること。

・「行為の種類」の欄には、特例措置を受ける行為について「工作物の新築」、「木竹の伐採」といった自然公園法第20条第３項、第21条第３項、第22条第３項及び第33条第１項の各号に掲げる行為の種類を記載すること。

・「行為の実施場所」の欄には、申請時に場所が確定していない場合には想定している実施場所を記載すること。

・「備考」の欄には、他法令の手続きの要否と手続きを必要とする場合にはその手続きの進捗状況、行為に対する土地所有者等の諾否又はその見込みについて記載すること。

・１つの事業において、例えば特例措置を要しないトレッキングツアーと特例措置を要する登山道維持管理作業といった複数の事業活動が含まれる場合には、「事業内容の概要・質の高い自然体験活動の促進に係る役割」と「事業実施主体の氏名又は名称」は全ての事業活動について記載し、「行為の種類」、「行為の実施場所」、「行為の施行方法」及び「行為の着手及び完了の予定日」までの欄は、特例を受ける行為を含む事業活動の内容について記載すること。

・１つの事業において、複数の事業活動を複数の事業実施主体により分担し実施する場合には、「事業実施主体の氏名又は名称」の欄に各事業活動の実施主体を分けて記載すること。

・特例行為の内容が仮工作物等の設置撤去の場合には、跡地整理及び事前事後の記録方法について、行為の施行方法に記載すること。

② 特例措置を要する事業（利用調整地区の立入認定を要する行為が含まれる事業）

事業番号	
事業名	
事業内容の概要・質の高い自然体験活動の促進に係る役割	
事業実施主体の氏名又は名称	
立ち入ろうとする者の氏名及び住所	
立ち入ろうとする者の監督の下に立ち入る者の合計の人数	
立ち入ろうとする利用調整地区の名称	
立ち入ろうとする期間	
立入りの目的	
立入りの方法	
備考	

（備考）

・「立入りの方法」の欄には、立ち入る場所、１日２回通行する等の立入り頻度、立ち入る場所での活動内容等を記載することとする。

９　計画区域における適正な利用に係る啓発に関する事項

９－１．ルール・マナー
９－２．周知・啓発

（備考）

・９－１．欄には、適正な利用のために利用者及び地域の関係者が遵守すべき地域のルール・マナーについて、既存のルール・マナーに関する事項、今後検討を予定するルール・マナーに関する事項を記載する。具体的なルール・マナーとして、エリア別、プログラム別に、工作物等の設置可能な範囲や設置数の上限、ガイド利用限定エリアの設定、ガイドの引率人数の上限設定、携帯トイレの使用推奨、野生動物の観察距離の設定等が想定される。

・９－２．欄には、周知・啓発の方法を記載する。パンフレット、WEBサイト、ガイドによる周知等が想定される。

10　自然体験活動促進計画に係る事務の実施体制

協議会構成員一覧

氏名又は名称	役　割

（備考）

・自然体験活動促進計画を作成した協議会の構成員氏名又は名称及び協議会における役割を記載する。

・役割欄には、協議会事務局、当該計画における事業実施者又は実施予定者、土地所有者又は施設管理者、その他役割について記載する。必要に応じ、協議会構成員とオブザーバーとを区分し記載する。

11　その他

（備考）

・自然体験活動促進計画に位置付ける予定の事業の概要、計画区域外地域や他法令に基づく取組との連携等を記載する。

〔注〕様式第２の記載例については以下の URL を参照

https://www.env.go.jp/nature/np/law/2021kaisei.html

様式第３

自然体験活動促進計画に係る変更認定申請書

年　　月　　日

＿＿地方環境事務所長　殿

申請者

住　所

氏　名

＿＿＿＿＿国立公園＿＿＿＿＿＿＿＿自然体験活動促進計画の内容に関し、変更をしたいので、自然公園法第42条の５第１項の規定に基づき、別紙の計画について変更認定を申請します。

当初認定を受けた年月日及び番号	年　月　日 環自　許第　　　　号
変更を必要とする理由	

（備　考）

1　添付書類

⑴　変更内容を反映した変更計画書の案

⑵　計画区域を明らかにした縮尺１：２万5000程度の地形図
なお、地形図には各々の自然体験活動促進事業の実施範囲について図示すること。（ただし、変更の内容に係るものに限る。）

⑶　自然公園法第20条第３項、第21条第３項又は第22条第３項の許可を要する自然体験活動促進事業が計画に記載される場合にあっては、当該事業ごとに以下の書類を添付すること。（ただし、変更の内容に係るものに限る。）

イ　行為の場所を明らかにした縮尺１：２万5000程度の地形図

ロ　行為地及びその付近の状況を明らかにした縮尺１：5000程度の概況図及び天然色写真

ハ　その他、行為の施行方法の表示に必要な図面

⑷　自然公園法第33条第１項の規定による届出を要する自然体験活動促進事業が計画に記載される場合にあっては、当該事業ごとに以下の書類を添付すること。（ただし、変更の内容に係るものに限る。）

イ　行為の場所を明らかにした縮尺１：２万5000程度の地形図

ロ　行為地及びその付近の状況を明らかにした縮尺１：5000程度の概況図及び天然色写真

ハ　その他、行為の施行方法の表示に必要な図面

⑸　その他、変更認可申請において参考となるべき書類、図面又は写真

2　注意

⑴　「申請者」には、自然体験活動促進計画を作成した協議会の構成員である市町村又は都道府県を代表として記載し、共同申請を行う当該計画に記載された自然体験活動促進事業を実施しようとする者については別表に記載すること。

⑵　申請者が法人又は法人でない団体である場合にあっては、「住所」には「主たる事務所の所在地」を、「氏名」には「名称及び代表者の氏名」を記載すること。

⑶　用紙の大きさは、日本産業規格（JIS）Ａ４とすること。

様式第３別表

共同申請者の氏名及び住所

申請者氏名又は法人名称	法人代表者の氏名	住　所

様式第４

自然体験活動促進計画の軽微な変更届

年　　月　　日

＿＿地方環境事務所長　殿

届出者
住　　所
氏　　名

＿＿＿＿国立公園＿＿＿＿＿＿＿自然体験活動促進計画の内容に関し、軽微な変更をしたので、自然公園法第42条の５第２項の規定により、次のとおり届け出ます。

当初認定を受けた 年月日及び番号	年　　月　　日 環自　許第　　　　号
変更を必要とする理由	

軽微な変更の内容

□自然体験活動促進計画を作成した協議会の名称の変更

変更前	変更後

□計画期間の変更

変更前	変更後
年　月　日から 年　月　日まで	年　月　日から 年　月　日まで

□自然体験活動の促進に関する現状と課題の変更

	変更前	変更後
５－１．現状		

５－２．課題		

□自然体験活動促進事業（特例措置を要する個別事業）の軽微な変更

<table>
<tr><td colspan="2">事業番号</td><td colspan="2"></td></tr>
<tr><td colspan="2">事業名</td><td colspan="2">＿＿＿＿＿＿＿＿＿＿事業</td></tr>
<tr><td colspan="2">行為の種類</td><td colspan="2"></td></tr>
<tr><td rowspan="3">内容の変更</td><td>事　項</td><td>変更前</td><td>変更後</td></tr>
<tr><td>事業実施主体の氏名（名称、代表者の氏名）住所</td><td></td><td></td></tr>
<tr><td>着手及び完了の予定日</td><td>年　月　日着工
年　月　日完了</td><td>年　月　日着工
年　月　日完了</td></tr>
</table>

□計画区域における適正な利用に係る規範及び啓発に関する事項のうち啓発に係る事項の変更

	変更前	変更後
９－２． 啓発・周知		

□その他の変更

変更前	変更後

（備　考）

１　「届出者」は、当初認定時の代表申請者とすること。

２　「認定を受けた年月日及び番号」欄には、当該計画の認定書記載のものを記入すること。

３　軽微な変更に該当する項目について、該当欄への記入をすること。欄が足りない場合には追加をすること。

４　不要な欄や文字は、抹消すること。

5　協議会構成員の変更（構成員の追加・削除、構成員の氏名又は名称の変更、構成員の役割の変更）については、変更後の一覧を添付すること。

6　自然体験活動促進事業（特例措置を要しない事業）の実施主体の追加、削除、氏名又は名称若しくは住所の変更については、変更後の実施主体一覧を添付すること。

7　注　　意

⑴　変更内容を反映した変更計画書を添付すること。

⑵　用紙の大きさは、日本産業規格（JIS）Ａ４とすること。

第３章　生態系維持回復事業

○国立公園における生態系維持回復事業取扱要領について

〔平成22年４月１日　環自国発第100401005号
各地方環境事務所・釧路・長野・那覇自然環境事務所・高松事務所長宛　環境省自然環境局長通知〕

今般、別紙のとおり「国立公園における生態系維持回復事業取扱要領」を定め、平成22年４月１日から施行することとしたので通知する。

〔別　紙〕

○国立公園における生態系維持回復事業取扱要領について

〔平成22年４月１日　環自国発第100401005号
各都道府県知事宛　環境省自然環境局長通知〕

今般、別紙のとおり「国立公園における生態系維持回復事業取扱要領」を定め、平成22年４月１日から施行することとしたので、地方自治法（昭和22年法律第67号）第245条の４第１項の規定に基づく技術的な助言として通知する。

（別　紙）

国立公園における生態系維持回復事業取扱要領

自然公園法（昭和32年法律第161号。以下「法」という。）第38条の規定による生態系維持回復事業計画の策定及び同法第39条の規定による国立公園における生態系維持回復事業（以下「生態系維持回復事業」という。）の実施（以下「事業の実施」という。）に関しては、自然公園法施行規則（昭和32年厚生省令第41号。以下「規則」という。）の規定によるもののほか、この要領の定めるところによる。

目次　頁

第１節　生態系維持回復事業計画の策定

（生態系維持回復事業計画の策定方法）

第1

1　国立公園における生態系維持回復事業計画を策定する場合であって、国の機関が生態系維持回復事業に含まれうる事業を既に実施している又は実施する予定があり、環境大臣と当該国の機関の長が共同で生態系維持回復事業計画を策定することが可能な場合には、調整の上、共同で策定するものとする。

2　生態系維持回復事業計画の策定に当たっては、公園計画の決定等の手続きに準じて、国の関係機関、関係都道府県及び関係市町村に意見を聴くものとする。また、計画対象区域内の財産権を尊重し、土地所有者等の関係者への周知に努めるものとする。生態系維持回復事業計画の策定手順は別添のとおりとする。

3　生態系維持回復事業計画の策定に当たっては、必要に応じて、国の関係機関、関係都道府県、関係市町村、特定非営利活動法人、自然環境に関し専門的知識を有する大学等の機関等の関係者による検討又は調整を行うための場を設けるなど、関係者間の情報共有、連携に努めるものとする。

4　生態系維持回復事業計画の策定に当たっては、第2に掲げる事項を記載した生態系維持回復事業計画書を作成するものとする。

5　生態系維持回復事業計画を策定したときは、その概要として当該計画の名称、策定者並びに生態系維持回復事業を行う区域及びその内容の概要を公示する。公示は一般に広く知らせることができるよう、官報に掲載して行うほか、インターネット等の手段を活用して行うものとする。

（生態系維持回復事業計画書の内容）

第2

生態系維持回復事業計画書に記載する内容はおおむね次に掲げるとおりとする。

(1)　生態系維持回復事業計画の名称

生態系維持回復事業計画を策定する国立公園の名称及び対象とする区域の地名若しくは通称名等を明示する。

（例）○○国立公園○○地域生態系維持回復事業計画

(2)　生態系維持回復事業計画の策定者

生態系維持回復事業計画の策定者の名称を記載する。

(3)　生態系維持回復事業計画の計画期間

生態系維持回復事業計画の計画期間を記載する。

(4)　生態系維持回復事業の目標

生態系の維持又は回復を図る際の目標を記載する。目標は公園計画との整合を図るとともに、維持又は回復すべき対象を明確にした上で、できる限り具体的で分かりやすい目標の設定に努めるものとする。

⑸　生態系維持回復事業を行う区域

国立公園において生態系の維持又は回復を図るために生態系維持回復事業を行うことが必要な区域を記載する。また、生態系維持回復事業計画書には、生態系維持回復事業を行う区域を図示した図面を添付するものとする。

⑹　生態系維持回復事業の内容

規則第15条の４第１項第２号の各号に掲げる事業のうち、生態系維持回復事業として実施する事業の内容について概要を記載する。

なお、森林に係る生態系維持回復事業については、下記事業のうち、(イ)、(ロ)、(ホ)及び(ヘ)に関する事業とし、森林の整備及び保護等は含まないものとする（ただし、環境省が自ら所管する土地内で実施する事業を除く。）。

(イ)　生態系の状況の把握及び監視に関する事業

対象とする生態系を評価するのにふさわしい代表的な動植物、生態系の維持若しくは回復に支障を及ぼしている又はそのおそれのあるものとして防除の対象とする動植物、防除等の実施により影響を受ける可能性のある動植物及びこれらの動植物の生息・生育環境並びに気象・地形等無機的環境等に着目し、調査、監視の対象とする動植物や環境要素の種類、項目等を記載する。

(ロ)　生態系の維持又は回復に支障を及ぼすおそれのある動植物の防除に関する事業

生態系の維持若しくは回復に支障を及ぼす又は及ぼすおそれがあるために防除の対象とする動植物について、その種類、防除の方法等を記載する。

(ハ)　動植物の生息環境又は生育環境の維持又は改善に関する事業

対象とする生態系を構成する動植物の生息・生育環境の維持又は改善を図るための事業の内容、方法等を記載する。

なお、生息・生育環境の改善を目的とした客土・耕転等の事業を実施する場合などは、当該事業の実施によって、本来、そこには生息又は生育していない動植物が持ち込まれ、当該地域の生物の多様性の保全に悪影響を与えることがないよう留意するものとする。

(ニ)　生態系の維持又は回復に必要な動植物の保護増殖に関する事業

生態系の維持又は回復を図るために保護増殖の対象とする動植物の種類、保護増殖の方法、保護増殖後の管理方法等を記載する。

なお、動植物の保護増殖によって、当該地域の生物多様性の保全に新たな影響が生じることがないように、当該動植物に深い知識を有する学識経験者等の意見を聴くなどし、当該動植物の保護増殖の必要性、方法等については十分検討を行うとともに、必要に応じて関係行政機関、関係団体等との調整を図るものとする。

(ホ)　生態系の維持又は回復に資する普及啓発に関する事業

公園利用者への情報提供や地域住民との情報共有など、生態系維持回復事業に対する関心や理解を深めるための普及啓発の内容、方法等を記載する。

(ヘ) (イ)から(ホ)までに掲げる事業に必要な調査等に関する事業

生態系維持回復事業の効果的な実施に資する調査・試験研究、動植物の生息・生育環境等の生態系の管理手法に関する調査・試験研究等の内容、方法等を記載する。

(7) 生態系維持回復事業が適正かつ効果的に実施されるために必要な事項

(イ) 生態系維持回復事業計画の評価及び見直しに関する事項

監視結果等のデータを集約し、目標の達成状況や事業の効果に関する評価を行い、生態系維持回復事業計画の見直しについて検討する際の方法等を記載する。

(ロ) 生態系維持回復事業の実施に関連する計画との連携に関する事項

生態系維持回復事業計画の策定に当たっては、鳥獣の保護及び狩猟の適正化に関する法律（平成14年法律第88号）に基づく鳥獣保護事業計画や特定鳥獣保護管理計画、鳥獣による農林水産業等に係る被害の防止のための特別措置に関する法律（平成19年法律第134号）に基づく被害防止計画、特定外来生物による生態系等に係る被害の防止に関する法律（平成16年法律第78号）に基づく防除実施計画等の関連する計画との整合を図るものとし、これらの関連する計画がある場合には、計画の名称、関連する計画との整合を図る上で留意すべき事項等を記載する。

(ハ) 生態系維持回復事業の実施体制に関する事項

生態系維持回復事業の実施体制及び関係都道府県、関係市町村、地域住民、特定非営利活動法人、自然環境に関し専門的知識を有する大学等の機関等の関係者との連携方法、役割分担等を記載する。

（生態系維持回復事業計画の廃止又は変更）

第３

生態系維持回復事業計画の廃止又は変更が必要と認められるときは、生態系維持回復事業計画の策定の場合に準じて廃止又は変更を行うものとする。

第２節　国立公園における生態系維持回復事業の確認・認定等

（事業の実施に関する申請内容等の事前指導）

第４

事業の実施に関し相談を受けたときは、事業の実施内容及び申請書又は届出書の内容が、法、規則及び本要領の他、関連する生態系維持回復事業計画に照らし適切なものとなるよう指導に努めるものとする。なお、指導に際しては、行政手続法（平成５年法律第88号）第32条から第36条までの規定に留意するものとする。

（事業の実施に関する申請書又は届出書の審査）

第５

1　地方環境事務所長（釧路、長野又は那覇自然環境事務所の管轄区域に係るものにあっては、それぞれ釧路、長野又は那覇自然環境事務所長。以下同じ。）は、申請者又は届出者から事業の実施に関する申請書又は届出書が提出されたときは、当該申請書又は届出書を確認し、不備又は不足するものがある場合には相当の期間を定め、申請者又は届出者に補正させるものとする。

２　地方環境事務所長は、申請書が提出された日（申請書の不備又は不足について補正を求めた場合にあっては、当該補正がなされた日）から起算して原則として一月以内に、本要領に定める確認又は認定の基準に基づき審査を行い、処分するものとする。

なお、相当の期間を経過しても申請書の不備等が補正されない場合にあっては、速やかに行政手続法第７条の規定に沿って申請を拒否する処分を行うものとする。

（申請書に係る事務処理（決裁又は送付）方法）

第６

１　地方環境事務所長は、自ら処理する。

２　自然保護官事務所（広島事務所及び福岡事務所を含む。以下同じ。）及び自然環境事務所（釧路、長野及び那覇自然環境事務所を除く。以下同じ。）は、申請に係る地域を管轄する地方環境事務所長に送付する。

（拒否の処分に当たっての理由の提示）

第７

事業の実施に関する確認又は認定を拒否する処分を行う場合には、行政手続法第８条の規定により、処分の内容を通知する書面にその理由を記載するものとする。

（生態系維持回復事業の確認又は認定に係る申請書の様式）

第８

１　規則第15条の６に規定する生態系維持回復事業の確認又は認定の申請書（以下「確認認定申請書」という。）は、地方公共団体による確認の申請については別記様式１⑴、国及び地方公共団体以外の者による認定の申請については別記様式１⑵によるものとする。

２　規則第15条の６第３項第２号に規定する生態系維持回復事業実施計画書は、様式２によるものとする。

（申請書についての審査事項）

第９

地方環境事務所長は、確認認定申請書に関し、次の⑴から⑹までに掲げる事項について審査するものとする。

⑴　国立公園に関する公園計画（以下「国立公園計画」という。）及び生態系維持回復事業計画との整合性

⑵　区域

⑶　実施方法の適否

⑷　他法令による処分の状況

⑸　土地所有者等の諾否

⑹　その他確認又は認定の判断に必要な事項

（生態系維持回復事業の確認又は認定の基準）

第10

1　国立公園における生態系維持回復事業の確認又は認定は、規則第15条の４の各号又は同規則第15条の５の各号に該当するものであって、次に掲げる要件に適合する場合に行うものとする。

⑴　当該事業の実施内容が、国立公園の保護又は利用上適切な配慮がなされていること。

⑵　工作物を設置等する場合においては、その構造及び設備に関し、安全性が十分確保されているとともに、維持又は管理の方法が適切であること。

⑶　事業の実施が、他の法令の規定により免許、許可、認可その他の処分を要するものであるときは、その処分が得られる見込みがあること。

⑷　事業の実施内容に動植物の防除を含む場合は、関連する計画との整合が図られていること。

⑸　事業の実施に関し、土地所有者等の関係者の同意が得られている又は得られる見込みがあること。

2　１の定めは、行政手続法第５条第１項に規定する審査基準及び地方自治法（昭和22年法律第67号）第250条の２第１項に規定する許認可等の基準として取り扱うこととし、行政手続法第５条第３項及び地方自治法第250条の２第１項の規定により、地方環境事務所、自然環境事務所及び自然保護官事務所において備付けその他の適当な方法により公表するものとする。

（確認事項又は認定事項の変更に係る申請書の様式）

第11

規則第15条の８の規定による生態系維持回復事業の確認事項又は認定事項の変更に係る申請書（以下「変更確認等申請書」という。）は、地方公共団体による確認事項の変更に係る申請については別記様式３⑴、国及び地方公共団体以外の者による認定事項の変更に係る申請については別記様式３⑵によるものとする。

（変更確認等申請書についての審査事項）

第12

地方環境事務所長は、変更確認等申請書について第９の⑴から⑹までに掲げる事項について審査するものとする。

（確認事項又は認定事項の変更に係る確認又は認定の基準）

第13

１　生態系維持回復事業の確認事項又は認定事項の変更に係る確認又は認定は、変更の内容が第10に掲げる要件に適合するものについて行うものとする。

２　１の定めは、行政手続法第５条第１項に規定する審査基準及び地方自治法第250条の２第１項に規定する許認可等の基準として取り扱うこととし、行政手続法第５条第３項及び地方自治法第250条の２第１項の規定により、地方環境事務所、自然環境事務所及び自然保護官事務所において備付けその他の適当な方法により公表するものとする。

（確認又は認定の通知等）

第14

１　地方環境事務所長は、生態系維持回復事業の確認又は認定を行ったとき及び生態系維持回復事業の確認事項又は認定事項の変更に係る確認又は認定を行ったときは、申請者に対し、様式４により確認又は認定の通知を行うものとする。

２　地方環境事務所長は、１の定めにより、確認又は認定の通知を行ったときは、当該通知の写しを申請に係る地域を管轄する自然環境事務所及び自然保護官事務所に送付するものとする。

３　地方環境事務所長は、１の定めにより、自然公園法施行令（昭和32年政令第298号）附則第３項の規定による指定区域内に係る確認又は認定の通知を行ったときは、当該通知の写しを関係する都道府県知事に送付するものとする。

（軽微な変更に係る届出書の様式）

第15

法第39条第６項ただし書きの規定による生態系維持回復事業の確認事項又は認定事項の軽微な変更に係る届出書は、様式５によるものとする。

第３節　認定の取消し

（認定の取消しに当たっての聴聞手続等）

第16

法第40条の規定により事業の実施の認定を取り消す場合には、行政手続法第15条から第28条までの規定により聴聞を行うとともに、処分に当たっては、同法第14条の規定によりその理由を書面により通知するものとする。

（認定の取消しに係る通知の取扱い）

第17

認定の取消しに係る通知については、処分の内容を名あて人に確実に伝達するとともに、処分のあったことを知った日を明確にするため、当該通知を直接名あて人に送付の上、捺印のある受領書を受ける、又は配達証明扱いで郵送することにより送付することとする。

第４節　報告徴収

（報告徴収）
第18

各地方環境事務所長は、法第42条の規定により、事業の実施状況その他必要な事項に関する報告を求めることができる。

附　則

この取扱要領は、平成22年４月１日から実施する。

様式１(1)

生態系維持回復事業確認申請書

＿＿＿＿国立公園における＿＿＿生態系維持回復事業の実施に係る確認を受けたいので、自然公園法第39条第２項の規定に基づき、次のとおり申請します。

平成　　年　　月　　日

環　境　大　臣　殿

申請者
住所：
電話：
名称：

生態系維持回復事業を行う期間	
生態系維持回復事業を行う区域	
生態系維持回復事業の内容	
備　考	

(注)　申請に当たっては、区域を明らかにした1：２万5000以上の地形図及び生態系維持回復事業実施計画書を添付すること

様式１(2)

生態系維持回復事業認定申請書

________国立公園における______生態系維持回復事業の実施に係る認定を受けたいので、自然公園法第39条第３項の規定に基づき、次のとおり申請します。

平成　　年　　月　　日

環　境　大　臣　殿

申請者
住所：
電話：
氏名又は名称：
（法人にあっては、主たる事務所の所在地、電話、名称、代表者の氏名（記名押印又は代表者の署名））

生態系維持回復事業を行う期間	
生態系維持回復事業を行う区域	
生態系維持回復事業の内容	
備　考	

(注)　申請に当たっては、区域を明らかにした1：２万5000以上の地形図及び生態系維持回復事業実施計画書を添付すること

（記載上の注意事項）

1　申請文の「　　　　　国立公園」の箇所には当該国立公園の名称を、「　　　　生態系維持回復事業」の箇所には生態系維持回復事業計画の名称を記載すること。

2　「生態系維持回復事業を行う期間」欄には、当該生態系維持回復事業を行う期間を記載すること。なお、生態系維持回復事業の内容が複数となる場合であって、それぞれの事業内容によって生態系維持回復事業を行う期間が異なる場合には、生態系維持回復事業の内容ごとに記載すること。

3　「生態系維持回復事業を行う区域」欄には、生態系維持回復事業を行う区域を具体的に記載すること。また、当該区域を明らかにした縮尺１：２万5000以上の区域図を添付すること。

4　「生態系維持回復事業の内容」欄には、生態系維持回復事業の内容、方法、使用又は設置する機材等について概要を記載すること。また、生態系維持回復事業の内容が複数となる場合は、それぞれの概要を記載すること。

5　「備考」欄には次の事項を記載すること。

⑴　土地所有者等関係者の諾否又はその見込み

⑵　他の法令の規定により、当該事業が行政庁の許可、認可その他の処分又は届出を必要とするものであるときは、その手続きの進捗状況

⑶　関連する計画の有無（有る場合にはその名称）

⑷　事業の実施結果に関する情報提供及び生態系維持回復事業実施計画書を見直した際の情報提供の方法

6　申請に当たっては、生態系維持回復事業実施計画書（様式２）を添付すること。

7　用紙の大きさは、日本工業規格Ａ４とすること。

様式２

生態系維持回復事業実施計画書

申請者
住所：
電話：
氏名又は名称：
（法人にあっては、主たる事務所の所在地、電話、名称、代表者の氏名（記名押印又は代表者の署名）

1　国立公園名

2　生態系維持回復事業の名称

3　生態系維持回復事業を行う期間

4　生態系維持回復事業の目標

5　生態系維持回復事業を行う区域

6　生態系維持回復事業の内容
⑴　生態系の状況の把握及び監視

⑵　生態系の維持又は回復に支障を及ぼすおそれのある動植物の防除

⑶　動植物の生息環境又は生育環境の維持又は改善

⑷　生態系の維持又は回復に必要な動植物の保護増殖

⑸　生態系の維持又は回復に資する普及啓発

⑹　前各号に掲げる事業に必要な調査等

7　備　考

（記載上の注意事項）

1　「生態系維持回復事業の名称」は、生態系維持回復事業計画の名称を記載すること。

2　「生態系維持回復事業の目標」は、維持又は回復すべき対象を明確にした上で、生態系維持回復事業の目標を具体的に記載すること。

3　「生態系維持回復事業を行う期間」は、生態系維持回復事業を行う期間を具体的に記載すること。

4　「生態系維持回復事業を行う区域」は、生態系維持回復事業を行う区域を具体的に記載すること。

5　「生態系維持回復事業の内容」は、次の事項を記載すること。また、必要に応じてその詳細を添付図面に表示すること。ただし、実施しない事業については記載を要しない。

⑴　「生態系の状況の把握及び監視」は、調査・監視の対象とする動植物等の種類、項目、内容、実施方法（調査・監視の方法、使用又は設置する機材、実施箇所、実施時期、実施期間等）、目標、関連行為の概要（調査・監視のための動物の捕獲等）等について記載すること。

⑵　「生態系の維持又は回復に支障を及ぼすおそれのある動植物の防除」は、防除の対象とする動植物の種類名、防除の実施方法（捕獲等する個体数や個体数調整の目標、捕獲等の方法、使用又は設置する機材、実施箇所、実施時期、実施期間等）、捕獲等をした動植物の取扱い、在来生物の錯誤捕獲を避けるための措置、目標、関連行為の概要（仮工作物の設置等）等について具体的に記載すること。

⑶　「動植物の生息環境又は生育環境の維持又は改善」は、生態系を構成する動植物の生息環境又は生育環境の維持又は改善を図るための事業の内容、実施方法（実施箇所、実施面積、実施時期、実施期間、規模、構造、主要材料、外部の仕上げ及び色彩等）、目標、関連行為の概要（土地の形状変更、残土処理、仮工作物の設置等）等について具体的に記載すること。

⑷　「生態系の維持又は回復に必要な動植物の保護増殖」は、保護増殖する動植物の種類名、保護増殖の実施方法（保護増殖する動植物の数量、入手等の方法、使用又は設置する機材、実施箇所、実施面積、実施時期、実施期間等）、目標、管理方法等について具体的に記載すること。

⑸　「生態系の維持又は回復に資する普及啓発」は、普及啓発の内容、実施方法、目標、実施時期、実施期間等について具体的に記載すること。

⑹　「前各号に掲げる事業に必要な調査等」は、生態系維持回復事業を実施する上で必要な調査・試験研究、動植物の生息・生育環境等の生態系の管理手法に関する調査・試験研究等の内容、実施方法、目標、実施時期、実施期間等について具体的に記載すること。

6　「備考」は、次の事項を記載すること。

⑴　関連する計画がある場合には、その名称を記載するとともに、当該計画との整合を図る上で留意すべき事項等について具体的に記載すること。

⑵　使用又は設置した機材等がある場合の事業実施後の取扱い、事業を実施する際の留意事項（従事者台帳の作成及び管理、事業実施に関する周知方法等）等について記載すること。

様式３(1)

生態系維持回復事業変更確認申請書

＿＿＿＿国立公園における＿＿＿生態系維持回復事業の確認を受けた事項を変更したいので、自然公園法第39条第６項の規定に基づき、次のとおり申請します。

平成　　年　　月　　日

環　境　大　臣　殿

申請者
住所：
電話：
名称：

確認を受けた 年月日及び番号		年　　月　　日　　環　　　許第　　　号	
変更の内容	事項	変更前	変更後
	生態系維持回復事業 を行う期間		
	生態系維持回復事業 を行う区域		
	生態系維持回復事業 の内容		
変更を必要とする理由			
備　考			

(注)　申請に当たっては、変更後の生態系維持回復事業実施計画書を添付すること（区域の変更があった場合は変更後の区域を明らかにした１：２万5000以上の地形図も併せて添付すること）

様式３(2)

生態系維持回復事業変更認定申請書

＿＿＿＿国立公園における＿＿＿生態系維持回復事業の認定を受けた事項を変更したいので、自然公園法第39条第６項の規定に基づき、次のとおり申請します。

平成　　年　　月　　日

環　境　大　臣　殿

申請者
住所：
電話：
氏名又は名称：
（法人にあっては、主たる事務所の所在地、電話、名称、代表者の氏名（記名押印又は代表者の署名）

認定を受けた年月日及び番号	年　　月　　日　　環　　許第　　号		
変更の内容	事項	変更前	変更後
	生態系維持回復事業を行う期間		
	生態系維持回復事業を行う区域		
	生態系維持回復事業の内容		
変更を必要とする理由			
備　考			

(注)　申請に当たっては、変更後の生態系維持回復事業実施計画書を添付すること（区域の変更があった場合は変更後の区域を明らかにした１：２万5000以上の地形図も併せて添付すること）

（記載上の注意事項）

1　「確認（認定）を受けた年月日及び番号」欄には、当該事業の実施に係る確認通知書（認定通知書）記載のものを記載すること。

2　「変更の内容」欄には、確認（認定）を受けた事項と今回変更する事項とを対比して明示すること。

3　「生態系維持回復事業を行う区域」を変更する場合には、当該区域を明らかにした縮尺１：２万5000以上の区域図を添付すること。

4　「備考」欄には次の事項を記載すること。

⑴　土地所有者等関係者の諾否又はその見込み

⑵　他の法令の規定により、当該事業が行政庁の許可、認可その他の処分又は届出を必要とするものであるときは、その手続きの進捗状況

5　申請に当たっては、変更後の生態系維持回復事業実施計画書（様式２）を添付すること。

6　用紙の大きさは、日本工業規格Ａ４とすること。

様式４

環　　　許第　　　号
平成　　年　　月　　日

＿＿＿＿＿＿＿＿＿殿

＿＿＿＿地方環境事務所長

生態系維持回復事業の確認（認定）について

自然公園法（昭和32年法律第161号）第39条第２項（第３項）の規定に基づき、貴職（貴殿）の申請について次のとおり確認（認定）する。

国立公園名	＿＿＿＿国立公園
生態系維持回復事業の名称	＿＿＿＿＿生態系維持回復事業
申請年月日	平成　　年　　月　　日
生態系維持回復事業を行う期間	
生態系維持回復事業を行う区域	
生態系維持回復事業の内容の概要	

様式５

生態系維持回復事業軽微変更届

＿＿＿＿国立公園における＿＿＿生態系維持回復事業の＿＿＿＿＿＿を変更したので、自然公園法第39条第９項の規定により、次のとおり届け出ます。

平成　　年　　月　　日

環　境　大　臣　殿

届出者
住所：
電話：
氏名又は名称：
（法人にあっては、主たる事務所の所在地、電話、名称、代表者の氏名（記名押印又は代表者の署名））

確認を受けた（認定を受けた）年月日及び番号	年　　月　　日　　環　　許第　　号	
変更の内容	変更前	変更後
変更した年月日		
備　考		

（記載上の注意事項）

1　「確認を受けた（認定を受けた）年月日及び番号」欄には、当該事業の実施に係る確認通知書（認定通知書）記載のものを記載すること。

2　「変更の内容」欄には変更した事項を記載するとともに、確認を受けた（認定を受けた）内容と今回変更した内容とを対比して明示すること。

3　用紙の大きさは、日本工業規格Ａ４とすること。

（別 添）

生態系維持回復事業計画策定に関する作業手順

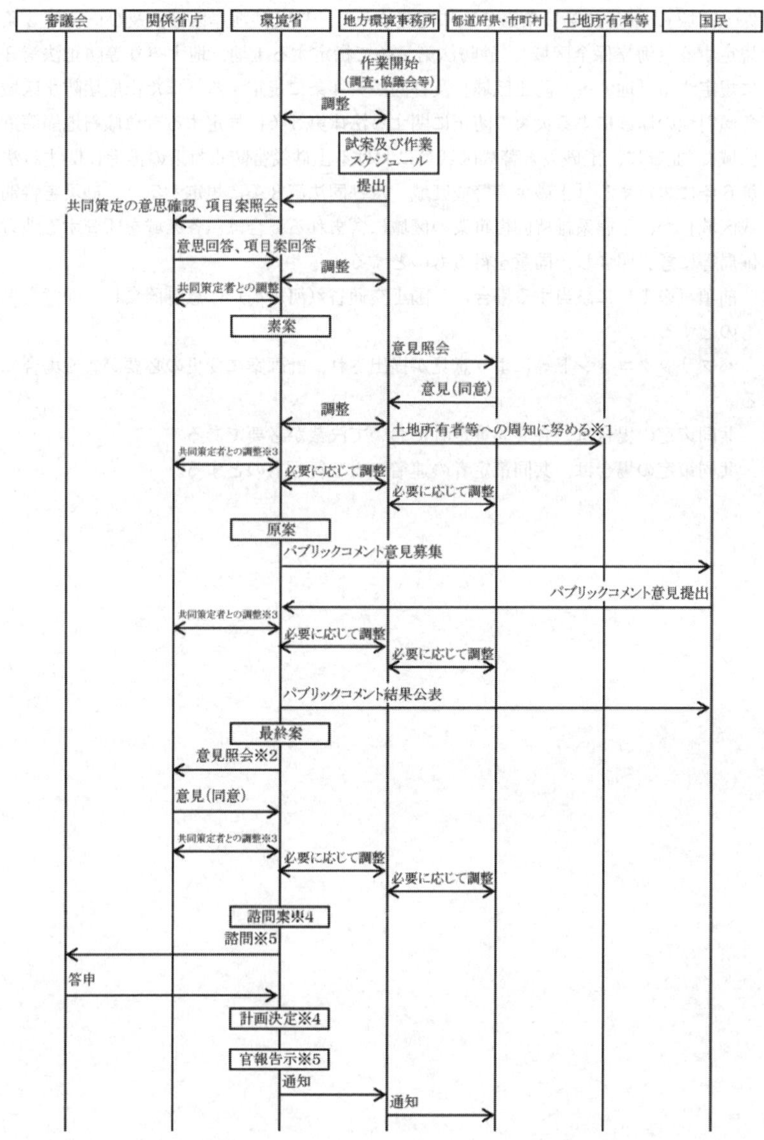

※１　河川法第６条第１項に規定する「河川区域」、同条第２項に規定する「高規格堤防特別区域」、同条第３項に規定する「樹林帯区域」及び同法第54条に規定する「河川保全区域」、海岸法第２条第２項に定義する「一般公共海岸区域」及び同法第３条に規定する「海岸保全区域」、砂防法第２条で指定する土地、地すべり等防止法第３条に規定する「地すべり防止区域」及び同法第４条に規定する「ぼた山崩壊防止区域」、急傾斜地の崩壊による災害の防止に関する法律第３条に規定する「急傾斜地崩壊危険区域」、並びに、土砂災害警戒区域等における土砂災害防止対策の推進に関する法律第６条に規定する「土砂災害警戒区域」及び同法第８条に規定する「土砂災害特別警戒区域」が、生態系維持回復事業の区域に含まれる場合は、各区域を所管する地方整備局等に意見照会し、同意を得るものとする。

※２　前項（※１）に該当する場合は、国土交通省（河川局）に意見照会し、同意を得るものとする。

※３　パブリックコメント等により意見が提出され、計画案に変更の必要がある場合に限る。

※４　共同策定の場合は、各共同策定者において決裁が必要である。

※５　共同策定の場合は、共同策定者の連名により行うものとする。

第４章　国立公園×国有林連携事業

○国立公園と国有林における今後の連携の推進について（通知）

〔令和３年５月19日　環自国発第2105192号
各地方環境事務所・釧路・信越・沖縄奄美自然環境事務所・四国事務所長宛　自然環境局国立公園課長通知〕

国立公園を管理する環境省と国有林を管理する林野庁では、これまで、世界自然遺産地域の保護管理をはじめ優れた自然の保護と利用の両立に向けて、巡視、利用者案内、希少種保護、シカ対策等について各地で連携を進めてきた。令和２年10月に環境大臣及び農林水産大臣で合意した「コロナ後の経済社会の再設計（Redesign）に向けた「農林水産省×環境省」の連携強化に関する合意」において、国立公園と国有林の連携方策について、これまでの連携を基礎にして重点事業や地域を特定し、更に取組を推進することとなったため、自然環境局及び林野庁国有林野部によるプロジェクトチームを設置して検討を行ってきたところ、今般、別添のとおり連携方策等をとりまとめ、令和３年４月28日（水）に両大臣による公表を行ったので、了知されたい。

３頁目の※印の箇所（特に集団施設地区等の利用拠点、利用施設及びその周辺において、事業計画に応じて適当な場合には、所管換を行うことを含めて検討することとする）は、両大臣間の調整により特に記載された項目であることを申し添える。

今後、本とりまとめを踏まえ、これまでの連携を基礎にしつつ、これを超える更なる取組を組織的な連携の下に推進し、優れた自然の保護と利用の両立を世界水準で目指すこととなったため、林野庁出先機関と現地実態に即した具体的な連携内容を検討し、必要に応じて出先機関間で協定の締結等をしつつ、計画的に取組を進められたい。

なお、本省庁プロジェクトチームにおいては、全国的な課題に関する検討に加え、現地の取組状況のフォローアップを継続して行う予定であり、出先機関間で調整が困難な事項があれば随時連絡されたい。

別　添

国立公園と国有林における世界水準を目指した連携の推進について

〔令和３年４月21日
国立公園と国有林の連携に関するプロジェクトチーム〕

１．はじめに

農林水産省及び環境省では、令和２年10月23日に合意した「コロナ後の経済社会の再設計（Redesign）に向けた「農林水産省×環境省」の連携強化に関する合意」（以下「連携強化合意」という。）において、「国立公園と国有林が重なる地域における優れた自然の保護と利用について、これまでの連携を基礎にして、重点事業や地域を特定し取組を推進する。」こととしている。

日本の国立公園は、土地所有に関わらず指定できる制度であり、全国の国立公園の約６割（約130万 ha）が国有林となっていることを踏まえ、国立公園を管理する環境省と国有林を管理する林野庁では、これまで、世界自然遺産地域の保護管理をはじめ優れた自然の保護と利用の両立に向けて、巡視、利用者案内、希少種保護やシカ対策等について各地で連携を進めてきた。また、近年では「国立公園満喫プロジェクト」の実施や「日本美しの森 お薦め国有林」等の利用施策においても連携した取組を推進している。

こうした中で、連携強化合意の内容を具体化するため、環境省自然環境局及び林野庁国有林野部においてプロジェクトチームを設置して検討を行ってきたところであり、その結果を以下のとおりとりまとめた。

農林水産省及び環境省では、本とりまとめを踏まえ、これまでの連携を基礎にしつつ、これを超える更なる取組を組織的な連携の下に推進し、将来的に世界上位の知名度を有する国立公園に日本の国立公園が含まれるようにするなど国立公園と国有林が重なる地域において、優れた自然の保護と利用の両立を世界水準で目指すこととする。

２．連携事業の進め方

令和３年度から連携事業として、３．に掲げる実施地域において、４．に掲げる重点事業を実施する。特に３－①の重点地域においては、重点事業のうち新規性が高いなど世界水準を目指す上でモデルとなる事業を集中的に実施することとする。

事業の実施区域は、国立公園を基本としつつ、希少種の保護を図る地域や、世界自然遺産地域も含みうるものとする。

各地域における事業内容は、自然保護官事務所、森林管理署等の現地機関において、現地実態に即して検討及び実施することを基本とし、現地機関での連携事業を円滑に実施するため、環境省及び林野庁、地方環境事務所及び森林管理局においても情報共有を行うなど連携して対応することとする。また連携事業の実施状況や効果について、本プロジェクトチームにおいてフォローアップを行う。

３．実施地域

①　重点地域

世界自然遺産級の優れた原生自然を有する地域、誘客ポテンシャルの高い地域であり、他地域のモデルとなりうる先駆的な取組を実施可能な地域として、次の地域を重点地域とする。

なお、重点地域については、地域の意見など今後検討に応じて変更等もあり得るものとする。

＜世界自然遺産級の優れた原生自然を有する地域＞　知床、屋久島、西表石垣

＜誘客ポテンシャルの高い地域＞　日光、中部山岳

② 個別事業のモデル地域

重点地域のほか、個別の重点事業のモデルとなり得る地域として、次の地域を個別事業のモデル地域とする。

阿寒摩周、支笏洞爺、白神山地、磐梯朝日、上信越高原、妙高戸隠連山、白山、吉野熊野、大山隠岐、足摺宇和海、阿蘇くじゅう

４．重点事業

⑴ 保全（世界中を惹きつける、傑出した大自然を厳格に保護）

（国立公園内に限定せずに全国的な観点から連携）

① 野生鳥獣被害対策、外来種対策、希少種保護増殖対策、景観保全対策

国立公園と国有林における連携優良事例をとりまとめ、全国に展開する。またシカ等の各種生息・観測情報の現場間での共有や、環境省各種事業と国有林野事業における実施予定の共有・調整により連携の強化を図る。

② 希少種の保全

国内希少野生動植物種の保護増殖事業を共同実施するとともに、生息地等の保護を推進し、必要に応じて生息地等保護区の指定に向けた検討を行う。例えば、イヌワシについては、採餌環境の創出と森林管理との調整を行い、繁殖率増加に向けた具体事例を形成する。

③ エコロジカルネットワーク

生物多様性保全に関するポスト2020生物多様性枠組の2030行動ターゲットの達成に向け、保護地域（国立公園、保護林、緑の回廊等）と生物多様性の保全に貢献しているその他の地域等（OECM）との連結性の確保に向けた検討を行う。

⑵ 利用（国立公園に入ったと実感でき、国有林の大自然が感動を与える体験機会を提供）

① 利用者数調整や入域料等の利用者負担

ガイド付き限定エリアの設定など利用者調整（自然公園法に基づく利用調整地区や必要に応じ国有林の入林管理の仕組みを活用）、入域料等の利用者負担の仕組みについて、その必要性や実現可能性、自然環境への影響等の根拠となる調査を行い、実施に向けた方針を検討する。

② 利用ルール・マナーの周知・指導、利用者への情報提供

自然体験活動促進や適正化のために定めたルール・マナー等の情報を共有するとともに、広報や周知、指導の方法等について検討する。看板・標識については、看

板・標識の設置箇所の調整を行うこととし、場所の集約など早期にできる具体事例を形成する。

③　利用環境の整備

地域の協議会等において、現在国会審議中の改正自然公園法案等に基づき自然体験活動促進の方針が策定された場合に、必要な手続きを迅速に実施する。また、歩道の笹刈り、展望地における通景伐採等の利用環境整備に関する地域方針の策定やその実施方策について整理する。

④　登山道の整備・維持管理

管理状況・リスク・難易度に応じた登山道の整備・維持管理・活用方策について、民間事業者等による管理、自己責任の範囲、グレーディング等を含め連携して検討する。

⑤　利用拠点の再生

集団施設地区及びその周辺エリアにおける廃屋撤去やリノベーション等の景観上質化、グランピングやトレッキングなど周辺フィールドの整備、維持管理、体験施設や宿泊施設の誘致や指導等について、取組方策を検討する。

⑥　自然体験プログラムに関する情報の収集整理・発信

対象地域・周辺地域における既存のプログラムの情報収集、共有、ウェブ・コンテンツ集等での発信を検討する。

⑦　周遊プログラム策定・広報等の共同プロモーション

国立公園とレクリエーションの森（美しの森）共通の周遊プログラムの策定や広報など、地域と連携した共同プロモーションについて検討する。

⑧　カーボンニュートラル実現に向けた取組

利用施設等での国産材活用、現地事務所を含む両省の直轄施設でのRE100や再生可能エネルギーの活用等のサステナビリティの実現に向けた取組について検討する。

※　上記①③④⑤の事業を実施するに当たり必要な場合には土地管理権限の調整を行い、速やかに必要な措置を行うこととする。特に集団施設地区等の利用拠点、利用施設及びその周辺において、事業計画に応じて適当な場合には、所管換を行うことを含めて検討することとする。

⑶　管理（管理者の顔の見える充実した管理の実現）

①　巡視情報、取締り・指導情報の共有化

現地機関間において試行的にメール等で巡視情報を共有するものとする。また、得られた情報をビジターセンター等の施設で集約し、利用者に提供することを検討する。さらに、上記の簡易な方法での試行を踏まえ、今後のシステムやデータベースの活用・変更を見据えた連携方法について連携して検討する。

② 自然災害や利用者の事故発生時における情報の共有化・対応連携

現地機関間において災害情報について試行的にメール等で情報を共有する方法や、利用者視点に立った入山情報の管理等について検討する。また、得られた情報をビジターセンター等の施設で集約し、利用者に提供し、連携して対応することも検討する。

③ 共同研修の実施

両省の研修所や現場の施設等を用いた自然レクリエーション・自然解説や公園管理、森林管理の共同研修の実施可能性について検討する。まずは、今年度に、那須平成の森の環境省施設において、若手職員を対象とした研修を試行的に実施する。

④ 人事交流

両省の施策の相互理解と人的な連携強化のため、現場レベルでの若手職員の人事交流を行う。まずは、今年度に、屋久島と釧路（知床を担当）で実施する。

⑤ 入林・入山する際に必要な手続きの簡素化

調査研究等に関する申請時における様式の統一化やワンストップサービス等について、各種規定に盛り込むことについて検討する。

第７編

風景地保護協定及び公園管理団体

○国立公園における風景地保護協定取扱指針

〔平成15年４月１日　環自国第136号
各地区自然保護事務所長宛　自然環境局長通知〕

改正　令和４年４月１日環自国発第22040120号

1　風景地保護協定の意義

国立公園の良好な風致景観の形成と生物多様性の確保に重要な役割を果たしている里地里山の多くは、様々な人間の働きかけを通じて環境が形成されてきた地域であり、集落を取り巻く二次林と、それらと混在する農地、ため池、草原等で構成される地域概念である。

これらの里地里山は、近年の社会経済状況の変化や農山村の人口構造の変化に伴い管理が放棄されることなどにより、植生の遷移が進行し、草原の景観が失われたり、カタクリやギフチョウなど里地里山特有の動植物が見られなくなるなどの質の低下が見られ、自然の風景地の保護と生物多様性の確保に支障が生じてきている。

その一方では、都市近郊周辺を中心として、放置された里山の管理などを行い里地里山の保全を図ろうとする民間団体等の気運が高まりをみせている。

国立公園においては、その区域内に特別地域等を指定して、一定の開発行為を規制し、自然の風景地の保護を図っているところであるが、これらの里地里山をはじめとする自然の風景地を保全し維持管理するためには、従来からの規制的手法のみでは限界がある。

風景地保護協定は、環境大臣又は地方公共団体若しくは自然公園法（昭和32年法律第161号。以下「法」という。）第49条第１項の規定に基づき指定された公園管理団体（以下「公園管理団体等」という。）が、国立公園内の自然の風景地について土地の所有者等（法第43条第１項に規定する土地の所有者等をいう。以下同じ。）により十分な管理を行うことが困難な場合等に、土地の所有者等との間で自然の風景地の保護のための管理に関する協定（風景地保護協定）を締結し、当該土地の所有者等に代わり自然の風景地の管理を行り制度である。

2　風景地保護協定の内容

(1)　風景地保護協定の対象となる土地の区域等

①　風景地保護協定は、例えば、人為的な管理によって維持されてきた里地里山、二次草原等のうちで管理されないことによって質の低下等が見られる土地など、保護のために管理を必要とする自然の風景地を対象とするものである。

②　このため、現に耕作の目的又は耕作若しくは養畜の業務のための採草若しくは家

畜の放牧の目的（以下「耕作の目的等」という。）に供されておらず、かつ、引き続き耕作の目的等に供されないと見込まれる農用地以外の農用地、現に林業が行われているなど適切な管理が行われている土地、既設の都市公園及び特定公園の区域を含めないものとする。

⑵　風景地保護協定の賃借契約

風景地保護協定は、自然の風景地の保護を確実に担保するために公園管理団体等と土地の所有者等との間において土地等の賃借契約を含むことが望ましい。特に、相続税及び贈与税の課税に当たっては、風景地保護協定区域内の土地について、一定の要件を満たした賃借契約が締結されている場合に、契約に基づく権利の存在等が考慮されて評価額が減じられることに留意する必要がある。

ただし、風景地保護協定区域に農地又は採草放牧地（農地法（昭和27年法律第229号）第２条第１項に規定する農地又は採草放牧地をいう。以下「農地等」という。）が含まれる場合にあっては、公園管理団体等は、農地法第３条第１項の規定により、自然の風景地の管理を目的として農地等についての権利を取得することはできないため、当該農地等の所有者等からの権利の移転又は設定を受けない手法により管理を行うものとする。

⑶　風景地保護協定の締結事項

風景地保護協定においては、法第43条第１項に基づき「風景地保護協定の目的となる土地の区域」、「風景地保護協定区域内の自然の風景地の管理の方法に関する事項」、「風景地保護協定の有効期間」及び「風景地保護協定に違反した場合の措置」が必要な締結事項とされているが、同条同項第３号に規定する「風景地保護協定区域内の施設の整備に関する事項」についても、風景地保護協定区域内の自然の風景地の保護を図る観点から、必要に応じて定めることにより、協定内容の充実を図るのが望ましい。

①　「風景地保護協定の目的となる土地の区域」については、その区域を明確にするよう地番、地積等の事項を協定に記載するとともに、必要に応じて、図面等を添付すること。

②　「風景地保護協定区域内の自然の風景地の管理の方法に関する事項」は、例えば枯損した木竹又は危険な木竹の伐採、木竹の本数の調整、整枝、二次草原を管理するための野焼き、草刈り、動植物の生息・生育環境を維持するための植栽、病害虫の防除、植生の保全又は復元、歩道等施設の維持又は補修その他これらに類する事項で、自然の風景地の保護に関連して必要とされる行為を定めることが考えられる。なお、造林、間伐等森林の整備に関する事項を含めないとともに、森林の保全に関し、森林に対して積極的に作用する行為を伴う事項を含めないものとする。

③　「風景地保護協定区域内の自然の風景地の保護に関連して必要とされる施設の整

備に関する事項」は、例えば管理用通路やさく等、自然の風景地の保護に資する施設の整備について定めることが考えられる。なお、農業振興地域の整備に関する法律（昭和44年法律第58号。以下「農振法」という。）第８条第２項に規定する農用地区域又は農用地区域以外の区域であって集団的に存在する農地等、農業に対する公共投資がなされた農地等及び生産性の高い農地等においては、法第43条第１項第３号の自然の風景地の保護に関連して必要とされる施設であっても、公園管理団体等が行うこれらの施設の整備は、農地等の転用が許可されないことから協定に定めないものとする。

④　「風景地保護協定の有効期間」については、当該区域内の自然の風景地の状況、協定締結の効果等を勘案して定めることが望ましい。また、相続税及び贈与税の課税に当たっては、風景地保護協定を締結する区域内の土地の貸付期間が20年である場合に、契約に基づく権利の存在等が考慮されて評価額が減じられることに留意することが必要である（３(1)参照）。

⑤　「風景地保護協定に違反した場合の措置」は、例えば、次に掲げるような違反行為に対し、協定に定められた義務の履行、原状回復、違約金の請求を定めることなどが考えられる。

i　協定の有効期間中における土地の所有者の正当な事由なき土地の返還の申し出

ii　公園管理団体等が行う協定に基づく管理行為に対する土地の所有者の妨害

iii　協定に定められた費用の負担条項の不履行

iv　協定に定められた管理行為の不履行

(4)　風景地保護協定の基準等

①　法第43条第３項第２号中「土地及び木竹の利用を不当に制限」とは、例えば、自然の風景地の保護上支障がないにもかかわらず、当該土地への立入り、木竹の利用を一切禁止するような場合が考えられる。

②　自然公園法施行規則（昭和32年厚生省令第41号。以下「規則」という。）第15条の15第２号中「現に耕作の目的又は耕作若しくは養畜の業務のための採草若しくは家畜の放牧の目的（以下「耕作の目的等」という。）に供されておらず、かつ、引き続き耕作の目的等に供されないと見込まれる農用地」とは、例えば、雑草、木等が繁茂し、あるいは、耕土の固化、土壌の変質、地力の低下等が生ずる等により再び農用地として利用するには、多額の労資を投下しなければならないような状態にある農用地であり、観光放牧が行われている土地もこれに含まれる。

③　規則第15条の15第７号中「関係法令及び関係法令に基づく計画との整合」の「関係法令及び関係法令に基づく計画」には、森林法（昭和26年法律第249号）及び森林法に規定する地域森林計画、国有林の地域別の森林計画、市町村森林整備計画及び保安林等の制度（指定施業要件等）、農地法、農振法及び農振法に規定する農業

振興地域整備計画、河川法（昭和39年法律第167号）並び海岸法（昭和31年法律第101号）等が該当する。

④　農地等が含まれる土地の区域において風景地保護協定を締結しようとするときは、農振法に基づく制度及び農業振興地域整備計画に基づき行われる農業振興施策の推進に支障がないようにするものとする。

(5)　風景地保護協定の公告等

①　環境大臣が風景地保護協定を締結しようとする場合及び締結した場合、公園管理団体から風景地保護協定締結の認可の申請があった場合及び認可をした場合には環境大臣が、法第44条及び同条の規定に基づく規則第15条の16並びに法第46条及び同条の規定に基づく第15条の17に基づき、風景地保護協定の名称、区域、有効期間、風景地保護協定区域内の自然の風景地の管理の方法、自然の風景地の保護に必要な施設（協定に定められている場合に限る。）、縦覧場所を公告することとされており、官報への掲載、地方環境事務所（釧路、信越及び沖縄奄美自然環境事務所を含む。以下同じ。）等における掲示、インターネットによる公開等、適切な方法により公告することが望ましい。

②　環境大臣は、自然公園法施行令（昭和32年政令第298号）附則第２項の指定区域において、風景地保護協定を締結しようとする場合、風景地保護協定を締結しようとする地方公共団体から協議があった場合又は、公園管理団体から風景地保護協定締結の認可の申請があった場合、当該区域における法定受託事務を実施している都県の意見を聴くものとする。

③　風景地保護協定を締結し又は認可した場合は、環境大臣は、法第46条に基づき当該風景地保護協定区域内に風景地保護協定区域である旨を明示することとされていることから、当該風景地保護協定区域内の見やすい場所に風景地保護協定区域である旨及び管理者を表示した標識の設置等を行うものとする。なお、この際、必要に応じて当該標識に当該風景地保護協定の名称、区域、有効期間を表示することが望ましい。

④　環境大臣による締結又は認可の公告のあった風景地保護協定は、その公告のあった後において当該風景地保護協定区域内の土地の所有者等となった者に対しても効力を及ぼすこととなるので（法第48条）、環境大臣は、当該区域が風景地保護協定区域である旨の周知措置を十分講ずるものとする。

(6)　風景地保護協定に係る法令上の特例

①　国立公園において行われる法第43条第１項第２号に規定する「自然の風景地の管理の方法に関する事項」及び第３号に規定する「施設の整備に関する事項」に係る行為は、当該公園内の自然の風景地の保護を目的とするものであり、自然の風景地の保護上支障のない行為であること法第43条第４項若しくは同条第５項の環境大臣

の同意若しくは認可により担保されることから、法第20条第９項第４号、第21条第８項第４号、第23条第３項第６号、第33条第７項第４号の規定により、特別地域等における行為の規制等の適用が除外される。このため、当該認可申請又は協議に際しては、当該風景地の管理及び施設の整備に関する手法について、風致景観の維持上の支障の有無が判断できるよう明確なものとする。また、風景地保護協定の有効期間が経過した場合の施設の取扱いについても定めることが望ましい。

3　その他

⑴　風景地保護協定が締結されている土地の評価等

①　相続税及び贈与税の課税上、土地の価額は、原則として、相続税財産評価に関する基本通達（昭和39年４月25日付け直資56、直審（資）17国税庁長官通達。以下「財産評価基本通達」という。）の定めに基づき路線価方式又は倍率方式により評価することとなる。この定めにより規則第９条の12の規定による第１種特別地域、第２種特別地域及び法第21条の規定による特別保護地区内の土地については、法第20条及び第21条の規定による行為制限の内容を踏まえて評価されるところである。

今般、風景地保護協定区域内の土地のうち、別紙１の要件に該当するものの価額は、財産評価基本通達の定めにより当該土地が風景地保護協定区域内の土地でないものとして評価した価額から、その価額に100分の20を乗じて計算した金額を控除した金額によって評価される旨国税庁と協議済であるので、本制度の積極的な活用を併せて図ることが望ましい。なお、この場合においては、賃借契約が有償か無償かによる評価上の差異はない。

また、上記の評価を受ける場合には、土地の所有者が環境大臣による「風景地保護協定区域内の土地として貸し付けられている土地に該当する旨の証明書」等が必要とされているので、添付漏れ等がないように当該土地の相続人等に対して周知・徹底を図ることが必要である。当該土地の評価に当たっての細目については、別紙２のとおりである。

⑵　協議・調整

①　森林法及び森林法に規定する地域森林計画、国有林の地域別の森林計画、市町村森林整備計画及び保安林等の制度（指定施業要件等）、農地法、農振法及び農振法に規定する農業振興地域整備計画との整合を確認するため、環境大臣が風景地保護協定を締結する場合又は法第43条第４項の同意若しくは同条第５項の認可をする場合には、地方環境事務所は、都道府県又は市町村の農林水産担当部局に対して、あらかじめ十分な連絡調整を図ることとする。

②　農業振興地域整備計画が変更され、風景地保護協定区域内の土地について、農業上の利用が図られることになった場合には、風景地保護協定を変更するなど、協定の内容が変更後の農業振興地域整備計画と整合が図られるように必要な措置を講ず

ることとする。

（別紙１）

評価減を受けることのできる風景地保護協定区域内の土地の要件

(1)　法第43条第１項に規定する風景地保護協定区域内の土地であること。

(2)　風景地保護協定に以下の定めがあること。

ア　土地の貸借の定めがあり、貸付けの期間が20年であること。

イ　協定の有効期間終了後においても、正当な事由がない限り貸付けを更新すること。

ウ　土地の所有者は、貸付けの期間の中途において正当な事由がない限り土地の返還を求めることはできないこと。

（別紙２）

風景地保護協定区域内の土地として貸し付けられている土地の評価に当たっての細目

１　公園管理団体が管理する風景地保護協定区域内の土地の証明について

公園管理団体は、その管理する風景地保護協定区域内の土地で、別紙１の要件に該当するもの（以下「風景地保護協定土地」という。）については、風景地保護協定の締結届出を風景地保護協定の認可を受けた環境大臣に提出の上、風景地保護協定土地である旨の証明を受けることができる。風景地保護協定土地の証明は、証明書の交付によることとし、締結届出書及び証明書の様式は、別添１によるものとすること。

２　風景地保護協定土地の区域内の自然の風景地の管理状況の把握について

環境大臣は、１の風景地保護協定土地の証明を行った場合、証明を受けた風景地保護協定土地の区域内の自然の風景地の管理状況について、証明の要件を満たしているか常時把握に努めること。

３　別紙１(2)について

ア及びイについては別添２の協定例第３条及び第４条が、ウについては同第10条第１項が、各要件の趣旨を表したものであるので、参考とされたい。

４　相続税及び贈与税の課税上の財産評価について

(1)　風景地保護協定土地として貸し付けられた土地の相続人、受遺者又は受贈者（以下「相続人等」という。）は、当該土地が風景地保護協定土地として貸し付けられている土地に該当する旨の証明願い（別添３）を当該風景地保護協定区域内の自然の風景地の管理者たる公園管理団体等に提出するものとする。

(2)　当該風景地保護協定区域内の風景地の管理者たる公園管理団体等は、(1)の書類の提出があった場合において、当該土地が風景地保護協定土地として貸し付けられている土地に該当するときには、その旨の証明（別添３）を行うものとする。

(3)　公園管理団体は、(2)の証明をしようとする際には、当該団体が当該風景地保護協定土地の区域内の風景地を引き続き管理し、公益上特別の必要がある場合その他正当な事由なく当該風景地保護協定を廃止しない旨の届出書（別添４）を環境大臣に提出の上、風景地保護協定土地に変更がない旨の証明書（別添４）の交付を受けなければならない。なお、証明を受けた風景地保護協定土地において、再度相続又は贈与が発生した場合には、改めて届出書を提出の上、証明書の交付を受ける必要がある。

⑷　⑵の証明は、当該土地が風景地保護協定土地として貸し付けられている土地に該当する旨の証明書（別添３）（公園管理団体の風景地保護協定区域内の自然の風景地にあってはさらに別添１の風景地保護協定土地である旨の証明書の写し及び⑶の証明書の写しの添付があるもの）を相続人等に対し交付することによるものとする。

⑸　風景地保護協定土地として貸し付けられた土地の相続人等は、相続税又は贈与税の申告に際し、⑷の書類を所管税務署に提出するものとする。

（参考）

風景地保護協定土地の証明及び評価減の適用を受けるための手続のフローは、別添５、６のとおりである。

（別添１）

自然公園法第43条に基づく風景地保護協定の締結届出書

年　　月　　日

環境大臣○○○○殿

風景地保護協定管理者公園管理団体○○○○

代表　　　　　　○○○○

下記の土地が、「国立公園における風景地保護協定取扱指針」別紙１に該当する風景地保護協定区域内の土地として貸し付けられていることを証明願います。

記

名称：○○風景地保護協定　所在：

根拠法令：　　　　　　　　　　風景地保護協定書（別添）

上記の風景地保護協定については、公益上特別の必要その他正当な事由があると認められる場合を除き廃止しません。

風景地保護協定区域内の土地である旨の証明書

上記の土地が、「国立公園における風景地保護協定取扱指針」別紙１に該当する風景地保護協定区域内の土地として貸し付けられている土地であることを証明します。

年　　月　　日

環境大臣　　　　○○○○

（別添２）協定例

風景地保護協定書の例（無償の賃借契約を含む場合）

土地所有者○○（以下「甲」という。）、土地賃借権者△△（以下「乙」という。）及び公園管理団体××（以下「丙」という。）は、次のとおり協定を締結する。

（信義誠実の義務）

第１条　甲、乙及び丙は、信義を重んじ、誠実にこの協定を履行しなければならない。

（協定の目的となる土地及び使用目的）

第２条　甲は、その所有する土地（以下「当該土地」という。）を丙に無償で貸与するものとし、乙は本協定に基づく丙による当該土地の使用を受忍するものとする。

⑴所在地

⑵地目

⑶土地の範囲（別図参照）

２　丙は、当該土地を自然公園法（昭和32年法律161号）第43条に基づく風景地保護協定の目的となる土地として使用するものとする。

（協定の有効期間）

第３条　当該協定の有効期間は、○年○月○日から○年○月○日までの20年間とする。ただし、当該期間の満了の○ヶ月前までに甲及び乙から丙に協定の更新をしない旨の申出をしなかった場合には、引き続き同一条件で更新されるものとする。

（更新拒絶の要件）

第４条　前条の申出は、甲又は乙が土地の使用を必要とする事情その他正当な事由があると認められる場合でなければ、することができない。

（施設整備）

第５条　当該土地において、別図で示す部分に、管理用通路、さくを設けるものとする。

（自然の風景地の管理）

第６条　本協定の有効期間中、当該土地に係る自然の風景地を良好な状態に保全するため、丙は以下の業務を行うものとする。

一　当該土地内に存する枯損した木竹の伐採、倒木の除去、樹木の整枝、刈り払い、病害虫の防除その他荒廃した自然の風景地を良好な状態に回復させ、維持するために必要なこと

二　当該土地内に整備した施設の維持、修繕に関すること

三　当該土地内の堆積物の除去、清掃その他当該土地の清潔の保持に関すること

四　本条に定める業務の遂行に支障のない範囲で、甲及び乙の承諾を得て、当該土地の一部を一般の利用のために公開すること

（土地使用上の制限）

第７条　丙は、第５条に掲げる当該土地内の施設整備若しくは前条各号に掲げる業務の必要上行う最少限度の土地の形質の変更のほか、甲及び乙の承諾なしに当該土地の形質の変更を行うことはできない。

（禁止行為）

第８条　甲及び乙は、本協定の有効期間中は、丙の承諾がなければ次に掲げる行為であって自然の風景地の保護上支障があるものをしてはならない。

一　当該土地に使用又は収益を目的とする権利を設定すること

二　当該土地に新たに工作物等を設置すること

三　当該土地の形質の変更を行うこと

四　当該土地において木竹の伐採を行うこと

五　当該土地に物件の堆積を行うこと

（契約に違反した場合の措置）

第９条　甲、乙、丙いずれかが本協定に定める事項に違反したときは、相当の期間を定め本協定を適正に履行すべき旨を申し入れることができる。

２　前項の期間の経過にかかわらず、なお違反の状態が継続しているときは、本協定の適正な履行のために必要な措置を自ら講じ、又は本協定に違反した者に対する申し入れにより本協定を解除することができる。

３　前項に掲げる措置に要した費用は、本協定に違反した者が負担するものとする。

（当該土地の返還）

第10条　甲及び乙は、本協定の有効期間中において正当な事由がない限り、それぞれ丙に当該土地の返還を求め、又は本協定に抵触する使用権の行使を求めることができないものとする。

２　丙は、本協定の期間が満了し協定の更新がされなかったとき又は本協定の解除が行われたときは、すみやかに当該土地を甲に返還しなければならない。

（協議）

第11条　本協定について疑義が生じたとき、又は本協定に定めがない事項について約定する必要が生じたときは、甲、乙、丙協議のうえ定めることとする。

年　　月　　日

甲　　住所

　　　氏名

乙　　住所

　　　氏名

丙　　住所

　　　氏名

（別添３）

風景地保護協定区域内の土地として貸し付けられている土地に該当する旨の証明願

年　　月　　日

環境大臣　　　　　　　　　○○○○　殿
公園管理団体○○○○代表○○○○　殿

住所
氏名

以下の土地が、「国立公園における風景地保護協定取扱指針」別紙１に該当する風景地保護協定区域内の土地として貸し付けられている土地であることを証明願います。

記

土地の明細

番　号	所　在	地　番	地　目	地　積

風景地保護協定区域内の土地として貸し付けられている土地に該当する旨の証明書

上記の土地については、「国立公園における風景地保護協定取扱指針」別紙１に該当する風景地保護協定区域内の土地として貸し付けられている土地であることを証明します。

年　　月　　日

環境大臣　　　　　　　　　○○○○
公園管理団体○○○○　　代表○○○○

（別添４）

風景地保護協定区域内の風景地として引き続き管理する旨の届出書

年　　月　　日

環境大臣　　　　○○○○　殿

○○風景地保護協定管理者公園管理団体○○○○
代表　　　　　　　　○○○○

公園管理団体○○○○は、下記の風景地保護協定区域内の自然の風景地を引き続き管理し、公益上特別の必要その他正当な事由があると認められる場合を除き下記の風景地保護協定を廃止しません。

下記の土地が　　　　年　　月　　日付けの協定に係る風景地保護協定区域内の土地である旨の証明に変更がない旨証明願います。

記

協定の名称　○○風景地保護協定
土地の所在

風景地保護協定区域内の土地である旨の証明に変更がない旨の証明書

上記の土地については、　　　　年　　月　　日付けの風景地保護協定区域内の土地である旨の証明に変更がない旨証明します。

年　　月　　日
環境大臣　　　　○○○○

（別添５）

手続のフロー

（環境大臣が管理する場合）

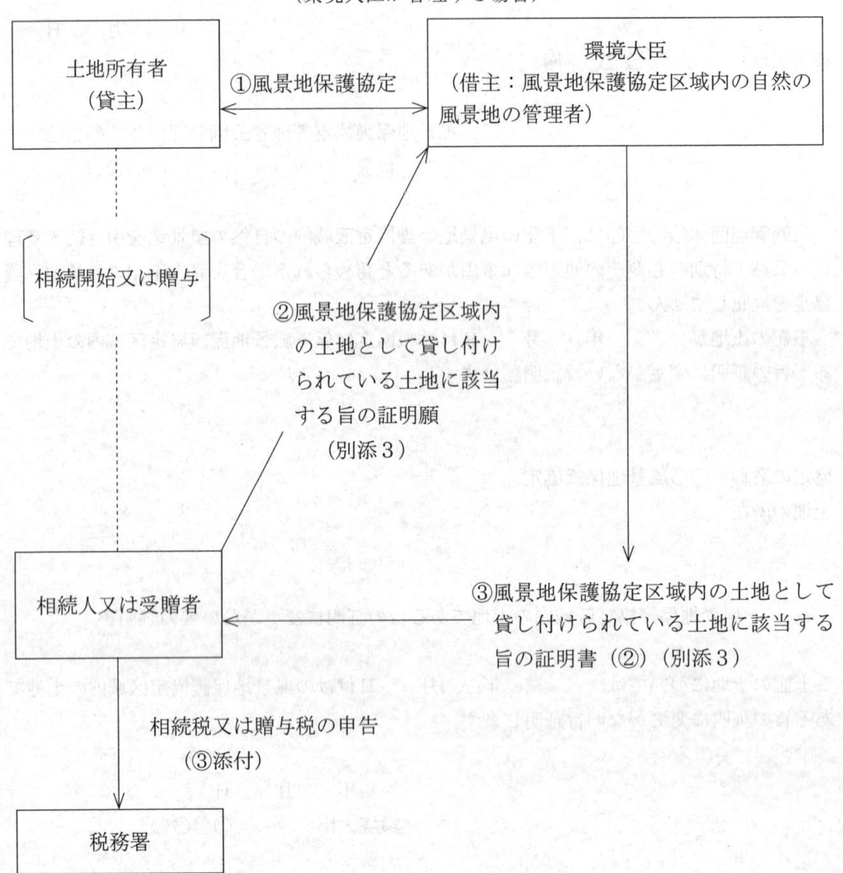

（別添６）

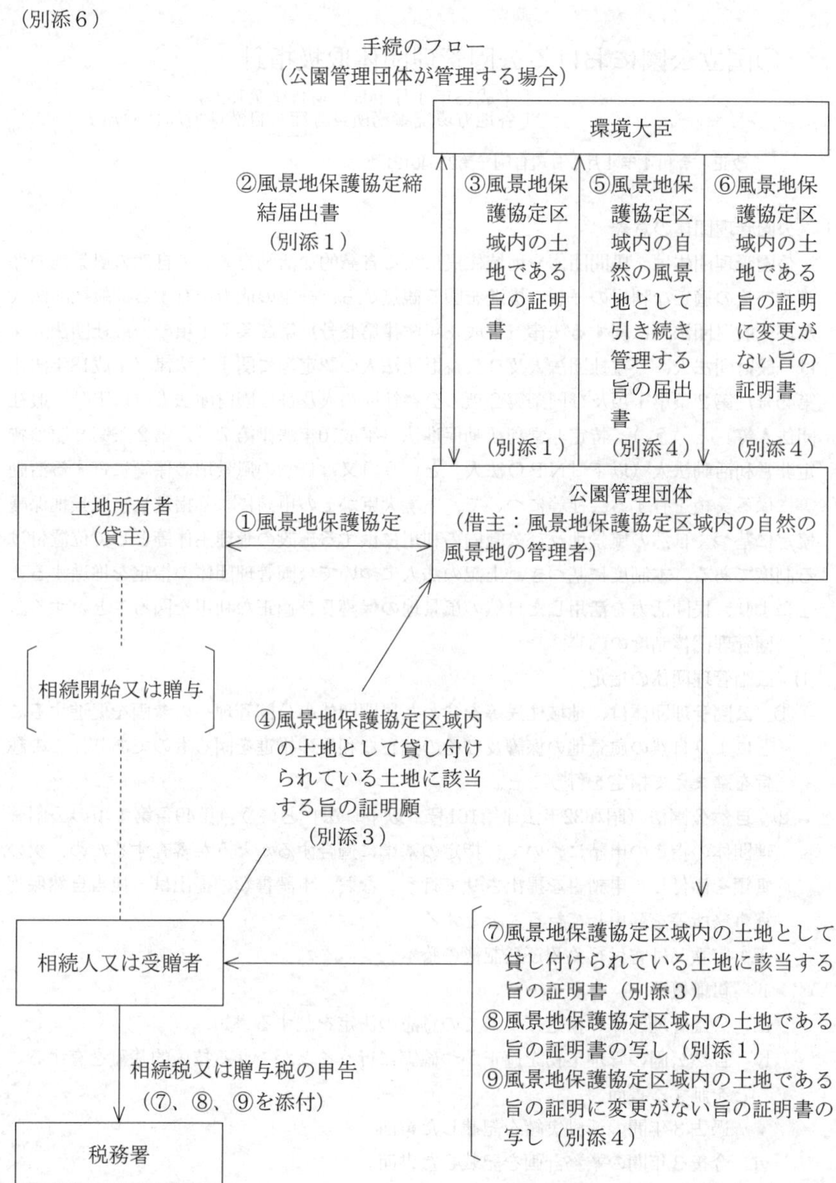
手続のフロー
（公園管理団体が管理する場合）
環境大臣
②風景地保護協定締結届出書（別添１）
③風景地保護協定区域内の土地である旨の証明書（別添１）
⑤風景地保護協定区域内の自然の風景地として引き続き管理する旨の届出書（別添４）
⑥風景地保護協定区域内の土地である旨の証明に変更がない旨の証明書（別添４）
土地所有者（貸主）
①風景地保護協定
公園管理団体（借主：風景地保護協定区域内の自然の風景地の管理者）
相続開始又は贈与
④風景地保護協定区域内の土地として貸し付けられている土地に該当する旨の証明願（別添３）
相続人又は受贈者
⑦風景地保護協定区域内の土地として貸し付けられている土地に該当する旨の証明書（別添３）
⑧風景地保護協定区域内の土地である旨の証明書の写し（別添１）
⑨風景地保護協定区域内の土地である旨の証明に変更がない旨の証明書の写し（別添４）
相続税又は贈与税の申告（⑦、⑧、⑨を添付）
税務署

○国立公園における公園管理団体取扱指針

〔平成15年４月１日　環自国第132号
各地方環境事務所長等宛　自然環境局長通知〕

改正　令和４年４月１日環自国発第22040121号

1　公園管理団体の意義

公園管理団体は、民間団体や地域住民による自発的な活動を通じて自然の風景地の保護及びその適正な利用の一層の推進を図る観点から、一定の能力を有する一般社団法人及び一般財団法人に関する法律（平成18年法律第48号）第２条第１項の一般社団法人又は一般財団法人、公益社団法人及び公益財団法人の認定等に関する法律（平成18年法律第49号）第２条第１項及び同条第２項の公益社団法人及び公園財団法人（以下「一般社団法人等」という。）、特定非営利活動促進法（平成10年法律第７号）第２条第２項の特定非営利活動法人（以下「ＮＰＯ法人」という。）又は自然の風景地の保護に資する活動等に係る実績を有する会社等について、環境大臣がその申請により指定し、風景地保護協定に基づく自然の風景地及び公園内の利用に供する施設の管理主体等として位置付ける制度である。本制度に基づき、上記の法人について公園管理団体の指定を推進することにより、民間活力を活用した自然の風景地の保護及び適正な利用を図ることとする。

2　公園管理団体制度の内容

⑴　公園管理団体の指定

①　公園管理団体は、地域住民等を含めた民間団体の公園管理への参画を促進することにより自然の風景地の保護及びその適正な利用の推進を図るものであり、この趣旨を踏まえて指定を行うこと。

②　自然公園法（昭和32年法律第161号。以下「法」という。）第49条第１項の公園管理団体の指定の申請について、指定の基準に適合するかどうか審査するため、次の書類を添付した申請書を提出させて行う。なお、申請書類の提出は、担当自然保護官事務所等を経由して行うこととする。

i　定款又は寄付行為及び登記簿の謄本

ii　組織概要

iii　公園管理団体の指定についての意思の決定を証する書類

iv　自然公園の管理業務を適正かつ確実に行うことができる技術的基盤を有することを証する書面

v　過去３年間の活動実績を記載した書面

vi　今後３年間の業務計画を記載した書面

vii　当該年度の収支予算書

ⅷ　直前の事業年度の貸借対照表及び損益計算書

ix　上記に掲げるもののほか、環境大臣が必要と認める書類

③　指定の基準

i　環境大臣が指定する公園管理団体は、法第49条第１項の要件を満たす一般社団法人等、ＮＰＯ法人又は自然公園法施行規則（昭和32年厚生省令第41号。以下「規則」という。）第15条の18に定める会社又は森林組合法（昭和53年法律第36号）に規定する森林組合（以下「会社等」という。）が、指定の対象となる。

ii　規則第15条の19第１号中「自然の風景地の保護とその適正な利用の推進を目的とするものである」とあるのは、一般社団法人等、ＮＰＯ法人又は会社等の主たる設立目的が国立公園内の自然の風景地の保護とその適正な利用を図ることであることをいうものであるが、設立後に一般社団法人等、ＮＰＯ法人又は会社等の目的に国立公園内の自然の風景地の保護とその適正な利用を図ることを追加した場合を含むものである。また、当該法人の定款又は寄附行為においてその設立目的を国立公園内の自然の風景地の保護とその適正な利用を図ることのみに限定しない法人であっても、実際に国立公園内の自然の風景地の保護とその適正な利用を図ることに関する業務を行うもので、法第50条第１項各号の業務を適正かつ確実に行うことができると認められるものは、法第49条第１項の規定に基づき指定することができるものとする。

iii　規則第15条の19第２号中「自然環境に関する科学的知見を有していることその他法第50条第１項各号及び同条第２項各号に掲げる業務（同項各号に掲げる業務にあつては、当該公園管理団体の業務として行うものに限る。以下同じ。）を適正かつ確実に行うことができる技術的な基礎を有する」とあるのは、法人の構成員に、地域の自然環境に関する科学的知見を有する者が一人以上含まれていること、技術的な基礎が必要となる活動実績を有していることなどをいうものである。

iv　規則第15条の19第３号中「十分な活動実績を有していることその他法第50条第１項各号及び同条第２項各号に掲げる業務を適正かつ確実に行うことができる人員及び財政的基礎を有する」とあるのは、法人の業務執行体制等に照らして、国立公園の管理業務を適正かつ継続的に実施できると見込まれること、当該地域においておおむね３年程度相当の活動実績があることなどをいうものである。また、財政的基礎の審査にあっては「国立公園事業執行等取扱要領」（令和４年４月１日付け環自国発第22040111号自然環境局長通知）の別添４「国立公園事業の執行認可における財務諸表等の審査指針」を準用するものとする。

特に法第50条第１項第１号又は第２号に掲げる業務は、自然の風景地や施設を直接管理する公園管理団体の主要な業務であることから、「適正かつ確実に行う

ことができる」か否かについては、活動実績の内容を踏まえて慎重に判断する必要がある。

v　規則第15条の19第４号中「法第50条第１項各号及び同条第２項各号に掲げる業務を公正かつ適確に行うことができるものである」とあるのは、政治上の主義を推進し、支持し、又はこれに反対することを目的とする法人でないことのほか、特定の候補者、政党を推薦し、支持し、又はこれに反対することを目的とする法人でないこと、宗教の教義を広め、儀式行事を行い、及び信者を教化育成することを目的とする法人でないこと、または暴力団若しくはその構成員の統制の下にある法人でないことなどをいうものである。

vi　規則第15条の19第５号については会社等のみ適用されるが、同号中「国立公園若しくは国定公園の植生の保全その他の自然の風景地の保護に資する活動又は主として歩行者の通行の用に供する道路その他の施設の補修その他の維持管理に係る実績を有する」とあるのは、当該地域において、自然の風景地の保護に資する活動又は施設の補修その他の維持管理に係るおおむね３年程度相当の活動実績を求めるものである。

④　要件を満たす法人であれば同一地域に複数の公園管理団体の指定も可能である。

⑤　公園管理団体の指定に当たっては、官報において活動区域である公園名及び地域名を明らかにすべきである。また、インターネットで併せて公開することが望ましい。

⑥　環境大臣が公園管理団体を指定する場合は、活動区域について自然公園法施行令（昭和32年政令第298号）附則第２項の指定区域に係る法定受託事務を実施している都県の意見を聴くものとする。

⑦　公園管理団体の指定を行った場合は、活動区域内に存する地方公共団体に対し、当該指定に係る公園管理団体の名称、住所、事務所の所在地及び当該公園管理団体の業務の種類について通知することが望ましい。

(2)　公園管理団体の業務

公園管理団体の指定にあたっては、法第50条第１項各号の業務を適正かつ確実に行うことができると認められることを必要とするが、これは、一般社団法人等、ＮＰＯ法人又は会社等の定款又は寄附行為において本業務内容と全く同一のものが記載されていることを必ずしも必要とするものではなく、同号の業務を適正かつ確実に行うことができると認められるものであれば、公園管理団体として指定し得るものである。

また、公園管理団体は、公園管理団体として法第50条第１項各号及び同条第２項各号の業務を行うことの他にも、一般社団法人等、ＮＰＯ法人又は会社等としてその設立の目的の範囲内で国立公園内の自然の風景地の保護とその適正な利用を図ることに関し同条第１項各号及び同条第２項各号に定める業務以外の業務を行うことを妨げるものではない。

① 法第50条第１項第１号中「風景地保護協定に基づく自然の風景地の管理」に関する業務は、風景地保護協定に基づく自然の風景地の管理の方法及び当該自然の風景地の保護に関連して必要とされる施設の整備に関する事項に従って行う業務をいうものである。

また、「その他の自然の風景地の保護に資する活動」に関する業務は、国立公園内の自然の風景地を管理し、当該自然の風景地を良好な状態で保護するため風景地保護協定区域に限らず行われるもので、例えば、高山帯や湿原の植生の復元、オニヒトデや外来種等の駆除、湿原に流入する土砂の排除等の自然の風景地の保護に資する活動をいうものである。

② 同項第２号中「国立公園又は国定公園内の施設の補修その他の維持管理」に関する業務は、登山道の定期的な巡視及び補修、障害物の除去、山岳地域のトイレの管理、し尿の処理、山岳地域等の清掃の困難な場所における美化清掃等をいうものである。

③ 同条第２項第１号中「国立公園又は国定公園の保護とその適正な利用の推進に関する情報又は資料を収集し、及び提供」に関する業務は、例えば、公園の利用者数や利用状況の把握及び提供、危険個所の把握及び利用者に対する広報活動、自然公園に関する情報又は資料の収集及び提供等をいうものである。

④ 同項第２号中「国立公園又は国定公園の保護とその適正な利用の推進に関し必要な助言及び指導」に関する業務は、例えば、高山植物の採取等の行為を行わないよう利用者に指導すること、汚物等の処理等の美化清掃につき指導すること、利用施設の適切な使用につき助言及び指導することなどをいうものである。

⑤ 同項第３号中「国立公園又は国定公園の保護とその適正な利用の推進に関する調査及び研究」に関する業務は、例えば、国立公園に関する意識調査、利用実態調査、利用による影響に関するモニタリング調査、植生を復元した後のモニタリング調査等を行うことをいうものである。

⑥ 同条第１項第３号及び同条第２項第４号中「前２号（前３号）に掲げる業務に附帯する業務」は、例えば、自然観察会等の自然とのふれあい事業等のイベントの開催等を行うことをいうものである。

⑶ 環境大臣及び地方公共団体との連携

公園管理団体は、法第50条第１項第１号及び同項第２号に掲げる業務を環境大臣、都道府県及び市町村と適正な役割分担の下、十分連絡調整し協力して行うこととする。

⑷ 公園管理団体に対する監督・命令等

① 法第52条の規定に基づく改善命令の対象となる行為は、例えば、自然の風景地

の管理が不適切である場合や、土地の所有者等の了解を得ず活動を行った場合等をいうものである。なお、公園管理団体に対し改善命令を行うことができるのは、法第50条第１項各号及び同条第２項各号に掲げる業務の運営に関して改善が必要と認められる場合に限られるものである。

② 環境大臣は、法第49条第１項の規定に基づき指定した公園管理団体の業務の内容について常時把握すべきである。特に、規則第12条第29号の31等の規定に基づき、公園管理団体が行う法第50条第１項各号及び第２項各号に掲げる業務のために必要な行為について、特別地域内等における許可又は届出を要しない行為とする場合には、その行為を行う14日前までにその内容等を提出させる必要があり、毎年度定期的に行われる活動については、原則として毎年度、業務計画を記載した書面を提出させること。また、活動実績についても、当該公園管理団体から毎年報告させることが望ましい。なお、特別地域内等における許可又は届出を要しない行為の範囲は、施設の整備（維持管理行為を除く。）は含まれないことに留意すること。

③ 環境大臣は、公園管理団体の指定に際して、公園管理団体が業務を行う場合には土地所有者又は土地管理者と十分に連絡調整を図ることが必要である旨指導することとする。

④ 環境大臣は、公園管理団体が都市公園を管理する団体であるかのような誤解を生じぬよう、名称の扱いについて公園管理団体に指導することとする。

(5) 情報の提供

法第54条に規定する「必要な情報の提供」は、国立公園の保護とその適正な利用の推進その他公園管理団体の業務の遂行に資する情報の提供等をいうものである。

（申請書の例）

年　　月　　日

環境大臣　殿

申請者　主たる事務所の所在地
法人の名称
代表者の氏名
電話番号

公園管理団体指定申請書

自然公園法第49条第1項の規定により、下記のとおり公園管理団体の指定を受けたいので、申請します。

記

1　法人の名称
2　代表者の氏名
3　主たる事務所の所在地
4　活動区域である公園名及び地域名
5　業務の種類

（備考）
1　用紙の大きさは、日本産業規格（ＪＩＳ）Ａ４とすること。
2　申請書には次の書類を添付すること。
i　定款又は寄付行為及び登記簿の謄本
ii　組織概要
iii　公園管理団体の指定についての意思の決定を証する書類
iv　自然公園の管理業務を適正かつ確実に行うことができる技術的基盤を有することを証する書面
v　過去３年間の活動実績を記載した書面
vi　今後３年間の業務計画を記載した書面
vii　当該年度の収支予算書
viii　直前の事業年度の貸借対照表及び損益計算書
ix　上記に掲げるもののほか、環境大臣が必要と認める書類

（実施計画書・実績報告書の例）

年　　月　　日

地方環境事務所長　殿

申請者　主たる事務所の所在地
法人の名称
代表者の氏名

特別地域内等における許可又は届出を要しない行為における実施計画書
（実績報告書）

自然公園法施行規則（昭和32年厚生省令第41号）及び公園管理団体取扱指針２⑷②の規定により、特別地域内等における許可又は届出を要しない行為の業務計画について提出します。

１　法人の名称
２　代表者の氏名
３　主たる事務所の所在地
４　活動区域である公園名及び地域名
５　特別地域内等における許可又は届出を要しない行為（別添）

実施計画書（実績報告書）の例

特別地域内等における許可又は届出を要しない行為に関する実施計画書

事　　業　　名	
事業内容の概要	
行為の種類	
行為の実施場所	
行為地及びその付近の状況	
行為の施行方法	
行為の着手及び完了の予定日	
備　　　　考	

（備考）

・「行為の種類」欄には、特例措置を受ける行為について「工作物の新築」、「木竹の伐採」といった自然公園法第20条第３項、第21条第３項、第22条第３項及び第33条第１項の各号に掲げる行為の種類を記載する。

・「行為の実施場所」欄には、申請時に場所が確定している場合に，都道府県，市郡，町村、大字、小字、地番（地先）等を記載する。申請時に場所が確定していない場合には想定している実施場所を記載する。

・「行為地及びその付近の状況」欄には、地形、植生等、海域公園地区にあっては海底の計上、着床する動植物、水深（干満）、潮流等周辺の状況を示す上で必要な事項を記載すること。申請時に場所が確定していない場合には、場所の選定の際の選定要件、留意事項等を記載する。

第８編

利用の促進・適正化に関する制度

第１章　利用調整地区

○国立公園における利用の適正化を図るための計画の作成について

〔平成16年１月14日　環自国発第040114001号
各地区自然保護事務所長宛　環境省自然環境局長通知〕

改正　平成22年４月１日環自国発第100401012号・令和４年４月１日環自国発第22040123号

今般、標記について別紙のとおり定めたので通知する。

〔別　紙〕

国立公園における利用の適正化を図るための計画の作成について

1　目的

国立公園における利用の適正化を図るための計画（以下「利用適正化計画」という。）は、利用調整地区を指定し、その利用の適正化を図るに当たって、様々な関係者による合意形成の下で利用の調整等に関する各種事項を定めることにより、公園利用の適正化を円滑に進め、利用調整地区の風致景観を維持し、かつ、質の高い自然体験を提供することを目的として作成する。

2　作成・変更の方法と体制

①　利用適正化計画は、地方環境事務所長（釧路、信越又は沖縄奄美自然環境事務所長を含む。以下同じ。）が利用適正化計画検討協議会（以下「協議会」という。）において関係者と合意形成を図った上で、作成し、インターネット等を活用し広く公表するものとする。なお、その際、地方環境事務所長は、自然環境局国立公園課と随時調整を図るものとする。

②　関係者とは、関係行政機関、都道府県、市町村、地域住民、関係団体、土地所有者、自然環境等に関する専門家・研究者、自然環境の保護・管理者、公園利用の管理・巡視実施者、自然体験プログラム実施者、指定認定機関等であり、協議会は、関係者を交えた開かれた検討の場を確保することにより行うものとする。

なお、土地所有者が協議会に参加していない場合、土地所有に関する部分については、個別に調整を行うものとする。

③　協議会は、利用適正化計画の策定及び変更について協議し、円滑な実施協力に向け

た合意形成を図る目的で設置されるものであり、その構成員たる関係者はそれぞれの役割に応じて計画の実施に努めるものとする。

④　地方環境事務所長は、モニタリングにより継続的に収集したデータを参考に、必要に応じて利用適正化計画を変更するものとし、その際には作成時と同様の方法により、関係者との合意形成等を図った上で広く公表するものとする。

3　利用適正化計画の内容

利用適正化計画において記載を検討する項目は、おおむね次のとおりとする。

①　背景

⑴　当該地区の保護及び利用の現状

・当該地区の範囲（利用調整地区及び関連する周辺地域）を記載する。

・自然環境保全に関する関連法令等の指定状況、自然環境の特性、利用の現状等を記載する。

⑵　当該地区の保護及び適正な利用を図るための問題点及び課題

・風致景観の維持若しくは自然環境の保護上又は質の高い利用を実現する上での問題点及び課題を記載する。

②　利用の適正化を図るための基本方針

⑴　利用適正化計画により達成すべき目標

・利用適正化計画により達成する風致景観の維持若しくは自然環境の保護又は公園利用上の目標を記載する。

⑵　地区内での利用の在り方に関する基本方針

⑶　地区内の風致景観の維持、自然環境の保護及び管理に関する基本方針

⑷　地区内での利用施設の整備及び管理に関する基本方針

③　利用調整地区の指定に関する事項

⑴　利用調整地区の名称

・利用調整地区の名称を記載する。

⑵　利用調整地区の区域

・利用調整地区の区域線を図示等により記載する。

・利用調整地区の区域を示す標識等の整備計画を記載する。

⑶　利用調整の期間

・利用調整を行う期間及びその設定理由を記載する。

⑷　その他

・利用調整地区の指定の広報、利用調整地区の周知の方法を記載する。

④　立入認定の手続に関する事項

⑴　認定基準

・認定基準を記載する。当該地区の保護及び適正な利用を図るための問題点及び課

題の解消を目的に、３②利用の適正化を図るための基本方針に沿った認定基準として以下の1)から4)のうち必要な事項を定める。

・認定基準は告示が必要であることから、特に自然環境局国立公園課との調整を密に行う必要がある。

・基準の設定は、できる限り客観的かつ具体的な項目を示すとともに、指定認定機関が現場で適正かつ確実に利用の認定が可能な基準でなければならない。

1)　利用者数又は船舶（ろかい又は主としてろかいをもって運転する舟を含む。）の隻数：利用者又は船舶の隻数の調整には、以下のような例があり、これらを参考に利用者の人数又は船舶の隻数を調整するための基準を設定する。

（設定例）

・一定区域（ルート）における１日、月間、年間等一定期間内の利用者数又は船舶の隻数の上限

・一定区域（ルート）における同時滞留する利用者数又は船舶の隻数の上限

・その他利用形態ごとの利用者数の上限

2)　日数：利用調整を行う日数の設定には、以下のような例があり、これらを参考に利用者の利用日数を調整するための基準を設定する。

（設定例）

・一定区域（ルート）における月間、年間等一定期間内の立入可能日数の上限

・一定区域（ルート）における連続立入可能日数の上限

3)　禁止行為：風致景観の維持若しくは自然環境の保護又は質の高い利用に対する支障を生じさせるおそれのある行為として、利用調整地区の区域内で禁止すべき行為を特定することができる場合には、その行為を特定し、その遵守義務を認定基準とする。

（設定例）

・宿泊利用の禁止の遵守

・焚き火等の禁止の遵守

4)　その他の基準：1)～3)に掲げた基準以外であっても、利用調整地区内の風致景観の維持及びその適正な利用に資するものとして、認定基準に追加すべきものがある場合には、必要に応じ追加する。

（設定例）

・滞留時間の上限

・設定経路における順路の遵守

・管理者等の同行

・立入り前のレクチャー受講の義務づけ

⑵　立入認定事務の実施方法

立入認定事務の実施方法等について、以下の事項を記載する。

1)　認定を行う事務所の場所

2)　受付の方法（郵便、インターネット等）及び人数調整の方法（抽選、先着順等）

3)　立入認定証の様式及び交付方法

⑶　他の利用者をその監督の下に立ち入らせることができる者の要件

・他の利用者をその監督の下に立ち入らせることができる者（以下「代表者」という。）の要件には、以下のような例があり、これらを参考に代表者の要件を、必要に応じて、明らかにする。

・要件の設定は、できる限り客観的かつ具体的な項目を示すとともに、指定認定機関が現場で適正かつ確実に利用の認定が可能な要件でなければならない。

（設定例）

・代表者の年齢

・環境省が開催する研修等の受講の有無

・自然観察会等における講師の経験年数又はガイドの実務経験年数

⑷　注意事項（利用ガイドライン）

利用者の安全確保、質の高い自然体験及び風致景観の維持のため、利用者が行うべき又は利用者に推奨すべき注意事項がある場合には、「利用ガイドライン」として設定する。

（設定例）

1)　立入り前の衣服及び靴に付着した植物種子の除去

2)　自己の責任における安全管理のために必要な情報の入手及び理解並びに技術の修得

3)　自己の責任における安全管理の徹底

4)　野生動植物の保護に必要な装備の着用及び機材の使用

5)　立入時に得た情報の管理者への報告

6)　その他風致景観の維持のために配慮すべき事項及び適正な利用促進のために推奨すべき事項

⑸　注意事項（利用ガイドライン）の周知

1)　利用者に注意事項（利用ガイドライン）を周知させ、できる限り遵守させるための普及啓発、情報提供等の実施方法を記載する。

（記載例）

・注意事項等を記載した利用の手引等文書の作成及び事前配布

・立入り前の認定希望者を対象としたオリエンテーションの実施

・ビジターセンターにおけるオリエンテーションビデオの随時上映
・ビジターセンターにおけるリアルタイムな現場情報の提供

2) 利用者に対する普及啓発、情報提供等を実施する体制（実施機関、実施場所、関係機関との連携及び役割分担、実施機関の運営方法等）等を記載する。

⑹ 利用者の指導

・巡視、指導等の実施計画（箇所、頻度等）を記載する。
・巡視、指導等を実施する体制（実施機関、実施場所、関係機関との連携及び役割分担、巡視、指導等の報告方法、各実施機関の運営方法（予算措置を含む）等）を記載する。

⑤ 自然体験プログラムの提供等に関する事項

一定のルールとコントロールの下で、利用者により質の高い自然体験を提供し、適正な利用を促進していくため、必要に応じて、自然体験プログラムの作成及びその提供の方法等を記載する。その際、インタープリター等による支援体制が確保できる場合には、それらとの連携方法を記載する。

（記載項目例）

⑴ 自然体験プログラムの作成等

・プログラムの作成主体等
・プログラムの提供方法

⑵ インタープリターとの連携

1) インタープリターの役割

・既存のインタープリターが担ってきた役割：利用者への情報や体験機会の提供、安全確保、技術、知識、意識に関する指導及び啓発等
・利用適正化計画における役割：現場での巡視及び指導、モニタリングデータの収集・報告等

2) インタープリターの強化に向けた取組

・講習会、研修等の実施、研修修了証の発行、研修修了インタープリターの公表等

⑥ 自然環境の再生、復元等に関する事項

過剰利用等により損なわれた自然環境の再生、復元等を実施していく必要がある場合には、その実施方法等を記載する。

（例：植生復元事業等の導入に関する記載項目）

⑴ 対策が必要な対象とその現状

・対象の位置、範囲
・構成種及びその特性
・荒廃の実態と変遷及びその原因

⑵　対策事業

・事業の内容及び方法

・事業の実施主体、体制及び期間

⑶　その他

・事業効果の確認と利用適正化計画のモニタリングとの関係

⑦　利用施設の整備及び管理に関する事項

自然環境の保護と適正な利用の推進の観点から、利用施設を整備もしくは管理していく必要がある場合には、その実施方法等について、以下の項目を記載する。

・施設の種類、位置、整備基準、管理水準、工法、素材等

・利用施設の整備及び管理主体

・利用施設の整備及び管理の時期及び頻度

⑧　効果検証に関する事項

利用適正化計画は、公園利用を一定のルールとコントロールの下で行うことにより、風致景観を維持し、質の高い自然体験の場を確保していくことを目的として作成するものである。しかし、利用を調整することによる効果について正確に予想することは困難であることから、目標の設定とその達成状況に応じて適切に見直しを行うことが重要であり、モニタリング、モニタリングの評価及び計画への反映が継続的に実施される効果検証の仕組みを内在させておく必要がある。

⑴　指標等の設定

利用の適正化を図るための基本方針で示した目標の達成状況を判断するための代表的な指標等を記載する。指標等の設定に当たっては、風致景観への影響、利用面における効果に係るモニタリングについて検討することが望ましい。

（設定例）

1)　自然環境の状態

・保護対象とした生物の繁殖成功率

・歩道沿いの裸地面積、歩道の侵食幅・侵食深

・定点撮影映像の変化（植皮率の変化、積雪状況の変化等）

2)　利用の状態

・利用者数及び利用時間

・利用者の利用形態及び利用場所の変化

・利用者の意識（満足度、再来希望、自然の理解度）の変化

・定点撮影映像の変化（混雑状況の変化等）

⑵　モニタリングの方法

指標等ごとのモニタリング方法を記載する。この際、指標等の検証が可能であり、かつ継続的に実施可能なモニタリング方法となるよう、データの収集者、収集

時期、収集頻度及び収集方法について検討することが望ましい。

⑶　モニタリングデータの評価

・個別に収集されたモニタリングデータを集約、評価し、利用適正化計画の変更の必要性を検討する主体（以下「評価機関」という。）の名称、事務局及び構成員並びに評価の時期及び頻度を記載する。協議会又は協議会において設置された分科会等においてモニタリングデータの評価に係る体制を確保できる場合には、評価機関を兼ねることを妨げない。

・利用適正化計画の変更の必要性については、以下の観点を参考に評価する。

1)　利用適正化計画に基づく取組を実施した結果、基本方針で示した目標達成状況が十分であるか。

2)　指標の設定、モニタリング方法及びモニタリングデータの評価方法が、基本方針で示した目標の達成状況を評価する上で適切であるか。

3)　評価機関の構成員並びに評価の時期及び頻度が適切であるか。

⑷　報告及び公表の方法

・上記⑶の評価結果及び評価結果を踏まえた利用適正化計画の変更対象項目案については、評価機関が、評価及び変更対象項目の検討後速やかに地方環境事務所長及び協議会に報告するとともに、その公表の方法について明記する。なお、公表方法については、インターネット等を活用し、できる限り広範に迅速に周知できる方法を検討する。

利用調整地区における利用適正化計画の作成・変更の体制と役割分担（模式）

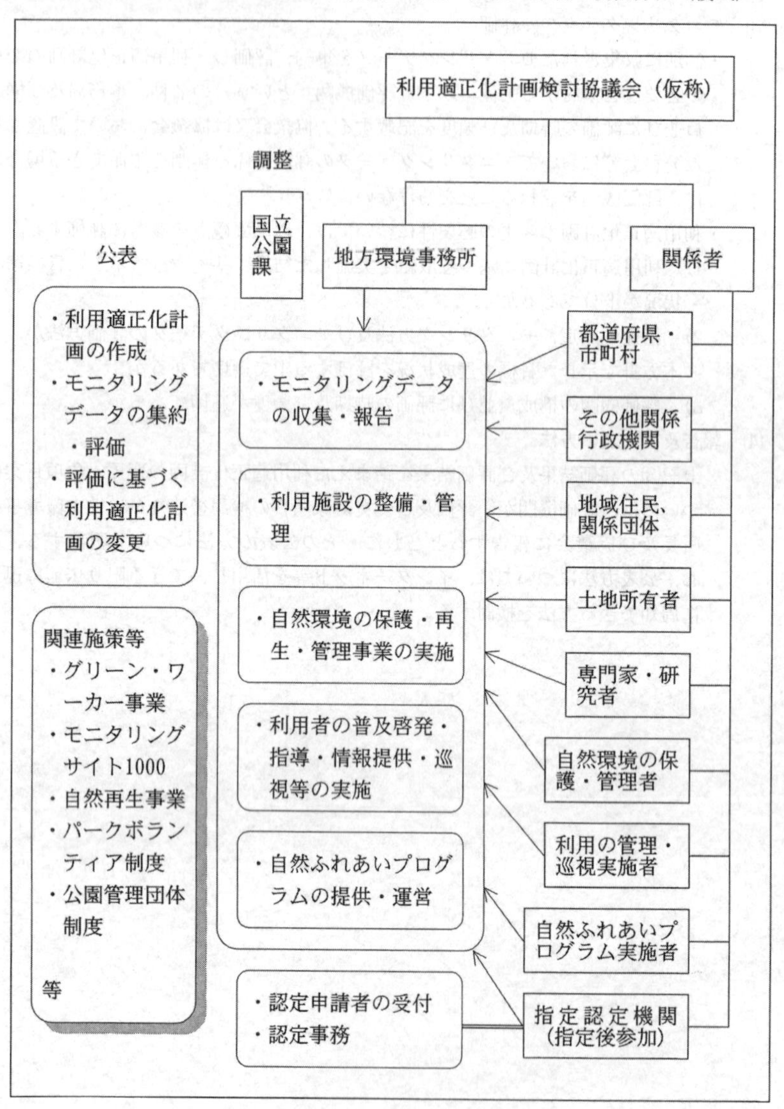

第２章　利用のための規制

○国立公園における利用のための規制取扱要領

〔令和４年４月１日　環自国発第2204014号
各地方環境事務所長等宛　自然環境局長通知〕

自然公園法（昭和32年法律第161号。以下「法」という。）第37条の規定による国立公園における利用のための規制に関しては、自然公園法施行令（昭和32年政令第298号。以下「令」という。）の規定によるもののほか、この要領の定めるところによる。

目次　　頁

第１　利用のための規制の内容

１　利用のための規制の趣旨

法第37条では、公園利用の中心基地である集団施設地区及び風致又は景観がすぐれ公園利用の場としても重要な意義を有する特別地域（特別保護地区を含む）及び海域公園地区（以下「特別地域等」という。）内において、人の行動そのものに直接着目し、国立・国定公園（以下第１「利用のための規制の内容」において「国立公園等」という。）の利用者（以下「公園利用者」という。）の快適な利用を阻害する一切の行為を対象として規制することとしている。なお、「何人も」と規定されているとおり、公園利用者に限らず、住民、事業者、訪日外国人等の日本国籍を有しない者等も規制の対象となる。

刑罰法令の対象となる反道徳行為のうち、比較的反社会性の少ないものは軽犯罪法により軽微な刑罰が科せられているが、国立公園等は、国民の保健、休養、教化という重要な使命を負う地域であり、優れた自然の風景を媒介としてその目的が達成されるものであるから、特別の考慮を要する。このため、特別地域等においては、軽易な反道徳行為といえども禁止行為とされ、かつ、軽犯罪法以上の強い刑罰が適用される。

２　「みだりに」の解釈について

「みだりに」は、一般の社会通念上正当な理由があるとは認められない場合を指す。「みだりに」なされたものであるか否かの判断は、一般の社会通念で決定されるべきであるが、一例としては、国立公園等の広場や園地等において、商品の販売や写真撮影のため、正当な理由なく排他独占的に使用し、他の公園利用者の利用を阻害するような場合が考えられる。なお、行政の事業の一環として行われる行為や農林水産業を営むために行われる行為、地域住民の日常生活の維持のために必要と認められる行為等については、原則として「みだりに」なされたものとは判断されない。

３　法第37条第１項第１号に掲げる行為

法第37条第１項第１号は、公園利用者の心情を害するごみ等の生活不要物、産業廃棄物等の廃棄放置行為に関する規制である。「ごみその他の汚物」とは、ごみ、燃えがら、汚水、汚泥、ふん尿、家畜の死体等を、「廃物」とは、空き缶、木片、廃車その他使用価値を喪失したと認められる一切の物件を意味し、これらを公園利用者に著しく不快感を呼びおこす方法で捨て又は放置する行為が規制されている。なお、登山道等においてし尿を放置する行為についても、本規定に基づき規制されている。

当該行為がどのような場合に人に不快感を与えるかは、時と場所その他利用状況等を踏まえた一般の社会通念によって決定されるが、公園利用者自身の心情によるという点についても留意すべきである。

４　法第37条第１項第２号に掲げる行為

法第37条第１項第２号は、公園利用者に著しく迷惑をかける行為に関する規制である。

「悪臭」とは、人の臭覚に訴えて不快感を与えるものであり、本号では国立公園等の傑出した風景が醸し出す雰囲気をそのまま満喫したい公園利用者に迷惑感を与える臭いのことである。ごみ、動物の死体等の処理、薬品の散布、産業活動に伴い発散するもの等その種類を問わない。

「拡声機、ラジオ等」とは、音響機器、楽器等を含むが、人声は除外される。なお、ドローンの飛行に伴う騒音についても、公園利用者に著しく迷惑を及ぼす場合には規制の対象となる。

「展望所、休憩所等」とは、園地、野営場、駐車場その他公園利用者が集合又は利用する一切の場所を含み、その場所の管理権の有無に関わらないが、一般人が自由に利用することができる公共的場所が主な対象となる。なお、「公園利用者が集合又は利用する一切の場所」には、法第２条第６号に規定する公園事業に係る施設以外の施設、展望所、休憩場等の施設と一体的に利用される周辺の土地等を含むものである。

「占拠」とは、排他独占的に使用する状態をいい、その例として物品販売業者、写真撮影業者等が恒常的に当該場所を使用する場合等が該当する。

「客引き」とは、物品販売業、写真撮影業、宿泊業、運輸事業、観光案内業その他の事業における顧客を獲得するための一作用である。その手段が直接であると間接であるとを問わない。

以上の行為は、公園利用者に著しく迷惑を及ぼす行為の例示として掲げられたものであり、これらから類推して同程度に、公園利用者に迷惑をかける他の行為も「その他当該国立公園又は国定公園の利用者に著しく迷惑をかける」行為として規制される。例えば、通常飲料水として使用されている河川、湖沼等の水を公園利用者に嫌悪の情を抱かしめるような仕方で汚す行為、指導標等を毀損する行為、工作物、木竹等を公園利用者に不快の念を与えるような方法で汚す（落書する）行為、野生動物を歩道方向に追い立てる等により人身被害のおそれを生じさせる行為等、これを放置することが特に国立公園等の管理上、一般の期待に著しく反する行為は、規制対象となり得る。

なお、「著しく」、「ほしいままに」、「迷惑をかける」等は一般の社会通念によって決定されるが、本号は特にこれらの概念が微妙である点に鑑み、法第37条第２項の規定による指示を罰則に係る構成要件としている（当該指示については第２を参照）。

5　法第37条第１項第３号に掲げる行為

法第37条第１項第３号は、野生動物（鳥類又は哺乳類に属するものに限る。以下同じ。）の生態に影響を及ぼす行為であって国立公園等の利用に支障を生じるおそれのある行為に関する規制である。野生動物への餌付けや接近行為については、これにより野生動物が人の利用する空間に容易に出没することにつながり、その結果として利用自体が困難となることにより公園利用に支障を及ぼすこととなる。

「野生」については、当該個体が元々飼育下にあったかどうかを問わず、飼主の管理を離れ、常時山野等にいて、専ら野生生物を捕食し生息している状態を指している。したがって、当該鳥類又は哺乳類が本来我が国において野生に生息していなかった鳥類又は哺乳類であっても、上のような状態にあれば本規制の対象の鳥類又は哺乳類として扱うことになる。

「餌を与えること」とは、野生動物の餌となる食物、ごみ、自然物等を与え、又は放置することが該当する。食物等を与え、又は放置した時点において野生動物を目視等により確認できていない場合であっても、野生動物に餌を与える意図を持っている場合は規制対象となり得る。また、過失など、故意に行われたものでない行為は刑法（明治40年法律第45号）第38条により罰則の対象とはならないが、当該地域における野生動物の生息状況や過去の事例、科学的知見等から、野生動物の餌となることが十分予測し得る場合など（いわゆる「未必の故意」があったと認められる場合）についても、同様に規制対象となり得ると解される。一方、餌付けのための餌を販売する行為については、本規制の対象とはならない。

「野生動物に著しく接近し、又はつきまとうこと」とは、野生動物との物理的な距離を縮めること又は一定の時間、継続的に一定の距離を保つことが該当する。野生動物に接近する意図を持った上で、野生動物が接近してきた場合に退避行動をとらない行為についても、野生動物に接近したと解される。また、野生動物の生息状況や過去の事例等から、以前に野生動物への接近又はつきまとい行為が確認された地点において、再び野生動物が出没することを予想して同一の場所にとどまる行為についても、野生動物につきまとったと解される。「著しく接近し、またはつきまとうこと」に該当する野生動物との具体的な距離については、当該地域における対象となる野生動物の生態や野生動物の生態が変化したことにより実際に生じた公園利用上の支障又はそのおそれが生じた過去の事例、科学的知見等を踏まえて判断される。

なお、「餌を与えること」及び「野生動物に著しく接近し、又はつきまとうこと」に該当する行為のうち、鳥獣被害の防止や希少種の保護等の野生動物の保護管理や学術研究その他公益上の目的で行われるものについては、第１の２に照らして、原則として「みだりに」なされたものとは判断されず、違法とはならない。

「国立公園又は国定公園の利用に支障を及ぼすおそれ」については、当該地域における野生動物の生息状況や生態、公園利用状況の特性、その行為の目的や態様（悪質性、反復性）、過去の事例等を踏まえつつ、科学的知見等により判断される。具体的には、野生動物の人に対する警戒心が低下することによって、野生動物による人や所有物への被害、歩行通行の支障や公園利用に係る施設の閉鎖等、利用自体が困難となることによる公園利用上の支障のおそれが想定される。なお、野生動物への餌付け等により生態に影響を及ぼし、本来の野生動物の生態が観察できなくなることについては、そのことが人や所有物への被害又は利用施設の閉鎖等の直接的な公園利用上の支障を生じさせるものでないため、本規制の対象とはならない。また、個人の庭先の小鳥の給餌台等、公園利用に支障を及ぼすおそれのない行為も本規制の対象とはならない。

なお、法第37条第1項第3号に掲げる行為については、行為そのものが公園利用に直接的に支障を及ぼすことは一見して明らかとは言い難いことから、同項第2号の行為と同様、法第37条第2項の規定による指示をその罰則に係る構成要件としている（指示については第2を参照）。

第2　国立公園における法第37条第2項の規定による当該職員による指示

1　法第37条第2項の趣旨

法第37条第2項は、同条第1項第2号に規定する「利用者に著しく迷惑をかける」行為又は同項第3号に規定する「野生動物の生態に影響を及ぼす行為で政令で定めるものであって、当該国立公園又は国定公園の利用に支障を及ぼすおそれのある」行為に対する国又は都道府県の職員による中止指示権を規定したものである。当該指示は、第1の4・5のとおり、罰則に係る構成要件となる。

2　法第37条第2項の「国又は都道府県の当該職員」

法第37条第2項の「国又は都道府県の当該職員」は、「特別地域等における迷惑行為への指示について（平成28年2月22日自然環境局国立公園課事務連絡）」のとおり、国立公園においては国又は都道府県の当該職員のいずれもが、指示し得ることを定めたものである。一方、原則として国立公園は国が管理し、国定公園は都道府県が管理することとされていることを踏まえ、国立公園において都道府県の職員が指示を執行する場合は、事前にその運用について当該国立公園を管轄する地方環境事務所（釧路、信越及び沖縄奄美自然環境事務所を含む。）と都道府県において十分な連絡調整を行うべきである。

3　法第37条第2項の規定による指示に係る基本的な考え方

①　事前指導及び普及啓発

法第37条第1項第2号の行為は公園利用のマナーに係るものであり，注意喚起，普及啓発又は指導により解決すべきものである。また、同項第3号の行為に関し、一般の国立公園の利用者（以下「公園利用者」という。）は、餌付け等の行為が野生動物の生態に影響を及ぼし、公園の利用に支障を及ぼす行為であることの認識までは有していない可能性がある。そのため、法第37条第2項の規定による行為の中止の指示に先立って、口頭等による指導・注意等を行うとともに、広く公園利用者に対して注意喚起を行う等の事前の指導を丁寧に行う必要がある。特に同項第3号の行為のうち「著しく接近し、またはつきまとうこと」について野生動物の生態に与える影響については一般的に明らかでない場合が多い。このため、規制対象行為として取扱う場合には、⑥による科学的知見等を踏まえて、具体的にどのような行為が当該国立公園において規制対象となるのか、利用者が理解しやすい形で、普及啓発等を積極的に行うことが望ましい。なお、事前の指導については、関係機関（地方公共団体、警察又は公園管理団体等）と連携して行うことも想定される。

②　法第37条第２項の規定による指示の方式

行為の中止を指示する場合には、一般指導と区別し刑罰につながり得ることが明確になるよう、原則として口頭ではなく、文書により行うこととする。具体的指示の方法については「４　法第37条第２項の規定による指示の方法」によるものとする。

なお、法第37条第２項に基づく指示については行政手続法（平成５年法律第88号）第３条第１項第13号の規定により、同法第２章から第４章の２までの規定は適用除外とされており、指示の方法の如何に関わらず、同法第29条から第31条までの規定による弁明の機会の付与等を行う必要はない。

③　証明書の携帯

当該職員は、法第37条第２項の規定による指示に際して、法第37条第３項に定める身分を示す証明書を携帯し、関係者に提示しなければならない。

④　土地又は建物内への立入り

当該職員は、行為の中止を指示する際に、土地又は建物内への立入検査権限は認められていない。これは利用の規制の対象となる行為がその周囲に影響を与えている状況を把握することで足りることからくる必要性の欠除と、権限の発動をより慎重にするという考慮からくるものと解される。しかし、状況に応じ、その施設の管理者の同意を得て立ち入ることは可能である。

⑤　法第37条第１項第２号の行為に係る指示に当たって配慮すべき事項

法第37条第１項第２号の行為に係る指示に関して、当該職員が個別に配慮すべき事項は以下のとおり。

・騒音の基準については、時、場所、音の種類その他利用状況から一律に決定することは困難だが、地方公共団体において騒音防止条例の定めるところにより量的基準を設けている例もあり、自然公園における静穏保持の必要性は、これと比較する場合において少なくとも都市内で最も厳正な規制を要する学校又は病院と同程度にみて差し支えない。特に危険を伴う山岳地帯においては、夜間の騒音による不眠が不慮の事故を招来することも考慮すべきである。

・展望所、休憩所等の占拠及び客引き行為の規制は、施設の管理権による対応が効果的であることから、必要に応じ内部の自主的取締を依頼することが望ましい。

⑥　法第37条第１項第３号の行為に係る指示に当たって配慮すべき事項

法第37条第１項第３号の行為に係る指示については、違反行為を立証する観点から、あらかじめ、当該地域の野生動物の生息状況や生態、公園の利用状況の特性、その行為の目的や態様（悪質性、反復性）、過去の事例等を踏まえ、指示の対象となる行為が、野生動物の生態に影響を及ぼし国立公園の利用に支障が生ずる具体的なおそれを有することを科学的知見等により明らかにしておくよう配慮すべきである。

4　法第37条第２項の規定による指示の方法

①　指示

当該職員は、法第37条第２項の規定による指示をする必要があると認めたときは、様式例に基づき指示書を作成し、当該行為者に対して直接交付することとする。

なお、処分の相手方が当該指示書の受取を拒否した場合又は相手方の態度や現場の状況等から、文書による指示を行おうとした場合に処分の執行に支障をきたすと認められる場合には、口頭により行っても差し支えない。この際、口頭による指示については原則として当該指示書の概要を読み上げることによって行うこととする。また、当該指示については罰則の構成要件となることから、文書又は口頭による指示の方法に関わらず、指示をした事実が客観的に確認できるよう音声・写真・動画等による記録を残すこととする。

なお、法第37条第２項は行政処分であるため、その処分の相手方を特定する必要がある。この点、上記のように指示をした事実が客観的に確認できるよう相手方の容ぼう等を記録に残すことによる特定も可能であるが、相手方から聴取することにより、指示の名宛て人となる氏名・住所により特定することが望ましい。

②　違反行為に係る証拠の収集

法第86条第９号に基づき、「第37条第２項の規定による当該職員の指示に従わないで、みだりに同条第１項第２号又は第３号に掲げる行為をしたとき」は、罰則の対象となることとされており、刑事告発を念頭に置く場合には、当該指示を行う時点から違反行為に係る証拠を収集しておく必要がある。この点、法第37条第２項の規定による指示と同時に記録をすることを１名で行うことは困難であるため、複数人による分担の上、実施することが望ましい。また、法第49条第１項の規定に基づき環境大臣が指定する公園管理団体の業務又は地方公共団体、公園利用者又は事業者が法第３条の規定による連携協力として、関係者が収集した資料を当該違反に係る証拠として提供を受けることも考えられる。

なお、証拠の収集に当たっては、当該指示が国立公園の特別地域等の公の場所で行われるものであることから、当該指示を実施する際に撮影された写真・動画等の証拠能力が否定される可能性は低いと考えられるものの、相手方の心情に配慮し、撮影する際はその旨を予め口頭により告知することが望ましい。

5　その他

法第37条第２項の規定による指示は罰則の構成要件となる行政処分であることから、地方環境事務所長（釧路、信越及び沖縄奄美自然環境事務所長を含む。）は、管轄する国立公園において法第37条第２項の規定による指示を管下の職員に行わせる必要があると認めるときは、本要領を踏まえた当該指示の実施方法について当該職員と十分な事前調整を図ることとする。また、高頻度で当該指示を行うことが具体的に想定される場合には、当該公園の利用上の特性も踏まえ、予め当該指示の具体的な運用方法について定めておくことが望ましい。

地方環境事務所長は、特に必要があると認める場合、刑事訴訟法（昭和23年法律第131号）第239条及び第241条の規定により告発の手続をとること。なお、告発に当たっては、あらかじめ警察等の司法当局と調整を行うとともに、自然環境局長に連絡すること。なお、釧路、信越及び沖縄奄美自然環境事務所長は、それぞれ北海道、中部及び九州地方自然環境事務所長を経由して連絡すること。

様式例（４「法第37条第２項の規定による指示の方法」関連）

（表面）

年　月　日

指　示　書

○○事務所

○○　○○

自然公園法（昭和32年法律第161号）第37条第２項の規定に基づき、次のとおり指示する。

処分の対象者	氏名 住所
処分の原因となる事実	（確認日時：　年　月　日　時　分頃）
指示事項	
指示の理由	
指示の日時	年　月　日　時　分
根拠条項	自然公園法第37条第２項
留意事項	本指示に従わずにみだりに当該行為をした場合には、自然公園法第86条第９号の規定により、30万円以下の罰金の対象となる。

（指示書作成に係る留意事項）

・空欄部分については、その場で記入することが難しい場合には、あらかじめ記載しておいて差し支えない。

・処分の相手方の氏名、住所の特定が困難な場合に、氏名、住所は省略可能。

（裏面）

なお、この処分に対して不服がある場合は、行政不服審査法（平成26年法律第68号）第２条及び第18条の規定により、この処分があったことを知った日の翌日から起算して３か月以内（この処分があったことを知った日の翌日から起算して３か月以内であっても、処分の日の翌日から起算して１年を経過すると審査請求をすることはできない。）に環境大臣に対して審査請求をすることができる。

また、この処分の取消しの訴えは、行政事件訴訟法（昭和37年法律第139号）第８条及び第14条の規定により、この処分があったことを知った日の翌日から起算して６か月以内（この処分があったことを知った日の翌日から起算して６か月以内であっても、処分の日から１年を経過すると処分の取消しの訴えはできない。）に、国（訴訟において国を代表する者は法務大臣。以下同じ。）を被告として提起することができる。ただし、行政不服審査法に基づく審査請求をした場合には、処分の取消しの訴えは、審査請求に対する裁決があったことを知った日の翌日から起算して６か月以内（この裁決があったことを知った日の翌日から起算して６か月以内であっても、裁決の日の翌日から起算して１年を経過すると処分の取消しの訴えをすることはできない。）に、国を被告として提起することができる。

【参照条文】

◎自然公園法（昭和32年法律第161号）（抄）

（利用のための規制）

第三十七条　国立公園又は国定公園の特別地域、海域公園地区又は集団施設地区内においては、何人も、みだりに次に掲げる行為をしてはならない。

一　当該国立公園又は国定公園の利用者に著しく不快の念を起こさせるような方法で、ごみその他の汚物又は廃物を捨て、又は放置すること。

二　著しく悪臭を発散させ、拡声機、ラジオ等により著しく騒音を発し、展望所、休憩所等をほしいままに占拠し、嫌悪の情を催させるような仕方で客引きをし、その他当該国立公園又は国定公園の利用者に著しく迷惑をかけること。

三　野生動物（鳥類又は哺乳類に属するものに限る。以下この号において同じ。）に餌を与えることその他の野生動物の生態に影響を及ぼす行為で政令で定めるものであつて、当該国立公園又は国定公園の利用に支障を及ぼすおそれのあるものを行うこと。

2　国又は都道府県の当該職員は、特別地域、海域公園地区又は集団施設地区内において前項第二号又は第三号に掲げる行為をしている者があるときは、その行為をやめるべきことを指示することができる。

3　前項に規定する職員は、その身分を示す証明書を携帯し、関係者に提示しなければならない。

第八十六条　次の各号のいずれかに該当する場合には、当該違反行為をした者は、三十万円以下の罰金に処する。

一〜七　（略）

八　国立公園又は国定公園の特別地域、海域公園地区又は集団施設地区内において、みだりに第三十七条第一項第一号に掲げる行為をしたとき。

九　国立公園又は国定公園の特別地域、海域公園地区又は集団施設地区内において、第三十七条第二項の規定による当該職員の指示に従わないで、みだりに同条第一項第二号又は第三号に掲げる行為をしたとき。

十　（略）

◎自然公園法施行令（昭和32年政令第298号）（抄）

第六条　法第三十七条第一項第三号の政令で定める行為は、次に掲げるものとする。

一　野生動物（法第三十七条第一項第三号に規定する野生動物をいう。次号において同じ。）に餌を与えること。

二　野生動物に著しく接近し、又はつきまとうこと。

○国立公園における無人航空機の取扱いについて

〔令和３年３月26日　環自国発第2103263号
各地方環境事務所・釧路・信越・沖縄奄美自然環境事
務所長宛　環境省自然環境局国立公園課長通知〕

昨今、無人航空機（ドローン）が急速に普及し、農業、インフラ点検、物流等の様々な分野で活用され、新たな産業・サービスの創出や国民生活の利便や質の向上に資することが期待されている。

自然公園においては、空撮動画による広報や普及啓発、自然環境調査、山小屋での物資輸送等での利活用のほか、有人地帯での補助者なし目視外飛行に係る制度整備により、物流用無人航空機の上空通過が更に増えることが想定される一方で、その無秩序な利用による公園利用者の安全や自然環境への影響等の懸念も指摘されているところである。また、ドローンの飛行に必要な手続の簡素化、ワンストップ化は自民党行政改革推進本部や小型無人機に関する関係省庁連絡会議でも取り上げられている。

このような状況を踏まえ、今般、国立公園内における無人航空機の取扱いについて改めて整理したので、下記のとおり周知する。また、本通知は、地方自治法（昭和22年法律第67号）第245号の４第１項の規定に基づく技術的助言として各都道府県担当局長に通知している旨申し添える。

記

1　無人航空機を飛行させる際の留意事項

自然公園法（昭和32年法律第161号。以下「法」という。）上、国立・国定公園内における無人航空機の飛行や離着陸[1]は許可申請や届出が必要な行為ではないが、以下の点について留意する必要がある。

⑴　他の公園利用者に対する迷惑行為等の禁止

特別地域、海域公園地区又は集団施設地区内において、著しい騒音を発生させることや展望所、休憩所等をほしいままに占拠することなど、みだりに他の公園利用者に著しく迷惑をかけることは、法第37条第１項により禁止されている。

国立・国定公園は自然の風景地や静けさを楽しむ場所であり、特に歩道や園地等の施設周辺、展望地の周辺等多くの利用者が集まる場所においては、無人航空機の飛行や操縦による視界の妨げや騒音について迷惑行為とならないよう配慮が必要である。

なお、国又は都道府県の職員は、同条第２項により、著しい騒音の発生等の迷惑行為をやめるよう指示することができ、同指示に従わない場合は、法第86条の規定に基づき、罰則が課される場合がある。

また、特別地域、海域公園地区又は集団施設地区内において、他の利用者に著しく不快の念を起こさせるような方法でごみ等を捨てたり放置したりすることは、法第37条第１項により禁止されており、墜落した無人航空機をごみとして放置することは罰則の対象となり得る。

⑵　自然環境や動植物への配慮

無人航空機の飛行場所（例：希少鳥類のねぐら、営巣地、高利用域周辺等）や時期（例：繁殖期等）によっては、無人航空機の接近や音により野生生物に過剰なストレスを与えてしまったり、無人航空機を落下させることにより殺傷・損傷させてしまったりするおそれがある。無人航空機や音に対する反応は種により異なると考えられることから、最新の知見やガイドライン等を参照する、専門家に相談するなどして、希少な動植物をはじめとした野生生物の生態に悪影響を及ぼさないような配慮が求められる[2]。

なお、国立・国定公園特別保護地区内においては、動植物を殺傷・損傷等することは原則禁止されていることから特に注意が必要である。

各地方環境事務所長等においては、公表すべきでない希少種の生育・生息地等の情報については取扱いに留意しながら、無人航空機の運航事業者から運航経路設定にあたり相談があった場合は可能な範囲で情報提供するなど適切に対応すること。

⑶　操縦者等による所管地への立入り等

無人航空機の操縦者等が第三者の土地や施設内に立ち入ったり無人航空機を離着陸させたりする場合には、土地所有者や施設管理者の承諾等が必要となる。なお、操縦者等が第三者の土地や施設内に立ち入らず、無人航空機がその上空を通過するのみであって、土地や施設への直接の影響がない場合、承諾等は必要ない[3]。

1　国立・国定公園内の一部地域においては、航空機を着陸させることについて法第20条第３項第17号及び第21条第３項第10号により許可が必要と定めているが、自然公園法上での航空機は「人が乗って航空の用に供することができるもの」とされており、人が乗ることができない無人航空機は当該航空機に該当しない。

2　（参考）「ドローンを活用したガンカモ類調査ガイドライン」（2019年3月公益財団法人宮城県伊豆沼・内沼環境保全財団発行）では、ドローンを離陸させる時の距離、水平接近させる時の飛行高度、垂直降下させる時の下限高度の目安が示されている。また、ワシタカ類がドローンを攻撃する例が多数報告されている旨が記載されている。
http://www.izunuma.org/pdf/drone_gideline.pdf

国立公園の集団施設地区においては、国立公園集団施設地区等管理規則により、土地の占用又は使用や指定施設の使用等については許可を受けなければならないとされている。単に無人航空機の離着陸や操作をすることは、散策や写真撮影その他の公園利用同様に許可は不要と考えられるが、一般的な公園利用の範囲を超えて無人航空機の離着陸や操作のために土地の占用等をする場合は申請が必要となる。

⑷ ドローンポートなど工作物の設置等

無人航空機の飛行や操縦に伴いドローンポートを設置するなど、法第20条、第21条、第22条又は第33条に該当する行為（例：工作物の新築、木竹の伐採、植物の損傷等）を行う場合は、許可申請又は届出が必要である。

⑸ 関係法令の遵守

無人航空機の飛行に際しては、第三者や物件との離隔距離の確保等、航空法をはじめとした関係法令を遵守する必要がある。

1) 航空法（昭和27年法律第231号）

平成27年９月に改正された「航空法」で定義される無人航空機とは、「飛行機、回転翼航空機、滑空機、飛行船であって構造上人が乗ることができないもののうち、遠隔操作又は自動操縦により飛行させることができるもの（機体本体の重量とバッテリーの重量の合計が200ｇ未満のものを除く）」とされ、いわゆるドローン、ラジコン機、農薬散布用ヘリコプター等のうち小型のものが該当する。

地表又は水面から150ｍ以上の高さの空域、空港等周辺の上空の空域、人口集中地区の上空の空域における無人航空機の飛行については、国土交通大臣の許可が必要である。また、空域にかかわらず、以下のいずれかに該当する無人航空機の飛行については国土交通大臣の事前承認が必要である。

・夜間飛行
・目視範囲外、常時監視範囲外での飛行
・第三者の人や他者の建物、自動車などとの間が30ｍ以内の距離での飛行
・祭礼、縁日など多数の人が集まる催しの上空での飛行
・爆発物など危険物を輸送する飛行
・物を投下する飛行

2) 小型無人機等飛行禁止法

平成28年３月に成立した「重要施設の周辺地域の上空における小型無人機等の飛

---

3 （参考）土地所有、施設管理との関係

民法第207条において、「土地の所有権は、法令の制限内において、その土地の上下に及ぶ。」と規定されている。一般に、土地所有権は、当該土地を所有する者の「利益の存する限度」で当該土地の上下に及ぶものと解されており、土地の上空を無人航空機が飛行したからといって直ちに所有権を侵害する訳ではない。この「利益の存する限度」は個別の土地の具体的な使用態様に照らして判断するべきものとされている。

行の禁止に関する法律（平成28年法律第９号）」で定義される小型無人機とは、「飛行機、回転翼航空機、滑空機、飛行船その他の航空の用に供することができる機器であって構造上人が乗ることができないもののうち、遠隔操作又は自動操縦により飛行させることができるもの」とされ、いわゆるドローン、ラジコン機、農薬散布用ヘリコプター等が該当する（規模を問わない）。

対象施設（国の重要な施設、外国公館、防衛関係施設、空港、原子力事業所等）の敷地又は区域及びその周囲おおむね300ｍの地域の上空における小型無人機等の飛行は禁止されている。

２　利用者や無人航空機の運航事業者への周知等

各国立公園のHP等において、無人航空機の飛行や離着陸について記載する場合には、１に記載した留意事項に沿ったものとするとともに、配慮や注意が必要な事項とそのエリアや時期、問い合わせ先（各保護官事務所等）についてあらかじめ掲載すること。

その際、飛行に際して、環境省による不必要な許可や承諾、飛行区域の土地所有者の承諾が必須であるかのような誤解を与えないよう留意すること。

また、自治体や土地所有者等が人の立入りや無人航空機の離着陸等を制限している場所、地域協議会等で定めた地域ルール等があれば、必要に応じて参考となるウェブサイトや問い合わせ先を紹介するなど情報提供をすること。

その他、各地方環境事務所長において、所管地や直轄施設における無人航空機の飛行について、利用者や施設の危険防止や財産管理等のために必要な範囲で個別に制限する場合は、可能な限り制限をする空域、時間帯、飛行形態等を掲載すること。ただし、所管地外で離陸させて所管地の上空を飛行（通過）するような場合等、直接の影響がない場合については制限しないこと。

○阿寒国立公園摩周湖展望台の立売り排除に対する判決

〔昭和49年（あ）第87号〕

決　　定

「被告人名　略」

上の者に対する自然公園法違反被告事件について、昭和48年12月18日札幌高等裁判所が言い渡した判決に対し、被告人から上告の申立があったので、当裁判所は、次のとおり決定する。

主　　文

本件上告を棄却する。

理　　由

弁護人の上告趣意のうち、憲法31条違反をいう点は、記録によれば、自然公園法24条１項２号所定の「展望所」たる本件摩周第１展望台は、その境界が明示されていて、その範囲が不明確とはいえないから、所論違憲の主張は前提を欠き、その余の所論は、単なる法令違反、事実誤認の主張であって、いずれも、刑訴法405条の上告理由にあたらない（なお、自然公園法24条１項２号にいう「展望所」とは、景観の観望を容易にする目的のもとに特別に建造された建物、台等土地に定着する工作物に限らず、上のような目的で人工の加えられた一定区画の土地を含み、利用上これらと付加一体をなすものをいうのであって、これと同趣旨に解した原判決は、結局正当である。）。

よって、同法414条、386条１項３号により、裁判官全員一致の意見で、主文のとおり決定する。

昭和49年10月４日

最高裁判所第３小法廷

裁判長裁判官　天　野　武　一

裁判官　関　根　小　郷

裁判官　坂　本　吉　勝

裁判官　江里口　清　雄

裁判官　高　辻　正　己

〔原判決（札幌高昭和48年12月19日判決）は次のとおりである。〕

控訴趣意第１（不法に公訴を受理した違法の主張）について。

論旨はおおむねつぎのとおりである。すなわち、自然公園法24条１項２号にいう「展望所、休憩所等をほしいままに占拠」する行為は、同法１条所定の同法制定の目的および同法24条１項２号の文理に照らして、それによって当該国立公園等の利用者に著しく迷惑をかけたことを必要とすると解すべきところ、本件各公訴事実は、そのうちにほしいままに展望所を占拠したとあるのみで、利用者に著しく迷惑をかけた旨の記載を欠くので、何ら罪となるべき事実を包含しないことに帰する。したがって、本件各公訴は決定で棄却されるべきであったにもかかわらず、原審は本件各公訴を適法なものとして被告人に対し有罪の判決を言渡しており、これは原審が不法に公訴を受理する違法をおかしたものというべく、原判決は破棄を免れない、というのである。

そこで審案するに、自然公園法52条５号は、国立公園または国定公園の特別地域内等において同法24条２項所定の職員の指示に従わないで、みだりに同条１項２号に掲げる行為をした者に対し、罰金刑を科する旨定め、同号は、「著しく悪臭を発散させ、拡声器、ラジオ等により著しく騒音を発し、展望所、休憩所等をほしいままに占拠し、嫌悪の情を催させるような仕方で客引きし、その他当該国立公園又は国定公園の利用者に著しく迷惑をかけること。」と規定している。所論によれば、本件においては、被告人が展望所等をほしいままに占拠したうえ、さらに利用者に著しく迷惑をかけたことが訴因の記載として不可欠であることになるが、右規定の文理解釈としては、「その他」の前に掲げられた各行為は、それじたいの中にすでに、利用者に著しく迷惑をかける行為たる性質を内包していると解される。したがって、本件の罪となるべき事実を訴因として構成するにあたっても、被告人が展望所を当該職員の指示に従わずほしいままに占拠したとの事実を具体的に示せば足り、さらに重ねて「利用者に著しく迷惑をかけた」ことを摘示する必要がないと解すべきである。本件起訴状記載の訴因をみると、被告人が北海道釧路支庁の職員から立ち退き等の指示を受けながら、阿寒国立公園の特別地域たる摩周第１展望所の一部をほしいままに占拠した行為を逐一具体的に特定明示しているのであって、利用者に対して著しく迷惑をかけたとの事実の記載はないけれども、罪となるべき事実の摘示として十分である。それゆえ、本件控訴を受理して実体判決をした原審の処置に何ら不法のかどはなく論旨は理由がない。

控訴趣意第２（法令適用の誤りの主張）について。

論旨は、自然公園法24条１項２号の「展望所」とは人々が風景を楽しむために人工的に設けられた場所をいい、本件の摩周第１展望台においては、工作物たる展望台のある場所のみがこれに該当すると解すべきであって、被告人が屋台を置いた駐車場の一隅のごときは右の「展望所」に含まれず、また、同法文にいう「展望所、休憩所等」の「等」にもあたらないと考えられるので、被告人を有罪とした原判決には判決に影響を及ぼすことの明らかな法令の解釈適用を誤った違法がある、というのである。

そこで審案するに、関係証拠に照らせば、本件各場所は、摩周湖西岸寄り一帯に広がる阿寒国立公園特別地域のうち、北海道釧路支庁長の国からの借用地で、摩周第１展望台と称される地区にあること、右の摩周第１展望台は、湖に落ち込む傾斜地と道々屈斜路・摩周湖畔線とにはさまれ、湖岸に沿って東西に細長くのびた比較的狭隘な区域であって、湖水をのぞめる湖岸寄りの小高い台地、道々寄りの低地、両者間の斜面とに大別できること、右高台には、その西端に観望のための特別の工作物たる、いわゆる展望台、中央東側にレストハウス、その間や周囲に遊歩道がそれぞれ設置され、また、右低地には駐車場および歩道、右斜面の4か所に右の遊歩道と歩道を結ぶ石段がそれぞれ設置されていること、本件において被告人が占拠したとされる場所は、原判示第6については西側から2番目の階段をあがった付近の、湖岸寄りの遊歩道上であるほか、いずれも右階段下付近の歩道上およびこれに接着した駐車場内であること、右階段付近は、同所の主要な景観である湖水を眺める観光客が遊歩道、さらには展望台やレストハウスへの往復に最も多く利用する経路にあたるのみならず、右の遊歩道上の本件場所からは直接湖水が眺められ、右の歩道と駐車場とに及ぶ本件場所も数メートルの歩道と10段足らずの石段をへだてるだけで遊歩道に接していること、などが明らかである。
ところで、自然公園法24条1項2号にいう「展望所」とは、景観の観望を容易にする目的のもとに特別に建造された建物等、土地に定着する工作物にかぎらず、右のような目的で人工の加えられた土地を含み、さらに、当該公園の利用上これらと付加一体をなす周辺の土地をも含むものと解すべきである。けだし、この解釈は同法条の立法趣旨にそった自然なものであると考えられ、このように解しても、「展望所」の語義を逸脱することにはならないからである。
そうすると、本件各場所はいずれもいわゆる展望台上にないとはいえ、右の「展望所」にあたるということができるから、原判決には所論のような違法のかどはない。論旨は理由がない。
控訴趣意第3（事実誤認・法令適用の誤りの主張）について
論旨は、自然公園法24条1項2号にいう「占拠」とは他人の使用を排して一定時間独占的に占有することを意味すると解すべきであるが、被告人は、他人の使用を排除する意思も、独占的に占有する意思もなかったうえ、ただちに移動できる体勢にあったから、被告人の本件各行為は右の占拠にあたらず、これを肯定した原判決には判決に影響を及ぼすことの明らかな事実の誤認ないしは法令の解釈適用を誤った違法がある、というのである。
そこで審案するに、関係証拠に徴すると、被告人は原判示のとおり、第6においては、前記遊歩道上にリンゴ箱4個を上下に2段に積み重ね、その上の石油かんを半分に切ったもの3個を並べて、長さ約1.27メートル、幅約0.3メートル、高さ約0.6メートルの焼台を設置し、第1ないし第5、第7においては、リヤカーの荷台にとうきび、いか等を焼くための屋台を取付けた、全長2メートル余、幅1メートル余、高さ2メートル弱のものを前記駐車場に止めたうえ、リヤカーの把手側の下端を前記歩道の縁石にのせ、その反対側に木箱をかい、車輪を地面から離して固定し、さらに第7においてはその近くに長さ約0.9メートル、幅約0.5メートル、高さ0.8メートルの木製台をも置き、それぞれ焼きとうきび等の販売をしたこと、右の屋台等を設置した場所がいずれも摩周第1展望台地区の中枢をなす遊歩道または駐車場の一部であって、その設置の時間も、多数観光客の蝟集・往来する時間帯において、短くて30分長くて４時間30分にわたり、それぞれ同一場所で継続的になされたものであり、これら設置物の存在じたい美観保持の点からはなはだ好ましくないうえ、観光客の往来、自動車の駐車または車両の方向変換等に相当の支障があったこと、がそれぞれ肯認できる。

叙上の事実関係に徴すれば、被告人の原判示の各所為は、自然公園法24条１項２号にいう「ほしいままに占拠し」た場合にあたると解するのが相当である。被告人が屋台等をいつでも移動できる状況にあったこと、いわゆるひき車による食品販売をしたにすぎないことなど、所論指摘の事情は何ら右の結論を左右するに足りない。

したがって、原判決には所論の点について事実の誤認ないし法令の解釈適用の誤りはなく、論旨は理由がない。

控訴趣意第４（事実誤認の主張）について

論旨は、被告人は標茶保健所を通じて北海道からひき車による食品販売の許可を受けており、本件揚所がその許可にかかる販売経路の範囲内で、かつ北海道の管理する区域内にあるから、被告人の本件各行為は管理者の許可を受けた正当行為であって、なんら犯罪を構成せず、これを看過して被告人を有罪とした原判決には、判決に影響を及ぼすことの明らかな事実の誤認がある、というのである。

そこで審案するに、検察事務官工藤健司作成の電話聴取書、北海道標茶保健所長作成の許可証写、被告人作成の食品衛生法による屋外営業許可申請書等によれば、被告人は昭和45年６月23日北海道標茶保健所長から、有効期限を昭和47年７月25日までとし、営業の場所を前記摩周第１展望台前の道々屈斜路・摩周湖畔線を含む川上郡弟子屈町内の路上とし、供食品目を「いかの味付焼」のみとする、食品衛生法21条による営業の許可を得ている（なお、被告人は右期間の前後に各１回同種の許可を得ている）ことが認められる。

しかしながら、右許可は、もっぱら公衆衛生に与える影響が著しい営業につき公衆衛生の見地から必要とされる規制を加えようとするにすぎず、その目的のため定められた基準に適合する申請があるかぎり、これを拒否することができないものである（食品衛生法20条、21条、同法施行令５条、食品衛生法施行細則〔昭和24年１月11日北海道規則第５号〕18条参照。）から、もとより他の法令による規制を排除してまで当該営業を認める性質のものではない（昭和40年８月20日付北海道衛生部長の道立保健所宛通知参照。）。それゆえ、被告人の所為が右許可に基く営業行為であるからといって、自然公園法違反の点を正当ならしめるいわれはない。

してみると、原判決のした事実の認定には所論のような誤認のかどはなく、論旨は理由がない。

よって、刑事訴訟法396条により本件控訴を棄却する。

〔第１審判決（釧路簡昭和48年８月10日判決）は次のとおりである。〕

（罪となるべき事実）

被告人は、法定の除外事由がないのに、

第1　昭和46年5月2日、3日、4日、15日、16日の前後5回にわたり、環境庁長官が阿寒国立公園の特別地域として指定した川上郡弟子屈町摩周第1展望所において、焼いか、焼とうきびなどの食品を販売するため、長さ約2.5メートル、幅約1.2メートル、高さ約1.9メートルのリヤカー附屋台を固定して設置し、同所をほしいままに占拠していることにつき、同地域を管轄する北海道釧路支庁の職員菊地鉱等から前後8回にわたり、口頭または書面をもって「右行為は物品販売等を目的とする特別地域への立入り禁止および展望所等の占拠の禁止に違反するので、直ちに営業をやめ立ち退くこと、不法立入りあるいは占拠を続けないこと」との要旨の指示をうけていたのにかかわらず、これに従わず、更に同年5月23日午前10時ころから午後零時5分ころまで、前同所特別地域内の展望所に、前記屋台をみだりに設置して、右食品販売の営業を行ない、もって同所をほしいままに占拠していた、

第2　同年5月30日、31日、6月1日、同5日の前後4回にわたり、前同様前記場所に、前記屋台を設置して、前記食品の販売を行ない同地域を管轄する北海道釧路支庁の職員菊地鉱等から前後6回にわたり、前同様口頭または書面により「直ちに営業をやめ立ち退くこと、不法立入りあるいは占拠を続けないこと」との要旨を指示を受けていたのにかかわらず、これに従わず、更に同年6月9日午前9時30分ころから午後2時ころまで前同所特別地域内の展望所に前記屋台をみだりに設置して、右食品販売の営業を行ない、もって同所をほしいままに占拠していた、

第3　同年6月15日前同様、前記場所に前記屋台を設置して、前記食品の販売を行ない、北海道釧路支庁の職員日比野元彦から前同様口頭および書面により「直ちに営業をやめ立ち退くこと、不法立入りあるいは占拠を続けないこと」との要旨の指示を受けていたのにかかわらず、これに従わず、更に同年6月22日午前9時20分ころから午前9時50分ころまで、前同所特別地域内の展望所に、前記屋台をみだりに設置して、右食品販売の営業を行ない、もって同所をほしいままに占拠していた、

第4　同年7月1日および同7日の2回にわたり、前同様、前記場所に前記屋台を設置して、前記食品の販売を行ない、北海道釧路支庁の職員日比野元彦ほか1名から、前後2回にわたり前同様口頭および書面により「直ちに営業をやめ立ち退くこと、不法立入りあるいは占拠を続けないこと」との要旨の指示を受けていたのにかかわらず、これに従わず、更に同年7月22日午前9時30分ころから午前10時30分ころまで、前同所特別地域内の展望所に、前記屋台をみだりに設置して、右食品販売の営業を行ない、もって同所をほしいままに占拠していた、

第5　同年8月3日および9日の2回にわたり、前同様前記場所に、前記屋台を設置して前記食品の販売を行ない、北海道釧路支庁の職員菊地鉱ほか1名から前後2回にわたり、前同様口頭および書面により「直ちに営業をやめ立ち退くこと、不法立入りあるいは占拠

を続けないこと」との要旨の指示を受けていたのにかかわらず、これに従わず、更に同年９月３日午前９時30分ころから午後２時５分ころまで、前同所特別地域内の展望所に、前記屋台をみだりに設置して右食品販売の営業を行ない、もって同所をほしいままに占拠していた、

第６　同年６月24日および25日の２回にわたり、前記阿寒国立公園の特別地域である摩周第１展望所において、焼とうきびなどの食品を販売するため、りんご箱などの木箱を台にした長さ約1.27メートル、幅約0.3メートル、高さ約0.6メートルの焼台を設置し、同所をほしいままに占拠していることにつき、同地域を管轄する北海道釧路支庁の職員日比野元彦ほか１名から前後２回にわたり「右行為は、物品販売等を目的とする特別地域への立入り禁止および展望所等の占拠の禁止に違反するので、直ちに営業をやめ立ち退くこと、不法立入りあるいは占拠を続けないこと」との要旨の指示を受けていたのにかかわらず、これに従わず、更に同年６月29日午前９時ころから午前９時42分ころまで、前同所特別地域内の展望所に、前記焼台をみだりに設置して、右食品販売の営業を行ない、もって同所をほしいままに占拠していた、

第７　昭和47年５月４日午後１時30分及び７月18日午後零時30分の２回に亘り環境庁長官が阿寒国立公園の区域中、特別地域として指定した川上郡弟子屈町摩周事業区第27区劃班内の摩周第１展望所において焼いか、焼とうきびなどの食品を販売するため、長さ約1.6メートル、幅約1.2メートル、高さ約1.8メートルのリヤカー附屋台及び長さ約90センチメートル幅約50センチメートル、高さ約80センチメートルの木製台を定置し、同所をほしいままに占拠していることにつき同地域を管轄する北海道釧路支庁の職員日比野元彦、蔵野允彦等から口頭又は書面をもって「右行為は物品販売等を目的とする特別地域への立入禁止及び展望所等の占拠の禁止に違反するので直ちに営業をやめ立ち退くこと、不法立入或いは占拠を続けないこと」等の要旨の指示をうけていたのに拘らずこれに従わず法定の除外事由がないのに○○○と共謀の上、

⑴　昭和47年５月４日午後１時30分ころから同日午後４時ころまで前同所特別地域内第１展望所に前記屋台をみだりに定置して右食品販売営業を行い、

⑵　同年７月18日午後零時30分ころから同日午後４時ころまで前記同所特別地域内第１展望所に前記屋台をみだりに定置して右食品販売営業を行い、もって、同所をほしいままに占拠していたものである。

第３章　その他の利用適正化施策

第１節　自動車利用適正化

○国立公園内における自動車利用適正化要綱

〔昭和49年３月25日　環自計第125号
各都道府県知事宛　環境庁自然保護局長通知〕

Ⅰ　趣旨（規制の必要性）

近年一部の国立公園では、自然の保護及び健全な利用環境の確保という面から、過密利用の問題が生じているばかりでなく、これまで人や自動車の増加を無条件に受け入れ、施設の整備拡大という方向で対応しようとしていたことに対する反省の気運が高まり公園利用の質的向上がのぞまれている。これについては、すでに一部の地域において宿泊施設等の公園利用施設の規模拡大を凍結するなどの応急的な措置を講じているが、本来は個々の景観地における自然環境の特性を十分勘案しつつ適正収容力を定めることにより合理的な利用規制の方策を明らかにすることが根本的な諸施策を推進するための前提となる。

しかしながら、現在すでに過密利用の障害が著しく、とくに休日などにおいて、道路、駐車場等の施設の容量を上廻る車が殺到し、或いは本来その自然環境の特性から、無制限には車の乗り入れを認めるべきでない地域への無統制な乗り入れ等によって、自然環境の破壊とその適性円滑な利用が現在おびやかされている地域がみられることから、このような地域については早急に自動車利用の適正化の措置を講ずることが必要となってきている。

以上のような観点から、当面緊急な措置が必要となっている国立公園内の自動車利用の適正化についての方針とその方策を明らかにする。

なお、これを契機として自然と人間のふれ合いの基本的な形態である歩くことの意義が見直され、自然公園本来の利用のあり方が再認識されることを期待するものである。

Ⅱ　自動車交通による障害

⑴　自然環境の保全の面からみた問題点

㈠　増大する自動車の受入れのためには、道路の拡巾、駐車場の拡張などが要求されており、これに対応するには自然公園本来の景観が維持されえなくなるおそれがある。

(イ)　過度の交通から、駐車或いは自動車の交叉のため道路敷外への不法な乗り入れが行われることや、渋滞時の濃厚な排気ガス汚染などにより、植生の破壊・枯損を招くような事態を生じている。

(ウ)　夜間の通行により夜行性の動物が殺傷されたり、光などで生息環境が乱される。

(2)　利用環境の保全の面からみた問題点

(ア)　自然公園の本質を理解しないドライバーなどの増加と、今日のような自動車の増加を予期しない時代に計画建設された道路を、そのまま使用していることが重なり、人と多数の車が混在することで静かな環境や安全な利用がそこなわれている。

(イ)　自家用乗用車に代表される容易な到達性が昼夜をとわず国立公園に無差別的な俗化や喧噪をもちこんでいる。

(ウ)　交通渋滞により、目的地へ到達するまでに予定以上の時間を費すため、計画的かつ十分な公園利用がなしえない。

Ⅲ　対応の基本方針

前項のような状況に対処するには、公園の特性に応じた適正収容力を基礎に施設の調整を図るという観点から、場合によっては公園利用施設の凍結・縮小・廃止を含めた多種多様な対応措置を講ずる必要があり、公園計画の見直しでもこの点を考慮に入れた再検討を行うこととしている。しかし、現況を放置しては自動車交通により生ずる環境への障害が除去されえない個所について、とりあえず次のような方針のもとに関係機関の協力を得て自動車の乗り入れ制限を含めた自動車利用の適正化の措置を講ずるものとする。

(1)　自動車による障害が現に見られる地域について、地域の特性に応じた自動車利用について、将来の方針を定め、そのうち次のシーズンからできる範囲で実行にうつすものとする。

(2)　必要に応じて公共輸送体系の確立など公園利用者の輸送手段の転換のための総合的手段を検討するほか、当面の措置としては自動車の交通規制を行うよう要請するものとする。

(3)　実施を円滑にするため地元関係者との連絡を密にするとともに、関係行政機関の協力を要請するものとする。

(4)　国民の理解を得るための広報活動を行うほか、ドライバーへの周知のための交通情報活動を徹底させるよう努めるものとする。

Ⅳ　当面の対象地区と実施の具体策

中部山岳国立公園内の上高地、立山及び乗鞍の各地区、日光国立公園内の尾瀬地区、十和田八幡平国立公園内の奥入瀬地区並びに知床国立公園内の知床五湖地区をモデル地区とする。これらの地区に環境庁国立公園管理事務所及び関係道県自然保護部局並びに警察・

建設、運輸その他の関係機関・関係市町村・団体等でもって構成する連絡協議会を設置する。連絡協議会は各地区における自動車利用の適正化の措置を円滑に実施するため連絡及び調整を行うものとする。なお、問題点の解決及び円滑な実施のために、中央においては環境庁及び関係各省庁の間で連絡調整を行うものとする。

また、これ以外の地区については、このモデル地区に準じて今後必要に応じ、自動車利用の適正化をはかってゆくものとする。

〔注１　昭和50年５月20日付環自計第300号で富士箱根伊豆国立公園富士山(河口湖口)地区が、モデル地区に追加されている。
注２　平成８年４月１日付環自国第104号で富士箱根伊豆国立公園富士山(富士宮口)地区が、モデル地区に追加されている。〕

第２節　トレイルランニング関係

○国立公園内におけるトレイルランニング大会等の取扱いについて

〔平成27年３月31日　環自国発第1503313号
各地方環境事務所・釧路・長野・那覇自然環境事務所長宛　自然環境局国立公園課長通知〕

標記について、国立公園内の自然環境の保全及び公園利用者の快適な利用の確保を図るため、別添のとおり取扱いを整理したので、通知する。本通知に沿った取組を適切に実施されたい。

○国立公園内におけるトレイルランニング大会等の取扱いについて

〔平成27年３月31日　環自国発第1503313号
各都道府県担当部局長宛　環境省自然環境局国立公園課長通知〕

標記について、国立公園内の自然環境の保全及び公園利用者の快適な利用の確保を図るため、別添のとおり取扱いを整理しましたので、お知らせいたします。

貴都道府県におかれましては、関係業務の参考にして頂くようお願い申し上げます。

〔別　添〕

国立公園内におけるトレイルランニング大会等の取扱いについて

近年、山岳地の利用が多様化する中で、自然豊かな国立公園等をコースに設けるトレイルランニング大会が多数開催されているところである。

自然公園法（昭和32年法律第161号。以下「法」という。）は、国立公園内の歩道を走ることを制限するものではないが、一方で、多人数で走行時間を競い合いながら狭い歩道を走行することとなるトレイルランニング大会等（以下「大会等」という。）は、不適切な内容で開催されることにより、歩道の適正な維持管理の妨げ、歩道周辺の自然環境への影響、大会等に参加する者以外の一般利用者の安全で快適な利用環境の確保の妨げとなることが懸念されるところである。

このため、国立公園内における大会等の取扱いについて、下記のとおり整理したので、適正な運用のもと、国立公園内の自然環境の保全及び公園利用者の快適な利用の確保が図られるよう御配慮願いたい。

記

第１　基本的な考え方

公園計画における歩道は、公園利用の基幹的な施設として、利用者層、自然条件等地域の特性に応じた徒歩利用を確保するものであり、トレイルランニング等走行による利用を想定しているものではない。

そのため、多数の走行者が参加する大会等は、歩道の適正な維持管理の妨げ、歩道周辺の自然環境への影響、徒歩利用者と走行利用者間における接触事故、静穏の阻害、混雑等公園利用者の安全で快適な利用の確保を妨げるおそれがあるため、慎重に対応することが必要である。

なお、本通知は国立公園内をコースとして開催されるトレイルランニング大会及びイベントを対象とし、個人によるランニングは含まないものとする。

第２　国立公園管理運営計画への記載について

本通知は、全国的見地からの大会等の取扱いを示すものであるが、指導に際しては、各国立公園の自然環境・利用実態等を踏まえた対応を行うべきであることから、国立公園管理運営計画区ごとに取扱いを定めることが適当であり、地方環境事務所等は「国立公園管理運営計画作成要領」（平成26年７月７日環自国発第1407073号）に基づいて定めている国立公園管理運営計画において、同作成要領第４⑷「適正な公園利用の推進に関する事項」として、必要に応じ、大会等のコース・期間等に係る詳細な指導事項、大会等の取扱いに係る地方自治体との連携等について記載するものとする。

第３　大会等の取扱い方針について

１　コース設定における基本的事項

①　特別保護地区においては、法第21条第３項の規定により「木竹を損傷すること」及び「木竹以外の植物を採取し、若しくは損傷し、又は落葉若しくは落枝を採取すること」等の行為が厳しく規制されているとおり、特に厳重に景観の維持を図る必要のある地区であるため、これらの行為の発生が懸念される場合は、特別保護地区内を通過するコース設定は避けるよう指導すること。ただし、部分的に特別保護地区を通過する際に、競争性を生じさせない歩行区間の設定等により植生帯への踏み出し及び土壌の浸食を防止するための措置が適切に講じられる等自然環境等への影響が発生しないと考えられる場合は、地域の実情に応じて判断するものとする。

②　第１種特別地域においても、特別保護地区に準ずる風致を有し、現在の風致を極力保護することが必要な地域であることから、特別保護地区と同様に取り扱うものとする。

２　コース設定における配慮事項

①　走行に対して脆弱な区間（湿原や泥濘の多い湿潤な環境、高山植物群落等）が存在する場所をコースに含めないよう指導すること。

② 踏み荒らしによる歩道の複線化や拡幅が懸念される場所については、登山道外への踏み込み防止柵の設置等によりコースを外させない又は歩道からはみ出させない等の措置を講ずるよう指導すること。

③ すでに洗掘を受けている場所等については、コースに含めないこと。やむを得ず含める場合にあっては、マットの敷設により養生する等、歩道及び歩道周辺の植生への影響を生じさせない又は影響を軽減するための措置を講ずるよう指導すること。

④ 崩落や落石のおそれのあるガレ場や傾斜地に付けられた狭隘な登山道等をコースに含めないよう指導すること。

⑤ 管理運営計画等において保全対象として定められている重要な自然環境等については、特に影響が生じないように対応するよう指導すること。

3　大会等開催にあたっての配慮事項

① 利用者数の多いルートの混雑期等については、一般利用者への影響が特に懸念されることから、原則として大会等を開催しないよう指導すること。

② 大会等の開催について、ウェブサイト、公共交通機関等の掲示スペース、国立公園内外の主要な利用拠点、登山口等において、大会の開催日時、コース区間、誘導標の設置及び一般利用者に留意してもらいたい事項等を掲出し、あらかじめ周知しておくよう指導すること。

③ 大会等の主催者、参加者及び応援者について、遵守すべきルール（(別紙）ルール等におけるチェックリストの例参照）を設定し、自然環境の保全並びに一般利用者の安全性及び快適性を確保するよう指導すること。

4　その他の配慮事項

① 野生動植物への影響を回避するための専門家、自然保護団体等の意見が聴取され、反映するよう指導すること。

② 歩道等管理者、土地所有者及び関係行政機関等との事前調整を十分に行うよう指導すること。

第４　大会等開催に伴うモニタリング等の実施について

1　地方環境事務所等は大会等の開催が自然環境等に与える影響について、必要に応じて、以下のとおりモニタリングするよう主催者への指導を行うものとする。

なお、毎年開催するなど当該コースに関するデータが一定程度集積されている場合は、調査規模の縮小又はモニタリングを行わない等の対応を検討したうえで、主催者への指導を行うものとする。

① モニタリングの実施にあたっては、大会等の計画立案時にコースの事前調査を行い、モニタリング対象となる地点や対応を要する地点を洗い出しておくこと。特に開催実績のないコースについては、詳細な調査を実施すること。

② あらかじめ設定したモニタリングする地点において、大会等の事前及び事後の様子を写真等に収めて、比較し、評価すること。

2 モニタリングの結果により改変が確認される場合は、主催者に対して、原状回復措置を行うよう指導すること。

第5 その他

1 看板等広告物の設置等や休憩所等工作物の新築等の要許可行為については、主催者に計画書類を提出させ、審査基準等に照らし合わせて適切に指導すること。

2 夜間走行を含む大会等については、本通知の趣旨が十分に配慮される計画となっていることを確認すること。

3 本通知や国立公園管理運営計画に記載されている事項について、主催者や関係者等に、その内容を説明し、可能な限り理解を促すよう努めること。

4 関係行政機関等との間で十分な連絡調整を図り、連携した対応を行うこと。

(別紙) ルール等におけるチェックリストの例

対象者	配慮分野	チェック内容
主催者	環境配慮	参加者数は地域の特性等を踏まえ、適正な上限人数を検討する
		参加者が密集して走ることとなるスタート付近については、林道、農道、スキー場等の自然環境への影響が少ないルートとする
		必要に応じ、適当な基数のトイレを適切な箇所に配置し、適切な管理（処理方法、撤去等）を行う
		開催地域外から植物が持ち込まれないよう、競技開始前には参加者及び応援者に靴底の洗浄をさせる
		必要に応じ、住宅街や希少野生動物の生息地を避けた応援ができる場所を設定する
		保全すべき重要な自然環境等にコース設定している場合は、必要に応じ監視員を配置する
	安全配慮	外的危険（落石、転落・滑落、波浪）が予見される場所（急傾斜地、岩礫地など）、脆弱な地盤、滑りやすい粘土地盤、破損のおそれのある木道等がある区間はコースとして選定しない
		競技途中で事故等の緊急事態があった場合、速やかに対応できる体制を整えておく
		参加者、応援者及び一般利用者等に対する案内や誘導表示は、混乱を招かないよう既存の標識類と区分し、分かりやすい位置、表

		示内容となるよう配慮する
		歩道等管理者、土地所有者立ち合い等により事前に歩道の安全点検等を行う
	その他	悪天候などにより、自然環境の保全上又は参加者の安全確保上の懸念が生じた場合は、速やかに中止等の判断ができるよう意思決定の体制を整えておく
		参加者、応援者に、大会運営上の自然環境及び安全への配慮事項を周知し、徹底させる
		大会実行関係者等は、腕章等により身分を明らかにしておく
		参加者には、ゼッケン等身分を明らかにするものを着用させる
		ウェブサイト、公共交通機関の運行に関連する掲示スペース、国立公園内外の主要な利用拠点、登山口等において大会の開催日時、コース区間、誘導標の設置状況及び一般利用者に留意してもらいたい事項等を記載し、可能な限り大会開催の周知を行う
		大会の開催を周知するものについては、主催者の連絡先（問合せ先）を記載しておく
		主催者、参加者、施設設置者及び管理者の責任（事故発生時、他者への損害発生時）の範囲を明確化しておく
		事前調査を実施し、予め収集した大会の開催運営に必要な情報を基に、コース設定にあたる
		必要な許可等を大会開催１ヶ月前には済ませておく
		参加者、応援者を含む大会関係者に、トイレは所定の場所で済ませることを周知する
参加者	全般	登山者等の一般利用者を尊重し、レース中においても配慮を心掛けること
		登山者等とすれ違ったり、追い抜いたりする場合は、丁寧な声掛けを行うこと
	環境配慮	設定されたコース以外は走行しないこと
		トイレはできるかぎり所定の場所で済ませること
		ゴミは持ち帰るか、所定の場所に捨てること
		ストックはキャップの付いた状態で使用し、使用を認められた区

		間のみでの使用とすること
	安全配慮	登山者等とすれ違う場合は、登山者等を優先させること
		集団走行、並列走行は行わないこと
		夜間に走行する場合は、反射板、ライト等を着用すること
	その他	ゼッケン等を身に着けておくこと
応援者	全般	主催者が設けたルールを遵守すること
	環境配慮	登山者等の一般利用者を尊重し、レース中においても配慮を心掛けること
		歩道や園地など整備された場所以外に立ち入らないこと、特に自然植生のある場所に踏み込まないこと
		トイレは所定の場所で済ませること
		ゴミは原則として持ち帰ること

○国立公園内で開催されるトレイルランニング大会等におけるモニタリングの手引きについて

〔平成29年３月１日　環自国発第1703011号
各地方環境事務所・釧路・長野・那覇自然環境事務所長宛　自然環境局国立公園課長通知〕

標記について、国立公園内の自然環境の保全及び公園利用者の快適な利用の確保を図るため、別添のとおり作成したので、通知する。本手引きに沿った取組を適切に実施されたい。

○国立公園内で開催されるトレイルランニング大会等におけるモニタリングの手引きについて

〔平成29年３月１日　環自国発第1703011号
各都道府県担当部局長宛　環境省自然環境局国立公園課長通知〕

標記について、国立公園内の自然環境の保全及び公園利用者の快適な利用の確保を図るため、別添のとおり作成しましたので、お知らせいたします。

貴都道府県におかれましては、関係業務の参考にして頂くようお願い申し上げます。

〔注〕手引きの内容については以下の URL を参照

http://www.env.go.jp/nature/trail_run/mat01.pdf

第4章　安全対策

○国立公園等における冬季利用の安全等について

〔昭和40年12月13日　国発第898号
各都道府県知事宛　厚生省国立公園局長通知〕

標記については、それぞれ適切な指導を煩わしていることと存ずるが、近時国立公園等の利用の普及にともない、たとえば準備不足、計画粗ろう、あるいは一種の流行的心理にかられた登山等が誘因となって遭難事故が発生していることは周知のとおりである。

これの防止は、根本的には登山者自身の山に対する適確な知識と、慎重な行動とにまつほかはないが、一方においては、登山教育、登山を安全にするための施設の整備、あるいは救助対策等に関する総合的施策の推進が必要であると考えられる。

厚生省においても、かねて避難小屋、指導標及び登山道等利用施設の整備につとめており、なお、管理体制をも含めて、長期的な計画を検討中であるが、差迫っている冬山シーズンについては、すでに計画されている遭難救助対策の一環としての次の事項を加え又は強化されることにより冬山シーズンの事故を未然に防止されるよう、それぞれの地域の実状に即した応急対策を講ぜられたく、この際とくにお願いする。

1　臨時案内所等の設置について

登山者が慎重な行動をとるよう、登山者が比較的多く利用する交通機関の乗車駅等において、山岳の状況及び気象の状況を周知させる措置をとられたいこと。

とくに、登山に関係する交通機関の下車駅及び登山口の適当な場所に、積極的に臨時案内所を設置し、従来一部の地区において行なわれていた登山カード記入をさらに徹底するほか、服装用具等に対する指導あるいは天候の悪条件時における退避の方法、避難小屋の所在の確認等について注意を与え、気象状況悪化の際等は、登山の中止または計画の変更を積極的に勧告されたいこと。

2　避難小屋の点検等について

管下の山岳地域については、関係方面の協力のもとに、避難小屋、冬季小屋及び指導標、警告板の点検等による確認を行い、必要によっては臨時の指導標及び警告板の整備をされたいこと。

3　宿泊施設経営者等の協力について

冬山登山者の対象となる土地の宿泊施設経営者等は、その地域の山岳気象に通暁しているのが通例であるので、これらの経営者等に対して、気象悪化時においては、登山者に対し積極的に当該山岳の気象的特性を説明し、場合によっては登山の中止または計画の変更を勧告する等の協力を求めること。

4　国立公園管理員及び自然公園指導員について

国立公園管理員及び貴職の推薦にもとづいて委嘱した自然公園指導員に対しては、この通知の趣旨に協力するよう、別途指示及び依頼したので御了知ありたいこと。

○公園事業の執行に伴う事故及び災害の防止について

〔昭和42年８月８日　国発第645号
各都道府県知事宛　厚生省国立公園局長通知〕

標記については、かねてから種々格別なるご配慮をわずらわしているところであるが、近時、公園事業の執行に関連して事故、災害の発生をみるところがあるのは遺憾である。

人命尊重の立場から貴管下の公園事業に関し実地調査のほか指導監督等を随時に強化し、公園事業の執行に直接又は間接関連ある事故、災害の発生を未然に防ぐよう、特に次の事項について万全の措置を講ぜられたい。

記

1　運輸施設事業の事故防止について

索道（普通索道及び特殊索道）、船舶、自動車等の運輸施設については、運輸事業に関する行政機関等の協力を得て、事故及び災害の防止について指導監督すること。

2　土工事を伴う公園事業の事故防止について

公園事業の施設の敷地の選定、土工事の施工及び建築物の構造設備について、防災、保安上の安全を考慮し、かつ常時適法な状態に維持するよう必要な措置を講じ又は指導すること。

急傾斜地その他の場所で災害の発生するおそれのある地域における公園事業の執行については、治山、治水、その他の災害対策に関する行政機関等と緊密な連絡を保ち、必要に応じて防災工事を完全に施工するよう関係行政機関の指示、監督等所要の措置を要請すること。

3　宿泊施設等に関する公園事業における事故防止について

宿舎、休憩所等、食品を提供し、宿泊休憩の用に供する施設に関する公園事業にあっては、食中毒、伝染病、火災その他の事故の防止について、衛生、建築及び消防等に関する行政機関等と緊密な連絡をとり、事故の発生を未然に防止するよう措置すること。

4　火山地帯における事故防止について

火山の爆発による災害の生ずるおそれのある地域においては、測候所、大学の火山研究機関等と緊密な連絡を保ち、必要に応じて立入禁止区域の設置等の災害防止措置をとるよう防災関係機関に要請すること。

5　山岳地帯及び海浜等における事故防止について

気象条件の変化の激しい山岳地帯及び水泳、舟遊等の利用の行なわれる海浜、河川、湖沼等においては、利用者の山岳遭難、水難事故の発生を未然に防止するよう、警察その他の機関等と緊密な連絡をとるとともに、当該地における公園事業執行者に対しては、これらの遭難防止対策に積極的に協力するよう指導すること。

6　前各号に掲げる措置又は指導監督を行った後における実施状況を随時確認把握し、また、公園事業執行に関する関係法規の所定の手続きを完全に励行するよう指導監督すること。

○自然公園における利用者の安全対策について

〔平成元年７月21日　環自企第423号
各国立公園管理事務所長宛　環境庁自然保護局長通知〕

本年も、自然公園の本格的な利用シーズンを迎えたところであるが、本日、標記について、別添写しのとおり各都道府県知事に通知したので了知されたい。

貴職におかれても、この通知の趣旨に従い、環境庁所管地における事故及び災害の防止並びに環境庁直轄の公園事業の執行に伴う事故の防止に努められるとともに、貴管下の国立公園における公園事業執行者に対して指導監督に努められ、併せて地元関係諸機関と連絡を密にされ、これを通じて国立公園の安全利用の推進に努められたい。

なお、特に、環境庁の直轄事業に係る自然公園施設については、安全性に係る点検を定期的に行うよう留意されたい。

また、指導監督を行った後における実施状況を随時確認されたい。

〔別添写〕

自然公園における利用者の安全対策について

〔平成元年７月21日　環自企第423号
各都道府県知事宛　環境庁自然保護局長通知〕

自然公園の安全快適な利用の促進については、かねてより、種々の御配慮をお願いしているところであるが、近年、国民の自然に親しもうとする気運が高まる中で、自然公園の利用目的等の多様化が進む一方、しばしば、自然公園内において人身事故の発生がみられるのは憂慮に堪えないところである。

ついては、本年も自然公園における事故を未然に防止し、安全快適な利用を促進するため、下記の事項について、格別の御配慮をお願いしたい。

その際、貴職の執行に係る公園事業について、配慮されることはもちろんであるが、特に貴管下の市町村及び公園事業者に対してもよろしく御指導願いたい。

また、下記の措置又は指導監督を行った後における状況を随時確認把握されたい。

記

1　事故防止協力体制の整備について

(1)　危険箇所等の情報の収集、把握

自然公園における利用者の安全対策を進めるに当たっては、自然公園の利用上の危険箇所の早期発見と迅速な対応が必要であるので、都道府県・市町村の担当職員による状況の把握に一層留意されるとともに、自然公園指導員等による情報提供等の協力体制の確立に努めること。

(2) 地元における事故防止協力体制の整備

地元における事故防止協力体制の整備については、地元市町村・警察署・観光協会等の関係機関、関係団体の連携と協力が不可欠であるので、これらの関係機関等との連携を密にし、適正、安全な利用のための普及啓発運動、危険箇所における利用制限等の安全対策の迅速、かつ、実効的な実施のための地元協力体制の整備、強化に努めること。

2 公園事業に係る利用施設における事故防止について

(1) 一般的事項

公園事業に係る利用施設の設置に当たっては、設計、施工の段階で、利用者の安全を期するために十分な配慮がなされることは当然であるが、更に、供用後においても定期的に安全確認のための点検を行うものとし、特に利用シーズン前、豪雨、台風等の後及び積雪地域における融雪後においては、より一層慎重な点検を行うこと。

また、必要があれば利用者の目に触れやすい所に、定員制限を守ること等の利用上の注意事項を標示する等により施設の安全な利用方法の周知徹底を図ること。

(2) 道路（歩道）事業

道路（歩道）事業に係る事故防止については、吊橋等の橋梁及び桟道等の構造物について重点的に点検を行い、その結果、更に詳細、綿密に調査する必要がある場合には、利用の禁止、制限等のための応急的措置を状況に応じて講じた上、別途、専門的技術、知見を有する者に調査を委託する等安全の確認を万全に期すること。

また、道路（歩道）に附帯する指導標、案内板、注意標識等の点検にも留意し、必要がある場合には臨時の指導標、案内板、注意標識等の整備を行うこと。

(3) 公園事業に係る宿泊施設等における事故防止について

宿舎、休憩所宿泊休憩の用に供する施設及び野営場においては、消防署等関係機関と緊密な連絡をとり定期的に点検し、また、利用者に対しては周知徹底を図る等により火災の発生を未然に防止するよう努めるとともに、食中毒、伝染病その他の事故についても、衛生等に関する関係機関と緊密な連絡をとり、その発生を未然に防止するよう努めること。

3 山岳地帯等の地域における事故防止について

(1) 山岳地帯における事故防止

山岳地帯における近年の事故の多くは、利用者の技量不足や、不十分な装備、無謀な登山計画等に起因するところが少なくないので、利用実態の把握に努め、バス、ロープウェー等の運輸業者、山小屋、旅館等の宿舎事業者に対し、登山装備の点検、悪天候時の計画中止又は変更等安全な登山等に配慮するようその周知方につき協力を求めるとともに、この面から、観光案内書等を通じて普及啓発活動を強化すること。

(2) 火山地帯及び温泉地帯における事故防止

火山の爆発による災害の生ずるおそれのある地域、硫化水素ガス等有毒なガスが発生するおそれのある地域、高温の熱水又は蒸気がゆう出又は噴出するおそれのある地域等については、既に立入禁止区域を設ける等の措置が講じられているところであるが、今後とも気象関係者、火山研究機関、保健所等と連絡を密にして不断に状況を把握するとともに、必要がある場合は、事前の立入規制、立入禁止柵の設置、パトロールのための人員の設置等の事故防止措置をとるよう防災関係機関、警察、土地所有者等に要請すること。

⑶　海浜等水辺地域における事故防止

舟遊、水泳等の利用が行われる海浜、河川、湖沼等において、気象条件の変化等による水難事故の発生が懸念されるので、警察等の関係機関と緊密な連絡をとるとともに、利用者が事故の未然防止に十分配慮するよう当該地における公園事業執行者等にその周知方につき協力を求めること。

○奥入瀬渓流の遊歩道における観光客の負傷事故に対する判決

〔平成18年(ネ)第2,721号・平成18年(ネ)第3,529号〕

控訴人（附帯被控訴人）　国
（以下「控訴人国」という。）
代表者法務大臣　長勢甚遠
指定代理人　山根薫
外6名
控訴人（附帯被控訴人）　青森県
（以下「控訴人県」という。）
代表者知事　三村申吾
訴訟代理人弁護士　石田恒久
指定代理人　對馬淳
外3名
被控訴人（附帯控訴人）　A
（以下「被控訴人A」という。）
被控訴人　B
（以下「被控訴人B」という。）
2名訴訟代理人弁護士　石坂基
御器谷修
島津守
梅津有紀
土屋義隆
鈴木和夫
御器谷修訴訟復代理人弁護士　栗田祐太郎

主文

1　附帯控訴に基づき、原判決中被控訴人Aに関する部分を次のとおり変更する。

(1)　控訴人らは、被控訴人Aに対し、連帯して金1億8974万4243円及びこれに対する平成15年8月4日から支払済みまで年5分の割合による金員を支払え。

(2)　被控訴人Aのその余の請求を棄却する。

2　本件各控訴をいずれも棄却する。

３　控訴人らと被控訴人Ｂとの間の控訴費用は、控訴人らの負担とし、控訴人らと被控訴人Ａとの間の訴訟費用は、第１、２審を通じてこれを４分し、その１を同被控訴人の負担とし、その余を控訴人らの負担とする。

４　この判決主文の１項⑴は、本判決が各控訴人に送達された日から14日を経過したときは、仮に執行することができる。ただし、各控訴人が、9500万円の担保を供したときは、当該控訴人は、それぞれ仮執行を免れることができる。

事実及び理由

第１　求める裁判

１　控訴人国（控訴の趣旨）

⑴　原判決中、控訴人国敗訴部分を取り消す。

⑵　被控訴人らの控訴人国に対する請求を棄却する。

２　控訴人県（控訴の趣旨）

⑴　原判決中、控訴人県敗訴部分を取り消す。

⑵　被控訴人らの控訴人県に対する請求を棄却する。

３　被控訴人Ａ（附帯控訴の趣旨）

⑴　原判決中、被控訴人Ａに関する部分を、次のとおり変更する。

⑵　控訴人らは、被控訴人Ａに対し、連帯して、２億2226万2449円及びこれに対する平成15年８月４日から支払済みまで年５分の割合による金員を支払え。

第２　事案の概要

１　被控訴人Ａは、平成15年８月４日、十和田八幡平国立公園の特別保護地区内に属する青森県十和田市（旧上北郡十和田湖町）大字奥瀬字惣辺山国有林51林班内（通称「奥入瀬渓流石ヶ戸」地内。以下「奥入瀬石ヶ戸」という。）の遊歩道付近（付近の概況は、別紙図面〔原判決添付図面と同一〕に図示するとおり）において観光中、突然落下したブナの木の枝の直撃を受け、胸椎脱臼骨折等の傷害を受け、両下肢の機能を全廃する後遺障害を負う事故（以下「本件事故」という。）に遭遇した。被控訴人Ｂは、当時、被控訴人Ａの内縁の夫であった。本件は、被控訴人らが、控訴人国、控訴人県は、いずれも上記遊歩道の設置管理者であり、上記ブナの木の所有者ないし占有者及び設置管理者であるとの前提で、控訴人らに対し、①　国家賠償法２条（公の営造物の設置、管理の瑕疵）、②　同法１条（公務員の管理行為についての注意義務違反）、③　民法717条２項（所有、占有する本件ブナの木の植栽、支持の瑕疵）、④　同法709条（観光客に対する安全確保義務違反）、以上①ないし④の責任原因を選択的に主張して、被控訴人Ａが被った損害２億2229万8039円、被控訴人Ｂが被った損害1100万円とその遅延損害金の賠償を求めた事案である。

原審は、控訴人県につき国賠法２条の、控訴人国につき民法717条２項の各責任原因を認め、被控訴人らの請求のうち、被控訴人Ａについて１億4555万5900円とその遅延損害金、被控訴人Ｂについて330万円とその遅延損害金の各連帯支払を控訴人らに求めた部分を認容し、その余を棄却した。控訴人らは、その敗訴部分の判断を不服として控訴した。被控訴人Ａは、その敗訴部分の判断の一部を不服として附帯控訴し、その請求額を２億2226万2449円とその遅延損害金に減縮した。

2　前提事実及び争点（当事者双方の主張を含む。）は、原判決を次のとおり改め、当審における控訴人らの主張として３のとおり加えるほか、原判決「事実及び理由」欄の「第２　事案の概要」の１及び２に記載のとおりであるから、これを引用する。

原判決15頁10行目から16行目までを次のとおり改める。

「(エ)　弁護士費用

本件事故と相当因果関係にある弁護士費用は次のとおりである。

a　被控訴人Ａ　　　　2017万3322円

b　被控訴人Ｂ　　　　100万円

(オ)　まとめ

a　被控訴人Ａの損害額　２億2226万2449円

b　被控訴人Ｂの損害額　1100万円

(カ)　よって、控訴人らに対し、被控訴人Ａは損害賠償金２億2226万2449円、被控訴人Ｂは1100万円及びこれらに対する不法行為日である平成15年８月４日から支払済みまで民法所定の年５分の割合による遅延損害金の連帯支払を求める。」

3　当審における控訴人らの主張

(1)　控訴人国の主張

ア　本件ブナの木は、民法717条２項の「竹木」には該当しない。すなわち、同条２項の竹木とは、同条１項の「工作物」と同様に土地に付着して造設されたものであることを要するものであるところ、本件ブナの木は天然木であって、これには含まれないというべきである。

イ　本件ブナの木には、竹木に対する支持は存しない。すなわち、民法717条２項の「支持」とは、本来、支柱を施すなど、落木落枝による事故発生を防止するための物理的措置を意味すると解される。しかるに、本件ブナの木には係る支柱を添える等の物理的な措置はなかったから、同項の「支持」は存しない。

なお、控訴人国は、その機関である三八上北森林管理署を通じ、本件ブナの木を含む一帯を国有林として管理していたものであるが、その管理は、包括的な取扱いを意味するものであって、国有林内の特定の立木について落木落枝による人的被害の防止の観点からなされるものではないから、仮に、竹木の「支持」とは、竹木に対する維持、管理を意味するとしても、このような管理をもって、控訴人国が本件ブナの木を支持していたことの根拠とするのは誤りである。

ウ　本件ブナの木の安全性についての管理主体は控訴人国ではなく控訴人県であ

る。

(ア)　本件事故現場を含む一帯の天然林は、原則として自然の推移に委ねることを基本として、森林生態系等の特性に応じ、必要な管理を行うものとされている（農林水産大臣が定める国有林野の管理経営基本計画としての第二次地域管理経営計画書の「自然維持タイプ」に該当する。）。それゆえ、例えば傾倒する木々に支柱を施すことは上記施策に反することになる。

(イ)　本件事故現場は、控訴人県との貸付契約の空白域（本件空白域）にあるものの、控訴人県は、本件事故現場付近も貸付けを受けているとの理解の下、本件事故現場付近について、本件ブナの木を柵で囲い込むなどして本件遊歩道から連続する歩道あるいは歩行者が休息できる状態に置き、その周辺一帯を事実上管理し、本件遊歩道と一体として観光客らの利用に供していた。したがって、控訴人県は、本件事故現場付近を通行あるいはそこで休息する観光客の安全確保の観点から当該場所を現実に管理する立場にあったものであり、実際にも管理の主体として本件ブナの木の落枝による事故発生を直接防ぐことのできる立場にあった。

(ウ)　確かに、控訴人国もいわゆる合同点検をしていたものであるが、これは、本件遊歩道を設置していた控訴人県が主体となり、１年に１回、主として雪害による本件遊歩道上の風倒木等の除去を行っていたものであって、三八上北森林管理署は、山林所有者の立場で控訴人県の点検に事実上協力していたにすぎない。また、合同点検に際し、危険木の伐採を行うこともあったが、その主体はあくまで控訴人県であり、三八上北森林管理署は、土地又は伐採木の所有者として、控訴人県の行う伐採の同意等を検討する立場から、また、環境省事務所は、国立公園管理者として自然公園法の許認可又は届出等の必要性について迅速な対応をする観点から点検に同行していたにすぎない。

エ　瑕疵の不存在

(ア)　本件ブナの木に関する植栽又は支持の瑕疵については、予見可能な事故発生に対して防止措置を講じているか否かによって判断されるべきである。落枝が通常みられる自然現象であったとしても、このことから本件事故の予見可能性を肯定することは、およそ本件遊歩道に近接した山林の立木についてはすべからく事故発生を予見できるとみることになり、結果責任を認めるに等しい。しかも、本件事故現場周辺は、自然の推移に委ねる管理方法が採られており、このことは観光客にも相当程度に周知されているのである。多くの観光客が立ち入る場所とはいえ、市街地の街路樹や庭木のように落枝が万が一にもないことを利用者が高度に信頼している場合とは異なるというべきである。

(イ) 本件ブナの木は、外見上、きのこの繁殖等枝内部の腐朽が進んでいることを示す兆候はなく、落ちた枝の根元部分の腐朽がどの時点でどこまで進んでいたかは不明であり、その腐朽を察知して落枝を予見することは事実上不可能であった。また、この一帯の落枝落木は、経験的にみて降雪又は台風等の外力を要因として発生しており、融雪期を過ぎた８月の段階で、無風状態において落枝が発生することは考え難かった。

(ウ) そうすると、本件ブナの木については、落枝事故の発生を予測することができたとはいえないから、その支持に瑕疵があったとはいえない。

(2) 控訴人県の主張

ア 控訴人県は、本件空白域、本件ブナの木の管理主体ではない。

本件空白域は、控訴人国の所有であるとともに、林野庁が管理していた。控訴人県は、本件空白域を林野庁から貸付けを受けていない。本件事故前の平成15年３月に控訴人県は、本件ブナの木の周囲に植生復元のために立入防止柵を設置し、同年５月から７月にかけて草本類移植を実施したが、この場合も、林野庁（三八上北森林管理署長）から作業行為承諾書通知を得たほか、実際の植生復元措置の施工に当たってもその都度入林届の提出を要請され、入林に当たっても入林許可書の携帯等を留意されたなど、この区域は、林野庁が管理していたものである（貸付けを受けていないからこそ、かかる許可等の手続が必要になるのである。）。控訴人県が、本件空白域及び本件ブナの木を事実上も管理していたとはいえない。

イ 合同点検における控訴人県の役割

本件ブナの木周辺を含む奥入瀬渓流遊歩道の危険木管理は、基本的には毎年４月下旬の関係機関による合同点検で実施してきた。平成12年度までは、旧環境庁が主催し、林野庁、旧十和田湖町、十和田湖国立公園協会、旧自然公園美化財団、青森県、東北電力が参加していた。この点検では、危険木も点検対象とされ、環境庁及び林野庁が危険木の判定を担っており、控訴人県は、危険木と判定された木々についての伐採事業のみを行っていた。平成13年度からは、控訴人県が呼びかけて合同点検を実施していたが、控訴人県は危険木の判定権限が付与されておらず、環境省がこれらを担っていたものである。

ウ 瑕疵の不存在

(ア) 控訴人県についても予測可能性がなかったことについては、控訴人国の主張(1)エと同旨である。

(イ) 加えるに、控訴人県は、上記アのとおり本件ブナの木の枝を伐採する権限を控訴人国から与えられていなかったし、危険木の判断は、本来、公園事業者たる環境省に委ねられている。国立公園の特別保護地区における木竹の損傷（枝の伐採）は、学術研究を目的としたもの以外は原則として許可されないのであり、許可なく伐採した場合には、県担当者は自然公園法70条、14条３項２号により刑事罰（６か月以下の懲役又は50万円以下の罰金）を受ける危険性がある。以上によれば、控訴人県には、本件事故の発生を回避する可能性もなかったというべきである。

第３　当裁判所の判断

１　当裁判所は、被控訴人Ａの請求は、控訴人らに対し連帯して損害賠償金１億8816万4243円、被控訴人Ｂの請求は、控訴人らに対して同じく330万円及びこれらに対する不法行為日である平成15年８月４日から支払済みまで民法所定の年５分の割合による遅延損害金の支払を求める限度で理由があり、その余は理由がないものと判断する。その理由は、以下のとおりである。

２　控訴人県の営造物設置管理の瑕疵及び控訴人国の工作物責任に関する認定判断は、原判決を３のとおり付加・訂正し、当審における控訴人らの主張に対する判断として４のとおり加えるほか、原判決「事実及び理由」欄の「第３　当裁判所の判断」の１及び２に記載のとおりであるから、これを引用する。

３　原判決の付加、訂正

⑴　原判決19頁５行目冒頭から20頁１行目末尾までを、次のとおり改める。

「⑵　控訴人国は、民法717条２項にいう「竹木」には、天然木（自生した木）は、含まれないと主張し、このような解釈を裏付けるものとして、民法制定時の立法資料等（乙イＣ７〜10）を挙げる。しかし、これらの資料も直接に「竹木」から天然木が除外されると説明したものではないのであり、他方、同条項は何らの限定なしに「竹木」との文言を用いており、また、天然木においてもこれが倒れたり、枝を落としたりする危険を内包する点においては、庭木等と何ら異なるところはないのである。そうであれば、天然木について、「竹木」に当たらないとして、その内包する危険を一律に無視するような限定解釈はとらず、その「支持の瑕疵」を問えるものとすることが社会的にみても相当な解釈であるというべきである。そして、次項で述べるとおり、竹木の支持の瑕疵の判断に当たっては、それが生立している自然的、社会的な状況に照らして判断されるべきところ、天然木であるという事情は、その生立する自然的、社会的な状況に反映される限りで、瑕疵の有無を判断する要素として考慮されることになる。

⑶　また、控訴人国は、民法717条２項にいう竹木の「支持」とは、支柱を施すなどの物理的な措置を意味すると主張するが、同条１項の土地工作物の「設置」又は「保存」についての一般的な解釈との対比からしても、上記のような解釈は失当であり、竹木の「支持」とは、土地工作物の「保存」とほぼ同義に、竹木の維持、管理を意味するものと解するのが相当である（なお、控訴人国が主張するように解

すると、竹木に倒れる危険が生じた際に、支柱を施したが不十分で倒れれば支持の瑕疵に当たるが、支柱を施さずに放置したまま倒れれば支持の瑕疵には当たらないとの、不当な結果になる。)。

そして、もともと危険を内包する竹木について、その安全性につき社会的に期待されるレベル、したがって、その有すべき安全性の程度は、それが生立する自然的、社会的な状況によって異なるものであるから、竹木の支持の瑕疵、すなわち維持、管理の瑕疵の有無についても、その生立する自然的、社会的な状況に照らして、その有すべき安全性の程度を判断することが必要である。」

(2) 原判決20頁10行目の「いわざるをえない。」の次に「なお、控訴人国は、三八上北森林管理署は、本件ブナの木を含む一帯を国有林として管理していたもので、その国有林中の本件ブナの木について、落木、落枝による人への危害防止の観点から管理していたものでないと主張する。なるほど、国有林内の樹木一般について、上記のような観点による管理が行われていないことはそのとおりであるし（乙イC11)、また、国有林内の樹木の大半については、それが天然木か植栽された木かを問わず、その生立する自然的、社会的な状況に照らしても、人への危険の度合が低く、また、安全性への期待のレベルも低い（その近くまで立ち入って危害を被れば、自己責任であると社会的にも判定される。)とみることができるから、国有林の管理については、人への危害防止の観点は、一般的には、その必要が乏しいということはできる。しかし、国有林の樹木についても、人が多数参集し、その樹下に止まる場所に生立することもあるのであり、そうした場合において、国有林を所有し、管理する控訴人国が、人への危害防止の観点からの管理は行わない、管理責任も負わないというのは、安全性に対する社会的な期待を考えれば、明らかに不当である（本件事故後のことではあるが、衆議院農林水産委員会での政府答弁において、林野庁長官も、自然公園の遊歩道に関わる国有林について、危険木の伐採、管理の必要性にふれている〔甲A25の1〕)。また、国有林の管理者にそのような管理を要求し、責任を負わせるならば、管理者としてその負担に耐えられないことから、国有林を自然公園等として国民に提供すること自体が困難になる旨の東北森林管理局長の陳述書（乙イC11）があるが、樹木の安全性に対する社会的な期待のレベルは、人の参集度、通行量などに応じて決まるものであり、人が接近する可能性のある樹木のすべてについて、落木、落枝が生じさせないという安全管理が当然に期待されているわけではないから、上記陳述書は、前提を誤るものであり、採用しがたい（管理者には、人への危険をより少なくし、しかも、自然公園の設置目的を活かせる適切な管理が求められている。)。結局、本件ブナの木の支持の瑕疵の有無については、上記のとおりに判断するのが相当なのである。」を加える。

4　当審における控訴人らの主張に対する判断

(1)　控訴人国の主張ア、イについて

ア　民法717条２項にいう「竹木」には、天然木が含まないとの解釈が相当でないこと、また、竹木の「支持」とは、支柱を施すなどの物理的な措置だけを指すものではなく、竹木の維持、管理一般を指すものと解すべきことは、前判示のとおりである。

イ　なお、引用にかかる原判決が判示するとおり、本件ブナの木の周辺地域は、国道102号線に隣接して石ヶ戸休憩所が設置され、別紙図面に図示するとおり、ここから奥入瀬に下る階段が設けられ、控訴人国が控訴人県に貸し付けた焼山側歩道起点に至るまでの地域（本件空白域）に存する。そして、本件ブナの木を含む立木や切り株の周囲に立入防止柵や標識等があり、渓流の近くで景観も良好（甲Ａ９写真15）、であり、本件ブナの木の脇には卓ベンチが置かれるなど多数の観光客が本件ブナの木の周辺において散策ないし休息することが予定されている場所である。このことは、石ヶ戸休憩所の利用者が平成14年度約45万人、平成15年度約50万人であることからも、控訴人国は極めて容易に予想することができたというべきである。

ウ　そして、奥入瀬渓谷が我が国有数の自然観光資源で、観光客が自然と親しむことについて控訴人国の施策としても推奨されており、控訴人国も本件ブナの木を含む周辺一帯の効用を享有していたということができる。そして、控訴人県による本件ブナの木の周囲の立入防止柵の設置は、控訴人国（林野庁）の許可によるものであるし、弁論の全趣旨によれば、本件ブナの木の脇にある卓ベンチの設置も黙認していたとみられる。加えて、控訴人国は、控訴人県とともに、合同点検を実施していたのであって、その趣旨が本件ブナの木周辺を含む遊歩道に近接した部分の危険性を除去するためのものであることからすると、現実に落木落枝の危険性を認識することができたものというべきである。

エ　そうだとすると、控訴人国は、その管理する国有林に生立する本件ブナの木が、上記のような自然的、社会的な状況にあり、しかも、これを認識し得たのであるから、その落木、落枝による場合を含め、これが人への危害を及ぼすことがないように維持、管理に当たる責任があったというべきである。

　したがって、このような観点から、本件ブナの木の支持（維持、管理）に瑕疵があったかどうかが検討されなければならないのである。控訴人国の上記主張は採用することができない。

(2)　控訴人国の主張ウ及び控訴人県の主張ア、イについて

ア　本件空白域は、控訴人県が管理する焼山側歩道と子ノロ側歩道とを接続する場所であり、石ヶ戸休憩所とともに、一体として奥入瀬渓流石ヶ戸地区の観光資源を形成しているのであって、事実上、控訴人県によって上記遊歩道と一体として

管理されているものというべきである。確かに、控訴人県は、本件空白域について控訴人国からの貸付けを受けていないし、公園事業としての管理対象範囲外の地域であり、本件ブナの木の周囲に植生復元のための立入防止柵の設置や草木類移植の実施が、林野庁（三八上北森林管理署長）からの作業行為承諾書や入林届等の手続が必要であったということができるけれども（乙ロC18の1～4）、上記立入防止柵の設置や草木類移植については、控訴人県が主体的に行っていたものと認められるのであって、これらの許可又は届出が必要であったことは、控訴人県が本件空白域を事実上は管理していたとの判断を左右するものではない。なお、証拠（乙ロC36、原審証人今裕嗣）によれば、本件事故後の控訴人県と控訴人国（三八上北森林管理署）との折衝において、本件事故現場が控訴人県への貸付地に含まれるのかどうかが確認されるまでにかなりの時間を要したことが認められるのであって、これからみても、控訴人県が本件空白域についても本件遊歩道と一帯として管理していたことがうかがえるのである。結局、控訴人県が本件事故現場を含む本件空白域を公の営造物たる本件遊歩道の一部として事実上は管理していたとの判断は何ら左右されないことになる。

イ　他方、本件空白域は、控訴人県が控訴人国から貸付けを受けておらず、これらの直接の管理責任は控訴人国に属している。このことは、本件ブナの木の周囲の立入防止柵（植生回復のため）を設置することや草木類移植の実施につき、林野庁（三八上北森林管理署長）からの作業行為承諾書や入林届等の手続が必要であったこと、本件ブナの木周辺を含む奥入瀬渓流歩道の危険木判定や伐採拒否権限は、最終的には控訴人国（林野庁、旧環境庁）にあったこと、合同点検部分に控訴人国の機関も参加し、危険木の判定作業を実施し、その伐採作業を控訴人県に行わせていたことなどからも明らかであって、控訴人国は、本件ブナの木を所有するだけでなく、自ら占有していたことになる。

(3)　控訴人国の主張エ及び控訴人県の主張ウについて

ア　確かに、本件事故現場を含む一帯の天然林は、原則として自然の推移に委ねることを基本にして、森林生態系等の特性に応じ、必要な管理を行うものとされており、農林水産大臣が定める国有林野の管理経営基本計画としての第二次地域管理経営計画書の「自然維持タイプ」に該当する（乙イC6）。しかしながら、本件事故現場は、観光客が多数参集する場所であり、かつ、そのように形成された場所でもあった。このことは控訴人らも十分に認識することができたのであって、本件ブナの木が自然維持タイプ地区に生育していた天然木であったとしても、上記のようなその生立していた状況に照らせば、安全性への社会的な期待は高かったというべきである。加えて、本件ブナの木は、観光客の頭上を枝葉が広く覆った形で生育していたのであって、落枝があった場合に観光客に人的被害を及ぼす危険性は高く、被害の程度も重大であるとみられたから、本件事故現場付近の営造物管理者たる控訴人県、本件ブナの木の占有者である控訴人国には、その管理において、周到な安全点検が求められていたというべきである。そして、証拠（乙ロＣ31、原審証人細井幸兵衛）によれば、生きている木でも太い枝が落下することは自然現象として森林でごく普通に起こる現象であり、高老木では、さらにその頻度が高まることが認められ、また、証拠（甲Ａ17、乙ロＣ４の２、原審証人今裕嗣）によれば、本件ブナの木は、高老木であり、本件事故時には、８月であるのに樹冠の一部に枯葉が残っていただけで、緑の葉は全くなく、立枯れないしそれに近い状態であったことが認められる。したがって、高老木である本件ブナの木が、本件事故のあった平成15年春には、全く芽吹くことがなかったか、一部芽吹いたもののその葉はすぐに枯れたものと推認されるのであって、そうであれば、控訴人らは、本件事故前において、本件ブナの木から落枝が起こり得ることを予測することができたものというべきである。

イ　そして、控訴人県は、事実上、本件空白域を管理している立場から、仮に、控訴人県が、本件ブナの木の枝を伐採する権限を控訴人国から与えられていなかったとしても、その危険性を控訴人国に進言したり、危険箇所の警告表示をするなどして、事故回避措置を講ずることもできたのであって、伐採権限がないことから、直ちに、控訴人県の責任が回避されるものではないというべきである。

ウ　そして、控訴人国についても、控訴人県が相応の管理権限を有していないことにかんがみると、控訴人県の事実上の管理があることをもって、これを占有する者としての責任を逃れることはできないというべきである。

エ　次に、控訴人らは、本件事故発生の年まで、毎年４月に環境庁ないし控訴人県の主催により、本件遊歩道の安全点検（いわゆる合同点検）をしていたものの、証拠（乙ロＣ12の１・２、13の１～３、14の１～４）によれば、点検時間はわずか３時間程度であって、樹木については倒木数本を除去し、危険木をときに１本くらい伐採する程度であったことが認められる。これに対し、証拠（甲Ａ３～６、20～22、乙ロＣ36、原審証人今裕嗣）によれば、本件事故直後に控訴人県が主体となって実施した本件遊歩道全体の緊急点検において、128箇所で枯死立木、枯死枝が確認され、そのうち危険木20本、枯れ枝13本が控訴人国（環境省等）の許可を得た控訴人県により伐採されたこと、控訴人県は、平成16年、17年にも、本件遊歩道についての安全点検を実施し、平成16年には危険木189本を伐採し、平成17年にも約300本の危険木を確認したこと、控訴人県は少なくとも平成17年については４月から10月まで毎月１回の本件遊歩道付近の安全点検を実施したことが認められる。そうすると、本件事故前に控訴人県が主催して行われた合同点検は、危険木の発見、除去という点では、時期的にも、時間的にも、内容的にも、きわめて不十分なものであったというべきであって、本件ブナの木の落枝の危険性がこの点検で発見することができなかったことをもって、結果回避の可能性がなかったなどとみる余地はない。

控訴人らの上記主張は採用することができない。

5　被控訴人らの損害について

⑴　被控訴人Aの治療関係のうち、治療費、付添費、入院雑費、交通費等及び症状固定後の介護費の認定・判断は、原判決20頁16行目から22頁12行目までに記載のとおりであるから、これを引用する。

⑵　家屋の改造費等

ア　証拠（甲B12の1・2、甲B13、15、16、原審における被控訴人A、被控訴人B）及び弁論の全趣旨によれば、①　被控訴人Aは、両下肢完全麻痺等のため、付添人の介護によっても、排泄を自己の意思で行うことができないこと、②　自宅内の移動を始めとして、日常生活を送る上で車いすが必要であること、③　本件事故による後遺症による自律神経障害のため、体温調節機能不全を生じていること、④　現在、料理を被控訴人Aにおいて行っているが、調理器具等の運搬を独力で行うことには困難を伴うこと、⑤　被控訴人らが改造を加えようとする対象家屋は、被控訴人Bが知人を通じて借り受けた物件であるが、その家主において被控訴人らが予定している改造に同意していることが認められる。そして、被控訴人Aの障害の程度及び生活の状況等にかんがみると、見積書（甲B12の2）に計上されている上記借家に対する改造のうち、台所（158万円）、トイレ器具（99万8656円）、ユニットバス及びバスリフト部分の費用（107万6460円）、壁回り断熱工事（260万円）、給排水管、バス取付け、水洗器具取付けに関する費用（90万円）が必要であり、これらとその諸経費（50万円とすることが相当）については、本件事故と相当因果関係にある損害と認められる（以上の合計額は765万5116円になる。）。

イ　他方、上記見積書（甲B12の2）には、エレベーター工事、間仕切り変更、脱衣所増設、部屋増築工事、外構工事、電気工事等の費用があげられているが、被控訴人Aが2階で生活すること、間仕切りの変更、脱衣所の増設、部屋増築工事については、それらの必要性が高いものであるとまではいえないこと、家主の承諾を得ているとはいえ借家であり、将来の使用可能性が必ずしも明らかでないことなどの事情を考慮すると、本件事故と相当因果関係のある損害とは認められない。

ウ　以上によれば、本件事故と相当因果関係にある家屋改造費用は765万5116円と認められる。

⑶　被控訴人Aの逸失利益

ア　前提事実、証拠（甲Ｃ２、原審における被控訴人Ａ）及び弁論の全趣旨を総合すると、被控訴人Ａは、放射線生物学を専攻する研究者であり、本件事故当時、理化学研究所の任期付き研究員として給与所得を得ており、平成14年当時の理化学研究所の年収は、277万6862円であったこと、しかしながら、同被控訴人は、日本大学理工学部物理学科を卒業後、筑波大学大学院修士課程環境科学研究科に入学し、同課程を卒業後、総合研究大学院大学数物科学研究所（放射光化学）に入学し、平成９年９月に同大学を退学していること、その後、国立防災科学技術研究所の研究員として派遣されたり、ラジオアイソトープ技術室に研究員ないし技術研究生として所属するなど研究を進め、理化学研究所在職中の平成14年９月には理学博士号を取得したこと、同研究所において任期付研究員として低収入に甘んじていたのは、恵まれた環境で研究して博士号を取得し、永続的な研究生活に備える意図もあったことが認められる。そうであれば、本件事故時の実収入は、必ずしもその後に得られたであろう収入を示すものではなく、大学院や研究室において得た専門知識や研究実績を生かせば、大学卒業の平均賃金程度の収入を得るがい然性は高かったものと推認することができるのであって、同被控訴人の基礎となる年収額の算定に当たっては、賃金センサス平成15年第１巻第１表の企業別計、女性労働者学歴計大卒の35歳から39歳に平均年収額である566万8200円を基準とすることが相当である。

イ　被控訴人Ａの労働喪失率は100パーセント、同被控訴人の労働喪失期間は28年間であり、そのライプニッツ係数は14.8981である。そうすると、同被控訴人の逸失利益は、8444万5410円（１円未満切捨て）になる。

（566万8200円×１×14.8981≒8444万5410円）

(4)　被控訴人らの慰謝料の認定・判断は、原判決24頁17行目から25頁12行目までに記載のとおりであるから、これを引用する。

(5)　弁護士費用

本件事案の難易度、性質等にかんがみると、本件事故と相当因果関係にある弁護士費用は、被控訴人Ａについて1000万円、被控訴人Ｂについて30万円と認めることが相当である。

(6)　以上の合計（まとめ）

ア　被控訴人Ａの損害のまとめ

(ア)　治療費　136万3753円

(イ)　付添費　53万9500円

(ウ)　入院雑費　50万5500円

(エ)　交通費等　29万0444円

(オ)　症状固定後の介護費　5250万4520円

(カ)　家屋の改造費等　765万5116円
(キ)　逸失利益　8444万5410円
(ク)　入院慰謝料　244万円
(ケ)　後遺障害慰謝料　3000万円
(コ)　弁護士費用　1000万円
(サ)　合計　１億8974万4243円

イ　被控訴人Ｂの損害のまとめ

(ア)　固有慰謝料　300万円
(イ)　弁護士費用　30万円
(ウ)　合計　330万円

ウ　そうすると、被控訴人Ａの請求は、控訴人らに対して１億8974万4243円、被控訴人Ｂの請求は、控訴人らに対して330万円及びこれに対する不法行為日である平成15年８月４日から支払済みまで民法所定の年５分の割合による遅延損害金の支払を求める限度で理由があり、その余は理由がないというべきである。

6　よって、原判決中、被控訴人Ａに関する部分は一部不当であるから、附帯控訴に基づき、この部分を上記の趣旨に変更し、被控訴人Ｂに関する部分は相当であり、控訴人らの控訴は理由がないから、これを棄却する。

（裁判長裁判官・小林克巳、裁判官・小宮山茂樹
裁判官・片野悟好は、転補につき署名、押印することができない。裁判長裁判官・小林克巳）

別紙　図面　略

○城ヶ倉渓流歩道上において発生した落石事故に対する判決

〔平成18年(ワ)第50号〕

主　　文

1　被告は、原告Ａに対し、1292万4072円及びこれに対する平成12年10月10日から支払済みまで年５分の割合による金員を支払え。

2　被告は、原告Ｂに対し、646万2036円及びこれに対する平成12年10月10日から支払済みまで年５分の割合による金員を支払え。

3　被告は、原告Ｃに対し、646万2036円及びこれに対する平成12年10月10日から支払済みまで年５分の割合による金員を支払え。

4　原告らのその余の請求をいずれも棄却する。

5　訴訟費用は、これを２分し、その１を原告らの負担とし、その余を被告の負担とする。

6　この判決の第１項から第３項までは、本判決が被告に送達された日から14日を経過したときは、仮に執行することができる。

事実及び理由

第１　請求

1　被告は、原告Ａに対し、2714万0119円及びこれに対する平成12年10月10日から支払済みまで年５分の割合による金員を支払え。

2　被告は、原告Ｂに対し、1357万0059円及びこれに対する平成12年10月10日から支払済みまで年５分の割合による金員を支払え。

3　被告は、原告Ｃに対し、1357万0059円及びこれに対する平成12年10月10日から支払済みまで年５分の割合による金員を支払え。

4　訴訟費用は被告の負担とする。

第２　事案の概要

本件は、青森市内にある通称「城ヶ倉渓流歩道」（以下「本件渓流歩道」という。）において発生した落石事故（以下「本件落石事故」という。）により死亡した亡Ｄの相続人である原告らが、本件落石事故は本件渓流歩道の管理の瑕疵によって発生したものである旨主張して、本件渓流歩道の管理者である被告に対し、国家賠償法２条１項に基づき、本件落石事故により生じた損害金合計5428万0238円のうち、原告Ａは2714万0119

円、原告Ｂ及び原告Ｃは各1357万0059円並びにこれらの各金員に対する本件落石事故の日である平成12年10月10日から支払済みまで民法所定の年５分の割合による遅延損害金の支払を求めたという事案である。

その中心的な争点は、⑴本件渓流歩道の設置管理の瑕疵の有無、⑵設置管理の瑕疵と損害の発生との間の因果関係の有無、⑶損害の発生及びその額、⑷消滅時効の成否である。

１　前提事実

以下の事実は、括弧内に記載した証拠により認めることができるか、又は当事者間に争いがない。

⑴　本件落石事故の発生

亡Ｄ（昭和３年２月生まれ。当時72歳）は、平成12年10月10日午前11時25分ころ、青森市大字荒川字荒川山１番地１所在の通称「城ヶ倉渓流歩道」（本件渓流歩道）を散策中、本件渓流歩道の西方入口（城ヶ倉側入口）から約100メートルの地点（本件渓流歩道の上部に交差する形で架けられている城ヶ倉大橋の東側橋梁の本件渓流歩道上の垂線を基点とした場合、同所から東方27.6メートルの地点。以下、この地点を「本件落石事故現場」という。甲３の31頁、32頁）において、上方から落下してきた岩石の直撃を受け、同日午後０時50分ころ、搬送先のＥ病院において死亡した（甲３～甲10）。

⑵　当事者

原告Ａは亡Ｄの妻であり、同Ｂ及び同Ｃはいずれも亡Ｄの子であり、それぞれ２分の１、４分の１、４分の１の相続分を有する亡Ｄの相続人である（甲14～甲16）。

被告は、公の営造物である本件渓流歩道を整備し、管理する地方公共団体である。

⑶　本件渓流歩道の観光的価値及び位置関係

城ヶ倉渓流は、南八甲田山系に源を発し青森湾に注ぐ荒川の上流先行谷である城ヶ倉渓谷を流れる渓流であり、河床が変化に富んでいて流水の変化も男性的であり、渓谷全体に自然に配置された天然石、岸壁を流れ落ちる滝、松、コメツガ、ブナ等の樹木が一体となった景色等を鑑賞することができる優れた景観美を持つ名勝であり、本件渓流歩道は、十和田八幡平国立公園の中に位置し、城ヶ倉渓流に沿って、東方入口であるＦ温泉南方の新湯付近から西方入口である城ヶ倉大橋直下の荒川２号橋付近までの約2.1キロメートルにわたって東西に設置されている（甲12、乙15の２）。

⑷　本件落石事故に関する刑事処分

本件落石事故については、事故当時の現場管理者であった被告の観光課長（以下「被告担当者」という。）に対する業務上過失致死事件として立件され、平成16年10

月１日、青森警察署から青森地方検察庁に対する書類送検がされたが（甲１）、同検察庁は、平成17年９月９日、被告担当者を不起訴処分とした（甲２、甲18）。

(5)　本件訴訟の提起

亡Ｄの相続人である原告らは、平成18年２月22日、本件落石事故により亡Ｄが死亡したことについて、被告には国家賠償法２条１項に基づく損害賠償責任がある旨主張して、本件訴訟を提起した。

２　当事者の主張

(1)　本件渓流歩道の設置管理の瑕疵の有無

ア　原告らの主張

(ア)　本件落石事故現場付近の状況等

本件渓流歩道のある渓谷の斜面は、主として、火山性の流紋岩溶岩からなっており、その溶岩が琉理構造（溶岩が流れたときにできる面構造）を形成し、これがその後の地殻変動により縦方向又は斜め方向に柱状節理（柱状の規則正しい割れ目）となって発達している。このような柱状節理は長年月の風化作用により剥離して岩石となるが、本件落石事故現場の北側上方には、それらの岩石群が溜まる場所（ロックシェルター）があり、更にその下方には一部はオーバーハング化（傾斜が垂直以上になっている状態）した断崖があって、本件渓流歩道（本件落石事故現場）はその断崖の直下に位置する。そして、上記ロックシェルター部に溜まっていた岩石が、自然の風化作用による支持力の低下を含む何らかの原因によって上記断崖から落下し、本件落石事故現場にいた亡Ｄを直撃した。

(イ)　本件渓流歩道の管理の瑕疵

本件落石事故現場は、その上方が上記(ア)のとおりの状況であり、常に落石の危険のある場所であった上、本件渓流歩道は一般観光客向けの遊歩道として多数の観光客の通過が当然に想定されていたものであるから、その管理者である被告としては、落石が発生しないように上方にある岩石を完全に取り除いたり、落石防止ネットを敷設して岩石を固定したりするなどして、落石の発生そのものを未然に防止する措置を講じるか、又は、落石が生じた場合に備えて、落石防護柵等を設けたり、場所によっては迂回ルートを設けたりすることにより、落石の及ぼす影響を除去するなどして、落石による直撃事故を防止する措置を講じて人身事故の発生防止に万全を期するべきであった。そうであるにもかかわらず、被告は、落石事故防止のための措置を全く取っていなかったのであるから、本件渓流歩道の管理について瑕疵があった。

また、被告が想定していた本件渓流歩道の利用者は、レジャー又は観光の一環として自然に親しみ、自然を愛する普通の人々であるところ、被告は、利用者に対するヘルメットの貸出しに加え、利用者に配布するパンフレット及び渓流入口の案内板における落石事故に対する注意喚起の文言により、利用者に対する危険性の周知に努めていたようであるが、その程度の注意喚起等がされていたからといって、生命に対する危険の告知としてはおよそ不十分であり、自己の生命に対する危険についてまで利用者自身の自己責任に帰することができるものとは考えられない。

さらに、そもそも被告は、本件渓流歩道の管理が万全であったかのように主張するが、被告が委託していた管理業務が受託団体(G)において適正に行われていたか否かには重大な疑問があるし、仮に適正に行われていたとすれば、本件落石事故の相当以前から現場に存在していたと推定される大小数十個の岩石を漫然と見過ごしていたか、又は発見しながら落石対策を全くしなかったことになり、それ自体が本件渓流歩道の管理に瑕疵があることに他ならない。

(ウ) 本件落石事故発生の予見可能性

被告は、本件渓流歩道の供用再開前に行われた事故防止及び安全管理体制についての調査検討の結果である「城ヶ倉渓流歩道整備に係る事故防止対策検討調査（報告書）」（以下「本件報告書」という。）において、本件落石事故現場について、「この地点は、上の方からの落石に対する防護…を必要とする」との指摘を受けていたことから、落石の危険を当然に認識していた。また、被告は、入渓者に対し、届出義務を課した上で、落石事故に備えて防護用ヘルメットの着用を義務付けていたことなどからしても、本件落石事故の発生を未必的に認識していたといっても過言ではなく、少なくともその予見可能性はあった。

イ 被告の主張

(ア) 本件渓流歩道の供用再開までの経緯等

被告は、昭和49年に発生した風倒木の落下事故等により閉鎖されていた本件渓流歩道の供用を再開するに先立って、同事故発生当時に示された国による指導内容が実現可能であるか否かについて、国や県等の関係機関との十分な連携の下、昭和61年から数次の現地調査を行うなどし、平成元年には、H大学教授を始めとする合同の渓流調査隊を組織して、本件渓流歩道における事故防止及び安全管理体制について調査及び検討を行い、この調査検討結果である本件報告書をもとに、本件渓流歩道の整備及び管理方針（「青森市城ヶ倉渓流歩道整備及び管理方針」）を定め、これに基づき、落石や転石が生じやすい箇所等での迂回路の新設、つり橋架設、風化岩取除、岩盤掘削、落石処理、転石防止、歩道拡幅、風倒木整理、刈払い、案内板の設置等の安全確保及び事故防止策を実施し、これらの事業に当時の予算額として9269万円余の予算を投じた。

また、被告は、供用再開後の管理運営面についても管理方針（「城ヶ倉渓流管理方針」）を定め、この中で、本件渓流歩道を「情報と点検の密度を高めた登山道」（自然の中を自己責任行動するエリア）と位置付けていた。

(イ)　供用再開後の本件渓流歩道の管理状況

被告は、本件渓流歩道の維持管理業務を効果的に実施するために、城ヶ倉渓流を含む八甲田地区の地形、植生、利用状況等の実情を極めてよく把握し、天候変化等に即応可能な団体(G)に同業務を委託し、定例的な管理を行わせてきたほか、台風の接近に伴う本件渓流歩道の閉鎖や雪解けによる増水のための通行止め等の渓流の状況変化等に対する措置を行い、また、本件渓流歩道が「登山道」であり利用者がその責任と相当の注意をもって利用すべき旨を、事故防止用ヘルメットの貸出しの際に配布するパンフレットや渓流への２か所の入り口に設置された案内板に明示するなどしてその周知に努め、さらに、毎年、本件渓流歩道の開放前に、冬季間に生じた破損箇所の修繕、風倒木の処理、歩道や階段の整備を実施し、加えて、本件報告書には落石危険箇所として指摘がなかった箇所についても、独自の安全措置として、落石防止ネットの設置及びその修繕をし、これらの事業に当時の予算額として3249万円余の予算を投じてきた。

(ウ)　本件落石事故現場における落石発生の不存在等

本件落石事故現場においては、本件渓流歩道を再開した平成５年７月から本件落石事故発生までの７年余の期間中、被告の知る限りにおいては落石発生の事実がなかったのであり、本件報告書においても、「著しく足場が悪いので、通行者が滑落することの無いように従来の足場の拡幅をする」ことが対応策として指摘されていたものの、落石の危険性は指摘されておらず、被告は、本件落石事故現場周辺について落石防止措置の必要性を認めていなかった。

(エ)　被告に本件渓流歩道の設置管理の瑕疵がないこと

国家賠償法２条１項所定の「設置又は管理の瑕疵」とは、判例上、「営造物が通常有すべき安全性を欠いていることをいい、これに基づく国及び公共団体の賠償責任についてはその過失の存在を必要としない」（最判昭和45年８月20日民集第24巻９号1268頁）と定義され、また、このような瑕疵の有無は、「当該営造物の構造、用法、場所的環境及び利用状況等諸般の事情を総合考慮して具体的、個別的にすべきものである」（最判昭和53年７月４日民集第32巻５号809頁）とされているところ、「通常有すべき安全性」は、①他人に危害を及ぼす危険性、②予見可能性、③回避可能性の３点を基準にして判断することが妥当である。

本件落石事故は、上記(ウ)のとおり、本件落石事故現場において極めて稀に発生した落石によるものであり、その予見可能性は認められない。また、本件渓流歩道は、「遊歩道」ではないから、利用者が本来自然の有する危険性に対し特段の注意を払う必要のない程度にまで安全性を求められるものではなく、「登山道」として、利用者が自らの責任と注意に基づく行動を求められる通常備えるべき安全性を具備していれば足りる。そうであるところ、被告は、上記(ア)及び(イ)のとおり、本件渓流歩道の設置及び管理に関し、施設及び設備面の整備や管理及び運営面についての措置を尽くしており、設置管理者としての危険回避措置義務を果たしていたから、上記「登山道」としての安全性を具備していた。

したがって、被告には、本件渓流歩道の設置管理に瑕疵はない。

(オ) 原告らの主張に対する反論

被告が本件渓流歩道について「登山道」と称するのは、設置者や管理者、利用者にとって不測の事態が発生する可能性を完全には否定しきれない類の工作物であるという意味であり、設置者又は管理者による完全な管理が可能である都市部やその郊外等に設けられるような工作物について一般に称される「遊歩道」との差異を示すためのものである。

そして、被告が本件渓流歩道を「情報と点検の密度を高めた登山道」として位置付け、それに応じた対策を講じるとともに、管理運営を行っているのは、利用者にもその旨を周知して上記の認識を共有させ、それに応じた行動を促すことにより、危険の回避又は軽減を図ることができ、利用者の利益になるからである。原告らは、その周知や注意喚起の内容が生命の危険についてのものとしては不十分であると主張するが、およそ自然の中でのレジャーにおいては、開設者が万全の措置を講じても、不測の事態が発生した場合には生命や身体に危害が及ぶことは周知の内容如何には関わらないし、本件渓流歩道に係る危険性の周知は個々の入渓者に対して行っており、その内容や密度は他の屋外レジャー施設に比して勝りこそすれ、劣ることはない。

また、本件渓流歩道は、渓流沿いにあることから、春先の雪解けによる増水等により冠水することもあり、その際に上流から流されてくる岩石や、下流へ流される岩石が存在することも推定されるから、本件落石事故現場に点在する岩石が、渓流の増水により流下したものなのか、現場上方からの落石によるものかの判定は困難である。

さらに、城ヶ倉渓流の検査業務（パトロール）については、その管理業務の受託者であるＧが渓流全域について行っていたものであり、本件落石事故現場の検査業務（パトロール）を怠っていたものではない。

(2) 設置管理の瑕疵と亡Ｄ死亡との間の因果関係の有無

ア　原告らの主張

本件落石事故における落石の原因を詳細に特定することは困難だとしても、本件落石事故現場が落石の危険に常時さらされていたこと、被告が事故防止を期するべく万全の措置を取っていなかったことは明らかであり、本件落石事故の刑事処分において、落石の発生原因が不明なことを理由の一つとして被告担当者が不起訴処分となったことは、被告の損害賠償責任に影響を及ぼすものではない。

また、被告は、本件落石事故が発生するまでは本件落石事故現場において全く落石がなかったと断定するが、本件落石事故現場に点在する大小数十個の岩石のほとんどは、下部周囲に土砂が堆積しており、相当以前から同所に存在していると推定されるものであり、このことは、本件落石事故現場においては、本件落石事故の発生以前から岩石が落下していたことを如実に物語るものである。

イ　被告の主張

本件落石事故の発生当日、本件落石事故現場の直上にある県道において、ガードレール補修工事が行われていたこと、平成５年７月以降本件落石事故の発生当日までは、本件渓流歩道の開放期間中、被告の知る限りは本件落石事故現場において全く落石発生の事実がなく、本件落石事故に限って自然現象により落石が発生したというのは偶然すぎると考えられること、上記補修工事現場と本件落石事故現場との間にある台形状の湿地部分に上記補修工事に伴い落下したとみられるコンクリート片等が多数発見されていること、青森県警が当初は被告担当者のほかに上記補修工事の施工業者らも送検する方針であったところ、結局は被告担当者だけを送検した上、その被告担当者も落石の原因が特定できなかったことを理由の一つとして不起訴処分にされたことなどの事情を総合すると、上記補修工事の影響により落石が生じた可能性を否定しきれず、本件渓流歩道の設置管理の瑕疵と本件落石事故による損害の発生との間の因果関係は不明である。

(3)　損害の発生及び額

ア　原告らの主張

(ア)　葬儀関係費用　　　　150万円

(イ)　逸失利益　　　　1784万5671円

（80万2632円＋207万3800円）×8.863×（１－0.3）＝1784万5671円

亡Ｄは、元国家公務員（営林署職員）であり、本件落石事故時には既に退職して、老齢基礎年金として年額80万2632円、退職共済年金として年額207万3800円（いずれも死亡前年の平成11年の受給額）を受給していた。

亡Ｄの死亡時の年齢は72歳であり、死亡前年である平成11年当時の平均余命は12.16年（端数を切り捨て、12年とする。）であることから、そのライプニッツ係数は8.863である。

亡Ｄは死亡当時妻である原告Ａと２人暮らしであったこと、亡Ｄは老齢基礎年金を受給していたこと、原告Ａも年額約220万円の教職員退職共済年金を受給していたことなどからすると、基本的な生活費は退職共済年金以外で十分賄えたものであり、このような事情を考慮すると、生活費控除率を３割とすべきである。

(ウ) 慰謝料　3000万円

(エ) 弁護士費用　493万4567円

(オ) 損害金合計　5428万0238円

(カ) 原告らの相続額

原告Ａの相続分２分の１　2714万0119円

原告Ｂ及び同Ｃの相続分各４分の１　1357万0059円

よって、国家賠償法２条１項に基づき、被告に対し、原告Ａは2714万0119円、同Ｂ及び同Ｃは各1357万0059円並びにこれらの各金員に対する平成12年10月10日（本件落石事故の日）から支払済みまで年５分の割合による遅延損害金の支払を求める。

イ　被告の主張

争う。

(4) 消滅時効の成否

ア　被告の主張

原告らは、本件落石事故の発生当日に、被告の観光課職員から「公園を管理している者」である旨告げられていたから、同日において「損害及び加害者」を知っていたことになるし、仮にその時点において原告らが亡Ｄの死亡原因を知らなかったことから上記発言内容が理解できなかったとしても、平成13年２月２日付けで青森警察署に被告の対応を非難する内容の内容証明郵便を送付した時点においては、亡Ｄの死亡原因が落石によることを知っていたのであるから、遅くとも同日時点において、「損害及び加害者」を知っていたといえる。

したがって、本件においては民法724条の消滅時効が完成しており、被告はこの消滅時効を援用する。

イ　原告らの主張

原告らは、捜査機関による捜査の進ちょく状況以外には本件落石事故の真相を知る手段がなかったところ、加害者が被告である可能性を知ったのは、本件落石事故発生当時の被告の観光課長が書類送検された平成16年10月の時点であるし、さらに、加害者が被告であると現実に認識したのは、青森地方検察庁において不起訴処分の決定がされた後に、原告らが代理人弁護士を通じて不起訴事件記録の閲覧謄写申請をして、同検察庁からその許可が得られた平成17年11月の時点である。

原告らが平成13年２月に青森警察署に内容証明郵便を送付したことは確かであるが、それは、本件落石事故発生直後、被告の観光課職員が何らの根拠もなく亡Ｄの死亡は自己過失による転落死である旨主張したことから、捜査機関に対して真実を追究すべく適正な捜査を要請する意味でしたためたものであり、原告らが加害者を知ったことの根拠とはならない。

第３　当裁判所の判断

１　裁判所が認定した事実

前記前提事実のほか、証拠（甲１～甲12、甲17～甲21、乙１の１～乙44）及び弁論の全趣旨により認めることができる事実を加えると、本件の事実経過等として、以下の事実を認めることができる。

(1)　本件渓流歩道の設置から閉鎖までの経緯等（甲11、甲12）

本件渓流歩道は、昭和７年に青森営林署によって国有林見回り道として設置されたものであるが、昭和９年に国民宿舎Ｆ温泉が開業して以来、八甲田山を探勝する観光客等が城ヶ倉渓流を散策するための道として、利用されるようになった。

昭和30年にＦ温泉が渓流探勝者の利便に供するため本件渓流歩道の改修及びつり橋の架設を行ったが、利用者から本件渓流歩道の整備に対する強い要望があったため、被告は、国及び県と協議の上、国立公園の歩道事業として、昭和46年から翌47年にかけて２か年計画により本件渓流歩道の整備を行った。その結果、本件渓流歩道は、地理的に青森市の市街地近傍に位置していたこともあり、身近なハイキングコースとしてその利用者が急増することとなった。

上記整備後も、本件渓流歩道は、渓流の両壁が柱状節理の発達した岩壁となっており、歩道への落石や転石の危険性が考えられたため、巡視等による安全管理対策が行われていたが、昭和49年９月13日、集団遠足で入渓していた青森市内の中学生５名が、風倒木の落下により重軽傷を負う事故が発生した上、同年冬の豪雪によるつり橋の破損や、翌昭和50年の集中豪雨による土砂崩れの発生等もあり、その復元整備に問題があったことから、本件渓流歩道はいったん閉鎖された。

(2)　本件渓流歩道の供用再開までの経緯等（甲11、甲12、乙44）

その後、青森県、Ｆ温泉、一般利用者等から本件渓流歩道再開の強い要望があったことや、閉鎖されたにもかかわらず相当数の入渓者があり、これを看過した場合には不測の事故が発生することも懸念されたことなどから、被告は、歩道事業の執行とは単に施設の整備にとどまらず巡視や施設の改善等の管理行為をも当然に含むものであるから本件渓流歩道を廃止するよりも改善の努力をして事業継続の方向で検討されたい旨の前記風倒木落下事故発生当時に国から示された指導内容（乙１の１～３）を踏まえて、昭和61年から再開に向けての数次の現地調査を行い、平成元年にはＨ大学教授Ｉ、県及び被告の担当者、地元関係者からなる合同の渓流調査隊を組織して本件渓流歩道における事故防止及び安全管理体制について調査検討を行い、この調査検討結果である本件報告書（甲12）に基づき、渓流の状態に応じた安全確保及び事故防止策を講じれば本件渓流歩道の再開が可能であるとの結論に至った。

そこで、被告は、安全確保及び事故防止のための具体的な措置及び対策を講じるに当たって、国や県等の関係機関と連携を図りながら（乙５の１～乙６の４）、本件報告書に基づき「青森市城ヶ倉渓流歩道整備及び管理方針」（乙５の３）を定め、これに従って、落石や転石が生じやすい箇所等での迂回路の新設、つり橋架設、風化岩取除、岩盤掘削、落石処理、転石防止、歩道拡幅、風倒木整理、刈払い、案内板の設置等を実施し（乙３～乙４の３、乙７の１～乙14の３、乙16の１及び２）、これに約9269万円の予算を投じた（乙２の１）。そして、本件落石事故現場付近についても、本件報告書（甲12）において、「危険度数13（最高位19）」及び「緊急度Ⅱ（最高位Ⅰ）」に位置付けられ、その状況は「小規模の落石が生じる」とされ、その対応（改修）策として「刈払い岩盤削取風化岩除去」との指摘を受けるとともに（甲12の15頁～16頁、乙44の17頁）、「安全通過についての所見」として「この地点は、上の方からの落石に対する防護と、足場の悪さにより人の滑り落ちることのないような棚を必要とする。なお、立ち止まらず速やかに通過だけするように指導する。」（甲12の20頁）旨が指摘されていたことから、これらの指摘に沿った対策工事を実施した（乙44の17頁）。

被告は、上記の措置及び対策を講じた後、平成５年７月20日から本件渓流歩道の供用を再開した（甲11）。

⑶　供用再開後の本件渓流歩道の管理状況（乙44）

被告は、供用再開後も関係機関との連携を図る一方（乙20の１～３）、供用再開後の管理運営面について、「城ヶ倉渓流管理方針」（乙15の１及び２）を定め、この中において、本件渓流歩道を「情報と点検の密度を高めた登山道」（自然の中を自己責任で行動するエリア）と位置付け、利用者に対し、安全確保及び事故防止策として、意識啓発用の簡易軽量型ヘルメット（ただし、安全認定がなく、防護能力がほとんどないもの。甲17）の無料貸出しを行って危険区域を通行しているとの意識の発揚を図り（乙44の８頁～９頁）、その貸出しの機会を利用して登山の際の入山届に相当する入渓届（乙15の２の９頁）を義務付けるとともに、「城ヶ倉渓流歩道は、登山の時と同じような装備をしたうえ、安全管理には十分注意してください。」などと記載されたパンフレット（乙40）を配布し、渓流への２箇所の入口に設置されている案内板（乙41の１及び２）にも「城ヶ倉渓谷（渓流歩道）は常に落石や転落等による事故の発生が考えられますので危険であることを認識のもとに、自らの責任で十分注意し行動して下さい。」と明示して、本件渓流歩道が登山道であり利用者が相当の注意をもって自己責任で利用すべきであることについての周知を図った（乙９の５）。

また、被告は、Ｆ温泉及びＪ温泉を含む八甲田山地域の観光関連業者で組織するＧが本件渓流歩道の出入口両端に最も近い場所で事業を行い、環境や気象等の即時的な周辺状況の把握も可能である上、職員の中に自然公園指導員を有するなど適切な公園利用に関する知識経験を有すると考えられたことから（乙44の６頁～７頁）、本件渓流歩道の維持管理業務を効果的に実施するために、Ｇに対し、本件渓流歩道の管理業務を毎年有償（約170万円前後）で委託し、定期的な巡回点検や異常の有無の報告等をさせるなどしていたほか（乙21の１～３、乙26の１～３、乙30の１及び２、乙35の１～４、乙39の１～５、乙43）、渓流の状況変化等に対する措置として、台風の通過による一部破損に伴う閉鎖（乙31）や、雪解けによる増水のための通行止め（乙33）等の対応も行うなどしていた。

さらに、被告は、毎年、本件渓流歩道の開放前に、冬季間において発生した破損箇所の修繕、風倒木の処理、歩道や階段の整備を実施し（乙22の１～乙25の３、乙27の１～乙29の３、乙32の１～３、乙34の１～４、乙36の１～３、乙38の１～４）、これを同一の事業者（株式会社Ｋ）に継続的に受注させ、同一の現場監督や作業員に継続的に行わせることにより、ノウハウの蓄積や活用が図られるようにした（乙44の11頁）。

加えて、本件報告書には落石危険箇所として指摘のなかった箇所についても独自の判断で落石防止ネットを設置し（平成６年から平成11年にかけて３か所で合計772平方メートル）、その修繕を行った（乙17の１～乙19の７、乙37の１～３）。

以上のとおりの本件渓流歩道の供用再開後の設備等の維持管理のために、被告は約3249万円の予算を投じ（乙２の２）、本件落石事故現場付近についても、毎年、開放期間前には調査や必要な修繕を行い、開放期間中にも継続的な巡視等を行った（乙44の17頁）。

平成５年から平成12年までの入渓者は３万1226名であり、この間に被告が支出した修繕費、委託費等の運営管理費の合計は約4600万円であり、一人当たり約1400円であった。再開当初の整備費用約9874万円を加えると、入渓者一人当たりの費用額は約4600円になっていた（乙44の12頁）。

(4)　本件落石事故の発生

亡Ｄ（当時72歳）は、平成12年10月10日午前11時25分ころ、秋田県●●町（当時）の自然を楽しむ会のメンバー約20名と一緒に（甲２、甲９）、前記のとおり防護能力のほとんどない簡易軽量型ヘルメットを着用して、本件渓流歩道を散策中、本件渓流歩道の西方入口（城ヶ倉側入口）から約100メートルの地点にある本件落石事故現場において、上方から落下してきた岩石の直撃を頭部に受け（乙42の１～４）、同日午後０時50分ころ、搬送先のＥ病院において死亡した（甲３～甲10)。

⑸　本件落石事故直後の事故現場に残されていた真新しい岩石

本件落石事故から10日後の平成12年10月20日に実施された現場の実況見分においては、別紙１「現場見取図第１図」（甲６添付）記載のとおり、本件落石事故現場の直近に存在する岩石の中に（同図面Ａ地点)、真新しい擦過痕跡が残る岩石（長さ約51センチメートル、上幅約60センチメートル、上幅部分厚さ約30センチメートル、下幅約34センチメートル、下幅部分厚さ24センチメートル、重さ約62.5キログラム）が発見され、その周囲（同図面Ｂ地点）には同様の岩石の小破片（真新しい破砕面が一致することからＡ地点の岩石の先端から剥がれたと考えられる小破片）が破砕面を上向きに落下していた（甲５、甲６)。

そして、上記の真新しい落石は、上部のロックシェルター部にある節理塊と同様の流紋岩（節理塊）であった（甲10)。したがって、これらの岩石が亡Ｄの頭部を直撃した可能性が高い。

⑹　本件落石現場への落石の危険性

ア　本件落石現場の北側斜面等の地形等

本件落石事故の発生後に行われた鑑定の結果（甲10）によれば、次のとおり認めることができる。本件落石事故現場の北側斜面は、別紙２「図１．現場模式断面図」（甲10添付）のとおり、上方から順に、県道青森・田代・十和田線直下から始まる傾斜50～45度の急な斜面があり、その下に傾斜45～30度の少し緩やかになったロックシェルター部があり、更に下方に一部オーバーハングしている高度差約30メートルの急崖部を経て本件渓流歩道があり、本件渓流歩道脇の高度差数メートルの斜面を経て渓流（河床）へとつながっていた。そして、別紙３「平成13年７月20日付け現場見取図」（甲７添付）記載のとおり、これらの斜面は、城ヶ倉渓流の屈曲部に位置して沢を形成し、この沢は、水が流れ、樹木がないために石等が転がりやすい樋状の地形（甲８）になっており（同図面①地点付近にはコンクリート片20～30個が存在しており、同図面⑦地点付近にも約30個のコンクリート片が存在していた。)、二つの沢が合流する湿地帯（同図面②地点）から沢の斜面がやや緩やかに変化している上記ロックシェルター部には、その上の斜面にある柱状節理から剥離した岩塊（30センチメートル×15センチメートル×10センチメートル程度の大きさのもの）に混じって、コンクリート片40～50個（20～30センチメートル×20～30センチメートル）が混在していたが（同図面④地点)、オーバーハング直上部（同図面Ｄ地点）にはコンクリート片が存在していなかった（甲３、甲７)。そして、本件落石事故現場は、この樋状の沢の延長線と本件渓流歩道との交差部に位置しているため、本件落石現場の真上に位置する上記ロックシェルター部にある岩塊が、工事や地震等の振動や降雨による土壌の流出に起因する岩石周囲の支持力の低下等により、直下にある本件落石現場へ落下する可能性があった。

イ　本件落石現場にあった岩石の状況

実際にも、本件事故直後の本件落石事故現場付近には、大小数十個の岩石が固まって存在していたが、その岩石の下部周囲に土砂が堆積していたことからすると（甲６）、その岩石は相当以前から同所に存在しているものと認められる。そして、その岩石は、川の上流から流されたものではなく、北側斜面上方からの落石であったものと認めることができる。すなわち、①川の増水時に上流から流れてきた岩石であれば、本件事故現場の上下流にも同様の岩石が散在しているはずであるが、本件事故現場の上下流方向には同種の岩石が散在していないこと、②本件落石事故現場付近には、真上にある沢の水が本件渓流歩道の歩道脇を伝って数メートル下の河床に流れ込むために斜面を削ったのではないかと思われる窪みがあり、その窪みに後で落石による自然石が埋まってできたかのような逆三角形の岩石群が歩道脇から河床まで流れるように固まって存在していたことからすると（甲３の写真番号34～36、甲４の４頁及び５頁の各写真、甲５の218丁表裏の各写真）、上記岩石は増水時に上流から流されてきたものではなく、北側斜面からの落石であったものと認めるのが相当である。

ウ　本件落石事故後の落石実験の結果

平成12年10月24日、本件落石事故現場において、青森県警察による落石実験が行われ、次のような結果が判明した。本件落石事故現場に至る急斜面には、別紙４「平成12年10月24日作成図面」（甲８添付）のとおり、流水により削り取られて生じたと認められる雑木等のない樋状の部分があり、上方の旧道の下にある同図面①の沢から人為的に自然石を転がしたところ、途中で停止するものもあったが、渓流まで達したものもあり、その自然石は同図面③の沢を斜めに横切り、本件落石事故現場のやや下流側に落下した。他方、同図面②の沢からコンクリート塊を転がしたところ、途中で停止するものもあったが、渓流まで達したものは同図面③の沢に沿って転がり落ち、ほぼ本件落石事故現場付近に落下した（甲８）。

エ　以上によれば、落石の通り道である沢の延長線上にあるロックシェルター部の直下に位置する本件落石事故現場付近は、上記ロックシェルター部の岩塊を取り除き、又は固定したり、落石防止柵等で止めるなどの処置を取らない限り、落石の危険性を回避することが困難な場所であったということができる（甲10）。

(7)　本件落石事故発生当日における被告観光課職員の発言内容

本件落石事故の発生当日、被告の観光課職員は、原告Ａに対し、「公園を管理している者」である旨告げた上、本件落石事故について、落石事故ではなく単なる転落事故である旨説明した（甲19）。

⑻　原告Aによる青森警察署長に対する内容証明郵便の送付

原告Aは、平成13年２月２日付けで、青森警察署長に対し、本件落石事故に係る捜査の内容や進ちょく状況の照会及び本件落石事故発生当日における被告の観光課職員の対応等を非難する内容の内容証明郵便を送付した（甲19）。

⑼　本件落石事故に関する刑事処分

本件落石事故については、当初は本件落石事故現場の直上に位置する県道上においてガードレールの補修工事を行っていた施工業者らを被疑者とする立件も検討されていたものの（甲３、乙42の１～４、乙44）、最終的には事故当時の現場管理者であった被告担当者のみに対する業務上過失致死事件として立件され、平成16年10月１日、青森警察署から青森地方検察庁に対して書類送検をされたが（甲１）、同検察庁は、平成17年９月９日、落石の原因を特定できないことや被告が本件渓流歩道の安全対策に多額の予算を投じており社会通念上要求される注意義務を尽くしていたことを理由に、嫌疑不十分として被告担当者を不起訴処分とした（甲２、甲18）。

⑽　原告Aによる不起訴事件記録の謄写

原告Aは、平成17年11月18日、代理人弁護士を通じて、不起訴となった被告担当者に対する上記業務上過失致死事件に係る捜査関係記録を謄写した（甲20、甲21）。

⑾　本件訴訟の提起

亡Dの相続人である原告らは、平成18年２月22日、本件落石事故によって亡Dが死亡したことにつき、被告は国家賠償法２条１項に基づく損害賠償責任を負担すべきであるとして、本件訴訟を提起した。

2　本件渓流歩道の設置管理の瑕疵の有無について

⑴　国家賠償法２条１項にいう公の営造物の設置又は管理の瑕疵とは、営造物が通常有すべき安全性を欠いていることをいい（最高裁昭和42年㈴第921号同45年８月20日第一小法廷判決・民集24巻９号1268頁参照）、当該営造物が通常有すべき安全性を欠いているか否かの判断は、当該営造物の構造、用法、場所的環境及び利用状況等諸般の事情を総合考慮して具体的個別的に判断すべきであるが（最高裁昭和53年㈴第76号同年７月４日第三小法廷判決・民集32巻５号809頁参照）、当該営造物の利用に付随して死傷等の事故の発生する危険性が客観的に存在し、かつ、それが通常の予測の範囲を越えるものでない限り、管理者としては、事故の発生を未然に防止するための安全施設を設置するなどの必要があるものというべきであり（最高裁昭和54年㈴第227号同55年９月11日第一小法廷判決・判例時報984号65頁参照）、管理者がそのような対策を講じなかったために当該営造物の利用に際し安全性が確保されていなかった場合には、当該営造物の設置又は管理に瑕疵があったものと認める

のが相当である。

⑵　これを本件についてみると、前記認定のとおり、①落石の通り道である沢の延長線上にあるロックシェルター部の直下に位置する本件落石事故現場付近は、上記ロックシェルター部の岩塊を取り除き、又は固定したり、落石防止柵等で止めるなどの処置を取らない限り、落石の可能性があったこと、②本件落石事故現場が本件渓流歩道の西方入口（城ヶ倉側入口）付近にあり、多くの利用者が通過する場所であること、③本件落石事故現場のような幅員約90センチメートル（甲３）程度の歩道上において、利用者が上方からの突然の落石を自力で回避することは困難であること、④本件落石事故現場の南側は渓流に至る斜面となっており、落下してきた岩塊が衝突することによって、利用者が本件渓流歩道上から渓流に転落するおそれがあったこと、⑤上記ロックシェルター部と本件渓流歩道との高低差が20メートル以上はあり、本件渓流歩道と渓流の河床との高低差も数メートルはあること（甲10）などにかんがみると、本件落石事故現場付近においていったん落石が発生した場合には、それが本件渓流歩道を通行中の利用者を直撃するおそれがあり、しかも、20メートル以上の高さから落下してくる岩塊による衝撃の大きさや、数メートル下の渓流に転落する際の衝撃の大きさも相まって、落石の直撃を受けた利用者の生命等に重大な結果を生じさせる客観的な危険性が常時存在していたものと認めるのが相当である。そして、このような危険性は、前記認定のとおりの本件渓流歩道の構造や用法、場所的環境、利用状況等に照らせば、通常の予測の範囲を超えるものではないと認めるのが相当である。

したがって、本件渓流歩道の管理者である被告としては、落石事故の発生を未然に防止するために、落石が発生しないようにロックシェルター部にある岩塊を完全に取り除いたり、落石防止ネットを敷設して岩石を固定するなどして、落石の発生そのものを未然に防止する措置を講じるか、又は、落石が発生した場合に備えて落石防護柵等を設け、場所によっては迂回ルートを設けたり、落石に耐え得るシェルターを設けたりすることにより、落石の及ぼす影響を除去するか、若しくは、もし仮にそれらの手段が取り得ないのであれば、究極的には本件渓流歩道を通行止めするなどして、落石による直撃事故を防止する措置を講じる必要があったというべきである。そうであるのに、被告は、事故防止及び安全管理のため、前記認定のとおりの一定の措置を一応講じてはいたものの、本件落石事故現場については、上記のような落石防止措置等を講じることまではしなかったのであるから、本件渓流歩道の設置管理には瑕疵があったものと認めるのが相当である。

⑶　これに対し、被告は、本件渓流歩道の設置及び管理に関し、施設及び設備面の整備や管理及び運営面についての措置を尽くしており、設置管理者としての危険回避措置義務を果たしていたというべきであり、これにより、本件渓流歩道は、利用者

が自らの責任と注意に基づく行動を求められる「登山道」として通常備えるべき安全性を具備していた旨主張する。

しかし、前記説示のとおり、①落石の通り道になっている樋状の沢の存在、②その下部にあるロックシェルターの存在、③その真下に位置する本件落石事故現場にあった落石と疑われる大小数十個の岩石の存在からみて、本件渓流歩道の管理者である被告としては、落石事故の発生を未然に防止するために、落石の発生そのものを未然に防止する措置を講じるか、又は、落石が発生した場合に落石の及ぼす影響を除去する措置を講じるか、若しくは、もし仮にそれらの手段を取り得ないのであれば、究極的には本件渓流歩道を通行止めするなどして、落石による直撃事故を防止する措置を講じる必要があったのに、本件落石事故現場については、上記のような落石防止措置等を講じることまではしなかったのであるから、被告が本件渓流歩道の設置及び管理に関して必要な措置を尽くしたということはできない。また、前記認定のとおり、入渓届を提出して簡易ヘルメットを着用するのみで特段の装備をすることもなく誰でも手軽に本件渓流歩道を通行することができ、平成５年から平成12年までの間に３万1226名もの利用客が本件渓流歩道に入渓していたことを考えると、本件渓流歩道をもって被告主張のように利用客が自らの責任と注意に基づく行動を求められる「登山道」であったということはできない。よって、被告の上記主張は採用することができない。

(4)　また、被告は、被告の知る限りにおいては本件落石事故以前には本件落石事故現場において落石発生の事実はなく、本件報告書においても本件落石事故現場付近については落石の危険性が指摘されていなかったことから、本件落石事故現場付近における落石事故発生につき予見可能性がなかった旨主張する。

しかし、仮に被告において本件落石事故現場への過去の落石の事実を把握していなかったとしても、上記のとおり①落石の通り道になっている樋状の沢の存在、②その下部にあるロックシェルターの存在、③その真下に位置する本件落石事故現場にあった落石と疑われる大小数十個の岩石の存在に照らせば、落石発生を予見することができなかったとはいえない。同様に、仮に被告において本件落石事故発生前において本件落石事故現場の上方に複数の岩塊が散在するロックシェルター部が存在することを認識していなかったとしても、それは単なる調査不足を示すものというほかなく、落石事故発生の予見可能性を否定する事情とはなり得ない。

以上の諸事情に照らせば、本件落石事故現場周辺における落石事故発生につき予見可能性がなかった旨の被告の主張は採用することができない。

3　設置管理の瑕疵と損害の発生との間の因果関係の有無について

(1)　本件落石事故現場付近において、前記説示のとおりの適切な落石防止措置等が講じられていれば、そもそも落石が発生しなかったか、又は、落石の原因が県道工事の影響であれ、柱状節理の自然風化等であれ、本件落石事故が発生することはなかったものと推認するのが相当であるから、本件渓流歩道の設置管理の瑕疵と損害の発生との間に因果関係があるというべきである。

(2)　これに対し、被告は、本件落石事故現場の直上に位置する県道上において行われていたガードレールの補修工事の影響で落石が生じた可能性を否定しきれないことを理由として、本件渓流歩道の設置管理の瑕疵と本件落石事故による損害の発生との間の因果関係が不明である旨主張し、確かに前記認定のとおりロックシェルター部には自然石に混じってコンクリート片が40～50個存在していたことを認めることができる。

しかし、仮に県道工事におけるコンクリート破片の落下等が最初の落石の原因であったとしても、亡Ｄに激突した物体はコンクリート破片それ自体ではなく、自然石であるから、樋状になっている沢を落下したコンクリート破片がロックシェルター部に滞留していた自然石を玉突きするような形でこれを押し出したものと推認されるところ、そのロックシェルター部の岩石を取り除いておくか、ネットをかけるか、落石防護柵を設置するなどの対策を取るか又は通行禁止の措置を取っていれば、本件落石事故を発生させることはなかったものと認められるから、それらの対策が取られていなかったという本件渓流歩道の設置管理の瑕疵と、本件落石事故との間には、なお相当因果関係があるものというべきであり、これに反する被告の上記主張を採用することはできない。

4　損害の発生及び額について

(1)　葬儀関係費用　　　　150万円

(2)　逸失利益　　　　764万8145円

（80万2632円＋207万3800円）×8.863×（１－0.7）＝764万8145円亡Ｄ（昭和３年２月27日生）は、死亡当時72歳であり（甲14）、老齢基礎年金として年額80万2632円、退職共済年金として年額207万3800円（いずれも死亡前年の平成11年の受給額）の合計287万6432円を受給していた（甲13）。そして、亡Ｄが、死亡当時72歳の年金生活者であったこと、妻である原告Ａと２人暮らしであったこと（弁論の全趣旨）、原告Ａも年額約220万円の教職員退職共済年金を受給していたこと（弁論の全趣旨）などからすると、70パーセントの生活費控除を行うのが相当である。そして、死亡前年である平成11年当時の平均余命は12.16年であったことから、12年間のライプニッツ係数である8.863を生活費控除後の年金受給額に乗じると、逸失利益の額は764万8145円となる。

(3)　慰謝料　　1500万円

本件落石事故が偶発的な事故であることその他本件訴訟に現れた諸事情を総合考慮すると、亡Ｄの死亡による慰謝料額としては、1500万円と認めるのが相当である。

⑷　弁護士費用　　170万円

本件訴訟における認容額や本件訴訟の経過等諸般の事情を総合すると、本件落石事故と相当因果関係のある弁護士費用としては、170万円と認めるのが相当である。

⑸　損害額合計　　2584万8145円

⑹　原告らの相続額

原告Ａの相続分２分の１　　　　　　1292万4072円

原告Ｂ及び同Ｃの相続分各４分の１　　646万2036円

5　消滅時効の成否について

⑴　民法724条にいう「加害者を知った時」とは、加害者に対する賠償請求が事実上可能な状況のもとに、その可能な程度にこれを知った時をいうと解されるころ（最高裁昭和45年(オ)第628号同48年11月16日第二小法廷判決・民集27巻10号1374頁参照）、①原告らは本件落石事故の真相究明に関して捜査機関による捜査の進ちょく状況の把握以外に特段の情報収集手段を有していなかったとみられること、②本件落石事故直後に原告Ａが被告の観光課職員から本件落石事故について単なる転落事故である旨の説明を受けていたこと、③青森警察署長あての平成13年２月２日付け内容証明郵便において原告Ａが捜査の進ちょく状況を照会していること、④その後も原告らが本件落石事故に関する事実関係を知り得る機会があったことはうかがわれないことなどを考慮すると、原告らが被告に対して損害賠償を請求することが可能な程度に本件落石事故に関する事実関係を知ったのは、原告Ａが代理人弁護士を通じて不起訴となった被告担当者に対する業務上過失致死事件に係る捜査関係記録を謄写した平成17年11月18日（甲21）の時点であると認めるのが相当である。

⑵　これに対し、被告は、原告らは本件落石事故の発生当日に被告の観光課職員から「公園を管理している者」である旨告げられているから、同日において「損害及び加害者」を知っていたことになるし、原告Ａが平成13年２月２日付けで青森警察署に被告の観光課職員の対応等を非難する内容の内容証明郵便を送付した時点においては亡Ｄの死亡原因が落石によることを知っていたのであって、遅くとも同日において「損害及び加害者」を知っていたといえるから、いずれにせよ民法724条の消滅時効が完成している旨主張する。

しかし、捜査機関においても本件落石事故に関する事実関係の詳細を把握していなかったとみられる本件落石事故発生当日はもちろん、原告Ａが送付した上記内容証明郵便において捜査の進ちょく状況を照会していることからすれば、原告Ａが同内容証明郵便を送付した時点においても、原告らが被告に対する損害賠償請求が可能な程度に本件落石事故に関する事実関係を認識していたということはできないから、被告の上記主張は採用することができない。

６　結論

以上によれば、原告らの被告に対する請求は、原告Ａにおいて1292万4072円、同Ｂ及び同Ｃにおいて各646万2036円並びにこれらの各金員に対する本件落石事故の日である平成12年10月10日から支払済みまで民法所定の年５分の割合による遅延損害金の支払を求める限度で理由があるからその限度で認容し、その余は理由がないからいずれも棄却することとする。なお、仮執行宣言については、被告から仮執行免脱宣言の申立てがされているが、同宣言は相当ではなく、上記認容部分の執行開始の時期を、本判決が被告に送達された日から14日を経過したときと定めるのが相当である。

よって、主文のとおり判決する。

青森地方裁判所第２民事部

裁判長裁判官　齊木　教朗

裁判官　澤田　久文

裁判官　西山　渉

○支笏湖国立公園内での観光客負傷事故に対する判決

〔昭和54年(ネ)第119号〕

主　文

原判決を次のとおり変更する。被控訴人らは各自控訴人に対して、814万3512円及び744万3512円に対する昭和49年５月19日から支払ずみまで年５分の割合による金員を支払え。

控訴人のその余の請求を棄却する。

訴訟費用は１、２審を通じて５分し、その１を被控訴人らの、その余を控訴人の負担とする。

この判決中、金員支払いを命じた部分は、控訴人において200万円の担保を供するときは、仮に執行することができる。

事　実

第１　申立

控訴人は、「原判決を取消す。被控訴人らは各自控訴人に対し、金3829万8113円及び3479万8113円に対する昭和49年５月19日から支払ずみまで年５分の割合による金員を支払え。訴訟費用は１、２審とも被控訴人らの負担とする。」との判決及び仮執行の宣言を求め、被控訴人らは、「本件控訴を棄却する。控訴費用は控訴人の負担とする。」との判決を求めた。

第２　主張及び証拠関係

次に付加するほか、原判決該当欄記載と同一である（ただし、原判決３枚目裏10行の「観光という公の目的」及び同４枚目裏４行の「観光の目的」を、いずれも「観光地たる公園という公の目的」と改める。）から、これを引用する。

１　控訴人の主張

１　地獄谷を含む登別温泉は、国立公園法にもとづき昭和24年に支笏、洞爺国立公園の区域に指定され（厚生省告示84号）、昭和28年に同公園登別特別地域の保護及び利用に関する公園計画が決定、告示され（同省告示307号）、昭和39年に登別町（登別温泉）を集団施設地区とする指定がされ（同省告示416号）、同集団施設地区に関する公園利用計画が決定、告示された（同省告示417号）。

２　被控訴人北海道は、自然公園法14条２項により右登別集団施設地区に関する公園計画事業の執行者となり、駐車場、遊歩道、展望台等の施設（人工工物）を設置し、これと自然工物とが一体となっている地獄谷全域少くとも旧遊歩道の管理をしていた。なお、旧遊歩道付近の土地の一部を被控訴人国が登別温泉株式会社に使用許可していても、右は排他的な占有権限を認めたものではないから、被控訴人北海道の管理を否定できない。

仮に、被控訴人北海道に国家賠償法２条の責任が認められないとしても、同法１条１項の責任がある。すなわち、北海道知事は同被控訴人の代表者として、被控訴人国から委任を受けた登別地域の管理責任を負う公務員であるところ、同知事の右職務を行うについての過失により、控訴人は本件事故にあい、損害を受けたものである。

3　被控訴人国は、自然公園法12ないし14条により国立公園の計画、事業決定、その廃止、変更等の権限及び同法施行令９ないし12条、16条、17条、20条等の各規定に基づく権限を有している以上、国立公園に属する地獄谷についても一般的事業執行権を保持しているというべきであって、旧遊歩道を含む地獄谷全域少くとも被控訴人北海道が借り受け、人工工物を設置した部分を除いたその余の全域についての管理者であるから、被控訴人北海道と同様に国家賠償法２条の責任がある。

仮に、これが認められないとしても、被控訴人国は同北海道に対し、地獄谷の観光用諸施設及びその管理費用として自然公園法25条または26条により費用負担をしているから、国家賠償法３条の責任がある。

4　国家賠償法２条の管理責任は、法的権限に基づく管理者はもとより、事実上の管理者にも適用があるもので、被控訴人登別市は地獄谷についての事実上の管理者であった。すなわち、同被控訴人は国際観光地登別温泉を擁し、観光客が年間270万人を数える観光都市である。従って、同被控訴人は国立公園としての登別温泉地帯の諸施設の整備については町当時からの方針として従来からできるだけの努力をしてきたものであり、観光宣伝と観光客誘致促進、観光施設の整備促進等を事業目的としている登別温泉協会（昭和47年に社団法人登別観光協会となった）に対し、毎年多額の補助金を支出して、その事業の推進を図っている。同被控訴人には、観光客から入湯税が入っており、町の財政面に大きく左右しているので、観光に対する熱意も積極的で、行政の一方の柱として重きを置いている。更に被控訴人国からは一部の土地を借り受けて魚別温泉写真組合事務所、地獄谷案内所、休憩所を設置している。そして昭和46年３月に外国人が表土陥没により死亡した際には５箇所にわたって、地獄谷に英文の立入禁止の立札を立て、本件事故後の昭和49年６月15日に旧遊歩道付近に立入禁止の立札を立て、同年７月１日付で前記観光協会名で「地獄谷見学の危険防止について」と題する文書を発表し、そのころ危険であることの表示板を設置し、遊歩道に沿ってロープを張り、絶対に立入らないよう指示し、商工観光課長が週に１、２回展望台に赴いて立札等の確認をし、もって地獄谷一帯を事実上管理している。

5　被控訴人ら主張の、控訴人の過失は否認する。

温泉街から道道倶多楽公園線を地獄谷へ向けて歩いてきた観光客にとって、権現橋付近は地獄谷を見通し得る最初の地点であり、同所からは展望台広場等を見通すことはできず、仮に権現橋の手前の木柵に地獄谷への指示板があったとしても見逃し易いうえ、権現橋の手前にある旧遊歩道の入口は、多くの観光客にとって一見して地獄谷への入口と見違える状況にあったため、他の観光客もこれから地獄谷へ向けて入って行ったのであり、控訴人はこれに続いて進行したのである。途中には進行を妨げる障害物はなく、小川には渡し板があり、石標もあった。観光客にすぎない控訴人は、地獄谷の地質や地表の状況ひいては地面が陥没する箇所があること等は全く知らず、本件事故地点付近の地表の状況からも陥没の危険を察知することはできなかった。

2　被控訴人らの主張

1　前記一1の事実は認める。

2　同2の事実中、被控訴人北海道が、控訴人主張の公園事業の執行として、駐車場、遊歩道、展望台広場の整備をした（昭和36年度から昭和40年度にわたるもので、ベンチ15個、説明板11個の取付けである）ことは認めるが、その余の主張は争う。被控訴人北海道が執行した公園事業は右整備に限り、右物的施設の管理責任はともかく、旧遊歩道を含む地獄谷一帯に無限定の管理責任はない。まして、控訴人が進入した入口付近は、被控訴人国が株式会社第一滝本館に建物、庭園敷地として有償貸与しており、その奥に当る本件事故地点付近の3036平方メートルの区域は登別温泉株式会社に、引湯管埋設及び鉱泉付帯敷地として使用を許可しており、被控訴人北海道は何の権利もなく、一切関与していない。国家賠償法2条にいう公の営造物には、何ら手の加えられていない自然公物は含まれない。

また、北海道知事は、地獄谷を含む支笏、洞爺国立公園の管理権限及び責任を有しないから、これを有することを前提とする同法1条による主張も失当である。

3　同3の主張中、被控訴人国が、控訴人主張の法条に基づく権限を有していることは認めるが、その余は争う。被控訴人国の右権限は自然の景観等をなるべく保護しようとする自然公園法の目的を達するための行政上の規制に止まるもので、直接の支配権をもつものではないから被控訴人国には主張地域につき管理責任はなく、仮に管理責任を負うとしても、公園事業として設置した当該施設に限定されるべきである。国が法規上当該営造物の設置をすることが認められている場合自ら行うにかえて、地方公共団体に対して右設置を認めたうえ、その設置費用につき地方公共団体の負担額と同等もしくはこれに近い経済的な補助を供与するとともに地方公共団体に対して法律上右営造物につき危険防止の措置を請求することができる立場にあるときは、国は前記法条にいう設置費用の負担者に含まれるとの見解（最高裁判所昭和50年11月28日第３小法廷判決）があるが、本件においては、被控訴人国は、被控訴人北海道が公園事業として執行した駐車場の新設、遊歩道等園路・整備事業のため補助金（自然公園法26条）を支出しているだけであって、前記負担者としては右施設に限定すべきものである。

4　同４の主張中、被控訴人登別市が案内所及び休憩所敷地、史蹟物存置敷地を借り受けて、その施設を設置していること、社団法人登別観光協会に補助金を支出していること、本件事故後に旧遊歩道付近に立入禁止の立札を立てたことは認めるが、その余の主張は争う。被控訴人登別市が地獄谷について事実上の管理者でないことは、本件事故当時、旧遊歩道及びその付近について賃借権等占有権限を有していなかったこと、右地域を事実上も占有していないことから明らかである。

5　仮に、被控訴人らに本件事故の賠償責任があるとしても、１本件事故発生については控訴人に過失があるから、損害額を定めるについては相当に勘酌されるべきである。すなわち、本件事故当時の旧遊歩道の入口には柵が設けられて、地獄谷を指示する案内板も取り付けられていたのであり、構内には建築資材が散乱していて地獄谷への通過道とは解し得ない状況にあったし、更にそれより進んで登別温泉株式会社が使用許可を受けている区域の入口付近には、木柵、それに張られたバラ線、立入禁止の立札が設置してあり、旧遊歩道といっても、雑草の繁茂する中の１条の踏み分け道が「登別原始林」の石標付近まで続いている程度のものであって、たとえ初めての観光客にとっても観光コースと錯覚するとは到底考えられないような道である。事故当日権現橋前の駐車場には多数の観光バスが駐車していたというのであるから、それらの多数の観光客は本来の観光コースに従って進行していたであろうし（控訴人が本来の観光コースに気付かなかったとすれば、むしろ不自然ともいえる）、作業所入口からは、噴煙は丘陵をとおして認めることができるけれども地獄谷が見とおせるわけではなく、仮に、控訴人の進入路にしたがって誤って進入したとしても、「登別原始林」の石標は丘陵にさえぎられて木柵にバラ線が張られた地点では見えないのであるから、遅くとも有刺鉄線柵の地点に達するまでには通常の観光コースをはずれていることに気付くはずであった。更に事故地点は一見して危険とわかる状況にあるにもかかわらず、カメラの被写体となり、足元も確認しないで横に動いている。以上の控訴人の不注意が本件事故発生の原因である。

3　証拠関係　略

理由

1　書証の却下申立について

控訴人は、被控訴人らが当審第10回口頭弁論期日でした乙第23号証の申出について、時機に後れたものとして却下を求めるが、右書証の申出によって訴訟の完結を遅延させるものとは認められないから、控訴人の右申立は理由がないので、これを却下する。

2　本件事故の発生

控訴人が、昭和49年５月18日午前８時ころ、地獄谷で突然表土が陥没したため、両下肢熱傷の傷害を負ったことは当事者間に争いがない。

3　地獄谷の概況と危険性

当事者間に争いのない事実と〔証拠略〕を総合すると、次の事実が認められる。

地獄谷は講学上被覆裂か状温泉と称せられ、１地域内の多くの温泉が火成岩や古い地質時代の水成岩の割れ目から直接湧出している真裂か状温泉の上部を薄い表土層が覆い、その表土層を通して水蒸気と熱水が湧出する形状の温泉である。地獄谷には、谷の中央部をその延長方向に沿って幅約100メートル長さ約400メートルの高地温地帯が存在し、その地下１メートルの地点では摂氏90度以上の高温状態である危険地域である。その表面は薄い表土層と温泉沈澱物により覆われており、これが陥没すると、中は、あたかも口の小さい丸型の花瓶をのぞいた様な状態となる。

地獄谷の大渓谷の一帯は赤茶けた地肌をむき出しにし、大小の気孔から轟音を発しながら湯煙りが噴出しており、この景観が観光の対象となっているが、地獄谷の中に立入ることは、前記地質、地表等からして危険であり、昭和46年に外国人観光客が地獄谷で死亡した事故があり、昭和47年４月から本件事故発生までにも、陥没によるとみられる熱傷事故が少くとも６件は発生していた。

4　地獄谷付近及び本件事故当時の旧遊歩道の概況

当事者間に争いのない事実と、〔証拠略〕を総合すると、次の事実が認められる。

〔証拠判断略〕

1　地獄谷付近の地理は別紙図面（以下、単に図面という）のとおりであって、登別温泉街から地獄谷方向に進み、株式会社第一滝本館（図面中の４）の日帰り客専用入口前に至ると、ほぼ直線でやや上り坂の舗装道路（図面中の道道倶多楽公園線、以下、単に公園線という。）となり、その前方斜め右先（以下説明に従って進むこととして、進行により右左をいう）に地獄谷の展望台広場（図面中の６）があって、その周囲が園路となっており、これらの右側一帯が地獄谷であり、公園線の左側に駐車場（図面中の１）があり、これら展望台広場、園路、駐車場等は昭和36年から昭和40年にかけて設置、整備されたものである。

2　公園線は、株式会社第一滝本館の前記入口を過ぎるとすぐに、地獄谷の奥から発する小川と交差し、権現橋（図面参照）があるが、その手前から地獄篠へ向けて、旧遊歩道があり、その経路は原判決添付見取図（以下、単に見取図という。）の赤線にほぼ沿うもので、前記展望台広場等が設置されるまでは、観光客の多くは旧遊歩道を通って地獄谷に入っており、右展望台広場等が設置された後にも、旧遊歩道から地獄谷に入る者が少なくなかった。

なお、旧遊歩道の入口付近では、地獄谷から上る噴煙がよく見えるが、展望台広場等は、公園線の右側にある樹木等にさえぎられて見通しが悪い。

3　本件事故当時の旧遊歩道の状況は次のとおりである。

⑴　旧遊歩道の入口の左右には、高さ1.50メートルの木柵（以下、木柵⑴という。）があり、その開口部は約6.30メートルある。その向って左側の木柵には縦約0.35メートル横約0.75メートルの薄黒地板に、白ペンキで「地獄谷」と記し、展望台広場方向へ向けて矢印を付した案内板が、地上約1.20メートルの位置に取付けてあるが、そこから旧遊歩道への立入りを禁止するような表示板はなかった。

⑵　右入口を通ると川の左岸に沿って未舗装の通路があり、約71.10メートル進行すると、見取図イ、ロ、ハ、ニの線に至るが、その間の通路の右側には鹿島建設株式会社の仮設建物がある。

イ、ロ、ハ、ニの地点には、地獄谷から温泉を採取している登別温泉株式会社が、かつて木杭を立て、横にバラ線を２本張っていた（但し、ロ、ハ間は１本だけで踏み越えられる状態である）が、年月の経過とともに腐蝕してくずれ、本件事故当時は人が通行することを妨げるような状況にはなく、立入禁止を示す立札もなかった。

⑶　右ロ、ハ地点からは畦道のような道が続き、その右側に見取図の湯槽㈠があり、左側は雑草が茂っており、約29.30メートル進むと見取図湯槽㈡の直前に出るが、その間に幅約1.80メートルの川が交差し、それに外径0.22メートルの鉄パイプの引湯管２本が渡してあり、その上に人が通れる板がのせてある。湯槽㈡は周囲を木柵で囲い、立入禁止の立板が立ててある。

⑷　湯槽㈡の手前先側（見取図のチ点）から約51.20メートル進むと再び小川と交差し、人が通れるように板が渡してある。これを渡って約10.14メートル進むと右側に高さ約2.3メートルの石標があり、その正面に「天撚記念物登別原始林」と、左側面に「史蹟名勝記念物法により大正13年12月内務大臣指定」と、右側面に「昭和５年３月建設」と、裏面に「文部省」と刻んである。この付近は石標をほぼ中心として平坦な地面となっている。

⑸　本件石標から見取図のレ点までは約72メートルで、進行するに従って薄黒い石ころが多く、平坦部分は狭くなり、卵の腐った様な臭気が強くなる。レ点の左側には小川が流れ、右方はコークスを拡大したような山肌が丘状に直ぐ通路近くまで露出し、その地肌にはところどころに大小の気孔があって噴気を噴出している。レ点付近の地表は一見して堅そうで、足を踏み入れても陥没するようなことはない。

5　本件事故発生までの控訴人の行動

〔証拠略〕を総合すると、次の事実を認めることができ、この認定を左右するに足りる証拠はない。

1　控訴人は、株式会社読売旅行社主催の北海道観光旅行に、知人の新本有以恵らと共に参加し、昭和49年5月17日の夜登別温泉に1泊したが、その途上のバスの中で、バスガイドから翌朝の10時までの自由行動時間内に地獄谷等の見学をすませておくこと及びその道順の大略を聞いた。

2　翌18日午前8時前に、新本らと共に、宿舎を出発し、徒歩で地獄谷に向ったが、木柵㈠の手前付近に至った際、他の観光客20名位が木柵㈠から旧遊歩道に入り、同方向先に噴煙等を認めたので、旧遊歩道が地獄谷を観光する道順と考え（前記木柵㈠の左側の木柵に取付けてあった案内板や展望台広場、周遊園路のあることには気付かなかった)、これを進行し、見取図レ点付近まで至った。

3　右レ点付近で、湯煙りの上っている山肌を背景として新本らを撮影した後、新本が小川を背にして控訴人を写すことになり、控訴人が場所を少し移動した際、突然足下の地表が陥没し、下半身（大腿部の殆んどまで）が高熱の泥土中に埋没した。

6　責任

1　地獄谷を含む登別温泉は、国立公園法にもとづき昭和24年に支笏、洞爺国立公園の区域に指定され、昭和28年に同公園登別特別地域の保護及び利用に関する公園計画が決定告示され（昭和32年に自然公園法の制定、施行の結果同法の国立公園になる)、昭和39年に登別町（登別温泉）が集団施設地区に指定されるとともに、同集団施設地区に関する公園利用計画が決定告示されたことは当事者間に争いがない。

2　被控訴人北海道の責任について

⑴　当事者間に争いのない事実と〔証拠略〕によると、被控訴人北海道は自然公園法14条2項により国立公園事業の一部の執行として、昭和36年10月から昭和59年9月にわたって前記駐車場、展望台広場及び周遊園路等を設置したことが認められる。

⑵　観光　本法2条は国が観光旅行の安全確保の施策を講じなければならない旨を定め、同法3条は、地方公共団体が国の施策に準じて施策を講ずるように努めなければならない旨を定めている。

およそ危険な場所を伴う国立公園の公園事業を施行し、遊歩道や展望台を設置する場合には安全かつ適当な場所、方法を選択することはもとより、人が容易に立入りできるような危険な場所には立入りができないような施設若しくは立入禁止を明示する表示板を設置する等して、観光施行者の事故防止に努める責務があり、国家賠償法2条の立法趣旨が危険責任に由来するものと解されることをもあわせ考えると、同条にいう営造物の設置又は管理の瑕疵には、設置された営造物についてのそればかりでなく、設置すべき施設を設置しなかった場合をも含むと解するのが相当である。

⑶　前記３及び４認定事実によると、地獄谷への侵入は危険であることは明らかであるところ、温泉街から徒歩で地獄谷に向う観光旅行者が、旧遊歩道付近まで進行した際に、右前方に噴煙等が見え、旧遊歩道の入口には木柵㈠があるものの、その中央部は開かれていて入口のような外観を呈しているのであるからその道を進行することが地獄谷を観光する方法と考えるのも無理からぬ状況にあって、かつそれが容易にでき、現に旧遊歩道を進行して地獄谷へ侵入する者が少なくなかったのであるから、公園事業の執行者である被控訴人北海道としては、旧遊歩道入口に立入禁止の立札等を設置し、更には見取図イ、ロ、ハ、ニを結ぶ線上に同様の立札や防護柵を設置すべきものであり（このことは、被控訴人ら主張の、被控訴人国が図面中の４及び５の土地部分を株式会社第一滝本館や登別温泉株式会社に貸与若しくは使用許可していたことによって左右されない)、これをしなかった同被控訴人は国家賠償法２条の責任を免れない。

３　被控訴人国の責任について

被控訴人国は、自然公園法12条ないし14条により国立公園事業を本来執行すべきものとされており、その執行を地方公共団体等に認可した場合でも、認可を受けた者は被控訴人国に管理又は経営方法を届出ることとされ（同法施行令９条)、被控訴人国はその改善を命じることができる（同令17条）立場にある。そして、前記被控訴人北海道の公園事業の執行を承認し、それについて補助金を交付したことは当事者間に争いがないから、いわば被控訴人北海道と協同して右執行をしていると認められるので、被控訴人国は、国家賠償法３条の費用負担者として責任がある。

４　被控訴人登別市の責任について

⑴　〔証拠略〕を総合すると、被控訴人登別市は、国際観光地登別温泉を擁し、観光客が年間約270万人を数える都市であり、温泉郷の発展は直接、間接に市全体の産業経済の発展に大きく貢献していることから、温泉地帯の諸施設の整備については町時代以来できるだけの努力を続け、昭和６年に観光施設の計画と促進を事業目的の１つとして発足した登別温泉観光協会に対して多額（同協会の昭和41年度の予算1833万3000円中の720万円等）の補助金を支出し、被控訴人国から図面中の２の土地部分等を借受けて案内所、休憩所、公衆便所等を設置し、昭和46年に外国人が地獄谷の湯壺に転落死亡した後に、数箇所に立入禁止の立札を立て、被控訴人北海道の前記本件公園事業の、執行については協議に加わっていることが認められる。

⑵　前記国家賠償法２条の立法趣旨に照らすと、同条の設置、管理者とは、法律上その権限がある場合に限定することなく、事実上右と同視し得る立場にあるものも含まれると解するのが相当であるところ、右認定事実を総合すると、被控訴人登別市は、法律上の権限に基づく設置、管理者である被控訴人北海道事実上同視し得る立場にあったものと認められるから、被控訴人登別市も同条による責任を免れない。

７　損害

１　〔証拠略〕によると、控訴人は本件事故により両下肢（臀部以下）に熱傷を負い、昭和49年５月18日から同年６月12日まで国立登別病院に入院し、６月12日に広島県呉市所在の中国労災病院に転院して昭和50年６月24日まで入院（総入院日数403日でその間３回植皮手術を受けた）し、翌25日から昭和51年５月７日まで通院治療を受けて、同日治癒と診断されたが、後遺障害として両下肢の全周にわたって瘢痕（一部ケロイド）を残して醜状が著しく、両膝、足関節に運動制限（屈曲制限）が存在するため、正座はできず、歩行時に踵が地面に接しないため疲労し易い状況にあることが認められる。

２　右による損害は次のとおりである。

⑴　入院諸雑費

入院中の諸雑費としては１日300円が相当と認められるので403日分が12万0900円となる。

⑵　付添看護料

〔証拠略〕によると、前記入院期間のうち、昭和49年５月18日から同年12月31日までの228日間は、控訴人が起坐起立不能であったため付添看護を必要としたこと、そのうち227日間控訴人の母親が右付添看護に当ったことが認められ、右費用は１日1200円が相当であるので合計27万2400円となる。

⑶　交通費

〔証拠略〕によると、控訴人は前記転院については飛行機を利用し、控訴人の両親が登別病院に控訴人を見舞い、付添に当るに際し飛行機で往復したこと、右費用は一人片道１万5000円を要したことが認められ、その計７万5000円は本件事故相当因果関係のあるものと解せられるが、控訴人の右以上の出費及び実兄の往復を認めるに足りる証拠はない。

なお、控訴人は、その主張する期間についての看護のための母親の通院交通費を請求するが、右期間について付添看護を必要とした証拠はないので、そのための通院交通費は相当因果関係のある損害とは認められない。

⑷　逸失利益

〔証拠略〕を総合すると、控訴人は昭和26年９月９日生れで本件事故当時健康な女子であり、中国労災病院に臨床検査技士として勤務していたが、本件事故のため昭和50年１月１日から同年６月30日まで休職となり、次期昇給延伸となったこと、同年７月１日から復職し、従前と同一職場（生化学部門）に勤務するようになったが、前記後遺障害のため時間外勤務時間が少なくなったこと、このため(イ)昭和50年中において得た給与は138万4054円で、正規に勤務した場合の給与177万2879円より38万8825円少なく、同額の損害を受け、(ロ)昭和51年１月から同年６月までの半年間に得た給与は91万6036円で正規に勤務した場合の給与95万1116円より３万5080円少なく、１年間に少くとも７万0160円の損害を受けたことが認められ、この損害は就労可能年数43年間継続すると推認されるので、新ホフマン式計算法により民事法定利率年５分の割合による中間利息を控除（43年間についての新ホフマン係数は22.611）で損害の現価を計算すると、158万6387円となる。

右により、控訴人の逸失利益は(イ)、(ロ)の合計197万5212円となり、右以上の逸失利益を認めるに足りる証拠はない（控訴人は抽象的な労働能力喪失率に基づく損害額を主張するが、本件事案については適当でなく採用できない。最高裁判所昭和54年(オ)第354号同56年12月22日第３小法廷判決参照）。

(5)　慰藉料

本件事故の態様、受傷、治療、後遺障害の程度（両下肢の醜状は婚姻にも支障のあることが推認される）等諸般の事情を総合すると、控訴人が多大な精神的損害を受けたことはいうまでもなく、これを慰藉するには500万円をもって相当とする。

２　被控訴人は過失相殺を主張するが、前記認定の旧遊歩道の概況、本件事故発生の態様に照らすと、控訴人に過失があったものとは認められないので、右主張は採用できない。

８　弁護士費用

控訴人が弁護士に委任して本件訴訟を提起追行していることは明らかであり、本件事案の内容、審理経過、認容額等に照らすと、控訴人が被控訴人らに対して、求めうる弁護士費用に関する損害は70万円をもって相当と認める。

９　なお、控訴人は傷害保険金98万円を受領したことを自認しているが、これは賠償請求権から控除すべきものではないと解する。

10　結論

以上の次第で、被控訴人は各自控訴人に対し、前記７、８損害合計814万3512円及び７の小計744万3512円に対する本件事故発生後の昭和49年５月19日から支払ずみまで民事決定利率年５分の割合による遅延損害金を支払う義務があり、控訴人の本訴請求は右限度で理由があるのでこれを認容し、その余の請求を棄却すべきである。

原判決は右と異なるので、右趣旨に変更することとし、訴訟費用の負担につき民事訴訟法96条、89条、92条本文、93条1項本文を、仮執行の宣言について同法196条をそれぞれ適用して、主文のとおり判決する。

（裁判官　梶本俊明　出嵜正清）

裁判長裁判官辻川利正は退官のため署名押印することができない。

（裁判官　梶本俊明）

別紙　図面　略

○中部山岳国立公園立山（地獄谷）での観光客死亡事故に対する判決

〔平成４年(ネ)第197号〕

主　　文

本件控訴をいずれも棄却する。

控訴費用は控訴人らの負担とする。

事　　実

第１　控訴の趣旨

１　原判決を取り消す。

２　被控訴人らは、連帯して、控訴人Ａに対し7725万円、控訴人Ｂ及び控訴人Ｃに対し各3762万5000円、控訴人Ｄに対し550万円並びにこれらに対する昭和60年７月22日から各支払済みまで年５分の割合による金員を支払え。

第２　当事者の主張

原判決の「第２　当事者の主張」（編注・訟務月報本号（以下月報巻号省略）3616ページ下段18行目）に記載のとおりであるから、これをここに引用する。ただし、原判決の右記載につき、次のとおり付加訂正する。

１　５枚目裏９行目（編注・3617ページ下段５行目）の「進行左側」を「進行方向左側」と改め、同末行（編注・3617ページ下段７行目）から６枚目表１行目（編注・3617ページ下段８行目）にかけての「「コンヤ地獄」と呼ばれる」を削除する。

２　11枚目表９行目（編注・3621ページ下段11行目）の「30メートル」を「約30メートル」と改める。

３　12枚目表６行目（編注・3622ページ上段14行目）の「その噴気孔が」を「その噴気孔ないしはそれを中心とする付近一帯が」と、同７行目（編注・3622ページ上段15行目）の「噴気孔ごとに」を「右のような噴気孔等ごとに」と同裏８行目から９行目にかけて（編注・3622ページ下段12行目）の「高い」を「重い」とそれぞれ改める。

４　13枚目表10行目（編注・3623ページ上段９行目）の「コンヤ地獄」を「湯溜まりⅡ」と改め、同末行（編注・3623ページ上段10行目）の「見えるため、」の後に「湯溜まりⅡがある場所付近は」を加え、同裏２行目（編注・3623ページ上段13行目）の「コンヤ地獄」を「湯溜まりⅡやその付近の他の湯溜まり」と、同４行目（編注・3623ページ上段15行目）の「前記のとおり、」から同６行目（編注・3623

ページ上段18行目）の「コンヤ川沿いに」までを「コンヤ地獄から噴出した有毒ガスやコンヤ地獄の上流付近から噴出しコンヤ地獄に」と、同９行目（編注・3623ページ下段３行目）の「前記のとおり、」から同10行目（編注・3623ページ下段４行目）末尾までを「右に記載したとおり、湯溜まりⅡは、このコンヤ地獄の中に存在している。」とそれぞれ改める。

5　15枚目表６行目（編注・3624ページ下段４行目）から７行目（編注・3624ページ下段５行目）にかけての「コンヤ地獄は古来から露天風呂として利用されてきていること、」を「コンヤ地獄には古来から露天風呂として利用されてきた湯溜まりがあったこと、」と改める。

6　16枚目表７行目（編注・3625ページ上段15行目）の「湯溜まりⅡ」を「湯溜まりⅡ付近」と改める。

7　20枚目裏１行目（編注・3628ページ下段５行目）から２行目（編注・3628ページ下段６行目）にかけての「木柱Ⅰと同様の文言が彫り込まれた木柱Ⅱが立っていること」を「木柱Ⅰと同様の木柱Ⅱが立っていること、木柱Ⅱにも木柱Ⅰと同様の文言が彫り込まれていること、」と、同５行目（編注・3628ページ下段11行目）の「湯溜まりⅡ」を「湯溜まりⅠ」と、同９行目（編注・3628ページ下段15行目）の「コンヤ地獄」を「コンヤ地獄内の湯溜まり」とそれぞれ改める。

8　22枚目表９行目（編注・3630ページ上段２行目）冒頭から10行目（編注・3630ページ上段４行目）末尾までを「仮に遊歩道外に出ることがあっても、湯溜まりⅡ付近のような低地に降りなければ、そのことのみでは危険がなく、特にＥのように湯溜まりⅡに入浴するという行動がなければ危険性は極めて少ない。」と改める。

理　由

第１　控訴人らの身分関係

〈証拠略〉によれば、控訴人Ａは亡Ｅの妻、同Ｂはその長女、同Ｃはその二女、同Ｄはその母であることが認められる。

第２　本件事故の発生

原判決の「２　本件事故の発生」に記載のとおりであるから、これをここに引用する。ただし、右記載につき次のとおり付加訂正する。

1　25枚目表６行目の「成立に争いのない」から同10行目の「各証言」まで（編注・3632ページ上段９行目）の「＜証拠　略＞」を「＜証拠略＞」と改める。

2　26枚目裏９行目（編注・3633ページ上段12行目）の「左脇」の後に「（以下の説示において、本件遊歩道の右左というときは、その南西進行方向の右左をいう。）」を加える。

3　27枚目表末行（編注・3633ページ下段11行目）の「Ｆは、」の後に「ロッジに帰るのを思い直して」を加える。

4　27枚目裏１行目（編注・3633ページ下段12行目）の「湯溜まり」を「湯溜まりⅡ」と同５行目（編注・3633ページ下段17行目）の「水がきたので、」から同６行目（編注・3634ページ上段１行目）の「と思い、」までを「水がきてしまい、Ｅの体はＦの両手を離れて再び水没したことに加え、Ｆ自身も硫黄の臭いではなくもっと気持ちの良い臭いがして何となく気が薄くなり、体の力が抜けて後ろに倒れそのまま湯を吸ってしまうような気がしたので、」とそれぞれ改める。

5　28枚目表３行目（編注・3634ページ上段11行目）の「Ｆ」から同４行目（編注・3634ページ上段12行目）末尾までを「Ｆにも、軽いながら明らかな硫化水素ガスによる中毒症状が認められたが、Ｇ及び山岳警備隊員らには明白な異常は認められなかった。」と改める。

6　28枚目表６行目の「右事実」から同末行まで（編注・3634ページ上段14行目から下段１行目まで）を「右事実に〈証拠略〉を総合すると、湯溜まりⅡには、湯溜まりⅡ付近あるいは湯溜まりⅡの湯の中から発生した硫化水素ガスを主とするガスが周囲の岩等に阻まれて拡散ないしは外に流出せずにある程度の濃度を保ったまま水面に滞留しており、Ｅはこのような湯溜まりⅡに入ったことにより、右硫化水素ガス等を吸引して異常を感じ、湯溜まりⅡから上がろうとしたが、意識が薄くなって後ろに倒れて湯溜まりⅡに水没し、溺死するに至ったものと推認される。」と改める。

第３　地獄谷及び遊歩道の概況並びにその危険性

原判決の「３　地獄谷及び遊歩道の概況並びにその危険性」に記載のとおりであるから、これをここに引用する。ただし、右記載につき次のとおり付加訂正する。

1　28枚目裏２行目冒頭から同９行目の「並びに」まで（編注・3634ページ下段３行目）の「〈証拠略〉」を「〈証拠略〉」と改める。

2　29枚目表３行目から４行目にかけて（編注・3634ページ下段８行目）の「走っている。」を「通じている。」と、同裏１行目（編注・3635ページ上段２行目）の「その中央部分を結ぶ路」を「低地になっている谷の部分をほぼ東西に横断する通路（その西端は、旧Ｈ山荘廃屋辺りになる。原判決の別紙図面参照）」と、同６行目（編注・3635ページ上段10行目）の「すぐ左手」を「本件遊歩道の左側」とそれぞれ改め、同末行（編注・3635ページ上段15行目）の「更に」の後に「南西に」を加え、同行（編注・3635ページ上段16行目）の「右手の遊歩道脇」を「本件遊歩道の右脇」と改め、30枚目表３行目（編注・3635ページ下段１行目）の「形態等」の後に「並びに木柱Ｉの大きさ及び彫り込まれていた文言」を加え、同５行目から６行目にかけて（編注・3635ページ下段４行目）の「剥げ落ちていた。」を「剥げ落ちていたため、文字は見易くはないが、近くに寄れば読むことができるものであった。」と改める。

3　30枚目裏２行目（編注・3635ページ下段14行目）の「遊歩道右手に」を「本件遊歩道の右脇に」と、同４行目から５行目にかけて（編注・3635ページ下段18行目）の

「剥げ落ちていた。」を「剥げ落ちていたため、文字は見易くはないが、近くに寄れば読むことができるものであった。」と、同９行目（編注・3636ページ上段５行目）の「硫化水素又は亜硫酸ガス」を「主に硫化水素ガス」とそれぞれ改める。

第４　本件事故現場（湯溜まりⅡ）付近の概況及びその危険性

１　前記争いのない事実に〈証拠略〉を総合すると、次の事実が認められる。

湯溜まりⅡは、窪地状をした地獄谷の中にあり、本件遊歩道から高低差にして約10メートル下がった位置にあるコンヤ川の流れの中にあって、周囲が自然の石や岩で擁壁様に囲まれている人工の加わっていない天然のほぼ楕円形の窪みである。その大きさは、コンヤ川の流れに沿って長さ約9.3メートル、最も広い部分が幅約6.9メートルで、上流から水が流れ落ちている部分は水蒸気が激しく立ち上がり、湯溜まりが括れて再びコンヤ川に流れ出す部分では縁下が深く抉られており、湯溜まりの内部は擂り鉢状になっている。そして、湯溜まり内では水底の数か所から硫黄性のガスが噴出しており、このため通常は水面の数か所が盛り上がり、ボコボコという音がして、湯溜まり内部では対流が起こっている。水面も乳白色で通常は水の中は見えず、その周辺では卵の腐ったような主に硫化水素ガスによると思われる臭気が強く、付近に植物は生育していない。その水温は、流入する川の水量等に左右されるので本件事故当時の水温ははっきりしないが（Ｅは、Ｆの質問に対し、水温について格別のことを述べておらず、また、Ｅを救出しようとしたＦもＥの救出に夢中であったためか、水温について格別強い印象を持たなかったように窺われるが〈証拠略〉、他方、Ｆの次にＥを救出しようとしたＧは「中の方から熱いのが沸いてきている感じがして、もう少し中に入るということができなかった。」旨の証言をしている。）、本件事故後の昭和62年８月11日早朝に測定した時には摂氏約60度ないし約67度であった（なお、そのときに湯溜まりⅡに流入している水の温度は摂氏約13度であった。）。また、湯溜まりⅡの南東端からほぼ南東の方向に水平距離にして約４メートルの地点には相当高濃度の硫化水素を含む有毒ガスを噴出する噴気孔があった。そして、硫化水素ガスは、500PPMを超えると、直ちに意識消失を来し、呼吸麻痺などの全身作用が現われ、30分ないし60分で死亡し、600ないし800PPMでは、急速に死に至り、1000PPMでは、数呼吸で昏倒、死亡するものであるが、その比重が1.1ないし1.2（ガスの温度によって異なる。）で空気より重いため、無風状態のようなときには窪地状の地形の場所には滞留しやすいので、極めて危険である。Ｈの子であり同人の後に昭和29年頃からＨ荘やニューＨの経営に当たっているＩや、昭和27年頃から立山のガイドとか山小屋の従業員をし、昭和44年に富山県山岳救助隊に入り、昭和47年から山岳警備隊員をしているＪを含む地元の者は、湯溜まりⅡに露天風呂代わりに入ることは極めて危険な行為であるが、その周辺部を通るだけでは危険性がないと認識していたものであり、Ｊはこれまで地獄谷を訪れた観光客から露天風呂があるかどうか尋ねられたことはなかった。

２　以上の事実に基づいて考えると、湯溜まりⅡ付近は、その地形からみて低地にあること、噴気孔等があることにより硫化水素ガス中毒にかかるおそれのある危険な所であるが、湯溜まりⅡはその形が窪地状になっているので、湯溜まりⅡに露天風呂代わりに入ることは飛躍的に危険性を増大させる行為であるということができる。因みに、本件事故後、本件訴訟の関係者や研究者グループが、何度か、湯溜まりⅡ付近に行って調査等をしたが〈証拠略〉、右訴訟関係者や研究者グループに関するものを含め、本件事故後に有毒ガスによる事故が発生した旨の報告、報道がなされたことはないところである〈証拠略〉。

３　ところで、控訴人らは、地獄谷内の湯溜まり特に湯溜まりⅡは古来、天然の露天風呂として利用されてきたと主張する。

〈証拠略〉によれば、原判決の別紙図面の旧Ｈ山荘廃屋と記載されている辺りに地獄谷温泉と表示している地図があること、各種ガイドブックで地獄谷内に地獄谷温泉があると紹介しているものがあること、国土地理院作成の地図にも湯溜まりⅡの辺りに温泉や鉱泉を示す印が記載されているものがあることが認められる。

しかし、右の各証拠に〈証拠略〉を総合すると、右に掲記したガイドブックも、湯溜まりを露天風呂として利用できると紹介しているわけではなく、むしろ地獄谷内の湯溜まりは底の状態が不明であり、有毒ガスが噴出していて危険であるとか、強烈な硫化水素ガスにより喉を刺激されて呼吸困難になるから噴気孔の風下に長時間いることは危険であると警告していること、湯溜まりⅡは前記旧Ｈ山荘廃屋から160メートル余り離れた場所にあって、旧Ｈ山荘（後記の地獄谷温泉小屋あるいはＨ荘のこと）の付属施設としての露天風呂と見られる位置関係にはないこと、湯溜まりⅡはそれが有毒ガスによって危険であると知られる前は露天風呂代わりに入る者もいたが、その後、地元の者で露天風呂代わりに入ろうとする者はいなくなり、地元の者以外の者が稀に露天風呂代わりに入ろうとしている場合には、地元の者が入らないよう注意警告していたことが認められる。そして、以上の各事実に、地図中に温泉や鉱泉として記載されている泉が入浴に適しないものを含むものであることを考慮すると、湯溜まりⅡを含む地獄谷内の湯溜まりが古来露天風呂として利用されてきたとはいえない。

なお、〈証拠略〉によれば、昭和16、17年頃、湯溜まりⅡに露天風呂代わりに入ったことによる死亡事故が発生したことが認められるが、それ以後は本件事故までの間に湯溜まりⅡに露天風呂代わりに入ったことによる死亡事故ないし重篤な中毒事故が発生したことがあったことを認めるに足りる証拠はない。

更に、〈証拠略〉によれば、前記旧Ｈ山荘廃屋と記載された位置には、Ｉの父であるＨが昭和22年に山荘を建てたこと（当初は地獄谷温泉小屋といい、その後Ｈ荘と名前を変えたが、昭和50年に現在のニューＨの場所に移った。）、右地獄谷温泉小屋は、開設当時、日本最高所の温泉として評判になったこと、房治は昭和24、25年頃に、コンヤ地獄内にある湯溜まりに露天風呂代わりに入るのはガス中毒になる危険性があることから、右地獄谷温泉小屋の前に露天風呂を造ったが（人の手を加えたものであることは一見して分かるものである。）、右露天風呂は湯の花が溜まったり水温が低かったりしたためにあまり利用する者がおらず、Ｉが右露天風呂に人が入っているのを最後に見掛けたのも昭和35、36年頃であったこと、前記地図及びガイドブックに地獄谷温泉と記載されているのは右地獄谷温泉小屋を指すことが認められる。

第５　被控訴人らの責任原因

１　被控訴人国の責任原因

１　請求原因３㈠⑴は当事者間に争いがないところ、国家賠償法２条１項にいう「公の営造物」とは国又は公共団体の行政主体により、特定の公の目的に供用される有体物ないし物的設備をいい、「公の営造物の設置又は管理の暇庇」とは、公の営造物がその設置又は管理上通常備えるべき安全性を欠く場合をいい、その瑕疵の有無は、当該営造物の構造、通常の用法、場所的環境及び利用状況等の諸般の事情を総合考慮して具体的個別的に判断すべきものである。したがって、本件で検討すべき公の営造物の設置又は管理の瑕疵の有無とは、公の営造物である本件遊歩道（本件遊歩道が公の営造物であることは当事者間に争いがない。）につき、Ｅが本件遊歩道から離れて露天風呂代わりに湯溜まりⅡに入り、前記のような事故に遭遇したことについて、右のような事故の発生を予測し、これを防止する措置を講ずるべき義務があったか否かということになる。

ところで、控訴人らは、湯溜まりⅡを含む地獄谷一帯も公の営造物であると主張するが、その趣旨は、本件事故との関連においては、地獄谷のうち、湯溜まりⅡ及びその周辺も公の営造物であるとして、その点についての判断を求めるものと解される。

前記争いのない事実によると、地獄谷を含む立山町室堂一帯は、中部山岳国立公園の区域に指定され、地獄谷一帯は、室堂集団施設地区の中の園地区に指定されていて、その詳細計画では、危険防止に万全を期するものとされている。本件のように、【判示事項１】自然公園法に基づき、自然の風景地を保護するとともにその利用の増進を図ることを目的として一定の地域を指定する地域制公園の場合は、都市公園のように直接に公の目的に供用する営造物である公園と違って、自然そのものが公園となり、自然をあるがまま維持、管理し、自然の景観、自然現象を鑑賞、観察するための利便を供しようとするものである。したがって、本件のような公園は、前記指定がされたことにより、指定地区が公の営造物になるものでもなく、右の目的のために設置される園路、卓ベンチ、休憩所、保護柵等が公の営造物とされるものである。ところで、湯溜まりⅡは、前記のとおり、川の流れの中にある人工の加わっていない自然の石や岩で囲まれた天然の窪みであるから、それは、専ら自然観察ないし探勝の対象に過ぎず、公の営造物であるとはいえない。そして、湯溜まりⅡの周辺も、右と同様に公の営造物といえないことは明らかである。

２　一般的に、本件事故現場を含む地獄谷のような自然公園は、自然の営みの中にあるものとして本来的に多分に危険性が存在するものであり、その危険は訪れる利用者において自主的に回避することが原則として予定されているというべきである。

しかし、本件の地獄谷のように、噴気孔等から有毒ガスが発生している場合、これについて知識、経験の少ない一般観光客の来訪も容易に考えられるから、具体的に事故発生の危険性が予測される場所付近において遊歩道等を設置するに当たっては、その危険性を明確にして利用者に注意を喚起し、あるいはその立入りを禁止する等の措置を採ることが営造物の設置管理者に要求されると解される。

３　被控訴人国は、本件遊歩道を設置するに当たっては有毒ガスに曝される危険の少ない高所を選定し、また、注意を促すために木柱Ⅰ、木柱Ⅱを設置していたことは前記のとおりである。

そこで、本件のような事故の発生を防止するために、本件遊歩道の設置管理者たる被控訴人国において、控訴人らが主張するような諸措置を採ることが要求されるかどうかについて検討する。

前記のとおり、本件遊歩道の利用者が、そこを歩行している限りは危険は生じないが、遊歩道を外れて下方を散策したりすると、ガス中毒の症状に見舞われる危険が存在するが、散策することのみによってガスにより死亡した例はない。そうすると、本件遊歩道の管理者としては、少なくとも、本件遊歩道以外を歩行しないように警告すべきものと解される。しかし、それ以上に、控訴人らが主張するような木柵やガス警報器を設置する等の措置を採ることまでは要求されないものというべきである。

ところで、前記のように、本件事故は、Ｅが、本件遊歩道から通路もない斜面を下り、強い硫黄臭がしていて、人の手が加えられた露天風呂でないことが一見して分かる湯溜まりⅡに露天風呂代わりに入った際に生じたものであり、加えるに、Ｅは、Ｋ会に所属し、月１、２回の広島県内での登山のほか年に３回ほどは県外で泊まりがけの登山を行い、温泉を利用することも多く、温泉好きであったのであるから、硫黄臭の強いガスが有毒なものであることが多いことを認識していたか、容易に認識することができたはずなのに、あえて、危険を犯して湯溜まりⅡに入ったものというべく、そうすると、【判示事項２】被控訴人国は、湯溜まりⅡにおいて本件のような事故の発生する危険性を予測することができなかったものと認められる。したがって、被控訴人国が、前記のような柵等を設置するなどの措置を採っていなかったことをもって、直ちに本件遊歩道の設置又は管理に瑕疵があったとはいえない。そして、その他、本件遊歩道の設置又は管理に瑕疵があったことを根拠付けるに足りる事実は、本件証拠上これを認めることができない。

そうすると、被控訴人国に対し、国家賠償法２条１項に基づき損害賠償を求める控訴人らの本件請求は、その余の点について判断するまでもなく理由がない。

2　被控訴人富山県の責任原因

請求原因３㈠の⑵については、本件全証拠によってもこれを認めることができない。同⑷（同被控訴人に関する部分）については、〈証拠略〉により、控訴人ら主張のような警告文が掲示されたことが認められる。

右事実によると、同被控訴人は、本件遊歩道につき、事実上管理するものと推認することができる。

しかし、前示のとおり、本件遊歩道については、設置又は管理の瑕疵があったとは認められないから、同被控訴人に対し、国家賠償法２条１項に基づき損害賠償を求める控訴人らの本件請求は、その余の点について判断するまでもなく理由がない。

3　被控訴人立山町の責任原因

請求原因３㈠の⑶は当事者間に争いがなく、右事実によると、同被控訴人は、本件遊歩道につき、事実上管理するものであると認めることができる。

しかし、前示のとおり、本件遊歩道には、設置又は管理に瑕疵があったといえないから、同被控訴人に対し、国家賠償法２条１項に基づき損害賠償を求める控訴人らの本件請求は、その余の点について判断するまでもなく理由がない。

第６　よって、控訴人らの請求を棄却した原判決は相当であり、本件各控訴はいずれも理由がないからこれを棄却することとし、主文のとおり判決する。

（裁判官　川波利明　菊地健治　河野清孝）

第５章　自然とのふれあい関係業務

○パークボランティア設置要綱について

〔平成６年７月18日　環自企第307号
各国立公園・野生生物事務所長宛　自然保護局長通知〕

改正　平成16年３月12日環自総発第040312002号・平成27年６月26日環自国発第1506263号

標記について、別添のとおり定めたので通知する。

〔別　添〕

パークボランティア設置要綱

１　目的

国立公園及び国民公園（以下「国立公園等」という。）の保護管理、利用者指導又はこれらの一環として行われる各種活動について、広く国民の参加を得ることを通じ、これらの活動の一層の充実を図るとともに、自然保護思想の普及啓発を図ることを目的として、国立公園等にパークボランティアを置く。

２　定義

本要綱にいう「パークボランティア」とは、前項に掲げる目的を理解し、情熱をもってこれに自発的に協力しようとする者で、国立公園内の一定の地区毎に自然保護事務所長又は国民公園管理事務所長（以下「所長」という。）の登録を受けて、次項に定める活動を行う者をいう。

３　活動内容

パークボランティアの活動内容は、各地区の状況に応じ、自然解説、利用者指導、野生動植物の保護管理、調査、公園利用施設の維持修繕及び美化清掃等への協力とする。

４　自然保護事務所及び国民公園管理事務所の役割

自然保護事務所及び国民公園管理事務所は、前項に掲げるパークボランティアの活動（以下「パークボランティア活動」という。）を適切に運営するため、必要な体制の整備、研修等を通じた情報の提供、便宜の供与等を行うものとする。

５　地元との協力

パークボランティア活動の運営は、地元の関係機関や関係団体等と協力しつつ行うものとする。

6　パークボランティアの登録

所長は、次項に定めるパークボランティア活動運営基本計画に基づき、パークボランティアを地区毎に登録し、名簿を作成するものとする。

7　パークボランティア活動運営基本計画

所長は、パークボランティア活動を運営しようとする場合、これが円滑に行われるよう、地区毎に次の事項を定めた基本計画を策定し、自然環境局国立公園課長（以下「国立公園課長」という。）に報告するものとする。

⑴　活動運営の基本的方針

⑵　活動の運営体制に関する事項

⑶　協力を依頼する活動の内容

⑷　研修及び登録に関する事項

⑸　活動に対する便宜供与の内容

⑹　その他活動の運営に関して明らかにしておくべき事項

所長は、基本計画の内容を変更した場合は、すみやかに国立公園課長に報告するものとする。

8　パークボランティア活動実施計画及び活動状況報告

所長は、年度毎に、パークボランティア活動に関する具体的な活動実施計画及び前年度の活動状況を地区毎にとりまとめ、5月末日までに国立公園課長に提出するものとする。

附　則

この要綱は、平成6年7月18日から施行する。

○パークボランティア感謝状贈呈要綱

〔平成16年３月12日　環自総発第040312001号〕

最終改正　平成28年４月14日環自総発第1604141号

１　目的

この要綱は、パークボランティアとしての永年の活動に対し、感謝状を贈呈して感謝の意を表し、ボランティア活動の向上を図ることを目的とする。

２　感謝状贈呈の対象者

感謝状の贈呈は、現にパークボランティアとして登録している者のうち、パークボランティアとしての活動期間が活動開始年度から起算して15年を超えたすべての者を対象とする。

３　感謝状贈呈者

感謝状贈呈者は、環境省自然環境局長とする。

４　感謝状贈呈の方法

感謝状贈呈は、毎年、「みどりの月間」期間中に、所管の地方環境事務所長又は国民公園管理事務所長（以下「地方環境事務所長等」という。）からの伝達により行うものとする。ただし、特別の事情がある場合は、この限りでない。

５　感謝状贈呈対象者の報告

地方環境事務所長等は、次年度の感謝状贈呈対象者を毎年３月31日までに自然環境局国立公園課長へ報告するものとする。

６　その他

地方環境事務所長等が別に定めるところにより、パークボランティアに対して感謝状等を贈呈することができる。なお、このための要綱等を整備した場合及び感謝状等を贈呈した場合には、すみやかに自然環境局国立公園課長に報告するものとする。

○自然公園指導員設置要綱

〔昭和43年３月18日　国発第302号〕

改正　昭和45年６月１日国発第523号・昭和49年３月20日環自休第266号・昭和61年４月１日環自施第81号・平成２年６月４日環自施第165号・平成12年３月15日環自企第103号・平成17年10月１日環自総発第051001005号・平成22年４月１日環自総発第100401003号・平成24年４月１日環自総発第120401001号・平成27年５月22日環自国発第1505221号・令和元年７月30日環自国発第1907301号

１　目的

国立公園及び国定公園（以下、「公園」という。）の保護とその適正な利用の推進のため、公園に関する事務を担当する地方環境事務所（自然環境事務所及び自然保護官事務所を含む。）又は都道府県（以下、「事務所等」という。）に協力して、公園利用者に対し公園利用の際の遵守事項、マナー、事故防止等の必要な助言及び指導を行うとともに、必要な情報の収集及び提供を行う自然公園指導員（以下「指導員」という。）を置く。

２　委嘱

指導員は、次の⑴から⑷の条件を満たす者について、⑸から⑻を勘案し、地方環境事務所長（釧路、信越及び沖縄奄美自然環境事務所長を含む。以下同じ。）、都道府県知事及び自然公園指導員に関係する団体（別記）の長（以下、「都道府県知事等」という。）の推薦に基づき、自然環境局長が適当と認める者を委嘱する。

なお、推薦に当たっては、原則として、候補者の主たる活動地域を登録するものとする。

また、都道府県知事等は、推薦にあたり、あらかじめ、主たる活動地域を管轄する地方環境事務所長と調整するものとする。

（個人の人柄）

⑴　公園利用者に対し、柔軟な対応で適切な指導ができる者。

（事務所等への協力）

⑵　公園の保護と適正な利用の推進に関心があり、ボランティアとして事務所等に協力する意思がある者。

（自己研鑽の意識）

⑶　自然公園法などの関係法規又は自然に関する見識を有し、かつ、これらについて更なる理解に努めるとともに、他の公園利用者の模範となるよう自然公園法や公園利用マナーを遵守する者。

（年齢）

⑷　25歳以上70歳未満の者で、実際に指導員の任務が可能である者。ただし、特に地方環境事務所長、都道府県知事等が適当と認める者で、73歳未満のものにあっては、この限りでない。

（その他、必須ではないが期待される資質）

⑸　自然の状況や公園利用施設の状況など、特定の公園の実情に詳しい者。

⑹　日本山岳協会認定の山岳指導員、日本水泳連盟認定の水泳指導員等、自然公園利用に伴う事故防止について見識がある者。

⑺　公園に関する事務に関わったことがあるなど、自然公園法等について精通している者。

⑻　全国の公園について知見があり、種々の事案に対して他の公園との比較ができる者。

３　委嘱の期間

指導員の委嘱期間は２年とする。ただし、期間の途中で委嘱した者については、次回改選期までとする。

４　解嘱

指導員が次のいずれかに該当する場合には、自然環境局長は、地方環境事務所長、都道府県知事等の申出に基づいて、これを解嘱することができる。なお、その申出は推薦者であるか否かを問わない。ただし、推薦者でない者が申出を行う場合は、事前に推薦者との連絡調整を行うとする。

⑴　本要綱に反する行為をした場合、その他指導員としてふさわしくないと認められる場合。

⑵　本人から申出があった場合。

５　報酬

無給とする。

６　任務

指導員は、公園の保護と適正な利用の推進のため、ボランティアとして事務所等に協力する者として、次の各号に掲げる任務を行うものとする。

⑴　公園の保護と適正な利用の推進の立場から、公園利用者が次のような好ましくない行為をしているか、しようとしている場合に、公園利用者に助言及び指導を行うこと。

ア　植物の採取や損傷、動物の捕獲や殺傷、土石の採取等の自然を傷つける行為

イ　公共施設の占拠、著しい騒音、ゴミ捨て、指定地以外でのキャンプ、規制地域での焚き火、湿原への立ち入りなど、公園利用上のマナー違反、また、特定の山で適用されているルール（ストックカバーの着用、携帯トイレの利用など）の無視

ウ　危険な場所での水泳、不十分な装備での登山、悪天候時の行動等の事故に繋がる

おそれが大きい行為

(2) 公園の保護と適正な利用の推進の立場から、以下のような問題点を発見した場合、国立公園にあっては地方環境事務所に、国定公園にあっては都道府県にリアルタイム情報の報告書様式１又は当該様式に沿って、電話、ＦＡＸ等により通報すること。

（自然環境の変化）

ア　外来種の繁殖が顕著になってきた、高山植物群落や重要な植物群落の衰退が著しい、草原・湿原等の植物群落中に踏み分け道ができかかっていた、シカ等の食害による自然植生の衰退が著しい等、公園の自然環境の変化

（公園施設の損傷等）

イ　登山道・案内板・指導標等が損傷や老朽化によって危険な状態となっている、トイレが著しく汚れており、使用に耐えない。駐車場や園地がゴミ散乱により利用する気にならない等、公園利用施設の損傷等

（その他の変化等）

ウ　その他、公園利用者の急増等、国又は地方公共団体に伝えておきたいこと。

7　地方環境事務所長及び都道府県知事の指示

地方環境事務所長は国立公園にかかる任務に関し、また、都道府県知事は国定公園にかかる任務に関して、指導員に指示を行うことができる。

8　報告

(1) 指導員は、前年度（４月１日から３月31日まで）の１年間の活動状況についての報告書を報告書様式２により作成し、４月30日までに、各々の推薦者である地方環境事務所長又は都道府県知事等に提出すること。

(2) 地方環境事務所長、都道府県知事等は、指導員からの報告書をとりまとめ、５月31日までに自然環境局長に提出すること。なお、都道府県知事が自然環境局長へ提出する際には、地域を管轄する地方環境事務所長を経由するものとする。

9　研修等

自然環境局長、地方環境事務所長及び都道府県知事等は、指導員の研鑽のため、資料の提供及び研修を行うことができる。

10　災害保障等

指導員が、本要綱に規定した各種任務に従事中、利用者及びその他の第三者の身体又は財物に損害を及ぼし、指導員が法律上の損害賠償責任を負った場合や、指導員自身が怪我をしたり死亡した場合は、国が掛金を負担する自然公園指導員災害保障保険により、保障を行うものとする。

11　施行期日

本要綱は、令和元年７月30日から施行するものとする。

別　記

公益社団法人　ガールスカウト日本連盟
一般財団法人　休暇村協会
一般財団法人　自然公園財団
一般社団法人　日本ウオーキング協会
公益社団法人　日本オリエンテーリング協会
公益社団法人　日本環境教育フォーラム
公益社団法人　日本山岳ガイド協会
公益社団法人　日本山岳・スポーツクライミング協会
公益社団法人　日本シェアリングネイチャー協会
公益財団法人　日本自然保護協会
公益財団法人　日本鳥類保護連盟
公益財団法人　日本野鳥の会
一般財団法人　日本ユースホステル協会

報告書様式　略

○自然公園指導員表彰要綱

〔平成13年３月７日　環自総第103号〕

改正　平成18年４月11日環自総発第060411002号・平成24年２月15日環自総発第120215001号・令和元年５月17日環自総発第1905171号・令和２年４月30日環自総発第2004305号

１　目的

この要綱は、自然公園指導員に対して、環境省自然環境局長（以下「自然環境局長」という）が行う表彰に関し必要な事項を定めることを目的とする。

２　表彰の範囲

表彰は、自然公園指導員として永年にわたってその職務に精励し、その功績が特に顕著であると認められる者に対して行う。

３　表彰の方法

表彰は、自然環境局長が表彰状及び功労記章を授与して行う。

４　功労記章の形状及び制式

功労記章の形状及び制式は、平成13年３月７日付け第102号に定める。

５　表彰の時期

表彰は、原則として毎年１回行うものとする。

６　受彰候補者の推薦

受彰候補者の推薦は、地方環境事務所長（釧路、信越、沖縄奄美自然環境事務所長を含む。）並びに都道府県知事及び自然公園指導員に関係する団体の長が行うものとする。

７　功労記章の着用

功労記章は、本人に限り着用することができる。

８　死亡した者の表彰

２に該当し表彰を受ける候補者が表彰前に死亡したときは、死亡の日に表彰することができる。

附　則

平成12年３月14日付け環自企第99号施行の自然公園指導員表彰要綱は、廃止する。

自然公園指導員表彰実施細目

自然公園指導員表彰要綱に定める自然公園指導員の被表彰者の選考範囲、表彰の時期、表彰の方法、受彰候補者の推薦及び被表彰者決定については、この実施細目によるものとする。

1　選考範囲

現に自然公園指導員で、通算10年以上の在職期間を有し、かつ功績が特に顕著なもので他の模範と認められる者。

2　表彰の日

表彰日は、７月21日とする。

3　伝達の方法

表彰状及び功労記章の伝達は、地方環境事務所長（釧路、信越、沖縄奄美自然環境事務所長を含む。以下、同様。）並びに都道府県知事及び自然公園指導員に関係する団体の長が、表彰物受領後１か月を目処に行うものとする。

但し、死亡した者に対する伝達は、随時行うことができるものとする。

4　受彰候補者の推薦

⑴　地方環境事務所長並びに都道府県知事及び自然公園指導員に関係する団体の長は、受彰候補者について別紙様式１の受彰候補者名簿及び様式２の功績調書を添えて自然環境局長あて推薦するものとする。

⑵　受彰候補者名簿には、必ず推薦順位を付するものとする。

5　被表彰者の決定・通知

⑴　被表彰者の決定は、地方環境事務所長並びに都道府県知事及び自然公園指導員に関係する団体の長から推薦のあった受彰候補者について、審査のうえ自然環境局長が決定する。

⑵　決定した被表彰者については、速やかに地方環境事務所長並びに都道府県知事及び自然公園指導員に関係する団体の長に通知する。

別紙様式　略

○自然公園関係功労者環境大臣表彰要綱

〔平成13年３月７日　環自総第102号〕

改正　平成19年６月８日環自総発第070608003号・平成24年5月30日環自総発第120530001号・平成27年５月15日環自国発第1505152号・令和元年６月18日環自国発第1906183号

1　趣旨

自然公園の保護とその適正な利用に関し、顕著な功績があった者（又は団体。以下同じ）を表彰し、これを讃えるとともに、自然との交流及び自然の保護について、国民の正しい認識を深めることとする。

2　表彰者

環境大臣

3　表彰基準および被表彰者の決定

被表彰者は、次の基準のいずれかの事項に該当し、地方環境事務所長、自然環境事務所長（釧路、信越、沖縄奄美）及び都道府県知事から推薦された者並びに自然環境局長が表彰候補者として適当であると認める者のうちから、環境省内に設けた表彰選考委員会の審査を経て環境大臣が決定するものとする。

⑴　自然保護思想の啓蒙、普及及び自然公園の保護、動植物の保護に関し、表彰の日まで引続き15年以上尽力し、かつその功績が顕著であると認められる者

⑵　永年にわたり、自然公園利用者に適正な指導を行い、事故の防止に努める等、その功績が顕著であると認められる者

⑶　自然公園内の遭難事故に際し、率先して救助活動に専念し、その功績が顕著であると認められる者

⑷　永年にわたり、自然公園の美化、清掃に従事し、健全な自然環境の維持増進についてとくにその功績が顕著であると認められる者

⑸　⑴～⑷のいずれかに該当する者が、地方公共団体の自然公園関係職員（ただし、懲戒処分を受けたことのある者は除くものとする）又は自然公園関係団体若しくは当該職員であるときは、その功績が、職務上抜群であると認められる者

4　表彰の対象から除外する者

以下のいずれかの事項に該当する者については、３によらず対象から除外する。

⑴　勲章受章者及び同一事由による褒章受章者

⑵　当該年の叙勲候補者または褒章候補者になりうる者

⑶　同一事由により他の表彰制度による環境大臣（環境庁長官含む）の表彰を受けている者

5　推薦方法

表彰候補者の推薦は、地方環境事務所長、自然環境事務所長（釧路、信越、沖縄奄美）及び都道府県知事が行うものとする。推薦にあたっては、別紙様式１～３にしたがって作成し、推薦するものとする。

なお、推薦後表彰決定までの間、推薦者の身上等に異動があった場合は、ただちに報告するものとする。

6　表彰人員

若干名とする。

7　表彰方法

被表彰者に対しては、表彰状および記念品を授与するものとする。

別紙様式　略

自然公園関係功労者環境大臣表彰要綱実施細目

1　推薦基準

⑴　被表彰者は、その功績が要綱３の⑴～⑸に該当する者であって、他の模範となり、推奨できるものであること。

⑵　団体にあっては、表彰に係る活動が将来にわたり継続する見込みがあること。

2　表彰選考委員会

要綱３に定める表彰選考委員会の委員は、次のとおりとする。

大臣官房総務課長、大臣官房秘書課長、自然環境局総務課長、自然環境計画課長、国立公園課長、自然環境整備担当参事官、野生生物課長

3　選考基準

要綱３に定める表彰基準を満たす被表彰者が多数となる場合は、被表彰者が表彰の対象、活動地域等において多様となるよう配慮する。

○「みどりの日」自然環境功労者環境大臣表彰要綱

〔平成13年２月５日　環自総第62号〕

改正　平成14年１月28日環自総第34号・平成19年１月19日環自総発第070119001号・平成19年12月14日環自総発第071214001号・平成27年５月15日環自国発第1505151号・平成30年６月30日環自国発第1806041号・令和元年11月７日環自国発第1911073号

1　目的

本要綱は、自然環境の保全に関し、顕著な功績があった者（又は団体。以下同じ）を表彰し、これを讃えるとともに、自然環境の保全について国民の認識を深めることを目的とする。

2　表彰者

環境大臣

3　表彰の対象

表彰は次の各号の一に該当する者につき行う。

(1)　保全活動部門

貴重な自然や身近な自然などの保全のため特色ある活動を推進した者

(2)　いきもの環境づくり・みどり部門

地域における野鳥や小動物の生息環境の創出、あるいは日々の暮らしの中でのみどりの普及等を推進した者

(3)　自然ふれあい部門

自然とのふれあいに関する各種活動や行事を推進した者

(4)　調査・学術研究部門

自然環境の保全・創造や自然とのふれあいに関する調査、研究で顕著な功績がある者

(5)　国際貢献部門

自然環境の保全・創造や自然とのふれあいに関する国際協力を推進した者

4　表彰基準及び被表彰者の決定

被表彰者は、３の表彰対象分野において次の(1)～(3)のいずれかに該当する活動を行い、地方環境事務所長及び自然環境事務所長（釧路、信越、沖縄奄美）、都道府県知事、関係団体の長から推薦された者及び自然環境局長が表彰候補者として適当であると認める者の内から、環境省内に設けられた表彰選考委員会の審査を経て環境大臣が決定

する。

⑴　「国の宝」の保全に関する活動

ア　国又は世界レベルで保全すべき重要な自然（種・生態系・地域）の保全に関する活動

イ　伝統的品種、栽培法等の保全（保存）に関する活動

⑵　自然環境に関する先駆的・先導的活動

ア　内容・方法等が先駆的な保全・創造・ふれあいに関する活動

イ　現在、広く普及している保全・創造・ふれあいに関する活動の先導的活動

⑶　広範囲を対象とし、又は永年継続されている自然環境に関する普及啓発活動

ア　全国・ブロックレベル又は国際的な普及啓発活動

イ　永年にわたり継続されている普及啓発活動

５　表彰の対象から除外する者

以下のいずれかの事項に該当する者については、４によらず対象から除外する。

⑴　勲章受章者及び同一事由による褒章受章者

⑵　すでに他の表彰制度による環境大臣（環境庁長官を含む）の表彰を受けている者

６　推薦方法

表彰候補者の推薦は、地方環境事務所長及び自然環境事務所長（釧路、信越、沖縄奄美）、都道府県知事及び関係団体の長が行うものとし、推薦に当たっては別紙様式１～３に従って作成するものとする。

なお、推薦後表彰決定までの間、表彰候補者の身上等に異動があった場合は、直ちに報告するものとする。

７　被表彰者の人数

若干名とする。

８　表彰の方法

被表彰者に対し、「みどりの月間」中に表彰状及び記念品を授与する。

別紙様式　略

○自然歩道関係功労者表彰実施要綱

〔平成13年8月3日　環自総第473号〕

改正　平成18年7月25日環自総発第060725001号・平成30年6月25日環自総発第1806254号・令和元年6月18日環自総発第1906184号・令和2年7月14日環自総発第2007143号

1　目的

自然歩道の維持・管理及びその適正利用等に関し、特に顕著な功績のあった者（団体を含む。以下同じ。）に対し、その功績をたたえるために表彰を行う。

2　表彰者

表彰は、環境省自然環境局長が行う。

3　表彰の対象

表彰は、次のいずれかに該当する者につき行う。

(1)　多年にわたり自然歩道の維持・管理に顕著な功績のあった者

(2)　多年にわたり自然歩道の適正利用の推進に顕著な功績のあった者

(3)　多年にわたり自然歩道の普及啓発活動に顕著な功績のあった者

(4)　その他自然歩道の維持・管理、適正利用の推進及び普及啓発活動に関し特に顕著な功績があった者

4　表彰の対象から除外する者

(1)　叙勲及び同一事由による褒章受章者

(2)　当該年度の叙勲候補者又は褒章候補者になり得る者

(3)　同一の功績について、既に他の表彰制度による環境大臣又は環境省自然環境局長の表彰を受けている者

5　表彰の方法

表彰状を授与して行う。なお、副賞として、記念品を添えることができる。

6　表彰の期日

表彰は、毎年、10月1日～10月31日の1か月の間に行う。

7　被表彰者の決定

被表彰者は、地方環境事務所長（釧路、信越、沖縄奄美自然環境事務所長及び四国事務所長を含む）並びに都道府県知事及び自然歩道に関係する団体の長の推薦があった者につき、別に定める自然歩道関係功労者表彰選考委員会の審査を経て環境省自然環境局長が決定する。

附　則

自然歩道関係功労者表彰実施要綱（平成８年８月８日付け環自企第359号）は、廃止する。

自然歩道関係功労者表彰実施細目

自然歩道関係功労者表彰実施要綱に定める自然歩道関係功労者の推薦、被表彰者の決定、表彰の方法については、この実施細目によるものとする。

１　推薦の基準

⑴　表彰の対象となる者は、自然歩道関係功労者表彰実施要綱３の「表彰の対象」に掲げる者であってその功績が他の模範となり、推奨できる者であること。ただし、その功績が、社会通念上妥当とみなされる対価が支払われる業務委託等の範囲内にとどまる場合は表彰の対象としない。

⑵　同要綱３の「表彰の対象」⑴～⑶に該当する者については、表彰の対象となる者の当該表彰に係る活動期間が、原則として次に掲げる期間以上であること。

ア　個人にあっては、概ね10年（活動日数を考慮）

イ　団体にあっては、概ね７年（活動日数及び人数を考慮）

⑶　団体にあっては、表彰に係る活動が将来にわたり継続する見込みがあること。

２　推薦方法

被表彰者の推薦は、地方環境事務所長（釧路、信越、沖縄奄美自然環境事務所長及び四国事務所長を含む。以下同様。）並びに都道府県知事及び自然歩道に関係する団体の長が別紙様式により推薦者名簿及び功績調書を作成し、行うものとする。

３　被表彰者の選考

被表彰者の選考は、個人及び団体のそれぞれについて、４に定める自然歩道関係功労者表彰選考委員会において功績を判定し、行うものとする。

４　自然歩道関係功労者表彰選考委員会

⑴　被表彰者の審査のため、自然歩道関係功労者表彰選考委員会を置く。

⑵　自然歩道関係功労者表彰選考委員会の委員は、次のとおりとする。

自然環境局総務課長、自然環境計画課長、国立公園課長、野生生物課長、自然環境整備課長

５　表彰の方法

表彰は、10月1日～10月31日の１か月の間に、被表彰者を推薦した地方環境事務所長並びに都道府県知事及び自然歩道に関係する団体の長の伝達により行うものとする。

第9編

事業・交付金要綱等

第1章　自然公園等事業

○自然公園等事業の改革について

〔平成16年12月27日　環自計発第041227001号・環自国発第041227001号・環自整発第041227003号
各都道府県自然公園等事業主管部局長宛　環境省自然環境局自然環境計画・国立公園・自然環境整備課長連名通知〕

自然公園等事業については、三位一体の改革に伴い、国と地方の役割分担の明確化を図ることとし、平成17年度予算の政府案において、これに沿った経費が計上されたところです。

つきましては、今後の自然公園等の整備において、下記事項に留意いただくとともに、貴管下市町村への伝達方お願いいたします。

記

1　自然公園等事業の改革の概要

今回の自然公園等事業の改革においては、国と地方の役割分担の明確化を図る観点から、自然公園の種類ごとの公園事業に係る自然公園法上の規定を踏まえ、次のとおり整理を行ったこと。

(1)　国立公園の公園事業は、自然公園法上、国が執行することが原則であることから、補助金を廃止するとともに、国立公園の保護上及び利用上重要な公園事業に係る今後の整備は、直轄で行うこととした。

(2)　国定公園は、環境大臣が全国的な見地から指定し、公園計画を定め、この計画に基づき、都道府県等が公園事業を執行しているものであることから、今後も、国が応分の費用負担を行いつつ地方と協力して整備を進めていくこととし、現行の補助金を廃止するとともに、新たに自然環境整備交付金を創設し、国定公園整備に係る地方の裁量性を高めることとした。

また、国指定鳥獣保護区（国立・国定公園区域外）における自然再生事業、及び、国が路線決定している長距離自然歩道の整備事業（国立・国定公園区域外）についても、国定公園整備と同様に国と地方が協力して整備を行うことが適当であることから、自然環境整備交付金の対象に含めることとした。

(3)　都道府県が条例に基づき指定した都道府県立自然公園の公園事業に対する補助金は廃止することとした。また、自然公園の区域外における整備事業については、廃止することとした。

2　自然環境整備交付金

自然環境整備交付金に係る交付要綱等については作成中であり、別途通知する予定であること。

なお、自然環境整備交付金に係る平成17年度の要望の提出方法等については、別途連絡する。

3　国立公園整備に係る要望等

効果的な事業執行の観点から、直轄事業においては、国立公園の保護上及び利用上重要な公園事業について重点的な整備を行うこととし、具体的には次に該当する公園事業を対象としたところであるが、貴都道府県において直轄整備に係る要望・意見等があれば、自然保護事務所と連絡調整されたいこと。

⑴　風致を維持する必要性が高い地域における公園事業

特別保護地区、第１種特別地域及び海中公園地区で行われる事業（これらの地域に到達する歩道等、密接に関係する周辺地域の事業を含む）

⑵　集団施設地区に係る公園事業

集団施設地区に係る事業（案内標識等、密接に関係する周辺地域の事業を含む）

⑶　その他、特別に保護する必要がある地域、動植物に係る公園事業等

①　自然再生事業

②　絶滅危惧種、天然記念物等貴重な動植物の保護増殖のために必要な植生復元施設及び動物繁殖施設

③　長距離自然歩道

④　多数の利用者（日最大２千人以上）への対応として特に整備が必要な歩道、園地

○自然公園等事業の改革について

〔平成16年12月27日　環自計発第041227001号・環自国発第041227001号・環自整発第041227003号
各地区自然保護事務所長宛　環境省自然環境局自然環境計画・国立公園・自然環境整備課長連名通知〕

自然公園等事業については、三位一体の改革に伴い、国と地方の役割分担の明確化を図ることとし、平成17年度予算の政府案において、これに沿った経費が計上されたところである。

ついては、今後の国立公園整備について、下記事項に留意されたい。

なお、別添写しのとおり、都道府県自然公園等事業主管部局長あて通知したので了知されたい。

記

1　自然公園等事業の改革の概要

今回の自然公園等事業の改革においては、国と地方の役割分担の明確化を図る観点から、自然公園の種類ごとの公園事業に係る自然公園法上の規定を踏まえ、次のとおり整理を行ったこと。

(1)　国立公園の公園事業は、自然公園法上、国が執行することが原則であることから、補助金を廃止するとともに、国立公園の保護上及び利用上重要な公園事業に係る今後の整備は、直轄で行うこととした。

(2)　国定公園は、環境大臣が全国的な見地から指定し、公園計画を定め、この計画に基づき、都道府県等が公園事業を執行しているものであることから、今後も、国が応分の費用負担を行いつつ地方と協力して整備を進めていくこととし、現行の補助金を廃止するとともに、新たに自然環境整備交付金を創設し、国定公園整備に係る地方の裁量性を高めることとした。

また、国指定鳥獣保護区（国立・国定公園区域外）における自然再生事業、及び、国が路線決定している長距離自然歩道の整備事業（国立・国定公園区域外）についても、国定公園整備と同様に国と地方が協力して整備を行うことが適当であることから、自然環境整備交付金の対象に含めることとした。

(3)　都道府県が条例に基づき指定した都道府県立自然公園の公園事業に対する補助金は廃止することとした。また、自然公園の区域外における整備事業については、廃止することとした。

2　直轄事業の対象

効果的な事業執行の観点から、直轄事業においては、国立公園の保護上及び利用上重要な公園事業について重点的な整備を行うこととし、具体的には次に該当する公園事業を対象としたこと。

(1)　風致を維持する必要性が高い地域における公園事業

特別保護地区、第１種特別地域及び海中公園地区で行われる事業（これらの地域に到達する歩道等、密接に関係する周辺地域の事業を含む）

(2)　集団施設地区に係る公園事業

集団施設地区に係る事業（案内標識等、密接に関係する周辺地域の事業を含む）

(3)　その他、特別に保護する必要がある地域、動植物に係る公園事業等

①　自然再生事業

②　絶滅危惧種、天然記念物等貴重な動植物の保護増殖のために必要な植生復元施設及び動物繁殖施設

③　長距離自然歩道

④　多数の利用者（日最大２千人以上）への対応として特に整備が必要な歩道、園地

3　平成17年度に実施する事業等に係る検討

今後の直轄事業の検討について、今回の自然公園等事業の改革を踏まえ、効果的な整備事業の企画立案について積極的に検討されたいこと。また、検討に当たっては、関係地方自治体の要望・意見に配意されたいこと。

なお、平成17年度に実施する直轄事業に係る当面の作業等については、別途連絡する。

○自然再生事業について

〔平成17年４月１日　環自計発第050401002号
各地区自然保護事務所長宛　自然環境計画課長通知〕

標記について、別添「自然再生事業について」のとおり取り扱うこととしたので通知します。

また、別添写しのとおり各都道府県宛通知しましたので了知願います。

なお、各地区自然保護事務所におかれては、事業執行に当たっての協議等諸手続、新規要望について、関係都道府県とも連絡調整を図るとともに、前広に自然環境計画課までご相談願います。

別添　略

〔別添写し〕

○自然再生事業について

〔平成17年４月１日　環自計発第050401002号
各都道府県自然環境保全主管部局長宛　環境省自然環境局自然環境計画課長通知〕

自然環境整備交付金の創設にともない、標記については別添「自然再生事業について」のとおり取り扱うこととしたので通知します。

なお、平成17年４月１日付け環自計発第050401002号により環境省自然環境局長から貴県知事宛に自然再生事業に係る要綱の廃止について通知されたことに伴い、平成14年３月29日付け環自計第84号により通知した「自然再生整備事業実施要綱の運用について」及び「ふるさと自然再生事業補助実施要綱の運用について」を廃止しますので通知します。

〔別　添〕

自然再生事業について

１　目的

この文書は、国立公園等において失われた自然を積極的に再生することを目的とした事業を実施するに当たって、より効果的かつ総合的な推進を図り、「自然と共生する社会の実現」に資することを目的とする。

２　定義

この文書において「自然再生事業」とは、関係省庁、関係地方公共団体、専門家、ＮＰＯ等が連携し、植生の復元等を行うことにより、失われた自然を積極的に取り戻す事業のうち、環境省が自ら国立公園において行う事業及び自然環境整備交付金（以下、交付金という。）を受けて都道府県又は市町村が国定公園又は国指定鳥獣保護区において行う事業をいう。

3　自然再生基本方針

事業の実施にあたっては地域の多様な主体の参画・連携や科学的知見、順応的な進め方などの確保が不可欠であり、これらを基本的な方向性として明示した自然再生推進法に基づく「自然再生基本方針」との整合を図るものとする。

4　自然再生事業を推進するための調査（以下、自然再生推進計画調査）

事業の実施にあたっては、あらかじめ対象地域全体の生態系の現状に係る詳細調査を行うとともに、再生を図る自然環境の特性を踏まえて、再生手法を具体的に検討し、事業の実施に向けて、関係者と連携して事業を推進するための計画を策定するものとする。

5　事業対象地域

本事業の対象地域は、次のいずれかの要件に該当する区域を含む地域であって、生態系を重視する観点から緊急に自然を再生することが必要な地域とする。なお、自然再生推進計画調査の調査対象地域は、自然再生事業の実施を予定する地域とする。

①　希少野生動植物等の重要な生息・生育の場であるなど地域を代表する典型的な自然生態系を有する区域

②　生物の生息・生育環境の連続性の確保という観点から重要な位置にあるなど生物多様性保全の観点から地域にふさわしい自然環境に再生する必要がある区域

③　その他、改変の状況が顕著であり社会的な関心が高い区域など自然環境の再生の必要性、効果が高い区域

6　国立公園・国定公園における自然再生事業

国立公園、国定公園に係るものについては公園計画（自然再生施設、植生復元施設、動物繁殖施設等の施設計画にもとづくこと。）との整合を図るものとする。

7　国指定鳥獣保護区における自然再生事業

国指定鳥獣保護区に係るものについては鳥獣の保護及び狩猟の適正化に関する法律に基づき定められた当該国指定鳥獣保護区の保護に関する指針、及び平成15年4月15日付け環自野発第030415011号環境省自然環境局野生生物課課長通知に基づき策定された当該国指定鳥獣保護区保護管理マスタープランとの整合を図るため、あらかじめ当課の他、当該国指定鳥獣保護区を管轄する地区の自然保護事務所にも相談すること。なお、「国指定鳥獣保護区指定計画」に含まれている地区は、原則として自然再生推進計画調査の対象とする。

8　事業の実施及び完了後の維持管理

事業の実施及び完了後の維持管理に当たっては、事業主体は、専門家、ＮＰＯ等と適切な連携に努めるものとする。

9　交付金の交付申請等

交付金の交付の申請については、自然環境整備交付金交付要綱及び同取扱要領の定めるところによる。

自然再生事業

（失われた自然を積極的に再生・自然と共生する社会の実現）

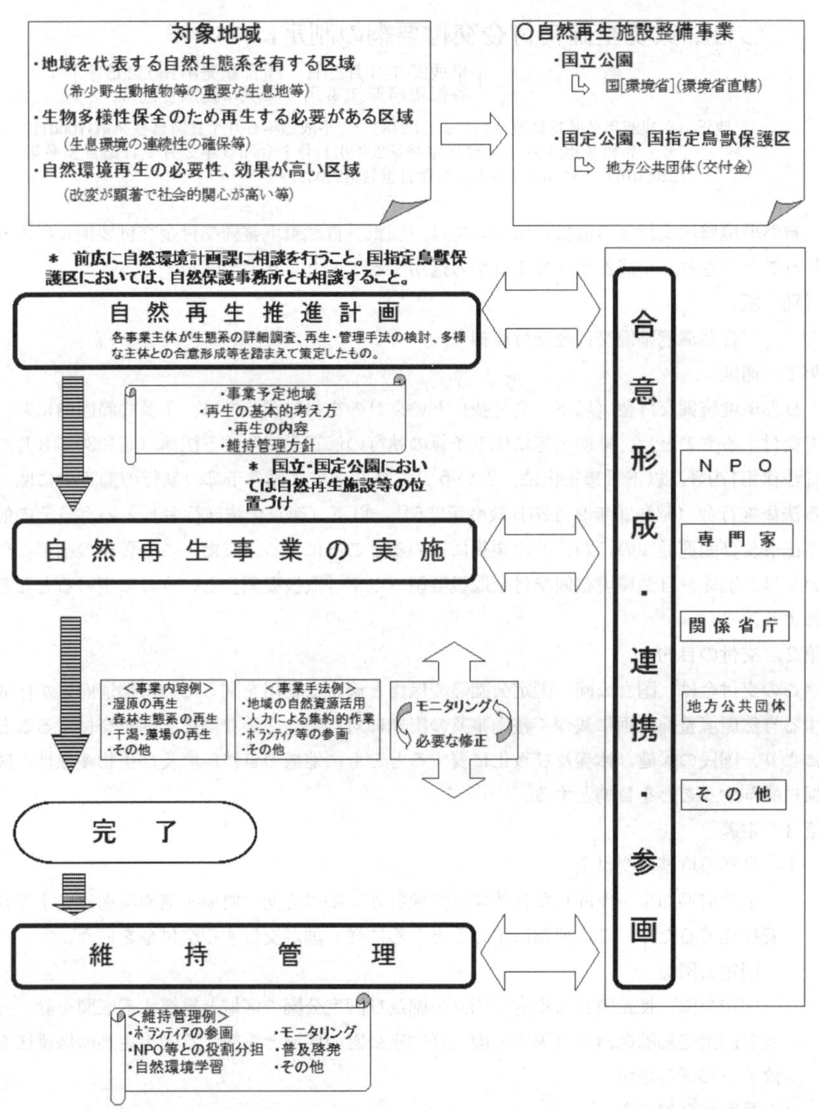
対象地域
・地域を代表する自然生態系を有する区域
（希少野生動植物等の重要な生息地等）
・生物多様性保全のため再生する必要がある区域
（生息環境の連続性の確保等）
・自然環境再生の必要性、効果が高い区域
（改変が顕著で社会的関心が高い等）
○自然再生施設整備事業
・国立公園
国[環境省]（環境省直轄）
・国定公園、国指定鳥獣保護区
地方公共団体（交付金）
＊ 前広に自然環境計画課に相談を行うこと。国指定鳥獣保護区においては、自然保護事務所とも相談すること。
自然再生推進計画
各事業主体が生態系の詳細調査、再生・管理手法の検討、多様な主体との合意形成等を踏まえて策定したもの。
・事業予定地域
・再生の基本的考え方
・再生の内容
・維持管理方針
＊ 国立・国定公園においては自然再生施設等の位置づけ
自然再生事業の実施
<事業内容例>
・湿原の再生
・森林生態系の再生
・干潟・藻場の再生
・その他
<事業手法例>
・地域の自然資源活用
・人力による集約的作業
・ボランティア等の参画
・その他
モニタリング
必要な修正
完了
維持管理
<維持管理例>
・ボランティアの参画
・NPO等との役割分担
・自然環境学習
・モニタリング
・普及啓発
・その他
合意形成・連携・参画
NPO
専門家
関係省庁
地方公共団体
その他

○自然環境整備交付金交付要綱の制定について

〔平成25年３月29日　環自総発第1303295号〕
〔各都道府県知事宛　環境事務次官通知〕

改正　平成27年２月18日環自総発第1502183号・平成29年６月１日環自整発第17060112号・令和２年４月１日環自整発第20040111号・令和３年２月１日環自整発第2102016号・令和３年３月31日環自整発第2103315号

自然環境整備交付金の取扱いについては、別紙「自然環境整備交付金交付要綱」により行うこととされ、平成25年４月１日から適用することとしたので通知する。

〔別　紙〕

自然環境整備交付金交付要綱

第１　通則

自然環境整備交付金（以下「交付金」という。）の交付に関しては、予算の範囲内において交付するものとし、補助金等に係る予算の執行の適正化に関する法律（昭和30年８月27日法律第179号、以下「適正化法」という。）、補助金等に係る予算の執行の適正化に関する法律施行令（昭和30年９月26日政令第255号、以下「適正化法施行令」という。）その他の法令及び関連通知のほか、この要綱に定めるところによる。また、この要綱の細部については、別途、自然環境整備交付金取扱要領（以下「取扱要領」という。）に定めるところによる。

第２　交付の目的

この交付金は、国立公園、国定公園等の保護と適正な利用を図るために都道府県が作成する自然環境整備計画に基づく整備事業の実施に対して、必要な経費を国が交付することにより、国民の保健、休養及び教化に資するとともに地域の自然環境及び生物多様性の確保に寄与することを目的とする。

第３　定義

１　自然環境整備交付金

都道府県知事が作成した自然環境整備計画に基づく交付対象事業の実施に要する経費に充てるため、この要綱に定めるところに従い国が交付する交付金をいう。

２　国定公園等

国定公園、長距離自然歩道（国立公園及び国定公園の区域と重複する区間を除く。）及び国指定鳥獣保護区（国立公園及び国定公園の区域と重複する国指定鳥獣保護区を除く。）に係る地域

３　長距離自然歩道

環境省自然環境局長の定める長距離自然歩道整備計画（平成15年３月31日以前に環境大臣が定めたものを含む。）に基づく歩道

4　自然環境整備計画

自然とのふれあいの推進及び自然環境の保全・再生を図るための地域の目標を明らかにし、併せて交付金の活用による整備の方針等を示すことにより、目標を達成するための事業を重点的かつ計画的に実施するために、この要綱に基づき都道府県が作成する計画（以下「整備計画」という。）をいう。

5　交付対象事業

次の各号に掲げる事業をいう。ただし、沖縄振興公共投資交付金の交付対象となる事業は、本交付金の交付対象としない。

一　国立公園整備事業

国立公園において行われる整備事業であって、取扱要領別紙１に掲げるもの。

二　国定公園等整備事業

国定公園等において行われる整備事業であって、取扱要領別紙２に掲げるもの。

6　交付対象事業者

この交付金の交付を受けて交付対象事業を実施する都道府県及び都道府県からその経費の補助を受けて交付対象事業を実施する市町村をいう。

第４　交付対象

この交付金の交付対象は、都道府県とする。

第５　交付期間

この交付金を交付する期間は、整備計画ごとに、交付金を受けて交付対象事業が実施される年度から概ね３年から５年とする。

第６　交付限度額

整備計画に記載された交付対象事業の総事業費に、国立公園整備事業にあっては２分の１を、国定公園等整備事業にあっては100分の45を乗じた額を超えないものとする。

第７　交付額の算定等

1　年度ごとの交付金の交付額（以下「単年度交付額」という。）は、次に掲げる式により算出した額（算出された額に千円未満の端数が生じた場合には、これを切り捨てるものとする。）を超えない範囲において定めるものとする。

単年度交付額＝交付限度額×Ａ－Ｂ

Ａ：交付金が交付される年度の年度末における交付対象事業の進捗率の見込み

Ｂ：前年度末までに交付された交付金の総額

進捗率：交付対象事業の総事業費に対する執行事業費の割合

2　単年度交付額の算定にあたっては、総事業費から寄付金その他収入額を控除して算出する。ただし、平成28年度税制改正により創設された「地方創生応援税制（企業版

ふるさと納税)」による寄付については、総事業費から控除せず算出することができる。

3　この交付金の交付後、進捗率に変更があった場合には、交付金の交付の目的に反しない限り、当該年度に交付されるべき金額と交付された金額との差額については、次年度以降に調整することができる。ただし、当該年度に交付された交付金の額が、当該年度における変更された執行予定事業費を超えない場合に限る。

なお、国立公園整備事業に交付された交付金と国定公園等整備事業に交付された交付金との間の調整は認めない。

4　都道府県知事は、交付金の交付申請に当たって、当該交付金に係る消費税及び地方消費税に係る仕入控除税額（交付対象経費に含まれる消費税及び地方消費税相当額のうち、消費税法（昭和63年12月30日法律第180号）の規定により仕入に係る消費税額として控除できる部分の金額及び当該金額の合計額に地方税法（昭和25年７月31日法律第226号）の規定による地方消費税の税率を乗じて得た金額の合計をいう。以下「消費税等仕入控除税額」という。)があり、かつ、その金額が明らかな場合には、これを減額して申請しなければならない。ただし、申請時において消費税等仕入控除税額が明らかでない場合については、この限りでない。

第８　整備計画の提出等

1　この交付金を受けようとする都道府県は、自然環境局長が別に定める自然環境整備計画作成要領（平成25年３月29日環自総発第1303297号、以下「計画要領」という。)に基づく整備計画を作成し、都道府県知事が環境大臣へ提出しなければならない。

なお、国立公園整備事業と国定公園等整備事業に係る整備計画は、当該事業ごとに別葉により提出することとし、第９、第10、第13、第15、第16、第17及び第18に規定する提出についても、準用する。

2　環境大臣は、都道府県知事から前項の規定に基づく整備計画の提出を受けたときは、当該計画に対する交付金の交付、交付限度額及び交付を予定する期間について審査し、その結果を当該都道府県知事に対し通知する。

3　前二項の規定は、整備計画を変更する場合に準用する。ただし、計画要領第４に定める変更については、この限りでない。

第９　交付申請手続

この交付金の交付の申請は、都道府県知事が様式１による交付申請書を、別途指示する期日までに環境大臣に提出しなければならない。

第10　変更交付申請手続

都道府県知事は、この交付金の交付決定後の事情の変更により、交付対象事業の内容変更をする必要がある場合には、速やかに様式11による変更交付申請書を環境大臣に提出しなければならない。ただし、第14に定める軽微な変更である場合は、この限りではない。

第11　交付決定

1　環境大臣は、第９の規定による交付申請書又は第10の規定による変更交付申請書の提出を受けた場合は、審査を行い、交付を決定し、又は変更の交付を決定した場合は、交付決定通知書又は変更交付決定通知書を都道府県知事に送付するものとする。

2　環境大臣は、交付申請書又は変更交付申請書を受理した日から起算して、原則として30日以内に交付の決定を行うものとする。

第12　申請の取下げ

都道府県知事は、交付決定若しくは変更交付決定の内容又はこれに付された条件に不服があり、交付金の交付申請又は変更交付申請を取り下げようとするときは、交付決定通知書又は変更交付決定通知書において環境大臣が定めた期日までに、その理由を付した書面をもって、環境大臣に申し出なければならない。

第13　交付金事業の着手

都道府県知事は、原則として、交付金（変更）交付決定に基づき、交付対象事業に着手するものとする。ただし、緊急かつやむを得ない事情により、（変更）交付決定前に事業着手をしようとするときは、速やかにその旨を様式12により、その理由を具体的に明記した自然環境整備交付金（変更）交付決定前事業着手承認申請書を環境大臣に提出し、その承認を受けなければならない。

第14　経費の配分の軽微な変更

この交付金の交付決定又は変更交付決定を受けた後における事業間及び費目間の配分額の変更であって、単年度交付額を変更しない場合は、次に掲げるもの（その変更の額又は率が取扱要領別表第５欄に掲げる算定基準を上回るものを除く。）にあっては、第10に定める変更交付申請書の環境大臣への提出を要しないものとする。

一　本工事費、測量設計費、用地費及補償費、機械器具費又は営繕費の相互間の流用

二　庁費又は旅費の相互間の流用（ただし、食糧費の増額を除く。）

三　旅費又は庁費から、本工事費、測量設計費、用地費及補償費、機械器具費又は営繕費への流用

第15　事業の中止又は廃止

都道府県知事は、交付対象事業を中止し又は廃止する場合には、様式13による中止（廃止）承認申請書を環境大臣に提出して承認を受けなければならない。

第16　事業遅延の届出

都道府県知事は、交付対象事業が予定の期間内に完了しない場合においては、様式14による遅延報告書を速やかに環境大臣に提出し、その指示を受けなければならない。ただし、変更後の完了予定期日が当該年度を超えない場合で、かつ、当初の完了予定期日（交付金の繰越があった場合は当該繰り越しを伴う変更により定められた完了予定期日とする。）後２ヶ月以内である場合は、この限りではない。

第17　状況報告

都道府県知事は、事業の毎月の遂行状況について、環境大臣の要求があったときは、様式15による状況報告書を提出しなければならない。

第18　実績報告

１　都道府県知事は、事業が完了した日（第15により交付対象事業の中止又は廃止について環境大臣の承認を受けた場合は、当該承認を受けた日）から起算して30日を経過した日又は翌年度４月10日のいずれか早い日までに様式16による実績報告書を環境大臣に提出するものとする。

２　都道府県知事は、交付対象事業が翌年度にわたるときは、翌年度の４月30日までに様式20による年度終了実績報告書を環境大臣に提出するものとする。

３　都道府県知事は、第１項の実績報告書の提出に当たって、第７第４項ただし書きの規定により交付額を算出した場合において、交付金に係る消費税等仕入控除税額が明らかな場合には当該消費税等仕入控除税額を減額して報告しなければならない。

第19　交付金の額の確定

１　環境大臣は、第18第１項の規定による実績報告書の提出を受けた場合には、報告書等の書類の審査及び必要に応じて現地調査等を行い、その報告に係る交付対象事業の成果が交付金の交付の決定若しくは変更の交付の決定の内容及びこれに付した条件に適合すると認めたときは、交付すべき交付金の額を確定し、都道府県知事に通知するものとする。

２　環境大臣は、都道府県に交付すべき交付金の額を確定した場合において、既にその額を超える交付金が交付されているときは、その超える部分の交付金の返還を都道府県知事に命ずるものとする。

３　前項の交付金の返還期限は、その命令のなされた日から20日以内とする。ただし、都道府県が交付金の返還のための予算措置につき議会の承認を必要とする場合で、かつ20日以内の期限により難い場合には、額の確定通知の日から90日以内とすることができる。

４　環境大臣は、前項の返還期間内に交付金に相当する額の納付がない場合には、未納に係る金額に対して、その未納に係る日数に応じて年利10.95％の割合で計算した延滞金を徴するものとする。

第20　交付金の支払

１　交付金は、第19第１項の規定により交付すべき交付金の額を確定した後に支払うものとする。ただし、環境大臣が必要があると認める場合であって、財務大臣との協議が整った場合には、概算払をすることができる。

２　都道府県知事は、前項の規定により交付金の支払を受けようとするときは、精算（概算）払請求書を官署支出官に提出しなければならない。

第21　整備計画の評価

1　都道府県知事は、交付期間の終了時に、整備計画の目標の達成状況等について計画要領に基づき評価を行い、これを公表するとともに、環境大臣に報告しなければならない。

2　環境大臣は、前項に基づく報告を受けたときは、都道府県に対し、必要な助言をすることができる。

第22　交付決定の取消し等

1　環境大臣は、次の各号のいずれかに該当すると認められる場合は、交付の決定若しくは変更の交付の決定の全部又は一部を取り消すことができる。ただし、第四号の場合において、補助事業のうち既に経過した期間に係る部分についてはこの限りではない。

一　都道府県が適正化法及び適正化法施行令その他の法令又はこの要綱に基づく環境大臣の指示に違反した場合

二　都道府県が、交付金を交付対象事業以外の用途に使用した場合

三　都道府県が、交付対象事業に関して不正、怠慢その他不適切な行為をした場合

四　前三号に掲げる場合のほか、交付の決定後に生じた事情の変更等により、交付金事業の全部又は一部を継続する必要がなくなった場合その他の理由により補助事業を遂行することができない場合（補助事業者の責に帰すべき事情による場合を除く。）

2　環境大臣は、前項の規定による交付決定の取消しをした場合、都道府県知事に対しその取消しに係る部分に関し、すでに交付金が交付されているときは、期限を定めて、その返還を命じるものとする。

3　環境大臣は、前項の返還を命ずる場合であって、適正化法第17条第１項に基づく交付決定の取消しである場合には、その命令に係る交付金の受領の日から納付の日までの日数に応じて、年利10.95％の割合で計算した加算金の納付を併せて命ずるものとする。

4　第２項に基づく交付金の返還については、第19第３項（ただし書きを除く。）及び第４項の規定を準用する。

第23　財産の管理

都道府県知事は、交付対象事業により取得し、又は効用の増加した財産（以下「取得財産等」という。）については、事業完了後においても善良な管理者の注意をもって当該財産の適正なる維持管理をするとともにその効率的な運営を図らなければならない。

第24　財産の処分の制限

1　取得財産等のうち、適正化法施行令第13条第４号及び第５号の規定に基づき環境大臣が定める処分を制限する財産は、交付対象事業により取得し、又は効用の増加した

不動産及びその従物、並びに交付対象事業により取得し、又は効用の増加した価格が単価50万円以上の機械、器具、備品及びその他重要な財産とする。

２　適正化法第22条に定める財産の処分を制限する期間は、減価償却資産の耐用年数等に関する省令（昭和40年３月31日大蔵省令第15号）で定める期間とする。

３　都道府県知事は、前項の期間内において、処分を制限された取得財産等を処分しようとするときは、環境省所管の補助金等で取得した財産の処分承認基準（平成20年５月15日付け環境会発第080515002号）に基づく承認を受けることなしに、この交付金の交付の目的に反して使用し、譲渡し、交換し、貸し付け又は担保に供してはならない。

第25　交付金調書

都道府県知事は、交付対象事業に係る歳入及び歳出を明らかにした様式22による交付金調書を作成し、当該歳入及び歳出について証拠書類を整理し、かつ、当該交付金調書及び証拠書類を事業完了後５年間保管しなければならない。

第26　間接補助に係る交付の条件

都道府県知事は、この交付金を原資として市町村に補助金を交付するときは、第10、第13、第14、第15、第16、第23、第24及び第25の規定に準ずる条件を付さなければならない。

第27　特別基準の設定

特別の事情により第８、第９、第18に定める手続等によることができない場合は、あらかじめ環境大臣に申請し、その承認を得たものをもってこれに代えることができる。

第28　監督等

１　環境大臣は、都道府県知事に対し、都道府県知事は当該都道府県が補助する市町村長に対し、それぞれその施行する交付対象事業に関し、適正化法その他の法令及びこの要綱の施行のため必要な限度において、報告若しくは資料の提出を求め、又はその施行する交付対象事業の施行の促進を図るため、必要な勧告、助言若しくは援助をすることができる。

２　環境大臣は、都道府県知事に対し、都道府県知事は当該都道府県が補助する市町村長に対し、それぞれその施行する交付対象事業につき、監督上必要があるときは、その交付対象事業を検査し、その結果違反の事実があると認めるときは、その違反を是正するため必要な限度において、必要な措置を講ずべきことを命ずることができる。

第29　消費税等仕入控除税額の確定に伴う交付金の返還

１　都道府県知事は、事業完了後に、消費税及び地方消費税の申告により交付金に係る消費税等仕入控除税額が確定した場合には、速やかに様式23による消費税等仕入控除税額報告書を環境大臣に提出しなければならない。

２　環境大臣は、前項の規定による報告書の提出を受けたときは、当該消費税等仕入控除税額の全部又は一部の返還を命ずるものとする。

3　前項の返還については、第19第３項（ただし書きを除く。）及び第４項の規定を準用する。

第30　電子情報処理組織による申請等

都道府県知事は、第８第１項の規定に基づく整備計画の提出若しくは変更、第９の規定に基づく交付の申請、第10の規定に基づく変更交付の申請、第12の規定に基づく申請の取下げ、第13の規定に基づく（変更）交付決定前事業着手の申請、第15の規定に基づく事業の中止若しくは廃止の申請、第16の規定に基づく事業遅延の届出、第17の規定に基づく状況報告、第18第１項若しくは第２項の規定に基づく実績報告、第20第２項の規定に基づく支払請求、第21第１項の規定に基づく整備計画の評価、第27の規定に基づく特別基準の承認申請、又は第29第１項の規定に基づく消費税等仕入控除税額の確定に伴う報告（以下、「交付申請等」という。）については、電子情報処理組織を使用する方法（適正化法第26条の２及び３の規定に基づき環境大臣が定めるものをいう。）により行うことができる。

第31　電子情報処理組織による通知等

環境大臣は、前条の規定により行われた交付申請等に係る通知、承認、指示又は命令について、当該通知等を電子情報処理組織を使用する方法により行うことができる。

第32　間接補助金の電子申請

1　都道府県知事は、間接補助金の交付の手続について、電磁的方法（適正化法第26条の２及び３の規定に準じて都道府県知事が定めるものという。以下同じ。）により行うことができる。

2　都道府県知事は、間接補助金の交付の決定その他都道府県からその経費の補助を受けて交付対象事業を実施する市町村に対する通知を電磁的方法により行うことができる。

附　則　（平成25年３月29日環自総発第1303295号）

1　この要綱は、平成25年４月１日から適用する。

2　地域自主戦略交付金交付要綱（平成24年４月）第７条第２項の規定により、次年度の単年度交付額の算定において調整することとした事業について、平成25年度において本交付金を充てて実施しようとする場合は、第６の２の規定により平成25年度の単年度交付額から差額を調整するものとする。

附　則　（平成27年２月18日環自総発第1502183号）

（施行期日）

1　この要綱は、平成27年４月１日から適用する。

（経過措置）

2　この要綱の施行の際現に改正前の自然環境整備交付金交付要綱（平成25年３月29日付け環自総発第1303295号）により交付決定された交付金の取扱いについては、なお従前の例による。

附　則　（平成29年６月１日環自整発第17060112号）

（施行期日）

１　この要綱は、平成29年６月１日から適用する。

（経過措置）

２　この要綱の施行から令和２年度までは、個別施設計画が作成されていない予防保全型管理を行う既存施設の長寿命化を主目的とする整備について、この要綱を適用することができる。

附　則　（令和２年４月１日環自整発第20040111号）

（施行期日）

１　この要綱は、令和２年４月１日から適用する。

（経過措置）

２　この要綱の施行の際現に改正前の自然環境整備交付金交付要綱（平成25年３月29日付け環自総発第1303295号）により交付決定された交付金の取扱いについては、なお従前の例による。

附　則　（令和３年２月１日環自整発第2102016号）

（施行期日）

１　この要綱は、令和３年２月１日から適用する。

附　則　（令和３年３月31日環自整発第2103315号）

（施行期日）

１　この要綱は、令和３年４月１日から適用する。

（経過措置）

２　この要綱の施行の際現に改正前の自然環境整備交付金交付要綱（平成25年３月29日付け環自総発第1303295号）により交付決定された交付金の取扱いについては、なお従前の例による。

（様式１）交付申請書

識別番号	

文　書　番　号
令和　年　月　日

環境大臣　あて

都道府県知事

令和　　年度自然環境整備交付金（○○○○整備事業）交付申請書

標記交付金の交付を受けたいので、自然環境整備交付金交付要綱第９の規定により関係書類を添え申請します。

本件責任者及び担当者の氏名、連絡先等
⑴　責任者の所属部署・職名・氏名
⑵　担当者の所属部署・職名・氏名
⑶　連絡先（電話番号・Ｅメールアドレス）

（注）件名の○○○○には、「国立公園」又は「国定公園等」のいずれかの文言を記載すること。

記

1　交付金申請額　　金　　　　円
2　事業着手予定期日　　令和　年　月　日
3　事業完了予定期日　　令和　年　月　日
4　所要額調書（(様式２）のとおり)
5　事業費内訳総括表（(様式３）のとおり)
6　事務費内訳（(様式４）のとおり)
7　歳入歳出予算（見込書）抜粋（(様式５）のとおり)
8　公園計画及び事業決定等一覧表（(様式６）のとおり)
9　工事費内訳（(様式10）又は別紙のとおり)
10　関係図面（平面図・構造図等）（Ａ３以下の縮小図面）（別紙のとおり）
11　位置図（公園計画図（公園外の長距離自然歩道においては路線名）と整備箇所が分かるもの）（別紙のとおり）
12　現況写真（別紙のとおり）
13　その他添付書類

（様式２）所要額調書

自然環境整備交付金（○○○○整備事業）所要額調書

都道府県：　　　　　　　　整理番号：

A．整備計画（令和　　年度～令和　　年度）						
総事業費 (A)	交付対象外経費 (B)	交付対象事業費 (C) 【A－B】	交付限度額 (D)	執行済交付対象事業費 (E)	前年度末までの既交付額 (F)	備　考
円	円	円	円	円	円	

B．当年度申請内容（令和　　年度）						
事　業　費 (G)	交付対象外経費 (H)	交付対象事業費 (I) 【G－H】	進　捗　率 (J) 【(E＋I)÷C】	単年度交付額 (K) 【(D×J－F)の範囲内の額】	前年度における年度間調整額 (L)	調整後の交付金交付額 (M) 【K－L】
(既交付決定) 円	円	円	%	円	円	円
(今回申請) 円	円	円	%	円	円	円

（注）１　件名の○○○○には、「国立公園」又は「国定公園等」のいずれかの文言を記載すること。

２　整理番号は、各都道府県あて予算内示別表に記載されている整理番号を記載すること。

３　(A)は、整備計画に記載された総事業費を記載すること。また、変更があった場合は、２段書きとし、変更前の額を上段（　　）書きとすること。

４　(B)は、(A)のうち都道府県単独事業費（市町村事業の場合は、市町村単独事業費）や事業に伴う寄付金その他の収入額等交付対象外経費の合計額を記載すること。

５　(D)は、国立公園整備事業にあっては（C×１／２の範囲内の額）を記載し、国定公園等整備事業にあっては（C×45／100の範囲内の額）を記載すること。また、算出された額に1,000円未満の端数が生じた場合にはこれを切り捨てるものとする。

６　(E)は、整備計画の初年度から前年度末までに執行済みの交付対象事業費を記載すること。

７　(F)は、当該事業について整備計画の初年度から前年度末までに交付された金額を記載すること。なお、繰り越しを行い、交付額が未確定の場合は、当該年度については交付決定額で算出すること。

8　(H)は、(G)のうち都道府県単独事業費（市町村事業の場合は、市町村単独事業費）や事業に伴う寄付金その他の収入額等交付対象外経費の合計額を記載すること。

9　(J)は、小数点第３位以下を切上げ、小数点第２位まで記載すること。

10　(K)は、算出された額に1,000円未満の端数が生じた場合にはこれを切り捨てるものとする。

11　変更交付申請の場合は、変更前の額を上段（既交付決定）に、変更後の額を下段（今回申請）に記載すること。

12　各欄とも消費税及び地方消費税相当額を含んだ額を記載すること。ただし、消費税等仕入控除税額があり、かつ、その金額が明らかな場合には、これを減額して記載すること。

（様式３）事業費内訳総括表

自然環境整備交付金（○○○○整備事業）事業費内訳総括表

都道府県：＿＿＿＿＿＿＿＿＿＿

（単位：円）

事業番号	事業名等	事業主体	工事費						事務費（様式４）	合計	備考
			本工事費	測量設計費	用地費及補償費	機械器具費	営繕費	合計			
	（公園等又は歩道名）（事業名）										
合計			（　）	（　）	（　）	（　）	（　）	（　）	（　）	（　）	

（注）１　件名の○○○○には、「国立公園」又は「国定公園等」のいずれかの文言を記載すること。

２　「事業番号」は、整備計画に記載している事業番号ごとに記載すること。

３　「事業名等」の（公園等又は歩道名）は、整備計画に記載している国立公園・国定公園・鳥獣保護区・公園外の長距離自然歩道の名称を記載すること。（事業名）は、整備計画に記載している事業名を記載すること。

４　消費税及び地方消費税相当額を含めた額を記載すること。ただし、消費税等仕入控除税額があり、かつ、その金額が明らかな場合には、これを減額して記載すること。

５　変更交付申請の場合は、２段書きとし、変更前の額を上段（　　）書きとすること。

（様式４）事務費内訳

自然環境整備交付金（○○○○整備事業）事務費内訳

（単位：円）

費目	細目		事務費	使途内訳
	節	細節		
旅費	旅費			
庁費	報酬 給料 職員手当等			
	共済費	社会保険料		
	需用費			
		消耗品費 燃料費 印刷製本費 光熱水費 修繕費 食糧費		
	役務費			
		通信運搬費 手数料		
	委託料			
	使用料及び 賃借料			
	備品購入費			
	小計			
合計				事務費限度額

（注）１　件名の○○○○には、「国立公園」又は「国定公園等」のいずれかの文言を記載すること。

２　消費税及び地方消費税相当額を含めた額を記載すること。

３　事務費限度額は、取扱要領により算定した額を記載すること。

４　変更交付申請の場合は、２段書きとし、変更前の額を上段（　　）書きとすること。

５　実績報告の場合は、交付決定から変更があった場合には、２段書きとし、交付決定額（変更交付決定のある場合は、最終のもの）を上段（　　）書きとすること。

（様式５）歳入歳出予算（見込書）抜粋

令和　　年度自然環境整備交付金（○○○○整備事業）歳入歳出予算（見込書）抜粋

（歳入）　　　　　　　　　　　　　　　　　　　　　　　　　　　　（単位：千円）

款項目	節	予算現額					附記			
		当初予算額	追加更正予算額	繰越事業費財源充当額	計		事業名	事業名	事業名	計
						うち交付金相当分	予算現額	予算現額	予算現額	
合計										

（歳出）　　　　　　　　　　　　　　　　　　　　　　　　　　　　（単位：千円）

款項目	節	予算額				流用増減額	予算現額		附記				
		当初予算額	追加更正予算額	前年度繰越事業費				うち交付金相当分	区分	事業名	事業名	事業名	計
				繰越額	うち交付金相当分					予算現額	予算現額	予算現額	
									工事費				
									事務費				
									合計				
合計									うち交付金相当分				

（注）１　件名の○○○○には、「国立公園」又は「国定公園等」のいずれかの文言を記載すること。

２　当該年度の交付対象事業における全ての事業費を記載すること。

３　歳入、歳出において、交付対象事業が複数ある場合は、附記欄ごとに内訳を記載すること。（別紙でも可）

４　都道府県単独事業費（市町村事業の場合は、市町村単独事業費）や事業に伴う寄付金その他収入額等交付対象外経費は記載しないこと。

（様式６）公園計画及び事業決定等一覧表

自然環境整備交付金（○○○○整備事業）公園計画及び事業決定等一覧表

1　公園内に係る事業（生態系維持回復事業を除く）

公園名	事業名	保護計画			施設計画			事業決定		
		特別保護地区	特別地域	普通地域	施設計画名	決定日付及び番号		公園事業名	決定日付及び番号	
			1　2　3			年　月　日	第　　号		年　月　日	第　　号
			1　2　3			年　月　日	第　　号		年　月　日	第　　号
			1　2　3			年　月　日	第　　号		年　月　日	第　　号
			1　2　3			年　月　日	第　　号		年　月　日	第　　号
			1　2　3			年　月　日	第　　号		年　月　日	第　　号
			1　2　3			年　月　日	第　　号		年　月　日	第　　号

2　生態系維持回復事業（国定公園内の事業）

公園名	事業名	保護計画			生態系維持回復計画			生態系維持回復事業計画の策定		
		特別保護地区	特別地域	普通地域	計画名	決定日付及び番号		事業計画名	決定日付及び番号	
			1　2　3			年　月　日	第　　号		年　月　日	第　　号
			1　2　3			年　月　日	第　　号		年　月　日	第　　号

【記載要領】

件名の○○○○には、「国立公園」又は「国定公園等」のいずれかの文言を記載すること。

［1　公園内に係る事業（生態系維持回復事業を除く）］

1　「保護計画」欄には、該当する地種区分の欄に○を記載すること。特別地域については、第１種特別地域の場合は１、第２種特別地域の場合は２、第３種特別地域の場合は３を○で囲むこと。複数の地種区分に該当する場合は、該当する欄の全てに○を記載すること。

2　「施設計画名」欄には、該当する集団施設地区の名称もしくは単独施設の名称を記載すること。

［2　生態系維持回復事業（国定公園内の事業）］

1　「保護計画」欄には、該当する地種区分の欄に○を記載すること。特別地域については、第１種特別地域の場合は１、第２種特別地域の場合は２、第３種特別地域の場合は３を○で囲むこと。複数の地種区分に該当する場合は、該当する欄の全てに○を記載すること。

この表は、当該年度の交付対象事業において、新たな事業の追加がない限りは、年度内最初の交付申請に添付すれば足りるものとする。また、公園外の長距離自然歩道の事業については、本様式への記載は不要とする。

（様式７）土地建物等買収費明細表

土　地　建　物　等　買　収　費　明　細　表

図面対象番号	所在地	買収権利	買収価格	権利者氏名	買収価額算出根拠																	利息相当額	備考
					土地							建物（建物所有者に属する付属工作物を含む。）								工作物（占有者の所有に属するもの。）			
					地目	地積	単価	評価額(A)	権利価額(B)	B−A	所有者氏名	構造階数用途	経過年数	延面積	単価	評価額(A)	権利価額(B)	B−A	所有者氏名	評価額	占有者氏名		
			円			m²	円	円	円				年	m²	円	円	円			円		円	

（注）この様式は、（様式10）各種工事費内訳表の「３　用地費及補償費内訳表」の「種別」欄の「土地買収費」、「建物等買収費」及び「権利消滅費」の算出根拠等を示す明細表とする。

（様式８）物件移転補償費等明細表

物件移転補償費等明細表

図面対象番号	所在地	物件移転補償費									その他補償費					合計	氏名
		建物				工作物			動産	その他	営業		仮住居		雑費・その他		
		用途構造	数量単位	工法	金額	名称	数量単位	金額	金額	金額	業種	金額	日数	金額	金額		
					円			円	円	円		円		円	円	円	

(注) 1　この様式は、（様式10）各種工事費内訳表の「３　用地費及補償費内訳表」の「種別」欄の「物件移転補償費」の内容を示す明細書とする。

2　物件移転補償費の「その他」欄には立木竹、電柱等の移転について記載すること。

3　その他補償費の「業種」欄には、営業の種類を記載すること。

4　その他補償費の「雑費・その他」欄には、借家人補償、移転雑費補償等について記載すること。

（様式９）工事施工に伴う取壊し又は移転物件内訳

工事施工に伴う取壊し又は移転物件内訳

	物件の種類	設置年月	規模構造	耐用年数	管理主体	処分内容	設置時の工事費	物件の状況、処分の必要性
国庫補助分							円	
							円	

（注）１　「処分内容」欄は、取壊し又は移転と記載すること。

２　「物件の状況、処分の必要性」欄は、耐用年数を残す物件についてのみ詳細に記載すること。

３　財産台帳の写し及び現況写真を添付すること。

（様式10）各種工事費内訳表

1　本工事費内訳表

費　目	工　種	種　別	細　別	単　位	数　量	単価 (円)	金額 (円)	摘　要
小　計								
消費税 相当額	—	—	—	—	—	—		
計								

（注）　工種、種別及び細別は本工事の積算を明らかにするため適正な区分により記載すること。

2　測量設計費内訳表

費　目	工　種	種　別	細　別	単　位	数　量	単価 (円)	金額 (円)	摘　要
小　計								
消費税 相当額	—	—	—	—	—	—		
計								

（注）　工種、種別及び細別は本工事の積算を明らかにするため適正な区分により記載すること。

３　用地費及補償費内訳表

種　別	細　別	単　位	数量	単価（円）	金額（円）	備　考
土地買収費		㎡				
	小　計					
建物等買収費	建物買収費 工作物買収費 立木買収費 ・・・・・	戸 件 件				
	小　計					
権利消滅費	地上権消滅費 永小作権消滅費 借地権消滅費 借家権消滅費	件 件 件 件				
	小　計					
権利制限料	・・・・・					
物件移転補償費	物件移転補償費 工作物移転補償費 動産移転補償費 立木竹移転補償費 電柱移転補償費 ・・・・・	戸 件 件 件 件				
	小　計					
農業補償費		件				
漁業補償費		件				
残地等損失補償費	残地等損失補償費					
	小　計					
・・・・・						
	計					

（注）　補償工事については、「本工事費内訳表」の作成に準ずること。

4　機械器具費内訳表

費　目	細　別	形状規格 寸　　法	数　量	単価 (円)	金額 (円)	摘　要
小　計						
消費税 相当額	—	—	—	—		
計						

(注) 1　「細別」欄には、購入、借上、修理、製作、運搬、据付撤去等の別を記載すること。

2　損料の場合は、「摘要」欄にその算出基礎を記載すること。

5　営繕費内訳表

費　目	細　別	単　位	数　量	単価 (円)	金額 (円)	摘　要
小　計						
消費税 相当額	—	—	—	—		
計						

(注) 1　「細別」欄には、新築、購入、借上、改築、製作、移転及び修理等の別を記載すること。

2　損料の場合は、「摘要」欄にその算出基礎を記載すること。

（様式11）変更交付申請書

文　　書　　番　　号
令和　　年　　月　　日

環境大臣　あて

都道府県知事

令和　　年度自然環境整備交付金（○○○○整備事業）変更交付申請書

令和　　年　　月　　日付け環自整発第　　　号をもって交付金の交付決定を受けた標記事業の変更交付を受けたいので、自然環境整備交付金交付要綱第10の規定により関係書類を添え申請します。

本件責任者及び担当者の氏名、連絡先等
⑴　責任者の所属部署・職名・氏名
⑵　担当者の所属部署・職名・氏名
⑶　連絡先（電話番号・Ｅメールアドレス）

（注）１　件名の○○○○には、「国立公園」又は「国定公園等」のいずれかの文言を記載すること。
２　交付決定済みの日付及び番号は、当該事業に係る当初の交付決定時のものを記載すること。

記

1　変更内容

（単位：円）

	要交付額	既交付決定額	差引追加交付所要額
交付金額			

2　変更理由

3　事業着手予定期日（変更）　　令和　　年　　月　　日

4　事業完了予定期日（変更）　　令和　　年　　月　　日

5　所要額調書（(様式２）のとおり）

6　事業費内訳総括表（(様式３）のとおり）

7　事務費内訳（(様式４）のとおり）

8　歳入歳出予算（見込書）抜粋（(様式５）のとおり）

9　公園計画及び事業決定等一覧表（(様式６）のとおり）

10　工事費内訳（(様式10）又は別紙のとおり）

11　関係図面（平面図・構造図等）（Ａ３以下の縮小図面）（別紙のとおり）

12　位置図（公園計画図（公園外の長距離自然歩道においては路線名）と整備箇所が分かるもの）（別紙のとおり）

13　現況写真（別紙のとおり）

14　その他添付書類

（注）

変更理由は、⑴経費の配分変更、⑵その他（追加申請などの場合）に区分して、変更する具体的な理由を記載すること。

（様式12）（変更）交付決定前事業着手承認申請書

文　書　番　号
令和　　年　　月　　日

環境大臣　あて

都道府県知事

令和　　年度自然環境整備交付金（○○○○整備事業）
（変更）交付決定前事業着手承認申請書

令和　　年　　月　　日付け環自整発第　　　　号で（変更）承認のあった自然環境整備計画に基づく下記事項について、別記条件を了承の上、交付金（変更）交付決定前に着手することとしたので、申請します。

記

1　事業番号

2　事業名及び事業概要

3　総事業費及び国費

4　事業着手予定期日

5　事業完了予定期日

6　（変更）交付決定前着手を必要とする理由

（注）１　件名の○○○○には、「国立公園」又は「国定公園等」のいずれかの文言を記載すること。

別記条件
1　交付金（変更）交付決定を受けるまでの期間内に、天災地変等の事由によって実施した施策に損失を生じた場合、これらの損失は、事業実施主体が負担するものとする。
2　交付金（変更）交付決定を受けた交付金額が（変更）交付申請額又は（変更）交付申請予定額に達しない場合においても、異議がないこと。
3　当該事業については、着手から交付金（変更）交付決定を受ける期間内においては、計画変更は行わないこと。
4　当該予算における要望照会時に要望した事業以外には着手しないこと。
5　（変更）交付決定前事業着手承認申請書の提出にあたっては、自然公園法に基づく公園事業等の手続が完了した上で行うこと。

本件責任者及び担当者の氏名、連絡先等
⑴　責任者の所属部署・職名・氏名
⑵　担当者の所属部署・職名・氏名
⑶　連絡先（電話番号・Ｅメールアドレス）

（様式13）事業の中止（廃止）申請書

文　書　番　号
令和　　年　　月　　日

環境大臣　あて

都道府県知事

令和　　年度自然環境整備交付金（○○○○整備事業）
事業中止（廃止）承認申請書

令和　　年　　月　　日付け環自整発第　　　号をもって交付金の交付決定を受けた標記事業の中止（廃止）をしたいので、自然環境整備交付金交付要綱第15の規定により承認願いたく申請します。

記

1　中止（廃止）の範囲：

2　中止（廃止）の理由：

3　中止（廃止）後の措置：

本件責任者及び担当者の氏名、連絡先等
⑴　責任者の所属部署・職名・氏名
⑵　担当者の所属部署・職名・氏名
⑶　連絡先（電話番号・Eメールアドレス）

(注) 1　件名の○○○○には、「国立公園」又は「国定公園等」のいずれかの文言を記載すること。
2　交付決定済みの日付及び番号は、当該事業に係る当初の交付決定時のものを記載すること。

（様式14）遅延報告書

文　　書　　番　　号
令和　　年　　月　　日

環境大臣　あて

都道府県知事

令和　　年度自然環境整備交付金（○○○○整備事業）遅延報告書

令和　　年　　月　　日付け環自整発第　　　号をもって交付金の交付決定を受けた標記事業について、自然環境整備交付金交付要綱第16の規定により指示を求めます。

本件責任者及び担当者の氏名、連絡先等
⑴　責任者の所属部署・職名・氏名
⑵　担当者の所属部署・職名・氏名
⑶　連絡先（電話番号・Ｅメールアドレス）

（注）1　件名の○○○○には、「国立公園」又は「国定公園等」のいずれかの文言を記載すること。
2　交付決定済みの日付及び番号は、当該事業に係る当初の交付決定時のものを記載すること。

記

1　事業番号

2　事業名

3　遅延の原因及び内容

4　交付決定額のうち遅延に係る金額
　国費：　　　　　　　千円

5　遅延の原因に対する措置

6　遅延等が交付対象事業に及ぼす影響

7　事業の遂行予定

8　事業完了予定期日
　当　初：令和　　年　　月　　日
　変更後：令和　　年　　月　　日

（注）　事業の進捗状況を示した工程表を当初計画と変更後を対比させて作成し、添付すること。

（様式15）状況報告書

自然環境整備交付金状況報告書　【令和　　年度　　月分】

本件責任者及び担当者の氏名、連絡先等(1)　責任者の所属部署・職名・氏名

都道府県名：＿＿＿＿＿＿

(2)　担当者の所属部署・職名・氏名

(3)　連絡先（電話番号・Eメールアドレス）

（単位：円）

区　分	内示額(繰越額)（国費）(S)	契約状況				支払状況			
		前月までの契約額(A)	当該月契約額(B)	契約済額（累計）(C)＝(A)＋(B)	累計契約率(C)／(S)	前月までの支払額(D)	当該月支払額(E)	支払済額（累計）(F)＝(D)＋(E)	累計支払率(F)／(S)
合　計									

※　本表は、年度ごと、財源区分ごとに作成する。繰越額について報告する際は、内示額の欄を繰越額と書き換えるものとする。

（注）1　当該年度予算で契約及び支払した額について記載すること。

2　契約額は国費相当額を記載すること。（契約額とは交付対象事業者と請負者との間の契約済額をさし、交付額の比率により算出した金額を記載すること。）

3　支払額は国費の収入額を記載すること。（都道府県会計管理者が国費を受け入れた額を記載すること。）

4　交付金事業にかかる事務費など、請負契約の対象とならない経費については、都道府県会計管理者が国費を収入した時をもって、当該収入額を当該月契約額及び当該月支払額として記載すること。

5　契約率及び支払率は、小数点第２位以下を切り捨て、小数点第１位まで記載すること。

（様式16）実績報告書

文　　書　　番　　号
令和　　年　　月　　日

環境大臣　あて

都道府県知事

令和　　年度自然環境整備交付金（○○○○整備事業）実績報告書

令和　　年　　月　　日付け環自整発第　　　号をもって交付金の交付決定を受けた標記事業について、当該年度分が終了したので、自然環境整備交付金交付要綱第18第１項の規定に基づき、次のとおり関係書類を添えて報告します。

本件責任者及び担当者の氏名、連絡先等
⑴　責任者の所属部署・職名・氏名
⑵　担当者の所属部署・職名・氏名
⑶　連絡先（電話番号・Ｅメールアドレス）

（注）１　件名の○○○○には、「国立公園」又は「国定公園等」のいずれかの文言を記載すること。
２　交付決定済みの日付及び番号は、当該事業に係る当初の交付決定時のものを記載すること。

記

1　交付金精算額　　　　　　　　　　金　　　　　　円

2　精算額調書（（様式17）のとおり）

3　事業費内訳総括表（（様式18）のとおり）

4　事務費内訳（（様式４）のとおり）

5　歳入歳出決算（見込書）抜粋（（様式19）のとおり）

6　契約書等の写（別紙のとおり）

7　検査調書の写（別紙のとおり）

8　完成図面（平面図・構造図等）（Ａ３以下の縮小図面）（別紙のとおり）

9　完成写真等（別紙のとおり）

10　交付金の交付を完了したことが分かる書類（市町村事業の場合）（別紙のとおり）

11　その他添付書類

（様式17）精算額調書

自然環境整備交付金（○○○○整備事業）精算額調書

都道府県：　　　　　　　　整理番号：

当該年度における事業費 (A)	交付対象外経費 (B)	交付対象事業費 (C) 【A－B】	交付金交付額 (D)	前年度における年度間調整額 (E)	調整後の交付金交付額 (F) 【D－E】	備　考
（交付決定又は変更交付決定額） 円 （実績額）	円	円	円	円	円	

当該年度における交付金受入予定額 (G) 【H＋I】	交付金配分額		差引過不足額 (J) 【G－F】	翌年度における年度間調整額 (K)	整備計画における総事業費 (L)	前年度までの執行済交付対象事業費 (M)	進捗率 (N) 【(C＋M)／L】
	都道府県(H)	市町村(I)					
円	円	円	円	円	円	円	%

（注）1　件名の○○○○には、「国立公園」又は「国定公園等」のいずれかの文言を記載すること。

2　整理番号は、各都道府県あて予算内示別表に記載されている整理番号を記載すること。

3　全て２段書きとし、上段（交付決定又は変更交付決定額）に（　）書きで交付決定又は変更交付決定時点の額を、下段（実績額）に精算にかかる額を記載すること。変更交付決定のある場合には、その最終の額を記載すること。

4　(A)は、当該年度において交付事業に要した全ての経費を記載すること。

5　(B)は、(A)のうち都道府県単独事業費（市町村事業の場合は、市町村単独事業費）や事業に伴う寄付金その他の収入額等交付対象外経費の合計額を記載すること。

6　(D)は、国立公園整備事業にあっては（C×１／２の範囲内の額）を記載し、国定公園等整備事業にあっては（C×45／100の範囲内の額）を記載すること。また、算出された額に1,000円未満の端数が生じた場合にはこれを切り捨てるものとする。

7　(G)は、都道府県が実際に受け入れる予定の交付金の額を記載すること。

8　(L)は、整備計画における総事業費を記載すること。

9　(M)は、整備計画の初年度から前年度末までに執行済みの交付対象事業費を記載すること。

10　各欄とも消費税及び地方消費税相当額を含んだ額を記載すること。ただし、消費税等仕入控除税額があり、かつ、その金額が明らかな場合には、これを減額して記載すること。

（様式18）事業費内訳総括表

自然環境整備交付金（○○○○整備事業）事業費内訳総括表

	交付申請文書番号	交付決定文書番号	追加交付決定額	交付額
当初交付申請	令和　年　月　日第　　号	令和　年　月　日環自整発第　　号	―	
変更交付申請	令和　年　月　日第　　号	令和　年　月　日環自整発第　　号		
変更交付申請	令和　年　月　日第　　号	令和　年　月　日環自整発第　　号		

都道府県：

（単位：円）

事業番号	事業名等	事業主体	工事費						事務費（様式４）	合計	事業完了年月日	整備箇所	施設名	構造	規模・数量等	備　考
			本工事費	測量設計費	用地費及補償費	機械器具費	営繕費	合計								
	（公園等又は歩道名） （事業名）		（交付決定又は変更交付決定額） （実績額）													
合計			（　）	（　）	（　）	（　）	（　）	（　）	（　）	（　）						

（注）１　件名の○○○○には、「国立公園」又は「国定公園等」のいずれかの文言を記載すること。

２　「事業番号」は、整備計画に記載している事業番号ごとに記載すること。

３　「事業名等」の（公園等又は歩道名）は、整備計画に記載している国立公園・国定公園・国指定鳥獣保護区・公園外の長距離自然歩道の名称を記載すること。（事業名）は、整備計画に記載している事業名を記載すること。

４　消費税及び地方消費税相当額を含めた額を記載すること。ただし、消費税等仕入控除税額があり、かつ、その金額が明らかな場合には、これを減額して記載すること。

５　２段書きとし、交付決定額（変更交付決定のある場合は、最終のもの）を上段（　）書きとすること。

（様式19）歳入歳出決算（見込書）抜粋

令和　　年度自然環境整備交付金（○○○○整備事業）歳入歳出決算（見込書）抜粋

（歳入）　　　　　　　　　　　　　　　　　　　　　　　　　　　　（単位：千円）

款項目	節	予算現額					収入済額	うち交付金相当分	不納欠損額	収入未済額	うち交付金相当分	歳入予算額に比し収入済額の差（△は減）	うち交付金相当分	附記							
		当初予算額	追加更正予算額	繰越事業費財源充当額	計									事業名		事業名		事業名		計	
						うち交付金相当分								予算現額	収入済額	予算現額	収入済額	予算現額	収入済額	予算現額	収入済額
合計																					

（歳出）　　　　　　　　　　　　　　　　　　　　　　　　　　　　（単位：千円）

款項目	節	予算額				流用増減額	予算現額	うち交付金相当分	支出済額	うち交付金相当分	翌年度繰越事業費	うち交付金相当分	不用額	うち交付金相当分	附記								
		当初予算額	追加更正予算額	前年度繰越											区分	事業名		事業名		事業名		計	
				繰越額	うち交付金相当分											予算現額	支出済額	予算現額	支出済額	予算現額	支出済額	予算現額	支出済額
															工事費								
															事務費								
															合計								
合計															うち交付金相当分								

（注）1　件名の○○○○には、「国立公園」又は「国定公園等」のいずれかの文言を記載すること。

2　予算現額については申請時の額を、支出済額には実際に支出した額を記載すること。

3　繰越事業がある場合は「繰越事業のある初年度」分と「繰越事業の繰越された年度」分に分けて作成すること。

4　歳入、歳出において、交付対象事業が複数ある場合は、附記欄ごとに内訳を記載すること。（別紙でも可）

5　都道府県単独事業費（市町村事業の場合は、市町村単独事業費）や事業に伴う寄付金その他収入額等交付対象外経費は記載しないこと。

（様式20）年度終了実績報告書

文　　書　　番　　号
令和　　年　　月　　日

環境大臣　あて

都道府県知事

令和　　年度自然環境整備交付金（○○○○整備事業）
年度終了実績報告書

令和　　年　　月　　日付け環自整発第　　　号をもって交付金の交付決定を受けた標記事業の令和　　年度における実績について、自然環境整備交付金交付要綱第18第２項の規定に基づき、別表（様式21）のとおり報告します。

本件責任者及び担当者の氏名、連絡先等
⑴　責任者の所属部署・職名・氏名
⑵　担当者の所属部署・職名・氏名
⑶　連絡先（電話番号・Ｅメールアドレス）

（注）１　件名の○○○○には、「国立公園」又は「国定公園等」のいずれかの文言を記載すること。
２　交付決定済みの日付及び番号は、当該事業に係る当初の交付決定時のものを記載すること。

（様式21）年度終了実績報告書別表

令和　　年度自然環境整備交付金（○○○○整備事業）年度終了実績報告書別表

事業番号	事業名	交付決定の内容			年度内遂行実績				翌年度繰越額			事業実施期間		事業間流用の有無	摘要
		総事業費(A) (円)	交付対象事業費(B) (円)	交付額(C) (円)	総事業費支払実績(見込)額(D) (円)	事業進捗率(E)【(D)／(B)】(%)	交付金受入額(F) (円)	不用額(G)【C−(F+J)】(円)	総事業費(H) (円)	交付対象事業費(I) (円)	交付額(J) (円)	着手年月	完了(予定)年月		
												令和　年　月	令和　年　月		
合計															繰越承認事由

（注）1　件名の○○○○には、「国立公園」又は「国定公園等」のいずれかの文言を記載すること。

2　交付決定を受けた全ての事業について記載すること。

3　年度内遂行実績欄の総事業費支払実績（見込）額は、３月31日までの支払済額と出納整理期間における支出見込額の合計額を記載すること。

4　翌々年度へ繰越が行われた場合は、年度内遂行実績欄は、２段書きとし、上段に（　　）書きで当初年度執行分を、下段に次年度執行分を記載すること。
また、翌年度繰越額欄についても、上段に（　　）書きで翌年度繰越額を、下段に翌々年度繰越額を記載すること。

5　(F)の合計額を受入れたことが分かる書類を添付すること。

（様式22）交付金調書

自然環境整備交付金（○○○○整備事業）調書

令和　　年度
環境省所管

（単位：千円）

国			都道府県名：										備　考
歳出予算科目	交付決定額	国費充当率	歳　入			歳　出							
			科　目	予算現額	収入済額	科　目	予算現額	うち交付金相当額	支出済額	うち交付金相当額	翌年度繰越額	うち交付金相当額	

（注）1　件名の○○○○には、「国立公園」又は「国定公園等」のいずれかの文言を記載すること。

2　「国」の「歳出予算科目」は項及び目を記載すること。なお、環境大臣が交付金の交付要綱又は交付条件等によって交付事業に要する経費の配分の変更について禁止し、又は変更交付申請を要するものとされている場合においては、他に流用することについて禁止し、又は変更交付申請を要するものとして配分された経費に対する交付金の額の区分名を特掲し、その他の経費に対する交付金額は一括して「その他」の区分を用いて記載すること。

3　「都道府県」の「科目」は、歳入にあっては款、項、目、節を、歳出にあっては款、項、目をそれぞれ記載すること。なお、歳出にあっては、前記1のなお書により国の歳出予算科目欄において交付事業に要する経費の配分に応じて交付金の額の区分名を記載する場合において、これに対応する経費の配分が目の内訳に係るときは当該経費の配分を目の内訳として記載すること。

4　「予算現額」は、歳入にあっては、当初予算額、追加補正予算額等の区分を、歳出にあっては当初予算額、追加補正予算額、予備費支出額、流用増減額等の区分を明らかにして記載すること。

5　「備考」は、参考となるべき事項を適宜記載すること。

6　交付事業の都道府県の歳出予算額の繰越が行われた場合における翌年度に行われる当該交付事業に係る交付金についての調書の作成は、本表に準ずること。この場合において、都道府県の歳入の「科目」に「前年度繰越分」を掲げる場合はその「予算現額」及び「収入済額」の下欄に交付金額を内書（　　）をもって付記すること。

（様式23）消費税等仕入控除税額報告書

文　書　番　号
令和　年　月　日

環境大臣　あて

都道府県知事

令和　年度自然環境整備交付金（○○○○整備事業）
消費税等仕入控除税額報告書

令和　年　月　日付け環自整発第　号をもって交付金の交付額確定通知を受けた標記事業について、自然環境整備交付金交付要綱第29第１項の規定に基づき、下記のとおり報告します。

記

1　補助金等に係る予算の執行の適正化に関する法律第15条の交付金の額の確定額（令和　年　月　日付け環自整発第　号による額の確定通知額）　金　円

2　交付金の確定時に減額した消費税等仕入控除税額　金　円

3　消費税及び地方消費税の申告により確定した消費税等仕入控除税額　金　円

4　交付金返還相当額（「3」－「2」）　金　円

5　参考となるその他書類（「3」の金額の積算の内訳等）　金　円

本件責任者及び担当者の氏名、連絡先等
⑴　責任者の所属部署・職名・氏名
⑵　担当者の所属部署・職名・氏名
⑶　連絡先（電話番号・Eメールアドレス）

（注）１　件名の○○○○には、「国立公園」又は「国定公園等」のいずれかの文言を記載すること。

○自然環境整備交付金取扱要領の制定について

〔平成25年３月29日　環自総発第1303296号
各都道府県知事宛　環境省自然環境局長通知〕

改正　平成27年２月18日環自総発第1502184号・平成29年６月１日環自整発第17060113号・平成30年11月９日環自整発第18110094号・令和２年４月１日環自整発第20040112号・令和３年２月１日環自整発第2102017号・令和３年３月31日環自整発第2103314号

平成25年３月29日に制定された、自然環境整備交付金交付要綱の取扱の詳細については、別紙「自然環境整備交付金取扱要領」により行うこととし、平成25年４月１日から適用することとしたので通知する。

〔別　紙〕

自然環境整備交付金取扱要領

自然環境整備交付金交付要綱に基づく交付金の交付に関しての細部については、この要領に定めるものとする。

１　交付対象事業

別紙１及び別紙２に定める事業をいう。

２　事業費費目の内容及び算定方法

交付金の事業費の区分及び各費目の内容は別表を適用する。ただし、当該区分に係る実支出額が別表の算定基準による算定額より少ないときはその実支出額とする。なお、次の各号に掲げる工事の工事費については、別表の事業費の区分、算定基準及び内容によらないことができるものとする。

⑴　鋼材、大断面集成材等を用いた大型工作物の新設等、部材の工場製作を主体とする工事

⑵　自然エネルギー発電設備、電気通信線路埋設等、電気設備の新設、改設等を主体とする工事

⑶　給水設備、汚水浄化処理設備等、機械設備の新設、改設等を主体とする工事

⑷　休憩所、公衆トイレ、炊事棟等の建物の新設、増改築、大規模修繕等の建築を主体とする工事

⑸　駐車場、車道等広面積の舗装等を主体とする工事、展示工事等前各号以外の工事であって、別表に定める算定基準によることが、著しく不適当又は困難であると認められるもの

３　事務処理

都道府県等は、交付対象事業の経理に当たっては、当該交付対象事業以外の事業を厳

に区分して行うものとし、次に掲げる関係書類及び帳簿等を区分し、事業完了後５年間整理保存するものとすること。

⑴　交付対象事業の施行に当たって請負契約等を締結したときは、次に掲げる関係書類。

一　予定価格見積調書又はこれに代わるべき書類及び内訳書

二　競争公告又は指名通知等の関係書類

三　入札書及び入札経過調書又はこれに代わるべき書類

四　契約書又はこれに代わるべき書類（工事請負契約書には、当該工事の仕様書及び見積明細書を添付しておくものとする。）

⑵　事業費の経費に当たって、事業費の支出関係書類（支出命令書、支出伝票、請求書及び領収書）、環境省通知のほか、次に掲げる各帳簿等。

一　事業費歳入簿、歳出予算差引簿

二　資材受払簿

三　工事日誌（請負工事であるときは、工事監督日誌とする。）

⑶　交付対象工事のうち、都道府県等が直接支出する材料費、労務費、労務者保険料、測量設計費、補償費、機械器具費、営繕費、事務費については、各経費の費目別に支出して証拠書類及び関係帳簿を整理、保管しておくものとする。

⑷　前項及びその他の事務処理に当たり、疑義又は重大な事故等が生じたときは、速やかに環境大臣に質疑し、又は報告する等事業の適正な運営を期するため、必要な措置をとるものとすること。

附　則（平成25年３月29日環自総発第1303296号）

この要領は、平成25年４月１日から適用する。

附　則（平成27年２月18日環自総発第1502184号）

この要領は、平成27年４月１日から適用する。

附　則（平成29年６月１日環自整発第17060113号）

この要領は、平成29年６月１日から適用する。

附　則（平成30年11月９日環自整発第1811094号）

（施行期日）

１　この要領は、平成30年11月９日から適用する。

（交付対象事業に係る時限）

２　平成30年度補正予算（第１号）で実施する事業については、本文１交付対象事業に「⑶平成30年７月豪雨により災害を受けた公共施設の整備」を追加し、「⑴及び⑵に掲げるいずれか又は両方」を「⑴、⑵及び⑶に掲げるいずれか」と読み替える。

附　則（令和２年４月１日環自整発第20040112号）

この要領は、令和２年４月１日から適用する。

附　則（令和３年２月１日環自整発第2102017号）

（施行期日）

１　この要領は、令和３年２月１日から適用する。

（交付対象事業に係る時限）

２　令和２年度補正予算（第３号）で実施する事業については、本文１交付対象事業に「⑶令和２年７月豪雨等により災害を受けた公共施設の整備」を追加し、「⑴及び⑵に掲げるいずれか又は両方」を「⑴、⑵及び⑶に掲げるいずれか」と読み替える。

附　則（令和３年３月31日環自整発第2103314号）

この要領は、令和３年４月１日から適用する。

別紙１

交付対象事業となる国立公園整備事業

１　都道府県が行う次の事業

国立公園において行われる次に掲げる施設の整備事業（国立公園事業として実施するものに限る。）。ただし、次の⑴及び⑵に掲げるいずれか又は両方の対策を講じることを目的とした施設の整備でなければならない。なお、既存施設の長寿命化を主目的とする整備を除く。

⑴　公園利用者の安全確保を図るための利用施設の老朽化対策に資するもの

⑵　訪日外国人の快適な公園利用に資するもの

また、道路法（昭和27年６月10日法律第180号）による道路に係る事業又は他の法律にその執行に要する費用に関して別段の規定があるその他の事業については、交付対象としない。

ア　道路（車道）

自然公園を利用する不特定多数の者（以下「公園利用者」という。）の自動車利用の用に供される道路をいう。

イ　道路（自転車道）

公園利用者の自転車利用の用に供される道路をいう。

ウ　道路（歩道）

公園利用者の徒歩利用の用に供される道路をいう。

エ　橋

河川、湖沼等の水面、低地又は交通路の上に架設して公園利用者の通路とされるものをいう。

オ　広場

乗降地又は利用中心地に公園利用者の離合集散の利便を図るために設けられる施設であって、一定の土地の広がりを有するものをいう。

カ　園地

公園利用者の散策、水遊び、ピクニック、デイキャンプ、風景鑑賞、自然観察等自然との積極的なふれあいを図るために設けられる施設（園路、芝生地等）であって、一定の土地の広がりを有するものをいう。

キ　避難小屋

公園利用者が山岳等において、一時、難を避けるために設けられる施設をいう。

ク　休憩所

公園利用者の休憩又は飲食の用に供される施設（主に休憩舎等の建築物をもつもの）をいう。

ケ　野営場

公園利用者の野営の用に供される施設（テントサイト及びこれに併設される簡易宿泊施設等）をいう。

コ　駐車場

公園利用者の運送の用に供される乗用車、バス等を一時駐車させるために設けられる一定の土地の広がりを有する施設をいう。

サ　桟橋

公園利用者の用に供される旅客船を係留するために設けられる施設（桟橋、浮桟橋、岸壁、物揚場等）をいう。

シ　給水施設

公園利用者に飲料水等を供給するために設けられる施設（取水井、貯水池、給水管等）をいう。

ス　排水施設

集団施設地区等の施設地又は公園利用者の集中する地区において雨水又は汚水を適切に処理し環境衛生上良好な状態に保つために設けられる排水管、浸透池、浄化施設等の施設をいう。

セ　公衆便所

公園利用者の用に供される便所をいう。

ソ　博物展示施設

主としてその公園の地形、地質、動物、植物、歴史等に関し、公園利用者が容易に理解できるよう、解説活動及び模型、写真、図表等の展示施設を用いた展示を行うために設けられる施設（ビジターセンター及びこれに併設される自然研究路、解説施設、解説員研修施設等）をいう。

タ　植生復元施設

植生を復元するために設けられる施設及び植生の復元地をいう。

チ　砂防施設

公園内の特定の景観又は利用施設を山崩れ、地すべり、土砂流出、水害等から守るために設けられる施設をいう。

ツ　防火施設

森林又は利用施設を火災から守るために設けられる施設（望ろう、防火用水施設、消火施設、防火帯等）をいう。

テ　自然再生施設

損なわれた自然環境について、当該自然環境への負荷を低減するための施設及び良好な自然環境を創出するための施設が一体的に整備されるものをいう（自然再生の対象地を含む。）。

ト　上記アからテの施設に係る付帯施設

２　市町村が行う前項各号の事業に対し都道府県が補助する事業

別紙２

交付対象事業となる国定公園等整備事業

１　都道府県が行う次の事業

(1)　国定公園において行われる次に掲げる施設の整備事業（国定公園事業として実施するものに限る。）。ただし、道路法（昭和27年６月10日法律第180号）による道路に係る事業又は他の法律にその執行に要する費用に関して別段の規定があるその他の事業については、交付対象としない。

ア　道路（車道）

自然公園を利用する不特定多数の者（以下「公園利用者」という。）の自動車利用の用に供される道路をいう。

イ　道路（自転車道）

公園利用者の自転車利用の用に供される道路をいう。

ウ　道路（歩道）

公園利用者の徒歩利用の用に供される道路をいう。

エ　橋

河川、湖沼等の水面、低地又は交通路の上に架設して公園利用者の通路とされるものをいう。

オ　広場

乗降地又は利用中心地に公園利用者の離合集散の利便を図るために設けられる施設であって、一定の土地の広がりを有するものをいう。

カ　園地

公園利用者の散策、水遊び、ピクニック、デイキャンプ、風景鑑賞、自然観察等自然との積極的なふれあいを図るために設けられる施設（園路、芝生地等）であって、一定の土地の広がりを有するものをいう。

キ　避難小屋

公園利用者が山岳等において、一時、難を避けるために設けられる施設をいう。

ク　休憩所

公園利用者の休憩又は飲食の用に供される施設（主に休憩舎等の建築物をもつもの）をいう。

ケ　野営場

公園利用者の野営の用に供される施設（テントサイト及びこれに併設される簡易宿泊施設等）をいう。

コ　駐車場

公園利用者の運送の用に供される乗用車、バス等を一時駐車させるために設けられる一定の土地の広がりを有する施設をいう。

サ　桟橋

公園利用者の用に供される旅客船を係留するために設けられる施設（桟橋、浮桟橋、岸壁、物揚場等）をいう。

シ　給水施設

公園利用者に飲料水等を供給するために設けられる施設（取水井、貯水池、給水管等）をいう。

ス　排水施設

集団施設地区等の施設地又は公園利用者の集中する地区において雨水又は汚水を適切に処理し環境衛生上良好な状態に保つために設けられる排水管、浸透池、浄化施設等の施設をいう。

セ　公衆便所

公園利用者の用に供される便所をいう。

ソ　博物展示施設

主としてその公園の地形、地質、動物、植物、歴史等に関し、公園利用者が容易に理解できるよう、解説活動及び模型、写真、図表等の展示施設を用いた展示を行うために設けられる施設（ビジターセンター及びこれに併設される自然研究路、解説施設、解説員研修施設等）をいう。

タ　植生復元施設

植生を復元するために設けられる施設及び植生の復元地をいう。

チ　動物繁殖施設

公園内に生息する野生の昆虫類、魚類、鳥類、哺乳類等の動物の繁殖を図るために設けられる施設（ふ化場、養魚池、給餌施設等）をいう。

ツ　砂防施設

公園内の特定の景観又は利用施設を山崩れ、地すべり、土砂流出、水害等から守るために設けられる施設をいう。

テ　防火施設

森林又は利用施設を火災から守るために設けられる施設（望ろう、防火用水施設、消火施設、防火帯等）をいう。

ト　自然再生施設

損なわれた自然環境について、当該自然環境への負荷を低減するための施設及び良好な自然環境を創出するための施設が一体的に整備されるものをいう（自然再生の対象地を含む。）。

ナ　上記アからトの施設に係る付帯施設

(2)　国定公園において行われる生態系維持回復事業計画に基づく施設の整備事業。

(3)　国指定鳥獣保護区（国立公園及び国定公園区域と重複する国指定鳥獣保護区を除く。）において行われる自然再生施設の整備事業。ただし、平成18年度以前からの継続事業に限る。

(4)　環境省自然環境局長の定める長距離自然歩道整備計画（平成15年３月31日以前に環境大臣が定めたものを含む。）に基づく、国立公園及び国定公園の区域外における整備事業。ただし、道路法（昭和27年６月10日法律第180号）による道路に係る事業又は他の法律にその執行に要する費用に関して別段の規定がある場合については、交付対象としない。

2　市町村が行う前項各号の事業に対し都道府県が補助する事業

別　表

1　区分	2　費目	3　細目	4　細分	5　算定基準	6　内　容
工事費					「工事費」とは工事費、測量設計費、用地費及補償費、機械器具費、営繕費並びにこれらに対応する消費税等相当額の合計額をいう。
	本工事費			自然公園工事（造園・土木工事）については「自然公園等工事積算基準（自然公園編）（平成16年３月17日付環自整発第04317001号）」を、建築工事及び電気設備工事、機械設備工事については「官庁営繕関係統一基準（国土交通省）」を適用する。ただし、同基準によることが著しく不適当又は困難であると認められるものについては、実情に即して別途基準により算出することを妨げないものとする。	「本工事費」とは事業の主体をなす施設の工事（工事に必要な準備工を含む。）及び本工事に伴う附帯工事（附帯工事に必要な準備工を含む。）の施工に必要な経費をいう。
	測量設計費			直接必要とする額。なお、基本計画の策定に要する経費は交付対象外とする。	「測量設計費」とは交付金事業者が工事を施工するために必要な調査、測量設計及び試験に要する経費をいう。 交付金事業者が直接、調査、測量及び試験を行う場合において、これに要する材料費、労務費及び労務者保険料等の費用をいい、請負又は委託により調査、測量、設計及び試験を施行する場合においては請負費又は委託料の費用をいう。
	用地費及補償費			直接必要とする額。	「用地費及補償費」とは交付対象事業に必要な最小限度の用地の取得に要する費用及び

					工事の施工によって生じた土地、家屋若しくは立木その他の財産権の侵害による損失又は物件の移転に伴う損失等に要する補償のための費用（補償金にかえ、直接施工する補償工事に要する費用を含む。）
	機械器具費			直接必要とする額。	「機械器具費」とは、交付金事業者が直営により工事を施工する場合において工事施工に直接必要な土工用、建築用、小運搬用その他工事用機械器具の購入、借料、運搬、据付け、撤去、修繕及び製作に要する経費をいう。ただし、当該機械器具が工事期間を超えて使用できるものは損料とし、購入費には算入しないものとする。
	営繕費			直接必要とする額。	「営繕費」とは、交付金事業者が工事施工に当たって、工事期間中のみ必要な現場事務所、見張所、倉庫、仮設宿舎等の損料、移転料及び修繕料をいい、大規模工事又は工事現場が遠隔地等の理由で交付金事業者が工事施工を監督するために、これらの施設を特に必要とする場合に限るものとする。
	消費税相当額			本工事費、附帯工事費、測量設計費、用地費及補償費、機械器具費、及び営繕費にかかる消費税及び地方消費税相当額の合計額とする。	
事務費	旅費 庁費			交付対象事業費を次に掲げる額に区分してそれぞれの率を乗じて得た額（区分ごとに千円未満切捨て）の合計額の範囲内とす	「事務費」とは、交付金事業者が事業実施に伴う事務処理に直接必要とする旅費、庁費及び工事現場事務所又は出先機関において、

必要とする旅費、庁費、並びにこれらにかかる消費税相当額の合計額をいい、庁費とは報酬、給料、職員手当等、共済費、需用費（消耗品費、燃料費、印刷製本費、光熱水費、修繕費及び食糧費）、役務費（通信運搬費、手数料）、委託料、使用料及賃借料、備品購入費等をいう。（ただし、報酬、給料、職員手当等、共済費については、地方公務員法及び地方自治法の一部を改正する法律（平成29年５月17日法律第29号）に規定されている会計年度任用職員へ支給されるものに限る。）

る。

号	区　分	率
1	3,000万円以下の金額に対して	7.00%
2	3,000万円を超え5,000万円以下の金額に対して	6.50%
3	5,000万円を超え１億円以下の金額に対して	5.50%
4	１億円を超え３億円以下の金額に対して	4.50%
5	３億円を超え５億円以下の金額に対して	3.50%
6	５億円を超え10億円以下の金額に対して	2.50%
7	10億円を超え20億円以下の金額に対して	2.00%
8	20億円を超え30億円以下の金額に対して	1.00%
9	30億円を超える金額に対して	0.50%

○自然環境整備計画作成要領の制定について

〔平成25年３月29日　環自総発第1303297号
各都道府県知事宛　環境省自然環境局長通知〕

改正　平成27年２月18日環自総発第1502184号・令和２年４月１日環自整発第20040112号

自然環境整備交付金交付要綱第２の４に規定する自然環境整備計画については、同要綱に基づき作成することとされているところであるが、その詳細について、別添のとおり作成要領を定めたので通知する。

自然環境整備計画作成要領

目次

第１　自然環境整備計画の目的

自然環境整備計画（以下「整備計画」という。）は、自然とのふれあいの推進及び自然環境の保全・再生を図るための地域の目標を明らかにし、併せて自然環境整備交付金（以下「交付金」という。）の活用による整備の方針等を示すことにより、目標を達成するための事業を重点的かつ計画的に実施することを目的として、それぞれの都道府県が定める期間において都道府県ごとに作成するものとする。

第２　計画事項

１　整備計画の対象地域

整備計画の対象地域は、原則として都道府県単位とするが、目標及び整備方針については、標準的には、国立公園又は国定公園の場合にあっては、風致等の保護上又は利用上一体的に取り扱うべき区域、国指定鳥獣保護区の場合にあっては、鳥獣の保護上一体的に取り扱うべき区域、長距離自然歩道にあっては、利用上一体的に取り扱うべき路線の区間について、これらのひとつ又は複数の区域・区間を含む地域を、個別の対象地域（以下「個別地域」という。）として設定するものとする。

２　整備計画の期間

整備計画の期間（以下「計画期間」という。）は、目標を達成するために必要な事業を集中的に実施するため、原則として３年から５年程度とするものとする。

３　整備計画の目標及び整備方針

⑴　目標の設定

計画期間内に達成すべき目標を対象地域ごとに設定するものとする。

なお、複数の目標を設定したうえで、これらの目標を総括する大目標を設定することができるものとする。

⑵　目標設定の根拠

目標の設定に際しては、次に掲げる事項を明らかにすることにより、設定の根拠を明らかにするものとする。

ア　対象地域の現状

対象地域ごとに、社会経済的な背景を踏まえつつ、自然環境の特徴や現状、観光等の現状、自然とのふれあいの推進や自然環境の保全・再生に係るこれまでの取組等を概括する。

イ　課題

経緯及び現況を踏まえ、自然とのふれあいの推進と自然環境の保全・再生を図る上で、解決すべき中心的な課題を示す。

⑶　対象地域における整備方針等

課題を踏まえ、設定した目標を達成するための各種事業の整備方針及び主要な事業を整理して示すものとする。一つの事業が複数の目標に対応する場合には、事業の名称を再掲することも可能とする。また、交付対象事業以外に、目標の達成のために連携して実施される関連事業がある場合には、これらを加えて一括して整理するものとする。

⑷　目標を定量化する指標

事業終了後に目標の達成状況を明確にするため、目標に対応した指標を設定するものとする。指標は、原則として数値による明示が可能なものを採用し、当該指標の従前値と事業終了後の目標値（以下「数値目標」という。）を整備計画に設定するものとする。目標を定量化するために適当な場合には、複数の指標を設定することができるものとする。設定した指標については、目標との関連性を簡潔に説明し、指標としての妥当性を示すものとする。

⑸　指標の設定に係る留意事項

指標及び数値目標の設定は、次に掲げる事項に留意して行うものとする。

ア　事業の実施によってもたらされる実現可能な効果を具体的に想定して、設定すること。

イ　自然環境に係るモニタリング調査、利用者に対するアンケート調査などの活用を積極的に検討すること。

ウ　地方自治体等において継続的に収集されている統計データが、事業の効果を反映することが合理的に説明できる場合には、これらの統計データを活用して差し支えないこと。

エ　交付金を活用して実施する事業（以下「交付対象事業」という。）以外に、交付対象事業と連携して実施される関連事業がある場合には、これらによって得られる効果を勘案して差し支えないこと。

⑹　その他必要な事項

計画期間終了後に予定される整備施設の運営方法など、整備計画に関する特筆すべき事項について示すものとする。

４　目標を達成するために必要な交付対象事業

計画期間内に交付金を活用して実施する事業ごとに、事業の名称、事業箇所、事業主体、事業期間、交付対象事業費等を整理して示すものとする。

５　交付対象事業の総事業費

計画期間における交付対象事業の総事業費を示すものとする。

なお、事業の効果が明確に発現されるためには、相当規模の交付対象事業が計画期間内に集中的に実施されることが必要であることから、計画期間における交付対象事業の総事業費の額は、国立公園整備事業と国定公園等整備事業ごとに、それぞれ40,000千円を超えるものとする。

第３　整備計画の作成手続き

１　整備計画に係る合意形成

整備計画の作成に当たっては、関係市町村、関係団体、地域住民等への適切な情報提供の下に合意形成に努めるものとし、必要に応じ、検討会・連絡協議会等を設置するなど、十分な調整を図るものとする。

2　整備計画の作成・提出

整備計画は、別添様式１又は２により作成するものとし、原則として、計画期間の初年度の前年度の第３四半期末までに、自然環境整備交付金交付要綱（以下「要綱」という。）第８の１に基づき、環境大臣あて提出するものとする。

なお、国立公園整備事業と国定公園等整備事業ごとに別葉により提出することとする。

3　整備計画の公表

整備計画は、国民が容易に情報を入手できる方法により公表するものとする。

第４　整備計画の変更

整備計画を変更する場合の手続きは第３に準ずるものとするが、次に掲げる事項の変更については、変更した整備計画を環境大臣に送付すれば足りるものとする。

⑴　計画期間における総事業費の増額を伴わない、既存の交付対象事業ごとの事業費の変更、又は事業概要の変更

⑵　災害復旧に伴う、次に掲げる事項の変更

ア　交付対象事業の追加・廃止

イ　交付対象事業の事業主体の変更

第５　整備計画の評価

1　事前の評価

⑴　整備計画の作成に当たっては、次に掲げる事項について、計画作成主体として自主的・主体的に検証を行うとともに、当該整備計画を環境大臣に提出する際に当該検証の結果を添付するものとする。また、第４に規定される整備計画を変更する場合においても、準用する。

ア　事業の必要性

イ　事業の有効性

ウ　整備計画の目標と指標の妥当性・実現可能性

なお、国立公園整備事業を検証する場合は別添１を、国定公園等整備事業を検証する場合は別添２を参考とする。

⑵　当該検証の結果は、第３の３に定める整備計画の公表とともに、公表するものとする。

2　事後の評価

⑴　要綱第20に基づく整備計画の目標の達成状況等の評価（以下「事後の評価」という。）は、次に掲げる事項について、計画主体として適切に行うものとする。

ア　事業実施の内容

イ　目標の達成状況

ウ　今後の対応

なお、事後の評価を行う場合は別添３を参考とする。

⑵　事後の評価の実施結果は、公表するとともに、環境大臣に報告しなければならない。

⑶　事後の評価は、原則として、整備計画の交付対照期間終了後の翌年度前半に行うものとするが、事業効果の発現が季節による影響を受け、一定期間の追跡調査を行うことが適当であるなど、特別の事情がある場合には、翌年度の後半に行うことができるものとする。

附　則

1　本要領は平成25年４月１日から適用する。

2　平成25年度事業を含む自然環境整備計画を作成する際は、平成25年度を含む任意の３年から５年において、平成23年度までに自然環境整備交付金により実施した事業並びに平成23年度及び平成24年度に地域自主戦略交付金により実施した事業を含めて作成することができる。

附　則（平成27年２月18日環自総発第1502184号）

本要領は、平成27年４月１日から適用する。

附　則（令和２年４月１日環自整発第20040112号）

本要領は、令和２年４月１日から適用する。

○環境省所管の補助金等で取得した財産の処分承認基準について

〔平成20年５月15日　環境会発第080515002号
内部部局長・各地方環境事務所長宛　大臣官房会計課長通知〕

改正　平成20年５月29日環境会発第080529004号・平成30年６月１日環境会発第1806015号・令和２年12月18日環境会発第20121818号

環境省所管の補助金等の交付を受けて取得し、又は効用の増加した政令で定める財産（以下「補助対象財産」という。）を補助金等の交付の目的に反して使用し、譲渡し、交換し、貸し付け、担保に供し、又は取壊すこと等（以下「財産処分」という。）を行うにあたっては、「補助金等に係る予算の執行の適正化に関する法律」（昭和30年法律第179号）第２条第３項に規定する補助事業者等にあっては、同法第22条に規定する環境大臣（同法第26条により、地方環境事務所長（以下「所長」という。）に事務が委任されている場合は所長）の承認が必要である。

これらの承認にあたっては、近年における急速な少子高齢化の進展、産業構造の変化等の社会経済情勢の変化に対応するとともに、既存ストックを効率的に活用した地域活性化を図るため、概ね10年を経過した補助対象財産については、補助目的を達成したものとみなすとともに、承認手続等の一層の弾力化及び明確化を図ることを目的として、今般、別添「環境省所管の補助金等に係る財産処分承認基準（以下「承認基準」という。）を定めたので通知する。

内部部局長及び所長は、下記に留意し平成20年４月１日以降に申請を受理したものについては、原則として、この承認基準に基づき対応されたい。

記

1　平成20年３月31日において、既に承認申請を受理しているが本日において承認を行っていないものについては、この承認基準に基づき対応して差し支えない。

2　既に承認を行っているが、納付金の国庫納付を命じていないもののうち、財産処分の日が平成20年４月１日以降であるものについては、この承認基準に基づき納付金額を算定して差し支えない。

3　補助対象財産の用途を変更する財産処分が行われる場合には、当該財産処分が行われる地域において、同種の社会資源が既に充足しているものと考えられるため、当該地域における同種の補助事業の新規採択に当たっては、慎重に対処されたい。

4　内部部局長及び地方環境事務所長は、特段の事情により必要がある場合には、適宜会計課と協議することとし、適切に対応されたい。

５　内部部局長及び地方環境事務所長におかれては、関係地方公共団体及び関係団体に対し、本承認基準を周知されるよう図られたい。

別　添

環境省所管の補助金等に係る財産処分承認基準

第１　趣旨

「補助金等に係る予算の執行の適正化に関する法律」（昭和30年法律第179号。以下「適正化法」という。）第22条の規定に基づく財産処分（補助金等の交付を受けて取得し、又は効用の増加した政令で定める財産（以下「補助対象財産」という。）を交付の目的に反して使用し、譲渡し、貸し付け、担保に供し、又は取壊すこと等。以下同じ。）の承認については、近年における急速な少子高齢化の進展、産業構造の変化等の社会経済情勢の変化に対応するとともに、既存ストックを効率的に活用した地域活性化を図るため、この承認基準を定め、承認手続等の一層の弾力化及び明確化を図ることとしたものである。

なお、補助対象財産の用途を変更する財産処分については、当該財産処分が行われる地域において、同種の社会資源が充足していることが前提であり、補助事業等を行う地方公共団体の判断を確認の上、対応することとする。

第２　承認の手続

１　申請手続の原則

補助事業者等が財産処分を行う場合には、環境大臣（適正化法第26条により事務委任されている場合は地方環境事務所長（以下「環境大臣等」という。））に別紙様式１の財産処分承認申請書を提出することにより、申請手続を行う。提出は、環境大臣が定める電磁的方法により行うことができる。

（注１）財産処分の種類

転用：補助対象財産の所有者の変更を伴わない目的外使用。

譲渡：補助対象財産の所有者の変更。

交換：補助対象財産と他人の所有する他の財産との交換。

貸付：補助対象財産の所有者の変更を伴わない使用者の変更。

取壊し：補助対象財産（施設）の使用を止め、取り壊すこと。

廃棄：補助対象財産（設備）の使用を止め、廃棄処分をすること。

（注２）承認後の変更

承認を得た後、当該承認に係る処分内容と異なる処分を行う場合又は当該財産処分の承認に付された条件を満たすことができなくなった場合には、改めて必要な手続きを行うこと。

２　申請手続の特例（包括承認事項）

次に掲げる財産処分（以下「包括的承認事項」という。）であって別紙様式２により環境大臣等への報告があったもの（環境大臣が定める電磁的方法により行ったものを含む。）については、上記１にかかわらず、環境大臣等の承認があったものとして取り扱うものとする。ただし、この報告において、記載事項の不備等必要な要件が具備されていない場合はこの限りではない。

(1) 地方公共団体が、当該事業に係る社会資源が当該地域において充足しているとの判断の下に行う次の財産処分（有償譲渡及び有償貸付を除く。）

ア 経過年数（補助目的のために事業を実施した年数をいう。以下同じ。）が10年以上である施設又は設備（以下「施設等」という。）について行う財産処分

イ 経過年数が10年未満である施設等について行う財産処分であって、市町村合併に係る法律に基づく計画に基づいて行われるもの

(2) 災害若しくは火災により使用できなくなった施設等又は立地上若しくは構造上危険な状態にある施設等の取壊し又は廃棄（以下「取壊し等」という。）

（注３）地域再生法（平成17年法律第24号）第18条の規定により環境大臣の承認を受けたものとみなされた財産処分については、この承認基準に定める手続を要しない。

第３ 国庫納付に関する承認の基準

１ 地方公共団体が行う財産処分

(1) 国庫納付に関する条件を付さずに承認する場合

地方公共団体が行う次の財産処分については、国庫納付に関する条件（財産処分に係る納付金（以下「財産処分納付金」という。）を国庫に納付する旨の条件をいう。以下同じ。）を付さずに承認するものとする。

ア 包括承認事項

イ 経過年数が10年未満である施設等に係る財産処分であって、次に掲げるもの

(ｱ) 市町村合併、地域再生等の施策に伴い、当該地方公共団体が当該事業に係る社会資源が当該地域において充足しているとの判断の下に行う財産処分であって、環境大臣等が適当であると個別に認めるもの（有償譲渡及び有償貸付を除く。）

(ｲ) 道路の拡張整備等、設置者の責に帰さない事情等によるやむを得ない取壊し等（相当の補償を得ているものの、代替施設等（補助対象財産と同等以上の効果を発揮する財産をいう。以下同じ。）を整備しない場合を除く。）

(ｳ) 老朽化により代替施設等を整備する場合の取壊し等（補助対象財産が設置されている施設の老朽化による建替えに伴う建替え後の施設に代替施設等を整備するために補助対象財産の取壊し等を行う場合を含む。）

(2) 国庫納付に関する条件を付して承認する場合

上記⑴以外の転用、譲渡、貸付、交換及び取壊し等については、国庫納付に関する条件を付して承認するものとする。

2　地方公共団体以外の者が行う財産処分

⑴　国庫納付に関する条件を付さずに承認する場合

地方公共団体以外の者が行う次の財産処分については、国庫納付に関する条件を付さずに承認するものとする。（イ及びウについては、当該事業に係る社会資源が当該地域において充足していることを前提とする。）

ア　包括承認事項（災害等による取壊し等の場合）

イ　経過年数が10年以上である施設等に係る財産処分であって、次の場合に該当するもの

㈠　転用、無償譲渡又は無償貸付の後に、引続き他の公共の事業（公の支配を受けるもの（以下「公共事業」という。））に使用する場合

㈡　交換により得た施設等において、引続き公共事業に使用する場合

㈢　新たに公共事業に使用する施設等を整備するために、取壊し等を行うことが必要な場合

㈣　国又は地方公共団体への無償譲渡又は無償貸付

ウ　経過年数が10年未満である施設等に係る財産処分であって、上記イ㈠から㈣に該当するもののうち、市町村合併、地域再生等の施策に伴うものであって、環境大臣等が適当であると個別に認めるもの

エ　同一事業を10年以上継続する場合の無償譲渡又は無償貸付

オ　次に該当する取壊し等

㈠　道路の拡張整備等の設置者の責に帰さない事情によるやむを得ない取壊し等（相当の補償を得ているものの、代替施設等を整備しない場合を除く。）

㈡　老朽化により代替施設等を整備する場合の取壊し等（補助対象財産が設置されている施設の老朽化による建替えに伴う建替え後の施設に代替施設等を整備するために補助対象財産の取壊し等を行う場合を含む。）

⑵　国庫納付に関する条件を付して承認する場合

上記⑴以外の転用、譲渡、貸付、交換及び取壊し等については、国庫納付に関する条件を付して承認するものとする。

⑶　再処分に関する条件を付す場合

ア　再処分に関する条件を付す場合

上記⑴のうち、イ㈠から㈢、ウ及びエの場合には、再処分に関する条件（当初の財産処分の承認後10年（残りの処分制限期間が10年未満である場合には、当該期間）を経過するまでの間は、環境大臣等の承認を受けないで当該施設等（交換の場合には、交換により得た施設等）の処分を行ってはならない旨の条件をい

う。以下同じ。）を付すものとする。

イ　再処分に関する条件を付された者の財産処分

再処分に関する条件を付された者が行う財産処分の承認については、この承認基準に基づき取り扱う。

この場合、補助目的のために使用した期間と財産処分後に使用した期間とを通算した期間を経過年数とみなす。

なお、譲渡により所有者に変更があった場合の申請手続については、財産処分後の所有者を、財産処分前の所有者とみなして取り扱う。

3　担保に供する処分（抵当権の設定）

次に掲げる担保に供する処分については、抵当権が実行に移される際に財産処分納付金を国庫に納付させることを条件として承認するものとする。

⑴　補助財産を取得する際に、当該補助財産を取得するために行われるもの

⑵　補助事業者等の資金繰りのため、抵当権の設定を認めなければ事業の継続ができないと認められるもので、返済の見込みがあるもの

第4　財産処分納付金の額

1　有償譲渡又は有償貸付

⑴　譲渡額等を基礎として算定する場合

ア　財産処分納付金額

㋐　地方公共団体が行う場合

次に掲げる有償譲渡又は有償貸付に係る財産処分納付金額は、譲渡額又は貸付額（貸付期間にわたる貸付額の合計の予定額、以下同じ。）に、総事業費に対する国庫補助額の割合を乗じて得た額とする。

a　経過年数が10年以上である施設等の有償譲渡又は有償貸付

b　経過年数が10年未満である施設等の有償譲渡又は有償貸付であって市町村合併、地域再生等の施策に伴い当該財産処分を行うことが適当であると環境大臣等が個別に認める場合

c　同一事業を10年以上継続する場合の有償譲渡又は有償貸付

㋑　地方公共団体以外の者の場合

次に掲げる有償譲渡又は有償貸付に係る財産処分納付金額は、譲渡額又は貸付額（評価額（不動産鑑定額又は減価償却後額）に比して著しく低価である場合には、評価額。）に総事業費に対する国庫補助額の割合を乗じて得た額とする。

a　経過年数が10年以上である施設等の有償譲渡又は有償貸付であって、引続き公共事業に使用する場合

b　経過年数が10年未満である施設等の有償譲渡又は有償貸付であって、引続

き公共事業に使用するもののうち、市町村合併、地域再生等の施策に伴い当該財産処分を行うことが適当であると環境大臣等が個別に認める場合

c　同一事業を10年以上継続する場合の有償譲渡又は有償貸付

イ　上限額

処分する施設等に係る国庫補助額に、処分制限期間に対する残存年数（処分制限期間から経過年数を差し引いた年数をいう、以下同じ。）又は貸付年数（処分制限期間内の期間に限る、以下同じ。）の割合を乗じて得た額（以下「残存年数納付金額」という。）を上限額とする。

⑵　残存年数納付金額とする場合

上記⑴以外の有償譲渡又は有償貸付に係る財産処分納付金額は、残存年数納付金額とする。

2　転用、無償譲渡、無償貸付、交換又は取壊し等

国庫納付に関する条件を付された転用、無償譲渡、無償貸付、交換又は取壊し等の場合の財産処分納付金額は、残存年数納付金額とする。

ただし、財産処分納付金額の算定について別に定めのある場合は、その算定によることができる。

なお、この場合においても、残存年数納付金額を上限とする。

3　担保に供する処分

抵当権が実行に移された際に納付すべき財産処分納付金の額は、有償譲渡の場合と同額とする（抵当権が実行に移された際に納付）。

別紙様式１

〇〇〇　　　第　　号
令和　　年　　月　　日

（環　　境　　大　　臣）
（〇〇地方環境事務所長）　殿

補助事業者名

〇〇施設・設備整備費国庫補助金（＊１）により取得した△△施設・設備に係る財産処分について

標記について、補助金等に係る予算の執行の適正化に関する法律（昭和30年法律第179号）第22条に基づき、次のとおりの処分について承認を求めます。

本件責任者及び担当者の氏名、連絡先等
責任者　所属部署・職名・氏名

担当者　所属部署・職名・氏名

連絡先（電話番号、Ｅメールアドレス等）

1　処分の種類　（該当するものに○）

（　転用　有償譲渡　有償貸付　無償譲渡　無償貸付　交換　抵当権の設定　取壊し又は廃棄　）

2　処分の概要

①補助事業者	②間接補助事業者（間接補助の場合のみ）	③施設（設備）名	④所在地

⑤施設(設備)種別	⑥建物構造	⑦処分に係る建物延面積	⑧建物延面積の全体	
	造	㎡	㎡	

⑨国庫補助相当額（処分に係る部分の額）	⑩国庫補助額全体	⑪総事業費	⑫国庫補助年度	⑬処分制限期間	⑭経過年数
円	円	円	年度	年	年

⑮処分の内容	⑯処分予定年月日

⑰譲渡予定額（譲渡の場合）	⑱評価額	⑲評価額の算出方法（いずれかに○）
円	円	定率法　・　定額法　・　不動産鑑定額

3　経緯及び処分の理由

4　承認条件としての納付金　（　有　無　）

・→無の場合　（次の承認基準の第３（国庫納付に関する承認基準）の該当項目に○）

1　地方公共団体　　　(1)→（　イ(ア)　イ(イ)　イ(ウ)　）

2　地方公共団体以外の者　(1)→（　イ(ア)、イ(イ)、イ(ウ)、イ(エ)　ウ、エ、オ(ア)、オ(イ)　）

・→有の場合　（次の承認基準の第４の１（有償譲渡又は有償貸付）の該当項目に○）

1　地方公共団体　　　(1) a、(1) b、(1) c、(2)

2　地方公共団体以外の者　(1) a、(1) b、(1) c、(2)

3　第４の１（有償譲渡又は有償貸付）以外　　第４の２　　第４の３

5　添付資料

・対象施設（設備）の図面（国庫補助対象部分、面積を明記したもの）及び写真

・国庫補助金交付決定通知書及び確定通知書の写し（保管されてない場合は交付額を確認できる決算書でも可）

・その他参考となる資料

（記入要領）

＊1　「○○施設・設備整備費国庫補助金」や「国庫補助」等の表記は、補助金等の名称（負担金、交付金、委託費等）にあわせること。

1　処分の種類　いずれか該当するものを○で囲むこと。

2　処分の概要

⑴　「⑤施設（設備）種別」には、国庫補助金交付額確定時の補助対象施設（設備）名又は補助事業に係る施設（設備）名を記載すること。

⑵　「⑥建物構造」欄には、鉄骨鉄筋コンクリート、鉄筋コンクリート、ブロック造、鉄骨造、れんが造、石造等建物構造について記入すること。

⑶　「⑮処分の内容」欄には、次の例のように、財産処分の内容を簡潔に記載すること。

例：○○施設を□□施設に転用。
○○施設の一部を転用し、○○施設と□□施設に変更。
○○施設の余裕部分（○○室）を□□事業を行う場所に転用。
○○法人○○に譲渡し、同一事業で継続。
○○設備が故障し修理不能となったため廃棄し、代替設備を自己財源で購入。

⑷　「⑱評価額」欄には、減価償却後の額を記載し、「⑲評価額の算出方法」欄では、当該評価額の算出方法等（定率法、定額法又は不動産鑑定額）を○で囲むこと。

3　経緯及び処分の理由

財産処分をするに至った経緯と理由を記載すること。

なお、地方公共団体が補助事業者等であって財産処分に伴い用途を変更する場合には、処分対象財産に係る更なる需要増が見込めないことなど、地域における関係施策の推進に支障がない旨を確認し、その旨記載すること。

また、補助対象財産が設置されている施設の老朽化による建替えに伴う建替え後の施設に補助対象財産と同等以上の効果を発揮する財産を設置するために補助対象財産の取壊し等を行う場合には、施設の老朽化の状況並びに補助対象財産及び建替え後の施設に設置する財産の効果を具体的に記載すること。

4　承認条件としての納付金

財産処分を承認するに当たり、納付金を国庫に納付する旨の条件が付される場合は「有」に、条件が付されない場合は「無」を○で囲むこと。

その上で、承認を求める財産処分が該当する承認基準中の該当項目の番号を○で囲むこと。

5　添付書類

⑴　対象施設（設備）の全部を譲渡又は貸付する場合には、対象施設（設備）の図面や写真は添付しなくても構わない。

⑵　間接補助事業については、施設（設備）設置者（間接補助事業者）からの財産処分承認申請書の写しを添付すること。

⑶　補助施設建設工事完了の検査済証、備品納品書、補助施設の事業廃止を証明する資料など、経過期間の確認ができる資料の写しを必ず添付すること。

⑷　その他参考となる資料については、適宜当該財産処分の内容や理由を補足する資料を添付すること。

別紙様式２

〇〇〇　　　第　　　号
令和　　年　　月　　日

（環　　　境　　　大　　　臣）
（〇〇地方環境事務所長）　殿

補助事業者名

〇〇施設・設備整備費国庫補助金（＊１）により取得した△△施設・設備に係る財産処分の報告について

標記について、補助金等に係る予算の執行の適正化に関する法律（昭和30年法律第179号）第22条に基づき、次の処分について報告します。

本件責任者及び担当者の氏名、連絡先等
責任者　所属部署・職名・氏名

担当者　所属部署・職名・氏名

連絡先（電話番号、Ｅメールアドレス等）

1　処分の種類　（　転用　無償譲渡　無償貸付　交換　取壊し又は廃棄　）

2　処分の概要

①補助事業者	②間接補助事業者（間接補助の場合のみ）	③施設（設備）名	④所在地

⑤施設（設備）種別	⑥建物構造	⑦処分に係る建物延面積	⑧建物延面積の全体	
	造	㎡	㎡	

⑨国庫補助相当額（処分に係る部分の額）	⑩国庫補助額全体	⑪総事業費	⑫国庫補助年度	⑬処分制限期間	⑭経過年数
円	円	円	年度	年	年

⑮処分の内容	⑯処分予定年月日

3　経緯及び処分の理由

4　財産処分承認基準通知の第２の２の該当項目（番号を○で囲む。）

・地方公共団体　　　　→(1)ア　(1)イ　(2)

・地方公共団体以外の者　→(2)

5　添付資料

・対象施設（設備）の図面（国庫補助対象部分、面積を明記したもの）及び写真

・国庫補助金交付決定通知書及び確定通知書の写し（保管されてない場合は交付額を確認できる決算書でも可）

・その他参考となる資料

（記入要領）

＊1　「○○施設・設備整備費国庫補助金」や「国庫補助」等の表記は、補助金等の名称（負担金、交付金、委託費等）にあわせること。

1　処分の種類　いずれか該当するものを○で囲むこと。

2　処分の概要

⑴　「⑤施設（設備）種別」には、国庫補助金交付額確定時の補助対象施設（設備）名又は補助事業に係る施設（設備）名を記載すること。

⑵　「⑥建物構造」欄には、鉄骨鉄筋コンクリート、鉄筋コンクリート、ブロック造、鉄骨造、れんが造、石造等建物構造について記入すること。

⑶　「⑯処分の内容」欄には、次の例のように、財産処分の内容を簡潔に記載すること。

例：○○施設を□□施設に転用。
○○施設の一部を転用し、○○施設と□□施設に変更。
○○施設の余裕部分（○○室）を□□事業を行う場所に転用。
○○法人○○に譲渡し、同一事業で継続。
○○設備が故障し修理不能となったため廃棄。

3　経緯及び処分の理由

財産処分をするに至った経緯と理由を記載すること。

なお、地方公共団体が補助事業者等であって財産処分に伴い用途を変更する場合には、処分対象財産に係る更なる需要増が見込めないことなど、地域における関係施策の推進に支障がない旨を確認し、その旨記載すること。

4　財産処分承認基準通知の第２の２の該当項目

承認を求める財産処分が該当する承認基準中の該当項目の番号を○で囲むこと。

5　添付書類

⑴　対象施設（設備）の全部を譲渡又は貸付する場合には、対象施設（設備）の図面や写真は添付しなくても構わない。

⑵　間接補助事業については、施設（設備）設置者（間接補助事業者）からの財産処分承認申請書の写しを添付すること。

⑶　補助施設建設工事完了の検査済証、備品納品書、補助施設の事業廃止を証明する資料など、経過期間の確認ができる資料の写しを必ず添付すること。

⑷　その他参考となる資料については、適宜当該財産処分の内容や理由を補足する資料を添付すること。

第２章　特定民有地買上事業

○特定民有地買上事業実施基準

〔平成17年10月国立公園課〕

第１　目的

本事業は、第２で定める国立公園等のうち、自然保護上特に重要な地域であって、民有地であるために当該土地を買い取らない限り私権との調整上厳格な保護が図れない地域を対象として、その土地（立木竹を含む。以下同じ。）を国が直接買上げ公有地化することで適正な保護管理を行うことを目的とする。

第２　買上対象地

本事業の買上対象地は、次の１、２又は３に該当する土地とする。

１　自然公園法（昭和32年法律第161号）第20条第１項に定める国立公園の特別地域のうち、同法施行規則（昭和32年厚生省令第41号）第９条の２に定める第１種特別地域（第１種特別地域、第２種特別地域及び第３種特別地域の区分がなされていない地域であって、第１種特別地域以上に相当する価値があるものとして取り扱われてきたことが明らかな地域を含む。以下同じ。）又は同法第14条第１項に定める国立公園の特別保護地区内の土地

２　鳥獣の保護及び狩猟の適正化に関する法律（平成14年法律第88号）第28条第１項の規定に基づいて環境大臣が指定する鳥獣保護区のうち、同法第29条第１項に定める鳥獣保護区の特別保護地区であり、絶滅のおそれのある野生動植物の種の保存に関する法律（平成４年法律第75号）第４条第３項に規定する国内希少野生動植物種（鳥獣に限る。）の個体若しくは天然記念物に指定された鳥獣の生息地又は国際条約の対象鳥類の渡来地で重要な干潟の後背地である生息地（以下「国内希少種の個体等の生息地」という。）

３　絶滅のおそれのある野生動植物の種の保存に関する法律第36条第１項に定める生息地等保護区のうち同法第37条第１項に定める管理地区

第３　買上要件

本事業で買上を行う土地は、次の１及び２双方に該当するものとする。

１　当該地域内の土地所有者が、自然公園法第20条第３項各号、同法第21条第３項各号、鳥獣の保護及び狩猟の適正化に関する法律第29条第７項又は絶滅のおそれのある野生動植物の種の保存に関する法律第37条第４項各号に掲げる行為についての許可を

得ることができないため土地の利用に著しく支障を来していること。

2　当該地域の所有者からその土地を買上げるべき旨の申出があること。

第４　用語の定義

用語の定義は次の各号に定めるところによる。

1　「事業費」とは、土地及び立木竹の買上価額、不動産評価鑑定料、土地等測量費及び境界杭設置費の合計額をいう。

2　「土地の価額」とは、更地の価額（建物等の定着物がなく、かつ、使用収益を制約する権利の付着していない土地の価額。以下同じ。）をいう。

ただし、立木竹として評価しえない草木が生育する場合はこれを含んだ価額とする。

3「立木竹」とは次の基準以上のものをいう。

⑴　立木　――地上高120センチメートルの位置における直径が10センチメートルを超える樹木、ただし、これ以下のものであっても材積を基準として、その価額を算定することができるものは立木とみなす。

⑵　竹　――用材として束をもって、その価額を算定することができる竹。

4「土地等測量費」とは、当該地域の土地の面積の測定及び立木竹の材積量測定に要する経費をいう。

5　「不動産評価鑑定料」とは、当該地域の土地等の価額算定のため、不動産の鑑定評価に要する費用をいう。

第５　買上価額の算定

1　算定方針

土地の買上価額の算定に当たっては、土地の所在地における通常有する経済的価値に基づいて算定するものとし、取得に要した費用、需給関係、近傍類地（近傍地及び類似地を含む。以下同じ。）の取引事例及び不動産鑑定士等精通者の意見を調査し、一般の取引における価額形成上の諸要素を比較考量のうえ適正な時価の把握に努めるものとする。

2　土地の評価

⑴　買上のため評価する土地（以下「評価地」という。）の地目は、その現況等に基づき次の分類に従って適正に決定するものとする。

ア　森林原野

イ　池、沼、湿地

ウ　海浜地

エ　雑種地

オ　その他

⑵　評価地の所在、面積、形状等について関係図簿と照合する等により現地について

確認するものとする。

⑶　評価地及びその近隣地域について、その範囲及び当該地域の土地価額を形成する地域要因について調査するものとする。なお、評価地の近隣地域に適切な取引事例がない場合には、適切な取引事例のある類似地域についてその範囲及び地域要因を調査するものとする。

⑷　取引事例は、地域の調査において概況を把握した取引事例のうち次の要件を備えるもののなかから、原則として２以上を選択するものとする。

ア　近隣地域、又は類似地域にある円類型の土地に係るものであること。

イ　取引の事情が正常なものと認められるものであること。又は正常なものに補正できるものであること。

ウ　原則として、評価時点から既往３年以内の取引に係るものであること。

エ　地域的要因及び個別的要因の比較が可能なものであること。

⑸　選択した取引事例について、取引の当事者、取引の年月日、取引の目的、取引価額等について調査するものとする。

⑹　選定した取引事例に係る取引価額については、次により正常な取引価額に適正に修正するものとする。

ア　取引事例が買い進み、売り急ぎ等の特別の事情のもとに行われ、その事情が取引価額に影響していると認められるときは適正に事情補正するものとする。

イ　取引事例に係る取引時点が評価時点と異なるため価額水準に変動があると認められるときは、日本不動産研究所調査の土地価額推移指数、不動産鑑定士等精通者の意見等により取引価額を評価時点における価額に時点修正するものとする。

⑺　近隣地域又は類似地域において、地価公示法（昭和44年法律第49号）の規定に基づく標準地が設定されている場合には、当該標準地の公示価額を取引事例価額の一として取り扱うことができるものとする。

⑻　土地の評定価額は、次式により算定するものとする。

$$評定価額=\frac{算定評価額+鑑定評価額}{2}$$

ア　評定価額とは、算定評価額について、鑑定評価額及び特殊事情を参しゃくして得た単位当たりの価額で、買上予定価額となるものである。以下同じ。

イ　鑑定評価額とは、不動産鑑定士等の精通者が鑑定した単位当たりの価額である。以下同じ。

ウ　算定評価額とは、各都道府県において基準価額を修正して算定した価額であって、鑑定評価額及び特殊事情を参しゃくする前の単位当たりの価額である。以下同じ。

エ　基準価額とは、評価の基準となる価額で、所要の修正を行う前の単位当たりの価額である。以下同じ。

⑼　森林原野の算定評価額

森林原野の算定評価額は、近傍類似の品位の土地の取引事例及び精通者の意見を基として算定するものとする。ただし、評価地が法令の規定により制限を受けているときは、その状況に応じ修正率（以下「法令制限による修正率」という。）を70パーセント程度まで見込むことができる。

⑽　池、沼、湿地の算定評価額

森林、原野内にある池、沼、及び湿地については、近傍の取引事例の価額に比準して算定するものとし、その状況に応じて法令制限による修正率を50パーセント程度まで見込むことができる。

⑾　海浜地の算定評価額

海浜地の算定評価額は、近傍の土地に比準して算定するものとし、法令制限による修正率は、その状況に応じて70パーセント程度まで見込むことができる。

⑿　雑種地の算定評価額

雑種地の算定評価額は、取引事例地に比準して算定するものとする。ただし、適当な取引事例がない場合は、近傍の土地に比準して算定するものとし、法令制限による修正率を50パーセント程度まで見込むことができる。

⒀　上記⑼から⑿以外の評価地については、近傍類似の品位の土地の取引事例及び精通者の意見を基として算定するものとし、法令制限による修正率は、土地の現況等に応じて見込むことができるものとする。

３　立木竹の評価

⑴　立木竹の評価に当たっては、よく現況を調査して評価上の数量を決定するものとする。

⑵　立木竹の実態調査に当たっては、樹種、樹齢、数量及び調査の難易等に応じ、毎木調査、標準地調査又はこれらを併用して行う調査のうち、最も適当な方法を採用するものとする。

⑶　立木竹の算定評価額は、これらの利用率、市場価額、資本回収期、収益率等を考慮して精通者が算定した適正な価額とする。

４　鑑定評価する精通者の選択

⑴　鑑定評価を求めるべき財産の範囲及び鑑定評価を求めるべき精通者の数は次によるものとする。

ア　算定評価額が１千万円以上のもの　……なるべく２者以上

イ　取引事例の採用をしなかった場合の算定評価額が５百万円以上のもの　……なるべく２者以上

ウ　その他重要又は異例のものとして精通者の鑑定評価額を求めることが適当と認

められるもの　……なるべく２者以上

⑵　鑑定評価を求める精通者は、次に掲げる者（当該土地について利害関係を有する者及びその者の指定する者を除く。）の中から選定するものとする。

ア　農地、採草放牧地又は森林、原野について鑑定評価を求める場合は、不動産の鑑定評価に関する法律（昭和38年法律第152号）第２条第３項に規定する不動産鑑定業者（以下「不動産鑑定業者」という。）、銀行、その他不動産の鑑定評価に信用のある法人。

イ　アに掲げる土地以外の土地について鑑定評価を求める場合は、不動産鑑定業者。

ウ　立木竹について鑑定評価を求める場合は、官公署、不動産鑑定業者、銀行、その他鑑定評価に信用のある法人。

⑶　鑑定評価の依頼は、文書をもってするものとし、かつ、現地に案内して評価地を確認させるものとする。

5　鑑定評価額の採用等

鑑定評価額は、次の方針にしたがい検討の上、採用するものとする。

⑴　２者から鑑定評価額を求めた場合で、その鑑定評価額に特に不均衡と認められるもの（その一方が他方のほぼ３分の２以下又は２分の３倍以上であるものをいう。）があるときは、更に別の精通者（この場合は１者でも差し支えない。）から新たに鑑定評価額を求め、さきに求めた鑑定評価額と合わせて検討を行うものとする。

⑵　３者以上の者から鑑定評価額を求めた場合で、その鑑定評価額相互間においてときに不均衡と認められるもの（それらの鑑定評価額のうち、他のいずれも鑑定評価額に対しても、それらのほぼ３分の２以下又は２分の３倍以上の価額であるものをいう。）があるときは、その不均衡な鑑定評価額を除外するものとする。

⑶　前記⑴、⑵により検討し、特に不均衡な鑑定評価額を除外した残りの鑑定評価額と平均して得た鑑定評価額と算定評価額とを対比して，その価額差が算定評価額の30パーセント以下の場合は、当該鑑定評価額を採用するものとする。

算定評価額と鑑定評価額とを対比して、その価額差が前者の30パーセントを超える場合は、算定評価額を再検討し次によるものとする。

ア　鑑定評価額と再検討後の算定評価額とを対比して、その価額差が後者の30パーセント以下となった場合は、当該鑑定評価額を採用するものとする。

イ　鑑定評価額と再検討後の算定評価額とを対比して、その価額差が後者の30パーセントを超えた場合は、次によるものとする。

㋐　個々の鑑定評価額を再検討後の算定評価額とを対比してその価額差が、後者の30パーセント以下のものと、30パーセントを超えるものがある場合は、30パーセントを超えるものを除外し、30パーセント以下のものを平均して得た鑑定評価額を採用するものとする。ただし、除外する鑑定評価額が採用する鑑定評価額より多数で、かつ、除外する鑑定評価額のすべてが相互に近似した価額である場合は、それらの鑑定評価額を平均して得た鑑定評価額を採用するものとする。

(イ)　個々の鑑定評価額と再検討後の算定評価額とを対比して、前者のすべてが後者の30パーセントを超える場合で、それらのすべてが相互に近似した価額である場合は、それらの鑑定評価額を平均して得た鑑定評価額を採用するものとする。

(ウ)　個々の鑑定評価額と再検討後の算定評価額とを対比して、価額差が前者のすべてが後者の30パーセントを超える場合（(イ)に該当する場合を除く。）は更に別の精通者（この場合は、１者でも差し支えない。）から新たに鑑定評価額を求め、これを(1)、(2)により検討し、特に不均衡な鑑定評価額を除外した残りの鑑定評価額を平均して得た鑑定評価額と再検討後の算定評価額とを対比して価額差が後者の30パーセント以下の場合は、当該鑑定評価額を採用するものとし、30パーセントを超える場合は、さきに求めた(1)(2)により検討して、特に不均衡な鑑定評価額を除外した残りの鑑定評価額と新たに求めた(1)、(2)により検討し、特に不均衡な鑑定評価額を除外した鑑定評価額とを平均して得た平均鑑定評価額をもって採用する鑑定評価額とする。

第６　取得した財産の管理

この事業により取得した土地等については、環境省所管の国有財産として管理することとする。

○特定民有地買上事業実施基準附則

〔平成17年10月国立公園課〕

第１　買上対象となる土地の範囲について

１　特定民有地買上事業の目的が、国立公園等内の一定地域内における行為規制により制限を受ける地権者の私権の救済を図るためのものであるから、対象となる民有地買上げは、実施基準第２に規定する地域内に所在する民有地（立木竹を含む。）に限定され、次の土地は原則として除外される。

⑴　地方自治法第１条の３第２項に規定する普通地方公共団体の所有する同法第238条第１項に規定する公有財産たる土地

⑵　同法第１条の３第３項に規定する特別地方公共団体の所有する土地

２　１の⑵の土地のうち、財産区の土地については、財産区設置に至るまでの歴史的経過により、その財産管理の態様が区々にわたっている等の特殊事情を有している場合があることに鑑み、個別に財産管理の実態を調査し、実質的に部落所有と認められるものについては、対象とする場合があるので、協議すること。

なお、実質的に部落所有であると判断できるものとは、概ね、次の要件に該当するものであること。

⑴　財産区の土地が財産区設置の経過等から、次のいずれかの形態に属していること。

ア　実質入会・形式旧財産区の土地

旧町村制の下で、入会財産としての実質を残したままで、法形式的に財産区有財産にされたが、部落有統一政策による統一を拒否し、結局、明治の町村制以来現在に至るまで財産区としての形態を維持存続しているもの

イ　実質入会・形式新財産区の土地

部落有統一には拒否したが、市町村有になることを拒否し得ず、形式的に市町村有とされ、戦後の町村合併で新財産区有に切り替えられ、現在では形式的に新財産区有となっているが、実質は入会財産であるもの

ウ　純粋入会の土地

旧町村制制定後も、財産区有とされず、実質はもとより形態においても、変化のないまま、部落有財産と称され部落有統一政策によっても統一されず、現在も、昔のままの部落有という形態を残しているもの

⑵　財産区の土地の管理について、次のような事実を証する資料があること。

ア　部落の自由な意志に基づき、財産区の土地を第三者に使用させ、又は売り払う

等の行為が行われていること。（部落規約、売買契約書等）

イ　財産区の土地の売払処分等による収入が、専ら部落の収入となり、この使用、分配等が行われていること。

ウ　部落規約等により、部落住民に対し、土地の分配を行うことができるように定められており、また、その事実があること。

エ　その他、財産区の土地の管理処分について実質的に土地が部落有と判断できること。

3　国立公園の特別地域のうち、地種区分がなされていない地域で、第１種特別地域以上に相当する価値があるものとして取り扱われてきたことが明らかな地域内の土地の買上は対象となるので、その事実関係を明らかにできる書類を整備しておくこと。

4　国立公園の特別地域のうち、第２種特別地域又は第３種特別地域であって第１種特別地域と同等程度に取扱われている地域内の土地については、その事実関係を明らかにできる書類を整備しておくこと。

なお、当該地の特別地域の区分の格上げに関しては、調整することとする。

第２　買上価額の算定

1　評価地の評価区分は、登記簿上の地目にかかわらず、その現況により区分することとされているが、特に、森林、原野の区分については、林地又は原野地に分類すること。

2　評価地の測量等にあたっては、あらかじめ、公図、不動産登記簿等の関係書類により、所在、面積、形状及び所有関係等を調査したうえで、現地でそれらを確認すること。特に、境界を確定するためには、隣接地所有者の立会いを求め、同意書を徴すること。

3　土地の価格を形成する地域要因を調査するための取引事例地を選定する場合における近隣地域又は類似地域の範囲は、概ね、次により確定すること。

⑴　近隣地域とは、評価地を含む地域で、評価地の用途と土地の用途が同質と認められるまとまりのある地域とし、地形、地質、道路及び利用価値の類似性等を考慮して、価格水準の格差が少ない取引事例地を選定すること。

⑵　類似地域とは、評価地の存する地域と同一地域区分、同一需給圏内にあって、評価地と土地の用途が同質と認められるまとまりのある地域で、当該地域内の土地の用途が近隣地域内の土地の用途と同質又は類似の地域とする。この場合においても、⑴と同様、地形、地質等を考慮して取引事例地を選定すること。

4　取引事例は原則として、正常な取引と認められるものを選定することとするが，やむを得ず「特殊な事情があるもの」を選定せざるを得ない場合は、その事情に応じ、正常なものに補正すること。また、特殊事情があるものとしては、一般に次のような事例が考えられるが、これを補正する場合の補正率は個々の取引事例により異なるので、他の取引事例あるいは、固定資産課税評価額等の資料を収集し、比較考量のうえ適正な補正率を決定すること。

⑴　不動産に関する知識又は情報の不足に基づく取引

ア　売主が無知等のため過少な額で取引されたもの（増額要因）

イ　買主が無知等のため過大な額で取引されたもの（減額要因）

⑵　親せき、知人間等の人間関係による恩恵的取引、又は特別の利害関係にあるものの取引（増額又は減額要因）

⑶　投機目的での買い進み、金融ひっ迫等による売り急ぎ等特別の動機に基づく取引（減額又は増額要因）

⑷　割賦払い等支払条件の特殊な取引（減額要因）

5　評価地及び取引事例地の地域要因あるいは個別的要因について調査し、次により土地価格の形成要因の具体的な比準を行い、適正な評定価額を算定すること。

⑴　取引事例地が、評価地の近隣地域の場合は個別的要因を、また、類似地域の場合は地域要因及び個別的要因について比準すること。

⑵　比準の方法については、実情に応じ、地価公示法に基づく「土地価格比準表」又は、国有林野の評定価額算定にあたっての「森林比較評点表」等を準用すること。

⑶　類似の用途を有する取引事例がない場合等で、止むを得ず比準ができないときは、不動産鑑定士（２者以上）の鑑定評価のみにより買上価額を算定すること。ただし，基盤公共施設に対する公共投資の状況、不動産取引の実態等を考慮し、総合的に買上価額の検討を行い、適正な価額の把握に努めること。

6　取引事例の取引時点と評価地の評価時点が異なる場合で、その間に価格水準に変動があると認められるときは、取引事例価額を修正する（以下「時点修正」という。）必要があるが、その場合は次の点に留意すること。

⑴　価格水準の変動の有無についての判定は、評価地又は取引事例地を含む地域（以下「対象地域」という。）における具体的な価格水準の変動によること。したがって、例えば、日本不動産研究所調査により公表されている土地価格指数は都道府県単位となっているため、その指数により修正することは対象地域の実態に合致しない場合もあり、適切を欠く結果となるので留意すること。

⑵　時点修正のための変動率を求めるにあたっては、不動産鑑定士等精通者の意見、財政金融情勢、土地利用規制及び公共投資の動向等を把握し、総合的に判断すること。また、過去の平均変動率により修正する場合、過去において、社会経済情勢の著しい変化に起因して土地価格に異常な影響を及ぼしていると認められる時期があるときは、この期間の変動指数を採択することは、適切を欠く結果となるので算定根拠から除外すること。

⑶　対象地域に国土利用計画法に基づく基準地が設定されている場合は、その標準価

格の変動指数により修正することは差し支えないこと。

第３　鑑定評価の取扱い

１　不動産鑑定士等の精通者に鑑定評価を依頼する場合には、文書をもって行うこととし、評価依頼の目的、評価対象不動産の所在、数量及び公的規制の状況等を明記するとともに、評価地の最有効利用の用途についても意見をもとめること。

２　鑑定評価書の内容については、評価依頼の目的に対する適合性、取引事例地は評価内容の整合性を比較検討し、必要により不動産鑑定士等から説明を求めるように努めること。

○特定民有地等買上補助事業実績一覧

（令和４年３月末現在）

年度	都道府県	公園等	地区	公園計画等	面積	事業費	地方債発行額	補助率
47	熊本県	阿蘇	北向山	特別地域	17.37ha	55,586千円	55,586千円	8／10
	東京都	富士箱根伊豆	大路池	特別地域	3.08	37,110	35,000	8／10
	計	―――	―――	―――	20.45	92,696	90,586	―――
48	奈良県	吉野熊野	大台ヶ原	特別地域	671.55	2,080,000	2,080,000	10／10
	高知県	足摺宇和海	古満目	特別保護地区	73.83	107,000	107,000	8／10
			足摺沖ノ島	特別地域				
	計	―――	―――	―――	745.38	2,187,000	2,187,000	―――
49	石川県	白山	白峰	特別保護地区	843.74	950,000	950,000	8／10
	高知県	足摺宇和海	松尾柏島大堂	特別保護地区	58.12	108,960	108,000	8／10
			亀井谷板間山	特別地域				
	鳥取県	大山隠岐	木谷、鏡ケ成	特別地域	48.12	52,000	52,000	8／10
	奈良県	吉野熊野	大台ヶ原	特別地域	142.40	144,300	144,000	10／10
	計	―――	―――	―――	1,092.38	1,255,260	1,254,000	―――
50	鳥取県	大山隠岐	鏡ケ成	特別地域	30.03	36,500	36,000	8／10
	鳥取県	大山隠岐	遠茶畑	特別地域	25.64	47,000	47,000	8／10
	高知県	足摺宇和海	アロウド、横道山	特別地域	10.14	44,537	44,000	8／10
	鳥取県	氷ノ山後山	芦津	特別地域	47.76	287,000	287,000	5／10
51		那岐山（定）						

	秋田県	大潟草原（鳥）		特別保護地区	39.27	221,643	221,000	8／10
	計	――――	――――	――――	122.81	600,180	599,000	――――
52	鳥取県	大山壱岐	大野向原	特別地域	77.26	232,000	232,000	8／10
	高知県	足摺宇和海	脇ノ川山	特別地域	17.32	30,145	30,000	8／10
	秋田県	男鹿（定）	寒風山	特別地域	40.19	169,304	169,000	5／10
	計	――――	――――	――――	134.77	431,449	431,000	――――
53	福島県	磐梯朝日	裏磐梯	特別保護地区	182.11	243,000	243,000	10／10
				特別保護地区 特別地域	723.34	978,000	978,000	8／10
	福井県	白山	刈込池	特別地域	214.53	155,240	155,000	8／10
	秋田県	男鹿（定）	寒風山	特別地域	26.16	112,921	112,000	5／10
	計	――――	――――	――――	1,146.14	1,489,161	1,488,000	――――
54	広島県	瀬戸内海	宮島	特別地域	0.24	30,255	30,000	8／10
55	秋田県	男鹿（定）	寒風山	特別地域	78.12	355,422	351,000	5／10
56	北海道	阿寒	阿寒湖畔	特別地域	133.72	340,600	340,000	8／10
	奈良県	吉野熊野	前鬼	特別地域	209.43	390,000	390,000	8／10
	計	――――	――――	――――	343.15	730,600	730,000	――――
57	秋田県	男鹿（定）	戸賀・入道崎	特別地域	21.60	106,547	106,000	5／10
	鳥取県	大山壱岐	桝水原・大内 船上山	特別地域	102.39	215,000	215,000	8／10
	計	――――	――――	――――	123.99	321,547	321,000	――――

58	秋田県	男鹿（定）	寒風山	特別地域	7.91	37,196	37,000	5／10
	島根県	大山壱岐	加賀	特別保護地区	10.80	33,028	33,000	8／10
	計	――――	――――	――――	18.71	70,224	70,000	――――
59	青森県	津軽（定）	ベンゼ湿原	特別地域	23.62	75,000	75,000	5／10
	和歌山県	高野竜神（定）	五百原	特別地域	194.05	92,137	92,000	5／10
	計	――――	――――	――――	217.67	167,137	167,000	――――
60	奈良県	吉野熊野	前鬼	特別地域	67.91	232,000	232,000	7／10
	高知県	足摺宇和海	才角・大浦 須防形	特別地域	18.82	30,414	30,000	7／10
	計	――――	――――	――――	86.73	262,414	262,000	――――
61	石川県	白山	六万山	特別保護地区	21.86	45,000	45,000	6.5/10
	奈良県	吉野熊野	前鬼	特別地域	232.64	310,000	310,000	6.5/10
	徳島県	剣山（定）	一ノ森	特別地域	65.32	105,000	105,000	5／10
	計	――――	――――	――――	319.82	460,000	460,000	――――
62	石川県	白山	六万山	特別保護地区	202.37	245,000	245,000	6.5/10
	徳島県	剣山（定）	一ノ森	特別地域	156.69	195,000	195,000	5／10
	計	――――	――――	――――	359.06	440,000	440,000	――――
63	奈良県	吉野熊野	前鬼	特別地域	287.19	249,000	249,000	6.5/10
元	福井県	白山	刈込池	特別地域	53.79	35,212	34,000	6.5/10
2	富山県	中部山岳	立山カルデラ	特別保護地区	139.20	72,000	72,000	6.5/10
				特別地域	906.80	739,000	739,000	6.5/10
	計	――――	――――	――――	1,046.00	811,000	811,000	――――

3	宮城県	伊豆沼（鳥）	伊豆沼	特別保護地区	8.56	183,990	183,000	6.5/10
	奈良県	吉野熊野	前鬼	特別保護地区	74.80	100,000	100,000	6.5/10
	高知県	足摺宇和海	赤泊・西泊	特別地域	23.08	40,626	40,000	6.5/10
	計	――――	――――	――――	106.44	324,616	323,000	――――
4	宮城県	伊豆沼（鳥）	伊豆沼	特別保護地区	23.40	532,022	530,000	6.5/10
	新潟県	上信越高原	妙高	特別地域	3.33	360,000	360,000	6.5/10
	計	――――	――――	――――	26.73	892,022	890,000	――――
5	北海道	知床	知床五湖	特別保護地区 特別地域	25.52	36,580	30,000	7／10
	宮城県	伊豆沼（鳥）	伊豆沼	特別保護地区	20.55	353,640	352,000	7／10
	新潟県	上信越高原	妙高	特別地域	2.43	224,000	224,000	7／10
	大分県	阿蘇くじゅう	小田の池	特別地域	5.09	293,552	291,000	7／10
	計	――――	――――	――――	53.59	907,772	897,000	――――
6	島根県	大山壱岐	国賀	特別保護地区 特別地域	51.49	82,377	82,000	7／10
	徳島県	剣山（定）	一ノ森	特別地域	42.71	105,568	105,000	5／10
	計	――――	――――	――――	94.20	187,945	187,000	――――
7	青森県	十和田八幡平	田代湿原	特別地域	32.14	126,000	126,000	7／10
	徳島県	剣山（定）	一ノ森	特別地域	47.97	108,068	108,000	5／10
	計	――――	――――	――――	80.11	234,068	234,000	――――
8	北海道	知床	ルシャ・テッパンベツ	特別保護地区	279.06	301,000	301,000	10／10

9	北海道	知床	ルシャ・テッパンベツ	特別保護地区	389.29	188,000	188,000	10／10
10	北海道	知床	ルシャ・テッパンベツ	特別保護地区	490.60	339,000	339,000	10／10
11	……	……	……	……	……	……	……	……
12	青森県	津軽（定）	コケヤチ高原	特別地域	6.85	51,000	51,000	5／10
13	……	……	……	……	……	……	……	……
14	奈良県	吉野熊野	大台ヶ原	特別保護地区	255.08	96,000	96,000	10／10
	岡山県	大山壱岐	毛無山	特別保護地区	70.11	651,000	651,000	10／10
	計	……	……	……	325.19	747,000	747,000	……
15	……	……	……	……	……	……	……	……
16	鹿児島県	霧島屋久	屋久島	特別保護地区	418.06	800,000	800,000	10／10
17	……	……	……	……	……	……	……	……
18	沖縄県	西表石垣	名倉アンパル	特別保護地区	14.23			
19	沖縄県	西表石垣	名倉アンパル	特別保護地区	9.53			
20	沖縄県	西表石垣	名倉アンパル	特別保護地区	19.82			
21	沖縄県	西表石垣	名倉アンパル	特別保護地区	35.42			
22	奈良県	吉野熊野	大峰山地区	特別保護地区	701.68			
	北海道	支笏洞爺	有珠山西山火口	特別保護地区	18.14			
23	北海道	知床	知床五湖北側	特別保護地区	65.23			

	計	…………	…………	…………	83.37			
24	奈良県	吉野熊野	大台ヶ原	特別保護地区	161.47			
	大分県	阿蘇くじゅう	くじゅう地区	第一種特別地域	22.14			
	計	…………	…………	…………	183.61			
25	北海道	知床	知床五湖南東側	特別保護地区	36.03			
26	北海道	釧路湿原	宮島岬	第一種特別地域	112.72			
	長崎県	舟志ノ内（鳥）	舟志ノ内	国指定鳥獣保護区	5.09			
	計	…………	…………	…………	117.81			
27	長崎県	舟志ノ内（鳥）	舟志ノ内	国指定鳥獣保護区	10.37			
28	鹿児島県	奄美	役勝丸畑	特別保護地区	200.15			
29	鹿児島県	奄美	川内、役勝、阿木名、網野子	特別保護地区	222.38			
30	鹿児島県	奄美	川内山、木浦山	特別保護地区	551.71			
元	鹿児島県	奄美	役勝、川内	特別保護地区	521.11			
2	鹿児島県	奄美	大和濱	特別保護地区	586.17			
	合計	…………	…………	…………	11,789.94	…………	…………	…………

（注）　「公園等」欄の「(定)」は国定公園を、「(鳥)」は国指定鳥獣保護区を、それ以外は国立公園を示す。

区　　分	面積（ha）	割　合
国立公園	10,844.75	92.0%
国定公園	758.95	6.4%
国指定鳥獣保護区	186.24	1.6%
計	11,789.94	100.0%

（注）　「公園等」欄の「(定)」は国定公園を、「(鳥)」は国指定鳥獣保護区を、それ以外は国立公園を示す。

第３章　グリーンワーカー事業

○国立公園等民間活用特定自然環境保全活動（グリーンワーカー）事業実施要領

〔平成13年６月５日　環自国発第218号
各地区自然保護事務所長宛　国立公園課長通知〕

改正　平成16年２月４日環自国発第040204001号・平成18年１月27日環自国発第060127001号・平成26年１月６日環自国発第1401063号・平成31年３月28日環自国発第1903283号・令和４年４月１日環自国発第22040122号

国立公園等民間活用特定自然環境保全活動（グリーンワーカー）事業について、この要領に定めるところにより実施されたい。なお、標記事業に係る事務は、従来どおり会計諸法規に基づき執行することとされたい。

第１　目的

この要領は、地方環境事務所長並びに釧路自然環境事務所長、信越自然環境事務所長及び沖縄奄美自然環境事務所長（以下「事務所長」という。）が行う国立公園及び国指定鳥獣保護区等（以下「国立公園等」という。）の管理業務のうち、当該地域の自然や社会状況を熟知する者を雇用する等により、国立公園等の適正な保護及び利用の増進等、地域の自然環境の適正な保全管理を図るために実施する「国立公園等民間活用特定自然環境保全活動事業（以下「グリーンワーカー事業」という。）」の実施に関して必要な事項を定め、グリーンワーカー事業の円滑な遂行に資することを目的とする。

第２　通則

事務所長は、グリーンワーカー事業の実施にあたり、この要領に定めのないもの又はこの要領により難い場合は、自然環境局国立公園課長（以下、「国立公園課長」という。）に協議するものとする。

第３　対象地区及び事業期間

⑴　対象地区

グリーンワーカー事業を実施する対象地区は、国立公園等のうち、事務所長が特に管理業務を充実させる必要があるとする地区とする。ここで、当該地区の範囲は法に基づく国立公園等の区域及び管理上密接な関係のある国立公園等の区域に隣接した区域とする。

⑵　事業期間

複数年度にわたる場合は、おおむね３年以内で完結させることとし、年次計画を作成するものとする。

また、必要に応じて、本事業を通じて得られたノウハウと組織を活用し、国、地方自治体、公園管理団体及び民間等の連携により実施する体制の確立に取り組むものとする。

なお、国指定鳥獣保護区管理員設置等要領（平成15年４月15日環自野発第030415012号、以下「管理員要領」という。）に定める事業については、事業期間を限らず国指定鳥獣保護区の管理の状況を踏まえ計画的に実施するものとする。

第４　業務内容

グリーンワーカー事業の対象とする業務内容は、以下の事業タイプのとおりとする。

①　生物の多様性の確保に関する業務（盗採・密猟・踏み荒らし等の監視、利用指導、希少な野生動植物の生息・生育環境の維持回復活動、外来種の駆除等）

②　環境美化業務等（山岳地・湖沼・海底等の清掃困難地の清掃、広範囲にわたる一斉清掃等）

③　施設の維持・管理業務等（登山ルートにかかる歩道、標識等の簡易な施設の補修、草刈り等）

④　景観維持業務等（雑木林や草原景観等の維持活動等）

⑤　対象地区に関する調査業務等（動植物の生息・生育状況調査、山火事等による自然の被害の調査、利用状況調査等）

⑥　国指定鳥獣保護区における管理員要領に定める業務

⑦　その他対象地区の保全・管理に関する業務

第５　事業実施の方法等

グリーンワーカー事業は、以下の手順により実施するものとする。ただし、管理員要領に定める業務はこれによらず同要領に従うものとする。

⑴　事業の要望

事務所長は、第４に掲げる業務について、国立公園課長に要望（複数年度にわたって実施が必要な場合は年次計画を含む）を別紙様式により作成し、提出するものとする。個々の要望に係る様式及び要望の提出時期は、国立公園課長によりあらかじめ通知する。

⑵　事業の実施

事務所長は、事業の執行に関する事務を行なうものとし、事業の実施状況について適宜確認するとともに、事業効果が十分発揮されるよう努めるものとする。

⑶　事業完了の確認

事務所長は、事業の完了を確認した上で、事業実績報告を別紙様式により作成の上、事業実施翌年度の４月末日までに国立公園課長に報告するものとする。なお、事業者から提出された報告書を電子データの送付により報告することが望ましい。

別紙様式

○○年度国立公園等民間活用特定自然環境保全活動（グリーンワーカー）事業実績報告総括表

○○地方（自然）環境事務所

No.	事業タイプ	実施場所	地種区分	事業名	業務内容	実施（予定）期間	実施（予定）時期	要望額	示達額	実績額	請負（予定）者	実施県・市町村	事業実績	備考１	備考２（入札方式）
	計														

注

１．「事業タイプ」は、第４の①～⑦から記載する。

２．「実施場所」は、国立公園名・地域名、国指定鳥獣保護区名、自然環境保全地域名を記載する。

３．「地種区分」は、「特保」、「１特」等を記載する。

４．「業務内容」は、予定（実施）業務内容を記載する。

５．「実施期間」は、年度（令和○～○年度など）を記載する。

６．「実施時期」は、当年度の始期終期（○月○日～○月○日など）を記載する。

７．「事業実績」は、できる限り定量的な情報も含めた実施状況を記載する。

＊延べ雇用人工数（人日）、ゴミ回収の重量（t）や面積（ha）、巡視回数（回、日）、登山道整備は距離（km）、動物の駆除は個体数（頭）、わな設置数（機）など。

8．「備考」は、離島振興予算に該当する場合には「離島振興」と、瀬戸内海環境保全特別措置法に該当する場合には「瀬戸内法」と記載する。その他、写真番号や特記事項を記載する。

（実施状況や事業効果が分かる写真（複数枚）、新聞記事等を添付する。）

9．３年ごとに見直しを行い、事業の統合を検討すること。

第10編

環境省所管国有財産の管理業務

第１章　国有財産関係法令

◉国有財産法

〔昭和23年６月30日
法律第73号〕

改正　昭和24年５月31日法律第134号・昭和24年５月31日法律第145号・昭和24年６月６日法律第196号・昭和25年５月４日法律第141号・昭和25年５月30日法律第214号・昭和25年12月20日法律第290号・昭和27年６月30日法律第219号・昭和27年７月31日法律第268号・昭和28年８月１日法律第114号・昭和28年８月10日法律第194号・昭和28年８月15日法律第213号・昭和31年４月５日法律第64号・昭和31年５月22日法律第113号・昭和32年５月17日法律第107号・昭和37年５月16日法律第140号・昭和39年７月１日法律第130号・昭和45年５月20日法律第82号・昭和48年７月27日法律第67号・昭和53年６月15日法律第73号・昭和56年６月９日法律第75号・昭和61年６月３日法律第78号・平成元年６月28日法律第48号・平成３年10月４日法律第90号・平成11年７月16日法律第87号・平成11年７月16日法律第102号・平成11年７月16日法律第104号・平成11年12月17日法律第156号・平成11年12月22日法律第160号・平成13年６月27日法律第75号・平成13年６月29日法律第80号・平成13年11月28日法律第129号・平成14年６月12日法律第65号・平成14年12月13日法律第152号・平成16年６月９日法律第88号・平成16年６月18日法律第112号・平成17年７月26日法律第87号・平成18年４月28日法律第35号・平成18年６月14日法律第66号・平成19年６月１日法律第74号・平成24年６月27日法律第42号・令和元年５月31日法律第16号・令和３年５月19日法律第36号・令和３年５月19日法律第37号

目次　頁

第１章　総則

（この法律の趣旨）

第１条　国有財産の取得、維持、保存及び運用（以下「管理」という。）並びに処分については、他の法律に特別の定めのある場合を除くほか、この法律の定めるところによる。

（国有財産の範囲）

第２条　この法律において国有財産とは、国の負担において国有となつた財産又は法令の規定により、若しくは寄附により国有となつた財産であつて次に掲げるものをいう。

一　不動産

二　船舶、浮標、浮桟橋及び浮ドック並びに航空機

三　前２号に掲げる不動産及び動産の従物

四　地上権、地役権、鉱業権その他これらに準ずる権利

五　特許権、著作権、商標権、実用新案権その他これらに準ずる権利

六　株式、新株予約権、社債（特別の法律により法人の発行する債券に表示されるべき権利を含み、短期社債等を除く。）、地方債、信託の受益権及びこれらに準ずるもの並びに出資による権利（国が資金又は積立金の運用及びこれに準ずる目的のために臨時に所有するものを除く。）

２　前項第６号の「短期社債等」とは、次に掲げるものをいう。

一　社債、株式等の振替に関する法律（平成13年法律第75号）第66条第１号に規定する短期社債

二　投資信託及び投資法人に関する法律（昭和26年法律第198号）第139条の12第１項に規定する短期投資法人債

三　信用金庫法（昭和26年法律第238号）第54条の４第１項に規定する短期債

四　保険業法（平成７年法律第105号）第61条の10第１項に規定する短期社債

五　資産の流動化に関する法律（平成10年法律第105号）第２条第８項に規定する特定短期社債

六　農林中央金庫法（平成13年法律第93号）第62条の２第１項に規定する短期農林債

（国有財産の分類及び種類）

第３条　国有財産は、行政財産と普通財産とに分類する。

２　行政財産とは、次に掲げる種類の財産をいう。

一　公用財産　国において国の事務、事業又はその職員（国家公務員宿舎法（昭和24年法律第117号）第２条第２号の職員をいう。）の住居の用に供し、又は供するものと決定したもの

二　公共用財産　国において直接公共の用に供し、又は供するものと決定したもの

三　皇室用財産　国において皇室の用に供し、又は供するものと決定したもの
四　森林経営用財産　国において森林経営の用に供し、又は供するものと決定したもの
3　普通財産とは、行政財産以外の一切の国有財産をいう。

（総括、所管換及び所属替の意義）

第4条　この法律において「国有財産の総括」とは、国有財産の適正な方法による管理及び処分を行うため、国有財産に関する制度を整え、その管理及び処分の事務を統一し、その増減、現在額及び現状を明らかにし、並びにその管理及び処分について必要な調整をすることをいう。

2　この法律において「国有財産の所管換」とは、衆議院議長、参議院議長、内閣総理大臣、各省大臣、最高裁判所長官及び会計検査院長（以下「各省各庁の長」という。）の間において、国有財産の所管を移すことをいう。

3　この法律において「国有財産の所属替」とは、同一所管内に2以上の部局等がある場合に、一の部局等の所属に属する国有財産を他の部局等の所属に移すことをいう。

第2章　管理及び処分の機関

（行政財産の管理の機関）

第5条　各省各庁の長は、その所管に属する行政財産を管理しなければならない。

第5条の2　2以上の各省各庁の長において使用する行政財産のうち統一的に管理する必要があるもので財務大臣が指定する財産は、これを使用する各省各庁の長のうち財務大臣が指定する者の所管に属するものとする。

（普通財産の管理及び処分の機関）

第6条　普通財産は、財務大臣が管理し、又は処分しなければならない。

（国有財産の総括の機関）

第7条　財務大臣は、国有財産の総括をしなければならない。

（国有財産の引継ぎ）

第8条　行政財産の用途を廃止した場合又は普通財産を取得した場合においては、各省各庁の長は、財務大臣に引き継がなければならない。ただし、政令で定める特別会計に属するもの及び引き継ぐことを適当としないものとして政令で定めるものについては、この限りでない。

2　前項ただし書の普通財産については、第6条の規定にかかわらず、当該財産を所管する各省各庁の長が管理し、又は処分するものとする。

（事務の分掌及び地方公共団体の行う事務）

第9条　各省各庁の長は、その所管に属する国有財産に関する事務の一部を、部局等の長に分掌させることができる。

2　財務大臣は、国有財産の総括に関する事務の一部を部局等の長に分掌させることができる。

3　国有財産に関する事務の一部は、政令で定めるところにより、都道府県又は市町村が行うこととすることができる。

4　前項の規定により都道府県又は市町村が行うこととされる事務は、地方自治法（昭和22年法律第67号）第２条第９項第１号に規定する第１号法定受託事務とする。

（国有財産地方審議会）

第９条の２　財務局ごとに、国有財産地方審議会（以下「地方審議会」という。）を置く。

第９条の３　地方審議会は、財務局長の諮問に応じて国有財産の管理及び処分について調査審議し、並びにこれに関し財務局長に意見を述べることができる。

２　地方審議会は、前項に規定するもののほか、第28条の２第２項、第28条の４及び第31条の４第３項の規定により諮問される事項を調査審議する。

第９条の４　前条に定めるもののほか、地方審議会の組織及び委員その他の職員その他地方審議会に関し必要な事項については、政令で定める。

第３章　管理及び処分

第１節　通則

（管理及び処分の原則）

第９条の５　各省各庁の長は、その所管に属する国有財産について、良好な状態での維持及び保存、用途又は目的に応じた効率的な運用その他の適正な方法による管理及び処分を行わなければならない。

（管理及び処分の総括）

第10条　財務大臣は、前条に規定する国有財産の適正な方法による管理及び処分を行うため必要があると認めるときは、各省各庁の長に対し、その所管に属する国有財産について、その状況に関する資料若しくは報告を求め、実地監査をし、又は用途の変更、用途の廃止、所管換その他必要な措置を求めることができる。

2　財務大臣は、前項の規定により措置を求めたときは、各省各庁の長に対し、そのとった措置について報告を求めることができる。

3　財務大臣は、前項の報告を求めた場合において、必要があると認めるときは、閣議の決定を経て、各省各庁の長に対し、その所管する国有財産について、用途の変更、用途の廃止、所管換その他必要な指示をすることができる。

4　財務大臣は、一定の用途に供する目的で国有財産の譲渡又は貸付けを受けた者に対し、その用途に供されているかどうかを確かめるため、自ら、又は各省各庁の長に委任して、当該財産について、その状況に関する資料若しくは報告を求め、又は当該職員に実地監査をさせることができる。

第11条　財務大臣は、各省各庁の長の所管に属する国有財産につき、その現況に関する記録を備え、常時その状況を明らかにしておかなければならない。

第12条　各省各庁の長が、国有財産の所管換を受けようとするときは、当該財産を所管する各省各庁の長及び財務大臣に協議しなければならない。ただし、次条の規定により国会の議決を経なければならない場合又は政令で定める場合に該当するときは、財務大臣への協議は、要しないものとする。

第13条 公園又は広場として公共の用に供し、又は供するものと決定した公共用財産について、その用途を廃止し、若しくは変更し、又は公共用財産以外の行政財産としようとするときは、国会の議決を経なければならない。ただし、当該財産の価額が1億5000万円以上である場合を除くほか、毎年4月1日から翌年3月31日までの期間内に、その用途を廃止し、若しくは変更し、又は公共用財産以外の行政財産とする財産の価額の合計額が15億円に達するに至るまでの場合については、この限りでない。

2 皇室用財産とする目的で寄附若しくは交換により財産を取得し、又は皇室用財産以外の国有財産を皇室用財産としようとするときは、国会の議決を経なければならない。ただし、当該財産の価額が1億5000万円以上である場合を除くほか、毎年4月1日から翌年3月31日までの期間内に、その寄附若しくは交換により取得し、又は皇室用財産とする財産の価額の合計額が15億円に達するに至るまでの場合については、この限りでない。

第14条 次に掲げる場合においては、当該国有財産を所管する各省各庁の長は、財務大臣に協議しなければならない。ただし、前条の規定により国会の議決を経なければならない場合又は政令で定める場合に該当するときは、この限りでない。

一 行政財産とする目的で土地又は建物を取得しようとするとき。

二 普通財産を行政財産としようとするとき。

三 行政財産の種類を変更しようとするとき。

四 行政財産である土地又は建物について、所属替をし、又は用途を変更しようとするとき。

五 行政財産である建物を移築し、又は改築しようとするとき。

六 行政財産を他の各省各庁の長に使用させようとするとき。

七 国以外の者に行政財産を使用させ、又は収益させようとするとき。

八 特別会計に属する普通財産である土地又は建物を貸し付け、若しくは貸付け以外の方法により使用させ若しくは収益させ、又は当該土地又は建物の売払いをしようとするとき。

九 普通財産である土地（その土地の定着物を含む。）を信託しようとするとき。

（異なる会計間の所管換等）

第15条 国有財産を、所属を異にする会計の間において、所管換若しくは所属替をし、又は所属を異にする会計に使用させるときは、当該会計間において有償として整理するものとする。ただし、国において直接公共の用に供する目的をもつてする場合であつて、当該財産の価額が政令で定める金額に達しないときは、この限りでない。

（職員の行為の制限）

第16条　国有財産に関する事務に従事する職員は、その取扱いに係る国有財産を譲り受け、又は自己の所有物と交換することができない。

2　前項の規定に違反する行為は、無効とする。

第17条　削除

第２節　行政財産

（処分等の制限）

第18条　行政財産は、貸し付け、交換し、売り払い、譲与し、信託し、若しくは出資の目的とし、又は私権を設定することができない。

2　前項の規定にかかわらず、行政財産は、次に掲げる場合には、その用途又は目的を妨げない限度において、貸し付け、又は私権を設定することができる。

一　国以外の者が行政財産である土地の上に政令で定める堅固な建物その他の土地に定着する工作物であつて当該行政財産である土地の供用の目的を効果的に達成することに資すると認められるものを所有し、又は所有しようとする場合（国と一棟の建物を区分して所有する場合を除く。）において、その者（当該行政財産を所管する各省各庁の長が当該行政財産の適正な方法による管理を行う上で適当と認める者に限る。）に当該土地を貸し付けるとき。

二　国が地方公共団体又は政令で定める法人と行政財産である土地の上に一棟の建物を区分して所有するためその者に当該土地を貸し付ける場合

三　国が行政財産である土地及びその隣接地の上に国以外の者と一棟の建物を区分して所有するためその者（当該建物のうち行政財産である部分を所管することとなる各省各庁の長が当該行政財産の適正な方法による管理を行う上で適当と認める者に限る。）に当該土地を貸し付ける場合

四　国の庁舎等の使用調整等に関する特別措置法（昭和32年法律第115号）第２条第２項に規定する庁舎等についてその床面積又は敷地に余裕がある場合として政令で定める場合において、国以外の者（当該庁舎等を所管する各省各庁の長が当該庁舎等の適正な方法による管理を行う上で適当と認める者に限る。）に当該余裕がある部分を貸し付けるとき（前３号に掲げる場合に該当する場合を除く。）。

五　行政財産である土地を地方公共団体又は政令で定める法人の経営する鉄道、道路その他政令で定める施設の用に供する場合において、その者のために当該土地に地上権を設定するとき。

六　行政財産である土地を地方公共団体又は政令で定める法人の使用する電線路その他政令で定める施設の用に供する場合において、その者のために当該土地に地役権を設定するとき。

3　前項第２号に掲げる場合において、当該行政財産である土地の貸付けを受けた者が当

該土地の上に所有する一棟の建物の一部（以下この条において「特定施設」という。）を国以外の者に譲渡しようとするときは、当該特定施設を譲り受けようとする者（当該行政財産を所管する各省各庁の長が当該行政財産の適正な方法による管理を行う上で適当と認める者に限る。）に当該土地を貸し付けることができる。

4　前項の規定は、同項（この項において準用する場合を含む。）の規定により行政財産である土地の貸付けを受けた者が当該特定施設を譲渡しようとする場合について準用する。

5　前各項の規定に違反する行為は、無効とする。

6　行政財産は、その用途又は目的を妨げない限度において、その使用又は収益を許可することができる。

7　地方公共団体、特別の法律により設立された法人のうち政令で定めるもの又は地方道路公社が行政財産を道路、水道又は下水道の用に供する必要がある場合において、第２項第１号の貸付け、同項第５号の地上権若しくは同項第６号の地役権の設定又は前項の許可をするときは、これらの者に当該行政財産を無償で使用させ、又は収益させることができる。

8　第６項の規定による許可を受けてする行政財産の使用又は収益については、借地借家法（平成３年法律第90号）の規定は、適用しない。

（準用規定）

第19条　第21条から第25条まで（前条第２項第５号又は第６号の規定により地上権又は地役権を設定する場合にあつては第21条及び第23条を除き、前条第６項の規定により使用又は収益を許可する場合にあつては第21条第１項第２号を除く。）の規定は、前条第２項第１号から第４号までの貸付け、同項第５号の地上権若しくは同項第６号の地役権の設定、同条第３項（同条第４項において準用する場合を含む。）の貸付け又は同条第６項の許可により行政財産の使用又は収益をさせる場合について準用する。

第３節　普通財産

（処分等）

第20条　普通財産は、第21条から第31条までの規定により貸し付け、管理を委託し、交換し、売り払い、譲与し、信託し、又は私権を設定することができる。

2　普通財産は、法律で特別の定めをした場合に限り、出資の目的とすることができる。

（貸付期間）

第21条　普通財産の貸付けは、次の各号に掲げる場合に応じ、当該各号に定める期間とする。

一　植樹を目的として土地及び土地の定着物（建物を除く。以下この条及び第27条において同じ。）を貸し付ける場合　60年以内

二　建物の所有を目的として土地及び土地の定着物を貸し付ける場合において、借地借

家法第22条第１項の規定に基づく借地権の存続期間を設定するとき　50年以上

三　前２号の場合を除くほか、土地及び土地の定着物を貸し付ける場合　30年以内

四　建物その他の物件を貸し付ける場合　10年以内

2　前項の期間は、同項第２号に掲げる場合を除き、更新することができる。この場合においては、更新の日から同項各号に規定する期間とする。

（無償貸付）

第22条　普通財産は、次に掲げる場合においては、地方公共団体、水害予防組合及び土地改良区（以下「公共団体」という。）に、無償で貸し付けることができる。

一　公共団体において、緑地、公園、ため池、用排水路、火葬場、墓地、ごみ処理施設、し尿処理施設、と畜場又は信号機、道路標識その他公共用若しくは公用に供する政令で定める小規模な施設の用に供するとき。

二　公共団体において、保護を要する生活困窮者の収容の用に供するとき。

三　公共団体において、災害が発生した場合における応急措置の用に供するとき。

四　地方公共団体において、大規模地震対策特別措置法（昭和53年法律第73号）第２条第14号の地震防災応急対策の実施の用に供するとき。

五　地方公共団体において、原子力災害対策特別措置法（平成11年法律第156号）第２条第５号の緊急事態応急対策の実施の用に供するとき。

六　地方公共団体において、武力攻撃事態等における国民の保護のための措置に関する法律（平成16年法律第112号）第２条第３項の国民の保護のための措置又は同法第172条第１項の緊急対処保護措置の実施の用に供するとき。

2　前項の無償貸付は、公共団体における当該施設の経営が営利を目的とし、又は利益をあげる場合には、行うことができない。

3　各省各庁の長は、第１項の規定により、普通財産を無償で貸し付けた場合において、公共団体の当該財産の管理が良好でないと認めるとき又は前項の規定に該当することとなつたときは、直ちにその契約を解除しなければならない。

（貸付料）

第23条　普通財産の貸付料は、毎年定期に納付させなければならない。ただし、数年分を前納させることを妨げない。

2　前項の場合において、当該財産を所管する各省各庁の長は、借受人から、預金又は貯金の払出しとその払い出した金銭による貸付料の納付をその預金口座又は貯金口座のある金融機関に委託して行うことを希望する旨の申出があつた場合には、その納付が確実と認められ、かつ、その申出を承認することが貸付料の徴収上有利と認められるときに限り、その申出を承認することができる。

（貸付契約の解除）

第24条　普通財産を貸し付けた場合において、その貸付期間中に国又は公共団体において

公共用、公用又は公益事業の用に供するため必要を生じたときは、当該財産を所管する各省各庁の長は、その契約を解除することができる。

2　前項の規定により契約を解除した場合においては、借受人は、これによつて生じた損失につき当該財産を所管する各省各庁の長に対し、その補償を求めることができる。

第25条　前条第2項の規定により補償の請求があつたときは、当該財産を所管する各省各庁の長は、会計検査院の審査に付することができる。

2　各省各庁の長は、前項の審査の結果に関し、会計検査院の通知を受けたときは、その通知のあつた判定に基づき、適当な措置をとらなければならない。

（準用規定）

第26条　第21条から前条まで（鉄道、道路、電線路その他政令で定める施設の用に供される土地に地上権又は地役権を設定する場合にあつては、第21条及び第23条を除く。）の規定は、貸付け以外の方法により普通財産の使用又は収益をさせる場合（次条の規定に基づいて使用又は収益をさせる場合を除く。）について準用する。

（管理の委託）

第26条の2　普通財産は、各省各庁の長が当該財産の有効な利用を図るため特に必要があると認める場合には、政令で定めるところにより、その適当と認める者に管理を委託することができる。

2　前項の規定による管理の委託を受けた者（以下「管理受託者」という。）は、管理の目的を妨げない限度において、各省各庁の長の承認を受けて、当該普通財産を使用し、又は収益することができる。

3　管理受託者は、その管理の委託を受けた普通財産の管理の費用を負担しなければならない。

4　管理の委託を受けた普通財産から生ずる収益は、管理受託者の収入とする。ただし、その収益が前項の管理の費用を著しく超える場合として政令で定める場合には、管理受託者は、その超える金額の範囲内で各省各庁の長の定める金額を国に納付しなければならない。

（交換）

第27条　普通財産は、土地又は土地の定着物若しくは堅固な建物に限り、国又は公共団体において公共用、公用又は公益事業の用に供するため必要があるときは、それぞれ土地又は土地の定着物若しくは堅固な建物と交換することができる。ただし、価額の差額が、その高価なものの価額の4分の1を超えるときは、この限りでない。

2　前項の交換をする場合において、その価額が等しくないときは、その差額を金銭で補足しなければならない。

3　第1項の規定により堅固な建物を交換しようとするときは、各省各庁の長は、事前に、会計検査院に通知しなければならない。

（譲与）

第28条　普通財産は、次に掲げる場合においては、譲与することができる。

一　公共団体において維持及び保存の費用を負担した公共用財産の用途を廃止した場合において、当該用途の廃止によつて生じた普通財産をその負担した費用の額が当該用途の廃止時における当該財産の価額に対して占める割合に対応する価額の範囲内において当該公共団体に譲与するとき。

二　公共団体又は私人において公共用財産の用途に代わるべき他の施設をしたためその用途を廃止した場合において、当該用途の廃止によつて生じた普通財産をその負担した費用の額が当該用途の廃止時における当該財産の価額に対して占める割合に対応する価額の範囲内において当該公共団体又は当該私人若しくはその相続人その他の包括承継者に譲与するとき。

三　公共用財産のうち寄附に係るものの用途を廃止した場合において、当該用途の廃止によつて生じた普通財産をその寄附者又はその相続人その他の包括承継者に譲与するとき。ただし、寄附の際特約をした場合を除くほか、寄附を受けた後20年を経過したものについては、この限りでない。

四　公共団体において火葬場、墓地、ごみ処理施設、し尿処理施設又はと畜場として公共の用に供する普通財産を当該公共団体に譲与するとき。ただし、公共団体における当該施設の経営が営利を目的とし、又は利益をあげる場合においては、この限りでない。

（信託）

第28条の２　普通財産は、土地（その土地の定着物を含む。以下この条、第28条の４及び第28条の５において同じ。）に限り、政令で定めるところにより、信託することができる。ただし、次に掲げる場合は、この限りでない。

一　第22条（第26条において準用する場合を含む。）、第27条又は前条の規定に該当しない無償貸付、交換又は譲与をすることを信託の目的とするとき。

二　国以外の者を信託の受益者とするとき。

三　土地の信託をすることにより国の通常享受すると見込まれる利益が、当該土地の貸付け又は売払いをすることにより国の通常享受すると見込まれる利益を下回ることが確実と見込まれるとき。

２　各省各庁の長は、前項の規定により土地を信託しようとする場合には、次に掲げる事項について、政令で定めるところにより、あらかじめ財政制度等審議会又は地方審議会に諮問し、その議を経なければならない。

一　信託の目的

二　信託の受託者の選定方法

三　信託の収支見積り

四　信託の受託者が当該信託に必要な資金の借入れをする場合の当該借入金の限度額
五　その他政令で定める事項

3　各省各庁の長は、第１項の規定により土地を信託しようとする場合には、事前に、会計検査院に通知しなければならない。

（信託期間）

第28条の３　信託期間は、20年を超えることができない。

2　前項の信託期間は、更新することができる。この場合においては、更新の日から20年を超えることができない。

（信託に係る協議等）

第28条の４　各省各庁の長は、第28条の２第１項の規定により土地を信託した場合において当該信託の信託期間を更新しようとするときその他政令で定めるときは、財務大臣に協議するとともに、政令で定める事項について、同条第２項の規定により諮問した財政制度等審議会又は地方審議会に諮問し、その議を経なければならない。

（信託に係る実地監査等）

第28条の５　各省各庁の長は、第28条の２第１項の規定により土地を信託した場合には、当該土地に係る信託事務の処理を適正に行うため、政令で定めるところにより、その信託の受託者に対し、信託事務の処理状況に関する資料若しくは報告を求め、又は必要があると認めるときは、当該職員に実地監査をさせ、信託事務の処理について必要な指示をすることができる。

（用途指定の売払い等）

第29条　普通財産の売払い又は譲与をする場合は、当該財産を所管する各省各庁の長は、その買受人又は譲与を受けた者に対して用途並びにその用途に供しなければならない期日及び期間を指定しなければならない。ただし、政令で定める場合に該当するときは、この限りでない。

第30条　前条の規定によつて用途並びにその用途に供しなければならない期日及び期間を指定して普通財産の売払い又は譲与をした場合において、指定された期日を経過してもなおその用途に供せず、又はその用途に供した後指定された期間内にその用途を廃止したときは、当該財産を所管した各省各庁の長は、その契約を解除することができる。

2　前項の規定により契約を解除した場合において、損害の賠償を求めるときは、各省各庁の長は、その額について財務大臣に協議しなければならない。

（売払代金等の納付）

第31条　普通財産の売払代金又は交換差金は、当該財産の引渡前に納付させなければならない。ただし、当該財産の譲渡を受けた者が公共団体又は教育若しくは社会事業を営む団体である場合において、各省各庁の長は、その代金又は差金を一時に支払うことが困難であると認めるときは、確実な担保を徴し、利息を付し、５年以内の延納の特約をすることができる。

2　前項ただし書の規定により延納の特約をしようとする場合において、普通財産の譲渡を受けた者が地方公共団体であるときは、担保を徴しないことができる。

3　第１項ただし書の規定により延納の特約をしようとするときは、各省各庁の長は、延納期限、担保及び利率について、財務大臣に協議しなければならない。

4　第１項ただし書の規定により延納の特約をした場合において、当該財産の譲渡を受けた者のする管理が適当でないと認めるときは、各省各庁の長は、直ちにその特約を解除しなければならない。

第３章の２　立入り及び境界確定

（他人の土地への立入り）

第31条の２　各省各庁の長は、その所管に属する国有財産の調査又は測量を行うためやむを得ない必要があるときは、その所属の職員を他人の占有する土地に立ち入らせることができる。

2　各省各庁の長は、前項の規定によりその職員を他人の占有する土地に立ち入らせようとするときは、あらかじめその占有者にその旨を通知しなければならない。この場合において、通知を受けるべき者の所在が知れないときは、当該通知は、公告をもつてこれに代えることができる。

3　第１項の規定により宅地又は垣、さく等で囲まれた土地に立ち入ろうとする者は、立入りの際あらかじめその旨を当該土地の占有者に告げなければならない。

4　第１項の規定により他人の占有する土地に立ち入ろうとする者は、その身分を示す証明書を携帯し、関係人の請求があつたときは、提示しなければならない。

5　各省各庁の長は、第１項の規定による立入りにより損失を受けた者に対し、通常生ずべき損失を補償しなければならない。

（境界確定の協議）

第31条の３　各省各庁の長は、その所管に属する国有財産の境界が明らかでないためその管理に支障がある場合には、隣接地の所有者に対し、立会場所、期日その他必要な事項を通知して、境界を確定するための協議を求めることができる。

2　前項の規定により協議を求められた隣接地の所有者は、やむを得ない場合を除き、同項の通知に従い、その場所に立ち会つて境界の確定につき協議しなければならない。

3　第１項の協議が調つた場合には、各省各庁の長及び隣接地の所有者は、書面により、確定された境界を明らかにしなければならない。

4　第１項の協議が調わない場合には、境界を確定するためにいかなる行政上の処分も行われてはならない。

（境界の決定）

第31条の４　各省各庁の長は、前条第１項の規定により協議を求めた隣接地の所有者が立ち会わないため協議することができないときは、当該隣接地の所存する市町村の職員の立会いを求めて、境界を定めるための調査を行うものとする。ただし、当該隣接地の所有者が正当な理由により立ち会うことができない場合において、その旨をあらかじめ当該各省各庁の長に通知したときは、この限りでない。

2　各省各庁の長は、前項の調査に基づいてその調査に係る境界を定めることができる。

3　各省各庁の長は、前項の規定により境界を定めようとするときは、当該境界の存する地域を管轄する財務局に置かれた地方審議会に諮問し、その意見に基づいて、定めなければならない。

4　地方審議会は、前項の諮問に係る事案を調査審議する際、当該事案に係る隣接地の所有者及び当該隣接地の知れたその他の権利者に対して意見を述べる機会を与えなければならない。

5　各省各庁の長は、第２項の規定により境界を定めた場合には、当該境界及び当該境界を定めた経過を当該隣接地の所有者及び当該隣接地の知れたその他の権利者に通知するとともに公告しなければならない。この場合において、当該通知及び公告には、次条第１項の期間内に同項の規定による通告がないときは、境界の確定に関し、当該隣接地の所有者の同意があつたものとみなされる旨を付記しなければならない。

第31条の５　隣接地の所有者その他の権利者は、前条の規定により各省各庁の長が定めた境界に異議がある場合には、同条第５項の公告のあつた日から起算して60日以内に、理由を付して、当該各省各庁の長に対し、その定めた境界に同意しない旨を通告することができる。

2　前項の期間内に前条第５項の通知を受けた隣接地の所有者から前項の規定による通告がなかつた場合には、当該期間満了の時に、境界の確定に関し、その者の同意があつたものとみなす。ただし、同項の期間内に当該隣接地のその他の権利者から同項の規定による通告があつたときは、この限りでない。

3　前項の規定により同意があつたものとみなされる場合には、各省各庁の長は、速やかに、境界が確定した旨を当該隣接地の所有者及び当該隣接地の知れたその他の権利者に通知するとともに公告しなければならない。

4　第31条の３第４項の規定は、第１項の期間内に同項の通告があつた場合について準用する。

第４章　台帳、報告書及び計算書

（台帳）

第32条　衆議院、参議院、内閣（内閣府及びデジタル庁を除く。）、内閣府、デジタル庁、各省、最高裁判所及び会計検査院（以下「各省各庁」という。）は、第３条の規定による国有財産の分類及び種類に従い、その台帳を備えなければならない。ただし、部局等の長において、国有財産に関する事務の一部を分掌するときは、その部局等ごとに備え、各省各庁には、その総括簿を備えるものとする。

2　各省各庁の長又は部局等の長は、その所管に属し、又は所属に属する国有財産につき、取得、所管換、処分その他の理由に基づく変動があつた場合においては、直ちに台帳に記載し、又は記録しなければならない。

（増減及び現在額報告書、総計算書）

第33条　各省各庁の長は、その所管に属する国有財産につき、毎会計年度間における増減及び毎会計年度末現在における現在額の報告書を作成し、翌年度７月31日までに、財務大臣に送付しなければならない。

2　財務大臣は、前項の規定により送付を受けた国有財産増減及び現在額報告書に基づき、国有財産増減及び現在額総計算書を作成しなければならない。

3　内閣は、前項の国有財産増減及び現在額総計算書を第１項の国有財産増減及び現在額報告書とともに、翌年度10月31日までに、会計検査院に送付し、その検査を受けなければならない。

第34条　内閣は、会計検査院の検査を経た国有財産増減及び現在額総計算書を、翌年度開会の国会の常会に報告することを常例とする。

2　前項の国有財産増減及び現在額総計算書には、会計検査院の検査報告のほか、国有財産の増減及び現在額に関する説明書に添付する。

（見込現在額報告書、総計算書）

第35条　各省各庁の長は、毎会計年度ごとに当該年度末及び翌年度末における国有財産見込現在額報告書を作成し、当該年度９月30日までに、財務大臣に送付しなければならない。

2　財務大臣は、前項の規定により送付を受けた国有財産見込現在額報告書に基づき、当該年度末及び翌年度末における国有財産見込現在額総計算書を作成しなければならない。

（無償貸付状況報告書、総計算書）

第36条　各省各庁の長は、毎会計年度末において第22条第１項の規定（第19条及び第26条において準用する場合を含む。）により無償貸付をした国有財産につき、毎会計年度末における国有財産無償貸付状況報告書を作成し、翌年度７月31日までに、財務大臣に送付しなければならない。

2　財務大臣は、前項の規定により送付を受けた国有財産無償貸付状況報告書に基づき、国有財産無償貸付状況総計算書を作成しなければならない。

3　内閣は、前項の国有財産無償貸付状況総計算書を、第１項の各省各庁の国有財産無償貸付状況報告書とともに、翌年度10月31日までに、会計検査院に送付し、その検査を受けなければならない。

第37条　内閣は、会計検査院の検査を経た国有財産無償貸付状況総計算書を、翌年度開会の国会の常会に報告することを常例とする。

2　前項の国有財産無償貸付状況総計算書には、会計検査院の検査報告のほか、国有財産の無償貸付状況に関する説明書を添付する。

（適用除外）

第38条　本章の規定は、公共の用に供する財産で政令で定めるものについては、適用しない。

第５章　雑則

（電磁的記録による作成）

第39条　この法律（第31条の３第３項を除く。）又はこの法律に基づく命令の規定により作成することとされている報告書等（報告書その他文字、図形その他の人の知覚によつて認識することができる情報が記載された紙その他の有体物をいう。次条において同じ。）については、当該報告書等に記載すべき事項を記録した電磁的記録（電子的方式、磁気的方式その他人の知覚によつては認識することができない方式で作られる記録であつて、電子計算機による情報処理の用に供されるものとして財務大臣が定めるものをいう。同条第１項において同じ。）の作成をもつて、当該報告書等の作成に代えることができる。この場合において、当該電磁的記録は、当該報告書等とみなす。

（電磁的方法による提出）

第40条　この法律又はこの法律に基づく命令の規定による報告書等の提出については、当該報告書等が電磁的記録をもつて作成されている場合には、電磁的方法（電子情報処理組織を使用する方法その他の情報通信の技術を利用する方法であつて財務大臣が定めるものをいう。次項において同じ。）をもつて行うことができる。

2　前項の規定により報告書等の提出が電磁的方法によつて行われたときは、当該報告書等の提出を受けるべき者の使用に係る電子計算機に備えられたファイルへの記録がされた時に当該提出を受けるべき者に到達したものとみなす。

附　則

第１条　この法律は、昭和23年７月１日から施行する。ただし、第33条、第34条及び第36条から第38条までの規定は、昭和22年度分から適用し、第13条の規定は、第45条の規定による国会の議決のあつた日から施行する。

第２条　第33条第１項、第35条第１項及び第36条第１項の規定により作成すべき報告書には、外国に係る分は、省略することができる。

第３条　この法律施行前にした国有財産の交換、売払い、譲与及び出資並びに貸付け、私権の設定その他使用又は収益をさせる行為は、この法律の規定によつてしたものとみなす。

2　前項に掲げる行為であつてこの法律の規定に抵触するものは、その抵触する限りにおいて、この法律施行の日に、その効力を失う。

第４条　旧陸軍省、海軍省及び軍需省の所管に属していた機械及び重要な器具は、第２条に規定する国有財産とする。ただし、この法律施行前に物品として各省各庁の長に移管されたもの、各省各庁の長（大蔵大臣を除く。）に所管換（旧国有財産法（大正10年法律第43号）の規定による管理換を含む。）されたもの及び物品管理法（昭和31年法律第113号）の施行前に事業所、作業所、学校、病院、研究所その他これらに準ずる施設においてその用に供したものについては、この限りでない。

第５条　この法律施行の際現に存する法令の規定でこの法律の規定に抵触するものは、この法律施行の日から、その効力を失う。

第６条　国有財産法（大正10年法律第43号）は、廃止する。

◉国有財産法施行令

〔昭和23年8月20日
政令第246号〕

改正 昭和24年5月31日政令第127号・昭和24年5月31日政令第149号・昭和24年6月3日政令第197号・昭和24年8月6日政令第296号・昭和27年7月31日政令第288号・昭和27年7月31日政令第306号・昭和28年9月8日政令第274号・昭和30年3月31日政令第50号・昭和30年10月12日政令第279号・昭和31年6月15日政令第188号・昭和32年5月31日政令第121号・昭和33年11月20日政令第316号・昭和33年12月23日政令第341号・昭和34年4月1日政令第97号・昭和34年5月1日政令第160号・昭和35年7月7日政令第199号・昭和36年3月31日政令第61号・昭和36年4月12日政令第100号・昭和39年4月1日政令第109号・昭和39年4月3日政令第112号・昭和39年7月1日政令第225号・昭和41年3月31日政令第90号・昭和42年5月27日政令第76号・昭和44年3月31日政令第49号・昭和44年6月10日政令第153号・昭和45年4月17日政令第67号・昭和45年4月17日政令第76号・昭和46年4月1日政令第110号・昭和47年4月28日政令第118号・昭和47年4月28日政令第120号・昭和48年7月27日政令第211号・昭和49年6月20日政令第214号・昭和53年3月28日政令第48号・昭和55年5月29日政令第142号・昭和55年5月29日政令第143号・昭和56年3月20日政令第29号・昭和57年1月7日政令第3号・昭和57年9月28日政令第270号・昭和58年7月15日政令第161号・昭和59年3月17日政令第35号・昭和59年6月29日政令第237号・昭和59年9月21日政令第273号・昭和60年3月15日政令第31号・昭和60年3月30日政令第69号・昭和60年5月21日政令第142号・昭和60年6月21日政令第185号・昭和60年6月28日政令第202号・昭和61年3月31日政令第63号・昭和61年6月3日政令第200号・昭和62年3月20日政令第54号・平成3年1月25日政令第6号・平成3年9月25日政令第304号・平成5年3月31日政令第84号・平成6年12月26日政令第411号・平成7年10月18日政令第359号・平成9年3月28日政令第84号・平成10年10月19日政令第329号・平成11年12月10日政令第401号・平成11年12月27日政令第431号・平成12年2月14日政令第34号・平成12年6月7日政令第307号・平成12年8月30日政令第416号・平成12年9月13日政令第428号・平成13年3月28日政令第68号・平成13年12月21日政令第419号・平成14年3月6日政令第42号・平成14年3月25日政令第60号・平成14年12月6日政令第363号・平成14年12月18日政令第381号・平成14年12月18日政令第383号・平成14年12月18日政令第385号・平成15年6月27日政令第293号・平成15年12月3日政令第476号・平成15年12月3日政令第483号・平成15年12月12日政令第516号・平成16年3月19日政令第49号・平成16年3月24日政令第59号・平成16年12月27日政令第422号・平成17年6月1日政令第203号・平成18年3月31日政令第123号・平成18年4月28日政令第184号・平成18年12月22日政令第394号・平成19年3月31日政令第124号・平成19年7月13日政令第207号・平成20年2月29日政令第40号・平成20年11月21日政令第354号・平成21年12月11日政令第285号・平成21年12月24日政令第296号・平成22年3月25日政令第41号・平成22年3月31日政令第49号・平成23年3月30日政令第48号・平成23年5月27日政令第151号・平成23年8月30日政令第267号・平成23年8月30日政令第280号・平成24年3月31日政令第99号・平成25年3月13日政令第55号・平成26年3月28日政令第92号・平成28年2月17日政令第43号・平成29年1月20日政令第4号・平成29年3月23日政令第40号

目次 頁

第１章　総則

（定義）

第１条　この政令において「国有財産の所管換」、「国有財産の所属替」、「各省各庁の長」、「公共団体」、「管理受託者」及び「国有財産の分類及び種類」とは、国有財産法（以下「法」という。）に規定する「国有財産の所管換」、「各省各庁の長」、「公共団体」及び「国有財産の分類及び種類」をいう。

第２条　削除

第２章　管理及び処分

（引継ぎの通知）

第３条　法第８条第１項の規定により国有財産の引継ぎをする場合においては、各省各庁の長は、あらかじめ、次に掲げる事項を財務大臣に通知しなければならない。

一　当該財産の台帳記載事項
二　当該財産の用途廃止又は取得の事由
三　当該財産に関する事務を分掌する部局等の長
四　その他参考となるべき事項

２　前項の引継ぎは、なるべく実地に立会いの上、しなければならない。

３　財務大臣は、国有財産の引継ぎを完了したときは、受領書を当該各省各庁の長に送付しなければならない。

（引継不要の特別会計）

第４条　法第８条第１項ただし書の特別会計は、次に掲げるものとする。

一　国債整理基金特別会計
二　財政投融資特別会計
三　外国為替資金特別会計
四　エネルギー対策特別会計
五　労働保険特別会計
六　年金特別会計
七　食料安定供給特別会計
八　特許特別会計
九　自動車安全特別会計
十　東日本大震災復興特別会計

（引継不適当の財産）

第５条　法第８条第１項ただし書の引き継ぐことを適当としない財産は、次に掲げるものとする。

一　交換に供するため用途廃止をするもの

二　立木竹、建物で使用に堪えないもの、建物以外の工作物（第12条の２を除き、以下「工作物」という。）、船舶及び航空機で用途廃止をするもの（財務大臣が定めるものを除く。）

三　前２号に掲げるもののほか、当該財産の管理及び処分を財務大臣においてすることが技術その他の関係から著しく不適当と認められるもの

２　各省各庁の長は、前項第２号又は第３号に該当する行政財産（財務大臣が定めるものを除く。）の用途を廃止しようとするときは、あらかじめ、財務大臣に通知しなければならない。

３　各省各庁の長は、第１項第３号に該当する普通財産を取得したときは、遅滞なく、財務大臣に通知しなければならない。

（事務の分掌及び地方公共団体の行う事務）

第６条　各省各庁の長は、法第９条第１項の規定により国有財産に関する事務の一部を部局等の長に分掌させようとするときは、あらかじめ、事由を付し、取り扱わせる事務の範囲及び取り扱わせる者を財務大臣に通知しなければならない。

２　法第９条第３項の規定により都道府県が行うこととする事務は、次に掲げるものとする。

一　次に掲げる国有財産の取得、維持、保存、運用及び処分。ただし、次項各号に掲げる事務を除く。

イ　漁港漁場整備法（昭和25年法律第137号）第６条第１項から第４項までの規定により指定された漁港の区域内に所在する国有財産で農林水産大臣の所管に属するもの（公用財産、森林経営用財産、土地改良法（昭和24年法律第195号）第94条に規定する土地改良財産、漁港漁場整備法第24条の２第１項に規定する国が施行する特定漁港漁場整備事業によつて生じた土地又は工作物、農地法（昭和27年法律第229号）第45条第１項の規定による農林水産大臣の管理に係るもの、海岸法（昭和31年法律第101号）第２条第１項に規定する海岸保全施設及び同条第２項に規定する公共海岸（土地に限る。）並びに食料安定供給特別会計（食糧管理勘定及び業務勘定に限る。）に属し、又は森林経営用財産の用途の廃止によつて生じた普通財産並びにハに掲げるものを除く。）

ロ　海岸法第２条第１項に規定する海岸保全施設（土地改良法第94条に規定する土地改良財産、漁港漁場整備法第24条の２第１項に規定する国が施行する特定漁港漁場整備事業によつて生じた工作物及び農地法第45条第１項の規定による農林水産大臣の管理に係るものを除く。）又は海岸法第２条第２項に規定する公共海岸（土地に限

る。）である国有財産（当該用途の廃止により生じる法第８条第１項ただし書の普通財産を含む。）で農林水産大臣の所管に属するもの（海岸法第37条の２第１項の規定による農林水産大臣の管理に係るものを除く。）

ハ　地すべり等防止法（昭和33年法律第30号）第２条第３項に規定する地すべり防止施設（地すべり等防止法施行令（昭和33年政令第112号）第14条で読み替えて同法の規定が適用されるぼた山崩壊防止施設を含む。）の用に供する国有財産（当該用途の廃止により生じる法第８条第１項ただし書の普通財産を含む。）で農林水産大臣の所管に属するもの（地すべり等防止法第13条に規定する他の工作物、森林経営用財産、土地改良法第94条に規定する土地改良財産、農地法第45条第１項の規定による農林水産大臣の管理に係るもの及び森林経営用財産の用途の廃止によつて生じた普通財産を除く。）

ニ　港湾法（昭和25年法律第218号）第２条第３項に規定する港湾区域内又は同法第37条の２第１項の規定により指定された港湾隣接地域内に所在する国有財産で国土交通大臣の所管に属するもの（公用財産、同法第２条第５項に規定する港湾施設（同条第６項の規定により港湾施設とみなされたものを含む。）の用に供するもの（公共空地であるものを除く。）、海岸法第２条第１項に規定する海岸保全施設及び同条第２項に規定する公共海岸（土地に限る。）を除く。）

ホ　海岸法第２条第１項に規定する海岸保全施設又は同条第２項に規定する公共海岸（土地に限る。）である国有財産（当該用途の廃止により生じる法第８条第１項ただし書の普通財産を含む。）で国土交通大臣の所管に属するもの（海岸法第37条の２第１項の規定による国土交通大臣の管理に係るものを除く。）

ヘ　職業能力開発促進法（昭和44年法律第64号）第16条第４項の規定により都道府県に運営を委託した障害者職業能力開発校の用に供する国有財産（当該用途の廃止により生じる法第８条第１項ただし書の普通財産を含む。）

ト　砂防法（明治30年法律第29号）第１条に規定する砂防設備（同法第３条において同法に規定する事項が準用され る施設を含む。）の用に供する国有財産（当該用途の廃止により生じる法第８条第１項ただし書の普通財産を含む。）で国土交通大臣の所管に属するもの（砂防法第６条第１項の規定による国土交通大臣の管理、工事の施行又は維持に係るものを除く。）

チ　道路法（昭和27年法律第180号）第３条に規定する一般国道（同法第13条第１項に規定する指定区間内のものを除く。）、都道府県道若しくは市町村道の用に供する国有財産又は同法第92条第１項に規定する不用物件である国有財産で国土交通大臣の所管に属するもの

リ　道路整備特別措置法（昭和31年法律第７号）第２条第４項に規定する会社又は同条第７項に規定する機構等が道路の用に供する国有財産（当該用途の廃止により生

じる法第８条第１項ただし書の普通財産を含む。）で国土交通大臣の所管に属するもの

ヌ　地すべり等防止法第２条第３項に規定する地すべり防止施設（地すべり等防止法施行令第14条で読み替えて同法の規定が適用されるぼた山崩壊防止施設を含む。）の用に供する国有財産（当該用途の廃止により生じる法第８条第１項ただし書の普通財産を含む。）で国土交通大臣の所管に属するもの

ル　下水道法（昭和33年法律第79号）第２条に規定する公共下水道、流域下水道又は都市下水路の用に供する国有財産（当該用途の廃止により生じる法第８条第１項ただし書の普通財産を含む。）で国土交通大臣の所管に属するもの

ヲ　河川法（昭和39年法律第167号）第９条第２項に規定する指定区間内の１級河川、同法第５条第１項に規定する２級河川若しくは同法第100条第１項に規定する準用河川の用に供する国有財産又は同法第91条第１項に規定する廃川敷地等である国有財産で国土交通大臣の所管に属するもの

ワ　急傾斜地の崩壊による災害の防止に関する法律（昭和44年法律第57号）第２条第２項に規定する急傾斜地崩壊防止施設の用に供する国有財産（当該用途の廃止により生じる法第８条第１項ただし書の普通財産を含む。）で国土交通大臣の所管に属するもの

カ　ニ、ホ及びトからワまでに掲げるもののほか、国土交通大臣の所管に属する国有財産（法令の規定により国土交通大臣が自ら取得、維持、保存、運用及び処分することとされているものを除く。）

二　土地改良法第94条の９又は土地改良法施行令（昭和24年政令第295号）第72条第１項の規定により、地方自治法（昭和22年法律第67号）第２条第９項第１号に規定する第１号法定受託事務となつた事務であつて国有財産の取得、維持、保存、運用又は処分に該当するもの

3　次の各号に掲げる事務は、当該各号に定める各省各庁の長が行うものとする。

一　前項第１号イからハまでに掲げる国有財産に係る取得、維持、保存、運用及び処分のうち次に掲げるもの　農林水産大臣

イ　法第12条又は法第14条第７号の規定による協議（協議に係る財産が、その区分（第20条第１号に規定する区分をいう。以下この章において同じ。）に応じ、土地にあつては面積が10万平方メートルを、建物にあつては延べ面積が１万5000平方メートルを、土地及び建物以外のものにあつては区分ごとに見積価格が１億円を、それぞれ超えないときを除く。）

ロ　法第14条第１号の規定による協議のうち交換の協議（協議に係る財産が、その区分に応じ、土地にあつては面積が１万平方メートルを、建物にあつては延べ面積が2000平方メートルを、それぞれ超えないときを除く。）

ハ　法第14条第９号の規定による協議、法第28条の２第２項の規定による財政制度等審議会への諮問又は法第28条の４の規定による協議若しくは財政制度等審議会への諮問

ニ　法第30条第２項、法第31条第３項、法第33条第１項、法第35条第１項若しくは法第36条第１項又は第８条第１項の規定による事務

二　前項第１号ニ、ホ及びトからカまでに掲げる国有財産に係る取得、維持、保存、運用及び処分のうち前号イからニまでに掲げるもの　国土交通大臣

三　前項第１号ヘに掲げる国有財産に係る取得、維持、保存、運用及び処分のうち次に掲げるもの　厚生労働大臣

イ　法第12条の規定による協議（所管換を前提とした法第14条第６号による行政財産の使用の協議につき財務大臣の同意を得たものを除く。）、法第14条第１号の規定による協議（交換の協議を除く。）、同条第６号の規定による協議（所管換を前提としたものに限る。）及び同条第７号の規定による協議（これらの協議に係る財産が、その区分に応じ、土地にあつては面積が10万平方メートルを、建物にあつては延べ面積が１万5000平方メートルを、土地及び建物以外のものにあつては区分ごとに見積価格が１億円を、それぞれ超えないときを除く。）

ロ　法第25条第１項又は法第27条第３項の規定による事務

ハ　第１号ロからニまでに掲げる事務

4　第２項第１号イからハまでに掲げる国有財産に係る事務を行う都道府県は、次に掲げる場合には、農林水産大臣に協議し、その同意を得るものとする。

一　行政財産とする目的で土地又は建物を取得しようとする場合（次に掲げる場合を除く。）

イ　交換の場合において、当該財産が、その区分に応じ、土地にあつては面積が１万平方メートルを、建物にあつては延べ面積が2000平方メートルを、それぞれ超えないとき。

ロ　交換以外の場合において、当該財産が、その区分に応じ、土地にあつては面積が10万平方メートルを、建物にあつては延べ面積が１万5000平方メートルを、それぞれ超えないとき。

二　国有財産の所管換を受けよう、又はしようとする場合（当該財産が、その区分に応じ、土地にあつては面積が10万平方メートルを、建物にあつては延べ面積が１万5000平方メートルを、土地及び建物以外のものにあつては区分ごとに見積価格が１億円を、それぞれ超えないときを除く。）

三　行政財産の用途を廃止しようとする場合（当該財産が、その区分に応じ、土地にあつては面積が2000平方メートルを、建物にあつては延べ面積が1000平方メートルを、土地及び建物以外のものにあつては区分ごとに見積価格が1000万円を、それぞれ超え

ないときを除く。）

四　行政財産を他の各省各庁の長に使用させようとする場合（当該財産が、その区分に応じ、土地にあつては面積が10万平方メートルを、建物にあつては延べ面積が１万5000平方メートルを、土地及び建物以外のものにあつては区分ごとに見積価格が１億円を、それぞれ超えないときを除く。）

五　国以外の者に行政財産を使用させ、又は収益させようとする場合（当該財産が、その区分に応じ、土地にあつては面積が10万平方メートルを、建物にあつては延べ面積が１万5000平方メートルを、土地及び建物以外のものにあつては区分ごとに見積価格が１億円を、それぞれ超えないとき又は使用若しくは収益の許可につき法律（法を除く。）若しくはこれに基づく政令に特別の規定があるものについて、当該規定に基づく使用若しくは収益の許可をしようとするときを除く。）

六　普通財産の売払いをしようとする場合（当該財産が、その区分に応じ、土地にあつては面積が2000平方メートルを、建物にあつては延べ面積が1000平方メートルを、土地及び建物以外のものにあつては区分ごとに台帳価格が1000万円を、それぞれ超えないとき（ただし、当該財産の売払価格（法律の規定により減額するときは、減額する前の価格）が1000万円を超えるときを除く。）を除く。）

七　普通財産を譲与しようとする場合

八　普通財産である土地（その土地の定着物を含む。）を信託しようとする場合及び当該財産を信託した場合において当該信託の信託期間を更新しようとするとき、又は第16条の４各号に掲げるとき。

5　第２項第１号ニ、ホ及びトからカまでに掲げる国有財産に係る事務を行う都道府県は、次に掲げる場合には、国土交通大臣に協議し、その同意を得るものとする。

一　行政財産とする目的で土地又は建物を交換により取得しようとする場合（当該財産が、その区分に応じ、土地にあつては面積が１万平方メートルを、建物にあつては延べ面積が2000平方メートルを、それぞれ超えないときを除く。）

二　行政財産の用途を廃止しようとする場合（使用に堪えない建物若しくは工作物を取り壊す目的で用途を廃止しようとするとき、又は当該財産が、その区分に応じ、土地にあつては面積が３万平方メートルを、建物にあつては延べ面積が5000平方メートルを、土地及び建物以外のものにあつては区分ごとに見積価格が5000万円を、それぞれ超えないときを除く。）

三　普通財産の譲与をしようとする場合（当該財産が前条第１項第３号に掲げる財産である土地、道路法第92条第１項に規定する不用物件又は河川法第91条第１項に規定する廃川敷地等である場合においては、その面積が10万平方メートルを超えるときに限る。）

四　前項第２号、第５号又は第８号に掲げる場合

6　第２項第１号へに掲げる国有財産に係る事務を行う都道府県は、次に掲げる場合には、厚生労働大臣に協議し、その同意を得るものとする。

一　行政財産とする目的で、土地若しくは建物を購入しようとする場合又は建物を新築し、若しくは増築しようとする場合（当該財産が、その区分に応じ、土地にあつては面積が10万平方メートルを、建物にあつては延べ面積が１万5000平方メートルを、それぞれ超えないときを除く。）

二　行政財産とする目的で、交換により土地又は建物を取得しようとする場合（当該財産が、その区分に応じ、土地にあつては面積が１万平方メートルを、建物にあつては延べ面積が2000平方メートルを、それぞれ超えないときを除く。）

三　行政財産とする目的で、寄附により土地、建物又はその他のものを取得しようとする場合

四　国有財産の所管換を受けようとする場合（当該財産が、その区分に応じ、土地にあつては面積が10万平方メートルを、建物にあつては延べ面積が１万5000平方メートルを、土地及び建物以外のものにあつては区分ごとに見積価格が１億円を、それぞれ超えないときを除く。）又はしようとする場合

五　行政財産の用途を廃止しようとする場合（使用に堪えない建物又は工作物を取り壊す目的で用途を廃止しようとする場合において、当該財産が、その区分に応じ、建物にあつては延べ面積が100平方メートルを、工作物にあつては台帳価格が500万円を、それぞれ超えないときを除く。）

六　行政財産である建物を移築し、又は改築しようとする場合（当該建物の延べ面積が１万5000平方メートルを超えないときを除く。）

七　普通財産を貸し付け、又は貸付け以外の方法により使用させ、若しくは収益させようとする場合

八　法第24条第２項の規定により補償を求められた場合の補償に関する事務を行おうとするとき。

九　普通財産の売払いをしようとする場合

十　第４項第４号、第５号、第７号又は第８号に掲げる場合

7　法第９条第３項の規定により都道府県又は市町村が行うこととする事務は、文化財保護法（昭和25年法律第214号）第27条第１項の規定により指定された重要文化財、同法第78条第１項の規定により指定された重要有形民俗文化財又は同法第109条第１項の規定により指定された史跡名勝天然記念物である国有財産で、同法第172条第１項の規定により文化庁長官が指定した都道府県又は市町村が当該規定に基づく事務を行うもののうち、文部科学大臣の所管に属するものの維持及び保存とする。ただし、法第３章の２（法第31条の３を除く。）、法第32条、法第33条第１項、法第35条第１項及び法第36条第１項並びに第23条の規定による事務を除く。

8　第２項第１号の事務若しくは前項の事務に係る国有財産を所管する各省各庁の長は、法第９条第３項の規定により事務を行う都道府県若しくは市町村に対し、当該国有財産に係る法第33条第１項、法第35条第１項若しくは法第36条第１項の規定による事務を行うために必要な資料若しくは報告を求め、又は当該国有財産の取得、維持、保存、運用及び処分（前項の事務に係る国有財産の場合にあつては維持及び保存に限る。）を適正に行うため必要があると認めるときは、当該国有財産について、実地監査をし、若しくは指示をすることができる。

9　財務大臣は、国有財産の取得、維持、保存、運用及び処分を適正に行うため必要があると認めるときは、法第９条第３項の規定により事務を行う都道府県又は市町村に対し、当該事務に係る国有財産について、実地監査をすることができる。

10　法第９条第３項の規定により事務を都道府県又は市町村が行うこととなつた場合においては、法中当該事務に係る各省各庁の長に関する規定は、都道府県又は市町村に関する規定として都道府県又は市町村に適用があるものとする。

（国有財産地方審議会）

第６条の２　国有財産地方審議会（以下「地方審議会」という。）は、委員20人以内で組織する。

2　地方審議会に、特別の事項を調査審議させるため必要があるときは、臨時委員を置くことができる。

（委員等の任命）

第６条の３　地方審議会の委員及び臨時委員は、学識経験のある者のうちから、財務局長が任命する。

（委員の任期等）

第６条の４　地方審議会の委員の任期は、２年とする。ただし、補欠の委員の任期は、前任者の残任期間とする。

2　地方審議会の委員は、再任されることができる。

3　地方審議会の臨時委員は、その者の任命に係る当該特別の事項に関する調査審議が終了したときは、解任されるものとする。

4　地方審議会の委員及び臨時委員は、非常勤とする。

（会長）

第６条の５　地方審議会に、会長を置き、委員の互選により選任する。

2　地方審議会の会長は、会務を総理し、地方審議会を代表する。

3　地方審議会の会長に事故があるときは、あらかじめその指名する委員が、その職務を代理する。

（境界査定部会）

第６条の６　法第31条の４第３項の規定により諮問される事項を調査審議するため、地方審議会に、境界査定部会を置く。

2　境界査定部会は、地方審議会の委員５人以内で組織する。

3　境界査定部会に属すべき委員は、地方審議会の会長が指名する。

4　境界査定部会に、部会長を置き、この部会に属する委員のうちから、地方審議会の会長が指名する。

5　境界査定部会の部会長は、この部会の事務を掌理する。

6　境界査定部会の部会長に事故があるときは、この部会に属する委員のうちから部会長があらかじめ指名する者が、その職務を代理する。

7　地方審議会は、その定めるところにより、境界査定部会の議決をもつて地方審議会の議決とすることができる。

（その他の部会）

第６条の７　前条第１項に定めるもののほか、地方審議会は、その定めるところにより、部会を置くことができる。

2　前条第３項から第７項までの規定は、前項の部会について準用する。この場合において、前条第３項及び第６項中「委員」とあるのは「委員及び臨時委員」と読み替えるものとする。

（議事）

第６条の８　地方審議会は、委員及び議事に関係のある臨時委員の半数以上が出席しなければ、会議を開き、議決することができない。

2　地方審議会の議事は、委員及び議事に関係のある臨時委員で会議に出席したものの過半数で決し、可否同数のときは、会長の決するところによる。

3　前２項の規定は、部会の議事について準用する。

（資料の提出等の要求）

第６条の９　地方審議会は、その所掌事務を遂行するため必要があると認めるときは、関係行政機関の長に対し、資料の提出、意見の開陳、説明その他必要な協力を求めることができる。

（その他運営に関する事項）

第６条の10　第６条の２から前条までに定めるもののほか、地方審議会の議事の手続その他その運営に関し必要な事項は、地方審議会の会長が、地方審議会に諮つて定める。

（国有財産の実地監査）

第６条の11　法第10条第４項の規定により当該職員が実地監査をする場合においては、その身分を示す証明書を携帯し、関係人の請求があつたときは、提示しなければならない。

2　前項の証明書の様式は、財務大臣が定める。

（所管換の協議）

第７条　各省各庁の長は、法第12条の規定により国有財産の所管換につき財務大臣に協議しようとするときは、次に掲げる事項を記載した協議書に、当該財産を所管する各省各庁の長の同意書その他の関係書類及び必要な図面並びに、有償の場合においては、評価調書を添付して、財務大臣に送付しなければならない。

一　所管換を受けようとする財産の台帳記載事項

二　所管換を受けようとする事由

三　有償の場合においては、その予算額及び経費の支出科目

四　その他参考となるべき事項

第７条の２　法第12条ただし書に規定する政令で定める場合は、当該財産がその区分に応じ、土地にあつては面積が1500平方メートルを、建物にあつては延べ面積が600平方メートルを、土地及び建物以外のものにあつては区分ごとに見積価格が3000万円を、それぞれ超えない場合とする。

（公共用財産又は皇室用財産に関する規定）

第８条　公共用財産又は皇室用財産に関し、法第13条の規定による国会の議決を経なければならない場合においては、各省各庁の長は、議決を要する事項について書類を作成し、関係書類を添付して財務大臣に送付しなければならない。

２　財務大臣は、前項の規定により送付を受けた書類について、調査の上適当と認めるときは、内閣に送付しなければならない。

（法第14条による協議）

第９条　各省各庁の長は、法第14条第１号の規定により財務大臣に協議しようとするときは、次に掲げる事項を記載した協議書に必要な図面その他の関係書類及び、寄附又は交換の場合においては、願書又は承諾書を添付して、財務大臣に送付しなければならない。

一　土地又は建物の所在及び地番

二　取得しようとする事由

三　土地の地目及び地積又は建物の構造、種目（第20条第１号に規定する種目をいう。第15条の３において同じ。）及び面積

四　評価調書

五　相手方の住所及び氏名

六　予算額及び経費の支出科目

七　交換の場合には、交換に供する国有財産の台帳記載事項

八　交換差金がある場合は、それについてとるべき措置

九　その他参考となるべき事項

２　相手方が公共団体であるときは、前項に掲げるもののほか、当該公共団体の議決機関の議決書の写しを添付しなければならない。

第10条　各省各庁の長は、法第14条第２号から第５号までの規定により財務大臣に協議しようとするときは、次に掲げる事項を記載した協議書に必要な図面その他の関係書類を添付して、財務大臣に送付しなければならない。

一　当該国有財産の台帳記載事項

二　法第14条第２号から第５号までに掲げる行為をしようとする事由

三　経費を要するものについては、その予算額及び経費の支出科目

四　その他参考となるべき事項

第10条の２　各省各庁の長は、法第14条第６号の規定により財務大臣に協議しようとするときは、次に掲げる事項を記載した協議書に必要な図面その他の関係書類を添付して、財務大臣に送付しなければならない。

一　当該行政財産の台帳記載事項及び使用させようとする部分の数量

二　使用させようとする相手方及び理由

三　使用させようとする期間及び条件

四　有償の場合においては、使用料算定調書、使用しようとする各省各庁の予算額及び経費の支出科目

五　使用しようとする各省各庁の長に当該財産を所管換しない理由その他参考となるべき事項

第10条の３　各省各庁の長は、法第14条第７号の規定により財務大臣に協議しようとするときは、次に掲げる事項を記載した協議書に必要な図面その他の関係書類を添付して、財務大臣に送付しなければならない。

一　当該行政財産の台帳記載事項及び使用させ、又は収益させようとする部分の数量

二　使用させ、又は収益させようとする相手方の住所及び氏名

三　使用させ、又は収益させようとする理由及び方法

四　使用させ、又は収益させようとする期間及び条件

五　使用又は収益の対価及びその算定調書

六　相手方の利用計画

七　その他参考となるべき事項

第10条の４　各省各庁の長は、法第14条第８号の規定により財務大臣に協議しようとするときは、次に掲げる事項を記載した協議書に必要な図面その他の関係書類を添付して、財務大臣に送付しなければならない。

一　当該普通財産の台帳記載事項及び貸し付け、若しくは貸付け以外の方法により使用させ若しくは収益させ、又は売払いをしようとする部分の数量

二　相手方の住所及び氏名

三　貸し付け、若しくは貸付け以外の方法により使用させ若しくは収益させ、又は売払いをしようとする理由

四　貸付料、貸付け以外の方法による使用若しくは収益の対価又は売払代金

五　貸付料算定調書、貸付け以外の方法による使用若しくは収益の対価の算定調書又は売払評価調書

六　貸し付け、若しくは貸付け以外の方法により使用させ若しくは収益させる場合には、その期間

七　用途指定の有無及び相手方の利用計画

八　その他参考となるべき事項

第10条の５　各省各庁の長は、法第14条第９号の規定により財務大臣に協議しようとするときは、次に掲げる事項を記載した協議書に必要な図面その他の関係書類を添付して、財務大臣に送付しなければならない。

一　当該普通財産の台帳記載事項及び信託しようとする部分の数量

二　信託の受託者の住所及び氏名

三　信託しようとする理由

四　信託の目的

五　信託期間

六　信託の収支見積り

七　信託の受託者が当該信託に必要な資金の借入れをする場合の当該借入金の限度額（以下この章において「借入金限度額」という。）

八　信託の事業計画及び資金計画

九　その他参考となるべき事項

第11条　次に掲げる場合には、法第14条の規定による財務大臣との協議を要しないものとする。

一　法第14条第１号に掲げる場合（第２号、第３号及び第11号に掲げる場合を除く。）において、行政財産とする目的で交換又は寄附により土地又は建物を取得しようとするときを除き、当該財産が、その区分に応じ、土地にあつては面積が1500平方メートルを、建物にあつては延べ面積が600平方メートルを、それぞれ超えないとき。

一の二　法第14条第２号から第６号までに掲げる場合（次号から第４号まで及び第11号に掲げる場合を除く。）において、当該財産が、その区分に応じ、土地にあつては面積が2000平方メートルを、建物にあつては延べ面積が1000平方メートルを、土地及び建物以外のものにあつては区分ごとに見積価格が3000万円を、それぞれ超えないとき。

二　森林経営用財産とする目的で、交換若しくは寄附以外の方法により土地を取得しようとする場合又は国有林野の管理経営に関する法律（昭和26年法律第246号）第２条第１項第２号に掲げる普通財産である土地（当該土地の上に存する同号に掲げる普通財産である立木竹その他の物件を含む。）を森林経営用財産としようとする場合であつて、当該土地の面積が３ヘクタールを超えないとき。

三　公共用財産とする目的で、交換（土地改良法第94条の２、道路法第92条第４項（同法第91条第２項において準用する場合を含む。）又は河川法第92条の規定による交換を除く。）以外の方法により土地又は建物を取得しようとするとき、公共用財産（公園又は広場として公共の用に供し、又は供するものと決定した公共用財産を除く。以下本号及び第４号において同じ。）である土地又は建物について所属替をし、又は用途を変更しようとするとき、及び公共用財産である建物を移築し、又は改築しようとするとき。

四　公共用財産又は森林経営用財産を他の各省各庁の長に使用させようとするとき。

五　法第14条第７号に掲げる場合（第８号及び第11号に掲げる場合を除く。）であつて、当該使用又は収益が法第18条第６項の許可による場合（次号及び第７号に掲げる場合を除く。）において、当該財産が、その区分に応じ、土地にあつては面積が300平方メートルを、建物にあつては延べ面積が150平方メートルを、土地及び建物以外のものにあつては区分ごとに見積価格が3000万円を、それぞれ超えないとき。

六　河川、湖沼その他の水流若しくは水面又は道路の敷地で公共用財産であるものを国以外の者に使用又は収益の許可をしようとする場合

七　前号に規定する公共用財産以外の公共用財産で国以外の者に対する使用又は収益の許可につき法律（法を除く。）又はこれに基く政令に特別の規定があるものについて、当該規定に基づく使用又は収益の許可をしようとする場合

八　森林経営用財産を国以外の者に使用させ、又は収益させようとする場合

九　法第14条第８号に掲げる場合（次号から第11号までに掲げる場合を除く。）において、貸付料若しくは貸付け以外の方法による使用若しくは収益の対価（法律の規定により減額するときは、減額する前の貸付料又は対価）の年額（貸付期間又は使用若しくは収益の期間が１年未満のときは、総額とする。）が500万円を超えないとき、又は売払価格（法律の規定により減額するときは、減額する前の価格）が、競争契約によるときは１億円を、随意契約によるときは5000万円を、それぞれこえないとき。

十　法第14条第８号に掲げる場合において、無償で、普通財産を貸し付け又は貸付け以外の方法により使用させ若しくは収益させようとするとき。

十一　前各号に掲げる場合のほか、法第14条各号に掲げる措置を緊急にとる必要がある場合その他の特別の事情がある場合で、財務大臣が定める場合に該当するとき。

（異なる会計間の所管換等の場合の無償整理）

第12条　法第15条ただし書の金額は、5000万円とする。

（堅固な工作物）

第12条の２　法第18条第２項第１号に規定する政令で定める堅固な建物その他の土地に定着する工作物は、鉄骨造、コンクリート造、石造、れんが造その他これらに類する構造の土地に定着する工作物とする。

（行政財産の貸付けができる法人）

第12条の３　法第18条第２項第２号に規定する政令で定める法人は、次に掲げる法人とする。

一　特別の法律により設立された法人で国において出資しているもののうち、財務大臣が指定するもの

二　港務局、地方住宅供給公社、地方道路公社及び土地開発公社並びに地方公共団体が事業の財産的基礎に充てられる財産につき財務大臣が定める割合以上を拠出している公益社団法人及び公益財団法人

三　国家公務員共済組合及び国家公務員共済組合連合会並びに地方公務員共済組合、全国市町村職員共済組合連合会及び地方公務員共済組合連合会

（床面積等に余裕がある場合）

第12条の４　法第18条第２項第４号に規定する政令で定める場合は、同号に規定する庁舎等の床面積又は敷地のうち、国の事務又は事業の遂行に関し現に使用され、又は使用されることが確実であると見込まれる部分以外の部分がある場合とする。

（行政財産に地上権を設定することができる法人）

第12条の５　法第18条第２項第５号に規定する政令で定める法人は、次に掲げる法人とする。

一　独立行政法人鉄道建設・運輸施設整備支援機構、鉄道事業法（昭和61年法律第92号）第３条第１項の許可を受けた鉄道事業者及び軌道法（大正10年法律第76号）第３条の特許を受けた軌道経営者

二　独立行政法人日本高速道路保有・債務返済機構、高速道路株式会社法（平成16年法律第99号）第１条に規定する会社及び地方道路公社

三　電気事業法（昭和39年法律第170号）第２条第１項第17号に規定する電気事業者

四　ガス事業法（昭和29年法律第51号）第２条第12項に規定するガス事業者

五　水道法（昭和32年法律第177号）第３条第５項に規定する水道事業者

六　電気通信事業法（昭和59年法律第86号）第120条第１項に規定する認定電気通信事業者

（行政財産に地上権を設定することができる場合の施設）

第12条の６　法第18条第２項第５号に規定する政令で定める施設は、次に掲げる施設とする。

一　軌道

二　電線路

三　ガスの導管

四　水道（工業用水道を含む。）の導管

五　下水道の排水管及び排水渠（きよ）

六　電気通信線路

七　鉄道、道路及び前各号に掲げる施設の附属設備

（行政財産に地役権を設定することができる法人等）

第12条の７　法第18条第２項第６号に規定する政令で定める法人は、電気事業法第２条第１項第17号に規定する電気事業者とする。

２　法第18条第２項第６号に規定する政令で定める施設は、電線路の附属設備とする。

（行政財産の無償使用等の相手方）

第12条の８　法第18条第７項に規定する政令で定める法人は、次に掲げるものとする。

一　独立行政法人日本高速道路保有・債務返済機構

二　高速道路株式会社法第１条に規定する会社

三　阪神高速道路公団

四　本州四国連絡橋公団

（普通財産を貸し付けた場合等の通知）

第13条　法第８条第１項ただし書の普通財産を所管する各省各庁の長は、当該財産を貸し付け、交換し、売り払い、譲与し、又は貸付け以外の方法により使用若しくは収益をさせたとき（法第14条第１号又は第８号の規定による協議を経たとき、次項の規定による通知をしたとき、及び道路法第94条第２項（同法第91条第２項において準用する場合を含む。）又は河川法第93条第１項の規定による協議を経たときを除く。）は、その旨及び次に掲げる事項を財務大臣に通知しなければならない。法第21条第２項（法第26条において準用する場合を含む。）の規定により貸付期間（貸付け以外の方法により使用又は収益をさせる期間を含む。）を更新したときも同様とする。

一　当該財産の台帳記載事項及び時価

二　相手方の住所及び氏名

三　貸付料（貸付け以外の方法により使用又は収益をさせた場合には、その対価）又は売払代金（交換の場合には、交換差金）

四　貸付の場合（貸付け以外の方法により使用又は収益をさせた場合を含む。）には、その期間

五　用途指定の有無及び用途を指定した場合には、相手方の利用計画

六　その他参考となるべき事項

２　第４条各号に掲げる特別会計に属する普通財産を所管する各省各庁の長は、当該普通財産のうち法第２条第１項第６号に掲げる財産で財務大臣が定めるものの売払いをしようとするときは、あらかじめ、その旨及び次に掲げる事項を財務大臣に通知しなければならない。

一　当該財産の台帳記載事項

二　相手方の住所及び氏名

三　売払いの時期及び売払予定価格

四　その他参考となるべき事項

3　第４条各号に掲げる特別会計に属する普通財産を所管する各省各庁の長は、信託の終了により土地又は建物を取得したときは、遅滞なく、次に掲げる事項を財務大臣に通知しなければならない。

一　当該土地又は建物の所在及び地番

二　当該土地の地積又は当該建物の構造及び面積

三　信託の終了の年月日

四　その他参考となるべき事項

第14条　前条第１項の規定は、国以外の者に対し、行政財産のうち土地又は建物を使用させ、又は収益させた場合（法第14条第７号の規定による協議を経た場合、法律（法を除く。）の規定に基づいて公共用財産の使用又は収益の許可をした場合その他財務大臣が定める場合を除く。）について準用する。

（小規模な施設）

第15条　法第22条第１項第１号に規定する政令で定める小規模な施設は、掲示板、巡査派出所、公衆便所その他公共用又は公用に供する施設で財務大臣が定めるもののうち、その敷地面積が50平方メートルを超えないものとする。

（地上権又は地役権の設定につき期間等に特例を設ける施設）

第15条の２　法第26条に規定する政令で定める施設は、第12条の６各号（第２号を除く。）に掲げる施設とする。

（管理の委託手続）

第15条の３　法第26条の２第１項の規定により各省各庁の長が普通財産の管理をその適当と認める者に委託しようとするときは、当該管理を委託する契約において、次に掲げる事項を定めるものとする。

一　管理を委託する財産の所在地、区分及び種目、構造並びに数量

二　管理の委託を開始する年月日

三　管理の委託の期間

四　管理の方法

五　その他必要な事項

2　前項に規定するもののほか、同項の契約（以下「管理委託契約」という。）には、次に掲げる条件を付するものとする。

一　各省各庁の長は、国又は公共団体において、公共用、公用又は公益事業の用に供するため必要とする場合において管理委託契約を解除することができること。

二　管理受託者は、管理を委託された財産（以下「受託財産」という。）の原形に変更を及ぼす工事をしようとするときは、天災その他の事故のため応急の措置をする必要が

あるときを除き、あらかじめ、当該受託財産を所管する各省各庁の長の承認を受けなければならないこと。

三　管理受託者は、天災その他の事故により受託財産が滅失し、又は損傷したときは、直ちに、次に掲げる事項を当該受託財産を所管する各省各庁の長に報告しなければならないこと。

イ　当該受託財産の所在地並びに区分及び種目

ロ　被害の程度

ハ　滅失又は損傷の原因

ニ　損害見積額及び復旧可能なものについては復旧費見込額

ホ　当該受託財産の保全又は復旧のためとつた応急措置

四　管理受託者は、受託財産について、毎年度の管理の状況を翌年度の４月30日までに当該受託財産を所管する各省各庁の長に報告しなければならないこと。

（管理の費用を著しく超える場合）

第15条の４　法第26条の２第４項に規定する政令で定める場合は、毎年４月１日から翌年３月31日までの間に受託財産から生じた収益の額として財務大臣が定める方法により算定した額から当該期間内に当該受託財産の管理に要した費用の額として財務大臣が定める方法により算定した額（以下この条において「管理費用」という。）を差し引いた額が、当該期間中の管理費用の額に２割を超えない範囲で財務大臣が定める割合を乗じて得た額に相当する額を超える場合とする。

（堅固な建物）

第16条　法第27条に規定する堅固な建物は、鉄骨造、コンクリート造、石造若しくはれんが造又はこれらに準ずる建物をいう。

（信託の契約事項）

第16条の２　各省各庁の長は、法第28条の２第１項の規定により土地（その土地の定着物を含む。次条第１項において同じ。）を信託しようとするときは、当該信託の契約において、信託の目的、借入金限度額、信託期間その他財務大臣が定める事項を定めるほか、次に掲げる条件を付するものとする。

一　信託の受託者は、信託財産から信託事務の処理に関する費用及び信託報酬を支弁すること。

二　信託の受託者が信託期間中に災害その他の特別の事情が生じたことにより借入金限度額を超えて借入れをしようとする場合には、事前に、各省各庁の長の承認を受けなければならないこと。

三　信託の受託者が信託財産に係る売買、賃貸借、請負その他の契約を締結する場合においては、国が売買、賃貸借、請負その他の契約を締結する場合に準じて行うこと。

四　信託の受託者が信託法（平成18年法律第108号）第48条第１項若しくは第２項又は

第53条第1項の規定により信託財産から償還若しくは前払又は賠償を受けようとする場合には、事前に、各省各庁の長の承認を受けなければならないこと。

五　国は、信託利益の全部を享受する場合において、必要があると認めるときは、当該信託を終了させることができること。

（財政制度等審議会及び地方審議会への諮問）

第16条の3　法第28条の2第2項の規定による諮問は、次の各号に掲げる場合に応じ、それぞれ当該各号に定める審議会に対してするものとする。

一　信託しようとする土地が外国に存する場合又は借入金限度額が100億円を超えると見込まれる場合　財政制度等審議会

二　前号に該当しない場合　信託しようとする土地の存する地域を管轄する財務局に置かれた地方審議会

2　法第28条の2第2項第5号の政令で定める事項は、次に掲げる事項とする。

一　信託の事業計画及び資金計画

二　信託期間

第16条の4　法第28条の4の政令で定めるときは、次に掲げるときとする。

一　信託契約の内容の変更（財務大臣が定める軽微な内容の変更を除く。）をしようとするとき。

二　信託の受託者が信託期間中に災害その他の特別の事情が生じたことにより借入金限度額を超えて借入れをすることについて、承認しようとするとき。

三　信託の受託者が信託法第48条第1項若しくは第2項又は第53条第1項の規定により信託財産から償還若しくは前払又は賠償を受けることについて、承認しようとするとき。

四　信託の受益権を売り払おうとするとき。

第16条の5　法第28条の4の政令で定める事項は、次に掲げる事項とする。

一　信託期間を更新しようとするときは、更新後の信託の収支見積り、借入金限度額、信託の事業計画及び資金計画並びに信託期間

二　信託契約の内容を変更しようとする場合で信託の目的を変更しようとするときは、変更後の信託の目的、信託の収支見積り、借入金限度額、信託の事業計画及び資金計画並びに信託期間

（信託に係る実地監査等）

第16条の6　各省各庁の長は、法第28条の5の規定により、信託の受託者に対し、信託事務の処理状況に関する資料若しくは報告を求めたとき、又は当該職員に実地監査をさせたときは、遅滞なく、その旨を財務大臣に通知しなければならない。

2　法第28条の5の規定により当該職員が実地監査をする場合においては、その身分を示す証明書を携帯し、関係人の請求があつたときは、提示しなければならない。

3　前項の証明書の様式は、財務大臣が定める。
4　各省各庁の長は、法第28条の５の規定により信託の受託者に対し信託事務の処理について指示しようとするときは、あらかじめ、その旨を財務大臣に通知しなければならない。

（用途指定を要しない場合）

第16条の７　法第29条ただし書の政令で定める場合は、次に掲げる場合とする。
一　競争に付して売払いをする場合
二　法律の規定により減額して売払いをするときを除き、売払価格が千万円を超えない財産の売払いをする場合
三　建物、工作物、船舶若しくは航空機の解体、立木竹の伐採又は機械器具のくず化を条件とする売払い又は譲与をする場合で財務大臣が定める場合
四　法第２条第１項第６号に掲げる財産の売払いをする場合
五　土地、建物、工作物又は立木竹を特別の縁故がある者に対し売り払い、又は譲与する場合で財務大臣が定める場合
六　前各号に掲げる場合のほか、特別の事情があるため、用途並びにその用途に供しなければならない期日及び期間の指定を要しないものとして財務大臣が定める場合

（損害賠償の協議）

第17条　各省各庁の長は、法第30条第２項の規定により財務大臣に協議しようとするときは、次に掲げる事項を記載した協議書に必要な図面その他の関係書類を添付して、財務大臣に送付しなければならない。
一　物件の所在、区分、数量、売払い又は譲与の別、売払代金又は譲与時の評価額及び相手方
二　指定した用途並びにその用途に供しなければならない期日及び期間
三　契約を解除した事由
四　損害の賠償を求めようとする額及びその算定の基礎
五　その他参考となるべき事項

（延納の特約の協議）

第18条　各省各庁の長は、法第31条第３項の規定により財務大臣に協議しようとするときは、次に掲げる事項を記載した協議書に、関係書類を添付して、財務大臣に送付しなければならない。
一　物件の所在、区分、数量、売払代金又は交換差金及び相手方
二　延納期限又は毎期を納付額及び利率
三　担保の種類
四　売払代金又は交換差金を一時に支払うことが困難である事由
五　その他参考となるべき事項

（国有財産の滅失又は損傷の通知）

第19条　各省各庁の長は、天災その他の事故により国有財産を滅失又はき損したときは、直ちに次に掲げる事項を財務大臣に通知しなければならない。ただし、当該滅失若しくは損傷による損害見積価額が500万円を超えないとき、又は財務大臣が定める場合に該当するときは、この限りでない。

一　当該財産の台帳記載事項

二　滅失又は損傷の原因

三　当該国有財産の区分、数量及び被害の程度

四　損害見積価額及び復旧可能なものについては復旧費見込額

五　損傷した財産の保全又は復旧のためにとつた応急措置

第２章の２　立入り及び境界確定

（立入りの公告）

第19条の２　法第31条の２第２項の規定による通知は、書面でしなければならない。

２　前項の通知は、立入期日の少なくとも５日前までに当該立ち入ろうとする土地の占有者に到達するようにしなければならない。ただし、その者が承諾した場合には、この限りでない。

（立入の公告）

第19条の３　法第31条の２第２項の規定による公告は、当該公告に係る土地の所在する地域を管轄する財務事務所（当該財務事務所がない場合には、当該地域を管轄する財務局（当該地域が福岡財務支局の管轄区域内にある場合には、福岡財務支局）。第19条の５において同じ。）及び当該土地の所在する市町村（都の特別区の区域にあつては、特別区。第19条の５において同じ。）の事務所の掲示場に少なくとも10日間掲示して、しなければならない。

２　前項の公告の始期は、立入期日の少なくとも20日前でなければならない。

（境界確定に係る通知）

第19条の４　法第31条の３第１項の規定による通知は、立会期日の少なくとも10日前までに当該隣接地の所有者に到達するようにしなければならない。ただし、その者が承諾した場合には、この限りでない。

２　第19条の２第１項の規定は、法第31条の３第１項、法第31条の４第５項及び法第31条の５第３項の規定による通知について準用する。

（境界確定に係る公告）

第19条の５　法第31条の４第５項及び法第31条の５第３項の規定による公告は、当該公告に係る境界の存する地域を管轄する財務事務所及び当該境界の存する市町村の事務所の掲示場に少なくとも20日間掲示して、しなければならない。

第３章　台帳、報告書及び計算書

（台帳）

第20条　国有財産の台帳は、その分類及び種類ごとに作成し、次に掲げる事項を記載しなければならない。ただし、財産の性質によりその記載事項を省略することができる。

一　区分（土地、建物等の区別で財務大臣が定めるものをいう。）及び種目（土地、建物等における用途の区別で財務大臣が定めるものをいう。）

二　所在

三　数量

四　価格

五　得喪変更の年月日及び事由

六　その他必要な事項

（台帳価格）

第21条　国有財産を新たに台帳に登録する場合において、その登録すべき価格は、購入に係るものは購入価格、交換に係るものは交換当時における評定価格、収用に係るものは補償金額、租税の物納に係るものは収納価格、代物弁済に係るものは当該物件により弁済を受けた債権の額により、その他のものは次に定めるところにより定めなければならない。

一　土地については、類地の時価を考慮して算定した金額

二　建物、工作物及び船舶その他の動産については、建築費又は製造費。ただし、建築費又は製造費によることの困難なものは、見積価格

三　立木竹については、その材積に単価を乗じて算定した金額。ただし、庭木その他材積を基準として算定することが困難なものは、見積価格

四　法第２条第１項第４号又は第５号に掲げる権利については、取得価格。ただし、取得価格によることが困難なものは、見積価格

五　法第２条第１項第６号に掲げる財産については、次に掲げる区分に応じそれぞれ次に掲げる金額又は価格

イ　株式　当該株式の発行に際して株主となる者が当該株式１株と引換えに株式会社に対して払込み又は給付をした財産の額（当該額がない場合にあつては、当該株式会社の資本金及び資本準備金の額の合計額を発行済株式の総数で除して得た額）に株数を乗じて算定した金額

ロ　法第２条第１項第６号に規定する社債又は地方債　社債原簿又は地方債証券原簿に記載され、又は記録された当該社債又は当該地方債の金額

ハ　法第28条の２の規定による信託の受益権　当該受益権の取得時における信託財産の評定価格

ニ　国が出資により取得した権利　出資金額

ホ　その他の財産　財務大臣が定めるところにより算定した金額

（台帳等の様式）

第22条　法第32条、第33条、第35条及び第36条に規定する台帳、報告書及び計算書の様式については、財務大臣が定める。

（台帳、報告書及び計算書に関する法の規定の適用除外）

第22条の２　公共の用に供する財産で法第38条の規定により法第４章の規定を適用しないものは、次に掲げるものとする。

一　公共用財産のうち公園又は広場として公共の用に供し、又は供するものと決定したもの以外のもの

二　一般会計に属する普通財産のうち都道府県道又は市町村道の用に供するため貸し付けたもの

（台帳価格の改定）

第23条　各省各庁の長は、その所管に属する国有財産につき、毎会計年度、当該年度末の現況において、財務大臣の定めるところにより評価し、その評価額により国有財産の台帳価格を改定しなければならない。ただし、価格を改定することが適当でないものとして財務大臣が指定するものについては、この限りでない。

（端数計算）

第24条　第21条及び前条の場合において、国有財産の台帳に登録すべき価格に１円未満の端数があるときは、その端数を切り捨てて計算する。

附　則　抄

第１条　この政令は、公布の日〔昭和23年８月20日〕から、これを施行し、昭和23年７月１日から適用する。

第２条　次に掲げる法令は、廃止する。

一　国有財産法施行令（大正11年勅令第15号）

二　国有財産法制調査会に関する政令（昭和22年政令第196号）

◉国有財産法施行細則

〔昭和23年９月28日
大蔵省令第92号〕

改正　昭和24年７月21日大蔵省令第69号・昭和27年10月29日大蔵省令第129号・昭和28年６月１日大蔵省令第34号・昭和29年２月15日大蔵省令第７号・昭和31年７月16日大蔵省令第47号・昭和32年７月２日大蔵省令第58号・昭和33年４月１日大蔵省令第15号・昭和33年12月25日大蔵省令第68号・昭和35年３月31日大蔵省令第13号・昭和37年10月１日大蔵省令第53号・昭和39年７月１日大蔵省令第45号・昭和41年４月１日大蔵省令第24号・昭和42年４月１日大蔵省令第14号・昭和44年８月23日大蔵省令第44号・昭和44年10月28日大蔵省令第57号・昭和47年７月24日大蔵省令第64号・昭和49年１月10日大蔵省令第１号・昭和53年12月14日大蔵省令第63号・昭和56年３月20日大蔵省令第３号・昭和57年９月28日大蔵省令第53号・昭和61年７月25日大蔵省令第45号・平成元年４月６日大蔵省令第43号・平成４年２月21日大蔵省令第２号・平成５年３月26日大蔵省令第40号・平成10年12月18日大蔵省令第172号・平成11年２月26日大蔵省令第２号・平成12年８月21日大蔵省令第69号・平成16年３月31日財務省令第38号・平成18年４月28日財務省令第39号・平成18年12月22日財務省令第75号・平成19年３月23日財務省令第８号・平成19年９月14日財務省令第48号・平成19年12月14日財務省令第62号・平成22年３月31日財務省令第26号・平成25年４月１日財務省令第28号・令和元年５月７日財務省令第１号・令和元年６月26日財務省令第10号・令和元年12月13日財務省令第38号・令和３年10月22日財務省令第71号

第１条　この省令において「分類及び種類」、「部局」、「所管換」、「所属替」及び「各省各庁の長」とは、国有財産法（昭和23年法律第73号。以下法という。）に規定する「国有財産の分類及び種類」、「部局」、「国有財産の所管換」、「国有財産の所属替」及び「各省各庁の長」をいう。

２　この省令において「地上権等」、「特許権等」及び「政府出資等」とは、それぞれ法第２条第１項第４号、第５号及び第６号に掲げる財産をいう。

第１条の２　国有財産法施行令（昭和23年政令第246号。以下「令」という。）第13条第２項に規定する財務大臣が定める財産は、株式とする。

第１条の３　各省各庁の長は、法第31条の３第１項の規定による境界確定の協議がととのつた場合又は法第31条の４第２項の規定により境界の決定を行つた場合には、当該境界を明らかにするため、境界標を設定しなければならない。

第１条の４　法第31条の３第３項の書面には、左に掲げる事項を記載し、各省各庁の長及び隣接地の所有者が記名押印しなければならない。

一　境界を確定した国有財産及び隣接地の所在

二　隣接地所有者の氏名又は名称及び住所

三　立会期日及び協議がととのつた期日

四　境界標の番号及び位置

五　その他参考となるべき事項

第１条の５　法第31条の４第２項の規定により境界を定めた場合には、左に掲げる事項を記載した境界決定書を作成し、これに各省各庁の長及び立ち会つた市町村の職員が記名押印しなければならない。

一　境界を定めた国有財産及び隣接地の所在

二　隣接地所有者の氏名又は名称及び住所

三　立会期日

四　境界標の番号及び位置

五　立ち会つた市町村の職員の職名及び氏名

六　境界を定めた経過

七　その他参考となるべき事項

第１条の６　法第31条の４第５項の通知及び公告には、第１条の５各号に掲げる事項及び法第31条の５第１項の期間内に同項の規定による通告がないときは、境界の確定に関し当該隣接地の所有者の同意があつたものとみなされる旨を記載しなければならない。

第１条の７　法第31条の５第１項の通告は、書面によつてしなければならない。

第２条　国有財産の台帳（以下「国有財産台帳」という。）は、第１号様式による。

第３条　国有財産台帳には、当該台帳に登録される土地、建物及び地上権等についての図面を付属させて置かなければならない。

２　前項に定める図面の調製基準は、財務大臣の定めるところによる。

３　国有財産台帳に登録される立木竹及び工作物については、必要と認める図面を付属させることができる。

４　国有財産台帳に登録される不動産の信託の受益権については、信託財産に係る必要な図面を付属させることができる。

第４条　国有財産の総括簿を備えるときは、第１号様式中総括に準じて、これを調製しなければならない。

２　前条の規定は、行政財産の総括簿を備える場合について、準用する。

第５条　国有財産台帳に登録すべき国有財産の区分及び種目は、別表第１による。

第６条　国有財産台帳に登録すべき数量の単位は、別表第１の定めるところによるものとし、その端数は、小数点以下２位未満を切り捨てる物とする。ただし、区分が立木竹のうち立木及び船舶の端数は、小数点以下３位未満を切り捨てるものとする。

第７条　削除

第８条　国有財産台帳に記入すべき増減事由用語は、別表第２による。

第９条　国有財産増減及び現在額報告書は、第２号様式に、国有財産見込現在額報告書は、第３号様式に、国有財産無償貸付状況報告書は、第４号様式による。

第10条　削除

第10条の２　令第６条の11第１項に規定する証明書の様式は、別表第３による。

第10条の３　令第16条の６第２項に規定する証明書の様式は、別表第４による。

第10条の４　法第31条の２第４項の規定による証明書の様式は、別表第５による。

（都道府県又は市町村が事務を行う場合の証明書の様式）

第10条の４の２　前２条に定める証明書の様式は、法第９条第３項の規定により事務を都道府県又は市町村が行うこととなつた場合においては、別表第６によることができる。

（電磁的記録による作成）

第10条の５　各省各庁の長が、法第39条の規定により報告書等（予算及び決算に係る情報通信の技術の利用に関する対象手続等を定める省令（平成15年財務省令第24号）第１条に規定するものを除く。）の作成に代えて当該報告書等に係る電磁的記録の作成を行う場合においては、各省各庁の長の使用に係る電子計算機に備えられたファイルに記録する方法又は磁気ディスク（これに準ずる方法により一定の事項を確実に記録しておくことができる物を含む。）をもつて調製する方法により作成するものとする。

（電磁的方法による提出）

第10条の６　法第40条第１項に規定する財務大臣が定める電磁的方法は、財務大臣の使用に係る電子計算機と各省各庁の長の使用に係る電子計算機とを電気通信回線で接続した電子情報処理組織を使用して行う方法によるものとする。

（手続の細目）

第10条の７　この省令に定めるもののほか、電磁的記録の作成の方法及び電磁的方法による提出に関し必要な事項及び手続の細目については、別に定めるところによる。

附　則

第11条　この省令は、公布の日〔昭和23年９月28日〕から、これを施行し、昭和23年７月１日から適用する。但し、第９条中国有財産増減及び現在額報告書の様式及び国有財産無償貸付状況報告書の様式（同様式調製要領２を除く。）に関する部分は、昭和22年度分から、これを適用する。

第12条　国有財産法施行規則（大正11年大蔵省令第14号）は、これを廃止する。

様式　略

別表第1

国有財産区分種目表

区分	種目	数量単位	摘要
土地			
	(公用財産)		
	敷地	平方メートル	
	(公共用財産)		
	公園	平方メートル	
	広場	〃	
	(皇室用財産)		
	敷地	平方メートル	
	(森林経営用財産)		
	森林	平方メートル	
	原野	〃	
	付属地	〃	付属地は、林道、苗圃、貯木場等を包括する。
	(普通財産)		
	宅地	平方メートル	
	田	〃	
	畑	〃	
	森林	〃	
	原野	〃	
	牧場	〃	
	池沼	〃	
	鉱泉地	〃	
	墳墓地	〃	
	海浜地	〃	
	雑種地	〃	他の種目に属しないもの。
立木竹			
	樹木	本	庭木その他材積を基準として、その価格を算定し難いもの。但し、苗圃にあるものを除く。
	立木	立方メートル	材積を基準として、その価格を算定するもの。
	竹	束	
建物			
	事務所建	平方メートル(建面積) 平方メートル(延べ面積)	官署、学校、図書館、病院、刑務所(監房を除く。)、停車場等の主な建物を包括する。

工作物	住宅建	〃	宿舎、合宿所等の主な建物を包括する。
	工場建	〃	
	倉庫建	〃	上屋を包括する。
	雑屋建	〃	監房、厩舎、小屋、物置、廊下、便所、門衛所、小使室等他の種目に属しないものを包括する。
	門	個	木門、石門等の各１個所をもつて１個とする。
	囲障	メートル	さく、へい、垣、生垣等を包括する。
	水道	個	一式をもつて１個とする。
	下水	〃	溝きよ、埋下水等の各一式をもつて１個とする。
	築庭	〃	築山、置石、泉水等（立木竹を除く。）を一団とし１個所をもつて１個とする。
	池井	〃	貯水池、ろ水池、井戸等の各１個所をもつて１個とする。
	鋪床	〃	石敷、れん瓦敷、コンクリート敷、木塊鋪、アスフアルト鋪等の各１個所をもつて１個とする。
	照明装置	〃	電燈、ガス燈、弧光燈等に関する設備（常時取りはずす部分を含まない。）の各一式をもつて１個とする。
	冷暖房装置	〃	冷房装置又は暖房装置のみの場合を包括し、各一式をもつて１個とする。
	ガス装置	〃	一式をもつて１個とする。
	浄化装置	〃	水洗装置を包括し、各一式をもつて１個とする。
	通風装置	〃	一式をもつて１個とする。
	消火装置	〃	一式をもつて１個とする。
	通信装置	〃	私設電話、電鈴等に関する設備で他の種目に該当しないものを包括し、各一式をもつて１個とする。
	煙突	〃	独立の存在を有するもので煙道等の設備を一団として、１基をもつて１個とする。
	貯槽	〃	水槽、油槽、ガス槽等を包括し、各その個数による。
	橋梁	〃	さん橋、陸橋をも包括し、各その個数による。
	土留	〃	石垣、さく等の各１個所をもつて１個とする。
	射場	〃	射撃場における諸工作物の一式をもつて１個とする。

	岸　　　壁	メートル	
	ト ン ネ ル	〃	
	軌　　　道	〃	軽便軌道を包括する。
	電 信 線 路	亙長メートル	電信架空裸線、電信架空ケーブル、電信地下線、電信水底線等を包括する。
		延長メートル	
	電 話 線 路	〃	電話架空線、電話架空ケーブル、電話地下線、電話水底線等を包括する。
	電 力 線 路	〃	電力架空線、電力地下線、電車架空線等を包括する。
	気 送 管 路	メートル	
	空気供給管路	〃	
	無線電信柱	個	一式をもつて１個とする。
	燈　　　台	〃	燈船をも包括し、１個所をもつて１個とする。
	望　　　楼	〃	
	昇　降　機	〃	一式をもつて１個とする。
	ド　ッ　ク	〃	浮ドツクをも包括し、各一式をもつて１個とする。
	竃 及 び ろ	〃	鎔鉱ろ、反射ろ、結晶ろ、真鍮ろ等の各一式をもつて１個とする。
	諸作業装置	〃	起重機、発電装置、発動装置、気罐、ガス発生装置、変流装置、変圧装置、蓄電装置、電動装置、シヤフチング、除じん装置、噴霧装置、製塩装置等の各一式をもつて１個とする。
	諸　　　標	〃	浮標、立標、信号標識等の各１個所をもつて１個とする。
	林道（森林経営用財産に限る。）	メートル	
	雑 工 作 物	個	井戸屋形、掲示場、石炭置場、馬繋場、灰捨場、避雷針、船架等他の種目に属しないものを包括し、各１個所をもつて１個とする。
機械器具			
	通 信 機 械	個	有線、無線の電話、送受信機、交換器などを包括する。
	土 木 機 械	〃	掘さく機（動力ショベル等）、道路転圧機、砕石機、杭打機などを包括する。
	産 業 機 械	〃	電気ろ（本体）、発電用の蒸気罐、内燃機関等の電気機械器具、旋盤、ボール盤、中グリ盤等の工作機械器具、製材機械、木工機械、ベニヤ機械等の木工機械器具、水管罐、煙管罐、円罐、

			蒸気タービン、ガスタービン等の産業機械器具、並びにこれらの工具等を包括する。
	船舶用機械	〃	各種汽罐、各種蒸汽タービン、往復式蒸汽機関、内燃機関並びに各種補助機械、甲板用各種機械などを包括する。
	車両	〃	機関車、客車、電車、貨車、自動車等を包括する。
	雑機械及び器具	〃	金尺材料試験機、光学検査機等各種測定機器、起重機、走行起重機等荷役運搬機械、医療用機器、その他のものを包括する。
船舶			
	汽船	隻 トン（総トン数）	電動船、内火船等機関によつて推進するものを包括する。
	艦船	隻 トン（排水トン数）	電動船、内火船等機関によつて推進するものを包括し、積量を排水トンで表示するもの。
	雑船	隻	他の種目に属しない一切の船舶を包括する。
航空機			
	飛行機	機	
	回転翼航空機	〃	ヘリコプタ、ジヤイロプレン及びジヤイロダイン等を包括する。
	滑空機その他	〃	飛行船等を包括する。
地上権等			
	地上権	平方メートル	
	地役権	〃	
	鉱業権	〃	
	その他	〃	
特許権等			
	特許権	件	
	著作権	〃	
	商標権	〃	
	実用新案権	〃	
	その他	〃	
政府出資等			各種目とも特有名称を冠記する。
	株式	株	
	社債	口	特別の法令により、法人の発行する債券を含む。

	新株予約権	〃	
	地方債	〃	
	出資による権利	—	
	持分	口	
	出資証券	〃	
	受益証券	〃	
不動産の信託の受益権	不動産の信託の受益権	件	

別表第２

国有財産増減事由用語表

区　分	増	減	摘　　要
各区分に共通			
	購　　入		
	寄　　附		国が対価その他の負担をしないで財産を取得したとき。
	帰　　属		法令の規定によつて国に帰属したとき。
		消　　滅	法令の規定によつて国有財産が国以外の者に帰属したとき。又は期間の到来等によつて権利が消滅したとき。
	租　税　物　納	租税物納取消・撤回	租税名称を冠記する。
	（何法）により代物弁済		根拠となる法律の題名を冠記する。
	（何々）より引受		各省各庁で行政財産の用途を廃止した場合又は普通財産を取得した場合において、当該財産を財務省が引き受けたとき。
		財務省へ引継	各省各庁で行政財産の用途を廃止した場合又は普通財産を取得した場合において、当該財産を財務省に引き継いだとき。
	引　継　取　消	引　受　取　消	
	（何々）より所管換	（何々）へ所管換	各省各庁の長の間において、国有財産の所管を移したとき（法令改正による場合を含む。）。
	（何々）より所属替	（何々）へ所属替	同一所管内に２以上の部局等がある場合に、１の部局等に所属する国有財産を他の部局等の所属に移したとき（法令改正による場合を含む。）。
	（何々）より整理替	（何々）へ整理替	同一部局内において、用途変更を伴わないで所属口座に異動（分割を含む。）のあつたとき。
	（何々）より種別替	（何々）へ種別替	同一所管内において国有財産の分類又は種類を変更したとき。
	行政財産より組替	用　途　廃　止	行政財産の用途を廃止して財務省へ引き継がないとき。
	（何口座）より用途変更	（何口座）へ用途変更	
	（何々の）誤謬訂正	（何々の）誤謬訂正	根拠となる国有財産増減事由用語を冠記する。
	売　払　取　消	売　　払	

	売払解除		
	譲与取消	譲与	
	譲与解除		
		出資	政府出資法人等に対し現物出資をしたとき。
	新規登載		旧国有財産法施行の際（大正11年４月１日）及び旧軍用財産で普通財産として、財務省へ引き継がなければならなかつたものの引継洩を発見した場合その他国有財産として国有財産台帳に登録すべきものの登録洩を発見した場合並びに従来国有財産の取扱いをしなかつた国有の物件を新たに国有財産に編入する場合等で一方的に登載するとき。 但し、「帰属」として登載する場合を除く。
	（何年度何々の）報告洩	（何年度何々の）報告洩	所属年度及び根拠となる国有財産増減事由用語を冠記する。
		返還	法令の規定又は裁判の確定によつて返還したとき。
	価格改定	価格改定	
	端数合算	端数切捨	
土地			
	（何々）より種目変更	（何々）へ種目変更	区分の変更を伴う場合を含む。以下同じ。
	交換	交換	
	信託取消	信託	
	信託終了		
		喪失	陥没、流失、倒壊、沈没、焼失、盗伐等天災、朽廃その他の事由で滅失したとき。但し、台帳には喪失の原因を冠記する。以下同じ。
	収用		
	収用補償追払	収用補償過払	不服申立て、訴訟の結果収用補償の追払又は過払を戻入したとき。以下同じ。
	埋立		公有水面埋立法によつて所有権を取得したとさ。
	地均		盛土の場合を含む。
	（何々法）による換地	（何々法）による引渡	法律の規定によつて財産を換地取得し、又は引き渡すとき。以下同じ。
	公共物より編入	公共物へ編入	令第22条の２に規定する国有財産（以下「公共物」という。）を公共物以外の国有財産とし、又は公共物以外の国有財産を公共物とする場合において、当該財産の増減を行うため台帳に登載す

			るとき。以下同じ。
	実　測	実　測	測量の結果数量に増減があつたとき。以下同じ。
	（何々法）による権利変換	（何々法）による権利変換	都市再開発法等の規定により国有財産の権利が変換したとき。
立木竹			
	（何々）より種目変更	（何々）へ種目変更	
	交　換	交　換	
	信託取消	信　託	
	信託終了		
		喪　失	
	収　用		
	収用補償追払	収用補償過払	
	公共物より編入	公共物へ編入	
	新　植		契約によつて立木竹を新たに植えたとき。
		伐　採	
	移　植	移　植	
	実　査	実　査	実査の結果材積に増減があつたとき。
		（何々法）による引渡	
	造林契約解除の取消	造林契約解除	公有林野等官行造林地の契約解除の取消をしたとき又は契約を解除したとき。
	分収育林契約解除	分収育林契約締結	国有林野の立木につき契約された分収育林契約を解除したとき又は分収育林契約を締結したとき。
	補植手入	補植手入	国有林野において、立木を補植手入したとき。
建　物	（何々）より種目変更	（何々）へ種目変更	
	交　換	交　換	
	信託取消	信　託	
	信託終了		
		喪　失	
	新　築		
	増　築		
	改　築	改　築	建物の全部又は一部を取りこわして、主としてその材料を使用し更に元の位置に再築したとき。
	移　築	移　築	建物の全部又は一部を取りこわして、主としてその材料を使用し異なる位置

			に建築したとき。
		取こわし	建物等を取りこわし、その取りこわし材を物品に編入し、又は廃棄するとき。以下同じ。
	修繕		
	模様替	模様替	建物等の主要構造を変更することなく、改良したとき。以下同じ。
	復旧		天災、火災等により使用に堪えなくなつたので台帳から削除した鉄骨鉄筋コンクリート造等の建物その他を復旧したとき。以下同じ。
	移転	移転	原形を維持して、その位置を変更したとき。以下同じ。
	従物新設		
	従物増設		
	従物移設	従物移設	
	従物改設	従物改設	
		従物取こわし	
	土地区画整理による換地		土地区画整理法に規定する換地処分によつて取得したとき。以下同じ。
	公共物より編入	公共物へ編入	
	現物賠償		債務不履行等に基づく相手方の原状回復義務等の履行によつて取得したとき。以下同じ。
	実測	実測	
		（何々法）による引渡	
工作物			
	（何々）より種目変更	（何々）へ種目変更	
	交換	交換	
	信託取消	信託	
	信託終了		
		喪失	
		取こわし	
	修繕		
	模様替	模様替	
	復旧		
	移転	移転	
	新設		
	増設		
	移設	移設	

	改　　　設	改　　　設	
	土地区画整理による換地		
	公共物より編入	公共物へ編入	
	現　物　賠　償		
	実　　　測	実　　　測	
		（何々法）による引渡	
	林　道　改　良	林　道　改　良	林道の財産価値、能率又は耐用年数に著しい異動があつたとき。
機械器具			
	（何々）より種目変更	（何々）へ種目変更	
		喪　　　失	
		取　こ　わ　し	
	修　　　繕		
	模　様　替	模　様　替	
	復　　　旧		
	移　　　転	移　　　転	
	新　　　設		
	増　　　設		
	移　　　設	移　　　設	
	改　　　設	改　　　設	
		（何法）により交換	根拠となる法律の題名を冠記する。
		物品へ編入	
船　舶			
	（何々）より種目変更	（何々）へ種目変更	
		喪　　　失	
		取　こ　わ　し	
	修　　　繕		
	模　様　替	模　様　替	
	復　　　旧		
	新　　　造		
	改　　　造	改　　　造	船舶の全面的改装又は一部を取りこわして、改造したとき。
	属　具　取　付		
	属　具　移　設	属　具　移　設	
	属　具　改　設	属　具　改　設	

		属具取こわし	
	公共物より編入	公共物へ編入	
	改測	改測	
航空機			
	（何々）より種目変更	（何々）へ種目変更	
		喪失	
		取こわし	
	修繕		
	新造		
	改造	改造	航空機の全面的改装又は一部を取りこわして、改造したとき。
	属具取付		
	属具移設	属具移設	
	属具改設	属具改設	
		属具取こわし	
地上権等			
		喪失	
	設定		都市再開発法等により設定された場合を含む。
特許権等			
	登録		特許権、商標権、実用新案権、意匠権、育成者権の設定の登録があったとき。
	創作		著作物の創作をしたとき。
政府出資等			
	（何々）より種目変更	（何々）へ種目変更	
		喪失	
	出資		
	出資金回収	出資金回収	
		出資金回収不能	
		資本減少	
	株式分割		
	株式無償割当て		
	再交付		
		株式併合	

不動産の信託の受益権	通貨調整	通貨調整	基準外国為替相場の変更、平価の変更等通貨調整に伴い価格を修正するとき。
	信託		
		信託取消	
		信託終了	

別表第３～６　略

◉環境省所管国有財産取扱規則

〔平成13年1月6日
環境省訓令第30号〕

改正　平成13年3月30日環境省訓令第38号－2・平成15年6月30日環境省訓令第31号・平成17年9月20日環境省訓令第32号・平成18年3月31日環境省訓令第4号・平成20年3月27日環境省訓令第4号・平成22年3月30日環境省訓令第3号・平成24年9月19日環境省訓令第37号・平成29年7月14日環境省訓令第10号・平成30年2月15日環境省訓令第1号

目次　頁

第1章　総則

（趣旨）

第1条　環境省（外局を含む。以下同じ。）所管の国有財産の取扱いについては、国有財産法（昭和23年法律第73号。以下「法」という。）、国有財産法施行令（昭和23年政令第246号。以下「令」という。）及び国有財産法施行細則（昭和23年大蔵省令第92号）並びに他の法令に定める場合を除き、この訓令の定めるところによる。

（定義）

第2条　この訓令において、「部局」とは別表第1に掲げる部局をいい、「部局長」とは当該部局の長をいう。

（事務の総括）

第３条　大臣官房会計課長（以下「会計課長」という。）は、環境省所管の国有財産に関する事務を総括する。

（部局長）

第４条　部局長は、この訓令の定めるところにより、別表第１に掲げる部局所属の国有財産に関する事務を分掌する。この場合において、分掌された事務の対象となる国有財産については、他部局に属するものであっても、当該部局長の部局の所属に属するものとみなす。

2　会計課長は、この訓令に定める事務の一部を、この訓令の準則を定めることにより、管下の職員に分掌させることができる。

3　会計課長は、前項の準則を定め、変更し又は廃止しようとするときは、環境大臣の承認を受けなければならない。

（監査の実施等）

第５条　会計課長は、部局所属の国有財産に関する事務について、部局長に対し資料の提出若しくは報告を求め、又は職員を派遣して、実地監査を行うことができる。

第２章　管理及び処分

第１節　通則

（管理及び処分の通則）

第６条　部局長は、部局所属の国有財産の現状を常には握し、取得、維持、保存及び運用（以下「管理」という。）並びに処分を適正に行わなければならない。

（居住禁止）

第７条　部局長は、部局所属の建物で用途目的が宿舎（国家公務員宿舎法（昭和24年法律第117号）第２条第３号に規定する宿舎をいう。）以外であるものには、職員又はその他の者を居住させてはならない。ただし、国有財産の管理又は取締り上特に管理人を居住させる必要がある場合は、この限りでない。

（管理人居住調書）

第８条　部局長は、前条ただし書の規定により管理人を居住させた場合は、次の各号に掲げる事項を記載した調書を備えなければならない。

一　財産の口座名、所在地名及び地番

二　管理人を居住させた事由

三　建物の名称及び番号

四　建物の一部に居住させた場合は、その区域を示した図面

五　管理人の官職氏名及び家族数

六　その他参考となるべき事項

2　部局長は、前条ただし書に規定する管理人を変更し、又はその居住を廃止した場合は、前項の調書にその旨を記入しなければならない。

第2節　管理

（土地又は建物の取得）

第９条　部局長は、行政財産とする目的をもって土地又は建物を取得しようとする場合は、次の各号に掲げる取得の態様に応じ、当該各号に掲げる事項を記載した申請書に関係図面（案内図、土地図、配置図、建物図及び公図の写しをいう。以下同じ。）を添えて環境大臣に提出し、その承認を受けなければならない。

一　購入により取得しようとする場合

ア　取得しようとする財産の所在地名及び地番

イ　購入しようとする事由

ウ　用途及び利用計画

エ　財産の明細（土地の地目及び面積又は建物の構造、種目及び面積を記載すること。以下同じ。）

オ　価格評定調書（価格評定者がその官職氏名を記載すること。以下同じ。）

カ　購入予定価格及びその単価

キ　相手方の住所及び氏名（法人の場合は、その住所及び名称並びに代表者の住所及び氏名。以下同じ。）

ク　予算額及び経費の支出科目

ケ　契約書案

コ　登記簿謄本の写し

サ　取得しようとする建物の敷地が借地である場合は、その所有者の住所及び氏名（法人の場合は、その住所及び名称並びに代表者の住所及び氏名。以下同じ。）並びに当該土地の使用承諾書の写し

シ　相手方の譲渡承諾書の写し

ス　その他参考となるべき事項

二　交換により取得しようとする場合

ア　取得しようとする財産の所在地名及び地番

イ　交換しようとする事由

ウ　用途及び利用計画

エ　取得しようとする財産の明細及び交換に供しようとする財産の台帳記載事項

オ　取得しようとする財産及び交換に供しようとする財産についての価格評定調書

カ　相手方の住所及び氏名

キ　交換の条件

ク　交換差金がある場合は、それについて執ろうとする措置

ケ　契約書案

コ　登記簿謄本の写し

サ　取得しようとする建物の敷地が借地である場合は、その所有者の住所及び氏名並びに当該土地の使用承諾書の写し

シ　相手方の交換承諾書又は交換願書の写し

ス　その他参考となるべき事項

三　寄附の受納により取得しようとする場合

ア　取得しようとする財産の所在地名及び地番

イ　寄附を受納しようとする事由

ウ　用途及び利用計画

エ　財産の明細

オ　価格評定調書

カ　寄附者の住所及び氏名

キ　寄附の条件

ク　登記簿謄本の写し

ケ　取得しようとする建物の敷地が借地である場合は、その所有者の住所及び氏名並びに当該土地の使用承諾書の写し

コ　寄附者の願書の写し

サ　その他参考となるべき事項

四　新築又は増築により建物を取得しようとする場合

ア　取得しようとする建物の敷地の所在地名及び地番

イ　新築又は増築しようとする事由

ウ　用途及び利用計画

エ　新築又は増築しようとする建物の明細

オ　予算額及び経費の支出科目

カ　取得しようとする建物の敷地が借地である場合は、その所有者の住所及び氏名並びに当該土地の使用承諾書の写し

キ　その他参考となるべき事項

2　前項第1号から第3号までの取得において、相手方が公共団体又はその他の法人である場合に、当該土地又は建物の売払い、交換又は寄附に関し、当該議決機関の議決又は監督官庁の許可若しくは認可を必要とするものにあっては、当該議決機関の議決書又は監督官庁の許可書若しくは認可書の写しを添付しなければならない。

（土地及び建物以外の財産の取得）

第10条　部局長は、行政財産とする目的をもって土地及び建物以外の財産を取得しようとする場合は、部局長限りで処理することができる。ただし、寄附の受納により土地及び建物以外の財産を取得しようとする場合は、前条第1項第3号に掲げる事項（同号エ及びケの事項を除く。）を記載した申請書に関係図面を添えて環境大臣に提出し、その承認

を受けなければならない。

（取得前の処置）

第11条　部局長は、行政財産とする目的をもって財産を取得しようとする場合において、当該財産に関して地上権、抵当権、賃借権その他の所有権以外の権利がある場合は、あらかじめ、これらを消滅させた後でなければ取得してはならない。

（登記の嘱託）

第12条　部局長は、次に掲げる事項については、不動産登記法（平成16年法律第123号）及び船舶登記令（平成17年政令第11号）の定めるところにより、遅滞なく、管轄登記所に登記を嘱託しなければならない。

一　表題登記がない土地を購入、寄附、帰属、所管換、交換その他これらに準ずる事由により取得した場合の表題登記及び所有権の保存の登記

二　表題登記のみがある土地を購入、寄附、帰属、所管換、交換その他これらに準ずる事由により取得した場合の所有権の保存の登記

三　所有権の保存の登記がある土地又は建物を購入、寄附、帰属、所管換、交換その他これらに準ずる事由により取得した場合の所有権の移転の登記

四　借地（ただし、借地の全てが地方税法（昭和25年法律第226号）第348条の規定により固定資産税を課することができない土地である場合を除く。以下この条において同じ。）上に建物（不動産登記規則（平成17年法務省令第18号）第111条に規定する建物に限る。以下この条において同じ。）を新築した場合若しくは表題登記がない建物を移築、移転した場合又は借地上の表題登記がない建物を購入、寄附、帰属、所管換、交換その他これらに準ずる事由により取得した場合の表題登記

五　借地上の所有権の保存の登記がある建物又は表題登記のみがある建物を増築又は改築した場合の表題部の変更の登記

六　借地上に所有権の保存の登記がある建物又は表題登記のみがある建物を移築又は移転した場合の表題部の変更の登記

七　借地上の表題登記のみがある建物を購入、寄附、帰属、所管換、交換その他これらに準ずる事由により取得した場合の所有権の保存の登記

八　総トン数20トン以上の船舶を取得した場合の所有権の保存の登記又は移転の登記

（所管換）

第13条　部局長は、他の各省各庁（衆議院、参議院、裁判所、会計検査院並びに内閣（内閣府を除く。）、内閣府及び各省をいう。以下同じ。）から国有財産の所管換を受けようとする場合は、次の各号に掲げる事項を記載した申請書に関係図面を添えて環境大臣に提出し、その承認を受けなければならない。

一　所管換を受けようとする財産の台帳記載事項（有償の場合は、実測数量及び所管換価格を併記すること。）

二　所管換を受けようとする事由
三　用途及び利用計画
四　有償の場合は、実測による価格評定調書
五　有償の場合は、予算額及び経費の支出科目
六　所管換を受けようとする建物の敷地が借地である場合は、その所有者の住所及び氏名並びに当該土地の使用承諾書の写し
七　相手方の同意書の写し
八　その他参考となるべき事項

2　部局長は、部局所属の行政財産の他の各省各庁への所管換について、当該各省各庁の部局の長からの所管換の協議に同意しようとする場合は、次の各号に掲げる事項を記載した申請書に関係図面を添えて環境大臣に提出し、その承認を受けなければならない。
一　所管換をしようとする財産の台帳記載事項（有償の場合は、実測数量及び所管換価格を併記すること。）
二　所管換をしても差し支えのない事由
三　相手方の用途及び利用計画
四　有償の場合は、実測による価格評定調書
五　有償の場合は、予算額及び経費の支出科目
六　所管換をしようとする建物の敷地が借地である場合は、その所有者の住所及び氏名並びに当該土地の使用承諾書の写し
七　相手方からの協議書の写し
八　その他参考となるべき事項

（種別替）
第14条　部局長は、部局所属の行政財産の種別替をしようとする場合は、次の各号に掲げる事項を記載した申請書に関係図面を添えて環境大臣に提出し、その承認を受けなければならない。
一　種別替をしようとする財産の台帳記載事項
二　種別替をしようとする事由
三　用途及び利用計画
四　その他参考となるべき事項

（所属替）
第15条　部局長は、他の部局から行政財産である土地又は建物の所属替を受けようとする場合は、次の各号に掲げる事項を記載した申請書に関係図面を添えて環境大臣に提出し、その承認を受けなければならない。
一　所属替を受けようとする財産の台帳記載事項
二　所属替を受けようとする事由

三　用途及び利用計画

四　所属替を受けようとする建物の敷地が借地である場合は、その所有者の住所及び氏名並びに当該土地の使用承諾書の写し

五　相手方の同意書の写し

六　その他参考となるべき事項

2　部局長は、他の部局から土地及び建物以外の行政財産の所属替を受けようとする場合又は部局所属の行政財産の他の部局への所属替について、当該他の部局長からの所属替の協議に同意しようとする場合は、部局長限りで処理することができる。

（用途変更）

第16条　部局長は、部局所属の行政財産である土地又は建物の用途を変更しようとする場合は、次の各号に掲げる事項を記載した申請書に関係図面を添えて環境大臣に提出し、その承認を受けなければならない。

一　用途を変更しようとする財産の台帳記載事項

二　用途を変更しようとする事由

三　用途及び利用計画

四　その他参考となるべき事項

2　部局長は、部局所属の土地及び建物以外の行政財産の用途を変更しようとする場合は、部局長限りで処理することができる。

（移築及び改築）

第17条　部局長は、部局所属の行政財産である建物を移築又は改築しようとする場合は、次の各号に掲げる事項を記載した申請書に関係図面を添えて環境大臣に提出し、その承認を受けなければならない。

一　移築又は改築しようとする建物の台帳記載事項

二　移築又は改築しようとする事由

三　用途及び利用計画

四　移築先の地名及び地番

五　移築後又は改築後の建物の明細

六　予算額及び経費の支出科目

七　移築又は改築しようとする建物の敷地が借地である場合は、その所有者の住所及び氏名並びに当該土地の使用承諾書の写し

八　その他参考となるべき事項

（他の各省各庁の使用）

第18条　部局長は、部局所属の行政財産を他の各省各庁に使用させようとする場合は、次の各号に掲げる事項を記載した申請書に関係図面を添えて環境大臣に提出し、その承認を受けなければならない。

一　使用させようとする財産の台帳記載事項及び使用させようとする部分の数量
二　使用させようとする事由
三　相手方の官署名及び責任者の官職氏名
四　使用させようとする期間及び条件
五　有償の場合は、使用料及びその算定調書
六　使用させようとする他の各省各庁に当該財産を所管換しない理由（所管換を前提として使用させようとする場合は、直ちに所管換をしない理由）
七　相手方からの協議書の写し
八　使用承認書案
九　その他参考となるべき事項

2　部局長は、前項の規定による承認を受けて部局所属の行政財産を他の各省各庁に使用させ、その期間が満了した場合において、当該使用させた相手方からその財産につき継続使用の協議があつたときは、同項の規定にかかわらず、部局長限りで処理することができる。ただし、同項の規定による承認に係る相手方、目的及び面積のうちいずれかを変更（面積にあっては、変更後の使用させようとする面積が、別表第2に掲げる範囲内の場合及び、変更しようとする面積が使用させようとする面積の1割を超えない場合（使用させようとする面積が1,000平方メートルを超えるものについては、変更しようとする面積が100平方メートル未満である場合）を除く。）して使用させようとする場合又は同項の規定による承認に係る使用期間の満了後、初めて引き続き5年以上にわたり使用させようとする場合は、この限りでない。

3　部局長は、部局所属の行政財産を他の各省各庁に使用させようとする場合において、使用させようとする期間が3か月以内のとき（使用承認を更新することにより、当初の使用承認時から通算してその期間が3か月を超えることとなる場合を除く。）は、第1項本文の規定にかかわらず、部局長限りで処理することができる。

4　部局長は、前2項の規定により処理した場合は、次の各号に掲げる事項を記載した書類に関係図面を添えて環境大臣に報告しなければならない。
一　使用させた財産の台帳記載事項及び使用させた部分の数量
二　使用させた事由
三　相手方の官署名及び責任者の官職氏名
四　使用させた期間及び条件
五　有償の場合は、使用料及びその算定調書
六　使用承認書の写し
七　その他参考となるべき事項

（部局間の使用）

第19条　部局長は、部局所属の行政財産を他の部局に使用させようとする場合は、部局長

限りで処理することができる。ただし、処理後は、前条第４項各号に掲げる事項を記載して、環境大臣に報告しなければならない。

（貸付け）

第19条の２　部局長は、部局所属の行政財産である土地又は建物を貸付けしようとする場合は、次の各号に掲げる事項を記載した申請書に関係図面を添えて環境大臣に提出し、その承認を受けなければならない。

一　貸付けしようとする財産の台帳記載事項及び貸付けしようとする部分の数量

二　貸付けしようとする事由

三　相手方の住所及び氏名

四　貸付けしようとする期間及び条件

五　貸付料及びその算定調書

六　無償又は減額した対価で貸付けしようとする場合及び指名競争契約又は随意契約により貸付けしようとする場合は、その適用しようとする法令の条項及び理由

七　相手方の願書の写し

八　貸付契約書案

九　その他参考となるべき事項

（一般の使用等）

第20条　部局長は、部局所属の行政財産について、次の各号の一に該当する場合に限り、その用途又は目的を妨げない限度において、国以外の者の使用又は収益（以下「一般の使用等」という。）を許可することができる。

一　職員及び当該施設を利用する者のために、食堂、売店その他の厚生施設を設置する場合

二　運輸事業、水道、電気又はガス供給事業その他の公益事業の用に供するため、やむを得ないと認められる場合

三　信号機の設置等公共的見地からの要請が強い場合において、僅少な面積の使用を認める場合

四　次のいずれかに該当し、使用期間が一時的であり、かつ、使用目的が営利を目的としない場合

ア　公共的な講演会、研究会等のため使用させる場合

イ　交通事情の見地から、地方公共団体（町内会等を含む。以下この条において同じ。）に庁舎の敷地等の一部を駐車場として使用させる場合

ウ　庁舎の敷地等の一部を地方公共団体主催の野球大会等に使用させる場合

五　次のいずれかに該当し、当該施設の利用が行政財産の公共性、公益性、中立性に反せず、社会的又は経済的な見地から妥当な場合

ア　産学官連携や国有特許を扱う技術移転等のための国の試験研究施設の使用

イ　鉄道の引込線、進入路、下水の引込みの設置等（隣接地の所有者等が当該施設を利用しなければ、土地利用や業務の遂行等が困難な場合に限る。）

六　災害その他の緊急事態の発生により応急施設として短期間その用に供する場合

七　前各号に掲げるもののほか、国の事務及び事業の遂行上その必要性が認められる場合

2　自然環境局長及び地方環境事務所長は、前項各号の一に該当する場合のほか、その所属の公共用財産について、その用途又は目的を妨げない限度において、社会の文化、厚生又は公益を増進するような行事又は事業の用に供する場合に限り、一般の使用等を許可することができる。

3　前２項の規定により一般の使用等を許可する場合における当該許可の期間は、原則として、１年以内とする。ただし、当該許可の期間を１年以内とすることが著しく実情にそわない場合は、法第19条において準用する法第21条又は他の法律の定める期間内において、その必要の程度に応じて許可することができる。

4　部局長は、第１項又は第２項の規定に基づき一般の使用等を許可しようとする場合は、次の各号に掲げる事項を記載した申請書に関係図面を添えて環境大臣に提出し、その承認を受けなければならない。

一　一般の使用等を許可しようとする財産の台帳記載事項及び使用又は収益させようとする部分の数量

二　一般の使用等を許可しようとする事由

三　相手方の住所及び氏名

四　一般の使用等を許可しようとする期間及び条件

五　使用料及びその算定調書（無償の場合は、その根拠となる法令の名称及び条項）

六　相手方の願書の写し

七　使用許可書案

八　その他参考となるべき事項

5　部局長は、前項の規定により環境大臣の承認を受けて部局所属の行政財産について一般の使用等を許可し、その期間が満了した場合において、当該許可をした相手方からその財産につき継続使用の出願があったときは、前項の規定にかかわらず、部局長限りで処理することができる。ただし、同項の規定による承認に係る相手方、目的及び面積のうちいずれかを変更（面積にあっては、変更後の使用許可面積が、別表第２に掲げる範囲内の場合及び、変更しようとする面積が使用許可面積の１割を超えない場合（使用許可面積が1,000平方メートルを超えるものについては、変更しようとする面積が100平方メートル未満である場合）を除く。）して許可しようとする場合又は前項の規定による承認に係る許可の期間の満了後、初めて引き続き５年以上にわたり許可しようとする場合は、この限りでない。

6　部局長は、部局所属の行政財産について一般の使用等を許可しようとする場合において、許可しようとする期間が１か月以内のとき（許可を更新することにより、当初の許可時から通算してその期間が１か月を超えることとなる場合を除く。）は、第４項の規定にかかわらず、部局長限りで処理することができる。

7　部局長は、前２項の規定により処理した場合は、令第14条の規定により、次の各号に掲げる事項を記載した書類に関係図面を添えて所轄財務局長に通知しなければならない。

一　一般の使用等を許可した財産の台帳記載事項及び使用又は収益させた部分の数量

二　一般の使用等を許可した事由

三　相手方の住所及び氏名

四　一般の使用等を許可した期間及び条件

五　使用料及びその算定調書（無償の場合は、その根拠となる法令の名称及び条項）

六　用途指定の有無及び用途を指定した場合には、相手方の利用計画

七　使用許可書の写し

八　その他参考となるべき事項

（用途廃止）

第21条　部局長は、部局所属の行政財産の用途を廃止しようとする場合は、次の各号に掲げる事項を記載した申請書に関係図面を添えて環境大臣に提出し、その承認を受けなければならない。

一　用途を廃止しようとする財産の台帳記載事項

二　用途を廃止しようとする事由

三　用途を廃止した後の処分方法

四　その他参考となるべき事項

2　部局長は、前項の規定により環境大臣の承認を受けた行政財産の用途を廃止する場合は、あらかじめ所轄財務局長に通知しなければならない。ただし、令第５条第１項第１号及び第２号に該当するもの又は同条同項第３号の引継不適当財産に該当するもののうち立木竹、工作物若しくは船舶（土地を用途廃止して財務局長等へ引き継ぐ場合の当該土地に植栽し、若しくは生立している立木竹又は当該土地に付着した工作物を除く。）はこの限りではない。

3　部局長は、行政財産の用途廃止をした時は、これを所轄財務局長に引き継がなければならない。ただし、令第５条第１項に掲げるものはこの限りではない。

第３節　処分

（譲与）

第22条　部局長は、国以外の者に部局所属の普通財産を譲与しようとする場合は、次の各号に掲げる事項を記載した申請書に関係図面を添えて環境大臣に提出し、その承認を受

けなければならない。

一　譲与しようとする財産の台帳記載事項

二　譲与しようとする事由

三　相手方の用途及び利用計画

四　価格評定調書

五　相手方の住所及び氏名

六　用途指定の譲与の場合は、その用途並びに用途に供しなければならない期日及び期間

七　相手方の譲与願書の写し

八　その他参考となるべき事項

（売払い）

第23条　部局長は、国以外の者に部局所属の普通財産の売払いをしようとする場合は、次の各号に掲げる事項を記載した申請書に関係図面を添えて環境大臣に提出し、その承認を受けなければならない。

一　売払いをしようとする財産の台帳記載事項

二　売払いをしようとする事由

三　相手方の用途及び利用計画

四　価格評定調書

五　代金の納入方法及び納入期限

六　指名競争に付し、又は随意契約によろうとする場合は、その事由並びにその根拠となる法令の名称及び条項

七　随意契約によろうとする場合は、相手方の住所及び氏名

八　用途指定の売払いの場合は、その用途並びに用途に供しなければならない期日及び期間

九　その他参考となるべき事項

（所轄財務局長への通知）

第24条　部局長は、前２条の規定により部局所属の普通財産の譲与又は売払いをした場合は、所轄財務局長に通知しなければならない。

第４節　委任事項

（部局長の専決事項）

第25条　部局長は、第９条第１項第１号若しくは第４号、第13条、第14条、第15条第１項、第16条第１項、第17条、第18条第１項、第20条第４項、第21条第１項又は第23条の規定により、面積又は金額が別表第２に掲げる範囲内の財産について購入、新築若しくは増築、所管換、種別替、所属替、用途変更、移築若しくは改築、他の各省各庁の使用、一般の使用等、用途廃止又は売払いをしようとする場合においては、これらの規定

にかかわらず、部局長限りで処理することができる。

第５節　協議事項

（所轄財務局長又は所轄財務事務所長との協議）

第26条　部局長は、第９条第１項、第13条第１項、第14条、第15条第１項、第16条第１項、第17条、第18条第１項、第19条の２又は第20条第４項の規定により環境大臣の承認を受けたときは、その財産の面積又は金額の別表第３に掲げる区分に従い所轄財務局長又は所轄財務事務所長（当該地域を管轄する財務事務所長のいない地域にあっては、所轄財務局長。以下同じ。）に協議しなければならない。

2　自然環境局長及び地方環境事務所長は、次の各号に掲げる場合においては、前項の規定にかかわらず、所轄財務局長又は所轄財務事務所長との協議を要しない。

一　公共用財産とする目的で、交換以外の方法により土地又は建物を取得しようとする場合

二　公共用財産（公園又は広場として公共の用に供し、又は供するものと決定した公共用財産を除く。次号において同じ。）である土地又は建物について、所属替をし、又は用途を変更しようとする場合

三　公共用財産である建物を移築し、又は改築しようとする場合

（一般の使用等の許可の所轄財務局長への通知）

第27条　部局長は、環境大臣の承認を受けて、部局所属の行政財産について一般の使用等を許可しようとする場合において、当該許可に係るものが前条第１項の規定による所轄財務局長又は所轄財務事務所長との協議を要しないものであるときは、あらかじめ、第20条第７項各号に掲げる事項を記載した書類に関係図面を添えて所轄財務局長に通知しなければならない。

第６節　報告

（環境大臣への報告）

第28条　部局長は、第10条、第15条第２項、第16条第２項、第20条第５項若しくは第６項又は第25条の規定により部局長限りで処理した場合は、次に掲げる事項を記載した書類に関係図面を添えて環境大臣に報告しなければならない。

一　当該財産の台帳記載事項及び使用又は収益させた部分の数量

二　取得、所属替、用途変更、移築又は改築の年月日及び事由

三　相手方の住所及び氏名

四　その他参考となるべき事項

第７節　雑則

（国会の議決事項についての申請）

第29条　自然環境局長及び地方環境事務所長は、公園又は広場として公共の用に供し、又は供するものと決定した公共用財産について、その用途を廃止し、若しくは変更し、又

はこれを公共用財産以外の行政財産としようとする場合において、当該処理に係るものが法第13条第１項の規定による国会の議決を経なければならないものであるときは、あらかじめ、その旨を環境大臣に申請しなければならない。

（価格の評定）

第30条　国有財産の評定価格は、適正な時価でなければならない。

２　部局長は、価格を評定する場合は、民間精通者又は財務局長等の評価価格に基づき、当該財産の立地条件及び売買実例のあるものについてはこれを勘案して、公正かつ妥当な価格を算定しなければならない。

（財産の受領）

第31条　部局長は、部局に所属することとなる財産の引渡しを受ける場合は、当該財産と引渡しに関する関係書類及び図面とを照合し、適格と認めた場合でなければ受領してはならない。

２　前項の規定により、財産を受領した場合において、当該財産を検査した職員は、引渡しに関する書類にその官職氏名を記載しておかなければならない。

（被害報告）

第32条　部局長は、天災その他の事故により部局所属の国有財産を滅失又はき損したときは、直ちに、次の各号に掲げる事項を記載した書類により、環境大臣に報告するとともに所轄財務局長に通知しなければならない。ただし、当該滅失若しくはき損による損害見積価格が500万円を超えない場合又は船舶若しくは航空機が滅失若しくはき損した場合は、所轄財務局長への通知は要しない。

一　財産の台帳記載事項

二　滅失又はき損の原因及び事故発生の日時

三　被害財産の明細（数量及び被害の程度を記載すること。）

四　損害見積価格及び復旧可能のものについては、復旧費の見込額

五　き損した財産の保全又は復旧のために執った応急措置

六　その他参考となるべき事項

２　部局長は、天災その他の事故により部局所属の国有財産を亡失した場合は、会計検査院法（昭和22年法律第73号）第27条の規定により、直ちに、その旨を環境大臣を経由して会計検査院に報告しなければならない。

（他の法令による処置）

第33条　部局長は、土地区画整理法（昭和29年法律第119号）その他の法令の規定により部局所属の国有財産に異動を生じようとする場合は、あらかじめ、次の各号に掲げる事項を記載した書類に関係図面を添えて環境大臣に報告しなければならない。

一　財産の台帳記載事項

二　異動を生じようとする事由

三　関係法令の名称及び条項
四　部局長の意見
五　関係官公庁からの書面の写し
六　その他参考となるべき事項

第８節　立入り及び境界確定

（立入り）

第34条　部局長は、部局所属の国有財産の調査又は測量を行うためやむを得ない必要があるときは、法第31条の２の規定により、その所属する職員を他人の占有する土地に立ち入らせることができる。

（境界確定）

第35条　部局長は、部局所属の国有財産の境界が明らかでないためその管理に支障があるときは、法第31条の３から第31条の５までの規定により当該財産の境界を定めることができる。

２　部局長は、前項の規定により境界を定めた場合には、次の各号に掲げる事項を記載した書類に関係図面を添えて環境大臣に報告しなければならない。
一　境界を定めた財産の台帳記載事項
二　境界及びこれを定めた経過
三　国有財産地方審議会の意見書の写し
四　その他参考となるべき事項

第３章　台帳、計算書及び報告書

（台帳の備付）

第36条　部局長は、部局所属の国有財産について、取得、所管換、処分その他の理由に基づく異動があった場合においては、直ちに、国有財産総合情報管理システム（以下「システム」という。）の台帳記録・決算機能により国有財産台帳に記録するものとする。

２　前項の場合には、国有財産の各区分について、平成21年12月３日付財理第5195号「国有財産総合情報管理システム（台帳記録・決算機能）の実施について」通達別表１「国有財産総合情報管理システムにおける国有財産台帳記録要領」により作成するものとする。

３　会計課長は、環境省所管の国有財産の総括簿を備えるものとする。

（台帳の附属図面）

第37条　部局長は、前条第１項の国有財産の台帳に、当該台帳に記載された土地、建物及び地上権等（法第２条第１項第４号に掲げる権利をいう。）についての図面を附属させておかなければならない。

２　前項の図面は、口座ごとにつづり、その索引番号を付けて整理するものとし、部局所属の国有財産に異動があった場合には、直ちに、これを更正しなければならない。

（実測面積による記載）

第38条　台帳に記載する土地及び建物の面積は、すべて実測面積によらなければならない。

（台帳価格）

第39条　国有財産を新たに台帳に登録する場合においては、その登録すべき国有財産の価格は、令第21条の規定によるほか、次の各号に定めるところによる。

一　所管換又は所属替を受けた財産については、無償の場合にあっては相手方の台帳価格、有償の場合にあってはその価格とする。

二　寄附の受納により取得した財産については、その評定価格とする。

三　水面埋立てに係る土地については、類地の時価を考慮して算定した価格とする。

四　地ならし（盛土又は切土の場合を含む。）をした土地については、これに要した費用の額をその台帳価格に加算した価格とする。

五　模様替又は修繕をした建物、工作物、船舶又は航空機については、これに要した費用の額をその台帳価格に加算した価格とする。

六　天災その他の事故によりその一部を滅失又はき損した財産については、その台帳価格から当該滅失又はき損した部分に相当する額を控除した価格とする。

2　令第21条第２号に規定する建築費又は製造費は、次の各号に定めるところによる。

一　建物の新築又は増築の場合は、請負工事にあってはその請負金額、直営工事にあってはその工事に要した費用の額とする。ただし、敷地の地ならし、建物の取壊し又は障害物の除去に要する費用その他これらに類する費用の額は控除し、請負工事において材料を交付したときは、その購入価格又は評定価格を加算した金額とする。

二　建物の全部の移築又は改築の場合は、これに使用した旧材料の評定価格に移築又は改築に要した費用の額（取壊しに要した費用の額を除く。第３号及び第４号において同じ。）を加算した金額とする。

三　建物の一部移築の場合は、残存する建物についてはその建物の台帳価格から取り壊した部分に相当する額を控除した金額とし、移築した建物については移築に使用した旧材料の評定価格に移築に要した費用を加算した金額とする。

四　建物の一部改築の場合は、その建物の台帳価格から取り壊した部分に相当する額を控除し、改築に使用した旧材料の評定価格及び改築に要した費用を加算した金額とする。

五　工作物、船舶及び航空機については、前各号の規定に準じた金額とする。

（国有財産増減及び現在額計算書及び国有財産無償貸付状況計算書）

第40条　部局長は、部局所属の国有財産につき計算証明規則（昭和27年会計検査院規則第３号）第64条第２項の規定により国有財産増減及び現在額計算書及び国有財産無償貸付状況計算書を作成し、これに同規則第64条の２に規定する増減事由別調書並びに第65条及び第66条に規定する証拠書類を添えて、証明期間経過後120日以内に環境大臣を経由して会計検査院に提出しなければならない。

（国有財産増減及び現在額報告書）

第41条　部局長は、部局所属の国有財産の毎会計年度間における増減及び毎会計年度末現在における現在額につき、国有財産増減及び現在額報告書（別記第３号様式）及び国有財産増減事由別調書（別記第４号様式）を作成し、翌年度６月30日までに環境大臣に提出しなければならない。

２　前項の報告書等について、システムの台帳記録・決算機能への記録が完了（部局締め）したことをもって提出されたものとする。ただし、記録の完了に当たっては、電磁的方法又は、それ以外の方法により完了したことを証する書面を提出しなければならない。

（国有財産見込現在額報告書）

第42条　部局長は、部局所属の国有財産につき毎会計年度ごとに当該年度末及び翌年度末における国有財産見込現在額報告書（別記第５号様式）及び国有財産見込増減事由別調書（別記第６号様式）を作成し、当該年度９月15日までに環境大臣に提出しなければならない。

（国有財産無償貸付状況報告書）

第43条　部局長は、部局所属の国有財産につき毎会計年度末における国有財産無償貸付状況報告書（別記第７号様式）及び国有財産無償貸付状況増減事由別調書（別記第８号様式）を作成し、翌年度６月30日までに環境大臣に提出しなければならない。

２　前項の報告書等について、システムの台帳記録・決算機能への記録が完了（部局締め）したことをもって提出されたものとする。ただし、記録の完了に当たっては、電磁的方法又は、それ以外の方法により完了したことを証する書面を提出しなければならない。

（庁舎等使用現況及び見込報告書）

第44条　部局長は、部局所属の庁舎等（国の庁舎等の使用調整等に関する特別措置法（昭和32年法律第115号）第２条第２項に規定する庁舎等をいう。）について毎会計年度末現在における庁舎等使用現況及び見込報告書を国の庁舎等の使用調整等に関する特別措置法施行細則（昭和32年大蔵省令第51号）第２条に規定する様式により作成し、翌年度５月20日までに環境大臣に提出しなければならない。

２　部局長は、前項の庁舎等使用現況及び見込報告書の内容を変更する必要があると認めるときは、そのつど、その変更に係る事項を記載した書類を環境大臣に提出しなければならない。

第４章　補則

（事務取扱いの特例）

第45条　環境大臣は、特別の事情によりこの訓令によりがたいときは、特別の定めをすることができる。

附　則

1　この訓令は、平成13年１月６日から施行する。

2　この訓令が施行される以前に内閣及び総理府所管国有財産取扱規則の規定によってなされた処分、手続その他の行為は、この訓令の相当規定によりなされたものとみなす。

別表第１（第２条及び第４条関係）

部　　　　局	部局所属の国有財産の範囲
大臣官房会計課	環境省所管の国有財産のうち他の部局に属しないもの
環境保健部	環境保健部に属する国有財産
総合環境政策統括官グループ	総合環境政策統括官グループに属する国有財産
地球環境局	地球環境局に属する国有財産
水・大気環境局	水・大気環境局に属する国有財産
自然環境局	自然環境局に属する国有財産
環境再生・資源循環局	環境再生・資源循環局に属する国有財産
環境調査研修所	環境調査研修所に属する国有財産
地方環境事務所	地方環境事務所に属する国有財産
原子力規制委員会	原子力規制委員会に属する国有財産

別表第２（第25条関係）

区分 / 事由	土　　地	建　　物	土地及び建物以外のもの
購　　入	１件につき、1,500平方メートルまでのもの	１件につき、延面積が600平方メートルまでのもの	
新築又は増築		１件につき、延面積が600平方メートルまでのもの	
所　管　換	１件につき、1,500平方メートルまでのもの	１件につき、延面積が600平方メートルまでのもの	１件につき、3,000万円までのもの
種　別　替	１件につき、2,000平方メートルまでのもの	１件につき、延面積が1,000平方メートルまでのもの	１件につき、3,000万円までのもの
所　属　替	１件につき、2,000平方メートルまでのもの	１件につき、延面積が1,000平方メートルまでのもの	
用途変更	１件につき、2,000平方メートルまでのもの	１件につき、延面積が1,000平方メートルまでのもの	
移築又は改築		１件につき、延面積が1,000平方メートルまでのもの	
他の各省各庁の使用	１件につき、2,000平方メートルまでのもの	１件につき、延面積が1,000平方メートルまでのもの	１件につき、3,000万円までのもの
一般の使用等	１件につき、300平方メートルまでのもの	１件につき、延面積が150平方メートルまでのもの	１件につき、3,000万円までのもの
用途廃止	１件につき、2,000平方メートルまでのもの	１件につき、延面積が1,000平方メートルまでのもの	１件につき、3,000万円までのもの
普通財産の売払	１件につき、2,000平方メートルまでのもの	１件につき、延面積が1,000平方メートルまでのもの	１件につき、3,000万円までのもの

別表第３（第26条関係）所轄財務局長及び所轄財務事務所長協議事項

事由	区分	所轄財務局長協議事項			所轄財務事務所長協議事項		
		土地	建物	土地及び建物以外のもの	土地	建物	土地及び建物以外のもの
法第12条	所管換（受け）	１件につき、10万平方メートルを超えるもの	１件につき、延面積が１万5,000平方メートルを超えるもの	各区分ごとの見積価格が１億円を超えるもの	１件につき、1,500平方メートルを超え、10万平方メートルまでのもの	１件につき、延面積が600平方メートルを超え、１万5,000平方メートルまでのもの	各区分ごとの見積価格が、3,000万円を超え、１億円までのもの
法第14条第１号	購入	１件につき、10万平方メートルを超えるもの	１件につき、延面積が１万5,000平方メートルを超えるもの		１件につき、1,500平方メートルを超え、10万平方メートルまでのもの	１件につき、延面積が600平方メートルを超え、１万5,000平方メートルまでのもの	
	交換	１件につき、１万平方メートルを超えるもの	１件につき、延面積が2,000平方メートルを超えるもの		１件につき、１万平方メートルまでのもの	１件につき、延面積が2,000平方メートルまでのもの	
	寄附受納	１件につき、10万平方メートルを超えるもの	１件につき、延面積が１万5,000平方メートルを超えるもの		１件につき、10万平方メートルまでのもの	１件につき、延面積が１万5,000平方メートルまでのもの	
	新築又は増築		１件につき、延面積が１万5,000平方メートルを超えるもの			１件につき、延面積が600平方メートルを超え、１万5,000平方メートルまでのもの	
法第14条第２号同条第３号	種別替				１件につき、2,000平方メートルを超えるもの	１件につき、延面積が1,000平方メートルを超えるもの	各区分ごとの見積価格が、3,000万円を超えるもの
法第14条第４号	所属替（受け）又は用途変更				１件につき、2,000平方メートルを超えるもの	１件につき、延面積が1,000平方メートルを超えるもの	

法第14条第５号	移築又は改築					１件につき、延面積が1,000平方メートルを超えるもの	
法第14条第６号	所管換を前提とする他の各省各庁の使用	１件につき、10万平方メートルを超えるもの	１件につき、延面積が１万5,000平方メートルを超えるもの	各区分ごとの見積価格が１億円を超えるもの	１件につき、2,000平方メートルを超え、10万平方メートルまでのもの	１件につき、延面積が1,000平方メートルを超え、１万5,000平方メートルまでのもの	各区分ごとの見積価格が、3,000万円を超え、１億円までのもの
	所管換を前提としない他の各省各庁の使用				１件につき、2,000平方メートルを超えるもの	１件につき、延面積が1,000平方メートルを超えるもの	各区分ごとの見積価格が、3,000万円を超えるもの
法第14条第７号	貸付け	全てのもの					
	一般の使用等	１件につき、10万平方メートルを超えるもの	１件につき、延面積が１万5,000平方メートルを超えるもの	各区分ごとの見積価格が１億円を超えるもの	１件につき、300平方メートルを超え、10万平方メートルまでのもの	１件につき、延面積が150平方メートルを超え、１万5,000平方メートルまでのもの	各区分ごとの見積価格が、3,000万円を超え、１億円までのもの

○環境省所管国有財産取扱準則

〔平成26年９月12日　環境会発第1409126号
各国有財産所管部局長宛　大臣官房会計課長通知〕

改正　平成29年７月14日環境会発第1707146号・平成30年４月１日環境会発第1804014号

環境省所管国有財産取扱準則を次のように定める。

なお、平成18年３月31日付環境会発第060331040号「国有財産分掌事務取扱規程（準則）」通知は廃止する。

第１章　総則

（目的）

第１条　この準則は、環境省所管国有財産取扱規則（平成13年環境省訓令第30号。以下「規則」という。）第４条第２項の規定に基づき、国有財産に関する事務を円滑に処理するため、皇居外苑管理事務所、京都御苑管理事務所、新宿御苑管理事務所、千鳥ケ淵戦没者墓苑管理事務所、生物多様性センター、国立水俣病総合研究センター、釧路自然環境事務所、信越自然環境事務所及び那覇自然環境事務所（以下「事務所等」という。）の長に行わせる事務の取扱いについて、必要事項を定めることを目的とする。

（国有財産事務の準則）

第２条　事務所等の長は、特別の定めがある場合を除くほか、この準則の定めるところにより、事務所等ごとに別表で定める国有財産に関する事務を取り扱わなければならない。

第２章　国有財産事務の通則

（国有財産事務の専決処理）

第３条　事務所等の長は、次に掲げる事務以外のものについて専決処理することができる。

一　規則第９条及び第10条の規定による財産の取得（寄附又は交換により取得するものに限る。）

二　規則第11条の規定による財産の取得前の処置

三　規則第12条の規定による登記の嘱託

四　規則第22条の規定による普通財産の譲与

五　規則第24条の規定による所轄財務局長への通知（譲与に係るものに限る。）

六　規則第34条の規定による立入り

七　規則第35条の規定による境界確定
八　規則第36条及び第37条の規定による国有財産台帳の整備
九　規則第40条から第44条までの規定による計算書及び報告書の提出又は送付

2　前項の規定により事務所等の長が専決処理することができる事務のうち、異例に属するもの又は部局長の特に指定するものであるときは、意見を付して遅滞なく部局長に申請し、必要な措置についてその指示を受けなければならない。

3　前２項により処理をした場合は、部局長に報告しなければならない。

（承認等の手続）

第４条　事務所等の長は、前条の規定により専決処理することができる事務のうち、規則において環境大臣に対し申請書、報告書等を提出させることとされた事項を処理する場合は、規則の規定による書面に準じた書面を部局長に提出しなければならない。

（寄附の願い出があった場合の取扱い）

第５条　事務所等の長は、土地、建物又は土地及び建物以外の財産の寄附の願い出があった場合は、規則第９条第１項第３号に掲げる事項を記載した書面に関係図面を添え、部局長に提出しなければならない。

（交換を必要と認めた場合の取扱い）

第６条　事務所等の長は、土地又はその定着物若しくは建物を交換する必要があると認めたときは、規則第９条第１項第２号に掲げる事項を記載した書面に関係図面を添え、部局長に提出しなければならない。

（譲与の申請があった場合の取扱い）

第７条　事務所等の長は、その管理する普通財産について、譲与の申請があった場合は、規則第22条に掲げる事項を記載した書面に関係図面を添え、部局長に提出しなければならない。

（被害報告）

第８条　事務所等の長は、天災その他の事故により、その管理する国有財産が滅失し、又はき損したときは、遅滞なく、規則第32条第１項に掲げる事項を部局長に報告しなければならない。

第３章　雑則

（他人の土地への立入及び境界確定を必要とする場合の報告）

第９条　事務所等の長は、その管理する国有財産の調査又は測量を行うためやむを得ない必要により、その所属の職員を他人の占有する土地に立ち入らせようとするとき及びその管理する国有財産の境界が明らかでないためその管理に支障がある場合は、その概要を部局長に報告し、その指示を受けなければならない。

（民有地の借受け）

第10条　事務所等の長は、国有財産である建物等の敷地として借受けをしている土地については、常に現況を明らかにしておかなければならない。

（検査の報告）

第11条　事務所等の長は、国有財産の管理及び処分について会計検査院の実地検査、財務省の実施監査を受けたときは、遅滞なく、その結果を部局長に報告しなければならない。

（権利の得喪変更の報告）

第12条　事務所等の長は、国有財産である不動産及び船舶に関する権利の得喪変更があったときは、遅滞なく、部局長に報告しなければならない。

第４章　台帳

（台帳の副本等）

第13条　事務所等の長は、その管理する国有財産台帳の副本及び附属図面を備え、常にその増減及び現在額を明らかにしなければならない。

（副本等の整理）

第14条　事務所等の長は、部局長から国有財産の増減その他の異動の通知を受けたときは遅滞なく、国有財産台帳の副本にその異動を記載するとともに附属図面を修正しなければならない。

附　則

この準則は、平成26年９月12日から施行する。

別　表

部　局　長	事務所等	国有財産の取扱範囲
自然環境局長	皇居外苑管理事務所、京都御苑管理事務所及び新宿御苑管理事務所	皇居外苑管理事務所、京都御苑管理事務所及び新宿御苑管理事務所で管理している国有財産
自然環境局長	千鳥ケ淵戦没者墓苑管理事務所	千鳥ケ淵戦没者墓苑管理事務所で管理している国有財産
自然環境局長	生物多様性センター	生物多様性センターで管理している国有財産
環境調査研修所所長	国立水俣病総合研究センター	国立水俣病総合研究センターで管理している国有財産
北海道地方環境事務所長	釧路自然環境事務所	釧路自然環境事務所で管理している国有財産
中部地方環境事務所長	信越自然環境事務所	信越自然環境事務所で管理している国有財産
九州地方環境事務所長	那覇自然環境事務所	那覇自然環境事務所で管理している国有財産

◉環境省所管の不動産の登記並びに船舶の登記及び登録の嘱託に関する省令

〔平成12年８月14日
総理府令第96号〕

改正　平成13年５月23日環境省令第18号・平成15年６月18日環境省令第16号・平成17年３月４日環境省令第３号・平成17年９月20日環境省令第21号・平成24年９月14日環境省令第26号・平成26年９月12日環境省令第26号・平成29年７月14日環境省令第18号

不動産登記令（平成16年政令第379号）第７条第２項並びに船舶登記令（平成17年政令第11号）第13条第２項及び第27条第２項の規定に基づき、環境省の所管に属する不動産の登記並びに船舶の登記及び登録の嘱託については、次の職員を指定する。

大臣官房会計課長

環境保健部長

地球環境局長

水・大気環境局長

自然環境局長

環境再生・資源循環局長

総合環境政策統括官

環境調査研修所所長

地方環境事務所長

原子力規制委員会原子力規制庁長官

附　則

この府令は、内閣法の一部を改正する法律（平成11年法律第88号）の施行の日（平成13年１月６日）から施行する。

◉国立公園集団施設地区等管理規則

〔昭和28年10月２日
厚生省令第49号〕

改正　昭和44年３月25日厚生省令第３号・昭和46年７月１日総理府令第41号・平成元年５月２日総理府令第22号・平成12年８月14日総理府令第94号・平成15年３月25日環境省令第６号・平成22年３月29日環境省令第４号・平成24年10月３日環境省令第30号・令和元年６月27日環境省令第２号・令和２年12月28日環境省令第31号

（目的）

第１条　この規則は、国立公園集団施設地区等の管理及び利用の方法を定め、もつてその管理運営の適正を図ることを目的とする。

２　前項の国立公園集団施設地区等とは、環境省所管の公共用財産である土地であつて、自然公園法（昭和32年法律第161号）第36条第１項の指定に係る部分その他国立公園内に存するもののうち、環境大臣の定めるものの区域をいう。

（管理員）

第２条　国立公園集団施設地区等（以下「地区」という。）に管理員を置く。

２　管理員は、環境大臣の監督を受け、地区の管理に関する業務を処理する。

（利用者の心構え）

第３条　地区を利用しようとする者は、この地区が国立公園における重要な公共的利用地であることを理解し、かつ、公園道徳を重んじ、常に管理員の指示に従つて行動しなければならない。

（利用の許可）

第４条　地区内において、左に掲げる行為をしようとする者は、別記様式による許可申請書を環境大臣に提出して、その許可を受けなければならない。

一　土地又は水面を占用又は使用すること。

二　環境大臣の指定する施設を使用すること。

三　物の販売、業として行なう案内、写真の撮影若しくは物の貸付けその他の営業行為又は物の領布若しくは興行その他これらに類する行為をすること。

四　集会を催すこと。

２　前項の許可には、条件をつけることができる。

３　環境大臣は、第１項の申請者に対して許可を与えたときは、許可証を交付する。

４　前項の許可証の交付を受けた者は、管理員の要求があつたときは、これを提示しなければならない。

（利用許可の取消）

第５条　環境大臣は、左の各号の一に該当する事由があると認めるときは、その許可を取り消すことができる。

一　前条第２項の規定による許可の条件に違反したとき。

二　この規則の規定に違反したとき。

（利用の規制）

第６条　地区内においては、左に掲げる行為をしてはならない。

一　工作物又は備品を汚損し、又は破壊すること。

二　木竹を伐採し、又は植物を採取若しくは損傷すること。

三　植さいその他土地の形質を変更すること。

四　鳥獣類を捕獲し、又は殺傷すること。

五　飲料水を汚染し、又は湖沼、渓流、みぞその他の水路の流通を妨げること。

六　立入禁止区域内に立ち入ること。

七　示威行進を行うこと。

八　指定の場所以外の場所で野営をすること。

九　指定の場所以外の場所でたき火又は炊さんをすること。

十　指定の場所以外の場所へ車馬を乗り入れ、又はつなぐこと。

十一　指定の場所以外の場所で遊泳すること。

十二　指定の場所以外の場所にごみその他の汚物又は廃物を捨てること。

十三　便所以外の場所で大小便をし、又はさせること。

十四　他人に対し著しく粗野その他の行為で迷惑をかけ、又は著しく静穏を害し、若しくはけん騒にわたること。

十五　その他公共の保安、衛生、風紀上障害となる行為をすること。

（原状回復、地区外への退去等）

第７条　環境大臣は、左の各号の一に該当する者に対して、原状回復若しくは地区外への退去を命じ、又は必要な措置をとることができる。

一　第４条第１項の規定による許可を受けないで、同項各号の一に該当する行為をした者

二　第４条第２項の規定による許可の条件に違反した者

三　第４条第４項の規定による許可証の提示を拒んだ者

四　前条各号に掲げる行為をした者

五　でい酔者、伝染性疾患者等公衆に著しく不快の感をおこさせ若しくは公衆衛生上害を及ぼし、又はその虞のある者

六　正当な理由なくして管理員の指示に従わなかつた者

（占用料又は使用料）

第８条　環境大臣は、第４条第１項の規定により許可を受けた者から、占用料又は使用料を徴収することができる。

（損害賠償）

第９条　環境大臣は、地区内における自然物、工作物、備品等に損害を加えた者に対して、それによつて生じた損害を賠償させることができる。

（権限の委任）

第10条　この省令に規定する環境大臣の権限のうち、次に掲げるものは、地方環境事務所長に委任する。ただし、第１号、第３号及び第４号に掲げる権限については、環境大臣が自ら行うことを妨げない。

一　第２条第２項に規定する権限

二　第４条第１項及び同項第２号、第２項並びに第３項に規定する権限

三　第５条に規定する権限

四　第７条に規定する権限

附　則

この省令は、公布の日〔昭和28年10月２日〕から施行し、昭和28年10月１日から適用する。

別記様式第１（第４条関係）

土地水面使用占用許可申請書

申請者

住所

職業

氏名

一　使用占用期間

二　使用占用位置及び区域（別添図面）

三　使用占用面積　　　　　平方メートル

四　使用占用目的

右のとおり国立公園集団施設地区等管理規則第４条第１項の規定により申請します。

年　　月　　日

環境大臣殿

別記様式第２（第４条関係）

施設使用許可申請書

申請者

住所

職業

氏名

一　使用日時又は期間

二　施設の位置及び名称

三　使用部分及び面積

四　使用目的

五　使用内容

六　申請者において料金を徴収するときは、その額及びその方法

右のとおり国立公園集団施設地区等管理規則第４条第１項の規定により申請します。

年　　月　　日

環境大臣殿

別記様式第３（第４条関係）

営業等許可申請書

申請者

住所

職業

氏名

一　日時又は期間

二　場所又は施設

三　目的

四　内容

五　予定される人員

六　申請者において料金を徴収するときは、その額及びその方法

右のとおり国立公園集団施設地区等管理規則第４条第１項の規定により申請します。

年　　月　　日

環境大臣殿

別記様式第４（第４条関係）

集会許可申請書

申請者
住所
職業
氏名

一　日時又は期間

二　場所又は施設

三　目的

四　人員

五　申請者において料金を徴収するときは、その額及びその方法

右のとおり国立公園集団施設地区等管理規則第４条第１項の規定により申請します。

年　　月　　日

環境大臣殿

第２章　施行通知及び運用通知等

○行政財産を貸付け又は使用許可する場合の取扱いの基準について

〔昭和33年１月７日　蔵管第１号
各財務（支）局長及び沖縄総合事務局長宛　財務省理財局長通知〕

改正　昭和39年７月31日蔵国有第295号・昭和41年３月31日蔵国有第1300号・昭和45年１月20日蔵理第19号・昭和45年６月１日蔵理第2352号・昭和47年３月31日蔵理第1416号・昭和48年６月25日蔵理第1455号・昭和49年２月28日蔵理第766号・昭和56年３月31日蔵理第2124号・昭和59年３月26日蔵理第1022号・平成元年３月22日蔵理第1188号・平成元年４月１日蔵理第1668号・平成５年３月19日蔵理第989号・平成６年９月30日蔵理第3886号・平成８年４月１日蔵理第1238号・平成11年３月31日蔵理第1425号・平成12年12月26日蔵理第4612号・平成13年４月16日財理第1494号・平成13年12月７日財理第4455号・平成14年６月25日財理第2265号・平成15年３月31日財理第1293号・平成16年４月16日財理第1510号・平成16年６月22日財理第2363号・平成17年９月20日財理第3510号・平成19年１月22日財理第243号・平成20年６月10日財理第2439号・平成21年12月22日財理第5538号・平成24年３月28日財理第1491号・平成25年４月１日財理第1627号・平成27年１月16日財理第172号・平成28年３月29日財理第1095号・平成28年６月23日財理第2094号・令和元年９月20日財理第3216号・令和元年12月26日財理第4324号・令和２年２月７日財理第419号・令和２年12月18日財理第4098号・令和３年12月24日財理第4299号

標記のことについて、別紙のように各省各庁官房会計課長あて通達したから、通知する。

なお、平成20年12月26日付財理第5380号「国家公務員宿舎（合同宿舎）を活用した離職者への緊急的支援について」通達及び平成22年６月28日付財理第2632号「地方公共団体等における保育所等設置のための庁舎等及び国家公務員宿舎の活用について」通達は、令和元年９月20日付財理第3216号をもって廃止する。

別　紙

○行政財産を貸付け又は使用許可する場合の取扱いの基準について

〔昭和33年１月７日　蔵管第１号
各省・庁国有財産総括部局長宛　財務省理財局長通知〕

標記のことについて、別紙のとおり定められたから、命により通知する。

なお、平成22年６月28日付財理第2632号「地方公共団体等における保育所等設置のための庁舎等及び国家公務員宿舎の活用について」通達は、廃止する。

別　紙

行政財産を貸付け又は使用許可する場合の取扱いの基準について

目次　　頁

第１節　共通事項

第１　基本方針

行政財産は、国有財産法（昭和23年法律第73号。以下「法」という。）第18条の規定に基づき、「その用途又は目的を妨げない限度」において、貸付け、使用又は収益の許可（以下「使用許可」という。）を行うことができる。

平成18年の法改正では、行政財産の有効活用を推進することが、ひいては財政収入の確保にも資するとの基本的な考え方に基づき、行政財産について民間の円滑な利用を推進するため貸付対象を拡大したところである。

また、「今後の国有財産の管理処分のあり方について―国有財産の最適利用に向けて―」（令和元年６月14日財政制度等審議会答申）において、「地域社会のニーズへの対応と収益確保の双方の観点から、積極的に行政財産の活用を進めることが重要である」とされたところである。

こうしたことを踏まえ、行政財産については、地域社会による更なる活用を促すことで、利用内容やニーズに応じた一層の有効活用を図り、更なる収益確保につながるよう、行政財産の最適利用を推進することとする。

第２　貸付け又は使用許可する場合の判断基準

法第18条第２項第１号から第４号及び第６項に規定する「その用途又は目的を妨げない限度」とは、以下の各項のいずれにも該当しないことを指し、これらに該当しない場合には、行政財産を貸付け又は使用許可することができる。

１　国の事務、事業の遂行に支障の生じるおそれがあること

２　行政財産の管理上支障が生じるおそれがあること

３　行政財産の公共性、公益性に反する以下の事項

⑴　公序良俗に反し、社会通念上不適当であること

⑵　特定の個人、団体、企業の活動を行政の中立性を阻害して支援することとなること

⑶　暴力団員による不当な行為の防止等に関する法律（平成３年法律第77号。以下「暴対法」という。）第２条第２号に規定する暴力団の事務所その他これに類するものの用に供しようとすること

⑷　上記のほか、貸付け又は使用許可により公共性、公益性を損なうおそれがあること

４　その他行政財産の用途又は目的を妨げるおそれがあること

第３　貸付け又は使用許可とみなさない場合

次の施設の用に供する場合は、国の事務、事業の遂行のため、国が当該施設を提供するものであるから、貸付け又は使用許可とみなさないことができる。

１　日本銀行国庫金取扱規程（昭和22年大蔵省令第93号）第２条の２に規定する日本

銀行代理店のための事務室（ただし、代理店業務に必要な範囲に限る。）

2　新聞記者室

3　司法官署における弁護士等の待合室又は地方警察職員の控室

4　病院における患者への給食、基準寝具の提供等国が行うべき業務を国以外の者に委託した場合等において、それらの業務を行うため必要な厨房施設、寝具格納施設等（ただし、契約書等に当該施設を提供することが明記されている場合に限る。）

5　病院経営の委託のように国の事務、事業の一部を国以外の者に委託した場合において、それらの事務、事業を行うため必要な施設（ただし、国の施設を使用させることが契約書に明記されており、かつ、当該業務以外に国の施設を使用しない場合に限る。）

6　清掃、警備、運送等の役務を国以外の者に委託した場合において、それらの役務の提供に必要な施設（ただし、当該役務の提供に必要な施設を委託者において提供することが慣習として一般化しており、かつ、契約書に施設を提供することが明記されている場合に限る。）

第4　貸付け又は使用許可する場合の留意事項

1　建物の所有を目的として土地を貸付け又は使用許可する場合又は独立した施設若しくは分離独立させることができる施設の全部又は大部分を貸付け又は使用許可する場合において、当該態様によっては、行政財産の用途を廃止して、普通財産として売却又は貸付けを行うことが適当な場合も考えられるため、行政財産として貸付け又は使用許可する必要性を十分検討することとする。

2　無償又は減額により貸付け又は使用許可するに当たっては、無償又は減額の根拠となる法律の趣旨に照らして、無償又は減額とする必要性を十分検討することとする。

例えば、福利厚生事業の実施目的であることのみをもって、国家公務員共済組合に無償とするのではなく、有償による貸付け又は使用許可により、その目的を達することができないかの検討が不可欠である。

3　行政財産の一部について、貸付け又は使用許可する場合においては、国が使用する部分と貸付け又は使用許可する部分の動線を分離する等、庁舎の性格に応じたセキュリティーにも配慮すること。

第5　貸付け又は使用許可上の制限

1　用途指定

用途の指定は、貸付申請書又は使用許可申請書に添付された利用計画書及び事業計画書等に基づき指定するものとする。

なお、貸付けした場合において、やむを得ない事由によって変更しようとするときは、事前に変更申請書を提出させ、当該行政財産の用途又は目的を妨げないと認められるときに限って、これを認めることができる。

ただし、第３節の第１の２の⑴の貸付け（地方公共団体等との合築に係る土地の貸付け）している場合にあっては、第３節の第１の２の⑴の①の貸付けできる用途に該当するときに限るものとする。

２　損害保険の付保

⑴　独立した１棟の建物の全部又はその大部分を貸付け又は使用許可する場合においては、必要に応じて相手方に国の指定する金額を保険金額とし、国を被保険者とする損害保険契約を締結するものとする。

⑵　建物その他の工作物を無償で貸し付ける場合は、原則として、相手方に国の指定する金額を保険金額とし、国を被保険者とする損害保険契約を締結するものとする。

⑶　保険契約書は部局長が保管するものとする。

第２節　地方公共団体等への情報提供等

第１　基本的な考え方

地域社会のニーズへの対応と収益確保の双方の観点から、積極的に行政財産の活用を進めるため、公用・公共用利用優先の考え方を原則としつつ、透明で公平な手続きに従って貸付け又は使用許可するものとする。

具体的には、行政財産の使用見込や管理上の制約を踏まえつつ、活用可能な庁舎等及び宿舎（以下「活用可能な財産」という。）の選定を行うとともに、地方公共団体から地域ニーズを把握した上で、地方公共団体に対して、一元的に情報提供を行い、利用要望の確認を行うものとする。

その際、情報提供に当たっては、地域のニーズに応じて、財産を活用するための民間提案を募集するなど、民間の知見を活用することも検討するものとする。

また、地方公共団体から利用要望がない場合は、財務局等ホームページにおいて広く利用要望を募集するとともに、民間事業者への情報提供や活用方法の募集を行うなど、積極的に有効活用の検討を行うものとする。

なお、利用要望があった財産については、当該財産を所管する各省各庁の部局等（以下「部局等」という。）において、利用の可否を検討した上で、利用可能な場合は、公募等により相手方を決定し、当該相手方に対して貸付け又は使用許可するものとする。

第２　活用可能な財産の選定

１　部局等への依頼

財務局長、福岡財務支局長及び沖縄総合事務局長（以下「財務局長等」という。）は、庁舎等及び宿舎を所管する部局等に対して、実地監査の結果有効活用を図るよう指摘を受けた財産その他の活用可能な財産に関する情報の提出を求めるものとする。

2　活用可能な財産の選定等

部局等は、上記1により依頼を受けた場合は、庁舎等及び宿舎の使用見込みや管理上の制約を踏まえ、活用可能な財産の選定を行い、別紙様式1を作成し、図面等関係資料を添付した上で、財務局長等に提出するものとする。

第3　地域ニーズの把握

財務局長等は、令和元年9月20日付財理第3206号「最適利用に向けた未利用国有地等の管理処分方針について」通達第6の2に基づき、地方公共団体に対する地域の整備計画等に係る意見の確認を行う機会などを捉え、地域が抱える課題など地域ニーズを把握するものとする。

第4　地方公共団体への情報提供及び利用要望の確認等

1　情報提供及び利用要望の確認等

財務局長等は、部局等から提出された別紙様式1（財務局等が管理する活用可能な財産を含む）をとりまとめた上で、地方公共団体に対して、貸付け又は使用許可に関する情報とともに、上記第3により把握した地域ニーズへの対応が可能な財産の情報提供を行い、利用要望を確認するものとする。

その際、利用要望の回答期限については、原則として3ヶ月以内の期限を設けて回答を求めるものとする。

2　利用要望があった場合の処理

部局等は、地方公共団体から利用要望があった場合は、貸付け又は使用許可に向けた手続きを行うものとする。

なお、複数の地方公共団体から利用要望があった場合には、必要性、緊急性、実現性及び利用計画の妥当性ついて要望内容を比較検討し、総合的に判断した上で貸付け又は使用許可の相手方を決定するものとする。

第5　財務局等ホームページにおける利用要望の募集等

1　利用要望の募集

財務局長等は、上記第4において利用要望がなかった場合は、財務局等ホームページにおいて、貸付け又は使用許可に関する情報とともに、活用可能な財産について次に掲げる情報を掲載し、広く利用要望を募集するものとする。

⑴　利用要望を受け付ける財産の概要に係る情報（所在地、口座名、区分（土地、建物）、面積、用途地域）

⑵　利用可能期間

⑶　利用条件その他参考となる情報

⑷　部局等の問い合わせ先

2　有効活用の検討

財務局長等は、上記１のとおり財務局等ホームページにおいて、広く利用要望を募集するとともに、民間事業者への情報提供や活用方法の募集を行うなど、積極的に有効活用の検討を行うものとする。

３　利用要望があった場合の処理

利用要望があった場合は、部局等は、当該要望内容による利用の可否について検討をした上で、利用することが可能な場合は、公募等により相手方を決定し、貸付け又は使用許可に向けた手続きを行うものとする。

第３節　貸付け

第１　貸付けができる場合

国有財産の有効活用を推進する観点から、行政財産は、法第18条第２項の規定に基づき、以下の各項に掲げる場合は、その用途又は目的を妨げない限度において、貸付けを行い、長期安定的な利用を認めることとする。

また、既に使用許可している事案についても、以下の各項に掲げる場合には、許可期間の終了時などに貸付けへの切替えを推進するものとする。

なお、法第18条第２項第１号、第３号及び第４号並びに同条第３項に規定する「各省各庁の長が当該行政財産の適正な方法による管理を行う上で適当と認める者」とは、貸付期間を通じて、契約に基づき、貸付財産（下記の１から３の各項により貸付けの対象となる行政財産をいう。以下同じ。）の使用方法及び貸付料の支払い等の貸付条件を適切に履行すると認められる者であることに留意する。

１　堅固な建物その他の土地に定着する工作物を所有し、又は所有しようとする場合の貸付け（法第18条第２項第１号）

国有財産法施行令（昭和23年政令第246号。以下「令」という。）第12条の２に定める堅固な建物その他の土地に定着する工作物の所有を目的とするものであって、かつ、以下に例示するように土地の供用の目的を効果的に達成することに資すると認められるものを所有し、又は所有しようとするときに貸し付けることができる。

⑴　空港ターミナルビル

⑵　国立公園内の集団施設地区の宿泊施設

⑶　堅固な電気施設（配電塔や地中埋設管）など

㈱　以下の工作物については、「これらに類する構造の土地に定着する工作物」（令第12条の２）として取り扱って差し支えない。

①　外形上は、木造であっても基礎又は主要構造物に鉄骨や鉄筋コンクリートを使用している場合など。

②　コンクリート敷、アスファルト敷、レンガ敷又はこれに準ずる舗床。

２　合築（一棟の建物を国と国以外の者が区分して所有するための建築）に係る土地の貸付け（法第18条第２項第２号及び第３号）

国民利便や国有財産の有効活用の観点から、必要に応じて、地方公共団体等（地方公共団体又は令第12条の３各号に掲げる法人をいう。以下(1)及び第２の３（転貸及び賃借権の譲渡等の取扱い）において同じ。）との合築又は国有地の隣接地を活用した合築を推進する。

その際には、国が単独で建物を所有する場合に比べて国の負担が増加しないよう留意するとともに、特に隣接地を活用した合築については、容積率の割増特例の適用など、国有財産の有効活用に資する場合に貸付けを認めることとする。

合築に係る土地の貸付けの取扱いは、以下の各号による。

(1)　地方公共団体等との合築に係る土地の貸付け（法第18条第２項第２号）

以下のいずれにも該当する場合に貸し付けることができる。

①　行政財産の貸付けの相手方（以下「貸付相手方」という。）が地方公共団体等であって、当該相手方が事務所、展示館、物産館、公民館、給与住宅等公共用、公用その他国有財産を活用するにふさわしいものの用に供する建物の敷地として使用するとき。

(注)　各省各庁の国有財産部局長（以下「部局長」という。）は、法第14条第７号に基づく協議に先立ち、当該土地の貸付けに関する内容について、財務局長等と調整を行うこと。

②　区分して所有する建物の全体床面積に対する国の使用床面積の割合が25％を超えるとき。

(2)　国有地の隣接地を活用した合築に係る土地の貸付け（法第18条第２項第３号）

以下のいずれにも該当する場合に貸し付けることができる。

①　合築により建設される建物の敷地となる国有地の隣接地及び隣接地上の建物の権利者全員の同意があるとき。

②　区分して所有する建物の全体床面積に対する国の使用床面積の割合が25％を超えるとき

③　建物完成後の維持管理などを円滑に行うため、ＰＦＩ事業と一体的に実施するものであるとき。

3　庁舎等の余裕床等の貸付け（法第18条第２項第４号）

国の庁舎等の使用調整等に関する特別措置法（昭和32年法律第115号。以下「庁舎法」という。）第４条第６項の使用調整又は法第10条に基づく調整により、庁舎等（庁舎法第２条第２項に規定する庁舎等をいう。以下同じ。）の床面積又は敷地に余裕が生ずると認められた場合のほか、各省各庁の長が庁舎等の床面積又は敷地に余裕が生じると認める場合に貸し付けることができる。

第２　貸付契約の条件

1　貸付契約の方式及び貸付期間

貸付契約の方式及び貸付期間は、第１の１から３の区分に応じて以下のとおりとする。

(1) 第１の１に掲げる貸付け（堅固な建物その他の土地に定着する工作物を所有し、又は所有しようとする場合の貸付け）

行政財産の貸付けの相手方（以下「貸付相手方」という。）が国有地上に所有する工作物の種類に応じて借地契約又は借地借家法（平成３年法律第90号）の適用のない賃貸借契約（以下「賃貸借契約」という。）によるものとする。

ただし、当該貸付けが建物の所有を目的とする場合においては、当該土地が行政財産であり、将来、国等が公用目的などのため直接使用する可能性があることなどを考慮して、原則として、借地借家法第23条に基づき事業用定期借地権の設定契約（以下「事業用定期借地契約」という。）によるものとする。

貸付期間は、事業用定期借地契約を締結する場合は10年以上30年以下、賃貸借契約を締結する場合は20年以下、その他の場合は法令の定める期間内で、当該土地の将来における使用見込み、当該建物の構造、使用期間等を勘案して、個々の事案に即して個別に判断するものとする。

なお、事業用定期借地契約は、公正証書によらなければならないことに留意する。

(2) 第１の２に掲げる貸付け（合築に係る土地の貸付け）

① 合築に係る土地が行政財産であり、将来、国等が公用目的などのため直接使用する可能性があることなどを考慮して、原則として、借地借家法第22条に基づき定期借地権の設定契約（以下「定期借地契約」という。）によるものとする。

② ただし、将来に渡って当該行政財産の用途又は目的を妨げるおそれがなく、国が不利となるおそれがない場合には、普通借地権の設定契約（以下「普通借地契約」という。）に法定更新権等があることに留意の上、同契約によることができるものとする。

③ 貸付期間は、定期借地契約を締結する場合は50年以上、普通借地契約を締結する場合は30年、その他の場合は30年以内で、当該土地の将来における使用見込み、当該建物の構造、使用期間等を勘案して、個々の事案に即して個別に判断するものとする。

④ 貸付けの対象となる土地の面積は、当該建物を建設するため必要な面積のうち、貸付相手方の建物の持分割合に相当する面積とする。

(注) 建物の持分割合とは、建物の全体床面積に対する貸付相手方の使用床面積（共用部分も分割して加算する。）の割合をいう。

(3) 第１の３に掲げる貸付け（庁舎等の余裕床等の貸付け）

①　庁舎等の余裕床の貸付け

原則として、借地借家法第38条に基づき定期建物賃貸借契約によるものとする。貸付期間は、当該庁舎等の将来における使用見込み等を勘案して、民間の賃貸借事例を参考に、法令の規定に基づき、個々の事案に即して個別に判断するものとする。

②　庁舎等の余裕敷地の貸付け

庁舎等の将来的な利用などの支障とならないよう、駐車場利用などの賃貸借契約を原則とし、借地借家法第25条に定める一時使用目的の借地権を除き、借地権の設定は認めないこととする。貸付期間は当該庁舎等の将来における使用見込み等を勘案して、法令の規定に基づき、個々の事案に即して個別に判断するものとする。

2　貸付契約の更新等

貸付契約の更新は、法令の規定に基づき行うこととし、定期借地契約、事業用定期借地契約、定期建物賃貸借契約には、更新制度はなく、引き続き貸付けを行う場合には、再契約となることに留意する。

なお、貸付契約では登記は認めないこととし、賃貸借契約では、民法（明治29年法律第89号）第618条の解除権を留保するものとする。

3　転貸及び賃借権の譲渡等の取扱い

(1)　転貸

①　転貸について承認申請があった場合には、行政財産の用途又は目的を妨げることにならないことのほか、次の事項に留意して審査の上、やむを得ないと認められる場合に限り承認することができる。

イ　転貸を必要とする事情

ロ　転借人の利用用途が用途指定に反しないこと

ハ　貸付けの残存期間

②　転貸承認申請書は、別紙様式３によるものとする。

なお、申請については、下記第３の２（貸付申請）に準じて、必要な書類を添付して提出を求めるものとする。

③　転貸の承認に当たっては、別紙様式18の誓約書及び別紙様式19の役員名簿を転借人から提出させ、転借人が排除対象者に該当するか否か確認する必要があるときは、承認前に別紙様式20にて対象財産の所在地を管轄する警視庁又は道府県警察本部の暴力団排除対策を主管する課の長（「以下「警察本部暴力団対策主管課長」という。」）に照会するものとし、照会の結果、転借人が排除対象者に該当する場合には承認しないものとする。

なお、転貸承認後において、転借人である貸付相手方が排除対象者に該当するか否か確認する必要があるときは、別紙様式20にて警察本部暴力団対策主管課長に照会し、排除対象者に該当する場合には、契約の解除等必要な措置を講じなければならない。

⑵ 賃借権の譲渡

① 賃借権の譲渡について承認申請があった場合には、行政財産の用途又は目的を妨げないと認められ、かつ、各省各庁の長が当該行政財産の適正な方法による管理を行う上で適当と認める者が譲受人であることのほか、国が不利となるおそれがなく、やむを得ないと認められる場合に限り承認することができる（「各省各庁の長が当該行政財産の適正な方法による管理を行う上で適当と認める者」については、上記第1のなお書きを参照)。

なお、国が不利となるおそれがある場合としては、例えば以下のような場合がある。

イ 譲受人の貸付料支払能力に不安がある場合

ロ 普通借地契約における借地権の残存期間が短い場合

ハ 借地権等の譲渡により貸付土地が細分化され、貸付土地の全体的利用、効率的利用に著しい支障をきたし、価格の低下、利用価値の減少等が生じる場合

ニ 借地権等の譲受人に人的信頼関係がない場合

② 賃借権の譲渡承認申請書は、別紙様式4によるものとする。

なお、申請については、下記第3の2（貸付申請）に準じて、必要な書類を添付して提出を求めるものとする。

③ 賃借権の譲渡の承認に当たっては、別紙様式18の誓約書及び別紙様式19の役員名簿を譲受人から提出させ、譲受人が排除対象者に該当するか否か確認する必要があるときは、承認前に別紙様式20にて警察本部暴力団対策主管課長に照会するものとし、照会の結果、譲受人が排除対象者に該当する場合には承認しないものとする。

なお、賃借権の譲渡承認後において、譲受人である貸付相手方が排除対象者に該当するか否か確認する必要があるときは、別紙様式20にて警察本部暴力団対策主管課長に照会し、排除対象者に該当する場合には、契約の解除等必要な措置を講じなければならない。

④ 賃借権の譲受人と貸付契約を締結する場合には、賃借権の譲受人は国と賃借権の譲渡人との間の契約（以下「原契約」という。）における借受人の地位を承継するものとして取り扱い、貸付期間は原契約における残期間、貸付料は、原契約における金額とする。

⑤ 賃借権の譲渡を承認しようとする場合は、承認に先だって財務大臣に対し法

第14条第７号による協議を要することに留意する。

(3)　貸付相手方所有建物の第三者に対する貸付け

①　貸付相手方が貸付地上の自己所有建物を第三者に貸し付けることについて承認申請があった場合には、行政財産の用途又は目的を妨げるおそれがないと認められる場合のみ、事前に建物の賃貸承認申請書を提出させ、承認することができる。

ただし、貸付相手方の事務所等において、主に当該事務所等の従業員の福利厚生施設として必要な食堂及び売店等として申請があった場合には、国の庁舎等の場合に準じてこれを認めて差し支えないものとする。

なお、上記第１の２の(1)による貸付け（地方公共団体等との合築に係る土地の貸付け）にあっては、行政財産の用途又は目的を妨げるおそれがないことのほか、原則として次の要件に該当する場合に限り承認することができる。

イ　貸付相手方の条例、法律、寄付行為及び定款等に定める業務の範囲のうち、賃貸住宅を除く用途に供するものとして貸し付けるとき

ロ　貸付相手方の建物を借り受ける者が、第１の２の(1)の①の貸付相手方又は公共的法人(注)及び地方公共団体が資本金、基本金その他これに準ずるものの25%以上を出資している商法法人であって、第１の２の(1)の①に定める用途（ただし、商法法人に対する貸付けにあっては、当該法人が自ら使用する事務所に限る。）に使用するとき

(注)　公共的法人とは、公共的な活動を行う団体であって、法人格を有する次のような団体をいう。

・民法第34条に基づく社団法人及び財団法人

・特別法に基づき設立された各種法人、組合等

(イ)　社会福祉法による社会福祉法人及び職業能力開発促進法による職業訓練法人等の各種法人

(ロ)　商工会議所法による商工会議所及び商工会の組織等に関する法律による商工会等

(ハ)　行政書士法による行政書士会及び司法書士法による司法書士会等

(ニ)　消費生活協同組合法による消費生活協同組合及び農業協同組合法による農業協同組合等

②　建物の賃貸承認申請書は、別紙様式５によるものとする。

なお、申請については、下記第３の２（貸付申請）に準じて、必要な書類を添付して提出を求めるものとする。

③　建物の賃貸の承認に当たっては、別紙様式18の誓約書及び別紙様式19の役員名簿を貸付相手方の建物を借り受ける者から提出させ、貸付相手方の建物を借

り受ける者が排除対象者に該当するか否か確認する必要があるときは、承認前に別紙様式20にて警察本部暴力団対策主管課長に照会するものとし、照会の結果、貸付相手方の建物を借り受ける者が排除対象者に該当する場合には承認しないものとする。

なお、建物の賃貸承認後において、貸付相手方の建物を借り受けた者が排除対象者に該当するか否か確認する必要があるときは、別紙様式20にて警察本部暴力団対策主管課長に照会し、排除対象者に該当する場合には、契約の解除等必要な措置を講じなければならない。

(4) 増改築等

① 増改築等による現状の変更（軽微な変更は除く。）について承認申請があった場合には、行政財産の用途又は目的を妨げるおそれがないと認められることのほか、次の事項に留意して審査の上、やむを得ないと認められる場合に限り承認することができる。

イ　増改築を必要とする事情

ロ　建物の朽廃状態

ハ　貸付けの残存期間

ニ　建築基準法、都市計画法等による諸規制との整合性

ホ　貸付料の納付状況

ヘ　建物の種類、構造等の変更を行う場合には、イ～ホのほか、当該財産周辺の防火地域の指定の有無、付近の土地の利用状況、借地契約締結後の事情の変化の有無

② 増改築等承認申請書は、別紙様式６によるものとする。

なお、申請については、下記第３の２（貸付申請）に準じて、必要な書類を添付して提出を求めるものとする。

4　貸付料等

(1) 貸付料予定価格算定基準

行政財産の貸付けをする場合の貸付料予定価格（消費税及び地方消費税の相当額を含まない。）は、別添第１節「貸付料予定価格算定基準」により算定した額とする。

ただし、法第19条で準用した法第22条又は他の法律の規定に基づき無償で貸し付けることができる場合には、貸付料は無償とすることができる。

(注) 災害時において必要となる非常用食糧その他の物資の備蓄倉庫の敷地の用に供するため、地方公共団体に対して土地の貸付けを行う場合は、当該備蓄倉庫は昭和49年大蔵省告示第12号「国有財産法施行令第15条の規定に基づき、同条の財務大臣の定める小規模な施設を定める告示」第３号に規定する「消防の用

に供する資材器具保管施設」に該当するものとして、敷地面積が50㎡を超えない場合については、法第22条第１項第１号に基づく無償貸付を行うことができる。

⑵　貸付料の適用期間

貸付料予定価格は、原則として３年分を一括して算定するものとし、当該貸付料予定価格又は一般競争入札の結果決定した貸付料に消費税及び地方消費税の相当額を加えた額を貸付料として貸付相手方に通知するものとする。

⑶　貸付料の改定

貸付料の適用期間の満了、貸付期間の更新又はその他の事由により貸付料の改定を行う場合には、別紙様式11により改定後の貸付料年額、納付期限及び違約金（当該改定貸付料の算定期間に係る分）の額を、改定後の貸付料適用開始日の10日前までに到着するよう、相手方に通知するものとする。

なお、増改築等による現状変更等があった場合の貸付料の改定は、次による。

①　承認申請があった場合

増改築等により現状を変更するため、承認申請があった場合は、当該現状変更を承認する時点をもって貸付料の改定を行うものとする。

②　無断で現状変更を行った場合

無断で増改築等を行い現状の変更を行っている事実が判明した場合には、次の貸付料の改定期を待たずに①の取扱いを考慮して違約金を徴した上で速やかに改定等の措置を講ずるものとする。

⑷　貸付料の納付

原則として、年１回の納付により前納させるものとする。

なお、貸付相手方と協議の上、特段の事情が認められる場合には、月賦等により前納させることもできる。ただし、１回の納付額は1000円以上とする。

⑸　消費税の取扱い

消費税及び地方消費税については、平成元年３月２日付蔵理第727号「普通財産の管理処分における消費税の取扱いについて」通達に準じて取り扱うものとする。

⑹　延滞金

延滞金の利率は、普通財産の貸付けにおける取扱いに準じて、国の債権の管理等に関する法律施行令（昭和31年政令第337号）第29条本文に定める率とする。

⑺　貸付料の減免措置

貸付中の財産が、風水害その他借受人等の責に帰することができない事由により被害を受けた場合には、次により処理することとする。

①　冠水等のため財産利用不可能と認められる期間（以下「不算入期間」とい

う。）が生じた場合には、当該期間を貸付料予定価格算定期間に含めない。

② 被害により一部滅失又はき損した場合には、当該滅失又はき損した割合（以下「損害率」という。）に応じ、原状回復するまでの間貸付料を減免すること。

③ ①の不算入期間又は②の損害率の算定に当たっては、相手方から被害状況が判明する資料等を提出させ、又は必要に応じて実地調査を行う等実情を踏まえ、慎重に処理するものとする。

④ ①又は②の措置を講ずる場合において、被害時以後の期間に係る貸付料が既に納付済であるときは、以降の支払期において充当又は還付するものとする。

⑻ 分担金等の負担

貸付けに当たっては、当該財産の分担金（共用部分の電気使用料等共益の費用として応分の負担が必要なもの）及び光熱費等実費負担となるもの（以下、「分担金等」という。）について、貸付料のほか、当該分担金等についても負担する旨の条件を付すものとする（貸付料に当該分担金等が含まれている場合は除く）。

5 契約保証金及び一時金等

⑴ 契約保証金

本通達に基づく貸付契約に係る義務の履行を実質的に担保するため、会計法（昭和22年法律第35号）第29条の９第１項の規定により、契約保証金として、契約金額㈱の100分の10を納付させることとする。

なお、契約時点においては、確定している第１年次から第３年次までの貸付料合計額の100分の10を納付させ、残りの契約保証金については、貸付料改定時毎に確定した貸付料合計額の100分の10を納付させることができる。

ただし、予算決算及び会計令（昭和22年勅令第165号）第100条の３の規定に該当する場合には、契約担当官等の判断により、契約保証金の納付を免除することができる。

㈱ 契約金額は、契約期間全体の貸付料合計金額とする。

⑵ 権利金

① 権利金の徴収

貸付財産について、新たに土地・建物の貸付契約を締結するに当たっては、権利金を徴するものとする。ただし、次の各号の一に該当する場合を除く。

イ 貸付財産が権利金の授受の慣行のない地域に所在する場合。

ただし、当該慣行の有無が明確でない場合には、民間精通者に照会する等により、当該慣行の有無を確認するものとする。

ロ その他の事情により、権利金を徴しないことが真にやむを得ないものとして部局長が認めた場合。

② 権利金の算定

権利金の算定は、別添第３節「一時金等算定基準」によるものとする。

⑶　名義書換承諾料

①　名義書換承諾料の徴収

賃借権の譲渡を承認する場合には、賃借権の譲渡人から名義書換承諾料を徴するものとする。ただし、次の各号に該当する場合を除く。

イ　貸付財産が、名義書換承諾料の授受の慣行がない地域に所在する場合。

ただし、当該慣行の有無が明確でない場合には、民間精通者に照会すること等により当該慣行の有無を確認するものとする。

ロ　事業用定期借地契約又は定期借地契約による場合。

ハ　無償で賃借権の譲渡が行われる場合において、その譲渡が租税特別措置法（昭和32年法律第26号）第40条第１項（国等に対して財産を寄附した場合の譲渡所得等の非課税）に該当するものである場合。

ただし、同法第40条第２項により国税庁長官の承認が取り消されたときは、その承認が取り消された時点で新たな賃借権譲渡があったものとみなす。

ニ　相続（遺贈を含む。）又は将来相続人となる者への生前の贈与である場合。

ホ　その他の事情により、名義書換承諾料を徴しないことが真にやむを得ないものとして部局長が認めた場合。

②　名義書換承諾料の算定

名義書換承諾料の算定は、別添第３節「一時金等算定基準」によるものとする。

⑷　増改築承諾料

①　増改築承諾料の徴収

増改築等を承認する場合には、増改築承諾料を徴するものとする。ただし、次の各号に該当する場合を除く。

イ　貸付財産が増改築承諾料の授受の慣行のない地域に所在する場合。ただし、当該慣行の有無が明確でない場合には、民間精通者に照会する等により、当該慣行の有無を確認するものとする。

ロ　火災その他の災害により、建物の一部又は全部が滅失し、規模・構造及び数量がおおむね従前の建物と同程度と認められるものに復旧するものである場合。

ハ　都市計画事業等の施行に伴い、増改築せざるを得ない場合で、規模・構造及び数量がおおむね従前の建物と同程度と認められるものに復旧するものである場合

②　増改築承諾料の算定

増改築承諾料の算定は、別添第３節「一時金等算定基準」によるものとする。

第３　貸付けの手続き

１　貸付相手方の選定

⑴　貸付相手方は、会計法（昭和22年法律第35号）及び予算決算及び会計令（昭和22年勅令第165号。以下「予決令」という。）の定めるところにより、原則として、一般競争入札により選定する。

⑵　貸付財産の性質等から貸付料のみで貸付相手方を選定すると、行政財産の用途又は目的を妨げるおそれが生じる場合には、例えば、庁舎等のセキュリティー方式、利用用途等を含めて貸付相手方を選定するため、法令に基づき総合評価方式や企画競争によることができる。

このほか、法令に基づき、一定の場合には随意契約が認められている。

㈦　随意契約が認められている場合

・予定価格（予定貸付料の年額又は総額）が少額（30万円を超えない）な場合（予決令第99条第６号）

・公共用、公用又は公益事業の用に供するため地方公共団体又は事業者に貸し付けるとき（予決令第99条第21号）

・特別の縁故がある者に貸し付けるとき（予決令第99条第22号）

⑶　貸付相手方を入札により選定する際は、入札公告の参加資格として、次に掲げる要件を明記すること。

①　法人等（個人、法人又は団体をいう。）の役員等（個人である場合はその者、法人である場合は役員又は支店若しくは営業所の代表者、団体である場合は代表者、理事等、その他経営に実質的に関与している者をいう。以下同じ。）が、暴力団（暴力団員による不当な行為の防止等に関する法律（平成３年法律第77号）第２条第２号に規定する暴力団をいう。以下同じ。）又は暴力団員（同法第２条第６号に規定する暴力団員をいう。以下同じ。）ではないこと

②　役員等が、自己、自社若しくは第三者の不正の利益を図る目的、又は第三者に損害を加える目的をもって、暴力団又は暴力団員を利用するなどしている者ではないこと

③　役員等が、暴力団又は暴力団員に対して、資金等を供給し、又は便宜を供与するなど直接的あるいは積極的に暴力団の維持、運営に協力し、若しくは関与している者ではないこと

④　役員等が、暴力団又は暴力団員であることを知りながらこれを不当に利用するなどしている者ではないこと

⑤　役員等が、暴力団又は暴力団員と社会的に非難されるべき関係を有している

者ではないこと

⑥　暴力団又は暴力団員及び②から⑤までに定める者の依頼を受けて公募に参加しようとする者でないこと

⑷　公募等に参加する者に対しては、前項の要件を満たすこと及び将来的に当該要件に反することはない旨を誓約させ、貸付契約後に誓約が虚偽であることが判明し、又は前項の要件に反することとなった場合、当該貸付契約の解除をされても異議を申し立てない旨を明記した別添様式18の誓約書の提出を求めること。

⑸　随意契約等によろうとする場合においては、予決令第102条の４等の規定により、あらかじめ財務大臣（国庫大臣）への協議を要するものがあることに留意する。

2　貸付申請

貸付けを行う場合には、上記１により選定した貸付相手方から、別紙様式２の行政財産貸付申請書に、次の各号に掲げる書類のうちそれぞれ必要なものを添付して提出させ、貸付相手方が別紙様式18の「誓約書」の１に掲げるもの（以下「排除対象者」という。）に該当するか否か確認する必要があるときは、承認前に別紙様式20にて警察本部暴力団対策主管課長に照会するものとし、照会の結果、貸付相手方が排除対象者に該当する場合には貸付けを行わないものとする。

なお、貸付承認後において、貸付相手方が排除対象者に該当するか否か確認する必要があるときは、別紙様式20にて警察本部暴力団対策主管課長に照会し、排除対象者に該当する場合には、契約の解除等必要な措置を講じなければならない。

⑴　申請物件の利用計画書（利用計画図添付）

⑵　事業計画書

⑶　申請者が地方公共団体であって貸付申請が当該地方公共団体の議決機関の決議を要するものである場合は、その議決書の写し、執行機関の専決処分に属するものであるときは、その根拠となる条例の条項、また、予算措置を要するものであるときは、当該経費の支出を明らかにした予算書

⑷　申請者が法人（地方公共団体を除く。）である場合は、当該法人の名称、住所及び代表者等を記載した現在事項全部証明書、定款並びに最近の損益計算書、貸借対照表、財産目録及び事業（決算）報告書

⑸　申請者が法人（地方公共団体を除く。）であって、当該施設の取得に当たり予算措置を要するものであるときは、当該経費の支出を明らかにした書類

⑹　申請者が個人である場合は、住民票の写し又は住居証明書

⑺　監督官庁の許可又は認可を要するものである場合は、その許可書、認可書（内認可書を含む。）若しくはその謄本又は許可若しくは認可があった旨の証明書

⑻　上記第１の２の⑵による貸付け（国有地の隣接地を活用した合築に係る土地の

貸付け）を行う場合、合築により建設される建物の敷地となる国有地の隣接地の権利者（隣接地の所有者、借地権者、隣接地上の建物の所有者及び借家権者等）全員の同意書

⑼　無償貸付の申請にあっては、その根拠となる法令の条項に該当することを証する書類

⑽　暴対法第２条に規定する暴力団を排除する取組として、別紙様式18の誓約書（ただし、入札参加の際に別紙様式18の誓約書を提出している場合又は相手方が地方公共団体若しくは独立行政法人の場合は除く。）

⑾　暴対法第２条に規定する暴力団を排除する取組として、別紙様式19の役員名簿（ただし、相手方が地方公共団体若しくは独立行政法人の場合は除く。）

⑿　その他貸付け申請に当たり必要と認めるもの

第４　貸付契約の違反に対する措置

貸付契約書で定めた履行義務について、当該履行義務に違反した場合における措置内容を次に掲げるとおり契約書に定め、違反を確認した場合は、次に掲げる区分に応じ、速やかに措置するものとする。

１　無断で転貸等をしたとき

無断で転貸、賃借権の譲渡又は建物等を第三者に貸し付けたときは、専門家等（法務局又は弁護士等をいう。以下同じ。）の意見を徴し、貸付料年額（当該貸付料が一万円未満の場合には、１万円とする。２、３、４において同じ。）の３倍の額の違約金を徴収した上で、契約を解除し、貸付財産の明渡しを求めるものとする。

ただし、特段の事情がある場合には、専門家等の意見を徴し、第２の３⑴①、⑵①、⑶①の承認申請に準じて審査の上、違約金（賃借権の譲渡に当たっては、第３節第２の５⑶の名義書換承諾料を含む。）を徴収し、これを追認することができる。

２　増改築等の現状変更の制限に違反したとき

増改築等の現状変更の制限に違反したときは、専門家等の意見を徴し、貸付料年額と同額の違約金を徴収した上で、契約を解除し、貸付財産の明渡しを求めるものとする。

ただし、特段の事情がある場合には、専門家等の意見を徴し、違約金及び第３節第２の５⑷の増改築承諾料を徴収した上で、第２の３⑷①の承認申請に準じて審査の上、これを追認することができる。

３　用途指定に違反したとき

⑴　指定用途以外の用途に供したときは、相当の期間を定めて指定用途に供すべきことを求め、当該期間内に履行しないときは貸付料年額の３倍の額の違約金の徴収及び契約を解除する旨を相手方に通知するものとする。

⑵　⑴に規定する期間内に指定用途に供しない場合は、専門家等の意見を徴した上

で、違約金を徴収するとともに、契約を解除し、貸付財産の明渡しを求めるものとする。

4　その他契約書に定める義務等に違反したとき

(1)　直ちに是正を求め、是正に応じない場合には、貸付料年額と同額の違約金を徴収する旨を相手方に通知するものとする。

(2)　(1)の是正に応じない場合は、専門家等の意見を徴した上で、違約金を徴収するとともに、契約を解除し、貸付財産の明渡しを求めるものとする。

第５　貸付契約の解除及び原状回復

1　貸付契約の解除

貸付契約期間中に当該契約の対象となっている財産の一部又は全部について、国又は地方公共団体において公共用、公用又は公益事業の用に供する必要が生じたときは、法第19条で準用した法第24条第１項の規定に基づき、貸付契約の解除をすることができる。

2　貸付契約の解除の通知

貸付契約を更新しないとき又は解除するときは、貸付契約の期間が満了又は貸付契約を解除する３月以前に相手方に通知する。ただし、緊急を要する場合その他特別の事情がある場合には、この限りでない。上記１による解除のほか、契約の更新を行わない場合には、借地借家法等に基づく通知が必要となることに留意する。

3　原状回復等

貸付期間が満了するときは貸付期間満了日まで、又は貸付契約が解除されたときは指定した期日までにイ、ロに該当するものを除き、原状回復の上、当該財産の明け渡しをさせなければならない。ただし、更新をする場合又は貸付契約条件で、別の定めをした場合においては、この限りでない。

イ　通常の使用及び収益によって生じた損耗並びに経年変化

ロ　相手方の責めに帰することができない事由による損傷

第４節　使用許可

第１　使用許可ができる場合

行政財産は、法第18条第６項に基づき、「その用途又は目的を妨げない限度」において、使用許可をすることができる。

また、使用許可できる具体的事例を類型的に示せば、次のとおりであるが、当該財産の性質や使用用途等を踏まえ、地域社会のニーズへの対応と収益確保の観点も勘案して、個々の事案に即して個別に判断するものとする。

1　国の事務、事業の遂行上その必要性が認められる場合

2　行政財産の公共性、公益性、中立性に反せず、一時的又は限定的なため、業務運営上支障が生じない場合

3　公共的又は公益的な見地から必要不可欠な場合

4　行政財産の公共性、公益性、中立性に反せず、社会的又は経済的な見地から妥当な場合

5　職員、来庁者や国の施設の利用者等の利便に資する場合

6　災害時の応急的な対応等に資する場合

7　地域の課題の解決や周辺住民の利便に資する場合

第2　使用許可の条件

使用許可するに当たっては、以下の各号に定めるもののほか、適切な維持管理を確保するため、必要な条件を定めるものとする。

1　使用許可期間

使用許可期間は、原則として5年以内とする。ただし、財産管理者が当該行政財産の使用状況、個々の利用目的及び投資費用の回収に要する期間を審査した上で、使用許可期間を5年以内とすることが実情にそぐわないと認める場合は、法第19条で準用した法第21条又は他の法律の定める期間内において、その必要の程度に応じて定めるものとする。

2　使用許可の更新

使用許可は必要に応じて、原則として一度に限り更新することができる。ただし、以下のいずれかに該当する場合はこの限りではない。

(1)　下記第3の1に規定する「公募になじまないと判断される場合」

(2)　更新を認めないことにより国の事務、事業の円滑な遂行に著しい支障を及ぼすこととなる場合

(3)　太陽光等を電気に変換する再生可能エネルギー発電設備の用に供する場合であって、その用途又は目的から、建物の屋上等を長期間使用することが見込まれ、更新を一度に限ることが実情にそぐわないと認められるとき

3　使用料

(1)　使用料予定価格算定基準

行政財産の使用許可をする場合の使用料予定価格（消費税及び地方消費税の相当額を含まない。以下同じ。）は、別添第2節「使用料予定価格算定基準」により算定した額（第3の1(2)の方法により選定を行う場合には、選定された者に係る同(2)の使用料予定価格の額）とする。

なお、法第19条で準用した法第22条又は他の法律の規定に基づき無償で使用許可できる場合については、第3節第2の4(1)に準じて取り扱うものとする。

(2)　使用料の適用期間

①　使用許可期間を5年以内とする場合

使用料予定価格は、原則として1年分を算定するものとし、当該使用料予定

価格又は公募等の結果決定した使用料に消費税及び地方消費税の相当額を加えた額を使用料として相手方に通知するものとする。

② 使用許可期間を５年超とする場合

使用料予定価格は、原則として３年分を一括して算定するものとし、当該使用料予定価格又は公募等の結果決定した使用料に消費税及び地方消費税の相当額を加えた額を使用料として相手方に通知するものとする。

(注) ただし、消費税法（昭和63年法律第108号。）第６条第１項等により、消費税を課さないこととされる場合、又は国家公務員宿舎の自動車保管場所使用料により使用料予定価格を算定した場合には、消費税及び地方消費税の相当額を加算せずに相手方に通知するものとする。

(3) 使用料の改定

使用料の適用期間の満了、使用許可期間の更新又はその他の事由により使用料の改定を行う場合には、別紙様式15により改定後の使用料年額を、改定後の使用料適用開始日の10日前までに到着するよう、相手方に通知するものとする。

(4) 使用料の納付

原則として、年１回の納付により前納させるものとする。なお、使用許可相手方と協議の上、特段の事情が認められる場合には、月賦等により前納させることもできる。ただし、１回の納付額は1000円以上とする。

(5) 消費税の取扱い

第３節第２の４(5)に準じて取り扱うものとする。

(6) 延滞金

第３節第２の４(6)に準じて取り扱うものとする。

(7) 使用料の減免措置

使用許可中の財産が、風水害その他借受人等の責に帰することができない事由により被害を受けた場合には、次により処理することができる。

① 冠水等のため財産利用不可能と認められる期間（以下「不算入期間」という。）が生じた場合には、当該期間を使用料予定価格算定期間に含めないことができる。

② 被害により一部滅失又はき損した場合には、当該滅失又はき損した割合（以下「損害率」という。）に応じ、原状回復するまでの間使用料を減免することができる。

③ 以上の措置は、原則として相手方の申請に基づき行うものとし、①の不算入期間又は②の損害率の算定に当たっては、相手方から被害状況が判明する資料等を提出させ、又は必要に応じて実地調査を行う等実情を踏まえ、慎重に処理するものとする。

④　①又は②の措置を講ずる場合において、被害時以後の期間に係る使用料が既に納付済であるときは、以降の支払期において充当又は還付するものとする。

(8)　分担金等の負担

第3節第2の4(8)に準じて取り扱うものとする。

なお、宿舎の居室を使用許可する場合には、第3節第2の4(8)中「分担金」とあるのは「共益費」と読み替えるものとする。

4　第三者への転貸を前提とした使用許可

使用許可する財産の指定用途が、災害時の応急的な住まいである場合など、地方公共団体において、第三者が使用することを前提として使用許可を受ける場合又はこれに類するものである場合には、指定用途にその旨規定する。なお、当該使用許可が宿舎の居室について行われる場合には、使用許可時に入居する第三者に関する資料の提出を求め、変更のあった都度報告を求めることとする。

第3　使用許可の手続

1　相手方の選定

(1)　使用許可の相手方は、透明性、公平性を確保するとともに、資力、信用、技能等を十分調査した上で、法令により随意契約が認められている場合のほか、公募になじまないと判断される場合を除き、公募により選定するものとする。

なお、公募になじまないと判断される場合を例示すれば、次のとおりである。

①　使用許可の内容あるいは目的等から相手方が特定される場合

②　高度の機密保持を要する施設の警備上、公募により相手方を選定することが不適当な場合

③　緊急に使用許可をしなければならない特殊な事情がある場合

(2)　自動販売機の設置を目的とした行政財産の使用許可に係る公募（他の用途と共に一体的に使用許可をする場合の公募を除く。）にあっては、応募者より提案された使用料予定価格の額（別添第2節「使用料予定価格算定基準」により算定した額以上の額に限る。）により競争を行い、又は当該使用料予定価格の額を選定の基準の一つとする方法により選定を行うものとする。自動販売機の設置を目的とするもの以外であっても、過去の公募の実績や問い合わせの状況などから、複数者による競争が見込まれる場合には、当該方法を積極的に検討するものとする。

(3)　使用許可の相手方を公募により選定する際は、公募公告の参加資格として、次に掲げる要件を明記すること。

①　法人等（個人、法人又は団体をいう。）の役員等（個人である場合はその者、法人である場合は役員又は支店若しくは営業所の代表者、団体である場合は代表者、理事等、その他経営に実質的に関与している者をいう。以下同じ。）が、暴力団（暴力団員による不当な行為の防止等に関する法律（平成3年法律第77

号）第２条第２号に規定する暴力団をいう。以下同じ。）又は暴力団員（同法第２条第６号に規定する暴力団員をいう。以下同じ。）ではないこと

②　役員等が、自己、自社若しくは第三者の不正の利益を図る目的、又は第三者に損害を加える目的をもって、暴力団又は暴力団員を利用するなどしている者ではないこと

③　役員等が、暴力団又は暴力団員に対して、資金等を供給し、又は便宜を供与するなど直接的あるいは積極的に暴力団の維持、運営に協力し、若しくは関与している者ではないこと

④　役員等が、暴力団又は暴力団員であることを知りながらこれを不当に利用するなどしている者ではないこと

⑤　役員等が、暴力団又は暴力団員と社会的に非難されるべき関係を有している者ではないこと

⑥　暴力団又は暴力団員及び②から⑤までに定める者の依頼を受けて公募に参加しようとする者でないこと

(4)　公募に参加する者に対しては、前項の要件を満たすこと及び将来的に当該要件に反することはない旨を誓約させ、使用許可後に誓約が虚偽であることが判明し、又は前項の要件に反することとなった場合、当該使用許可の取消しをされても異議を申し立てない旨を明記した別添様式18の誓約書の提出を求めるものとする。

２　使用許可申請

使用許可を受けようとする者には、別紙様式12による申請書の提出を求めるものとする。

申請書には、申請者の押印は求めないものとするが、申請書を受け付けるに当たっては、次に掲げる措置を講ずることにより、文書の成立の真正を証明する手段を確保するものとする。

(1)　継続的な使用許可又は契約関係にある相手方の場合は、相手方との電子メールのメールアドレス、本文、日時等の送受信記録の保存、書面への責任者及び担当者の氏名及び連絡先の記載並びに必要に応じて電話等でその確認を行った日時等の記録の保存又はその他部局長が適当と認める措置

(2)　上記(1)に該当しない新規の使用許可相手方の場合は、上記(1)に加え、申請前段階での本人確認情報（氏名、住所等及びその根拠資料としての運転免許証等）の記録及び保存、本人確認情報の入手過程（郵送受付又は電子メールでのPDF送付）の記録及び保存並びに文書若しくは使用許可の成立過程（電子メール等のやり取り）の保存又はその他部局長が適当と認める措置

また、第３節第３の２に準じて、必要な書類を添付して提出させ、使用許可を受

けようとする者及び転借人が排除対象者に該当するか否か確認する必要があるときは、使用許可前に別紙様式20にて警察本部暴力団対策主管課長に照会するものとし、照会の結果、使用許可を受けようとする者が排除対象者に該当する場合には使用許可を行わないものとする。

なお、使用許可後において、使用許可の相手方が排除対象者に該当するか否か確認する必要があるときは、別紙様式20にて警察本部暴力団対策主管課長に照会し、排除対象者に該当する場合には、使用許可の取消し等必要な措置を講じなければならない。

第4　使用許可の取消し及び原状回復

1　使用許可の取消し

第3節第5の1及び2に準じて取り扱う。ただし、使用許可の取消しに当たっては、借地借家法等に基づく通知は不要であることに留意する。

2　原状回復

使用許可期間が満了したとき又は使用許可を取消されたときは、直ちに、イ、ロに該当するものを除き、原状回復の上、当該財産の明け渡しをさせなければならない。ただし、更新をする場合又は使用許可条件で、別の定めをした場合においては、この限りでない。

イ　通常の使用及び収益によって生じた損耗並びに経年変化

ロ　相手方の責めに帰することができない事由による損傷

第5節　財務大臣への協議

1　様式

法第14条第7号に基づく財務大臣への協議を行う場合又は令第14条に基づく財務大臣への通知を行う場合には、別紙様式16又は17により作成した調書を添付して行うものとする。

2　添付書類

貸付けの場合は令第10条の3に掲げるもののほか、国有財産有償貸付契約書案又は合意書案（別紙様式7～10に準じて作成）を協議書に添付するものとする。

第6節　その他の事項

第1　個別協議

この基準によることが著しく不適当又は困難と認められる特別の事情があるときは、財務省理財局長に協議して、特別の定めをすることができるものとする。

第2　経過措置

令和元年9月30日において現に使用許可を行っているものについては、公募になじまないと判断される場合又は更新を認めないことにより国の事務、事業の円滑な遂行に著しい支障を及ぼすこととなる場合を除き、当該許可期間にかかわらず、遅くとも令和６年３月31日までに使用許可を終了し、その後は、第４節第３の１及び第２の２の規定を適用するものとする。

第３　書面等の作成・提出等の方法

１　電子ファイルによる作成

本通達に基づき、作成を行う書面等（書面その他文字、図形その他の人の知覚によって認識することができる情報が記載された紙その他の有体物をいう。以下同じ。）については、電子ファイルにより作成を行うことができる。

２　電子メール等による提出等

⑴　本通達に基づく提出等の手続のうち、書面等により行うこととしているものについては、電子メール等の方法により行うことができる。

⑵　上記⑴の方法により提出等を行うときは、電子ファイルをもって行うものとする。

３　適用除外

上記１及び２の措置は、本通達別紙様式２から11、13、14及び20に規定する手続については適用しないものとする。

別紙様式１

活用可能な財産一覧

部局名：○局　　　　令和○年○月○日

整理番号	所在地	口座名	区分	面積（平方メートル）	用途地域	利用可能期間	利用条件等	担当者の連絡先			備考
								官署名	担当課名	電話番号	

別紙様式２

令和　年　月　日

○○部局長　殿

申請者　住　所

名　称

氏　名（代表者）　　　　　㊞

行政財産貸付申請書

下記のとおり行政財産の貸付けを受けたく、関係書類を添えて申請します。

記

所　在　地	区　分	数　量	使　用　目　的

別紙様式３

令和　年　月　日

〇〇部局長　殿

申請者　住　所

名　称

氏　名（代表者）　　　　㊞

行政財産の転貸承認申請書

下記のとおり行政財産の転貸の承認を受けたいので、関係書類を添えて申請します。

記

１　転貸の財産等

所　在　地	区　分	数　量	備　考

２　転借人の住所及び氏名

３　転借人の利用用途等

別紙様式４

令和　年　月　日

部局長　殿

申請者　住　所
名　称
氏　名（代表者）　　　　㊞

行政財産の賃借権の譲渡承認申請書

下記のとおり行政財産の賃借権の譲渡の承認を受けたいので、関係書類を添えて申請します。

記

1　物件の表示
所在地
種目、数量

2　譲受人の住所氏名

3　利用目的

4　譲渡予定年月日

5　譲渡を必要とする理由

6　譲渡契約書（案）

別紙様式５

令和　年　月　日

部局長　殿

申請者　住　所

名　称

氏　名（代表者）　　　　㊞

建物の賃貸承認申請書

下記のとおり申請者において賃貸することについて承認を受けたいので、関係書類を添えて申請します。

記

１　所有建物の表示

所在地

種目、数量

２　賃貸しようとする建物の表示

種目、数量

３　賃貸人の住所、氏名

４　利用目的

５　予定年月日

６　賃貸を必要とする理由

７　借家契約書（案）

８　関係図面

別紙様式６

令和　年　月　日

部局長　殿

申請者　住　所

名　称

氏　名（代表者）　　　　㊞

行政財産の増改築等承認申請書

下記のとおり行政財産の増改築等の承認を受けたいので、関係書類を添えて申請します。

記

１　物件の表示

所在地

種目、数量

２　増改築等しようとする建物の表示

種目、数量

３　利用目的

４　増改築等の工事予定年月日及び工事完了予定日

５　増改築等を必要とする理由

６　その他参考資料

別紙様式７（事業用定期借地）

国有財産有償貸付合意書例

貸付人国（以下「甲」という。）と借受人○○（以下「乙」という。）とは、国有財産について借地借家法（平成３年法律第90号。以下「法」という。）第23条の規定に基づく事業用定期借地権の設定を目的として、次の条項を内容とする借地契約を令和　年　月　日までに公正証書により締結する。

（貸付物件）

第１条　貸付物件は、次のとおり。

所　　在　　地	区　　分	数量（㎡）	備　　考
	土　　地		詳細は別紙１のとおり。

（指定用途等）

第２条　乙は、貸付物件を次の事業の用に供する建物を所有するため、貸付申請書に記載又は添付した使用目的、利用計画（建物及び工作物の配置計画を含む。）及び事業計画のとおりの用途に自ら使用し、甲の承認を得ないで変更してはならない。

事　業　内　容	

２　乙は、貸付物件を次の各号に掲げる用に使用してはならない。

⑴　風俗営業等の規制及び業務の適正化等に関する法律（昭和23年法律第122号）第２条第１項に規定する風俗営業、同条第５項に規定する性風俗関連特殊営業又は同条第11項に規定する特定遊興飲食店営業その他これらに類する営業その他これらに類する業の用

⑵　暴力団員による不当な行為の防止等に関する法律（平成３年法律第77号）第２条第２号に規定する暴力団（以下、「暴力団」という。）若しくは法律の規定に基づき公の秩序を害するおそれのある団体等であることが指定されている者の事務所又はこれに類する施設の用

⑶　公の秩序又は善良の風俗に反する目的の用その他近隣住民の迷惑となる目的の用

３　貸付物件上に乙が所有する建物の種類、構造及び規模は、別紙２のとおりとする。

（事業内容の変更）

第３条　乙は、前条に定める事業内容を変更しようとするときは、事前の変更内容を書面により申請し、甲の承認を受けなければならない。

２　前項に基づく甲の承認は、書面によるものとする。

（貸付期間）

第４条　貸付期間は、令和　年　月　日から令和　年　月　日までの　年間とする。

（契約更新等）

第５条　本契約は、法第23条の規定に基づくものであるから、法第４条ないし第８条及び第18条並びに民法（明治29年法律第89号）第619条の規定は適用されないので、契約更新に係る権利は一切発生せず、前条の期間満了時において本契約の更新（更新の請求及び土地の使用の継続によるものを含む。）は行われず、建物の築造による貸付期間の延長も行われないものとする。

（貸付料）

第６条　貸付料は、令和　年　月　日から令和　年　月　日までの期間については、次に掲げるとおりとする。

年　次	期　　　間	貸付料年額	備考
第一年次	自令和　年　月　日至令和　年　月　日	円	
第二年次	自令和　年　月　日至令和　年　月　日	円	
第三年次	自令和　年　月　日至令和　年　月　日	円	

2　前項に規定する期間が満了した後の期間に係る貸付料については、改めて甲から通知する。なお、貸付料は３年毎に改定するものとし、改定の都度、３年間に係る貸付料を甲から通知する。

（貸付料の納付）

第７条　前条に定める貸付料は、次に定めるところにより、甲の発行する納入告知書により納付しなければならない。

年次	回　数	納付金額	納　付　期　限	備　　考
第一年次	第１回	円	令和　年　月　日	
	第２回	円	令和　年　月　日	
	第３回	円	令和　年　月　日	
	第４回	円	令和　年　月　日	
	計	円		
第二年次	第１回	円	令和　年　月　日	
	第２回	円	令和　年　月　日	
	第３回	円	令和　年　月　日	
	第４回	円	令和　年　月　日	
	計	円		

第三年次	第１回	円	令和　年　月　日	
	第２回	円	令和　年　月　日	
	第３回	円	令和　年　月　日	
	第４回	円	令和　年　月　日	
	計	円		

（貸付料の改定）

第８条　甲は、貸付物件の価格が上昇し貸付料が不相当になったとき等、法第11条第１項本文の規定に該当することとなったときは、第６条の規定にかかわらず、貸付料の増額を請求することができる。

（契約保証金）

第９条　乙は、本契約締結と同時に、契約保証金として金（契約金額の100分の10）円を甲に納付しなければならない。

２　前項の契約保証金は、第21条に定める損害賠償額の予定又はその一部と解釈しない。

３　第１項の契約保証金には利息を付さない。

４　甲は、乙が第19条に定める義務その他本契約に定める義務の履行をしたときは、乙の請求により遅滞なく第１項に定める契約保証金を乙に還付する。

５　甲は、第１項に定める契約保証金の全部又は一部について、賃料支払い、本件土地の原状回復、損害賠償その他本契約から生じる一切の債務に充当することができるものとし、充当した金額に相当する部分は国庫に帰属するものとする。また、甲が本項に基づき契約保証金を充当した場合には、乙は、直ちに充当した金額に相当する金額を甲に納付するものとする。

㈱　契約時点において、確定している第１年次から第３年次までの貸付料合計額の100分の10を納付させ、残りの契約保証金については、貸付料更新時毎に確定した貸付料合計額の100分の10を納付する場合には、以下の条文を追加する。

６　乙は、第６条第１項に規定する期間を経過した後に係る契約保証金は、第６条第２項の期間について甲の定める基準により算定した金額によることに同意する。なお、金額については甲から通知する。

（延滞金）

第10条　乙は、第７条に基づき、甲が定める納付期限までに貸付料を納付しない場合には、納付期限の翌日から納付した日までの期間について第２項に定める率により算定した延滞金を甲に支払わなければならない。

２　前項の延滞金利率は延滞起算日時点の国の債権の管理等に関する法律施行令第29条第１項本文に規定する財務大臣が定める率を定める告示（昭和32年大蔵省告示第８号）に

定める率とする。

（充当の順序）

第11条　乙が、貸付料及び延滞金を納付すべき場合において、納付された金額が貸付料及び延滞金の合計額に満たないときは、先ず延滞金から充当する。

（使用上の制限）

第12条　乙は、貸付物件について第２条に規定する使用目的、利用計画及び事業計画の変更若しくは貸付物件及び当該物件上に所在する自己所有の建物その他の工作物等について増改築等により現状を変更（軽微な変更を除く。）しようとするときは、事前に変更しようとする理由及び変更後の使用目的等を記載した書面によって甲に申請し、その承認を受けなければならない。

2　前項に基づく甲の承認は、書面によるものとする。

（権利譲渡等）

第13条　乙は、乙が建設した建物の余裕部分を第三者に貸付け若しくは使用収益を目的とする権利を設定し又は転貸若しくは賃借権を譲渡し並びに抵当権若しくは質権の設定をしようとする場合には、事前にその理由を記載した書面によって甲に申請し、その承認を受けなければならない。

2　前項に基づく甲の承認は、書面によるものとする。

（建物の賃貸借等に関する措置）

第14条　甲の承認を得て乙が建設した建物の余裕部分を第三者に貸付け、又は乙が建設した建物その他の工作物に賃借権その他の使用収益を目的とする権利を設定する場合には、当該第三者との間で締結する契約において、建物の敷地が法第23条に規定する事業用定期借地権に基づくものであり、第４条に定める貸付期間の満了により借地権が消滅し、建物を取り壊すことを明示しなければならない。

（物件保全義務）

第15条　乙は、善良な管理者としての注意をもって貸付物件の維持保全に努めなければならない。

（実地調査等）

第16条　甲は、次の各号の一に該当する事由が生じたときは、乙に対しその業務又は資産の状況に関して質問し、実地に調査し又は参考となるべき資料その他の報告を求めることができる。この場合において、乙は調査等を拒み、妨げ又は怠ってはならない。

⑴　第２条第２項に定める使用してはならない用途等に関して、甲が必要と認めるとき

⑵　第７条に定める貸付料の納付がないとき

⑶　第12条に定める甲の承認を受けなかったとき

⑷　第13条に定める甲の承認を受けなかったとき

⑸　本契約に定める義務に違反したとき

（違約金）

第17条　乙は、第６条第１項に定める期間中に次の各号に定める事由が生じたときは、それぞれ当該各号に定める金額を違約金として、甲に支払わなければならない。

⑴　第12条第１項の増改築に係る事前承認を受ける義務又は前条に定める義務に違反した場合　金（貸付料年額）円

⑵　第２条第１項、同条第２項、第３条第１項又は第13条第１項に定める義務に違反した場合　金（貸付料年額の３倍）円

2　乙は、第６条第１項に規定する期間を経過した後において本契約に違反した場合の違約金は、第６条第２項の期間について甲の定める基準により算定した金額によることに同意する。なお、金額については甲から通知する。

3　前２項に定める違約金は、第21条に定める損害賠償額の予定又はその一部と解釈しない。

（契約の解除）

第18条　甲は、乙が本契約に定める義務に違反した場合又は次の各号の一に該当していると認められるときは、本契約を解除することができる。

⑴　法人等（個人、法人又は団体をいう。）の役員等（個人である場合はその者、法人である場合は役員又は支店若しくは営業所の代表者、団体である場合は代表者、理事等、その他経営に実質的に関与している者をいう。以下同じ。）が、暴力団（暴力団員による不当な行為の防止等に関する法律（平成３年法律第77号）第２条第２号に規定する暴力団をいう。以下同じ。）又は暴力団員（同法第２条第６号に規定する暴力団員をいう。以下同じ。）であるとき

⑵　役員等が、自己、自社若しくは第三者の不正の利益を図る目的、又は第三者に損害を加える目的をもって、暴力団又は暴力団員を利用するなどしているとき

⑶　役員等が、暴力団又は暴力団員に対して、資金等を供給し、又は便宜を供与するなど直接的あるいは積極的に暴力団の維持、運営に協力し、若しくは関与しているとき

⑷　役員等が、暴力団又は暴力団員であることを知りながらこれを不当に利用するなどしているとき

⑸　役員等が、暴力団又は暴力団員と社会的に非難されるべき関係を有しているとき

2　甲は、貸付物件を国又は公共団体において公共用、公用又は公益事業の用に供するため必要が生じたときは、国有財産法（昭和23年法律第73号）第19条で準用する同法第24条第１項の規定に基づき、本契約を解除することができる。

3　甲は、第１項の規定により本契約を解除した場合は、これにより乙に生じた損害について、何らの賠償ないし補償を要しない。

4　乙は、甲が第１項の規定により本契約を解除した場合において、甲に損害が生じたときは、その損害を賠償するものとする。

（原状回復等）

第19条　乙は、第４条に定める貸付期間が満了するときは貸付期間満了日まで、又は前条の規定により本契約が解除されたときは甲の指定する期日までに甲の指示により自己の責任と負担において、貸付物件上の建物その他工作物を除去し、貸付物件を原状に回復して、甲に更地で返還しなければならない。ただし、再契約のほか、甲が指示した場合にはこの限りでない。

2　甲の指定する期日までに、乙が貸付物件を返還しないときは、乙は甲の指定する期日の翌日から返還完了に至るまでの貸付料相当額合計の倍額の損害金及び貸付物件内における必要費（水道光熱費等）相当額を甲又は甲の指定する者に支払い、かつ返還遅延により甲の被った損害を賠償しなければならない。

3　甲は、乙が第１項に定める原状回復義務を履行しないときは、乙に代わって甲自ら執行し、若しくは他人に執行させることができる。なお、執行にかかる費用はすべて乙が負担する。

4　乙は甲に対し、第４条に定める貸付期間が満了する日の１年前までに、建物の取壊し及び建物賃借人の明渡し等貸付物件の返還に必要な事項を書面により報告しなければならない。

5　乙は、第６条第１項に定める期間中に、第１項に定める義務に違反した場合には、金（貸付料年額）を違約金として、甲に支払わなければならない。

6　乙は、第６条第１項に規定する期間を経過した後において本契約に違反した場合の違約金は、甲の定める基準により算定した金額によることに同意する。なお、金額については甲が乙に対し通知する。

7　前２項に定める違約金は、第21条に定める損害賠償額の予定又はその一部と解釈しない。

8　本契約は、法第23条の規定に基づくものであり、法第13条の規定にかかわらず、第４条に定める貸付期間が満了したとき又は前条第１項の規定により本契約が解除されたときに、乙は甲に対し、建物を買い取るべきことを請求することはできず、民法第608条に基づく費用の償還、その他いかなる名目においても、財産上の請求を一切行うことができない。

（貸付料の精算）

第20条　甲は、本契約が解除された場合には、未経過期間に係る貸付料を返還する。ただし、その額が千円未満の場合には、この限りでない。

（損害賠償）

第21条　乙は、本契約に定める義務を履行しないため甲に損害を与えたときは、その損害を賠償しなければならない。

（契約の費用）

第22条　本契約の締結に関して必要な費用は、乙の負担とする。

（信義誠実等の義務・疑義の決定）

第23条　甲及び乙は、信義を重んじ、誠実に本契約を履行しなければならない。

2　乙は、貸付物件が国有財産であることを常に考慮し、適正に使用するように留意しなければならない。

3　本契約に関して疑義があるときは、甲乙協議の上決定する。

（裁判管轄）

第24条　本契約に関する訴えの管轄は、○○部局所在地を管轄区域とする○○地方裁判所とする。

上記の合意を証するため本合意書２通を作成し、両者記名押印の上、各自その１通を保有する。

令和　年　月　日

貸付人　　国

契約担当官　　○○部局長

借受人　　住所（所在地）

氏名（名称）〈代表者〉　　㊞

別紙１

（貸付財産及び付属施設の内訳）

区　分	種 目	構　　　造	数　量	備　　　　考

記載要領

１　本表には貸付財産及び付属する工作物並びに立木竹の詳細を記載し、原状回復の際の紛争を防止できるようにしておくこと。

２　土地については、地番を備考欄に記載すること。

別紙２

（建物の表示）

種　類	
構　造	
規　模	

別紙様式８（定期借地）（合築用）

収入印紙

国有財産有償貸付契約書例

貸付人国（以下「甲」という。）と借受人　　　（以下「乙」という。）とは、次の条項により国有財産について借地借家法（平成３年法律第90号。以下「法」という。）第22条の規定に基づく定期借地権の設定を目的とした賃貸借を内容とする借地契約を締結する。

（貸付物件）

第１条　貸付物件は、次のとおり。

所　在　地	区　分	数量（㎡）	備　考
	土　地		詳細は別紙のとおり。

（指定用途等）

第２条　乙は、貸付物件を貸付申請書に記載又は添付した使用目的、利用計画（建物及び工作物の配置計画を含む。）及び事業計画どおりの用途に自ら使用し、甲の承認を得ないで変更してはならない。

２　乙は、貸付物件を次の各号に掲げる用に使用してはならない。

⑴　風俗営業等の規制及び業務の適正化等に関する法律（昭和23年法律第122号）第２条第１項に規定する風俗営業、同条第５項に規定する性風俗関連特殊営業又は同条第11項に規定する特定遊興飲食店営業その他これらに類する営業その他これらに類する業の用

⑵　暴力団員による不当な行為の防止等に関する法律（平成３年法律第77号）第２条第２号に規定する暴力団（以下、「暴力団」という。）若しくは法律の規定に基づき公の秩序を害するおそれのある団体等であることが指定されている者の事務所又はこれに類する施設の用

⑶　公の秩序又は善良の風俗に反する目的の用その他近隣住民の迷惑となる目的の用

（貸付期間）

第３条　貸付期間は、令和　年　月　日から令和　年　月　日までの　年間とする。

（契約更新等）

第４条　本契約は、法第22条の規定に基づくものであるから、法第４条ないし第８条及び第18条並びに民法（明治29年法律第89号）第619条の規定は適用されないので、契約更新に係る権利は一切発生せず、前条の期間満了時において本契約の更新（更新の請求及び土地の使用の継続によるものを含む）は行われず、建物の築造による貸付期間の延長

も行われないものとする。

（貸付料）

第５条　貸付料は、令和　年　月　日から令和　年　月　日までの期間については、次に掲げるとおりとする。

年　次	期　　　間	貸付料年額	備考
第一年次	自令和　年　月　日至令和　年　月　日	円	
第二年次	自令和　年　月　日至令和　年　月　日	円	
第三年次	自令和　年　月　日至令和　年　月　日	円	

２　前項に規定する期間が満了した後の期間に係る貸付料については、改めて甲から通知する。なお、貸付料は３年間毎に改定するものとし、改定の都度、３年間に係る貸付料を甲から通知する。

（貸付料の納付）

第６条　前条に定める貸付料は、次に定めるところにより、甲の発行する納入告知書により納付しなければならない。

年次	回　数	納付金額	納　付　期　限	備　考
第一年次	第１回	円	令和　年　月　日	
	第２回	円	令和　年　月　日	
	第３回	円	令和　年　月　日	
	第４回	円	令和　年　月　日	
	計	円		
第二年次	第１回	円	令和　年　月　日	
	第２回	円	令和　年　月　日	
	第３回	円	令和　年　月　日	
	第４回	円	令和　年　月　日	
	計	円		
第三年次	第１回	円	令和　年　月　日	
	第２回	円	令和　年　月　日	
	第３回	円	令和　年　月　日	
	第４回	円	令和　年　月　日	
	計	円		

（貸付料の改定）

第７条　甲は、貸付物件の価格が上昇し貸付料が不相当になったとき等、法第11条第１項本文の規定に該当することとなったときは、第６条の規定にかかわらず、貸付料の増額を請求することができる。

（契約保証金）

第８条　乙は、本契約締結と同時に、契約保証金として金（契約金額の100分の10）円を甲に納付しなければならない。

２　前項の契約保証金は、第20条に定める損害賠償額の予定又はその一部と解釈しない。

３　第１項の契約保証金には利息を付さない。

４　甲は、乙が第18条に定める義務その他本契約に定める義務の履行をしたときは、乙の請求により遅滞なく第１項に定める契約保証金を乙に還付する。

５　甲は、第１項に定める契約保証金の全部又は一部について、賃料支払い、本件土地の原状回復、損害賠償その他本契約から生じる一切の債務に充当することができるものとし、充当した金額に相当する部分は国庫に帰属するものとする。また、甲が本項に基づき契約保証金を充当した場合には、乙は、直ちに充当した金額に相当する金額を甲に納付するものとする。

㈴　契約時点において、確定している第１年次から第３年次までの貸付料合計額の100分の10を納付させ、残りの契約保証金については、貸付料更新時毎に確定した貸付料合計額の100分の10を納付する場合には、以下の条文を追加する。

６　乙は、第５条第１項に規定する期間を経過した後に係る契約保証金は、第５条第２項の期間について甲の定める基準により算定した金額によることに同意する。なお、金額については甲から通知する。

（延滞金）

第９条　乙は、第６条に基づき、甲が定める納付期限までに貸付料を納付しない場合には、納付期限の翌日から納付した日までの期間について第２項に定める率により算定した延滞金を甲に支払わなければならない。

２　前項の延滞金利率は延滞起算日時点の国の債権の管理等に関する法律施行令第29条第１項本文に規定する財務大臣が定める率を定める告示（昭和32年大蔵省告示第８号）に定める率とする。

（充当の順序）

第10条　乙が、貸付料及び延滞金を納付すべき場合において、納付された金額が貸付料及び延滞金の合計額に満たないときは、まず延滞金から充当する。

（使用上の制限）

第11条　乙は、貸付物件について第２条に規定する使用目的、利用計画及び事業計画の変更若しくは貸付物件及び当該物件上に所在する自己所有の建物その他の工作物等について増改築等により現状を変更（軽微な変更を除く。）しようとするときは、事前に変更しようとする理由及び変更後の使用目的等を記載した書面によって甲に申請し、その承認を受けなければならない。

2　前項に基づく甲の承認は、書面によるものとする。

（権利譲渡等）

第12条　乙は、乙が建設した建物の余裕部分を第三者に貸付け若しくは使用収益を目的とする権利を設定し又は転貸若しくは賃借権を譲渡し並びに抵当権若しくは質権の設定をしようとする場合には、事前にその理由を記載した書面によって甲に申請し、その承認を受けなければならない。

2　前項に基づく甲の承認は、書面によるものとする。

（建物の賃貸借等に関する措置）

第13条　甲の承認を得て乙が建設した建物の余裕部分を第三者に貸付け、又は乙が建設した建物その他の工作物に賃借権その他の使用収益を目的とする権利を設定する場合には、当該第三者との間で締結する契約において、建物の敷地が法第22条に規定する定期借地権に基づくものであり、第３条に定める貸付期間の満了により借地権が消滅し、建物を取り壊すことを明示しなければならない。

（物件保全義務）

第14条　乙は、善良な管理者としての注意をもって貸付物件の維持保全に努めなければならない。

（実地調査等）

第15条　甲は、次の各号の一に該当する事由が生じたときは、乙に対しその業務又は資産の状況に関して質問し、実地に調査し又は参考となるべき資料その他の報告を求めることができる。この場合において、乙は調査等を拒み、妨げ又は怠ってはならない。

⑴　第２条第２項に定める使用してはならない用途等に関して、甲が必要と認めるとき

⑵　第６条に定める貸付料の納付がないとき

⑶　第11条に定める甲の承認を受けなかったとき

⑷　第12条に定める甲の承認を受けなかったとき

⑸　本契約に定める義務に違反したとき

（違約金）

第16条　乙は、第５条第１項に定める期間中に次の各号に定める事由が生じたときは、それぞれ当該各号に定める金額を違約金として、甲に支払わなければならない。

⑴　第11条第１項の増改築に係る事前承認を受ける義務又は前条に定める義務に違反した場合　金（貸付料年額）円

⑵　第２条第１項、同条第２項又は第12条第１項に定める義務に違反した場合　金（貸付料年額の３倍）円

2　乙は、第５条第１項に規定する期間を経過した後において本契約に違反した場合の違約金は、第５条第２項の期間について甲の定める基準により算定した金額によることに同意する。なお、金額については甲から通知する。

3　前２項に定める違約金は、第20条に定める損害賠償額の予定又はその一部と解釈しない。

（契約の解除）

第17条　甲は、乙が本契約に定める義務に違反した場合又は次の各号の一に該当していると認められるときは、本契約を解除することができる。

⑴　法人等（個人、法人又は団体をいう。）の役員等（個人である場合はその者、法人である場合は役員又は支店若しくは営業所の代表者、団体である場合は代表者、理事等、その他経営に実質的に関与している者をいう。以下同じ。）が、暴力団（暴力団員による不当な行為の防止等に関する法律（平成３年法律第77号）第２条第２号に規定する暴力団をいう。以下同じ。）又は暴力団員（同法第２条第６号に規定する暴力団員をいう。以下同じ。）であるとき

⑵　役員等が、自己、自社若しくは第三者の不正の利益を図る目的、又は第三者に損害を加える目的をもって、暴力団又は暴力団員を利用するなどしているとき

⑶　役員等が、暴力団又は暴力団員に対して、資金等を供給し、又は便宜を供与するなど直接的あるいは積極的に暴力団の維持、運営に協力し、若しくは関与しているとき

⑷　役員等が、暴力団又は暴力団員であることを知りながらこれを不当に利用するなどしているとき

⑸　役員等が、暴力団又は暴力団員と社会的に非難されるべき関係を有しているとき

2　甲は、貸付物件を国又は公共団体において公共用、公用又は公益事業の用に供するため必要が生じたときは、国有財産法（昭和23年法律第73号）第19条で準用する同法第24条第１項の規定に基づき、本契約を解除することができる。

3　甲は、第１項の規定により本契約を解除した場合は、これにより乙に生じた損害について、何らの賠償ないし補償を要しない。

4　乙は、甲が第１項の規定により本契約を解除した場合において、甲に損害が生じたときは、その損害を賠償するものとする。

（原状回復等）

第18条　乙は、第３条に定める貸付期間が満了するときは貸付期間満了日まで、又は前条の規定により本契約が解除されたときは甲の指定する期日までに甲の指示により自己の責任と負担において、貸付物件上の建物その他工作物を除去し、貸付物件を原状に回復して、甲に更地で返還しなければならない。ただし、再契約のほか、甲が指示した場合にはこの限りでない。

2　甲の指定する期日までに、乙が貸付物件を返還しないときは、乙は甲の指定する期日

の翌日から返還完了に至るまでの貸付料相当額合計の倍額の損害金及び貸付物件内における必要費（水道光熱費等）相当額を甲又は甲の指定する者に支払い、かつ返還遅延により甲の被った損害を賠償しなければならない。

3　甲は、乙が第１項に定める原状回復義務を履行しないときは、乙に代わって甲自ら執行し、若しくは他人に執行させることができる。なお、執行にかかる費用はすべて乙が負担する。

4　乙は甲に対し、第３条に定める貸付期間が満了する日の１年前までに、建物の取壊し及び建物賃借人の明渡し等貸付物件の返還に必要な事項を書面により報告しなければならない。

5　乙は、第５条第１項に定める期間中に、第１項に定める義務に違反した場合には、金（貸付料年額）を違約金として、甲に支払わなければならない。

6　乙は、第５条第１項に規定する期間を経過した後において本契約に違反した場合の違約金は、甲の定める基準により算定した金額によることに同意する。なお、金額については甲から通知する。

7　前２項に定める違約金は、第20条に定める損害賠償額の予定又はその一部と解釈しない。

8　本契約は、法第22条の規定に基づくものであることから、法第13条の規定にかかわらず、第３条に定める貸付期間が満了したとき又は前条第１項の規定により本契約が解除されたときに、乙は甲に対し、建物を買い取るべきことを請求することはできず、民法第608条に基づく費用の償還、その他いかなる名目においても、財産上の請求を一切行うことができない。

（貸付料の精算）

第19条　甲は、本契約が解除された場合には、未経過期間に係る貸付料を返還する。ただし、その額が千円未満の場合には、この限りでない。

（損害賠償）

第20条　乙は、本契約に定める義務を履行しないため甲に損害を与えたときは、その損害を賠償しなければならない。

（契約の費用）

第21条　本契約の締結に関して必要な費用は、乙の負担とする。

（信義誠実等の義務・疑義の決定）

第22条　甲及び乙は、信義を重んじ、誠実に本契約を履行しなければならない。

2　乙は、貸付物件が国有財産であることを常に考慮し、適正に使用するように留意しなければならない。

3　本契約に関して疑義があるときは、甲乙協議の上決定する。

（裁判管轄）

第23条　本契約に関する訴えの管轄は、○○部局所在地を管轄区域とする○○地方裁判所とする。

上記の契約の締結を証するため本契約書２通を作成し、両者記名押印の上、各自その１通を保有する。

令和　年　月　日

貸付人　　国

契約担当官　　○○部局長

借受人　　住所（所在地）

氏名（名称）（代表者）　　㊞

別紙

（貸付財産及び付属施設の内訳）

区　分	種　目	構　　造	数　量	備　　考
				・共有持分○／○別添図面表示のとおり

記載要領

1　本表には貸付財産及び付属する工作物並びに立木竹の詳細を記載し、原状回復の際の紛争を防止できるようにしておくこと。

2　土地については、地番を備考欄に記載すること。

別紙様式９（普通借地）（合築用）

収入印紙

国有財産有償貸付契約書例

貸付人国（以下「甲」という。）と借受人（以下「乙」という。）とは、次の条項により国有財産について賃貸借を内容とする借地契約を締結する。

（貸付物件）

第１条　貸付物件は、次のとおり。

所　　在	区　分	数量（㎡）	備　　考
			詳細は、別紙のとおり。

（指定用途）

第２条　乙は、貸付物件を貸付申請書に記載又は添付した使用目的、利用計画（建物及び工作物の配置計画を含む。）及び事業計画どおりの用途に自ら使用し、甲の承認を得ないで変更してはならない。

２　乙は、貸付物件を次の各号に掲げる用に使用してはならない。

⑴　風俗営業等の規制及び業務の適正化等に関する法律（昭和23年法律第122号）第２条第１項に規定する風俗営業、同条第５項に規定する性風俗関連特殊営業又は同条第11項に規定する特定遊興飲食店営業その他これらに類する営業その他これらに類する業の用

⑵　暴力団員による不当な行為の防止等に関する法律（平成３年法律第77号）第２条第２号に規定する暴力団（以下、「暴力団」という。）若しくは法律の規定に基づき公の秩序を害するおそれのある団体等であることが指定されている者の事務所又はこれに類する施設の用

⑶　公の秩序又は善良の風俗に反する目的の用その他近隣住民の迷惑となる目的の用

（貸付期間）

第３条　貸付期間は、令和　年　月　日から令和　年　月　日までの　年間とする。

（貸付料）

第４条　貸付料は、令和　年　月　日から令和　年　月　日までの期間については、次に掲げるとおりとする。

年　次	期　　間	貸付料年額	備　考
第一年次	自令和　年　月　日至令和　年　月　日	円	

第二年次	自令和　年　月　日至令和　年　月　日	円
第三年次	自令和　年　月　日至令和　年　月　日	円

2　前項に規定する期間が満了した後の期間に係る貸付料については、改めて甲から通知する。なお、貸付料は３年毎に改定するものとし、改定の都度、３年間に係る貸付料を甲から通知する。

（貸付料の納付）

第５条　前条に定める貸付料は、次に定めるところにより、甲の発行する納入告知書により納付しなければならない。

年次	回　数	納付金額	納　付　期　限	備　考
第一年次	第１回	円	令和　年　月　日	
	第２回	円	令和　年　月　日	
	第３回	円	令和　年　月　日	
	第４回	円	令和　年　月　日	
	計	円		
第二年次	第１回	円	令和　年　月　日	
	第２回	円	令和　年　月　日	
	第３回	円	令和　年　月　日	
	第４回	円	令和　年　月　日	
	計	円		
第三年次	第１回	円	令和　年　月　日	
	第２回	円	令和　年　月　日	
	第３回	円	令和　年　月　日	
	第４回	円	令和　年　月　日	
	計	円		

（貸付料の改定）

第６条　甲は、貸付物件の価格が上昇し貸付料が不相当になったとき等、借地借家法（平成３年法律第90号）第11条第１項本文の規定に該当することとなったときは、第４条の規定にかかわらず、貸付料の増額を請求することができる。

（契約保証金）

第７条　乙は、本契約締結と同時に、契約保証金として金（契約金額の100分の10）円を甲に納付しなければならない。

2　前項の契約保証金は、第20条に定める損害賠償額の予定又はその一部と解釈しない。

3　第１項の契約保証金には利息を付さない。

4　甲は、乙が第18条に定める義務その他本契約に定める義務の履行をしたときは、乙の請求により遅滞なく第１項に定める契約保証金を乙に還付する。

5　甲は、第１項に定める契約保証金の全部又は一部について、賃料支払い、本件土地の原状回復、損害賠償その他本契約から生じる一切の債務に充当することができるものとし、充当した金額に相当する部分は国庫に帰属するものとする。また、甲が本項に基づき契約保証金を充当した場合には、乙は、直ちに充当した金額に相当する金額を甲に納付するものとする。

(注)　契約時点において、確定している第１年次から第３年次までの貸付料合計額の100分の10を納付させ、残りの契約保証金については、貸付料更新時毎に確定した貸付料合計額の100分の10を納付する場合には、以下の条文を追加する。

6　乙は、第４条第１項に規定する期間を経過した後に係る契約保証金は、第４条第２項の期間について甲の定める基準により算定した金額によることに同意する。なお、金額については甲から通知する。

（延滞金）

第８条　乙は、第５条に基づき、甲が定める納付期限までに貸付料を納付しない場合には、納付期限の翌日から納付した日までの期間について第２項に定める率により算定した延滞金を甲に支払わなければならない。

2　前項の延滞金利率は延滞起算日時点の国の債権の管理等に関する法律施行令第29条第１項本文に規定する財務大臣が定める率を定める告示（昭和32年大蔵省告示第８号）に定める率とする。

（充当の順序）

第９条　乙が貸付料及び延滞金を納付すべき場合において、納付された金額が貸付料及び延滞金の合計額に満たないときは、先ず延滞金から充当する。

（物件の引渡し）

第10条　甲は、第３条に定める貸付期間の初日に本物件を乙に引渡しがあったものとする。

（貸付物件の一部滅失）

第11条　甲は、貸付物件が乙の責に帰すことのできない事由により滅失又は損傷した場合には、滅失又は損傷した部分に係る貸付料として甲が認める金額を減免する。

（使用上の制限）

第12条　乙は、貸付物件について第２条に規定する使用目的、利用計画及び事業計画の変更若しくは貸付物件及び当該物件上に所在する自己所有の建物その他の工作物等について増改築等により現状の変更（軽微な変更を除く。）をしようとする場合には、事前に変更しようとする理由及び変更後の使用目的等を記載した書面によって甲に申請し、その承認を受けなければならない。

2　前項に基づく甲の承認は、書面によるものとする。

（権利譲渡等）

第13条　乙は、乙が建設した建物その他の工作物について貸付け若しくは使用収益を目的とする権利を設定し又は転貸若しくは賃借権を譲渡し並びに抵当権若しくは質権の設定をしようとする場合には、事前にその理由を記載した書面によって甲に申請し、その承認を受けなければならない。

2　前項に基づく甲の承認は、書面によるものとする。

（物件保全義務）

第14条　乙は、善良なる管理者の注意をもって貸付物件の維持保全に努めなければならない。

（実地調査等）

第15条　甲は次の各号の一に該当する事由が生じたときは、乙に対しその業務又は資産の状況に関して質問し、実地に調査し、又は参考となるべき資料その他の報告を求めることができる。この場合において、乙は、調査等を拒み、妨げ又は怠ってはならない。

⑴　第２条第２項に定める使用してはならない用途等に関して、甲が必要と認めるとき

⑵　第５条に定める貸付料の納付がないとき

⑶　第12条又は第13条に定める甲の承認を受けなかったとき

⑷　前条に定める義務に違反したとき

⑸　その他甲が必要と認めるとき

（違約金）

第16条　乙は、第４条第１項に定める期間中に次の各号に定める事由が生じたときは、それぞれ当該各号に定める金額を違約金として、甲に支払わなければならない。

⑴　第12条第１項の増改築に係る事前承認を受ける義務又は前条に定める義務に違反した場合　　金　　　　　（貸付料年額）円

⑵　第２条又は第13条第１項に定める義務に違反した場合　　金　　　　　（貸付料年額の３倍）円

2　乙は、第４条第１項に規定する期間を経過した後において本契約に違反した場合の違約金は、第４条第２項の期間について甲の定める基準により算定した金額によることに同意する。なお、金額については甲から通知する。

3　前２項に定める違約金は第20条に規定する損害賠償額の予定又はその一部と解釈しない。

（契約の解除）

第17条　甲は、乙が本契約に定める義務に違反した場合又は次の各号の一に該当していると認められるときは、本契約を解除することができる。

⑴　法人等（個人、法人又は団体をいう。）の役員等（個人である場合はその者、法人である場合は役員又は支店若しくは営業所の代表者、団体である場合は代表者、理事等、その他経営に実質的に関与している者をいう。以下同じ。）が、暴力団（暴力団員による不当な行為の防止等に関する法律（平成３年法律第77号）第２条第２号に規定する暴力団をいう。以下同じ。）又は暴力団員（同法第２条第６号に規定する暴力団員をいう。以下同じ。）であるとき

⑵　役員等が、自己、自社若しくは第三者の不正の利益を図る目的、又は第三者に損害を加える目的をもって、暴力団又は暴力団員を利用するなどしているとき

⑶　役員等が、暴力団又は暴力団員に対して、資金等を供給し、又は便宜を供与するなど直接的あるいは積極的に暴力団の維持、運営に協力し、若しくは関与しているとき

⑷　役員等が、暴力団又は暴力団員であることを知りながらこれを不当に利用するなどしているとき

⑸　役員等が、暴力団又は暴力団員と社会的に非難されるべき関係を有しているとき

2　甲は、貸付物件を国又は公共団体において公共用、公用又は公益事業の用に供するため必要が生じたときは、国有財産法（昭和23年法律第73号）第19条で準用する同法第24条第１項の規定に基づき、本契約を解除することができる。

3　甲は、第１項の規定により本契約を解除した場合は、これにより乙に生じた損害について、何らの賠償ないし補償を要しない。

4　乙は、甲が第１項の規定により本契約を解除した場合において、甲に損害が生じたときは、その損害を賠償するものとする。

（原状回復等）

第18条　乙は第３条に定める貸付期間が満了するときは貸付期間満了日まで、又は前条の規定により本契約が解除されたときは甲の指定する期日までに甲の指示により自己の責任と負担において、貸付物件を原状に回復して返還しなければならない。ただし、再契約のほか、甲が指示した場合にはこの限りでない。

2　甲の指定する期日までに、乙が貸付物件を返還しないときは、乙は甲の指定する期日の翌日から返還完了に至るまでの貸付料相当額合計の倍額の損害金及び貸付物件内における必要費（水道光熱費等）相当額を甲又は甲の指定する者に支払い、かつ返還遅延により甲の被った損害を賠償しなければならない。

3　甲は、乙が第１項に定める原状回復義務を履行しないときは、乙に代わって甲自ら執行し、若しくは他人に執行させることができる。なお、執行にかかる費用はすべて乙が負担する。

（貸付料の精算）

第19条　甲は、本契約が解除された場合には、未経過期間に係る貸付料を返還する。ただし、その額が千円未満の場合には、この限りでない。

（損害賠償）

第20条　乙は、本契約に定める義務を履行しないため甲に損害を与えたときは、その損害を賠償しなければならない。

（有益費等の放棄）

第21条　乙は、第３条に規定した貸付期間が満了し、契約が更新されない場合又は第17条第１項の規定により契約を解除された場合において、建物を撤去するときは、乙が支出した必要費及び有益費等については、甲に対してその償還の請求をすることができない。

（契約の費用）

第22条　本契約の締結に関して必要な費用は、乙の負担とする。

（信義誠実の義務・疑義の決定）

第23条　甲及び乙は、信義を重んじ、誠実に本契約を履行しなければならない。

２　乙は、貸付物件が国有財産であることを常に考慮し、適正に使用するように留意しなければならない。

３　本契約に疑義があるときは、甲乙協議の上決定する。

（裁判管轄）

第24条　本契約に関する訴えの管轄は、○○省○○部局所在地を管轄区域とする○○地方裁判所とする。

上記の契約の締結を証するため本契約書２通を作成し、両者記名押印の上、各自その１通を保有する。

令和　年　月　日

国

貸付人　契約担当官　○○部局長

借受人　名　称

氏　名（代表者）　㊞

別紙

貸付財産及び付属施設等の内訳

区　　分	種　　目	構　　造	数　　量	備　　考

記載要領

1　本表には貸付財産及び付属する工作物並びに立木竹の詳細を記載し、原状回復の際の紛争を防止できるようにしておくこと。

2　土地については、地番を備考欄に記載すること。

別紙様式10（定期建物賃貸借）

収入印紙

国有財産有償貸付契約書例

貸付人国（以下「甲」という。）と借受人　　（以下「乙」という。）とは、次の条項により国有財産について借地借家法（平成３年法律第90号。以下「法」という。）第38条の規定に基づく定期建物賃借権の設定を目的とした借家契約を締結する。

（貸付物件）

第１条　貸付物件は、次のとおり。

所在地（庁舎名）	区　分	数量（㎡）	備　考
			詳細は、別紙のとおり。

（指定用途等）

第２条　乙は、貸付物件を貸付申請書に記載又は添付した使用目的、利用計画（工作物の配置計画を含む）及び事業計画どおりの用途に自ら使用し、甲の承認を得ないで変更してはならない。

２　乙は、貸付物件について、次の各号に掲げる用に供してはならない。

⑴　風俗営業等の規制及び業務の適正化等に関する法律（昭和23年法律第122号）第２条第１項に規定する風俗営業、同条第５項に規定する性風俗関連特殊営業又は同条第11項に規定する特定遊興飲食店営業その他これらに類する営業その他これらに類する業の用

⑵　暴力団員による不当な行為の防止等に関する法律（平成３年法律第77号）第２条第２号に規定する暴力団（以下、「暴力団」という。）若しくは法律の規定に基づき公の秩序を害するおそれのある団体等であることが指定されている者の事務所又はこれに類する施設の用

⑶　特定の個人、団体又は企業の活動に対する行政の中立性が損なわれるおそれのある施設（宗教団体・政治団体等の事務所、集会所その他これに類する施設）の用

⑷　公の秩序又は善良の風俗に反する目的の用その他近隣住民の迷惑となる目的の用

⑸　その他国の庁舎等の利用として社会通念上不適切と認められる目的の用

（貸付期間）

第３条　貸付期間は令和　年　月　日から令和　年　月　日までの　年間とする。

（契約更新等）

第４条　本契約は、法第38条の規定に基づくものであるから、法第26条、第28条及び第29条第１項並びに民法（明治29年法律第89号）第604条の規定は適用されないので、契約更新に係る権利は一切発生せず、前条に定める期間満了時において本契約の更新（更新の請求及び建物の使用の継続によるものを含む。）は行われず、貸付期間の延長も行われないものとする。

２　甲は、前条に規定する期間満了の１年前から６か月前までの間の期間（以下「通知期間」という。）に乙に対し、貸付期間の満了により本契約が終了する旨を書面によって通知するものとする。

３　甲は、通知期間内に前項の通知をしなかった場合においても、通知期間経過後改めて期間の満了により本契約が終了する旨の書面による通知を乙にした場合、当該通知日から６か月を経過した日をもって、本契約は終了する。

（貸付料等）

第５条　貸付料は、令和　年　月　日から令和　年　月　日までの期間については、次に掲げるとおりとする。

年　次	期　　　間	貸付料年額	備　考
第一年次	自令和　年　月　日　至令和　年　月　日	円	
第二年次	自令和　年　月　日　至令和　年　月　日	円	
第三年次	自令和　年　月　日　至令和　年　月　日	円	

２　前項に規定する期間が満了した後の期間に係る貸付料については、改めて甲から通知する。なお、貸付料は３年毎に改定するものとし、改定の都度、３年間に係る貸付料を甲から通知する。

３　乙は、別に定めるところにより、分担金（共用部分の電気使用料等共益の費用として応分の負担が必要なもの）及び貸付物件に係る光熱費等実費負担となるものについて、負担しなければならない。

（貸付料の納付）

第６条　前条に定める貸付料は、次に定めるところにより甲の発行する納入告知書により納付しなければならない。

年次	回　数	納付金額	納　付　期　限	備　考
第一年次	第１回	円	令和　年　月　日	
	第２回	円	令和　年　月　日	
	第３回	円	令和　年　月　日	
	第４回	円	令和　年　月　日	

	計	円		
第二年次	第１回	円	令和　年　月　日	
	第２回	円	令和　年　月　日	
	第３回	円	令和　年　月　日	
	第４回	円	令和　年　月　日	
	計	円		
第三年次	第１回	円	令和　年　月　日	
	第２回	円	令和　年　月　日	
	第３回	円	令和　年　月　日	
	第４回	円	令和　年　月　日	
	計	円		

（貸付料の改定）

第７条　甲は、貸付物件の価格が上昇し貸付料が不相当になったとき等、法第32条第１項本文の規定に該当することとなったときは、第５条の規定にかかわらず、貸付料の増額を請求することができる。

（契約保証金）

第８条　乙は、本契約締結と同時に、契約保証金として金（契約金額の100分の10）円を甲に納付しなければならない。

2　前項の契約保証金は、第20条に定める損害賠償額の予定又はその一部と解釈しない。

3　第１項の契約保証金には利息を付さない。

4　甲は、乙が第18条に定める義務その他本契約に定める義務の履行をしたときは、乙の請求により遅滞なく第１項に定める契約保証金を乙に還付する。

5　甲は、第１項に定める契約保証金の全部又は一部について、賃料支払い、本件土地の原状回復、損害賠償その他本契約から生じる一切の債務に充当することができるものとし、充当した金額に相当する部分は国庫に帰属するものとする。また、甲が本項に基づき契約保証金を充当した場合には、乙は、直ちに充当した金額に相当する金額を甲に納付するものとする。

㈱　契約時点において、確定している第１年次から第３年次までの貸付料合計額の100分の10を納付させ、残りの契約保証金については、貸付料更新時毎に確定した貸付料合計額の100分の10を納付する場合には、以下の条文を追加する。

6　乙は、第４条第１項に規定する期間を経過した後に係る契約保証金は、第５条第２項の期間について甲の定める基準により算定した金額によることに同意する。なお、金額については甲から通知する。

（延滞金）

第９条　乙は、第６条に基づき、甲が定める納付期限までに貸付料を納付しない場合には、納付期限の翌日から納付した日までの期間について第２項に定める率により算定した延滞金を、甲に支払わなければならない。

２　前項の延滞金利率は延滞起算日時点の国の債権の管理等に関する法律施行令第29条第１項本文に規定する財務大臣が定める率を定める告示（昭和32年大蔵省告示第８号）に定める率とする。

（充当の順序）

第10条　乙が貸付料及び延滞金を納付すべき場合において、乙が納付した金額が貸付料及び延滞金の合計額に満たないときは、まず延滞金から充当する。

（使用上の制限）

第11条　乙は、貸付物件について、第２条に規定する使用目的、利用計画及び事業計画の変更若しくは貸付物件の模様替、改造等により現状を変更（貸付物件の修繕及びその他軽微な変更を除く。）しようとする場合には、事前に変更する理由及び変更後の目的等を書面によって甲に申請し、その承認を受けなければならない。

２　乙は、貸付物件について、２か月以上使用しないときは、事前に使用しない期間等を書面によって甲に申請し、その承認を受けなければならない。

３　前２項に基づく甲の承認は、書面によるものとする。

（権利譲渡等）

第12条　乙は、貸付物件の賃借権を第三者に譲渡し又は貸付物件を第三者に転貸しようとするときは、事前にその理由を記載した書面によって甲に申請し、その承認を受けなければならない。

２　前項に基づく甲の承認は、書面によるものとする。

（物件保全義務）

第13条　乙は、善良な管理者としての注意をもって貸付物件の維持保全に努めなければならない。

２　本庁舎及び貸付物件に係る乙の責に帰すべき修理費用は、乙の負担とする。

３　前項の規定にかかわらず、乙は、別に定めるところにより、貸付物件の維持保全に係る費用（清掃の費用、電球等の消耗品交換工事の費用、天井・壁・床の補修塗替え費用を含む。）について、負担しなければならない。

４　甲が本庁舎及び貸付物件の維持保全のために行う工事により、乙が貸付物件又は共用部分の全部又は一部を使用できない場合、乙は甲に対して名目の如何を問わず損失補償等を一切請求できないものとする。

５　天災地変、火災、停電又は盗難等、甲の責に帰すことのできない事由により発生した事故のため乙が被った損害については、甲はその責を負わないものとする。

（立入り）

第14条　甲は、貸付物件の防火、貸付物件の構造の保全その他の貸付物件の管理上の必要があるときは、あらかじめ乙の承諾を得て、貸付物件内に立ち入ることができる。

2　乙は、正当な理由がある場合を除き、前項の規定に基づく甲の立入りを拒否することはできない。

3　甲は、火災による延焼を防止する必要がある場合その他緊急の必要がある場合においては、あらかじめ乙の承諾を得ることなく、貸付物件内に立ち入ることができる。

（実地調査等）

第15条　甲は、次の各号の一に該当する事由が生じたときは、乙に対し実地に調査し又は参考となるべき資料その他の報告を求めることができる。この場合において、乙は調査等を拒み、妨げ又は怠ってはならない。

⑴　第２条第２項に定める使用してはならない用途等に関して、甲が必要と認めるとき

⑵　第６条に定める貸付料の納付がないとき

⑶　第11条及び第12条に定める甲の承認を受けなかったとき

⑷　本契約に定める義務に違反したとき

（違約金）

第16条　乙は、第５条第１項に定める期間中に、次の各号に定める事由が生じたときは、それぞれ当該各号に定める金額を違約金として、甲に支払わなければならない。

⑴　第11条第１項の貸付物件の模様替、改造等による現状変更に係る事前承認を受ける義務又は前２条に定める義務に違反した場合　金（貸付料年額）円

⑵　第２条又は第12条第１項に定める義務に違反した場合　金（貸付料年額の３倍）円

2　乙は、第５条第１項に定める期間を経過した後において、本契約に違反した場合の違約金は、同条第２項の期間について甲の定める基準により算出した金額によることに同意する。なお、金額については、甲から通知する。

3　乙は、第17条第１項及び第４項の規定により本契約を解除された場合には、第３条に規定する貸付期間満了までの期間分に係る貸付料相当額を上限として、甲が指定する金額を甲に支払うものとする。

4　前３項に定める違約金は第20条に定める損害賠償額の予定又はその一部と解釈しない。

（契約の解除等）

第17条　甲は、乙が本契約に定める義務に違反した場合には、本契約を解除することができる。

2　賃貸借契約期間内においては甲乙共に本契約を解約できないものとする。

3　前項にかかわらず、甲は、貸付物件を国又は公共団体において公共用、公用又は公益

事業の用に供するため必要が生じたときは、国有財産法（昭和23年法律第73号）第19条で準用する同法第24条第１項の規定に基づき、本契約を解除することができる。

4　甲は、乙に次の各号のいずれかに該当する行為又は事実があった場合、乙に対し催告その他何等の手続きを要することなく、直ちに本契約を解除することができる。

⑴　貸付料・分担金その他の債務の納付を納付期限から２か月以上怠ったとき。

⑵　手形・小切手が不渡りになったとき、又は銀行取引停止処分を受けたとき。

⑶　差押・仮差押・仮処分、競売・保全処分・滞納処分等の強制執行の申立てを受けたとき。

⑷　破産、特別清算、民事再生、会社更生等の申立てを受け、若しくは申立てをしたとき。

⑸　第２条（指定用途等）、第12条（権利譲渡等）、第14条（立入り）又は第15条（実地調査等）の規定に違反したとき。

⑹　甲の書面による承諾なく、乙が２か月以上貸付物件を使用しないとき。

⑺　本契約に付随して締結した契約に違反したとき。

⑻　法人等（個人、法人又は団体をいう。）の役員等（個人である場合はその者、法人である場合は役員又は支店若しくは営業所の代表者、団体である場合は代表者、理事等、その他経営に実質的に関与している者をいう。以下同じ。）が、暴力団（暴力団員による不当な行為の防止等に関する法律（平成３年法律第77号）第２条第２号に規定する暴力団をいう。以下同じ。）又は暴力団員（同法第２条第６号に規定する暴力団員をいう。以下同じ。）であるとき

⑼　役員等が、自己、自社若しくは第三者の不正の利益を図る目的、又は第三者に損害を加える目的をもって、暴力団又は暴力団員を利用するなどしているとき

⑽　役員等が、暴力団又は暴力団員に対して、資金等を供給し、又は便宜を供与するなど直接的あるいは積極的に暴力団の維持、運営に協力し、若しくは関与しているとき

⑾　役員等が、暴力団又は暴力団員であることを知りながらこれを不当に利用するなどしているとき

⑿　役員等が、暴力団又は暴力団員と社会的に非難されるべき関係を有しているとき

⒀　公序良俗に反する行為があったとき、又はそのような行為を助するおそれがあるとき。

⒁　甲の信用を著しく失墜させる行為をしたとき。

⒂　乙の信用が著しく失墜したと甲が認めたとき。

⒃　主務官庁から営業禁止又は営業停止処分を受け、自ら廃止、解散等の決議をし、又は事実上営業を停止したとき。

⒄　資産、信用、組織、営業目的その他事業に重大な変動を生じ、又は合併を行うこと等により、甲が契約を継続しがたい事態になったと認めたとき。

⒅　貸付物件及び貸付物件が所在する庁舎等の行政財産としての用途又は目的を乙が妨げると認めたとき。

⒆　前各号に準ずる事由により、甲が契約を継続しがたいと認めたとき。

5　甲は、第１項又は第４項の規定により本契約を解除した場合は、これにより乙に生じた損害について、何ら賠償ないし補償することは要しない。

6　乙は、甲が第１項又は第４項の規定により本契約を解除した場合において、甲に損害が生じたときは、その損害を賠償するものとする。

（原状回復等）

第18条　乙は、第３条に定める貸付期間が満了するときは貸付期間満了日まで、又は前条の規定により本契約が解除されたときは甲の指定する期日までに甲の指示により自己の責任と負担において、貸付物件を原状に回復して返還しなければならない。ただし、再契約のほか、甲が指示した場合にはこの限りでない。

2　本契約が終了し、乙が貸付物件を明け渡した後に貸付物件内、本庁舎又はその敷地内に残置した物件があるときは、甲は、乙がその所有権を放棄したものとみなして任意に乙の負担においてこれを処分することができる。

3　甲の指定する期日までに、乙が貸付物件を返還しないときは、乙は、甲の指定する期日の翌日から返還完了に至るまでの貸付料相当額合計の倍額の損害金及び貸付物件内における必要費（水道光熱費等）相当額を甲又は甲の指定する者に支払い、かつ明渡し遅延により甲の被った損害を賠償しなければならない。

4　甲は、乙が第１項に定める原状回復義務を履行しないときは、乙に代わって甲自ら執行し、若しくは他人に執行させることができる。なお、執行にかかる費用はすべて乙が負担する。

（貸付料の精算）

第19条　甲は、第17条第３項の規定により本契約を解除した場合には、未経過期間にかかる貸付料を返還する。ただし、その額が千円未満の場合には、この限りでない。

（損害賠償）

第20条　乙は、本契約に定める義務を履行しないため甲に損害を与えたときは、その損害を賠償しなければならない。

（有益費などの放棄）

第21条　乙は、第３条に規定する貸付期間が満了した場合又は第17条第１項若しくは第４項の規定により契約を解除された場合において、乙が支出した必要費及び有益費等については、甲に対してその償還の請求をすることができない。

2　甲の承認の有無にかかわらず乙が施した造作については、本契約終了の場合において、乙は、その買取りの請求をすることができない。

（通知義務）

第22条　乙は、その商号、氏名、住所、代表者、営業目的、資本金その他商業登記事項若しくは身分上の事項に重要な変更が生じたとき又は届出印章、貸付物件の使用責任者若しくは契約上重要な事項に変更があったときは、遅滞なく書面により甲に通知する。

（信義誠実等の義務・疑義の決定）

第23条　甲及び乙は、信義を重んじ、誠実に本契約を履行しなければならない。

2　乙は、貸付物件が国有財産であることを常に考慮し、適正に使用するように留意しなければならない。

3　本契約に関し疑義があるときは、甲乙協議の上決定する。

（裁判管轄）

第24条　本契約に関する訴えの管轄は、○○部局所在地を管轄区域とする○○地方裁判所とする。

上記の契約の締結を証するため本契約書２通を作成し、両者記名押印の上、各自その１通を保有する。

令和　年　月　日

貸付人　　国

契約担当官　　○○部局長

借受人　　住所（所在地）

氏名（名称）〈代表者〉　　㊞

別紙

貸付財産及び付属施設等の内訳

区　分	種　目	構　造	数　量	備　考

記載要領

本表には貸付財産及び付属する工作物並びに立木竹の詳細を記載し、原状回復の際の紛争を防止できるようにしておくこと。

別紙様式11

文　書　番　号
令和　年　月　日

殿

部　局　長

国有財産貸付料等の改定について

あなたと令和　年　月　日付第　　　号をもって貸付契約を締結した国有財産について、貸付期間の自動更新（又は同契約書第　号第　項に定める期間の満了）に伴う令和　年　月　日から令和　年　月　日までの貸付料の額を決定しましたので、上記貸付契約書第　条第　項の規定に基づき、下記のとおり通知します。

なお、上記貸付契約書第　条第　項の規定により、併せて違約金額を通知しますが、これは、万一あなたに契約違反があった場合のみに適用されるものですので、誤解のないよう御了承ください。

記

1　貸付料決定額、納付期限

第一年次	（自令和　年　月　日 至令和　年　月　日）	￥	納付期限　令和　年　月　日
第二年次	（　〃　）	￥	納付期限　〃
第三年次	（　〃　）	￥	納付期限　〃

2　違約金額　￥

3　契約保証金額　￥

別紙様式12

令和　年　月　日

○○部局長　　殿

申請者　住　所

氏　名（代表者）

国有財産使用許可申請書

下記のとおり行政財産を使用したく、関係資料を添付して申請します。

記

1　使用しようとする財産

⑴　所在

⑵　区分

⑶　数量

2　使用しようとする理由

3　利用計画（事業計画）

4　使用しようとする期間

5　その他参考となるべき事項

別紙様式13（使用許可期間を５年以内とする場合）

文　書　番　号
令和　年　月　日

国有財産使用許可書

使用者　住所
　　　　氏名（代表者）　　　殿

許可者
部局長氏名　　　　　印

令和　年　月　日付をもって申請のあった当局管理の国有財産を使用することについては、国有財産法（昭和23年法律第73号）第18条第６項及び第19条の規定に基づき、下記の条件を付して許可する。

この許可について不服があるときは、行政不服審査法（平成26年法律第68号）の定めるところにより、この許可があったことを知った日の翌日から起算して３月以内に〇〇〇（注１）に対して審査請求をすることができる。なお、許可があった日の翌日から起算して１年を経過したときは、許可についての審査請求をすることができない。

また、行政事件訴訟法（昭和37年法律第139号）の定めるところにより、この許可があったことを知った日の翌日から起算して６月以内に、国（法務大臣）を被告として処分取消しの訴えを提起することができる。ただし、審査請求をした場合には、その審査請求に対する裁決があったことを知った日の翌日から起算して６月以内とする。なお、許可又は裁決の日から１年を経過したときは、処分取消しの訴えを提起することができない。

記

（使用許可物件）
第１条　使用を許可する物件は、次のとおりである。
所在
区分
数量
使用部分　別図のとおり

（指定用途）
第２条　使用を許可された者は、前記の物件を　　　の用に供しなければならない。

（使用許可期間）
第３条　使用を許可する期間は、令和　年　月　日から令和　年　月　日までとする。ただし、使用許可の更新を受けようとするときは、使用を許可された期間の満了２月前までに、所定の様式により部局長に申請しなければならない。（注２）

（使用料）

第４条　令和　年　月　日から令和　年　月　までの使用料は、　円とする。

２　前項に規定する期間が満了した後の期間に係る使用料については、改めて部局長から通知する。なお、使用料は毎年度改定するものとし、改定の都度、当該年度分の使用料を部局長から通知する。

（使用料の納付）

第５条　前条第１項に定める使用料は、当局歳入徴収官の発する納入告知書により、指定期日までに納入しなければならない。

（使用料の改定）

第６条　部局長は、経済情勢の変動、国有財産関係法の改廃その他の事情の変更に基づいて特に必要があると認める場合には、使用料を改定することができる。

（延滞金）

第７条　指定期日までに使用料を支払わないときは、その翌日から納入の日までの日数に応じ、第２項に定める率で計算した金額を延滞金として支払わなければならない。

２　前項の延滞金利率は延滞起算日時点の国の債権の管理等に関する法律施行令第29条第１項本文に規定する財務大臣が定める率を定める告示（昭和32年大蔵省告示第８号）に定める率とする。

（物件保全義務等）

第８条　使用を許可した物件は、国有財産法第18条第６項に規定する制限の範囲内で使用させるものであり、使用を許可された者は、善良な管理者の注意をもって維持保存しなければならない。

２　前項の維持保存のため通常必要とする修繕費その他の経費は、使用を許可された者の負担とし、その費用は請求しないものとする。

（使用上の制限）

第９条　使用を許可された者は、使用を許可された期間中、使用を許可された物件を第２条に指定する用途以外に供してはならない。

２　使用を許可された者は、使用を許可された物件を他の者に転貸し、又は担保に供してはならない。

３　使用を許可された者は、使用を許可された物件について修繕、模様替その他の行為をしようとするとき、又は使用計画を変更しようとするときは、事前に書面をもって部局長の承認を受けなければならない。

（使用許可の取消し）

第10条　部局長は、次の各号の１に該当するときは、使用許可の取消しをすることができる。

⑴　使用を許可された者が許可条件に違背したとき。

⑵　使用を許可された者の役員等（個人である場合はその者、法人である場合は役員又は支店若しくは営業所の代表者、団体である場合は代表者、理事等、その他経営に実質的に関与している者をいう。以下同じ。）が、暴力団（暴力団員による不当な行為の防止等に関する法律（平成３年法律第77号）第２条第２号に規定する暴力団をいう。以下同じ。）又は暴力団員（同法第２条第６号に規定する暴力団員をいう。以下同じ。）であるとき

⑶　使用を許可された者の役員等が、自己、自社若しくは第三者の不正の利益を図る目的、又は第三者に損害を加える目的をもって、暴力団又は暴力団員を利用するなどしているとき

⑷　使用を許可された者の役員等が、暴力団又は暴力団員に対して、資金等を供給し、又は便宜を供与するなど直接的あるいは積極的に暴力団の維持、運営に協力し、若しくは関与しているとき

⑸　使用を許可された者の役員等が、暴力団又は暴力団員であることを知りながらこれを不当に利用するなどしているとき

⑹　使用を許可された者の役員等が、暴力団又は暴力団員と社会的に非難されるべき関係を有しているとき

２　部局長は、使用を許可した物件を国又は公共団体において、公共用、公用又は公益事業の用に供するため必要が生じたときは、国有財産法第19条で準用する同法第24条第１項の規定に基づき、使用許可の取消しをすることができる。

３　部局長が第１項の規定により使用許可の取消しをした場合、これにより使用を許可された者に生じた損害について、何ら賠償ないし補償することを要しない。

４　使用を許可された者は、部局長が第１項の規定により使用許可の取消しをした場合において、国に損害が生じたときは、その損害を賠償するものとする。

（原状回復）

第11条　部局長が使用許可を取消したとき、又は使用を許可した期間が満了したときは、使用を許可された者は、自己の負担で、直ちに、使用を許可された物件を原状に回復して返還しなければならない。ただし、使用を許可した期間が満了した後、公募により改めて使用を許可された場合その他部局長が特に承認したときは、この限りでない。

２　使用を許可された者が原状回復の義務を履行しないときは、部局長は、使用を許可された者の負担においてこれを行うことができる。この場合使用を許可された者は、部局長に異議を申し立てることができない。

（損害賠償）

第12条　使用を許可された者は、その責に帰する事由により、使用を許可された物件の全部又は一部を滅失又は損傷したときは、当該滅失又は損傷による使用を許可された物件の損害額に相当する金額を損害賠償として支払わなければならない。ただし、前条の規

定により使用を許可された物件を原状回復した場合は、この限りでない。

2　前項に掲げる場合のほか、使用を許可された者は、本許可書に定める義務を履行しないため損害を与えたときは、その損害額に相当する金額を損害賠償として支払わなければならない。

（有益費等の請求権の放棄）

第13条　使用許可の取消が行なわれた場合においては、使用を許可された者は、使用を許可された物件に投じた改良のための有益費その他の費用が現存している場合であっても、その費用等の償還の請求はしないものとする。

（実地調査等）

第14条　部局長は、使用を許可した物件について随時に実地調査し、又は所要の報告を求め、その維持使用に関し指示することができる。

（疑義の決定）

第15条　本条件に関し、疑義のあるときその他使用を許可した物件の使用について疑義を生じたときは、部局長の決定するところによるものとする。

（注１）　審査請求をすべき行政庁については、以下のとおり記載するものとする。

イ　処分庁に上級行政庁がない場合又は処分庁が主任の大臣若しくは宮内庁長官若しくは内閣府設置法（平成11年法律第89号）第49条第１項若しくは第２項若しくは国家行政組織法（昭和23年法律第120号）第３条第２項に規定する庁の長である場合　当該処分庁

ロ　宮内庁長官又は内閣府設置法第49条第１項若しくは第２項若しくは国家行政組織法第３条第２項に規定する庁の長が処分庁の上級行政庁である場合　当該処分庁

ハ　主任の大臣が処分庁の上級行政庁である場合（イ又はロに掲げる場合を除く。）当該主任大臣

ニ　イ、ロ又はハに掲げる場合以外の場合　当該処分庁の最上級行政庁

（注２）　当該使用許可が当該使用許可期間満了をもって更新できないこととなる場合には、ただし書きに代えて、「なお、使用許可の更新は認めない。」と記載する。

（注３）　分担金等の負担を求める場合には、第４条第３項に、「前２項に定めるもののほか、別に定めるところにより、使用を許可された者は、分担金（共用部分の電気使用料等共益の費用として応分の負担が必要なもの）及び貸付物件に係る光熱費等実費負担となるものについて、負担しなければならない。」と追加するものとする。

（注４）　当該使用許可が、国家公務員宿舎の居室及び自動車保管場所となる場合には、以下のとおり追加等するものとする。

イ　第１条に、「宿舎名、戸番、専用面積又は指定保管場所」を追加。

ロ　第４条第３項に、上記注３に準じて追加する（「分担金」とあるのは「共益費」と読み替える）。

ハ　第９条第３項の次に次の１項を加える。

４　使用を許可された者は、使用を許可された物件が所在する宿舎の入居者からの照会又は苦情等を受け付けるための窓口を設置し、連絡先について部局長及び入居者に周知するとともに、照会又は苦情等があったときは、迅速かつ適切に対応しなければならない。

ニ　第12条第２項を以下のとおり改める。

(イ)　有償で使用を許可する場合

使用を許可された者は、前条第１項の明渡期日までに使用を許可された物件を返還しない場合、明渡期日の翌日から返還した日までの期間に応じる第４条に定める使用料の２倍に相当する額を損害賠償として支払わなければならない。

(ロ)　無償で使用を許可する場合

使用を許可された者は、前条第１項の明渡期日までに使用を許可された物件を返還しない場合、明渡期日の翌日から返還した日までの期間に応じる国家公務員宿舎関係法令に基づき算定した有料宿舎の使用料に相当する額を損害賠償として支払わなければならない。

ホ　第12条第３項に、「前２項に掲げる場合のほか、使用を許可された者は、本許可書に定める義務を履行しないため損害を与えたときは、その損害額に相当する金額を損害賠償として支払わなければならない。」と追加。

（注５）　地方公共団体が第三者へ転貸することを予定したものである場合等には、第９条第２項に「ただし、事前にその理由を記載した書面によって部局長に申請し、部局長の承認を得た場合には、使用許可物件を他の者に転貸することができる。」と追加するものとする。

別紙様式14（使用許可期間を５年超とする場合）

文　書　番　号

令和　年　月　日

国有財産使用許可書

使用者　住所

氏名（代表者）　　　殿

許可者

部局長氏名　　　　　印

令和　年　月　日付をもって申請のあった当局管理の国有財産を使用することについては、国有財産法（昭和23年法律第73号）第18条第６項及び第19条の規定に基づき、下記の条件を付して許可する。

この許可について不服があるときは、行政不服審査法（平成26年法律第68号）の定めるところにより、この許可があったことを知った日の翌日から起算して３月以内に○○○（注１）に対して審査請求をすることができる。なお、許可があった日の翌日から起算して１年を経過したときは、許可についての審査請求をすることができない。

また、行政事件訴訟法（昭和37年法律第139号）の定めるところにより、この許可があったことを知った日の翌日から起算して６月以内に、国（法務大臣）を被告として処分取消しの訴えを提起することができる。ただし、審査請求をした場合には、その審査請求に対する裁決があったことを知った日の翌日から起算して６月以内とする。なお、許可又は裁決の日から１年を経過したときは、処分取消しの訴えを提起することができない。

記

（使用許可物件）

第１条　使用を許可する物件は、次のとおりである。

所在

区分

数量

使用部分　別図のとおり

（指定用途）

第２条　使用を許可された者は、前記の物件を　　　の用に供しなければならない。

（使用許可期間）

第３条　使用を許可する期間は、令和　年　月　日から令和　年　月　日までとする。ただし、使用許可の更新を受けようとするときは、使用を許可された期間の満了２月前までに、所定の様式により部局長に申請しなければならない。（注２）

（使用料）

第４条　令和　年　月　日から令和　年　月　日までの使用料は、次に掲げるとおりとする。

年次	期間	使用料年額	備考
第一年次	自令和　年　月　日至令和　年　月　日	円	
第二年次	自令和　年　月　日至令和　年　月　日	円	
第三年次	自令和　年　月　日至令和　年　月　日	円	

2　前項に規定する期間が満了した後の期間に係る使用料については、改めて部局長から通知する。なお、使用料は３年ごとに改定するものとし、改定の都度、３年間に係る使用料を部局長から通知する。

（使用料の納付）

第５条　前条第１項に定める使用料は、次に定めるところにより、当局歳入徴収官の発する納入告知書により納入しなければならない。

年　次	回　数	納付金額	納付期限	備考
第一年次	第１回	円	令和　年　月　日	
	第２回	円	令和　年　月　日	
	第３回	円	令和　年　月　日	
	第４回	円	令和　年　月　日	
	計	円		
第二年次	第１回	円	令和　年　月　日	
	第２回	円	令和　年　月　日	
	第３回	円	令和　年　月　日	
	第４回	円	令和　年　月　日	
	計	円		
第三年次	第１回	円	令和　年　月　日	
	第２回	円	令和　年　月　日	
	第３回	円	令和　年　月　日	
	第４回	円	令和　年　月　日	
	計	円		

（使用料の改定）

第６条　部局長は、経済情勢の変動、国有財産関係法の改廃その他の事情の変更に基づいて特に必要があると認める場合には、使用料を改定することができる。

（延滞金）

第７条　指定期日までに使用料を支払わないときは、その翌日から納入の日までの日数に応じ、第２項に定める率で計算した金額を延滞金として支払わなければならない。

２　前項の延滞金利率は延滞起算日時点の国の債権の管理等に関する法律施行令第29条第１項本文に規定する財務大臣が定める率を定める告示（昭和32年大蔵省告示第８号）に定める率とする。

（物件保全義務等）

第８条　使用を許可した物件は、国有財産法第18条第６項に規定する制限の範囲内で使用させるものであり、使用を許可された者は、善良な管理者の注意をもって維持保存しなければならない。

２　前項の維持保存のため通常必要とする修繕費その他の経費は、使用を許可された者の負担とし、その費用は請求しないものとする。

（使用上の制限）

第９条　使用を許可された者は、使用を許可された期間中、使用を許可された物件を第２条に指定する用途以外に供してはならない。

２　使用を許可された者は、使用を許可された物件を他の者に転貸し、又は担保に供してはならない。

３　使用を許可された者は、使用を許可された物件について修繕、模様替その他の行為をしようとするとき、又は使用計画を変更しようとするときは、事前に書面をもって部局長の承認を受けなければならない。

（使用許可の取消し）

第10条　部局長は、次の各号の１に該当するときは、使用許可の取消しをすることができる。

⑴　使用を許可された者が許可条件に違背したとき。

⑵　使用を許可された者の役員等（個人である場合はその者、法人である場合は役員又は支店若しくは営業所の代表者、団体である場合は代表者、理事等、その他経営に実質的に関与している者をいう。以下同じ。）が、暴力団（暴力団員による不当な行為の防止等に関する法律（平成３年法律第77号）第２条第２号に規定する暴力団をいう。以下同じ。）又は暴力団員（同法第２条第６号に規定する暴力団員をいう。以下同じ。）であるとき

⑶　使用を許可された者の役員等が、自己、自社若しくは第三者の不正の利益を図る目的、又は第三者に損害を加える目的をもって、暴力団又は暴力団員を利用するなどしているとき

(4) 使用を許可された者の役員等が、暴力団又は暴力団員に対して、資金等を供給し、又は便宜を供与するなど直接的あるいは積極的に暴力団の維持、運営に協力し、若しくは関与しているとき

(5) 使用を許可された者の役員等が、暴力団又は暴力団員であることを知りながらこれを不当に利用するなどしているとき

(6) 使用を許可された者の役員等が、暴力団又は暴力団員と社会的に非難されるべき関係を有しているとき

2 部局長は、使用を許可した物件を国又は公共団体において、公共用、公用又は公益事業の用に供するため必要が生じたときは、国有財産法第19条で準用する同法第24条第1項の規定に基づき、使用許可の取消しをすることができる。

3 部局長が第1項の規定により使用許可の取消しをした場合、これにより使用を許可された者に生じた損害について、何ら賠償ないし補償することを要しない。

4 使用を許可された者は、部局長が第1項の規定により使用許可の取消しをした場合において、国に損害が生じたときは、その損害を賠償するものとする。

（原状回復）

第11条 部局長が使用許可を取消したとき、又は使用を許可した期間が満了したときは、使用を許可された者は、自己の負担で、直ちに、使用を許可された物件を原状に回復して返還しなければならない。ただし、使用を許可した期間が満了した後、公募により改めて使用を許可された場合その他部局長が特に承認したときは、この限りでない。

2 使用を許可された者が原状回復の義務を履行しないときは、部局長は、使用を許可された者の負担においてこれを行うことができる。この場合使用を許可された者は、部局長に異議を申し立てることができない。

（損害賠償）

第12条 使用を許可された者は、その責に帰する事由により、使用を許可された物件の全部又は一部を滅失又は損傷したときは、当該滅失又は損傷による使用を許可された物件の損害額に相当する金額を損害賠償として支払わなければならない。ただし、前条の規定により使用を許可された物件を原状回復した場合は、この限りでない。

2 前項に掲げる場合のほか、使用を許可された者は、本許可書に定める義務を履行しないため損害を与えたときは、その損害額に相当する金額を損害賠償として支払わなければならない。

（有益費等の請求権の放棄）

第13条 使用許可の取消が行なわれた場合においては、使用を許可された者は、使用を許可された物件に投じた改良のための有益費その他の費用が現存している場合であっても、その費用等の償還の請求はしないものとする。

（実地調査等）

第14条　部局長は、使用を許可した物件について随時に実地調査し、又は所要の報告を求め、その維持使用に関し指示することができる。

（疑義の決定）

第15条　本条件に関し、疑義のあるときその他使用を許可した物件の使用について疑義を生じたときは、部局長の決定するところによるものとする。

（注１）　審査請求をすべき行政庁については、以下のとおり記載するものとする。

イ　処分庁に上級行政庁がない場合又は処分庁が主任の大臣若しくは宮内庁長官若しくは内閣府設置法（平成11年法律第89号）第49条第１項若しくは第２項若しくは国家行政組織法（昭和23年法律第120号）第３条第２項に規定する庁の長である場合　当該処分庁

ロ　宮内庁長官又は内閣府設置法第49条第１項若しくは第２項若しくは国家行政組織法第３条第２項に規定する庁の長が処分庁の上級行政庁である場合　当該処分庁

ハ　主任の大臣が処分庁の上級行政庁である場合（イ又はロに掲げる場合を除く。）当該主任大臣

ニ　イ、ロ又はハに掲げる場合以外の場合　当該処分庁の最上級行政庁

（注２）　当該使用許可が当該使用許可期間満了をもって更新できないこととなる場合には、ただし書きに代えて、「なお、使用許可の更新は認めない。」と記載する。

（注３）　分担金等の負担を求める場合には、第４条第３項に、「前２項に定めるもののほか、別に定めるところにより、使用を許可された者は、分担金（共用部分の電気使用料等共益の費用として応分の負担が必要なもの）及び貸付物件に係る光熱費等実費負担となるものについて、負担しなければならない。」と追加するものとする。

（注４）　当該使用許可が、国家公務員宿舎の居室及び自動車保管場所となる場合には、以下のとおり追加等するものとする。

イ　第１条に、「宿舎名、戸番、専用面積又は指定保管場所」を追加。

ロ　第４条第３項に、上記注３に準じて追加する（「分担金」とあるのは「共益費」と読み替える）。

ハ　第９条第３項の次に次の１項を加える。

４　使用を許可された者は、使用を許可された物件が所在する宿舎の入居者からの照会又は苦情等を受け付けるための窓口を設置し、連絡先について部局長及び入居者に周知するとともに、照会又は苦情等があったときは、迅速かつ適切に対応しなければならない。

ニ　第12条第２項を以下のとおり改める。

(イ) 有償で使用を許可する場合

使用を許可された者は、前条第1項の明渡期日までに使用を許可された物件を返還しない場合、明渡期日の翌日から返還した日までの期間に応じる第4条に定める使用料の2倍に相当する額を損害賠償として支払わなければならない。

(ロ) 無償で使用を許可する場合

使用を許可された者は、前条第1項の明渡期日までに使用を許可された物件を返還しない場合、明渡期日の翌日から返還した日までの期間に応じる国家公務員宿舎関係法令に基づき算定した有料宿舎の使用料に相当する額を損害賠償として支払わなければならない。

ホ　第12条第3項に、「前2項に掲げる場合のほか、使用を許可された者は、本許可書に定める義務を履行しないため損害を与えたときは、その損害額に相当する金額を損害賠償として支払わなければならない。」と追加。

（注5）　地方公共団体が第三者へ転貸することを予定したものである場合等には、第9条第2項に「ただし、事前にその理由を記載した書面によって部局長に申請し、部局長の承認を得た場合には、使用許可物件を他の者に転貸することができる。」と追加するものとする。

別紙様式15

文　書　番　号
令和　年　月　日

殿

部局長

国有財産使用料の改定について

令和　　年　　月　　日付第　　　号をもって使用許可した国有財産について、同許可書第４条第１項に定める期間の満了に伴う令和　　年　　月　　日から令和　　年　　月　　日までの使用料の額を決定しましたので、同許可書第４条第２項の規定に基づき、下記のとおり通知します。

記

1　使用料決定額

別紙様式16

行政財産の使用許可調書

<table>
<tr><td>年度</td><td></td><td>省庁名</td><td></td><td>部局名</td><td></td></tr>
<tr><td colspan="4">【協議・通知項目】
1　当該行政財産の台帳記録事項及び使用許可する部分の数量

2　相手方の住所及び氏名

3　使用許可の理由及び方法

4　使用許可の期間及び条件

5　使用許可の対価及びその算定調書

6　相手方の利用計画

7　その他参考となるべき事項
(1)　相手方の選定方法
(2)　その他</td><td colspan="2">【留意事項】
使用又は収益する当該行政財産の用途又は目的を妨げないとする理由（第1節の第2に掲げる事項に該当しない理由を個別具体的に記載する。）
（　　）
当該行政財産の使用現況と今後の見込
（　　）
原状回復ができることとする理由
（　　）
建物の所有を目的とした土地の使用を許可する場合に普通財産として処理することができない理由
（　　）
相手方の選定が公募でない場合その理由
（　　）
当該使用許可の期間を設定する理由
（　　）</td></tr>
</table>

別紙様式17

行政財産の貸付調書

<table>
<tr><td>年度</td><td></td><td>省庁名</td><td></td><td>部局名</td><td></td></tr>
<tr><td colspan="4">【協議項目】
1　当該行政財産の台帳記録事項及び貸付けを行う部分の数量

2　相手方の住所及び氏名

3　貸付けの理由及び方法

4　貸付けの期間及び条件

5　貸付けの対価及びその算定調書

6　相手方の利用計画

7　その他参考となるべき事項
⑴　相手方の選定方法
⑵　その他</td><td colspan="2">【留意事項】
貸付けを行う当該行政財産の用途又は目的を妨げないとする理由（第1節の第2に掲げる事項に該当しない理由を個別具体的に記載する。）
（　　　　）
当該行政財産の使用現況と今後の見込
（　　　　）
原状回復ができることとする理由
（　　　　）
建物の所有を目的とした土地の貸付けを行う場合に普通財産として処理することができない理由
（　　　　）</td></tr>
</table>

別紙様式18

誓　約　書

□ 私
□ 当社

は、下記1に該当せず、将来においても該当しないことを誓約します。また、貸付け（使用許可）を受けた国有財産の使用に当たっては、下記2に掲げる使用等を行わないとともに、暴力団員等による不当介入を受けた場合には、下記3の措置を行うことを誓約します。また、当方が下記1に該当しないことを確認するため、当方の個人情報について、国が警察当局へ情報提供することに同意します。

この誓約が虚偽であり、又はこの誓約に反したことにより、当方が不利益を被ることとなっても、異議は一切申し立てません。

記

1　契約の相手方として不適当な者

⑴　法人等（個人、法人又は団体をいう。）の役員等（個人である場合はその者、法人である場合は役員又は支店若しくは営業所の代表者、団体である場合は代表者、理事等、その他経営に実質的に関与している者をいう。以下同じ。）が、暴力団（暴力団員による不当な行為の防止等に関する法律（平成3年法律第77号）第2条第2号に規定する暴力団をいう。以下同じ。）又は暴力団員（同法第2条第6号に規定する暴力団員をいう。以下同じ。）であるとき

⑵　役員等が、自己、自社若しくは第三者の不正の利益を図る目的、又は第三者に損害を加える目的をもって、暴力団又は暴力団員を利用するなどしているとき

⑶　役員等が、暴力団又は暴力団員に対して、資金等を供給し、又は便宜を供与するなど直接的あるいは積極的に暴力団の維持、運営に協力し、若しくは関与しているとき

⑷　役員等が、暴力団又は暴力団員であることを知りながらこれを不当に利用するなどしているとき

⑸　役員等が、暴力団又は暴力団員と社会的に非難されるべき関係を有しているとき

なお、役員等に変更があった場合は、速やかに別紙様式19により変更後の役員名簿を提出します。

2　公序良俗に反する使用等

暴力団若しくは法律の規定に基づき公の秩序を害するおそれのある団体等であることが指定されている者の事務所又はその他これに類するものの用に供し、また、これらの用に供されることを知りながら、貸付物件（使用許可物件）を第三者に転貸し又は賃借権を譲渡すること。

3　警察への通報等

(1)　貸付物件（使用許可物件）を使用するに当たって、暴力団又は暴力団員、社会運動標ぼうゴロ（※１）、政治活動標ぼうゴロ（※２）、その他暴力団関係者から、不当要求又は業務妨害を受けた場合は、断固としてこれを拒否するとともに、速やかに警察に通報し、捜査上必要な協力を行うこと。

(2)　(1)による警察への通報及び捜査上必要な協力を行った場合には、速やかにその内容を許可者に報告すること。

※１　社会運動を仮装し又は標ぼうして、不正な利益を求めて暴力的不法行為等を行うおそれがあり、市民生活の安全に脅威を与える者

※２　政治活動を仮装し又は標ぼうして、不正な利益を求めて暴力的不法行為等を行うおそれがあり、市民生活の安全に脅威を与える者

○○部局長　殿

年　月　日

住所又は所在地

氏名又は名称

別紙様式19

年　月　日

<table>
<tr><td colspan="6">役　員　名　簿</td></tr>
<tr><td>商号又は氏名</td><td colspan="5"></td></tr>
<tr><td>所　在　地</td><td colspan="5"></td></tr>
<tr><td rowspan="2">役　職　名</td><td>（フリガナ）</td><td rowspan="2">生年月日</td><td rowspan="2">性別</td><td rowspan="2" colspan="2">住所</td></tr>
<tr><td>氏　　名</td></tr>
<tr><td></td><td></td><td></td><td></td><td colspan="2"></td></tr>
<tr><td></td><td></td><td></td><td></td><td colspan="2"></td></tr>
<tr><td></td><td></td><td></td><td></td><td colspan="2"></td></tr>
<tr><td></td><td></td><td></td><td></td><td colspan="2"></td></tr>
<tr><td></td><td></td><td></td><td></td><td colspan="2"></td></tr>
<tr><td></td><td></td><td></td><td></td><td colspan="2"></td></tr>
<tr><td></td><td></td><td></td><td></td><td colspan="2"></td></tr>
<tr><td></td><td></td><td></td><td></td><td colspan="2"></td></tr>
<tr><td></td><td></td><td></td><td></td><td colspan="2"></td></tr>
<tr><td></td><td></td><td></td><td></td><td colspan="2"></td></tr>
<tr><td></td><td></td><td></td><td></td><td colspan="2"></td></tr>
<tr><td></td><td></td><td></td><td></td><td colspan="2"></td></tr>
<tr><td></td><td></td><td></td><td></td><td colspan="2"></td></tr>
<tr><td></td><td></td><td></td><td></td><td colspan="2"></td></tr>
</table>

別紙様式20

文 書 番 号
年　月　日

<table>
<tr><td colspan="5">照　会　書</td></tr>
<tr><td>商号又は氏名</td><td colspan="4"></td></tr>
<tr><td>所　在　地</td><td colspan="4"></td></tr>
<tr><td rowspan="2">役　職　名</td><td>（フリガナ）</td><td rowspan="2">生年月日</td><td rowspan="2">性別</td><td rowspan="2">住所</td></tr>
<tr><td>氏　　名</td></tr>
<tr><td></td><td></td><td></td><td></td><td></td></tr>
<tr><td></td><td></td><td></td><td></td><td></td></tr>
<tr><td></td><td></td><td></td><td></td><td></td></tr>
<tr><td>照会事項</td><td colspan="4">上記の者について、以下に該当する者か否か。（申請書等を添付）
⑴　法人等（個人、法人又は団体をいう。）の役員等（個人である場合はその者、法人である場合は役員又は支店若しくは営業所の代表者、団体である場合は代表者、理事等、その他経営に実質的に関与している者をいう。以下同じ。）が、暴力団（暴力団員による不当な行為の防止等に関する法律（平成３年法律第77号）第２条第２号に規定する暴力団をいう。以下同じ。）又は暴力団員（同法第２条第６号に規定する暴力団員をいう。以下同じ。）である
⑵　役員等が、自己、自社若しくは第三者の不正の利益を図る目的、又は第三者に損害を加える目的をもって、暴力団又は暴力団員を利用するなどしている
⑶　役員等が、暴力団又は暴力団員に対して、資金等を供給し、又は便宜を供与するなど直接的あるいは積極的に暴力団の維持、運営に協力し、若しくは関与している
⑷　役員等が、暴力団又は暴力団員であることを知りながらこれを不当に利用するなどしている
⑸　役員等が、暴力団又は暴力団員と社会的に非難されるべき関係を有している</td></tr>
<tr><td>参　　考</td><td colspan="4"></td></tr>
<tr><td colspan="5">上記のとおり照会します。

○○県警察本部暴力団対策主管課長　殿

○○部局○○課長（氏名）</td></tr>
</table>

別添

貸付料予定価格等の算定基準

第１節　貸付料予定価格算定基準

第１　貸付料年額の算定

事業用定期借地契約、定期借地契約又は定期建物賃貸借契約により貸付けを行う場合を除き、貸付料年額については、平成13年３月30日付財理第1308号「普通財産貸付事務処理要領」通達別添「普通財産貸付料算定基準」（以下「貸付料算定基準」という。）に準じて算定した額とする。

また、事業用定期借地契約等により貸付けを行う場合の貸付料年額は、当分の間、貸付料算定基準を踏まえ、民間精通者の意見を徴して決定する。

なお、事業用定期借地契約等の継続貸付料については、民間精通者の意見を徴した上で、貸付料算定基準に準じて算定した額とする。

第２　国有資産等所在市町村交付金の交付を要しない場合の貸付料の取扱い

当該貸付けの対象となっている財産が国有資産等所在市町村交付金（以下「市町村交付金」という。）の交付を要しないものである場合には、上記第１の規定により算定した貸付料基礎額から、当該貸付けに係る市町村交付金相当額を控除した額に修正するものとする。

ただし、上記第１の規定により算定した貸付料基礎額が、既に市町村交付金の交付を要しないものとして算定されている場合は、本措置は適用しないことに留意する。

第２節　使用料予定価格算定基準

行政財産を使用許可する場合の使用料（消費税及び地方消費税の相当額を含まないものとする。以下同じ。）の年額は、使用許可期間に応じて、以下のとおり本算定基準により算定するものとする。

第１　使用許可期間を５年以内とする場合の使用料

使用料の算定に当たっては、以下の規定により算定するものとする。

ただし、以下の規定により処理することが適当でないと認められる場合には、第２「使用許可期間を５年超とする場合の使用料」と同様に不動産鑑定士の鑑定評価額により算定するものとする。

なお、この場合には、次年度以降、当該鑑定評価額に係る変動率を徴し、これを乗ずることにより算定することができる。

１ 土地の使用料

⑴　期待利回りによる算定

以下の算式により算定する。

ただし、国家公務員宿舎の自動車保管場所使用料の算定に当たっては、国家公務員宿舎関係法令に基づき有料宿舎を貸与した場合と同様に算定した額とする。

計算式　使用料＝使用許可財産の相続税評価額Ａ×期待利回りＢ×調整率Ｃ

Ａ＝使用許可期間の初日の直近における相続税評価額（使用許可期間の初日が９月以降であるものはその年の相続税評価額）を用いる。

（注１）　相続税評価額については、貸付料算定基準第９の２⑴の規定に準じて算定された平方メートル当たりの価格に当該使用許可に係る部分の面積を乗じて得た額によるものとする（以下同じ）。

（注２）　路線価に乗じる補正率等については、適用する路線価が公表された年の算定方法によるものとする。

Ｂ＝使用許可を行おうとする財産の近隣地域内に所在する、相手方の利用目的と類似する用途に供されている賃貸取引事例の貸付料又は民間精通者の意見価格を当該事例等の相続税評価額で除したもの（賃貸取引事例又は民間精通者の意見価格は２事例（者）以上採用し、使用始期の直近のものを用いる。）の平均値（小数点第５位以下切捨て）

なお、極めて小規模な施設（自動販売機、現金自動預払機、電話ボックス等をいう。）の用途として使用させる場合など、費用対効果の観点などから、賃貸取引事例及び民間精通者の意見価格により難い場合には、近隣地域内に所在する使用許可先例（調整措置が加えられているものについては当該措置が加えられる前の使用料）を用いて期待利回りを算定することができる。

Ｃ＝行政財産の使用許可は、借地借家法の適用を受けない行政処分であり、その特殊性を考慮し、0.7を乗ずるものとする。

ただし、採用した賃貸取引事例等が本件特殊性を考慮したものである場合、又は使用許可先例により算定したものである場合は、本措置を適用しないことに留意する。

⑵　簡易手法による算定

極めて小規模な施設（自動販売機、現金自動預払機、電話ボックス等を言う。）の用途として使用させる場合は、費用対効果の観点などから、類似施設の賃貸取引事例の平方メートル当たりの使用料額に当該施設の使用又は収益の許可に係る部分の面積を乗じたものに、上記⑴における調整率0.7を乗ずる方法により、使用料を算定することができる。

ただし、採用した賃貸取引事例が、行政財産の使用許可の特殊性を考慮したものである場合は、調整率0.7は乗じないことに留意する。

2　建物の使用料

以下の算式により算定する。

ただし、国家公務員宿舎の居室の使用料の算定に当たっては、国家公務員宿舎関係法令に基づき有料宿舎を貸与した場合と同様に算定した額とする。

計算式　使用料＝（平方メートル当たりの使用料年額Ａ×使用許可面積Ｂ＋土地に係る加算額Ｃ）×調整率Ｄ

Ａ＝当該使用許可を行おうとする財産の近隣地域内に所在する賃貸取引事例又は民間精通者の意見価格等を基に算定する。

（注１）　賃貸取引事例を基に算定する場合、できる限り、当該使用許可と利用用途、建物の構造、品位、経年、使用面積、階層等の類似する事例を選定するものとし、２事例以上の平均価格とする。

なお、当該使用許可財産と賃貸取引事例として採用した財産との間に利用度等において著しい開差がある場合は、不動産鑑定士から修正について意見を求め、それに基づいて、賃貸取引事例に修正を加えることができる（下記注２において同じ）。

（注２）　民間精通者の意見価格を基に算定する場合は、当該使用許可の利用用途、建物の構造、品位、経年、使用面積、階層等を説明の上意見価格を求めるものとし、２者以上の平均価格とする。

（注３）　極めて小規模な施設（自動販売機、現金自動預払機、電話ボックス等をいう。）の用途として使用させる場合に限定して、費用対効果の観点などから、賃貸取引事例及び民間精通者の意見価格等により難い場合には、近隣地域内に所在する使用許可先例（調整措置が加えられているものについては当該措置が加えられる前の使用料）により算定することができる。

Ｂ＝建物の一部を使用許可する場合において、相手方の従業員、来客等が占用部分のほか共用部分についても専ら使用するときは、当該共用部分も含めた面積とする。

Ｃ＝使用許可面積が当該建物延べ面積の５割以上の場合の土地に係る使用料の加算額

$$\left(\text{当該建物の敷地の土地使用料} - \text{当該建物の建て面積を当該建物の所在する土地に係る法定建ぺい率で除した面積に相当する土地の使用料}\right) \times \frac{\text{当該建物のうち使用許可面積}}{\text{当該建物の延べ面積}}$$

（注１）　土地の使用料は、第１の使用料によって算定したものとする。

（注２）　民有地上にある建物の使用料は、上記算式中「使用料」を「地代相当額」に読替えて適用する。

Ｄ＝行政財産の使用許可は、借地借家法の適用を受けない行政処分であり、その特殊性を考慮し、0.7を乗ずるものとする。

ただし、採用した賃貸取引事例等が、本件特殊性を考慮されたものである場合、又は使用許可先例により算定したものである場合は、本措置を適用しないものであることに留意する。

第２　使用許可期間を５年超とする場合の使用料

当初３年間の使用料年額については、不動産鑑定士による使用許可財産の使用料年額の鑑定評価額により決定することとし、第４年次以降の継続使用料は当該鑑定評価額に係る変動率を徴し、これを乗ずることにより算定した額とする。

ただし、国家公務員宿舎の居室及び自動車保管場所の使用料の算定に当たっては、国家公務員宿舎関係法令に基づき有料宿舎を貸与した場合と同様に算定した額とする。

(注)　評価依頼に当たっては、行政財産の使用許可は、国有財産法第18条第８項の規定により、借地借家法の適用を受けない行政処分であることを評価条件として伝えることとし、当該鑑定評価額に調整率（0.7）は乗じないものとする。

第３　土地又は建物以外のものの使用料

実情に応じて使用料を定めるものとする。

第４　国有資産等所在市町村交付金の取扱い

１　国有資産等所在市町村交付金の交付を要しない場合の使用料の取扱い

当該使用許可の対象となっている財産が国有資産等所在市町村交付金（以下、「市町村交付金」という。）の交付を要しないものである場合には、上記第１から第３の規定により算定した使用料の額（ただし、第１及び第２の場合にあっては、調整率を乗じる前の額）から、当該使用許可に係る市町村交付金相当額を控除した額をもって使用料の年額とするものとする。

ただし、上記第１から第３の規定により算定した使用料が、既に市町村交付金の交付を要しないものとして算定されている場合は、本措置は適用しないことに留意する。

２　使用料が市町村交付金を下回る場合の取扱い

使用料が、市町村交付金の額を下回る場合であって、その原因が一定地域の賃貸取引事例等の実情に照らして低廉な使用料にあるときは、貸付料算定基準に準じて算定した額とする。

第５　前年次使用料との調整

使用料の改定に当たっては、貸付料算定基準に準じて、第１から第４に定めるところにより算定した額と従前の使用料を比較し調整を行った上で、使用料を決定するものとする。

なお、使用許可期間を更新する場合における使用料についても同様の取扱いとする。

第３節　一時金等算定基準

第１　算定方法

事業用定期借地契約、定期借地契約又は定期建物賃貸借契約により貸付けを行う場合を除き、借地権利金、名義書換承諾料及び増改築承諾料は、平成13年３月30日付財理第1308号「普通財産貸付事務処理要領」通達別添２「一時金等算定基準」に準じて算定した額とする。

また、事業用定期借地契約等により貸付けを行う場合の一時金等は、当分の間、一時金等算定基準を踏まえ、民間精通者の意見を徴して決定する。

第４節　その他

第１　個別協議

本算定基準により使用料を算定することが著しく実情にそぐわないと認められる場合には、理財局長に協議して特別の定めをすることができる。

第２　経過措置

この基準は、令和元年10月１日以降、新規に算定するものから適用（更新する場合を除く）し、同日前のものについては、なお従前の例によるものとする。

○電柱等を設置するために行政財産の一部を使用させる場合の取扱いについて

〔昭和35年３月28日　蔵管第700号
各財務局長宛　大蔵省管財局長通知〕

改正　昭和60年４月18日蔵理第1414号・平成７年11月30日蔵理第4616号・平成12年12月26日蔵理第4612号・平成13年４月16日財理第1494号・平成16年４月１日財理第1294号・平成19年１月22日財理第244－２号・平成28年３月29日財理第1095号

標記のことについて、別紙のように各省各庁大臣官房会計課長あて通達したから、通知する。

別　紙

○電柱等を設置するため行政財産の一部を使用させる場合の取扱いについて

〔昭和35年３月28日　蔵管第700号
各省各庁官房会計課長宛　大蔵省管財局長通知〕

行政財産を使用又は収益させる場合の取扱いの基準については、昭和33年１月７日付蔵管第１号をもって通達したところであるが、電柱等（線路を支持するために利用するものをいう。）を設置するため行政財産の一部を使用させる場合の使用料については、電気通信事業法（昭和59年法律第86号）第120条第１項に規定する認定電気通信事業者にあっては、電気通信事業法施行令（昭和60年政令第75号）第６条に定める額により、電気事業法（昭和39年法律第170号）第２条第１項第17号に規定する電気事業者にあっては、当該電気事業者等の内規により定められた使用料によることとしたから承知せられたい。

なお、上記の場合にあっては、使用許可期間を原則として電気通信事業法施行令第６条により定められた額が改定されるまで又は電気事業者等の内規により定められた使用料が改定されるまでとし、当該改定が、使用許可した日の翌日から30年を超える場合には、その使用許可期間は30年とする。

○国有財産法施行令第５条第１項第２号、同条第２項、第14条及び第19条の財務大臣が定めるもの又は定める場合について

〔昭和46年５月12日　蔵理第2117号
各財務局長宛　大蔵省理財局長通知〕

改正　昭和60年４月18日蔵理第1396号・平成元年３月３日蔵理第787号・平成９年６月24日蔵理第2444号・平成12年12月26日蔵理第4612号・平成13年６月18日財理第2324号・平成16年４月１日財理第1294号・平成16年６月22日財理第2364号・平成22年３月31日財理第1414号・平成29年６月７日財理第1960号

標記のことについて、各省各庁の長あて別紙（写）のとおり通知したから、了知されたい。

おって、昭和26年12月22日付蔵管第7053号「国有財産法施行令第５条第１項第４号〔現行第３号〕に定める引継不適当の財産について」通達を廃止する。

別　紙

○国有財産法施行令第５条第１項第２号、同条第２項、第14条及び第19条の財務大臣が定めるもの又は定める場合について

〔昭和46年５月12日
蔵理第2117号　大蔵大臣〕

国有財産法施行令の一部を改正する政令（昭和46年政令第110号）の施行に伴い、改正後の国有財産法施行令（昭和23年政令第246号。以下「施行令」という。）第５条第１項第２号、同条第２項、第14条及び第19条の財務大臣が定めるもの又は定める場合を下記のとおり定めたから通知する。

おって、次の通達は、廃止する。

昭和27年９月11日付蔵管第3390号「演習林の立木竹を伐採する場合の取扱について」

昭和27年11月25日付蔵管第4444号「土地の用途廃止を伴う立木竹の伐採について」

昭和28年11月13日付蔵管第4183号「林業試験場所属の国有財産である立木竹を伐採する場合の取扱について」

記

1　施行令第５条第１項第２号の財務大臣が定めるもの（引継不適当の財産から除外するもの）

行政財産である土地を用途廃止して財務大臣に引き継ぐ場合の当該土地に植栽し又は生立している立木竹、当該土地上の建物で使用に堪えないもの（建物の附帯設備である

工作物を含む。）又は当該土地に付着した工作物で、当該土地とあわせて用途廃止するもの

2　施行令第５条第２項の財務大臣が定めるもの（引継不適当の財産を用途廃止しようとする場合で財務大臣に通知を要しないもの）

施行令第５条第１項第２号の引継不適当の財産に該当するもののうち、立木竹、工作物、船舶及び航空機（ただし、公園又は広場である公共用財産の用途廃止にかかるものを除く。）

3　施行令第14条の財務大臣が定める場合（使用又は収益の許可をした場合で、財務大臣に通知を要しない場合）

⑴　電気通信事業法（昭和59年法律第86号）第120条第１項に規定する認定電気通信事業者又は電気事業法（昭和39年法律第170号）第２条第１項第10号に規定する電気事業者若しくは同項第12号に規定する卸供給事業者に対し、電柱、PHS 基地局又は公衆電話を設置させるため使用許可した場合

⑵　上記⑴の事業者に対し、携帯電話基地局を設置させるため使用許可した場合

⑶　上記⑴と同規模程度の土地を使用許可した場合

⑷　防災行政無線設備及び現金自動預払機（ATM）を設置させるため使用許可した場合

⑸　自動販売機、自動複写機及び印紙売りさばき所を設置させるため建物を使用許可した場合

⑹　使用許可期間が10日以内の場合

4　施行令第19条の財務大臣が定める場合（国有財産の滅失き損についての財務大臣への通知を要しない場合）

船舶及び航空機が滅失又はき損した場合

◉国有財産法施行令第15条の規定に基づき、同条の財務大臣の定める小規模な施設を定める告示

〔昭和49年１月24日
大蔵省告示第12号〕

改正　平成12年11月27日大蔵省告示第342号

国有財産法施行令（昭和23年政令第246号）第15条の規定に基づき、同条の財務大臣の定めるものを次のように定める。

一　防災上必要な気象、地象及び水象の観測施設並びに防災上必要な通信施設

二　公害の防止のために必要な監視及び測定施設

三　火災報知機、消火栓及び消防の用に供する資材器具保管施設

四　街燈、カーブミラー及び横断歩道橋の橋脚

五　有線ラジオ放送業務のための電柱その他の中継施設及び末端施設並びに有線放送電話業務のための電柱その他の中継施設

六　避難小屋及び展望台

七　遺跡、名勝地その他の歴史的文化的価値があるものを表示する石碑類、地すべり防止区域等の特定区域を表示する標識その他の標識類

○国有財産法施行令第11条第11号の規定による財務大臣が定める協議を要しない場合について

〔平成６年３月31日　蔵理第1539号
各財務（支）局長・沖縄総合事務局
長宛　大蔵省理財局長通知〕

改正　平成７年４月28日蔵理第1749号・平成12年12月26日蔵理第4612号・平成15年３月31日財理第1366号・平成16年４月16日財理第1509号・平成22年３月31日財理第1414号・平成25年４月１日財理第1627号・平成28年３月29日財理第1095号

標記のことについて、各省各庁の長あて別紙（写）のとおり通知されたから、了知されたい。

別　紙

国有財産法施行令第11条第11号の規定による財務大臣が定める協議を要しない場合について

〔平成６年３月31日　蔵理第1539号
各省各庁の長宛　大蔵大臣通知〕

行政事務の簡素合理化及び協議不要範囲の明確化を図るため、関連通達の整備、統合を行い、下記に掲げるものについては、国有財産法施行令第11条第11号の財務大臣が定める場合に該当するものとして、国有財産法（昭和23年法律第73号。以下「法」という。）第14条の規定に基づく財務大臣への協議を要しないこととしたから、通知する。

おって、次に掲げる通達は廃止する。

1　昭和29年６月25日付蔵管第2056号
「国有財産法施行令第11条第４号の大蔵大臣の定める場合について」

2　昭和29年８月12日付蔵管第2517号
「国有財産法施行令第11条第４号の大蔵大臣が定める場合について」

3　昭和38年４月２日付蔵管第785号
「国有財産法施行令第11条第８号の大蔵大臣が定める場合について」

4　昭和39年７月31日付蔵国有第286号
「国有財産法施行令第11条第12号の大蔵大臣が定める場合について」

5　昭和39年10月15日付蔵国有第875号
「国有財産法施行令第11条第12号の規定による協議を要しない場合について」

6　昭和45年４月20日付蔵理第1594号
「国有財産法施行令第11条第12号の大蔵大臣が定める場合について」

7　昭和46年５月12日付蔵理第2118号

「国有財産法施行令第11条第12号の大蔵大臣が定める場合について」

8　昭和46年8月25日付蔵理第3736号

「国有財産法施行令第11条第12号の大蔵大臣の定める場合について」

記

1　法第14条第1号による協議（取得協議）

国の庁舎等の使用調整等に関する特別措置法（昭和32年法律第115号）第5条に基づく特定国有財産整備計画の実施に伴い土地又は建物を取得しようとする場合。

2　法第14条第4号による協議（所属替、用途変更協議）

文化財保護法（昭和25年法律第214号）の規定により、重要有形文化財、重要有形民俗文化財又は史跡名勝天然記念物（以下「文化財」という。）に指定された行政財産を文部科学大臣が管理するため、これらの文化財である土地又は建物について所属替しようとする場合。

3　法第14条第5号による協議（移築、改築協議）

文化財に指定された行政財産である建物を移築又は改築しようとする場合。

4　法第14条第6号による協議（使用承認協議）

(1)　使用承認しようとする期間が3か月以内の場合。ただし、使用承認を更新することにより、当初の使用承認における使用開始日から起算して、その期間が3か月を超えることとなるときを除く。

(2)　法第5条の2に規定する指定にあたり財務大臣から示されたところに基づく使用承認である場合。ただし、財務大臣から示された相手方及び面積のいずれかを変更して、当該財産を使用させようとするときを除く。

(3)　既に財務大臣との協議を経たものを当該協議における使用期間の経過後引き続き使用承認しようとする場合。ただし、当該協議を経た際の相手方、目的及び面積のいずれかを変更（面積にあっては、変更しようとする数量が使用承認面積の1割を超えない場合を除く。ただし、使用承認面積が1,000㎡を超えるものについては、変更しようとする数量が100㎡を超えない変更のときに限る。）して使用承認しようとするとき並びに当該協議における使用開始日から起算して、その期間が5年を超えることとなるときを除く。

5　法第14条第7号による協議（使用又は収益の許可協議）

(1)　使用又は収益の許可をしようとする期間が1か月以内の場合。ただし、使用又は収益の許可を更新することにより、当初の使用又は収益の許可における使用開始日から起算して、その期間が1か月を超えることとなるときを除く。

(2)　既に財務大臣との協議を経たものを当該協議における使用期間の経過後引き続き使用又は収益の許可をしようとする場合。ただし、当該協議を経た際の相手方、目的及び面積のいずれかを変更（面積にあっては、変更しようとする数量が使用又は収益の許可面積の１割を超えない場合を除く。ただし、使用又は収益の許可面積が1,000㎡を超えるものについては、変更しようとする数量が100㎡を超えない変更のときに限る。）して使用又は収益の許可をしようとするとき並びに当該協議における使用開始日から起算して、その期間が５年を超えることとなるときを除く。

⑶　国土交通省所管の公共用財産のうち、道路法（昭和27年法律第180号）第３条に規定する高速自動車国道又は一般国道の用に供するため取得した土地を、権原に基づき取得時に使用又は収益していた国以外の者に対し、暫定的に使用又は収益の許可をしようとする場合。

⑷　国の試験研究施設を使用又は収益して試験、研究、試作その他産学官連携を促進する活動を行おうとする国以外の者に対し、使用又は収益の許可をしようとする場合。

6　法第14条第８号による協議（特別会計所属普通財産に係る売払等協議）

財政投融資特別会計特定国有財産整備勘定に属する普通財産である場合。

○国有財産法第22条第１項第１号に規定する公園及びため池について

〔平成13年４月20日　財理第1546号
各財務（支）局長・沖縄総合事務局
長宛　財務省理財局長通知〕

標記のことについて、下記のとおり取り扱うこととしたので通知する。

記

1　公園

⑴　公園には、都市公園法（昭和31年法律第79号）に規定する都市公園のような営造物公園と自然公園法（昭和32年法律第161号）に規定する自然公園のような地域制公園の二形態がある。両者は、公園を構成する土地物件についての法律関係を異にするので、国有財産法（以下「法」という。）第22条第１項の規定の適用に当たって、それぞれ区別して取り扱うこととなる。

⑵　営造物公園は、国又は公共団体である行政主体が一定地域を構成する土地物件に対する権原に基づいて直接に公の目的に供用する営造物であり、公共団体が営造物公園を設置するに当たり、公園の構成要素となるべき土地物件が国有財産である場合は、当該土地物件について国から所有権又は使用する権利を取得することを要するものである。

　したがって、公共団体が営造物公園を設置する場合は、法第22条第１項第１号の規定に該当する。

⑶　地域制公園は、行政主体が自然の風景地の保護及び利用のため、一定の地域を指定し、その地域内において一定の行為を禁止し又は制限することを目的として設置されるものであり、それを構成する土地物件に対する設置者の権限の有無は問われないものであるから、地域制公園内に国有財産が存在しても、設置者は当然にその所有権又は使用権を取得する必要はない。

　したがって、法第22条第１項第１号の規定に該当するのは、地域制公園内の普通財産を公共団体が自然公園法施行令（昭和32年政令第298号）第１条に規定する公園施設やこれに準ずる施設の用に供する場合に限られる。

2　ため池

法第22条第１項第１号に規定するため池には、農業用かんがい用水の貯水施設のほか、消防法（昭和23年法律第186号）第20条及び第37条の規定により市町村（特別区の存する区域においては都）が設置し、維持又は管理する防火用水池も含まれるものとする。

○公園又は広場である公共用財産の用途廃止等を行う場合の事前通知について

〔平成13年６月18日　財理第2323号
各財務（支）局長・沖縄総合事務局長宛　財務省理財局長通知〕

改正　平成19年１月22日財理第244－２号・令和３年３月19日財理第951号

標記のことについて、別添のとおり、国土交通省及び環境省の国有財産総括部局長に通知したので、通知する。

なお、本措置が設けられた趣旨は、国有財産法第13条第１項の規定に基づく国会議決への万全を期することにあるので、国有財産総括事務処理規則第21条及び第22条の２第１号の規定に留意し、関係する協議及び通知の処理に当たっては、遺漏なきよう対応されたい。

（別　添）

公園又は広場である公共用財産の用途廃止等を行う場合の事前通知について

〔平成13年６月18日　財理第2323号
環境省・国土交通省国有財産総括部局長宛　財務省理財局長通知〕

公園又は広場として公共の用に供し、又は供するものと決定した公共用財産について、その用途を廃止（交換のための用途廃止を含む。）し、若しくは変更し、又はこれを公共用財産以外の行政財産としようとするときは、国有財産法令に定める通知等に関する取扱いと別途、当該用途廃止等をしようとする内容を、あらかじめ別紙様式により、当該財産の所在地を管轄する財務局長、福岡財務支局長及び沖縄総合事務局長あて通知されたい。

別紙の作成に当たっては、電子ファイルにより作成を行うことができるものとする。また、別紙の提出に当たっては、電子メール等の方法により行うことができるものとし、当該方法により提出を行うときは、電子ファイルをもって行うものとする。

（別紙）

公園又は広場である公共用財産の用途廃止等事前通知書

<table>
<tr><td>口　座　名</td><td colspan="6"></td></tr>
<tr><td>所　在　地</td><td colspan="6"></td></tr>
<tr><td rowspan="3">用途廃止等しようとする財産の概要</td><td>区　分</td><td>土　地</td><td>建　物</td><td>工作物</td><td>立木竹</td><td>その他</td></tr>
<tr><td>数　量</td><td></td><td></td><td></td><td></td><td></td></tr>
<tr><td>台帳価格</td><td></td><td></td><td></td><td></td><td></td></tr>
<tr><td>用途廃止等しようとする理由及びその予定時期</td><td colspan="6"></td></tr>
</table>

（注）当該用途廃止等しようとする財産の位置図、案内図、現況図を添付する。

○国立公園集団施設地区管理規則の施行について

〔昭和28年10月14日　国発第180号
各都道府県知事宛　厚生省国立公園部長通知〕

国立公園集団施設地区管理規則（以下「規則」という。）は、本年10月２日厚生省令第49号をもって公布施行され、本年10月１日から適用されることとなったのであるが、この規則は、国立公園法に基く国立公園集団施設地区のうち厚生大臣の所管する公共用財産である土地に対し、その管理権に基き、国立公園集団施設地区としての完全な保護と利用の統制を図り、以って国立公園における重要な利用基地たらしめんとするものであって、この規則運用の適否は、今後の国立公園行政の消長に直接至大な関係を有するものであるから、特に下記事項に御留意の上、これが目的達成に万遺憾なきを期するとともに、この規則の趣旨の普及徹底につとめられたく、通知する。

記

第１　一般的事項

1　この規則制定の趣旨は、集団施設地区（以下「地区」という。）が国立公園事業を統一的に執行し国立公園利用の基地として極めて重要な区域であることに鑑み、必要な地区を国有財産として直接厚生大臣が管理し、もって国立公園のより完全な管理運営を行わんとするものであること。

2　この規則は、国立公園計画に基く地区のうち、国有財産法第３条第２項第２号に規定する公共用財産（行政財産）として厚生大臣の管理に属する土地の区域に対し適用せられるものであること。なお、これに該当する地域については、その都度、厚生省告示をもって指定すること。

3　この規則は、国立公園法施行令第14条の趣旨に則し、土地の管理権に基いて制定されたものであるから、地区については国立公園法令（国立公園法、同法施行令及び同法施行規則）の規定と併せて適用せられるものであること。

4　適用地区以外の地区については、従来通りの取扱によるものであるが、これらについても順次土地の所管換等によりこの規則の適用を考慮するものであるから、管理方針としてはこの規則の趣旨に準じて運用すること。

5　適用地区は、厚生大臣の管理に属する国有地であるが、国立公園行政としての一貫性は当然考慮されなければならないので、従来の国立公園法の取扱に準じ都道府県知事は実質的には、許可の申請の際の副申その他各種行政処分に関する措置の監督等の事務並に管理員の行う事務について積極的に協力されたいこと。

第２　利用許可に関する事項

1　規則第４条第１項各号に掲げる行為は、厚生大臣の許可を受けなければならないのであるが、これが取扱については、適用地区が公園行政の目的のために供せられた行政財産であり且つ国立公園の利用基地である点に鑑み、国立公園事業の執行又は地区利用のための必要最低限度の行為に限り許可するものであること。

2　規則第４条第１項の規定により許可を受けたものであっても規則第６条の規定による行為をすることは認められないものであるから、この点留意されたいこと。

3　規則第４条第１項第１号の規定による土地の使用（占用）許可の基準は、適用地区の特殊性に鑑み、厚生大臣が別に定めるものとし、この基準に合致しないものについては一切許可しないものであること。

4　規則第４条第１項第２号にいう「厚生大臣の指定する施設」とは、直接国において又は国の委託に基き国が特に定める者の管理する施設であって、厚生大臣が別に定める施設をいうが、かかる施設は地区利用上極めて公共性の高いものを目標とするものであること。

5　規則第４条第１項第３号に規定する営業行為の取扱については、従来の営業権的の思想を一掃し、地区を公園目的に利用する者に対し必要な便益を供与する程度のものに対してのみ許可するものであること。

6　規則第４条第１項第３号に規定する営業行為を現に適用地区内において正当に行っている者については、この際これに対する指導は十分にし、この規則の趣旨に合致せしめるよう措置すること。

7　規則第４条第１項第４号に規定する集会の取扱については、国立公園利用上当然に考慮せられる集会及び適用地区内で催すことが必要不可欠のものであって地区の利用上支障を生じないものに限り許可するものであること。

8　規則第４条第１項各号に掲げる行為が同時に国立公園法第４条第２項若しくは同条第３項又は第８条第２項各号に掲げる行為に該当する場合においては、それぞれ別個の許可申請書を提出させること。

9　規則第４条第１項の規定による許可申請の取扱手続については次の通りとすること。

⑴　規則第４条第１項第１号から第３号までは、一時的使用たると永続的使用たるとをとわず、凡て厚生大臣において許可するものとし、この申請の取扱については、管理員に提出された申請書を、管理員において意見を附して都道府県知事に送付し、都道府県知事に於ては、副申を付して厚生大臣に進達すること。

⑵　規則第４条第１項第４号に規定する集会の申請については、国立公園利用上当然に考慮せられるものは、これを管理員限りにおいて処分するものとし、その他のものは、⑴と同様に取扱うこと。

10　規則第４条第３項に規定する許可証は、国立公園部長の許可通知書をもってこれに替えるものとするが、管理員限りにおいて許可事務を取扱わせたものについては、別に定めるものとすること。

第３　利用規制に関する事項

１　規則第６条各号に掲げる行為は、国立公園法第８条第２項各号に掲げる要許可行為のものであっても、適用地区にあっては禁止行為であるから、これに対して許可を与えないこと。但し、国立公園法第４条第２項又は同条第３項の規定による国立公園事業の執行についてはこの限りでないこと。

２　規則第６条第８号から第12号までにいう「指定の場所」は、国立公園計画により別に厚生大臣が定めるものとし、適用地区内に指定場所である旨明示するものであること。

３　厚生大臣又は厚生大臣の委任若しくは特許を受けた者が、管理行為として規則第６条各号に掲げる行為をなす場合においては、規則第６条の規定は当然適用を排除されるものであること。

４　規則第６条の規定の遵守については、特に管理員の不断の監視を励行する要があり、これが指導にあたってはこの規則の趣旨の徹底を図ること。

第４　利用許可の取消、原状回復命令等に関する事項

１　規則第５条各号の規定に該当する事実あるときは、厚生大臣の許可にかかるものについては直ちに厚生大臣に報告し、管理員の許可にかかるものについてはすみやかに処置し、事後直ちに都道府県知事を経て厚生大臣に報告すること。

２　規則第５条の規定により利用許可を取消した場合にあっては、規則第８条の規定により徴収した使用料（占用料）を還付しないものであること。

３　規則第７条の規定による原状回復命令については、国立公園法による原状回復命令の手続と同様に取扱い、その都度都道府県知事を経由して厚生大臣に報告し、厚生大臣において下命するものであること。

４　規則第７条の規定による地区外への退去命令については、管理員において処分するものとし、処分を行ったものについては、事後管理員は都道府県知事を経て厚生大臣に報告すること。

５　規則第７条に規定する「必要な措置」のうち、一定行為の停止処分については、原則として管理員において措置し、処分を行ったときは管理員はすみやかに都道府県知事を経て厚生大臣に報告すること。

６　規則第５条の規定による許可の取消又は規則第７条の規定による措置命令を適用する場合にあっては、都道府県知事及び管理員において十分現状を認識し、公正妥当な措置をとる様考慮されたいこと。

第５　使用料に関する事項

１　規則第８条に規定する使用料（占用料）のうち、土地使用（占用）に関する使用料については、別に定める「国立公園集団施設地区内土地使用に関する取扱要領」によ

り徴収するものであること。

2　右の他、利用許可に伴い使用料（占用料）を徴収する場合にあっては、厚生大臣において個別的に使用料を決定し、許可通知書にこれを明示するものであること。

3　規則第8条に規定する使用料の収納取扱については、諸収入収納取扱規定（明治32年大蔵省訓令第27号）によるものとするが、細部に亘っては別に指示するものとすること。

第6　損害賠償に関する事項

1　規則第9条に規定する損害賠償については、損害を生じた場合、管理員において、速かに損害状況に関し意見を附し、都道府県知事を経て厚生大臣に報告すること。

2　右の報告があったときは、厚生大臣において損害賠償額を決定し、都道府県知事及び管理員を経て行為者に通知するものとすること。

○国立公園集団施設地区管理規則の一部を改正する省令の施行について

〔昭和44年４月14日　国発第332号
各都道府県知事宛　厚生省大臣官房国立公園部長通知〕

今般、標記の省令が、昭和44年３月25日厚生省令第３号をもって公布され、本年４月１日から施行されることとなった。

本改正は、集団施設地区に係るもの以外の国立公園内の土地についても、必要なものを厚生省所管の公共用財産とし、これに対して本改正に係る国立公園集団施設地区等管理規則（以下「規則」という。）を適用し、国立公園専用地としての適切な管理と利用を図り、もって国立公園における重要な公共的利用地にしようとするものであるので、下記事項に留意され、これが目的達成に遺憾のないようにされたい。

なお、昭和44年４月１日厚生省告示第79号をもって、阿蘇国立公園内阿蘇山上区域が、規則の適用ある地区として告示されたので申し添える。

記

1　改正の要点

⑴　題名を「国立公園集団施設地区等管理規則」に改めたこと。

⑵　公共用財産として厚生省の所管する国立公園内の土地のうち、集団施設地区に係るもの以外のものであって、厚生大臣の定めるものの区域（以下「区域」という。）に対しても、規則を適用することとしたこと。

⑶　区域内における利用の許可、利用の規制その他の管理及び利用については、集団施設地区に準じて行なうものとしたこと。

⑷　厚生大臣の許可を必要とする利用行為として、規則第４条第１項第３号に物の貸付けその他の営業行為等を加えたこと。

2　区域に関する事項

⑴　風景の保護のための措置、利用施設の整備、利用の許可の基準等については、区域に係る国立公園の公園計画に基づき、当該区域の特性に応じた取扱いがなされるものであること。

⑵　この通知に定めるもののほか、区域の管理及び利用に関する取扱いについては、昭和28年10月14日国発第180号本職通知「国立公園集団施設地区管理規則の施行について」及び昭和28年10月２日国発第172号本職通知「厚生省所管国立公園集団施設地区内土地使用取扱について」に準じてなされるものであり、許可の申請の際の副申その他各種行政処分に関する措置の監督等の事務及び管理員の行なう事務について積極的に協力されたいこと。

○国立公園集団施設地区等土地及び建物等の使用に関する取扱いについて

〔平成６年11月７日　環自国第597―１号
各国立公園・野生生物事務所長宛　環境庁自然保護局長通知〕

改正　平成13年１月６日環自国第１―３号・平成17年９月20日環自総発第050920004号・平成17年10月１日環自総発第051001001号・平成20年３月31日環境政発第080331002号・環自国発第080331001号・平成22年３月31日環境政発第100331001号・環自国発第100331002号・平成29年11月１日環自国発第1711011号・平成30年２月15日環自国発第1802153号・令和３年４月１日環自総発第2104014号・令和３年12月13日環自総発第2112133号

国立公園集団施設地区等土地及び建物等の使用に関する取扱いについて

〔平成29年環自国発第1711011号〕

国立公園集団施設地区等において、公共用財産である土地等を国有財産法の規定に基づき使用収益させる場合の取扱いについては、従来より「国立公園集団施設地区等管理規則」（昭和28年10月厚生省令第49号）に基づくほか「国立公園集団施設地区等土地使用に関する取扱いについて」（平成６年11月７日環自国第597－１号）により実施してきたところである。

昨今の厳しい財政事情の下では、公共施設の運営に民間事業者のノウハウを活かすことで、良好な公共サービスを提供するとともに、公的負担の抑制を図ることが求められている。国立公園においても博物展示施設や休憩所等の公共施設について、施設の一部を民間事業者に開放し、利用者目線でのサービス向上を図りつつ、収益の一部を施設等の維持管理に充てること等により公的負担の抑制を図る仕組みを構築していくことが重要である。

このため、民間事業者による公共施設の一部を活用した事業活動を促すという観点から、国立公園集団施設地区等で環境省が所管する土地使用について定めた「国立公園集団施設地区等土地使用に関する取扱要領」（以下「取扱要領」という。）を改正し、一部の使用許可の期間を３年から10年に延伸し、公募による場合の使用許可であっても更新ができる場合について規定を定めることとした。

また、国立公園の利用者に対してより上質なサービスを提供していくため、自然環境の保全等に配慮した国立公園にふさわしい施設であることを前提とした上で、環境省所管地においても民間事業者による投資を促していくことが重要である。このため、長期安定的な事業が可能となるよう、土地の貸付け期間を最長30年に延伸することとする。

上記について、別紙のとおり改定したので通知する。

国立公園集団施設地区等土地及び建物等の使用に関する取扱いについて

〔平成30年環自国発第1802153号〕

平成29年11月１日に「国立公園集団施設地区等土地及び建物等の使用に関する取扱要領」の一部を改定したこと等に伴い、様式等についても別添のとおり改定したので通知する。なお、改正理由及び概要は以下のとおり。

(1)　使用許可の取消し又は変更の要件を追加

上記の改定で、国有財産の使用許可の期間を10年以内と長期間設定できるようにしたため、使用許可を受けた者の維持使用の方法に問題がある場合等に、その使用許可期間内においても許可の取消し又は変更が可能となるよう必要な規定を追加した。

(2)　国有財産の取扱いに関連する各種規定の変更への対応

平成24年５月22日財務省理財局長から各財務（支）局長、沖縄総合事務局長宛「普通財産の管理処分に係る契約からの暴力団排除について」（財理第2445号）を参照し、様式に「暴力団関係者の排除条項」の追記を行った。

また、平成26年の行政不服審査法（平成26年法律第68号）の改正に伴い、審査請求できる期間を３月に延長するなどの改正をした。

別添　略

（別　紙）

国立公園集団施設地区等土地及び建物等の使用に関する取扱要領

第１　通則

国立公園集団施設地区内等の環境省が所管する公共用財産である土地及び国立公園事業として環境省が整備した建物等（以下「土地等」という。）を、国有財産法（昭和23年法律第73号）第18条第２項及び第６項並びに第19条の規定によって貸付け（私権の設定を含む。）、使用又は収益（以下「使用収益」という。）させる場合における取扱いについては、国立公園集団施設地区等管理規則（昭和28年厚生省令第49号）、環境省所管国有財産取扱規則（平成13年１月６日環境省訓令第30号）及び行政財産を貸付け又は使用許可する場合の取扱いの基準について（昭和33年１月７日蔵管第１号）に定めるほか、この要領の定めるところによるものとする。

第２　貸付け

１　貸付けの範囲

国立公園集団施設地区内等の土地が、公園行政の目的のために供せられた公共用財産であり、かつ、当該地区が公園の重要な利用基地である点にかんがみ、土地の貸付けについては、本来の用途又は目的を妨げない限度において、必要最小限度にとどめ、その範囲は次に掲げる場合とする。

(1)　国立公園事業を執行するために必要と認められる場合

⑵　公益事業（電気又は水道供給事業等）の用に供するため、やむを得ないと認められる場合

⑶　その他公共的見地等から僅少な面積について貸付けすることがやむを得ないと認められる場合

2　貸付けの条件等

土地の貸付申請のあったときは、その取扱いの適正を期するため、次に掲げる事項を調査するものとし、貸付けするに当たって、必要な条件を付するものとする。

（別紙様式1「国有財産有償貸付契約書兼公正証書作成嘱託書」参照）

⑴　申請に係る土地の使用目的と国立公園事業との関係

ア　国立公園事業の認可等を受けている場合はその事業名

イ　認可等年月日及び認可等番号

ウ　その他

⑵　国立公園事業の認可等を受けていない場合は、申請に係る土地の貸付目的の国立公園計画上の必要性又は支障の有無及びその程度

⑶　貸付面積及び貸付期間の適否並びにその理由

⑷　従来における使用状況等（従来貸付け又は使用許可を受けていた場合）

ア　貸付け又は許可年度及びその内容（使用目的、実測面積等）

イ　従来における使用状況及び現況

ウ　貸付け又は許可条件違反の有無

エ　違反の場合、その状況並びにとった措置

⑸　その他参考となる事項（例えば、温泉地を貸付けする場合は、温泉分析表、温泉地指数等）

3　貸付けの期間

土地等の貸付けは、行政財産を貸付け又は使用許可する場合の取扱いの基準について（昭和33年1月7日蔵管第1号）第3節第2に定める以下の期間とする。ただし、同通達第6節第1に定める個別協議を行う場合はこの限りではない。

⑴　借地借家法（平成3年法律第90号）第23条に基づく事業用定期借地権設定契約を締結する場合は10年以上30年以下。

⑵　借地借家法の適用のない賃貸借契約を締結する場合は20年以下。

第3　使用許可

1　使用許可の範囲

土地等が、公園行政の目的のために供せられた公共用財産であり、かつ、当該地区が公園の重要な利用基地である点にかんがみ、土地等の使用許可については、本来の用途又は目的を妨げない限度において、必要最小限度にとどめ、その範囲は次に掲げる場合とする。

⑴　国立公園事業を執行するために必要と認められる場合

⑵　公益事業（電気又は水道供給事業等）の用に供するため、やむを得ないと認められる場合

⑶　災害時の応急的な対応等に資する場合

⑷　現に許可を得て永続的使用に耐える堅固な建物その他の土地に定着する工作物の敷地として使用されてきた土地を当該建物若しくは工作物の所有者に使用させる場合

⑸　その他公共的見地等から僅少な面積について使用許可することがやむを得ないと認められる場合

2　使用許可の条件等

土地等の使用許可申請のあったときは、その取扱いの適正を期するため、次に掲げる事項を調査するものとし、使用を許可するに当たって、必要な条件を付するものとする。

（別紙様式２「国有財産使用許可書」参照）

⑴　申請に係る土地等の使用目的と国立公園事業との関係

ア　国立公園事業の認可等を受けている場合はその事業名

イ　認可等年月日及び認可等番号

ウ　その他

⑵　国立公園事業の認可等を受けていない場合は、申請に係る土地等の使用目的の国立公園計画上の必要性又は支障の有無及びその程度

⑶　使用面積及び使用期間の適否並びにその理由

⑷　従来における使用状況等

ア　貸付け又は許可年度及びその内容（使用目的、実測面積等）

イ　従来における使用状況及び現況

ウ　貸付け又は許可条件違反の有無

エ　違反の場合、その状況並びにとった措置

⑸　その他参考となる事項（例えば、温泉地を使用させる場合は、温泉分析表及び温泉地指数等）

3　使用許可の期間

⑴　土地等の使用を許可する期間は、原則として５年以内とする。ただし、次に掲げる場合にあっては、環境省所管国有財産取扱規則第20条第３項ただし書きの規定に基づきこの限りではない。

ア　国立公園事業を執行するために必要と認められる施設又は国立公園事業と一体的に国立公園の利用者に必要なサービスを提供する施設の用に供する場合であって、飲食及び売店等の事業開始のために投じた費用の回収のために５年を超える

期間を要すると見込まれる事業の用に供するために使用させる場合は、10年以内とすることができる。

イ　電話会社あるいは電力会社に電柱等の設置のために使用させる場合は、電気通信事業法及び同施行令（又は電力会社の内規）により定められた使用料が改定されるまでとし、これが30年を超える場合にあっては30年とする。

⑵　使用を許可された期間中に、許可された事項を変更しようとする場合には、使用許可内容の変更の申請として取扱うものとする。ただし、使用する者に変更がある場合には、新たな使用許可申請として取扱うものとする。

⑶　公募による使用許可であっても、国立公園事業又は国立公園事業と一体的な事業として長期安定的な使用を認める必要があるものについては、原則として一度に限り最大10年までを限度に更新することができる。

第４　貸付料及び使用料の算定基準

土地等の貸付けを行う場合及び使用を許可する場合の貸付料及び使用料（以下「使用料等」という。）の算定については、別添「国立公園集団施設地区等土地等使用料等算定基準」に基づいて算定するものとする。

第５　使用料の分割納付

１　分割納付を認める場合

分割納付を認める場合は、次の事項の全てに該当する場合とする。ただし、公共団体が使用許可申請を行う場合を除くものとする。

⑴　使用許可申請を行う者が分割納付を希望する場合

⑵　使用許可期間が６か月以上にわたる場合

⑶　当該年度分の使用料（年額）が、原則として、１件10万円以上（消費税及び地方消費税の相当額を含む。）の場合

⑷　年１回の支払いが困難であると認められる場合

（一括納付が困難なことを証明できる資料（宿泊施設の利用者数の推移（過去５年分）、売上げの推移（過去５年分）、前年度の課税証明書（写）等）を提出させ、審査を行い判断するものとする。）

２　分割納付の申請及び承認

⑴　使用許可期間が２年以上の場合は、単年度ごとに申請させ、その都度分割納付の可否を判断し承認するものとする。

⑵　使用許可期間中の２年目以降においては、使用料通知書に納付回数、各回の納付金額及び納付期限を記載し通知するものとする。

３　分割納付の方法

⑴　原則、年２回の均等分割とし、納付の時期は使用許可書又は使用料通知書に記載する納付期限までとする。

なお、新規に使用許可申請を行う者については、原則として年１回の納付とし、分割納付については次年度からとする。

⑵　均等分割する際に端数が生じる場合は、１回目の納付金額で調整するものとする。

４　分割納付の期限

使用料の納付期限は、別途歳入徴収官の発行する納入告知書により納付期限までに納付させるものとする。

５　不適正な納付に対する措置

分割納付を認められた者が、当該年度分の使用料を適正に納付しない場合には、次年度から分割納付を認めないこともあり得るものとする。

第６　本取扱要領の実施

１　本取扱要領は、昭和47年４月１日から実施する。

２　改正後の取扱要領は、平成20年４月１日から実施する。

なお、本改正前に使用許可を受けた者に係る使用許可書については、当該使用許可の期間中はなお効力を有するものとする。

３　改正後の取扱要領は、平成22年４月１日から実施する。

なお、本改正前に使用許可を受けた者に係る使用許可書については、当該使用許可の期間中はなお効力を有するものとする。

４　本取扱要領の第５及び前項の規定については、皇居外苑、京都御苑及び新宿御苑並びに千鳥ヶ淵戦没者墓苑に属する国有財産の使用許可にも適用する。

５　改正後の取扱要領は、平成29年11月１日から実施する。

６　改正後の取扱要領は、令和３年４月１日から実施する。

７　改正後の取扱要領は、令和３年12月13日から実施する。

（別紙様式１）

［収入印紙］

国有財産有償貸付契約書兼公正証書作成嘱託書

貸付人国（以下「甲」という。）と借受人○○（以下「乙」という。）とは、国有財産について借地借家法（平成３年法律第90号。以下「法」という。）第23条の規定に基づく事業用借地権の設定を目的とした次の条項を内容とする借地契約を締結する。また、この旨の公正証書の作成を嘱託する。

（貸付物件）

第１条　貸付物件は、次のとおり。

所　在　地	区　分	数量（㎡）	備　　　考
	土　地		詳細は別紙１のとおり。

（指定用途等）

第２条　乙は、貸付物件を次の事業の用に供する建物を所有するため、貸付申請書に記載又は添付した使用目的、利用計画（建物及び工作物の配置計画を含む。）及び事業計画のとおりの用途に自ら使用し、甲の承認を得ないで変更してはならない。

事　業　内　容	

２　乙は、貸付物件を次の各号に掲げる用に使用してはならない。

⑴　風俗営業等の規制及び業務の適正化等に関する法律（昭和23年法律第122号）第２条第１項に規定する風俗営業、同条第５項に規定する性風俗関連特殊営業又は同条第11項に規定する特定遊興飲食店営業その他これらに類する営業その他これらに類する業の用

⑵　暴力団員による不当な行為の防止等に関する法律（平成３年法律第77号）第２条第２号に規定する暴力団（以下、「暴力団」という。）若しくは法律の規定に基づき公の秩序を害するおそれのある団体等であることが指定されている者の事務所又はこれに類する施設の用

⑶　公の秩序又は善良の風俗に反する目的の用その他近隣住民の迷惑となる目的の用

３　貸付物件上に乙が所有する建物の種類、構造及び規模は別紙２のとおりとする。

（事業内容の変更）

第３条　乙は、前条に定める事業内容を変更しようとするときは、事前に変更内容を書面により申請し、甲の承認を受けなければならない。

2　前項に基づく甲の承認は、書面によるものとする。

（貸付期間）

第４条　貸付期間は、令和　年　月　日から令和　年　月　日までの　年間とする。

（契約更新等）

第５条　本契約は、法第23条第２項の規定に基づくものであるから、法第４条ないし第８条及び第18条並びに民法（明治29年法律第89号）第619条の規定は適用されないので、契約更新に係る権利は一切発生せず、前条の期間満了時において本契約の更新（更新の請求及び土地の使用の継続によるものを含む。）は行われず、建物の築造による貸付期間の延長も行われないものとする。

（貸付料）

第６条　貸付料は、令和　年　月　日から令和　年　月　日までの期間については、次に掲げるとおりとする。

年　次	期　　間	貸付料年額	備　考
第一年次	自令和　年　月　日至令和　年　月　日	円	
第二年次	自令和　年　月　日至令和　年　月　日	円	
第三年次	自令和　年　月　日至令和　年　月　日	円	

2　前項に規定する期間が満了した後の期間に係る貸付料については、改めて甲から通知する。なお、貸付料は３年毎に改定するものとし、改定の都度、３年間に係る貸付料を甲から通知する。

（貸付料の納付）

第７条　前条に定める貸付料は、次に定めるところにより、甲の発行する納入告知書により納付しなければならない。

年　次	回　数	納　付　金　額	納　付　期　限	備　　考
第一年次	第１回	円	令和　年　月　日	
	第２回	円	令和　年　月　日	
	第３回	円	令和　年　月　日	
	第４回	円	令和　年　月　日	
	計	円		
第二年次	第１回	円	令和　年　月　日	
	第２回	円	令和　年　月　日	
	第３回	円	令和　年　月　日	
	第４回	円	令和　年　月　日	
	計	円		

第三年次	第１回 第２回 第３回 第４回 計	円 円 円 円 円	令和　年　月　日 令和　年　月　日 令和　年　月　日 令和　年　月　日	

（貸付料の改定）

第８条　甲は、貸付物件の価格が上昇し貸付料が不相当になったとき等、法第11条第１項本文の規定に該当することとなったときは、第６条の規定にかかわらず、貸付料の増額を請求することができる。

（契約保証金）

第９条　乙は、本契約締結と同時に、契約保証金として金（契約金額の100分の10）円を甲に納付しなければならない。

２　前項の契約保証金は、第21条に定める損害賠償額の予定又はその一部と解釈しない。

３　第１項の契約保証金には利息を付さない。

４　甲は、乙が第19条に定める義務その他本契約に定める義務の履行をしたときは、乙の請求により遅滞なく第１項に定める契約保証金を乙に還付する。

５　甲は、第１項に定める契約保証金の全部又は一部について、賃料支払い、本件土地の原状回復、損害賠償その他本契約から生じる一切の債務に充当することができるものとし、充当した金額に相当する部分は国庫に帰属するものとする。また、甲が本項に基づき契約保証金を充当した場合には、乙は、直ちに充当した金額に相当する金額を甲に納付するものとする。

㈱　契約時点において、確定している第１年次から第３年次までの貸付料合計額の100分の10を納付させ、残りの契約保証金については、貸付料更新時毎に確定した貸付料合計額の100分の10を納付する場合には、以下の条文を追加する。

６　乙は、第６条第１項に規定する期間を経過した後に係る契約保証金は、第６条第２項の期間について甲の定める基準により算定した金額によることに同意する。なお、金額については甲から通知する。

（延滞金）

第10条　乙は、第７条に基づき、甲が定める納付期限までに貸付料を納付しない場合には、納付期限の翌日から納付した日までの期間について第２項に定める率により算定した延滞金を甲に支払わなければならない。

２　前項の延滞金利率は延滞起算日時点の国の債権の管理等に関する法律施行令第29条第１項本文に規定する財務大臣が定める率を定める告示（昭和32年大蔵省告示第８号）に定める率とする。

（充当の順序）

第11条　乙が、貸付料及び延滞金を納付すべき場合において、納付された金額が貸付料及び延滞金の合計額に満たないときは、先ず延滞金から充当する。

（使用上の制限）

第12条　乙は、貸付物件について第２条に規定する使用目的、利用計画及び事業計画の変更若しくは貸付物件及び当該物件上に所在する自己所有の建物その他の工作物等について増改築等により現状を変更（軽微な変更を除く。）しようとするときは、事前に変更しようとする理由及び変更後の使用目的等を記載した書面によって甲に申請し、その承認を受けなければならない。

２　前項に基づく甲の承認は、書面によるものとする。

（権利譲渡等）

第13条　乙は、乙が建設した建物の余裕部分を第三者に貸付け若しくは使用収益を目的とする権利を設定し又は転貸若しくは賃借権を譲渡し並びに抵当権若しくは質権の設定をしようとする場合には、事前にその理由を記載した書面によって甲に申請し、その承認を受けなければならない。

２　前項に基づく甲の承認は、書面によるものとする。

（建物の賃貸借等に関する措置）

第14条　甲の承認を得て乙が建設した建物の余裕部分を第三者に貸付け、又は乙が建設した建物その他の工作物に賃借権その他の使用収益を目的とする権利を設定する場合には、当該第三者との間で締結する契約において、建物の敷地が法第23条に規定する事業用借地権に基づくものであり、第４条に定める貸付期間の満了により借地権が消滅し、建物を取り壊すことを明示しなければならない。

（物件保全義務）

第15条　乙は、善良な管理者としての注意をもって貸付物件の維持保全に努めなければならない。

（立木等の所有）

第16条　貸付物件内において、天然に生育した立木その他の産物はすべて甲の所有とし、それを除去し、又は移転しようとするときは、事前に書面をもって甲の指示を受けなければならない。

（温泉の利用）

第17条　貸付物件内に温泉が湧出した場合は、その所有は甲に属するものとし、その利用にあたっては、事前に書面をもって甲の許可を受けなければならない。

（境界標等の設置）

第18条　乙は、甲の指示に従い、貸付物件の区域に境界標並びに面積、貸付期間及び住所氏名を記載した標識を設置しなければならない。ただし、道路、園地、電柱敷その他これに類するものとして乙の指示するものについては、省略することができる。

（災害等の届出及び復旧防止）

第19条　乙は、貸付物件及びその周辺において土砂の崩壊、流出、火災等の災害が発生し、又は発生のおそれがある場合には、遅滞なく乙に届け出るとともに、その指示に従い、貸付物件について災害を復旧又は防止するために必要な措置を講ずるものとする。

（実地調査等）

第20条　甲は、次の各号の一に該当する事由が生じたときは、乙に対しその業務又は資産の状況に関して質問し、実地に調査し又は参考となるべき資料その他の報告を求めることができる。この場合において、乙は調査等を拒み、妨げ又は怠ってはならない。

⑴　第２条２項に定める使用してはならない用途等に関して、甲が必要と認めるとき

⑵　第７条に定める貸付料の納付がないとき

⑶　第12条に定める甲の承認を受けなかったとき

⑷　第13条に定める甲の承認を受けなかったとき

⑸　本契約に定める義務に違反したとき

（違約金）

第21条　乙は、第６条第１項に定める期間中に次の各号に定める事由が生じたときは、それぞれ当該各号に定める金額を違約金として、甲に支払わなければならない。

⑴　第12条第１項の増改築に係る事前承認を受ける義務又は前条に定める義務に違反した場合　　金　　　　（貸付料年額）円

⑵　第２条第１項、同条第２項、第３条第１項又は第13条第１項に定める義務に違反した場合　　金（貸付料年額の３倍）円

２　乙は、第６条第１項に規定する期間を経過した後において本契約に違反した場合の違約金は、第６条第２項の期間について甲の定める基準により算定した金額によることに同意する。なお、金額については甲から通知する。

３　前２項に定める違約金は、第26条に定める損害賠償額の予定又はその一部と解釈しない。

（契約の解除）

第22条　甲は、乙が本契約に定める義務に違反した場合又は次の各号の一に該当していると認められるときは、本契約を解除することができる。

⑴　法人等（個人、法人又は団体をいう。）の役員等（個人である場合はその者、法人である場合は役員又は支店若しくは営業所の代表者、団体である場合は代表者、理事等、その他経営に実質的に関与している者をいう。以下同じ。）が、暴力団（暴力団員による不当な行為等の防止等に関する法律（平成３年法律第77号）第２条第２号に規定する暴力団をいう。以下同じ。）又は暴力団員（同法第２条第６号に規定する暴力団員をいう。以下同じ。）であるとき

⑵　役員等が、自己、自社若しくは第三者の不正の利益を図る目的、又は第三者に損害を加える目的をもって、暴力団又は暴力団員を利用するなどしているとき

⑶　役員等が、暴力団員又は暴力団員に対して、資金等を供給し、又は便宜を供与するなど直接的あるいは積極的に暴力団の維持、運営に協力し、若しくは関与しているとき

⑷　役員等が、暴力団又は暴力団員であることを知りながらこれを不当に利用するなどしているとき

⑸　役員等が、暴力団又は暴力団員と社会的に非難されるべき関係を有しているとき

2　甲は、貸付物件を国又は公共団体において公共用、公用又は国の企業の用若しくは公益事業の用に供するため必要が生じたときは、国有財産法（昭和23年法律第73号）第19条で準用する同法第24条第１項の規定に基づき、本契約を解除することができる。

3　甲は、第１項の規定により本契約を解除した場合は、これにより乙に生じた損害について、何らの賠償ないし補償を要しない。

4　乙は、甲が第１項の規定により本契約を解除した場合において、甲に損害が生じたときは、その損害を賠償するものとする。

（原状回復等）

第23条　乙は、第４条に定める貸付期間が満了したときは貸付期間満了日まで、又は前条の規定により本契約が解除されたときは甲の指定する期日までに甲の指示により自己の責任と負担において、貸付物件上の建物その他工作物を除去し、貸付物件を原状に回復して、甲に更地で返還しなければならない。ただし、再契約のほか、甲が指示した場合にはこの限りでない。

2　甲の指定する期日までに、乙が貸付物件を返還しないときは、乙は甲の指定する期日の翌日から返還完了に至るまでの貸付料相当額合計の倍額の損害金及び貸付物件内における必要費（水道光熱費等）相当額を甲又は甲の指定する者に支払い、かつ返還遅延により甲の被った損害を賠償しなければならない。

3　甲は、乙が第１項に定める原状回復義務を履行しないときは、乙に代わって甲自ら執行し、若しくは他人に執行させることができる。なお、執行にかかる費用はすべて乙が負担する。

4　乙は甲に対し、第４条に定める貸付期間が満了する日の１年前までに、建物の取壊し及び建物賃借人の明渡し等貸付物件の返還に必要な事項を書面により報告しなければならない。

5　乙は、第６条第１項に定める期間中に、第１項に定める義務に違反した場合には、金（貸付料年額）円を違約金として、甲に支払わなければならない。

6　乙は、第６条第１項に規定する期間を経過した後において本契約に違反した場合の違約金は、甲の定める基準により算定した金額によることに同意する。なお、金額につい

ては甲が乙に対し通知する。

7　前２項に定める違約金は、第26条に定める損害賠償額の予定又はその一部と解釈しない。

8　本契約は、法第23条の規定に基づくものであり、法第13条の規定にかかわらず、第４条に定める貸付期間が満了したとき又は前条第１項の規定により本契約が解除されたときに、乙は甲に対し、建物を買い取るべきことを請求することはできず、民法第608条に基づく費用の償還、その他いかなる名目においても、財産上の請求を一切行うことができない。

（貸付料の精算）

第24条　甲は、本契約が解除された場合には、未経過期間に係る貸付料を返還する。ただし、その額が千円未満の場合には、この限りでない。

（使用の廃止届又は終了届）

第25条　乙は、貸付期間中に土地の使用を廃止又は終了したときは、直ちに甲に届け出なければならない。この場合においては、届出をもって貸付期間の満了とみなし、第23条第１項及び前条の規定を準用する。

（損害賠償）

第26条　乙は、本契約に定める義務を履行しないため甲に損害を与えたときは、その損害を賠償しなければならない。

（契約の費用）

第27条　本契約の締結及び履行に関して必要な費用は、乙の負担とする。

（信義誠実等の義務・疑義の決定）

第28条　甲及び乙は、信義を重んじ、誠実に本契約を履行しなければならない。

2　乙は、貸付物件が国有財産であることを常に考慮し、適正に使用するように留意しなければならない。

3　本契約に関して疑義があるときは、甲乙協議の上決定する。

（裁判管轄）

第29条　本契約に関する訴えの管轄は、〇〇事務所所在地を管轄区域とする〇〇地方裁判所とする。

上記の契約の締結を証するため本契約書兼公正証書作成嘱託書３通を作成し、両者記名押印の上、各自その１通を保有し、その１通を公証役場へ提出する。

令和　年　月　日

貸付人　国

契約担当官　　〇〇事務所長

借受人　住所（所在地）
氏名（名称）（代表者）

別紙１
（貸付財産及び付属施設の内訳）

区　分	種　目	構　造	数　量	備　考

記載要領
1　本表には貸付財産及び付属する工作物並びに立木竹の詳細を記載し、原状回復の際の紛争を防止できるようにしておくこと。
2　土地については、地番を備考欄に記載すること。

別紙２
（建物の表示）

種　類	
構　造	
規　模	

（別紙様式２―１）（一括納付用）

環○○○第△△△△△号
令和△△年△△月△△日

国有財産使用許可書

○○○○○○○　殿

○○地方環境事務所長

令和△△年△△月△△日申請の○○○○国立公園○○○○○○○○地区内の物件使用は、国有財産法（昭和23年法律第73号）第18条第６項及び第19条並びに国立公園集団施設地区等管理規則（昭和28年厚生省令第49号）第４条第１項の規定に基づき、下記の条件を付して許可する。

この許可について不服があるときは、行政不服審査法（平成26年法律第68号）の定めるところにより、この許可があったことを知った日の翌日から起算して３月以内に環境大臣に対して審査請求をすることができる。なお、許可があった日の翌日から起算して１年を経過したときは許可についての審査請求をすることができない。

また、行政事件訴訟法（昭和37年法律第139号）の定めるところにより、この許可があったことを知った日の翌日から起算して６月以内に，国（法務大臣）を被告として処分取消しの訴えを提起することができる。ただし、審査請求をした場合には、その審査請求に対する裁決があったことを知った日の翌日から起算して６月以内とする。なお、許可又は裁決の日から１年を経過したときは、処分取消しの訴えを提起することができない。

記

（使用許可物件）

第１条　使用を許可する物件は次のとおりとし使用区域は申請書図面のとおりとする。

所在

区分

数量

（指定する用途）

第２条　使用を許可された者は前記の物件を　○○○○○○　の用に供しなければならない。

（使用許可期間）

第３条　使用を許可する期間は、令和△△年△△月△△日から令和△△年△△月△△日までとする。ただし、使用許可の更新を受けようとするときは、使用を許可された期間の満了３か月前までに、書面をもって○○地方環境事務所長に申請しなければならない。

（使用料）

第４条　令和　年　月　日から令和　年　月　日までの使用料は、　円とする。

２　前項に規定する期間が満了した後の期間に係る使用料については、改めて〇〇地方環境事務所長から通知する。なお、使用料は毎年度改定するものとし、改定の都度、当該年度分の使用料を〇〇地方環境事務所長から通知する。

（使用料の納付）

第５条　前条第１項に定める使用料は、別途歳入徴収官の発する納入告知書により、指定期日までに納入しなければならない。

（使用料の還付）

第６条　国に納付した使用料は、還付しないものとする。ただし、第16条第２項の規定により、〇〇地方環境事務所長が許可を取り消した場合は、取り消した日までの日数に応じ日割りによって計算するものとし、超過分を還付するものとする。

（使用料の改定）

第７条　〇〇地方環境事務所長は、経済情勢の変動、国有財産関係法令の改廃その他の事情の変更に基づいて特に必要があると認める場合には、使用料を改定することができる。

（延滞金）

第８条　指定期日までに使用料を支払わないときは、その翌日から納入の日までの日数に応じ、第２項に定める率で計算した金額を延滞金として支払わなければならない。

２　前項の延滞金利率は延滞起算日時点の国の債権の管理等に関する法律施行令第29条第１項本文に規定する財務大臣が定める率を定める告示（昭和32年大蔵省告示第８号）に定める率とする。

（物件保全義務等）

第９条　使用を許可した物件は、国有財産法第18条第６項に規定する制限の範囲内で使用させるものであり、使用を許可された者は、善良な管理者の注意をもって維持保存しなければならない。

２　前項の維持保存のため通常必要とする修繕費その他の経費は、使用を許可された者の負担とし、その費用は請求しないものとする。

（使用上の制限）

第10条　使用を許可された者は、使用を許可された期間中、使用を許可された物件を第２条に指定する用途以外に供してはならない。

２　使用を許可された者は、使用を許可された物件を他の者に転貸し、又は担保に供してはならない。

３　使用を許可された者は、使用を許可された区域内において新たに建物等の新築、増築又は改築をし、その他物件の利用形態を変更しようとするときは、事前に書面をもって〇〇地方環境事務所長の承認を受けなければならない。

（立木等の所有）

第11条　使用を許可された区域内において、天然に生育した立木その他の産物はすべて国の所有とし、それを除去し、又は移転しようとするときは、事前に書面をもって〇〇地方環境事務所長の指示を受けなければならない。

（温泉の利用）

第12条　使用を許可された区域内に温泉が湧出した場合は、その所有は国に属するものとし、その利用に当たっては〇〇地方環境事務所長の許可を受けなければならない。

（境界標等の設置）

第13条　使用を許可された者は、〇〇地方環境事務所長の指示に従い、使用を許可された区域に境界標並びに面積、許可期間及び住所氏名を記載した標識を設置しなければならない。ただし、道路、園地、電柱敷その他これに類するものとして〇〇地方環境事務所長の指示するものについては省略することができる。

（災害等の届出及び復旧防止）

第14条　使用を許可された者は、使用を許可された区域及びその周辺において土砂の崩壊、流出、火災等の災害が発生し、又は発生のおそれがある場合には、遅滞なく〇〇地方環境事務所長に届け出るとともに、その指示に従い、使用を許可された区域について災害を復旧又は防止するため必要な措置を講ずるものとする。

（国の一時使用）

第15条　使用を許可された者は、使用を許可された区域内の物件を国又は国の許可を受けた者が一時使用することがあっても使用を許可された者の使用目的を妨げない限り、異議を申し立てないものとする。

（使用許可の取消し）

第16条　〇〇地方環境事務所長は、次の各号の一に該当するときは、使用許可の取消しをすることができる。

⑴　使用を許可された者が許可条件に違背したとき

⑵　使用を許可された者が第21条第２項に規定する改善計画書を提出しないとき、又は第21条第３項の規定により承諾を受けた改善計画書に記載した内容を実施しなかったとき

⑶　使用を許可された者の役員等（個人である場合はその者、法人である場合は役員又は支店若しくは営業所の代表者、団体である場合は代表者、理事等、その他経営に実質的に関与している者をいう。以下同じ。）が、暴力団（暴力団員による不当な行為の防止等に関する法律（平成３年法律第77号）第２条第２号に規定する暴力団をいう。以下同じ。）又は暴力団員（同法第２条第６号に規定する暴力団員をいう。以下同じ。）であるとき

⑷　使用を許可された者の役員等が、自己、自社若しくは第三者の不正の利益を図る目的、又は第三者に損害を加える目的をもって、暴力団又は暴力団員を利用するなどしているとき

⑸　使用を許可された者の役員等が、暴力団又は暴力団員に対して、資金等を供給し、又は便宜を供与するなど直接的あるいは積極的に暴力団の維持、運営に協力し、若しくは関与しているとき

⑹　使用を許可された者の役員等が、暴力団又は暴力団員であることを知りながらこれを不当に利用するなどしているとき

⑺　使用を許可された者の役員等が、暴力団又は暴力団員と社会的に非難されるべき関係を有しているとき

2　○○地方環境事務所長は、使用を許可した物件を国又は公共団体において、公共用、公用又は公益事業の用に供するため必要が生じたときは、国有財産法第19条で準用する同法第24条第１項の規定に基づき、使用許可の取消しをすることができる。

3　○○地方環境事務所長が第１項の規定により使用許可の取消しをした場合、これにより使用を許可された者に生じた損害について、何らの賠償ないし補償することを要しない。

4　使用を許可された者は、○○地方環境事務所長が第１項の規定により使用許可の取消しをした場合において、国に損害が生じたときは、その損害を賠償するものとする。

（原状回復）

第17条　○○地方環境事務所長が使用許可を取り消したとき、又は使用を許可した期間が満了したときは、使用を許可された者は、自己の負担で、直ちに、使用を許可された物件を原状に回復して返還しなければならない。ただし、○○地方環境事務所長が特に承認したときは、この限りでない。

2　使用を許可された者が原状回復の義務を履行しないときは、○○地方環境事務所長は、使用を許可された者の負担においてこれを行うことができる。この場合使用を許可された者は、○○地方環境事務所長に異議を申し立てることができない。

（使用の廃止届又は終了届）

第18条　使用を許可された者は、使用を許可された期間中に物件の使用を廃止又は終了したときは、直ちに○○地方環境事務所長に届け出るものとする。この場合においては、届出をもって許可期間の満了とみなし、前条第１項及び第２項の規定を準用する。

（損害賠償）

第19条　使用を許可された者は、その責に帰する事由により、使用を許可された物件の全部又は一部を滅失又は損傷したときは、当該滅失又は損傷による使用を許可された物件の損害額に相当する金額を損害賠償として支払わなければならない。ただし、第17条の規定により使用を許可された物件を原状回復した場合は、この限りでない。

2　前項に掲げる場合のほか、使用を許可された者は、本許可書に定める義務を履行しないため損害を与えたときは、その損害額に相当する金額を損害賠償として支払わなければならない。

（有益費等の請求権の放棄）

第20条　使用許可の取消しが行われた場合においては、使用を許可された者は、使用を許可された物件に投じた改良のための有益費その他の費用が現存している場合であっても、その費用等の償還の請求はしないものとする。

（実地調査等）

第21条　〇〇地方環境事務所長は、使用を許可した物件について随時に実地調査し、又は参考となるべき資料その他の報告を求め、その維持使用に関し指示することができる。

2　〇〇地方環境事務所長は、前項の報告を受け、維持使用の方法に問題があると判断される場合は、使用を許可された者に対して残りの許可期間における維持使用の方法について、改善計画書の提出を指示することができる。

3　前項の指示があった場合、使用を許可された者は、改善計画書を提出し〇〇地方環境事務所の承諾を得なければならない。

（疑義の決定）

第22条　本条件に関し、疑義のあるときその他使用を許可した物件の使用について疑義を生じたときは、〇〇地方環境事務所長の決定するところによるものとする。

（別紙様式２－１）（無償）

環○○○第△△△△△号

令和△△年△△月△△日

国有財産使用許可書

○○○○○○○　殿

○○地方環境事務所長

令和△△年△△月△△日申請の○○○○国立公園○○○○○○○○地区内の物件使用は、国有財産法（昭和23年法律第73号）第18条第６項及び第19条並びに国立公園集団施設地区等管理規則（昭和28年厚生省令第49号）第４条第１項の規定に基づき、下記の条件を付して許可する。

この許可について不服があるときは、行政不服審査法（平成26年法律第68号）の定めるところにより、この許可があったことを知った日の翌日から起算して３月以内に環境大臣に対して審査請求をすることができる。なお、許可があった日の翌日から起算して１年を経過したときは許可についての審査請求をすることができない。

また、行政事件訴訟法（昭和37年法律第139号）の定めるところにより、この許可があったことを知った日の翌日から起算して６月以内に、国（法務大臣）を被告として処分取消しの訴えを提起することができる。ただし、審査請求をした場合には、その審査請求に対する裁決があったことを知った日の翌日から起算して６月以内とする。なお、許可又は裁決の日から１年を経過したときは、処分取消しの訴えを提起することができない。

記

（使用許可物件）

第１条　使用を許可する物件は次のとおりとし使用区域は申請書図面のとおりとする。

所在

区分

数量

（指定する用途）

第２条　使用を許可された者は前記の物件を　○○○○○○　の用に供しなければならない。

（使用許可期間）

第３条　使用を許可する期間は、令和△△年△△月△△日から令和△△年△△月△△日までとする。ただし、使用許可の更新を受けようとするときは、使用を許可された期間の満了３か月前までに、書面をもって○○地方環境事務所長に申請しなければならない。

（使用料）

第４条　使用料については、○○（例：国有財産法第22条第１項第１号（公園））に基づき無償とする。

（物件保全義務等）

第５条　使用を許可した物件は、国有財産法第18条第６項に規定する制限の範囲内で使用させるものであり、使用を許可された者は、善良な管理者の注意をもって維持保存しなければならない。

２　前項の維持保存のため通常必要とする修繕費その他の経費は、使用を許可された者の負担とし、その費用は請求しないものとする。

（使用上の制限）

第６条　使用を許可された者は、使用を許可された期間中、使用を許可された物件を第２条に指定する用途以外に供してはならない。

２　使用を許可された者は、使用を許可された物件を他の者に転貸し、又は担保に供してはならない。

３　使用を許可された者は、使用を許可された区域内において新たに建物等の新築、増築又は改築をし、その他物件の利用形態を変更しようとするときは、事前に書面をもって○○地方環境事務所長の承認を受けなければならない。

（立木等の所有）

第７条　使用を許可された区域内において、天然に生育した立木その他の産物はすべて国の所有とし、それを除去し、又は移転しようとするときは、事前に書面をもって○○地方環境事務所長の指示を受けなければならない。

（温泉の利用）

第８条　使用を許可された区域内に温泉が湧出した場合は、その所有は国に属するものとし、その利用に当たっては○○地方環境事務所長の許可を受けなければならない。

（境界標等の設置）

第９条　使用を許可された者は、○○地方環境事務所長の指示に従い、使用を許可された区域に境界標並びに面積、許可期間及び住所氏名を記載した標識を設置しなければならない。ただし、道路、園地、電柱敷その他これに類するものとして○○地方環境事務所長の指示するものについては省略することができる。

（災害等の届出及び復旧防止）

第10条　使用を許可された者は、使用を許可された区域及びその周辺において土砂の崩壊、流出、火災等の災害が発生し、又は発生のおそれがある場合には、遅滞なく○○地方環境事務所長に届け出るとともに、その指示に従い、使用を許可された区域について災害を復旧又は防止するため必要な措置を講ずるものとする。

（国の一時使用）

第11条　使用を許可された者は、使用を許可された区域内の物件を国又は国の許可を受けた者が一時使用することがあっても使用を許可された者の使用目的を妨げない限り、異議を申し立てないものとする。

（使用許可の取消し）

第12条　○○地方環境事務所長は、次の各号の一に該当するときは、使用許可の取消しをすることができる。

⑴　使用を許可された者が許可条件に違背したとき

⑵　使用を許可された者が第17条第２項に規定する改善計画書を提出しないとき、又は第17条第３項の規定により承諾を受けた改善計画書に記載した内容を実施しなかったとき

⑶　使用を許可された者の役員等（個人である場合はその者、法人である場合は役員又は支店若しくは営業所の代表者、団体である場合は代表者、理事等、その他経営に実質的に関与している者をいう。以下同じ。）が、暴力団（暴力団員による不当な行為の防止等に関する法律（平成３年法律第77号）第２条第２号に規定する暴力団をいう。以下同じ。）又は暴力団員（同法第２条第６号に規定する暴力団員をいう。以下同じ。）であるとき

⑷　使用を許可された者の役員等が、自己、自社若しくは第三者の不正の利益を図る目的、又は第三者に損害を加える目的をもって、暴力団又は暴力団員を利用するなどしているとき

⑸　使用を許可された者の役員等が、暴力団又は暴力団員に対して、資金等を供給し、又は便宜を供与するなど直接的あるいは積極的に暴力団の維持、運営に協力し、若しくは関与しているとき

⑹　使用を許可された者の役員等が、暴力団又は暴力団員であることを知りながらこれを不当に利用するなどしているとき

⑺　使用を許可された者の役員等が、暴力団又は暴力団員と社会的に非難されるべき関係を有しているとき

２　○○地方環境事務所長は、使用を許可した物件を国又は公共団体において、公共用、公用又は公益事業の用に供するため必要が生じたときは、国有財産法第19条で準用する同法第24条第１項の規定に基づき、使用許可の取消しをすることができる。

３　○○地方環境事務所長が第１項の規定により使用許可の取消しをした場合、これにより使用を許可された者に生じた損害について、何らの賠償ないし補償することを要しない。

４　使用を許可された者は、○○地方環境事務所長が第１項の規定により使用許可の取消しをした場合において、国に損害が生じたときは、その損害を賠償するものとする。

（原状回復）

第13条　〇〇地方環境事務所長が使用許可を取り消したとき、又は使用を許可した期間が満了したときは、使用を許可された者は、自己の負担で、直ちに、使用を許可された物件を原状に回復して返還しなければならない。ただし、〇〇地方環境事務所長が特に承認したときは、この限りでない。

2　使用を許可された者が原状回復の義務を履行しないときは、〇〇地方環境事務所長は、使用を許可された者の負担においてこれを行うことができる。この場合使用を許可された者は、〇〇地方環境事務所長に異議を申し立てることができない。

（使用の廃止届又は終了届）

第14条　使用を許可された者は、使用を許可された期間中に物件の使用を廃止又は終了したときは、直ちに〇〇地方環境事務所長に届け出るものとする。この場合においては、届出をもって許可期間の満了とみなし、前条第１項及び第２項の規定を準用する。

（損害賠償）

第15条　使用を許可された者は、その責に帰する事由により、使用を許可された物件の全部又は一部を滅失又は損傷したときは、当該滅失又は損傷による使用を許可された物件の損害額に相当する金額を損害賠償として支払わなければならない。ただし、第13条の規定により使用を許可された物件を原状回復した場合は、この限りでない。

2　前項に掲げる場合のほか、使用を許可された者は、本許可書に定める義務を履行しないため損害を与えたときは、その損害額に相当する金額を損害賠償として支払わなければならない。

（有益費等の請求権の放棄）

第16条　使用許可の取消しが行われた場合においては、使用を許可された者は、使用を許可された物件に投じた改良のための有益費その他の費用が現存している場合であっても、その費用等の償還の請求はしないものとする。

（実地調査等）

第17条　〇〇地方環境事務所長は、使用を許可した物件について随時に実地調査し、又は参考となるべき資料その他の報告を求め、その維持使用に関し指示することができる。

2　〇〇地方環境事務所長は、前項の報告を受け、維持使用の方法に問題があると判断される場合は、使用を許可された者に対して残りの許可期間における維持使用の方法について、改善計画書の提出を指示することができる。

3　前項の指示があった場合、使用を許可された者は、改善計画書を提出し〇〇地方環境事務所の承諾を得なければならない。

（疑義の決定）

第18条　本条件に関し、疑義のあるときその他使用を許可した物件の使用について疑義を生じたときは、〇〇地方環境事務所長の決定するところによるものとする。

（別紙様式２―１）（無償）<承認用>

環〇〇〇第△△△△△号
令和△△年△△月△△日

国有財産使用承認書

〇〇〇〇〇〇〇　殿

〇〇地方環境事務所長

令和△△年△△月△△日申請の〇〇〇〇国立公園〇〇〇〇〇〇〇〇〇地区内の物件使用は、下記の条件を付して承認する。

記

（使用承認物件）
第１条　使用を承認する物件は次のとおりとし使用区域は申請書図面のとおりとする。
所在
区分
数量

（指定する用途）
第２条　使用を承認された者は前記の物件を〇〇〇〇〇〇の用に供しなければならない。

（使用承認期間）
第３条　使用を承認する期間は、令和△△年△△月△△日から令和△△年△△月△△日までとする。ただし、使用承認の更新を受けようとするときは、使用を承認された期間の満了３か月前までに、書面をもって〇〇地方環境事務所長に申請しなければならない。

（使用料）
第４条　使用料については、〇〇（例：国有財産法第15条（一般会計間の使用））に基づき無償とする。

（物件保全義務等）
第５条　使用を承認された者は、善良な管理者の注意をもって維持保存しなければならない。
２　前項の維持保存のため通常必要とする修繕費その他の経費は、使用を承認された者の負担とし、その費用は請求しないものとする。

（使用上の制限）
第６条　使用を承認された者は、使用を承認された期間中、使用を承認された物件を第２条に指定する用途以外に供してはならない。
２　使用を承認された者は、使用を承認された物件を他の者に転貸し、又は担保に供してはならない。

3　使用を承認された者は、使用を承認された区域内において新たに建物等の新築、増築又は改築をし、その他物件の利用形態を変更しようとするときは、事前に書面をもって○○地方環境事務所長の承認を受けなければならない。

（立木等の保全）

第７条　使用を承認された者は、その区域内において、天然に生育した立木その他の産物を保全することとし、それを除去し、又は移転しようとするときは、事前に書面をもって○○地方環境事務所長の指示を受けなければならない。

（温泉の利用）

第８条　使用を承認された区域内に温泉が湧出した場合、その利用に当たっては○○地方環境事務所長の承認を受けなければならない。

（境界標等の設置）

第９条　使用を承認された者は、○○地方環境事務所長の指示に従い、使用を承認された区域に境界標並びに面積、承認期間及び住所氏名を記載した標識を設置しなければならない。ただし、道路、園地、電柱敷その他これに類するものとして○○地方環境事務所長の指示するものについては省略することができる。

（災害等の届出及び復旧防止）

第10条　使用を承認された者は、使用を承認された区域及びその周辺において土砂の崩壊、流出、火災等の災害が発生し、又は発生のおそれがある場合には、遅滞なく○○地方環境事務所長に届け出るとともに、その指示に従い、使用を承認された区域について災害を復旧又は防止するため必要な措置を講ずるものとする。

（国の一時使用）

第11条　使用を承認された者は、使用を承認された区域内の物件を国又は国の承認を受けた者が一時使用することがあっても使用を承認された者の使用目的を妨げない限り、異議を申し立てないものとする。

（使用承認の取消し）

第12条　○○地方環境事務所長は、次の各号の一に該当するときは、使用承認の取消しをすることができる。

⑴　使用を承認された者が承認条件に違背したとき

⑵　使用を承認された者が第16条第２項に規定する改善計画書を提出しないとき、又は第16条第３項の規定により承諾を受けた改善計画書に記載した内容を実施しなかったとき

2　○○地方環境事務所長は、使用を承認した物件を国又は公共団体において、公共用、公用又は公益事業の用に供するため必要が生じたときは、使用承認の取消しをすることができる。

（原状回復）

第13条　使用を承認された者は、次の各号の一に該当するときは、自己の負担で、直ちに、使用を承認された物件を原状に回復して返還しなければならない。ただし、〇〇地方環境事務所長が特に承認したときは、この限りでない。

⑴　〇〇地方環境事務所長が使用承認を取り消したとき、又は使用を承認した期間が満了したとき

⑵　使用を承認された者の責に帰する事由により、使用を承認された物件の全部又は一部を滅失又は損傷したとき

2　使用を承認された者が原状回復の義務を履行しないときは、〇〇地方環境事務所長は、使用を承認された者の負担においてこれを行うことができる。この場合使用を承認された者は、〇〇地方環境事務所長に異議を申し立てることができない。

（使用の廃止届又は終了届）

第14条　使用を承認された者は、使用を承認された期間中に物件の使用を廃止又は終了したときは、直ちに〇〇地方環境事務所長に届け出るものとする。この場合においては、届出をもって承認期間の満了とみなし、前条第１項及び第２項の規定を準用する。

（有益費等の請求権の放棄）

第15条　使用承認の取消しが行われた場合においては、使用を承認された者は、使用を承認された物件に投じた改良のための有益費その他の費用が現存している場合であっても、その費用等の償還の請求はしないものとする。

（実地調査等）

第16条　〇〇地方環境事務所長は、使用を承認した物件について随時に実地調査し、又は参考となるべき資料その他の報告を求め、その維持使用に関し指示することができる。

2　〇〇地方環境事務所長は、前項の報告を受け、維持使用の方法に問題があると判断される場合は、使用を承認された者に対して残りの承認期間における維持使用の方法について、改善計画書の提出を指示することができる。

3　前項の指示があった場合、使用を承認された者は、改善計画書を提出し〇〇地方環境事務所の承諾を得なければならない。

（疑義の決定）

第17条　本条件に関し、疑義のあるときその他使用を承認した物件の使用について疑義を生じたときは、〇〇地方環境事務所長の決定するところによるものとする。

（別紙様式２－２）（分割納付用）

環○○○第△△△△△号
令和△△年△△月△△日

国有財産使用許可書

○○○○○○○　殿

○○地方環境事務所長

令和△△年△△月△△日申請の○○○○国立公園○○○○○○○○○地区内の物件使用は、国有財産法（昭和23年法律第73号）第18条第６項及び第19条並びに国立公園集団施設地区等管理規則（昭和28年厚生省令第49号）第４条第１項の規定に基づき、下記の条件を付して許可する。

この許可について不服があるときは、行政不服審査法（平成26年法律第68号）の定めるところにより、この許可があったことを知った日の翌日から起算して３月以内に環境大臣に対して審査請求をすることができる。なお、許可があった日の翌日から起算して１年を経過したときは許可についての審査請求をすることができない。

また、行政事件訴訟法（昭和37年法律第139号）の定めるところにより、この許可があったことを知った日の翌日から起算して６月以内に、国（法務大臣）を被告として処分取消しの訴えを提起することができる。ただし、審査請求をした場合には、その審査請求に対する裁決があったことを知った日の翌日から起算して６月以内とする。なお、許可又は裁決の日から１年を経過したときは、処分取消しの訴えを提起することができない。

記

（使用許可物件）

第１条　使用を許可する物件は次のとおりとし使用区域は申請書図面のとおりとする。

所在

区分

数量

（指定する用途）

第２条　使用を許可された者は前記の物件を○○○○○○の用に供しなければならない。

（使用許可期間）

第３条　使用を許可する期間は、令和△△年△△月△△日から令和△△年△△月△△日までとする。ただし、使用許可の更新を受けようとするときは、使用を許可された期間の満了３か月前までに、書面をもって○○地方環境事務所長に申請しなければならない。

（使用料）

第４条　令和　年　月　日から令和　年　月　日までの使用料は、　円とする。

２　前項に規定する期間が満了した後の期間に係る使用料については、改めて〇〇地方環境事務所長から通知する。なお、使用料は毎年度改定するものとし、改定の都度、当該年度分の使用料を〇〇地方環境事務所長から通知する。

（使用料の納付）

第５条　前条第１項に定める使用料は、次に定めるところにより、別途歳入徴収官の発する納入告知書により、指定期日までに納入しなければならない。

年　　次	回　　数	納付金額	納付期限	備　　考
第一年次	第１回	円	令和　年　月　日	
	第２回	円	令和　年　月　日	
	合　計	円		

（使用料の還付）

第６条　国に納付した使用料は、還付しないものとする。ただし、第16条第２項の規定により、〇〇地方環境事務所長が許可を取り消した場合は、取り消した日までの日数に応じ日割りによって計算するものとし、超過分を還付するものとする。

（使用料の改定）

第７条　〇〇地方環境事務所長は、経済情勢の変動、国有財産関係法令の改廃その他の事情の変更に基づいて特に必要があると認める場合には、使用料を改定することができる。

（延滞金）

第８条　指定期日までに使用料を支払わないときは、その翌日から納入の日までの日数に応じ、第２項に定める率で計算した金額を延滞金として支払わなければならない。

２　前項の延滞金利率は延滞起算日時点の国の債権の管理等に関する法律施行令第29条第１項本文に規定する財務大臣が定める率を定める告示（昭和32年大蔵省告示第８号）に定める率とする。

（物件保全義務等）

第９条　使用を許可した物件は、国有財産法第18条第６項に規定する制限の範囲内で使用させるものであり、使用を許可された者は、善良な管理者の注意をもって維持保存しなければならない。

２　前項の維持保存のため通常必要とする修繕費その他の経費は、使用を許可された者の負担とし、その費用は請求しないものとする。

（使用上の制限）

第10条　使用を許可された者は、使用を許可された期間中、使用を許可された物件を第２条に指定する用途以外に供してはならない。

２　使用を許可された者は、使用を許可された物件を他の者に転貸し、又は担保に供してはならない。

３　使用を許可された者は、使用を許可された区域内において新たに建物等の新築、増築又は改築をし、その他物件の利用形態を変更しようとするときは、事前に書面をもって○○地方環境事務所長の承認を受けなければならない。

（立木等の所有）

第11条　使用を許可された区域内において、天然に生育した立木その他の産物はすべて国の所有とし、それを除去し、又は移転しようとするときは、事前に書面をもって○○地方環境事務所長の指示を受けなければならない。

（温泉の利用）

第12条　使用を許可された区域内に温泉が湧出した場合は、その所有は国に属するものとし、その利用に当たっては○○地方環境事務所長の許可を受けなければならない。

（境界標等の設置）

第13条　使用を許可された者は、○○地方環境事務所長の指示に従い、使用を許可された区域に境界標並びに面積、許可期間及び住所氏名を記載した標識を設置しなければならない。ただし、道路、園地、電柱敷その他これに類するものとして○○地方環境事務所長の指示するものについては省略することができる。

（災害等の届出及び復旧防止）

第14条　使用を許可された者は、使用を許可された区域及びその周辺において土砂の崩壊、流出、火災等の災害が発生し、又は発生のおそれがある場合には、遅滞なく○○地方環境事務所長に届け出るとともに、その指示に従い、使用を許可された区域について災害を復旧又は防止するため必要な措置を講ずるものとする。

（国の一時使用）

第15条　使用を許可された者は、使用を許可された区域内の物件を国又は国の許可を受けた者が一時使用することがあっても使用を許可された者の使用目的を妨げない限り、異議を申し立てないものとする。

（使用許可の取消し）

第16条　○○地方環境事務所長は、次の各号の一に該当するときは、使用許可の取消しをすることができる。

⑴　使用を許可された者が許可条件に違背したとき

⑵　使用を許可された者が第21条第２項に規定する改善計画書を提出しないとき、又は第21条第３項の既定により承諾を受けた改善計画書に記載した内容を実施しなかったとき

(3)　使用を許可された者の役員等（個人である場合はその者、法人である場合は役員又は支店若しくは営業所の代表者、団体である場合は代表者、理事等、その他経営に実質的に関与している者をいう。以下同じ。）が、暴力団（暴力団員による不当な行為の防止等に関する法律（平成３年法律第77号）第２条第２号に規定する暴力団をいう。以下同じ。）又は暴力団員（同法第２条第６号に規定する暴力団員をいう。以下同じ。）であるとき

(4)　使用を許可された者の役員等が、自己、自社若しくは第三者の不正の利益を図る目的、又は第三者に損害を加える目的をもって、暴力団又は暴力団員を利用するなどしているとき

(5)　使用を許可された者の役員等が、暴力団又は暴力団員に対して、資金等を供給し、又は便宜を供与するなど直接的あるいは積極的に暴力団の維持、運営に協力し、若しくは関与しているとき

(6)　使用を許可された者の役員等が、暴力団又は暴力団員であることを知りながらこれを不当に利用するなどしているとき

(7)　使用を許可された者の役員等が、暴力団又は暴力団員と社会的に非難されるべき関係を有しているとき

2　○○地方環境事務所長は、使用を許可した物件を国又は公共団体において、公共用、公用又は公益事業の用に供するため必要が生じたときは、国有財産法第19条で準用する同法第24条第１項の規定に基づき、使用許可の取消しをすることができる。

3　○○地方環境事務所長が第１項の規定により使用許可の取消しをした場合、これにより使用を許可された者に生じた損害について、何らの賠償ないし補償することを要しない。

4　使用を許可された者は、○○地方環境事務所長が第１項の規定により使用許可の取消しをした場合において、国に損害が生じたときは、その損害を賠償するものとする。

（原状回復）

第17条　○○地方環境事務所長が使用許可を取り消したとき、又は使用を許可した期間が満了したときは、使用を許可された者は、自己の負担で、直ちに、使用を許可された物件を原状に回復して返還しなければならない。ただし、○○地方環境事務所長が特に承認したときは、この限りでない。

2　使用を許可された者が原状回復の義務を履行しないときは、○○地方環境事務所長は、使用を許可された者の負担においてこれを行うことができる。この場合使用を許可された者は、○○地方環境事務所長に異議を申し立てることができない。

（使用の廃止届又は終了届）

第18条　使用を許可された者は、使用を許可された期間中に物件の使用を廃止又は終了したときは、直ちに○○地方環境事務所長に届け出るものとする。この場合においては、

届出をもって許可期間の満了とみなし、前条第１項及び第２項の規定を準用する。

（損害賠償）

第19条　使用を許可された者は、その責に帰する事由により、使用を許可された物件の全部又は一部を滅失又は損傷したときは、当該滅失又は損傷による使用を許可された物件の損害額に相当する金額を損害賠償として支払わなければならない。ただし、第17条の規定により使用を許可された物件を原状回復した場合は、この限りでない。

2　前項に掲げる場合のほか、使用を許可された者は、本許可書に定める義務を履行しないため損害を与えたときは、その損害額に相当する金額を損害賠償として支払わなければならない。

（有益費等の請求権の放棄）

第20条　使用許可の取消しが行われた場合においては、使用を許可された者は、使用を許可された物件に投じた改良のための有益費その他の費用が現存している場合であっても、その費用等の償還の請求はしないものとする。

（実地調査等）

第21条　〇〇地方環境事務所長は、使用を許可した物件について随時に実地調査し、又は参考となるべき資料その他の報告を求め、その維持使用に関し指示することができる。

2　〇〇地方環境事務所長は、前項の報告を受け、維持使用の方法に問題があると判断される場合は、使用を許可された者に対して残りの許可期間における維持使用の方法について、改善計画書の提出を指示することができる。

3　前項の指示があった場合、使用を許可された者は、改善計画書を提出し〇〇地方環境事務所の承諾を得なければならない。

（疑義の決定）

第22条　本条件に関し、疑義のあるときその他使用を許可した物件の使用について疑義を生じたときは、〇〇地方環境事務所長の決定するところによるものとする。

㈠　第５条の規定については、皇居外苑、京都御苑及び新宿御苑並びに千鳥ヶ淵戦没者墓苑に属する国有財産の使用許可にも適用する。

（別　添）

国立公園集団施設地区等土地等使用料等算定基準

環境省が所管する公共用財産である国立公園集団施設地区等の土地等を国有財産法（昭和23年法律第73号）第18条第２項及び第６項並びに第19条の規定により貸付け（私権の設定を含む。）若しくは使用又は収益させる場合における貸付料及び使用料（消費税相当額を含まない。以下同じ。）の算定については、「行政財産を貸付け又は使用許可する場合の取扱いの基準について」（昭和33年１月７日付蔵管第１号）に定めるほか、本算定基準によるものとする。

第１　地下埋設物（給排水管又は引湯管等）の用に供する場合等の土地の貸付け又は使用許可面積

地下埋設物（給排水管又は引湯管等）の用に供する場合の土地の貸付け又は使用許可面積は、当該管の口径に0.5メートルを加え、その延長を乗じて求めるものとする。また、電気線路の用に供する場合の土地の使用許可面積は、その本柱及び支柱並びに支線ごとに、1.7平方メートルとみなし、求めるものとする。

第２　電柱等の用に供する場合の使用料

電気通信事業法（昭和59年法律第86号）第120条第１項に規定する認定電気通信事業者又は電気事業法（昭和39年法律第170号）第２条第１項第17号に規定する電気事業者において設置する電柱等（線路を支持するために利用するものをいう。）の用に供する場合の使用料は、「電柱等を設置するため行政財産の一部を使用させる場合の取扱について」（昭和35年３月28日付蔵管第700号）により算定した額とするものとする。

第３　温泉使用料

１　鉱泉地の評価は、次に掲げる区分に従い、それぞれ次に掲げることによる。ただし、湯温、ゆう出量等に急激な変化が生じたこと等から、次に掲げるところにより評価することが適当でないと認められる鉱泉地については、その鉱泉地と状況の類似する鉱泉地の価額若しくは売買実例価額又は精通者意見価格等を参酌して求めた金額によって評価する。

⑴　状況が類似する温泉地又は地域ごとに、その温泉地又はその地域に存する鉱泉地の売買実例価額、精通者意見価格、その鉱泉地の鉱泉を利用する温泉地の地価事情、その鉱泉地と状況が類似する鉱泉地の価額等を基として国税局長が鉱泉地の固定資産税評価額に乗ずべき一定の倍率を定めている場合は、その倍率を乗じて計算した金額によって評価する。

⑵　⑴以外の場合はその鉱泉地の固定資産税評価額に、次の割合を乗じて計算した金額によって評価する。

$$\frac{\text{その鉱泉地の鉱泉を利用する宅地の課税時期における価額}}{\text{その鉱泉地の鉱泉を利用する宅地のその鉱泉地の固定資産税評価額の評定の基準となった日における価額}}$$

㈲　固定資産税評価額の評定の基準となった日とは、通常、各基準年度（地方税法第341条（(固定資産税に関する用語の意義)）第６号に規定する年度をいう。）の初日の属する年の前年１月１日となることに留意する。

2　継続使用による温泉地のゆう出口当たりの使用料は、当該鉱泉地の基準年度の前年度の価額に、当該鉱泉地の鉱泉を利用する温泉地に存する宅地の基準年度における価額の前基準年度における価額に対する割合を乗じて得た年額とするものとする。

計算式　使用料＝前年度の使用料×近傍宅地の価額の変動率

$$\text{近傍宅地の価額の変動率}=\frac{\text{当該鉱泉地の鉱泉を利用する温泉地の宅地の当該基準年度の価額}}{\text{当該鉱泉地の鉱泉を利用する温泉地の宅地の前基準年度の価額}}$$

㈲１　近傍宅地とは、当該鉱泉地の鉱泉を利用している宅地又当該鉱泉地の鉱泉を利用することにより温泉地を形成している地域に存する宅地であって、温泉地の景況が等しく影響を与えていると考えられる宅地をいい、当該鉱泉地の鉱泉を利用する一画地の宅地に限らず、ある一定の面的広がりを持った地域にある宅地をも含むものである。

２　当該鉱泉地の鉱泉を利用する温泉地の宅地とは、当該鉱泉地の鉱泉を利用している宅地及び当該鉱泉を利用する温泉地に存する宅地の中で、当該鉱泉地の鉱泉を利用している宅地が受けている温泉地の景況からの影響と同様の影響を受けていると考えられる近傍宅地をいう。

また、当該鉱泉地の鉱泉を利用する温泉地に存する宅地が存在しない場合は、当該温泉地の近傍宅地、当該鉱泉の利用が見込まれる土地や当該鉱泉を利用することが可能な宅地等の価額の変動その他の事情を考慮し、当該鉱泉地の価額を求めるものとする。

３　新たに鉱泉地として評価されることになった土地又は近傍宅地の価額の変動率によって評価することが適当でないと市町村長が判断した鉱泉地の評価に当たっては、当該鉱泉地に係る温泉地と状況が類似する温泉地の景況の差異や、当該鉱泉地と状況類似温泉地に係る鉱泉地の利用状況の差異等を総合的に勘案して、比準価格の適正な算定に努めるものとする。

４　湯温又はゆう出量等に急激な変化が生じた場合の評価については、当該鉱泉地の前基準年度の価額に近傍宅地の価額の変動率を乗じて求めた価額に、当該鉱泉地の変化の程度及び周辺の他の鉱泉地の利用状況とその価額等を考慮して、実情に応じた増価又は減価を行って評価するものとする。

5　枯渇した鉱泉地又は未利用の鉱泉地の評価については、当該鉱泉地の前基準年度の価額に近傍宅地の価額の変動率を乗じて求めた価額を、その実情に応じ、減額して評価することとなるが、この場合の近傍宅地の価額は、当該鉱泉地の鉱泉の利用が可能と想定した場合にその利用が見込まれる宅地の価額を用いるものとする。

第４　使用料の端数処理

使用料の額の合計が100円未満であるときは、これを100円とするものとする。

第５　本算定基準の実施

本算定基準は、平成20年４月１日以降使用料を算定するものから適用し、それ以前のものについては、なお従前の例によるものとする。

第11編

自然公園に係る税制

第１章　税制関係法令

◉地方税法（抄）

〔昭和25年７月31日
法 律 第 226 号〕

注　令和４年５月20日法律第47号改正現在

第３章　市町村の普通税

第２節　固定資産税

第１款　通則

（固定資産税の非課税の範囲）

第348条

２　固定資産税は、次に掲げる固定資産に対しては課することができない。ただし、固定資産を有料で借り受けた者がこれを次に掲げる固定資産として使用する場合には、当該固定資産の所有者に課することができる。

七の二　自然公園法（昭和32年法律第161号）第20条第１項に規定する国立公園又は国定公園の特別地域のうち同法第21条第１項に規定する特別保護地区その他総務省令で定める地域内の土地で総務省令で定めるもの

第８節　特別土地保有税

第１款　通則

（特別土地保有税の非課税）

第586条

２　市町村は、次に掲げる土地又はその取得に対しては、特別土地保有税を課することができない。

二十八　第348条第２項、第５項及び第７項の規定の適用がある土地（第４号の５及び第５号に掲げるものを除く。）

◉地方税法施行規則（抄）

〔昭和29年５月13日
総理府令第23号〕

注　令和４年３月31日総務省令第27号改正現在

（法第348条第２項第７号の２の地域等）

第10条の５

２　法第348条第２項第７号の２に規定する総務省令で定める土地は、池沼、山林及び原野とする。

第2章　運用通知等

○自然公園のうち特別保護地区等に係る税制上の取扱いについて

〔昭和49年6月7日　環自企第312号
各都道府県自然環境担当部局長宛　環境庁自然保護局
企画調整課長通知〕

今般、地方税法の改正がなされ自然環境の推進とこれに伴う私権との調整をはかるための措置として本年度から自然公園の特別保護地区及び第1種特別地域の土地（地目山林、原野、池沼に限る。）にかかる固定資産税の非課税措置が新たに講じられることとなったが、このほか、第2種特別地域について、同時に第1種特別地域内の土地と同様の規制を受けていると認められる地域について固定資産税の軽減措置を講ずることが適当とされることとなり、別添参考のとおり、自治省固定資産税課長から通知がなされているところである。

これは、第2種特別地域であっても、自然景観の保護上重要な地域であること等のため、第1種特別地域と同様の規制を受けることがあることを考慮して、このような地域について、市町村の条例上、固定資産税の軽減措置を講ずることが適当であるという趣旨に基づくものである。

この第1種地域と同様の規制の解釈については、自然景観上特に配慮を要する地域等のため、例えば、単木択伐等によるほか木竹伐採は認められないこととなっているなど、自然景観の観点からの私権の制限が第1種地域における場合と経済的にみて、ほぼ同程度の内容である旨が明らかになっている場合であり、この趣旨に沿って、当該地域の社会的、経済的条件を十分勘案して条例で具体的に定められることが要件となる。

以上の点を十分ご理解のうえ、地方課と十分意見を調整のうえ、貴下市町村に対する適切な指導につき配慮されたい。

（参　考）

国立公園等の第2種特別地域内の土地の取扱いについて

〔昭和49年4月1日　自治固第25号
各道府県総務部長・東京都総務・主税局長宛　自治省
税務局固定資産税課長通知〕

改正　昭和50年4月30日自治固第35号

国立公園又は国定公園の特別地域のうち特別保護地区及び第1種特別地域内の池沼、山林及び原野に係る固定資産税については、自然保護、環境保全の要請が一段と強まってきていることにかんがみ、本年度の地方税の改正により非課税とすることとされた。

これは、これらの土地に係る樹木の伐採等の各種の行為が環境庁長官又は都道府県知事の許可に係らしめられているうえに現実の運用面でもこれらの行為は原則として許可されていないことにかんがみとられた措置であるが、国立公園若しくは国定公園の特別地域のうち第２種特別地域又は都道府県立自然公園の特別地域内の同種の土地についても、特別保護地区及び第１種特別地域内の土地と同様の規制が行われていると認められる場合には、これらの区域内の土地との均衡を考慮し、軽減措置を講ずることが適当と考えられるので、この旨貴下市町村に対して示達のうえ、よろしくご指導願いたい。

○自然公園のうち固定資産税が軽減され得る一定の土地について

〔昭和50年５月19日　環自企第340号
各都道府県自然環境担当部局長宛　環境庁自然保護局企画調整課長通知〕

自然公園地域に係る固定資産税については、国立公園又は国定公園の特別保護地区及び第１種特別地域内の土地（山林、池沼、原野に限る。以下同じ。）について、地方税法上非課税措置が講じられている他、第２種特別地域内の土地についても、これらの土地と同様の規制を受けていると認められる地域について、自然環境の保全とこれに伴う私権との調整を図る上で、その軽減措置を講ずることが適当とされ、自治省固定資産税課長から、昭和49年４月１日付自治固第25号「国立公園等の第２種特別地域内の土地の取扱いについて」をもって通知されているところである。

ところで、今般別添自治省固定資産税課長通知「国立公園等の第２種特別地域内の土地の取扱いについての一部改正について」（昭和50年４月30日付自治固第35号）により前記通知の改正が行われ、都道府県立自然公園の特別地域内の土地についても、国立公園又は国定公園の特別保護地区及び第１種特別地域と同様の規制を受けていると認められる土地について、前記の地域との均衡を考慮して、軽減措置を講ずることが適当とされたので、貴職におかれても了知されたく通知する。

なお、これらの場合「国立公園又は国定公園の特別保護地区及び第１種特別地域と同様の規制」の解釈については、「自然公園のうち特別保護地区等に係る税制上の取扱いについて」（昭和49年６月７日付け環自企第312号、自然保護局企画調整課長通知）によるものであるが、このような地域の範囲及び認定等については下記によることとし、本措置のさらに適切な運用を図られたい。

おって、本通知は自治省固定資産税課とも協議済みであるので、地方課とも十分意見を調整のうえ、貴管下市町村の自然保護担当部局に対しても周知徹底を図られたい。

記

1　国立公園又は国定公園の特別保護地区及び第１種特別地域（以下「第１種地域等」という。）と同様の規制を受けていると認められる地域（以下「第１種地域等同様規制地域」という。）の範囲

(1)　国立公園又は国定公園の第２種特別地域のうち「国立公園内（普通地域を除く。）における各種行為に関する審査指針」（昭和49年11月20日環自企第570号自然保護局長通知。以下「審査指針」という。）の適用又は、準用を受け、工作物の設置又は木竹の伐採等につき第１種地域等と同様の規制を受けていると認められる以下のような地域

①　次に掲げるような貴重な自然的性質を有する地域のうち、史跡、名勝天然記念物の特別な指定がなされており又は学術調査の結果等から、第１種地域等に準ずる取扱いが現になされ又はなされることが必要であると認められる地域

(ア)　高山帯、亜高山帯、風衝地、湿原等植生復元の困難な地域

(イ)　野生動植物の生息地、生育地又は繁殖地として重要な地域

(ウ)　地形、地質が特異である地域又は特異な自然現象が生じている地域

(エ)　すぐれた天然林又は学術的価値を有する人工林の地域

②　地形勾配が30パーセントをこえる地域

③　自然草地、低木林地、採草放牧地又は高木の生育が困難な地域

④　公園事業たる道路その他主として公園利用に供せられる道路の路肩から20メートル内の地域

⑤　国立公園計画に基づく車道、歩道、集団施設地区及び単独施設の周辺の山林であって、択伐法による伐採のみが許容されるもの

(2)　国立公園の第２種地域のうち、審査指針によらないことができる特定地域として環境庁自然保護局長が特認した地域（昭和50年３月７日付環自企第125号「審査指針によらないことができる特定地域の認定について」）であって、工作物の設置、木竹の伐採等につき第１種地域等と同様の規制を受けていると認められる地域

(3)　国定公園の第２種地域のうち、審査指針を準用しない地域として特に都道府県知事が定めている地域であって、工作物の設置、木竹の伐採等につき第１種地域等と同様の規制を受けていると認められる地域

(4)　国立公園又は国定公園の第２種特別地域内に設けられている集団施設地区内の土地のうち、別途定められた指針により工作物の設置、木竹の伐採等につき、第１種地域等と同様の規制を受けていると認められる地域

(5)　都道府県立自然公園の特別地域のうち、審査指針の準用又は別途定めた指針により工作物の設置、木竹の伐採、土石の採取につき第１種地域等と同様の規制を受けていると認められる地域

2　第１種地域等同様規制地域の認定及び境界の決定等

⑴　市町村において固定資産税の軽減措置の適否を検討するにあたっては、土地の所在する地域が第１種地域等同様規制地域であるか否かの認定が必要であるが、固定資産税の課税主体である市町村では、当該認定は困難であるので、都道府県自然保護担当部局において、当該都道府県の自然公園のうち、第１種地域等同様規制地域に該当する地域を認定し（国立公園のうち国立公園管理事務所の存するものについては、当該国立公園管理事務所長と協議のうえ）、あらかじめ当該市町村に通知するものであること。

当該地域に異動を生じた場合も同様であること。

⑵　⑴により認定した地域の境界についてなお疑義がある場合は、当該地域の地番の決定等をも含め、当該市町村と協議のうえ、都道府県の自然保護担当部局において決定するものであること。

3　その他

⑴　前記により認定又は決定された第１種地域等同様規制地域内の土地について、市町村において実情に応じ適宜、固定資産税の軽減措置が講じられるものであること。

⑵　前記の方法によっては、第１種地域等同様規制地域としての範囲が確定し難い地域については、本軽減措置は講じられないものであること。

○国立公園又は国定公園の特別地域と同等の規制を受けるものと認められる都道府県立自然公園の特別地域並びに自然環境保全地域の特別地区と同等の規制を受けるものと認められる都道府県自然環境保全地域の特別地区の認定の要件とその手順について

〔平成22年３月２日　環自国発第100302001号
各都道府県知事宛　環境省自然環境局長通知〕

「自然公園法及び自然環境保全法の一部を改正する法律」（平成21年法律第47号）の施行（平成22年４月１日）及び「租税特別措置法」（昭和32年法律第26号）の一部改正（平成22年３月31日公布、同年４月１日施行予定）に伴い、都道府県立自然公園の特別地域及び都道府県自然環境保全地域の特別地区に係る従来の租税特別措置法第34条の２第２項第24号及び第65条の４第１項第24号の規定による認定については平成22年３月31日をもってその効力を失う。

これに伴い、別紙のとおり「国立公園又は国定公園の特別地域と同等の規制を受けるものと認められる都道府県立自然公園の特別地域並びに自然環境保全地域の特別地区と同等の規制を受けるものと認められる都道府県自然環境保全地域の特別地区の認定の要件とその手順」を定めたので、了知するとともに、都道府県立自然公園の特別地域及び都道府県自然環境保全地域の特別地区について、引き続き認定及び指定を受けることが必要な都道府県にあっては、都道府県ごとに平成22年３月10日までに環境大臣（送付先は環境省自然環境局国立公園課）に申請されるようお願いする。なお、この期日を過ぎても、申請に応じて認定を行うことを申し添える。

また、本通知の施行に伴い「国立公園又は国定公園の特別地域と同等の規制を受けるものと認められる都道府県立自然公園の特別地域並びに自然環境保全地域の特別地区と同等の規制を受けるものと認められる都道府県自然環境保全地域の特別地区の認定及び指定の要件とその手順について」（平成15年３月７日付け環自総第151号、都道府県知事あて環境省自然環境局長通知）は廃止する。ただし、自然公園法及び自然環境保全法の一部を改正する法律が施行される平成22年４月１日までの間においては、なお従前の例による。

なお、本通知に引用されている「自然公園法」（昭和32年法律第131号）及び「自然環境保全法」（昭和47年法律第85号）の条項名については、上記自然公園法及び自然環境保全法の一部を改正する法律の施行による改正後の自然公園法及び自然環境保全法の条項名である。

別　紙

国立公園又は国定公園の特別地域と同等の規制を受けるものと認められる都道府県立自然公園の特別地域並びに自然環境保全地域の特別地区と同等の規制を受けるものと認められる都道府県自然環境保全地域の特別地区の認定の要件とその手順

第１　所得税及び法人税の特例関係

１　所得税及び法人税の特例の概要

所得税については、租税特別措置法（昭和32年法律第26号）第34条第２項第４号及び第34条の２第２項第24号の規定により、また法人税については、租税特別措置法第65条の３第１項第４号及び第65条の４第１項第24号の規定により、それぞれ、土地等を譲渡した場合の譲渡所得の特別控除（①及び②については2000万円控除。③及び④については1500万円控除。）の適用対象として、次の①から④までに掲げる区域内の土地が、国又は地方公共団体（③及び④については地方公共団体）に買い取られる場合が認められている。

① 自然公園法（昭和32年法律第161号）第20条第１項の規定により指定された国立公園又は国定公園の特別地域

② 自然環境保全法（昭和47年法律第85号）第25条第１項の規定により指定された自然環境保全地域の特別地区

③ 自然公園法第73条第１項の規定に基づく条例の規定により指定された都道府県立自然公園の特別地域のうち、国立公園又は国定公園の特別地域と同等の規制を受けるものとして環境大臣が認定したもの

④ 自然環境保全法第46条第１項の規定に基づく条例の規定により指定された都道府県自然環境保全地域の特別地区のうち、自然環境保全地域の特別地区と同等の規制を受けるものとして環境大臣が認定したもの

２　認定の要件

(1) 都道府県立自然公園の特別地域に係る要件

認定の要件である「都道府県立自然公園の特別地域で国立公園又は国定公園の特別地域と同等の規制を受けるもの」とは、都道府県立自然公園の特別地域のうち、当該地域内における行為につき国立公園又は国定公園の特別地域内における行為に関する自然公園法第２章第４節の規定による規制と同等の規制が行われているものをいい、それは、次の要件をいずれをも満たす場合をいう。

① 条例に、自然公園法第20条第３項各号に掲げる行為に相当する行為（同条第３項ただし書、同項第３号、第６号、第16号及び第18号並びに第９項に定める行為

を除く。）を知事の許可にかからしめる旨の規定があること。

② ①の許可について、許可の適否に関する判断基準が明らかにされており、かつ、その基準が自然公園法施行規則第11条に定める特別地域内における行為の許可基準と同等のものであること。

③ 条例に自然公園法第32条（条件）及び第34条（中止命令等）に相当する規定があること。

④ 条例に①及び③の規定に違反した者に対する罰則規定があること。

(2) 都道府県自然環境保全地域の特別地区に係る要件

認定の要件である「都道府県自然環境保全地域の特別地区で自然環境保全地域の特別地区と同等の規制を受けるもの」とは、都道府県自然環境保全地域の特別地区のうち、当該地区内における行為につき自然環境保全地域の特別地区内における行為に関する自然環境保全法第４章第２節の規定による規制と同等の規制が行われているものをいい、それは、次の要件をいずれをも満たす場合をいう。

① 条例に、自然環境保全法第25条第４項各号に掲げる行為（同条第３項、第４項ただし書き、第８項及び第10項に定める行為である場合を除く。）に相当する行為を知事の許可にかからしめる旨の規定があること。

② ①の許可について許可の適否に関する判断基準が明らかにされており、かつ、その基準が自然環境保全法施行規則第17条に定める特別地区内における行為の許可基準と同等のものであること。

③ 条例に、自然環境保全法第25条第５項において準用する同法第17条第２項（条件）及び同法第30条において準用する同法第18条（中止命令等）に相当する規定があること。

④ 条例に、①及び③の規定に違反した者に対する罰則規定があること。

3 認定の手続き

(1) 都道府県立自然公園の特別地域に係る認定

特別地域の認定は都道府県知事の申請により行うこととし、認定を希望する都道府県は次の書類を環境大臣あて（送付先は環境省自然環境局国立公園課）に２部ずつ提出すること。

① 様式１による申請書（１部は写しで可）

② 様式２による都道府県立自然公園の特別地域の一覧表

③ 都道府県管内の全ての都道府県立自然公園の位置を示した都道府県全域の一覧地図

④ 都道府県立自然公園の特別地域を示した地図（縮尺５万分の１から１千分の１程度のもの）

⑤ 特別地域の指定の公示に係る文書（都道府県公報の写し）

⑥　様式３による都道府県立自然公園の特別地域に関する規制についての調査票

⑦　特別地域の指定及び規制の根拠となる条例、並びにその条例に関連する規則（全文とする。）

⑧　特別地域内における行為の許可の適否に関する判断基準等（国の基準を準用している場合にあってはその根拠となる文書の写し）

⑨　都道府県立自然公園に係る公園計画

(2)　都道府県自然環境保全地域の特別地区に係る認定

特別地区の認定は都道府県知事の申請により行うこととし、認定を希望する都道府県は次の書類を環境大臣あて（送付先は環境省自然環境局国立公園課）に２部ずつ提出すること。

①　様式４による申請書（１部は写しで可）

②　様式５による都道府県自然環境保全地域特別地区の一覧表

③　都道府県管内の全ての都道府県自然環境保全地域の位置を示した都道府県全域の一覧地図

④　都道府県自然環境保全地域特別地区を示した地図（縮尺５万分の１から１千分の１程度のもの）

⑤　特別地区の指定の公示に係る文書（都道府県公報の写し）

⑥　様式６による都道府県自然環境保全地域特別地区に関する規制についての調査票

⑦　特別地区の指定及び規制の根拠となる条例、並びにその条例に関連する規則（全文とする。）

⑧　特別地区内における行為の許可の適否に関する判断基準等（国の基準を準用している場合にあってはその根拠となる文書の写し）

⑨　都道府県自然環境保全地域に係る保全計画

(3)　様式２又は様式５には、都道府県管内の特別地域又は特別地区を全て記入し、認定ができない特別地域又は特別地区については備考欄に「認定せず」と記入されたい。

また、ある特別地域若しくは特別地区のうちの一部の地域（例えば第１種特別地域）のみに限って環境大臣の認定ができる場合、又は特別地域若しくは特別地区のうちの一部の区域だけ除外すべき場合については、それぞれの旨を様式２又は様式５の備考欄に記載するとともに、その区域を(1)又は(2)の④の地図に図示されたい。

なお、様式３又は様式６による調査票のすべての項目で条件を満たしている場合のみ環境大臣の認定を行う。

(4)　認定については、環境省において(1)又は(2)の書類を審査し、２(1)(2)に定める要件に該当すると認められる場合に、環境省告示をもって認定し、環境大臣より都道府県知事あてに、様式7により認定の通知を行うこととする。

4　認定の追加又は廃止について

(1)　都道府県知事は、3(1)又は(2)の書類を提出後に、特別地域又は特別地区に関して、条例、規則、行為の許可の適否に関する判断基準、又は公園計画若しくは保全計画を改正又は変更した場合には、その都度直ちに、当該書類を、環境大臣あて2部提出されたい。

(2)　都道府県知事は、3(4)の認定を受けた後に、特別地域又は特別地区について新たな指定を行い、又はその区域を変更した場合には、その都度直ちに3(1)又は(2)の①②④⑤の書類（④⑤については、変更等のあった部分に係るもののみ）を、環境大臣あて2部提出されたい。

(3)　(1)及び(2)の場合に、環境大臣は、認定の加除変更を行う必要を認めたときは、認定の変更を行う。認定の変更は3(4)の告示の一部改正により行う。

5　土地を譲渡した個人又は法人に対する書類の交付

(1)　認定された特別地域又は特別地区内の土地を地方公共団体が買い取った場合は、当該地方公共団体の長は、土地を譲渡した個人又は法人の申請に基づき、租税特別措置法施行規則第17条の2第1項第29号又は同規則第22条の5第1項第29号に掲げる次の書類を、当該個人又は法人に交付することとされている。

①　当該地方公共団体の長の、当該土地を買い取った旨、及び当該土地が認定された特別地域又は特別地区内のものである旨を証する書類

②　環境大臣の、都道府県立自然公園の特別地域又は都道府県自然環境保全地域の特別地区内の行為に関する規制が、自然公園法第2章第4節又は自然環境保全法第4章第2節の規定による規制と同等の規制が行われていると認定した旨の通知に係る文書の写し

(2)　このうち、①については、様式8によるものとし、都道府県立自然公園の特別地域又は都道府県自然環境保全地域の特別地区内の指定の公示に係る文書の写し及び地図（環境大臣の認定した特別地域又は特別地区及び買い取った土地を図示したもの。）を添付するものとする。

また、②については、3(4)の認定通知書の写しとする。この書類（写し）は、都道府県知事が交付するものとし、市町村が買い取った場合においては、市町村長を経由して申請者に交付するものとする。

様式１

（都道府）県立自然公園特別地域に係る環境大臣の認定申請書

番　　号
年　月　日

環境大臣　殿

（都道府）県知事　㊞

下記の（都道府）県立自然公園特別地域は、当該特別地域内における行為につき自然公園法第20条第１項に規定する特別地域内における行為に関する同法第２章第４節の規定による規制と同等の規制が行われている地域であることについて、租税特別措置法（昭和32年法律第26号）第34条の２第２項第24号及び同法第65条の４第１項第24号に基づく認定を受けたいので、必要書類を添えて申請します。

様式２

立自然公園特別地域

(ふりがな) 公　園　名	自然公園の指定年月日・告示番号	特別地域の指定年月日・告示番号	関係 市町村名	公園区域の面積（ha）	特別地域の面積（ha）	備考

様式３

都道府県立自然公園特別地域調査票（都道府県名：　　　）

1　条例に、自然公園法第20条第３項各号に掲げる行為（同法第20条第３項同項第３号、第６号、第16号及び第18号並びにただし書及び第９項に定める行為を除く。）を知事の許可にかからしめる旨の規定があるか。

①その旨の規定がある。　　　　　　②要許可でない行為が一部ある。

（②の場合の内容　　　　　　　　　　　　　　　　　　　　　　　　）

2　１の許可について、許可の適否に関する判断基準が明らかにされており、かつ、その基準が自然公園法施行規則（昭和32年厚生省令第41号）第11条に定める特別地域内の行為の許可規準と同等のものであるか。

①同等である（ア　国の規準を準用。　イ　準用していないが同等。）
②国の規準よりも緩い部分がある

（②の場合の内容　　　　　　　　　　　　　　　　　　　　　　　　）

3　条例に、自然公園法第32条（条件）に相当する規定があるか。
①ある（第　　　　条）　　　　　　②ない

4　条例に、自然公園法第34条（中止命令等）に相当する規定があるか。
①ある（第　　　　条）　　　　　　②ない

5　条例に上記１、３及び４の規定に違反したものに対する罰則規定があるか。
①ある（第　　　　条）　　　　　　②ないものがある

（②の場合の内容　　　　　　　　　　　　　　　　　　　　　　　　）

（注）地種区分等により異なる場合は、その旨を注記すること。

様式４

（都道府）県自然環境保全地域特別地区に係る環境大臣の認定申請書

番　　　号
年　月　日

環境大臣　殿

（都道府）県知事　　　印

下記の（都道府）県自然環境保全地域特別地区は、当該特別地区内における行為につき自然環境保全法第25条第１項に規定する特別地区内における行為に関する同法第４章第２節の規定による規制と同等の規制が行われている地区であることについて、租税特別措置法（昭和32年法律第26号）第34条の２第２項第24号及び同法第65条の４第１項第24号に基づく認定を受けたいので、必要書類を添えて申請します。

様式５

自然環境保全地域特別地区

（ふりがな） 自然環境 保全地域名	自環地域の指定年月日・告示番号	特別地区の指定年月日・告示番号	関係 市町村名	保全地域の 面積（ha）	特別地区の 面積（ha）	備考

様式６

都道府県自然環境保全地域特別地区調査票（都道府県名：　　　　）

1　条例に、自然環境保全法第25条第４項各号に掲げる行為（同条第３項、第４項ただし書、第８項及び第10項に定める行為である場合を除く。）に相当する行為を知事の許可にかからしめる旨の規定があるか。

①その旨の規定がある。　　　　　　　②要許可でない行為が一部ある。

（②の場合の内容　　　　　　　　　　　　　　　　　　　　　　）

2　１の許可について、許可の適否に関する判断基準が明らかにされており、かつ、その基準が自然環境保全法施行規則第17条に定める特別地区内における行為の許可規準と同等のものであるか。

①同等である（ア　国の規準を準用。　イ　準用していないが同等。）
②国の規準よりも緩い部分がある

（②の場合の内容　　　　　　　　　　　　　　　　　　　　　　）

3　条例に、自然環境保全法第25条第５項において準用する同法第17条第２項（条件）に相当する規定があるか。
①ある（第　　　　条）　　　　　　②ない

4　条例に、自然環境保全法第30条において準用する同法第18条（中止命令等）に相当する規定があるか。
①ある（第　　　　条）　　　　　　②ない

5　条例に上記１、３及び４の規定に違反したものに対する罰則規定があるか。
①ある（第　　　　条）　　　　　　②ないものがある

（②の場合の内容　　　　　　　　　　　　　　　　　　　　　　）

（注）地種区分等により異なる場合は、その旨を注記すること。

様式７―１

番　　号
年　月　日

（都道府）県知事　殿

環境大臣

都道府県立自然公園特別地域内の行為に関し、自然公園法第２章第４節の規定による規制と同等の規制が行われていることの認定通知書

貴（都道府）県管内の（都道府）県立自然公園特別地域は（内で）、当該特別地域内における行為につき自然公園法第20条第１項に規定する特別地域内における行為に関する同法第２章第４節の規定による規制と同等の規制が行われている地域であることを（ものについて）、租税特別措置法第34条の２第２項第24号及び同法第65条の４第１項第24号の規定に基づき、平成　年　月　日環境省告示第　　号により認定したので通知する。

様式７―２

番　　号
年　月　日

（都道府）県知事　殿

環境大臣

都道府県自然環境保全地域特別地区内の行為に関し、
自然環境保全法第４章第２節の規定による規制と同等
の規制が行われていることの認定通知書

貴（都道府）県管内の（都道府）県自然環境保全地域特別地区は（内で）、当該特別地区内における行為につき自然環境保全法第25条第１項に規定する特別地区内における行為に関する同法第４章第２節の規定による規制と同等の規制が行われている地区であることを（ものについて）、租税特別措置法第34条の２第２項第24号及び同法第65条の４第１項第24号の規定に基づき、平成　年　月　日環境省告示第　　号により認定したので通知する。

様式８

特定住宅地造成事業等のための土地の買取り等証明書

（租税特別措置法第34条の２第２項第24号
又は第65条の４第１項第24号に該当）

1500万円

譲渡者名	住所又は所在地			
	氏名又は名称			
土地の種類	土地の所在地	数量（㎡）	買取り年月日	買取り価格（千円）

上記の土地を買取ったこと、及び当該土地は｛租税特別措置法第34条の２第２項第24号／租税特別措置法第65条の４第１項第24号｝に規定する環境大臣の認定した｛（都道府）県立自然公園特別地域／（都道府）県自然環境保全地域特別地区｝内のものであることを証明する。

（都道府）県知事
（（市町）村長）　　　　印

摘要

（注）様式８の記載要領

1　土地の所有者ごとに別紙とする。

2　「住所又は所在地」欄には、この証明書を作成する日の現況による住所又は本店（主たる事務所）の所在地を記載する。

3　「土地の種類」欄には、宅地、山林、田、畑等に区分して具体的に記載する。

4　「買取り価格」欄には、取得した土地の対価として支払うべき金額を記載する。

5　証明書欄中該当しない条文等は抹消する。

6　「摘要」欄には、土地の買取りに際し、買取り価格とともにその買取りに伴う損失補償として各種の名義による交付金の支払いがなされている場合には、その支払総額及び交付金の内容の区分ごとにその金額を記載する。

第12編

巻末資料

第１章　法律の改正等に係る施行通知

○自然公園法の一部を改正する法律の施行について（依命通達）

〔昭和45年６月５日　厚生省発国第70号
各都道府県知事宛　厚生事務次官通知〕

自然公園法の一部を改正する法律は、昭和45年５月16日法律第61号をもって公布され、即日施行されたが、次の事項に留意のうえ、この施行に遺憾のないようにされたく、命により通達する。

第１　改正の趣旨について

今回の改正の趣旨は、わが国の周辺の海域の熱帯魚、さんご、海そう等から構成されるすぐれた海中景観をいわゆる海中公園として保護し、利用するため、自然公園法の体系を拡大し、海中公園地区に関する規定を整備したものであること。

また、今回の改正において、土地調整委員会の所掌事務の範囲を拡大したものであること。

第２　海中公園地区等について

１　海中公園地区は、国立公園又は国定公園の海水の清澄な海域における熱帯魚、さんご、海そう等を中心とする海中景観のすぐれている区域を指定するものであること。

２　海中公園地区内における改正後の自然公園法（以下「法」という。）第18条の２第３項各号に掲げる行為は、いずれも海中公園地区の景観を著しくそこなうおそれが強いものであるから、その許否の判断に当たっては特に慎重を期するものとすること。なお、海中公園地区の周辺の陸上の公園区域における許認可等の処理に当たっても海中公園地区の景観に与える影響を考慮し、慎重に判断されたいこと。

３　海中公園地区の周辺１キロメートルの当該海中公園地区に接続する海面内の普通地域における鉱物の掘採、土石の採取及び海底の形状変更が新たに法第20条第１項の届出行為として追加されたが、海中公園地区の周辺における各種行為が海中公園地区の景観に及ぼす影響は著しく大きいと考えられるので、届出を受けた場合は、すみやかに当該行為の海中公園地区の景観に及ぼす影響について検討し、適切な措置を講ずること。

４　海中公園地区及び公園利用上これと一体性を有する周辺の区域における公園計画の

策定又は変更及び公園事業の推進に当たっては、国民が海の自然と接することにより海に関する知識を深め感銘を受けることを基本理念として海のレクリエーションが総合的に行なわれるよう配慮すること。

5　海中公園地区においては、陸上の特別保護地区に準ずる景観の規制を行なうものであるが、海面における漁業、運輸、通信、鉱業、文化財保護等の公益との調整に十分留意すること。

6　都道府県立自然公園においては、海中公園地区を指定することはできないので留意すること。

第3　土地調整委員会の裁定事項の拡大について

法第34条第1項の規定により土地調整委員会へ裁定の申請ができる者及び不服の理由の範囲を拡大し、新たに処分を受けた者以外の第三者からも裁定の申請ができることとし、また、不服が砂利採取業に係るものについても裁定の申請ができることとしたこと。

○自然公園法の一部を改正する法律の施行について

〔昭和45年6月5日　国発第443号
各都道府県知事宛　厚生省大臣官房国立公園部長通知〕

標記については、本日厚生事務次官から依命通達されたところであるが、細部については、次の事項にご留意のうえ、適切に処理されたい。

記

第1　海中公園地区の指定等について

1　海中公園地区の選定の基準について

海中公園地区は、国立公園又は国定公園の海面の区域中海中景観の保護及び利用をはかる地区で次に掲げる基準に適合するものにつき選定するものであること。

(1)　海底地形に特色があり、海中動植物が豊富であること。

(2)　海水が清澄であり、河川等により汚濁されるおそれが少ないこと。

(3)　水深はおおむね20メートル以浅を標準とすること。

(4)　潮流及び波浪があまり激しくないこと。

(5)　周辺の陸域の自然の保護が十分図られること。

(6)　桟橋、休憩所、自然教室、駐車場等の陸上関連施設を設けうる土地が周辺にあること。

2　海中公園地区に係る公園計画について

海中公園地区に関する公園計画を決定するときは、海中と周辺の陸上の自然景観の総合的利用を図るため、舟遊施設、海中展望施設、水泳場、自然教室、道路、宿舎等に係る公園計画について十分検討し、必要があれば計画の変更等をも行なうものとすること。

なお、保護に関する公園計画についても海中及び陸上の景観の保護が一体的に図られるようその変更についてあわせて検討する必要があること。

3　関連地方行政機関等との協議について

国定公園の海中公園地区の指定等に関し、厚生大臣に申し出るときは、あらかじめ水産主管部（局）及び土木主管部（局）と調整するとともに、教育委員会、地方建設局、通商産業局、海運局、陸運局、港湾建設局、管区海上保安本部、関係港湾管理者及び地元漁業関係者等地元関係者等に十分連絡協議すること。

第2　海中公園地区等の景観の保護について

1　許可を受けることを要しない漁業のための行為について

改正後の自然公園法（以下「法」という。）第18条の２第３項ただし書後段の「第１号、第４号及び第５号に掲げる行為で漁具の設置その他漁業を行なうために必要とされるもの」に該当する行為を例示すれば次に掲げるものであること。

⑴　漁具の設置

⑵　漁具の利用

⑶　漁具若しくは漁業に関する信号又はこれらに必要な設備の設置

⑷　漁業に必要な目標の保存又は設置

⑸　漁場の造成、改良（大規模なものを除く。）及び漁業権又は入漁権に基づく管理行為

⑹　漁場の標識の設置

⑺　漁船の係留又は停泊

⑻　漁具干場、漁舎、漁船漁具保全施設等の工作物の設置

２　動植物の指定について

法第18条の２第３項第２号の規定により厚生大臣が指定する動植物の種類は、国立・国定公園ごとに海中公園地区における学術的価値のあるもの又は海中景観を構成する主要な動植物とする。なお、指定に当たっては漁業の操業の支障とならないよう地元漁業関係者の意見を徴するものとすること。

３　海中公園地区内の行為の許可の基準について

法第18条の２第３項各号に掲げる要許可行為については、いずれも海中公園地区の保護上重大な支障を及ぼすおそれがあるものであるので、その許否の決定に際しては慎重に検討されたく、この許可基準については近く通達する予定であること。

４　海中公園地区の周辺１キロメートルの海面の普通地域について

海中公園地区に隣接する海面における各種の行為が海中公園地区に及ぼす影響が少なくないことにかんがみ、法第20条第１項を改め、海中公園地区の周辺１キロメートルの海面の普通地域においては要届出行為を追加したが、これらの届出があったときは、その影響についてすみやかに検討し、必要があれば、法第20条第２項又は第４項の規定を適用するものであること。

５　海面の所有権について

海面及び海底は公共用の国有財産であるとされているので、海底に工作物を定着させる等の行為については、海面、海底の財産管理者と十分連絡協議し各種処分に矛盾のないようにすること。なお、海面、海底は特に公益性の高い工作物以外には使用許可しないこととされているので了知されたいこと。

第３　海中公園地区における利用について

１　海中公園地区における利用のための規制について

海中公園地区においても、法第24条の規定により特別地域及び集団施設地区と同様

公園の利用者の利用を妨げる行為をしてはならないこととしたこと。

2　利用施設の安全性について

海中公園地区の利用の促進に当っては公園利用者の安全が第一に計られねばならないものであること。従って、施設の安全性が法令上確認されなければならないことはいうまでもなく、定員の遵守、気象、海象の変化に対する対策等について十分指導監督を行なうべきこと。

第4　その他

1　国立公園の海中公園地区の周辺の海面の普通地域において、公園の利用に資すると考えられる施設の新築、改築又は増築に係る法第20条第1項の届出があったときは、すみやかに当職へその処理につき協議されたいこと。また、国定公園の海中公園地区及びその周辺の区域において、公園の利用に資すると考えられる施設の新築、改築又は増築に係る法第18条の2第3項又は法第20条第1項の規定による申請又は届出があったときは、当分の間、すみやかに当職に報告されたいこと。

2　自然公園法の一部改正に伴ない、また行政の簡素化等のため、近く自然公園法施行令及び自然公園法施行規則が一部改正される見込みであること。

○自然公園法施行令の一部を改正する政令及び自然公園法施行規則の一部を改正する省令の施行について

〔昭和45年７月15日　国発第550号
各都道府県知事宛　厚生省大臣官房国立公園部長通知〕

自然公園法施行令の一部を改正する政令（昭和45年政令第182号）は、昭和45年６月15日公布、施行され、（別紙写参照）、また、自然公園法施行規則の一部を改正する省令（昭和45年厚生省令第35号）は、昭和45年６月27日公布され、同年７月１日から施行されたが、（別紙写参照）、その内容等は次のとおりであるので、これが施行について遺憾のないようにされたく、通達する。

なお、この通達においては、自然公園法（昭和32年法律第161号）を「法」と、自然公園法施行令（昭和32年政令第298号）を「令」と、自然公園法施行規則（昭和32年厚生省令第41号）を「規則」とそれぞれ略称する。

第１　改正の趣旨

自然公園法の一部を改正する法律（昭和45年法律第61号）の施行に伴ない、国立公園の海中公園地区に係る厚生大臣の権限の一部を都道府県知事に委任し、また、海中公園地区の不要許可行為を規定したほか、国立公園の特別地域に係る厚生大臣の権限のうち都道府県知事に委任するものの範囲を拡大する等事務処理の簡素化を図り、あわせて自然公園の保護のため所要の規定を設けたものであること。

第２　海中公園地区に係る厚生大臣の権限の委任

令第25条第２号に規定したとおり、国立公園の海中公園地区内における広告物類の掲出等、熱帯魚、さんごその他厚生大臣の指定する動植物の採捕及び物の係留については、その許可等の権限を都道府県知事に委任することとなったので、その処理にあたっては慎重を期されたいこと。

第３　特別地域に係る厚生大臣の権限の委任

改正後の令第25条第１号は、イからニまで厚生大臣の許可に係る行為を列挙したものであり、それ以外の行為に係る許可の権限を都道府県知事に委任するものであるから留意されたいこと。

改正前の令第25条第１号は、工作物の新築、改築又は増築については、そのうち住宅及び仮工作物の新築、改築及び増築のみを都道府県知事に委任していたが、今回の令の一部改正により、令第25条第１号ロ及びハに掲げる行為以外はすべて工作物の種類の如何にかかわらず同号イに規定する規模により区分することとしたこと。

なお、国立公園の特別地域に係る厚生大臣の権限の相当部分を都道府県知事に委任することに伴い次の事項に留意されたいこと。

1　令第４条（公園事業となる施設の種類）各号に掲げる施設に係る許可申請書が都道府県知事に対してされた場合であって、それが当該国立公園の利用計画に適合し、公園事業として把握することが適当であるときは、法第14条第２項又は第３項の規定により厚生大臣へ承認又は認可の申請を行なうよう指導し、法第17条第３項の許可を与えてはならないこと。

なお、当該公園の公園計画中に許可申請に係る計画がない場合であっても公園利用計画を変更し、公園事業として把握することが適当であることもあるので、これらの許可申請があったときは、その写しを添えて当職へ協議し、当職の指示をまって処理されたいこと。

2　厚生省の所管する国有地において法第17条第３項の許可申請が都道府県知事に対してされた場合は、遅滞なく国立公園集団施設地区等管理規則（昭和28年厚生省令第49号）第４条第１号の許可申請書に法第17条第３項の許可申請書の写しを添えて進達すること。

なお、この場合の副申には、法第17条第３項の許可に関する意見を附されたく、また、許可申請に対する処分は、当職の国立公園集団施設地区等管理規則第４条第１号の処分をまってこれと矛盾の生じないように行なうこと。

3　都道府県知事に委任した権限に係る行為のうち、国立公園の風致に及ぼす影響の大きい行為については、別途定める「国立公園の許可、届出等取扱要領」により、その処分について厚生大臣に協議されたいこと。

4　２以上の工作物を同時に同一敷地内に新築等する場合であってその一部の許可権限が厚生大臣に、その他が都道府県知事にあるときは、都道府県知事は厚生大臣の行なう処分と著しい矛盾を生ぜしめないよう十分連絡協議すること。

第４　海中公園地区において許可又は届出を要しない行為

法第18条の２第３項各号に掲げる行為のうち、規則第13号の２各号に掲げる行為は許可又は届出を要しないものとされたので留意されたいこと。

なお、同条第２号に規定する都道府県知事に対する届出は毎年定期的に提出させるものとし、届出に係る海中公園地区において採捕を予定される動植物の種類及びその数を把握すること。

第５　特別地域において許可又は届出を要しない行為の改正

規則第12条を改正し、次のとおり不要許可行為を改めたこと。

1　規則第12条第１号の「水槽」を「農業用又は林業用水槽」に改め、工業その他のために使用する水槽については許可を要することとしたこと。

2　規則第12条第２号の「きん舎」についてその規模を明確にしたこと。

3　規則第12条第６号の２に森林法（昭和26年法律第249号）の規定による保安施設事業に係る施設及び急傾斜地の崩壊による災害の防止に関する法律（昭和44年法律第57号）の規定による急傾斜地崩壊防止施設の改築又は増築を加えたこと。

4　規則第12条第７号を改め、港湾法（昭和25年法律第218号）による港湾施設及び港湾区域又は臨港地区以外の場所にある廃油処理施設の改築又は増築を不要許可行為としたこと。

5　規則第12条第７号の２により漁港法（昭和25年法律第137号）第３条第１号及び第２号イ、ロ又はハに掲げる施設（同号ハに掲げる施設については、公共施設用地に限る。）の改築及び増築を不要許可行為としたこと。

6　規則第12条第10号の２、第10号の３及び第10号の４により道路に送水管等を埋設すること。巣箱等野生鳥獣の保護のための施設及び測量法（昭和24年法律第188号）等による測量標を設置することを不要許可行為としたこと。

7　都市計画法（昭和43年法律第100号）の施行に伴ない規則第12条第28号を改め、都市計画による公園緑地のうち、建設大臣の認可を受けた都市計画に係るものはその設置又は管理のための行為を不要許可行為とし、また、都市公園等その他の公園緑地についても一定規模をこえる工作物の新築、改築及び増築以外の行為は不要許可行為としたこと。

第６　普通地域において届け出を要する工作物の基準の改正

規則第14条を改正し、普通地域を陸域、海中公園の周辺１キロメートルの当該海中公園地区に接続する海面の区域及びその他の海面の区域の３に区分し、各区分における工作物の種類ごとに基準を設けたこと。

第７　許認可申請書記載事項等の追加

国立公園の公園事業の執行認可申請書の添附書類として、工事の施行を要する場合の木竹の伐採、修景のための植栽その他当該工事に附随する工事の内容を明らかにした書類及び図面を追加することを規定し、また、施設の位置及び附近の状況を明らかにした写真を添附させることとしたこと。また、許可申請書記載事項についても同様の改正をしたこと。

第８　許可申請書の様式の削除

法第17条第３項の許可申請書の様式を削除したこと。

なお、今後は「国立公園の許可届出等の取扱要領」に許可申請書の様式を示すこととなったので留意されたいこと。

第９　国立公園事業者の届出事項の改正

規則第７条を改め、施設の供用を開始したとき、法人を解散しようとするとき及び工事に着手し、又はこれを完了したときの届出を廃止したこと。

第10　規則第15条の改正

規則第15条を改め、普通地域内における不要届出行為を掲げることとしたが、その内容については、従来と特に変更された事項はなく、海中公園地区の規定が法に設けられたことに伴ない第13条の2第1号、第5号若しくは第7号から第9号までに掲げる行為又は魚礁の設置その他漁業生産基盤の整備若しくは開発のための行為を追加したものであること。

第11　植生復元施設

令第4条第10号を改め、公園事業となる施設の種類として「植生復元施設」を規定したが、これは従前の「造林施設」を含め、荒廃し、又は荒廃するおそれのある植物景観を復元し、又は保存するための施設であって、給水施設、柵、植栽された植物等をいうものであること。近年、自然公園においては各種施設の設置、過剰利用又は自然の変化により植物景観の保護に支障をきたしている事例がしばしば見られるので、公園事業の範囲を拡大し、今後積極的に自然の保護を行なうこととしたものであること。

おって、国立公園において植物景観が荒廃し、又はそのおそれがある事例であって植生復元施設事業を行なうことが適当であると認められる場合は、その旨申し出られたいこと。

第12　その他

今回の法、令及び規則の改正に伴ない、都道府県立自然公園条例等についても所要の改正を行なわれたいこと。

別紙　略

○自然公園法の一部を改正する法律及び自然公園法施行規則の一部を改正する省令の施行について

〔昭和46年６月30日　国発第383号
各都道府県知事宛　厚生省大臣官房国立公園部長通知〕

自然公園法の一部を改正する法律（昭和45年法律第140号）は、昭和45年12月25日公布され、自然公園法の一部を改正する法律の施行期日を定める政令（昭和46年政令第189号）によって、昭和46年６月24日から施行されたところであり、また自然公園法施行規則の一部を改正する省令（昭和46年厚生省令第17号）は、昭和46年６月22日公布され、同月24日から施行されたところであるが、次の事項に留意のうえ、この施行に遺憾のないように措置されたく通達する。

なお、この通達においては、自然公園法（昭和32年法律第161号）を「法」と自然公園法施行規則（昭和32年厚生省令第41号）を「規則」と略称することとする。

第１　改正の趣旨について

今回の改正法の趣旨は、すぐれた自然環境の重要性にかんがみ、その保護と適正な利用並びに国立公園等の区域内における公共の場所の清潔の保持に関する国等の責務について規定するとともに、湖沼等の水質が、風致又は景観の構成要素であることを明らかにし、これを維持するため汚水等の排出を規制する方途を講ずることにより、自然公園の保護の徹底を期するものとしたものであること。

第２　改正の内容

１　自然環境の保護に関する国等の責務について

国、地方公共団体、事業者及び自然公園の利用者は、すぐれた自然環境が、国民の健康で文化的な生活において不可欠であることを認識し、それぞれの立場から自然公園の保護とその適正な利用が図られるよう努めなければならないものとして、自然公園における国等の責務を明らかにしたものであること。

２　国立公園等の区域内の公共の場所における清潔の保持について

廃棄物の処理及び清掃に関する法律（昭和45年法律第137号）第５条においては、道路、園地等の公共の場所の管理者に、その管理する場所の清潔の保持の責務を課しているところであるが、公園内の公共の場所は地域が広大で、かつ主として地域住民以外の者の利用に供される場所であるので、これら公共の場所の管理者のみが清潔の保持に当たることとすることは必ずしも実態に即しないことを考慮して、国、地方公共団体は公共の場所の管理者とともに清潔の保持に当たることとしたものである。この趣旨に沿い、国においては、昭和46年度において環境浄化対策費補助金について予算措置を講じたところであるが、貴都道府県におかれても積極的に施策を講ずるとともに管下市町村に対し適切な措置を行なうよう指導されたいこと。

3　湖沼又は湿原並びに海中公園地区への汚水等の排出の規制について

(1)　湖沼等の指定について

湖沼又は湿原への汚水等の排出に対する規制は、公園計画において規制を行なうべきものとして定めた湖沼又は湿原について、厚生大臣が指定して行なうこととしたが、この指定は特別地域又は特別保護地区にあって風致又は景観上重要な湖沼又は湿原について早急に行なう予定であること。

国定公園において規制を行なうべき湖沼又は湿原がある場合には、公園計画に定める必要があるので、すみやかに公園計画の策定につき申し出られたいこと。

(2)　許可の権限について

国立公園の特別保護地区内の湖沼又は湿原にかかる汚水等の排出の許可及び海中公園地区における汚水等の排出の許可については厚生大臣が行ない、自然公園法施行令第25条の規定により都道府県知事にその権限が委任されている国立公園の特別地域内の湖沼又は湿原にかかる汚水等の排出及び国定公園の区域内にかかる汚水等の排出の許可は都道府県知事において行なうものであること。

(3)　規制範囲について

海中公園地区については汚水又は廃水の排出は、改正法の施行と同時にすべての地区において規制が行なわれることとなるが、特別地域又は特別保護地区の湖沼又は湿原については、厚生大臣の指定によって規制が行なわれることになるものであること。

なお、当該湖沼又は湿原の指定により、当該湖沼等ならびにその周辺1キロメートルの区域内であって、流水が当該湖沼及び湿原に流入する水域又は水路への汚水又は廃水の排出について規制が及ぶこととなるものであること。

(4)　規制の対象となる排出行為について

ア　「排水設備を設けて汚水又は廃水を排出する」とは設けられた排水設備から汚水又は廃水を排水することをいい、この場合の排水設備とは例えば浴室、厨房の排水溝、敷地内の溝等をいうものであり、規制を「排水設備を設けて」排出する行為に限定したのは、日常生活や事業等に伴う継続的な排出行為を規制し、非継続的又は一時的な行為に伴う汚水等の排出行為を規制対象から除外する趣旨であること。

また、これらの排水設備を設ける行為が、法第17条第3項第1号、第18条第3項第1号又は第18条の2第3項第1号の規定に該当する場合には、別途許可を要することとなるから留意すること。

イ　排出行為は、汚水等が排水設備が設けられている施設及び当該排水設備の敷地の外へ流出する地点で行なわれるものとし、敷地外において直接に水路等に流入するか、地面を自然に流下し水路等に流入するかについては問わないものであること。

ウ　排出の許可を受けた後に、汚水等の質又は量が著しく変化した場合には、許可を受けた排出行為とは異なる行為となるので、許可にあたっては許可に条件を附する等の方法で許可の内容を明らかにし、その範囲を越える排出が行なわれる場合には、改めて許可の申請をするよう指導するものとすること。

エ　土地改良事業、治山事業、林道の開設事業、漁港の整備及び修築に関する事業、河川工事、砂防工事、海岸保全施設に関する工事、地すべり防止工事及び急傾斜地崩壊防止工事にかかる一時的な行為に伴う汚水等の排出行為は排水設備を設けてする排出に該当しないものとして取扱うものとすること。

(5)　既着手行為の取扱について

国立公園若しくは国定公園の特別地域若しくは特別保護地区において湖沼若しくは湿原が指定された際若しくは海中公園地区が指定された際現にこれらの湖沼等に汚水等を排出している場合又は今回の改正法が施行された際現に海中公園地区において汚水等を排出している場合は、許可を要しないで、その排出を継続することができるものであること。ただし、これらの指定又は改正法施行の後、汚水等の質量が著しく変化した場合には、新たに許可を要するものとなるものであるので、法第17条第４項、第18条第４項又は第18条の２第４項の規定に基づき、既に着手している排出行為の内容を届け出させ、その現況について充分に把握しておく必要があること。

(6)　公園事業に伴う汚水等の排出の取扱について

公園事業の執行に伴う汚水等の排出については、今回の改正法による規制の適用はないが、いやしくも公園事業が、湖沼等の汚濁の原因となることのないよう監督する必要があるので国定公園における公園事業の執行者に対しては厳正な指導を行ない、必要な場合には自然公園法施行令第17条の規定に基づく改善命令によりその実効を確保されたいこと。

第３　許可を要しない行為について

改正法により一定水域への汚水又は廃水を排出する行為を許可制にかからしめて規制することとなったことに関連して、規則第12条、第13条、第13条の２を改正し、許可を要しない行為を追加したものであること。

○自然公園法及び自然環境保全法の一部を改正する法律の施行について（依命通達）

〔昭和48年12月18日　環自企第682号
各都道府県知事宛　環境事務次官通知〕

自然公園法及び自然環境保全法の一部を改正する法律（昭和48年法律第73号。以下「改正法」という。）が、昭和48年９月１日に公布され、10月１日から施行されたので、下記の事項に留意のうえ改正後の自然公園法等の施行に当たって遺憾のないようにされたく、命により通達する。

記

第１　制度改正の趣旨

近時、国立公園等のすぐれた自然環境を有する地域にも、各種開発行為が急速に波及しつつあり、特に、従来これらの開発行為に対する強い規制措置が必ずしも十分講じえなかった国立公園又は国定公園の普通地域（以下単に「普通地域」という。）において、ますます顕著となる傾向にある。

これが無秩序に進められた場合には、普通地域における風景の破壊にとどまらず、ひいては当該自然公園全体の風致景観等の自然環境に及ぼす影響も極めて大きいので、このような事態に対処するため普通地域における規制を強化することについての要請が高まってきた。

このような現状にかんがみ、今般、自然公園法及び自然環境保全法の規定を整備し、⑴普通地域における届出を要する行為の範囲を拡大し、新たに土地の形状変更等を追加するとともに、⑵普通地域又は自然環境保全地域の普通地区（以下単に「普通地区」という。）において届出を要する行為につき、届出をした日から起算して30日を経過した後でなければ当該行為に着手することができないこととする等のいわゆる着手制限制度を設けたほか、⑶違反行為に対する罰則の強化等の措置を講ずることとした。

第２　普通地域における届出事項の追加

普通地域において届出を要する行為として自然公園法第20条第１項に新たに追加された行為は次のとおりである。

⑴　海面以外の水面を埋め立て、又は干拓すること。（第４号）

⑵　陸域において鉱物を掘採し、又は土石を採取すること。（第５号）

⑶　土地の形状を変更すること。（第６号）

これらの改正は、普通地域における別荘地、ゴルフ場の造成、土石の採取等従来届出の対象外となっていた開発行為について、今後届出を要することとし、有効な規制措置を講じるようにしたものである。

これらの届出を要するとした事項等については、土地利用規制に関する各種法令と関係するところが多いので、その事務執行上十分な調整を保ちつつ適切な運用に努めるとともに、これらの事項について届出が適正になされるよう、その周知徹底を図られたい。

第３　着手制限制度の創設

１　普通地域又は普通地区において届出を要する行為をしようとする場合には、原則として、その届出をした日から起算して30日を経過した後でなければ当該届出に係る行為に着手してはならないこととなった。

改正前の届出制度においては、届出を要する行為をしようとする者は、あらかじめ、その旨を届出さえすれば届出後直ちに届出した行為に着手しても差支えなかったので、当該行為の内容を審査した後公園の風景を保護するため当該行為を禁止し若しくは制限し、又はその他必要な措置を命じようとする際、すでに当該届出に係る行為が相当進行している場合が多い。このように適法に着手された行為をとらえてその行為の途中ないし完了後に行為の内容を大巾に変更させたり、禁止したりすることは、実際上困難な場合が多く、又、行為者にも相当の不利益を与えることとなるので、届出制度の趣旨が十分活用され難かった。

今後においては、届出のあった行為の内容をすみやかに十分審査し、30日間内に、当該届出のあった行為が公園の保護に支障を及ぼすおそれがあると認められるときは、必要な限度において、当該行為を禁止し、若しくは制限し、又は必要な措置をとるべき旨を命ずることが必要である。この場合、届出書の処理に当たっては、30日間の着手制限制度の有効な運用を図りうるよう事務処理ルートを明確化し、迅速化するなど事務体制を整備することが必要である。

２　また、この30日間の着手制限制度の運用に当たっては、届出のあった行為について、できるだけすみやかに審査することが必要であり、とくに届出のあった行為の公園の風景の保護に支障を及ぼすおそれの有無の判断に30日を要さないものについては、その期間を短縮し、着手制限制度がいたずらに公共事業又は地域の生業等を制約することがないよう適切に配慮することが必要である。

第４　普通地域における既着手行為の範囲

普通地域において届出を要することとして新たに追加された行為であって、改正法の施行の際既に具体的に当該工事の一部に着手していた行為については届出を要しないこととされている。この既着手行為の範囲については、各行為について個々具体的な場合に応じて判断されるべきものであるが、鉱物の掘採、土石の採取等連続的な行為については、客観的に当該行為と一体性を有すると認められる範囲内に限定されるべきもので、具体的には、鉱物の掘採にあっては施業案の届出又は認可の範囲、土石の採取にあっては採取計画の認可の範囲を既着手行為の範囲として運用されたい。

なお、公有水面埋立についても、これが連続的に行なわれるものである場合には、埋立免許の範囲を既着手行為の範囲とされたい。

第５　鉱業権の設定に関する協議

陸域の普通地域における鉱物の掘採が今般の改正で届出を要する行為として追加されたことに伴い、鉱業法第24条の規定により鉱業権設定に関し、通商産業局長より都道府県知事に協議がなされた場合には、当該出願鉱区が陸域の普通地域にかかるものにあっては回答に先立ち十分調整を図られたい。

第６　都道府県立自然公園条例

都道府県は、今般の改正の結果、自然公園法第42条の規定に基づき、条例で都道府県立自然公園の普通地域における届出事項の追加及び着手制限制度の創設ができることとなったので、これらの趣旨に沿ってできるだけすみやかに現行条例の改正の手続を進められたい。

第７　その他

以上のほか、届出手続規定等の整備が行われたが、改正法の施行の詳細については、必要に応じ、おって各事項ごとに指示する予定である。

○自然公園法施行令及び自然環境保全法施行令の一部を改正する政令並びに自然公園法施行規則の一部を改正する総理府令の施行について

〔昭和48年12月18日　環自企第684号
各都道府県知事宛　環境庁自然保護局長通知〕

自然公園法施行令及び自然環境保全法施行令の一部を改正する政令(昭和48年政令第278号。以下「改正令」という。)並びに自然公園法施行規則の一部を改正する総理府令（昭和48年総理府令第48号）が、昭和48年９月29日に公布され、10月１日から施行されたが、その内容等は次のとおりであるので、その施行について遺憾のないようにされたく通達する。

記

第１　改正の趣旨

自然公園法及び自然環境保全法の一部を改正する法律（昭和48年法律第73号）の施行に伴い、自然公園法施行令（昭和32年政令第298号。以下「令」という。)の一部を改正して、国立公園の特別地域におけるゴルフコースの用に供するために行う土地の形状の変更に係る許可については、環境庁長官が処理することとし、国立公園の普通地域において新たに届出を要するとした行為に関する環境庁長官の権限の一部を都道府県知事に委任し、併せて、公園事業となる施設からゴルフ場を削り、また、自然公園法施行規則（昭和32年厚生省令第41号。以下「規則」という。)の一部を改正して、国立公園又は国定公園の普通地域（以下単に「普通地域」という。)において届出を要する工作物の基準として新たに鋼索鉄道等に関するものを追加するとともに、普通地域において届出を要しない行為を定めたほか、公園事業執行認可申請書、許可申請書及び届出書について所要の規定を設けたものである。

第２　国立公園の特別地域における土地の形状の変更に関する環境庁長官の権限の整理

ゴルフコースの造成については、土地の形状の変更、木竹の伐採又は工作物の新築等の行為が複合的に行なわれるものであるが、自然公園法（昭和32年法律第161号。以下「法」という。)上の取扱いとしては、環境庁長官の権限に係る木竹の伐採又は工作物の新築等を通常伴うので、従来、環境庁長官が処理していたところである。今般、ゴルフコースの造成については土地の形状の変更として包括的に把握することとしたが、国立公園の特別地域の土地の形状の変更については、令第25条第１号の規定に基づき都道府県知事に権限委任されていることにかんがみ、新たに同号にホとして「ゴルフコースの用に供するために行なう土地の形状の変更（面積が1000平方メートル以下の土地に係るものを除く。)」を追加し、従前の取扱いと同様環境庁長官が処理することとした。

なお、ゴルフコースの用に供するために行う土地の形状の変更であっても、当該変更に係る面積が1000平方メートル以下のものについては、都道府県知事に委任することとなっている。

また、「ゴルフコースの用に供するために行なう土地の形状の変更」とは、ゴルフ場内におけるフェアウエイ、ラフ、グリーン、ティーグラウンド、バンカー、池及びコース間の連絡通路等の設置のために行う土地の形状の変更を包括して含むものであるが、クラブハウス、駐車場、公共の用に供する道路からクラブハウスへの取付け道路等の新築等は工作物の新築等として把握することとする。

第３　国立公園の普通地域に係る環境庁長官の権限の委任

改正後の令第25条第３号により、今般新たに国立公園の普通地域において届出を要することとした行為のうち、鉱物の掘採及び土石の採取（海中公園地区の周辺１キロメートルの当該海中公園地区に接続する海面内においてする行為を除く。）並びに、土地の形状の変更に関する法第20条第２項及び第４項に規定する環境庁長官の権限並びに今般の改正により新たに創設された着手制限期間の短縮に関する環境庁長官の権限は、都道府県知事に委任することとなったので、その処理に遺憾のないようにされたい。

第４　公園事業となる施設からのゴルフ場の削除

１　改正前の令第４条第５号からゴルフ場を削除したことにより、今後、新規のゴルフ場は公園事業として設置できないこととなった。これは、最近、国立公園等の自然性の高い風景地にあっても、ゴルフ場の設置が多数計画されているが、ゴルフ場の設置は広い面積にわたる木竹の伐採、土地の形状変更等の行為を伴い、自然の現況を大幅に改変すること、さらに当該地域が少数者に排他的に利用されることなどからみて、国立公園等の利用者が増大している今日においては、公園施設として現在以上にゴルフ場を設置することは適当でないと認められるからである。

２　改正令の施行の際現に法第14条第２項若しくは第15条第２項の規定による承認又は法第14条第３項若しくは第15条第３項の規定による認可を受けているゴルフ場に関する公園事業については、改正令附則第２項において、なお、従前の例によるとしており、引き続き公園事業として執行することができるとともに、施設の変更、公園事業者たる地位の承継等の手続きについても、他の公園事業と同様令及び規則の規定による手続きを要するので留意されたい。

第５　国の機関とみなす関係準用令の改正

改正令附則第３項から第６項までにより、日本電信電話公社、日本住宅公団、工業用配置・産炭地域振興公団及び下水道事業センターが国の機関とみなされることとなったので、法第40条及び第46条第２項の規定の運用について遺憾のないようにされたい。

第６　届出を要する工作物の追加

１　普通地域において届出を要する工作物の基準については、法第20条第１項第１号において総理府令で定めることとされ、規則第14条に定められているが、鋼索鉄道、索道、別荘地の用に供する道路、及び遊戯施設について新たに基準を設け、この基準をこえるものについては届出を要することとした。

これは、最近の普通地域における各種開発行為の実情等にかんがみ、これらの工作物の新築等は公園の風景の保護上比較的大きな影響を及ぼすおそれが多いと認められるからである。

2　鋼索鉄道及び索道については、その構造、機能等において公園の風景の保護上大きな影響を及ぼすおそれが多いと認められるので、届出を要する行為としたものである。

別荘地の用に供する道路については、別荘地が造成、分譲される場合には、山林等を現状のまま別荘地として区画し、これがための道路の新築等のみが開発行為の具体的内容として行われ、土地の形状の変更としては把握できないものもあるので、かかる別荘地開発を把握し、公園の風景の保護を図るため、別荘地への自動車の走行が可能な幅員2メートル以上の道路の新築等（改築又は増築後において、幅員が2メートルをこえるものとなる場合の改築又は増築を含む。）を届出を要する行為としたものである。

遊戯施設については、ウォーターシュート、コースター、メリーゴーラウンド、観覧車、オクトパス、飛行塔等の各種遊戯施設が含まれ、これらが複合的に設置されるいわゆるレジャーランド等の建設については、これらの行為が大規模であり、公園の風景の保護上問題となる場合も多いので、届出を要する行為としたものである。

第7　届出事項に関する事務執行の迅速化について

今般の改正において着手制限制度を創設したことにより、着手制限期間の起算日となる届出時期が事務取扱い上の問題となるが、都道府県によっては、直接都道府県に届け出させずに、市町村又は国立公園管理事務所等に事実上届け出させているところもある。かかる場合には特段の留保がない限り、市町村又は国立公園管理事務所等に届け出た日をもって、都道府県知事に届出をした日と解される。したがって、届出書が都道府県の主管部局に到達するまでの期間を運用上の支障のない範囲で出来る限り迅速化する等、30日間の着手制限制度の有効な運用がなされるよう適切に配慮することが必要である。

第8　普通地域において届出を要しない行為

現に普通地域に指定されている地域には、かなりの集落地、農用地等が含まれ、農林漁業等の生業をはじめ諸々の人間活動が営まれていること等にかんがみ、今回の改正により新たに届出を要することとされた行為のうち、公園の風景の保護に支障を及ぼすおそれのないものまで届出の義務を課すことは適当でないので、規則第15条を改正し、新たに届出を要しない行為を定めたが、その主なものは次のとおりである。

1　鋼索鉄道及び索道については、農業、林業又は鉱業の用に供する索道のように地域の生業等の用に供する索道、また、その構造、機能上公園の風景の保護に特段の影響のない丙種特殊索道については、届出を要しない行為とした。

2　土地改良法第2条第2項に規定する土地改良事業及び土地改良事業として行う事業ではないが、同条同項各号に掲げる事業に相当する事業として当該区域に介在する池沼等を埋め立てることは届出を要しないこととした。ただし、同条同項第4号に掲げる埋立て又は干拓については、この限りでないこととした。

3　露天掘りでない方法による鉱物の掘採又は土石の採取は届出を要しないこととしたが、露天掘りであっても、面積が200平方メートルをこえず、かつ、高さが5メートルをこえる法(のり)を生ずる切土又は盛土を伴わないものは、届出を要しないこととした。

4　工事用の搬入道路等単にブルドーザー等で土地の形状を変更した程度で工作物とまでは至らない道又は単にしゅんせつした程度で工作物とまでは至らない公共の用に供する水路等の設置又は管理のために土地の形状を変更することは、届出を要しないこととした。

5　土地の開墾その他農業又は林業を営むために土地の形状を変更することは、届出を要しないこととした。

6　浸食をうけた海水浴場等の復旧のために海岸等を砂により養浜することは届出を要しないこととしたが、海岸等にテトラポット等を設置する行為は、工作物の設置として把握することとする。

7　届出を要する基準以下の工作物又は届出を要する基準が設定されていない工作物の新築等を行うために、当該新築等を行う土地の区域内において、必然的に行われる土地の形状の変更は、届出を要しないこととした。

第9　許認可申請書等の添附図面等の整備

国立公園事業の執行認可申請書の添附図面として、施設の位置を明らかにした縮尺5万分の1以上の地形図、施設の附近の状況を明らかにした縮尺5000分の1以上の概況図及び天然色写真を追加し、図面の縮尺を1000分の1以上にするとともに、給排水計画図を添附させることとした。

また、許可申請書及び届出書についても同様の改正をするとともに、新たに規則第15条の2を設け既着手行為等の届出書の記載事項及び添附図面を定めた。

第10　許可申請書又は届出書の添附図面の省略等

第9に記したとおり許可申請書又は届出書の添附図面を整備したところであるが、許可を受けた行為若しくは届出を了した行為の変更に係る許可の申請若しくは届出を行う場合又は許可の申請若しくは届出に係る行為が軽易なものであること等の場合にあっては、添附図面の全部を添える必要は必ずしもないので、新たに規則第15条の3を設けて、かかる場合には当該図面の一部を省略することができるとした。

○自然公園法施行規則の一部を改正する総理府令の施行について

〔昭和49年６月10日　環自企第316号
各都道府県知事宛　環境庁自然保護局長通知〕

自然公園法施行規則の一部を改正する総理府令（昭和49年総理府令第12号以下「改正規則」という。）が、昭和49年４月１日に公布、施行されたが、その内容等は次のとおりであるので、その施行に遺憾のないようにされたく通達する。

記

第１　改正の趣旨

国立公園又は国定公園に関する公園計画のうち、保護のための規制に関する計画を定めるに当たっては、原則として、特別地域を第１種特別地域、第２種特別地域又は第３種特別地域のいずれかの地域に区分して定めることとしており、この特別地域の区分については、「自然公園区域内における森林の施業について（昭和34年11月９日国発第643号、各県知事宛国立公園部長通知）」において定められているところである。

この特別地域の区分は、公園計画の定め方として現在まで定着しているものであるが、現在進めている公園計画の見直しの問題、交付公債による自然保護のための土地買上げの対象地域の問題、その他、自然公園法以外の他の各種の土地利用法制との調整等との関連において、その制度化の必要性が高まってきていたところであるが、今般、昭和49年度の地方税法改正において特別保護地区及び特別地域の第１種特別地域内の土地に対して非課税措置が講じられたことに関連して、特別地域の区分について総理府令において明記し、制度化を図ったものである。

また、第１種特別地域、第２種特別地域及び第３種特別地域の区分については、前記通知において定められているところであるが、改正規則第９条の２の規定はこの通知の趣旨を前提とし、各々の地域の特性について明記したものであり、したがって、その地域区分の指定運用の実態を何ら変更するものではなく、当該通知はなお存続するものである。

第２　規定の内容

１　改正規則第９条の２の規定は、環境庁長官が国立公園又は国定公園に関する公園計画のうち、特別地区に関する保護のための規制に関する計画を定めるに当たっては、特別地域を、原則として第１種特別地域、第２種特別地域及び第３種特別地域に区分して定めることを明らかにしたものである。

2　改正規則第９条の２の規定は、自然公園法第12条第１項及び第２項の規定に基づき環境庁長官が国立公園又は国定公園に関する公園計画の定め方について規定したものであり、自然公園法第17条第３項の許可の判断基準を直接定めようとする趣旨のものではない。

したがって、改正規則第９条の２各号は、第１種特別地域、第２種特別地域及び第３種特別地域の地域の各々の特性を制度上正式に規定したものにとどまり、自然公園法第17条第３項の許可基準まで定めているものではない。

3　第２種特別地域及び第３種特別地域について農林漁業活動について特記しているのは、農林漁業活動の場は、生産活動の場としての機能のみならず、すぐれた自然景観の重要な構成要素をなしている面をも有していることにかんがみ特記したものであるが、第１種特別地域は特別保護地区に準ずる景観を有し、特別地域のうちでは風致を維持する必要性が最も高い地域であって、現在の景観を極力保護することが必要な地域であるので、かかる農林漁業活動の特性を勘案したとしても、第１種特別地域においては農林漁業活動も他の行為と同様に考えるものとして、特記しなかったものである。

4　第３種特別地域は、「風致を維持する必要性が比較的低い地域」とされているが、これはあくまでも特別地域内における地域の特性の相対的な評価であって、自然公園内における特別地域としての風致維持の客観的な必要性まで低めるものではないことは云うまでもない。

○自然公園法施行規則及び自然環境保全法施行規則の一部を改正する総理府令の施行について

〔昭和57年７月23日　環自企第302号
各都道府県知事宛　環境庁自然保護局長通知〕

自然公園法施行規則及び自然環境保全法施行規則の一部を改正する総理府令（昭和57年総理府令第31号）が、昭和57年７月３日に公布、施行されたが、その内容等は下記のとおりであるので、了知の上、その施行に遺憾のないようにされたく通達する。

記

第１　改正の趣旨

都市公園法施行令の一部を改正する政令（昭和57年政令第143号）が、昭和57年５月21日に公布、施行され、都市公園の公園施設として、新たに園内移動用施設が追加された。

この園内移動用施設の中には、索道、鋼索鉄道、モノレール、電気バス等が含まれるが、これらのうち、索道、鋼索鉄道及びモノレールについては、急斜面において設けられるものであるなどのため望見されやすいこと、相当規模の木竹の伐採を伴う場合が多いこと等のため、風致景観等に極めて大きな影響を与えるとともに、短時間のうちに大量の利用者を容易に輸送することができるため、公園の利用面でも重大な影響を及ぼすものであることから、従来より、自然公園地域においては、自然公園の利用上特に必要なものであって公園計画に合致するもの以外は、原則として設置を認めない等厳格な運用を行ってきたところである。

ところで、都市公園の公園施設の設置については、自然公園法施行規則第12条第28号及び自然環境保全法施行規則第19条第８号トにより、特定の場合を除いて自然公園法又は自然環境保全法の許可等が不要とされているため、前記の都市公園法施行令の一部改正に伴い、園内移動用施設である索道等の設置について前記許可等が不要とされることとなるが、これらの施設の設置については、従来どおり前記許可等を要することとするため、今般、自然公園法施行規則及び自然環境保全法施行規則の一部を改正し、園内移動用施設である索道等の設置を不要許可行為から除くこととしたものである。

第２　改正の内容

１　園内移動用施設である索道、鋼索鉄道、モノレールその他これらに類するものの設置を自然公園法及び自然環境保全法の不要許可行為から除くこととした。

したがって、これらの施設の設置については、建設大臣の認可を受けた都市計画に基づく都市計画事業の施行として行う場合であるか否か、あるいは、施設の規模の如何を問わず、自然公園法又は自然環境保全法の許可等が必要となるものである。

なお、「その他これらに類するもの」は、本府令制定時には予期しなかった施設の設置に対応するために規定したものであり、現時点ではこれに該当する施設は特に想定していない。

2　その他都市計画法第４条第５項を同条第６項に改める等所要の文言の整理を行ったが、これは、規則の内容を何ら変更するものではない。

第３　今後の運用に当たっての留意事項

索道等の設置は、自然公園等の保護及び利用上、大きな影響を及ぼすものであるため、従来より、自然公園法等の厳格な運用を行ってきた趣旨に鑑み、各都道府県におかれては、園内移動用施設である索道等の設置についても従来と同様の厳格な運用を行うよう留意されたい。

第４　その他

本府令制定については、建設省とは調整済みである。

○自然環境保全法等の一部を改正する法律等の施行について

〔平成２年10月２日　環自企第551号
各都道府県知事宛　環境庁自然保護局長通知〕

自然環境保全法等の一部を改正する法律（平成２年法律第26号。以下「改正法」という。）については、平成２年６月５日付けで公布されたところであるが、自然環境保全法等の一部を改正する法律の施行期日を定める政令（平成２年政令第294号）が定められ、同年12月１日から施行されることとなった。

また、併せて、自然環境保全法施行令及び鳥獣保護及狩猟ニ関スル法律施行令の一部を改正する政令（平成２年政令第295号）及び自然環境保全法施行規則等の一部を改正する総理府令（平成２年総理府令第50号）が本日付けで公布され、同年12月１日から施行されることとなった。

これらの内容等は次のとおりであるので、了知の上、その適切な施行に努められたい。

記

第１　今回の法律改正の趣旨

優れた自然環境の保全を図るため、自然性の高い地域を自然環境保全地域等として指定し、その保全に影響のある一定の行為を制限する等の措置を講じているところである。

しかしながら、近年、この制限の対象とならない、動植物を単に殺傷し、又は損傷する行為や四輪駆動車、スノーモービル等を無秩序に乗り入れる行為により、自然景観や動植物の生息・生育環境が悪化していることが問題となったところである。

このため、今般、自然環境保全法（昭和47年法律第85号）、自然公園法（昭和32年法律第161号）及び鳥獣保護及狩猟ニ関スル法律（大正７年法律第32号）の３法を改正し、⑴動植物を殺傷し、又は損傷する行為についてこれらを捕獲し、又は採取する行為と同様に制限し、⑵車馬若しくは動力船を使用し、又は航空機を着陸させる行為が制限される区域を拡大するとともに、⑶違反行為に対する罰則についても、その社会的抑止力の維持を図る等の見地から、物価動向に対応して罰金額を引き上げる等の措置を講ずることとしたものである。

第２　自然環境保全法の改正関係

１　（省略）

２　車馬の使用等の制限

⑴　略

(2) 法、改正後の自然環境保全法施行令（昭和48年政令第38号。以下第2において「令」という。）及び改正後の自然環境保全法施行規則（昭和48年総理府令第38号。以下第2において「規則」という。）に規定する用語の定義は次のとおりである。

① 「車馬」とは、牛、馬等の人を乗せることのできる動物及び人力、畜力、内燃機関その他の動力によって移動する車をいい、自動車、原動機付自転車、スノーモービルのほか、自転車、荷車等が該当し、軌道車、小児車等は含まれない。

「動力船」とは、内燃機関その他の動力によって移動する船をいい、モーターボート等が該当し、手漕船等は含まれない。

「航空機」とは、人が乗って航空の用に供することができるものをいい、飛行機、ヘリコプター、グライダー、飛行船が該当し、ハンググライダー、パラグライダー等は含まれない。

なお、これらの定義については、原生自然環境保全地域の区域内において車馬を使用すること等に関する規制についての取扱いと同様である。

② 「道路」とは、車馬の運行の用に供される道をいい、道路法（昭和27年法律第180号）に規定する道路に限られるものではない。

「広場」とは、多数の人の集合の用に供される土地をいう。

「田」とは、主に稲を栽培する農地をいい、「畑」とは、主に野菜、果実等を栽培する農地をいう。

「牧場」とは、牛、馬、羊等の家畜を放飼いにする土地をいう。

「宅地」とは、建物の敷地をいう。

(3)〜(5) 略

3〜4 （省略）

第3 自然公園法の改正関係

1 動植物の殺傷・損傷の制限

自然公園法に規定する「捕獲」、「採取」及び「採捕」とは、動植物を自己の支配内に入れようとする一切の方法を行うことをいい、これらを単に殺傷し、又は損傷するにとどまり、自己の支配内に入れようとする態様でない行為は該当しない。しかし、優れた自然の風景地の風致及び景観への影響という面では、自己の支配内に入れようとする態様であるか否かには差異がない。

こうした点に鑑み、自然公園法を改正し、国立公園又は国定公園の特別保護地区及び海中公園地区等において、動植物を殺傷し、又は損傷する行為は、これらを捕獲し、又は採取する行為と同様に許可を要する行為とした。

2 車馬の使用等の制限

(1) 改正後の自然公園法（以下第3において「法」という。）第17条第3項第10号の規定に基づき、国立公園又は国定公園の特別地域の道路、広場、田、畑、牧場及び宅地以外の地域のうち環境庁長官が指定する区域（以下「乗入れ規制地域」という。）内においては、特別保護地区の区域内と同様、車馬を使用する行為については、許可を要する行為とした。

また、乗入れ規制地域及び特別保護地区の区域内においては、動力船を使用し、又は航空機を着陸させる行為についても許可を要する行為とした。

なお、乗入れ規制地域におけるこの許可の環境庁長官の権限は、２以上の都道府県にまたがる場合を除き、都道府県知事に委任されているので、留意の上、許可制限の適切な運用に努められたい。

⑵　法、改正後の自然公園法施行令（昭和32年政令第298号。以下第３において「令」という。）及び改正後の自然公園法施行規則（昭和32年厚生省令第41号。以下第３において「規則」という。）に規定する「車馬」等及び「道路」等の用語の定義は、第２の２の⑵と同様である。

⑶　乗入れ規制地域における行為については、当該行為の方法及び規模が、行為を行う土地及びその周辺の土地の区域における自然環境の保全等風致の維持に支障を及ぼすおそれが少ないと認められる場合等に許可すること。

また、特別保護地区における行為については、当該行為が学術研究その他公益上必要であって当該地域以外の地域においてその目的を達成することができないと認められ、反復継続して行われるものでない場合に許可すること。

なお、これらの許可の適否に関する審査指針については、別途通達する予定である。

⑷　工作物の新築等の行為に伴い車馬を使用すること等の必要がある場合、工作物の新築等の行為について一括して許可手続を行うことで足りるので留意されたい。

また、車馬を使用すること等が継続して行われる場合、適正な規模及び期間の範囲内においては、包括的に許可を与えることも差し支えない。

⑸　許可制度の運用に当たっては、交通行政との連携を図るため、都道府県公安委員会との連絡を密にするよう努められたい。また、航空機を着陸させる行為について不許可処分を行う場合は、航空行政との連携を図るため、あらかじめ運輸当局と十分に連絡をとられたい。

３　許可等を要しない行為

⑴　車馬を使用すること等の制限については、乗入れ規制地域にはかなりの集落地、農用地等が含まれ、農林漁業等の生業をはじめ種々の人間活動が営まれていること等に鑑み、規則第12条及び第13条の規定に基づき、次のとおり公共性のある事業を行うための行為、国等の行う遭難者を救助するための行為等を許可を要しない行為とした。

①　第12条関係（乗入れ規制地域関係）

イ　森林施業のために車馬若しくは動力船を使用し、又は航空機を着陸させること。

ロ　漁業を営むために車馬若しくは動力船を使用すること。

ハ　漁業取締のために車馬若しくは動力船を使用し、又は航空機を着陸させること。

ニ　河川法第３条第１項に規定する河川その他の公共の用に供する行為の管理又はその指定を目的とする調査（同法第６条第１項に規定する河川区域の指定、同法第54条第１項の規定による河川保全区域の指定又は同法第56条第１項の規定による河川予定地の指定を目的とするものを含む。）のために車馬若しくは動力船を使用し、又は航空機を着陸させること。

ホ　砂防法第１条に規定する砂防設備の管理若しくは維持又は同法第２条の規定により指定された土地の監視のために車馬若しくは動力船を使用し、又は航空機を着陸させること。

ヘ　海岸法第３条に規定する海岸保全区域の管理のために車馬若しくは動力船を使用し、又は航空機を着陸させること。

ト　地すべり等防止法第３条第１項に規定する地すべり防止区域の管理又は同項の規定による地すべり防止区域の指定を目的とする調査のために車馬若しくは動力船を使用し、又は航空機を着陸させること。

チ　急傾斜地の崩壊による災害の防止に関する法律第３条第１項に規定する急傾斜地崩壊危険区域の管理又は同項の規定による急傾斜地崩壊危険区域の指定を目的とする調査のために車馬若しくは動力船を使用し、又は航空機を着陸させること。

リ　土地改良法第２条第２項第１号に規定する土地改良施設の管理のために車馬若しくは動力船を使用し、又は航空機を着陸させること。

ヌ　港則法（昭和23年法律第174号）第２条に規定する港の区域内において動力船を使用すること。

ル　海上運送法第３条の規定により一般旅客定期航路事業の免許を受けた者、同法第20条の規定により不定期航路事業の届出をした者又は同法第21条の規定により旅客不定期航路事業の許可を受けた者が当該事業を営むために動力船を使用すること。

ヲ　国又は地方公共団体が法令に基づきその任務とされている遭難者を救助するための業務（当該業務及び非常災害に対処するための業務に係る訓練を含む。）、犯罪の予防又は防止その他の公共の秩序を維持するための業務、交通の安全を確保するための業務、水路業務その他これらに類する業務を行うために車馬若しくは動力船を使用し、又は航空機を着陸させること。

②　第13条関係（特別保護地区関係）

イ　森林の保護管理及び森林施業を目的とする調査のために動力船を使用し、又は航空機を着陸させること。

ロ　漁業を営むために動力船を使用すること。

ハ　漁業取締のために動力船を使用し、又は航空機を着陸させること。

ニ　河川法第３条第１項に規定する河川その他の公共の用に供するための水路の管理又はその指定を目的とする調査（同法第６条第１項に規定する河川区域の指定、同法第54条第１項の規定による河川保全区域の指定又は同法第56条第１項の規定による河川予定地の指定を目的とする調査を含む。）のために動力船を使用し、又は航空機を着陸させること。

ホ　砂防法第１条に規定する砂防設備の管理若しくは維持又は同法第２条の規定により指定された土地の監視のために動力船を使用し、又は航空機を着陸させること。

ヘ　海岸法第３条に規定する海岸保全区域の管理のために動力船を使用し、又は航空機を着陸させること。

ト　地すべり等防止法第３条第１項に規定する地すべり防止区域の管理又は同項の規定による地すべり防止区域の指定を目的とする調査のために動力船を使用し、又は航空機を着陸させること。

チ　急傾斜地の崩壊による災害の防止に関する法律第３条第１項に規定する急傾斜地崩壊危険区域の管理又は同項の規定による急傾斜地崩壊危険区域の指定を目的とする調査のために動力船を使用し、又は航空機を着陸させること。

リ　土地改良法第２条第２項第１号に規定する土地改良施設の管理のために動力船を使用し、又は航空機を着陸させること。

ヌ　海上運送法第３条の規定により一般旅客定期航路事業の免許を受けた者、同法第20条の規定により不定期航路事業の届出をした者又は同法第21条の規定により旅客不定期航路事業の許可を受けた者が当該事業を営むために動力船を使用すること。

ル　国又は地方公共団体が法令に基づきその任務とされている遭難者を救助するための業務（当該業務及び非常災害に対処するための業務に係る訓練を含む。）、犯罪の予防又は捜査その他の公共の秩序を維持するための業務、交通の安全を確保するための業務、水路業務その他これらに類する業務を行うために動力船を使用し、又は航空機を着陸させること。

(2)　規則第12条、第13条、第13条の２及び第15条の規定に基づき、特別地域（特別保護地区を除く。）、特別保護地区、海中公園地区及び普通地域においては、許可等を要しない行為に付帯する行為についても、許可等を要しないこととした。

第４　乗入れ規制区域の指定

乗入れ規制地区又は乗入れ規制地域（以下「乗入れ規制区域」という。）の指定について次のとおり行うこととする。

(1)　乗入れ規制区域の指定基準について

乗入れ規制区域としては、車馬を使用すること等による動植物の生息・生育環境の悪化を防止する必要がある地域で、次のいずれかに該当するものを指定するものである。

①　現在車馬を使用すること等が相当程度行われている地域で、そのために植生、野生動植物の生息・生育環境の破壊等自然環境への影響が生じているか、そのおそれが大きくなっている地域

②　現在車馬を使用すること等は行われていないが、それによる被害が将来生じることが十分に予想され、かつ、当該地域の植生、野生動植物の生息・生育環境等が特に脆弱又は貴重であり、厳正な保護を図る必要がある地域

(2)　乗入れ規制区域の指定に当たっての手続について

乗入れ規制区域の指定は、自然環境保全地域に関する保全計画又は国立公園若しくは国定公園に関する公園計画に位置付けるとともに、官報に公示して行うこととしている。

自然環境保全地域の特別地区及び国立公園の特別地域については、とりあえず、現在車馬を使用すること等による自然環境への影響が生じている地域等について改正法の施行時を目途に乗入れ規制区域の指定を行い、順次、(1)の要件に該当する地域について指定を行う予定であるので、貴職におかれては、国定公園の特別地域について乗入れ規制地域の指定を行うための準備を進められたい。

なお、国定公園の特別地域について乗入れ規制地域の指定を行う場合、他の環境庁長官決定に係る公園計画の変更の場合と同様、都道府県知事が環境庁長官に申し出ることとなるが、この申出に当たっては、あらかじめ関係部局と調整するとともに、農政局、営林局（国有林の区域と重複する場合に限る。）、運輸局、地方建設局等地元関係者と十分連絡協議されたい。

第５　鳥獣保護及狩猟ニ関スル法律の改正関係（省略）

第６　その他

１　都道府県自然環境保全地域条例及び都道府県立自然公園条例

自然環境保全法第46条及び自然公園法第42条の規定に基づき、条例で都道府県自然環境保全地域、都道府県立自然公園等において動植物を殺傷し、又は損傷する行為をこれらを捕獲し、又は採取する行為と同様にこれを制限するとともに、車馬若しくは動力船を使用し、又は航空機を着陸させることを制限することができることとなったので、貴職におかれては、これらの趣旨に沿ってできるだけ速やかに現行条例の改正

の手続きを進められたい。

2　「捕獲」、「採取」又は「採捕」の読替え

すでに発せられている通達において「捕獲」、「採取」又は「採捕」の用語が用いられている場合には、今回の制度改正の趣旨を踏まえ、当面は、「殺傷」又は「損傷」の意味内容が含まれる旨の読替えが行われたものとして取り扱い、制度の適切な運用に努められたい。

○自然公園法施行令の一部を改正する政令及び自然公園法施行規則の一部を改正する総理府令の施行について

〔平成８年５月11日　環自企第215号
各都道府県知事・各国立公園・野生生物事務所長宛
環境庁自然保護局長通知〕

自然公園法施行令の一部を改正する政令（平成８年政令第138号）については、平成８年５月11日付けで公布され、同日施行されるとともに、これに併せて自然公園法施行規則の一部を改正する総理府令（平成８年総理府令第27号）が平成８年５月11日付けで公布され、同日施行されることになった。

これらの内容等は下記のとおりであるので、その施行について遺憾のないようにされたく通知する。

1　改正の趣旨

今回の自然公園法施行令（昭和32年政令第298号。以下「令」という。）及び自然公園法施行規則（昭和32年厚生省令第41号。以下「規則」という。）の改正は、自然公園法（昭和32年法律第161号。以下「法」という。）に基づき都道府県が行う国立公園及び国定公園における公園事業の的確な推進を図るため、公園事業の執行に要する費用に係る国の補助対象施設に、植生復元施設等を追加するとともに、国立公園及び国定公園における公園事業に係る事務の合理化を図るため、公園事業に係る公園事業の執行認可等を受けた者に対する工事の着手期間及び完了期日に関する規制を廃止するものである。

2　改正の内容

⑴　補助対象施設の追加

国は、法第26条の規定により令第22条に掲げる施設の新設、増設又は改設を行う都道府県に対して、その公園事業の執行に要する費用の一部を補助しているところであるが、国立・国定公園において、保全すべき植生、動物の生息環境及び自然景観等が

悪化している地域において、植生の復元、動物の繁殖、景観整備等を積極的に図るため、令第22条を改正し、新たに「植生復元施設」、「動物繁殖施設」、「砂防施設」及び「防火施設」の４種を補助対象施設に加えることとした。

(2) 規制緩和

改正前の令第８条第２項の規定により、国立公園事業（運輸施設に関する国立公園事業を除く。）の執行の認可を受けた者は、当該公園事業の執行として工事を施行する場合には、環境庁長官の定める期間内にその工事に着手し、かつ、環境庁長官の定める期日までにこれを完了する義務が課せられていたところであるが、公園事業に係る事務の合理化を図るため、改正前の令第８条第２項を削除し、この規制を廃止することとした。また、これに伴い令第８条第３項、令第18条第２項及び規則第２条について所要の改正を行うこととした。

○地方分権の推進を図るための関係法律の整備等に関する法律等による自然公園法の改正等について

〔平成12年７月17日　環自計第157号・環自国第405号
各都道府県知事・各自然保護事務所長宛　環境庁自然保護局長通知〕

地方分権推進計画（平成10年５月閣議決定）に基づき、自然公園法に係る地方分権を実施するため、地方分権の推進を図るための関係法律の整備等に関する法律（平成11年法律第87号。以下「地方分権一括法」という。）、地方分権の推進を図るための関係法律の整備等に関する法律の施行に伴う環境庁関係政令の整備に関する政令（平成11年政令第387号。以下「地方分権一括政令」という。）、自然公園法の一部を改正する政令（平成12年政令第31号。以下「一部改正政令」という。）、自然公園法施行規則の一部を改正する総理府令（平成12年総理府令第23号。以下「分権改正総理府令」という。）がそれぞれ公布され、平成12年４月１日（以下「施行日」という。）より施行されているところである。

また、自然公園法施行規則の一部を改正する総理府令（平成12年総理府令第80号。以下「一部改正総理府令」という。）が平成12年７月17日に公布され、同日施行されている。

これらの内容は、次のとおりであるので、了知の上、その適切な施行に努められたい。

記

第１　改正の趣旨

今回の改正は、地方分権推進法（平成７年法律第96号）第８条第１項の規定により作成された地方分権推進計画において、自然公園法（昭和32年法律第161号。以下「法」という。）に規定する国立公園及び国定公園に係る事項について地方分権の推進のための改正が必要な事項が規定されたことから、法、自然公園法施行令（昭和32年政令第298号。以下「令」という。）及び自然公園法施行規則（昭和32年厚生省令第41号。以下「規則」という。）について次の観点から所要の改正を行うものである。

１　機関委任事務の廃止に伴う事務の整理

都道府県知事を国の機関として国の事務を処理させる仕組みである機関委任事務制度が廃止され、地方自治法（昭和22年法律第67号）において地方公共団体の処理する事務が自治事務と法定受託事務とに再構成されたことを踏まえ、法においても、都道府県知事の機関委任事務の見直しを次のように行った。

⑴　都道府県知事が処理している国立公園の行為許可等の事務については、国の直接執行事務とする。ただし、経過措置として当分の間、都道府県知事からの申し出により国が指定した場合には、法定受託事務として都道府県が行為許可等の事務を行うことができることとする。

⑵　国定公園の公園事業の認可、行為許可等の事務は、都道府県の自治事務とする。

２　地方公共団体に対する国又は都道府県の関与の見直し

地方自治法において、関与に係る基本原則、新たな事務区分ごとの関与の基本類型、関与の手続及び関与に係る係争処理手続が定められ、個別法における関与についても基本類型に沿った必要最小限のものにすることが求められたことを踏まえ、公園事業を執行する公共団体に対する国又は都道府県の関与の見直しを次のように行った。

⑴　公共団体が、国立公園に関する公園事業を執行しようとするときの環境庁長官の承認を、環境庁長官の同意を要する協議に改め、公共団体に対する環境庁長官の改善命令の規定を廃止する。

⑵　都道府県以外の公共団体が、国定公園の公園事業を執行しようとするときの都道府県知事の承認を、都道府県知事の同意を要する協議に改め、都道府県以外の公共団体に対する都道府県知事の改善命令の規定を廃止する。

３　権限委譲

国から都道府県への権限委譲の推進が求められていることを踏まえ、現在、国が行っている国定公園における特別地域、特別保護地区又は海中公園地区の指定等の事務を法定受託事務として、国定公園における集団施設地区の指定及び損失補償の事務を自治事務として都道府県に権限委譲する。

４　その他関連改正

(1)　国立公園の指定、公園計画の決定等に際し、関係都道府県の意見を聴取することを法定化する。

(2)　国立公園及び国定公園の行為許可の審査基準を総理府令に規定する。

第2　地方分権一括法関係（平成11年7月16日公布）について

1　国立公園の指定、指定の解除及び区域の変更（第10条第1項、第11条第1項）

環境庁長官は、国立公園の指定、指定の解除又は区域の変更をするに当たり、関係都道府県の意見を聴くことを法定化する。

この改正に伴い、従来、国立公園の指定、指定の解除又は区域の変更に際して実施していた自然保護局長から都道府県知事への意見照会は廃止し、あわせて都道府県知事にその実施を求めていた国の出先機関への意見照会についても、施行日以降は、自然保護事務所長から直接実施することとする。

2　国立公園に関する公園計画の決定、廃止及び変更（第12条第1項、第13条第1項）

環境庁長官は、国立公園に関する公園計画の決定、廃止又は変更をするに当たり、関係都道府県の意見を聴くことを法定化する。

この改正に伴い、従来、国立公園の指定、指定の解除又は区域の変更に際して実施していた自然保護局長から都道府県知事への意見照会は廃止し、あわせて都道府県知事にその実施を求めていた国の出先機関への意見照会についても、施行日以降は、自然保護事務所長から直接実施することとする。

3　国定公園に関する公園計画の決定並びに決定、廃止及び変更の概要の公示（第12条第3項、第5項、第13条第4項）

従来、国定公園に関する公園計画のうち、保護のための規制に関する計画並びに利用のための施設に関する計画で集団施設地区及び政令で定める施設に関するものは、環境庁長官が関係都道府県の申出により決定し、若しくは変更し、又は関係都道府県の意見を聴いて廃止し、その他の計画は、都道府県知事が決定し、廃止し、又は変更していたが、今回の法改正により、国定公園に係る公園計画の決定及び追加については関係都道府県の申出により、変更（追加を除く。）及び廃止については都道府県の意見を聴いて、環境庁長官が行うこととなる。また、すべての公園計画の決定、廃止又は変更の概要の公示も、国の直接執行事務となる。これに伴い、令第5条を削除する。

なお、施行日前に都道府県知事が決定した公園計画については、地方分権一括法附則第160条第1項の規定により、環境庁長官が決定したものとみなされる。

4　国立公園に関する公園事業に係る環境庁長官の同意（第14条第2項）

地方公共団体及び政令で定めるその他の公共団体（以下「公共団体」という。）が、国立公園に関する公園事業（以下「国立公園事業」という。）の一部を執行するには、環境庁長官の承認を受けることが必要であったが、今回の法改正により、環境庁長官の同意を要する協議を行うことが必要となる。

この同意に当たっては、地方自治法第250条の２第１項に基づき、同意の基準を「国立公園事業取扱要領」（平成12年３月30日付け環自国第179-１号当職通知）において定め、公表することとした。また、地方自治法第250条の３第１項に基づく公共団体の協議に係る標準処理期間は、自然保護局長専決のものについては二月、自然保護事務所長専決のものについては一月とする。

なお、施行日前に環境庁長官が行った承認又は環境庁長官に提出されている承認の申請は、地方分権一括法附則第21条第１項の規定により、それぞれ環境庁長官が行った同意又は環境庁長官に提出されている協議の申出とみなされる。

5　国定公園に関する公園事業の執行に係る都道府県知事の同意（第15条第２項）

都道府県以外の公共団体が、国定公園に関する公園事業（以下「国定公園事業」という。）の一部を執行するには、都道府県知事の承認を受けることが必要であったが、今回の法改正により、都道府県知事の同意を要する協議を行うことが必要となる。

都道府県においては、地方自治法第250条の２第１項に基づき、同意の基準を定め、公表することが必要である。また、地方自治法第250条の３第１項に基づき、都道府県以外の公共団体の協議に係る標準処理期間を定め、公表しておくことが望ましい。

なお、施行日前に都道府県知事が行った承認又は都道府県知事に提出されている承認の申請は、地方分権一括法附則第21条第１項の規定により、それぞれ都道府県知事が行った同意又は都道府県知事に提出されている協議の申出とみなされる。

6　国定公園の特別地域、特別保護地区又は海中公園地区の指定及び指定の解除並びにその区域の変更、これらの公示並びに関係行政機関の長との協議（第17条第１項及び第２項、第18条第１項及び第２項、第18条の２第１項及び第２項、第39条第２項）

国定公園の特別地域、特別保護地区及び海中公園地区の指定及び指定の解除並びにその区域の変更並びにこれらの公示は、公園計画に基づき環境庁長官が行っていたが、今回の法改正により、都道府県知事にその権限が委譲され、都道府県知事が法定受託事務として行うこととなる。これに合わせて、法第39条第２項に規定する特別地域、特別保護地区及び海中公園地区の指定に当たっての関係行政機関の長との協議も、都道府県知事が法定受託事務として行うこととなる。

これらの事務の実施については、地方自治法第245条の９第１項に規定する法定受託事務を処理するに当たりよるべき基準を「国定公園の指定、公園計画の決定等について」（別途発出予定）の中で定めるので、これに従い、適切に実施されたい。

なお、施行日前に環境庁長官が行った国定公園の特別地域、特別保護地区及び海中公園地区の指定は、地方分権一括法附則第160条第１項の規定により、都道府県知事が行ったものとみなされる。

7　特別地域、特別保護地区又は海中公園地区内の行為の許可基準（第17条第４項、第18条第４項、第18条の２第４項）

環境庁長官又は都道府県知事が法第17条第３項、第18条第３項又は第18条の２第３項の規定に基づき特別地域、特別保護地区又は海中公園地区内の行為の許可をするに当たりよるべき基準は、規則で定められることとなる。（改正後の規則第11条参照）

なお、当該基準については、経過措置が置かれていないことから、施行日前に申請がされた行為について施行日以降に行為の許可又は不許可の処分を行う場合にも当該基準が適用される。

8　国定公園特別地域、特別保護地区若しくは海中公園地区内における行為の許可又は国の機関からの協議に係る環境庁長官との同意を要する協議（第17条第５項、第18条第５項、第18条の２第５項、第40条第２項）

機関委任事務の廃止に伴い、都道府県の自治事務への関与として、国定公園特別地域、特別保護地区又は海中公園地区内における行為の許可の一部（国定公園に大きな影響を及ぼしうる大規模な行為又は国際条約に基づき国がその保全に責務を負う国際的な登録地に係る行為）については、今回の法改正により、許可に当たって環境庁長官との同意を要する協議が必要となる。当該行為は、改正後の規則第11条の２、第12条の２及び第13条の２において定められている。

また、国の機関からの法第40条第１項に基づく協議のうち、上記に相当する行為に係るものについても同様に、環境庁長官との同意を要する協議を必要とすることとする。

これらの同意については、地方自治法第250条の２第１項に基づく同意の基準及び同法第250条の３第１項に規定する協議に係る標準処理期間を「自然公園法第17条第５項、第18条第５項及び第18条の２第５項に規定する国定公園の特別地域等内における許可に際しての環境庁長官への協議の同意の基準等について」において定め、公表する予定である。

なお、これらの協議に関する規定については、経過措置が置かれていないことから、施行日前に行われた申請等のうち、施行日において処分が行われていないもの及び国の機関との協議を了していないものについては、これらの規定が適用される。

9　国立公園特別地域、特別保護地区又は海中公園地区内の各種届出及び通知（第17条第６項から第８項まで、第18条第６項及び第７項、第18条の２第６項及び第７項、第40条第３項）

国立公園特別地域、特別保護地区又は海中公園地区内の既着手行為の届出及び非常災害のための応急措置の届出並びに特別地域内の家畜の放牧又は木竹の植栽の届出については、都道府県知事に届け出ることが必要であったが、今回の法改正により、環境庁長官に提出することが必要となる。

また、国の機関が、上記の届出を要する行為をしたときの届出の例による通知も、今回の法改正により環境庁長官に提出することが必要となる。

なお、施行日前に、都道府県知事に対して行った届出は、地方分権一括法附則第160条第１項の規定により、環境庁長官に対して届出をしたものとみなされる。

10　国立公園普通地域内の行為の届出又は通知の受理（第20条第１項、第40条第３項）

国立公園普通地域内における行為については、あらかじめ、都道府県知事に届け出ることが必要であったが、今回の法改正により、環境庁長官に届け出ることが必要となる。

また、国の機関が、上記の届出を要する行為をしたときの届出の例による通知も、今回の法改正により環境庁長官に提出することが必要となる。

なお、施行日前に、都道府県知事に対して行った届出は、地方分権一括法附則第160条第１項の規定により、環境庁長官に対して届出をしたものとみなされる。

11　報告の徴収及び立入検査（第22条第１項、第２項）

環境庁長官又は都道府県知事は、国立公園又は国定公園のいずれにおいても、許可等に係る行為の実施状況等について報告を求め、又は許可等に係る行為の実施状況等について当該職員に検査させ、若しくは当該行為の風景の及ぼす影響を調査させること等ができたが、今回の法改正により、環境庁長官は国立公園について、都道府県知事は国定公園について当該事務を実施することとなる。

なお、施行日前に、国立公園に関し都道府県知事が、国定公園に関し環境庁長官が報告を求めた場合であって、当該報告がなされていない場合は、地方分権一括法附則第21条第２項の規定により、施行日以降は、それぞれ国立公園に関し環境庁長官が、国定公園に関し都道府県知事が報告を求めたものとみなされる。

12　国定公園の集団施設地区の指定及び指定の解除並びにその区域の変更並びにこれらの公示（第23条第１項、第２項）

国定公園の集団施設地区の指定に係る事務は、環境庁長官が行っていたが、今回の法改正により、都道府県知事が自治事務として行うことになる。

なお、施行日前に環境庁長官が行った国定公園の集団施設地区の指定は、地方分権一括法附則第160条第１項の規定により、都道府県知事が指定したものとみなされる。

13　実地調査（第32条第１項）

環境庁長官又は都道府県知事は、国立公園又は国定公園の指定等に関する実地調査のため、当該職員をして、他人の土地への立入り、障害物の除去等をさせることができることとされていたが、今回の法改正により、環境庁長官は国立公園及び国定公園の指定、公園計画の決定等について、都道府県知事は国定公園の指定等に係る申出、公園事業の執行等について、当該事務を実施することとなる。

14　国定公園に係る損失の補償（第35条第１項から第５項まで）

国定公園における行為の許可、国定公園の指定に係る申出等に関する都道府県職員の実地調査等の事務が機関委任事務であったため、これらの事務に起因する損失の補償は国が行っていたが、今回の法改正により、これらの事務が自治事務となることにより、国定公園に係る不許可処分等及び国定公園の指定に係る申出等に関する都道府県職員の実地調査による損失の補償は、都道府県が実施する。

なお、施行日前に行われた不許可処分等及び実地調査に起因する損失の補償は、地方分権一括法附則第21条第３項の規定により、法改正前の規定が適用される。

15　権限の委任規定の廃止（第38条）

本法に定める環境庁長官の権限は、政令で定めるところにより、その一部を都道府県知事に委任することができることとされていたが、今回の法改正により、従前の国立公園に係る機関委任事務を国の直接執行事務とすることに伴い、本委任規定を廃止する。これに伴い、令第25条も削除する。

なお、改正前の法第38条及び令第25条の規定により委任を受けた都道府県知事が行った許可等の処分その他の行為又は都道府県知事に対して行った許可等の申請その他の行為は、地方分権一括法附則第160条第１項の規定により、環境庁長官が行った許可等の処分その他の行為又は環境庁長官に対して行った許可等の申請その他の行為とみなされる。

16　事務の区分（第40条の２）

機関委任事務の廃止に伴い、都道府県に権限委譲された国定公園の特別地域、特別保護地区又は海中公園地区の指定等の事務を、都道府県の法定受託事務とする旨規定する。

17　都道府県の処理する事務（附則第９項及び第10項）

改正後の法に規定する環境庁長官の権限に属する事務の一部は、当分の間、都道府県の知事の申出により国が政令で指定した場合は、当該都道府県の知事が行うこととする。（自然公園法施行令附則第３項から第６項まで参照。これらの事務は法定受託事務となる。）

また、環境庁長官の権限に属する事務の一部を行う都道府県の指定の解除について都道府県知事が申出を行ったときは、環境庁長官は、当該都道府県の指定を解除する政令の改正を行う必要がある。従って、十分な時間的余裕をもって都道府県知事は申出を行うことが必要である。

なお、既に行われた申出において国立公園に係る法定受託事務を行う期間を限定している場合にあっても、法附則第10項の規定に準じて指定の解除についての申出が必要である。

第３　地方分権一括政令関係（平成11年12月３日公布）について

1　国立公園事業又は国定公園事業を執行する公共団体の事務手続き等に係る準用規定

の改正（第16条、第17条）

今回の法改正によって、公共団体が国立公園事業の一部を執行する際には、環境庁長官の同意を要する協議を行うものとされたことに伴い、国立公園事業を執行する公共団体の事務手続等に係る準用規定を改正する。令改正後の第16条後段に規定する読み替え規定の概要は以下のとおりである。

⑴　第６条の施設の変更等については、環境庁長官の承認に代えて環境庁長官の同意を要する協議が必要となる。

⑵　第９条の認可又は承認に当たっての条件の付与及び第13条の改善命令の規定への準用が廃止される。これは、地方公共団体に対する国の関与の見直しにおいて、これらの関与は、地方自治法に規定する関与の一般ルールによることとされたことによるものである。このため、令改正前の条件の付加において担保することが必須であった事項については、協議に当たって、国が地方公共団体に対して当該事項の実施を求める必要がある。また、公共団体に対して国立公園事業の適正な執行を求める必要がある場合は、地方自治法第245条の５に規定する是正の要求によることとなる。この場合、国立公園事業を執行する市町村に対する是正の要求は、地方自治法第245条の５第２項の規定により、関係都道府県知事に対して是正の要求の実施を指示することとなる（ただし、地方自治法第245条の５第４項の規定により、緊急を要するときその他特に必要があると認めるときは、直接市町村に対し是正の要求を行うことができる。）。

⑶　国定公園事業については、市町村に対してその適正な執行を求める必要がある場合は、地方自治法第245条の６の改善の勧告によることとなる。

なお、施行日前に、環境庁長官若しくは都道府県知事が行った施設の変更等の承認又は環境庁長官若しくは都道府県知事に提出されている施設の変更等の承認の申請は、地方分権一括政令附則第２条第１項の規定により、環境庁長官若しくは都道府県知事が行った同意又は環境庁長官若しくは都道府県知事に提出されている協議の申出とみなされる。

2　法定受託事務として都道府県知事が処理する国立公園に係る事務の範囲（附則第３項から第６項まで）

今回の法改正によって、法に規定する環境庁長官の権限に属する事務の一部は、都道府県の知事の申出により政令で定めた場合には、当分の間、都道府県の知事が行う（法附則第９項及び第10項）ものとされたことに伴い、次の事項について規定する。

⑴　都道府県知事が処理する事務の範囲（附則第３項）

地方分権一括法による改正前の法及び地方分権一括政令による改正前の令第25条の規定に基づき都道府県知事が行っていた事務のうち次のものを、政令で定める都道府県が引き続き行うこととする。

① 特別地域（特別保護地区を除く。）における以下に掲げる行為以外の行為（２以上の都道府県の区域にまたがるものを除く。）に係る許可及び条件の付加

・その高さが13メートル又はその水平投影面積が1000平方メートルを超える工作物（住宅及び仮工作物を除く。）の新築、改築又は増築（改築又は増築後において、その高さが13メートル又はその水平投影面積が1000平方メートルを超える工作物（住宅及び仮工作物を除く。）となる場合における改築又は増築を含む。）

・砂防法第１条に規定する砂防設備、漁港法第３条に規定する漁港施設、港湾法第２条第５項に規定する港湾施設、海岸法第２条第１項に規定する海岸保全施設又は地すべり等防止法第２条第３項に規定する地すべり防止施設の新築

・ダム、水門又はパラボラアンテナの新築、改築又は増築

・木竹の伐採（森林法（昭和26年法律第249号）第５条第１項の地域森林計画に定める伐採に関する要件に適合するものを除く。）、鉱物の掘採又は土石の採取、河川、湖沼等の水位又は水量に増減を及ぼさせる行為及び水面の埋立て又は干拓

・ゴルフコースの用に供するために行う土地の形状の変更（面積が1000平方メートル以下の土地に係るものを除く。）

※ 上記の事務は、地方分権一括政令による改正前の令第25条第１号の規定により都道府県知事に委任される権限に係る事務と同じである。

② 海中公園地区における以下に掲げる行為（２以上の都道府県の区域にまたがるものを除く。）に係る許可及び条件の付加

・広告物等の掲出若しくは設置又は表示

・熱帯魚、さんご、海そうその他の動植物で環境庁長官が指定するものの捕獲若しくは殺傷又は採取若しくは損傷

・物の係留

※ 上記の事務は、地方分権一括政令による改正前の令第25条第２号の規定により都道府県知事に委任される権限に係る事務と同じである。

③ 普通地域における以下に掲げる行為（２以上の都道府県の区域にまたがるものを除く。）に係る届出の受理、行為の禁止制限等措置命令、禁止制限等措置命令を課すことのできる期間の延長及び行為の着手制限期間の短縮

・工作物の新築、改築又は増築

・鉱物の掘採又は土石の採取（海面内においては、海中公園地区の周辺１キロメートルの当該海中公園地区に接続する海面内においてするものを除く。）

・広告物等の掲出若しくは設置又は表示

・土地の形状変更

※ 上記の事務は、地方分権一括政令による改正前の令第25条第３号の規定によ

り都道府県知事に委任される権限に係る事務並びに同号イ及びロに掲げる行為に係る届出の受理の事務である。

④　①～③の行為に関する法第21条の規定による原状回復命令等

※　上記の事務は、地方分権一括政令による改正前の令第25条第４号に規定する事務と同じである。

⑤　①～④に係る法第22条第１項の規定による報告徴収並びに法第22条第２項の規定による立入り、検査及び調査

※　地方分権一括法による改正前の法第22条の規定により国立公園において都道府県知事が行っていた事務のうち、①～④の法定受託事務に係るものは、都道府県知事が行うこととする。

⑵　附則第３項に規定する事務を行った旨及びその内容の環境庁長官への報告（附則第４項）

都道府県知事は、附則第３項に規定する事務を行ったときは、総理府令で定めるところにより、その旨及びその内容を環境庁長官に報告しなければならないこととする。

⑶　改正後の附則第３項の規定により環境庁長官が指定した区域に係る国立公園事業又は行為についての環境庁長官の権限に係る許可の申請等に必要な書類の提出は、都道府県知事を経由して行うものとする。（附則第５項）

国立公園において環境庁長官に提出する申請書、届出書等の書類については都道府県を経由して行わなければならない旨が、規則第19条において規定されていたが、施行日以降も、申請書等の書類の提出に当たっての申請者等の利便を図るとともに、国立公園の適切な管理に資する観点から、都道府県知事が、自らが許可の事務等の一部を行う地域に係る行為であって自らの権限が及ばないものについても情報を早期に把握できるようにするため、国立公園に係る法定受託事務を行う場合に限り、書類の経由を行うこととしたものである。ただし、損失補償請求書並びに国立公園事業の供用開始期日の延期承認申請書及び協議書については、都道府県の経由を要しない。

⑷　事務の区分（附則第６項）

令附則第３項から第５項までに掲げる事務は、地方自治法第２条第９項第１号に規定する第１号法定受託事務とする。なお、これらの事務の実施については、地方自治法第245条の９第１項に規定する法定受託事務を処理するに当たりよるべき基準を「国立公園に係る法定受託事務の実施について」（平成12年６月１日付け環自国第330号、環境庁自然保護局長通知）において定めるので、当該基準に基づき適切に事務を実施されたい。

第４　一部改正政令関係（平成12年２月14日公布）について

1　国立公園に係る法定受託事務を処理する都道府県の指定（令附則第３項、別表）

法附則第９項の規定に基づき、令附則第３項から第５項までに規定する事務（国立公園の特別地域内における行為の許可等に関する事務。法定受託事務）を処理する都道府県として、法附則第10項の規定により内閣総理大臣に申出を行った次に掲げる都道府県を定める。

岩手県、宮城県、秋田県、山形県、福島県、栃木県、群馬県、埼玉県、東京都、新潟県、富山県、石川県、福井県、山梨県、長野県、岐阜県、静岡県、奈良県、和歌山県、鳥取県、島根県、岡山県、山口県、香川県、愛媛県、福岡県、長崎県、大分県、宮崎県、鹿児島県

2　令附則第３項の規定に基づく指定地域の指定

令附則第３項において、国立公園に係る法定受託事務を行う都道府県として指定された都道府県が当該事務を行う区域は、当該都道府県の申出により環境庁長官が定めることとされている。このため、令附則第３項の規定に基づく都道府県知事の申出を踏まえ、自然公園法施行令附則第３項に規定する指定地域（平成12年２月14日環境庁告示第４号）により指定した。

国立公園に係る法定受託事務の実施の対象区域から一部の区域を除外する必要がある場合は、令附則第３項に基づき、その旨を環境庁長官に申し出ることが必要となる。

第５　分権改正総理府令関係（平成12年３月24日公布）及び一部改正総理府令（平成12年７月17日公布）について

1　自然公園法施行規則の２回の改正について

今回の地方分権に関連するものとして、自然公園法施行規則は２回の改正が行われている。

１回目の改正は、地方分権一括法の施行に備えるために行われた自然公園法施行規則の一部を改正する総理府令（平成12年総理府令第23号、分権改正総理府令）によるものであり、平成12年３月24日付けで公布され、同年４月１日より施行されている。

２回目の改正は、分権改正総理府令により改正された事項の一部に遺漏等があったため、これを改正するためのものであり、自然公園法施行規則の一部を改正する総理府令（一部改正総理府令）により、平成12年７月17日付けで公布、同日施行されている。

以降の説明は、１回目の分権改正総理府令による改正内容について記したものであるが、一部改正総理府令による改正がなされている場合は、その改正後の内容を反映して記載したものである。

2　申請書等の添付書類の追加（第１条、第７条）

公園事業の申請又は届出に当たり、必要となる添付書類を追加する。なお、これら

は、従来、「国立公園及び国定公園事業取扱要領」（平成６年６月30日環自計第174号、環自国第541号環境庁自然保護局長通知。平成12年３月31日付けをもって廃止）において添付することを求めていたものと同様である。

⑴　第１条において、執行認可申請書等の添付書類として以下のものを追加する。これらは、土地、家屋その他の物件の使用が確実にできること及び事業執行を行うのに必要な資金を有することを審査する上で必要不可欠なものである。なお、運輸施設に係る公園事業の場合は、令第３条第１項ただし書において申請書に同項第６号の事項を記載することを要しないとされていることから、第11号に掲げる書類については添付を要しないこととした。

①　国立公園事業の執行に必要な土地、家屋その他の物件を当該事業の執行のために使用することができることを証する書類（第10号）

②　当該事業の執行に当たって必要な資金を調達することができることを証する書類（第11号）

※　分権改正総理府令では、「当該事業の執行に当たって自己の資金以外の資金を必要とする場合にあっては、その資金を調達することができることを証する書類」と規定していたが、自己資金の有無自体についても事業執行能力の審査を行う上で重要なことから、事業執行に必要な資金を調達することができることを証する書類に改めた。

③　当該事業の執行に関し土地収用法の規定により土地又は権利を収用し又は使用する必要がある場合にあっては、その収用又は使用を必要とする理由書（第12号）

⑵　第３条において、施設の変更等の承認申請書の添付すべきものとして書類を追加する。

※　分権改正総理府令において、執行認可申請書の添付書類等として第１条第１項から第12項までの書類を追加したが、これらの追加に伴い、第３条に規定する施設の変更等の承認申請書に添付すべきものとして「書類」を追加することを遺漏していたため、これを一部改正総理府令において追加した。

⑶　第７条において、公園事業者が令第11条の規定により届け出る場合の届出書の添付書類として、以下の書類を追加する。これらの届出は、承継者の事業執行者としての地位を確認する上で、必要不可欠なものである。

①　相続による地位の承継の届出の場合

当該相続に係る国立公園事業の執行に必要な物件の登記簿の謄本その他の当該事業の執行に必要な物件が承継されたことを証する書類

②　合併による地位の承継の届出の場合

合併後の法人の登記簿の謄本

③　法人の設立の届出

設立した法人の登記簿の謄本

3　国立公園事業を執行する公共団体に係る準用規定の改正（第８条）

法及び令において、国立公園事業を執行する公共団体への国の関与に関する規定が改正されることに伴い、公共団体に関する準用規定を改正する。

なお、従来、公共団体間の譲渡承継については、運用上、第６条の規定の例による届出の提出を求めていたため、今回の規則の改正により、第６条の規定についても公共団体が執行する国立公園事業について準用することとした。

4　大規模な開発行為等の許可申請書の添付書類として、事前の環境調査に係る書類を追加（第10条）

国立公園又は国定公園の特別地域、特別保護地区又は海中公園地区内において行われる大規模な開発行為又は風致若しくは景観に著しい支障を及ぼすおそれの有無を確認する必要がある行為については、事前の環境調査等を十分に行わしめ、これを基に審査することが必要である。

このため、次の⑴に掲げる行為に該当する場合は、申請書に次の⑵に掲げる事項を記載した書類を添付しなければならないこととする。この改正は、「国立公園内（普通地域を除く。）における各種行為に関する審査指針について」（昭和49年11月30日付け環自企第570号環境庁自然保護局長通知。以下「審査指針」という。）の別紙前文なお書きに基づき実施を求めていた事前の環境調査と同様の調査を、施行日以降法令上に位置づける必要があるため行うものである。なお、風致又は景観に著しい支障を及ぼすおそれの有無を確認する必要がある行為についての規定を第４項として第３項とは別に規定した趣旨は、事前の環境調査等を常に義務づけることは申請者にとって過剰な負担となるので、申請に係る場所及び行為の態様を勘案して、許可権者が風致又は景観に著しい支障を及ぼすおそれの有無を確認する必要がある場合に限り事前の環境調査等を申請者に行わせることとするためである。

⑴　事前の環境調査を実施し、添付書類を提出することが必要な場合

①　申請に係る行為（道路の新築及び農林漁業のために反復継続して行われるものを除く。）の場所の面積が１ヘクタール以上である場合（第３項）

②　申請に係る行為がその延長が２キロメートル以上又はその幅員が10メートル以上となる計画になっている道路の新築（法の規定による許可を現に受け又は受けることが確実である行為が行われる場所に到達するためのものを除く。）である場合（第３項）

③　環境庁長官又は都道府県知事が、申請書の提出があった場合において、申請に係る行為が当該行為の場所又はその周辺の風致又は景観に著しい影響を及ぼすおそれの有無を確認する必要があると認め、申請者に第３項各号に掲げる事項を記

載した書類の提出を求めたとき（第４項）

⑵　事前の環境調査に係る添付書類に記載すべき事項

①　当該行為の場所及びその周辺の植生及び動物相その他の風致又は景観の状況並びにその特質（第３項第１号）

②　当該行為により得られる自然的、社会経済的な効用（第３項第２号）

③　当該行為が風致又は景観に及ぼす影響の予測及び当該影響を軽減するための措置（第３項第３号）

④　当該行為の施行方法に代替する施行方法により当該行為の目的を達成し得る場合にあっては、当該行為の施行方法及び当該方法に代替する施行方法を風致又は景観の保護の観点から比較した結果（第３項第４号）

なお、これらの添付書類については、申請に当たって未提出の場合、法令で定めた形式上の要件に適合せず、申請を拒否する処分を行わざるを得なくなる。このため、当該行為並びに行為の場所及びその周辺の状況を勘案して、提出を求めるのは審査をする上で必要な事項に係る書類に限定し、それ以外のものは第15条の３第３項の規定に基づき添付を省略させることにより、申請者に過度の負担を与えないよう留意する必要がある。

5　行為許可の基準の規定（第11条、令附則第３項、附則第４項）

第２の７にあるとおり、第11条において、環境庁長官又は都道府県知事が特別地域、特別保護地区又は海中公園地区内の行為の許可をするに当たりよるべき基準を定めることとする。

⑴　基準の概要（第１項から第29項まで及び第31項）

今回定める基準の内容は、審査指針において規定する基準及び「国立公園内（普通地域を除く。）における各種行為に関する審査指針の細部の解釈及び運用の方法について」（昭和50年３月19日環自企第148号環境庁自然保護局長通知）等において規定していた審査指針の細部解釈又は運用の方法を内容を違えずに第１項から第29項までに規定したものであり、今回の総理府令化では実質的な規制の強化又は緩和は行っていない。（ただし、分権改正総理府令により、第11項、第12項及び第15項に掲げる基準の一部に従前の審査指針と比して規制強化となっていた点があったため、一部改正総理府令において従前と同様の基準内容となるようこれを改正した。）

また、第31項は、唯一無二の存在である自然の風致又は景観の保護のための規制内容は、地域によって様々であり、第１項から第29項までに定める基準だけでは風致又は景観の保護を十分に図ることができないおそれがあること等から、包括的な規定を設けたものである。

⑵　基準の特例（第30項）

唯一無二の存在である自然の風致又は景観の保護のための規制内容は、地域によって様々であり、第１項から第29項までに掲げる基準を一律に適用することは、その自然的、社会経済的条件から判断して適当でない場合がある。

このような場合の特例として、国立公園にあっては環境庁長官が、国定公園にあっては都道府県知事が、第１項から第29項までに掲げる基準を適用することが適当でないと認めて指定した区域内において行われる各種行為について、それぞれ基準の特例を定めることができることとした。これらの指定区域及び基準の特例は、国立公園に係るものについては告示により公表するものとしていることから、国定公園に係るものについても都道府県の公示により公表されたい。

なお、これは、従前の「審査指針によらないことができる特定地域における特定行為の認定について」（昭和50年３月７日付け環自企第125号環境庁自然保護局企画調整課長通知）に基づくいわゆる「特認制度」と同趣旨のものである。

⑶　細部解釈及び運用方法

規則第11条に規定する基準の細部解釈及び運用方法については「自然公園法の行為の許可基準の細部解釈及び運用方法」（別途発出予定）において定める予定である。

⑷　地種区分未定の特別地域における行為の許可基準

第９条の２に基づく地種区分が未定の特別地域における行為については、森林の施業に係る行為については森林法第５条第１項の地域森林計画に定める伐採の要件を基準とし（附則第４項）、それ以外の行為については当該行為が第２種特別地域において行われるものとみなして第11条第１項から第23項まで及び第30項の基準を適用する旨の経過措置を規定する。（附則第３項関係）

6　国定公園特別地域、特別保護地区若しくは海中公園地区内における行為の許可又は国の機関からの協議に係る環境庁長官との同意を要する協議が必要な行為を規定（第11条の２、第12条の２、第13条の２、第19条）

第２の８にあるとおり、機関委任事務の廃止に伴い、都道府県の自治事務への関与として、国定公園の特別地域、特別保護地区又は海中公園地区内における行為の許可の一部（国定公園の風致又は景観に重大な影響を及ぼし得る大規模な行為又は国際条約に基づき国が保全する責務を負う国際的な登録地に係る行為）については、許可に当たって環境庁長官との同意を要する協議が必要とされたため、事前の同意を要する協議が必要な行為として次の⑴及び⑵の行為を定める。

⑴　大規模な行為

①　特別地域又は特別保護地区内において行われるその高さが50メートル又はその地上部分の容積が３万立方メートルを超える工作物の新築、改築又は増築（改築又は増築後において、その高さが50メートル又はその地上部分の容積が３万立方メートルを超える工作物となる場合における改築又は増築を含む。）（第11条の２

第１号、第12条の２第１号）

② 特別地域又は特別保護地区内において行われる面積が20ヘクタールを超える土地の開墾その他土地の形状の変更又は水面の埋立て若しくは干拓（第11条の２第２号、第12条の２第１号）

③ 海中公園地区において行われるその容積が３万立方メートルを超える工作物の新築、改築又は増築（改築又は増築後において、その容積が３万立方メートルを超える工作物となる場合における改築又は増築を含む。）（第13条の２第１号）

④ 海中公園地区において行われる面積が20ヘクタールを超える海面の埋立て若しくは干拓又は海底の形状の変更（第13条の２第２号）

⑵ 国際的な登録地に係る行為

① 特別地域内の区域のうち、特に水鳥の生息地として国際的に重要な湿地に関する条約第２条１に規定する登録簿に掲げられている湿地の区域であって環境庁長官が指定するもの（以下「指定湿地」という。）又は世界の文化遺産及び自然遺産の保護に関する条約第11条２に規定する一覧表に記載されている同条約第１条に規定する文化遺産が所在する場所及びその周辺の区域若しくは同条約第２条に規定する自然遺産の区域であって環境庁長官が指定するもの（以下「指定世界遺産区域」という。）内において行われる次に掲げる行為（第11条の２第３号）

イ その高さが13メートル又はその水平投影面積が1000平方メートルを超える工作物（住宅及び仮工作物を除く。）の新築、改築又は増築（改築又は増築後において、その高さが13メートル又はその水平投影面積が1000平方メートルを超える工作物（住宅及び仮工作物を除く。）となる場合における改築又は増築を含む。）

ロ 砂防法第１条に規定する砂防設備、漁港法第３条に規定する漁港施設、港湾法第２条第５項に規定する港湾施設、海岸法第２条第１項に規定する海岸保全施設又は地すべり等防止法第２条第３項に規定する地すべり防止施設の新築

ハ ダム、水門又はパラボラアンテナの新築、改築又は増築

ニ 木竹の伐採（森林法第５条第１項の地域森林計画に定める伐採に関する要件に適合するものを除く。）、鉱物の掘採又は土石の採取、河川、湖沼等の水位又は水量に増減を及ぼさせる行為及び水面の埋立て又は干拓

ホ ゴルフコースの用に供するために行う土地の形状の変更（面積が1000平方メートル以下の土地に係るものを除く。）

② 特別地域又は特別保護地区において行われる指定湿地又は指定世界遺産区域内の河川、湖沼等の水位又は水量に増減を及ぼさせる行為（第11条の２第４号、第12条の２第１号）

③ 指定湿地又は指定世界遺産区域内に法第17条第３項第４号の２の規定により環

境庁長官が指定した湖沼又は湿原の全部又は一部が含まれる場合にあっては、特別地域において行われる当該湖沼又は湿原に係る汚水又は廃水の排出（第11条の２第５号）

④　特別保護地区内の指定湿地又は指定世界遺産区域内において行われる法第18条第３項各号に掲げる行為（第12条の２第１号及び第３号に掲げる行為を除く。）（第12条の２第２号）

⑤　指定湿地又は指定世界遺産区域内に法第18条第３項第１号の規定により環境庁長官が指定した湖沼又は湿原の全部又は一部が含まれる場合にあっては、特別保護地区において行われる当該湖沼又は湿原に係る汚水又は廃水の排出（第12条の２第３号）

⑥　海中公園地区内の指定湿地又は指定世界遺産区域内において行われる法第18条の２第３項各号（第６号を除く。）に掲げる行為（第13条の２第３号）

⑦　海中公園地区の区域内に指定湿地又は指定世界遺産区域内の全部又は一部が含まれる場合にあっては、当該海中公園地区内において行われる汚水又は廃水の排出（第13条の２第４号）

⑶　同意を要する協議が必要な国の機関からの協議に係る行為（第19条）

国の機関からの法第40条第１項に基づく協議のうち、上記⑴及び⑵に相当する行為に係るものについても同様に、環境庁長官との同意を要する協議を必要とすることとする。

⑷　指定湿地及び指定世界遺産区域の指定

国際的な登録地として、⑵の規定が適用されるのは、環境庁長官が指定した指定湿地及び指定世界遺産区域の地域に限られる。これらの地域は、「自然公園法施行規則第11条の２第３号、第12条の２第２号及び第13条の２第３号に規定する国定公園の指定湿地」（平成12年３月21日環境庁告示第13号）及び「自然公園法施行規則第11条の２第３号、第12条の２第２号及び第13条の２第３号に規定する国定公園の指定世界遺産区域」（平成12年３月21日環境庁告示第14号）において指定された。

7　地方分権一括法の施行に伴う特別保護地区内において許可を要しない行為の見直し（第13条）

地方分権一括法により鳥獣保護及狩猟ニ関スル法律（大正７年法律第32号。以下「鳥獣保護法」という。）第12条第１項の規定による許可に関する事務が国の直接執行事務及び自治事務となったことに伴い、現在、鳥獣保護法第12条第１項の規定による許可を受けている場合は一律に法第18条第３項の許可を要しないとする取扱いを改め、鳥獣保護法と自然公園法の許可権者が異なる場合は、それぞれ個別に許可を受けることが必要であることとした。

また、傷病その他の理由により緊急に保護を要する動物の捕獲又はそれらの卵の採取は、景観の維持に資することから、許可を要しないものとする。

なお、一部改正総理府令附則第２項の規定により、平成12年３月31日までに鳥獣保護法第12条第１項の規定による許可を受けている場合については、施行日後当該許可の有効な間は、法第18条第３項の許可を要しない。

8　書類の経由に係る規定を削除（旧第19条）

機関委任事務制度の廃止に伴い、法、令又は規則の規定により環境庁長官に提出する書類は都道府県知事を経由する旨を定めた規定を削除する。

9　令附則第４項の規定に基づく報告の内容等（附則第５項）

令附則第４項の規定に基づき、都道府県知事が国立公園に係る法定受託事務を処理したときに環境庁長官に対して行う事務の報告の内容等を定める。

10　令附則第３項第５号の規定に基づき立入り等を行う都道府県の職員が使用する身分証の様式（附則第６項、様式第６関係）

令附則第３項第５号の規定に基づき立入り等を行う都道府県の職員が使用する身分証の様式を定める。

第６　その他

1　国の機関からの法第40条に基づく協議の取扱いについて

法第40条第１項に基づく国の機関からの協議については、同意をするに当たりよるべき基準を定めてはいないが、規則第11条各項に定める行為の許可基準を準用して取扱うこととする。ただし、環境庁と国の機関との間で国の機関の行為の取扱いが定められている場合はこれによるものとし、例えば、国有林に係る森林の施業については「自然公園区域内における森林の施業について」（昭和34年11月９日付け国発第643号、厚生省国立公園部長通知）別紙（昭和34年８月12日付け国発第468号国立公園部長照会、昭和34年11月２日付け34林野指第6417号林野庁長官回答）の取扱いによるものとする。

したがって、国定公園内の国有林野における森林施業に係る法第40条第１項の協議についても、次により取り扱われることが望ましい。

①　国定公園の特別地域（地種区分未定の特別地域を除く。）の国有林野に係る法第40条第１項の規定に基づく協議については、「自然公園区域内における森林の施業について」別紙の第１の１の２の⑴、⑵及び⑶の内容に基づき取り扱うこと。

②　国定公園の地種区分未定の特別地域又は特別保護地区内の国有林野における森林の施業に関する制限については「自然公園区域内における森林の施業について」別紙の第１の１の２前文ただし書き又は第１の１の３に基づく協議が林野庁と環境庁との間で行われた場合には、その結果を当庁より通知するので、当該区域内の国有林野に係る自然公園法第40条第１項の規定に基づく協議は、これに基づき取り扱うこと。

2　鉱業法（昭和25年法律第289号）第24条の規定に基づく鉱業権設定に係る協議について

標記協議が、地方通商産業局長から都道府県知事に対して行われた場合、「国立公園及び国定公園の許可、届出等取扱要領」（以下「旧要領」という。）第38に基づき、都道府県知事から自然保護局長に対して事前の協議が行われていたが、旧要領の廃止に伴い、都道府県に対する国の関与の見直しの一環として、当該協議は廃止される。都道府県においては、鉱業法第24条の規定に基づく鉱業権の設定協議が行われた場合には、国立公園の保護と利用の観点からも適切に対処願いたい。

なお、従来の自然保護局長への協議の廃止は、鉱業法第24条の規定に基づく都道府県知事への鉱業権の設定協議が行われた場合であって、協議に係る地域と国立公園の保護及び利用との関係について確認する必要がある場合に、必要に応じて都道府県の任意により、環境庁に対して意見照会を行うことを妨げるものではない。

また、国立公園の保護のために鉱業等に係る土地利用の調整手続等に関する法律（昭和25年法律第292号）第22条の規定する鉱区禁止地域の指定を行う必要があると認めるときは、その旨、自然保護事務所長まで御連絡願いたい。

3　国立公園の地種区分未定の特別地域における民有林の施業に関する手続について

旧要領第40に基づき、国立公園の特別地域のうち、地種区分未定の地域における民有林の施業に関し、都道府県知事が森林法第５条第１項の規定による地域森林計画を編成するに当たっては、あらかじめ、森林計画区ごとにその施業要件を定め、当該計画を編成する年度の９月末日までに都道府県知事の意見を付して環境庁長官に提出し、承認を受けることとしていたが、旧要領の廃止に伴い、都道府県に対する国の関与の見直しの一環として、当該協議は廃止される。

なお、国立公園の特別地域のうち地種区分未定の特別地域における地域森林計画の樹立に当たっては、平成12年度樹立のものから、森林法第６条第５項の規定に基づき、地域森林計画の樹立に当たって都道府県知事から農林水産大臣に協議が行われた際に、その回答に先立ち、林野庁長官から自然保護局長に対し協議が行われることとなっている。

4　既存の通知の取扱い

既存の各種通知については、それぞれ以下のとおり取扱う。

(1)　以下に掲げる通知は、平成12年３月31日をもって廃止される。

・「国立公園内（普通地域を除く。）における各種行為に関する審査指針について」（昭和49年11月20日付け環自企第570号当職通知）

・「国立公園内（普通地域を除く。）における各種行為に関する審査指針の細部解釈及び運用方法について」（昭和50年３月19日付け環自企第148号当職通知）

・「審査指針によらないことができる特定地域における特定行為の認定について」

（昭和50年３月７日付け環自企第125号環境庁自然保護局企画調整課長通知）

⑵　⑴に掲げる通知以外の通知であって、都道府県に対して発出していたものについては、施行日において機関委任事務に係る通知としては廃止されることとなるが、施行日以降は、地方自治法第245条の４第１項に規定する技術的な助言若しくは勧告又は資料の提出の要求として取り扱うこととする。ただし、別途個別の通知により改正若しくは廃止を行った場合は、この限りではない。

○自然公園法の一部を改正する法律の施行について

〔平成15年４月１日　環自国第135号
各地区自然保護事務所長・各都道府県知事宛
自然環境局長通知〕

自然公園法の一部を改正する法律（平成14年法律第29号。以下「改正法」という。）については、平成14年４月24日付けで公布され、自然公園法の一部を改正する法律の施行期日を定める政令（平成15年政令第33号）によって、平成15年４月１日から施行されることとなった。

また、自然公園法施行令の一部を改正する政令（平成15年政令第34号。以下「改正政令」という。）は平成15年２月５日付けで、自然公園法施行規則の一部を改正する省令（平成15年環境省令第６号。以下「改正省令」という。）は平成15年３月25日付けで公布され、それぞれ平成15年４月１日から施行されることとなった。

これらの内容等は次のとおりであるので、了知の上、その適切な施行に努められたい。

記

第１　改正の趣旨

今回の改正は、我が国の貴重な自然環境の多くの部分が指定されている自然公園において、生物の多様性の確保を図ることに対する要請が、近年、高まってきていることを受けて行われたものである。

このため、⑴利用者の増大等に伴う自然生態系への悪影響、特定の野生動物の採取圧の増大等に対応するため、利用調整地区制度の創設及び特別地域等における規制行為の追加による生態系保全対策の充実を図り、⑵社会・経済状況の変化に伴い、里地・里山、草原等の手入れが行き届かないことにより二次的自然が質的に変化していること、及び、登山道、トイレ等の管理の改善などきめ細かな公園管理の必要性に対応するため、風景地保護協定制度及び公園管理団体制度を創設し、⑶国及び地方公共団体の責務の追加、特別地域等の行為規制に違反した者に対する中止命令等、都道府県立自然公園に関する規定の拡充及び違反行為に対する罰則の強化などの措置を講ずることとしたものである。

第２　国及び地方公共団体の責務の追加（改正法第３条第２項関係）

⑴　国及び地方公共団体の責務として、「自然公園における生物の多様性の確保を旨として、自然公園の風景の保護に関する施策を講ずること」を追加し、風景の保護に関する施策に、生物の多様性の確保の観点が含まれることを明示したものである。これ

は、これまでも実質的に寄与していた自然公園における生物の多様性の確保について、法律上明確に位置付けたものである。

⑵　なお、「自然公園の風景の保護に関する施策」は、自然公園法（昭和32年法律第161号）に基づく施策を意味するものであり、自然公園の区域内において実施される施策及び自然公園の区域外において実施される施策であって自然公園の風景の保護に影響を及ぼす可能性のある施策の全般を指すものではない。

第３　特別地域（特別保護地区を除く。以下第３及び第８において同じ。）及び特別保護地区における規制の追加（改正法第13条第３項及び第14条第３項関係）

特別地域及び特別保護地区においては、各種行為が許可を受けなければしてはならない行為とされているところである。しかし、近年、規制がなされていないことにより特に問題になっている行為について、新たに許可を受けなければしてはならない行為としたものである。

１　特別地域における土石などの環境大臣が指定する物の集積等の規制（改正法第13条第３項第７号関係）

⑴　国立公園又は国定公園の特別地域において、廃車や廃タイヤの集積などにより風致の保護に支障がある事例がみられるため、環境大臣が指定する物の集積等を新たに許可を受けなければしてはならない行為としたものである。

環境大臣が指定する物と限定した理由は、特別地域においては農林業を始めとした各種産業が行われているため、特別保護地区のようにすべての物を対象とすることが不合理であるためである。

⑵　物の集積等の許可は、風致の維持上支障がない場合に行うものとし、許可基準を改正省令第11条第19項に規定した。

物の集積等は、一時的に行われる行為であることから、期限を限って許可をすることが適当である。ただし、物の集積等が一定の期間に継続して行われる場合、適正な規模及び期間の範囲内においては、包括的に許可を与えることも差し支えない。

なお、物の集積等を主たる行為の関連行為として行う場合は、従来の運用と同じく、主たる行為と一括して審査するものである。

また、特別地域にはかなりの集落地、農地等が存在し、日常の人間活動が営まれていること等にかんがみ、軽易な行為等を、許可を要しない行為として改正省令第12条第26号の３から同条第26号の12までに規定した。なお、同条第26号の５に規定する「森林内」には、林道脇及び土場についても含まれるものである。また、同条各号に規定する行為に付帯するものについては、同様に許可を要しない行為として取り扱うものである。

⑶　改正法施行時又は新たな物の指定時に、国立公園又は国定公園において指定され

た物の集積等を既に行っている場合は、改正法第13条第３項ただし書の規定により、許可を受けることなくその物の集積等を継続できることとなる。ただし、改正法施行又は新たな物の指定の後、物の集積等の量が著しく増加等した場合には、新たに許可を要するものとなるので、改正法第13条第６項の規定に基づき、既に着手している集積等の内容を届け出させ、その現況について十分に把握しておく必要がある。

⑷　特に廃棄物に関する物の集積等については、関係地方公共団体の廃棄物担当部局と密接な連携をとって事務を行うことが望ましい。

2　特別地域における環境大臣が指定する植物の採取等に関する規定の改正（改正法第13条第３項第10号関係）

改正法第13条第３項第10号に係る今回の改正は、法技術的な修正によるものであり、指定する植物の範囲を拡大することを意図したものではない。また、「高山植物その他の植物」は改正前の「高山植物その他これに類する植物」と実質的に同義であって、これにより指定要件が変更されるものではない。

3　特別地域における環境大臣が指定する動物の捕獲等の規制（改正法第13条第３項第11号関係）

⑴　特別地域において、高山に生息する蝶など動物の捕獲により風致の保護に支障が生じる事例が見られるため、環境大臣が指定する動物の捕獲等を、新たに許可を受けなければしてはならない行為としたものである。なお、「山岳に生息する動物」は、特定の環境下において生息する動物の例示であり、山岳以外に生息する動物を対象としないという意味ではない。

⑵　動物の指定については、植物の指定と同様、学識経験者や有識者等の意見を聴取し、公園ごとに行うものとする。

⑶　指定動物の捕獲等の許可は、指定植物の採取と同様、学術研究その他公益上必要な場合に行うこととし、許可基準を改正省令第11条第22項に規定した。

また、特別保護地区における同様の規制による許可を要しない行為にかんがみ、軽易な行為等を許可を要しない行為として改正省令第12条第27号の２から第27号の６までに規定した。

なお、農林漁業や鉱物の掘採等に伴って生じる動物の捕獲若しくは殺傷又は動物の卵の採取若しくは損傷であって故意によらないもの及び動物の死体又は死体の部位に係る同等の行為については、規制の対象となるものではない。

4　特別地域又は特別保護地区における湿原などの環境大臣が指定する区域（以下「立入り規制地区」という。）への立入りの規制（改正法第13条第３項第13号及び第14条第３項第１号関係）

⑴　湿原など、人の立入りにより破壊されやすい脆弱な自然について、立ち入る者に

よってその貴重な自然が壊されることを防ぐため、環境大臣が指定する区域への人の立入りを新たに許可を受けなければしてはならない行為としたものである。

⑵　立入り規制地区の指定等

①　立入り規制地区の指定は、脆弱な湿原、特異な微地形、重要な野生動植物の生息地又は生育地などにおいて、人の立入り（保護の対象となるものを踏みつける行為。第３．４⑵において以下同じ。）による影響が顕著な場合又は人の立入りによる影響が生じることが十分に予想される場合であって、法に基づく規制以外に保護対策がない場合に行うものである。

立入り規制地区については、特別の事由がない限り、特別保護地区あるいは第１種特別地域に指定されている地域であって、次のいずれかに該当するものを指定するものである。

(a)　自然植生地（高山・亜高山植物群落、風衝地、重要湿地等）

(b)　重要な野生動植物の生息地、生育地又は繁殖地として重要な地域

(c)　地形、地質が特異である地域又は特異な自然現象が生じている地域

また、規制を行う期間については、人の立入りによって回復困難な影響を受けるおそれがある期間を定めて指定するものである。

なお、立入り規制地区の指定に当たっては、人の立入りによって保護の対象となるものが回復困難な影響を受けるおそれのある場合に、鑑賞の対象となる風景を保護する目的で、必要最小限の範囲を指定するものとする。

このため、利用者の数を制限しないことを前提に整備が行われている区域又は現に農林業が実施されている区域は指定の対象とならないものである。

②　指定後において当該要件に適合しなくなった場合にあっては、指定を解除するものである。

⑶　立入り規制地区の指定に当たっての手続き

①　立入り規制地区の指定は、公園計画に位置付けるとともに、官報に公示して行うこととしている。このため、区域を指定する際には、公園計画の変更として改正法第55条に基づき関係行政機関に協議するものとする。

②　立入り規制地区及び規制を行う期間の指定（区域の拡張及び期間の延長を含む。）に当たっては、関係都道府県及び関係市町村の意見を聴き、同意を得るとともに、その区域内の土地について所有権、地上権又は賃借権（臨時設備その他一時使用のため設定されたことが明らかなものを除く。）を有する者（以下「土地所有者等」という。）の財産権を尊重し、原則として土地所有者等の同意を得るべきものである。

⑷　立入り規制地区への立入りの許可に際しての取扱い

①　立入りの許可は、学術研究その他公益上必要な場合等に行うこととし、許可基

準を改正省令第11条第24項に規定した。

また、立入り規制地区における軽易な行為等について、許可を要しない行為として改正省令第12条第29号の２から第29号の17までに規定した。

② 国立公園における立入り規制地区への立入りに対する環境大臣の許可について、当該区域と重複する河川区域又は海岸保全区域若しくは一般公共海岸区域（以下「河川区域等」という。）に係る河川管理者及び海岸管理者（以下「河川管理者等」という。）と相互に連絡調整するものとする。

また、国定公園における立入り規制地区への立入りに対する都道府県知事の許可について、当該区域と重複する河川区域等に係る河川管理者等と相互に連絡調整することが望ましい。

5 特別地域又は特別保護地区における政令で定める行為の規制（改正法第13条第３項第15号及び第14条第３項第10号関係）

本号は、今後特別地域又は特別保護地区において、機動的に規制を追加する必要が生じたときに備え、行為の規制について政令で定めることができるよう規定したものであり、今回の改正政令において追加された行為はない。

第４ 利用調整地区制度の創設（改正法第15条から第23条まで関係）

1 利用調整地区の制度の意義

近年、国民の自然志向の変化等によって、人為的な影響を従来あまり受けていなかった原生的な自然環境を有する地域等を訪れる利用者が増加し、当該地域の原生的な雰囲気が失われたり、風致景観の維持及び生物の多様性の保全上の支障が生じている事例が見られる。これらの環境影響が生じている地域又は生じるおそれがある地域における公園利用については、一定のルールとコントロールの下で行うことにより、環境影響を低減して当該地域を持続的に利用していくとともに、より深い自然とのふれあいの体験が得られる場として誘導していくことが重要である。

このため、国立公園又は国定公園の風致又は景観の維持とその適正な利用を図るため、公園利用者の立入人数等を調整することができる利用調整地区の制度を設けた。

これにより、自然保護のための環境影響の低減を基本として、将来にわたって良好な自然環境を享受し、併せてより深い自然とのふれあいの体験を利用者に提供するために本制度を活用していくものである。

なお、利用調整地区は、公園利用を前提として管理が行われる地区であり、利用者数や利用期間を調整することにより利用者を立入禁止とする運用は行われ得ないものであり、立入り規制地区とは異なる。

2 利用調整地区の指定等

⑴ 利用調整地区の指定等

① 利用調整地区は、利用者圧による風致景観に及ぼす影響を回避する目的で、原

生的な自然環境を構成する風景地であって、科学的知見に基づき得られた客観的な根拠により、植生等の荒廃が認められる又はそのおそれがある地域において指定するものである。

このため、利用調整地区には原則として農地及び採草放牧地を含めないこととし、利用者の数を制限しないことを前提に整備が行われている区域、既設の都市公園及び特定地区公園（社会資本整備重点計画法施行令第２条第２号に規定する公園をいう。）の区域並びに臨港地区及び港湾法に規定する港湾計画において土地利用を計画している区域は指定の対象とならないものである。

②　環境大臣が定める利用を調整する期間については、例えば積雪によって立入りによる風致又は景観への影響が少ない時期などがある場合、当該期間を除いて定めるものである。

③　利用調整地区の指定の理由、必要性がなくなった場合にあっては、指定を解除するものである。

⑵　利用調整地区の指定に当たっての手続き

①　利用調整地区の指定に当たっては、土地所有者等の財産権を尊重し、原則として土地所有者等の同意を取るべきものである。

②　利用調整地区に史跡名勝天然記念物又は埋蔵文化財が含まれる場合については、文化財保護部局（教育委員会）と十分な調整を行うことが望ましい。

⑶　その他

利用調整地区は、特別地域内に指定される地区であるため、当然のことながら、行為の規制については、改正法第13条の特別地域（特別保護地区を除く。）又は改正法第14条の特別保護地区の規制が適用される。

3　利用調整地区における利用の認定等

利用調整地区の利用者数等を調整するため、環境大臣が指定する期間内に立ち入ろうとする者は、環境大臣又は都道府県知事（指定認定機関が指定されている場合は指定認定機関）による立入りの認定等を受けなければならないこととしている。

認定の基準については改正省令第13条の４に規定されており、利用調整地区ごとの詳細な基準は、別途告示により利用調整地区の指定後に定めることとなる。

⑴　国立公園又は国定公園の利用者（改正法第16条第１項）

国立公園又は国定公園の利用者の立入りについては、環境大臣又は都道府県知事（指定認定機関）に申請を行い、認定の基準に適合している旨の認定を受けることが必要である。

認定を受けた者が利用調整地区内に立ち入るときは、交付された立入認定証を携帯しなければならない。

⑵　利用者以外の者

① 許可を受けることが必要でない者（改正法第15条第３項第１号から第５号まで）

特別地域等において許可を受けた行為等を行うため、非常災害のためその他の理由により利用調整地区に立ち入る必要がある者は、認定や許可を受けずに立ち入ることができる。この立入りについては、当然、その目的を達成する範囲内に限られるものである。

また、改正法第15条第３項第５号の規定による認定を要しない軽易な行為等については、改正省令第13条の３に規定した。なお、営農に必要な通作、農産物等輸送、農業用に栽培した木竹の伐採、牧野改良のためにいばら、かん木等の除去、農業用に栽培する木竹の植栽及び家畜を係留、放牧は、改正省令第13条の３第３号に規定する「農業を営むために通常行われる行為」に含まれる。

② 許可を受けることが必要な者（改正法第15条第３項第６号）

①に該当しない者がやむを得ず立ち入る場合は、環境大臣又は都道府県知事の許可を受けることが必要である。

このやむを得ない事由については、学術研究その他公益上必要と認められるものが該当する。

なお、国立公園における利用調整地区への立入りに対する改正法第15条第３項第６号の規定による環境大臣の許可について、利用調整地区と重複する河川区域等に係る河川管理者等と相互に連絡調整するものとする。

また、国定公園における利用調整地区への立入りに対する同号の規定による都道府県知事の許可について、利用調整地区と重複する河川区域等に係る河川管理者等と相互に連絡調整することが望ましい。

4　指定認定機関

利用調整地区に関する認定関係事務については、当該地区に近接した場所で効率的に行われることが望ましいため、これを地元の団体等を指定して行わせることができることとしたものである。指定認定機関については、利用調整地区ごとに指定することとし、適正かつ確実な認定関係事務の執行を確保するため、指定認定機関の遵守事項及び秘密保持義務、環境大臣又は都道府県知事による監督命令、報告徴収及び立入検査等の規定を設けた。

5　認定のための手数料

認定又は立入認定証の再交付のための手数料は、利用調整地区に立ち入る公園利用者の負担とし、それにより認定関係事務を行うこととしたものである。手数料の額については、国立公園においては、改正政令第18条に規定した額の範囲内で、利用調整地区ごとに環境大臣が定めることとしている。

第5　中止命令等違法行為に対する是正措置の強化（改正法第27条関係）

⑴　違反行為を行っている者が、当該行為を継続した場合には、風致景観への支障が増大することから、違反した者に対して行為の中止を命令することができることとした。

⑵　原状回復等の命令について、工作物を他の者に譲渡してしまう等悪質な案件等に対応できるよう、工作物等の権利の承継者への原状回復等の命令の規定を設けた。

⑶　また、原状回復等を命ずべき者を確知できない場合においても、環境大臣又は都道府県知事がその者の負担において原状回復等を行うことができることとし、行為者が確知できない風致景観の保護上支障のある工作物等に対応できるよう措置した。

第６　風景地保護協定制度の創設（改正法第２章第４節関係）

⑴　風景地保護協定制度は、国立公園及び国定公園内の自然の風景地について土地所有者等による十分な管理を行うことが困難な場合等に、環境大臣又は地方公共団体若しくは公園管理団体が、土地所有者等との間で自然の風景地の保護のための協定（風景地保護協定）を締結し、当該土地所有者等に代わり自然の風景地の管理を行うことができることとしたものである。

この制度は、これまで第一次産業等の営みにより保たれてきた草原や里地里山などの二次的な自然の風景地の保護のための管理活動を行う特定非営利活動法人（ＮＰＯ法人）等が増えてきたことを踏まえて創設したもので、ＮＰＯ法人等又は地方公共団体の自発的な意思による自然の風景地の保護のための管理活動の推進を図るものである。なお、ＮＰＯ法人等が風景地保護協定に基づく自然の風景地の管理に関するものを行う場合は、改正法第37条第１項の規定による公園管理団体の指定を受ける必要がある。

⑵　風景地保護協定に基づく管理活動を円滑に進めるため、改正法第13条第９項第２号等の規定により、風景地保護協定に基づいて行う行為に対する特別地域の許可を受けることが不要となる等の特例措置を設けた。

⑶　風景地保護協定が締結された土地に係る税については、特別土地保有税を地方税法の改正により免除するとともに、相続税等の評価額を協定による制約に見合った適正な評価額とすることとされており、これらにより土地所有者の負担が軽減される。

⑷　また、風景地保護協定は、改正法第36条の規定により土地所有権が承継された場合にも効力が継続されるため、改正政令附則第６条の規定により宅地建物取引業法施行令（昭和39年政令第383号）第３条第１項第18号の規定が改正され、不動産取引の際の重要事項として説明することが求められることとなった。

⑸　風景地保護協定の内容及び税負担の軽減のための手続き等については、別途「風景地保護協定取扱指針」を定め、通知する。

第７　公園管理団体制度の創設（改正法第２章第５節関係）

⑴　公園管理団体制度は、民間団体や市民による自発的な活動を通して、自然の風景地

の保護及びその適正な利用の一層の推進を図る観点から、一定の能力を有する公益法人、ＮＰＯ法人等について、国立公園にあっては環境大臣が、国定公園にあっては都道府県知事が、その申請により公園管理団体として指定し、風景地保護協定に基づく自然の風景地及び公園内の利用に供する施設の管理主体等として位置付けるものである。つまり、この制度は、地域住民等を含めた民間の方々の公園管理への参画を促進することにより、自然の風景地の保護及びその適正な利用の推進を図るものであり、この趣旨を踏まえて公園管理団体の指定を行うこととする。

⑵　公園管理団体は、風景地保護協定の締結主体として協定区域内の自然の風景地の管理を行うほか、協定区域外においても、植生の復元、登山道等公園施設の巡視及び補修、情報提供、利用実態調査など幅広い業務に携わることができる。

⑶　公園管理団体の指定及び業務等については、別途「公園管理団体取扱指針」を定め、通知する。

第８　都道府県立自然公園（改正法第60条から第66条まで関係）

⑴　改正法第60条から第62条までの規定により、都道府県立自然公園においても、条例で、特別地域等における行為規制の追加並びに利用調整地区、風景地保護協定及び公園管理団体の制度を定めることができることとなった。

なお、都道府県立自然公園における利用調整地区の指定に当たっては、改正法第66条の規定により国の関係地方行政機関の長と協議しなければならない。

さらに、都道府県立自然公園において立入り規制地区を指定しようとする場合にあっては、国立公園及び国定公園における運用と同様、改正法第66条に準じて国の関係地方行政機関の長と調整することが望ましい。

⑵　特別地域における規制が追加されたことに伴い、改正法附則第７条の規定のとおり、改正法附則第６条の規定による改正後の租税特別措置法（昭和32年法律第26号）第34条の２第２項第25号及び第65条の４第１項第25号の認定は失効する。このため、改正法施行日（平成15年４月１日）以降に当該条項の適用を受けるためには、自然公園法に基づく都道府県条例に規定する特別地域が国立公園及び国定公園の特別地域と同様の規制である旨の認定を再度受ける必要がある。

また、地価税法（平成３年法律第69号）別表第１第１号イの適用を受けるための地価税法施行規則（平成３年大蔵省令第31号）第３条第２項の規定による指定についても同様に取り扱われる。

なお、これらの手続きの詳細については、平成15年３月７日付け環自総第151号により、当職から都道府県知事宛て通知したところである。

第９　自然再生施設の公園事業となる施設への追加（改正政令第１条第12号及び第19条第12号関係）

⑴　損なわれた自然環境について、当該自然環境を再生させる取り組みが各地で行われ

始めており、関係府省等により自然再生に係る事業が推進されているところである。優れた自然の風景地を指定している国立公園及び国定公園においても、公園の保護の施策の一環として、損なわれた自然環境の再生を積極的に進めて行くべきであるため、公園事業となる施設の種類に追加したものである。

(2)　公園事業となる自然再生施設は、政令に規定するとおり、過去に損なわれた自然環境について、複数の施設を一体的に整備することにより、当該地域の生態系の健全性を回復させることを目的とする施設である。なお、植生の復元のみを行う場合は、従前どおり植生復元施設として取り扱うものである。

(3)　また、自然再生施設を改正政令第19条に追加することにより、都道府県が国立公園又は国定公園において当該施設を整備する際に、補助金を支出できるように措置した。

(4)　森林に関する自然再生施設について、都道府県の自然公園担当部局が改正法第44条の規定に基づく補助事業として実施しようとするときは、施策の効果的な実施を図る観点から、都道府県の自然公園担当部局はあらかじめ林務担当部局（民有林直轄治山事業に係るものについては森林管理（分）局を含む。）と十分に連絡調整することが望ましい。

第10　その他

今回の改正前の自然公園法、自然公園法施行令及び自然公園法施行規則に基づく告示及び通知について、今回の改正により条項名のずれが生じるものが多数あるが、これらの告示及び通知については、改正法施行日（平成15年４月１日）以降も条項名を読み替えて適用することとする。

なお、当該告示及び通知について改正を行う場合には、当該告示及び通知中の条項名を改正法、改正政令及び改正省令の条項名に、順次改正していくこととしている。

○自然公園法施行規則の一部を改正する省令の施行について

〔平成16年４月１日　環自国発第040401001号
各地区自然保護事務所長・各都道府県知事宛
自然環境局長通知〕

自然公園法施行規則の一部を改正する省令（平成16年環境省令第６号）は、平成16年３月29日に公布され、平成16年４月１日から施行されることとなった。

その内容等は次のとおりであるので、了知の上、その適切な施行に努められたい。

記

第１　改正の趣旨

近年の新エネルギー導入促進施策の拡大等の社会的動向を反映して、各地で急速に風力発電の導入が進みつつあり、国立・国定公園内においても風力発電施設の設置に関する取扱方針を明確にする必要性が高まっていた。これを踏まえ、当省においては「国立・国定公園内における風力発電施設設置のあり方に関する基本的考え方」（平成16年２月環境省自然環境局。以下「基本的考え方」という。）を取りまとめたところである。今回の自然公園法施行規則の改正は、この「基本的考え方」の内容を受け、風力発電施設の新築、改築及び増築に関する許可の審査基準を新たに定めるとともに、併せて自然環境保全に関する他法令との整合を図るための所要の改正を行うものである。

第２　風力発電施設の新築等に関する許可の審査基準の追加（第11条第11項第11号関係）

環境大臣又は都道府県知事が自然公園法（昭和32年法律第161号）第13条第３項第１号、第14条第３項第１号及び第24条第３項第１号の規定により特別地域、特別保護地区及び海中公園地区内において風力発電施設の新築、改築及び増築の許可をするに当たっては、従前、改正前の自然公園法施行規則（昭和32年厚生省令第41号）第11条第11項第12号及び第32号により審査を行っていたところであるが、今般新たによるべき基準として、以下の内容を定めることとした。

①　当該風力発電施設の色彩及び形態がその周辺の風致又は景観と著しく不調和でないこと。

②　当該風力発電施設の撤去に関する計画が定められており、かつ、当該風力発電施設を撤去した後に跡地の整理を適切に行うこととされているものであること。

③　当該風力発電施設に係る土地の形状を変更する規模が必要最小限であると認められること。

④　支障木の伐採が僅少であること。

⑤　以下の規定の例によること。ただし、学術研究その他公益上必要であり、かつ、申請に係る場所以外の場所においてはその目的を達成することができないと認められる風力発電施設の新築、改築又は増築にあっては、この限りでない。

一　次に掲げる地域内において行われるものでないこと。

ア　特別保護地区、第１種特別地域又は海中公園地区

イ　第２種特別地域又は第３種特別地域のうち、植生の復元が困難な地域等（次に掲げる地域であって、その全部若しくは一部について文化財保護法（昭和25年法律第214号）第69条第１項の規定による史跡名勝天然記念物の指定若しくは同法第70条第１項の規定による史跡名勝天然記念物の仮指定がされていること又は学術調査の結果等により、特別保護地区又は第１種特別地域に準ずる取扱いが現に行われ、又は行われることが必要であると認められるものをいう。）であるもの

・高山帯、亜高山帯、風衝地、湿原等植生の復元が困難な地域

・野生動植物の生息地又は生育地として重要な地域

・地形若しくは地質が特異である地域又は特異な自然の現象が生じている地域

・優れた天然林又は学術的価値を有する人工林の地域

二　当該風力発電施設が主要な展望地から展望する場合の著しい妨げにならないものであること。

三　当該風力発電施設が山稜線を分断する等眺望の対象に著しい支障を及ぼすものでないこと。

⑥　野生動植物の生息又は生育上その他の風致又は景観の維持上重大な支障を及ぼすおそれがないものであること。

当該基準の運用にあたっては、「自然公園法の行為許可の基準の細部解釈及び運用方法について」（平成12年８月７日付け環自国第448－３号環境庁自然保護局長通知）によるほか、「基本的考え方」の内容を踏まえて適切な施行を図られたい。

なお、当該基準には経過措置が置かれており、施行日前に申請がされた行為について、施行日以降に行為の許可又は不許可の処分を行う場合には従前の基準が適用される。

第３　国立公園の特別地域等における許可等を要しない行為についての鳥獣保護法等の規定との整合性の確保（第12条第27号の３関係）

国立公園において、鳥獣の保護及び狩猟の適正化に関する法律（平成14年法律第88号。以下「鳥獣保護法」という。）第９条第１項の規定による環境大臣の許可に係る鳥獣の捕獲等を行う場合は、改正前の自然公園法施行規則第12条第27号の３及び第13条第１号の規定により、自然公園法第13条第３項及び第14条第３項の許可又は届出を要しないこととされている。

一方、鳥獣保護法第９条第13項の規定により、絶滅のおそれのある野生動植物の種の

保存に関する法律（平成４年法律第75号。以下「種の保存法」という。）第４条第３項に規定する国内希少野生動植物種及び同法第５条第１項に規定する緊急指定種に係る鳥獣保護法第９条第１項の鳥獣の捕獲等又は鳥類の卵の採取等については、種の保存法第10条第１項の許可を受けたとき、又は同法第54条第２項の規定により国の機関が環境大臣に協議をしたとき若しくは地方公共団体が環境大臣に協議しその同意を得たときは、鳥獣保護法第９条第１項の許可（環境大臣に係るものに限る。）を受けることを要しないとされているが、このような場合についても、「鳥獣保護法第９条第１項の規定による環境大臣の許可に係る」ものとして、改正前の自然公園法施行規則第12条第27号の３の規定の対象となるか否かについては必ずしも明らかではない。

このため、今回の改正では、国立公園における前記の種の保存法第10条第１項の規定による大臣の許可に係る行為等について、特別地域及び特別保護地区内における許可又は届出を要しない行為として改正省令第12条に明記することにより、自然環境保全に関する他法令の不要許可行為等に係る規定との整合を図るものである。

○自然公園法施行令及び自然環境保全法施行令の一部を改正する政令等の施行について

〔平成17年12月16日　環自計発第051216001号・環自国発第051216001号
各都道府県知事・各地方環境事務所・釧路・長野・那覇自然環境事務所長宛　環境省自然環境局長通知〕

自然公園法施行令及び自然環境保全法施行令の一部を改正する政令（平成17年政令第340号）については、平成17年11月16日付けで公布され、平成18年１月１日から施行されることとなった。

また、併せて、自然公園法施行規則及び自然環境保全法施行規則の一部を改正する省令（平成17年環境省令第33号）は平成17年12月15日付けで公布され、平成18年１月１日から施行されることとなった。

これらの内容等は次のとおりであるので、了知の上、その適切な施行に努められたい。

記

第１　改正の趣旨

近年、人為的な植物の植栽や動物の放出（以下「動植物の放出等」という。）により国立公園等の優れた景観や自然環境に影響を及ぼしている事例が大きな問題となっており、また、特定外来生物による生態系等に係る被害の防止に関する法律（平成16年法律第78号）の国会における附帯決議においても、在来種の国内移動による生態系等への被害防止について自然公園法等を活用した規制強化が求められている。

以上を踏まえ、動植物の放出等による優れた景観や自然環境への被害を未然に防止するため、国立公園又は国定公園の特別保護地区内において許可を要する行為として、「木竹以外の植物を植栽し、又は植物の種子をまくこと」及び「動物を放つこと（家畜の放牧を除く。）」を加えるとともに、原生自然環境保全地域において許可を要する行為として、「動物を放つこと（家畜の放牧を除く。）」を加えるものである。本改正により、既存の規制ともあいまって、国立公園又は国定公園の特別保護地区及び原生自然環境保全地域では、原則として全ての動植物の放出等が規制されることとなる。

また、本政令改正に伴い、自然公園法施行規則において、審査基準及び不要許可行為を、自然環境保全法施行規則において、不要許可行為を規定するものである。

第２　国立公園又は国定公園の特別保護地区における規制の追加（改正後の自然公園法施行令第18条関係）

特別保護地区における規制行為は法第14条第３項各号において規定されているが、平成14年の自然公園法改正により、今後、機動的に規制を追加する必要が生じたときに備えて、行為の規制について政令で規定できることとされた（法第14条第３項第10号）。今回の政令改正は、本規定に基づき実施するものである。

1　国立公園又は国定公園の特別保護地区における「木竹以外の植物を植栽し、又は植物の種子をまくこと」及び「動物を放つこと（家畜の放牧を除く。）」の規制（改正後の自然公園法施行令第18条第１号及び同条第２号関係）

(1)　国立公園又は国定公園の特別保護地区において、動植物の放出により景観の保護等に支障がある事例がみられるため、「木竹以外の植物を植栽し、又は植物の種子をまくこと」及び「動物を放つこと（家畜の放牧を除く。）」を新たに「許可を受けなければしてはならない行為」としたものである。

木竹の植栽及び家畜の放牧は、既に規制されており、今回の改正で、原則として全ての動植物の放出等が規制対象となる。

(2)　「木竹以外の植物を植栽し、植物の種子をまくこと」として規制対象となる「植栽する」、「まく」行為とは、これらの行為によって野外での植物の繁殖、生育が可能となるものを指す。このため、本法での「植栽する」には、根の付いた植物や球根等の繁殖器官を植えること、挿し木又は挿し芽を行うこと、水草を繁殖可能な状態で湖沼等に放つこと等も含まれる。

なお、建物内の鉢植えで植物を栽培するような行為については、野外での植物の繁殖、生育が可能となるものではないため、規制の対象とはならない。

(3)　今回、木竹以外の植物の植栽又は植物の種子をまくことが要許可行為とされたところであるが、これに伴い、従来より法面緑化や治山・砂防等の目的で実施されていた緑化（播種工、植栽工、張り芝工、航空実播工等）についても、許可を要することとなる。これらの行為は、今回の改正により要許可行為になることをもって、否定されるべきものではなく、浸食防止や国土保全等の公益性の観点から、また、これまでも各公園の管理計画等に即して行われてきたことから、従前と同様に実施することができるように取り扱うことが必要である。

なお、工作物の新築に伴い生じた裸地の緑化のために植物を植栽し、種子をまく行為は、工作物の新築に附帯する行為として、その申請内容に含めて取り扱って良い。

(4)　「木竹以外の植物を植栽し、又は植物の種子をまくこと」について、公園毎に地域の実情を踏まえた詳細な審査基準を定める場合、又は景観や生物多様性の保全の観点から、新たな科学的知見をもとに緑化工について管理計画等における取扱いを見直していく必要がある場合、あらかじめ関係行政機関（森林管理局を含む。）とも十分に連絡調整を行うことが必要である。

(5)　今回の改正にかかわらず、「自然公園法に基づく国立公園又は国定公園の特別地域内における治山事業の施行に関する取扱いについて」（昭和50年４月23日50林野治第850号林野庁長官から環境庁自然保護局長あて）の照会に対する回答（昭和50年５月26日環自企第267号環境庁自然保護局長から林野庁長官あて）における自然公園法第14条第３項に規定する「非常災害のために必要な応急措置として行う行為」の取扱いは従前どおりとする。

(6)　「動物を放つ」の「放つ」とは、人間の管理下を離れて自由に行動し得る状態に置くことを指す。従って、動物を鎖やリードにつないだまま連れ歩く、建物内に閉じこめて飼養する等により、当該動物が直接的に人間の管理下におかれ、行動の自由を制限されている場合は、規制の対象とはならない。

なお、このことは、他の利用者や野生動物への配慮の観点から各地で実施されてきたペットの連れ込み登山等の自粛要請を今後利用者に対して行うことを妨げるものではない。また、ペットを連れての公園利用を罰則をもって禁じる必要がある場合は、利用調整地区等の指定により対応することが考えられる。

(7)　動物が「人間の管理下を離れて自由に行動し得る状態に置かれている」か否かは、当該動物の性状、動物を放つ態様及び目的等を総合的に考慮し、特別保護地区における景観の維持に実質的な影響を及ぼすおそれのある行為か否かで判断することとなる。例えば、良く訓練された介助犬のリードを一時的に手放し、介助犬を飼い主の近くで休ませているような場合は「放つ」には当たらないと解釈される。

(8)　特別保護地区内の湖沼、河川等において水産動植物を放つ行為も木竹以外の植物を植栽し、若しくは植物の種子をまくこと、又は動物を放つことに該当し規制行為となるが、漁業権に係る水産動植物に限り、以下のとおり取り扱うこととする。

①　共同漁業権に係る水産動植物について

第１種共同漁業権及び第５種共同漁業権の設定されている内水面において、漁業の免許を受けた者が当該漁業権に係る水産動植物を放出等する行為は、不要許可行為として取り扱う。

②　区画漁業権について

国立公園においては、区画漁業権が設定された湖沼等を新たに特別保護地区に指定しようとする公園計画の策定又は変更に際して、公園計画の案作成の段階で、当該漁業権を有する者と調整することとし、その結果を添えて、自然公園法に基づく関係都道府県の意見聴取及び農林水産省との協議を実施することとする。また、当該漁業権を有する者との調整結果を踏まえ、改正後の自然公園法施行規則第11条第33項に基づき基準の特例を定めることとする。

なお、国立公園の特別保護地区内における区画漁業権の新規設定に際しては、事前に都道府県又は漁業権の免許を取得する予定の者から相談を受けた場合には、基準の特例の設定について検討を行い、必要があると認められる場合は、基準の特例を定めることとする。

また、国立公園の特別保護地区内において、改正後の自然公園法施行令施行の際に現に区画漁業権の免許を有する者がいる場合には、当該漁業権に基づき魚介類を放つことが引き続き可能となるよう基準の特例を定めることとする。

国定公園における区画漁業権との調整については、国立公園の場合と同様に取り扱われることが望ましい。

(9) 今回の改正にかかわらず、国立公園又は国定公園の特別保護地区を指定する際の考え方は従前どおりとする。すなわち、持ち込まれた生物の影響が生じている又は影響が懸念されることのみをもって特別保護地区を指定することにはならない。

2 許可基準

「木竹以外の植物を植栽し、又は植物の種子をまくこと」及び「動物を放つこと（家畜の放牧を除く。）」の許可は、公益上必要な場合又は景観の維持上支障がない場合等に行うものとし、許可基準を次のとおり改正後の自然公園法施行規則第11条第27項及び同条第32項に規定した。

なお、「木竹以外の植物を植栽し、又は植物の種子をまくこと」の基準については、自然公園法第14条第３項第３号に規定されている「木竹を植栽すること」の規制にも当てはまる事項であるため、改正後の自然公園法施行規則第11条第27項において同じ基準となるよう改正した。

また、この他に各種行為共通の基準として改正後の自然公園法施行規則第11条第34項各号の規定が適用される。

(1) 第18条第１号関係（木竹以外の植物を植栽し、又は植物の種子をまくこと）

次に掲げる基準のいずれかに適合するものであること。

① 学術研究その他公益上必要であり、かつ、申請に係る場所以外の場所においてはその目的を達成することができないと認められるものであること。

② 植栽し、又は種子をまこうとする地域に現存する植物と同一種類の植物を植栽し、又はその種子をまくものであること（在来の景観の維持に支障を及ぼすおそれがないと認められるものに限る。）。

③ 災害復旧のために行われるものであること。

(2) 第18条第２号関係（動物を放つこと（家畜の放牧を除く。））

学術研究その他公益上必要であり、かつ、申請に係る場所以外の場所においてはその目的を達成することができないと認められるものであること。

3 許可を要しない行為

「木竹以外の植物を植栽し、又は植物の種子をまくこと」及び「動物を放つこと（家畜の放牧を除く。）」については、公共性のある事業を行うための行為等を許可を要しない行為とし、次のとおり改正後の自然公園法施行規則第13条第15号から第23号までに規定した。

⑴　第18条第１号関係（木竹以外の植物を植栽し、又は植物の種子をまくこと）

絶滅のおそれのある野生動植物の種の保存に関する法律第47条第１項に規定する認定保護増殖事業等（以下「認定保護増殖事業等」という。）の実施のために木竹以外の植物を植栽し、又は植物の種子をまくこと。

なお、認定保護増殖事業等の実施のために木竹を植栽することについても同様に許可を要しない行為とすることとした。

⑵　第18条第２号関係（動物を放つこと（家畜の放牧を除く。））

①　認定保護増殖事業等の実施のために動物を放つこと。

②　国立公園において絶滅のおそれのある野生動植物の種の保存に関する法律第10条第１項の規定による環境大臣の許可を受けて捕獲した鳥獣であって、同法第４条第３項に規定する国内希少野生動植物種又は同法第５条第１項に規定する緊急指定種に係るもの（同法第54条第２項の規定による協議に係るものを含む。）を当該捕獲をした場所に放つこと。

③　国立公園において鳥獣の保護及び狩猟の適正化に関する法律第９条第１項の規定による環境大臣の許可を受けて捕獲した鳥獣を当該捕獲をした場所に放つこと。

④　国定公園において鳥獣の保護及び狩猟の適正化に関する法律第９条第１項の規定による都道府県知事の許可を受けて捕獲した鳥獣を当該捕獲をした場所に放つこと。

⑤　遭難者の救助に係る業務を行うために犬を放つこと。

⑥　漁業法（昭和24年法律第267号）第６条第１項に規定する漁業権（同条第５項第１号に規定する第１種共同漁業又は同項第５号に規定する第５種共同漁業に係るものに限る。）の存する水面において、漁業の免許を受けた者が当該漁業権に係る水産動植物を放ち、植栽し又はまくこと。

⑦　水産資源保護法（昭和26年法律第313号）第20条第１項の規定により農林水産大臣が定める人工ふ化放流に関する計画又は道県知事が定める人工ふ化放流に関する計画に基づきさけ又はますを放流すること。

⑧　特別保護地区内で捕獲した動物を捕獲後直ちに当該捕獲をした場所に放つこと。

第３　原生自然環境保全地域における規制の追加（改正後の自然環境保全法施行令第３条関係）

１　原生自然環境保全地域における動物を放つこと（家畜の放牧を除く。）の規制（改正後の自然環境保全法施行令第３条第３号関係）

⑴　原生自然環境保全地域において、動物の放出により自然環境の保全に支障が出る

おそれがあるため、動物を放つこと（家畜の放牧を除く。）を新たに「してはならない行為」としたものである。

本改正により、全ての動植物の放出等が規制されることとなる。

⑵　「動物を放つ」の「放つ」の解釈及び運用については、第２．１の⑹及び⑺に準じるものとする。

⑶　今回の改正にかかわらず、原生自然環境保全地域を指定する際の考え方は従前どおりとする。すなわち、持ち込まれた生物の影響が生じている又は影響が懸念されることのみをもって原生自然環境保全地域を指定することにはならない。

２　許可を要しない行為

動物を放つこと（家畜の放牧を除く。）については、公共性のある事業を行うための行為等を許可を要しない行為とし、次のとおり改正後の自然環境保全法施行規則（昭和48年総理府令第62号）第３条第11号及び同条第12号に規定した。

第３条第３号関係（動物を放つこと（家畜の放牧を除く。））

⑴　遭難者の救助に係る業務を行うために犬を放つこと。

⑵　原生自然環境保全地域内で捕獲した動物を捕獲後直ちに当該捕獲をした場所に放つこと。

第４　その他

今回の改正前の自然公園法施行令、自然公園法施行規則及び自然環境保全法施行規則に基づく通知について、今回の改正により条項名のずれが生じるものがあるが、これらの通知については、改正後の自然公園法施行令、改正後の自然公園法施行規則及び改正後の自然環境保全法施行規則の施行日（平成18年１月１日）以降も条項名を読み替えて適用することとする。

なお、当該通知について改正を行う場合には、当該通知中の条項名を改正後の自然公園法施行令、改正後の自然公園法施行規則及び改正後の自然環境保全法施行規則の条項名に、順次改正していくこととしている。

○自然公園法施行規則の一部を改正する省令の施行について

〔平成18年４月３日　環自国発第060403009号
各都道府県知事・各地方環境事務所・釧路・長野・那覇
自然環境事務所・高松事務所長宛　自然環境局長通知〕

自然公園法施行規則の一部を改正する省令（平成18年環境省令第12号）については、平成18年３月30日付けで公布され、同日から施行されることとなった。

この内容等は次のとおりであるので、了知の上、その適切な施行に努められたい。

記

第１　改正の趣旨

国立・国定公園では、構造改革特別区域法（平成14年法律第189号。以下「特区法」という。）の制定に伴い、特区法第３条第１項に基づき閣議決定された構造改革特別区域基本方針にのっとり、環境省関係構造改革特別地域法第２条第３項に規定する省令の特例に関する措置及びその適用を受ける特定事業を定める省令（平成15年環境省令第13号）を制定し、「国立・国定公園における自然を活用した催しの容易化事業」に関する特例措置を定めた。

構造改革特別区域基本方針に定められた上記特例措置については、構造改革特別区域推進本部評価委員会のヒアリングを経て、将来的に構造改革特別区域内のみでの措置ではなく、全国展開を行うとの結論を得たことから、今般、自然公園法施行規則（昭和32年厚生省令第41号。以下「規則」という。）を改正し、上記特例措置を全国的な措置として特別地域内における許可又は届出を要しない行為及び普通地域内における届出を要しない行為に追加することとした。

第２　改正の内容

⑴　特別地域内における許可又は届出を要しない行為の追加（規則第12条第34号関係）

規則第12条に規定する特別地域内における許可又は届出を要しない行為として、道路、駐車場、運動場、芝生で覆われた園地及び植生のない砂浜その他の原状回復が可能な場所において、地域の活性化を目的とする自然を活用した催しを実施するため、工作物を新築し、改築し、若しくは増築し、広告物等を建築物の壁面に掲出し、若しくは設置し、若しくは工作物等に表示し、小規模に土地の形状を変更し、又は屋根、壁面、塀、橋、鉄塔、送水管その他これらに類するものの色彩を変更すること（以下、「工作物の新築等」という。）を追加した。

ただし、許可を要しないこととされる行為は、一時的に行われ、当該催しの終了後遅滞なく原状回復が行われるものであり、当該催しに関し、地方公共団体が作成する次に掲げる事項を記載した計画であって、当該催しの開始の30日前までに、国立公園にあっては環境大臣、国定公園にあっては都道府県知事に提出されたものに基づき行われるものに限られる。

【地方公共団体が作成する催しの計画の記載事項】

・催しの名称、概要、主催者名、開催場所及び開催期間
・風致の維持のために行われる措置の内容
・原状回復を確実に実施するための体制及び方法並びにその実施期限
・工作物の新築等に着手する15日前までに、その概要を、国立公園にあっては環境大臣に、国定公園にあっては都道府県知事に通知する旨

なお、本件が行われる場所について、原状回復が可能な場所として道路、駐車場、運動場、芝生で覆われた園地、植生のない砂浜が例示として挙げられているが、例えば、ウミガメの産卵に悪影響を与えるおそれがある等動植物の生育・生息に悪影響を及ぼすおそれのある場所では、工作物の新築等が行われることによる原状回復は必ずしも可能ではないと解されるので、地方公共団体から催しの計画の提出があった場合には適切に施行されるよう指導されたい。

⑵　普通地域内における届出を要しない行為の追加（規則第15条第16号関係）

規則第15条に規定する普通地域内における届出を要しない行為として、道路、駐車場、運動場、芝生で覆われた園地及び植生のない砂浜その他の原状回復が可能な場所において、地域の活性化を目的とする自然を活用した催しを実施するため、工作物を新築し、改築し、若しくは増築し、広告物等を建築物の壁面に掲出し、若しくは設置し、若しくは工作物等に表示し、小規模に土地の形状を変更すること（以下、「工作物の新築等」という。）を追加した。

ただし、届出を要しないこととされる行為は、一時的に行われ、当該催しの終了後遅滞なく原状回復が行われるものであり、当該催しに関し、地方公共団体が作成する次に掲げる事項を記載した計画であって、当該催しの開始の30日前までに、国立公園にあっては環境大臣、国定公園にあっては都道府県知事に提出されたものに基づき行われるものに限られる。

【地方公共団体が作成する催しの計画の記載事項】

・催しの名称、概要、主催者名、開催場所、開催期間
・風景の維持のために行われる措置の内容
・原状回復を確実に実施するための体制及び方法並びにその実施期限
・工作物の新築等に着手する15日前までに、その概要を、国立公園にあっては環境大臣に、国定公園にあっては都道府県知事に通知する旨

なお、本件が行われる場所について、原状回復が可能な場所として道路、駐車場、

運動場、芝生で覆われた園地、植生のない砂浜が例示として挙げられているが、例えば、ウミガメの産卵に悪影響を与えるおそれがある等動植物の生育・生息に悪影響を及ぼすおそれのある場所では、工作物の新築等が行われることによる原状回復は必ずしも可能ではないと解されるので、地方公共団体から催しの計画の提出があった場合には適切に施行されるよう指導されたい。

⑶　権限の委任（規則第20条第25号及び第27号関係）

今回改正に係る規定において、環境大臣あてに提出されることとなる地方公共団体が作成する催しの計画及び催しに伴い行われる工作物の新築等の行為の概要の通知の受理については、環境大臣から地方環境事務所長に権限委任される。

催しの計画の提出又は工作物の新築等の通知は、催し及び行為が行われる区域の担当自然保護官事務所が窓口として接受し、地方環境事務所長又は釧路、長野若しくは那覇自然環境事務所長あて送付されたい。

⑷　経過措置

本省令の施行前に特区法第４条第８項の規定により内閣総理大臣の認定を受けた構造改革特別区域計画は、この省令改正後の自然公園法施行規則第12条第34号及び第15条第16号の規定により環境大臣又は都道府県知事に提出された計画とみなされるので、留意されたい。

○自然公園法及び自然環境保全法の一部を改正する法律の施行について

〔平成22年４月１日　環自計発第100401001号・環自国発第100401001号
各都道府県知事・各地方環境事務所・釧路・長野・那覇自然環境事務所・高松事務所長宛　環境省自然環境局長通知〕

自然公園法及び自然環境保全法の一部を改正する法律（平成21年法律第47号。以下「改正法」という。）については、平成21年６月３日付けで公布され、自然公園法及び自然環境保全法の一部を改正する法律の施行期日を定める政令（平成22年政令第12号。以下「改正令」という。）によって、平成22年４月１日から施行されることとなった。

また、自然公園法施行令及び自然環境保全法施行令の一部を改正する政令（平成22年政令第13号）は平成22年２月15日付けで、自然公園法施行規則及び自然環境保全法施行規則の一部を改正する省令（平成22年環境省令第４号。以下「改正省令」という。）は平成22年３月29日付けで公布され、それぞれ平成22年４月１日から施行されることとなった。

これらの内容等は次のとおりであるので、了知の上、その適切な施行に努められたい。

記

第１　改正の趣旨

生物多様性基本法（平成20年法律第58号）が制定されるなど、近年、生物の多様性に対する国民の関心が極めて高まってきており、自然公園等が生物多様性保全の屋台骨としての役割を積極的に担っていくことが必要とされていることを受けて行われたものである。

このため、⑴目的規定に生物の多様性の確保に寄与することを追加、⑵生態系に被害を及ぼす動植物の放出等及び木竹の損傷に対応するため、特別地域等における規制行為の追加、⑶海中の景観等のみならず、潮の干満により干出する干潟、岩礁等の特徴的な地形や海鳥等の動植物が生息・生育する海域全体の優れた景観等を維持するため、海中の景観の維持を目的とする「海中公園地区」を「海域公園地区」に、「海中特別地区」を「海域特別地区」に改め、海域公園地区及び海域特別地区における動力船の使用に係る規制の追加並びに海域公園地区における利用調整地区制度の創設、⑷シカやオニヒトデ等による食害の深刻化、他地域から侵入した動植物による在来の動植物の駆逐等、これまでの規制的手法では対処が困難な事例に対応するため、生態系維持回復事業制度の創設、⑸近年、公園事業の継続が困難となる等の理由により、公園施設が放置され、公園の風致景観を損なう事例が生じていること等を踏まえ、公園事業の執行に関する規定を法律において規定するとともに、改善命令、原状回復命令等への違反については罰則の追加等による監督権限の強化などの措置を講ずることを追加することとした。

以下において、改正前の自然公園法を「旧公園法」と、改正前の自然公園法施行令を「旧公園法施行令」と、改正前の自然公園法施行規則を「旧公園法施行規則」という。

また、改正後の自然公園法を「新公園法」と、改正後の自然公園法施行令を「新公園法施行令」と、改正後の自然公園法施行規則を「新公園法施行規則」という。

さらに、改正後の自然環境保全法を「新保全法」、改正後の自然環境保全法施行令を「新保全法施行令」と、改正後の自然環境保全法施行規則を「新保全法施行規則」という。

第2　自然公園法（昭和32年法律第161号）の改正関係

1　目的規定の改正（新公園法第1条関係）

⑴　生物多様性基本法の制定等に見られる、生物の多様性に関する社会的な要請の高まりを踏まえ、また、今回の法改正においては、生物の多様性の観点から問題であると指摘されている事象に対して、生態系維持回復事業等の生物の多様性の確保に寄与する措置を講ずることとしていることから、目的規定に生物の多様性の確保に寄与することを明示した。

なお、生物の多様性の確保については、新公園法及び新保全法だけではなく、生物の多様性に寄与する関連法制度と連携して図っていくものとする。

⑵　今回の目的規定の改正は、優れた自然の風景地を保護すること及びその利用の増進を図ることが、国民の保健、休養及び教化だけではなく、生物の多様性の確保にも寄与することを明確化したものである。なお、これはこれまでも実質的に実施してきていた自然公園における生物多様性の確保について、法律上の位置付けを明確にしたものであり、公園区域の指定等における従来の考え方を変えるものではない。

2　公園計画決定時における一般の閲覧の追加（新公園法第7条関係）

旧公園法第7条第5項においては、環境大臣が公園計画を決定したときは、その概要の公示をしなければならない旨のみが規定されていたが、より広く周知するため、一般の閲覧にも供することとした。

3　公園事業の執行に関する規定の整備（新公園法第9条から第18条まで関係）

公園事業の執行に関する規定については、これまで、旧公園法施行令において規定されていたが、近年、民間事業者が執行する公園事業に関して、公園施設が老朽化等し、公園の風致景観を損なう事例が生じていること等を踏まえ、民間事業者に対する改善命令、原状回復命令等への違反について罰則を設けるなど、公園事業に対する監督機能の強化を図り、公園事業の適切な執行を推進するため、公園事業の執行に関する規定を法律に定めることとした。

⑴　国立公園事業の執行（新公園法第10条関係）

①　国立公園事業の内容、事業の状態の変化を適時的確に把握するため、旧公園法施行令第３条に規定されていた国立公園事業の執行認可申請の記載事項を法に規定した。

なお、これまで、国立公園事業の執行認可申請の際には、施設の管理又は経営の方法の概要のみを記載することとし、執行認可後に改めて管理又は経営の方法を届け出なければならないこととされていたが、執行認可申請時に併せて記載することとし、執行認可後の届出は要しないこととした。

②　国立公園事業の執行に当たっては、地方公共団体等にあっては環境大臣への協議及び同意が、民間事業者にあっては環境大臣の認可が必要であることを新公園法に規定するとともに、新公園法施行規則第３条に規定する軽微な変更については届出を要することとした。

なお、国立公園事業として行われる行為のうち、建築物の内部の構造の変更であって軽易なもの並びに新公園法施行規則第12条の各号に掲げる特別地域内における許可又は届出を要しない行為、新公園法施行規則第13条の各号に掲げる特別保護地区内における許可又は届出を要しない行為及び新公園法施行規則第13条の３の各号に掲げる海域公園地区内における許可又は届出を要しない行為については、引き続き、変更の認可等の手続きは要しないこととする。

③　旧公園法施行令第４条において、国立公園の利用のための施設に関する国立公園事業の執行の認可を受けた者は、環境大臣が定める期日までに施設の供用を開始しなければならないこととされていたが、施設の供用開始日を定める必要がある場合には、新公園法第10条第10項に基づく条件として付すこととし、当該規定を削除した。

なお、条件として付された施設の供用開始日を変更しようとする場合は、新たに認可を受けることが必要となる。

⑵　改善命令（新公園法第11条関係）

旧公園法施行令第13条に規定されていた民間事業者に対する改善命令を法に規定した。

また、改善命令に従わなかった場合には、環境大臣が認可を取り消すことができること（新公園法第14条第３項）及び50万円以下の罰金を課すること（新公園法第85条）を法に規定した。

⑶　承継（新公園法第12条関係）

①　国立公園事業の合併、分割又は相続は国立公園事業の人的な要素の変更となることから、従来、旧公園法施行令第８条に規定されていた地位の承継に関する規定を法に規定し、環境大臣の同意又は承認がなければ地位が承継されないことと

した。

② なお、従来、国立公園事業の譲渡につき環境大臣の承認を受けたとき、又は他の法令の規定により行政庁の認可その他の処分を受けたときは、環境大臣の同意又は承認を経ずして国立公園事業者たる地位を譲渡により承継することができることとされていたが、国立公園事業の適正な執行を確保するため、環境大臣の同意又は認可を受けなければ国立公園事業たる地位は譲渡により承継されないこととした。

(4) 国立公園事業の休廃止（新公園法第13条関係）

① 旧公園法においては、国立公園事業を休廃止しようとするときは、環境大臣の承認を要することとされていたが、法改正により、あらかじめ届出をすれば足りることとした。また、他の法令の規定により行政庁の許可、認可その他の処分を受けて休廃止するときは、引き続き、届出を要することとした。

② 国立公園事業の休止の届出があった場合であって、当該国立公園事業の適正な執行を確保するため、休止期間中の施設の管理方法等に関して改善の必要があると認める場合には、改善命令等を命ずることとする。

③ 国立公園事業の廃止の届出があった場合であって、他の適切な者にその国立公園事業を担わせる必要がある場合には、当該国立公園事業を引き継ぐ者に国立公園事業の執行の同意又は認可に係る申請を行わせることとした。また、当該国立公園事業を引き継ぐ者がいない場合には、廃止後、施設の撤去等により国立公園の保護上支障が生じないよう措置がとられるものであることを確認し、国立公園の保護上必要があると認めるときは、届出者に対して原状回復命令等を命ずることとする。

④ 旧公園法施行規則第７条に規定されていた休止した施設の供用を再開した場合の届出について、再開の予定日を過ぎても供用が再開されない場合には、必要に応じ、報告徴収、改善命令を迅速に行うこととし、当該規定を削除した。

(5) 認可の失効及び取消し等（新公園法第14条関係）

① 他の法令の規定により行政庁の許可、認可その他の処分を必要とするものである場合に、速やかに国立公園事業の認可の効力を失効させ、他の適切な者にその国立公園事業を担わせることができるよう、認可の失効について法に規定した。

② 民間事業者に対する監督の実効性を担保するため、改善命令に違反した場合等の義務違反を認可の取消事由に位置付けた。

(6) 原状回復命令等（新公園法第15条関係）

① 旧公園法施行令第15条に規定されていた民間事業者に対する原状回復命令等について、国立公園事業者が国立公園事業を放棄し、その後、施設が老朽化等し、公園の風致景観を損なう事例が生じていることに対応するため、原状回復命令等

について法に規定するとともに、原状回復命令等に従わなかった場合、１年以下の懲役又は100万円以下の罰金を課すること（新公園法第82条）を法に規定した。

なお、新公園法の施行前に、認可された国立公園事業を廃止した者、認可が失効した者又は認可を取り消された者に対して、新公園法の規定に基づく罰則を伴う原状回復命令等を適用することは、これらの者が当初想定していなかった過大な負担を課すことになることから、新公園法施行令附則第９条において従前の規定を適用する旨の経過措置を規定した。

② 原状回復等を命ずべき者を確知できない場合においても、環境大臣がその者の負担において原状回復等を行うことができることとし、国立公園事業の認可を受けた者が確知できない風致景観の保護上支障のある公園施設等に対応できるよう措置した。

(7) 国定公園事業の執行（新公園法第16条関係）

国定公園の公園事業についての準用規定を設けた。

(8) 報告徴収及び立入検査（新公園法第17条関係）

旧公園法施行令第12条に規定されていた公園事業者に対する報告徴収及び立入検査について、地方自治法における地方公共団体への関与の原則を踏まえ、都道府県知事等の自主性を尊重する観点から、公共団体に対する規定を廃止し、民間事業者に対する規定のみを法に規定した。

(9) 政令への委任（新公園法第18条関係）

公園事業の執行に関し必要な事項については、別途、政令で定めることができるよう規定したものであり、今回の新公園法施行令で定められた事項はない。

4 特別地域（特別保護地区を除く。）及び特別保護地区における規制の追加（新公園法第20条第３項及び第21条第３項関係）

特別地域及び特別保護地区においては、各種行為が許可を要する行為とされているところである。しかし、近年、規制がなされていないことにより優れた風致景観の維持に影響を及ぼす等、特に問題となっている行為について、新たに許可を要する行為として追加したものである。

(1) 特別地域における環境大臣が指定する区域内での木竹の損傷の規制（新公園法第20条第３項第３号）

① 国立公園又は国定公園の特別地域において、特定の地域に多くの利用者が訪れるようになった結果、木竹の損傷により優れた風致の維持に影響を及ぼしている事例がみられるため、環境大臣が指定する区域内での木竹の損傷を、新たに、許可を要する行為とした。

環境大臣が指定する区域に限定した理由は、特別地域の中には人間の手により維持管理されてきた二次的自然も含まれており、その維持管理の一環として行われる木竹の損傷を規制することは適当ではないこと、また、昨今、木竹の損傷が問題となっているのは世界自然遺産地域等として登録され、その生態系の価値が世界的にも評価されている地域であることから、木竹の損傷が問題となっている地域に限って規制することが適当であると考えられたためである。

② 木竹の損傷の許可は、風致の維持上支障を及ぼすおそれが少ない場合に行うものとし、許可基準を新公園法施行規則第11条に規定した。

なお、木竹の損傷を主たる行為の関連行為として行う場合は、従来の運用と同じく、主たる行為と一括して審査するものとする。

③ 森林の整備及び保全を図るために行う木竹の損傷は、自然公園における優れた自然の風景地の保護に反する行為とまでは言えず、自然環境に支障を及ぼすおそれが少ないことから、第20条第３項ただし書きにおいて、許可の対象からあらかじめ除外することとしているが、通常の管理行為、軽易な行為等であって許可又は届出を要しない行為を新公園法施行規則第12条に規定した。

なお、森林の整備及び保全を図るために行われるものとしては、森林の整備に関しては、林木の球果の採取、保育のための枝打ち、造林、伐採時における周辺の林木の枝打ち、各種調査のための測量に伴う枝払い等が、森林の保全に関しては、災害による土砂崩落防止のための事業に伴う枝払い、森林病害虫を駆除する際の薬剤注入のための幹の損傷等が含まれる。

⑵ 特別地域における環境大臣が指定する区域内において、「環境大臣が指定する植物を植栽し、又は植物の種子をまくこと」及び「環境大臣が指定する動物を放つこと」の規制（新公園法第20条第３項第12号及び同項第14号関係）

① 特別地域において、当該区域が本来の生息地又は生育地ではない動植物の放出等により、風致の保護に支障が生じる事例がみられるため、特別地域における環境大臣が指定する区域内において、「環境大臣が指定する植物を植栽し、又は植物の種子をまくこと」及び「環境大臣が指定する動物を放つこと（指定する動物が家畜である場合には当該家畜である動物の放牧を含む。）」を、新たに、許可を要する行為とした。

環境大臣が指定する区域及び種に限定した理由は、特別地域には、特別保護地区に準ずる景観を有し現在の景観を極力そのままの状態を維持することが必要な地域、農林漁業活動が行われておりそれらの活動との調整を図っていくことが必要な地域といった多様な地域が含まれており、動植物の放出等の影響も様々であることから、その地域の状況に即した規制が必要なためである。

② 放出等を規制する動植物及び区域の指定については、本来の生息地又は生育地ではない動植物を放出等されることにより、当該地域に本来生息又は生育する種との競合、駆逐、交雑、風景の変化等、風致の維持に影響を及ぼしている又は及

ぼすおそれのある種及び区域を対象とするものとする。

③　動植物の放出等の許可は、学術研究その他公益上必要な場合等に行うこととし、許可基準を新公園法施行規則第11条に規定した。

また、特別保護地区における同様の規制による許可を要しない行為にかんがみ、通常の管理行為、軽易な行為等であって許可又は届出を要しない行為を新公園法施行規則第12条に規定した。

(3)　特別保護地区における「動物を放つこと（家畜の放牧を含む。）」及び「木竹以外の植物を植栽し、又は植物の種子をまくこと」の規制（新公園法第21条第３項第４号及び同項第８号関係）

①　特別保護地区における規制行為については、機動的に規制を追加する必要が生じたときに備えて、行為の規制について政令で規定できることとされている。特別保護地区における動物を放つこと及び木竹以外の植物を植栽し、又は植物の種子をまくことの規制は、本規定に基づき実施されてきたものであるが、今回の改正を機に法に規定することとしたものであり、これによりこれまでの取扱いが変更されるものではない。

②　これまでも「動物を放つこと」には「家畜を放牧すること」が含まれるものとして整理がなされてきたことを踏まえ、今回の改正では「家畜を放牧すること」の号を削除し、「動物を放つこと」を法に規定することとしたが、従来から規定されている家畜の放牧について、引き続き許可が必要であることが明確になるよう、動物を放つことには家畜の放牧が含まれることを規定上明示した。

5　海域公園地区制度の創設（新公園法第22条関係）

(1)　海中公園地区の海域公園地区への変更

海中公園地区は、熱帯魚、さんご、海藻等の動植物等によって特徴づけられる優れた海中の景観を維持するための制度であるが、近年では、潮の干満により干出する干潟や岩礁等の特徴的な地形がみられる海域、海鳥等の野生動物によって特徴づけられる海域など、海中だけではなく、海上も含めた海域全体の景観の維持と適正な利用を図っていくことが必要となっている。このため、これまで海中のみを対象としていた海中公園地区を海域全体を対象とする海域公園地区に改めるものである。

なお、現行の海中公園地区は、改正法附則第３条の経過措置の規定により、新公園法の施行後に海域公園地区に改められることになる。

(2)　海域公園地区の指定等

①　海域公園地区は、国立公園又は国定公園の海域の区域のうち海域の景観の維持及び適正な利用を図る地区で、次に掲げるもののうちから選定するものとする。

ア　海底の地形、地質、海水の清澄さ、特異な自然現象等により優れた海域の景

観を呈している海域

イ　サンゴ類の生息地、藻場、干潟、岩礁域等、優れた自然の状態を維持する必要がある海域

ウ　野生動植物が豊富な海域並びに野生動植物の生息地、生育地又は繁殖地として重要な海域（上記イの海域を除く。）

エ　石干見（魚垣）等の文化景観が、周囲の自然と相まって特徴ある景観を呈している海域

オ　自然景観の育成が必要であり、かつ復元の見込みがある海域

カ　地形、地貌、その他自然景観上特別地域と一体的に景観を維持する必要がある海域

キ　利用上重要な海域で適正な環境を保全する必要がある海域

ク　アからキまでに掲げるもののほか、特定の風致景観を維持する必要がある海域

なお、海域公園地区には、次に掲げる区域は含まないものとする。

ア　森林法第２条第１項に規定する森林

イ　上記ア以外の土地であって、以下の事業に係る施設敷（海域公園地区指定以前に森林法に基づく地域森林計画及び国有林の地域別の森林計画において決定されている箇所に係る施設敷を含む。）

(a)　森林法に基づく保安施設事業

(b)　地すべり等防止法に基づく林野庁所管の地すべり防止工事

②　海域公園地区に関する公園計画の決定に当たっては、サンゴ群集や海藻等は消長を繰り返し、それらの分布域は変化することを踏まえ、当該海域の景観を維持する上で適切と判断される区域を設定するとともに、海域と周辺の陸域の自然景観の総合的な保護と適正な利用を図るため、次の点からも公園計画について十分検討し、必要があれば公園計画の変更等を行うものとする。

ア　集水域、野生動物の移動経路等の自然的条件を踏まえ、周辺の陸域の自然についても可能な限り一体的に保護が図られること。

イ　舟遊施設、駐車場、休憩所等の陸上関連施設を適切に配置し、安全で快適な公園利用が図られること。

③　海域公園地区の区域線として汀線界を用いる場合、これまでの海中公園地区では最低低潮位における汀線を汀線界としている場合のほか、東京湾中等潮位を汀線界としている場合、最高高潮位における汀線を汀線界としている場合があったが、今後、海域公園地区の区域線として汀線界を用いる場合には、東京湾中等潮位、最高高潮位又は最低低潮位における汀線のいずれかの汀線界を選択することができるものとする。

(3) 海域公園地区における環境大臣が指定する区域内において、環境大臣が指定する動植物の捕獲等の規制（新公園法第22条第３項関係）

① 新公園法第22条第３項ただし書き後段の「第１号、第４号、第５号及び第７号に掲げる行為で漁具の設置その他漁業を行うために必要とされるもの」に該当する行為を例示すれば、漁業者が漁業のために行う次に掲げるものである。

ア 漁具の設置

イ 漁具の利用

ウ 漁具若しくは漁業に関する信号又はこれらに必要な設備の設置

エ 漁業に必要な目標の保存又は設置

オ 漁場の造成、改良（大規模なものを除く。）及び漁業権または入漁権に基づく管理行為

カ 漁場の標識の設置

キ 漁船の使用、係留又は停泊

ク 漁具干場、漁舎、漁船漁具保全施設等の工作物の設置

ケ その他漁場保全のための管理行為

また、近年、特定非営利法人、市民等による各種保全活動が海域においても積極的に行われるようになってきているが、景観の維持に著しい支障を及ぼすものでないと判断される行為については、個別に許可を受けて行うことができるよう、許可基準を新公園法施行規則第11条に規定した。

さらに、海域公園地区における通常の管理行為、軽易な行為等であって許可又は届出を要しない行為を新公園法施行規則第13条の３に規定した。

② 従来、海中公園地区における動植物の捕獲等の規制は、国立公園又は国定公園ごとに環境大臣が農林水産大臣の同意を得て指定する種を対象として行われてきたが、国立公園又は国定公園の区域内に複数の海域公園地区が指定される場合、海域公園地区ごとに捕獲等規制の対象種は異なる可能性があること、海域公園地区の全域を対象として一律に捕獲等規制を行うのではなく、海域公園地区内において動植物の捕獲等規制を行うべき種及び区域をきめ細かに設定することにより、漁業との調整を図りつつ、適切な保護を図ることが望ましい場合があることから、海域公園地区内において環境大臣が指定する区域（海域動植物捕獲規制区域）ごとに対象とする種を指定し、捕獲等規制を行うこととした。

また、今回の法改正により創設された海域公園地区は、熱帯魚、さんご、海藻等によって構成される海中の景観だけではなく、潮の干満により干出する干潟、岩礁等の特徴的な地形がみられる海域の景観や海鳥等の動植物が生息・生育等する海域の景観など海域全体の景観を対象とするものであることから、捕獲等規制対象種についても「熱帯魚、さんご、海藻その他の動植物」に改めた。

③　捕獲等を規制する動植物及び区域については、当該海域公園地区において学術的価値のあるもの又は海域景観を構成する主要な動植物を対象として、それらの生息地又は生育地、繁殖地等を指定するものとする。

なお、動植物及び区域の指定に当たっては、漁業の操業の支障とならないよう地元漁業関係者の意見を徴するものとする。

(4)　海域公園地区における環境大臣が指定する区域内において当該区域ごとに指定する期間内の動力船の使用規制（新公園法第22条第３項第７号関係）

①　動力船の使用を規制する区域、期間の指定等

ア　無秩序なウオッチングクルーズ等による野生動物の生息への影響等により、優れた海域の風景地の保護上の支障が生じている事例がみられるため、海域公園地区内における環境大臣が指定する区域内において当該区域ごとに指定する期間内の動力船の使用を許可を要する行為とした。

イ　環境大臣が指定する動力船（「動力船」とは、内燃機関その他の動力によって移動する船をいい、手漕船等は含まれない。以下同じ。）の使用を規制する区域は、動力船を使用することによる動植物の生息・生育環境の悪化を防止する必要がある海域で、次のいずれかに該当するものを指定するものとする。

(a)　現在動力船が相当程度使用されている海域で、そのためにサンゴ、海鳥等の野生動植物の生息・生育環境の破壊、野生動物の採餌、繁殖への影響等自然環境へ影響が生じているか、そのおそれがある海域

(b)　現在動力船は使用されていない又は使用はわずかであるが、それによる自然環境への影響が将来生じることが十分に予想され、かつ、当該海域の野生動植物の生息・生育環境等が特に脆弱又は貴重であり、厳正な保護を図る必要がある海域

ただし、次に掲げる区域は指定の対象とはならないものとする。

(a)　マリーナ等のマリンレジャー施設が存在する区域

(b)　港湾区域

(c)　港湾間、離島航路における船舶が航行する区域

(d)　港湾法第２条第８項に定める開発保全航路、海上交通安全法第２条第１項に定める航路等船舶の主要な航路となっている区域

(e)　港湾法第37条第１項に規定する港湾隣接地域

(f)　港湾法第56条第１項の規定により都道府県知事が公告した水域

(g)　港則法第２条の港の区域

ウ　動力船の使用を規制する期間については、漁業との調整等地域住民の日常生活に著しい支障が生じないよう、野生動物の採餌や繁殖への影響等を防止する必要性が高い期間を定めて指定するものとする。

エ　動力船の使用を規制する理由、必要性がなくなった場合にあっては、指定を解除するものとする。

② 動力船の使用を規制する区域及び期間の指定に当たっての手続き

ア　動力船の使用を規制する区域の指定は、公園計画に位置付けるとともに、官報に公示して行うこととしている。このため、区域を指定する際には、公園計画の変更等として改正法第67条に基づき関係行政機関に協議するものとする。

イ　動力船の使用を規制するに当たっては、あらかじめ国土交通省を通じて、港湾運送業界と調整するものとする。

③ 動力船の使用の許可に際しての取扱い

動力船の使用の許可は、学術研究その他公益上必要な場合等に行うこととし、許可基準を新公園法施行規則第11条に規定した。また、通常の管理行為、軽易な行為等であって許可又は届出を要しない行為を新公園法施行規則第13条の３に規定した。

(5) 海域公園地区における政令で定める行為の規制（新公園法第22条第３項第８号関係）

本号は、今後海域公園地区において、機動的に規制を追加する必要が生じたときに備え、行為の規制について政令で定めることができるよう規定したものであり、今回の改正政令において追加された行為はない。

6　特別地域等における既着手行為に係る取扱い（新公園法第20条第３項第６号、第21条第３項第６号及び第22条第３項第６号関係）

特別地域（特別保護地区を除く。）、特別保護地区及び海中公園地区（以下「特別地域等」という。）における既着手行為の取扱いについては、特別地域等が指定等された際又は特別地域等において区域、物等の指定により行為が規制された際に、既に着手していた行為を既着手行為として規制の対象から除外し、特別地域等の指定日等から３月以内に届け出なければならないこととしているが、特別地域における環境大臣が指定する植物の採取等や環境大臣が指定する区域内での車馬若しくは動力船の使用等、海中公園地区における環境大臣が指定する動植物の捕獲等など一部の規制行為については区域、物等の指定を捉えて既着手行為と判断する規定となっておらず、既着手行為の考え方が混在した状況にあった。このため、今回の改正を機に特別地域（特別保護地区を除く。）、特別保護地区、海域公園地区におけるすべての規制行為について既着手行為に係る取扱いを整理することとし、ある行為が規制されることとなった日において、既にその行為に着手している者は、その日から一定期間、引き続きその行為をすることができるとの規定振りに改めることとしたものである。

ただし、既着手行為であっても、３月以内に届出が必要である点はこれまでと同様であり、これにより既着手行為に係る取扱いの考え方が変更されるものではない。

7　利用調整地区制度の見直し（新公園法第23条第１項関係）

(1)　海域における利用調整地区制度の導入

①　利用調整地区は、国立公園又は国定公園の風致又は景観の維持とその適正な利用を図るため、特別地域内に指定することができることとされていたが、近年、海域においても、海域におけるレクリエーションの多様化等によって、観光船等を利用した野生動物の観賞等の活動が盛んに行われるようになり、当該海域の景観の維持及び生物の多様性の保全上の支障が生じている又は懸念される事例がみられることから、海域公園地区内についても利用調整地区を指定できることにした。

ただし、港湾法第２条第３項に規定する港湾区域、同法第37条第１項に規定する港湾隣接地域、同法第56条第１項の規定により都道府県知事が公告した水域又は港則法第２条の港の区域は指定の対象とならないものとする。

②　利用調整地区は、公園利用を前提として適正な利用者管理が行われる地区であり、利用者圧による植生等の荒廃や野生動物の生息等への影響等が認められる又はそのおそれがある地域において、利用者数や乗り入れる船舶の隻数等を調整することにより、風致景観に及ぼす影響を回避し、適正な利用を図ることを目的として指定するものである。このため、動力船の使用を禁止とする運用は行われ得ないものであり、動力船の使用規制とは異なる。

③　海域公園地区において許可を受けた行為等を行うため、非常災害のためその他の理由により利用調整地区に立ち入る必要がある者は、その目的を達成する範囲内に限り、認定や許可を受けずに利用調整地区内に立ち入ることができる。

また、海域公園地区内に利用調整地区を指定できることとしたことを踏まえ、海域公園地区内で行われる行為のうち、新公園法第23条第３項第６号の規定による認定等を要しない通常の管理行為、軽易な行為等を新公園法施行規則第13条の５に規定した。

(2)　代表者による立入認定制度の創設（新公園法第24条第７項関係）

①　代表者による立入認定制度の導入

ア　これまで利用調整地区の区域内へ立ち入ろうとする場合は、立ち入ろうとする個人が、環境大臣又は都道府県知事（指定認定機関が指定されている場合は、指定認定機関）による立入りの認定を受けなければならないこととされていたが、近年、ツアーガイドが複数の利用者を引率するタイプの利用形態が増加していることを踏まえ、従来からの個人に対する立入りの認定に加え、他の利用者に、風致又は景観の維持とその適正な利用に支障を及ぼすおそれがないように利用調整地区へ立ち入らせることができる者（以下「代表者」という。）が代表して立入りの認定を受け、代表者の監督の下に利用調整地区へ立ち入る利用者については、改めて立入りの認定を受けることを要しないこととした。

イ　新公園法施行規則第13条の10に規定する要件に適合する代表者は、環境大臣又は都道府県知事（指定認定機関）に申請を行い、代表者及び当該代表者の監督の下に立ち入ろうとする利用者の立入りが認定の基準に適合している旨の認定を受けることができることとしている。

なお、立入りの認定の基準については新公園法施行規則第13条の6に規定した。

ウ　代表者及び代表者の監督の下に立ち入る利用者の認定又は立入認定証の再交付のための手数料の額については、国立公園においては、新公園法施行令第3条に規定した額の範囲内で、利用調整地区ごとに環境大臣が定めることとしている。

エ　代表者及び代表者による立入りの認定を受けた利用者が利用調整地区内に立ち入るときは、代表者及び代表者の監督の下に立ち入る利用者のそれぞれが交付された立入認定証を携行しなければならない。立入認定証を携行しないで立ち入った者は、代表者であるか代表者の監督の下に立ち入る利用者であるかにかかわらず、10万円以下の過料が課せられること（新公園法第89条）になる。

8　生態系維持回復事業制度の創設（新公園法第38条から第42条まで関係）

(1)　生態系維持回復事業制度の意義

これまで国立・国定公園内では、自然環境の状態や重要性に応じて、その区域内に特別地域等を指定し、その地域内における工作物の新築、木竹の伐採、動植物の捕獲等の一定の行為を法的に規制することによって、自然の風景地の保護を図ってきた。

しかしながら、近年、シカやオニヒトデ等による食害の深刻化や他地域から侵入した動植物による在来の動植物の駆逐など、従来の規制的手法だけでは自然の風景地を保護できない事例が各地でみられる。このため、国立・国定公園において、その優れた自然の風景地の維持を図っていくためには、食害をもたらすシカやオニヒトデ等の捕獲や外来種の駆除、食害からの自然植生やサンゴ群集の保護などの取組を積極的に行っていくことが必要となっている。ただし、シカなどの特定の種のみに注目した取組だけを行っていたのでは、その種と関係の深い別の種の異常繁殖や減少などの新たな影響が生じ、結果として自然の風景地を保護できない可能性がある。従って、国立・国定公園内でこれらの取組を進める際には、シカや外来種の駆除といった特定の種又は種群のみを対象とした取組を個別に進めるのではなく、生態系のプロセスや生物間の相互作用等に注目した総合的な取組をモニタリングに基づき順応的に行っていくことが重要である。

また、平成14年に自然再生推進法（平成14年法律第148号）が制定され、国立・

国定公園においても損なわれた自然環境を取り戻すための取組が行われているが、一旦損なわれた自然環境を再生することは容易ではない。このため、生態系への被害が予想される場合には、その被害を未然に防止することを目的に予防的な観点から必要な取組を行うとともに、生態系への被害が生じている場合には、生態系が完全に損なわれてしまう前に、迅速な対応を講じることにより、更なる被害の拡大を食い止め、その生態系本来の姿へと早期に回復を図っていくことが重要である。

このようなことから、国立・国定公園内の生態系の維持又は回復を図ることを目的とした生態系維持回復事業制度を創設することとしたものである。

(2)　生態系維持回復事業の実施に当たっての手続

①　生態系維持回復事業に関する公園計画の決定

公園計画は、国立公園又は国定公園の保護又は利用のための規制又は事業に関する計画として、国立公園又は国定公園の管理運営の基本を成すものである。このため、国立公園又は国定公園の自然の風景地の保護を図るために生態系維持回復事業を実施する必要がある場合には、まず、生態系維持回復事業に関する公園計画（以下「生態系維持回復計画」という。）を決定することとしている。生態系維持回復計画の決定に当たっては、生態系維持回復事業の名称、位置、生態系維持回復事業の実施方針等を明らかにすることとし、公園計画の決定又は変更として改正法第67条に基づき関係行政機関に協議するとともに、関係都道府県及び関係市町村の意見を聴くものとする。

②　生態系維持回復事業計画の策定

ア　生態系維持回復事業の適正かつ効果的な実施に資するため、国立公園については環境大臣及び生態系維持回復事業を行おうとする国の機関の長が、国定公園については都道府県知事が、公園計画に基づいて生態系維持回復事業計画を定めることとしている。

なお、生態系維持回復事業計画の策定に当たっては、国の関係行政機関、関係都道府県及び関係市町村の意見を聴くものとする。

イ　生態系維持回復事業の内容は次のとおりとし、生態系維持回復事業計画では、これらの事業のうち、生態系維持回復事業として実施する事業の内容を定めるものとする。ただし、森林に係る生態系維持回復事業の内容については、これらの事業のうち、(a)、(b)、(e)及び(f)に関する事業とし、森林の整備及び保護は含まないものとする。

(a)　生態系の状況の把握及び監視

(b)　生態系の維持又は回復に支障を及ぼすおそれのある動植物の防除

(c)　動植物の生息環境又は生育環境の維持又は改善

(d)　生態系の維持又は回復に必要な動植物の保護増殖

(e) 生態系の維持又は回復に資する普及啓発

(f) 上記に掲げる事業に必要な調査等（動植物の生息・生育環境の管理手法に関する調査試験研究等上記事業を行うために必要なもの）

ウ 生態系維持回復事業計画の策定に当たっては、鳥獣の保護及び狩猟の適正化に関する法律（平成14年法律第88号）に基づく鳥獣保護事業計画や特定鳥獣保護管理計画、鳥獣による農林水産業等に係る被害の防止のための特別措置に関する法律（平成19年法律第134号）に基づく被害防止計画、特定外来生物による生態系等に係る被害の防止に関する法律（平成16年法律第78号）に基づく防除実施計画等の関連する計画との整合を図ることが不可欠であることから、関係者とは十分に調整を図り、これらの関連する計画との整合を図る上で留意すべき事項等がある場合には生態系維持回復事業計画に記載するものとする。

③ 生態系維持回復事業の実施

ア 生態系維持回復事業が円滑に実施できるようにするため、新公園法第20条第9項第２号等の規定により、生態系維持回復事業計画に適合するものとして確認又は認定を受けた生態系維持回復事業として行う行為に対する特別地域等の許可を受けることが不要となる特例措置を設けた。

イ 生態系維持回復事業計画の策定段階においては、生態系維持回復事業の実施者が必ずしも決まっていない場合も考えられることから、生態系維持回復事業の実施段階において、関係行政機関や土地所有者等との適切な連絡調整に努めるものとする。

④ 生態系維持回復事業の認定の取消し及び報告徴収

生態系維持回復事業計画に従って生態系維持回復事業を行っていないと認めるときなどの場合には、生態系維持回復事業の認定を取り消すことができることとするとともに、生態系維持回復事業の認定を受けた者に対し、その生態系維持回復事業の実施状況その他必要な事項に関し報告を求めることができることとした。

9 罰則の追加（新公園法第82条から第90条まで関係）

公園事業の執行に関する規定を政令から法律に規定することとしたこと等に伴い、公園事業に係る原状回復命令等に対する罰則を設ける等、公園事業に関する罰則の規定を追加した。

10 経過措置（新公園法施行令附則関係）

旧公園法施行令の規定により、新公園法の施行前にされた申請等であって、新公園法の施行時点で認可等の処分がされていない場合については、新たに手続きを行わなくても良いよう従前の規定を適用する旨等の公園事業の執行等に関する経過措置を規定した。

11　その他

旧公園法、旧公園法施行令及び旧公園法施行規則に基づく告示及び通知について、今回の改正により条項名のずれ又は海中公園地区の海域公園地区への読み替えが生じるものが多数あるが、これらの告示及び通知については、改正法施行日（平成22年4月1日）以降も条項名等を読み替えて適用することとする。

なお、当該告示及び通知について改正を行う場合には、当該告示及び通知中の条項名等を改正法、改正政令及び改正省令の条項名等に、順次改正していくこととしている。

第3　自然環境保全法の改正関係

1　目的の改正（新保全法第1条関係）

(1)　従来から、自然環境の保全を図ることにより生物の多様性の確保を図ってきた自然環境保全法について、生物多様性基本法の制定等に見られる生物の多様性に関する社会的な要請の高まりを踏まえ、また、今回の法改正においては、生物の多様性の観点からも問題であると指摘されている事象に対して、生態系維持回復事業等の生物の多様性を確保する措置を講ずることとしていることから、目的規定において、自然環境を保全することが特に必要な区域等の「自然環境の適正な保全」の例示として「生物の多様性の確保」を明示することとしたものである。

(2)　今回の目的規定の改正は上記趣旨により行われたものであるが、これまでも実施してきていた自然環境保全地域等における生物の多様性の確保について、法律上の位置付けを明確にしたものであり、自然環境保全地域の指定等における従来の考え方を変えるものではない。

また、生物の多様性の確保については、今回改正された新公園法及び新保全法だけではなく、生物の多様性に寄与する関連法制度と連携して取り組んでいくものとする。

2　自然環境保全基本方針における記載事項の明確化（新保全法第12条第2項関係）

目的規定同様、自然環境保全基本方針の記載事項において、「自然環境の保全」の例示として「生物の多様性の確保」を明示することとしたものである。

3　原生自然環境保全地域に関する保全計画決定時における一般の閲覧の追加（新保全法第15条関係）

旧保全法第15条第2項では原生自然環境保全地域の保全計画を決定したときは、その概要の公示のみが規定されていたが、より広く周知するため、一般の閲覧にも供することとした。

4　原生自然環境保全地域内の行為規制の項目の拡充（新保全法第17条第1項関係）

(1)　原生自然環境保全地域における規制行為については、機動的に規制を追加する必要が生じたときに備えて、行為の規制について政令で規定できることとされている。原生自然環境保全地域における「木竹以外の植物を植栽し、又は植物の種子をまくこと」、「動物を放つこと」及び「廃棄物を捨て、又は放置すること」の規制は本規定に基づき実施されてきたものであるが、今回の改正を機に法律に規定することとしたものであり、これによりこれまでの取扱いが変更されるものではない。

(2) これまでも「動物を放つこと」には「家畜を放牧すること」が含まれるものとして整理がなされてきたことを踏まえ、今回の改正では「家畜を放牧すること」の号を削除し、「動物を放つこと」を法律に規定することとしたが、従来から規定されている家畜の放牧について、引き続き許可が必要であることが明確になるよう、動物を放つことには家畜の放牧が含まれることを規定上明示した。

5 自然環境保全地域の指定対象となる海域の拡大（新保全法第22条第１項関係）

海中に生息等する熱帯魚、さんご、海藻その他の動植物に加え、海鳥、海獣といった多様な動植物を含む自然環境が優れた状態を維持している海域についても、自然環境保全地域に指定し、海域全体として適正な保全を図るため、海域における自然環境保全地域の指定要件に関し、「自然環境が優れた状態を維持している海域」の指標としている海中に生息等する「熱帯魚、さんご、海そうその他これらに類する動植物」について、海域に生息する海鳥、海獣等を含めた「熱帯魚、さんご、海藻その他の動植物」に改めた。

6 自然環境保全地域に関する保全計画への生態系維持回復事業の位置付け（新保全法第23条第１項及び第２項関係）

生態系維持回復事業制度の創設に伴い、これまで自然環境の保全のための規制又は施設に関する計画としていた保全計画を自然環境保全のための規制又は事業に関する計画と改め、生態系維持回復事業を事業に関する計画に位置付けることとした。

7 自然環境保全地域内の行為規制の項目の拡充（新保全法第25条第４項関係）

(1) 特別地区における木竹の損傷に係る規制（新保全法第25条第４項第３号）

① 自然環境保全地域の特別地域において、自然環境の保全に大きな支障を生じる可能性がある木竹の損傷事例がみられることから、特別地区における優れた自然環境を保全するため、特別地区のうち環境大臣が指定する区域内での木竹の損傷を新たに許可を要する行為とした。

環境大臣が指定する区域に限定した理由は、特別地区の中には農林漁業活動が行われる地域も含まれうるものであり、それらの活動との調整を図っていくことが必要なこと、また、昨今、木竹の損傷が問題となっているのは世界自然遺産地域等として登録され、その生態系の価値が世界的にも評価されている地域であることから、木竹の損傷が問題となっている地域に限って規制することが適当であると考えられたためである。

② 木竹の損傷を規制する区域の指定については、世界自然遺産地域のように優れ

た森林生態系が維持されているなど特にその自然環境の保全を図る必要がある区域であって、木竹が損傷されることにより、自然環境の保全に影響を及ぼしている又は及ぼすおそれのある区域を対象として指定するものとする。

③　木竹の損傷の許可は、自然環境の保全上支障を及ぼすおそれが少ない場合に行うこととし、許可基準を新保全法施行規則第17条に規定した。

④　木竹の損傷のうち「森林の整備及び保全」を図るために行うものの解釈及び運用については、第２．４．⑴．③に準じるものとする。

また、通常の管理行為又は軽易な行為のうち自然環境の保全に支障を及ぼすおそれがないものについては、許可等を要しない行為として新保全法施行規則第19条に規定した。

⑵　特別地区における環境大臣が指定する区域内において、「環境大臣が指定する植物を植栽し、又は植物の種子をまくこと」及び「環境大臣が指定する動物を放つこと」の規制（新保全法第25条第４項第４号及び第５号関係）

①　特別地区における優れた自然環境を保全するため、特別地区のうち環境大臣が指定する区域内において、当該区域が本来の生育地又は生息地でない動植物であって、「環境大臣が指定する植物を植栽し、又は植物の種子をまくこと」及び「環境大臣が指定する動物を放つこと」を、新たに許可を要する行為とした。

環境大臣が指定する区域及び種に限定した理由及び放出等を規制する動植物及び区域の指定についての考え方は、第２．４．⑵の①及び②に準じるものとする。

②　動植物の放出等の許可は、自然環境の保全上支障を及ぼすおそれが少ない場合に行うこととし、許可基準を新保全法施行規則第17条に規定した。

また、原生自然環境保全地域における同様の規制による制限の対象とならない行為にかんがみ、通常の管理行為又は軽易な行為のうち自然環境の保全に支障を及ぼすおそれがないものについては、許可等を要しない行為として新保全法施行規則第19条に規定した。

⑶　特別地区において規制する行為を政令に委任する規定の追加（新保全法第25条第４項第８号関係）

本規定は、今後特別地区において、機動的に規制を追加する必要が生じたときに備え、行為の規制について政令で定めることができるよう規定したものであり、今回の政令改正において追加された行為はない。

8　海域特別地区制度の創設（新保全法第27条関係）

⑴　海中特別地区の海域特別地区への変更

海中特別地区は、熱帯魚、さんご、海藻等の動植物を含む優れた海中の自然環境を保全するための制度であるが、近年では、潮の干満により干出する干潟や岩礁等の特徴的な地形が見られる海域、海鳥等の野生動物によって特徴づけられる海域など、海中だけではなく、海上も含めた海域全体の自然環境の保全を図っていくことが必要となっている。このため、これまで海中のみを対象としていた海中特別地区を海域全体を対象とする海域特別地区に改めるものである。

なお、現行の海中特別地区は、改正法附則第5条の経過措置の規定により、新保全法の施行後に海域特別地区に改められることになる。

(2) 海域特別地区の指定等（新保全法第27条第1項関係）

① 海域特別地区は、自然環境が優れた状態を維持している海域を対象として設定される自然環境保全地域の中で、自然環境の特性に応じて特に保全を図るべき海域で、次に掲げるもののうち、保全対象を保全するために必要不可欠な核となるものについて、その必要な限度において選定する。

ア 熱帯魚、さんご、海藻その他の動植物の種類が豊富であるもの又は希有な種類を含むもので当該海域の生態系構成上重要なもの

イ 特異の海底地質、地形、自然現象を有するもの

なお、海域特別地区には、次に掲げる区域は含まないものとする。

ア 森林法第2条第1項に規定する森林

イ 上記ア以外の土地であって、以下の事業に係る施設敷（海域特別地区指定以前に森林法に基づく地域森林計画及び国有林の地域別の森林計画において決定されている箇所に係る施設敷を含む。）

(a) 森林法に基づく保安施設事業

(b) 地すべり等防止法に基づく林野庁所管の地すべり防止工事

② 海域特別地区に関する保全計画の決定に当たっては、サンゴ群集や海藻等は消長を繰り返し、それらの分布は変化することを踏まえ、当該海域の自然環境を保全する上で適切と判断される区域を設定するとともに、海域と周辺の陸域の自然環境の総合的な保全を図るため、次の点からも保全計画について十分検討し、必要があれば保全計画の変更等を行うものとする。

ア 集水域、野生生物の移動経路等の自然的条件を踏まえ、周辺の陸域の自然についても可能な限り一体的に保全が図られること。

③ 今後、海域特別地区の区域線として汀線界を用いる場合には、東京湾中等潮位、最高高潮位又は最低低潮位における汀線のいずれかの汀線界を選択することができるものとする。

(3) 海域特別地区における「環境大臣が指定する区域内において、環境大臣が指定する動植物の捕獲等」の規制（新保全法第27条第3項第5号関係）

① 新保全法第27条第3項ただし書後段の「第1号から第3号まで、第6号及び第7号に掲げる行為で漁具の設置その他の漁業を行うために必要とされるもの」に

該当する行為の解釈及び運用については、第２．５．⑶．①に準じるものとする。

② 動植物の捕獲等の許可は、自然環境の保全上支障を及ぼすおそれが少ない場合に行うこととし、許可基準を新保全法施行規則第23条に規定した。

また、通常の管理行為又は軽易な行為のうち自然環境の保全に支障を及ぼすおそれがないものについては、許可等を要しない行為として新保全法施行規則第25条に規定した。

③ 従来、海中特別地区における動植物の捕獲等規制は、海中特別地区ごとに環境大臣が農林水産大臣の同意を得て指定する種を対象として行われてきたが、自然環境保全地域の区域内に複数の海域特別地区が指定される場合、海域特別地区ごとに捕獲等規制の対象種は異なる可能性があること、海域特別地区の全域を対象として一律に捕獲等の規制を行うのではなく、海域特別地区内において動植物の捕獲等の規制を行うべき種及び区域をきめ細かく設定することにより、漁業との調整を図りつつ、適切な保全を図ることが望ましい場合があることから、海域特別地区内において環境大臣が指定する区域（捕獲等規制区域）ごとに対象とする種を指定し、捕獲等の規制を行うこととした。

また、今回の法改正により創設された海域特別地区は、熱帯魚、さんご、海藻等によって構成される海中の自然環境だけではなく、潮の干満により干出する干潟、岩礁等の特徴的な地形や海鳥等の動植物が生息・生育等する海域全体の優れた自然環境を対象とするものであるから、捕獲等の規制対象種についても「熱帯魚、さんご、海藻その他の動植物」に改めた。

⑷ 海域特別地区における「環境大臣が指定する区域内において当該区域ごとに指定する期間内の動力船の使用」の規制（新保全法第27条第３項第７号関係）

① 無秩序なウオッチングクルーズ等による野生動物の生息への影響等により、優れた海域の自然環境の保全上の支障が生じている事例が見られるため、海域特別地区内における環境大臣が指定する区域内において、当該区域ごとに指定する期間内の動力船の使用を許可を要する行為とした。

② 動力船の使用を規制する区域、期間の指定等の考え方及び指定に当たっての手続きについては、第２．５．⑷の①及び②に準じるものとする。

③ 動力船の使用の許可は、自然環境の保全上支障を及ぼすおそれが少ない場合等に行うこととし、許可基準を新保全法施行規則第23条に規定した。また、法令に基づいて国又は地方公共団体が行う行為又は通常の管理行為若しくは軽易な行為のうち自然環境の保全に支障を及ぼすおそれがないものについては、許可等を要しない行為として新保全法施行規則第24条又は第25条に規定した。

⑸ 海域特別地区において規制する行為を政令に委任する規定の追加（新保全法第27

条第3項第8号関係）

本号は、今後海域特別地区において、機動的に規制を追加する必要が生じたときに備え、行為の規制について政令で定めることができるよう規定したものであり、今回の政令改正において追加された行為はない。

9 生態系維持回復事業制度の創設（新保全法第30条の2から第30条の5まで関係）

近年、自然環境保全地域においてもシカ等による食害の深刻化など従来の規制的手法だけでは自然環境を保全できない事例がみられることから、自然環境保全地域内の生態系の維持又は回復を図ることを目的とした生態系維持回復事業制度を創設することとしたものである。

なお、原生自然環境保全地域については、自然環境保全基本方針において、人の活動によって影響を受けることなく原生状態を維持している等の要件を満たす地域を指定すること、当該地域内においては極相の状態や原生の状態を維持するため、原則として地域内における人為的な改変を禁止するとともに、地域外からの各種の影響を極力排除するよう努めることとされるなど、極めて厳正な管理を図るべき地域とされていることから、原生自然環境保全地域については生態系維持回復事業制度を導入しないこととした。

ただし、原生自然環境保全地域は我が国の自然環境保全上極めて重要な地域であることから、食害をもたらすシカの侵入など当該地域の原生状態の維持に支障を生じるおそれがある場合には、当該地域外における予防的措置の実施など厳格な対応を行うものとする。

(1) 生態系維持回復事業の実施に当たっての手続き

① 生態系維持回復事業に関する計画の決定

保全計画は、自然環境保全地域における自然環境の保全のための規制又は事業に関する計画として、自然環境保全地域の保全管理の基本を成すものである。このため、自然環境保全地域の自然環境の保全を図るために生態系維持回復事業を実施する必要がある場合には、まず、生態系維持回復事業に関する計画（以下「生態系維持回復事業計画」という。）を決定することとしている。生態系維持回復事業計画の決定に当たっては、生態系維持回復事業の名称、位置、生態系維持回復事業の実施方針等を明らかにすることとし、保全計画の決定又は変更として新保全法第43条に基づき関係行政機関に協議するとともに、関係都道府県及び関係市町村の意見を聴くものとする。

② 生態系維持回復事業計画の策定

ア 生態系維持回復事業の適正かつ効果的な実施に資するため、環境大臣及び生態系維持回復事業を行おうとする国の機関の長が保全計画に基づいて生態系維持回復事業計画を定めることとしている。

なお、生態系維持回復事業計画の策定に当たっては、国の関係行政機関、関係都道府県及び関係市町村の意見を聴くものとする。

イ　生態系維持回復事業の内容については、新保全法施行規則第30条の２に規定した。

なお森林に係る生態系維持回復事業の内容は次のとおりとし、森林の整備及び保護は含まないものとする。

(a)　生態系の状況の把握及び監視

(b)　生態系の維持又は回復に支障を及ぼすおそれのある動植物の防除

(c)　生態系の維持又は回復に資する普及啓発

(d)　その他（動植物の生息・生育環境の管理手法に関する調査試験研究等上記事業を行うために必要なもの）

ウ　生態系維持回復事業計画の策定に当たっては、鳥獣の保護及び狩猟の適正化に関する法律（平成14年法律第88号）に基づく鳥獣保護事業計画や特定鳥獣保護管理計画、鳥獣による農林水産業等に係る被害の防止のための特別措置に関する法律（平成19年法律第134号）に基づく被害防止計画、特定外来生物による生態系等に係る被害の防止に関する法律（平成16年法律第78号）に基づく防除実施計画等の関連する計画との整合を図ることが不可欠であることから、関係者とは十分に調整を図り、これらの関連する計画との整合を図る上で留意すべき事項等がある場合には生態系維持回復事業計画に記載するものとする。

③　生態系維持回復事業の実施

ア　生態系維持回復事業が円滑に実施できるようにするため、新保全法第25条第10項第２号等の規定により、生態系維持回復事業計画に適合するものとして確認又は認定を受けた生態系維持回復事業として行う行為に対する特別地区等の許可を受けることが不要となる特例措置を設けた。

イ　生態系維持回復事業計画の策定段階等においては、生態系維持回復事業の実施者が必ずしも決まっていない場合も考えられることから、生態系維持回復事業の実施段階において、関係行政機関や土地所有者等との適切な連絡調整に努めるものとする。

④　生態系維持回復事業の認定の取消し及び報告徴収

同様の趣旨で制度を設けることとしている自然公園制度における生態系維持回復事業制度に準じて、自然環境保全地域において実施される生態系維持回復事業についても認定の取消し又は報告徴収を行うことができることとした。

10　罰則の見直し（新保全法第53条から第56条まで関係）

罰金の額について、同様の行為規制を行っている自然公園法と自然環境保全法における水準が異なっている状況にあることから、自然環境保全法における罰金の最高額について、自然公園法における水準と同程度の水準に引き上げることとした。

11　その他

旧保全法、自然環境保全法施行令及び自然環境保全法施行規則に基づく告示及び通知について、今回の改正により条項名のずれ又は海中特別地区の海域特別地区への読み替えが生じるものが多数あるが、これらの告示及び通知については、改正法施行日（平成22年４月１日）以降も条項名等を読み替えて適用することとする。

なお、当該告示及び通知について改正を行う場合には、当該告示及び通知中の条項名等を改正法、改正政令及び改正省令の条項名等に、順次改正していくこととしている。

○地域の自主性及び自立性を高めるための改革の推進を図るための関係法律の整備に関する法律等による自然公園法の改正等について

〔平成23年11月30日　環自国発第111130001号
各地方環境事務所・釧路・長野・那覇自然環境事務所・
高松事務所長・各都道府県知事宛　自然環境局長通知〕

地域の自主性及び自立性を高めるための改革の推進を図るための関係法律の整備に関する法律（平成23年法律第105号。以下「第２次一括法」という。）が平成23年８月30日付けで、地域の自主性及び自立性を高めるための改革の推進を図るための関係法律の整備に関する法律の施行に伴う環境省関係省令の整理に関する省令（平成23年環境省令第32号）が平成23年11月30日付けで公布され、平成23年11月30日付けで施行されることとなった。

これらの内容等は次のとおりであるので、了知の上、その適切な施行に努められたい。

記

第１　改正の趣旨

今回の改正は、地域主権戦略大綱（平成22年６月22日閣議決定）において、自然公園法（昭和32年法律第161号。以下「法」という。）に規定する国立公園及び国定公園に係る事項について地域主権改革の推進のための改正が必要な事項が規定されたことから、第２次一括法において自然公園法の改正が行われ、それに伴い自然公園法施行規則（昭和32年厚生省令第41号。以下「規則」という。）の改正を行うものである。

なお、今回、同意を要する協議を、同意を要しない協議へ改正しているが、合理的な事情のない限り、協議者が協議に対する回答書を受領することも、法における「協議」に含まれることに留意されたい。

第２　改正内容

⑴　法第10条第２項の一部改正関係

公共団体が国立公園事業の一部を執行する場合における環境大臣への同意を要する協議を、同意を要しない協議とする。

また、規則第１条、第２条第１項、第３条、第４条第１項、第５条及び第８条についても所要の改正を行う。

⑵　法第12条第１項の一部改正関係

公共団体が合併又は分割により国立公園事業者の地位を承継する場合における環境大臣への同意を要する協議を、同意を要しない協議とする。

また、規則第６条第１項及び第２項についても所要の改正を行う。

⑶　法第16条第２項の一部改正関係

都道府県以外の公共団体が国定公園事業の一部を執行する場合における都道府県知事への同意を要する協議を、同意を要しない協議とする。

また、規則第９条についても所要の改正を行う。

⑷　法第20条第５項、第21条第５項及び第22条第５項の一部改正関係

都道府県知事が、国定公園内の特別地域、特別保護地区又は海域公園地区において、当該国定公園の風致に及ぼす影響その他の事情を考慮して環境省令で定める行為について許可を行う場合の環境大臣への同意を要する協議を、同意を要しない協議とする。

⑸　法第68条第２項の一部改正関係

都道府県知事が、国定公園の風致又は景観に及ぼす影響その他の事情を考慮して環境省令で定める行為について法第68条第１項の規定による協議を受けた場合の環境大臣への同意を要する協議を、同意を要しない協議とする。

⑹　経過措置

第２次一括法の施行前に改正前の自然公園法第10条第２項、同条第６項（第16条第４項において読み替えて準用する場合を含む。）又は第16条第２項の規定による同意を得ようとしている者の申請書及びその添付書類は、改正後の自然公園法の規定による協議書及びその添付書類とみなすこととする。

○地域の自主性及び自立性を高めるための改革の推進を図るための関係法律の整備に関する法律による自然公園法の改正について

〔平成25年６月28日　環自国発第1306281号
各都道府県知事・各地方環境事務所・釧路・長野・那覇自然環境事務所長宛　環境省自然環境局長通知〕

地域の自主性及び自立性を高めるための改革の推進を図るための関係法律の整備に関する法律（平成25年法律第44号。以下「第３次一括法」という。）が平成25年６月14日付けで、公布、一部施行されることとなった。

第３次一括法による自然公園法改正の内容は次のとおりであるので、了知の上、その適切な施行に努められたい。

記

第１　改正の趣旨

今回の改正は、「義務づけ・格付けの更なる見直しについて」（平成23年11月29日閣議決定）において、自然公園法（昭和32年法律第161号。以下「法」という。）に規定する公園管理団体の指定等の事項について地域主権改革の推進のための改正が必要な事項が規定されたことから、第３次一括法において自然公園法の改正が行われたものである。

なお、今回、公園管理団体の指定等の公示の手法について、要式性のない公示へ改正しているが、一般国民若しくは一定地域の住宅又は少なくとも不特定多数の人々が知ることのできる状態で公示する法的義務は現行と変わらず維持されることに留意されたい。

第２　改正内容

⑴　法第49条第２項の一部改正関係

環境大臣又は都道府県知事が公園管理団体を指定した際における団体の名称、住所及び事務所の所在地の公示について、「それぞれ官報又は都道府県の公報で」としていた公示方法を削除し、要式性のない公示とする。

⑵　法第49条第４項の一部改正関係

環境大臣又は都道府県知事が、公園管理団体より、その団体の名称、住所及び事務所の所在地の変更に関する届出を受理した際の公示について、「それぞれ官報又は都道府県の公報で」としていた公示方法を削除し、要式性のない公示とする。

⑶　法第53条第２項の一部改正関係

環境大臣又は都道府県知事が、公園管理団体の指定を取り消した際の公示について、「それぞれ官報又は都道府県の公報で」としていた公示方法を削除し、要式性のない公示とする。

第３　施行期日

公布の日

○自然公園法施行規則及び自然環境保全法施行規則の一部を改正する省令の施行について

〔平成26年８月10日　環自計発第1408101号・環自野発第1408101号・環自国発第1408102号
各地方環境事務所・釧路・長野・那覇自然環境事務所長宛　環境省自然環境局長通知〕

海岸法の一部を改正する法律（平成26年法律第61号。）が平成26年６月11日付けで公布され、同年８月10日から施行されることとなった。

これを受け、自然公園法施行規則及び自然環境保全法施行規則の一部を改正する省令（平成26年環境省令第25号）が平成26年８月８日付けで公布され、同年８月10日から施行されることとなった。

これらの内容は次のとおりであるので、了知の上、その適切な施行に努められたい。

なお、各都道府県知事には、別添写しのとおり通知したので了知されたい。

〔別添写し〕

自然公園法施行規則及び自然環境保全法施行規則の一部を改正する省令の施行について

〔平成26年８月10日　環自計発第1408101号・環自野発第1408101号・環自国発第1408102号
各都道府県知事宛　環境省自然環境局長通知〕

海岸法の一部を改正する法律（平成26年法律第61号。）が平成26年６月11日付けで公布され、同年８月10日から施行されることとなった。

これを受け、自然公園法施行規則及び自然環境保全法施行規則の一部を改正する省令（平成26年環境省令第25号）が平成26年８月８日付けで公布され、同年８月10日から施行さることとなった。

これらの内容は次のとおりであるので、了知の上、その適切な施行に努められたい。

記

第１　改正の趣旨

海岸法の一部を改正する法律（平成26年法律第61号。以下「改正法」という。）により、海岸保全施設について、「堤防又は胸壁にあつては、津波、高潮等により海水が当該施設を越えて侵入した場合にこれによる被害を軽減するため、当該施設と一体的に設置された根固工又は樹林」が含まれることとなったことを受け、自然公園法施行規則（昭和32年厚生省令第41号）及び自然環境保全法施行規則（昭和48年総理府令第62号）の一部を改正するものである。

自然公園法（昭和32年法律第161号）及び自然環境保全法（昭和47年法律第85号）においては、保護区域内における海岸保全施設を改築し、又は増築することについては、許可又は届出を不要としている。

改正法により、堤防又は胸壁と一体的に設置された樹林は、海岸保全施設に含まれることとなるが、樹林（木竹）と工作物は異なるものと観念され、また、その方法（樹種の選定、立地等）次第では、野生生物の生息環境、生物多様性、景観等に悪影響を及ぼすことが考えられるため、以下のとおり、自然公園法施行規則及び自然環境保全法施行規則を改正し、海岸保全施設に含まれる樹林については、他の木竹と同様に取扱うこととする。

第２　自然公園法施行規則の改正関係

自然公園法施行規則第12条第６号の２において特別地域内において改築又は増築するにあたって許可又は届出を要しないと定められている「海岸法第２条第１項に規定する海岸保全施設」から、「堤防又は胸壁と一体的に設置された樹林」を除くこととする。

ただし、特別地域における木竹の植栽は、自然公園法第20条第８項においてあらかじめ届出を要する行為とされているものの、施行規則第12条第27号の５の規定により、環境大臣が指定する地域以外の地域における植栽は届出を要する行為から除かれており、当該地域の指定は現在のところ存在しないことから、実質的には届出を要する行為ではない。また、木竹の伐採についても、施行規則第12条第15項に定められる森林の保育のための間伐行為をはじめとして、不要許可行為の定めがあることに留意が必要である。

すなわち、実際の運用において、堤防又は胸壁と一体的に設置された樹林に係る行為が自然公園法第20条の許可の対象となる場合は、一旦整備した樹林を択伐、皆伐する場合等に限定されるものである。

なお、堤防又は胸壁と一体的に設置される樹林が構造物の範囲を超えて、土地の形状変更を伴って設置される場合は、土地の形状変更についても自然公園法第20条の許可の対象となると解されるから、特に、海岸植生や海岸湿地等の保全の観点から運用について留意されたい。

また、自然公園法施行規則第11条の３第３号ロで、国定公園の特別地域における新築の許可に当たって環境大臣との協議を要すると定められている「海岸法第２条第１項に規定する海岸保全施設」からも、同様に工作物とは観念されない「堤防又は胸壁と一体的に設置された樹林」を除くこととする。

第３　自然環境保全法施行規則の改正関係

自然環境保全法施行規則第17条第１号及び第23条第１号に定める特別地区及び海域特

別地区内の工作物の新築に係る許可基準並びに第18条第２号及び第24条第１号において特別地区及び海域特別地区内における行為の制限の対象とならない国又は地方公共団体の行為に関する規定中の「海岸法第２条第１項に規定する海岸保全施設」から「堤防又は胸壁と一体的に設置された樹林」を除くこととする。

特別地区における木竹の扱いについては、自然環境保全法施行規則第25条第４項第２号で「木竹の伐採」、同項第３号で「環境大臣が指定する区域内において木竹を損傷すること」及び同項第４号で「環境大臣が指定する区域内において当該区域が本来の生育地でない植物で、当該区域における自然環境の保全に影響を及ぼすおそれがあるものとして環境大臣が指定するものを植栽し、又は当該植物の種子をまくこと」が許可制となっている。ただし、自然環境保全法施行規則第25条第４項において、同条第３項の規定により環境大臣が指定する方法により当該限度内において行う木竹の伐採並びに森林の整備及び保全を図るために行う木竹の損傷については、許可を要しないこととなっている。そのため、実際の運用において、堤防又は胸壁と一体的に設置された樹林に係る行為が自然環境保全法第25条の許可の対象となる場合は、一旦整備した樹林を環境大臣が指定した方法以外の方法で伐採する場合等に限定されるものである。

なお、堤防又は胸壁と一体的に設置される樹林の範囲が構造物の範囲を超えて、土地の形質変更を伴う場合は、土地の形質変更についても自然環境保全法第25条の許可の対象となると解されるから、特に、海岸植生や海岸湿地等の保全の観点から運用について留意されたい。

また、本改正においては、自然環境保全法施行規則第17条第１号において、「河川法第３条第１項に規定する河川その他公共の用に供する水路又はこれらを管理するための施設」から「樹林帯」を除外しているが、これは河川法改正に伴う平成９年の本規則改正の遺漏に対応したものである。

第４　自然公園等における樹林の整備に際しての調整について

海岸法第２条第１項の「樹林」の設置予定箇所が、

① 自然公園法に基づく国立公園、国定公園及び都道府県立自然公園の特別地域

② 自然環境保全法に基づく原生自然環境保全地域、自然環境保全地域の特別地区、野生生物保護区及び海域特別地区並びに都道府県自然環境保全地域の特別地区

③ 鳥獣の保護及び狩猟の適正化に関する法律（平成14年法律第88号）に基づく鳥獣保護区特別保護地区

④ 絶滅のおそれのある野生動植物の種の保存に関する法律（平成４年法律第75号）に基づく生息地等保護区（管理地区及び立入制限地区を含む）

に係る場合にあっては、あらかじめ原生自然環境保全地域及び自然環境保全地域にあっては環境省地方環境事務所と、都道府県自然環境保全地域の特別地区にあっては都道府県自然環境保全担当部局と、国立公園の特別地域にあっては環境省地方環境事務所と、

国定公園及び都道府県立自然公園の特別地域にあっては都道府県自然公園担当部局と、国指定鳥獣保護区特別保護地区にあっては環境省地方環境事務所と、その他の鳥獣保護区特別保護地区にあっては都道府県野生生物担当部局と、生息地等保護区にあっては環境省地方環境事務所と十分な調整を図るよう、国土交通省及び農林水産省から都道府県等の海岸管理者に対し施行通知を通じて助言されることとなったので、このことについて了知されるとともに、当該調整の際には、景観、生物多様性の保全等の観点から適切に対応されたい。

第５　その他の留意事項

改正法においては、「根固工」についても新たに海岸保全施設に含まれることが定められたところであるが、当該改正部分については、「堤防又は胸壁に、津波、高潮等により海水が当該施設を越えて浸入した場合に、これによる被害を軽減する効果を有する根固工が含まれることを明確化したもの」であることから、今回の省令改正には含めなかった。

ただし、既存の海岸保全施設に「根固工」を設置する行為の程度が、海岸保全施設の改築及び増築の範囲にとどまらない場合も想定されることから、設置予定箇所が自然公園法に基づく国立公園等に係る場合にあっては、適切に環境省又は都道府県の担当部局との事前の調整が十分に図られるよう、国土交通省等から海岸管理者に対し周知することとされたので、このことについて了知されるとともに、当該調整の際には、景観、生物多様性の保全等の観点から適切に対応されたい。

○自然公園法施行規則の一部を改正する省令の施行について

〔平成27年５月28日　環自国発第1505282号
各地方環境事務所・釧路・長野・那覇自然環境事務所長宛　自然環境局長通知〕

平成27年２月にとりまとめた「国立・国定公園内における大規模太陽光発電施設設置のあり方に関する基本的考え方」を踏まえ、自然公園法施行規則の一部を改正する省令（平成27年環境省令第21号）が平成27年５月19日付けで公布され、同年６月１日から施行されることとなった。これらの内容は次のとおりであるので、了知の上、その適切な施行に努められたい。

なお、各都道府県知事には、別添写しのとおり通知したので、了知されたい。

〔別添写し〕

自然公園法施行規則の一部を改正する省令の施行について

〔平成27年５月28日　環自国発第1505282号
各都道府県知事宛　自然環境局長通知〕

平成27年２月にとりまとめた「国立・国定公園内における大規模太陽光発電施設設置のあり方に関する基本的考え方」を踏まえ、自然公園法施行規則の一部を改正する省令（平成27年環境省令第21号）が平成27年５月19日付けで公布され、同年６月１日から施行されることとなった。これらの内容は次のとおりであるので、了知の上、その適切な施行に努められたい。

記

第１　改正の趣旨

近年、導入量が増加している太陽光発電については、国立・国定公園内においても導入の検討が行われている。特に、大規模発電容量の施設を設置するに当たっては、広大な敷地を必要とする点などの形態的な特性を踏まえ、景観や動植物への影響に配慮し、自然環境との調和を図るため、自然公園法（昭和32年法律第161号）上の審査の考え方を整理する必要性が高まっていた。これを踏まえ、当省では、平成26年９月に「国立・国定公園内における大規模太陽光発電施設設置のあり方検討委員会」を設置し、平成27年２月に「国立・国定公園内における大規模太陽光発電施設設置のあり方に関する基本的考え方（以下「基本的考え方」という。）」を取りまとめたところである。

今回の自然公園法施行規則（昭和32年厚生省令第41号。以下「規則」という。）の改正は、この「基本的考え方」の内容を受け、太陽光発電施設の新築、改築及び増築に係る許可の審査基準を新たに定めるとともに、普通地域における届出を要する工作物の基準を追加するものである。

第２　規則の改正内容

１　特別地域内の行為の許可基準（規則第11条）の追加

環境大臣又は都道府県知事が自然公園法第20条第３項、第21条第３項及び第22条第３項の規定により特別地域、特別保護地区及び海域公園地区内において太陽光発電施設の新築、改築及び増築の許可をするに当たっては、従前、改正前の規則第11条第13項により審査を行っていたところであるが、今般新たによるべき基準として、以下を定めることとした。

(1)　当該太陽光発電施設の色彩及び形態がその周辺の風致又は景観と著しく不調和でないこと。

(2)　以下のイ～ハの規定によること。ただし、同一敷地内の当該太陽光発電施設の地上部分の水平投影面積の和が2,000平方メートル以下であって、学術研究その他公益上必要であり、かつ、申請に係る場所以外の場所においてはその目的を達成することができないと認められるものについては、この限りでない。

イ　次に掲げる地域内において行われるものでないこと。

i）　特別保護地区、第一種特別地域又は海域公園地区

ii）　第二種特別地域又は第三種特別地域のうち、植生の復元が困難な地域等（次に掲げる地域であって、その全部若しくは一部について文化財保護法（昭和25年法律第214号）第109条第１項の規定による史跡名勝天然記念物の指定若しくは同法第110条第１項の規定による史跡名勝天然記念物の仮指定がされていること又は学術調査の結果等により、特別保護地区又は第一種特別地域に準ずる取扱いが現に行われ、又は行われることが必要であると認められるものをいう。）であるもの

①　高山帯、亜高山帯、風衝地、湿原等植生の復元が困難な地域

②　野生動植物の生息地又は生育地として重要な地域

③　地形若しくは地質が特異である地域又は特異な自然の現象が生じている地域

④　優れた天然林又は学術的価値を有する人工林の地域

ロ　当該太陽光発電施設が主要な展望地から展望する場合の著しい妨げにならないものであること。

ハ　当該太陽光発電施設が山稜線を分断する等眺望の対象に著しい支障を及ぼすものでないこと。

⑶　以下のイ〜ホの規定によること。ただし、同一敷地内の当該太陽光発電施設の地上部分の水平投影面積の和が2,000平方メートル以下であって、以下のｉ）〜iii）に掲げる基準のいずれかに適合するものについては、この限りでない。

ｉ）　学術研究その他公益上必要であり、かつ申請に係る場所以外の場所においてはその目的を達成することができないと認められるものであること。

ii）　地域住民の日常生活の維持のために必要と認められるものであること。

iii）　農林漁業に付随して行われるものであること。

イ　当該太陽光発電施設の水平投影外周線で囲まれる土地の勾配が30％を超えないものであること。

ロ　当該太陽光発電施設の地上部分の水平投影外周線が、公園事業道路等の路肩から20ｍ以上、それ以外の道路の路肩から５ｍ以上離れていること。

ハ　当該太陽光発電施設の地上部分の水平投影外周線が、敷地境界線から５ｍ以上離れていること。

ニ　自然草地、低木林地、採草放牧地又は高木の生育が困難な地域において行われるものでないこと。

ホ　支障木の伐採が僅少であること。

⑷　当該太陽光発電施設の撤去に関する計画が定められており、かつ当該太陽光発電施設を撤去した後に跡地の整理を適切に行うこととされているものであること。

⑸　当該太陽光発電施設に係る土地の形状を変更する規模が最小限であると認められること。

⑹　野生動植物の生息又は生育上その他の風致又は景観の維持上重大な支障を及ぼすおそれがないものであること。

⑺　当該行為による土砂及び濁水の流出のおそれがないこと。

2　普通地域内における届出を要する工作物の基準（規則第14条）の追加

「基本的考え方」では、国立・国定公園の普通地域における大規模な太陽光発電施設の設置への対応も必要であるとされ、このことを踏まえ、規則第14条の「普通地域において届出が必要な工作物の基準」に以下を追加することとした。

⑴　太陽光発電施設のうち同一敷地内の地上部分の水平投影面積の和が1,000平方メートルを超えるもの。

第３　留意事項

⑴　既存の工作物等の上面及び側面に設置される太陽光発電施設の取扱いについて

本改正により、太陽光発電施設の設置に係る許可基準が新設されることとなったが、既存の工作物等の上面及び側面に設置される場合については、当該基準は適用されない。これらの場合には、規則第11条第１項から第６項まで、第９項から第11項まで、第13項又は第14項に規定されるいずれかの工作物の改築又は増築の許可基準を適用して審査されたい。

⑵　太陽光発電施設の範囲について

本改正により「太陽光発電施設」が定められたところであるが、その範囲は「同一敷地内に設置される太陽光発電パネル、架台及びパワーコンディショナー等関連設備（配線、配電盤等を含む。ただし、外部系統の送電設備との接続するための配線等は除く。）」とする。

なお、当該施設と接続する外部系統の送電設備（鉄塔等）については、規則第11条第14項（その他工作物の新築等）で審査するものとする。

⑶　経過措置について

規則第11条第12項（太陽光発電施設の許可基準）については平成27年６月１日より施行されるが、規則第14条第１号ヌ（普通地域において届出を要する工作物の基準）については平成27年８月１日以降に着手される行為に適用されることとなるので、留意されたい。

⑷　関係地方公共団体との連携について

農地、都市計画区域及び森林計画対象民有林地以外においては、太陽光発電施設の設置に係る規制はなく、状況把握がされにくいため、当該設置に係る自然公園法上の事務処理の際には、必要に応じて情報共有等により関係地方公共団体との連携に努められたい。

○自然公園法施行規則の一部を改正する省令の施行について

〔平成29年３月23日　環自国発第1703231号
各地方環境事務所・釧路・長野・那覇自然環境事務所長宛　自然環境局長通知〕

「平成28年の地方からの提案等に関する対応方針」（平成28年12月20日閣議決定）を踏まえ、自然公園法施行規則の一部を改正する省令（平成29年環境省令第３号）が平成29年３月23日付けで公布され、同日から施行されることとなった。これらの内容は次のとおりであるので、了知の上、その適切な施行に努められたい。

なお、各都道府県知事には、別添写しのとおり通知したので、了知されたい。

〔別添写し〕

自然公園法施行規則の一部を改正する省令の施行について

〔平成29年３月23日　環自国発第1703231号
各都道府県知事宛　環境省自然環境局長通知〕

「平成28年の地方からの提案等に関する対応方針」（平成28年12月20日閣議決定）を踏まえ、自然公園法施行規則の一部を改正する省令（平成29年環境省令第３号）が平成29年３月23日付けで公布され、同日から施行されることとなった。これらの内容は次のとおりであるので、了知の上、その適切な施行に努められたい。

記

第１　改正の趣旨

「平成28年の地方からの提案等に関する対応方針」（平成28年12月20日閣議決定）において、自然公園法（昭和32年法律第161号。以下「法」という。）に関し、「国定公園内の特別地域における一定の行為について都道府県知事が許可を行う場合の環境大臣への協議（法第20条第５項）については、省令を改正し、一定の要件を超える工作物の新築等（施行規則11条の３第１号）及び一定の面積を超える土地の開墾等（同条第２号）を平成28年度中に協議対象から除外する。」とされたことを受け、所要の措置を行うものである。

第２　改正の内容

国定公園特別地域内における行為のうち、

(1)　国定公園の風致に重大な影響を及ぼし得る大規模な行為

⑵　国際条約に基づき国が保全する責務を負う国際的な登録地に係る行為

については、従前から、都道府県知事は法第20条第３項に基づく許可をしようとする場合において、同条第５項に基づく環境大臣への協議が必要とされている。⑴及び⑵の行為は、自然公園法施行規則（昭和32年厚生省令第41号）第11条の３各号において定められているところ、今回の改正により同条第１号及び第２号が削除され、上記⑴の行為については法第20条第５項に基づく環境大臣への協議対象から除外されることとなる。また、国定公園特別地域内における国の機関からの法第68条第１項に基づく協議のうち、上記⑴に相当する行為に係るものについても同様に、法第68条第２項に基づく環境大臣への協議対象から除外されることとなる。

また、以上を踏まえ、法第20条第５項の「当該国定公園の風致に及ぼす影響その他の事情を考慮して環境省令で定める行為」とは、基本的には、上述⑵の行為のみが該当することとなるものと解される（法第68条第２項についても同趣旨）。

第３　留意事項

⑴　国定公園特別保護地区又は海域公園地区内における行為の許可又は国の機関からの協議について

国定公園特別保護地区又は海域公園地区内における行為の許可又は国の機関からの協議については、今回の改正後も従前どおり、自然公園法施行規則第12条の２、第13条の２及び第19条において定められている行為について、それぞれ法第21条第５項、第22条第５項及び第68条第２項に基づく環境大臣への協議が必要となるので留意されたい。

⑵　経過措置について

今回の改正は、公布の日と同日付で施行されることから、施行日前になされた国定公園特別地域内の上述⑴の行為についての申請等についても、法第20条第５項又は第68条第２項に基づく環境大臣への協議は不要となるので留意されたい。

○自然公園法施行規則の一部を改正する省令の施行について

〔平成30年４月17日　環自国発第1804171号
各地方環境事務所・釧路・信越・那覇自然環境事務所長
宛　自然環境局長通知〕

希少野生動植物の保護や特定外来生物による生態系等に係る被害に対する対策を迅速に進める必要性が昨今高まってきたこと等を踏まえ、国立・国定公園においても、風致景観を維持しつつ、これらの対策を進めていく必要がある。

このため、従前からの国立公園の管理を通じて得られた知見等を踏まえ、自然公園法施行規則の一部を改正する省令（平成30年環境省令第10号）が平成30年４月17日付けで公布され、同年５月10日から施行されることとなった。その内容は次のとおりであるので、了知の上、その適切な施行に努められたい。

なお、各都道府県知事には、別添写しのとおり通知したので、了知されたい。

〔別添写し〕

自然公園法施行規則の一部を改正する省令の施行について

〔平成30年４月17日　環自国発第1804171号
各都道府県知事宛　自然環境局長通知〕

希少野生動植物の保護や特定外来生物による生態系等に係る被害に対する対策を迅速に進める必要性が昨今高まってきたこと等を踏まえ、国立・国定公園においても、風致景観を維持しつつ、これらの対策を進めていく必要がある。

このため、従前からの国立公園の管理を通じて得られた知見等を踏まえ、自然公園法施行規則の一部を改正する省令（平成30年環境省令第10号）が平成30年４月17日付けで公布され、同年５月10日から施行されることとなった。その内容は次のとおりであるので、了知の上、その適切な施行に努められたい。

記

1　背景・趣旨

希少野生動植物の保護や特定外来生物による生態系等に係る被害に対する対策を迅速に進める必要性が昨今高まってきたこと等を踏まえ、国立・国定公園においても、風致景観を維持しつつ、これらの対策を進めていく必要がある。このため、従前からの国立公園の管理を通じて得られた知見等を踏まえ、自然公園法施行規則（昭和32年厚生省令第41号。以下「規則」という。）を改正し、当該施行規則における「許可又は届出を要しない行為」及び「地方環境事務所長に委任する環境大臣の権限」について、所要の措置を講じる。

2　改正の内容

⑴　規則第12条（特別地域内における許可又は届出を要しない行為）を改正し、特別地域内における許可又は届出を要しない行為として、以下の各行為を追加する。

■絶滅のおそれのある野生動植物の種の保存に関する法律（平成４年法律第75号）第47条第１項に規定する認定保護増殖事業等（以下「認定保護増殖事業等」という。）の実施のために必要な工作物を設置すること。

■特定外来生物による生態系等に係る被害の防止に関する法律（平成16年法律第78号）第２条第１項に規定する特定外来生物（以下「特定外来生物」という。）の防除の目的で、カメラを設置すること。

■野生鳥獣による人、家畜又は農作物に対する被害を防ぐためにカメラを設置し、又は柵、金網その他必要な施設（その高さが３メートルを超えない施設であって、道路その他公衆の通行し、又は集合する場所から20メートル以上離れているものに限る。）を新築し、改築し、又は増築すること。

■電波法（昭和25年法律第131号）第２条第４号に規定する無線設備を改築し、又は増築（新たに増築する無線設備の高さが、既存の無線設備又はそれが付帯する工作物の高さのうちいずれか高い方の位置を超えないものに限る。）すること。

■既存の電線、電話線又は通信ケーブルを既存の規模を超えない範囲（径の変更を除く。）で張り替えること（色彩の変更を伴わないものに限る。）。

■電柱に付帯する変圧器を既存の規模を超えない範囲で交換すること。

■支持物から他の支持物を経ずに需要場所の引込口に至る電線、電話線及び通信ケーブルを設置すること。

■認定保護増殖事業等の実施のために木竹を伐採すること。

■認定保護増殖事業等の実施のために標識その他これに類するものを掲出し、若しくは設置し、又は工作物等にこれらを表示すること。

■特定外来生物の防除の目的で、標識その他これに類するものを掲出し、若しくは設置し、又は工作物等にこれらを表示すること。

■境界標（不動産登記規則（平成17年法務省令第18号）第77条第１項第９号に規定する境界標をいう。）を設置すること。

■認定保護増殖事業等の実施のために自然公園法（昭和32年法律第161号。以下「法」という。）第20条第３項第11号の規定により環境大臣が指定する植物を採取し、又は損傷すること。

■認定保護増殖事業等の実施のために動物を捕獲し、若しくは殺傷し、又は当該動物の卵を採取し、若しくは損傷すること。

■特定外来生物による生態系等に係る被害の防止に関する法律第3章の規定による防除に係る特定外来生物である動物を捕獲し、若しくは殺傷し、又は当該動物の卵を採取し、若しくは損傷すること。

■国立公園において鳥獣の保護及び管理並びに狩猟の適正化に関する法律（平成14年法律第88号）第14条の2第1項の規定により都道府県が実施する指定管理鳥獣捕獲等事業又は同条第7項の規定により都道府県から委託を受けた指定管理鳥獣捕獲等事業として鳥獣を捕獲し、又は殺傷すること。

■認定保護増殖事業等の実施のために動物を放つこと。

⑵　規則第13条（特別保護地区内における許可又は届出を要しない行為）を改正し、特別保護地区内における許可又は届出を要しない行為として、以下の各行為を追加又は変更する。

【追加】

■認定保護増殖事業等の実施のために巣箱、給餌台若しくは給水台等又はカメラを設置すること。

■認定保護増殖事業等の実施のために標識その他これに類するものを掲出し、若しくは設置し、又は工作物等にこれらを表示すること。

■国又は地方公共団体が法令に基づきその任務とされている遭難者を救助するための業務を行うために必要な範囲内で木竹を損傷すること。

■認定保護増殖事業等の実施のために木竹を損傷すること。

■認定保護増殖事業等の実施のために木竹以外の植物を採取し、又は損傷すること。

■認定保護増殖事業等の実施のために動物を捕獲し、若しくは殺傷し、又は当該動物の卵を採取し、若しくは損傷すること。

【変更】

（規則第13条第15号の規定の変更）

■国、地方公共団体又は次に掲げる事項に該当する者が、特定外来生物である木竹以外の植物を採取し、若しくは損傷し、又は落葉若しくは落枝を採取すること。

➢特定外来生物による生態系等に係る被害の防止に関する法律第18条第2項の規定により主務大臣より認定を受けた者

➢特定外来生物の防除を目的とする催し（国又は地方公共団体が実施するものに限る。）に参加した者

（規則第13条第17号の規定の変更）

■国、地方公共団体又は次に掲げる事項に該当する者が、特定外来生物である動物を捕獲し、若しくは殺傷し、又は当該動物の卵を採取し、若しくは損傷すること（特定外来生物による生態系等に係る被害の防止に関する法律第三章の規定による防除

でない場合は、工作物の設置を伴わない方法により行われるものに限る。)。

➢特定外来生物による生態系等に係る被害の防止に関する法律第18条第２項の規定により主務大臣より認定を受けた者

➢特定外来生物の防除を目的とする催し（国又は地方公共団体が実施するものに限る。)に参加した者

⑶　規則第15条（普通地域内における届出を要しない行為）を改正し、普通地域内における届出を要しない行為として、以下の各行為を追加する。

■絶滅のおそれのある野生動植物の種の保存に関する法律（平成４年法律第75号）第47条第１項に規定する認定保護増殖事業等（以下「認定保護増殖事業等」という。）の実施のために必要な工作物を設置すること。

■特定外来生物による生態系等に係る被害の防止に関する法律（平成16年法律第78号）第２条第１項に規定する特定外来生物（以下「特定外来生物」という。)の防除の目的で、カメラを設置すること。

■鳥獣による人、家畜又は農作物に対する被害を防止するため、カメラを設置し、又は柵、金網その他必要な施設（その高さが３メートルを超えない施設であって、道路その他公衆の通行し、又は集合する場所から20メートル以上離れているものに限る。)を新築し、改築し、又は増築すること。

■電波法（昭和25年法律第131号）第２条第４号に規定する無線設備を改築し、又は増築（新たに増築する無線設備の高さが、既存の無線設備又はそれが付帯する工作物の高さのうちいずれか高い方の位置を超えないものに限る。)すること。

■既存の電線、電話線又は通信ケーブルを既存の規模を超えない範囲（径の変更は除く。)で張り替えること（色彩の変更を伴わないものに限る。)。

■電柱に付帯する変圧器を既存の規模を超えない範囲で交換すること。

■支持物から他の支持物を経ずに需要場所の引込口に至る電線、電話線及び通信ケーブルを設置すること。

■認定保護増殖事業等の実施のために標識その他これに類するものを掲出し、若しくは設置し、又は工作物等にこれらを表示すること。

■特定外来生物の防除の目的で、標識その他これに類するものを掲出し、若しくは設置し、又は工作物等にこれらを表示すること。

■境界標（不動産登記規則（平成17年法務省令第18号）第77条第１項第９号に規定する境界標をいう。)を設置すること。

⑷　規則第20条（権限の委任）を改正し、同条第６号イ及びニ、第７号イ、ニ及びホ並びに第８号イについて、環境大臣の各権限のうち地方環境事務所長に委任するものを、以下の下線部のとおりそれぞれ追加する。

■第６号　法第20条第３項（次に掲げる行為に係る部分に限る。)及び第６項から第８

項までに規定する権限

イ　法第20条第３項第１号に掲げる行為（次のいずれかに該当するものに限る。）

⑴　その高さ（増築にあつては、増築部分に係る最高部と最低部の高さの差をいう。以下この号、次号イ⑴において同じ。）又は水平投影面積（増築にあつては、増築部分の水平投影面積をいう。以下この号、次号イ⑴及び第８号イ⑴において同じ。）が、第11条第36項の規定により環境大臣が定めた基準に適合した工作物の新築又は増築

⑵　その高さが25メートル以下であり、かつ、その水平投影面積が4,000平方メートル以下である工作物の新築又は増築（⑶から⑻までに掲げるものを除く。）

⑶　国の機関又は地方公共団体が行う災害復旧又は防災のために必要な工作物（防潮堤を除く。）の新築又は増築（⑷から⑻までに掲げるもの又はニ⑵に掲げる行為を伴うものを除く。）

⑷　その水平投影面積が4,000平方メートル以下である道路（法面等道路付帯施設を含む。）の新築又は増築

⑸　その高さ（建築設備を除いて算定した高さをいう。）が13メートル以下であり、かつ、その水平投影面積が2,000平方メートル以下である建築物の新築又は増築

⑹　電柱（電話柱を含む。）の新築又は増築

⑺　住宅及び仮工作物の新築又は増築

⑻　農業、林業又は漁業の用に供する索道の新築又は増築

⑼　工作物の改築

ニ　法第20条第３項第５号に掲げる行為（次のいずれかに該当するものに限る。）

⑴　水位又は水量を減少させる行為

⑵　水位又は水量を増加させる行為（当該行為により陸域から水域に変わる面積が10,000平方メートル以下のもの又は法第20条第３項の規定による許可を受け、現に水位又は水量に増減を及ぼしている者が水位の変動についての計画を変更するものに限る。）

■第７号　法第21条第３項（次に掲げる行為に係る部分に限る。）、第６項及び第７項に規定する権限

イ　法第20条第３項第１号に掲げる行為（次のいずれかに該当するものに限る。）

⑴　その高さが13メートル以下であり、かつ、その水平投影面積が1,000平方メートル以下である工作物の新築又は増築（⑵及び⑶に掲げるものを除く。）

⑵　国の機関又は地方公共団体が行う災害復旧又は防災のために必要な工作物（防潮堤を除く。）であって、その高さが25メートル以下であり、かつ、その水平投影面積が4,000平方メートル以下であるものの新築又は増築（⑶に掲げる

もの又はニ(2)に掲げる行為を伴うものを除く。)

(3)　仮工作物の新築又は増築

(4)　工作物の改築

(5)　第12条第１号から第６号の２まで、第７号から第８号まで及び第10号から第10号の５までに掲げる行為

ニ　法第20条第３項第５号に掲げる行為（次のいずれかに該当するものに限る。）

(1)　水位又は水量を減少させる行為

(2)　水位又は水量を増加させる行為（当該行為により陸域から水域に変わる面積が10,000平方メートル以下のもの又は法第21条第３項の規定による許可を受け、現に水位又は水量に増減を及ぼしている者が水位の変動についての計画を変更するものに限る。)

ホ　法第20条第３項第６号、第７号、第10号（土地の形状を変更する面積が2,500平方メートル以下のものに限る。）及び第15号、法第21条第３項第２号から第10号までに掲げる行為

■第８号　法第22条第３項（次に掲げる行為に係る部分に限る。)、第６項及び第７項に規定する権限

イ　法第20条第３項第１号に掲げる行為（次のいずれかに該当するものに限る。）

(1)　その水平投影面積が1,000平方メートル以下である工作物の新築又は増築

(2)　仮工作物の新築又は増築

(3)　工作物の改築

(4)　第12条第１号から第６号の２まで及び第７号から第10号の５までに掲げる行為

3　施行期日

平成30年５月10日

○自然公園法施行規則の一部を改正する省令の施行について

〔令和元年９月30日　環自国発第1909301号
各地方環境事務所・釧路・信越・沖縄奄美自然環境事務所長宛　自然環境局長通知〕

特定の者の優先的な使用を確保する仕組みを設ける宿舎を国立公園事業として認可等の対象とすることとしたことを踏まえ、自然公園法施行規則の一部を改正する省令（令和元年環境省令第７号）が令和元年９月30日付けで公布され、同日から施行されることとなった。その内容は次のとおりであるので、了知の上、その適切な施行に努められたい。

なお、各都道府県知事には、別添写しのとおり通知したので、了知されたい。

〔別添写し〕

自然公園法施行規則の一部を改正する省令の施行について

〔令和元年９月30日　環自国発第1909301号
各都道府県知事宛　環境省自然環境局長通知〕

特定の者の優先的な使用を確保する仕組みを設ける宿舎を国立公園事業として認可等の対象とすることとしたことを踏まえ、自然公園法施行規則の一部を改正する省令（令和元年環境省令第７号）が令和元年９月30日付けで公布され、同日から施行されることとなった。その内容は次のとおりであるので、了知の上、その適切な施行に努められたい。

記

第１　改正の趣旨

これまで、宿舎に関する国立公園事業であって、特定の者の優先的な使用を確保する仕組みを設けるもの（以下「分譲型ホテル等」という。）は、国立公園利用者に対する公平な利用機会の提供ができないという理由から、国立公園事業として認可等の対象としていなかったが、近年の建設コストの高騰等による分譲型ホテル導入のニーズの高まり等を踏まえ、国立公園内における上質な宿泊体験の提供や賑わいが失われている地域の再活性化等が期待されることから、今回、分譲型ホテル等を宿舎に関する国立公園事業として認可等の対象とする方針とすることとした。これに際し必要な規定を定めるため、自然公園法施行規則（昭和32年厚生省令第41号。以下「規則」という。）の一部を改正するものである。

第２　改正の内容

規則第２条第３項各号に掲げる国立公園事業の執行の協議書又は認可の申請書に添付する書類として、以下を追加する。

九　令第１条第３号に掲げる宿舎に関する国立公園事業であつて、特定の者の優先的な使用を確保する仕組みを設けるものにあつては、当該仕組み及び当該事業の執行による国立公園の保護又は利用の増進の内容を明らかにした書類

第３　留意事項

分譲型ホテル等を宿舎に関する国立公園事業として認可等する際の審査基準等については、国立公園事業取扱要領（令和元年９月30日付け環境省自然環境局長通知）及び宿舎に関する国立公園事業に係る分譲型ホテル等の取扱いについて（令和元年９月30日付け環境省自然環境局国立公園課長通知）において定めており、必要に応じて参照されたい。

また、規則第９条に基づき、規則第２条については国定公園事業についても準用されるので、了知されたい。

○自然公園法の一部を改正する法律の施行について

〔令和４年４月１日　環自国発第2204011号
各都道府県知事・各地方環境事務所・釧路・信越・沖縄
奄美自然環境事務所長宛　自然環境局長通知〕

自然公園法の一部を改正する法律（令和３年法律第29号。以下「改正法」という。）については、令和３年５月６日付けで公布され、自然公園法の一部を改正する法律の施行期日を定める政令（令和３年政令第257号）によって、令和４年４月１日から施行されることとなった。

また、自然公園法施行令の一部を改正する政令（令和３年政令第258号。以下「改正令」という。）は令和３年９月17日付けで、自然公園法施行規則の一部を改正する省令（令和４年環境省令第５号。以下「改正省令」という。）は令和４年３月14日付けで公布され、それぞれ令和４年４月１日から施行されることとなった。

これらの内容等は次のとおりであるので、了知の上、その適切な施行に努められたい。

記

第１　改正の趣旨

少子高齢化・人口減少社会の中で、観光は地方創生の切り札とされており、国立公園及び国定公園（以下「国立公園等」という。）は、その地域の重要な観光資源・地域資源である。今回改正は、訪日外国人旅行客の増加や旅行形態の変化等を踏まえ、国立公園等の地域資源としての価値を向上させ、それを持続的に活用していくことが求められていることを受けて行われたものである。

このため、⑴集団施設地区等の利用拠点（以下「利用拠点」という。）における施設の廃屋化等の課題を踏まえ、利用拠点の質の向上を目的とした地域関係者による一体的な整備改善を促すため、協議会の設置及び利用拠点整備改善計画制度の創設、⑵国立公園等の魅力向上のためには適正なガイドツアー等の開発や提供が重要であることを踏まえ、質の高い自然体験活動の促進を目的とした地域関係者による一体的な事業実施を促すため、協議会の設置及び自然体験活動促進計画制度の創設、⑶公園事業の適切かつ円滑な実施のため、公園事業の譲渡による公園事業者の地位の承継に関する規定を整備するとともに、国立公園事業の決定等に関する審議会への意見聴取事項の見直し、⑷野生動物への餌付け等による国立公園等の利用上の支障に対応するため、利用のための規制の強化、⑸公園管理団体の指定要件の緩和のため、公園管理団体の行う業務の見直し、⑹関係者の連携協力に係る規定及び情報発信に係る規定の追加、⑺違法行為に厳しく対処するため、特別地域の行為規制等に違反した場合の罰則の引上げ等を行うこととした。

なお、以下において、改正前の自然公園法を「旧法」と、改正前の自然公園法施行令を「旧施行令」と、改正前の自然公園法施行規則を「旧施行規則」という。

また、改正後の自然公園法を「新法」と、改正後の自然公園法施行令を「新施行令」と、改正後の自然公園法施行規則を「新施行規則」という。

第2　自然公園法（昭和32年法律第161号）の改正内容

1　関係者の連携協力に係る規定の追加（新法第３条関係）

今回改正は、国立公園等について、公園事業施設の整備改善等による利用拠点の質の向上や質の高い自然体験活動の促進のための地方公共団体や事業者等からなる協議会の設置及び計画の認定に係る制度の創設等を行うこととしていることから、これに合わせて、関係者間の連携を新たに規定した。

2　公園計画の記載事項の追加（新法第７条関係）

公園計画は、公園の適正な運営を行うための基本的な指針であることから、自然体験活動促進計画は公園計画に基づき作成される必要がある。このため、環境大臣が、各国立公園等が有する自然資源の特性や利用実態等を踏まえ、公園計画に質の高い自然体験活動の促進に関する基本的な事項を定めることができることとした。加えて、この任意記載事項を新たに規定することを踏まえ、公園計画における必須記載事項についても、明らかにした。なお、これにより従来の公園計画の内容や構成を変えるものではない。また、利用拠点整備改善計画については、集団施設地区その他の公園の利用拠点における、公園事業に係る施設の整備改善を中心とした計画であることから、公園計画における集団施設地区や公園事業施設の整備方針等に基づき作成される必要がある。

なお、新たな記載事項である質の高い自然体験活動の促進に関する基本的な事項の公園計画における位置づけや記載すべき内容については「国立公園に係る公園計画の作成等について」（令和４年４月１日付け環自国発第2204015号自然環境局長通知）の別紙１「国立公園の公園計画作成要領」等の公園計画に係る関係通知を参照されたい。

3　協議会による公園計画の変更の提案及び公園事業の決定等の提案（新法第８条の２及び第９条の２関係）

今回改正は、利用拠点の質の向上や質の高い自然体験活動の促進に地域の関係者の積極的・主体的な関与を促し、利用拠点の整備改善又は質の高い自然体験活動を促進しようとするものであり、公園計画（利用拠点整備改善計画については、これに加えて、公園事業の決定）に照らして適切なものでなければ利用拠点整備改善計画及び自然体験活動促進計画が認定されないことを踏まえ、公園計画の変更及び公園事業の決定等について、協議会が提案できることとした。また、新施行規則第１条及び第１条の２において、当該提案に係る書面の記載事項について定めるとともに、環境大臣又は都道府県知事は、当該提案に関して必要な書類の提出を求めることができることとした。当該提案に係る具体的な事務については「国立公園の公園計画等の見直し要領」（令和４年４月１日付け環自国発第2204016号自然環境局長通知）及び「国立公園事業の決定等取扱要領」（令和４年４月１日付け環自国発第22040110号自然環境局長通知）についても参照されたい。

4　国立公園事業に係る審議会への意見聴取事項の見直し（新法第９条関係）

国立公園の指定から相当の年数が経過し、既に一定数の国立公園事業が決定されてきている国立公園においては、既に国立公園事業として決定されている道路等を分割・統合して新たな国立公園事業として位置付け直す場合等、新たな開発を伴わないため審議会の意見を聴く実質的な意義に乏しいことがある。このように、国立公園事業の決定等については、審議会の意見を反映すべき事項とそうではない事項が混在している。これを踏まえ、事務の円滑化のため、国立公園事業の決定等のうち、審議会が軽微な事項と認めるものについては、審議会の意見を聴くことを要しないこととした。具体的な内容については令和４年２月７日に開催された中央環境審議会自然環境部会自然公園等小委員会において審議され、「審議会の意見を聴くことを要しない軽微な国立公園事業の決定等について（令和４年４月１日中央環境審議会自然環境部会自然公園等小委員会決定）」としてとりまとめられたので、「国立公園事業の決定等取扱要領」と併せて参照されたい。

5　公園事業の承継に係る規定の追加（新法第12条関係）

特に宿舎に関する公園事業は、経営の悪化等により他の者に経営の権利が譲渡される場合があり、また、ホテル・旅館業界では、専門分野への特化による効率化等のため所有・経営・運営の分離が進んでおり、施設の建設等の実施者と事業の実施者が異なるなど公園事業の実施者を段階に応じて変更することも特に大手不動産会社を中心に一般的になっている。このように、公園事業の経営状況の悪化や事業実施形態の変化等による実質的な事業の譲渡しは現在一般的に行われている。また、前の事業者が一度公園事業を廃止し次の事業者が改めて新規の認可を受けた場合、前の事業者が整備した公園事業施設について、次の事業者に原状回復等を命ずることはできないと解される。これらを踏まえ、円滑な公園事業の実施を図るため、国立公園事業者が国及び公共団体以外の者にその国立公園事業の全部を譲渡する場合において、譲渡人及び譲受人があらかじめその譲渡及び譲受けについて、環境大臣の承認を受けたときは、譲受人は、譲渡人に係る国立公園事業者の地位を承継することとした。なお、国定公園事業に係る承継については、新法第16条第４項に準用規定を設けている。また、新施行規則第６条第１項及び第２項において、申請書の記載事項及び添付書類を定めた。

6　利用拠点の質の向上のための協議会の設置及び利用拠点整備改善計画制度の創設（新法第16条の２から第17条まで、第20条から第23条まで、第33条関係）

(1)　利用拠点整備改善計画制度の意義

近年、国立公園等の利用形態の変化等に伴い、集団施設地区等の利用拠点においては、利用者のニーズに合わなくなった事業の廃止やそれによる施設の廃屋化等が生じている。また、異なる時期に個別の許認可手続を経て新築等がされた施設については、個々の施設としては風致等の保護のための規制等に対応した状態ではあるものの、利用拠点の利用動線や施設配置、街並み景観等について改善できる点がある。

このように、公園事業施設を中核とする利用拠点は、国立公園等の利用者の多くが訪れる場所であり、利用形態に対応した利用拠点の質の向上（廃屋の撤去と跡地の活用等による宿泊・休憩機能等の公園利用に係る機能の強化、地区内の施設配置の見直しによる利用動線の改善や建物の景観デザインの統一等による国立公園等の特色・魅力に応じた快適な利用空間の創造等）は、利用拠点の効果的で、かつ満足度の高い利用につながる。

また、利用拠点は公園事業施設等の集積した区域であり、施設の整備改善を個々に進めるのではなく、一体的に整備改善に係る計画を作成し当該計画に沿って統一的に調和をもってその整備改善を実施することにより、利用動線の改善や機能の強化、街並み景観の改善等が図られる。そのためには、地方自治体や公園事業者等の多様な関係者の積極的・主体的な取組を促し、それぞれの役割や事業内容を調整する場を設けるとともに、調整の結果に基づき共通の認識・方針の下で事業を実施できるようにする必要がある。

このようなことから、国立公園等の利用拠点の質の向上のための整備改善を目的とした利用拠点整備改善計画制度を創設することとしたものである。

概要については(2)のとおりであるが、具体的な運用の考え方については「国立公園における利用拠点整備改善計画取扱要領」（令和４年４月１日付け環自国発第2204012号自然環境局長通知）を参照されたい。

(2)　利用拠点整備改善事業の実施に当たっての手続

①　協議会の組織

地域の多様な関係者の積極的・主体的な取組を促すため、市町村が、公園事業の執行者又は執行予定者、利用拠点整備改善事業の実施に必要な施設や土地の所有者等、その他必要な者による協議会を組織できることとしている。また、都道府県は、国立公園等内の利用拠点を対象として、当該都道府県の区域内の市町村と共同して協議会を組織できることとしている。

また、公園事業の執行者又は執行予定者は、市町村又は都道府県に対して、協議会を組織するよう要請することができることとしている。

② 協議会の運営

市町村又は都道府県が協議会を組織したときは、インターネットの利用等の方法で、その旨を公表するものとしている（公表事項及びその方法については新施行規則第９条の２に定めた。）。また、公園事業の執行者又は執行予定者、施設や土地の所有者等は、市町村又は都道府県に対し、自己を協議会の構成員として加えるよう申し出ることができることとしている。

協議会の構成員は、協議会において協議が調った事項については、その協議の結果を尊重しなければならない。協議会の運営に関して必要な事項は、協議会が定めるものとしているため、協議会の開催方式、回数、合意形成の方法等については、各協議会が定めることとなる。

③ 利用拠点整備改善計画の作成

公園事業に係る施設の整備改善を中心とした利用拠点の質の向上のための利用拠点整備改善計画は、協議会が作成することとしている。計画の記載事項は次のとおりである（新法第16条の３第２項及び新施行規則第９条の４）。

ア　利用拠点整備改善計画の名称
イ　利用拠点整備改善計画を作成した協議会の名称及び構成員の氏名又は名称
ウ　計画期間
エ　利用拠点整備改善計画の区域
オ　利用拠点の現状と課題
カ　計画区域における利用拠点の質の向上のための整備改善に関する基本的な方針
キ　利用拠点整備改善計画の目標
ク　利用拠点整備改善事業の内容、実施主体及び実施時期
ケ　事務の実施体制
コ　その他

利用拠点整備改善計画においては、公園事業施設等の外観や色彩についても盛り込まれることが想定されるところ、旧法においても景観法（平成16年法律第110号）に基づく景観計画が定められた区域内における、自然公園法上の特例がある一方、新法第20条第３項等の許可が不要となる場合（同条第９項第１号に掲げる公園事業の執行として行う行為等）については、景観法第16条第１項に基づく届出が必要となる。そのため、円滑な利用拠点整備改善計画の実施のために、利用拠点整備改善計画は、当該地域が景観法に基づく景観計画の区域に含まれる場合には、当該区域における景観計画と適合するものでなければならないことと

している。

④　利用拠点整備改善計画の認定

協議会が利用拠点整備改善計画を作成したときは、協議会の構成員である市町村又は都道府県及び利用拠点整備改善事業を実施しようとする者は、共同で、環境大臣（国定公園の場合は都道府県知事）の認定を申請することができることとしている。当該申請に係る様式及び添付書類については新施行規則第９条の３に定めた（国定公園の場合は第９条の８）。なお、協議会の構成員のうち、利用拠点整備改善事業を実施しない者（有識者等を想定）については、共同申請者となる必要はない。

環境大臣又は都道府県知事は、次の認定要件のいずれにも適合するものであると認めるときは、利用拠点整備改善計画を認定するものとする。

ア　公園計画に照らして適切なものであること

イ　利用拠点の質の向上に寄与すると認められること

ウ　公園の保護に支障を及ぼすおそれがないこと

エ　円滑かつ確実に実施されると見込まれること

また、環境大臣又は都道府県知事は、必要に応じて、認定に条件を付し、またこれを変更することができることとしている。

なお、環境大臣又は都道府県知事は、計画認定した際にはその概要を公表しなければならないこととしている。公表事項及びその方法については新施行規則第９条の５及び第９条の７において定めた。

認定を受けた利用拠点整備改善計画を変更しようとするときは、環境大臣又は都道府県知事の認定を受ける必要がある。ただし、新施行規則第９条の６で定める軽微な事項に係る変更にあっては届出で足りる。

⑤　利用拠点整備改善事業の実施

利用拠点整備改善事業が円滑に実施できるようにするため、利用拠点整備改善計画について環境大臣又は都道府県知事の認定を受けたときは、公園事業の認可等を受けたものとみなすとともに、特別地域の許可等を受けることが不要となる特例措置を設けた。特例措置については、利用拠点整備改善計画において、事業の内容、実施主体及び実施時期が明らかにされている場合にのみ、適用される。なお、関係法令の許認可等の手続についても、遺漏なく対応される必要がある。

また、利用拠点整備改善事業の適正な実施を確保するため、認定を受けた利用拠点整備改善計画の変更、認定の取消し、報告徴収及び立入検査が規定されている。

⑥　国定公園における協議会等に係る準用規定

新法第16条の７において、国定公園における協議会及び利用拠点整備改善計画についての準用規定を設けている。利用拠点整備改善計画の認定主体が都道府県知事となるため、協議会を組織する主体は市町村のみとなっている。また、新法第20条第５項、第21条第５項及び第22条第５項に基づき、都道府県知事は、許可に係る行為が当該国定公園の風致又は景観に及ぼす影響その他の事情を考慮して環境省令で定める行為（国定公園に大きな影響を及ぼし得る大規模な行為又は国際条約に基づき国がその保全に責務に責任を負う国際的な登録地に係る行為）に該当するときは、環境大臣に協議しなければならないこととされている。これを踏まえ、国定公園に関する利用拠点整備改善計画において新法第20条第５項等に規定する環境省令で定める行為が含まれる場合には、国定公園の保護上の観点から、あらかじめ、環境大臣に協議しなければならないこととしている。

7　利用に関する規制における対象行為の追加について（新法第37条、新施行令第６条関係）

野生動物への餌付けや接近行為等については、これにより野生動物が人の利用する空間に容易に出没することにつながり、その結果として国立公園等の利用自体が困難となることにより利用に支障を及ぼすこととなる。具体的な公園利用上の支障としては、人に対する警戒心が低下することによって、野生動物による人や所有物への被害が生じることや、それらの被害防止のために公園利用施設が閉鎖されること等を想定している。このため、野生動物に餌を与えること及び野生動物に著しく接近し、又はつきまとうことであって国立公園等の利用に支障を生ずるおそれのある行為を規制対象とすることとした。

野生動物に餌を与えること等については、行為そのものが公園利用に直接的に支障を及ぼすことは一見して明らかとは言い難いことから、旧法第37条第１項第２号の行為と同様、国又は都道府県の当該職員の指示の対象としている。また、個人の庭先の小鳥の給餌台等、公園利用に支障を生ずるおそれのない行為は規制の対象外となるほか、鳥獣の個体数調整に必要な餌付けや国内希少野生動植物種の保護増殖事業による給餌等については、正当な理由がある行為であり「みだりに」行っているとは判断されないことから、規制の対象外となる。具体的な運用の考え方については「国立公園における利用のための規制取扱要領」（令和４年４月１日付け環自国発第2204014号自然環境局長通知）を参照されたい。

8　質の高い自然体験活動の促進のための協議会の設置及び自然体験活動促進計画制度の創設（新法第42条の２から第42条の７まで、第20条から第23条まで、第33条関係）

(1)　自然体験活動促進計画制度の意義

現状、国立公園等における自然体験活動の機会となるガイドツアー等の大部分が地域の事業者により開発・提供されているが、それらが共通の方針・考え方の下で実施されているものではない。そのため、各公園が有する自然資源の特性や各公園の利用者のニーズを踏まえた、望ましい自然体験活動の開発・提供がされているとは言い難く、また、特定の地域に利用者が集中するオーバーユースや知識が不十分なガイドによるガイドツアーの提供など、質の低下への懸念等の問題も生じている。

国立公園等の魅力を向上させていくためには、事業者によるガイドツアーの提供等を通じて、各公園が有する自然資源の特性等を踏まえた質の高い自然体験活動の機会を確保する必要がある。このために必要な事業としては、グランピングやカヌーなどのガイドツアーの開発や提供、登山道などのフィールド整備、地域の利用ルールの作成や周知、観光案内所やWebサイトなどによる利用者への情報提供、ガイド等の人材育成、自然環境や利用状況のモニタリング等の多様な内容が想定される。これらを担う関係者を確保するとともに、個々の国立公園等の魅力を有効に活用するための基本的な方針を調整・決定し、これに基づきそれぞれの役割を担い、協力することが必要である。加えて、地域内外のガイド事業者等との連携体制の構築により、地域の利用ルールの検討・遵守、利用者指導、自然環境や利用状況のモニタリング等が進められることで、利用の適正化や公園管理の質の向上にもつながることが期待される。

このようなことから、質の高い自然体験活動の促進を目的とした自然体験活動促進計画制度を創設することとしたものである。

概要については(2)のとおりであるが、具体的な運用の考え方については「国立公園における自然体験活動促進計画取扱要領」（令和４年４月１日付け環自国発第2204013号自然環境局長通知）を参照されたい。

(2)　自然体験活動促進事業の実施に当たっての手続

①　協議会の組織

地域の多様な関係者の積極的・主体的な取組を促すため、市町村が、自然体験活動促進事業を実施し、又は実施すると見込まれる者、自然体験活動促進事業の実施に必要な土地の所有者等、その他必要な者による協議会を組織できることとしている。また、都道府県は、当該都道府県の区域内の市町村と共同する場合には、協議会を組織できることとしている。

また、自然体験活動促進事業の実施者又は実施予定者は、市町村又は都道府県に対して、協議会を組織するよう要請することができることとしている。

②　協議会の運営

市町村又は都道府県が協議会を組織したときは、インターネットの利用等の方法で、その旨を公表するものとしている（公表事項及びその方法については新施行規則第15条の10に定めた。）。また、自然体験活動促進事業の実施者又は実施予定者、土地の所有者等は、市町村又は都道府県に対し、自己を協議会の構成員として加えるよう申し出ることができることとしている。

協議会の構成員は、協議会において協議が調った事項については、その協議の結果を尊重しなければならない。協議会の運営に関して必要な事項は、協議会が定めるものとしているため、協議会の開催方式、回数、合意形成の方法等については、各協議会が定めることとなる。

③　自然体験活動促進計画の作成

質の高い自然体験活動の促進のための自然体験活動促進計画は、協議会が作成することとしている。計画の記載事項は次のとおりである（新法第42条の４第２項及び新施行規則第15条の12）。

ア　自然体験活動促進計画の名称

イ　自然体験活動促進計画を作成した協議会の名称及び構成員の氏名又は名称

ウ　計画期間

エ　自然体験活動促進計画の区域

オ　自然体験活動の促進に関する現状と課題

カ　計画区域における質の高い自然体験活動の促進に関する基本的な方針

キ　自然体験活動促進計画の目標

ク　自然体験活動促進事業の内容、実施主体及び実施時期

ケ　計画区域における適正な利用に係る啓発に関する事項

コ　自然体験活動促進計画に係る事務の実施体制

サ　その他

④　自然体験活動促進計画の認定

協議会が自然体験活動促進計画を作成したときは、協議会の構成員である市町村又は都道府県及び自然体験活動促進事業を実施しようとする者は、共同で、環境大臣（国定公園の場合は都道府県知事）の認定を申請することができることとしている。当該申請に係る様式及び添付書類については新施行規則第15条の11に定めた。なお、協議会の構成員のうち、自然体験活動促進事業を実施しない者（有識者等を想定）については、共同申請者となる必要はない。

環境大臣又は都道府県知事は、次の認定要件のいずれにも適合するものであると認めるときは、利用拠点整備改善計画を認定するものとする。

ア　公園計画に照らして適切なものであること

イ　質の高い自然体験活動の促進に寄与すると認められること

ウ　公園の保護に支障を及ぼすおそれがないこと

エ　円滑かつ確実に実施されると見込まれること

また、環境大臣又は都道府県知事は、必要に応じて、認定に条件を付し、またこれを変更することができることとしている。

なお、環境大臣又は都道府県知事は、計画認定した際にはその概要を公表しなければならないこととしている。公表事項及びその方法については新施行規則第15条の13において定めた。

認定を受けた自然体験活動促進計画を変更しようとするときは、環境大臣又は都道府県知事の認定を受ける必要がある。ただし、新施行規則第15条の14で定める軽微な事項に係る変更にあっては届出で足りる。

⑤　自然体験活動促進事業の実施

自然体験活動促進事業が円滑に実施できるようにするため、自然体験活動促進計画について環境大臣又は都道府県知事の認定を受けたときは、特別地域の許可等を受けることが不要となる特例措置を設けた。利用調整地区への立入りについても特例措置が設けられているが、特例措置を要する事業が計画される場合には、当該利用調整地区における利用適正化計画との整合を図ることに留意すること。

特例措置については、自然体験活動促進計画において、事業の内容、実施主体及び実施時期が明らかにされている場合にのみ適用される。なお、関係法令の許認可等の手続についても、遺漏なく対応される必要がある。

また、自然体験活動促進事業の適正な実施を確保するため、認定を受けた自然体験活動促進計画の変更、認定の取消し、報告徴収及び立入検査が規定されている。

⑥　自然体験プログラムの提供における送迎

自然体験プログラム提供者による自家用自動車を用いた自然体験活動実施場所へのプログラム参加者の送迎について、「道路運送法における許可又は登録を要しない運送の態様について」（国自旅第338号平成30年３月30日付け国土交通省自動車局旅客課長通達）の「１．道路運送法上の許可又は登録を要しない運送の態様についての考え方」に示された考え方に従って実施する場合には、道路運送法に基づく許可又は登録を要しない（「宿泊施設及びエコツアー等の事業者が宿泊者及びツアー参加者を対象に行う送迎のための輸送について」（国自旅第239号平成23年３月31日付け国土交通省自動車交通局長通達）の「３．エコツアー等の事業者がそのツアー参加者を対象に行う送迎のための輸送について」についても併せて参考にされたい。）。

ただし、当該運送の形態によっては道路運送法違反となる可能性があることから、自然体験活動促進計画の作成に先立ち、管轄運輸支局等に事前相談することが望ましい。

〇運輸支局等相談窓口

https://www.mlit.go.jp/jidosha/content/001404886.pdf

9　公園管理団体の行う業務の見直し（新法第50条関係）

公園管理団体が行うこととされている業務にはその重要性に軽重があることから、当該業務のうち特に重要な業務を行うことができるのであれば、公園管理団体として指定し、国立公園等の管理を実施してもらうことが、地域に密着した公園管理の観点からは望ましい。このため、公園管理団体について、特に重要な業務を適正かつ確実に行うことができると認められる場合には、指定することができるよう規定を整備することとした。

具体的には、公園管理団体として指定する法人が行う業務に係る規定を改め、自然の風景地の保護に資する活動（新法第50条第１号）及び国立公園等の施設の補修その他の維持管理（同条第２号）の二つの業務についてはこれらを実施する能力を有することを必須の要件とし、その他の業務については任意で実施する業務として、これらを実施する能力を必須要件としないこととしている。

また、新施行規則第15条の18において、いわゆる営利企業等に該当する会社及び森林組合法（昭和53年法律第36号）に規定する森林組合を追加するとともに、新法の規定を踏まえて新施行規則第15条の19に定める指定基準について見直しを行った。

10　情報発信に係る規定の追加（新法第66条の２関係）

今回改正は、国立公園等について、公園事業施設の整備改善等による利用拠点の質の向上や質の高い自然体験活動の促進のための地方公共団体や事業者等からなる協議会の設置及び計画の認定に係る制度の創設等を行うこととしており、これらは国内外からの利用者数増加や満足度の向上も意図したものであることから、これに合わせて、利用の増進のための情報の提供等を新たに規定した。

11　特別地域等における違反行為に対する罰則の引上げ（新法第82条関係）

違法な工作物の設置や木竹の伐採・損傷、動物の捕獲等については、国立公園等の根幹である自然環境に不可逆的な悪影響を与えるものであり、大規模な違法行為が行われた場合、国立公園等の風致等の維持に重大な影響が生じ、国立公園等の管理上、また当該国立公園等の根幹に関わる、大きな問題となる。この点、法の行為規制の効果が十分に発揮されていない状況では、法目的である優れた自然の風景地の保護とその利用を達成することはできないことから、厳しい処罰をもって対応することにより、規制の実効性を確保する必要がある。

このため、自然環境の保護に関する他の法制度において中核となる、類似の行為規制違反の例も参考にしつつ、量刑を引き上げることにより、特別地域、特別保護地区及び海域公園地区（以下「特別地域等」という。）における規制の実効性を確保することとした。具体的には新法第20条第３項、第21条第３項又は第22条第３項の規定に違反した場合の罰則について、「６月以下の懲役又は50万円以下の罰金」となっている量刑について、「１年以下の懲役又は100万円以下の罰金」に引き上げた。

第３　自然公園法施行令（昭和32年政令第298号）の改正内容

１　公園事業となる施設の種類の追加（新施行令第１条関係）

近年は電気自動車をはじめとするガソリン等以外を動力源とする乗用車等の普及が進んでおり、国立公園等においても公園利用に供される乗用車等への電力供給のための充電スタンド等、ガソリン等以外の動力源を供給するための施設を整備する必要性が生じている。また、技術の進捗に従い、今後も公園利用者の運送の用に供される乗用車等の新たな動力源の普及も見込まれるところである。このため、公園事業となる施設の種類に、燃料電池自動車に水素を供給するための施設や電気自動車に電気を供給するための給電施設に類する施設を追加することとした。

２　特別地域及び特別保護地区における許可を要する行為の追加（新施行令第３条及び第４条関係）

国立公園等における利用形態の多様化等に伴い、自転車による登山道やその周辺の荒廃等が問題となっている。旧法第20条第３項第17号及び第21条第３項第10号においては、特別地域及び特別保護地区の道路、広場、田、畑、牧場及び宅地以外の地域への車馬、動力船又は航空機の乗り入れが規制されており、当該「車馬」には原動機付き自転車や自転車も含まれる。しかし、当該「道路」には、根拠法や公園計画上の位置付けを問わず人工的に自然を改変した場所であれば該当することから、主として歩行者が通行するような歩道であっても、人工的に自然を改変した場所であれば「道路」に該当することとなる。このため、旧法においては、風致・景観の維持のために必要な場合であっても、歩道は規制対象となる場所に含まれず、車馬の使用規制が行えない状況にあった。このため、登山道のような脆弱な未舗装の歩道において車馬を使用する行為について、許可を要する行為の対象とすることとした。当該行為の許可に係る基準については、旧法第20条第３項第17号の車馬使用規制等の基準も踏まえ、新施行規則第11条第30項に定めた。

車馬の使用を規制する登山道等の指定は、国立公園等の公園計画に位置付けるとともに、官報に公示して行うこととしている。

なお、農業を営むために現在車馬を使用することが相当程度行われている道路及び道路法（昭和27年法律第180号。）上の道路については、車馬の使用の規制の趣旨になじまないため、指定の対象とはならない。道路法上の道路において車馬の使用を規制する必要性がある場合には、道路管理者及び都道府県公安委員会等と調整の上、道路交通法（昭和35年法律第105号）に基づく歩行者用道路の交通規制の実施を依頼する、又は道路法上の道路の路線を廃止した上で自然公園法上の規制対象とする又は道路法上の歩行者専用道路として位置付けし直す対応を行う必要がある。

なお、旧施行令附則第３項（新施行令附則第２項）の国立公園の指定区域に係る旧法第20条第３項第17号に規定する「特別地域内における指定区域での車馬若しくは動力船の使用等」の許可に関する事務は、都道府県実施事務とされていること等から、特別地域の指定道路において車馬を使用する行為に係る許可に関する事務は、都道府県実施事務としている。

また、本改正を踏まえて、新施行規則第13条第27号の特別保護地区における許可を要しない行為として、「国又は地方公共団体が法令に基づきその任務とされている遭難者を救助するための業務、犯罪の予防若しくは捜査その他の公共の秩序を維持するための業務又は交通の安全を確保するための業務を行うために車馬を使用すること」を新たに追加した。当該規制に係る道路の指定に係る考え方や協議先等については「国立公園に係る公園計画の作成等について」及び「国立公園の公園計画等の見直し要領」等の公園計画に係る関係通知を参照されたい。

3　都道府県知事を経由する協議の申出等に係る規定の削除（旧施行令原始附則第６項関係）

国立公園の指定区域においては、環境大臣に対して行う旧法第10条第２項の協議の申出、同条第３項の認可の申請、旧法第20条第３項の許可の申請、旧法第33条第１項の届出等については、指定区域が属する都道府県知事を経由しなければならないこととされていた。しかしながら、都道府県知事を経由したとしても、当該協議の申出等に係る手続は環境大臣が処理するものであるため、申請書等の書類の内容の確認等については、申請者等と地方環境事務所（釧路、信越、沖縄奄美自然環境事務所長を含む。以下同じ。）が直接連絡調整を図ることとなり、申請者等からすれば、地方環境事務所もある中で都道府県知事を経由することは利便性の低下にも繋がるなど実質的な意義に乏しい。また、都道府県においては、本件事務に係る事務負担も大きい状況にある。以上を踏まえ、申請者の利便性を確保するための事務の円滑化及び都道府県の事務の軽減を図るため、都道府県知事を経由する協議の申出等は廃止することとした。

なお、本件経由事務の規定を削除することにより、その申請等の内容によって書類の提出先が異なることとなるため、地方環境事務所又は都道府県の担当部局のいずれかに事前相談があった際、申請書等の提出先となる窓口に相談をするよう申請者等に促すとともに、事前の相談がなく申請書等が提出された場合には、適切な窓口に提出するよう申請者等に促すことにより、申請者等に不利益が生じないよう適切に連携の上、対応されたい。

第４　自然公園法施行規則（昭和32年厚生省令第41号）の改正内容

第２及び第３に掲げる内容の他、自然公園制度を取り巻く状況の変化等を踏まえ、以下に掲げる所要の改正を行った。

1　公園事業の執行の協議又は認可の申請に係る添付書類の変更等（新施行規則第２条第３項及び第４項関係）

①公共団体が執行する公園施設に関する公園事業について、工事の施行を要する場合の、積算の基礎を明らかとした工事費概算書の添付を要しないこととした。

②行為の規模が大きいため、適切に表示できないと認められる場合にあっては、当該施設の規模及び構造に応じて、適切と認められる縮尺の図面をもつて、これらの図面に替えることができることとした（新施行規則第２条第３項を引用する条項についても同様の取扱いとする。）。

③添付を必須とする平面図その他の図面の縮尺について、「２万5000分の１以上」を「２万5000分の１程度」等、一定の縮尺程度の図面でも可能とすることとした。

④構造図及び給排水計画図については、必須の添付書類としないこととし、これらの図面その他の必要な書類を個別に求めることができることとした。

※②、④については新法第20条第３項等の許可申請についての許可申請書を定めた新施行規則第10条においても同様の改正を行った。②に係る改正については新施行規則第10条を引用する関係規定についても同様の取扱いとする。

※国定公園においても同様の取扱いとする。

2　変更の協議又は認可を要しない公園事業の軽微変更事項の追加（新施行規則第３条関係）

新法第10条第６項ただし書に規定する環境省令で定める軽微な変更に、「管理又は経営の方法の変更」及び「公園施設の構造の変更」を追加した（ただし、管理又は経営の変更にあっては令第１条第３号に掲げる宿舎に関する事業であって、特定の者の優先的な使用を確保するものを除き、公園施設の構造の変更にあっては公園施設の規模、色彩又は形態の変更を伴わないものに限ることとした。）。

※国定公園においても同様の取扱いとする。

3　特別地域、特別保護地区及び海域公園地区内の行為の許可基準の変更等（新施行規則第11条関係）

①特別地域等において、「支障木の伐採が僅少であること」が許可基準として既に設けられている工作物の新築、改築又は増築（施行規則第11条第10項から第12項までの規定の適用を受ける工作物の新築、改築又は増築。）の許可基準として、「申請に係る場所が、新法第20条第３項又は第21条第３項の許可を受けて木竹の伐採が行われた後、５年を経過していない場所でないこと（ただし、木竹の伐採が僅少である場合を除く。）」を追加することとした（新施行規則第11条第10項）。

②特別地域等における工作物の新築、改築又は増築（施行規則第11条第１項から第12項までの規定の適用を受ける工作物の新築、改築又は増築以外の工作物の新築、改築又は増築に限る。）の許可基準として、照明装置を用いて特別地域等内の森林又は河川その他の自然物について照明を行うものについては以下に掲げる基準に適合することを追加することとした（新施行規則第11条第13項）。

➢色彩及び形態がその周辺の風致又は景観と著しく不調和でないこと。

➢期間及び時間が必要最小限であると認められるものであること。

➢当該照明を行う範囲が必要最小限と認められるものであること。

➢動光又は点滅を伴うものでないこと。

➢野生動植物の生息又は生育上その他の風致又は景観の維持上重大な支障を及ぼすおそれがないものであること。

➢特別保護地区内の森林又は河川その他の自然物について行うものでないこと。

③特別地域等における広告物その他これに類する物を掲出し、若しくは設置し、又は広告その他これに類するものを工作物等に表示することの許可基準のうち、光源を用いる広告物等の許可基準として、以下に掲げるものを追加することとした（新施行規則第11条第21項）。

➢照明の範囲が必要最小限であると認められるものであること。

➢期間及び時間が必要最小限であると認められること。

④特別保護地区内において木竹を損傷すること等の許可基準を学術研究その他公益上必要と認められるもの、地域住民の日常生活の維持のために必要と認められるもの、病虫害の防除、防災若しくは景観の維持その他森林若しくは野生動植物の保護管理のために行われるもの又は測量のために行われるものであって、かつ、申請に係る場所以外の場所においてはその目的を達成することができないと認められるものであることを追加することとした（新施行規則第11条第31項）。

4　特別地域内における許可又は届出を要しない行為の追加等（新施行規則第12条、第13条、第13条の３、第13条の５、第15条）

①特別地域内における許可又は届出を要しない行為として、以下に掲げるものを追加又は変更することとした（新施行規則第12条）。

【追加する事項】

１．既存の電線、電話線若しくは通信ケーブル（以下「電線等」という。）に付帯する工作物を新築、改築又は増築すること（既存の電線等の色彩と同等と認められるものに限る。）

２．環境大臣が指定する地域以外の地域において既存の建築物の屋根面に太陽光発電施設（当該施設の色彩及び形態が、国立公園等の風致の維持に支障を及ぼすおそれがないものとして、環境大臣が指定する色彩及び形態であるものに限る。）を設置すること。

３．国立公園にあっては環境省、国定公園にあっては都道府県が、公園の保護とその適正な利用の推進のために人の立入りを防止するための柵又は当該公園の利用者数を計測するための機器その他の仮設の工作物（高さが３メートル以下であり、かつ、その水平投影面積が３平方メートル以下であるものに限る。）を新築し、改築し、又は増築すること。

4．生業の維持のため、必要な範囲内で竹（高さが50センチメートル以内のものに限る。）を伐採すること。

5．施設又は設備の維持管理を行うため必要な範囲内で竹（高さが３メートル以内のものに限る。）を伐採すること。

6．電線路の維持に必要な範囲内で木竹を伐採すること。（施行規則第12条第15号の規定から、電線路の維持に係る規定は削除した。）

7．道路（主として歩行者の通行の用に供するものを除く。）、鉄道又は軌道の交通の障害となる木竹を伐採すること。

8．牧野その他の草原の維持のために必要な範囲内で竹又はかん木を伐採すること

9．新法第20条第３項第11号の環境大臣が指定する植物（以下「採取等規制植物」という。）の保護増殖のために必要な範囲内で竹又はかん木を伐採すること

10．牧野その他の草原の維持のために必要な範囲内で木竹を損傷すること。

11．採取等規制植物の保護増殖のために必要な範囲内で木竹を損傷すること。

12．農業を営むために必要な範囲内で採取等規制植物を損傷すること。

13．牧野その他の草原の維持のために必要な範囲内で採取等規制植物を損傷すること。

14．採取等規制植物の保護増殖のために必要な範囲内で当該採取等規制植物を損傷すること

15．国、地方公共団体又は特定外来生物による生態系等に係る被害の防止に関する法律（平成16年法律第78号）第２条第１項に規定する特定外来生物（以下「特定外来生物」という。）の防除を目的とする催し（国又は地方公共団体が実施するものであって、あらかじめ、その内容及び実施期間を記載した書面が、国立公園にあっては環境大臣、国定公園にあっては都道府県知事に提出されたものに限る。）に参加した者が、特定外来生物である植物（木竹を除く。）を採取し、又は損傷すること。

16．国、地方公共団体又は特定外来生物の防除を目的とする催し（国又は地方公共団体が実施するものであって、あらかじめ、その内容及び実施期間を記載した書面が、国立公園にあっては環境大臣、国定公園にあっては都道府県知事に提出されたものに限る。）に参加した者が、特定外来生物である動物を捕獲し、若しくは殺傷し、又は当該動物の卵を採取し、若しくは損傷すること。

17．公園管理団体が行う新法第50条第１項各号及び第２項各号に掲げる業務のために必要な行為であって、あらかじめ、その行為の内容及び実施期間を記載した書面が14日前までに国立公園にあっては環境大臣、国定公園にあっては都道府県知事に提出されたもの。

18. 国立公園において絶滅のおそれのある野生動植物の種の保存に関する法律（平成４年法律第75号）第10条第１項の規定による環境大臣の許可に係る行為として、新法第20条第３項各号に掲げるものを行うこと。

19. 絶滅のおそれのある野生動植物の種の保存に関する法律第47条第１項に規定する認定保護増殖事業等（以下「認定保護増殖事業等」という。）の実施のために必要な行為として、新法第20条第３項各号に掲げるものを行うこと。

20. 特定外来生物による生態系等に係る被害の防止に関する法律第３章の規定による防除の実施のために必要な行為として、新法第20条第３項各号に掲げるものを行うこと。

21. 鳥獣の保護及び管理並びに狩猟の適正化に関する法律（平成14年法律第88号）第28条の２第１項から第５項までの規定による保全事業の実施のために必要な行為として、新法第20条第３項各号に掲げるものを行うこと。

22. 鳥獣の保護及び管理並びに狩猟の適正化に関する法律第９条第１項の規定により、国立公園にあっては環境大臣の許可、国定公園にあっては都道府県知事の許可に係る行為として、新法第20条第３項各号に掲げるものを行うこと。

23. 鳥獣の保護及び管理並びに狩猟の適正化に関する法律第14条の２第１項の規定による指定管理鳥獣捕獲等事業による指定管理鳥獣の捕獲に伴う行為として、新法第20条第３項各号に掲げるものを行うこと。

※その他、現行の施行規則第12条において既に規定されているものであって、上記に掲げる新規規定と重複するものについては、削除する等の規定の整理を行った。

【変更する事項（変更箇所は下線部）】

1．道路その他公衆の通行し、<u>又は集合する場所から20メートル以上の距離にあって、かつ、その水平投影面積が1000平方メートル以下である</u>炭がま、炭焼小屋、伐木小屋、造林小屋、畜舎、納屋、肥料だめ等を新築し、改築し、又は増築すること<u>（改築又は増築にあっては、改築又は増築後において、その水平投影面積が1000平方メートル以下であるものに限る。）</u>。

2．<u>野生鳥獣の保護増殖のための</u>巣箱、給じ台、給水台等を設置すること。

3．電波法（昭和25年法律第131号）第２条第４号に規定する無線設備を改築し、又は増築（新たに増築する無線設備の高さが、既存の無線設備の高さ又はそれが付帯する工作物の高さのうちいずれか高い方の位置を超えないものに限り、<u>かつ、増築部分の最高部と最低部の高さの差が２メートル以下であるものに限る。</u>）すること。

4．既存の電線等<u>を改築すること又は既存の電線等に沿って電線等を新築若しくは増築すること（既存の電線等の色彩と同等と認められるものに限る。）</u>。

5．変圧器その他の電柱に付帯する設備を改築又は増築すること（当該電柱の高さを超えないものに限る。）。
6．支持物から他の支持物を経ずに需要場所の引込口に至る電線、電話線及び通信ケーブル並びに引込みに要する設備を設置すること。
7．野生鳥獣による人、家畜、農作物、森林又は生態系に対する被害を防ぐためにカメラを設置し、又は柵、金網その他必要な施設（その高さが3メートルを超えない施設であって、道路その他公衆の通行し、又は集合する場所から20メートル以上離れているものに限る。）を新築し、改築し、若しくは増築すること。
8．特定外来生物の防除を行う又は保安の目的で、カメラを設置すること。
9．自家用のために木竹（採取等規制植物であるものを除く。）を択伐（塊状択伐を除く。）すること。
10.「自家用のために木竹を損傷すること」及び「生業の維持のために必要な範囲内で木竹を損傷すること。」のうち、木竹から採取等規制植物は除外した。
11．森林又は野生動植物の保護管理のための標識を掲出し、又は設置すること。
12．宅地内において採取等規制植物を採取し、又は損傷すること。
13.「魚介類を捕獲し、又は殺傷すること。」については削除した。

②特別保護地区内における許可又は届出を要しない行為として、以下に掲げるものを追加又は変更することとした（新施行規則第13条）。

【追加する事項】

1．測量法（昭和24年法律第188号）第10条第１項に規定する測量標又は水路業務法（昭和25年法律第102号）第５条第１項に規定する水路測量標を設置すること。
2．国、地方公共団体又は特定外来生物の防除を目的とする催し（国又は地方公共団体が実施するものであって、あらかじめ、その内容及び実施期間を記載した書面が、国立公園にあっては環境大臣、国定公園にあっては都道府県知事に提出されたものに限る。）に参加した者が、特定外来生物である植物（木竹を除く。）を採取し、又は損傷すること。
3．国、地方公共団体又は特定外来生物の防除を目的とする催し（国又は地方公共団体が実施するものであって、あらかじめ、その内容及び実施期間を記載した書面が、国立公園にあっては環境大臣、国定公園にあっては都道府県知事に提出されたものに限る。）に参加した者が、特定外来生物である動物を捕獲し、若しくは殺傷し、又は当該動物の卵を採取し、若しくは損傷すること。
4．公園管理団体が行う新法第50条第１項各号及び第２項各号に掲げる業務のために必要な行為であって、あらかじめ、その行為の内容及び実施期間を記載した書面を14日前までに国立公園にあっては環境大臣、国定公園にあっては都道府県知事に提出されたもの。

5．危険な木竹を伐採すること。

6．危険な木竹を損傷すること。

7．国又は地方公共団体が法令に基づきその任務とされている遭難者を救助するための業務、犯罪の予防若しくは捜査その他の公共の秩序を維持するための業務又は交通の安全を確保するための業務を行うために車馬を使用すること。

8．国立公園において絶滅のおそれのある野生動植物の種の保存に関する法律第10条第１項の規定による環境大臣の許可に係る行為として、新法第21条第３項各号に掲げるものを行うこと。

9．認定保護増殖事業等の実施のために必要な行為として、新法第21条第３項各号に掲げるものを行うこと。

10．特定外来生物による生態系等に係る被害の防止に関する法律第３章の規定による防除の実施のために必要な行為として、新法第21条第３項各号に掲げるものを行うこと。

11．鳥獣の保護及び管理並びに狩猟の適正化に関する法律第28条の２第１項から第５項までの規定による保全事業の実施のために必要な行為として、新法第21条第３項各号に掲げるものを行うこと。

12．鳥獣の保護及び管理並びに狩猟の適正化に関する法律第９条第１項の規定により、国立公園にあっては環境大臣の許可、国定公園にあっては都道府県知事の許可に係る行為として、新法第21条第３項各号に掲げるものを行うこと。

13．国立公園において鳥獣の保護及び管理並びに狩猟の適正化に関する法律第14条の２第５項の規定により環境省が実施する指定管理鳥獣捕獲等事業又は同条第７項の規定により環境省から委託を受けた指定管理鳥獣捕獲等事業による指定管理鳥獣の捕獲に伴う行為として、新法第21条第３項各号に掲げるものを行うこと。

14．国定公園において鳥獣の保護及び管理並びに狩猟の適正化に関する法律第14条の２第１項の規定により都道府県が実施する指定管理鳥獣捕獲等事業又は同条第７項の規定により都道府県から委託を受けた指定管理鳥獣捕獲等事業若しくは同条第５項の規定により国の機関が実施する指定管理鳥獣捕獲等事業又は同条第７項の規定により国の機関から委託を受けた指定管理鳥獣捕獲等事業による指定管理鳥獣の捕獲に伴う行為として、新法第21条第３項各号に掲げるものを行うこと。

※その他、現行の施行規則第13条において既に規定されているものであって、上記に掲げる新規規定と重複するものについては、削除する等の規定の整理を行うこととした。

【変更する事項】

現行で許可又は届出を要さないこととしている「魚介類を捕獲し、又は殺傷すること」の魚介類について、新法第20条第３項第13号の環境大臣が指定するものを除くこととした。

③海域公園地区内における許可又は届出を要しない行為として、公園管理団体が行う新法第50条第１項各号及び第２項各号に掲げる業務のために必要な行為であって、あらかじめ、その行為の内容及び実施期間を記載した書面が14日前までに国立公園にあっては環境大臣、国定公園にあっては都道府県知事に提出されたものを追加することとした（新施行規則第13条の３）。

④利用調整地区内に立入る際に認定等を要しない軽易な行為等として、以下に掲げるものを追加又は変更することとした（新施行規則第13条の５）。

【追加する事項】

（特別地域内で行われるもので以下に掲げるもの）

1．国立公園にあっては環境省、国定公園にあっては都道府県が、公園の保護とその適正な利用の推進のために人の立入りを防止するための柵又は当該公園の利用者数を計測するための機器その他の仮設の工作物（高さが３メートル以下であり、かつ、その水平投影面積が３平方メートル以下であるものに限る。）を新築し、改築し、又は増築すること。

2．国、地方公共団体又は特定外来生物の防除を目的とする催し（国又は地方公共団体が実施するものであって、あらかじめ、その内容及び実施期間を記載した書面を、国立公園にあっては環境大臣、国定公園にあっては都道府県知事に提出されたものに限る。）に参加した者が、特定外来生物である木竹以外の植物を採取し、又は損傷すること。

3．国、地方公共団体又は特定外来生物の防除を目的とする催し（国又は地方公共団体が実施するものであって、あらかじめ、その内容及び実施期間を記載した書面を、国立公園にあっては環境大臣、国定公園にあっては都道府県知事に提出されたものに限る。）に参加した者が、特定外来生物である動物を捕獲し、若しくは殺傷し、又は当該動物の卵を採取し、若しくは損傷すること。

4．公園管理団体が行う新法第50条第１項各号及び第２項各号に掲げる業務のために必要な行為であって、あらかじめ、その行為の内容及び実施期間を記載した書面を14日前までに国立公園にあっては環境大臣、国定公園にあっては都道府県知事に提出されたもの

5．国立公園において絶滅のおそれのある野生動植物の種の保存に関する法律第10条第１項の規定による環境大臣の許可に係る行為として、新法第20条第３項各号に掲げるものを行うこと。

6．認定保護増殖事業等の実施のために必要な行為として、新法第20条第３項各号に掲げるものを行うこと。

7．特定外来生物による生態系等に係る被害の防止に関する法律第３章の規定による防除の実施のために必要な行為として、新法第20条第３項各号に掲げるものを行うこと。

8．鳥獣の保護及び管理並びに狩猟の適正化に関する法律第28条の２第１項から第５項までの規定による保全事業の実施のために必要な行為として、新法第20条第３項各号に掲げるものを行うこと。

9．鳥獣の保護及び管理並びに狩猟の適正化に関する法律第９条第１項の規定により、国立公園にあっては環境大臣の許可、国定公園にあっては都道府県知事の許可に係る行為として、新法第20条第３項各号に掲げるものを行うこと。

10．鳥獣の保護及び管理並びに狩猟の適正化に関する法律第14条の２第１項の規定による指定管理鳥獣捕獲等事業による指定管理鳥獣の捕獲に伴う行為として、新法第20条第３項各号に掲げるものを行うこと。

（特別保護地区内で行われる行為で以下に掲げるもの）

1．国、地方公共団体又は特定外来生物の防除を目的とする催し（国又は地方公共団体が実施するものであって、あらかじめ、その内容及び実施期間を記載した書面が、国立公園にあっては環境大臣、国定公園にあっては都道府県知事に提出されたものに限る。）に参加した者が、特定外来生物である植物（木竹を除く。）を採取し、又は損傷すること。

2．国、地方公共団体又は特定外来生物の防除を目的とする催し（国又は地方公共団体が実施するものであって、あらかじめ、その内容及び実施期間を記載した書面が、国立公園にあっては環境大臣、国定公園にあっては都道府県知事に提出されたものに限る。）に参加した者が、特定外来生物である動物を捕獲し、若しくは殺傷し、又は当該動物の卵を採取し、若しくは損傷すること。

3．公園管理団体が行う新法第50条第１項各号及び第２項各号に掲げる業務のために必要な行為であって、あらかじめ、その行為の内容及び実施期間を記載した書面を14日前までに国立公園にあっては環境大臣、国定公園にあっては都道府県知事に提出されたもの

4．国立公園において絶滅のおそれのある野生動植物の種の保存に関する法律第10条第１項の規定による環境大臣の許可に係る行為として、新法第21条第３項各号に掲げるものを行うこと。

5．認定保護増殖事業等の実施のために必要な行為として、新法第21条第３項各号に掲げるものを行うこと。

6．特定外来生物による生態系等に係る被害の防止に関する法律第３章の規定による防除の実施のために必要な行為として、新法第21条第３項各号に掲げるものを行うこと。

7．鳥獣の保護及び管理並びに狩猟の適正化に関する法律第28条の２第１項から第５項までの規定による保全事業の実施のために必要な行為として、新法第21条第３項各号に掲げるものを行うこと。

8．鳥獣の保護及び管理並びに狩猟の適正化に関する法律第９条第１項の規定により、国立公園にあっては環境大臣の許可、国定公園にあっては都道府県知事の許可に係る行為として、新法第21条第３項各号に掲げるものを行うこと。

9．国立公園において鳥獣の保護及び管理並びに狩猟の適正化に関する法律第14条の２第５項の規定により環境省が実施する指定管理鳥獣捕獲等事業又は同条第７項の規定により環境省から委託を受けた指定管理鳥獣捕獲等事業による指定管理鳥獣の捕獲に伴う行為として、新法第21条第３項各号に掲げるものを行うこと。

10．国定公園において鳥獣の保護及び管理並びに狩猟の適正化に関する法律第14条の２第１項の規定により都道府県が実施する指定管理鳥獣捕獲等事業又は同条第７項の規定により都道府県から委託を受けた指定管理鳥獣捕獲等事業若しくは同条第５項の規定により国の機関が実施する指定管理鳥獣捕獲等事業又は同条第７項の規定により国の機関から委託を受けた指定管理鳥獣捕獲等事業による指定管理鳥獣の捕獲に伴う行為として、新法第21条第３項各号に掲げるものを行うこと。

【変更する事項】

・新施行規則第13条の５第１号に掲げるもののうち、新施行規則第12条において変更又は削除することとしたものについて、同様に変更又は削除することとした。

・新施行規則第13条の５第２号に掲げるもののうち、新施行規則第13条において削除することとしたものについて、同様に変更又は削除することとした。

・新施行規則第13条の５第24号について「環境省、都道府県若しくは公園管理団体の職員又は環境省若しくは都道府県から委託を受けた者が利用調整地区の巡視又は調査を行うこと。」と改正した（変更内容は下線部）。

⑤普通地域内における届出を要しない行為として、以下に掲げるものを追加又は変更することとした（新施行規則第13条の５）。

【追加する事項】

1．既存の建築物の屋根に、屋根の規模を超えない範囲で太陽光発電施設を設置すること（当該太陽光発電施設の色彩が環境大臣が指定する基準に適合するものに限る。）。

2．国立公園にあっては環境省、国定公園にあっては都道府県が、公園の保護とその適正な利用の推進のために人の立入りを防止するための柵又は当該公園の利用者数を計測するための機器その他の仮設の工作物（高さが３メートル以下であり、かつ、その水平投影面積が３平方メートル以下であるものに限る。）を新築し、改築し、又は増築すること。

3．公園管理団体が行う新法第50条第１項各号及び第２項各号に掲げる業務のために必要な行為であって、あらかじめ、その行為の内容及び実施期間を記載した書面を14日前までに国立公園にあっては環境大臣、国定公園にあっては都道府県知事に提出されたもの

4．国立公園において絶滅のおそれのある野生動植物の種の保存に関する法律第10条第１項の規定による環境大臣の許可に係る行為として、新法第20条第３項各号に掲げるものを行うこと。

5．認定保護増殖事業等の実施のために必要な行為として、新法第20条第３項各号に掲げるものを行うこと。

6．特定外来生物による生態系等に係る被害の防止に関する法律第３章の規定による防除の実施のために必要な行為として、新法第20条第３項各号に掲げるものを行うこと。

7．鳥獣の保護及び管理並びに狩猟の適正化に関する法律第28条の２第１項から第５項までの規定による保全事業の実施のために必要な行為として、新法第20条第３項各号に掲げるものを行うこと。

8．鳥獣の保護及び管理並びに狩猟の適正化に関する法律第９条第１項の規定により、国立公園にあっては環境大臣の許可、国定公園にあっては都道府県知事の許可に係る行為として、新法第20条第３項各号に掲げるものを行うこと。

9．鳥獣の保護及び管理並びに狩猟の適正化に関する法律第14条の２第１項の規定による指定管理鳥獣捕獲等事業による指定管理鳥獣の捕獲に伴う行為として、新法第20条第３項各号に掲げるものを行うこと。

10．地表から１メートル以下の高さで、広告物等（表示面の面積が１平方メートル以下であるものに限る。）を設置すること（同一敷地内又は同一場所内における広告物等の表示面の面積の合計が５平方メートル以下の場合に限る。）。

11．第14条第１号に規定する基準を超える工作物の新築、改築又は増築（改築又は増築後において同号に規定する基準を超えるものとなる場合における改築又は増築を含む。）以外の工作物の新築、改築又は増築に付帯する行為

【変更する事項】

・新施行規則第15条第１号に掲げるもののうち、第12条において変更又は削除することとしたものについて、同様に変更又は削除することとした。

5　その他の所要の改正（新施行規則第16条及び第20条等）

・新法第17条第３項等に規定する立入検査等をする職員の携帯する身分を示す証明書について、統合様式を整備した（新施行規則第16条及び様式第４）。

・新法、新施行令、新施行規則に規定された事項を踏まえ、環境大臣の権限のうち、

地方環境事務所長に委任するものについて見直しを行った（新施行規則第20条）。

・その他、字句の修正等の所要の改正を行った。

第５　その他

１　利用調整地区の指定要件の見直し

利用調整地区制度は、公園利用者に対して一定のルールとコントロールを行うことにより、将来にわたって良好な自然環境を享受するとともに、より深い自然とのふれあいの体験を利用者に提供するために活用していくことを目的に平成14年の自然公園法の改正により創設された制度であるが、今後より一層、質の高い自然体験の機会を提供するための同制度の活用が期待される。また、今般の改正により、質の高い自然体験活動の促進に係る制度が創設されたことも踏まえる必要がある。このため、「国立公園の公園計画作成要領」（平成15年５月28日付環自国発第030528006号自然環境局長通知）において記載されている利用調整地区の指定要件を見直し、これまでの自然植生やサンゴ群集の保護といった自然環境の保全の観点に特化した指定要件を改め、より質の高い自然体験が得られる場を確保するための観点からも利用調整地区を指定できるようにした。

２　その他

旧法、旧施行令及び旧施行規則に基づく告示及び通知について、今回の改正により条項のずれ等が生じるものが多数あるが、これらの告示及び通知については、改正法施行日（令和４年４月１日）以降も条項名等を読み替えて適用することとする。

なお、当該告示及び通知について改正を行う場合には、当該告示及び通知中の条項名等を改正法、改正令及び改正省令の条項名等に、順次改正していくこととしている。

第２章　地方環境事務所に係る関係規則・通知

◉地方環境事務所組織規則

〔平成17年９月20日
環境省令第19号〕

改正　平成17年12月22日環境省令第35号・平成18年３月10日環境省令第５号・平成18年３月29日内閣府・総務・法務・外務・財務・文部科学・厚生労働・農林水産・経済産業・国土交通・環境省令第２号・平成18年７月26日環境省令第23号・平成18年９月29日環境省令第31号・平成18年10月11日環境省令第32号・平成19年３月31日環境省令第９号・平成19年８月30日環境省令第20号・平成19年10月１日環境省令第27号・平成19年11月30日環境省令第32号・平成20年６月13日環境省令第７号・平成20年10月１日環境省令第12号・平成21年４月１日環境省令第４号・平成22年３月29日環境省令第４号・平成22年10月１日環境省令第21号・平成23年３月４日環境省令第２号・平成23年７月１日環境省令第12号・平成23年12月28日環境省令第36号・平成24年４月６日環境省令第11号・平成24年６月４日環境省令第16号・平成24年９月５日環境省令第23号・平成25年５月16日環境省令第13号・平成25年９月27日環境省令第23号・平成26年２月28日環境省令第５号・平成26年４月１日環境省令第11号・平成26年６月11日環境省令第21号・平成27年２月20日環境省令第３号・平成27年３月27日環境省令第11号・平成27年４月10日環境省令第18号・平成28年４月１日環境省令第８号・平成28年６月６日環境省令第13号・平成28年７月29日環境省令第19号・平成28年11月11日環境省令第24号・平成29年３月31日環境省令第５号・平成29年６月15日環境省令第16号・平成29年７月14日環境省令第19号・平成30年３月30日環境省令第４号・平成30年４月３日環境省令第８号・平成30年７月６日環境省令第13号・平成30年９月27日環境省令第19号・平成30年11月30日環境省令第23号・平成31年３月29日環境省令第10号・令和元年９月10日環境省令第６号・令和２年３月30日環境省令第10号・令和２年９月30日環境省令第23号・令和３年３月31日環境省令第６号・令和４年３月30日環境省令第11号・令和４年６月24日環境省令第19号

（次長）

第１条　福島地方環境事務所に次長１人を置く。

２　次長は、地方環境事務所長を助け、地方環境事務所の事務を整理する。

〔改正〕

追加＝平30年３月環令４号

（保全統括官）

第２条　北海道地方環境事務所に１人、東北地方環境事務所に２人、関東地方環境事務所に４人、中部地方環境事務所に１人、中国四国地方環境事務所に１人及び九州地方環境事務所に１人の保全統括官を置く。

2　保全統括官は、地方環境事務所長を助け、地方環境事務所の事務を整理する。

〔改正〕

旧第１条の一部改正＝平24年４月環令11号・25年５月13号・29年７月19号、本条に繰下＝平30年３月環令４号

（地方環境事務所に置く部）

第３条　地方環境事務所に、次に掲げる部を置く（福島地方環境事務所に限る。）。

総務部

環境再生・廃棄物対策部

中間貯蔵部

2　環境再生・廃棄物対策部長及び中間貯蔵部長は、関係のある他の職を占める者をもって充てられるものとする。

〔改正〕

旧第１条の２を削り本条を追加＝平30年３月環令４号

（総務部の所掌事務）

第４条　総務部は、次に掲げる事務をつかさどる。

一　機密に関すること。

二　人事並びに教養及び訓練に関すること。

三　所長の官印及び所印の保管に関すること。

四　機構及び定員に関すること。

五　公文書類の接受、発送、編集及び保存に関すること。

六　地方環境事務所の保有する情報の公開に関すること。

七　地方環境事務所の保有する個人情報の保護に関すること。

八　地方環境事務所の所掌事務に関する総合調整に関すること。

九　情報システムの管理に関すること。

十　職員の衛生、医療その他の福利厚生に関すること。

十一　職員に貸与する宿舎に関すること。

十二　庁内の管理に関すること。

十三　地方環境事務所の広報及びリスクコミュニケーションに関する政策の企画及び立案に関する総合調整並びに渉外に関すること。

十四　平成23年３月11日に発生した東北地方太平洋沖地震に伴う原子力発電所の事故により放出された放射性物質による環境の汚染への対処に関する特別措置法（平成23年法律第110号。以下「放射性物質汚染対処特措法」という。）に基づく事故由来放射性物質による健康への影響に関する健康管理及び健康不安対策の支援に関すること。

十五　経費及び収入の予算、決算及び会計に関すること。

十六　国有財産の管理及び処分並びに物品の管理に関すること。

十七　東日本大震災復興特別会計の経理に関すること。

十八　東日本大震災復興特別会計に属する国有財産の管理及び処分並びに物品の管理に関すること。

十九　前各号に掲げるもののほか、地方環境事務所の所掌事務で他の所掌に属しないものに関すること。

〔改正〕

追加＝平30年３月環令４号

（環境再生・廃棄物対策部の所掌事務）

第５条　環境再生・廃棄物対策部は、次に掲げる事務をつかさどる。

一　福島復興再生特別措置法（平成24年法律第25号）第17条の17第１項に基づく土壌等の除染等の措置及び除去土壌の処理に関すること。

二　福島復興再生特別措置法第17条の17第２項において準用する放射性物質汚染対処特措法第49条第４項及び第50条第４項に基づく報告徴収、立入検査及び収去に関すること。

三　福島復興再生特別措置法第17条の17第３項に基づく認定特定復興再生拠点区域内廃棄物の処理に関すること。

四　福島復興再生特別措置法第17条の17第４項において準用する放射性物質汚染対処特措法第49条第３項及び第50条第３項に基づく報告徴収、立入検査及び収去に関すること。

五　放射性物質汚染対処特措法第31条第３項の規定による台帳の作成及び管理に関すること。

六　放射性物質汚染対処特措法第49条第２項、第３項及び第４項並びに第50条第２項、第３項及び第４項に基づく報告徴収、立入検査及び収去に関すること。

七　指定廃棄物（放射性物質汚染対処特措法第19条に規定する指定廃棄物をいう。以下同じ。）の指定に関すること。

八　特定廃棄物（放射性物質汚染対処特措法第20条に規定する特定廃棄物をいう。以下同じ。）の収集、運搬、保管及び処分に関すること。

九　放射性物質汚染対処特措法第16条に基づく報告の受理に関すること。

十　平成23年３月11日に発生した東北地方太平洋沖地震に伴う原子力発電所の事故により放出された放射性物質による環境の汚染への対処に関する特別措置法施行規則（平成23年環境省令第33号。以下「放射性物質汚染対処特措法施行規則」という。）第６条、第８条第１項第１号及び第２項第１号、第９条、第11条、第28条第２号イ及びロ、第30条第２号イ及びロ並びに第３号イ及びロ、第32条第２号並びに第34条第２号に規定する確認に関すること。

十一　放射性物質汚染対処特措法施行規則第15条第13号の規定による届出の受理に関すること。

十二　減容化施設（福島県の区域内において特定廃棄物の減容化のための処理を行うために設置される施設（第６条第１号に規定する中間貯蔵施設を除く。）をいう。以下同じ。）の整備に係る調査並びに工事の設計、施工及び管理に関すること。

十三　減容化施設の運営、保全その他の管理に関すること。

十四　前９号に掲げるもののほか、放射性物質汚染対処特措法に基づく事故由来放射性物質による環境の汚染への対処に関する事務及び事業に関すること並びに放射性物質汚染対処特措法に基づく事故由来放射性物質により汚染された廃棄物の処理に関する事務及び事業に関すること。

十五　東日本大震災により生じた災害廃棄物の処理に関する特別措置法（平成23年法律第99号）に基づく国による災害廃棄物の処理の代行に関すること。

十六　仮置場（対策地域内廃棄物及び除去土壌等（放射性物質汚染対処特措法第31条第１項に規定する除去土壌等をいう。以下同じ。）の保管を行う場所（第６条第１号に規定する中間貯蔵施設を除く。）をいう。以下同じ。）の設計及び施工方法に関すること。

十七　仮置場の保全その他の管理（仮置場における対策地域内廃棄物及び除去土壌等の保管を含む。）に関すること。

十八　前２号に掲げるもののほか、仮置場に係る事務及び事業に関すること。

〔改正〕

追加＝平30年３月環令４号、一部改正＝令２年３月環令10号・３年３月６号

（中間貯蔵部の所掌事務）

第６条　中間貯蔵部は、次に掲げる事務をつかさどる。

一　中間貯蔵（中間貯蔵・環境安全事業株式会社法（平成15年法律第44号）第２条第４項に規定する中間貯蔵をいう。）を行うために必要な施設（以下「中間貯蔵施設」という。）の整備に関する事務及び事業に関すること。

二　中間貯蔵施設の設計及び施工方法に関すること。

三　中間貯蔵施設に係る電力、水及び情報通信の確保に関すること。

四　中間貯蔵施設の運営、保全その他の管理に関すること。

五　福島県内除去土壌等（中間貯蔵・環境安全事業株式会社法第２条第２項に規定する福島県内除去土壌等をいう。以下同じ。）の減容及び再生利用に関すること（環境再生・廃棄物対策部の所掌に属するものを除く。）。

六　中間貯蔵施設への福島県内除去土壌等の輸送に関する企画及び調整に関すること。

七　中間貯蔵施設への福島県内除去土壌等の輸送に係る環境対策及び安全対策に関すること。

八　中間貯蔵施設へ輸送する福島県内除去土壌等の管理及び輸送車両の運行管理に関すること。

〔改正〕

追加＝平30年３月環令４号、一部改正＝平31年３月環令10号

（地方環境事務所に置く課等）

第７条　地方環境事務所に、総務部、環境再生・廃棄物対策部及び中間貯蔵部に置くもののほか、次に掲げる室及び課を置く。

地域脱炭素創生室（福島地方環境事務所を除く。）

総務課（福島地方環境事務所を除く。）

資源循環課（福島地方環境事務所を除く。）

環境対策課（福島地方環境事務所を除く。）

放射能汚染対策課（関東地方環境事務所に限る。）

国立公園課（福島地方環境事務所を除く。）

野生生物課（福島地方環境事務所を除く。）

自然環境整備課（福島地方環境事務所を除く。）

２　前項に掲げる室及び課のほか、地方環境事務所に統括環境保全企画官、脱炭素企画官、統括自然保護企画官、国立公園調整官、自然再生企画官、生物多様性保全企画官、動物愛護専門官、国立公園企画官、野生生物企画官、自然環境整備企画官、外来生物企画官、世界自然遺産専門官、国立公園保護管理企画官、国立公園利用企画官、外客受入施設専門官、世界自然遺産調整専門官、離島希少種保全専門官、利用拠点再生専門官、滞在環境整備専門官、地熱発電等調整専門官、首席自然保護官、自然保護官及び国立公園管理官を置く（統括環境保全企画官、統括自然保護企画官、国立公園調整官、生物多様性保全企画官、国立公園保護管理企画官、国立公園利用企画官、自然保護官及び国立公園管理官については福島地方環境事務所を除き、脱炭素企画官については中国四国地方環境事務所及び九州地方環境事務所に限り、自然再生企画官については、北海道地方環境事務所、関東地方環境事務所、中部地方環境事務所、近畿地方環境事務所、中国四国地方環境事務所及び九州地方環境事務所に限り、動物愛護専門官については近畿地方環境事務所に限り、国立公園企画官、野生生物企画官及び自然環境整備企画官については北海道地方環境事務所、中部地方環境事務所及び九州地方環境事務所に限り、外来生物企画官については関東地方環境事務所、中部地方環境事務所及び近畿地方環境事務所に限り、世界自然遺産専門官については北海道地方環境事務所、東北地方環境事務所、関東地方環境事務所及び九州地方環境事務所に限り、外客受入施設専門官については中国四国地方環境事務所及び九州地方環境事務所に限り、世界自然遺産調整専門官及び離島希少種保全専門官については関東地方環境事務所及び九州地方環境事務所に限り、利用拠点再生専門官については北海道地方環境事務所及び東北地方環境事務所に限り、滞在環境整備専門官については北海道地方環境事務所、東北地方環境事務所、関東地方環境事務所、中部地方環境事務所及び九州地方環境事務所に限り、地熱発電等調整専門官については北海道地方環境事務所、東北地方環境事務所及び九州地方環境事務所に限

り、首席自然保護官については東北地方環境事務所、関東地方環境事務所及び九州地方環境事務所に限る。)。

〔改正〕

旧第２条の全部改正＝平24年４月環令11号、一部改正＝平25年５月環令13号・26年２月５号・４月11号・27年４月18号・28年４月８号・29年３月５号・７月19号、一部改正し本条に繰下＝平30年３月環令４号、一部改正＝平31年３月環令10号・令２年３月10号・３年３月６号・４年３月11号

（地域脱炭素創生室の所掌事務）

第８条　地域脱炭素創生室は、次に掲げる事務をつかさどる。

一　地方環境事務所の所掌事務に係る地域の脱炭素化（地球温暖化対策の推進に関する法律（平成10年法律第117号。以下「温暖化対策推進法」という。）第２条第６項に規定する地域の脱炭素化をいう。次号において同じ。）に関する事務の総括に関すること。

二　地域の脱炭素化に向けた国民並びに国、地方公共団体、事業者及び民間の団体等の連携の促進に関すること。

三　温暖化対策推進法第22条第３項に基づく助言、資料の提供その他の協力及び同法第22条の12に基づく情報提供、助言その他の援助に関すること。

〔改正〕

追加＝令４年３月環令11号、一部改正＝令４年６月環令19号

（総務課の所掌事務）

第９条　総務課は、次に掲げる事務をつかさどる。

一　機密に関すること。

二　人事並びに教養及び訓練に関すること。

三　所長の官印及び所印の保管に関すること。

四　機構及び定員に関すること。

五　公文書類の接受、発送、編集及び保存に関すること。

六　地方環境事務所の保有する情報の公開に関すること。

七　地方環境事務所の保有する個人情報の保護に関すること。

八　地方環境事務所の所掌事務に関する総合調整に関すること。

九　情報システムの管理に関すること。

十　経費及び収入の予算、決算及び会計に関すること。

十一　国有財産の管理及び処分並びに物品の管理に関すること。

十二　職員の衛生、医療その他の福利厚生に関すること。

十三　エネルギー対策特別会計のエネルギー需給勘定の経理に関すること。

十四　エネルギー対策特別会計のエネルギー需給勘定に属する行政財産及び物品の管理に関すること。

十五　東日本大震災復興特別会計の経理に関すること。

十六　東日本大震災復興特別会計に属する国有財産の管理及び処分並びに物品の管理に

関すること。

十七　職員に貸与する宿舎に関すること。

十八　庁内の管理に関すること。

十九　広報に関すること。

二十　前各号に掲げるもののほか、地方環境事務所の所掌事務で他の所掌に属しないものに関すること。

〔改正〕

旧第３条の一部改正＝平19年３月環令９号・24年４月11号・26年２月５号・27年４月18号・28年４月８号・29年３月５号・６月16号・７月19号、旧第８条に繰下＝平30年３月環令４号、本条に繰下＝令４年３月環令11号

（資源循環課の所掌事務）

第10条　資源循環課は、次に掲げる事務をつかさどる。

一　地域における循環型社会の形成に関する事務及び事業に関すること。

二　特定有害廃棄物等（特定有害廃棄物等の輸出入等の規制に関する法律（平成４年法律第108号）に規定する特定有害廃棄物等をいう。第３号及び第４号において同じ。）に係る輸出移動書類及び輸入移動書類に係る届出の受理に関すること。

三　特定有害廃棄物等の輸出入等の規制に関する法律に基づく再生利用等事業者に関すること。

四　特定有害廃棄物等の輸出入等の規制に関する法律に基づく報告徴収及び立入検査に関すること。

五　廃棄物の処理及び清掃に関する法律（昭和45年法律第137号。以下「廃棄物処理法」という。）に規定する産業廃棄物の再生利用に係る特例に関すること。

六　廃棄物処理法に規定する産業廃棄物の広域的処理に係る特例に関すること。

七　廃棄物処理法に規定する無害化処理に係る特例に関すること。

八　廃棄物（廃棄物処理法に規定する廃棄物をいう。第11号及び第36号において同じ。）の輸入及び輸出に関すること。

九　廃棄物処理法第22条に基づく補助金の交付に関すること。

十　廃棄物処理法第24条の３第１項の規定による緊急時における事務執行に関すること。

十一　非常災害により生じた廃棄物の処理に関する情報の収集、整理及び提供並びに関係地方公共団体等との連絡調整に関すること。

十二　ポリ塩化ビフェニル廃棄物の適正な処理の推進に関する特別措置法（平成13年法律第65号）第27条の規定による事務執行に関すること。

十三　東日本大震災により生じた災害廃棄物の処理に関する特別措置法に基づく国による災害廃棄物の処理の代行に関すること（東北地方環境事務所に限る。）。

十四　放射性物質汚染対処特措法第16条に基づく報告の受理に関すること（関東地方環

境事務所を除く。）。

十五　放射性物質汚染対処特措法施行規則第６条、第８条第１項第１号及び第２号並びに第２項第１号及び第２号、第９条、第11条、第28条第２号ロ、第30条第２号ロ及び第３号ロ、第32条第２号並びに第34条第２号に規定する確認に関すること（関東地方環境事務所を除く。）。

十六　放射性物質汚染対処特措法施行規則第15条第13号の規定による届出の受理に関すること（関東地方環境事務所を除く。）。

十七　指定廃棄物の指定に関すること（関東地方環境事務所を除く。）。

十八　指定廃棄物の収集、運搬、保管及び処分に関すること（関東地方環境事務所を除く。）。

十九　放射性物質汚染対処特措法第49条第２項及び第３項並びに第50条第２項及び第３項に基づく報告徴収、立入検査及び収去に関すること（指定廃棄物の収集、運搬、保管又は処分に係るものに限る。）（関東地方環境事務所を除く。）。

二十　エネルギーの使用の合理化等に関する法律（昭和54年法律第49号）及び温暖化対策推進法の施行に関すること（廃棄物処理業に係るものに限る。）。

二十一　特定特殊自動車排出ガスの規制等に関する法律（平成17年法律第51号）の施行に関すること（廃棄物処理業に係るものに限る。）。

二十二　廃棄物処理業者の組織する中小企業等協同組合（中小企業等協同組合法（昭和24年法律第181号）第３条に規定する中小企業等協同組合をいう。第13条第35号において同じ。）の認可及び監督に関すること。

二十三　地域資源を活用した農林漁業者等による新事業の創出等及び地域の農林水産物の利用促進に関する法律（平成22年法律第67号）の施行に関すること（廃棄物処理業に係るものに限る。）。

二十四　消費税の円滑かつ適正な転嫁の確保のための消費税の転嫁を阻害する行為の是正等に関する特別措置法（平成25年法律第41号）の施行に関すること（産業廃棄物処理業に係るものに限る。）。

二十五　不当景品類及び不当表示防止法（昭和37年法律第134号）の施行に関すること（廃棄物処理業に係るものに限る。）。

二十六　中小企業等経営強化法（平成11年法律第18号）に基づく経営革新計画、経営力向上計画及び社外高度人材活用新事業分野開拓計画に関すること（廃棄物処理業に係るものに限る。）。

二十七　下水道法（昭和33年法律第79号）に基づく公共下水道及び流域下水道に係る事業計画に関する意見及び通知の受理に関すること。

二十八　下水道法に基づく報告徴収に関すること。

二十九　容器包装に係る分別収集及び再商品化の促進等に関する法律（平成７年法律第

112号）に基づく報告徴収及び立入検査に関すること。

三十　特定家庭用機器再商品化法（平成10年法律第97号）に基づく報告徴収及び立入検査に関すること。

三十一　食品循環資源の再生利用等の促進に関する法律（平成12年法律第116号）に基づく定期報告の受理に関すること。

三十二　食品循環資源の再生利用等の促進に関する法律に基づく再生利用事業の登録及び当該事業に係る料金に関すること。

三十三　食品循環資源の再生利用等の促進に関する法律に基づく報告徴収及び立入検査に関すること。

三十四　使用済自動車の再資源化等に関する法律（平成14年法律第87号）に基づく報告徴収及び立入検査に関すること。

三十五　使用済小型電子機器等の再資源化の促進に関する法律（平成24年法律第57号）に基づく報告徴収及び立入検査に関すること。

三十六　プラスチックに係る資源循環の促進等に関する法律（令和３年法律第60号）に基づく報告徴収及び立入検査に関すること。

三十七　前各号に掲げるもののほか、本省の環境再生・資源循環局の所掌事務に関する調査並びに情報の収集、整理及び提供並びに相談並びに知識の普及及び啓発並びに関係機関との連絡調整に関すること（廃棄物の排出の抑制及び適正な処理並びに清掃並びに資源の再利用の促進に係るものに限る。）。

〔改正〕

旧第４条の一部改正＝平18年３月閣総法外財文科厚労農水経産国交環令２号・７月環令23号・９月31号・19年11月32号・22年10月21号・23年３月２号・12月36号・24年４月11号・６月16号・９月23号・25年５月13号・９月23号・26年２月５号・27年４月18号・28年６月13号・７月19号・29年３月５号・６月16号・７月19号、旧第３条の２～の４を削り一部改正し旧第８条に繰下＝平30年３月環令４号、一部改正＝平30年７月環令13号・９月19号・11月23号・31年３月10号・令元年９月６号・２年９月23号、一部改正し本条に繰下＝令４年３月環令11号

（環境対策課の所掌事務）

第11条　環境対策課は、次に掲げる事務をつかさどる。

一　地方環境事務所の所掌事務に係る事業者及び国民の環境の保全に関する理解の増進に関する事務の総括に関すること。

二　地方環境事務所の所掌事務に係る事業者、国民又はこれらの者の組織する民間の団体（以下「事業者等」という。）が自発的に行う環境の保全に関する活動の促進に関する事務の総括に関すること。

三　環境の保全に関する教育及び学習の振興並びに事業者等が自発的に行う環境の保全に関する活動の促進に関する事務及び事業に関すること（他課の所掌に属するものを除く。）。

四　環境省関係石綿による健康被害の救済に関する法律施行規則（平成18年環境省令第

３号）第25条第１項に規定する申請等の経由に係る事務に関すること。

五　地球温暖化対策計画（温暖化対策推進法第８条第１項に規定する地球温暖化対策計画をいう。）の推進のための地域における地球温暖化（温暖化対策推進法第２条第１項に規定する地球温暖化をいう。）の防止に関する事務及び事業に関すること（地域脱炭素創生室の所掌に属するものを除く。）。

六　気候変動適応法（平成30年法律第50号）第14条第１項の気候変動適応広域協議会の庶務に関すること。

七　前２号に掲げるもののほか、地球環境保全に関する事務及び事業に関すること（他課の所掌に属するものを除く。）。

八　大気汚染防止法（昭和43年法律第97号）に基づく緊急時の報告徴収及び立入検査並びに関係地方公共団体の長に対する資料の提出及び説明の求めに関すること。

九　水質汚濁防止法（昭和45年法律第138号）に基づく緊急時の報告徴収及び立入検査並びに関係地方公共団体の長に対する資料の提出及び説明の求めに関すること。

十　自動車から排出される窒素酸化物及び粒子状物質の特定地域における総量の削減等に関する特別措置法（平成４年法律第70号）に基づく関係地方公共団体の長に対する資料の提出及び説明の求めに関すること。

十一　特定特殊自動車排出ガスの規制等に関する法律に基づく特定特殊自動車の使用者に対する報告徴収及び立入検査に関すること。

十二　特定水道利水障害の防止のための水道水源水域の水質の保全に関する特別措置法（平成６年法律第９号）に基づく緊急時の報告徴収及び立入検査並びに関係地方公共団体の長に対する資料の提出及び説明の求めに関すること。

十三　土壌汚染対策法（平成14年法律第53号）に基づく緊急時の報告徴収及び立入検査並びに関係地方公共団体の長に対する資料の提出及び説明の求めに関すること。

十四　土壌汚染対策法に基づく指定調査機関の指定及び監督に関すること。

十五　ダイオキシン類対策特別措置法（平成11年法律第105号）に基づく緊急時の報告徴収及び立入検査並びに関係地方公共団体の長に対する資料の提出及び説明の求めに関すること。

十六　瀬戸内海環境保全特別措置法（昭和48年法律第110号）に基づく瀬戸内海の環境の保全のための施策の企画及び立案等、里海づくりに関する施策の実施並びに漂流ごみ等（同法第16条の２に規定する漂流ごみ等をいう。）の除去、発生の抑制その他の必要な措置に関すること。

十七　農用地の土壌の汚染防止等に関する法律（昭和45年法律第139号）に基づく立入調査並びに関係行政機関の長又は関係地方公共団体の長に対する協力の求めに関すること。

十八　第８号から前号までに掲げるもののほか、公害の防止に関する事務及び事業に関することと。

十九　化学物質の審査及び製造等の規制に関する法律（昭和48年法律第117号）に基づく報告徴収及び立入検査に関すること。

二十　水銀による環境の汚染の防止に関する法律（平成27年法律第42号）第21条第３項の規定に基づく意見の陳述、第22条第２項（第24条第２項において準用する場合を含む。）の規定により送付された書類の写しの受理及び第23条第３項の規定に基づく意見の陳述に関すること。

二十一　農薬取締法（昭和23年法律第82号）に基づく報告徴収及び立入検査に関すること。

二十二　環境の保全の観点からの環境影響評価に関する審査に関すること。

二十三　前各号に掲げるもののほか、環境省の所掌事務に関する調査並びに情報の収集、整理及び提供並びに相談並びに知識の普及及び啓発並びに関係機関との連絡調整に関すること（他課の所掌に属するものを除く。）。

二十四　地方環境事務所の所掌事務に関する調査並びに情報の収集、整理及び提供並びに相談並びに知識の普及及び啓発に関する事務の総括に関すること。

〔改正〕

旧第５条の一部改正＝平18年３月環令５号・閣総法外財文科厚労農水経産国交環令２号・９月環令31号・20年６月７号・10月12号・23年12月36号・24年４月11号・９月23号・27年４月18号・28年11月24号・29年３月５号、一部改正し旧第10条に繰下＝平30年３月環令４号、一部改正＝平30年７月環令13号・９月19号・11月23号・31年３月10号・令２年３月10号、一部改正し本条に繰下＝令４年３月環令11号

（放射能汚染対策課の所掌事務）

第12条　放射能汚染対策課は、放射性物質汚染対処特措法に基づく事故由来放射性物質による環境の汚染への対処に関する事務及び事業に関する事務をつかさどる。

〔改正〕

旧第６条の全部改正＝平26年２月環令５号、一部改正し旧第11条に繰下＝平30年３月環令４号、本条に繰下＝令４年３月環令11号

（国立公園課の所掌事務）

第13条　国立公園課は、次に掲げる事務をつかさどる。

一　原生自然環境保全地域（自然環境保全法（昭和47年法律第85号）第14条第１項に規定する原生自然環境保全地域をいう。以下同じ。）、自然環境保全地域（同法第22条第１項に規定する自然環境保全地域をいう。以下同じ。）及び沖合海底自然環境保全地域（同法第35条の２第１項に規定する沖合海底自然環境保全地域をいう。以下同じ。）の指定に関すること。

二　原生自然環境保全地域、自然環境保全地域及び沖合海底自然環境保全地域に関する保全計画（自然環境保全法第15条第１項、第23条第１項及び第35条の３第１項に規定する保全計画をいう。）の決定及び保全事業（同法第16条第１項及び第24条第１項に規定する保全事業をいう。第14条第１号において同じ。）の執行に関すること（自然環境

整備課の所掌に属するものを除く。)。

三　原生自然環境保全地域の区域内における立入制限地区（自然環境保全法第19条第１項に規定する立入制限地区をいう。)、自然環境保全地域の区域内における特別地区（同法第25条第１項に規定する特別地区をいう。)、野生動植物保護地区（同法第26条第１項に規定する野生動植物保護地区をいう。)及び海域特別地区（同法第27条第１項に規定する海域特別地区をいう。)並びに沖合海底自然環境保全地域の区域内における沖合海底特別地区（同法第35条の４第１項に規定する沖合海底特別地区をいう。)の指定に関すること。

四　原生自然環境保全地域、自然環境保全地域及び沖合海底自然環境保全地域における行為の制限に関すること。

五　自然環境保全地域における生態系維持回復事業計画（自然環境保全法第30条の２第１項に規定する生態系維持回復事業計画をいう。)の決定及び生態系維持回復事業（同法第30条の２第１項の規定により行われる生態系維持回復事業をいう。第14条第２号において同じ。)の実施に関すること（自然環境整備課の所掌に属するものを除く。)。

六　世界の文化遺産及び自然遺産の保護に関する条約第11条２に規定する一覧表に記載されている国内の自然遺産（第14条第３号及び第23条において「世界自然遺産」という。)の保護、保存及び整備に関すること（自然環境整備課の所掌に属するものを除く。)。

七　前各号に掲げるもののほか、自然環境が優れた状態を維持している地域における当該自然環境の保全に関する事務及び事業に関すること（自然環境整備課の所掌に属するものを除く。)。

八　国立公園（自然公園法（昭和32年法律第161号）第２条第２号に規定する国立公園をいう。以下同じ。)の指定並びに国立公園に関する公園計画（同条第５号に規定する公園計画をいう。)及び公園事業（同条第６号に規定する公園事業をいう。次号及び第14条第５号において同じ。)の決定に関すること。

九　国立公園に関する公園事業の執行に関すること（自然環境整備課の所掌に属するものを除く。)。

十　自然公園法第２章第３節の規定による国立公園における利用拠点（同法第16条の２第１項に規定する利用拠点をいう。)の質の向上のための整備改善に関すること（自然環境整備課の所掌に関するものを除く。)。

十一　国立公園の区域内における特別地域（自然公園法第20条第１項に規定する特別地域をいう。)、特別保護地区（同法第21条第１項に規定する特別保護地区をいう。)、海域公園地区（同法第22条第１項に規定する海域公園地区をいう。)、利用調整地区（同法第23条第１項に規定する利用調整地区をいう。)及び集団施設地区（同法第36条第１項に規定する集団施設地区をいう。)(次号において「特別地域等」という。)の指定に関すること。

十二　特別地域等における行為の制限及び利用のための規制に関すること。

十三　自然公園法に基づく指定認定機関の指定及び監督に関すること。

十四　国立公園における生態系維持回復事業計画（自然公園法第38条第１項に規定する生態系維持回復事業計画をいう。）の決定及び生態系維持回復事業（同法第２条第７号に規定する生態系維持回復事業をいう。第14条第６号において同じ。）の実施に関すること（自然環境整備課の所掌に属するものを除く。）。

十五　自然公園法第２章第５節の２の規定による国立公園における質の高い自然体験活動の促進に関すること。

十六　風景地保護協定（自然公園法第43条第１項に規定する風景地保護協定をいう。）の締結並びに公園管理団体（同法第49条第１項に規定する公園管理団体をいう。）の指定及び監督に関すること。

十七　自然公園法施行令（昭和32年政令第298号）附則第３項に基づく報告の受理に関すること。

十八　国立公園における指定管理鳥獣捕獲等事業（鳥獣の保護及び管理並びに狩猟の適正化に関する法律（平成14年法律第88号。以下「鳥獣保護管理法」という。）第７条の２第２項第５号に規定する指定管理鳥獣捕獲等事業をいう。以下同じ。）の実施に関すること。

十九　第８号から前号までに掲げるもののほか、国立公園の保護及び整備に関する事務及び事業に関すること（自然環境整備課の所掌に属するものを除く。）。

二十　自然環境の健全な利用のための活動の増進に関すること。

二十一　自然再生（自然再生推進法（平成14年法律第148号）に規定する自然再生をいう。第14条第８号及び第17条において同じ。）の推進に関すること（自然環境整備課の所掌に属するものを除く。）。

二十二　環境の保全の観点からの森林及び緑地の保全その他その目的及び機能の一部に自然環境の保護及び整備が含まれる事務及び事業に関する調査及び関係機関との連絡調整に関すること（他課の所掌に属するものを除く。）。

二十三　前各号に掲げるもののほか、本省の自然環境局の所掌事務に関する調査並びに情報の収集、整理及び提供並びに相談並びに知識の普及及び啓発並びに関係機関との連絡調整に関すること（野生生物課及び自然環境整備課の所掌に属するものを除く。）。

〔改正〕

旧第６条の一部改正＝平17年12月環令35号・18年10月32号・22年３月４号・10月21号、旧第７条に繰下＝平24年４月環令11号、一部改正＝平27年２月環令３号・４月18号、旧第６条の２～の13を削り旧第12条に繰下＝平30年３月環令４号、一部改正＝平30年７月環令13号・令２年３月10号、一部改正し本条に繰下＝令４年３月環令11号

（野生生物課の所掌事務）

第14条　野生生物課は、次に掲げる事務をつかさどる。

一　希少野生動植物種（絶滅のおそれのある野生動植物の種の保存に関する法律（平成４年法律第75号。以下「種の保存法」という。）に規定する希少野生動植物種をいう。以下同じ。）の選定に関すること。

二　種の保存法第８条及び第35条に基づく助言又は指導に関すること。

三　国内希少野生動植物種等（種の保存法第９条に規定する国内希少野生動植物種等をいう。）の生きている個体の捕獲等に係る許可に関すること。

四　希少野生動植物種の個体等の陳列に係る措置命令に関すること。

五　種の保存法第19条第１項に基づく報告徴収及び立入検査に関すること。

六　特定国内種事業（種の保存法第30条第１項に規定する特定国内種事業をいう。）並びに特定国際種事業（種の保存法第33条の２第１項に規定する特定国際種事業をいう。）及び特別国際種事業（種の保存法第33条の６第１項に規定する特別国際種事業をいう。）に関すること。

七　生息地等保護区（種の保存法第36条第１項に規定する生息地等保護区をいう。）、管理地区（種の保存法第37条第１項に規定する管理地区をいう。）及び立入制限地区（種の保存法第38条第１項に規定する立入制限地区をいう。）の指定に関すること。

八　生息地等保護区の管理地区（立入制限地区を含む。）及び監視地区における行為の制限に関すること。

九　保護増殖事業計画（種の保存法第45条第１項に規定する保護増殖事業計画をいう。）の策定並びに保護増殖事業（種の保存法第６条第２項第６号に規定する保護増殖事業をいう。）の実施、確認及び認定に関すること。

十　認定希少種保全動植物園等（種の保存法第48条の５第１項に規定する認定希少種保全動植物園等をいう。）に関すること。

十一　種の保存法第49条に基づく調査に関すること。

十二　希少野生動植物種保存推進員（種の保存法第51条第１項に規定する希少野生動植物種保存推進員をいう。）の委嘱に関すること。

十三　第１種特定鳥獣保護計画（鳥獣保護管理法第７条第１項に規定する第１種特定鳥獣保護計画をいう。）に係る協議に関すること。

十四　第２種特定鳥獣管理計画（鳥獣保護管理法第７条の２第１項に規定する第２種特定鳥獣管理計画をいう。）に係る協議に関すること。

十五　希少鳥獣保護計画（鳥獣保護管理法第７条の３第１項に規定する希少鳥獣保護計画をいう。）の策定に関すること。

十六　特定希少鳥獣管理計画（鳥獣保護管理法第７条の４第１項に規定する特定希少鳥獣管理計画をいう。）の策定に関すること。

十七　鳥獣の捕獲等又は鳥類の卵の採取等に係る許可に関すること。

十八　対象狩猟鳥獣（鳥獣保護管理法第11条第２項に規定する対象狩猟鳥獣をいう。）の捕獲等の承認に関すること。

十九　指定管理鳥獣捕獲等事業に関する実施計画（鳥獣保護管理法第14条の２第１項に規定する実施計画をいう。）に係る協議に関すること。

二十　指定猟法禁止区域（鳥獣保護管理法第15条第１項に規定する指定猟法禁止区域をいう。）の指定及び当該区域における鳥獣の捕獲等に係る許可に関すること。

二十一　鳥獣又は鳥類の卵の輸出及び輸入の規制に関すること。

二十二　特定輸入鳥獣（鳥獣保護管理法第26条第２項に規定する特定輸入鳥獣をいう。）の輸入に係る標識の交付に関すること。

二十三　国指定鳥獣保護区（鳥獣保護管理法第28条第１項に規定する国指定鳥獣保護区をいう。以下同じ。）及び国指定特別保護地区（鳥獣保護管理法第29条第１項に規定する国指定特別保護地区をいう。以下同じ。）の指定並びに国指定特別保護地区における行為の許可及び原状回復等に関すること。

二十四　国指定鳥獣保護区における指定管理鳥獣捕獲等事業の実施に関すること。

二十五　国指定鳥獣保護区における保全事業（鳥獣保護管理法第28条の２第１項に規定する保全事業をいう。第14条第10号において同じ。）に関すること（自然環境整備課の所掌に属するものを除く。）。

二十六　危険猟法（鳥獣保護管理法第36条に規定する危険猟法をいう。）による鳥獣の捕獲等に係る許可に関すること。

二十七　鳥獣保護管理法に基づく報告徴収及び立入検査に関すること。

二十八　遺伝子組換え生物等の使用等の規制による生物の多様性の確保に関する法律（平成15年法律第97号）に基づく報告徴収及び立入検査に関すること。

二十九　特定外来生物（特定外来生物による生態系等に係る被害の防止に関する法律（平成16年法律第78号。以下「外来生物法」という。）第２条第１項に規定する特定外来生物をいう。以下同じ。）の飼養等に係る許可に関すること。

三十　特定外来生物の放出等に係る許可に関すること。

三十一　外来生物法第10条第１項及び第２項に基づく報告徴収及び立入検査に関すること。

三十二　特定外来生物の防除の実施及び当該防除に係る調査並びに主務大臣等以外の者が行う特定外来生物の防除の確認及び認定に関すること。

三十三　外来生物法第24条の２第１項及び第２項に基づく輸入品等の検査及び集取並びに消毒及び廃棄に関すること。

三十四　愛がん動物用飼料の安全性の確保に関する法律（平成20年法律第83号）に基づく報告徴収、立入検査、質問及び集取に関すること。

三十五　動物取扱業者の組織する中小企業等協同組合の認可及び監督に関すること。

三十六　不当景品類及び不当表示防止法（昭和37年法律第134号）の施行に関すること（動物取扱業に係るものに限る。）。

三十七　特に水鳥の生息地として国際的に重要な湿地に関する条約第２条１に規定する登録簿に掲げられている湿地の保全、管理及び適正な利用に関すること（自然環境整備課の所掌に属するものを除く。）。

三十八　野生鳥獣の保護及び家畜の伝染性疾病（家畜伝染病予防法（昭和26年法律第166号）第２条第１項の表の上欄に掲げる伝染性疾病をいう。）の発生の予防又はまん延の防止のための野生鳥獣の監視その他の必要な措置に関すること。

三十九　前各号に掲げるもののほか、野生動植物の種の保存、野生鳥獣の保護及び管理並びに狩猟の適正化その他野生生物の保護（外来生物による生態系、人の生命若しくは身体又は農林水産業に係る被害の防止を含む。以下同じ。）並びに人の飼養に係る動物の愛護並びに当該動物による人の生命、身体及び財産に対する侵害の防止に関する事務及び事業に関すること（自然環境整備課の所掌に属するものを除く。）。

四十　前各号に掲げるもののほか、本省の自然環境局の所掌事務に関する調査並びに情報の収集、整理及び提供並びに相談並びに知識の普及及び啓発並びに関係機関との連絡調整に関すること（野生生物の保護並びに人の飼養に係る動物の愛護並びに当該動物による人の生命、身体及び財産に対する侵害の防止のために行うものに限る。）。

〔改正〕

旧第７条の一部改正＝平17年12月環令35号・19年３月９号・21年４月４号・22年10月21号・23年７月12号、旧第８条に繰下＝平24年３月環令11号、一部改正＝平26年６月環令21号・27年２月３号・４月18号、旧第13条に繰下＝平30年３月環令４号、一部改正＝平30年４月環令８号・７月13号、一部改正し本条に繰下＝令４年３月環令11号、一部改正＝令４年６月環令19号

（自然環境整備課の所掌事務）

第15条　自然環境整備課は、次に掲げる事務をつかさどる。

一　原生自然環境保全地域及び自然環境保全地域に関する保全事業に係る施設の整備に関する助成及び指導並びに当該施設の工事の実施（以下この条及び第27条において「施設の整備等」という。）に関すること。

二　自然環境保全地域における生態系維持回復事業に係る施設の整備等に関すること。

三　世界自然遺産の保護、保存及び整備に関する事業に係る施設の整備等に関すること。

四　前各号に掲げるもののほか、自然環境が優れた状態を維持している地域における当該自然環境の保全に関する事業に係る施設の整備等に関すること。

五　国立公園に関する公園事業に係る施設の整備等に関すること。

六　国立公園における生態系維持回復事業に係る施設の整備等に関すること。

七　前２号に掲げるもののほか、国立公園の保護及び整備に関する事業に係る施設の整備等に関すること。

八　自然再生の推進に関する事業に係る施設の整備等に関すること。

九　環境の保全の観点からの森林及び緑地の保全その他その目的及び機能の一部に自然環境の保護及び整備が含まれる事業に関する調査及び関係機関との連絡調整に関すること（当該事業に係る施設の整備等に係るものに限る。）。

十　国指定鳥獣保護区における保全事業に係る施設の整備等に関すること。

十一　特に水鳥の生息地として国際的に重要な湿地に関する条約第２条１に規定する登録簿に掲げられている湿地の保全、管理及び適正な利用に関する事業に係る施設の整備等に関すること。

十二　前２号に掲げるもののほか、野生動植物の種の保存、野生鳥獣の保護及び管理並びに狩猟の適正化その他野生生物の保護に関する事業に係る施設の整備等に関すること。

十三　前各号に掲げるもののほか、本省の自然環境局の所掌に属する事業に関する調査並びに情報の収集、整理及び提供並びに相談並びに知識の普及及び啓発並びに関係機関との連絡調整に関すること（当該事業に係る施設の整備等に係るものに限る。）。

〔改正〕

旧第９条として追加＝平27年４月環令18号、一部改正＝平29年３月環令５号、旧第14条に繰下＝平30年３月環令４号、一部改正＝平30年７月環令13号、本条に繰下＝令４年３月環令11号

（統括環境保全企画官の職務）

第16条　統括環境保全企画官は、地方環境事務所の所掌事務のうち、環境の保全に関する重要事項（自然環境の保護及び整備に関するものを除く。）の企画及び立案に参画し、関係事務を総括整理する。

〔改正〕

旧第15条として追加＝令３年３月環令６号、本条に繰下＝令４年３月環令11号

（脱炭素企画官の職務）

第17条　脱炭素企画官は、命を受けて、地域脱炭素創生室の所掌事務に関する特定事項の企画及び立案並びに調整に関する事務を行う。

〔改正〕

追加＝令４年３月環令11号

（統括自然保護企画官の職務）

第18条　統括自然保護企画官は、地方環境事務所の所掌事務のうち、自然環境の保護及び整備に関する重要事項の企画及び立案に参画し、関係事務を総括整理する。

〔改正〕

旧第８条を旧第９条に繰下＝平24年４月環令11号、旧第10条を削り旧第10条に繰下＝平27年４月環令18号、旧第15条に繰下＝平30年３月環令４号、旧第16条に繰下＝令３年３月環令６号、本条に繰下＝令４年３月環令11号

（国立公園調整官の職務）

第19条　国立公園調整官は、命を受けて、地方環境事務所の所掌事務のうち、自然環境の

保護及び整備に関する特定事項の企画及び立案に参画し、並びに国立公園保護管理企画官、国立公園利用企画官、外客受入施設専門官、利用拠点再生専門官、滞在環境整備専門官及び国立公園管理官の行う職務を統括する。

〔改正〕

旧第11条として追加＝平29年３月環令５号、旧第16条に繰下＝平30年３月環令４号、一部改正＝令２年３月環令10号、旧第17条に繰下＝令３年３月環令６号、一部改正し本条に繰下＝令４年３月環令11号

（自然再生企画官の職務）

第20条　自然再生企画官は、自然再生の推進に関する特定事項の企画及び立案並びに調整に関する事務を行う。

〔改正〕

旧第10条を旧第11条に繰下＝平24年４月環令11号、旧第12条に繰下＝平29年３月環令５号、旧第17条に繰下＝平30年３月環令４号、旧第18条に繰下＝令３年３月環令６号、本条に繰下＝令４年３月環令11号

（生物多様性保全企画官の職務）

第21条　生物多様性保全企画官は、生物の多様性の確保に関する特定事項の企画及び立案並びに調整に関する事務を行う。

〔改正〕

旧第11条を旧第12条に繰下＝平24年４月環令11号、旧第13条に繰下＝平29年３月環令５号、旧第18条に繰下＝平30年３月環令４号、旧第19条に繰下＝令３年３月環令６号、本条に繰下＝令４年３月環令11号

（動物愛護専門官の職務）

第22条　動物愛護専門官は、人の飼養に係る動物の愛護に関する専門の行政事務を行う。

〔改正〕

旧第12条として追加＝平21年４月環令４号、旧第13条に繰下＝平24年４月環令11号、旧第14条に繰下＝平29年３月環令５号、旧第19条に繰下＝平30年３月環令４号、旧第20条に繰下＝令３年３月環令６号、本条に繰下＝令４年３月環令11号

（国立公園企画官の職務）

第23条　国立公園企画官は、命を受けて、国立公園課の所掌事務に関する特定事項の企画及び立案並びに調整に関する事務を行う。

〔改正〕

旧第12条を旧第13条に繰下＝平21年４月環令４号、旧第14条に繰下＝平24年４月環令11号、一部改正＝平27年４月環令18号、旧第15条に繰下＝平29年３月環令５号、旧第20条に繰下＝平30年３月環令４号、旧第21条に繰下＝令３年３月環令６号、本条に繰下＝令４年３月環令11号

（野生生物企画官の職務）

第24条　野生生物企画官は、命を受けて、野生生物課の所掌事務に関する特定事項の企画及び立案並びに調整に関する事務を行う。

〔改正〕

旧第13条を旧第14条に繰下＝平21年４月環令４号、旧第15条に繰下＝平24年４月環令11号、一部改正＝平27年４月環令18号、旧第16条に繰下＝平29年３月環令５号、旧第21条に繰下＝平30年３月環令４号、旧第22条に繰下＝令３年３月環令６号、本条に繰下＝令４年３月環令11号

（自然環境整備企画官の職務）

第25条　自然環境整備企画官は、命を受けて、自然環境整備課の所掌事務に関する特定事

項の企画及び立案並びに調整に関する事務を行う。

〔改正〕

旧第16条として追加＝平27年４月環令18号、旧第17条に繰下＝平29年３月環令５号、旧第22条に繰下＝平30年３月環令４号、旧第23条に繰下＝令３年３月環令６号、本条に繰下＝令４年３月環令11号

（外来生物企画官の職務）

第26条　外来生物企画官は、外来生物対策に関する特定事項の企画及び立案並びに調整に関する事務を行う。

〔改正〕

追加＝令４年３月環令11号

（世界自然遺産専門官の職務）

第27条　世界自然遺産専門官は、世界自然遺産の保護、保存及び整備に関する専門の行政事務を行う。

〔改正〕

旧第14条として追加＝平18年10月環令32号、旧第15条に繰下＝平21年４月環令４号、旧第16条に繰下＝平24年４月環令11号、旧第17条に繰下＝平27年４月環令18号、旧第18条に繰下＝平29年３月環令５号、旧第23条に繰下＝平30年３月環令４号、旧第24条に繰下＝令３年３月環令６号、本条に繰下＝令４年３月環令11号

（国立公園保護管理企画官の職務）

第28条　国立公園保護管理企画官は、自然環境の保護及び整備に関する特定事項の企画及び立案並びに調整に関する事務（国立公園利用企画官の所掌に属するものを除く。）を行い、自然保護官及び国立公園管理官の指揮監督を行う。

〔改正〕

旧第20条として追加＝平29年３月環令５号、旧第25条に繰下＝平30年３月環令４号、旧第24条を削り一部改正し旧第24条に繰上＝令２年３月環令10号、旧第25条に繰下＝令３年３月環令６号、本条に繰下＝令４年３月環令11号

（国立公園利用企画官の職務）

第29条　国立公園利用企画官は、国立公園の保護及び整備（地域の魅力の増進のために行うものに係るものに限る。）並びに国立公園に関する事業の振興に関する特定事項の企画及び立案並びに調整に関する事務を行う。

〔改正〕

旧第21条として追加＝平29年３月環令５号、旧第26条に繰下＝平30年３月環令４号、旧第25条に繰上＝令２年３月環令10号、旧第26条に繰下＝令３年３月環令６号、本条に繰下＝令４年３月環令11号

（外客受入施設専門官の職務）

第30条　外客受入施設専門官は、国立公園の保護及び整備に関する事業に係る施設の整備等に関する専門の行政事務を行う。

〔改正〕

旧第22条として追加＝平29年３月環令５号、旧第27条に繰下＝平30年３月環令４号、旧第26条に繰上＝令２年３月環令10号、旧第27条に繰下＝令３年３月環令６号、本条に繰下＝令４年３月環令11号

（世界自然遺産調整専門官の職務）

第31条　世界自然遺産調整専門官は、世界自然遺産の保護、保存及び整備に関する特定事

項の調整に関する専門の行政事務を行う。

〔改正〕

旧第28条として追加＝平31年３月環令10号、旧第27条に繰上＝令２年３月環令10号、旧第28条に繰下＝令３年３月環令６号、本条に繰下＝令４年３月環令11号

（離島希少種保全専門官の職務）

第32条　離島希少種保全専門官は、離島における希少野生動植物の種の保存に関する専門の行政事務を行う。

〔改正〕

旧第29条として追加＝平31年３月環令10号、旧第28条に繰上＝令２年３月環令10号、旧第29条に繰下＝令３年３月環令６号、本条に繰下＝令４年３月環令11号

（利用拠点再生専門官の職務）

第33条　利用拠点再生専門官は、国立公園の利用のための拠点となる区域内の老朽その他の事由により使用されていない施設の撤去及び当該区域の景観の再生に関する計画の策定に係る調整に関する専門の行政事務を行う。

〔改正〕

旧第30条として追加＝平31年３月環令10号、旧第29条に繰上＝令２年３月環令10号、旧第30条に繰下＝令３年３月環令６号、本条に繰下＝令４年３月環令11号

（滞在環境整備専門官の職務）

第34条　滞在環境整備専門官は、国立公園における来訪者又は滞在者の利便の増進に寄与する施設の整備等に関する専門の行政事務を行う。

〔改正〕

旧第31条として追加＝令２年３月環令10号、旧第32条に繰下＝令３年３月環令６号、旧第31条を削り本条に繰下＝令４年３月環令11号

（地熱発電等調整専門官の職務）

第35条　地熱発電等調整専門官は、地熱発電施設等の設置に関する自然環境及び地域との共生に係る調整等に関する専門の行政事務を行う。

〔改正〕

追加＝令４年３月環令11号

（首席自然保護官及び自然保護官の職務）

第36条　首席自然保護官は、国立公園課、野生生物課及び自然環境整備課の所掌事務の一部を処理し、自然保護官の指揮監督を行う。

2　自然保護官は、前項に規定する事務を行う。

〔改正〕

旧第14条を旧第15条に繰下＝平18年10月環令32号、旧第16条に繰下＝平19年10月環令27号、旧第18条に繰下＝平21年４月環令４号、旧第18条に繰下＝平24年４月環令11号、一部改正し旧第19条に繰下＝平27年４月環令18号、旧第23条に繰下＝平29年３月環令５号、旧第28条に繰下＝平30年３月環令４号、旧第32条に繰下＝平31年３月環令10号、旧第33条に繰下＝令３年３月環令６号、本条に繰下＝令４年３月環令11号

（国立公園管理官の職務）

第37条　国立公園管理官は、命を受けて、地方環境事務所の所掌事務のうち、自然環境の

保護及び整備に関する特定事項に関する事務を行う。

〔改正〕

旧第24条として追加＝平29年３月環令５号、旧第29条に繰下＝平30年３月環令４号、旧第33条に繰下＝平31年３月環令10号、旧第34条に繰下＝令３年３月環令６号、本条に繰下＝令４年３月環令11号

（総務部に置く課）

第38条　総務部に、次に掲げる課を置く。

総務課

渉外広報課

企画課

経理課

2　前項に掲げる課のほか、総務部に調整官１人を置く。

〔改正〕

旧第30条として追加＝平30年３月環令４号、一部改正し旧第34条に繰下＝平31年３月環令10号、旧第35条に繰下＝令３年３月環令６号、本条に繰下＝令４年３月環令11号

（総務課の所掌事務）

第39条　総務課は、次に掲げる事務をつかさどる。

一　機密に関すること。

二　人事並びに教養及び訓練に関すること。

三　所長の官印及び所印の保管に関すること。

四　機構及び定員に関すること。

五　公文書類の接受、発送、編集及び保存に関すること。

六　地方環境事務所の保有する情報の公開に関すること。

七　地方環境事務所の保有する個人情報の保護に関すること。

八　地方環境事務所の所掌事務に関する総合調整に関すること（渉外広報課及び企画課の所掌に属するものを除く。）。

九　情報システムの管理に関すること。

十　職員の衛生、医療その他の福利厚生に関すること。

十一　職員に貸与する宿舎に関すること。

十二　庁内の管理に関すること。

十三　前各号に掲げるもののほか、地方環境事務所の所掌事務で他の所掌に属しないものに関すること。

〔改正〕

旧第31条として追加＝平30年３月環令４号、旧第35条に繰下＝平31年３月環令10号、旧第36条に繰下＝令３年３月環令６号、本条に繰下＝令４年３月環令11号

（渉外広報課の所掌事務）

第40条　渉外広報課は、次に掲げる事務をつかさどる。

一　地方環境事務所の広報及びリスクコミュニケーションに関する政策の企画及び立案に関する総合調整並びに渉外に関すること。

二　放射性物質汚染対処特措法に基づく事故由来放射性物質による健康への影響に関する健康管理及び健康不安対策の支援に関すること。

〔改正〕

旧第32条として追加＝平30年３月環令４号、旧第36条に繰下＝平31年３月環令10号、旧第37条に繰下＝令３年３月環令６号、本条に繰下＝令４年３月環令11号

（企画課の所掌事務）

第41条　企画課は、地方環境事務所の所掌事務に関する政策の企画及び立案に関する総合調整に関する事務をつかさどる。

〔改正〕

旧第33条として追加＝平30年３月環令４号、旧第37条に繰下＝平31年３月環令10号、旧第38条に繰下＝令３年３月環令６号、本条に繰下＝令４年３月環令11号

（経理課の所掌事務）

第42条　経理課は、次に掲げる事務をつかさどる。

一　経費及び収入の予算、決算及び会計に関すること。

二　国有財産の管理及び処分並びに物品の管理に関すること。

三　東日本大震災復興特別会計の経理に関すること。

四　東日本大震災復興特別会計に属する国有財産の管理及び処分並びに物品の管理に関すること。

〔改正〕

旧第34条として追加＝平30年３月環令４号、旧第38条に繰下＝平31年３月環令10号、旧第39条に繰下＝令３年３月環令６号、本条に繰下＝令４年３月環令11号

（調整官の職務）

第43条　調整官は、命を受けて、総務部の所掌事務に関する重要事項の企画及び立案並びに調整に参画する。

〔改正〕

旧第39条として追加＝平31年３月環令10号、旧第40条に繰下＝令３年３月環令６号、本条に繰下＝令４年３月環令11号

（環境再生・廃棄物対策部に置く課等）

第44条　環境再生・廃棄物対策部に、次に掲げる課を置く。

環境再生・廃棄物対策総括課

環境再生課

仮置場対策課

廃棄物対策課

2　前項に掲げる課のほか、環境再生・廃棄物対策部に調整官２人を置く。

〔改正〕

旧第35条として追加＝平30年３月環令４号、旧第40条に繰下＝平31年３月環令10号、一部改正＝令２年３月環令10号、一部改正し旧第41条に繰下＝令３年３月環令６号、本条に繰下＝令４年３月環令11号

（環境再生・廃棄物対策総括課の所掌事務）

第45条　環境再生・廃棄物対策総括課は、次に掲げる事務をつかさどる。

一　環境再生・廃棄物対策部の所掌事務に関する政策の企画及び立案に関する総合調整に関すること。

二　前号に掲げるもののほか、環境再生・廃棄物対策部の所掌事務で他の所掌に属しないものに関すること。

〔改正〕

旧第41条として追加＝令２年３月環令10号、旧第42条に繰下＝令３年３月環令６号、本条に繰下＝令４年３月環令11号

（環境再生課の所掌事務）

第46条　環境再生課は、次に掲げる事務をつかさどる。

一　福島復興再生特別措置法第17条の17第１項に基づく土壌等の除染等の措置及び除去土壌の処理に関すること（廃棄物対策課の所掌に属するものを除く。）。

二　福島復興再生特別措置法第17条の17第２項において準用する放射性物質汚染対処特措法第49条第４項及び第50条第４項に基づく報告徴収、立入検査及び収去に関すること。

三　福島復興再生特別措置法第17条の17第３項に基づく認定特定復興再生拠点区域内廃棄物の収集及び運搬に関すること（建築物その他の工作物の全部又は一部を解体する工事に伴い生ずる対策地域内廃棄物に係るものに限り、廃棄物対策課の所掌に属するものを除く。）。

四　福島復興再生特別措置法第17条の17第４項において準用する放射性物質汚染対処特措法第49条第３項及び第50条第３項に基づく報告徴収、立入検査及び収去に関すること（前号に係るものに限る。）。

五　放射性物質汚染対処特措法第49条第３項及び第４項並びに第50条第３項及び第４項に基づく報告徴収、立入検査及び収去に関すること（特定廃棄物については、次号に係るものに限る。）。

六　放射性物質汚染対処特措法第15条に基づく対策地域内廃棄物の収集及び運搬に関すること（建築物その他の工作物の全部又は一部を解体する工事に伴い生ずる対策地域内廃棄物に係るものに限り、廃棄物対策課の所掌に属するものを除く。）。

七　前２号に掲げるもののほか、放射性物質汚染対処特措法に基づく事故由来放射性物質による環境の汚染への対処に関する事務及び事業に関すること（他課の所掌に属するものを除く。）。

〔改正〕

旧第36条として追加＝平30年３月環令４号、旧第41条に繰下＝平31年３月環令10号、一部改正し旧第42条に繰

下＝令２年３月環令10号、旧第43条に繰下＝令３年３月環令６号、一部改正し本条に繰下＝令４年３月環令11号

（仮置場対策課の所掌事務）

第47条　仮置場対策課は、次に掲げる事務をつかさどる。

一　放射性物質汚染対処特措法第31条第３項に規定する台帳の作成及び管理に関すること。

二　仮置場の設計及び施工方法に関すること。

三　仮置場の保全その他の管理（仮置場における対策地域内廃棄物及び除去土壌等の保管を含む。）に関すること。

四　前２号に掲げるもののほか、仮置場に係る事務及び事業に関すること。

〔改正〕

旧第37条として追加＝平30年３月環令４号、旧第42条に繰下＝平31年３月環令10号、一部改正し旧第43条に繰下＝令２年３月環令10号、旧第44条に繰下＝令３年３月環令６号、本条に繰下＝令４年３月環令11号

（廃棄物対策課の所掌事務）

第48条　廃棄物対策課は、次に掲げる事務をつかさどる。

一　指定廃棄物の指定に関すること。

二　特定廃棄物の収集、運搬、保管及び処分に関すること（環境再生課の所掌に属するものを除く。）。

三　放射性物質汚染対処特措法第16条に基づく報告の受理に関すること。

四　放射性物質汚染対処特措法第49条第２項及び第３項並びに第50条第２項及び第３項に基づく報告徴収、立入検査及び収去に関すること（環境再生課の所掌に属するものを除く。）。

五　放射性物質汚染対処特措法施行規則第６条、第８条第１項第１号及び第２項第１号、第９条、第11条、第28条第２号イ及びロ、第30条第２号イ及びロ並びに第３号イ及びロ、第32条第２号並びに第34条第２号に規定する確認に関すること。

六　放射性物質汚染対処特措法施行規則第15条第13号の規定による届出の受理に関すること。

七　減容化施設の整備に係る調査並びに工事の設計、施工及び管理に関すること。

八　減容化施設の運営、保全その他の管理に関すること。

九　前各号に掲げるもののほか、放射性物質汚染対処特措法に基づく事故由来放射性物質により汚染された廃棄物の処理に関する事務及び事業に関すること（他課の所掌に属するものを除く。）。

十　福島復興再生特別措置法第17条の17第３項に基づく認定特定復興再生拠点区域内廃棄物の収集、運搬、保管及び処分に関すること（環境再生課の所掌に属するものを除く。）。

十一　東日本大震災により生じた災害廃棄物の処理に関する特別措置法に基づく国によ

る災害廃棄物の処理の代行に関すること。

〔改正〕

旧第38条として追加＝平30年３月環令４号、旧第43条に繰下＝平31年３月環令10号、旧第44条を削り一部改正し旧第44条に繰下＝令２年３月環令10号、一部改正し旧第45条に繰下＝令３年３月環令６号、本条に繰下＝令４年３月環令11号

（調整官の職務）

第49条　調整官は、命を受けて、環境再生・廃棄物対策部の所掌事務に関する重要事項の企画及び立案並びに調整に参画する。

〔改正〕

旧第40条として追加＝平30年３月環令４号、一部改正し旧第45条に繰下＝平31年３月環令10号、旧第46条に繰下＝令３年３月環令６号、本条に繰下＝令４年３月環令11号

（中間貯蔵部に置く課等）

第50条　中間貯蔵部に、次に掲げる課を置く。

中間貯蔵総括課

工務課

輸送課

管理課

中間貯蔵施設整備推進課

土壌再生利用推進課

用地企画課

用地補償課

２　前項に掲げる課のほか、中間貯蔵部に調整官３人を置く。

〔改正〕

旧第41条として追加＝平30年３月環令４号、一部改正し旧第46条に繰下＝平31年３月環令10号、一部改正し旧第47条に繰下＝令３年３月環令６号、本条に繰下＝令４年３月環令11号

（中間貯蔵総括課の所掌事務）

第51条　中間貯蔵総括課は、次に掲げる事務をつかさどる。

一　中間貯蔵部の所掌事務に関する政策の企画及び立案に関する総合調整に関すること。

二　前各号に掲げるもののほか、中間貯蔵部の所掌事務で他の所掌に属しないものに関すること。

〔改正〕

旧第47条として追加＝平31年３月環令10号、一部改正＝令２年３月環令10号、旧第48条を削り一部改正し旧第48条に繰下＝令３年３月環令６号、本条に繰下＝令４年３月環令11号

（工務課の所掌事務）

第52条　工務課は、次に掲げる事務をつかさどる。

一　中間貯蔵施設の整備に関する工事費の積算に関すること。

二　中間貯蔵施設の整備に関する工事の実施設計、施工その他の工事管理に関すること。

〔改正〕

旧第43条として追加＝平30年３月環令４号、旧第49条に繰下＝平31年３月環令10号、本条に繰下＝令４年３月環令11号

（輸送課の所掌事務）

第53条　輸送課は、次に掲げる事務をつかさどる。

一　中間貯蔵施設への福島県内除去土壌等の輸送に関する企画及び調整に関すること。

二　中間貯蔵施設への福島県内除去土壌等の輸送に係る環境対策及び安全対策に関すること。

三　中間貯蔵施設へ輸送する福島県内除去土壌等の管理及び輸送車両の運行管理に関すること。

四　中間貯蔵施設への福島県内除去土壌等の輸送に係る道路の補修に関すること。

〔改正〕

旧第44条として追加＝平30年３月環令４号、旧第50条に繰下＝平31年３月環令10号、一部改正＝令３年３月環令６号、本条に繰下＝令４年３月環令11号

（管理課の所掌事務）

第54条　管理課は、次に掲げる事務をつかさどる。

一　中間貯蔵施設の整備に係る調査に関すること。

二　前号に掲げるもののほか、中間貯蔵施設の整備に係る事務及び事業に関すること（他課の所掌に属するものを除く。）。

三　中間貯蔵施設の設計及び施工方法に関すること（工務課の所掌に属するものを除く。）。

四　中間貯蔵施設に係る電力、水及び情報通信の確保に関すること。

五　中間貯蔵施設の運営、保全その他の管理に関すること。

〔改正〕

旧第45条として追加＝平30年３月環令４号、旧第51条に繰下＝平31年３月環令10号、一部改正＝令３年３月環令６号、本条に繰下＝令４年３月環令11号

（中間貯蔵施設整備推進課の所掌事務）

第55条　中間貯蔵施設整備推進課は、次に掲げる事務をつかさどる。

一　中間貯蔵施設の整備に関する工事の監督に関すること。

二　中間貯蔵施設の整備に関する工事の検査に関すること。

三　前各号に掲げるもののほか、中間貯蔵施設の整備に関する工事に関すること（工務課の所掌に属するものを除く。）。

〔改正〕

旧第52条として追加＝平31年３月環令10号、本条に繰下＝令４年３月環令11号

（土壌再生利用推進課の所掌事務）

第56条　土壌再生利用推進課は、福島県内除去土壌等の減容及び再生利用に関する事務(環境再生・廃棄物対策部及び管理課の所掌に属するものを除く。)をつかさどる。

〔改正〕

旧第53条として追加＝令３年３月環令６号、本条に繰下＝令４年３月環令11号

(用地企画課の所掌事務)

第57条　用地企画課は、次に掲げる事務をつかさどる。

一　中間貯蔵施設の整備に係る土地又は土地に関する所有権以外の権利（以下「土地等」という。)の買収及び寄附並びにこれに伴う地上物件の移転又は引渡し（以下「移転等」という。)並びにこれらに伴う損失補償に関する事務の総括に関すること。

二　中間貯蔵施設の整備に係る用地の予算の管理に関すること。

三　中間貯蔵施設の整備に係る公共物の管理に関すること。

四　中間貯蔵施設の整備に係る土地等の買収及び寄附並びにこれに伴う地上物件の移転等に伴う損失補償に係る審査に関すること。

五　前各号に掲げるもののほか、中間貯蔵施設の整備に係る土地等の買収及び寄附並びにこれに伴う地上物件の移転等並びにこれらに伴う損失補償に関する事務で他課の所掌に属しないものに関すること。

〔改正〕

旧第53条として追加＝平31年３月環令10号、旧第54条に繰下＝令３年３月環令６号、本条に繰下＝令４年３月環令11号

(用地補償課の所掌事務)

第58条　用地補償課は、次に掲げる事務をつかさどる。

一　中間貯蔵施設の整備に係る土地等の買収及び寄附並びにこれに伴う地上物件の移転等並びにこれらに伴う損失補償に関すること。

二　中間貯蔵施設の整備に係る土地又は建物の借入れに関すること。

〔改正〕

旧第54条として追加＝平31年３月環令10号、旧第55条に繰下＝令３年３月環令６号、本条に繰下＝令４年３月環令11号

(調整官の職務)

第59条　調整官は、命を受けて、中間貯蔵部の所掌事務に関する重要事項の企画及び立案並びに調整に参画する。

〔改正〕

旧第50条として追加＝平30年３月環令４号、旧第46～49条を削り一部改正し旧第55条に繰下＝平31年３月環令10号、旧第56条に繰下＝令３年３月環令６号、本条に繰下＝令４年３月環令11号

(地方環境事務所に置く支所)

第60条　福島地方環境事務所に、支所を置く。

2　支所の名称、位置及び管轄区域は、次の表のとおりとする。

名称	位置	管轄区域
県北支所	福島市	福島市、二本松市、伊達市、本宮市、伊達郡、安達郡、相馬郡のうち飯舘村
県中・県南支所	郡山市	郡山市、白河市、須賀川市、田村市、岩瀬郡、西白河郡、東白川郡、石川郡、田村郡、双葉郡のうち富岡町、双葉町及び葛尾村
浜通り南支所	双葉郡広野町	会津若松市、いわき市、喜多方市、南会津郡、耶麻郡、河沼郡、大沼郡、双葉郡のうち広野町、楢葉町、川内村及び大熊町
浜通り北支所	南相馬市	相馬市、南相馬市、双葉郡のうち浪江町、相馬郡のうち新地町

3　支所は、第62条の規定に基づき、第46条第１号から第７号まで、第47条第１号から第４号まで、第48条第１号から第11号まで及び第53条第１号から第３号までに規定する事務を分掌する。

〔改正〕

旧第25～27条を削り旧第51条として追加＝平30年３月環令４号、一部改正し旧第56条に繰下＝平31年３月環令10号、一部改正＝令２年３月環令10号、一部改正し旧第57条に繰下＝令３年３月環令６号、本条に繰下＝令４年３月環令11号、一部改正＝令４年６月環令19号

（管轄区域の特例）

第61条　次の表の上欄に掲げる事務に関しては、環境省組織令（平成12年政令第256号）第49条第１項の規定にかかわらず、同表の中欄に掲げる地方環境事務所（当該地方環境事務所に、支所を置く場合は、地方環境事務所及び支所）が、同表の下欄に掲げるそれぞれの区域を管轄するものとする。

事　　　務	地方環境事務所	区　　　域
第８条各号、第９条第13号及び第14号、第10条第１号から第12号まで及び第20号から第36号まで、第11条第１号から第22号まで、第13条第１号から第５号まで、第７号及び第20号から第23号まで、第14条第１号から第12号	東北地方環境事務所	福島県内の区域

まで、第21号、第22号及び第28号から第40号まで並びに第15条第１号、第２号、第４号、第８号、第９号及び第11号から第13号までに掲げる事務（第13条第18号、第19号及び第21号並びに第15条第８号については国立公園に係るものを、第14条第39号及び第40号並びに第15条第12号については国指定鳥獣保護区に係るものを、第15条第13号については国立公園及び国指定鳥獣保護区に係るものを除く。）		
第13条第８号から第21号まで及び第23号並びに第15条第５号から第８号まで及び第13号に掲げる事務（第13条第20号、第21号及び第23号並びに第15条第８号及び第13号については、国立公園に係るものに限る。）	東北地方環境事務所	磐梯朝日国立公園のうち、新潟県内の区域 福島県内の区域（日光国立公園及び尾瀬国立公園に係る区域を除く。）
	関東地方環境事務所	日光国立公園及び尾瀬国立公園のうち、福島県内の区域並びに秩父多摩甲斐国立公園及び南アルプス国立公園のうち、長野県内の区域
	中部地方環境事務所	上信越高原国立公園のうち、群馬県内の区域並びに上信越高原国立公園、中部山岳国立公園及び妙高戸隠連山国立公園のうち、新潟県内の区域
	近畿地方環境事務所	吉野熊野国立公園のうち、三重県内の区域及び山陰海岸国立公園のうち、鳥取県内の区域
第14条第13号から第	東北地方環境事務所	国指定大鳥朝日鳥獣保護区のうち、新

20号まで、第23号から第27号まで、第39号及び第40号並びに第15条第10号、第12号及び第13号に掲げる事務（第14条第39号及び第40号並びに第15条第12号及び第13号については、国指定鳥獣保護区に係るものに限る。）		潟県内の区域 福島県内の区域
	中部地方環境事務所	国指定浅間鳥獣保護区のうち、群馬県内の区域
	近畿地方環境事務所	国指定大台山系鳥獣保護区のうち、三重県内の区域
第46条第７号に掲げる事務	福島地方環境事務所及び県北支所	岩手県及び宮城県内の区域

〔改正〕

旧第15条を旧第16条に繰下＝平18年10月環令32号、一部改正＝平19年８月環令20号、旧第17条に繰下＝平19年10月環令27号、旧第18条に繰下＝平21年４月環令４号、一部改正し旧第19条に繰下＝平24年４月環令11号、旧第21条に繰下＝平26年２月環令５号、一部改正＝平27年３月環令11号、一部改正し旧第22条に繰下＝平27年４月環令18号、一部改正＝平28年４月環令８号、旧第28条に繰下＝平29年３月環令５号、一部改正＝平29年７月環令19号、一部改正し旧第52条に繰下＝平30年３月環令４号、一部改正＝平30年４月環令８号・７月13号・９月19号・11月23号、一部改正し旧第57条に繰下＝平31年３月環令10号、一部改正＝令２年３月環令10号、一部改正し旧第58条に繰下＝令３年３月環令６号、一部改正し本条に繰下＝令４年３月環令11号

（雑則）

第62条　この省令に定めるもののほか、事務分掌その他組織の細目は、地方環境事務所長が環境大臣の承認を受けて定める。

〔改正〕

旧第16条を旧第17条に繰下＝平18年10月環令32号、旧第18条に繰下＝平19年10月環令27号、旧第19条に繰下＝平21年４月環令４号、旧第20条に繰下＝平24年４月環令11号、旧第22条に繰下＝平26年２月環令５号、旧第23条に繰下＝平27年４月環令18号、旧第29条に繰下＝平29年３月環令５号、旧第53条に繰下＝平30年３月環令４号、旧第58条に繰下＝平31年３月環令10号、旧第59条に繰下＝令３年３月環令６号、本条に繰下＝令４年３月環令11号

附　則

全部改正＝平27年４月環令18号

（施行期日）

第１条　この省令は、平成17年10月１日から施行する。

（次長の設置期間の特例）

第２条　第１条の次長は、令和６年３月31日まで置かれるものとする。

〔改正〕

全部改正＝平30年３月環令４号、一部改正＝令２年３月環令10号・３年３月６号

（放射能汚染対策課の設置期間の特例）

第３条　第７条第１項の放射能汚染対策課は、令和６年３月31日まで置かれるものとす

る。

〔改正〕

全部改正＝平30年３月環令４号、一部改正＝令２年３月環令10号・３年３月６号

（離島希少種保全専門官の設置期間の特例）

第４条　第７条第２項の離島希少種保全専門官のうち１人は、令和７年３月31日まで置かれるものとする。

２　第７条第２項の離島希少種保全専門官（前項に規定するものを除く。）は、令和５年３月31日まで置かれるものとする。

〔改正〕

旧第５条として追加＝平31年３月環令10号、旧第４条を削り一部改正し本条に繰上＝令２年３月環令10号、一部改正＝令４年３月環令11号

（利用拠点再生専門官の設置期間の特例）

第５条　第７条第２項の利用拠点再生専門官は、令和９年３月31日まで置かれるものとする。

〔改正〕

旧第６条として追加＝平31年３月環令10号、一部改正し本条に繰上＝令２年３月環令10号、一部改正＝令４年３月環令11号

（総務課の設置期間の特例）

第６条　第38条第１項の総務課は、令和６年３月31日まで置かれるものとする。

〔改正〕

旧第５条として追加＝平30年３月環令４号、一部改正し旧第７条に繰下＝平31年３月環令10号、一部改正し本条に繰上＝令２年３月環令10号、一部改正＝令３年３月環令６号・４年３月11号

（渉外広報課の設置期間の特例）

第７条　第38条第１項の渉外広報課は、令和５年３月31日まで置かれるものとする。

〔改正〕

旧第６条として追加＝平30年３月環令４号、一部改正し旧第８条に繰下＝平31年３月環令10号、一部改正し本条に繰上＝令２年３月環令10号、一部改正＝令３年３月環令６号・４年３月11号

（企画課の設置期間の特例）

第８条　第38条第１項の企画課は、令和６年３月31日まで置かれるものとする。

〔改正〕

旧第４条として追加＝平28年４月環令８号、一部改正＝平29年３月環令５号、一部改正し旧第７条に繰下＝平30年３月環令４号、一部改正し旧第９条に繰下＝平31年３月環令10号、一部改正し本条に繰上＝令２年３月環令10号、一部改正＝令３年３月環令６号・４年３月11号

（経理課の設置期間の特例）

第９条　第38条第１項の経理課は、令和６年３月31日まで置かれるものとする。

〔改正〕

旧第４条を旧第５条に繰下＝平28年４月環令８号、一部改正＝平29年３月環令５号、一部改正し旧第８条に繰下＝平30年３月環令４号、一部改正し旧第10条に繰下＝平31年３月環令10号、一部改正し本条に繰上＝令２年３月環令10号、一部改正＝令３年３月環令６号・４年３月11号

（調整官の設置期間の特例）

第10条　第38条第２項の調整官は、令和７年３月31日まで置かれるものとする。

２　第44条第２項及び第50条第２項の調整官は、令和６年３月31日まで置かれるものとする。

〔改正〕

旧第11条として追加＝平31年３月環令10号、一部改正し本条に繰上＝令２年３月環令10号、一部改正＝令３年３月環令６号・４年３月11号

（環境再生・廃棄物対策総括課の設置期間の特例）

第11条　第44条第１項の環境再生・廃棄物対策総括課は、令和６年３月31日まで置かれるものとする。

〔改正〕

追加＝令２年３月環令10号、一部改正＝令３年３月環令６号・４年３月11号

（環境再生課の設置期間の特例）

第12条　第44条第１項の環境再生課は、令和６年３月31日まで置かれるものとする。

〔改正〕

旧第６～８条を削り旧第９条を全部改正＝平30年３月環令４号、一部改正し本条に繰下＝平31年３月環令10号、一部改正＝令２年３月環令10号・３年３月６号・４年３月11号

（仮置場対策課の設置期間の特例）

第13条　第44条第１項の仮置場対策課は、令和５年３月31日まで置かれるものとする。

〔改正〕

旧第10条の全部改正＝平30年３月環令４号、一部改正し本条に繰下＝平31年３月環令10号、一部改正＝令２年３月環令10号・３年３月６号・４年３月11号

（廃棄物対策課の設置期間の特例）

第14条　第44条第１項の廃棄物対策課は、令和７年３月31日まで置かれるものとする。

〔改正〕

旧第11条として追加＝平30年３月環令４号、一部改正し本条に繰下＝平31年３月環令10号、一部改正＝令２年３月環令10号・３年３月６号・４年３月11号

（中間貯蔵総括課の設置期間の特例）

第15条　第50条第１項の中間貯蔵総括課は、令和７年３月31日まで置かれるものとする。

〔改正〕

旧第13条を削り旧第16条として追加＝平31年３月環令10号、旧第15条を削り本条に繰上＝令２年３月環令10号、一部改正＝令３年３月環令６号・４年３月11号

（工務課の設置期間の特例）

第16条　第50条第１項の工務課は、令和６年３月31日まで置かれるものとする。

〔改正〕

旧第14条を旧第15条に繰下＝平28年４月環令８号、旧第14条に繰上＝平29年３月環令５号、一部改正し旧第15条に繰下＝平30年３月環令４号、一部改正し旧第18条に繰下＝平31年３月環令10号、一部改正し旧第17条に繰上＝令２年３月環令10号、旧第16条を削り一部改正し本条に繰上＝令３年３月環令６号、一部改正＝令４年３月環令11号

（輸送課の設置期間の特例）

第17条　第50条第１項の輸送課は、令和６年３月31日まで置かれるものとする。

〔改正〕

旧第15条を旧第16条に繰下＝平28年４月環令８号、旧第15条に繰上＝平29年３月環令５号、一部改正し旧第16条に繰下＝平30年３月環令４号、一部改正し旧第19条に繰下＝平31年３月環令10号、一部改正し旧第18条に繰上＝令２年３月環令10号、一部改正し本条に繰上＝令３年３月環令６号、一部改正＝令４年３月環令11号

（管理課の設置期間の特例）

第18条　第50条第１項の管理課は、令和６年３月31日まで置かれるものとする。

〔改正〕

旧第16条として追加＝平29年３月環令５号、一部改正し旧第17条に繰下＝平30年３月環令４号、一部改正し旧第20条に繰下＝平31年３月環令10号、一部改正し旧第19条に繰上＝令２年３月環令10号、一部改正し本条に繰上＝令３年３月環令６号、一部改正＝令４年３月環令11号

（中間貯蔵施設整備推進課の設置期間の特例）

第19条　第50条第１項の中間貯蔵施設整備推進課は、令和７年３月31日まで置かれるものとする。

〔改正〕

旧第21条として追加＝平31年３月環令10号、一部改正し旧第20条に繰上＝令２年３月環令10号、一部改正し本条に繰上＝令３年３月環令６号、一部改正＝令４年３月環令11号

（土壌再生利用推進課の設置期間の特例）

第20条　第50条第１項の土壌再生利用推進課は、令和６年３月31日まで置かれるものとする。

〔改正〕

追加＝令３年３月環令６号、一部改正＝令４年３月環令11号

（用地企画課の設置期間の特例）

第21条　第50条第１項の用地企画課は、令和７年３月31日まで置かれるものとする。

〔改正〕

旧第22条として追加＝平31年３月環令10号、一部改正し本条に繰上＝令２年３月環令10号、一部改正＝令３年３月環令６号・４年３月11号

（用地補償課の設置期間の特例）

第22条　第50条第１項の用地補償課は、令和７年３月31日まで置かれるものとする。

〔改正〕

旧第23条として追加＝平31年３月環令10号、一部改正し本条に繰上＝令２年３月環令10号、一部改正＝令３年３月環令６号・４年３月11号

（県北支所、県中・県南支所、浜通り南支所及び浜通り北支所の設置期間の特例）

第23条　第60条第２項の県北支所、県中・県南支所、浜通り南支所及び浜通り北支所は、令和６年３月31日まで置かれるものとする。

〔改正〕

旧第22条として追加＝平30年３月環令４号、旧第18～21条を削り一部改正し旧第24条に繰下＝平31年３月環令10号、一部改正し本条に繰上＝令２年３月環令10号、一部改正＝令３年３月環令６号・４年３月11号

○新潟事務所等及び大雪山国立公園管理事務所等並びに自然保護官事務所及び管理官事務所のつかさどる事務

〔平成17年10月１日
北海道・東北・関東・中部・近畿・中国四国・九州地方環境事務所長達第４号〕

改正　平成18年４月１日・平成19年４月１日・平成19年８月１日・平成19年８月30日・平成20年４月１日・平成20年10月１日・平成21年１月１日・平成21年10月１日・平成24年１月１日・平成25年４月６日・平成25年５月24日・平成25年10月１日・平成26年４月１日・平成26年11月１日・平成27年３月24日・平成27年３月27日・平成27年４月10日・平成28年４月１日・平成29年４月１日・平成29年８月８日・平成30年４月１日・平成31年４月１日・令和元年９月１日・令和２年４月１日・令和３年１月１日・令和３年４月１日・令和４年４月１日

1　新潟事務所等のつかさどる事務

地方環境事務所組織細則別表第３第２項に基づき、新潟事務所等のつかさどる事務を次のとおり定める。

なお、保護増殖事業及び防除事業に関する事務の実施区域については、当該事務所を管理する地方環境事務所長が別に指示するものとする。

新潟事務所	関東地方環境事務所の所掌事務のうち、次に掲げるもの 一　資源循環課及び環境対策課の所掌事務のうち、新潟県の区域に係るものの一部 二　国指定福島潟鳥獣保護区、国指定佐潟鳥獣保護区及び国指定瓢湖鳥獣保護区に関すること。 三　トキに係る保護増殖事業に関すること。
横浜事務所	関東地方環境事務所の所掌事務のうち、次に掲げるもの 一　資源循環課の所掌事務のうち、神奈川県及び静岡県の区域に係るものの一部。 二　アルゼンチンアリ等に係る防除事業に関すること。
広島事務所	中国四国地方環境事務所の所掌事務のうち、次に掲げるもの 一　資源循環課及び環境対策課の所掌事務のうち、島根県、広島県及び山口県の区域に係るものの一部。 二　瀬戸内海国立公園に関すること（広島県及び山口県の区域に係るものに限る。）。

福岡事務所	九州地方環境事務所の所掌事務のうち、次に掲げるもの 一　資源循環課及び環境対策課の所掌事務のうち、福岡県、佐賀県及び長崎県の区域に係るものの一部。 二　瀬戸内海国立公園に関すること（福岡県の区域に係るものに限る。）。 三　国指定沖ノ島鳥獣保護区及び国指定和白干潟・多々良川河口鳥獣保護区に関すること。 四　福岡空港における特定輸入鳥獣等の輸入規制に関すること。 五　福岡空港における外来生物の輸入規制に関すること。

2　大雪山国立公園管理事務所等のつかさどる事務

地方環境事務所組織細則別表第４第２項に基づき、大雪山国立公園管理事務所等のつかさどる事務を次のとおり定める。

なお、保護増殖事業及び防除事業に関する事務の実施区域については、当該事務所を管理する事務所長が別に指示するものとする。

大雪山国立公園管理事務所	一　十勝川源流部原生自然環境保全地域に関すること。 二　大雪山国立公園に関すること。 三　国指定大雪山鳥獣保護区に関すること。 四　オジロワシ、オオワシ、タンチョウ及びシマフクロウに係る保護増殖事業に関すること。
支笏洞爺国立公園管理事務所	一　大平山自然環境保全地域に関すること。 二　支笏洞爺国立公園に関すること。
阿寒摩周国立公園管理事務所	一　阿寒摩周国立公園に関すること。 二　国指定濤沸湖鳥獣保護区に関すること。
十和田八幡平国立公園管理事務所	一　和賀岳自然環境保全地域及び早池峰自然環境保全地域に関すること。 二　十和田八幡平国立公園に関すること。 三　国指定十和田鳥獣保護区、国指定下北西部鳥獣保護区及び国指定小湊鳥獣保護区に関すること。
日光国立公園管理事務所	一　大佐飛山自然環境保全地域に関すること。 二　日光国立公園に関すること。 三　羽田ミヤコタナゴ生息地保護区に関すること。 四　ミヤコタナゴに係る保護増殖事業に関すること。

富士箱根伊豆国立公園管理事務所	一　伊豆・小笠原海溝沖合海底自然環境保全地域、中マリアナ海嶺・西マリアナ海嶺北部沖合海底自然環境保全地域、西七島海嶺沖合海底自然環境保全地域及びマリアナ海溝北部沖合海底自然環境保全地域に関すること。 二　富士箱根伊豆国立公園に関すること。 三　国指定祗苗島鳥獣保護区、国指定大野原島鳥獣保護区及び国指定鳥島鳥獣保護区に関すること。
伊勢志摩国立公園管理事務所	一　伊勢志摩国立公園に関すること。 二　国指定紀伊長島鳥獣保護区に関すること。
上信越高原国立公園管理事務所	一　上信越高原国立公園に関すること。 二　国指定浅間鳥獣保護区に関すること。
中部山岳国立公園管理事務所	一　中部山岳国立公園に関すること。 二　国指定北アルプス鳥獣保護区に関すること。 三　ライチョウに係る保護増殖事業に係ること。
吉野熊野国立公園管理事務所	一　吉野熊野国立公園に関すること。 二　国指定大台山系鳥獣保護区に関すること。 三　ゴイシツバメシジミに係る保護増殖事業に関すること。
大山隠岐国立公園管理事務所	一　大山隠岐国立公園に関すること。 二　国指定大山鳥獣保護区、国指定中海鳥獣保護区及び国指定宍道湖鳥獣保護区に関すること。
阿蘇くじゅう国立公園管理事務所	一　白髪岳自然環境保全地域に関すること。 二　阿蘇くじゅう国立公園及び瀬戸内海国立公園（大分県の区域に係るものに限る。）に関すること。 三　山迫ハナシノブ生育地保護区及び北伯母様ハナシノブ生育地保護区に関すること。 四　ハナシノブに係る保護増殖事業に関すること。
霧島錦江湾国立公園管理事務所	一　稲尾岳自然環境保全地域に関すること。 二　霧島錦江湾国立公園に関すること。 三　国指定霧島鳥獣保護区及び国指定枇榔島鳥獣保護区に関すること。 四　ゴイシツバメシジミに係る保護増殖事業に関すること。
奄美群島国立	一　奄美群島国立公園に関すること。

公園管理事務所	二　国指定湯湾岳鳥獣保護区に関すること。 三　アマミヤマシギ、オオトラツグミ及びアマミノクロウサギに係る保護増殖事業に関すること。 四　マングースに係る防除事業に関すること。

3　自然保護官事務所のつかさどる事務

地方環境事務所組織細則別表第５第２項に基づき、自然保護官事務所のつかさどる事務を次のとおり定める。

なお、保護増殖事業及び防除事業に関する事務の実施区域については、当該自然保護官事務所を管理する事務所長が別に指示するものとする。

(1)　北海道地方環境事務所

稚内自然保護官事務所	一　利尻礼文サロベツ国立公園に関すること。 二　国指定浜頓別クッチャロ湖鳥獣保護区及び国指定サロベツ鳥獣保護区に関すること。 三　オジロワシ、オオワシ、タンチョウ及びレブンアツモリソウに係る保護増殖事業に関すること。
羽幌自然保護官事務所	一　国指定天売島鳥獣保護区に関すること。 二　ウミガラス、オジロワシ、オオワシ及びワシミミズクに係る保護増殖事業に関すること。
苫小牧自然保護官事務所	一　国指定宮島沼鳥獣保護区及び国指定ウトナイ湖鳥獣保護区に関すること。 二　オジロワシ、オオワシ、タンチョウ及びシマフクロウに係る保護増殖事業に関すること。
えりも自然保護官事務所	一　ゼニガタアザラシに係る特定希少鳥獣管理計画に関すること。 二　オジロワシ、オオワシ、タンチョウ及びシマフクロウに係る保護増殖事業に関すること。
帯広自然保護官事務所	オジロワシ、オオワシ、タンチョウ及びシマフクロウに係る保護増殖事業に関すること。

(2)　釧路自然環境事務所

ウトロ自然保護官事務所	一　遠音別岳原生自然環境保全地域に関すること。 二　知床国立公園に関すること。 三　国指定知床鳥獣保護区及び国指定野付半島・野付湾鳥獣保護区に関すること。

	四　オジロワシ、オオワシ及びシマフクロウに係る保護増殖事業に関すること。
羅臼自然保護官事務所	一　遠音別岳原生自然環境保全地域に関すること（北海道目梨郡の区域に係るものに限る。）。 二　知床国立公園に関すること（北海道目梨郡の区域に係るものに限る。）。 三　国指定知床鳥獣保護区（北海道目梨郡の区域に係るものに限る。）及び国指定野付半島・野付湾鳥獣保護区に関すること。 四　オジロワシ、オオワシ及びシマフクロウに係る保護増殖事業に関すること。
釧路湿原自然保護官事務所	一　釧路湿原国立公園に関すること。 二　国指定釧路湿原鳥獣保護区、国指定大黒島鳥獣保護区、国指定厚岸・別寒辺牛・霧多布鳥獣保護区、国指定風蓮湖鳥獣保護区及び国指定ユルリ・モユルリ鳥獣保護区に関すること。 三　エトピリカ、オジロワシ、オオワシ、タンチョウ及びシマフクロウに係る保護増殖事業に関すること。

(3)　東北地方環境事務所

西目屋自然保護官事務所	一　白神山地自然環境保全地域に関すること。 二　国指定白神山地鳥獣保護区に関すること。
藤里自然保護官事務所	一　白神山地自然環境保全地域に関すること（秋田県の区域に係るものに限る。）。 二　国指定白神山地鳥獣保護区に関すること（秋田県の区域に係るものに限る。）。
宮古自然保護官事務所	一　三陸復興国立公園に関すること。 二　国指定日出島鳥獣保護区、国指定三貫島鳥獣保護区及び国指定仏沼鳥獣保護区に関すること。 三　東北太平洋岸自然歩道に関すること（岩手県宮古市、久慈市、下閉伊郡及び九戸郡野田村の区域に係るものに限る。）。
八戸自然保護官事務所	一　三陸復興国立公園に関すること（青森県の区域に係るものに限る。）。 二　国指定仏沼鳥獣保護区に関すること。 三　東北太平洋岸自然歩道に関すること（青森県及び岩手県九戸郡洋野町の区域に係るものに限る。）。

大船渡自然保護官事務所	一　三陸復興国立公園に関すること（岩手県大船渡市、陸前高田市、釜石市及び上閉伊郡並びに宮城県気仙沼市の区域に係るものに限る。）。 二　国指定三貫島鳥獣保護区に関すること。 三　東北太平洋岸自然歩道に関すること（岩手県大船渡市、陸前高田市、釜石市及び上閉伊郡並びに宮城県気仙沼市の区域に係るものに限る。）。
石巻自然保護官事務所	一　三陸復興国立公園に関すること（宮城県石巻市、登米市、牡鹿郡及び本吉郡の区域に係るものに限る。）。 二　東北太平洋岸自然歩道に関すること（宮城県石巻市、牡鹿郡及び本吉郡の区域に係るものに限る。）。
名取自然保護官事務所	東北太平洋岸自然歩道に関すること。
仙台自然保護官事務所	一　国指定伊豆沼鳥獣保護区、国指定仙台海浜鳥獣保護区、国指定蕪栗沼・周辺水田鳥獣保護区及び国指定化女沼鳥獣保護区に関すること。 二　オオクチバスに係る防除事業に関すること。
秋田自然保護官事務所	一　国指定森吉山鳥獣保護区及び国指定大潟草原鳥獣保護区に関すること。 二　チョウセンキバナアツモリソウに係る保護増殖事業に関すること。
鳥海南麓自然保護官事務所	一　国指定最上川河口鳥獣保護区に関すること。 二　イヌワシに係る保護増殖事業に関すること。
裏磐梯自然保護官事務所	一　磐梯朝日国立公園に関すること。 二　国指定大鳥朝日鳥獣保護区及び国指定大山上池・下池鳥獣保護区に関すること。
羽黒自然保護官事務所	一　磐梯朝日国立公園に関すること（山形県鶴岡市、西村山郡、最上郡、西置賜郡及び東田川郡並びに新潟県の区域に係るものに限る。）。 二　国指定大鳥朝日鳥獣保護区及び国指定大山上池・下池鳥獣保護区に関すること。

⑷　関東地方環境事務所

檜枝岐自然保護官事務所	一　利根川源流部自然環境保全地域に関すること。 二　尾瀬国立公園に関すること。

片品自然保護官事務所	一　利根川源流部自然環境保全地域に関すること。 二　尾瀬国立公園に関すること（群馬県の区域に係るものに限る。）。
成田自然保護官事務所	一　国指定谷津鳥獣保護区及び国指定涸沼鳥獣保護区に関すること。 二　成田国際空港における特定輸入鳥獣等の輸入規制に関すること。 三　成田国際空港における外来生物の輸入規制に関すること。
羽田自然保護官事務所	一　国指定渡良瀬遊水地鳥獣保護区及び国指定葛西沖三枚洲鳥獣保護区に関すること。 二　東京国際空港における特定輸入鳥獣等の輸入規制に関すること。
奥多摩自然保護官事務所	秩父多摩甲斐国立公園に関すること。
小笠原自然保護官事務所	一　南硫黄島原生自然環境保全地域に関すること。 二　伊豆・小笠原海溝沖合海底自然環境保全地域、中マリアナ海嶺・西マリアナ海嶺北部沖合海底自然環境保全地域、西七島海嶺沖合海底自然環境保全地域及びマリアナ海溝北部沖合海底自然環境保全地域に関すること。 三　小笠原国立公園に関すること。 四　国指定小笠原群島鳥獣保護区、国指定西之島鳥獣保護区、国指定北硫黄島鳥獣保護区及び国指定南鳥島鳥獣保護区に関すること。 五　小笠原の希少野生動植物種に係る保護増殖事業に関すること。 六　小笠原の特定外来生物に係る防除事業に関すること。
母島自然保護官事務所	一　小笠原国立公園に関すること（母島及び周辺属島に係るものに限る。）。 二　国指定小笠原群島鳥獣保護区に関すること（母島及び周辺属島に係るものに限る。）。 三　小笠原の希少野生動植物種に係る保護増殖事業に関すること（母島及び周辺属島に係るものに限る。）。 四　小笠原の特定外来生物に係る防除事業に関すること（母島及び周辺属島に係るものに限る。）。
佐渡自然保護官事務所	一　国指定小佐渡東部鳥獣保護区に関すること。 二　トキに係る保護増殖事業に関すること。

南アルプス自然保護官事務所	一　大井川源流部原生自然環境保全地域に関すること。 二　南アルプス国立公園に関すること（山梨県韮崎市、南アルプス市、北斗市及び南巨摩郡並びに静岡県静岡市及び榛原郡の区域に係るものに限る。）。 三　北岳キタダケソウ生育地保護区に関すること。 四　ライチョウ及びキタダケソウに係る保護増殖事業に関すること。
伊那自然保護官事務所	一　南アルプス国立公園に関すること（長野県飯田市、伊那市、諏訪郡及び下伊那郡の区域に係るものに限る。）。 二　ライチョウに係る保護増殖事業に関すること。

(5)　中部地方環境事務所

白山自然保護官事務所	一　白山国立公園に関すること。 二　国指定白山鳥獣保護区、国指定片野鴨池鳥獣保護区及び国指定七ツ島鳥獣保護区に関すること。
名古屋自然保護官事務所	国指定藤前干潟鳥獣保護区に関すること。
常滑自然保護官事務所	一　中部国際空港における特定輸入鳥獣等の輸入規制に関すること。 二　中部国際空港における外来生物の輸入規制に関すること。

(6)　信越自然環境事務所

妙高高原自然保護官事務所	一　妙高戸隠連山国立公園に関すること（新潟県糸魚川市及び妙高市の区域に係るものに限る。）。 二　ライチョウに係る保護増殖事業に係ること。
戸隠自然保護官事務所	妙高戸隠連山国立公園に関すること（長野県長野市、北安曇郡及び上水内郡の区域に係るものに限る。）。

(7)　近畿地方環境事務所

竹野自然保護官事務所	一　山陰海岸国立公園に関すること。 二　国指定冠島・沓島鳥獣保護区及び国指定円山川下流域鳥獣保護区に関すること。 三　大岡アベサンショウウオ生息地保護区及び善王寺長岡アベサンショウウオ生息地保護区に関すること。 四　アベサンショウウオに係る保護増殖事業に関すること。

浦富自然保護官事務所	山陰海岸国立公園に関すること（兵庫県美方郡新温泉町及び鳥取県の区域に係るものに限る。）。
大阪自然保護官事務所	一　瀬戸内海国立公園に関すること（大阪府及び和歌山県の区域に係るものに限る。）。 二　イタセンパラに係る保護増殖事業に関すること。
神戸自然保護官事務所	一　瀬戸内海国立公園に関すること（兵庫県の区域に係るものに限る。）。 二　国指定浜甲子園鳥獣保護区に関すること。
南大阪自然保護官事務所	一　関西国際空港における特定輸入鳥獣等の輸入規制に関すること。 二　関西国際空港における外来生物の輸入規制に関すること。

⑻　中国四国地方環境事務所

岡山自然保護官事務所	一　瀬戸内海国立公園に関すること（岡山県の区域に係るものに限る。）。 二　国指定鹿久居島鳥獣保護区に関すること。 三　アユモドキ及びスイゲンゼニタナゴに係る保護増殖事業に関すること。

⑼　四国事務所

高松自然保護官事務所	一　笹ヶ峰自然環境保全地域に関すること。 二　瀬戸内海国立公園に関すること（徳島県及び香川県の区域に係るものに限る。）。 三　国指定剣山山系鳥獣保護区及び国指定石鎚山系鳥獣保護区に関すること。
松山自然保護官事務所	瀬戸内海国立公園に関すること（愛媛県の区域に係るものに限る。）。
土佐清水自然保護官事務所	足摺宇和海国立公園に関すること。

⑽　九州地方環境事務所

対馬自然保護官事務所	一　国指定伊奈鳥獣保護区及び国指定舟志ノ内鳥獣保護区に関すること。 二　ツシマヤマネコ及びツシマウラボシシジミに係る保護増殖事業に関すること。 三　ツマアカスズメバチに係る防除事業に関すること。

佐世保自然保護官事務所	西海国立公園に関すること（長崎県佐世保市、平戸市、西海市及び北松浦郡の区域に係るものに限る。）。
五島自然保護官事務所	一　西海国立公園に関すること（他の所掌に属するものを除く。）。 二　国指定男女群島鳥獣保護区に関すること。
雲仙自然保護官事務所	雲仙天草国立公園に関すること（長崎県の区域に係るものに限る。）。
天草自然保護官事務所	雲仙天草国立公園に関すること（他の所掌に属するものを除く。）。
出水自然保護官事務所	一　国指定出水・高尾野鳥獣保護区及び国指定草垣島鳥獣保護区に関すること。 二　藺牟田池ベッコウトンボ生息地保護区に関すること。 三　ベッコウトンボに係る保護増殖事業に関すること。 四　オオクチバス等に係る防除事業に関すること。
屋久島自然保護官事務所	一　屋久島原生自然環境保全地域に関すること。 二　屋久島国立公園に関すること。

⑾　沖縄奄美自然環境事務所

やんばる自然保護官事務所	一　やんばる国立公園に関すること。 二　国指定屋我地鳥獣保護区、国指定やんばる（安田）鳥獣保護区及び国指定やんばる（安波）鳥獣保護区に関すること。 三　アマミヤマシギ、ヤンバルクイナ、ノグチゲラ及びヤンバルテナガコガネに係る保護増殖事業に関すること。 四　マングースに係る防除事業に関すること。
沖縄南部自然保護官事務所	一　国指定漫湖鳥獣保護区、国指定大東諸島鳥獣保護区、国指定与那覇湾鳥獣保護区及び国指定池間鳥獣保護区に関すること。 二　宇江城岳キクザトサワヘビ生息地保護区及びアーラ岳キクザトサワヘビ生息地保護区に関すること。
慶良間自然保護官事務所	慶良間諸島国立公園に関すること。
石垣自然保護官事務所	一　崎山湾自然環境保全地域に関すること。 二　西表石垣国立公園に関すること。 三　国指定名蔵アンパル鳥獣保護区、国指定与那国鳥獣保護区、国指定西表鳥獣保護区及び国指定仲の神島鳥獣保護区に関すること。 四　米原イシガキニイニイ生息地保護区に関すること。 五　イリオモテヤマネコに係る保護増殖事業に関すること。

	六　オオヒキガエルに係る防除事業に関すること。
西表自然保護官事務所	一　崎山湾自然環境保全地域に関すること。 二　西表石垣国立公園に関すること（沖縄県八重山郡竹富町西表島の区域に係るものに限る。）。 三　国指定西表鳥獣保護区及び国指定仲の神島鳥獣保護区に関すること。 四　イリオモテヤマネコに係る保護増殖事業に関すること。 五　オオヒキガエルに係る防除事業に関すること。

4　管理官事務所のつかさどる事務

地方環境事務所組織細則別表第６第２項に基づき、管理官事務所のつかさどる事務を次のとおり定める。

なお、保護増殖事業及び防除事業に関する事務の実施区域については、当該管理官事務所を管理する事務所長が別に指示するものとする。

⑴　大雪山国立公園管理事務所

東川管理官事務所	一　大雪山国立公園に関すること（北海道富良野市、上川郡東川町及び美瑛町並びに空知郡の区域に係るものに限る。）。 二　国指定大雪山鳥獣保護区に関すること（北海道富良野市、上川郡東川町及び美瑛町並びに空知郡の区域に係るものに限る。）。 三　シマフクロウに係る保護増殖事業に関すること。
上士幌管理官事務所	一　十勝川源流部原生自然環境保全地域に関すること。 二　大雪山国立公園に関すること（北海道河東郡及び上川郡新得町の区域に係るものに限る。）。 三　国指定大雪山鳥獣保護区に関すること（北海道河東郡及び上川郡新得町の区域に係るものに限る。）。 四　オジロワシ、オオワシ、タンチョウ及びシマフクロウに係る保護増殖事業に関すること。

⑵　支笏洞爺国立公園管理事務所

洞爺湖管理官事務所	一　大平山自然環境保全地域に関すること。 二　支笏洞爺国立公園に関すること（北海道登別市、伊達市、虻田郡ニセコ町、真狩村、喜茂別町、京極町、倶知安町及び洞爺湖町、有珠郡並びに白老郡の区域に係るものに限る。）。

⑶　阿寒摩周国立公園管理事務所

阿寒湖管理官事務所	阿寒摩周国立公園に関すること（北海道釧路市、網走郡津別町、足寄郡及び白糖郡の区域に係るものに限る。）。

⑷　十和田八幡平国立公園管理事務所

盛岡管理官事務所	一　和賀岳自然環境保全地域及び早池峰自然環境保全地域に関すること（岩手県の区域に係るものに限る。）。 二　十和田八幡平国立公園に関すること（岩手県の区域に係るものに限る。）。
鹿角管理官事務所	十和田八幡平国立公園に関すること（秋田県鹿角市及び仙北市の区域に係るものに限る。）。

⑸　日光国立公園管理事務所

那須管理官事務所	一　大佐飛山自然環境保全地域に関すること。 二　日光国立公園に関すること（栃木県矢板市、那須塩原市、塩谷郡及び那須郡並びに福島県南会津郡及び西白河郡の区域に係るものに限る。）。 三　羽田ミヤコタナゴ生息地保護区に関すること。 四　ミヤコタナゴに係る保護増殖事業に関すること。
日光湯元管理官事務所	日光国立公園に関すること（栃木県日光市中宮祠及び湯元並びに群馬県利根郡片品村字東小川の区域に係るものに限る。）。

⑹　富士箱根伊豆国立公園管理事務所

伊豆諸島管理官事務所	一　伊豆・小笠原海溝沖合海底自然環境保全地域、中マリアナ海嶺・西マリアナ海嶺北部沖合海底自然環境保全地域、西七島海嶺沖合海底自然環境保全地域及びマリアナ海溝北部沖合海底自然環境保全地域に関すること。 二　富士箱根伊豆国立公園に関すること（東京都青ヶ島村、大島町、神津島村、利島村、新島村、八丈町、御蔵島村及び三宅村の区域に係るものに限る。）。 三　国指定祗苗島鳥獣保護区、国指定大野原島鳥獣保護区及び国指定鳥島鳥獣保護区に関すること。
富士五湖管理官事務所	富士箱根伊豆国立公園に関すること（山梨県の区域に係るものに限る。）。

沼津管理官事務所	富士箱根伊豆国立公園に関すること（静岡県沼津市、熱海市、三島市、富士宮市、伊東市、富士市、御殿場市、裾野市、伊豆市、伊豆の国市、田方郡及び駿東郡の区域に係るものに限る。）。
下田管理官事務所	一　伊豆・小笠原海溝沖合海底自然環境保全地域、中マリアナ海嶺・西マリアナ海嶺北部沖合海底自然環境保全地域、西七島海嶺沖合海底自然環境保全地域及びマリアナ海溝北部沖合海底自然環境保全地域に関すること。 二　富士箱根伊豆国立公園に関すること（静岡県下田市、賀茂郡の区域に係るものに限る。）。

(7)　上信越高原国立公園管理事務所

志賀高原管理官事務所	上信越高原国立公園に関すること（長野県須坂市、上高井郡、下高井郡及び下水内郡の区域に係るものに限る。）。
谷川管理官事務所	上信越高原国立公園に関すること（群馬県利根郡並びに新潟県南魚沼市、十日町市、南魚沼郡及び中魚沼郡の区域に係るものに限る。）。

(8)　中部山岳国立公園管理事務所

立山管理官事務所	一　中部山岳国立公園に関すること（富山県の区域に係るものに限る。）。 二　国指定北アルプス鳥獣保護区に関すること（富山県の区域に係るものに限る。）。 三　ライチョウに係る保護増殖事業に係ること。
上高地管理官事務所	一　中部山岳国立公園に関すること（長野県安曇野市及び松本市の国道158号線以北の区域に係るものに限る。）。 二　国指定北アルプス鳥獣保護区に関すること（長野県安曇野市及び松本市の国道158号線以北の区域に係るものに限る。）。 三　ライチョウに係る保護増殖事業に係ること。
平湯管理官事務所	一　中部山岳国立公園に関すること（岐阜県の区域に係るものに限る。）。 二　国指定北アルプス鳥獣保護区に関すること（岐阜県の区域に係るものに限る。）。 三　ライチョウに係る保護増殖事業に係ること。

⑼　吉野熊野国立公園管理事務所

吉野管理官事務所	一　吉野熊野国立公園に関すること（三重県多気郡大台町及び奈良県の区域に係るものに限る。）。 二　国指定大台山系鳥獣保護区に関すること。 三　ゴイシツバメシジミに係る保護増殖事業に関すること。
田辺管理官事務所	吉野熊野国立公園に関すること（和歌山県田辺市（本宮町を除く。）、日高郡及び西牟婁郡の区域に係るものに限る。）。

⑽　大山隠岐国立公園管理事務所

隠岐管理官事務所	大山隠岐国立公園に関すること（島根県隠岐郡の区域に係るものに限る。）。
松江管理官事務所	一　大山隠岐国立公園に関すること（島根県松江市、出雲市、大田市、飯石郡及び邑智郡の区域に係るものに限る。）。 二　国指定中海鳥獣保護区（島根県の区域に係るものに限る。）及び国指定宍道湖鳥獣保護区に関すること。

⑾　阿蘇くじゅう国立公園管理事務所

くじゅう管理官事務所	阿蘇くじゅう国立公園及び瀬戸内海国立公園に関すること（大分県の区域に係るものに限る。）。

⑿　霧島錦江湾国立公園管理事務所

えびの管理官事務所	一　霧島錦江湾国立公園に関すること（宮崎県並びに鹿児島県霧島市及び姶良郡湧水町の区域に係るものに限る。）。 二　国指定霧島鳥獣保護区及び国指定枇榔島鳥獣保護区に関すること。 三　ゴイシツバメシジミに係る保護増殖事業に関すること。

⒀　奄美群島国立公園管理事務所

徳之島管理官事務所	一　奄美群島国立公園に関すること（鹿児島県大島郡徳之島町、天城町、伊仙町、和泊町及び知名町の区域に係るものに限る。）。 二　アマミヤマシギ及びアマミノクロウサギに係る保護増殖事業に関すること。

○地方環境事務所行政文書管理要領

〔平成23年４月１日　環境政発第110401702号
大臣官房秘書課長通知〕

改正　平成24年１月１日環境政発第120101300号・平成24年４月６日環境政発第120406300号・平成24年９月20日環境政発第120920300号・平成25年５月24日環境政発第1305242号・平成25年10月１日環境政発第1310013号・平成26年３月１日環境政発第1403011号・平成26年４月１日環境政発第1404015号・平成27年３月27日環境政発第1503272号・平成27年４月１日環境政発第1504015号・平成27年４月10日環境政発第1504103号・平成27年７月１日環境政発第1507016号・平成28年４月１日環境秘発第16040116号・平成28年６月９日環境秘発第16060911号・平成29年４月１日環境秘発第1703314号・平成29年７月14日環境秘発第1707044号・平成29年８月３日環境秘発第1708034号・平成30年４月１日環境秘発第1803273号・平成30年６月５日環境秘発第1806052号・平成30年８月７日環境秘発第1808077号・平成30年８月29日環境秘発第1808292号・平成30年11月22日環境秘発第1811214号・平成31年３月26日環境秘発第1903266号・平成31年４月22日環境秘発第1904224号・令和２年４月１日環境秘発第2004019号・令和２年６月29日環境秘発第2006296号・令和２年12月21日環境秘発第2012213号・令和３年３月29日環境秘発第21032917号・令和４年３月25日環境秘発第2203252号

地方環境事務所行政文書管理要領を次のように定める。

地方環境事務所行政文書管理要領

第１章　総則

（目的）

第１条　この管理要領（以下「要領」という。）は、環境省行政文書管理規則施行細則（平成23年４月１日付け環境総発第110401004号。以下「細則」という。）第８条第２項の規定に基づき、地方環境事務所における文書の接受、起案、決裁、施行、貸出及び閲覧等の文書の管理について必要な事項を定め、事務処理の適正かつ能率的な遂行に資するとともに、環境省行政文書管理規則（平成23年環境省訓令第３号。以下「規則」という。）の適正かつ円滑な運用に資することを目的とする。

（定義）

第２条　この要領における用語の定義は、規則及び細則において使用する用語の例によるもののほか、次の各号に定めるところによる。

⑴　「事務所」とは、環境省設置法（平成11年法律第101号）第12条の規定により環境省に置かれる地方環境事務所を、「所長」とは、事務所の長をいう。

⑵　「総務課」とは、地方環境事務所組織規則（平成17年環境省令第19号）第７条並びに第38条の規定により事務所に置かれる総務課を、「総務課長」とは、総務課の長をいう。

⑶　「主管課」とは、地方環境事務所組織規則第７条、第38条、第44条及び第50条の規

定により事務所に置かれる課及び室を、「主管課長」とは、主管課及び室の長をいう。

(4)　「支所」とは、地方環境事務所組織規則第60条の規定により福島地方環境事務所に置かれる支所を、「支所長」とは、支所の長をいう。

(5)　「釧路自然環境事務所等」とは、地方環境事務所組織細則（平成17年10月１日８地方環境事務所長合同達第１号。以下、「組織細則」という。）第６条の規定により事務所に置かれる釧路自然環境事務所、信越自然環境事務所及び沖縄奄美自然環境事務所を、「釧路自然環境事務所長等」とは、釧路自然環境事務所等の長をいう。

(6)　「四国事務所」とは、組織細則第６条の規定により事務所に置かれる四国事務所を、「四国事務所長」とは、四国事務所の長をいう。

(7)　「国立公園管理事務所」とは、組織細則第６条の規定により事務所に置かれる大雪山国立公園管理事務所、支笏洞爺国立公園管理事務所、阿寒摩周国立公園管理事務所、十和田八幡平国立公園管理事務所、日光国立公園管理事務所、富士箱根伊豆国立公園管理事務所、伊勢志摩国立公園管理事務所、上信越高原国立公園管理事務所、中部山岳国立公園管理事務所、吉野熊野国立公園管理事務所、大山隠岐国立公園管理事務所、阿蘇くじゅう国立公園管理事務所、霧島錦江湾国立公園管理事務所及び奄美群島国立公園管理事務所を、「国立公園管理事務所長」とは、国立公園管理事務所の長をいう。

(8)　「首席自然保護官等が置かれる自然保護官事務所」とは、首席自然保護官（組織細則第９条の規定により首席として指名された職員を除く。以下同じ。）又は国立公園保護管理企画官の置かれる自然保護官事務所を、「首席自然保護官等」とは、当該自然保護官事務所の首席自然保護官及び国立公園保護管理企画官をいう。

(9)　「自然保護官事務所等」とは、組織細則第６条の規定により事務所に置かれる自然保護官事務所（首席自然保護官等が置かれる自然保護官事務所を除く。）及び管理官事務所並びに新潟事務所、横浜事務所、広島事務所及び福岡事務所をいう。

（帳簿等）

第３条　事務所、釧路自然環境事務所等及び四国事務所（以下「事務所等」という。）の主管課及び支所には、次の各号に掲げる帳簿等を備える。

(1)　告示簿（様式第１）

(2)　受付簿

(3)　決裁簿

(4)　施行簿

(5)　書留郵便物等接受簿（様式第２）

２　総務課には、前項の帳簿等に加え、開示請求受付管理簿（様式第３の１）及び保有個人情報開示請求等受付管理簿（様式第３の２）を備える。

３　第１項の帳簿等のうち(2)～(4)は、文書管理システム上に備える。

4　前項に規定するもののほか、第１項及び第２項に掲げる帳簿等は、電磁的記録媒体によって作成することができる。

第２章　文書の接受

（文書の接受）

第４条　事務所等に到達する文書の接受は、当該事務所等の総務課において行う。ただし、支所、国立公園管理事務所、首席自然保護官等が置かれる自然保護官事務所又は自然保護官事務所等に直接到達する文書（行政機関の保有する情報の公開に関する法律（平成11年法律第42号。以下「情報公開法」という。）第４条第１項に規定する開示請求書その他情報公開法の施行に関し到達する文書（以下「開示請求書等」という。）及び個人情報の保護に関する法律（平成15年法律第58号。以下「個人情報保護法」という。）第77条第１項に規定する開示請求書、同法第91条第１項に規定する訂正請求書、同法第99条第１項に規定する利用停止請求書その他個人情報保護法の施行に関し到着する文書（以下「保有個人情報開示請求書等」という。）を除く。）の接受については、当該事務所等において行うものとする。

2　職員が直接文書を受領したときは、速やかに当該職員が所属する文書管理担当者に申し出て接受を受けなければならない。

3　事務所等に到達した文書のうち、記名捺印又は署名のないものについては、接受、配布及び登録に係る手続きを省略することができる。

4　第１項及び第２項の規定は、次に掲げる場合には適用しない。

⑴　使送、会議等により職員が直接受領するとき。

⑵　請願、陳情、建議等で職員が直接受領するとき。

⑶　電報、ファクシミリ又は電子メール等により職員が直接受領するとき。

5　前４項の規定にかかわらず、支所、国立公園管理事務所、首席自然保護官等が置かれる自然保護官事務所及び自然保護官事務所等においては、開示請求書等及び保有個人情報開示請求書等については、接受及び登録をすることなく、総務課に回付しなければならない。

（文書の配布）

第５条　前条第１項の規定により接受した文書（電子文書、親展文書及び開示請求書等及び保有個人情報開示請求等を除く。）については、直ちに地方環境事務所接受印（様式第４）を押した上、別表第６に定める文書記号及び文書番号を記入し、受付簿に整理番号、接受年月日、件名、発信者、宛先、配布先その他必要な事項を登録し、主管課、支所、国立公園管理事務所、首席自然保護官等が置かれる自然保護官事務所又は自然保護官事務所等に配布するものとする。

2　開示請求書等及び保有個人情報開示請求等については、総務課において開示請求接受印（様式第５）を押した上、開示請求書等にあっては開示請求受付管理簿に、保有個人情報開示請求等にあっては保有個人情報開示請求書等受付管理簿に登録し、配布するものとする。

3　前項の規定による文書の配布に当たっては、受付簿に受領者の署名を受けるものとする。

（書留郵便等の接受）

第６条　事務所等において書留郵便、現金書留郵便及び配達証明郵便等を接受したときは、書留郵便等接受簿に接受年月日、差出人、受取人その他必要な事項を登録し、受領者の署名を受けるものとする。

（親展文書）

第７条　所長、釧路自然環境事務所長等又は四国事務所長（以下「事務所等の長」という。）あての親展文書（電子文書を除く。）については、当該事務所等の総務課において受領した後、開封することなく、直ちに当該事務所等の長に配布するものとする。

2　前項に規定する親展文書のうち、処理を必要とするものについては、事務所等の長の閲覧を終えた後、当該事務所等の総務課に回付するものとする。

3　前項の規定により回付された親展文書については、第５条第１項の規定を準用する。

（個人あての文書）

第8条　個人あての文書（電子文書を除く。）の処理は、親展文書の例による。

（誤配文書の取扱い）

第9条　総務課に送達された文書のうち、誤って送達され、又は当該事務所等の所管外である等接受してはならないものがあるときは、直ちに返却、回送その他適切な措置をとるものとする。

2　第５条第１項又は第２項の規定により配布された文書が当該事務所等の所管に属さないものであるときは、当該文書を総務課に回付するものとする。

（登録をしない接受文書）

第10条　施行文書に対する照会、回答及び報告、定期刊行物その他の参考資料の送付に係る文書並びに月例報告等定型的かつ軽易な文書については、第５条の規定にかかわらず、受付簿への登録は行わない。

2　事務所等内相互間において施行される文書については、受付簿への登録を行わないことができる。

第３章　文書の起案及び決裁

（起案）

第11条　決裁文書（事務所等の意思決定の権限を有する者が署名又はこれらに類する行為を行うことにより、その内容を事務所等の意思として決定し、又は確認するための行政文書をいう。以下同じ。）の起案は、原則として文書管理システムを用いて作成し、電子的手段による電子決裁を受けるものとする。ただし、電子決裁の利用が困難な場合は、文書管理システムから出力した起案用紙または環境省行政文書管理要領（平成23年環境省訓令第４号）様式第15に定める起案用紙を用いることができる。

2　前項の規定にかかわらず、軽易な内容の確認その他の軽易又は定型的な決裁文書の起案については、決裁用紙を用いないで当該文書に直接決裁等を受ける等の適宜の方法により行うことができる。

3　第１項による決裁文書の起案は、原則として一の案件ごとに行うものとする。ただし、同一の案件について二以上の起案を要し、当該起案を個別に行うことによって業務の効率的な処理に支障を来すときその他適当と認められるときは、二以上の起案を一括して行うことができる。

4　一の接受文書に関しその内容が異なる二以上の事案について区分して起案する場合には、当該接受文書に基づき必要な範囲内でその写しを作成し、これについて起案することができる。

5　決裁文書には、その決裁に係る事項について、処理案の要旨及び理由、意思決定に至った経緯等を記載するものとする。ただし、その決裁に係る事項が軽易なものであるときは、この限りでない。

6　緊急に処理を要する決裁文書には、当該決裁文書に緊急性を表記するものとする。

（決裁）

第12条　決裁文書を起案したときは、速やかに決裁を受けなければならない。

2　決裁は、原則として文書管理システムを使用して、電子的手段により行うものとする。ただし、決裁文書等を持ち回る必要がある場合その他文書管理システムを使用することが適当でない場合は、起案用紙又は文書管理システムから出力した起案用紙の回付により行うことができる。

3　過剰な決裁を避けるため、決裁案件について担当し、かつ、責任を有する必要最低限の者にて行うことができる。

4　決裁中に、決裁権者が内容の修正を求めた場合は、起案者が当該内容を修正し、修正した内容を記録した上で、当該決裁者に改めて決裁を求めるものとする。

5　前項の規定は、決裁権者が決裁中の文書を自ら修正することを妨げるものではない。

6　決裁中の文書を修正した者は、その修正の内容がそのときまでの承認者に関係のあるものであるときは、その者に連絡するものとする。

（他の課又は自然保護官事務所等に対する合議）

第13条　他の課、支所又は自然保護官事務所等（以下この条において「他の課等」という。）の所掌事務に関連する案件について起案したときは、主管課又は自然保護官事務所等（以下この条において「主管課等」という。）における決裁を終えた後、当該他の課等に合議するものとする。ただし、当該案件について緊急の処理を要する等特別の理由があるときは、当該他の部局と同時に決裁を進めることができる。

2　主管課等は、前項に規定する案件のうち軽微なものその他特別の理由があるものについては、あらかじめ当該他の課等と協議し、又は文書の写しを配布すること等により、意見の調整を行うことができる。この場合は、起案文書に協議調整済であることを明記し、合議を省略することができる。

（決裁文書の進達）

第14条　環境大臣名で施行する文書の進達は、事務所等の長の決裁を終えた後、直ちに環境本省担当課に送付するものとする。

（決裁を受ける範囲）

第15条　決裁を受ける範囲は、次の各号に掲げるとおりとする。

(1)　所長の職名で施行を要する決裁文書については、所長まで

(2)　前号に掲げる文書のうち、当該文書に係る事項が第17条の専決事項に該当するものについては、当該事項の専決者まで

(3)　釧路自然環境事務所長等又は四国事務所長の職名で施行を要する決裁文書については、当該事務所長まで

(4)　部長、主管課長、支所長、国立公園管理事務所長又は首席自然保護官等の職名で施行を要する決裁文書については、それぞれ部長、主管課長、支所長、国立公園管理事務所長又は首席自然保護官等まで

(5)　事務所名、部名、課名、支所名等で施行を要する決裁文書については、それぞれ所長、部長、主管課長、支所長等まで

(6)　施行を要しない伺い文書又は供覧文書については、主管課長、支所長、国立公園管理事務所長又は首席自然保護官等が必要と認める範囲まで

（決裁文書の持ち回り）

第16条　決裁文書が緊急の処理を要するもの又は秘密の取扱いを要するものであるときは、起案者その他の当該決裁文書に係る案件について説明する能力を有する職員が携行して決裁を受けることができる。

（専決処理）

第17条　所長の職権に係る決裁文書の専決については、第２項から第６項に掲げるものを除き、別に所長が定めることができる。

2　所長の職名で施行を要する決裁文書のうち、自然公園法施行規則（昭和32年厚生省令第41号）第20条、自然環境保全法施行規則（昭和48年総理府令第62号）第37条、絶滅のおそれのある野生動植物の種の保存に関する法律施行規則（平成５年総理府令第９号）第56条、鳥獣の保護及び管理並びに狩猟の適正化に関する法律施行規則（平成14年環境省令第28号）第80条、遺伝子組換え生物等の使用等の規制による生物の多様性の確保に関する法律施行規則（平成15年財務省・文部科学省・厚生労働省・農林水産省・経済産業省・環境省令第１号）第44条、特定外来生物による生態系等に係る被害の防止に関す

る法律施行規則（平成17年農林水産省・環境省令第２号）第36条、地域における多様な主体の連携による生物の多様性の保全のための活動の促進等に関する法律第15条第３項の規定により地方環境事務所に委任する権限を定める省令（平成23年環境省令第24号）及び環境省関係地域自然資産区域における自然環境の保全及び持続可能な利用の推進に関する法律施行規則（平成27年環境省令第５号）第３条に規定する所長に委任された権限のうち、不許可又は不承認の処分に係るもの、同意しないものその他事の異例に属するものを除き、釧路自然環境事務所等の管内に係るものに限り釧路自然環境事務所長等が専決処理することができる。

3　所長の職名で施行を要する決裁文書のうち、別表第１に掲げる事務については、不許可又は不承認の処分に係るもの、同意しないものその他事の異例に属するものを除き、四国事務所の管内に係るものに限り四国事務所長が専決処理することができる。

4　所長の職名で施行を要する決裁文書のうち、別表第２に掲げる事務については、不許可又は不承認の処分に係るもの、同意しないものその他事の異例に属するものを除き、別表第４に掲げる国立公園管理事務所長が担当する管理事務所及び管理官事務所の事務に係るものに限り、その国立公園管理事務所長が専決処理することができる。ただし、当該国立公園管理事務所長が、事務所又は釧路自然環境事務所等の職員に併任されている等の理由により事務所又は釧路自然環境事務所等に常勤し、次項により所長又は釧路自然環境事務所長等が当該国立公園管理事務所に常勤する国立公園保護管理企画官を指名して専決処理させる場合にはこの規定を適用しない。

5　所長の職名で施行を要する決裁文書のうち、別表第３に掲げる事務については、不許可又は不承認の処分に係るもの、同意しないものその他事の異例に属するものを除き、国立公園管理事務所に所長が常勤しない国立公園管理事務所及び管理官事務所の事務に限り、当該国立公園管理事務所に常勤する国立公園保護管理企画官のうち所長又は釧路自然環境事務所長等が指名した者が専決処理することができる。

なお、所長又は釧路自然環境事務所長等が当該国立公園管理事務所に常勤する国立公園保護管理企画官に専決処理させる指名をしたときは、総務課長にその氏名及び役職等を通知しなければならない。

6　所長の職名で施行を要する決裁文書のうち、別表第３に掲げる事務については、不許可又は不承認の処分に係るもの、同意しないものその他事の異例に属するものを除き、別表第５に掲げる首席自然保護官等が担当する自然保護官事務所の事務に係るものに限り、その首席自然保護官等のうち、所長又は釧路自然環境事務所長等が指名した者が専決処理することができる。ただし、当該首席自然保護官等が、事務所又は釧路自然環境事務所等の職員に併任されている等の理由により事務所又は釧路自然環境事務所等に常勤する場合、この規定を適用しない。

なお、所長又は釧路自然環境事務所長等が当該自然保護官事務所に常勤する首席自然保護官等に専決処理させる指名をしたときは、総務課長にその氏名及び役職等を通知しなければならない。

（代決）

第18条　次の各号のすべてに該当する場合には、決裁権者（専決者を含む。以下同じ。）が所長のときは次項に掲げる者が、決裁権者が所長以外のときは決裁権者が指名した者が、決裁の代行（以下この条において「代決」という。）をすることができる。

⑴　決裁権者が出張、休暇その他の事由により不在であること。

⑵　当該事項を緊急に処理しなければならない理由があること。

⑶　当該事項が決裁権者より代決をしてはならないものとして、あらかじめ指定された事項に係るものでないこと。

2　代決をすることができる者は次の各号のとおりとする。

⑴　国立公園課、自然環境整備課又は野生生物課の所掌事務に係るもの
統括自然保護企画官又は所長が指名した者

⑵　地域脱炭素創生室、総務課、渉外広報課、企画課、経理課、資源循環課、環境対策課、放射能汚染対策課、環境再生・廃棄物対策総括課、環境再生課、仮置場対策課、廃棄物対策課、中間貯蔵総括課、工務課、輸送課、管理課、中間貯蔵施設整備推進課、土壌再生利用推進課、用地企画課、用地補償課、県北支所、県中・県南支所、浜通り南支所又は浜通り北支所の所掌事務に係るもの
所長が指名した者

3　前2項の規定により決裁権者が代決をすることができる者を指名したときは総務課長に通知しなければならない。

4　重要な事項について代決した者は、事後速やかにその旨を決裁権者に報告しなければならない。

（決裁の期限）

第19条　決裁文書の回付を受けた者は、特別の理由がある場合を除き、2日以内に決裁をしなければならない。

（廃案）

第20条　決裁文書について、決裁権者が反対の決定をした場合又は決裁権者の決裁を終える前に起案課等の長が撤回の決定をした場合には、当該決裁文書は「廃案」の表示を行い、廃案となった理由を付して整理するものとする。

（文書の供覧）

第21条　事務所等、支所、国立公園管理事務所、首席自然保護官等が置かれる自然保護官事務所又は自然保護官事務所等に送達を受けた文書で、担当官以外の閲覧が必要と認められるものは、起案用紙を用いて、速やかに供覧するものとする。

2　供覧文書には、その供覧に係る事項について、説明文及び必要があるときは、担当官

の意見を記載するものとする。ただし、その供覧に係る事項が軽易なものであるときはこの限りではない。

3　図書・刊行物の供覧等軽易なものについては、起案用紙を用いることを要しない。

（決裁・供覧文書の登録）

第22条　決裁又は供覧を終えたときは、当該起案者において、その決裁を終えた年月日又は供覧を終了した日その他必要な事項を登録するとともに、別表第6に定める文書記号及び文書番号を登録し、決裁簿に件名、決裁を終えた年月日、施行年月日、起案者その他必要な事項を登録するものとする。

2　前項の文書番号は、毎日更新し起番する。

（再度決裁を経ない決裁終了後の決裁文書の修正の禁止）

第23条　決裁文書の内容を決裁終了後に修正することは、修正を行うための決裁文書を起案し、改めて順次決裁を経ること（以下この条において「修正のための決裁」という。）をしなければ、これを行ってはならない。

2　修正のための決裁は、当初の決裁文書からの修正の箇所及び内容並びに修正の理由を明らかにしてしなければならない。

3　行政機関の意思決定の内容そのものが記載されている、直接的な決裁対象となる行政文書（以下この条において「決裁対象文書」という。）について修正を行った場合、その原本は、修正のための決裁により修正が行われた後の決裁対象文書とする。

4　修正のための決裁を行った場合、決裁対象文書のうち施行が必要な文書については、次の各号に掲げる修正のための決裁が終了した時期の区分に応じて、当該各号に掲げる文書番号及び施行日により施行することとする。

⑴　当初の決裁対象文書の施行日前　当初の決裁における文書番号及び施行日

⑵　当初の決裁対象文書の施行日以後　修正のための決裁における文書番号及び施行日

5　前項の規定にかかわらず、当初の決裁文書の本体ではなく、当該決裁の説明を行うために添付した資料のみを修正した場合、施行が必要な文書については、当初の決裁における文書番号及び施行日により施行することができる。

6　修正の内容が、客観的に明白な計算違い、誤記、誤植又は脱字など軽微かつ明白な誤りに係るものである場合には、第1項の規定にかかわらず、修正のための決裁に係る手続を、総括文書管理者が定めることにより、簡素化することができる。

第4章　文書の施行及び発送

（施行文書の取扱い）

第24条　施行は、原則として文書管理システム等を使用して、電子的手段により行うものとする。ただし、第11条第1項ただし書及び第12条第2項ただし書に定める場合若しくは施行文書の相手方から書面による提出を求められている等書面による施行が必要な場合は、書面による施行を行うことができる。

2　主管課及び支所においては、第22条の規定による登録を終えた決裁文書（以下この章において「決裁済文書」という。）については、浄書及び照合を行い、施行文書を作成し、当該施行文書を含む文書一式の写し（紙媒体及びスキャナーによる電磁的記録を含む。）を作成した上で、発送を要するもの（電子文書を除く。）については封かんし、総務課又は文書管理担当者に発送を依頼するものとする。ただし、情報公開法第９条第１項の規定による通知その他情報公開法に関し施行する文書及び個人情報保護法第82条第１項の規定による通知その他個人情報保護法に関し施行する文書については、封かんを要しない。

3　施行文書の各葉に割印を押す場合には、当該文書の発行名義人の公印を用いるものとする。

4　施行文書には、別に定めのあるものを除き、当該文書の施行年月日及び文書記号・番号を付するものとする。

5　発送を要しない施行文書の写し及び第２項において作成した文書一式の写し（以下この条において「施行文書等の写し」という。）は、決裁済文書が保存されている行政文書ファイルに保存（文書管理システム内の決裁文書を保存している小分類に施行文書等の写しを文書登録することを含む。）するものとする。

6　文書管理担当者又は起案者は、文書の施行に当たって必要事項を施行簿に登録するものとする。

（公印及び契印の省略）

第25条　書面により文書を施行する場合については、別に法令で定めるもの及び第３項から第５項までで定めるものを除き、原則として、発信者名の下に「（公印省略）」の文字を付記することにより、公印及び契印の押印を省略するものとする。ただし、公印及び契印の押印を省略した場合には、当該文書が真正であることを示すため、当該文書に、前条第４項に規定する事項に加え、次の各号に掲げる事項を記載しなければならない。

⑴　当該文書の発行名義人

⑵　当該文書の担当官の氏名及び担当官の属する課室等の連絡先

⑶　その他文書管理者が当該文書の性質等を踏まえて当該文書が真正であることを示すため記載が必要であると認める事項

2　前項の規定にかかわらず、本省内部部局、環境省に置かれた機関、他の行政機関、地方公共団体、法人又は個人に発出する施行文書については、前項第２号及び第３号に掲げる事項を省略することができる。

ただし、次の各号に掲げる者に発出する場合にあっては、それぞれ当該各号に定める文書に限る。

⑴　他の行政機関、地方公共団体又は独立行政法人　一般に公表する文書、情報提供を行うための文書その他の偽造されるおそれが少ない文書

⑵　独立行政法人以外の法人又は個人　その内容が軽易であり、一般に公表する文書、情報提供を行うための文書その他偽造されるおそれがない文書

3　第１項の規定にかかわらず、海外の国又は地域に対して発出する施行文書及びこれに類するものの施行処理は、公印の押印に代えて公印に係る組織の長の本人自筆の署名をもって、これを行うことができる。

4　第１項の規定にかかわらず、文書管理者が当該文書の性質等を踏まえて当該文書が真正であることを示すために必要であると認める場合にあっては、公印及び契印の押印を行うことができる。この場合において、公印及び契印の押印は、第24条第２項において施行文書を作成した後に行うものとする。

5　第１項及び前項の規定にかかわらず、文書管理システムにより決裁を終えた文書を書面により施行、発送する場合については、契印の押印を省略することができる。

（郵送）

第26条　郵送により文書を発送するときは、総務課において、郵便、民間事業者が提供する信書便又はその他効率的な方法により行うものとする。

第５章　文書の貸出及び閲覧

（文書の貸出及び閲覧）

第27条　文書管理者は、職務の遂行上必要があると認められる場合は、文書を関係職員以外の職員に閲覧させ、又は貸し出すことができる。

2　前項の規定により閲覧し、又は貸出を受けた文書は、これを転貸、取換又は改ざんしてはならない。

第６章　行政文書の利用

（行政文書の利用）

第28条　公表その他の方法により国民に情報提供される行政文書については、何人に対しても閲覧させ、又は配布するものとする。ただし、１人当たりの配布部数を制限することができる。

2　前項の閲覧又は配布は、原則として環境省ホームページへの掲載の方法又は主管課若しくは閲覧窓口の設置に関する訓令（平成13年環境省訓令第16号）第１条に定める閲覧窓口において行うものとする。

3　第１項の閲覧又は配布の対象となる行政文書は、パンフレット、ＰＲ資料、新聞発表資料、審議会等の議事録その他国民一般に情報提供するために作成された行政文書とする。

第29条　前条の行政文書は、配布予定数に達した場合には配布を終了し、閲覧又は写しの交付のみを行う。

2　前条の行政文書の情報提供を開始した日から１年を経過した場合は、情報公開法第４条第１項の規定に基づく開示請求手続により閲覧又は写しの交付を行うものとする。た

だし、ホームページへの掲載又は配布を継続している場合は、この限りではない。

第7章　秘密文書等の取扱い

第30条　秘密を要する文書の取扱いは、環境省秘密文書の管理に関する要領（平成27年4月1日総括文書管理者（大臣官房長）決定）の定めるところによる。

第31条　特定秘密の保護に関する法律（平成25年法律第108号）第3条第1項に規定する特定秘密の取扱いについては、環境省特定秘密保護規程（平成26年12月8日環境省訓令第48号）の定めるところによる。

第32条　外国情報機関の我が国に対する情報収集活動の状況及び態様に関する情報（「カウンターインテリジェンス情報」という。）の取扱いについては、「カウンターインテリジェンス機能の強化に関する基本方針」（平成26年12月8日環境大臣決定）の定めるところによる。

第8章　電子文書の管理

（電子文書取扱主任）

第33条　事務所に電子文書取扱主任を置く。

2　電子文書取扱主任は、主任文書管理担当者をもって充てる。

3　電子文書取扱主任は、電子メール等を用いた電子文書の送受信及び電子メール等を用いて送受信する電子文書の適切な管理に当たる。

（電子文書の確認・接受等）

第34条　電子文書取扱主任は、電子メール等を用いて送信された電子文書を受信した場合は、第4条第1項及び第2項の規定にかかわらず、次の各号に掲げるところにより処理しなければならない。

(1)　受信した電子文書に電子署名がある場合は、当該電子署名の検証を行うこと。

(2)　受信した電子文書の形式を確認し、発信者に対して形式上の誤りがない場合は受領通知を、形式上誤りがある場合は否認通知をそれぞれ通知すること。

(3)　当該受信した電子文書の整理番号、接受年月日、件名、発信者、宛先及び相手方の文書日付その他必要な事項を文書管理システムに登録すること。

2　電子メール等で受領した電子文書の接受年月日は、受領通知を発信した年月日とする。

（電子文書の施行）

第35条　電子文書は文書管理システム等により施行し、電子メール等を利用して送信するものとする。

（電子署名）

第36条　施行文書が電子文書であり、次の各号に掲げる場合にあっては、電子署名を行うものとする。ただし、当該各号に該当しない電子文書にあっては、当該文書が真正であることを示すため、次項及び第3項に該当する場合を除き、電子文書の発信者名の下に

「(公印省略)」の文字を付記した上で、第24条第４項に規定する事項及び第25条第１項各号に掲げる事項を記載するものとする。

⑴　法令等で規定されている場合

⑵　相手方から当該電子文書に対して電子署名を求められた場合

⑶　その他文書管理者が必要と認める場合

2　第25条第２項の規定は、施行文書が電子文書である場合について準用する。この場合において、第25条中「前項」とあるのは「第25条第１項」と読み替えるものとする。

3　第24条第４項及び第１項の規定にかかわらず、施行文書が電子文書であり、次の各号に掲げる要件を満たす文書については、電子署名並びに担当官の氏名及び担当官が属する課室等の連絡先の記載を省略できる。

⑴　電子署名又は担当官の氏名及び担当官の属する課室等の連絡先の記載によることなく当該文書が真正であることを示すことができると文書管理者が判断していること

⑵　政府機関等の情報セキュリティ対策のための統一基準群に基づき定められている環境省情報セキュリティ関連規程の内容を遵守しているとして事前に総括情報セキュリティ責任者（環境省セキュリティポリシーで規定する統括情報セキュリティ責任者をいう。)の承認を得た情報システムを用いて通知していること

4　第１項の電子署名は電子文書取扱主任が行うものとする。

5　その他電子署名の取扱いについては、環境省電子署名規程（平成15年環境省訓令第６号）の定めるところによる。

（アクセスの管理）

第37条　大臣官房総務課環境情報室長（以下「情報室長」という。)は、文書管理システムにアクセスしようとする者をユーザＩＤ及びパスワード等により識別し、認証するものとする。

2　情報室長は、文書管理システムへのアクセス状況を監視し、記録するものとする。

（電子文書の保存等の記録）

第38条　情報室長は、電子文書の文書管理システムへの保存並びに文書管理システムに登録された電子文書の閲覧、更新、複写及び廃棄（以下この項において「保存等」という。)が行われた場合に、当該保存等が行われた年月日及び時刻並びにその実施者名を記録するための措置を講ずるものとする。

2　情報室長は、消失、改ざん、漏えい等により国民の権利義務、国民生活等に重大な影響を与えるおそれのある電子文書については、更新履歴を確認するための措置を講ずるものとする。

3　情報室長は、電子文書の消失及び変化並びに改ざん、盗難、漏えい及び盗み見を防止するための措置を講ずるものとする。

第９章　雑則

（特例規定）

第39条　所長は、当該事務所内における事務処理の円滑化を図るために、特に必要があると認める場合は、大臣官房秘書課長と協議のうえ、事務所内における文書管理に関し、この要領の特例を定めることができる。

附　則

1　この要領は、平成23年４月１日から施行する。

2　地方環境事務所文書管理規則（平成17年10月１日大臣官房政策評価広報課長通知）は、廃止する。

附　則（平成24年１月１日環境政発第120101300号）

この要領は、平成24年１月１日から施行する。

附　則（平成24年４月６日環境政発第120406300号）

この要領は、平成24年４月６日から施行する。

附　則（平成24年９月20日環境政発第120920300号）

この要領は、平成24年９月20日から施行する。

附　則（平成25年５月24日環境政発第1305242号）

この要領は、平成25年５月24日から施行する。

附　則（平成25年10月１日環境政発第1310013号）

この要領は、平成25年10月１日から施行する。

附　則（平成26年３月１日環境政発第1403011号）

この要領は、平成26年３月１日から施行する。

附　則（平成26年４月１日環境政発第1404015号）

この要領は、平成26年４月１日から施行する。

附　則（平成27年３月27日環境政発第1503272号）

この要領は、平成27年３月27日から施行する。

附　則（平成27年４月１日環境政発第1504015号）

この要領は、平成27年４月１日から施行する。

附　則（平成27年４月10日環境政発第1504103号）

この要領は、平成27年４月10日から施行する。

附　則（平成27年７月１日環境政発第1507016号）

この要領は、平成27年７月１日から施行する。

附　則（平成28年４月１日環境秘発第16040116号）

この要領は、平成28年４月１日から施行する。

附　則（平成28年６月９日環境秘発第16060911号）

この要領は、平成28年６月９日から施行する。

附　則（平成29年４月１日環境秘発第1703314号）

この要領は、平成29年４月１日から施行する。

附　則（平成29年７月14日環境秘発第1707044号）

この要領は、平成29年７月14日から施行する。

附　則（平成29年８月３日環境秘発第1708034号）

この要領は、平成29年８月８日から施行する。

附　則（平成30年４月１日環境秘発第1803273号）

この要領は、平成30年４月１日から施行する。

附　則（平成30年６月５日環境秘発第1806052号）

この要領は、平成30年６月11日から施行する。

附　則（平成30年８月７日環境秘発第1808077号）

この要領は、平成30年８月10日から施行する。

附　則（平成30年８月29日環境秘発第1808292号）

この要領は、平成30年９月３日から施行する。

附　則（平成30年11月22日環境秘発第1811214号）

この要領は、平成30年11月30日から施行する。

附　則（平成31年３月26日環境秘発第1903266号）

この要領は、平成31年４月１日から施行する。

附　則（平成31年４月22日環境秘発第1904224号）

この要領は、令和元年５月１日から施行する。

附　則（令和２年４月１日環境秘発第2004019号）

この要領は、令和２年４月１日から施行する。

附　則（令和２年６月29日環境秘発第2006296号）

この要領は、令和２年７月１日から施行する。

附　則（令和２年12月21日環境秘発第2012213号）

この要領は、令和３年１月１日から施行する。

附　則（令和３年３月29日環境秘発第21032917号）

この要領は、令和３年４月１日から施行する。

附　則（令和４年３月25日環境秘発第2203252号）

この要領は、令和４年４月１日から施行する。

様式第１

<告示簿>

整理番号	文書番号	主管課	件名	官報掲載年月日	告示番号	備考

様式第２

＜書留郵便物等接受簿＞

整理番号	接受年月日	種別	番号	差出人	受取人	配布年月日	配布先受領年月日	配布先の受領者	備考

様式第３の１

＜開示請求受付管理簿＞

整理番号	受付番号	受付年月日	開示請求者の氏名又は名称	窓口郵送	開示請求対象文書名	回付先所属部局課室名	担当職員名	移送			開示決定等期限の延長	
								移送先機関名（連絡先を含む）	移送通知日（移送先機関）	移送通知日（申請者）	10条２項延長通知日	11条期間の特例通知日

取下げ年月日	開示決定等											
	年月日	開示決定文書名	決定区分	不開示理由	不開示情報に該当						不存在	存否応答拒否
					１号	２号	３号	４号	５号	６号		

その他		開示の実施					審査請求	訴訟	備考
形式上の不備	開示請求権の濫用	申出書提出日	開示の実施日	開示の実施方法	更なる開示申出受理日	更なる開示実施日			

様式第３の２

＜保有個人情報開示請求等受付管理簿＞

整理番号	受付番号	受付年月日	開示請求者の氏名又は名称	窓口郵送	開示請求対象文書名	回付先所属部局課室名	担当職員名	移送			開示決定等の延期	
								移送先機関名（連絡先を含む）	移送通知日（移送先機関）	移送通知日（申請者）	19条２項延期通知日	20条期間の特例通知日

取下げ年月日	開示決定等											
	年月日	開示決定文書名	決定区分	不開示理由	不開示情報に該当							不存在
					１号	２号	３号	４号	５号	６号	７号	

存否応答拒否	その他		開示の実施			訂正請求						
	形式上の不備	開示請求権の濫用	申出書提出日	開示の実施日	開示の実施方法	請求書提出日	移送			訂正決定等期限の延長		取下げ年月日
							移送先機関名（連絡先を含む）	移送通知日（移送先機関）	移送通知日（申請者）	31条２項延長通知日	32条期間の特例通知日	

					利用停止請求							
訂正決定等				訂正の実施年月日	請求書提出日	利用停止決定等期限の延長		取下げ年月日	利用停止決定等			
年月日	決定区分	内容	理由			40条２項延長通知日	41条期間の特例通知日		年月日	決定区分	内容	理由

利用停止の実施年月日	審査請求	訴訟	備考

様式第４（第５条第１項関係）

接　受　印

様式第５（第５条第２項関係）

開示請求接受印

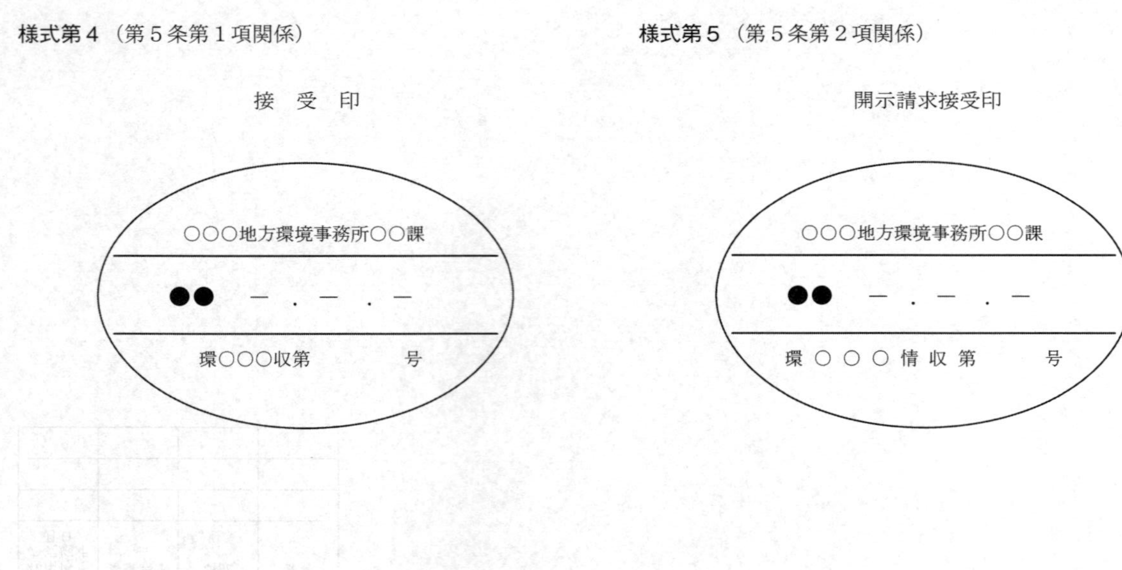

※　様式第４～５の●●は接受日の元号とする。

別表第１（第17条第３項関係）

１　特定有害廃棄物等の輸出入等の規制に関する法律（平成４年法律第108号）		
	第７条	輸出移動書類に係る届出の受理
	第12条（第16条において準用する場合を含む。）	輸入移動書類又は移動書類に係る届出の受理
	第15条	再生利用等事業者の認定（変更の認定及び軽微変更の届出の受理を含む。）
	第18条、第19条第１項及び第２項	特定有害廃棄物等の排出者等に対する報告徴収及び立入検査
	特定有害廃棄物等の輸出入等の規制に関する法律施行令第10条から第12条までに規定する再生利用等事業者の認定証の交付及び再交付に関する事務	
	特定有害廃棄物等の輸出入等の規制に関する法律施行規則第26条に規定する再生利用等事業者の廃止の届出の受理	
	特定有害廃棄物等の輸出入等の規制に関する法律施行規則第28条第２項に規定する再生利用等事業者の認定証の書替えに関する事務	
２　廃棄物の処理及び清掃に関する法律（昭和45年法律第137号）		
	第９条の10第８項において準用する第８条第５項	一般廃棄物の無害化認定申請に係る意見聴取
	第10条第１項	一般廃棄物の輸出確認
	第15条の４の４第３項において準用する第15条第５項	産業廃棄物の無害化認定申請に係る意見聴取
	第15条の４の５第１項及び第４項	廃棄物の輸入許可及び許可条件の付与
	第15条の４の７第１項において準用する第10条第１項	産業廃棄物の輸出確認
	第18条第２項及び第19条第２項	廃棄物を輸入又は輸出しようとする又はした者に対する報告徴収及び立入検査
	第19条の５第１項	産業廃棄物を輸入した者に対する措置命令
	第19条の６第１項	産業廃棄物を排出した事業者に対する措置命令
	第19条の８第１項から第４項	産業廃棄物を輸入した者に対する行政代執行
	第24条の３第１項	緊急時における報告徴収及び立入検査
３　ポリ塩化ビフェニル廃棄物の適正な処理の推進に関する特別措置法（平成13年法律第65号）		
	第17条及び第18条	緊急時における事業者等に対する報告徴収及び立入検査等
４　容器包装に係る分別収集及び再商品化の促進等に関する法律（平成７年法律第112号）		
	第39条及び第40条第１項	特定容器利用事業者等に対する報告徴収及び立入検査
５　特定家庭用機器再商品化法（平成10年法律第97号）		
	第52条及び第53条第１項	小売業者等に対する報告徴収及び立入検査

6　食品循環資源の再生利用等の促進に関する法律（平成12年法律第116号）

条項	事務
第９条第１項	食品廃棄物等の発生量等に関する定期報告の受理
第11条第１項、第２項、第５項及び第６項	再生利用事業者の登録
第12条第２項	登録の更新
第15条第１項及び第２項	再生利用事業に係る料金の届出の受理等
第17条第１項及び第２項	登録再生利用事業者の登録の取消し
第24条第１項から第３項	食品関連事業者等に対する報告徴収及び立入検査

7　使用済自動車の再資源化等に関する法律（平成14年法律第87号）

条項	事務
第130条第３項及び第131条第２項	自動車製造事業者等に対する報告徴収及び立入検査

8　使用済小型電子機器等の再資源化の促進に関する法律（平成24年法律第57号）

条項	事務
第16条及び第17条第１項	認定事業者等に対する報告徴収及び立入検査

9　中小企業等協同組合法（昭和24年法律第181号）

条項	事務
第27条の2	廃棄物処理業者が組織する事業協同組合等（以下「組合」という。）の設立に関する認可
第31条	組合の成立の届出受理
第35条の2	組合役員の変更の届出受理
第48条	組合総会の招集に関する承認
第51条第２項	組合定款の変更に関する認可
第57条の３第５項	組合事業等の譲渡又は譲受けに関する認可
第62条第２項	組合の解散の届出受理
第62条第４項	組合の解散決議に関する認可
第66条第１項	組合の合併に関する認可
第96条第５項	組合に命令した解散の登記の嘱託
第104条	組合員の不服申出の受理
第105条	組合員の検査請求の受理
第105条の２第１項及び第２項	組合又は組合が有する子会社等の決算関係書類の提出受理
第105条の３第１項から第４項	組合の運営状況に関する報告の徴収
第105条の４第１項から第４項	組合の運営状況に関する立入検査
第106条第１項から第３項	組合の運営状況の適正化に関する措置・解散に係る命令

10　中小企業等経営強化法（平成11年法律第18号）

	第８条	廃棄物処理業に係る経営革新計画の承認
	第９条	廃棄物処理業に係る経営革新計画の変更の承認
	第10条	廃棄物処理業に係る異分野連携新事業分野開拓計画の認定
	第11条	廃棄物処理業に係る異分野連携新事業分野開拓計画の変更の認定
	第13条	廃棄物処理業に係る経営力向上計画の認定
	第14条	廃棄物処理業に係る経営力向上計画の変更の認定
	第23条第２項及び第３項	承継等中小企業者等の報告の受理及び行政庁への通知
	第58条第１項から第３項	承認経営革新計画、認定異分野連携新事業分野開拓事業又は認定経営力向上計画を行う者に対する調査
	第59条第１項	承認経営革新計画、認定異分野連携新事業分野開拓事業又は認定経営力向上計画に関する報告の徴収
11　大気汚染防止法（昭和43年法律第97号）		
	第26条第１項	緊急時における報告徴収及び立入検査
	第28条第１項	関係地方公共団体の長に対する資料の提出の要求等
12　水質汚濁防止法（昭和45年法律第138号）		
	第22条第１項及び第２項	緊急時における報告徴収及び立入検査
	第24条第１項	関係地方公共団体の長に対する資料の提出の要求等
13　自動車から排出される窒素酸化物及び粒子状物質の特定地域における総量の削減等に関する特別措置法（平成４年法律第70号）		
	第45条	関係地方公共団体の長に対する資料の提出の要求等
14　特定特殊自動車排出ガスの規制等に関する法律（平成17年法律第51号）		
	第18条	特定特殊自動車の使用者に対する技術基準適合命令
	第29条第１項及び第２項	特定特殊自動車の使用者に対する報告徴収及び立入検査
15　特定水道利水障害の防止のための水道水源水域の水質の保全に関する特別措置法（平成６年法律第９号）		
	第18条第１項	緊急時における報告徴収及び立入検査
	第22条第１項	関係地方公共団体の長に対する資料の提出の要求等
16　土壌汚染対策法（平成14年法律第53号）		
	第３条第１項、第35条、第37条第１項、第40条並びに第43条第１号及び第３号	指定調査機関の指定等
	第36条第３項及び第39条	指定調査機関に対する改善命令及び適合命令
	第42条及び第43条第２号	指定調査機関の指定の取消し等
	第54条第１項	緊急時における報告徴収及び立入検査

第54条第５項	指定調査機関に対する報告徴収及び立入検査
第56条第１項	関係地方公共団体の長に対する資料の提出の要求等
17　ダイオキシン類対策特別措置法（平成11年法律第105号）	
第34条第１項	緊急時における報告徴収及び立入検査
第36条第１項	関係地方公共団体の長に対する資料の提出の要求等
18　瀬戸内海環境保全特別措置法（昭和48年法律第110号）	
第12条の６第２項	緊急時における指定物質排出者に対する報告徴収
19　農用地の土壌の汚染防止等に関する法律（昭和45年法律第139号）	
第13条第１項	農用地への立入調査等
第14条第１項	関係行政機関の長等に対する資料の提供の要求等
20　農薬取締法（昭和23年法律第82号）	
第13条第１項及び第３項	製造業者等に対する報告徴収及び立入検査
21　自然環境保全法（昭和47年法律第85号）	
自然環境保全法第25条第１項に規定する特別地区内における同条第４項、第５項に規定する行為の許可、条件の付与、同条第９項に規定する届け出の受理及び第30条において準用する第21条第１項に規定する国の機関の行う行為の協議及び地方公共団体の行う行為の同意のうち次のもの	
自然環境保全法第25条第４項第１号に規定する行為のうち	自然環境保全法施行規則第17条第１号から第３号に規定する仮設の工作物を新築し、改築し、又は増築すること
自然環境保全法第25条第４項第７号	環境大臣が指定する区域内において車馬若しくは動力船を使用し、又は航空機を着陸させること
特別地区内における自然環境保全法施行規則第19条第11号リに規定する通知の受理	
自然環境保全法第26条第１項に規定する野生動植物保護地区内における同条第３項、第４項に規定する指定動植物の捕獲等の許可、条件の付与及び第30条において準用する第21条第１項に規定する国の機関の行う捕獲等の協議及び地方公共団体の行う捕獲等にかかる同意	
野生動植物保護地区内における自然環境保全法施行規則第21条第３号イに規定する通知の受理	
野生動植物保護地区内における自然環境保全法施行規則第21条第３号ロに規定する通知又は届け出の受理	
自然環境保全法第27条第１項に規定する海域特別地区内における同条第３項、第４項に規定する行為の許可、条件の付与、同条第８項に規定する届け出の受理及び第30条において準用する法第21条第１項に規定する、国の機関の行う行為の協議及び地方公共団体の行う行為の同意のうち次のもの	
自然環境保全法第27条第３項第５号	環境大臣が指定する区域内において、熱帯魚、さんご、海藻その他の動植物で、当該区域ごとに環境大臣が農林水産大臣の同意を得て指定するものを捕獲し、若しくは殺傷し、又は採取し、若しくは損傷すること
自然環境保全法第27条第３項第６号	物を係留すること

<table>
<tr><td></td><td>自然環境保全法第27条第３項第７号</td><td>環境大臣が指定する区域内において当該区域ごとに指定する期間内に動力船を使用すること</td></tr>
<tr><td></td><td colspan="2">海域特別地区内における自然環境保全法施行規則第25条第６号に規定する通知の受理</td></tr>
<tr><td></td><td colspan="2">海域特別地区内における自然環境保全法施行規則第25条第７号に規定する通知又は届け出の受理</td></tr>
<tr><td></td><td colspan="2">海域特別地区内における自然環境保全法施行規則第25条第25号に規定する通知の受理</td></tr>
<tr><td colspan="3">22　地域における多様な主体の連携による生物の多様性の保全のための活動の促進等に関する法律（平成22年法律第72号）</td></tr>
<tr><td></td><td colspan="2">地域における多様な主体の連携による生物の多様性の保全のための活動の促進等に関する法律第４条第６項に規定する地域連携保全活動計画の協議に対する同意又は回答のうち当該計画に掲げる行為が次のもの</td></tr>
<tr><td></td><td>自然環境保全法第25条第４項各号及び第27条第３項各号に規定する行為のうち</td><td>本表「21　自然環境保全法（昭和47年法律第85号）」の欄に掲げる行為</td></tr>
<tr><td></td><td>自然公園法第20条第３項各号、第21条第３項各号、第22条第３項各号及び第33条第１項各号に規定する行為のうち</td><td>本表「24　自然公園法（昭和32年法律第161号）」の欄に掲げる行為</td></tr>
<tr><td colspan="3">23　地域自然資産区域における自然環境の保全及び持続可能な利用の推進に関する法律（平成26年法律第85号）</td></tr>
<tr><td></td><td colspan="2">地域自然資産区域における自然環境の保全及び持続可能な利用の推進に関する法律第４条第６項に規定する地域計画の協議に対する同意又は回答のうち当該計画に掲げる行為が次のもの</td></tr>
<tr><td></td><td>自然環境保全法第25条第４項各号及び第27条第３項各号に規定する行為のうち</td><td>本表「21　自然環境保全法（昭和47年法律第85号）」の欄に掲げる行為</td></tr>
<tr><td></td><td>自然公園法第20条第３項各号、第21条第３項各号、第22条第３項各号及び第33条第１項各号に規定する行為のうち</td><td>本表「24　自然公園法（昭和32年法律第161号）」の欄に掲げる行為</td></tr>
<tr><td colspan="3">24　自然公園法（昭和32年法律第161号）</td></tr>
<tr><td></td><td colspan="2">自然公園法第20条第１項に規定する国立公園の特別地域（特別保護地区を除き異なる都道府県の区域にまたがらないものに限る。）内における同条第３項に規定する許可及び第32条に規定する条件の付与並びに第68条第１項に規定する協議に対する同意のうち、同法第20条第３項各号に規定する行為（第５号、第６号又は第８号から第10号までに規定する行為を除くとともに、第１号、第２号及び第４号に規定する行為にあっては以下に掲げるものに限る。）に係るもの</td></tr>
<tr><td></td><td rowspan="2">自然公園法第20条第３項第１号に規定する行為のうち</td><td>自然公園法施行規則第11条第１項に規定する仮設の建築物及び同条第13項に規定する仮設の工作物であって、その高さが13メートルかつその水平投影面積が1,000平方メートルを超えないもの（改築又は増築後において同規模を超えないものを含む。）を新築し、改築し又は増築すること</td></tr>
<tr><td></td><td>自然公園法施行規則第11条第２項及び第３項に規定する建築物（地域住民の住宅、農林漁業用建築物）を新築し、改築し又は増築すること</td></tr>
</table>

<table>
<tr><td rowspan="16"></td><td rowspan="2"></td><td>自然公園法施行規則第11条第６項に規定する建築物であって、その高さが13メートル以下であり、かつその水平投影面積が100平方メートル以下である建築物を新築し、改築し又は増築すること</td></tr>
<tr><td>自然公園法施行規則第11条第14項に規定する工作物であって、その高さが13メートル以下であり、かつその水平投影面積が200平方メートル以下である工作物（電柱（電話柱を含む。）にあっては高さ13メートル以上のものを含む。）を新築し、改築し又は増築すること</td></tr>
<tr><td>自然公園法第20条第３項第２号に規定する行為のうち</td><td>木竹を伐採すること（伐採する立木幹材積の合計量が５立方メートル以下又は伐採面積の合計が300平方メートル以下であるもの並びに森林法第５条第１項の地域森林計画に定める伐採に関する要件に適合するものに限る。）</td></tr>
<tr><td>自然公園法第20条第３項第４号に規定する行為のうち</td><td>学術研究を目的として行う、掘採又は採取する量が１立方メートル以下の鉱物を掘採又は土石を採取すること</td></tr>
<tr><td colspan="2">自然公園法第21条第１項に規定する国立公園の特別保護地区（異なる都道府県の区域にまたがらないものに限る。）内における同条第３項に規定する許可及び第32条に規定する条件の付与並びに第68条第１項に規定する協議に対する同意のうち、同法第21条第３項各号に規定する行為（第５号に規定する行為を除くとともに、第１号に規定する行為にあっては以下に掲げるものに限る。）に係るもの</td></tr>
<tr><td rowspan="5">自然公園法第21条第３項第１号で準用する第20条第３項のうち</td><td>自然公園法施行規則第11条第１項に規定する仮設の建築物及び同条第13項に規定する仮設の工作物であって、水平投影面積が10平方メートルを超えないもの（改築又は増築後において同規模を超えないものを含む。）を新築し、改築し又は増築すること</td></tr>
<tr><td>木竹を伐採すること（伐採する立木幹材積の合計量が１立方メートル以下又は伐採面積の合計が100平方メートル以下であるものに限る。）</td></tr>
<tr><td>学術研究を目的として、ボーリング機械を用いずに行う、掘採又は採取する量が10,000立方センチメートル以下の鉱物を掘採又は土石を採取すること</td></tr>
<tr><td>広告物その他これに類する物を掲出し、若しくは設置し、又は広告その他これに類するものを工作物等に表示すること</td></tr>
<tr><td>屋根、壁面、塀、橋、鉄塔、送水管その他これらに類するものの色彩を変更すること</td></tr>
<tr><td colspan="2">自然公園法第22条第１項に規定する国立公園の海域公園地区（異なる都道府県の区域にまたがらないものに限る。）内における同条第３項に規定する許可及び第32条に規定する条件付与並びに第68条第１項に規定する協議に対する同意のうち、同法第22条第３項第１号、第２号、第５号又は第７号に規定する行為（第１号に規定する行為にあっては、以下に掲げるものに限る。）に係るもの</td></tr>
<tr><td>自然公園法第22条第３項第１号で準用する第20条第３項のうち</td><td>広告物その他これに類する物を掲出し、若しくは設置し、又は広告その他これに類するものを工作物等に表示すること</td></tr>
<tr><td colspan="2">自然公園法第23条第７号に規定する利用調整地区の立入りに係る許可</td></tr>
<tr><td colspan="2">自然公園法第33条第１項に規定する国立公園の普通地域（異なる都道府県の区域にまたがらないものに限る。）内における同条第１項に規定する届出の受理並びに第68条第３項に規定する通知の受理のうち、同法第33条第１項第１号又は第３号に規定する行為に係るもの</td></tr>
<tr><td colspan="2">自然公園法第33条第４項に規定する行為の禁止、制限その他必要な措置命令を出すことのできる期間の延長（四国事務所長の専決処分に係るものに限る。）</td></tr>
</table>

	自然公園法第33条第６項に規定する届出の期間の短縮（四国事務所長の専決処分に係るものに限る。）
	自然公園法第68条第１項に規定する協議及び第３項に規定する通知（国立公園の管理のために行うものであって、四国事務所長の専決処分に係るものに限る。）
	自然公園法施行規則第12条第27号の２の４、第27号の９若しくは第29号の31に規定する書面又は同条第30号に規定する計画の受理
	自然公園法施行規則第13条第１号（同施行規則第12条第27号の２の４、第27号の９若しくは第29号の31に係る部分に限る。）に規定する書面の受理
	自然公園法施行規則第15条第１号（同施行規則第12条第29号の31に係る部分に限る。）に規定する書面又は第16号に規定する計画の受理
	自然保護官事務所が実施する国立公園の管理のための行為（自然公園法第20条第３項各号、第21条第３項各号、第22条第３項各号及び第33条第１項各号に規定する行為のうち、四国事務所長の専決処分に係るものに限る。）に係る土地の一時的な使用その他の許諾（無償とされるものに限る。）の申請及び文化財保護法、森林法、道路法、河川法、並びに鳥獣の保護及び管理並びに狩猟の適正化に関する法律その他関係法令の規定による協議並びに許可若しくは承認その他の申請（当該申請手続きに係る届出等を含む。）

別表第２（第17条第４項関係）

<table>
<tr><td colspan="3">1　自然環境保全法（昭和47年法律第85号）</td></tr>
<tr><td></td><td colspan="2">自然環境保全法第25条第１項に規定する特別地区内における同条第４項、第５項に規定する行為の許可、条件の付与、同条第９項に規定する届け出の受理及び第30条において準用する第21条第１項に規定する国の機関の行う行為の協議及び地方公共団体の行う行為の同意のうち次のもの</td></tr>
<tr><td></td><td>自然環境保全法第25条第４項第１号に規定する行為のうち</td><td>自然環境保全法施行規則第17条第１号から第３号に規定する仮設の工作物を新築し、改築し、又は増築すること</td></tr>
<tr><td></td><td>自然環境保全法第25条第４項第７号</td><td>環境大臣が指定する区域内において車馬若しくは動力船を使用し、又は航空機を着陸させること</td></tr>
<tr><td></td><td colspan="2">特別地区内における自然環境保全法施行規則第19条第11号リに規定する通知の受理</td></tr>
<tr><td></td><td colspan="2">自然環境保全法第26条第１項に規定する野生動植物保護地区内における同条第３項、第４項に規定する指定動植物の捕獲等の許可、条件の付与及び第30条において準用する第21条第１項に規定する国の機関の行う捕獲等の協議及び地方公共団体の行う捕獲等にかかる同意</td></tr>
<tr><td></td><td colspan="2">野生動植物保護地区内における自然環境保全法施行規則第21条第３号イに規定する通知の受理</td></tr>
<tr><td></td><td colspan="2">野生動植物保護地区内における自然環境保全法施行規則第21条第３号ロに規定する通知又は届け出の受理</td></tr>
<tr><td></td><td colspan="2">自然環境保全法第27条第１項に規定する海域特別地区内における同条第３項、第４項に規定する行為の許可、条件の付与、同条第８項に規定する届け出の受理及び第30条において準用する法第21条第１項に規定する、国の機関の行う行為の協議及び地方公共団体の行う行為の同意のうち次のもの</td></tr>
<tr><td></td><td>自然環境保全法第27条第３項第５号</td><td>環境大臣が指定する区域内において、熱帯魚、さんご、海藻その他の動植物で、当該区域ごとに環境大臣が農林水産大臣の同意を得て指定するものを捕獲し、若しくは殺傷し、又は採取し、若しくは損傷すること</td></tr>
<tr><td></td><td>自然環境保全法第27条第３項第６号</td><td>物を係留すること</td></tr>
<tr><td></td><td>自然環境保全法第27条第３項第７号</td><td>環境大臣が指定する区域内において当該区域ごとに指定する期間内に動力船を使用すること</td></tr>
<tr><td></td><td colspan="2">海域特別地区内における自然環境保全法施行規則第25条第６号に規定する通知の受理</td></tr>
<tr><td></td><td colspan="2">海域特別地区内における自然環境保全法施行規則第25条第７号に規定する通知又は届け出の受理</td></tr>
<tr><td></td><td colspan="2">海域特別地区内における自然環境保全法施行規則第25条第25号に規定する通知の受理</td></tr>
<tr><td colspan="3">2　地域における多様な主体の連携による生物の多様性の保全のための活動の促進等に関する法律（平成22年法律第72号）</td></tr>
<tr><td></td><td colspan="2">地域における多様な主体の連携による生物の多様性の保全のための活動の促進等に関する法律第４条第６項に規定する地域連携保全活動計画の協議に対する同意又は回答のうち当該計画に掲げる行為が次のもの</td></tr>
<tr><td></td><td>自然環境保全法第25条第４項各号及び第27条第３項各号に規定する行為のうち</td><td>本表「1　自然環境保全法（昭和47年法律第85号）」の欄に掲げる行為</td></tr>
</table>

	自然公園法第20条第３項各号、第21条第３項各号、第22条第３項各号、第33条第１項各号に掲げる行為のうち	本表「４　自然公園法（昭和32年法律第161号）」の欄に掲げる行為
３　地域自然資産区域における自然環境の保全及び持続可能な利用の推進に関する法律（平成26年法律第85号）		
	地域自然資産区域における自然環境の保全及び持続可能な利用の推進に関する法律第４条第６項に規定する地域計画の協議に対する同意又は回答のうち当該計画に掲げる行為が次のもの	
	自然環境保全法第25条第４項各号及び第27条第３項各号に規定する行為のうち	本表「１　自然環境保全法（昭和47年法律第85号）」の欄に掲げる行為
	自然公園法第20条第３項各号、第21条第３項各号、第22条第３項各号及び第33条第１項各号に規定する行為のうち	本表「４　自然公園法（昭和32年法律第161号）」の欄に掲げる行為
４　自然公園法（昭和32年法律第161号）		
	自然公園法第20条第１項に規定する国立公園の特別地域（特別保護地区を除き異なる都道府県の区域にまたがらないものに限る。）内における同条第３項に規定する許可及び第32条に規定する条件の付与並びに第68条第１項に規定する協議に対する同意のうち、同法第20条第３項各号に規定する行為（第５号、第８号又は第９号に規定する行為を除くとともに、第１号、第２号、第４号及び第10号に規定する行為にあっては以下に掲げるものに限る。）に係るもの	
	自然公園法第20条第３項第１号に規定する行為のうち	自然公園法施行規則第11条第１項に規定する仮設の建築物及び同条第13項に規定する仮設の工作物を新築し又は増築すること
		自然公園法施行規則第11条第２項及び第３項に規定する建築物（地域住民の住宅、農林漁業用建築物）を新築し又は増築すること
		自然公園法施行規則第11条第４項、第５項及び第６項に規定する建築物であって、その高さが13メートル以下であり、かつその水平投影面積が1,000平方メートル以下である建築物を新築し又は増築すること
		自然公園法施行規則第11条第７項及び第８項に規定する道路（法面等道路付帯施設を含む。）であって、水平投影面積が2,000平方メートル以下である道路を新築し又は増築すること
		自然公園法施行規則第11条第14項に規定する工作物であって、その高さが25メートル以下であり、かつその水平投影面積が2,000平方メートル以下である工作物（電柱（電話柱を含む。）にあっては高さ25メートル以上のものを含む。）を新築し又は増築すること
		工作物を改築すること
	自然公園法第20条第３項第２号に規定する行為のうち	木竹を伐採すること（伐採する立木幹材積の合計量が５立方メートル以下又は伐採面積の合計が300平方メートル以下であるもの並びに森林法第５条第１項の地域森林計画に定める伐採に関する要件に適合するものに限る。）
		(1)　ボーリング機械を用いて土石の採取を行うこと（地熱開発として行うものを除く。）

	自然公園法第20条第３項第４号に規定する行為のうち	(2)　掘採又は採取する量が１立方メートル以下の鉱物の掘採又は土石の採取をすること (3)　河川、湖沼及び海岸にたい積した砂利の採取（採取の場所が採取前の状態に復することが確実であると認められるものに限る。）を行うこと
	自然公園法第20条第３項第10号に規定する行為のうち	土地を開墾しその他土地の形状を変更すること（土地の形状を変更する面積が5,000平方メートル以下のものに限る。）
	自然公園法第20条第６項に規定する行為着手済届出の受理及び第68条第３項に規定する通知の受理	
	自然公園法第20条第７項に規定する非常災害応急措置届出の受理及び第68条第３項に規定する通知の受理	
	自然公園法第21条第１項に規定する国立公園の特別保護地区（異なる都道府県の区域にまたがらないものに限る。）内における同条第３項に規定する許可及び第32条に規定する条件の付与並びに第68条第１項に規定する協議に対する同意のうち、同法第21条第３項各号に規定する行為（第５号に規定する行為を除くとともに、第１号に規定する行為にあっては以下に掲げるものに限る。）に係るもの	
	自然公園法第21条第３項第１号で準用する第20条第３項のうち	自然公園法施行規則第11条第１項に規定する仮設の建築物及び同条第13項に規定する仮設の工作物であって、水平投影面積が10平方メートルを超えないもの（増築後において同規模を超えないものを含む。）を新築し又は増築すること
		工作物を改築すること
		自然公園法施行規則第12条第１号から第６号の２まで及び第７号から第10号の５までに掲げる行為をおこなうこと
		木竹を伐採すること（伐採する立木幹材積の合計量が１立方メートル以下又は伐採面積の合計が100平方メートル以下であるものに限る。）
		学術研究を目的として、ボーリング機械を用いずに行う、掘採又は採取する量が10,000立方センチメートル以下の鉱物を掘採又は土石を採取すること
		自然公園法施行規則第12条第18号から第20号までに掲げる行為を行うこと
		広告物その他これに類する物を掲出し、若しくは設置し、又は広告その他これに類するものを工作物等に表示すること
		屋根、壁面、塀、橋、鉄塔、送水管その他これらに類するものの色彩を変更すること
		自然公園法施行規則第12条第21号、第22号及び第28号に掲げる行為を行うこと
	自然公園法第22条第６項に規定する行為着手済届出の受理及び第68条第３項に規定する通知の受理	
	自然公園法第21条第７項に規定する非常災害応急措置届出の受理及び第68条第３項に規定する通知の受理	

<table>
<tr><td colspan="2">自然公園法第21条第１項に規定する国立公園の海域公園地区（異なる都道府県の区域にまたがらないものに限る。）内における同条第３項に規定する許可及び第32条に規定する条件付与並びに第68条第１項に規定する協議に対する同意のうち、同法第22条第３項第１号、第２号、第５号又は第７号に規定する行為（第１号に規定する行為にあっては、以下に掲げるものに限る。）に係るもの</td></tr>
<tr><td rowspan="5">自然公園法第22条第３項第１号で準用する第20条第３項のうち</td><td>工作物を改築すること</td></tr>
<tr><td>自然公園法施行規則第12条第１号から第６号の２まで及び第７号から第10号の５までに掲げる行為を行うこと</td></tr>
<tr><td>学術研究を目的として、ボーリング機械を用いずに行う、掘採又は採取する量が10,000立方センチメートル以下の鉱物を掘採又は土石を採取すること</td></tr>
<tr><td>自然公園法施行規則第12条第18号から第20号までに掲げる行為を行うこと</td></tr>
<tr><td>広告物その他これに類する物を掲出し、若しくは設置し、又は広告その他これに類するものを工作物等に表示すること</td></tr>
<tr><td colspan="2">自然公園法第22条第６項に規定する行為着手済届出の受理及び第68条第３項に規定する通知の受理</td></tr>
<tr><td colspan="2">自然公園法第22条第７項に規定する非常災害応急措置届出の受理及び第68条第３項に規定する通知の受理</td></tr>
<tr><td colspan="2">自然公園法第23条第７号に規定する利用調整地区の立入りに係る許可</td></tr>
<tr><td colspan="2">自然公園法第33条第１項に規定する国立公園の普通地域（異なる都道府県の区域にまたがらないものに限る。）内における同条第１項に規定する届出の受理並びに第68条第３項に規定する通知の受理のうち、同法第33条第１項第１号、第３号又は第６号に規定する行為に係るもの</td></tr>
<tr><td colspan="2">自然公園法第33条第４項に規定する行為の禁止、制限その他必要な措置命令を出すことのできる期間の延長（国立公園管理事務所長の専決処分に係るものに限る。）</td></tr>
<tr><td colspan="2">自然公園法第33条第６項に規定する届出の期間の短縮（国立公園管理事務所長の専決処分に係るものに限る。）</td></tr>
<tr><td colspan="2">自然公園法第68条第１項に規定する協議及び第３項に規定する通知（国立公園の管理のために行うものであって、国立公園管理事務所長の専決処分に係るものに限る。）</td></tr>
<tr><td colspan="2">自然公園法施行規則第12条第27号の２の４、第27号の９若しくは第29号の31に規定する書面又は同条第30号に規定する計画の受理</td></tr>
<tr><td colspan="2">自然公園法施行規則第13条第１号（同施行規則第12条第27号の２の４、第27号の９若しくは第29号の31に係る部分に限る。）に規定する書面の受理</td></tr>
<tr><td colspan="2">自然公園法施行規則第15条第１号（同施行規則第12条第29号の31に係る部分に限る。）に規定する書面又は第16号に規定する計画の受理</td></tr>
<tr><td colspan="2">国立公園管理事務所が実施する国立公園の管理のための行為（自然公園法第20条第３項各号、第21条第３項各号、第22条第３項各号及び第33条第１項各号に規定する行為のうち、国立公園管理事務所長の専決処分に係るものに限る。）に係る土地の一時的な使用その他の許諾（無償とされるものに限る。）の申請及び文化財保護法、森林法、道路法、河川法、並びに鳥獣の保護及び管理並びに狩猟の適正化に関する法律その他関係法令の規定による協議並びに許可若しくは承認その他の申請（当該申請手続きに係る届出等を含む。）</td></tr>
</table>

別表第３（第17条第５項及び第６項関係）

１　自然環境保全法（昭和47年法律第85号）	
自然環境保全法第25条第１項に規定する特別地区内における同条第４項、第５項に規定する行為の許可、条件の付与、同条第９項に規定する届け出の受理及び第30条において準用する第21条第１項に規定する国の機関の行う行為の協議及び地方公共団体の行う行為の同意のうち次のもの	
自然環境保全法第25条第４項第１号に規定する行為のうち	自然環境保全法施行規則第17条第１号から第３号に規定する仮設の工作物を新築し、改築し、又は増築すること
自然環境保全法第25条第４項第７号	環境大臣が指定する区域内において車馬若しくは動力船を使用し、又は航空機を着陸させること
特別地区内における自然環境保全法施行規則第19条第11号リに規定する通知の受理	
自然環境保全法第26条第１項に規定する野生動植物保護地区内における同条第３項、第４項に規定する指定動植物の捕獲等の許可、条件の付与及び第30条において準用する第21条第１項に規定する国の機関の行う捕獲等の協議及び地方公共団体の行う捕獲等にかかる同意	
野生動植物保護地区内における自然環境保全法施行規則第21条第３号イに規定する通知の受理	
野生動植物保護地区内における自然環境保全法施行規則第21条第３号ロに規定する通知又は届け出の受理	
自然環境保全法第27条第１項に規定する海域特別地区内における同条第３項、第４項に規定する行為の許可、条件の付与、同条第８項に規定する届け出の受理及び第30条において準用する法第21条第１項に規定する、国の機関の行う行為の協議及び地方公共団体の行う行為の同意のうち次のもの	
自然環境保全法第27条第３項第５号	環境大臣が指定する区域内において、熱帯魚、さんご、海藻その他の動植物で、当該区域ごとに環境大臣が農林水産大臣の同意を得て指定するものを捕獲し、若しくは殺傷し、又は採取し、若しくは損傷すること
自然環境保全法第27条第３項第６号	物を係留すること
自然環境保全法第27条第３項第７号	環境大臣が指定する区域内において当該区域ごとに指定する期間内に動力船を使用すること
海域特別地区内における自然環境保全法施行規則第25条第６号に規定する通知の受理	
海域特別地区内における自然環境保全法施行規則第25条第７号に規定する通知又は届け出の受理	
海域特別地区内における自然環境保全法施行規則第25条第25号に規定する通知の受理	
２　地域における多様な主体の連携による生物の多様性の保全のための活動の促進等に関する法律（平成22年法律第72号）	
地域における多様な主体の連携による生物の多様性の保全のための活動の促進等に関する法律第４条第６項に規定する地域連携保全活動計画の協議に対する同意又は回答のうち当該計画に掲げる行為が次のもの	
自然環境保全法第25条第４項各号及び第27条第３項各号に規定する行為のうち	本表「１　自然環境保全法（昭和47年法律第85号）」の欄に掲げる行為

	自然公園法第20条第３項各号、第21条第３項各号、第22条第３項各号及び第33条第１項各号に規定する行為のうち	本表「４　自然公園法（昭和32年法律第161号）」の欄に掲げる行為
３　地域自然資産区域における自然環境の保全及び持続可能な利用の推進に関する法律（平成26年法律第85号）		
	地域自然資産区域における自然環境の保全及び持続可能な利用の推進に関する法律第４条第６項に規定する地域計画の協議に対する同意又は回答のうち当該計画に掲げる行為が次のもの	
	自然環境保全法第25条第４項各号及び第27条第３項各号に規定する行為のうち	本表「１　自然環境保全法（昭和47年法律第85号）」の欄に掲げる行為
	自然公園法第20条第３項各号、第21条第３項各号、第22条第３項各号及び第33条第１項各号に規定する行為のうち	本表「４　自然公園法（昭和32年法律第161号）」の欄に掲げる行為
４　自然公園法（昭和32年法律第161号）		
	自然公園法第20条第１項に規定する国立公園の特別地域（特別保護地区を除き異なる都道府県の区域にまたがらないものに限る。）内における同条第３項に規定する許可及び第32条に規定する条件の付与並びに第68条第１項に規定する協議に対する同意のうち、同法第20条第３項各号に規定する行為（第５号、第６号又は第８号から第10号までに規定する行為を除くとともに、第１号、第２号及び第４号に規定する行為にあっては以下に掲げるものに限る。）に係るもの	
	自然公園法第20条第３項第１号に規定する行為のうち	自然公園法施行規則第11条第１項に規定する仮設の建築物及び同条第13項に規定する仮設の工作物であって、その高さが13メートルかつその水平投影面積が1,000平方メートルを超えないもの（改築又は増築後において同規模を超えないものを含む。）を新築し、改築し又は増築すること
		自然公園法施行規則第11条第２項及び第３項に規定する建築物（地域住民の住宅、農林漁業用建築物）を新築し、改築し又は増築すること
		自然公園法施行規則第11条第６項に規定する建築物であって、その高さが13メートル以下であり、かつその水平投影面積が100平方メートル以下である建築物を新築し、改築し又は増築すること
		自然公園法施行規則第11条第14項に規定する工作物であって、その高さが13メートル以下であり、かつその水平投影面積が200平方メートル以下である工作物（電柱（電話柱を含む。）にあっては高さ13メートル以上のものを含む。）を新築し、改築し又は増築すること
	自然公園法第20条第３項第２号に規定する行為のうち	木竹を伐採すること（伐採する立木幹材積の合計量が５立方メートル以下又は伐採面積の合計が300平方メートル以下であるもの並びに森林法第５条第１項の地域森林計画に定める伐採に関する要件に適合するものに限る。）
	自然公園法第20条第３項第４号に規定する行為のうち	学術研究を目的として行う、掘採又は採取する量が１立方メートル以下の鉱物を掘採又は土石を採取すること
	自然公園法第21条第１項に規定する国立公園の特別保護地区（異なる都道府県の区域にまたがらないものに限る。）内における同条第３項に規定する許可及び第32条に規定する条件の付与並びに第68条第１項に規定する協議に対する同意のうち、同法第21条第３項各号に規定する行為（第５号に規定する行為を除くとともに、第１号に規定する行為にあっては以下に掲げるものに限る。）に係るもの	

	自然公園法第21条第３項第１号で準用する第20条第３項のうち	自然公園法施行規則第11条第１項に規定する仮設の建築物及び同条第13項に規定する仮設の工作物であって、水平投影面積が10平方メートルを超えないもの（改築又は増築後において同規模を超えないものを含む。）を新築し、改築し又は増築すること
		木竹を伐採すること（伐採する立木幹材積の合計量が１立方メートル以下又は伐採面積の合計が100平方メートル以下であるものに限る。）
		学術研究を目的として、ボーリング機械を用いずに行う、掘採又は採取する量が10,000立方センチメートル以下の鉱物を掘採又は土石を採取すること
		広告物その他これに類する物を掲出し、若しくは設置し、又は広告その他これに類するものを工作物等に表示すること
		屋根、壁面、塀、橋、鉄塔、送水管その他これらに類するものの色彩を変更すること
	自然公園法第22条第１項に規定する国立公園の海域公園地区（異なる都道府県の区域にまたがらないものに限る。）内における同条第３項に規定する許可及び第32条に規定する条件付与並びに第68条第１項に規定する協議に対する同意のうち、同法第22条第３項第１号、第２号、第５号又は第７号に規定する行為（第１号に規定する行為にあっては、以下に掲げるものに限る。）に係るもの	
	自然公園法第22条第３項第１号で準用する第20条第３項のうち	広告物その他これに類する物を掲出し、若しくは設置し、又は広告その他これに類するものを工作物等に表示すること
	自然公園法第23条第７号に規定する利用調整地区の立入りに係る許可	
	自然公園法第33条第１項に規定する国立公園の普通地域（異なる都道府県の区域にまたがらないものに限る。）内における同条第１項に規定する届出の受理並びに第68条第３項に規定する通知の受理のうち、同法第33条第１項第１号又は第３号に規定する行為に係るもの	
	自然公園法第33条第４項に規定する行為の禁止、制限その他必要な措置命令を出すことのできる期間の延長（国立公園保護管理企画官及び首席自然保護官の専決処分に係るものに限る。）	
	自然公園法第33条第６項に規定する届出の期間の短縮（国立公園保護管理企画官及び首席自然保護官の専決処分に係るものに限る。）	
	自然公園法第68条第１項に規定する協議及び第３項に規定する通知（国立公園の管理のために行うものであって、国立公園保護管理企画官及び首席自然保護官の専決処分に係るものに限る。）	
	自然公園法施行規則第12条第27号の２の４、第27号の９若しくは第29号の31に規定する書面又は同条第30号に規定する計画の受理	
	自然公園法施行規則第13条第１号（同施行規則第12条第27号の２の４、第27号の９若しくは第29号の31に係る部分に限る。）に規定する書面の受理	
	自然公園法施行規則第15条第１号（同施行規則第12条第29号の31に係る部分に限る。）に規定する書面又は第16号に規定する計画の受理	
	国立公園管理事務所、管理官事務所及び自然保護官事務所が実施する国立公園の管理のための行為（自然公園法第20条第３項各号、第21条第３項各号、第22条第３項各号及び第33条第１項各号に規定する行為のうち、国立公園保護管理企画官及び首席自然保護官の専決処分に係るものに限る。）の申請及び文化財保護法、森林法、道路法、河川法、並びに鳥獣の保護及び管理並びに狩猟の適正化に関する法律その他関係法令の規定による協議並びに許可若しくは承認その他の申請（当該申請手続きに係る届出等を含む。）	

別表第４（第17条第４項関係）

地方環境事務所名	国立公園管理事務所	国立公園管理事務所長が担当する管理事務所及び管理官事務所の名称
北海道地方環境事務所	大雪山国立公園管理事務所	大雪山国立公園管理事務所
		東川管理官事務所
		上士幌管理官事務所
	支笏洞爺国立公園管理事務所	支笏洞爺国立公園管理事務所
		洞爺湖管理官事務所
	阿寒摩周国立公園管理事務所	阿寒摩周国立公園管理事務所
		阿寒湖管理官事務所
東北地方環境事務所	十和田八幡平国立公園管理事務所	十和田八幡平国立公園管理事務所
		盛岡管理官事務所
		鹿角管理官事務所
関東地方環境事務所	日光国立公園管理事務所	日光国立公園管理事務所
		日光湯元管理官事務所
		那須管理官事務所
	富士箱根伊豆国立公園管理事務所	富士箱根伊豆国立公園管理事務所
		富士五湖管理官事務所
		沼津管理官事務所
		下田管理官事務所
		伊豆諸島管理官事務所
中部地方環境事務所	伊勢志摩国立公園管理事務所	伊勢志摩国立公園管理事務所
	上信越高原国立公園管理事務所	上信越高原国立公園管理事務所
		志賀高原管理官事務所
		谷川管理官事務所
	中部山岳国立公園管理事務所	中部山岳国立公園管理事務所
		立山管理官事務所
		上高地管理官事務所
		平湯管理官事務所
近畿地方環境事務所	吉野熊野国立公園管理事務所	吉野熊野国立公園管理事務所
		吉野管理官事務所
		田辺管理官事務所

中国四国地方環境事務所	大山隠岐国立公園管理事務所	大山隠岐国立公園管理事務所
		隠岐管理官事務所
		松江管理官事務所
九州地方環境事務所	阿蘇くじゅう国立公園管理事務所	阿蘇くじゅう国立公園管理事務所
		くじゅう管理官事務所
	霧島錦江湾国立公園管理事務所	霧島錦江湾国立公園管理事務所
		えびの管理官事務所
	奄美群島国立公園管理事務所	奄美群島国立公園管理事務所
		徳之島管理官事務所

別表第５（第17条第５項関係）

地方環境事務所名	首席自然保護官等が置かれる自然保護官事務所	首席自然保護官等が担当する自然保護官事務所等の名称
北海道地方環境事務所	稚内自然保護官事務所	稚内自然保護官事務所
	ウトロ自然保護官事務所	ウトロ自然保護官事務所
		羅臼自然保護官事務所
東北地方環境事務所	西目屋自然保護官事務所	西目屋自然保護官事務所
		藤里自然保護官事務所
	宮古自然保護官事務所	宮古自然保護官事務所
		八戸自然保護官事務所
		大船渡自然保護官事務所
		石巻自然保護官事務所
	裏磐梯自然保護官事務所	裏磐梯自然保護官事務所
		羽黒自然保護官事務所
関東地方環境事務所	檜枝岐自然保護官事務所	檜枝岐自然保護官事務所
		片品自然保護官事務所
	小笠原自然保護官事務所	小笠原自然保護官事務所
		母島自然保護官事務所
近畿地方環境事務所	竹野自然保護官事務所	竹野自然保護官事務所
		浦富自然保護官事務所
中国四国地方環境事務所	岡山自然保護官事務所	岡山自然保護官事務所
	高松自然保護官事務所	高松自然保護官事務所
		松山自然保護官事務所
九州地方環境事務所	屋久島自然保護官事務所	屋久島自然保護官事務所
	石垣自然保護官事務所	石垣自然保護官事務所
		西表自然保護官事務所

別表第６（第22条関係）

事務所の名称		文書記号
北海道地方環境事務所	地域脱炭素創生室	環北地地
	総務課	環北地総
	資源循環課	環北地資
	環境対策課	環北地環
	国立公園課	環北地国
	野生生物課	環北地野
	自然環境整備課	環北地整
釧路自然環境事務所		環北地釧
大雪山国立公園管理事務所		環北大国
支笏洞爺国立公園管理事務所		環北支国
阿寒摩周国立公園管理事務所		環北阿国
稚内自然保護官事務所		環北稚自
羽幌自然保護官事務所		環北羽自
東川管理官事務所		環北東管
上士幌管理官事務所		環北士管
洞爺湖管理官事務所		環北洞管
苫小牧自然保護官事務所		環北苫自
えりも自然保護官事務所		環北え自
帯広自然保護官事務所		環北帯自
ウトロ自然保護官事務所		環北ウ自
羅臼自然保護官事務所		環北羅自
阿寒湖管理官事務所		環北阿管
釧路湿原自然保護官事務所		環北釧自
東北地方環境事務所	地域脱炭素創生室	環東地地
	総務課	環東地総
	資源循環課	環東地資
	環境対策課	環東地環
	国立公園課	環東地国
	野生生物課	環東地野
	自然環境整備課	環東地整
十和田八幡平国立公園管理事務所		環東十国
盛岡管理官事務所		環東盛管
鹿角管理官事務所		環東鹿管
西目屋自然保護官事務所		環東西自
藤里自然保護官事務所		環東藤自
宮古自然保護官事務所		環東宮自
八戸自然保護官事務所		環東八自
大船渡自然保護官事務所		環東大自
石巻自然保護官事務所		環東石自

仙台自然保護官事務所		環東仙自
名取自然保護官事務所		環東名自
秋田自然保護官事務所		環東秋自
鳥海南麓自然保護官事務所		環東鳥自
裏磐梯自然保護官事務所		環東裏自
羽黒自然保護官事務所		環東羽自
福島地方環境事務所	総務課	環福地総
	渉外広報課	環福地渉
	企画課	環福地企
	経理課	環福地経
	環境再生・廃棄物対策総括課	環福地環総
	環境再生課	環福地環
	仮置場対策課	環福地仮
	廃棄物対策課	環福地廃
	中間貯蔵総括課	環福地中総
	工務課	環福地工務
	輸送課	環福地輸送
	管理課	環福地管理
	中間貯蔵施設整備推進課	環福地中推
	土壌再生利用推進課	環福地土推
	用地企画課	環福地用企
	用地補償課	環福地用補
	県北支所	環福地北
	県中・県南支所	環福地中南
	浜通り南支所	環福地浜南
	浜通り北支所	環福地浜北
関東地方環境事務所	地域脱炭素創生室	環関地地
	総務課	環関地総
	資源循環課	環関地資
	環境対策課	環関地環
	放射能汚染対策課	環関地放
	国立公園課	環関地国
	野生生物課	環関地野
	自然環境整備課	環関地整
日光国立公園管理事務所		環関日国
富士箱根伊豆国立公園管理事務所		環関富国
新潟事務所		環関地新
横浜事務所		環関地横
檜枝岐自然保護官事務所		環関檜自
片品自然保護官事務所		環関片自
成田自然保護官事務所		環関成自
羽田自然保護官事務所		環関羽自

奥多摩自然保護官事務所		環関奥自
小笠原自然保護官事務所		環関小自
母島自然保護官事務所		環関母自
佐渡自然保護官事務所		環関佐自
南アルプス自然保護官事務所		環関南自
伊那自然保護官事務所		環関伊自
那須管理官事務所		環関那管
日光湯元管理官事務所		環関湯管
伊豆諸島管理官事務所		環関豆管
富士五湖管理官事務所		環関富管
沼津管理官事務所		環関沼管
下田管理官事務所		環関下管
中部地方環境事務所	地域脱炭素創生室	環中地地
	総務課	環中地総
	資源循環課	環中地資
	環境対策課	環中地環
	国立公園課	環中地国
	野生生物課	環中地野
	自然環境整備課	環中地整
信越自然環境事務所		環中地信
伊勢志摩国立公園管理事務所		環中伊国
上信越高原国立公園管理事務所		環中上国
中部山岳国立公園管理事務所		環中中国
白山自然保護官事務所		環中白自
名古屋自然保護官事務所		環中名自
常滑自然保護官事務所		環中常自
志賀高原管理官事務所		環中賀管
谷川管理官事務所		環中谷管
妙高高原自然保護官事務所		環中妙自
戸隠自然保護官事務所		環中戸自
立山管理官事務所		環中立管
上高地管理官事務所		環中上管
平湯管理官事務所		環中平管
近畿地方環境事務所	地域脱炭素創生室	環近地地
	総務課	環近地総
	資源循環課	環近地資
	環境対策課	環近地環
	国立公園課	環近地国
	野生生物課	環近地野
	自然環境整備課	環近地整
吉野熊野国立公園管理事務所		環近吉国
竹野自然保護官事務所		環近竹自

浦富自然保護官事務所		環近浦自
大阪自然保護官事務所		環近大自
神戸自然保護官事務所		環近神自
南大阪自然保護官事務所		環近南自
吉野管理官事務所		環近吉管
田辺管理官事務所		環近田管
中国四国地方環境事務所	地域脱炭素創生室	環国地地
	総務課	環国地総
	資源循環課	環国地資
	環境対策課	環国地環
	国立公園課	環国地国
	野生生物課	環国地野
	自然環境整備課	環国地整
大山隠岐国立公園管理事務所		環国大国
広島事務所		環国地広
四国事務所		環国地四
岡山自然保護官事務所		環国岡自
隠岐管理官事務所		環国隠管
松江管理官事務所		環国江管
高松自然保護官事務所		環国松自
松山自然保護官事務所		環国山自
土佐清水自然保護官事務所		環国土自
九州地方環境事務所	地域脱炭素創生室	環九地地
	総務課	環九地総
	資源循環課	環九地資
	環境対策課	環九地環
	国立公園課	環九地国
	野生生物課	環九地野
	自然環境整備課	環九地整
福岡事務所		環九地福
沖縄奄美自然環境事務所		環九地沖
阿蘇くじゅう国立公園管理事務所		環九阿国
霧島錦江湾国立公園管理事務所		環九霧国
奄美群島国立公園管理事務所		環九奄国
対馬自然保護官事務所		環九対自
佐世保自然保護官事務所		環九佐自
五島自然保護官事務所		環九五自
雲仙自然保護官事務所		環九雲自
天草自然保護官事務所		環九天自
えびの管理官事務所		環九え管
出水自然保護官事務所		環九出自
屋久島自然保護官事務所		環九屋自

くじゅう管理官事務所	環九く管
やんばる自然保護官事務所	環九や自
沖縄南部自然保護官事務所	環九沖自
慶良間自然保護官事務所	環九慶自
石垣自然保護官事務所	環九石自
西表自然保護官事務所	環九西自
徳之島管理官事務所	環九徳管

（備　考）

1　接受文書の文書記号については、上記文書記号に「収」を付するものとする。

2　開示請求書等の接受に係る文書記号については、上記文書記号に「情収」を付するものとする。

3　施行文書の文書記号については、上記文書記号に「発」を付するものとする。

4　自然公園法施行規則第20条、自然環境保全法施行規則第37条、絶滅のおそれのある野生動植物の種の保存に関する法律施行規則第56条、鳥獣の保護及び管理並びに狩猟の適正化に関する法律施行規則第80条、遺伝子組換え生物等の使用等の規制による生物の多様性の確保に関する法律施行規則第44条、特定外来生物による生態系等に係る被害の防止に関する法律施行規則第36条、地域における多様な主体の連携による生物の多様性の保全のための活動の促進等に関する法律第15条第３項の規定により地方環境事務所に委任する権限を定める省令及び環境省関係地域自然資産区域における自然環境の保全及び持続可能な利用の推進に関する法律施行規則に規定する所長に委任された権限に基づく許認可に関する施行文書の文書記号については、上記文書記号に「許」を付するものとする。なお、上記施行文書には専決処理に係る施行文書を含む。

第３章　関係法令

第１節　行政手続法関係法令

◉行政手続法

〔平成５年11月12日
法　律　第　88　号〕

改正　平成11年12月８日法律第151号・平成11年12月22日法律第160号・平成14年12月13日法律第152号・平成15年７月16日法律第119号・平成17年６月29日法律第73号・平成18年６月８日法律第58号・平成18年６月14日法律第66号・平成26年６月13日法律第69号・平成26年６月13日法律第70号・平成29年３月31日法律第４号・令和４年５月25日法律第52号（未施行　2151頁参照）

目次　　頁

第１章　総則

（目的等）

第１条　この法律は、処分、行政指導及び届出に関する手続並びに命令等を定める手続に関し、共通する事項を定めることによって、行政運営における公正の確保と透明性（行政上の意思決定について、その内容及び過程が国民にとって明らかであることをいう。第46条において同じ。）の向上を図り、もって国民の権利利益の保護に資することを目的とする。

2　処分、行政指導及び届出に関する手続並びに命令等を定める手続に関しこの法律に規定する事項について、他の法律に特別の定めがある場合は、その定めるところによる。

（定義）

第２条　この法律において、次の各号に掲げる用語の意義は、当該各号に定めるところによる。

一　法令　法律、法律に基づく命令（告示を含む。）、条例及び地方公共団体の執行機関の規則（規程を含む。以下「規則」という。）をいう。

二　処分　行政庁の処分その他公権力の行使に当たる行為をいう。

三　申請　法令に基づき、行政庁の許可、認可、免許その他の自己に対し何らかの利益を付与する処分（以下「許認可等」という。）を求める行為であって、当該行為に対して行政庁が諾否の応答をすべきこととされているものをいう。

四　不利益処分　行政庁が、法令に基づき、特定の者を名あて人として、直接に、これに義務を課し、又はその権利を制限する処分をいう。ただし、次のいずれかに該当するものを除く。

イ　事実上の行為及び事実上の行為をするに当たりその範囲、時期等を明らかにするために法令上必要とされている手続としての処分

ロ　申請により求められた許認可等を拒否する処分その他申請に基づき当該申請をした者を名あて人としてされる処分

ハ　名あて人となるべき者の同意の下にすることとされている処分

ニ　許認可等の効力を失わせる処分であって、当該許認可等の基礎となった事実が消滅した旨の届出があったことを理由としてされるもの

五　行政機関　次に掲げる機関をいう。

イ　法律の規定に基づき内閣に置かれる機関若しくは内閣の所轄の下に置かれる機関、宮内庁、内閣府設置法（平成11年法律第89号）第49条第１項若しくは第２項に規定する機関、国家行政組織法（昭和23年法律第120号）第３条第２項に規定する機関、会計検査院若しくはこれらに置かれる機関又はこれらの機関の職員であって法律上独立に権限を行使することを認められた職員

ロ　地方公共団体の機関（議会を除く。）

六　行政指導　行政機関がその任務又は所掌事務の範囲内において一定の行政目的を実現するため特定の者に一定の作為又は不作為を求める指導、勧告、助言その他の行為であって処分に該当しないものをいう。

七　届出　行政庁に対し一定の事項の通知をする行為（申請に該当するものを除く。）であって、法令により直接に当該通知が義務付けられているもの（自己の期待する一定の法律上の効果を発生させるためには当該通知をすべきこととされているものを含む。）をいう。

八　命令等　内閣又は行政機関が定める次に掲げるものをいう。
　イ　法律に基づく命令（処分の要件を定める告示を含む。次条第２項において単に「命令」という。）又は規則
　ロ　審査基準（申請により求められた許認可等をするかどうかをその法令の定めに従って判断するために必要とされる基準をいう。以下同じ。）
　ハ　処分基準（不利益処分をするかどうか又はどのような不利益処分とするかについてその法令の定めに従って判断するために必要とされる基準をいう。以下同じ。）
　ニ　行政指導指針（同一の行政目的を実現するため一定の条件に該当する複数の者に対し行政指導をしようとするときにこれらの行政指導に共通してその内容となるべき事項をいう。以下同じ。）

（適用除外）

第３条　次に掲げる処分及び行政指導については、次章から第４章の２までの規定は、適用しない。

一　国会の両院若しくは一院又は議会の議決によってされる処分
二　裁判所若しくは裁判官の裁判により、又は裁判の執行としてされる処分
三　国会の両院若しくは一院若しくは議会の議決を経て、又はこれらの同意若しくは承認を得た上でされるべきものとされている処分
四　検査官会議で決すべきものとされている処分及び会計検査の際にされる行政指導
五　刑事事件に関する法令に基づいて検察官、検察事務官又は司法警察職員がする処分及び行政指導
六　国税又は地方税の犯則事件に関する法令（他の法令において準用する場合を含む。）に基づいて国税庁長官、国税局長、税務署長、国税庁、国税局若しくは税務署の当該職員、税関長、税関職員又は徴税吏員（他の法令の規定に基づいてこれらの職員の職務を行う者を含む。）がする処分及び行政指導並びに金融商品取引の犯則事件に関する法令（他の法令において準用する場合を含む。）に基づいて証券取引等監視委員会、その職員（当該法令においてその職員とみなされる者を含む。）、財務局長又は財務支局長がする処分及び行政指導
七　学校、講習所、訓練所又は研修所において、教育、講習、訓練又は研修の目的を達成するために、学生、生徒、児童若しくは幼児若しくはこれらの保護者、講習生、訓練生又は研修生に対してされる処分及び行政指導
八　刑務所、少年刑務所、拘置所、留置施設、海上保安留置施設、少年院、少年鑑別所又は婦人補導院において、収容の目的を達成するためにされる処分及び行政指導
九　公務員（国家公務員法（昭和22年法律第120号）第２条第１項に規定する国家公務員及び地方公務員法（昭和25年法律第261号）第３条第１項に規定する地方公務員をいう。以下同じ。）又は公務員であった者に対してその職務又は身分に関してされる処

分及び行政指導

十　外国人の出入国、難民の認定又は帰化に関する処分及び行政指導

十一　専ら人の学識技能に関する試験又は検定の結果についての処分

十二　相反する利害を有する者の間の利害の調整を目的として法令の規定に基づいてされる裁定その他の処分（その双方を名宛人とするものに限る。）及び行政指導

十三　公衆衛生、環境保全、防疫、保安その他の公益に関わる事象が発生し又は発生する可能性のある現場において警察官若しくは海上保安官又はこれらの公益を確保するために行使すべき権限を法律上直接に与えられたその他の職員によってされる処分及び行政指導

十四　報告又は物件の提出を命ずる処分その他その職務の遂行上必要な情報の収集を直接の目的としてされる処分及び行政指導

十五　審査請求、再調査の請求その他の不服申立てに対する行政庁の裁決、決定その他の処分

十六　前号に規定する処分の手続又は第３章に規定する聴聞若しくは弁明の機会の付与の手続その他の意見陳述のための手続において法令に基づいてされる処分及び行政指導

2　次に掲げる命令等を定める行為については、第６章の規定は、適用しない。

一　法律の施行期日について定める政令

二　恩赦に関する命令

三　命令又は規則を定める行為が処分に該当する場合における当該命令又は規則

四　法律の規定に基づき施設、区間、地域その他これらに類するものを指定する命令又は規則

五　公務員の給与、勤務時間その他の勤務条件について定める命令等

六　審査基準、処分基準又は行政指導指針であって、法令の規定により若しくは慣行として、又は命令等を定める機関の判断により公にされるもの以外のもの

3　第１項各号及び前項各号に掲げるもののほか、地方公共団体の機関がする処分（その根拠となる規定が条例又は規則に置かれているものに限る。）及び行政指導、地方公共団体の機関に対する届出（前条第７号の通知の根拠となる規定が条例又は規則に置かれているものに限る。）並びに地方公共団体の機関が命令等を定める行為については、次章から第６章までの規定は、適用しない。

（国の機関等に対する処分等の適用除外）

第４条　国の機関又は地方公共団体若しくはその機関に対する処分（これらの機関又は団体がその固有の資格において当該処分の名あて人となるものに限る。）及び行政指導並びにこれらの機関又は団体がする届出（これらの機関又は団体がその固有の資格においてすべきこととされているものに限る。）については、この法律の規定は、適用しない。

2　次の各号のいずれかに該当する法人に対する処分であって、当該法人の監督に関する法律の特別の規定に基づいてされるもの（当該法人の解散を命じ、若しくは設立に関する認可を取り消す処分又は当該法人の役員若しくは当該法人の業務に従事する者の解任を命ずる処分を除く。）については、次章及び第３章の規定は、適用しない。

一　法律により直接に設立された法人又は特別の法律により特別の設立行為をもって設立された法人

二　特別の法律により設立され、かつ、その設立に関し行政庁の認可を要する法人のうち、その行う業務が国又は地方公共団体の行政運営と密接な関連を有するものとして政令で定める法人

3　行政庁が法律の規定に基づく試験、検査、検定、登録その他の行政上の事務について当該法律に基づきその全部又は一部を行わせる者を指定した場合において、その指定を受けた者（その者が法人である場合にあっては、その役員）又は職員その他の者が当該事務に従事することに関し公務に従事する職員とみなされるときは、その指定を受けた者に対し当該法律に基づいて当該事務に関し監督上される処分（当該指定を取り消す処分、その指定を受けた者が法人である場合におけるその役員の解任を命ずる処分又はその指定を受けた者の当該事務に従事する者の解任を命ずる処分を除く。）については、次章及び第３章の規定は、適用しない。

4　次に掲げる命令等を定める行為については、第６章の規定は、適用しない。

一　国又は地方公共団体の機関の設置、所掌事務の範囲その他の組織について定める命令等

二　皇室典範（昭和22年法律第３号）第26条の皇統譜について定める命令等

三　公務員の礼式、服制、研修、教育訓練、表彰及び報償並びに公務員の間における競争試験について定める命令等

四　国又は地方公共団体の予算、決算及び会計について定める命令等（入札の参加者の資格、入札保証金その他の国又は地方公共団体の契約の相手方又は相手方になろうとする者に係る事項を定める命令等を除く。）並びに国又は地方公共団体の財産及び物品の管理について定める命令等（国又は地方公共団体が財産及び物品を貸し付け、交換し、売り払い、譲与し、信託し、若しくは出資の目的とし、又はこれらに私権を設定することについて定める命令等であって、これらの行為の相手方又は相手方になろうとする者に係る事項を定めるものを除く。）

五　会計検査について定める命令等

六　国の機関相互間の関係について定める命令等並びに地方自治法（昭和22年法律第67号）第２編第11章に規定する国と普通地方公共団体との関係及び普通地方公共団体相互間の関係その他の国と地方公共団体との関係及び地方公共団体相互間の関係について定める命令等（第１項の規定によりこの法律の規定を適用しないこととされる処分

に係る命令等を含む。）

七　第２項各号に規定する法人の役員及び職員、業務の範囲、財務及び会計その他の組織、運営及び管理について定める命令等（これらの法人に対する処分であって、これらの法人の解散を命じ、若しくは設立に関する認可を取り消す処分又はこれらの法人の役員若しくはこれらの法人の業務に従事する者の解任を命ずる処分に係る命令等を除く。）

第２章　申請に対する処分

（審査基準）

第５条　行政庁は、審査基準を定めるものとする。

２　行政庁は、審査基準を定めるに当たっては、許認可等の性質に照らしてできる限り具体的なものとしなければならない。

３　行政庁は、行政上特別の支障があるときを除き、法令により申請の提出先とされている機関の事務所における備付けその他の適当な方法により審査基準を公にしておかなければならない。

（標準処理期間）

第６条　行政庁は、申請がその事務所に到達してから当該申請に対する処分をするまでに通常要すべき標準的な期間（法令により当該行政庁と異なる機関が当該申請の提出先とされている場合は、併せて、当該申請が当該提出先とされている機関の事務所に到達してから当該行政庁の事務所に到達するまでに通常要すべき標準的な期間）を定めるよう努めるとともに、これを定めたときは、これらの当該申請の提出先とされている機関の事務所における備付けその他の適当な方法により公にしておかなければならない。

（申請に対する審査、応答）

第７条　行政庁は、申請がその事務所に到達したときは遅滞なく当該申請の審査を開始しなければならず、かつ、申請書の記載事項に不備がないこと、申請書に必要な書類が添付されていること、申請をすることができる期間内にされたものであることその他の法令に定められた申請の形式上の要件に適合しない申請については、速やかに、申請をした者（以下「申請者」という。）に対し相当の期間を定めて当該申請の補正を求め、又は当該申請により求められた許認可等を拒否しなければならない。

（理由の提示）

第８条　行政庁は、申請により求められた許認可等を拒否する処分をする場合は、申請者に対し、同時に、当該処分の理由を示さなければならない。ただし、法令に定められた許認可等の要件又は公にされた審査基準が数量的指標その他の客観的指標により明確に定められている場合であって、当該申請がこれらに適合しないことが申請書の記載又は添付書類その他の申請の内容から明らかであるときは、申請者の求めがあったときにこれを示せば足りる。

2　前項本文に規定する処分を書面でするときは、同項の理由は、書面により示さなければならない。

（情報の提供）

第9条　行政庁は、申請者の求めに応じ、当該申請に係る審査の進行状況及び当該申請に対する処分の時期の見通しを示すよう努めなければならない。

2　行政庁は、申請をしようとする者又は申請者の求めに応じ、申請書の記載及び添付書類に関する事項その他の申請に必要な情報の提供に努めなければならない。

（公聴会の開催等）

第10条　行政庁は、申請に対する処分であって、申請者以外の者の利害を考慮すべきことが当該法令において許認可等の要件とされているものを行う場合には、必要に応じ、公聴会の開催その他の適当な方法により当該申請者以外の者の意見を聴く機会を設けるよう努めなければならない。

（複数の行政庁が関与する処分）

第11条　行政庁は、申請の処理をするに当たり、他の行政庁において同一の申請者からされた関連する申請が審査中であることをもって自らすべき許認可等をするかどうかについての審査又は判断を殊更に遅延させるようなことをしてはならない。

2　一の申請又は同一の申請者からされた相互に関連する複数の申請に対する処分について複数の行政庁が関与する場合においては、当該複数の行政庁は、必要に応じ、相互に連絡をとり、当該申請者からの説明の聴取を共同して行う等により審査の促進に努めるものとする。

第3章　不利益処分

第1節　通則

（処分の基準）

第12条　行政庁は、処分基準を定め、かつ、これを公にしておくよう努めなければならない。

2　行政庁は、処分基準を定めるに当たっては、不利益処分の性質に照らしてできる限り具体的なものとしなければならない。

（不利益処分をしようとする場合の手続）

第13条　行政庁は、不利益処分をしようとする場合には、次の各号の区分に従い、この章の定めるところにより、当該不利益処分の名あて人となるべき者について、当該各号に定める意見陳述のための手続を執らなければならない。

一　次のいずれかに該当するとき　聴聞

イ　許認可等を取り消す不利益処分をしようとするとき。

ロ　イに規定するもののほか、名あて人の資格又は地位を直接にはく奪する不利益処分をしようとするとき。

ハ　名あて人が法人である場合におけるその役員の解任を命ずる不利益処分、名あて人の業務に従事する者の解任を命ずる不利益処分又は名あて人の会員である者の除名を命ずる不利益処分をしようとするとき。

ニ　イからハまでに掲げる場合以外の場合であって行政庁が相当と認めるとき。

二　前号イからニまでのいずれにも該当しないとき　弁明の機会の付与

2　次の各号のいずれかに該当するときは、前項の規定は、適用しない。

一　公益上、緊急に不利益処分をする必要があるため、前項に規定する意見陳述のための手続を執ることができないとき。

二　法令上必要とされる資格がなかったこと又は失われるに至ったことが判明した場合に必ずすることとされている不利益処分であって、その資格の不存在又は喪失の事実が裁判所の判決書又は決定書、一定の職に就いたことを証する当該任命権者の書類その他の客観的な資料により直接証明されたものをしようとするとき。

三　施設若しくは設備の設置、維持若しくは管理又は物の製造、販売その他の取扱いについて遵守すべき事項が法令において技術的な基準をもって明確にされている場合において、専ら当該基準が充足されていないことを理由として当該基準に従うべきことを命ずる不利益処分であってその不充足の事実が計測、実験その他客観的な認定方法によって確認されたものをしようとするとき。

四　納付すべき金銭の額を確定し、一定の額の金銭の納付を命じ、又は金銭の給付決定の取消しその他の金銭の給付を制限する不利益処分をしようとするとき。

五　当該不利益処分の性質上、それによって課される義務の内容が著しく軽微なものであるため名あて人となるべき者の意見をあらかじめ聴くことを要しないものとして政令で定める処分をしようとするとき。

（不利益処分の理由の提示）

第14条　行政庁は、不利益処分をする場合には、その名あて人に対し、同時に、当該不利益処分の理由を示さなければならない。ただし、当該理由を示さないで処分をすべき差し迫った必要がある場合は、この限りでない。

2　行政庁は、前項ただし書の場合においては、当該名あて人の所在が判明しなくなったときその他処分後において理由を示すことが困難な事情があるときを除き、処分後相当の期間内に、同項の理由を示さなければならない。

3　不利益処分を書面でするときは、前２項の理由は、書面により示さなければならない。

第２節　聴聞

（聴聞の通知の方式）

第15条　行政庁は、聴聞を行うに当たっては、聴聞を行うべき期日までに相当な期間をおいて、不利益処分の名あて人となるべき者に対し、次に掲げる事項を書面により通知しなければならない。

一　予定される不利益処分の内容及び根拠となる法令の条項

二　不利益処分の原因となる事実

三　聴聞の期日及び場所

四　聴聞に関する事務を所掌する組織の名称及び所在地

2　前項の書面においては、次に掲げる事項を教示しなければならない。

一　聴聞の期日に出頭して意見を述べ、及び証拠書類又は証拠物（以下「証拠書類等」という。）を提出し、又は聴聞の期日への出頭に代えて陳述書及び証拠書類等を提出することができること。

二　聴聞が終結する時までの間、当該不利益処分の原因となる事実を証する資料の閲覧を求めることができること。

3　行政庁は、不利益処分の名あて人となるべき者の所在が判明しない場合においては、第１項の規定による通知を、その者の氏名、同項第３号及び第４号に掲げる事項並びに当該行政庁が同項各号に掲げる事項を記載した書面をいつでもその者に交付する旨を当該行政庁の事務所の掲示場に掲示することによって行うことができる。この場合においては、掲示を始めた日から２週間を経過したときに、当該通知がその者に到達したものとみなす。

（代理人）

第16条　前条第１項の通知を受けた者（同条第３項後段の規定により当該通知が到達したものとみなされる者を含む。以下「当事者」という。）は、代理人を選任することができる。

2　代理人は、各自、当事者のために、聴聞に関する一切の行為をすることができる。

3　代理人の資格は、書面で証明しなければならない。

4　代理人がその資格を失ったときは、当該代理人を選任した当事者は、書面でその旨を行政庁に届け出なければならない。

（参加人）

第17条　第19条の規定により聴聞を主宰する者（以下「主宰者」という。）は、必要があると認めるときは、当事者以外の者であって当該不利益処分の根拠となる法令に照らし当該不利益処分につき利害関係を有するものと認められる者（同条第２項第６号において「関係人」という。）に対し、当該聴聞に関する手続に参加することを求め、又は当該聴聞に関する手続に参加することを許可することができる。

2　前項の規定により当該聴聞に関する手続に参加する者（以下「参加人」という。）は、代理人を選任することができる。

3　前条第２項から第４項までの規定は、前項の代理人について準用する。この場合において、同条第２項及び第４項中「当事者」とあるのは、「参加人」と読み替えるものとする。

（文書等の閲覧）

第18条　当事者及び当該不利益処分がされた場合に自己の利益を害されることとなる参加人（以下この条及び第24条第３項において「当事者等」という。）は、聴聞の通知があった時から聴聞が終結する時までの間、行政庁に対し、当該事案についてした調査の結果に係る調書その他の当該不利益処分の原因となる事実を証する資料の閲覧を求めることができる。この場合において、行政庁は、第三者の利益を害するおそれがあるときその他正当な理由があるときでなければ、その閲覧を拒むことができない。

2　前項の規定は、当事者等が聴聞の期日における審理の進行に応じて必要となった資料の閲覧を更に求めることを妨げない。

3　行政庁は、前２項の閲覧について日時及び場所を指定することができる。

（聴聞の主宰）

第19条　聴聞は、行政庁が指名する職員その他政令で定める者が主宰する。

2　次の各号のいずれかに該当する者は、聴聞を主宰することができない。

一　当該聴聞の当事者又は参加人

二　前号に規定する者の配偶者、四親等内の親族又は同居の親族

三　第１号に規定する者の代理人又は次条第３項に規定する補佐人

四　前３号に規定する者であった者

五　第１号に規定する者の後見人、後見監督人、保佐人、保佐監督人、補助人又は補助監督人

六　参加人以外の関係人

（聴聞の期日における審理の方式）

第20条　主宰者は、最初の聴聞の期日の冒頭において、行政庁の職員に、予定される不利益処分の内容及び根拠となる法令の条項並びにその原因となる事実を聴聞の期日に出頭した者に対し説明させなければならない。

2　当事者又は参加人は、聴聞の期日に出頭して、意見を述べ、及び証拠書類等を提出し、並びに主宰者の許可を得て行政庁の職員に対し質問を発することができる。

3　前項の場合において、当事者又は参加人は、主宰者の許可を得て、補佐人とともに出頭することができる。

4　主宰者は、聴聞の期日において必要があると認めるときは、当事者若しくは参加人に対し質問を発し、意見の陳述若しくは証拠書類等の提出を促し、又は行政庁の職員に対し説明を求めることができる。

5　主宰者は、当事者又は参加人の一部が出頭しないときであっても、聴聞の期日における審理を行うことができる。

6　聴聞の期日における審理は、行政庁が公開することを相当と認めるときを除き、公開

しない。

（陳述書等の提出）

第21条　当事者又は参加人は、聴聞の期日への出頭に代えて、主宰者に対し、聴聞の期日までに陳述書及び証拠書類等を提出することができる。

2　主宰者は、聴聞の期日に出頭した者に対し、その求めに応じて、前項の陳述書及び証拠書類等を示すことができる。

（続行期日の指定）

第22条　主宰者は、聴聞の期日における審理の結果、なお聴聞を続行する必要があると認めるときは、さらに新たな期日を定めることができる。

2　前項の場合においては、当事者及び参加人に対し、あらかじめ、次回の聴聞の期日及び場所を書面により通知しなければならない。ただし、聴聞の期日に出頭した当事者及び参加人に対しては、当該聴聞の期日においてこれを告知すれば足りる。

3　第15条第３項の規定は、前項本文の場合において、当事者又は参加人の所在が判明しないときにおける通知の方法について準用する。この場合において、同条第３項中「不利益処分の名あて人となるべき者」とあるのは「当事者又は参加人」と、「掲示を始めた日から２週間を経過したとき」とあるのは「掲示を始めた日から２週間を経過したとき（同一の当事者又は参加人に対する２回目以降の通知にあっては、掲示を始めた日の翌日）」と読み替えるものとする。

（当事者の不出頭等の場合における聴聞の終結）

第23条　主宰者は、当事者の全部若しくは一部が正当な理由なく聴聞の期日に出頭せず、かつ、第21条第１項に規定する陳述書若しくは証拠書類等を提出しない場合、又は参加人の全部若しくは一部が聴聞の期日に出頭しない場合には、これらの者に対し改めて意見を述べ、及び証拠書類等を提出する機会を与えることなく、聴聞を終結することができる。

2　主宰者は、前項に規定する場合のほか、当事者の全部又は一部が聴聞の期日に出頭せず、かつ、第21条第１項に規定する陳述書又は証拠書類等を提出しない場合において、これらの者の聴聞の期日への出頭が相当期間引き続き見込めないときは、これらの者に対し、期限を定めて陳述書及び証拠書類等の提出を求め、当該期限が到来したときに聴聞を終結することとすることができる。

（聴聞調書及び報告書）

第24条　主宰者は、聴聞の審理の経過を記載した調書を作成し、当該調書において、不利益処分の原因となる事実に対する当事者及び参加人の陳述の要旨を明らかにしておかなければならない。

2　前項の調書は、聴聞の期日における審理が行われた場合には各期日ごとに、当該審理が行われなかった場合には聴聞の終結後速やかに作成しなければならない。

3　主宰者は、聴聞の終結後速やかに、不利益処分の原因となる事実に対する当事者等の主張に理由があるかどうかについての意見を記載した報告書を作成し、第１項の調書とともに行政庁に提出しなければならない。

4　当事者又は参加人は、第１項の調書及び前項の報告書の閲覧を求めることができる。

（聴聞の再開）

第25条　行政庁は、聴聞の終結後に生じた事情にかんがみ必要があると認めるときは、主宰者に対し、前条第３項の規定により提出された報告書を返戻して聴聞の再開を命ずることができる。第22条第２項本文及び第３項の規定は、この場合について準用する。

（聴聞を経てされる不利益処分の決定）

第26条　行政庁は、不利益処分の決定をするときは、第24条第１項の調書の内容及び同条第３項の報告書に記載された主宰者の意見を十分に参酌してこれをしなければならない。

（審査請求の制限）

第27条　この節の規定に基づく処分又はその不作為については、審査請求をすることができない。

（役員等の解任等を命ずる不利益処分をしようとする場合の聴聞等の特例）

第28条　第13条第１項第１号ハに該当する不利益処分に係る聴聞において第15条第１項の通知があった場合におけるこの節の規定の適用については、名あて人である法人の役員、名あて人の業務に従事する者又は名あて人の会員である者（当該処分において解任し又は除名すべきこととされている者に限る。）は、同項の通知を受けた者とみなす。

2　前項の不利益処分のうち名あて人である法人の役員又は名あて人の業務に従事する者（以下この項において「役員等」という。）の解任を命ずるものに係る聴聞が行われた場合においては、当該処分にその名あて人が従わないことを理由として法令の規定によりされる当該役員等を解任する不利益処分については、第13条第１項の規定にかかわらず、行政庁は、当該役員等について聴聞を行うことを要しない。

第３節　弁明の機会の付与

（弁明の機会の付与の方式）

第29条　弁明は、行政庁が口頭ですることを認めたときを除き、弁明を記載した書面（以下「弁明書」という。）を提出してするものとする。

2　弁明をするときは、証拠書類等を提出することができる。

（弁明の機会の付与の通知の方式）

第30条　行政庁は、弁明書の提出期限（口頭による弁明の機会の付与を行う場合には、その日時）までに相当な期間をおいて、不利益処分の名あて人となるべき者に対し、次に掲げる事項を書面により通知しなければならない。

一　予定される不利益処分の内容及び根拠となる法令の条項

二　不利益処分の原因となる事実

三　弁明書の提出先及び提出期限（口頭による弁明の機会の付与を行う場合には、その旨並びに出頭すべき日時及び場所）

（聴聞に関する手続の準用）

第31条　第15条第３項及び第16条の規定は、弁明の機会の付与について準用する。この場合において、第15条第３項中「第１項」とあるのは「第30条」と、「同項第３号及び第４号」とあるのは「同条第３号」と、第16条第１項中「前条第１項」とあるのは「第30条」と、「同条第３項後段」とあるのは「第31条において準用する第15条第３項後段」と読み替えるものとする。

第４章　行政指導

（行政指導の一般原則）

第32条　行政指導にあっては、行政指導に携わる者は、いやしくも当該行政機関の任務又は所掌事務の範囲を逸脱してはならないこと及び行政指導の内容があくまでも相手方の任意の協力によってのみ実現されるものであることに留意しなければならない。

２　行政指導に携わる者は、その相手方が行政指導に従わなかったことを理由として、不利益な取扱いをしてはならない。

（申請に関連する行政指導）

第33条　申請の取下げ又は内容の変更を求める行政指導にあっては、行政指導に携わる者は、申請者が当該行政指導に従う意思がない旨を表明したにもかかわらず当該行政指導を継続すること等により当該申請者の権利の行使を妨げるようなことをしてはならない。

（許認可等の権限に関連する行政指導）

第34条　許認可等をする権限又は許認可等に基づく処分をする権限を有する行政機関が、当該権限を行使することができない場合又は行使する意思がない場合においてする行政指導にあっては、行政指導に携わる者は、当該権限を行使し得る旨を殊更に示すことにより相手方に当該行政指導に従うことを余儀なくさせるようなことをしてはならない。

（行政指導の方式）

第35条　行政指導に携わる者は、その相手方に対して、当該行政指導の趣旨及び内容並びに責任者を明確に示さなければならない。

２　行政指導に携わる者は、当該行政指導をする際に、行政機関が許認可等をする権限又は許認可等に基づく処分をする権限を行使し得る旨を示すときは、その相手方に対して、次に掲げる事項を示さなければならない。

一　当該権限を行使し得る根拠となる法令の条項

二　前号の条項に規定する要件

三　当該権限の行使が前号の要件に適合する理由

3　行政指導が口頭でされた場合において、その相手方から前２項に規定する事項を記載した書面の交付を求められたときは、当該行政指導に携わる者は、行政上特別の支障がない限り、これを交付しなければならない。

4　前項の規定は、次に掲げる行政指導については、適用しない。

一　相手方に対しその場において完了する行為を求めるもの

二　既に文書（前項の書面を含む。）又は電磁的記録（電子的方式、磁気的方式その他人の知覚によっては認識することができない方式で作られる記録であって、電子計算機による情報処理の用に供されるものをいう。）によりその相手方に通知されている事項と同一の内容を求めるもの

（複数の者を対象とする行政指導）

第36条　同一の行政目的を実現するため一定の条件に該当する複数の者に対し行政指導をしようとするときは、行政機関は、あらかじめ、事案に応じ、行政指導指針を定め、かつ、行政上特別の支障がない限り、これを公表しなければならない。

（行政指導の中止等の求め）

第36条の２　法令に違反する行為の是正を求める行政指導（その根拠となる規定が法律に置かれているものに限る。）の相手方は、当該行政指導が当該法律に規定する要件に適合しないと思料するときは、当該行政指導をした行政機関に対し、その旨を申し出て、当該行政指導の中止その他必要な措置をとることを求めることができる。ただし、当該行政指導がその相手方について弁明その他意見陳述のための手続を経てされたものであるときは、この限りでない。

2　前項の申出は、次に掲げる事項を記載した申出書を提出してしなければならない。

一　申出をする者の氏名又は名称及び住所又は居所

二　当該行政指導の内容

三 当該行政指導がその根拠とする法律の条項

四　前号の条項に規定する要件

五　当該行政指導が前号の要件に適合しないと思料する理由

六　その他参考となる事項

3　当該行政機関は、第１項の規定による申出があったときは、必要な調査を行い、当該行政指導が当該法律に規定する要件に適合しないと認めるときは、当該行政指導の中止その他必要な措置をとらなければならない。

第４章の２　処分等の求め

第36条の３　何人も、法令に違反する事実がある場合において、その是正のためにされるべき処分又は行政指導（その根拠となる規定が法律に置かれているものに限る。）がされていないと思料するときは、当該処分をする権限を有する行政庁又は当該行政指導をする権限を有する行政機関に対し、その旨を申し出て、当該処分又は行政指導をすること

を求めることができる。

2　前項の申出は、次に掲げる事項を記載した申出書を提出してしなければならない。

一　申出をする者の氏名又は名称及び住所又は居所

二　法令に違反する事実の内容

三　当該処分又は行政指導の内容

四　当該処分又は行政指導の根拠となる法令の条項

五　当該処分又は行政指導がされるべきであると思料する理由

六　その他参考となる事項

3　当該行政庁又は行政機関は、第1項の規定による申出があったときは、必要な調査を行い、その結果に基づき必要があると認めるときは、当該処分又は行政指導をしなければならない。

第5章　届出

（届出）

第37条　届出が届出書の記載事項に不備がないこと、届出書に必要な書類が添付されていることその他の法令に定められた届出の形式上の要件に適合している場合は、当該届出が法令により当該届出の提出先とされている機関の事務所に到達したときに、当該届出をすべき手続上の義務が履行されたものとする。

第6章　意見公募手続等

（命令等を定める場合の一般原則）

第38条　命令等を定める機関（閣議の決定により命令等が定められる場合にあっては、当該命令等の立案をする各大臣。以下「命令等制定機関」という。）は、命令等を定めるに当たっては、当該命令等がこれを定める根拠となる法令の趣旨に適合するものとなるようにしなければならない。

2　命令等制定機関は、命令等を定めた後においても、当該命令等の規定の実施状況、社会経済情勢の変化等を勘案し、必要に応じ、当該命令等の内容について検討を加え、その適正を確保するよう努めなければならない。

（意見公募手続）

第39条　命令等制定機関は、命令等を定めようとする場合には、当該命令等の案（命令等で定めようとする内容を示すものをいう。以下同じ。）及びこれに関連する資料をあらかじめ公示し、意見（情報を含む。以下同じ。）の提出先及び意見の提出のための期間（以下「意見提出期間」という。）を定めて広く一般の意見を求めなければならない。

2　前項の規定により公示する命令等の案は、具体的かつ明確な内容のものであって、かつ、当該命令等の題名及び当該命令等を定める根拠となる法令の条項が明示されたものでなければならない。

3　第1項の規定により定める意見提出期間は、同項の公示の日から起算して30日以上でなければならない。

4　次の各号のいずれかに該当するときは、第１項の規定は、適用しない。

一　公益上、緊急に命令等を定める必要があるため、第１項の規定による手続（以下「意見公募手続」という。）を実施することが困難であるとき。

二　納付すべき金銭について定める法律の制定又は改正により必要となる当該金銭の額の算定の基礎となるべき金額及び率並びに算定方法についての命令等その他当該法律の施行に関し必要な事項を定める命令等を定めようとするとき。

三　予算の定めるところにより金銭の給付決定を行うために必要となる当該金銭の額の算定の基礎となるべき金額及び率並びに算定方法その他の事項を定める命令等を定めようとするとき。

四　法律の規定により、内閣府設置法第49条第１項若しくは第２項若しくは国家行政組織法第３条第２項に規定する委員会又は内閣府設置法第37条若しくは第54条若しくは国家行政組織法第８条に規定する機関（以下「委員会等」という。）の議を経て定めることとされている命令等であって、相反する利害を有する者の間の利害の調整を目的として、法律又は政令の規定により、これらの者及び公益をそれぞれ代表する委員をもって組織される委員会等において審議を行うこととされているものとして政令で定める命令等を定めようとするとき。

五　他の行政機関が意見公募手続を実施して定めた命令等と実質的に同一の命令等を定めようとするとき。

六　法律の規定に基づき法令の規定の適用又は準用について必要な技術的読替えを定める命令等を定めようとするとき。

七　命令等を定める根拠となる法令の規定の削除に伴い当然必要とされる当該命令等の廃止をしようとするとき。

八　他の法令の制定又は改廃に伴い当然必要とされる規定の整理その他の意見公募手続を実施することを要しない軽微な変更として政令で定めるものを内容とする命令等を定めようとするとき。

（意見公募手続の特例）

第40条　命令等制定機関は、命令等を定めようとする場合において、30日以上の意見提出期間を定めることができないやむを得ない理由があるときは、前条第３項の規定にかかわらず、30日を下回る意見提出期間を定めることができる。この場合においては、当該命令等の案の公示の際その理由を明らかにしなければならない。

2　命令等制定機関は、委員会等の議を経て命令等を定めようとする場合（前条第４項第４号に該当する場合を除く。）において、当該委員会等が意見公募手続に準じた手続を実施したときは、同条第１項の規定にかかわらず、自ら意見公募手続を実施することを要しない。

（意見公募手続の周知等）

第41条　命令等制定機関は、意見公募手続を実施して命令等を定めるに当たっては、必要に応じ、当該意見公募手続の実施について周知するよう努めるとともに、当該意見公募手続の実施に関連する情報の提供に努めるものとする。

（提出意見の考慮）

第42条　命令等制定機関は、意見公募手続を実施して命令等を定める場合には、意見提出期間内に当該命令等制定機関に対し提出された当該命令等の案についての意見（以下「提出意見」という。）を十分に考慮しなければならない。

（結果の公示等）

第43条　命令等制定機関は、意見公募手続を実施して命令等を定めた場合には、当該命令等の公布（公布をしないものにあっては、公にする行為。第５項において同じ。）と同時期に、次に掲げる事項を公示しなければならない。

一　命令等の題名

二　命令等の案の公示の日

三　提出意見（提出意見がなかった場合にあっては、その旨）

四　提出意見を考慮した結果（意見公募手続を実施した命令等の案と定めた命令等との差異を含む。）及びその理由

2　命令等制定機関は、前項の規定にかかわらず、必要に応じ、同項第３号の提出意見に代えて、当該提出意見を整理又は要約したものを公示することができる。この場合においては、当該公示の後遅滞なく、当該提出意見を当該命令等制定機関の事務所における備付けその他の適当な方法により公にしなければならない。

3　命令等制定機関は、前２項の規定により提出意見を公示し又は公にすることにより第三者の利益を害するおそれがあるとき、その他正当な理由があるときは、当該提出意見の全部又は一部を除くことができる。

4　命令等制定機関は、意見公募手続を実施したにもかかわらず命令等を定めないこととした場合には、その旨（別の命令等の案について改めて意見公募手続を実施しようとする場合にあっては、その旨を含む。）並びに第１項第１号及び第２号に掲げる事項を速やかに公示しなければならない。

5　命令等制定機関は、第39条第４項各号のいずれかに該当することにより意見公募手続を実施しないで命令等を定めた場合には、当該命令等の公布と同時期に、次に掲げる事項を公示しなければならない。ただし、第１号に掲げる事項のうち命令等の趣旨については、同項第１号から第４号までのいずれかに該当することにより意見公募手続を実施しなかった場合において、当該命令等自体から明らかでないときに限る。

一　命令等の題名及び趣旨

二　意見公募手続を実施しなかった旨及びその理由

（準用）

第44条　第42条の規定は第40条第２項に該当することにより命令等制定機関が自ら意見公募手続を実施しないで命令等を定める場合について、前条第１項から第３項までの規定は第40条第２項に該当することにより命令等制定機関が自ら意見公募手続を実施しないで命令等を定めた場合について、前条第４項の規定は第40条第２項に該当することにより命令等制定機関が自ら意見公募手続を実施しないで命令等を定めないこととした場合について準用する。この場合において、第42条中「当該命令等制定機関」とあるのは「委員会等」と、前条第１項第２号中「命令等の案の公示の日」とあるのは「委員会等が命令等の案について公示に準じた手続を実施した日」と、同項第４号中「意見公募手続を実施した」とあるのは「委員会等が意見公募手続に準じた手続を実施した」と読み替えるものとする。

（公示の方法）

第45条　第39条第１項並びに第43条第１項（前条において読み替えて準用する場合を含む。）、第４項（前条において準用する場合を含む。）及び第５項の規定による公示は、電子情報処理組織を使用する方法その他の情報通信の技術を利用する方法により行うものとする。

２　前項の公示に関し必要な事項は、総務大臣が定める。

第７章　補則

（地方公共団体の措置）

第46条　地方公共団体は、第３条第３項において第２章から前章までの規定を適用しないこととされた処分、行政指導及び届出並びに命令等を定める行為に関する手続について、この法律の規定の趣旨にのっとり、行政運営における公正の確保と透明性の向上を図るため必要な措置を講ずるよう努めなければならない。

附　則

（施行期日）

１　この法律は、公布の日〔平成５年11月12日〕から起算して１年を超えない範囲内において政令で定める日〔平成６年10月１日〕から施行する。

（経過措置）

２　この法律の施行前に第15条第１項又は第30条の規定による通知に相当する行為がされた場合においては、当該通知に相当する行為に係る不利益処分の手続に関しては、第３章の規定にかかわらず、なお従前の例による。

３　この法律の施行前に、届出その他政令で定める行為（以下「届出等」という。）がされた後一定期間内に限りすることができることとされている不利益処分に係る当該届出等がされた場合においては、当該不利益処分に係る手続に関しては、第３章の規定にかかわらず、なお従前の例による。

4　前２項に定めるもののほか、この法律の施行に関して必要な経過措置は、政令で定める。

（参　考）

◉困難な問題を抱える女性への支援に関する法律（抄）

〔令和４年５月25日
法　律　第　52　号〕

附　則（抄）

（施行期日）

第１条　この法律は、令和６年４月１日から施行する。〔以下略〕

（行政手続法及び行政不服審査法の一部改正）

第26条　次に掲げる法律の規定中「、少年鑑別所又は婦人補導院」を「又は少年鑑別所」に改める。

一　行政手続法（平成５年法律第88号）第３条第１項第８号

◉行政手続法施行令

〔平成６年８月５日
政 令 第 265 号〕

改正　平成９年３月28日政令第84号・平成11年６月23日政令第204号・平成12年３月31日政令第171号・平成12年７月14日政令第384号・平成12年11月15日政令第474号・平成12年11月27日政令第492号・平成13年７月４日政令第236号・平成14年１月17日政令第４号・平成15年３月24日政令第64号・平成15年３月28日政令第93号・平成15年７月24日政令第319号・平成15年12月３日政令第487号・平成15年12月10日政令第493号・平成15年12月17日政令第523号・平成16年１月30日政令第14号・平成16年３月５日政令第32号・平成16年３月26日政令第83号・平成16年５月26日政令第181号・平成16年12月３日政令第383号・平成18年２月３日政令第18号・平成18年８月30日政令第286号・平成18年９月26日政令第318号・平成18年10月12日政令第325号・平成19年７月13日政令第210号・平成19年８月８日政令第252号・平成20年２月20日政令第28号・平成20年３月31日政令第116号・平成20年９月12日政令第283号・平成21年３月23日政令第52号・平成21年12月24日政令第296号・平成21年12月28日政令第305号・平成22年３月25日政令第40号・平成22年３月31日政令第70号・平成23年５月27日政令第151号・平成23年８月10日政令第257号・平成24年８月10日政令第211号・平成26年３月24日政令第73号・平成26年７月２日政令第244号（平成26年政令第273号による改正）・平成26年８月６日政令第273号・平成27年９月29日政令第340号・平成28年１月29日政令第27号・平成28年３月31日政令第140号・平成28年３月31日政令第141号・平成28年11月28日政令第361号・平成28年12月７日政令第372号・平成28年12月26日政令第399号・平成29年３月31日政令第129号・平成29年６月30日政令第176号・平成29年７月26日政令第203号・平成30年５月30日政令第175号・平成30年９月７日政令第253号・平成31年４月17日政令第155号・令和元年12月26日政令第211号・令和２年３月31日政令第138号・令和２年７月８日政令第219号・令和３年８月25日政令第235号・令和３年９月27日政令第268号・令和４年１月19日政令第23号（未施行　2157頁参照）・令和４年３月31日政令第171号

（申請に対する処分及び不利益処分に関する規定の適用が除外される法人）

第１条　行政手続法（以下「法」という。）第４条第２項第２号の政令で定める法人は、外国人技能実習機構、危険物保安技術協会、行政書士会、漁業共済組合連合会、軽自動車検査協会、健康保険組合、健康保険組合連合会、原子力損害賠償・廃炉等支援機構、広域的運営推進機関、広域臨海環境整備センター、港務局、小型船舶検査機構、国民健康保険組合、国民健康保険団体連合会、国民年金基金、国民年金基金連合会、国家公務員共済組合、国家公務員共済組合連合会、市街地再開発組合、自動車安全運転センター、司法書士会、社会保険労務士会、住宅街区整備組合、商工会連合会、水害予防組合、水害予防組合連合、税理士会、石炭鉱業年金基金、全国健康保険協会、全国市町村職員共済組合連合会、全国社会保険労務士会連合会、地方公務員共済組合、地方公務員共済組合連合会、地方公務員災害補償基金、地方住宅供給公社、地方道路公社、地方独立行政法人、中央職業能力開発協会、中央労働災害防止協会、中小企業団体中央会、土地開発公社、土地改良区、土地改良区連合、土地家屋調査士会、土地区画整理組合、都道府県職業能力開発協会、日本行政書士会連合会、日本銀行、日本下水道事業団、日本公認会計士協会、日本司法書士会連合会、日本商工会議所、日本税理士会連合会、日本赤十字社、日本土地家屋調査士会連合会、日本弁理士会、日本水先人会連合会、農業共済組合、農業共済組合連合会、農水産業協同組合貯金保険機構、防災街区整備事業組合、水先人会、預金保険機構及び労働災害防止協会とする。

（不利益処分をしようとする場合の手続を要しない処分）

第２条　法第13条第２項第５号の政令で定める処分は、次に掲げる処分とする。

一　法令の規定により行政庁が交付する書類であって交付を受けた者の資格又は地位を証明するもの（以下この号において「証明書類」という。）について、法令の規定に従い、既に交付した証明書類の記載事項の訂正（追加を含む。以下この号において同じ。）をするためにその提出を命ずる処分及び訂正に代えて新たな証明書類の交付をする場合に既に交付した証明書類の返納を命ずる処分

二　届出をする場合に提出することが義務付けられている書類について、法令の規定に従い、当該書類が法令に定められた要件に適合することとなるようにその訂正を命ずる処分

（職員以外に聴聞を主宰することができる者）

第３条　法第19条第１項の政令で定める者は、次に掲げる者とする。

一　法令に基づき審議会その他の合議制の機関の答申を受けて行うこととされている処分に係る聴聞にあっては、当該合議制の機関の構成員

二　保健師助産師看護師法（昭和23年法律第203号）第14条第２項の規定による処分に係る聴聞にあっては、准看護師試験委員

三　歯科衛生士法（昭和23年法律第204号）第８条第１項の規定による処分に係る聴聞にあっては、歯科衛生士の業務に関する学識経験を有する者

四　医療法（昭和23年法律第205号）第23条の２、第24条第１項、第24条の２、第28条又は第29条第１項若しくは第２項の規定による処分に係る聴聞にあっては、診療に関する学識経験を有する者

（意見公募手続を実施することを要しない命令等）

第４条　法第39条第４項第４号の政令で定める命令等は、次に掲げる命令等とする。

一　健康保険法（大正11年法律第70号）第70条第１項（同法第85条第９項、第85条の２第５項、第86条第４項、第110条第７項及び第149条において準用する場合を含む。）及び第３項、第72条第１項（同法第85条第９項、第85条の２第５項、第86条第４項、第110条第７項及び第149条において準用する場合を含む。）並びに第92条第２項（指定訪問看護の取扱いに係る部分に限り、同法第111条第３項及び第149条において準用する

場合を含む。）の命令等

二　船員保険法（昭和14年法律第73号）第54条第２項（同法第61条第７項、第62条第４項、第63条第４項及び第76条第６項において準用する場合を含む。）及び第65条第10項（同法第78条第３項において準用する場合を含む。）の命令等

三　労働基準法（昭和22年法律第49号）第32条の４第３項及び第38条の４第３項（同法第41条の２第３項において準用する場合を含む。）の命令等

四　労働者災害補償保険法（昭和22年法律第50号）第７条第１号第２号、第２項第２号及び第３号並びに第３項、第８条第２項及び第３項、第８条の２第１項第２号（同号の厚生労働省令に係る部分に限る。）、第２項各号（同法第８条の３第２項において準用する場合を含む。）及び第３項（同法第８条の２第４項（同法第８条の３第２項において準用する場合を含む。）及び第８条の３第２項において準用する場合を含む。）、第８条の３第１項第２号（同号の厚生労働省令に係る部分に限り、同法第８条の４において準用する場合を含む。）、第12条の２、第12条の７、第12条の８第３項第２号及び第４項、第13条第３項（同法第20条の３第２項及び第22条第２項において準用する場合を含む。）、第14条第２項（同法第20条の４第２項及び第22条の２第２項において準用する場合を含む。）、第14条の２（同法第20条の４第２項及び第22条の２第２項において準用する場合を含む。）、第15条第１項、第15条の２（同法第20条の５第３項及び第22条の３第３項において準用する場合を含む。）、第16条の２第１項第４号（同法第20条の６第３項及び第22条の４第３項において準用する場合を含む。）、第17条（同法第20条の７第２項及び第22条の５第２項において準用する場合を含む。）、第18条の２（同法第20条の８第２項及び第23条第２項において準用する場合を含む。）、第19条の２（同法第20条の９第２項及び第24条第２項において準用する場合を含む。）、第20条、第20条の３第１項、第20条の10、第22条第１項、第25条、第26条第１項及び第２項第１号、第27条、第28条、第29条第２項、第31条第１項から第３項まで、第33条第１号、第３号及び第５号から第７号まで、第34条第１項第３号（同法第36条第１項第２号において準用する場合を含む。）、第35条第１項、第37条、第46条、第47条、第49条第１項、第50条、第58条第１項、第59条第２項及び第３項（同法第60条の３第３項及び第62条第３項において準用する場合を含む。）、第60条第２項、第３項（同法第60条の４第４項及び第63条第３項において準用する場合を含む。）及び第４項（同法第63条第３項において準用する場合を含む。）並びに第60条の２第１項、同法第60条の４第３項において読み替えて適用する同法第20条の６第３項の規定により読み替えられた同法第16条の６第１項第２号並びに同法第61条第１項、第64条第２項及び別表第１各号（同法第20条の５第３項、第20条の６第３項、第20条の８第２項、第22条の３第３項、第22条の４第３項及び第23条第２項において準用する場合を含む。）の命令等

五　国民健康保険法（昭和33年法律第192号）第40条第２項（同法第52条第６項、第52

条の２第３項、第53条第３項及び第54条の３第２項において準用する場合を含む。）及び第54条の２第10項（同法第54条の３第２項において準用する場合を含む。）の命令等

六　労働施策の総合的な推進並びに労働者の雇用の安定及び職業生活の充実等に関する法律（昭和41年法律第132号）第30条の２第３項の命令等

七　労働保険の保険料の徴収等に関する法律（昭和44年法律第84号）第２条第２項、第４条の２、第７条第３号及び第５号、第８条第１項、第９条、第11条第３項、第12条第２項、第３項及び第５項、第12条の２、第13条、第14条第１項、第14条の２第１項、第15条第１項及び第２項、第16条（同法附則第５条において準用する場合を含む。）、第17条第２項（同法第20条第４項及び第21条第３項において準用する場合を含む。）、第18条、第19条第１項、第２項、第５項及び第６項、第20条第１項（同条第２項において準用する場合を含む。）及び第３項、第21条の２、第22条第５項（同項の第１級保険料日額、第２級保険料日額及び第３級保険料日額の変更に係る部分に限る。）、第33条第１項、第36条、第39条、第42条並びに第45条の２の命令等

八　高年齢者等の雇用の安定等に関する法律（昭和46年法律第68号）第22条第４号、第24条第１項第３号及び第25条第１項（同項の計画に係る部分に限る。）の命令等

九　雇用の分野における男女の均等な機会及び待遇の確保等に関する法律（昭和47年法律第113号）第10条第１項、第11条第４項、第11条の３第３項及び第13条第２項の命令等

十　雇用保険法（昭和49年法律第116号）第10条の４第１項、第13条第１項及び第３項、第18条第３項、第20条第１項（同項の厚生労働省令で定める理由に係る部分に限る。）及び第２項（同項の厚生労働省令で定める理由に係る部分に限る。）、第20条の2（同条の厚生労働省令で定める事業及び厚生労働省令で定める者に係る部分に限る。）、第22条第２項、第24条の２第１項（同項第２号の厚生労働大臣が指定する地域に係る部分を除く。）、第25条第１項（同項の政令で定める基準に係る部分に限る。）及び第３項、第26条第２項、第27条第１項（同項の政令で定める基準に係る部分に限る。）及び第２項、第29条第２項、第32条第３項（同法第37条の４第６項及び第40条第４項において準用する場合を含む。）、第33条第２項（同法第37条の４第６項及び第40条第４項において準用する場合を含む。）、第37条の３第１項、第37条の５第１項第３号、第38条第１項第２号、第39条第１項、第52条第２項（同法第55条第４項において準用する場合を含む。）、第56条の３第１項（同項の厚生労働省令で定める基準に係る部分及び同項第２号の就職が困難な者として厚生労働省令で定めるものに係る部分に限る。）、第61条の４第１項（同項の厚生労働省令で定める理由に係る部分に限る。）並びに第61条の７第１項（同項（同条第３項の規定により読み替えて適用する場合を含む。）の厚生労働省令で定める理由に係る部分及び同条第３項の規定により読み替えて適用する同条第１項の厚生労働省令で定める日に係る部分に限る。）の命令等並びに同

法の施行に関する重要事項に係る命令等

十一　高齢者の医療の確保に関する法律（昭和57年法律第80号）第71条第１項（同項の療養の給付の取扱い及び担当に関する基準に係る部分に限る。）、第74条第４項、第75条第４項、第76条第３項及び第79条第１項（指定訪問看護の取扱いに係る部分に限る。）の命令等

十二　労働者派遣事業の適正な運営の確保及び派遣労働者の保護等に関する法律（昭和60年法律第88号）第４条第１項第３号、第35条の４第１項並びに第40条の２第１項第２号、第４号及び第５号の命令等

十三　育児休業、介護休業等育児又は家族介護を行う労働者の福祉に関する法律（平成３年法律第76号）第２条第１号及び第３号から第５号まで、第５条第２項、第３項第２号及び第４項第２号、第６条第１項第２号（同法第12条第２項、第16条の３第２項及び第16条の６第２項において準用する場合を含む。）及び第３項、第７条第２項及び第３項（同法第13条において準用する場合を含む。）、第８条第２項及び第３項（同法第14条第３項において準用する場合を含む。）、第９条第２項第１号、第12条第３項、第15条第３項第１号、第16条の２第１項及び第２項、第16条の５第１項及び第２項、第16条の８第１項第２号（同法第16条の９第１項において準用する場合を含む。）、第３項（同法第16条の９第１項において準用する場合を含む。）及び第４項第１号（同法第16条の９第１項において準用する場合を含む。）、第17条第１項第２号（同法第18条第１項において準用する場合を含む。）、第３項（同法第18条第１項において準用する場合を含む。）及び第４項第１号（同法第18条第１項において準用する場合を含む。）、第19条第１項第２号（同法第20条第１項において準用する場合を含む。）及び第３号（同法第20条第１項において準用する場合を含む。）、第３項（同法第20条第１項において準用する場合を含む。）並びに第４項第１号（同法第20条第１項において準用する場合を含む。）、第21条第１項、第22条第１項第３号、第23条第１項から第３項まで、第25条第１項並びに第28条の命令等並びに同法の施行に関する重要事項に係る命令等

十四　短時間労働者及び有期雇用労働者の雇用管理の改善等に関する法律（平成５年法律第76号）第15条第１項の命令等

２　法第39条第４項第８号の政令で定める軽微な変更は、次に掲げるものとする。

一　他の法令の制定又は改廃に伴い当然必要とされる規定の整理

二　前号に掲げるもののほか、用語の整理、条、項又は号の繰上げ又は繰下げその他の形式的な変更

附　則

（施行期日）

第１条　この政令は、法の施行の日〔平成６年10月１日〕から施行する。

（労働保険の保険料の徴収等に関する法律に係る意見公募手続を実施することを要しな

い命令等に関する特例）

第２条　労働保険の保険料の徴収等に関する法律附則第11条の２の規定の適用がある場合における第４条第１項第７号の規定の適用については、同号中「、第14条の２第１項、第15条第１項及び第２項、第16条（」とあるのは「並びに第14条の２第１項、同法附則第11条の２の規定により読み替えて適用する同法第15条第１項、同法第15条第２項、同法附則第11条の２の規定により読み替えて適用する同法第16条（同法附則第11条の２の規定により読み替えて適用する」と、「、第19条第１項、第２項、第５項及び第６項、」とあるのは「及び第19条第１項、同法第19条第２項及び第５項、同法附則第11条の２の規定により読み替えて適用する同法第19条第６項並びに同法」とする。

（雇用保険法に係る意見公募手続を実施することを要しない命令等に関する特例）

第３条　雇用保険法附則第４条第２項の規定の適用がある場合における第４条第１項第10号の規定の適用については、同号中「の命令等」とあるのは、「並びに附則第４条第１項の命令等」とする。

２　雇用保険法附則第５条第４項の規定の適用がある場合における第４条第１項第９号の規定の適用については、同号中「の命令等」とあるのは、「並びに附則第５条第１項（同項の厚生労働大臣が指定する地域に係る部分を除く。）の命令等」とする。

３　雇用保険法附則第10条第２項の規定の適用がある場合における第４条第１項第９号の規定の適用については、同号中「の命令等」とあるのは、「並びに附則第10条第１項の規定により読み替えて適用する同法第57条第２項（同項の厚生労働省令で定める者に係る部分に限る。）の命令等」とする。

４　雇用保険法附則第11条の２第１項の規定の適用がある場合における第４条第１項第９号の規定の適用については、同号中「の命令等」とあるのは、「並びに附則第11条の２第１項（同項の厚生労働省令で定める者に係る部分に限る。）の命令等」とする。

（参　考）

◉育児休業、介護休業等育児又は家族介護を行う労働者の福祉に関する法律及び雇用保険法の一部を改正する法律の一部の施行に伴う関係政令の整備に関する政令（抄）

〔令和４年１月19日
政　令　第　23　号〕

（行政手続法施行令の一部改正）

第２条　行政手続法施行令（平成６年政令第265号）の一部を次のように改正する。

第４条第１項第10号中「並びに第61条の７第１項」を「、第61条の７第１項」に、

「同条第３項」を「同条第４項」に、「の命令等」を「及び第２項並びに第61条の８第１項（同項の厚生労働省令で定める理由に係る部分に限る。）の命令等」に改め、同項第13号中「第３項第２号」を「第３項」に、「第12条第２項」を「第９条の３第２項、第12条第２項」に、「第13条」を「第９条の４及び第13条」に、「第８条第２項及び第３項（同法」を「第８条第３項及び第４項（同法第９条の４及び」に改め、「第９条第２項第１号」の下に「、第９条の３第３項及び第４項第１号、第９条の５第２項、第４項、第５項及び第６項第１号、第10条」を加え、「第23条第１項」を「第22条の２、第23条第１項」に改める。

附　則

この政令は、育児休業、介護休業等育児又は家族介護を行う労働者の福祉に関する法律及び雇用保険法の一部を改正する法律附則第１条第３号に掲げる規定の施行の日（令和４年10月１日）から施行する。ただし、第２条中行政手続法施行令第４条第１項第13号の改正規定（「第23条第１項」を「第22条の２、第23条第１項」に改める部分に限る。）は、令和５年４月１日から施行する。

○行政手続法の施行に当たって

〔平成6年9月13日　総管第211号
各省庁事務次官等宛　総務事務次官通知〕

第128回国会において成立し、平成5年11月12日に公布された行政手続法（平成5年法律第88号。以下「法」という。）は、今般、行政手続法の施行期日を定める政令（平成6年政令第302号）により、平成6年10月1日から施行されることになりました。

法は、我が国の行政運営における公正の確保、透明性の向上等を求める内外からの要請にこたえるため、臨時行政改革推進審議会の答申（平成3年12月12日）に基づき、行政庁の処分、行政指導及び届出に関する手続に関し、共通する事項を定めることによって、行政運営における公正の確保と透明性の向上を図り、もって国民の権利利益の保護に資することを目的として制定されたものであります。

このような法の趣旨及び目的を踏まえ、法の施行に当たっての考え方を下記のとおり取りまとめましたので、法の施行に当たっては、これらについて格段の御配慮をお願いします。

なお、貴管下各機関及び所管特殊法人等に対しても周知方御手配いただきますようお願いいたします。

記

第1　総則的事項

一　行政処分と行政指導との区分の考え方

1　法令で使われている行政上の行為を示す用語からは、それが「処分（不利益処分)」に当たるか行政指導に当たるか判別できないものがあるが、どちらに該当するかによって、課される手続内容が異なるので、各法令ごとにその区分を明確にした上で、国民の権利利益を損なうことのないよう適切に対処する必要があること。

2　法令の規定に基づき行われる行政庁の行為が「処分」に当たるか否か（相手方が行政庁の求める作為又は不作為を行う義務を負うか否か）の最終的な判断は、当該行為を規定する個別法の解釈により行われるものであるが、参考のため、判断に際しての考え方の大筋を示すと以下のとおりであること。

⑴　処分性の有無について、法令の規定により明確に判断できる場合は、それによって区分すること（2⑵参照）。また、明確に判断できない場合には、2⑶に該当する場合を除き、原則として処分性を有しないものと解すること。これは、処分が国民の権利義務に変動を与える行為であることから、このような場合において積極的に処分と解することは適当でないためである。

⑵　法令の規定上処分性の有無について判断できる規定がある場合

ア　処分性があると解されるもの

a　行政庁の求めに従わない、あるいは応じない場合に、罰則による制裁を課し得るもの。

b　「求める」に該当する用語が、「命ずる」「させる」等と規定されるもの（処分性を有しないとする特別の理由があるものを除く。例：相手方の意向の打診をするために行われる補正命令（行政不服審査法第21条））

c　「求める」に該当する用語が、「指示する」「求める」「要求する」等と規定されるものであって、以下のもの

①　行政庁の行為について不服申立てができる旨や当該行為を「処分」とする明示的な規定があるもの

（例）道路の原状回復措置の指示（道路法第40条第２項、第71条第５項）

②　行政庁の行為に従わなければならない旨の義務、その他相手方に義務を課し、その権利を制限することとなる法的効果についての規定があるもの

（例）重要文化財の管理に関する必要な指示（文化財保護法第30条、第31条第１項）

委託運送業務の実施の要求（郵便物運送委託法第８条第１項）

③　行政庁の行為に従わない場合には、そのことを直接の理由にして不利益処分による制裁を課しうるもの

（例）法律等に違反した場合の必要な指示（建設業法第28条第１項～第３項）

④　条文の規定振りからみて、当該行為を処分と解さないと、整合性のある解釈がなし得ないもの

（例）薬剤による防除等措置の指示（森林病害虫等防除法第７条）

イ　処分性を有しないと解されるもの

a　「求める」に該当する用語が、「勧告する」「助言する」「指導する」「依頼する」「要請する」と規定されるもの

（処分性を有すると解される特別の理由があるものを除く。）

b　行政庁の行為（指示）に従わない場合に、改めて、同一内容の作為又は不作為を求める命令をすることができることとされている当該「指示」

（例）特定物資の売渡し指示（生活関連物資等の買占め及び売惜しみに対する緊急措置に関する法律第４条第１項、第２項）

c　行政庁の行為に従わない場合の最終担保措置が「その旨の公表」にとどまるもの

（例）見やすい表示をすべき指示（国民生活安定緊急措置法第６条第２項、第３項）

d　協力、援助のような本来的に相手方の自発的な意思にゆだねられるべき行為を求めるもの

(3) 法令の規定上、処分性の有無について判断できる規定はないが、処分性を有すると解される場合

① 許認可等権限に基づく監督を受ける者に対して、法目的を達成するために一定の改善を求める「指示」

（例）温泉利用施設の管理者に対する改善指示（温泉法第12条、第15条）

② 災害等の発生又は拡大を防止するため、物理的な危険が切迫している状況の下で必要な対策を講ずることを求める「指示」

（例）災害の発生防止等に必要な措置をとるべき旨の指示（河川法第52条）

二　国、地方公共団体等に対して行う処分等への適用の考え方（第４条関係）

処分については、本法が一般国民の権利利益の保護を目的としていることから、国や地方公共団体がその固有の資格において処分の相手方となる場合には、国民と同様に取り扱うことは適当でないため、第４条第１項で適用除外としている。また、特殊法人、これに類するいわゆる認可法人等（同条第２項）及び行政上の事務を代行して行う指定機関（同条第３項）に該当するものについても、国や地方公共団体に準じて取り扱うことが適当と判断されたところである。

これに対し、行政指導については、国や地方公共団体に対しては、固有の資格において相手方となるものかどうかの区分が困難であること等から適用除外としているところである。他方、特殊法人や指定機関などについては、行政指導がこれらの特別の法人との特別な監督関係に基づいて行われることとされているものではないことから本法の規定を適用することとしている。ただし、行政指導の相手方たる地方公共団体又はその機関が固有の資格において行動しているものではない（一般国民と同様な立場で行動している）ことが明らかである場合には、行政指導の透明性、公平性の確保を図る法の趣旨を踏まえ、国の機関は、例えば、当該地方公共団体又はその機関から行政指導の書面の交付を求められた場合にはこれを交付するなど、法第４章に定める手続に従って行うよう努めること。

第２　申請に対する処分関係

一　審査基準の設定（第５条第１項・第２項関係）

1　許認可等の要件は、当該許認可等の内容に応じ様々であるが、行政庁の判断過程の透明性を向上させることが、行政運営における公正を確保し、処理の迅速化、円滑化に資するとの観点から本条が置かれていることを踏まえて、審査基準を作成すること。

2　個々の申請に対して、それを許諾するか拒否するかを判断するための行政庁の基準を明らかにすることが求められているので、審査基準の作成に当たっては、申請

者等が当該許認可等を得るに当たって何を準備して申請をすれば良いかが分かるかどうかという観点からその内容をできる限り具体化するよう努めること。

3　行政庁に裁量が与えられている場合には、裁量権行使に当たっての行政庁の考え方が具体的に明らかにされることが重要であって、処理を画一化すること自体が目的ではないので、個々の申請についての当てはめ基準の作成が困難である場合であっても、審査に当たって、どのような要素が考慮されるのか、個々の要素はどの程度の評価を与えられることになるのかといったことをできる限り示しておくことが必要であること。

例えば、「実務経験」という指標で説明すると、許認可等を付与するに当たって実務経験が必須の条件である場合には、○年以上というように定量的に定めることが最も望ましいが、他の条件が同一であれば実務経験の有無が考慮されるという場合には、そのこと自体、あるいは経験年数が多い方が有利かどうかといったことを明らかにすることが求められている。

4　審査基準は、許認可等を付与する権限を有する行政庁（処分庁）において定めるものであるが、地方公共団体等同一の許認可等について多数の処分庁が存在する場合には、法令所管省庁においても、地域の事情等も考慮しつつ、できる限りその参考となる指針を処分庁である地方公共団体等に示すことが望ましいこと。

二　標準処理期間の設定（第６条、第９条関係）

1　標準処理期間を設定する場合において、経由機関、協議機関があるときには、処分庁で審査する期間のほか、それぞれの機関で要する期間を定め、それぞれの期間を明らかにした上で、全体としての処理に要する期間を定めること。

2　標準処理期間を算定するに当たっては、

⑴　適法な申請を前提に定めるものであるから、形式上の不備の是正等を求める補正に要する期間は含まれないものとすること。

⑵　適正な申請の処理に際しても、審査のため、相手方に必要な資料の提供等を求める場合にあっては、相手方がその求めに応答するまでの期間は含まれないものとすること。

3　標準処理期間の定め方は、日、月等をもって、具体的な期間として定めることが望ましいが、そのような設定が困難な場合には、一定の幅をもった期間として定められないかどうか、あるいは、申請内容を類型化して区分することによって、その区分ごとに定められないかどうかなど、当該許認可等の性質に応じた工夫をすることによってできる限り申請の処理に要する目安として何らかの期間を示すよう努めること。

4　地方公共団体等同一の許認可等について多数の処分庁が存在する場合において、その審査がいずれの処分庁においても同一の期間に終了すると見込まれるものであるときは、法令所管省庁においても、あらかじめ一応の目安を示すなど、標準処理期間の設定が円滑に行われるよう努めるものとすること。

5　標準処理期間は、申請の処理の目安として定められるものであり、その期間の経過をもって直ちに「不作為の違法」に当たるということにはならないが、申請者からの照会に対しては、迅速な処理に努めていることが理解されるよう、第９条第１項の規定の趣旨に沿って適切に対応すること。

三　審査基準及び標準処理期間の公表（第５条、第６条関係）

1　審査基準を公にするに当たっては、審査基準が、申請により求められた許認可等をするかどうかをその法令の定めに従って判断するために必要とされる基準であることから、当該法令に規定されている条文やその解釈に関する文書を併せて申請者等に示すことができるようにしておくこと。

2　審査基準が、法の施行日において公にできないものについては、その理由が「行政上特別の支障があるとき」に該当することによるものか、あるいは、従来より審査実績がないなど止むを得ない事情があって、施行時点では具体化できないことによるものか、いずれにしてもその間の事情を、また、公にできる場合においても、基準として十分に具体化することが困難なものについては、その理由を、申請者等に説明できるよう、関係窓口の職員に対してその徹底を図ること。

3　公にされている審査基準を変更する場合の国民への周知については、その審査基準が一般的に定着している場合には、単に事務所に備え付けている関係文書の差し替えといった方法だけでなく、関係者への情報提供などの方法により積極的に国民が知りうるような措置を講ずることが望ましいこと。

4　標準処理期間の設定が困難である場合には、その理由を申請者等に対して説明できるよう、関係窓口の職員等に対してその徹底を図ること。

四　申請に対する審査、応答（第７条関係）

1　申請が行政庁の事務所に到達したときは、当該申請が形式上の要件に適合しないものであっても、行政庁は、その補正を求めることによって審査を継続する意思があるのか、あるいは、求められた許認可等を拒否することによって審査を打ち切るのか、いずれかの対応を明確にしなければならない。これは、申請の的確かつ迅速な処理を確保することをねらいとするものであるので、申請が受付窓口において適切に処理されるよう関係職員に対してその趣旨の徹底を図ること。

2　法令において経由機関に関する規定が置かれている場合には、申請者が直接行政庁に対して申請することが許されなくなるものも多いので、申請者の手続上の権利を保障しようとする法の趣旨にかんがみ、申請がなされたにもかかわらず経由機関において申請の処理が遅延するような不適切な事態を招かないよう、以下の点に留意すること。

① 経由機関が処理に要する期間を行政庁において明確に示すこと。

② 当該許認可等を行う行政庁は、経由機関について標準処理期間を設定した趣旨にかんがみ、やむを得ない事情がない限り当該処理期間内に処理を終えるよう経由機関に対して徹底するとともに、処理が遅延していることを知ったときは、遅滞なく申請書を送付させるなど必要な措置をとること。

五　拒否処分をする場合の理由の提示（第８条関係）

1　申請により求められた許認可等を拒否する処分をする場合に示す理由については、許認可等の性質、その根拠法令や審査基準の内容や具体性によりその程度は異なるものと考えられ、許認可等の性質、当該法令の趣旨、目的に照らして判断されるべきであるが、どのような事実を基に拒否処分が行われるのか申請者において十分認識し得る程度に示すこと。

2　第８条第２項は、処分が書面により行われるか口頭により行われるかは、当該処分を規定する法令において決められるべきものとの考え方の下に、処分が書面で通知されても、その理由が口頭で示されるだけでは、判断の慎重、合理性を担保し、併せて処分の相手方に対して事後の便宜に資するという趣旨が損なわれるおそれがあることから規定しているものである。したがって、本条をもって、処分を口頭で行うことが容認される根拠とすることのないよう留意すること。

六　申請者以外の者の利害の考慮（第10条関係）

現行の法令では、許認可等を行うに当たって、関係者の意見を聴取する具体的な方法についての規定がない場合であっても、当該法令において申請者以外の者の利害を考慮すべきことが許認可等の要件とされているときには、行政庁が許認可等を行うかどうかの判断に際しては、関係者から意見聴取に努める実益のないときや関係者からの意見聴取に努めることが他の公益との比較衡量上不適切と考えられるとき、あるいは、行政効率を著しく阻害すると考えられるときなどを除き、行政庁がその判断に当たっての必要な情報を収集するために必要に応じ関係者の意見を聴取することが望ましいとの観点から、行政庁に努力義務を課すこととしたものである。

したがって、円滑な行政運営を確保するため、本条の立法趣旨を踏まえ、行政庁において申請事案ごとにそれぞれの事情を十分考慮して適切に判断される必要があること。

第３　不利益処分関係

一　処分基準の設定（第12条関係）

1　処分基準の設定については、一般に処分に関する行政庁の裁量が比較的広く、また、処分の原因となる事実の反社会性や処分の名あて人となるべき者の情状等を個別の事案ごとにどう評価するのかといった問題もあるので、努力義務としているが、その設定に当たっては、基本的には、「第２　申請に対する処分関係　一　審査基準の設定（第５条第１項・第２項関係）」に準じて、その運用を行うこと。

２　処分基準を公にしておくことについては、これにより脱法的な行為が助長される場合も想定されるので努力義務としているものであるが、処分基準の設定も含めて、法の趣旨を十分に踏まえ、適切な対応に努めること。

二　聴聞手続又は弁明手続の選択（第13条関係）

１　不利益処分の名あて人となるべき者について弁明の機会の付与の手続を執った場合にあって、その結果として、第13条第１項第１号イからハまでに掲げる処分を行うことが相当であると判断し、当該処分をしようとするときには、改めて聴聞手続を執る必要があること。

２　処分の原因となる事実が発生した場合に、その事実に基づいて、第13条第１項第１号イからハまでに掲げる処分を行うこととするか、又は同号イからハまでに掲げる処分以外の処分を行うこととするかについて、あらかじめ予定できない事情がある場合には、聴聞手続を執ることが適当であること。

三　不利益処分をする場合の理由の提示（第14条関係）

１　不利益処分をする場合の理由の提示については、基本的には、「第２　申請に対する処分関係　五　拒否処分をする場合の理由の提示（第８条関係）」に準じて、その運用を行うこと。

２　不利益処分をする場合に名あて人の所在が判明しないときにおけるその処分の理由の通知の取扱いについては、処分に関する慎重な判断を担保し、及び名あて人の事後救済手続上の便宜を図るという本条の趣旨にかんがみ、処分の通知を公示の方法により行う際に、あわせて、その理由をいつでも名あて人に提示する旨を公示しておくこと。

四　事前通知（第15条、第30条、第31条関係）

１　聴聞又は弁明の機会の付与の通知において記載する「不利益処分の原因となる事実」については、不利益処分の名あて人となるべき者等が防御権の行使の準備を行う上で欠かせないものであり、名あて人となるべき者の防御権を保障する趣旨が損なわれないよう事実の概要を具体的に記載すること。

２　「聴聞に関する事務を所掌する組織の名称及び所在地」については、聴聞を行うに当たり、不利益処分の名あて人となるべき者等が文書等の閲覧（第18条関係）や関係人の参加許可（第17条関係）等に関して連絡、照会を行う相手先として記載する趣旨であり、具体的な対応が可能となるよう、行政庁の聴聞事務担当課又は室等の組織の名称及び所在地を記載すること。

３　不利益処分の名あて人となるべき者の所在が判明しない場合に第15条第３項（第31条において準用する場合を含む。）に規定する公示の方法により通知を行うに当たっては、掲示を始めた日から２週間を経過したときに当該通知がその者に到達したものとみなされることにかんがみ、通知において記載する聴聞の期日又は弁明の機会の付与の日時については、掲示を始めた日から数えて、２週間に同条第１項に規定する相当な期間を加えた日数を下回って設定してはならないこと。

4　不利益処分の名あて人となるべき者が聴聞の期日の変更を申し出ることは、第15条第１項の趣旨から、十分許容されるものであること。したがって、その申出に理由があれば、行政庁は、申出に係る必要な調整に努め、その結果聴聞の期日を変更することとなれば、その期日を当該名あて人となるべき者等に通知することとすること。

5　第13条第１項第１号ハに該当する不利益処分に係る聴聞において第15条第１項の通知を行った場合には、当該処分において解任し又は除名すべきこととされている役員等がその通知を受けた者とみなされ、当事者の地位を取得することとなることにかんがみ、その者の聴聞に関する手続への参加が円滑に確保されるよう、行政庁は、当該役員等に対し参考までに連絡を行い、又はその通知を受けた当事者に対し、速やかに通知の内容を当該役員等に対し連絡するよう指導すること。

五　関係人の聴聞に関する手続への参加（第17条関係）

1　聴聞に関する手続に参加することを希望する者がいわゆる「関係人」に当たるかどうかを認定するに際しては、その者が予定される不利益処分につき自ら利害関係を有する旨を行政庁に対して疎明することとする手続が必要になると考えられるが、その疎明手続及び主宰者による参加許可手続については、聴聞の期日までに十分な時間的余裕を持って行うこと。また、その者の申請があった時に、既に聴聞の期日までの時間的余裕がない場合にあっては、できる限り速やかにこれらの手続を行うものとし、聴聞規則等において当該申請の期限を設けることとしている場合であっても、その期限を経過してなされた申請を速やかに処理することにより対応できるときにまで拒否することのないよう留意すること。

主宰者が関係人に対して聴聞に関する手続に参加することを求める場合にあっても、同様に、聴聞の期日までに十分な時間的余裕を持ってその求めを行うこと。

2　関係人の認定に当たっては、第18条の文書等の閲覧手続及び第24条第３項の報告書作成手続を適切かつ円滑に進めるため、その者が自己の利益を害されることとなる関係人か否かについても判断しておくこと。

六　文書等の閲覧（第18条関係）

1　不利益処分の原因となる事実を証する資料の閲覧に当たっては、適宜、資料目録を作成しその内容を相手方に教示するなど、関係者の資料の閲覧が円滑に進められるよう配慮すること。

2　資料の閲覧を許可することにより第三者の利益を害するおそれがあるなど正当な理由があるとして、その閲覧を拒む場合にあっては、拒む理由となる部分以外の関係のない部分まで閲覧を拒むことはできないこと。したがって、閲覧請求の対象となる資料の全てについて閲覧を拒む理由があると判断するのでなければ、支障がある部分を伏せるなどして閲覧させることが適当であること。

3　聴聞の期日における審理の過程で資料の閲覧請求があった場合に、その資料の閲覧を認めるべきにもかかわらず当該期日において閲覧させないときには、改めて聴聞の期日を定め、それまでの間にその資料を閲覧させる必要があること。

4　資料の閲覧について日時及び場所を指定する場合にあっては、聴聞の期日における当事者等の防御権の行使の準備を妨げることのないよう、十分な時間的余裕を持って指定すること。

5　本条は、資料の閲覧に際して、閲覧請求対象資料の複写を行うことまで保障する趣旨ではないが、他方で、複写を禁止するものでもないので、閲覧請求者から資料の複写の申出があれば、その資料の保全状態やその閲覧に係る申出者の便宜又は設備の設置状況等を参酌しつつ、行政庁の裁量により適切に対処すること。

七　主宰者の指名（第19条関係）

1　主宰者の指名については、主宰者による関係人の参加許可等の事務が円滑に進められるよう、聴聞の通知の時までにはこれを行うものとすること。

2　主宰者を指名して以降、当該主宰者が第19条第２項各号のいずれかに該当するに至ったときは、速やかに、新たな主宰者を指名すること。

3　本条は、不利益処分を行う立場にある課等の責任者を主宰者に指名することを排除するものではないが、当該行政庁の組織等の態様等に応じ、当該責任者以外の職員を主宰者に充てることが可能である場合にあっては、国民の聴聞運営への理解に資する観点からは、当該責任者以外の職員を主宰者に指名するなど配慮することが望ましいと考えられること。

なお、運用上、主宰者を補佐する職員を置いて補助的な業務（調書等の作成に関する経過の記録等）を行わせる場合には、同様の観点から、その聴聞に係る事案の調査検討に携わった職員以外の職員を充てるよう配慮すること。

八　聴聞の進行（第20条、第21条関係）

1　当事者等の質問について主宰者の許可によることとしているのは、質問権が濫用されることとなれば、聴聞の審理の円滑かつ適切な進行が妨害されることとなるおそれがあることを配慮したものであり、当事者等の質問権を不当に制限することがあってはならないこと。

2　補佐人の出頭許可については、当事者等の防御権の適正な行使又は聴聞の審理の円滑な進行の上で必要と認められる場合には、法の趣旨から、当然にそれを許可することが必要であると解されること。

また、補佐人の許可の手続については、「五　関係人の聴聞に関する手続への参加（第17条関係）　1」に準じて、その運用を行うこと。

3　第20条第４項は当事者等の主張の内容等をより明らかなものとし、もって当事者等の権利利益の保護に資するとの趣旨で規定するものであるので、主宰者は、同項の規定により、不利益処分の原因となる事実を立証することとなる証拠書類等の提出まで促すことができるものではないこと。

4　聴聞においては、特定の分野において専門的知識を有する第三者等のいわゆる参考人等からの意見聴取の手続まで定めているものではないが、必要に応じ、聴聞に係る事案に関し参考人等からの意見聴取を行い、もって適正な審理に資することとすることまで排除するものではないこと。

5　陳述書及び証拠書類等の提示の方法については、当該陳述書等又はその写しを提示する方法によることとなるが、陳述書については、提示を求める者が了解する場合には、口頭でこれを読み上げることもできると解されること。

6　陳述書の提示については、陳述書はその提出者の意見陳述に代わるものと位置付けられるので、原則として主宰者はこれを拒むことはできないものと解されるが、証拠書類等については、これを提示することにより提出者又は第三者の正当な利益を害するおそれがある場合には、その部分について提示を拒むこととしてもやむを得ないものと解されること。

九　聴聞の続行と終結（第22条、第23条関係）

1　続行期日の指定に関し、なお聴聞を続行する必要があるかどうかの判断については、当該事案について当事者等の防御権を保障する上でその意見陳述等の機会が十分に与えられたかどうか、また、当該不利益処分の原因となる事実について当事者等の主張に根拠があるかどうかについて判断する上で、なお当事者等の意見陳述等を促す必要があるかどうか等の観点に照らし、法の趣旨を十分に踏まえてこれを行うこと。

2　当事者が聴聞の期日に出頭しなかった場合には、第23条に該当する場合を除き、その当事者に意見陳述等の機会を与えるため、改めて聴聞の期日を定めることとなるが、その場合には、第22条の規定の適用を受け、聴聞の期日の指定等については同条に定める手続によることとなること。

3　当事者に代わり、その代理人が聴聞の期日に出頭し、若しくは陳述書若しくは証拠書類等を提出し、又は参加人に代わり、その代理人が聴聞の期日に出頭した場合にあっては、その当事者又は参加人については第23条の適用はないこと。

4　第23条第２項は、やむをえない理由により当事者の聴聞の期日への出頭が相当期間見込めないにもかかわらず、その当事者が自らの口頭により意見陳述をあくまで求めるなどしてその陳述書又は証拠書類等を提出しようとしないことが、一方で、処分により確保されるべき公益を不当に害するおそれがあることに配慮したものである。本規定の適用に当たっては、当事者の権利利益を不当に損ない、聴聞本来の趣旨を没却することのないよう、当事者の意向、状況等について慎重に検討を行い判断を行うこと。

十　聴聞調書及び報告書の作成等（第24条関係）

1　調書は、行政庁が不利益処分の決定についての事実認定を行う上で、重要な基礎となるものであり、適正な事実認定に十分に資することとなるよう、当事者及び参加人の陳述の要旨は的確に記載すること。

また、当事者等から提出された証拠書類等とその当事者等が行った陳述との関係が明確なものとなるよう、証拠書類等と陳述内容との対応関係を明らかにしておくこと。

2　調書及び報告書の行政庁への提出に当たっては、あわせて、当事者等から提出された証拠書類等を添付すること。

3　主宰者は、聴聞の審理（陳述書等に基づくものを含む。）の結果を踏まえ、法により授権された権能の下、主宰者としての責任において報告書を作成するものであること。

なお、報告書の具体的な記載方法については、特に制約があるものではないが、例えば、次のような例が考えられる。

①　当事者等の主張に理由がないことが明白であるとの心証を抱いた場合

「～なので、当事者等の～の主張には理由がないものと考える。」

②　客観的・明白な証拠はない（行政庁が保有する証拠書類等と当事者等が提出した証拠書類等と整合しないような場合。以下同じ。）が心証として理由がないと考えられる場合

「～の観点からみれば、当事者等の～の主張には理由がないのではないかと考える。」

③　客観的・明白な証拠はないが心証として理由があると考える場合

「～の観点からみれば、当事者等の～の主張には理由があるのではないかと考える。」（又は、「～の点については、行政庁が保有する証拠書類等では十分に証明されないのではないか。」という書き方もありうると考えられる。）

④　当事者等の主張に理由があることが明白であるとの心証を抱いた場合

「～なので、当事者等の～の主張には理由があるものと考える。」

また、聴聞の審理の場で、当事者等が、例えば、「（不利益処分の原因となる事実の存在自体は認めた上で）～という事情があるので、処分は勘弁してほしい。」というわゆる情状に関する事実を述べることを排除する趣旨ではないので、その情状事実に理由があると思料するときは、例えば、「処分に当たっては、～の点についても参酌願いたい。」旨の意見を記載することもできる。

4　調書及び報告書は、聴聞の終結後速やかに行政庁に提出されることとなるが、特に続行期日が定められた場合における第１回目等の聴聞の期日に係る調書については、その作成後行政庁に提出するまでの間は、主宰者において適切に管理が行われること、また、その間、その閲覧の求めがあったときには主宰者がこれに対応すべきものである旨留意を要すること。

十一　聴聞の再開（第25条関係）

「聴聞の終結後に生じた事情」とは、聴聞の終結後に、不利益処分の原因となる事実について行政庁が新たな証拠書類等を得た場合等を指すものであること。

十二　不利益処分の決定（第26条関係）

行政庁は、不利益処分の決定をするときは、法第26条で規定するとおり、聴聞の審理の結果を踏まえ作成される調書及び報告書を参酌してこれを行うものである。とはいえ、聴聞の趣旨を踏まえれば、聴聞の審理の対象となった不利益処分の原因となる事実以外の事実（以下「新事実」という。）に基づいて不利益処分をすることがあってはならず、新事実を原因として不利益処分をしようとするときは、改めて当該新事実について聴聞を行うことが必要であること。

十三　その他

1　口頭による弁明の機会の付与を行う場合にあっては、口頭によるやりとりを行う権利まで保障する趣旨ではないものの、弁明を受ける行政庁の職員は、法の趣旨を十分に踏まえ、不利益処分の名あて人となるべき者の権利の行使を不当に損なうことのないよう、真摯な対応に心掛けること。

2　口頭による弁明の機会の付与を行う場合にあっても、法の趣旨を確保していく上で、弁明を受ける職員は、その弁明内容を的確に記録し、適切な管理に努めることとし、また、法の趣旨からは、その者が書面で提出することを希望すれば当然これは許容すべきであると解されること。

3　第27条第２項ただし書の規定は、第15条第３項の規定による掲示を行った結果、その聴聞の期日までの間に不利益処分の名あて人となるべき者が同項に規定する書面（聴聞通知）の交付を受けた場合にあっては、適用されないこと。

第４　行政指導関係

一　行政指導の明確原則と書面の交付（第35条関係）

1　行政指導については従来から、とかく不透明、不明確との強い批判があることを踏まえ、第35条第１項において、それが口頭によると書面によるとを問わず、その趣旨、内容、責任者が明確に示されなければならないという明確原則を定め、その具体化の方法として、求めに応じて書面を交付することとしている。このような法の趣旨を行政指導に携わる者に十分徹底させる必要があること。

2　第35条第２項に規定する書面の交付に際しては、行政指導の内容等を書面で明らかにすることが相手方の協力を得るためにも有益であることにも十分留意し、書面の作成に当たっては、具体的かつ分かりやすく記述すべきものであること。

なかでも、行政指導に対しては一般にその責任の所在が不明確であることについての批判が強いことから、誰が当該行政指導を行うことを決定した者であるかを示す「責任者」を明示することが重要であり、当該「責任者」が特定できるよう具体的な職名等を明記する必要があること。

3　第35条第２項に規定する「行政上特別の支障」に該当するか否かについては、基本的にはケースバイケースの判断によるものであり、行政指導を行った当該行政機関において判断することとなるが、既に口頭で行った行政指導についてこれをそのまま書面化するものであることから、これを拒み得る「行政上特別の支障」とは、口頭で趣旨、内容、責任者を明らかにすることはできても、書面を交付することによってその内容が一般に明らかになり、行政目的の実現が妨げられるおそれを生ずる場合などに限られるものであり、法の趣旨を損なう運用が行われることのないよう留意すること。

4　広範多岐な行政分野において様々な形で行われている行政指導について、一律に書面化を義務付けることは困難であり、行政運営の効率性とのバランスを考慮した結果、その端緒を「相手方から求められたとき」としたものであり、相手方からの求めがあれば、行政上特別の支障がない限り、できるだけ速やかに書面を交付すべきことは当然である。ただし、第35条第３項に規定する場合のように、行政指導の明確化という本制度の趣旨に照らし、相手方からの書面の請求に応ずる必要がないケースについてまで書面交付を義務付ける趣旨ではないこと。

二　行政指導の指針の策定、公表（第36条関係）

1　策定、公表すべき「共通してその内容となるべき事項」とは、いわゆる「行政指導の指針」であって、申請に対する処分における審査基準、不利益処分における処分基準に該当するものであり、個々の行政指導を行う場合の行政機関の基本的な考え方を明確に示すことにより、行政指導の透明性・公平性を確保し、もって、国民の行政に対する信頼の確保に寄与するという本条の趣旨を踏まえて、その策定に当たること。

2　「共通してその内容となるべき事項」としては、おおむね、①当該行政指導を行う趣旨（目的）、②その対象となり得る者の範囲又は該当する行為、③その対象となる者に対して求めることとなる作為又は不作為の内容及び④当該行政指導を行う場合の責任者に関することが必要であること。

3　行政指導については、法令にその根拠となる規定が置かれ当該行政指導の趣旨等が明確になっているものもあるものの、一般にはどのような行政指導が行われるのかは国民にとって必ずしも明確ではない。このため、策定当初における行政指導の指針の周知に際しては、事案に応じて、関係者への情報提供などの方法により積極的な公表措置を講ずる必要があること。

三　業界団体に対する行政指導

業界団体に対してその傘下の事業者に対する指導を求める行為は、当該団体に対する行政指導に該当するので、第35条の適用を受け、当該団体からの求めがあれば書面を交付する必要があること、また、その内容が、行政機関が事業者に対する行政指導を行う場合の指針となるべきものであるときは、第36条の適用をも受け、同条の規定に従い公表する必要があること。

○行政手続法の一部を改正する法律の施行について

〔平成26年11月28日　総管管第93号
各府省等官房長等宛　総務省行政管理局長通知〕

第186回国会で成立し、平成26年６月13日に公布された行政手続法の一部を改正する法律（平成26年法律第70号。以下「改正法」という。）は、平成27年４月１日から施行されます。

改正法は、法令に違反する事実の是正のための処分又は行政指導を求めることができる「処分等の求め」の手続や、法律の要件に適合しない行政指導の中止等を求めることができる「行政指導の中止等の求め」の手続を新設すること等により、行政運営における公正の確保と透明性の向上を図り、もって国民の権利利益の保護に資することを目的として制定されたものです。

このような趣旨及び目的を踏まえ、改正法による改正後の行政手続法（平成５年法律第88号。以下「法」という。）の運用に当たっては下記事項に御留意いただくとともに、貴管下各機関及び所管独立行政法人等に対しても周知いただきますよう、お願いいたします。

記

１　法第35条第２項（行政指導の方式）

⑴　趣旨

本項は、許認可等をする権限又は許認可等に基づく処分をする権限を有する行政機関が行政指導をする際に、当該権限を行使し得る旨を示すときは、行政指導に携わる者は、その相手方に対して、当該権限の根拠となる法令の条項や当該権限の行使が当該条項に規定される要件に適合する理由等を示さなければならないこととすることにより、行政指導の手続の透明性を高め、法第34条に規定する不適切な行政指導を防止し、もって行政指導の相手方の権利利益の保護を図ることを目的とするものである。

⑵　対象となる場合

本項の「権限を行使し得る旨を示すとき」とは、当該行政指導をする時点において既に当該権限を行使することが可能である場合に、当該権限を行使し得る旨を示すときのほか、当該行政指導に従わないときに法令上当該権限を行使することができることとされている場合に、当該権限を行使し得る旨を示すときも含まれるものである。

⑶　行政指導の相手方に示す事項及び方法

ア　本項各号に掲げる事項については、当該行政指導の相手方が、当該権限の根拠及び要件並びに当該権限を行使し得る理由を明確に認識し得るよう具体的に示される必要がある。例えば、当該権限を行使する具体的な要件が非常に多岐にわたる場合や下位法令等に規定されている場合には、本項第３号の「当該権限の行使が前号の要件に適合する理由」として、これらの要件のうち当該権限を行使し得る根拠となる要件に適合する理由が具体的に示される必要がある。

（注）具体的には、

「　あなたの◇◇という行為が、…法第▽条の規定に違反することが認められたため、◆◆業務の運営の改善措置を講ずるよう指導します。

また、この指導に従わず、業務の運営の改善が確認できない場合や、再び違反行為があった場合には、以下のとおり、◆◆業務に関する許可が取り消される場合があります。

⑴　許可取消処分の権限を行使し得る根拠となる法令の条項（行政手続法第35条第２項第１号）　…法第○条

⑵　上記の条項に規定する要件（行政手続法第35条第２項第２号）　…法第○条第△号の政令で定める技術的基準に適合しないこと

⑶　当該権限の行使が上記の要件に適合する理由（行政手続法第35条第２項第３号）　あなたの◇◇という行為が、許可取消処分の要件である…法第○条第△号の政令で定める技術的基準のうち…施行令第●条第▲号に定める「□□」という類型に該当しないため」

といった示し方が考えられる。

イ　本項各号に掲げる事項について、各事項をそれぞれ分けて示すか各事項を一括して示すかは任意であるが、当該行政指導の相手方がこれらの事項を明確に認識し得ることが必要である。

ウ　本項各号に掲げる事項を相手方に示す方法については、個別の事案に応じて各行政機関において適切に判断するものであるが、法第35条第３項の規定により、口頭で示した場合において、相手方から書面の交付を求められたときは、当該行政指導に携わる者は、行政上特別の支障がない限り、本項各号に掲げる事項を記載した書面を交付しなければならない。

2　法第36条の２（行政指導の中止等の求め）

⑴　趣旨

「行政指導の中止等の求め」は、法令に違反する行為の是正を求める行政指導であって、その根拠や要件が法律に規定されているものについては、当該行政指導の相手方に大きな事実上の不利益が生ずるおそれがあることに鑑み、相手方からの申出を端緒として、当該行政指導をした行政機関が改めて調査を行い、当該行政指導がその要件を定めた法律の規定に違反する場合には、その中止その他必要な措置を講ずることとすることにより、行政運営における公正の確保と透明性の向上を図り、もって当該行政指導の相手方の権利利益の保護を図ることを目的とするものである。

⑵　対象となる行政指導

実際に行われる個々の行政指導が「行政指導の中止等の求め」の対象となるか否かについては、各行政機関において、以下の点を踏まえつつ、個別の事例ごとに、申出の具体的内容や当該行政指導の内容、社会通念等に照らして、適切に判断する必要がある。

ア　「法令に違反する行為の是正を求める行政指導」とは、法令（※）に違反する行為自体の中止や適法な状態へ回復する措置その他の法令に違反する行為を改めただすことを内容とする行政指導をいい、具体的には、法令に違反する行為をした者に対して行われる次のような行政指導を指す。

・　法令に違反する行為（法令に規定されている義務又は要件に反する行為をいう。）自体の解消を内容とするもの

・　法令に違反する行為自体は終了しているが、当該行為によって生じた影響の除去又は原状の回復を内容とするもの

・　法令に違反する行為自体は終了しているが、当該行為の再発防止を内容とするもの

※　「法令」とは、法第２条第１号に規定する「法令」であり、具体的には、法律、法律に基づく命令（告示を含む。）、条例及び地方公共団体の執行機関の規則（規程を含む。）をいう。

なお、個々の行政指導が本条の対象となるか否かについては、当該行政指導の法律上の要件が「必要があると認めるとき」とされている場合など、法令に違反する行為があることが明文上の要件とされていない場合も含めて、法令に違反する行為を改めただすことを内容とする行政指導か否かという観点から、個別の事案ごとに判断する。

イ　「その根拠となる規定が法律に置かれているもの」とは、行政指導を行う権限及びその要件が法律に規定されているものをいい、行政機関の任務又は所掌事務を定める規定に基づいて行われる行政指導は含まない。

ウ　本条第１項ただし書の「弁明その他意見陳述のための手続を経て」とは、当該行政指導を行うことについて、その相手方となるべき者が意見を陳述する機会が付与されたことをいう。

これには、法定された弁明手続に限らず、運用上、当該行政指導を行うことについて、その相手方となるべき者の意見を聴取する機会を付与した場合も含まれるが、行政指導の相手方となるべき者に対し、書面などにより、行おうとする行政指導の内容及びその理由（根拠条項、原因となる事実等）を明らかにした上で、当該行政指導を行うことについて意見を陳述する機会が付与されたものである必要があ

り、行おうとする行政指導の内容等を明らかにすることなく、単に当該行政指導の原因となるべき事実の有無について意見を聴取したにとどまる場合などは、該当しない。

また、行政指導の相手方となるべき者に対し、社会通念上、意見を陳述するために十分な期間を定めて意見陳述の機会を付与したにもかかわらず、正当な理由なく何ら意見が提出されなかった場合などは、「意見陳述のための手続を経て」に含まれる。

なお、「弁明その他意見陳述のための手続」の方法については、特に限定はない。

(3)　申出書の提出に関する行政機関の対応

ア　申出書の書式については、法令上の定めはなく、申出人は任意の書式により申出をすることが可能である。

なお、各行政機関において、申出人の便宜等のため、参考となる「様式」を作成し、公にすることも考えられるが、その「様式」を用いていないことを理由に、不利益な取扱いをしてはならない。

イ　本条第２項第５号の「当該行政指導が前号の要件に適合しないと思料する理由」については、例えば、行政指導の要件に適合するという行政機関の判断が誤っていることや、当該行政指導が事実誤認に基づくものであることを具体的かつ合理的に示すなど、「要件に適合しない」と考える具体的かつ合理的な根拠を示す必要がある。

ウ　申出書の記載が具体性を欠いていても、申出の対象となる具体的な行政指導が特定され、当該申出を受けた行政機関が「必要な調査」その他の本条第３項に規定する措置をとるに当たって特段の支障が生じない場合には、相手方からの申出を端緒として行政指導をした行政機関が改めて調査を行うという本制度の趣旨に照らし、「必要な調査」を行う等の本条第３項に規定する対応をとるべきである。

一方、申出書の記載が具体性を欠いており、申出の対象となる具体的な行政指導が特定されない場合であっても、行政指導がされた際に申出書の記載事項である「当該行政指導がその根拠とする法律の条項」（本条第２項第３号）や「前号の条項に規定する要件」（同項第４号）がその相手方に具体的に示されていなかったため、当該申出をしようとする際に具体的に記載することが困難であった事案が想定される。このような事案については、当該申出を受けた行政機関が当該申出書の記載が具体性を欠いていることを理由に、不適法な申出として取り扱うことは許されず、申出人に当該行政指導の内容を確認するなどの対応をとるべきである。

なお、本条に定める手続の円滑な運用の観点も踏まえ、行政指導に携わる者は、「当該行政指導がその根拠とする法律の条項」や「前号の条項に規定する要件」を具体的に示すよう努めるべきである。

エ　例えば、「○○大臣」や「□□官」がした行政指導について、これらの者の所属する「○○省」宛てに申出書が提出された場合など、申出書に軽微な記載上の誤りがあっても、申出を受けた行政機関が「必要な調査」その他の本条第３項に規定する措置をとるに当たって特段の支障が生じない場合には、上記ウと同様に、不適法な申出として取り扱うことなく、「必要な調査」を行う等の本条第３項に規定する対応をとるべきである。

(4)　申出を受けた行政機関の対応

ア　本条第３項の「必要な調査」とは、当該行政指導の根拠となる法律に規定する要件に違反するか否か、違反がある場合はその違反の内容及び程度等を確認し、どのような是正手段が適切かを判断するのに必要な調査をいう。その具体的な内容及び手法については、申出の具体的内容や当該行政指導の内容、社会通念等に照らして、各行政機関において適切に判断する必要がある。

なお、各行政機関は申出書を受けて当該行政指導の根拠となる法律に規定する要件に違反するか否かを確認する必要があるが、申出書の記載に具体性がなく、その確認が困難な場合や、既に詳細な調査を行っており、事実関係が明らかで申出書の記載によってもそれが揺るがない場合などは、各行政機関の判断により、改めて「必要な調査」を行わない場合もあり得る。

イ　「当該行政指導の中止その他必要な措置」とは、当該行政指導がその根拠となる法律の規定に違反する場合に、その是正のために必要となる措置をいい、当該行政指導の内容やその相手方が受けた不利益の内容等に応じ、適切な措置を講ずる必要がある。

当該行政指導が継続している場合には、一般に、その中止又は変更の措置を講ずる必要があると考えられるが、行政指導がされたことを公表することにより相手方が社会的信用の低下等の不利益を受けている場合には、併せて当該行政指導が違法であった旨を公表し、相手方の社会的信用を回復すること等が考えられる。

ウ　申出を受けて行政機関が行う「必要な調査」等の対応については、手続の公正性の観点から、当該行政指導に実質的に関与した職員や当該行政指導について利害関係を有する職員以外の職員が行うことが望ましい。

エ　申出を受けた行政機関の対応の結果については、法律上、申出を受けた行政機関に申出人に対する通知義務を課すこととはしていないが、各行政機関は、行政指導の相手方の権利利益の保護等に資する観点から、行った調査の結果、講じた措置の有無やその内容など、申出を受けた対応の結果について、申出人に通知するよう努めるべきである。

3　法第36条の３（処分等の求め）

(1)　趣旨

「処分等の求め」は、処分をする権限を有する行政庁又は行政指導をする権限を有する行政機関が、法令に違反する事実を知る者からの申出を端緒として、必要な調査を行い、その結果に基づき必要があると認めるときは、その是正のための処分又は行政指導を行うこととすることにより、行政運営における公正の確保と透明性の向上を図り、もって国民の権利利益の保護に資することを目的とするものである。

⑵　対象となる処分又は行政指導

申出人から求められた個々の処分又は行政指導が「処分等の求め」の対象となるか否かについては、各行政庁又は行政機関において、以下の点を踏まえつつ、個別の事例ごとに、申出の具体的内容や当該処分又は行政指導の内容、社会通念等に照らして、適切に判断する必要がある。

ア　「法令に違反する事実」とは、法令に規定されている義務又は要件に反する事実をいい、「法令に違反する事実がある場合」とは、申出の時点において法令に違反する行為又は状態が反復継続している場合に限らず、申出の時点では法令に違反する行為又は状態自体は終了している場合も含まれる。具体的な法令に違反する事実の発生を前提とせずに、将来における法令に違反する事実の発生を未然に防止することを内容とする処分又は行政指導は、「法令に違反する事実」が存在しないため、本条の対象とならない。

イ　「その是正のためにされるべき処分又は行政指導」とは、法令に違反する事実自体の解消や適法な状態へ回復する措置その他の法令に違反する事実を改めただすことを内容とする処分又は行政指導をいい、具体的には、法令に違反する事実を生じさせた者等に対して行われる次のような処分又は行政指導を指す。

・　法令に違反する事実自体の解消を内容とするもの
・　法令に違反する事実によって生じた影響の除去又は原状の回復を内容とするもの
・　法令に違反する作為又は不作為の再発防止（業務停止命令や許認可等の取消し、課徴金の納付命令などを含む。）を内容とするもの

なお、個々の処分又は行政指導が本条の対象となるか否かについては、当該処分又は行政指導の法律上の要件が「必要があると認めるとき」とされている場合など、法令に違反する事実があることが明文上の要件とされていない場合も含めて、法令に違反する事実を改めただすことを内容とする処分又は行政指導か否かという観点から、個別の事案ごとに判断する。

ウ　行政庁がした処分を違法であると思料して求める当該処分の取消しについては、行政事件訴訟法の取消訴訟又は行政不服審査法の不服申立て等によることとなり、本条の対象とはならない。

エ　「行政指導（その根拠となる規定が法律に置かれているものに限る。）」とは、行

政指導を行う権限及びその要件が法律に規定されているものをいい、行政機関の任務又は所掌事務を定める規定に基づいて行われる行政指導は含まない。

オ　なお、独立行政法人その他の法人であっても、上記イに該当し得る処分を行う権限を法令上付与されている場合には、行政庁に当たるものとして、「処分等の求め」を受ける対象に含まれる。

(3)　申出書の提出に関する行政庁又は行政機関の対応

ア　申出書の書式については、法令上の定めはなく、申出人は任意の書式により申出をすることが可能である。

なお、各行政庁又は行政機関において、申出人の便宜等のため、参考となる「様式」を作成し、公にすることも考えられるが、その「様式」を用いていないことを理由に、不利益な取扱いをしてはならない。

イ　申出は、同一の事実について一の処分又は行政指導しか求めることができないものではなく、申出人が一通の申出書に同一の事実についてとり得る複数の処分又は行政指導を併記して、それらのいずれかをすることを求める旨を記載することも可能である。

ウ　本条第２項第２号の「法令に違反する事実の内容」や第５号の「当該処分又は行政指導がされるべきであると思料する理由」については、合理的な根拠をもって客観的にその旨を考えられる理由が具体的に記載されている必要がある。

エ　例えば、法令上、「○○大臣」や「□□官」の権限とされている処分又は行政指導について、これらの者の所属する「○○省」宛てに申出書が提出された場合など、申出書に軽微な記載上の誤りがあっても、申出を受けた行政庁又は行政機関が「必要な調査」その他の本条第３項に規定する措置をとるに当たって特段の支障が生じない場合には、法令に違反する事実を知る者からの申出を端緒として行政庁又は行政機関が必要な調査を行うという本制度の趣旨に照らし、不適法な申出として取り扱うことなく、「必要な調査」を行う等の本条第３項に規定する対応をとるべきである。

オ　上記エのほか、処分の権限を有さない行政庁又は行政指導の権限を有さない行政機関に申出がなされた場合には、当該申出を受けた行政庁又は行政機関は、申出先となる行政庁又は行政機関（処分の権限を有する行政庁又は行政指導の権限を有する行政機関）を確認して、申出人に対して情報を提供するよう努めるべきである。

(4)　申出を受けた行政庁又は行政機関の対応

申出を受けた行政庁又は行政機関は、必要な調査を行わなければならず、当該行政庁又は行政機関は、当該調査の結果に基づき必要があると認めるときは、求められた処分又は行政指導をしなければならない。

ア　本条第３項の「必要な調査」とは、法令に違反する事実があるか否か、違反がある場合はその違反の内容及び程度等を確認し、どのような是正手段が適切かを判断するのに必要な調査をいう。その具体的な内容及び手法については、申出の具体的内容や当該処分又は行政指導の内容、社会通念等に照らして、各行政庁又は行政機関において適切に判断する必要がある。

なお、各行政庁又は行政機関は申出書を受けて法令に違反する事実があるか否かを確認する必要があるが、申出書の記載に具体性がなく、その確認が困難な場合や、既に詳細な調査を行っており、事実関係が明らかで申出書の記載によってもそれが揺るがない場合などは、各行政庁又は行政機関の判断により、改めて「必要な調査」を行わない場合もあり得る。

イ　「必要があると認めるとき」とは、必要な調査の結果に基づき、法令に違反する事実があり、その是正のために処分又は行政指導をする必要があると当該行政庁又は行政機関が認めるときを指す。

他方、必要な調査を行った結果、次のいずれかに該当する場合など、「必要があると認めるとき」に該当しない場合には、求められた処分又は行政指導を行わないこととなる。この場合において、各行政庁又は行政機関の判断に応じて、法令に違反する事実の是正のために、求められた処分又は行政指導に代わって、別のより適切な措置を講ずることが適当であると認められる場合には、当該措置を講ずるべきである。

・　求められた処分又は行政指導が、その本来の目的やその根拠となる法令の規定の趣旨等に合致しない場合

・　求められた処分又は行政指導により、法令に違反する事実が是正されることに伴う利益に比べて、その相手方の受ける不利益が著しく大きい場合

ウ　申出を受けた行政庁又は行政機関の対応の結果については、法律上、申出を受けた行政庁又は行政機関に申出人に対する通知義務を課すこととはしていない。他方、各行政庁又は行政機関は、申出人の便宜等の観点も踏まえ、当該処分又は行政指導の相手方となるべき者の正当な利益が損なわれる場合や事務処理上著しい負担が生じる場合等を除き、行った調査の結果、講じた措置の有無やその内容など、申出を受けた対応の結果について、申出人に通知するよう努めるべきである。

エ　申出人の氏名等の個人情報は、もとより行政機関の保有する個人情報の保護に関する法律（平成15年法律第58号）等に基づき適切に管理されるべきものであるが、当該申出人が処分又は行政指導の相手方に特定された場合には、当該申出人が不利益を受けるおそれがあるため、特に申出人の個人情報の管理を徹底し、申出人の個人情報が漏えいすることがないよう万全を期す必要がある。

また、労働者が、その労務提供先における法令に違反する事実の是正のための処分又は行政指導を求める申出をした場合において、当該申出が公益通報者保護法

（平成16年法律第122号）の「公益通報」に該当するときは、当該申出人は同法による保護を受けることになる。

第2節　地方自治法

◉地方自治法（抄）

〔昭和22年４月17日
法　律　第　67　号〕

注　令和４年６月17日法律第68号改正現在

第１編　総則

〔目的〕

第１条　この法律は、地方自治の本旨に基いて、地方公共団体の区分並びに地方公共団体の組織及び運営に関する事項の大綱を定め、併せて国と地方公共団体との間の基本的関係を確立することにより、地方公共団体における民主的にして能率的な行政の確保を図るとともに、地方公共団体の健全な発達を保障することを目的とする。

〔地方公共団体及び国の役割〕

第１条の２　地方公共団体は、住民の福祉の増進を図ることを基本として、地域における行政を自主的かつ総合的に実施する役割を広く担うものとする。

②　国は、前項の規定の趣旨を達成するため、国においては国際社会における国家としての存立にかかわる事務、全国的に統一して定めることが望ましい国民の諸活動若しくは地方自治に関する基本的な準則に関する事務又は全国的な規模で若しくは全国的な視点に立つて行わなければならない施策及び事業の実施その他の国が本来果たすべき役割を重点的に担い、住民に身近な行政はできる限り地方公共団体にゆだねることを基本として、地方公共団体との間で適切に役割を分担するとともに、地方公共団体に関する制度の策定及び施策の実施に当たつて、地方公共団体の自主性及び自立性が十分に発揮されるようにしなければならない。

〔地方公共団体の種類〕

第１条の３　地方公共団体は、普通地方公共団体及び特別地方公共団体とする。

②　普通地方公共団体は、都道府県及び市町村とする。

③　特別地方公共団体は、特別区、地方公共団体の組合及び財産区とする。

〔地方公共団体の法人格、事務、地方自治行政の基本原則〕

第２条　地方公共団体は、法人とする。

② 普通地方公共団体は、地域における事務及びその他の事務で法律又はこれに基づく政令により処理することとされるものを処理する。

③ 市町村は、基礎的な地方公共団体として、第５項において都道府県が処理するものとされているものを除き、一般的に、前項の事務を処理するものとする。

④ 市町村は、前項の規定にかかわらず、次項に規定する事務のうち、その規模又は性質において一般の市町村が処理することが適当でないと認められるものについては、当該市町村の規模及び能力に応じて、これを処理することができる。

⑤ 都道府県は、市町村を包括する広域の地方公共団体として、第２項の事務で、広域にわたるもの、市町村に関する連絡調整に関するもの及びその規模又は性質において一般の市町村が処理することが適当でないと認められるものを処理するものとする。

⑥ 都道府県及び市町村は、その事務を処理するに当つては、相互に競合しないようにしなければならない。

⑦ 特別地方公共団体は、この法律の定めるところにより、その事務を処理する。

⑧ この法律において「自治事務」とは、地方公共団体が処理する事務のうち、法定受託事務以外のものをいう。

⑨ この法律において「法定受託事務」とは、次に掲げる事務をいう。

一 法律又はこれに基づく政令により都道府県、市町村又は特別区が処理することとされる事務のうち、国が本来果たすべき役割に係るものであつて、国においてその適正な処理を特に確保する必要があるものとして法律又はこれに基づく政令に特に定めるもの（以下「第１号法定受託事務」という。）

二 法律又はこれに基づく政令により市町村又は特別区が処理することとされる事務のうち、都道府県が本来果たすべき役割に係るものであつて、都道府県においてその適正な処理を特に確保する必要があるものとして法律又はこれに基づく政令に特に定めるもの（以下「第２号法定受託事務」という。）

⑩ この法律又はこれに基づく政令に規定するもののほか、法律に定める法定受託事務は第１号法定受託事務にあつては別表第１の上欄に掲げる法律についてそれぞれ同表の下欄に、第２号法定受託事務にあつては別表第２の上欄に掲げる法律についてそれぞれ同表の下欄に掲げるとおりであり、政令に定める法定受託事務はこの法律に基づく政令に示すとおりである。

⑪ 地方公共団体に関する法令の規定は、地方自治の本旨に基づき、かつ、国と地方公共団体との適切な役割分担を踏まえたものでなければならない。

⑫ 地方公共団体に関する法令の規定は、地方自治の本旨に基づいて、かつ、国と地方公共団体との適切な役割分担を踏まえて、これを解釈し、及び運用するようにしなければならない。この場合において、特別地方公共団体に関する法令の規定は、この法律に定める特別地方公共団体の特性にも照応するように、これを解釈し、及び運用しなければ

ならない。

⑬　法律又はこれに基づく政令により地方公共団体が処理することとされる事務が自治事務である場合においては、国は、地方公共団体が地域の特性に応じて当該事務を処理することができるよう特に配慮しなければならない。

⑭　地方公共団体は、その事務を処理するに当つては、住民の福祉の増進に努めるとともに、最少の経費で最大の効果を挙げるようにしなければならない。

⑮　地方公共団体は、常にその組織及び運営の合理化に努めるとともに、他の地方公共団体に協力を求めてその規模の適正化を図らなければならない。

⑯　地方公共団体は、法令に違反してその事務を処理してはならない。なお、市町村及び特別区は、当該都道府県の条例に違反してその事務を処理してはならない。

⑰　前項の規定に違反して行つた地方公共団体の行為は、これを無効とする。

第２編　普通地方公共団体

第11章　国と普通地方公共団体との関係及び普通地方公共団体相互間の関係

第１節　普通地方公共団体に対する国又は都道府県の関与等

第１款　普通地方公共団体に対する国又は都道府県の関与等

（関与の意義）

第245条　本章において「普通地方公共団体に対する国又は都道府県の関与」とは、普通地方公共団体の事務の処理に関し、国の行政機関（内閣府設置法（平成11年法律第89号）第４条第３項に規定する事務をつかさどる機関たる内閣府、宮内庁、同法第49条第１項若しくは第２項に規定する機関、デジタル庁設置法（令和３年法律第36号）第４条第２項に規定する事務をつかさどる機関たるデジタル庁、国家行政組織法（昭和23年法律第120号）第３条第２項に規定する機関、法律の規定に基づき内閣の所轄の下に置かれる機関又はこれらに置かれる機関をいう。以下本章において同じ。）又は都道府県の機関が行う次に掲げる行為（普通地方公共団体がその固有の資格において当該行為の名あて人となるものに限り、国又は都道府県の普通地方公共団体に対する支出金の交付及び返還に係るものを除く。）をいう。

一　普通地方公共団体に対する次に掲げる行為

イ　助言又は勧告

ロ　資料の提出の要求

ハ　是正の要求（普通地方公共団体の事務の処理が法令の規定に違反しているとき又は著しく適正を欠き、かつ、明らかに公益を害しているときに当該普通地方公共団体に対して行われる当該違反の是正又は改善のため必要な措置を講ずべきことの求めであつて、当該求めを受けた普通地方公共団体がその違反の是正又は改善のため必要な措置を講じなければならないものをいう。）

ニ　同意

ホ　許可、認可又は承認

ヘ　指示

ト　代執行（普通地方公共団体の事務の処理が法令の規定に違反しているとき又は当該普通地方公共団体がその事務の処理を怠つているときに、その是正のための措置を当該普通地方公共団体に代わつて行うことをいう。）

二　普通地方公共団体との協議

三　前２号に掲げる行為のほか、一定の行政目的を実現するため普通地方公共団体に対して具体的かつ個別的に関わる行為（相反する利害を有する者の間の利害の調整を目的としてされる裁定その他の行為（その双方を名あて人とするものに限る。）及び審査請求その他の不服申立てに対する裁決、決定その他の行為を除く。）

（関与の法定主義）

第245条の２　普通地方公共団体は、その事務の処理に関し、法律又はこれに基づく政令によらなければ、普通地方公共団体に対する国又は都道府県の関与を受け、又は要することとされることはない。

（関与の基本原則）

第245条の３　国は、普通地方公共団体が、その事務の処理に関し、普通地方公共団体に対する国又は都道府県の関与を受け、又は要することとする場合には、その目的を達成するために必要な最小限度のものとするとともに、普通地方公共団体の自主性及び自立性に配慮しなければならない。

２　国は、できる限り、普通地方公共団体が、自治事務の処理に関しては普通地方公共団体に対する国又は都道府県の関与のうち第245条第１号ト及び第３号に規定する行為を、法定受託事務の処理に関しては普通地方公共団体に対する国又は都道府県の関与のうち同号に規定する行為を受け、又は要することとすることのないようにしなければならない。

３　国は、国又は都道府県の計画と普通地方公共団体の計画との調和を保つ必要がある場合等国又は都道府県の施策と普通地方公共団体の施策との間の調整が必要な場合を除き、普通地方公共団体の事務の処理に関し、普通地方公共団体が、普通地方公共団体に対する国又は都道府県の関与のうち第245条第２号に規定する行為を要することとすることのないようにしなければならない。

４　国は、法令に基づき国がその内容について財政上又は税制上の特例措置を講ずるものとされている計画を普通地方公共団体が作成する場合等国又は都道府県の施策と普通地方公共団体の施策との整合性を確保しなければこれらの施策の実施に著しく支障が生ずると認められる場合を除き、自治事務の処理に関し、普通地方公共団体が、普通地方公共団体に対する国又は都道府県の関与のうち第245条第１号ニに規定する行為を要することとすることのないようにしなければならない。

5　国は、普通地方公共団体が特別の法律により法人を設立する場合等自治事務の処理について国の行政機関又は都道府県の機関の許可、認可又は承認を要することとすること以外の方法によつてその処理の適正を確保することが困難であると認められる場合を除き、自治事務の処理に関し、普通地方公共団体が、普通地方公共団体に対する国又は都道府県の関与のうち第245条第１号ホに規定する行為を要することとすることのないようにしなければならない。

6　国は、国民の生命、身体又は財産の保護のため緊急に自治事務の的確な処理を確保する必要がある場合等特に必要と認められる場合を除き、自治事務の処理に関し、普通地方公共団体が、普通地方公共団体に対する国又は都道府県の関与のうち第245条第１号へに規定する行為に従わなければならないこととすることのないようにしなければならない。

（技術的な助言及び勧告並びに資料の提出の要求）

第245条の４　各大臣（内閣府設置法第４条第３項若しくはデジタル庁設置法第４条第２項に規定する事務を分担管理する大臣たる内閣総理大臣又は国家行政組織法第５条第１項に規定する各省大臣をいう。以下本章、次章及び第14章において同じ。）又は都道府県知事その他の都道府県の執行機関は、その担任する事務に関し、普通地方公共団体に対し、普通地方公共団体の事務の運営その他の事項について適切と認める技術的な助言若しくは勧告をし、又は当該助言若しくは勧告をするため若しくは普通地方公共団体の事務の適正な処理に関する情報を提供するため必要な資料の提出を求めることができる。

2　各大臣は、その担任する事務に関し、都道府県知事その他の都道府県の執行機関に対し、前項の規定による市町村に対する助言若しくは勧告又は資料の提出の求めに関し、必要な指示をすることができる。

3　普通地方公共団体の長その他の執行機関は、各大臣又は都道府県知事その他の都道府県の執行機関に対し、その担任する事務の管理及び執行について技術的な助言若しくは勧告又は必要な情報の提供を求めることができる。

（是正の要求）

第245条の５　各大臣は、その担任する事務に関し、都道府県の自治事務の処理が法令の規定に違反していると認めるとき、又は著しく適正を欠き、かつ、明らかに公益を害していると認めるときは、当該都道府県に対し、当該自治事務の処理について違反の是正又は改善のため必要な措置を講ずべきことを求めることができる。

2　各大臣は、その担任する事務に関し、市町村の次の各号に掲げる事務の処理が法令の規定に違反していると認めるとき、又は著しく適正を欠き、かつ、明らかに公益を害していると認めるときは、当該各号に定める都道府県の執行機関に対し、当該事務の処理について違反の是正又は改善のため必要な措置を講ずべきことを当該市町村に求めるよう指示をすることができる。

一　市町村長その他の市町村の執行機関（教育委員会及び選挙管理委員会を除く。)の担任する事務（第1号法定受託事務を除く。次号及び第3号において同じ。）　都道府県知事

二　市町村教育委員会の担任する事務　都道府県教育委員会

三　市町村選挙管理委員会の担任する事務　都道府県選挙管理委員会

3　前項の指示を受けた都道府県の執行機関は、当該市町村に対し、当該事務の処理について違反の是正又は改善のため必要な措置を講ずべきことを求めなければならない。

4　各大臣は、第2項の規定によるほか、その担任する事務に関し、市町村の事務（第1号法定受託事務を除く。)の処理が法令の規定に違反していると認める場合、又は著しく適正を欠き、かつ、明らかに公益を害していると認める場合において、緊急を要するときその他特に必要があると認めるときは、自ら当該市町村に対し、当該事務の処理について違反の是正又は改善のため必要な措置を講ずべきことを求めることができる。

5　普通地方公共団体は、第1項、第3項又は前項の規定による求めを受けたときは、当該事務の処理について違反の是正又は改善のための必要な措置を講じなければならない。

(是正の勧告)

第245条の6　次の各号に掲げる都道府県の執行機関は、市町村の当該各号に定める自治事務の処理が法令の規定に違反していると認めるとき、又は著しく適正を欠き、かつ、明らかに公益を害していると認めるときは、当該市町村に対し、当該自治事務の処理について違反の是正又は改善のため必要な措置を講ずべきことを勧告することができる。

一　都道府県知事　市町村長その他の市町村の執行機関（教育委員会及び選挙管理委員会を除く。)の担任する自治事務

二　都道府県教育委員会　市町村教育委員会の担任する自治事務

三　都道府県選挙管理委員会　市町村選挙管理委員会の担任する自治事務

(是正の指示)

第245条の7　各大臣は、その所管する法律又はこれに基づく政令に係る都道府県の法定受託事務の処理が法令の規定に違反していると認めるとき、又は著しく適正を欠き、かつ、明らかに公益を害していると認めるときは、当該都道府県に対し、当該法定受託事務の処理について違反の是正又は改善のため講ずべき措置に関し、必要な指示をすることができる。

2　次の各号に掲げる都道府県の執行機関は、市町村の当該各号に定める法定受託事務の処理が法令の規定に違反していると認めるとき、又は著しく適正を欠き、かつ、明らかに公益を害していると認めるときは、当該市町村に対し、当該法定受託事務の処理について違反の是正又は改善のため講ずべき措置に関し、必要な指示をすることができる。

一　都道府県知事　市町村長その他の市町村の執行機関（教育委員会及び選挙管理委員

会を除く。）の担任する法定受託事務
二　都道府県教育委員会　市町村教育委員会の担任する法定受託事務
三　都道府県選挙管理委員会　市町村選挙管理委員会の担任する法定受託事務

3　各大臣は、その所管する法律又はこれに基づく政令に係る市町村の第1号法定受託事務の処理について、前項各号に掲げる都道府県の執行機関に対し、同項の規定による市町村に対する指示に関し、必要な指示をすることができる。

4　各大臣は、前項の規定によるほか、その所管する法律又はこれに基づく政令に係る市町村の第1号法定受託事務の処理が法令の規定に違反していると認める場合、又は著しく適正を欠き、かつ、明らかに公益を害していると認める場合において、緊急を要するときその他特に必要があると認めるときは、自ら当該市町村に対し、当該第1号法定受託事務の処理について違反の是正又は改善のため講ずべき措置に関し、必要な指示をすることができる。

（代執行等）

第245条の8　各大臣は、その所管する法律若しくはこれに基づく政令に係る都道府県知事の法定受託事務の管理若しくは執行が法令の規定若しくは当該各大臣の処分に違反するものがある場合又は当該法定受託事務の管理若しくは執行を怠るものがある場合において、本項から第8項までに規定する措置以外の方法によつてその是正を図ることが困難であり、かつ、それを放置することにより著しく公益を害することが明らかであるときは、文書により、当該都道府県知事に対して、その旨を指摘し、期限を定めて、当該違反を是正し、又は当該怠る法定受託事務の管理若しくは執行を改めるべきことを勧告することができる。

2　各大臣は、都道府県知事が前項の期限までに同項の規定による勧告に係る事項を行わないときは、文書により、当該都道府県知事に対し、期限を定めて当該事項を行うべきことを指示することができる。

3　各大臣は、都道府県知事が前項の期限までに当該事項を行わないときは、高等裁判所に対し、訴えをもつて、当該事項を行うべきことを命ずる旨の裁判を請求することができる。

4　各大臣は、高等裁判所に対し前項の規定により訴えを提起したときは、直ちに、文書により、その旨を当該都道府県知事に通告するとともに、当該高等裁判所に対し、その通告をした日時、場所及び方法を通知しなければならない。

5　当該高等裁判所は、第3項の規定により訴えが提起されたときは、速やかに口頭弁論の期日を定め、当事者を呼び出さなければならない。その期日は、同項の訴えの提起があつた日から15日以内の日とする。

6　当該高等裁判所は、各大臣の請求に理由があると認めるときは、当該都道府県知事に対し、期限を定めて当該事項を行うべきことを命ずる旨の裁判をしなければならない。

7　第３項の訴えは、当該都道府県の区域を管轄する高等裁判所の専属管轄とする。

8　各大臣は、都道府県知事が第６項の裁判に従い同項の期限までに、なお、当該事項を行わないときは、当該都道府県知事に代わつて当該事項を行うことができる。この場合においては、各大臣は、あらかじめ当該都道府県知事に対し、当該事項を行う日時、場所及び方法を通知しなければならない。

9　第３項の訴えに係る高等裁判所の判決に対する上告の期間は、１週間とする。

10　前項の上告は、執行停止の効力を有しない。

11　各大臣の請求に理由がない旨の判決が確定した場合において、既に第８項の規定に基づき第２項の規定による指示に係る事項が行われているときは、都道府県知事は、当該判決の確定後３月以内にその処分を取り消し、又は原状の回復その他必要な措置を執ることができる。

12　前各項の規定は、市町村長の法定受託事務の管理若しくは執行が法令の規定若しくは各大臣若しくは都道府県知事の処分に違反するものがある場合又は当該法定受託事務の管理若しくは執行を怠るものがある場合において、本項に規定する措置以外の方法によつてその是正を図ることが困難であり、かつ、それを放置することにより著しく公益を害することが明らかであるときについて準用する。この場合においては、前各項の規定中「各大臣」とあるのは「都道府県知事」と、「都道府県知事」とあるのは「市町村長」と、「当該都道府県の区域」とあるのは「当該市町村の区域」と読み替えるものとする。

13　各大臣は、その所管する法律又はこれに基づく政令に係る市町村長の第１号法定受託事務の管理又は執行について、都道府県知事に対し、前項において準用する第１項から第８項までの規定による措置に関し、必要な指示をすることができる。

14　第３項（第12項において準用する場合を含む。次項において同じ。）の訴えについては、行政事件訴訟法第43条第３項の規定にかかわらず、同法第41条第２項の規定は、準用しない。

15　前各項に定めるもののほか、第３項の訴えについては、主張及び証拠の申出の時期の制限その他審理の促進に関し必要な事項は、最高裁判所規則で定める。

（処理基準）

第245条の９　各大臣は、その所管する法律又はこれに基づく政令に係る都道府県の法定受託事務の処理について、都道府県が当該法定受託事務を処理するに当たりよるべき基準を定めることができる。

2　次の各号に掲げる都道府県の執行機関は、市町村の当該各号に定める法定受託事務の処理について、市町村が当該法定受託事務を処理するに当たりよるべき基準を定めることができる。この場合において、都道府県の執行機関の定める基準は、次項の規定により各大臣の定める基準に抵触するものであつてはならない。

一　都道府県知事　市町村長その他の市町村の執行機関（教育委員会及び選挙管理委員会を除く。）の担任する法定受託事務
二　都道府県教育委員会　市町村教育委員会の担任する法定受託事務
三　都道府県選挙管理委員会　市町村選挙管理委員会の担任する法定受託事務
3　各大臣は、特に必要があると認めるときは、その所管する法律又はこれに基づく政令に係る市町村の第１号法定受託事務の処理について、市町村が当該第１号法定受託事務を処理するに当たりよるべき基準を定めることができる。
4　各大臣は、その所管する法律又はこれに基づく政令に係る市町村の第１号法定受託事務の処理について、第２項各号に掲げる都道府県の執行機関に対し、同項の規定により定める基準に関し、必要な指示をすることができる。
5　第１項から第３項までの規定により定める基準は、その目的を達成するために必要な最小限度のものでなければならない。

第２款　普通地方公共団体に対する国又は都道府県の関与等の手続

（普通地方公共団体に対する国又は都道府県の関与の手続の適用）
第246条　次条から第250条の５までの規定は、普通地方公共団体に対する国又は都道府県の関与について適用する。ただし、他の法律に特別の定めがある場合は、この限りでない。

（助言等の方式等）
第247条　国の行政機関又は都道府県の機関は、普通地方公共団体に対し、助言、勧告その他これらに類する行為（以下本条及び第252条の17の３第２項において「助言等」という。）を書面によらないで行つた場合において、当該普通地方公共団体から当該助言等の趣旨及び内容を記載した書面の交付を求められたときは、これを交付しなければならない。
2　前項の規定は、次に掲げる助言等については、適用しない。
一　普通地方公共団体に対しその場において完了する行為を求めるもの
二　既に書面により当該普通地方公共団体に通知されている事項と同一の内容であるもの
3　国又は都道府県の職員は、普通地方公共団体が国の行政機関又は都道府県の機関が行つた助言等に従わなかつたことを理由として、不利益な取扱いをしてはならない。

（資料の提出の要求等の方式）
第248条　国の行政機関又は都道府県の機関は、普通地方公共団体に対し、資料の提出の要求その他これに類する行為（以下本条及び第252条の17の３第２項において「資料の提出の要求等」という。）を書面によらないで行つた場合において、当該普通地方公共団体から当該資料の提出の要求等の趣旨及び内容を記載した書面の交付を求められたときは、これを交付しなければならない。

（是正の要求等の方式）

第249条　国の行政機関又は都道府県の機関は、普通地方公共団体に対し、是正の要求、指示その他これらに類する行為（以下本条及び第252条の17の３第２項において「是正の要求等」という。）をするときは、同時に、当該是正の要求等の内容及び理由を記載した書面を交付しなければならない。ただし、当該書面を交付しないで是正の要求等をすべき差し迫つた必要がある場合は、この限りでない。

２　前項ただし書の場合においては、国の行政機関又は都道府県の機関は、是正の要求等をした後相当の期間内に、同項の書面を交付しなければならない。

（協議の方式）

第250条　普通地方公共団体から国の行政機関又は都道府県の機関に対して協議の申出があつたときは、国の行政機関又は都道府県の機関及び普通地方公共団体は、誠実に協議を行うとともに、相当の期間内に当該協議が調うよう努めなければならない。

２　国の行政機関又は都道府県の機関は、普通地方公共団体の申出に基づく協議について意見を述べた場合において、当該普通地方公共団体から当該協議に関する意見の趣旨及び内容を記載した書面の交付を求められたときは、これを交付しなければならない。

（許認可等の基準）

第250条の２　国の行政機関又は都道府県の機関は、普通地方公共団体からの法令に基づく申請又は協議の申出（以下この款、第250条の13第２項、第251条の３第２項、第251条の５第１項、第251条の６第１項及び第252条の17の３第３項において「申請等」という。）があつた場合において、許可、認可、承認、同意その他これらに類する行為（以下この款及び第252条の17の３第３項において「許認可等」という。）をするかどうかを法令の定めに従つて判断するために必要とされる基準を定め、かつ、行政上特別の支障があるときを除き、これを公表しなければならない。

２　国の行政機関又は都道府県の機関は、普通地方公共団体に対し、許認可等の取消しその他これに類する行為（以下本条及び第250条の４において「許認可等の取消し等」という。）をするかどうかを法令の定めに従つて判断するために必要とされる基準を定め、かつ、これを公表するよう努めなければならない。

３　国の行政機関又は都道府県の機関は、第１項又は前項に規定する基準を定めるに当たつては、当該許認可等又は許認可等の取消し等の性質に照らしてできる限り具体的なものとしなければならない。

（許認可等の標準処理期間）

第250条の３　国の行政機関又は都道府県の機関は、申請等が当該国の行政機関又は都道府県の機関の事務所に到達してから当該申請等に係る許認可等をするまでに通常要すべき標準的な期間（法令により当該国の行政機関又は都道府県の機関と異なる機関が当該申請等の提出先とされている場合は、併せて、当該申請等が当該提出先とされている機関の事務所に到達してから当該国の行政機関又は都道府県の機関の事務所に到達するまでに通常要すべき標準的な期間）を定め、かつ、これを公表するよう努めなければならない。

2　国の行政機関又は都道府県の機関は、申請等が法令により当該申請等の提出先とされている機関の事務所に到達したときは、遅滞なく当該申請等に係る許認可等をするための事務を開始しなければならない。

（許認可等の取消し等の方式）

第250条の４　国の行政機関又は都道府県の機関は、普通地方公共団体に対し、申請等に係る許認可等を拒否する処分をするとき又は許認可等の取消し等をするときは、当該許認可等を拒否する処分又は許認可等の取消し等の内容及び理由を記載した書面を交付しなければならない。

（届出）

第250条の５　普通地方公共団体から国の行政機関又は都道府県の機関への届出が届出書の記載事項に不備がないこと、届出書に必要な書類が添付されていることその他の法令に定められた届出の形式上の要件に適合している場合は、当該届出が法令により当該届出の提出先とされている機関の事務所に到達したときに、当該届出をすべき手続上の義務が履行されたものとする。

（国の行政機関が自治事務と同一の事務を自らの権限に属する事務として処理する場合の方式）

第250条の６　国の行政機関は、自治事務として普通地方公共団体が処理している事務と同一の内容の事務を法令の定めるところにより自らの権限に属する事務として処理するときは、あらかじめ当該普通地方公共団体に対し、当該事務の処理の内容及び理由を記載した書面により通知しなければならない。ただし、当該通知をしないで当該事務を処理すべき差し迫った必要がある場合は、この限りでない。

2　前項ただし書の場合においては、国の行政機関は、自ら当該事務を処理した後相当の期間内に、同項の通知をしなければならない。

第４節　条例による事務処理の特例

（条例による事務処理の特例）

第252条の17の２　都道府県は、都道府県知事の権限に属する事務の一部を、条例の定めるところにより、市町村が処理することとすることができる。この場合においては、当該市町村が処理することとされた事務は、当該市町村の長が管理し及び執行するものとする。

2　前項の条例（同項の規定により都道府県の規則に基づく事務を市町村が処理することとする場合で、同項の条例の定めるところにより、規則に委任して当該事務の範囲を定めるときは、当該規則を含む。以下本節において同じ。）を制定し又は改廃する場合においては、都道府県知事は、あらかじめ、その権限に属する事務の一部を処理し又は処理することとなる市町村の長に協議しなければならない。

3　市町村の長は、その議会の議決を経て、都道府県知事に対し、第１項の規定によりその権限に属する事務の一部を当該市町村が処理することとするよう要請することができる。

4　前項の規定による要請があつたときは、都道府県知事は、速やかに、当該市町村の長と協議しなければならない。

（条例による事務処理の特例の効果）

第252条の17の３　前条第１項の条例の定めるところにより、都道府県知事の権限に属する事務の一部を市町村が処理する場合においては、当該条例の定めるところにより市町村が処理することとされた事務について規定する法令、条例又は規則中都道府県に関する規定は、当該事務の範囲内において、当該市町村に関する規定として当該市町村に適用があるものとする。

2　前項の規定により市町村に適用があるものとされる法令の規定により国の行政機関が市町村に対して行うものとなる助言等、資料の提出の要求等又は是正の要求等は、都道府県知事を通じて行うことができるものとする。

3　第１項の規定により市町村に適用があるものとされる法令の規定により市町村が国の行政機関と行うものとなる協議は、都道府県知事を通じて行うものとし、当該法令の規定により国の行政機関が市町村に対して行うものとなる許認可等に係る申請等は、都道府県知事を経由して行うものとする。

（是正の要求等の特則）

第252条の17の４　都道府県知事は、第252条の17の２第１項の条例の定めるところにより市町村が処理することとされた事務のうち自治事務の処理が法令の規定に違反していると認めるとき、又は著しく適正を欠き、かつ、明らかに公益を害していると認めるときは、当該市町村に対し、第245条の５第２項に規定する各大臣の指示がない場合であつても、同条第３項の規定により、当該自治事務の処理について違反の是正又は改善のため必要な措置を講ずべきことを求めることができる。

2　第252条の17の２第１項の条例の定めるところにより市町村が処理することとされた事務のうち法定受託事務に対する第245条の８第12項において準用する同条第１項から第11項までの規定の適用については、同条第12項において読み替えて準用する同条第２項から第４項まで、第６項、第８項及び第11項中「都道府県知事」とあるのは、「各大臣」とする。この場合においては、同条第13項の規定は適用しない。

3　第252条の17の２第１項の条例の定めるところにより市町村が処理することとされた事務のうち自治事務の処理について第245条の５第３項の規定による是正の要求（第１項の規定による是正の要求を含む。）を行つた都道府県知事は、第252条第１項各号のいずれかに該当するときは、同項に規定する各大臣の指示がない場合であつても、同条第２項の規定により、訴えをもつて当該是正の要求を受けた市町村の不作為の違法の確認を求めることができる。

4　第252条の17の２第１項の条例の定めるところにより市町村が処理することとされた事務のうち法定受託事務に係る市町村長の処分についての第255条の２第１項の審査請求の裁決に不服がある者は、当該処分に係る事務を規定する法律又はこれに基づく政令を所管する各大臣に対して再審査請求をすることができる。

5　市町村長が第252条の17の２第１項の条例の定めるところにより市町村が処理することとされた事務のうち法定受託事務に係る処分をする権限をその補助機関である職員又はその管理に属する行政機関の長に委任した場合において、委任を受けた職員又は行政機関の長がその委任に基づいてした処分につき、第255条の２第２項の再審査請求の裁決があつたときは、当該裁決に不服がある者は、再々審査請求をすることができる。この場合において、再々審査請求は、当該処分に係る再審査請求若しくは審査請求の裁決又は当該処分を対象として、当該処分に係る事務を規定する法律又はこれに基づく政令を所管する各大臣に対してするものとする。

6　前項の再々審査請求については、行政不服審査法第４章の規定を準用する。

7　前項において準用する行政不服審査法の規定に基づく処分及びその不作為については、行政不服審査法第２条及び第３条の規定は、適用しない。

第3節　景観法

◉景観法(抄)

〔平成16年6月18日
法律第110号〕

注　令和4年6月17日法律第68号改正現在

第1章　総則

(目的)

第1条　この法律は、我が国の都市、農山漁村等における良好な景観の形成を促進するため、景観計画の策定その他の施策を総合的に講ずることにより、美しく風格のある国土の形成、潤いのある豊かな生活環境の創造及び個性的で活力ある地域社会の実現を図り、もって国民生活の向上並びに国民経済及び地域社会の健全な発展に寄与することを目的とする。

(基本理念)

第2条　良好な景観は、美しく風格のある国土の形成と潤いのある豊かな生活環境の創造に不可欠なものであることにかんがみ、国民共通の資産として、現在及び将来の国民がその恵沢を享受できるよう、その整備及び保全が図られなければならない。

2　良好な景観は、地域の自然、歴史、文化等と人々の生活、経済活動等との調和により形成されるものであることにかんがみ、適正な制限の下にこれらが調和した土地利用がなされること等を通じて、その整備及び保全が図られなければならない。

3　良好な景観は、地域の固有の特性と密接に関連するものであることにかんがみ、地域住民の意向を踏まえ、それぞれの地域の個性及び特色の伸長に資するよう、その多様な形成が図られなければならない。

4　良好な景観は、観光その他の地域間の交流の促進に大きな役割を担うものであることにかんがみ、地域の活性化に資するよう、地方公共団体、事業者及び住民により、その形成に向けて一体的な取組がなされなければならない。

5　良好な景観の形成は、現にある良好な景観を保全することのみならず、新たに良好な景観を創出することを含むものであることを旨として、行われなければならない。

(国の責務)

第3条　国は、前条に定める基本理念(以下「基本理念」という。)にのっとり、良好な景観の形成に関する施策を総合的に策定し、及び実施する責務を有する。

2　国は、良好な景観の形成に関する啓発及び知識の普及等を通じて、基本理念に対する国民の理解を深めるよう努めなければならない。

（地方公共団体の責務）

第４条　地方公共団体は、基本理念にのっとり、良好な景観の形成の促進に関し、国との適切な役割分担を踏まえて、その区域の自然的社会的諸条件に応じた施策を策定し、及び実施する責務を有する。

（事業者の責務）

第５条　事業者は、基本理念にのっとり、土地の利用等の事業活動に関し、良好な景観の形成に自ら努めるとともに、国又は地方公共団体が実施する良好な景観の形成に関する施策に協力しなければならない。

（住民の責務）

第６条　住民は、基本理念にのっとり、良好な景観の形成に関する理解を深め、良好な景観の形成に積極的な役割を果たすよう努めるとともに、国又は地方公共団体が実施する良好な景観の形成に関する施策に協力しなければならない。

（定義）

第７条　この法律において「景観行政団体」とは、地方自治法（昭和22年法律第67号）第252条の19第１項の指定都市（以下この項及び第98条第１項において「指定都市」という。）の区域にあっては指定都市、同法第252条の22第１項の中核市（以下この項及び第98条第１項において「中核市」という。）の区域にあっては中核市、その他の区域にあっては都道府県をいう。ただし、指定都市及び中核市以外の市町村であって、第98条第１項の規定により第２章第１節から第４節まで、第４章及び第５章の規定に基づく事務（同条において「景観行政事務」という。）を処理する市町村の区域にあっては、当該市町村をいう。

5　この法律において「国立公園」とは自然公園法（昭和32年法律第161号）第２条第２号に規定する国立公園を、「国定公園」とは同条第３号に規定する国定公園をいう。

第２章　景観計画及びこれに基づく措置

第１節　景観計画の策定等

（景観計画）

第８条

2　景観計画においては、次に掲げる事項を定めるものとする。

四　次に掲げる事項のうち、良好な景観の形成のために必要なもの

ロ　当該景観計画区域内の道路法（昭和27年法律第180号）による道路、河川法（昭和39年法律第167号）による河川、都市公園法（昭和31年法律第79号）による都市公園、津波防災地域づくりに関する法律（平成23年法律第123号）による津波防護

施設、海岸保全区域等（海岸法（昭和31年法律第101号）第２条第３項に規定する海岸保全区域等をいう。以下同じ。）に係る海岸、港湾法（昭和25年法律第218号）による港湾、漁港漁場整備法（昭和25年法律第137号）による漁港、自然公園法による公園事業（国又は同法第10条第２項に規定する公共団体が執行するものに限る。）に係る施設その他政令で定める公共施設（以下「特定公共施設」と総称する。）であって、良好な景観の形成に重要なもの（以下「景観重要公共施設」という。）の整備に関する事項

ホ　自然公園法第20条第３項、第21条第３項又は第22条第３項の許可（政令で定める行為に係るものに限る。）の基準であって、良好な景観の形成に必要なもの（当該景観計画区域に国立公園又は国定公園の区域が含まれる場合に限る。）

9　景観計画に定める第２項第４号ロ及びハに掲げる事項は、景観重要公共施設の種類に応じて、政令で定める公共施設の整備又は管理に関する方針又は計画に適合するものでなければならない。

11　景観計画に定める第２項第４号ホに掲げる事項は、自然公園法第２条第５号に規定する公園計画に適合するものでなければならない。

（策定の手続）

第９条　景観行政団体は、景観計画を定めようとするときは、あらかじめ、公聴会の開催等住民の意見を反映させるために必要な措置を講ずるものとする。

4　景観行政団体は、景観計画に前条第２項第４号ロ又はハに掲げる事項を定めようとするときは、あらかじめ、当該事項について、国土交通省令・農林水産省令・環境省令で定めるところにより、当該景観重要公共施設の管理者（景観行政団体であるものを除く。）に協議し、その同意を得なければならない。

5　景観行政団体は、景観計画に前条第２項第４号ホに掲げる事項を定めようとするときは、あらかじめ、当該事項について、国立公園等管理者（国立公園にあっては環境大臣、国定公園にあっては都道府県知事をいう。以下同じ。）に協議し、その同意を得なければならない。

8　前各項の規定は、景観計画の変更について準用する。

（特定公共施設の管理者による要請）

第10条　特定公共施設の管理者は、景観計画を策定し、又は策定しようとする景観行政団体に対し、当該景観計画に係る景観計画区域（景観計画を策定しようとする景観行政団体に対しては、当該景観行政団体が策定しようとする景観計画に係る景観計画区域となるべき区域）内の当該管理者の管理に係る特定公共施設について、これを景観重要公共施設として当該景観計画に第８条第２項第４号ロ又はハに掲げる事項を定めるべきことを要請することができる。この場合においては、当該要請に係る景観計画の部分の素案を添えなければならない。

2　景観計画に定められた景観重要公共施設の管理者は、景観行政団体に対し、当該景観計画について、第８条第２項第４号ロ又はハに掲げる事項の追加又は変更を要請することができる。前項後段の規定は、この場合について準用する。

3　景観行政団体は、前２項の要請があった場合には、これを尊重しなければならない。

第２節　行為の規制等

（届出及び勧告等）

第16条　景観計画区域内において、次に掲げる行為をしようとする者は、あらかじめ、国土交通省令（第４号に掲げる行為にあっては、景観行政団体の条例。以下この条において同じ。）で定めるところにより、行為の種類、場所、設計又は施行方法、着手予定日その他国土交通省令で定める事項を景観行政団体の長に届け出なければならない。

一　建築物の新築、増築、改築若しくは移転、外観を変更することとなる修繕若しくは模様替又は色彩の変更（以下「建築等」という。）

二　工作物の新設、増築、改築若しくは移転、外観を変更することとなる修繕若しくは模様替又は色彩の変更（以下「建設等」という。）

三　都市計画法第４条第12項に規定する開発行為その他政令で定める行為

四　前３号に掲げるもののほか、良好な景観の形成に支障を及ぼすおそれのある行為として景観計画に従い景観行政団体の条例で定める行為

7　次に掲げる行為については、前各項の規定は、適用しない。

四　景観計画に第８条第２項第４号ロに掲げる事項が定められた景観重要公共施設の整備として行う行為

七　国立公園又は国定公園の区域内において、第８条第２項第４号ホに規定する許可（景観計画にその基準が定められているものに限る。）を受けて行う行為

第６節　自然公園法の特例

第60条　第８条第２項第４号ホに掲げる事項が定められた景観計画に係る景観計画区域内における自然公園法第20条第４項、第21条第４項及び第22条第４項の規定の適用については、これらの規定中「環境省令で定める基準」とあるのは、「環境省令で定める基準及び景観法第８条第１項に規定する景観計画に定められた同条第２項第４号ホの許可の基準」とする。

◉景観法施行令(抄)

〔平成16年12月15日
政 令 第 398 号〕

注　平成27年11月26日政令第392号改正現在

（自然公園法の規定による許可の基準で景観計画に定めるもの）

第３条　法第８条第２項第４号ホの政令で定める行為は、自然公園法（昭和32年法律第161号）第20条第３項第１号、第７号及び第15号（同法第22条第３項の許可については、同法第20条第３項第１号及び第７号）に掲げる行為とする。

（景観計画が適合すべき公共施設の整備又は管理に関する方針又は計画）

第６条　法第８条第９項の政令で定める公共施設の整備又は管理に関する方針又は計画は、次に掲げるものとする。

十一　自然公園法第７条第１項又は第２項の公園計画

◉景観行政団体及び景観計画に関する省令(抄)

〔平成16年12月15日
農林水産・国土交通・環境省令第１号〕

注　令和２年９月４日農林水産・国土交通・環境省令第１号改正現在

（景観重要公共施設の管理者との協議の申出）

第２条　景観法（以下「法」という。）第９条第４項（同条第８項において準用する場合を含む。）の協議の申出は、協議書及び当該協議に係る法第８条第２項第４号ロ又はハに掲げる事項の案を提出して行うものとする。

○景観法運用指針(抄)

〔平成16年12月17日16農振第1618号・国都計第111号・
環自国発第041217001号
農林水産・国土交通・環境事務次官連名通知〕

最終改正　令和４年３月28日３農振第2738号・国都景歴第167号・環自国発第2203252号

Ｖ　法の運用のあり方

1　景観計画

(3)　景観計画に定める事項

②　個別事項についての考え方

8)　自然公園法の許可基準

国立・国定公園の区域内に自然景観と一体となった集落が存在する場合等、景観計画区域と国立・国定公園の区域の一部は重複する可能性がある。このため、本事項では、自然公園法（昭和32年法律第161号）に基づく自然景観の保護の措置と併せ、景観法に基づく良好な景観の形成促進のための措置が相互に連携、調整を図りつつ一体的に行われるよう、国立・国定公園の特別地域、特別保護地区及び海域公園地区内で行われる自然公園法の許可が必要な一定の行為について、景観計画において、良好な景観の形成に必要な上乗せの許可基準を定められるようにしたものである。

当該一定の行為は、令第３条により、①工作物(8)においてのみ建築物を含む。)の新築又は増改築、②広告物類の掲出若しくは設置又は広告類の工作物等への表示、③屋根、壁面、塀、橋、鉄塔、送水管等の色彩の変更とされており、例えば、①について、工作物の高さをそろえる、工作物の壁面線をそろえる等、②について、広告物等の色彩、意匠及び規模を統一する等、③について、色彩を統一する等、自然公園法に基づく規制について上乗せの許可基準を景観計画に定めることが考えられる。

なお、当該上乗せの許可基準を定める際には、国立・国定公園の区域内であることのみを理由として、これらの公園外と比較して特に厳しく規定することがないよう留意する必要がある。

③　配慮すべき事項

1)　公共施設管理者の要請

法第10条第１項及び第２項の規定に基づき、特定公共施設の管理者から要請があった場合については、景観行政団体は要請を尊重し、速やかに必要な調整を行うべきである。

2)　国の機関又は地方公共団体が行う行為についての協議

法第16条第６項の規定に基づき、景観行政団体の長が、国の機関又は地方公共団体が行う行為について、協議を求めた場合にあっては、当該国の機関又は地方公共団体は、速やかに協議に応じ、必要な調整を行うべきである。

第4節　エコツーリズム推進法

◉エコツーリズム推進法

〔平成19年6月27日
法 律 第 105 号〕

改正　平成23年8月30日法律第105号

（目的）

第1条　この法律は、エコツーリズムが自然環境の保全、地域における創意工夫を生かした観光の振興及び環境の保全に関する意識の啓発等の環境教育の推進において重要な意義を有することにかんがみ、エコツーリズムについての基本理念、政府による基本方針の策定その他のエコツーリズムを推進するために必要な事項を定めることにより、エコツーリズムに関する施策を総合的かつ効果的に推進し、もって現在及び将来の国民の健康で文化的な生活の確保に寄与することを目的とする。

（定義）

第2条　この法律において「自然観光資源」とは、次に掲げるものをいう。

一　動植物の生息地又は生育地その他の自然環境に係る観光資源

二　自然環境と密接な関連を有する風俗慣習その他の伝統的な生活文化に係る観光資源

2　この法律において「エコツーリズム」とは、観光旅行者が、自然観光資源について知識を有する者から案内又は助言を受け、当該自然観光資源の保護に配慮しつつ当該自然観光資源と触れ合い、これに関する知識及び理解を深めるための活動をいう。

3　この法律において「特定事業者」とは、観光旅行者に対し、自然観光資源についての案内又は助言を業として行う者（そのあっせんを業として行う者を含む。）をいう。

4　この法律において「土地の所有者等」とは、土地若しくは木竹の所有者又は土地若しくは木竹の使用及び収益を目的とする権利、漁業権若しくは入漁権（臨時設備の設置その他一時使用のため設定されたことが明らかなものを除く。）を有する者をいう。

（基本理念）

第3条　エコツーリズムは、自然観光資源が持続的に保護されることがその発展の基盤であることにかんがみ、自然観光資源が損なわれないよう、生物の多様性の確保に配慮しつつ、適切な利用の方法を定め、その方法に従って実施されるとともに、実施の状況を監視し、その監視の結果に科学的な評価を加え、これを反映させつつ実施されなければならない。

2　エコツーリズムは、特定事業者が自主的かつ積極的に取り組むとともに、観光の振興に寄与することを旨として、適切に実施されなければならない。

3　エコツーリズムは、特定事業者、地域住民、特定非営利活動法人等、自然観光資源又は観光に関し専門的知識を有する者等の地域の多様な主体が連携し、地域社会及び地域経済の健全な発展に寄与することを旨として、適切に実施されなければならない。

4　エコツーリズムの実施に当たっては、環境の保全についての国民の理解を深めることの重要性にかんがみ、環境教育の場として活用が図られるよう配慮されなければならない。

（基本方針）

第4条　政府は、基本理念にのっとり、エコツーリズムの推進に関する基本的な方針（以下「基本方針」という。）を定めなければならない。

2　基本方針には、次の事項を定めるものとする。

一　エコツーリズムの推進に関する基本的方向

二　次条第1項に規定するエコツーリズム推進協議会に関する基本的事項

三　次条第2項第1号のエコツーリズム推進全体構想の作成に関する基本的事項

四　第6条第2項のエコツーリズム推進全体構想の認定に関する基本的事項

五　生物の多様性の確保等のエコツーリズムの実施に当たって配慮すべき事項その他エコツーリズムの推進に関する重要事項

3　環境大臣及び国土交通大臣は、あらかじめ文部科学大臣及び農林水産大臣と協議して基本方針の案を作成し、閣議の決定を求めなければならない。

4　環境大臣及び国土交通大臣は、基本方針の案を作成しようとするときは、あらかじめ、広く一般の意見を聴かなければならない。

5　環境大臣及び国土交通大臣は、第3項の規定による閣議の決定があったときは、遅滞なく、基本方針を公表しなければならない。

6　基本方針は、エコツーリズムの実施状況を踏まえ、おおむね5年ごとに見直しを行うものとする。

7　第3項から第5項までの規定は、基本方針の変更について準用する。

（エコツーリズム推進協議会）

第5条　市町村（特別区を含む。以下同じ。）は、当該市町村の区域のうちエコツーリズムを推進しようとする地域ごとに、次項に規定する事務を行うため、当該市町村のほか、特定事業者、地域住民、特定非営利活動法人等、自然観光資源又は観光に関し専門的知識を有する者、土地の所有者等その他のエコツーリズムに関連する活動に参加する者（以下「特定事業者等」という。）並びに関係行政機関及び関係地方公共団体からなるエコツーリズム推進協議会（以下「協議会」という。）を組織することができる。

2　協議会は、次の事務を行うものとする。

一　エコツーリズム推進全体構想を作成すること。

二　エコツーリズムの推進に係る連絡調整を行うこと。

3　前項第１号に規定するエコツーリズム推進全体構想（以下「全体構想」という。）には、基本方針に即して、おおむね次の事項を定めるものとする。

一　エコツーリズムを推進する地域

二　エコツーリズムの対象となる主たる自然観光資源の名称及び所在地

三　エコツーリズムの実施の方法

四　自然観光資源の保護及び育成のために講ずる措置（当該協議会に係る市町村の長が第８条第１項の特定自然観光資源の指定をしようとするときは、その旨、当該特定自然観光資源の名称及び所在する区域並びにその保護のために講ずる措置を含む。以下同じ。）

五　協議会に参加する者の名称又は氏名及びその役割分担

六　その他エコツーリズムの推進に必要な事項

4　市町村は、その組織した協議会が全体構想を作成したときは、遅滞なく、これを公表するよう努めるとともに、主務大臣に報告しなければならない。

5　前項の規定は、全体構想の変更又は廃止について準用する。

6　特定事業者等は、市町村に対し、協議会を組織することを提案することができる。この場合においては、基本方針に即して、当該提案に係る協議会が作成すべき全体構想の素案を作成して、これを提示しなければならない。

7　特定事業者等で協議会の構成員でないものは、市町村に対して書面でその意思を表示することによって、自己を当該市町村が組織した協議会の構成員として加えるよう申し出ることができる。

8　前各項に定めるもののほか、協議会の組織及び運営に関して必要な事項は、協議会が定める。

9　協議会の構成員は、相協力して、全体構想の実施に努めなければならない。

（全体構想の認定）

第６条　市町村は、その組織した協議会が全体構想を作成したときは、主務省令で定めるところにより、当該全体構想について主務大臣の認定を申請することができる。

2　主務大臣は、前項の規定による認定の申請があった全体構想が次に掲げる基準に適合すると認めるときは、その認定をするものとする。

一　基本方針に適合するものであること。

二　自然観光資源の保護及び育成のために講ずる措置その他の全体構想に定める事項が確実かつ効果的に実施されると見込まれるものであること。

3　主務大臣は、２以上の市町村から共同して第１項の規定による認定の申請があった場合において、自然的経済的社会的条件からみて、当該市町村の区域において一体としてエコツーリズムを推進することが適当であると認めるときは、当該申請に係る全体構想を一体として前項の認定をすることができる。

4　主務大臣は、第２項の認定をしたときは、その旨を公表しなければならない。

5　市町村は、その組織した協議会が第２項の認定を受けた全体構想を変更しようとするときは、主務省令で定めるところにより、当該変更後の全体構想について主務大臣の認定を受けなければならない。

6　主務大臣は、第２項の認定（前項の変更の認定を含む。以下同じ。）を受けた全体構想（以下「認定全体構想」という。）が基本方針に適合しなくなったと認めるとき、又は認定全体構想に従ってエコツーリズムが推進されていないと認めるときは、その認定を取り消すことができる。

7　第２項及び第４項の規定は第５項の変更の認定について、第４項の規定は前項の規定による認定の取消しについて準用する。

（認定全体構想についての周知等）

第７条　主務大臣は、インターネットの利用その他の適切な方法により、エコツーリズムに参加しようとする観光旅行者その他の者に認定全体構想の内容について周知するものとする。

2　国の行政機関及び関係地方公共団体の長は、認定全体構想を作成した協議会の構成員である特定事業者が当該認定全体構想に基づくエコツーリズムに係る事業を実施するため、法令の規定による許可その他の処分を求めたときは、当該エコツーリズムに係る事業が円滑かつ迅速に実施されるよう、適切な配慮をするものとする。

（特定自然観光資源の指定）

第８条　全体構想について第６条第２項の認定を受けた市町村（第12条を除き、以下単に「市町村」という。）の長（以下単に「市町村長」という。）は、認定全体構想に従い、観光旅行者その他の者の活動により損なわれるおそれがある自然観光資源（風俗慣習その他の無形の観光資源を除く。以下この項において同じ。）であって、保護のための措置を講ずる必要があるものを、特定自然観光資源として指定することができる。ただし、他の法令により適切な保護がなされている自然観光資源として主務省令で定めるものについては、この限りでない。

2　市町村長は、前項の指定をしようとするときは、あらかじめ、当該特定自然観光資源の所在する区域の土地の所有者等の同意を得なければならない。

3　市町村長は、第１項の指定をするときは、その旨、当該特定自然観光資源の名称及び所在する区域並びにその保護のために講ずる措置の内容を公示しなければならない。

4　市町村長は、第１項の指定をしたときは、当該特定自然観光資源の所在する区域内にこれを表示する標識を設置しなければならない。

5　市町村長は、第１項の指定をした場合において、当該特定自然観光資源が同項ただし書の主務省令で定める自然観光資源に該当するに至ったときその他その後の事情の変化によりその指定の必要がなくなり、又はその指定を継続することが適当でなくなったと認めるときは、その指定を解除しなければならない。

6　市町村長は、前項の規定による指定の解除をするときは、その旨を公示しなければならない。

（特定自然観光資源に関する規制）

第９条　特定自然観光資源の所在する区域内においては、何人も、みだりに次に掲げる行為をしてはならない。

一　特定自然観光資源を汚損し、損傷し、又は除去すること。

二　観光旅行者その他の者に著しく不快の念を起こさせるような方法で、ごみその他の汚物又は廃物を捨て、又は放置すること。

三　著しく悪臭を発散させ、音響機器等により著しく騒音を発し、展望所、休憩所等をほしいままに占拠し、その他観光旅行者その他の者に著しく迷惑をかけること。

四　前３号に掲げるもののほか、特定自然観光資源を損なうおそれのある行為として認定全体構想に従い市町村の条例で定める行為

2　市町村の当該職員は、特定自然観光資源の所在する区域内において前項各号に掲げる行為をしている者があるときは、その行為をやめるよう指示することができる。

3　前項の職員は、その身分を示す証明書を携帯し、関係者の請求があるときは、これを提示しなければならない。

第10条　市町村長は、認定全体構想に従い、第８条第１項の規定により指定した特定自然観光資源が多数の観光旅行者その他の者の活動により著しく損なわれるおそれがあると認めるときは、主務省令で定めるところにより、当該特定自然観光資源の所在する区域への立入りにつきあらかじめ当該市町村長の承認を受けるべき旨の制限をすることができる。ただし、他の法令によりその所在する区域への立入りが制限されている特定自然観光資源であって主務省令で定めるものについては、この限りでない。

2　前項の規定による制限がされたときは、同項の承認を受けた者以外の者は、当該特定自然観光資源の所在する区域に立ち入ってはならない。ただし、非常災害のために必要な応急措置を行うために立ち入る場合及び通常の管理行為、軽易な行為その他の行為であって主務省令で定めるものを行うために立ち入る場合については、この限りでない。

3　第１項の承認は、立ち入ろうとする者の数について、市町村長が定める数の範囲内において行うものとする。

4　市町村の当該職員は、第２項の規定に違反して当該特定自然観光資源の所在する区域に立ち入る者があるときは、当該区域への立入りをやめるよう指示し、又は当該区域から退去するよう指示することができる。

5　第８条第２項から第６項までの規定は、第１項の制限について準用する。この場合に

おいて、同条第３項中「その保護のために講ずる措置の内容」とあるのは「立入りを制限する人数及び期間その他必要な事項」と、同条第５項中「同項ただし書の主務省令で定める自然観光資源」とあるのは「第10条第１項ただし書の主務省令で定める特定自然観光資源」と読み替えるものとする。

6　前条第３項の規定は、第４項の職員について準用する。

（活動状況の公表）

第11条　主務大臣は、毎年、協議会の活動状況を取りまとめ、公表しなければならない。

（活動状況の報告）

第12条　主務大臣は、市町村に対し、その組織した協議会の活動状況について報告を求めることができる。

（技術的助言）

第13条　主務大臣は、広域の自然観光資源の保護及び育成に関する活動その他の協議会の活動の促進を図るため、協議会の構成員に対し、必要な技術的助言を行うものとする。

（情報の収集等）

第14条　主務大臣は、自然観光資源の保護及び育成を図り、並びに自然観光資源についての案内又は助言を行う人材を育成するため、エコツーリズムの実施状況に関する情報の収集、整理及び分析並びにその結果の提供を行うものとする。

（広報活動等）

第15条　国及び地方公共団体は、広報活動等を通じて、エコツーリズムに関し、国民の理解を深めるよう努めるものとする。

（財政上の措置等）

第16条　国及び地方公共団体は、エコツーリズムを推進するために必要な財政上の措置その他の措置を講ずるよう努めるものとする。

（エコツーリズム推進連絡会議）

第17条　政府は、環境省、国土交通省、文部科学省、農林水産省その他の関係行政機関の職員をもって構成するエコツーリズム推進連絡会議を設け、エコツーリズムの総合的かつ効果的な推進を図るための連絡調整を行うものとする。

（主務大臣等）

第18条　この法律における主務大臣は、環境大臣、国土交通大臣、文部科学大臣及び農林水産大臣とする。

2　この法律における主務省令は、環境大臣、国土交通大臣、文部科学大臣及び農林水産大臣の発する命令とする。

（罰則）

第19条　次の各号のいずれかに該当する者は、30万円以下の罰金に処する。

一　第９条第２項の規定による市町村の当該職員の指示に従わないで、みだりに同条第

1項第1号から第3号までに掲げる行為をした者

二　第10条第4項の規定による市町村の当該職員の指示に従わないで、当該特定自然観光資源の所在する区域へ立ち入り、又は当該区域から退去しなかった者

第20条　第9条第1項第4号の規定に基づく条例には、同条第2項の規定による市町村の当該職員の指示に従わないでみだりに同号に掲げる行為をした者に対し、30万円以下の罰金に処する旨の規定を設けることができる。

附　則

（施行期日）

第1条　この法律は、平成20年4月1日から施行する。ただし、次条の規定は、公布の日〔平成19年6月27日〕から施行する。

（施行前の準備）

第2条　環境大臣及び国土交通大臣は、この法律の施行前においても、第4条第1項から第4項までの規定の例により、エコツーリズムの推進に関する基本的な方針の案を作成し、これについて閣議の決定を求めることができる。

2　環境大臣及び国土交通大臣は、前項の基本的な方針について同項の閣議の決定があったときは、遅滞なくこれを公表しなければならない。

3　第1項の規定により定められた基本的な方針は、この法律の施行の日において第4条第1項から第4項までの規定により定められた基本方針とみなす。

（検討）

第3条　政府は、この法律の施行後5年を経過した場合において、この法律の施行の状況について検討を加え、必要があると認めるときは、その結果に基づいて所要の措置を講ずるものとする。

◉エコツーリズム推進法施行規則

〔平成20年4月1日
文部科学・農林水産・国
土交通・環境省令第1号〕

改正　平成22年3月31日文部科学・農林水産・国土交通・環境省令第1号・平成27年2月24日文部科学・農林水産・国土交通・環境省令第1号・令和2年12月1日文部科学・農林水産・国土交通・環境省令第1号

（用語）

第1条　この省令において使用する用語は、エコツーリズム推進法（以下「法」という。）において使用する用語の例による。

（全体構想の認定の申請）

第2条　法第6条第1項の規定による全体構想の認定の申請は、その旨を記載した申請書に次に掲げる書類を添えて、これらを主務大臣に提出して行うものとする。

一　全体構想を記載した書類

二　全体構想の対象となる区域を明らかにした地図

三　全体構想に規定する自然観光資源の位置を表示した地図

四　全体構想に規定する自然観光資源に係る規制を条例で定めた場合にあっては、当該条例の内容を記載した書類

五　全体構想に規定する自然観光資源を当該市町村の長が特定自然観光資源として指定する場合にあっては、指定する特定自然観光資源ごとに次に掲げる書類

イ　当該特定自然観光資源の境界を表示した地図（法第10条第1項の規定に基づき立入りを制限する場合にあっては、その対象となる区域を明らかにした地図を含む。）

ロ　法第8条第2項（法第10条第5項において準用する場合を含む。）に規定する土地の所有者等の同意を得たことを証する書類

ハ　法第10条第1項の規定に基づき立入りを制限する場合にあっては、その期間及び同条第3項に規定する市町村長が定める数を記載した書類

六　前各号に掲げるもののほか、主務大臣が必要と認める書類

（認定全体構想の変更の認定の申請）

第3条　法第6条第5項の規定による認定全体構想の変更の認定の申請は、その旨を記載した申請書に次に掲げる書類を添えて、これらを主務大臣に提出して行うものとする。

一　変更後の全体構想を記載した書類

二　変更の内容及び理由を記載した書類
三　前条各号に規定する書類の内容に変更がある場合には、変更後の当該書類並びに当該変更の内容及び理由を記載した書類
四　前３号に掲げるもののほか、主務大臣が必要と認める書類
2　協議会に参加する者の名称若しくは氏名の変更又は協議会に参加する者の追加は、法第６条第５項の変更の認定を要しないものとする。

（他の法令により適切な保護がなされている自然観光資源）

第４条　法第８条第１項ただし書の主務省令で定める自然観光資源は、次に掲げるものとする。ただし、条例による行為の規制等により特に保護する必要がある自然観光資源として認定全体構想に規定されるものを除く。

一　文化財保護法（昭和25年法律第214号）第109条第１項に規定する名勝又は天然記念物
二　森林法（昭和26年法律第249号）第25条第１項又は第25条の２第２項の規定により公衆の保健又は名所若しくは旧跡の風致の保存を図るために保安林として指定された区域内の土地
三　漁業法（昭和24年法律第267号）第119条第１項の規定又は同条第２項第１号に掲げる事項に関し同項の規定に基づき農林水産省令又は規則において採捕を禁止された水産動植物及び水産資源保護法（昭和26年法律第313号）第18条第１項又は第４項の規定により指定された保護水面
四　都市公園法（昭和31年法律第79号）第２条第１項第２号に規定する都市公園内の土地
五　自然公園法（昭和32年法律第161号）第20条第１項に規定する特別地域内の植物（同条第３項第11号の規定に基づき環境大臣が指定したものに限る。）及び動物（同条第３項第13号の規定に基づき環境大臣が指定したものに限る。）、同法第21条第１項に規定する特別保護地区内の土地、植物（木竹を含む。）及び動物並びに同法第22条第１項に規定する海域公園地区内の海底及び動植物（同条第３項第２号の規定に基づき環境大臣が指定したものに限る。）
六　自然環境保全法（昭和47年法律第85号）第14条第１項に規定する原生自然環境保全地域内の土地、植物（木竹を含む。）及び動物、同法第25条第１項に規定する特別地区内の土地、同法第26条第１項に規定する野生動植物保護地区内の当該野生動植物保護地区に係る野生動植物並びに同法第27条第１項に規定する海域特別地区内の海底及び動植物（同条第３項第５号の規定に基づき環境大臣が指定したものに限る。）
七　絶滅のおそれのある野生動植物の種の保存に関する法律（平成４年法律第75号）第４条第３項に規定する国内希少野生動植物種、同法第５条第１項に規定する緊急指定種並びに同法第37条第１項に規定する管理地区内の土地（水底を含む。）及び野生動植

物（同条第４項第７号の規定に基づき環境大臣が指定したものに限る。）

八　鳥獣の保護及び管理並びに狩猟の適正化に関する法律（平成14年法律第88号）第２条第１項に規定する鳥獣（同法第２条第７項に規定する狩猟鳥獣並びに同法第13条第１項に規定する鳥獣及び鳥類の卵を除く。）並びに同法第29条第７項第４号に規定する国指定特別保護地区であって環境大臣が指定する区域又は都道府県指定特別保護地区であって都道府県知事が指定する区域内の植物（木竹を除く。）及び動物

（特定自然観光資源の所在する区域への立入りの制限）

第５条　市町村長は、法第10条第１項の規定による制限をする場合において、その制限を行う期間を定めるものとする。

２　法第10条第１項の規定による承認の申請は、次に掲げる事項を記載した申請書を市町村長に提出して行うものとする。

一　立ち入ろうとする者の代表者の住所及び氏名（法人にあっては、主たる事務所の所在地、名称及び代表者の氏名）

二　特定自然観光資源の名称

三　立ち入ろうとする日時

四　立ち入ろうとする者の数

五　立入りの目的

六　立ち入る巡路又は範囲

七　立入りの手段

八　前各号に掲げるもののほか、市町村長が承認のために必要な事項として定めるもの

３　市町村長は、法第10条第１項の承認をしたときは、立ち入ろうとする者の代表者に対し、次に掲げる事項を記載した承認証を交付するものとする。

一　立ち入ろうとする者の代表者の氏名

二　特定自然観光資源の名称

三　承認する立入りの日時

四　承認する立入りの人数

五　承認する立入りの巡路又は範囲

六　承認する立入りの手段

（他の法令によりその所在する区域への立入りが制限されている特定自然観光資源）

第６条　法第10条第１項ただし書の主務省令で定める特定自然観光資源は、次に掲げるものとする。

一　自然公園法第20条第３項第16号（同法第21条第３項第１号において引用する場合を含む。）の規定に基づき環境大臣が指定する区域又は同法第23条第１項に規定する利用調整地区内の土地

二　自然環境保全法第19条第１項に規定する立入制限地区内の土地

三　絶滅のおそれのある野生動植物の種の保存に関する法律第38条第１項に規定する立入制限地区内の土地（水底を含む。）

（立入りの承認を要しない行為）

第７条　法第10条第２項ただし書の主務省令で定める行為は、次に掲げるものとする。

一　農林水産業を営むために必要な行為

二　農山漁村における住民の生活水準の維持改善、森林の保続培養並びに水産資源の適切な保存及び管理を図るために行う行為

三　信号機、防護柵、土留よう壁その他鉄道、軌道、道路運送法（昭和26年法律第183号）第２条第８項に規定する自動車道又は道路法（昭和27年法律第180号）第２条第１項に規定する道路（次号において単に「道路」という。）の交通の安全を確保するために必要な施設を改築し、又は増築すること（信号機にあっては、新築を含む。）。

四　道路に送水管、ガス管、電線等を埋設すること。

五　測量法（昭和24年法律第188号）第10条第１項に規定する測量標又は水路業務法（昭和25年法律第102号）第５条第１項に規定する水路測量標を設置すること。

六　枯損した木竹又は危険な木竹を伐採すること。

七　電線路の維持のために下刈し、つる切し、又は間伐すること。

八　法令の規定により、又は保安の目的で、広告その他これに類するものを掲出し、若しくは設置し、又は工作物等に表示すること。

九　野生鳥獣の保護増殖のための標識を掲出し、又は設置すること。

十　港則法（昭和23年法律第174号）第２条に規定する港の区域内において動力船を使用すること。

十一　航路標識の維持管理その他の船舶の交通の安全を確保するための行為

十二　鉱業権を有する者が鉱物の掘採又は土石の採取（鉱物の掘採のための試すいを含む。）を行うこと。

十三　文化財保護法第２条第４号に規定する記念物であって、文部科学大臣の指定若しくは登録又は地方公共団体の指定に係るものの保存に係る行為

十四　測量法第３条に規定する測量を行うこと。

十五　法令の規定による自然環境の保全のための事業を行うこと。

十六　土地若しくは木竹の所有者若しくは管理者又は土地若しくは木竹の使用若しくは収益を目的とする権利を有する者がその権利義務に係る土地において行う行為

十七　この条の各号に掲げる行為を行うために必要な工事用の仮工作物（宿舎を除く。）又は法令に規定する施設若しくは設備若しくは法令の規定により行う事業に係る施設を改築し、又は増築すること（工事用の仮工作物にあっては、新築を含む。）。

十八　前各号に掲げるもののほか、特定自然観光資源の所在する区域内の土地又は区域内に存する施設若しくは設備を維持、管理又は操業するために必要な行為

十九　特定自然観光資源が所在する区域外の区域においてこの条の各号に掲げる行為を行うため、やむを得ず通過すること。

二十　国又は地方公共団体が法令の規定によりその任務とされている遭難者を救助するための業務（当該業務及び非常災害に対処するための業務に係る訓練を含む。）、犯罪の予防又は捜査その他の公共の秩序を維持するための業務、交通の安全を確保するための業務、水路業務その他これらに類する業務を行うこと。

二十一　法令の規定による検査、調査その他これらに類する行為

二十二　前各号に掲げるもののほか、法令の規定により許可その他の処分を受けた行為

二十三　前各号に掲げるもののほか、法令の規定により国又は地方公共団体が行う行為

二十四　前各号に掲げるもののほか、特定自然観光資源の所在する区域に立ち入ることが公益上又は社会通念上やむを得ないと市町村長が認める行為

二十五　前各号に掲げる行為に付帯する行為

附　則

この省令は、法の施行の日（平成20年４月１日）から施行する。

◉エコツーリズム推進基本方針

〔平 成 20 年 6 月 26 日
国土交通・環境省告示第１号〕

～“たび”と創る持続的な地域社会を目指して～

はじめに

人間活動から生じた環境負荷は、産業革命以降、急速に拡大し、地球規模で生態系を劣化させ、今や私たちの生活だけでなく将来の世代にまで様々な危機を及ぼしています。しかしながら、この人類がかつて直面したことのない最大の試練に対し環境問題についての知識は広がりつつあるものの、一人ひとりが主体的、積極的に行動を起こしたり、ライフスタイルを見直し、変えていくなど、意識への浸透や行動といった大きな転換にまで至っていません。これは、人間が生態系の構成要素の一つであり、自分自身と地球がつながっている、言い換えれば、自然の恵みにより人も生きているという実感が決定的に不足しているからだと言えます。

また、昨今、規律意識や道徳心、自立心の低下が指摘されています。高度な電子化、情報化による仮想体験の機会の増加あるいは物質的な豊かさの中で、実体験を重ねる機会が減り、自分と他の生きものなどを始めとした自然との「つながり」を想像し、意識する機会が少なくなっています。こうした状況の中、責任感や思いやりの心、自然や伝統文化を大切にする心などの「豊かな人間性」が失われつつあることが懸念されています。

このような問題の解決には、将来を担う子どもたちを始めとしたすべての人たちが、原生的で雄大な自然の偉大さや荘厳さを感じたり、人の暮らしと自然が織りなしてきた里地里山、里海などにおいて、その地域固有の人と自然の「つながり」を五感で感じるような体験をすることが必須です。

近年、観光の分野から人と地域の自然との「つながり」を取り戻す動きが見られるようになってきました。既に、いくつかの地域においては、こうした新たな観光の在り方に地域ぐるみで取り組んでいます。

こうした地域の自然や文化を保全しながら、観光旅行者に体験させる「エコツーリズム」は、単に一過性の体験にとどまらず、観光旅行者やそれに関わる地域の人々などに地域の自然との「つながり」をもたらします。さらにこの取組は、私たち一人ひとりが地域の環境を介して地球環境とつながる糸口となるのです。また、地域ぐるみの取組は、地域にも「つながり」を生み、地域が元気になっていくことも期待できます。

このたび、エコツーリズム推進法（平成19年法律第105号。以下「法」という。）が議員立法により制定されたことを受け、エコツーリズムに取り組む地域を国が「認定エコツーリズム推進地域」として認証する制度が始まりました。

この基本方針は、人と自然、人と人の「つながり」を取り戻し、生物多様性を保全しながら元気な社会を作っていくため、エコツーリズムが目指す方向性を示すとともに、地域が推進する際の基本的な事項を定めたものです。

この序章を読んでいるあなたの地域にも、その素材となるものは必ずあります。今こそ、そのすばらしい素材を活かして、地球環境のため、子どもたちのために、あなたの地域を活用し、発信していくことに挑戦してみませんか。

第１章　エコツーリズムの推進に関する基本的方向

1　我が国のエコツーリズムを取り巻く状況

(1)　我が国における推進の経緯

世界におけるエコツーリズムは、途上国の支援の一環として、開発中心の産業からの転換を促し、地域住民が主体となって自然を保護しつつ持続的に生活を営む方策の提案として始まり、その後持続的な観光振興を目指す概念として論じられてきました。

日本では、平成に入って民間事業者によるエコツアーの取組が始まり、その後、地域におけるエコツーリズム推進協議会などの民間推進団体の設立が相次ぐなど、持続可能な地域づくりや新たな観光の取組として全国的な普及の動きが加速しました。

そして、平成15年から16年にかけて環境大臣を議長とする「エコツーリズム推進会議」が設けられ、国を挙げたエコツーリズムの推進が始まりました。同会議で「５つの推進方策」が取りまとめられ、これに基づいたエコツーリズムの普及と定着に向けた各種具体的な取組が進められました。

この一つである「エコツーリズム推進モデル事業」では、我が国の実情に合わせ、「豊かな自然の中での取組」、「多くの来訪者が訪れる観光地での取組」、「里地里山の身近な自然、地域の産業や生活文化を活用した取組」の３つに分類した上で、平成16年度から18年度の３年間、選定された13の地域においてそれぞれの特徴を活かした取組が進められました。

(2)　これまでの取組の成果と課題

こうした取組の結果、国民のエコツーリズムに対する認知が広がり、近年、モデル地区以外にも全国的にエコツーリズムに取り組む地域が増えつつあります。これらの地域では、エコツーリズムに対する認識が広がるとともに、その重要性が共有されながら多彩なエコツアーが実施されるなど、さらなる発展に向けた取組が進められています。

一方、地域で設立された協議会における合意形成やその継続的な運営、地域の資源の活用、ガイドやプログラムの質をどのように担保し向上させていくかなど、今後取り組むべき課題もあります。また、より多くの国民にエコツアーの意義や楽しさを伝えるなど、エコツーリズムの裾野を広げていくための取組も求められています。

2　我が国におけるエコツーリズムの基本的考え方

(1)　エコツーリズムを推進する意義

エコツーリズムを推進する意義は、下記に掲げる効果が相互に影響し合い、好循環をもたらすことにあります。

ア　自然環境の保全と自然体験による効果

人が自然の神秘とふれあうとき、何ものにも代えがたい深い感動や癒しを得ることができます。また、子どもの原体験としての「五感で感じる自然体験」の必要性も指摘されています。こうした自然とのふれあいの必要性が唱えられる一方で、一時的な利用者の集中など不適切な利用による自然環境の悪化が懸念される地域もあります。エコツーリズムにおいては、利用に関するルールの設定により自然観光資源の劣化が防がれます。さらに、ガイドの案内などを通じて楽しみの中で自然への理解を深めることで、観光旅行者や地域住民などの意識が高まり、それが地球環境問題への興味や環境保全に関する行動につながっていきます。

イ　地域固有の魅力を見直す効果

日本は、亜熱帯から亜寒帯、原生自然から里地里山まで、自然と文化が一体となった多種多様な自然や風土を有しています。豊かで荒々しい自然と共生してきた先人たちの智慧と伝統は、各地に固有の特徴を持ちながら、各地の人々の暮らしや生き方の中に深く浸透し、息づいています。自然の魅力そのものに加え、このような自然と密接に関わってきた生活文化もまた、観光旅行者を強く惹きつける魅力なのです。このように多彩で特徴あるものを改めて見直すことで、エコツーリズムの題材にふさわしい自然観光資源として様々な体験を提供することが可能となります。

ウ　活力ある持続的な地域づくりの効果

地域においては、この地域固有の自然観光資源を活用することにより、多様化が進む観光需要に対応できる魅力が増し、観光地としての競争力が高まるだけでなく、従来、観光が盛んでなかった地域においても新たに観光を振興することも可能となります。その結果、雇用の確保や観光を始めとした既存の産業との相乗効果、経済波及効果などが期待できます。それに加え、地域資源の再認識や観光旅行者とのふれあいなどを通じて、地域で何が大事な資源かという点について共通の理解が進むとともに、既存の観光事業者の持続的な地域づくりに対する意識が高まることや、住民が地域に誇りを持つことなど、活力ある持続的な地域づくりの効果がもたらされます。

⑵ エコツーリズムへの取り組み方

法第３条に定める４つの基本理念は、上記のような「自然環境の保全」、「観光振興」、「地域振興」、「環境教育の場としての活用」とされています。この理念に沿って地域でエコツーリズムを推進する一般的な取組は、

① 行政だけでなく、観光や自然保護、農林水産業を始めとする関連産業に携わる人たちや住民などが一堂に会し、話し合い、

② 地域が伝えたい魅力（＝地域の宝）をみんなで見つめ直し、あるいは探し出し、

③ その魅力を子どもたちに伝えつつ大切にしながら磨き、

④ 地域外の人である観光旅行者にうまく伝え、

⑤ 観光旅行者が得た感動を更に宝を磨く原動力とすることで、

⑥ 地域経済に活力を与えつつ、他産業との連携などの波及効果を広げる

という相互に関連する一連の行為となります。

⑶ エコツーリズムに取り組む上での基本的な視点と配慮事項

これらを具体的に実現させていくには、以下の視点が基本となります。

① 「大切にしながら」という視点

自然環境や生活文化などの自然観光資源を保全するとともに、持続的に利用するという考え方がエコツーリズムの取組すべてにおける考え方の基盤となります。

② 「楽しみながら」という視点

“おもてなしの心”を持って観光旅行者に楽しんでいただくことが前提であり、このことで自然や地域を好きになる人が増え、継続性が出てきます。

③ 「地域が主体」という視点

地域を中心として観光旅行者を迎える関連する人たちすべてが協力し合いながら、自ら考え、行動することが求められます。

さらに、次の点に配慮することも必要となります。

・事前にルールなどを決めてエコツアーを実施し、自然観光資源の状態を継続的にモニタリングするとともに、その結果を科学的に評価し、これをルールや活動に反映させるという順応的な管理の視点

・継続的かつ計画性を持った取組の視点（目標を持ち、徐々に発展させていくという考え方）

・農林水産業を始めとする関連産業との調和や地産地消の取組などとの有機的な連携

・他の法令や計画などとの整合・連携による、良好な相互作用

3　我が国のエコツーリズムが目指す方向性

(1)　エコツーリズムの推進によって長期的に目指す姿

我が国において、エコツーリズムを推進する長期的な目標、つまり将来的に目指す姿は、次に挙げることが実現していることが考えられます。

ア　地域では

地域では、エコツーリズムが地域に定着することで、観光旅行者、ガイド、地域住民、観光事業者、ボランティアなどの関係団体が相互に関わり合い、協力することで地域が結束し、コミュニティが再生するとともに、地域外の人たちとの交流により新しいつながりが生まれ、コミュニティが発展していきます。

このようなつながりによって、エコツーリズムに関わる取組が事業としても成り立ち、新しい経済的な仕組みとして地域に根づくことにより、地域の自然環境をより良く保全管理しようとする意識と意欲が喚起されます。このような自然環境の保全と地域の活性化がより良く循環することによって、環境に配慮した手法を用いて、地域全体が自律的かつ持続的に自然観光資源を管理し、利用しようとする「ワイズユース」が更に進展し、地域の経済的精神的な自立が実現します。

また、このような取組を通じて、地域の子どもたちにも地域に対する誇りや愛着が生まれ、未来へと受け継がれていきます。

イ　参加者は

住民や観光旅行者、中でも子どもなどのプログラム参加者は、各々の段階に応じた間口の広い体験や奥の深い体験を通じて、環境意識を持ち帰ります。地球環境に思いを馳せ、行動することのできる人たちが増えることによって、人々のライフスタイルに良い変化が生まれます。

ウ　国内では

上記のような取組が地域の中で深まる「持続可能な地域社会」が地域から地域へと伝播していくことで、それぞれがつながりを持ち、それらが国内全体で集合することで「持続可能な社会」が実現します。

また、このような取組が一助となって、観光に関わるすべての人々に環境保全についての理解が深まります。

エ　海外へは

さらに、海外の人たちには、人と自然が共生してきた我が国のさらなる魅力を伝えるとともに、この考え方が世界に向けて発信されます。

(2)　重点的に取り組むべき当面の課題

上記の姿の実現を目指し、エコツーリズムを推進していく上で、重点的に取り組むべき当面の課題は以下のとおりです。

ア　地域への支援

・エコツーリズム推進に係る協議会などの適切な運営（効果的な技術的助言、指導としての専門家派遣）

・取り組む地域に対するノウハウの提供と情報の共有化

イ　人材育成

・地域における人材育成への支援

・ガイドの育成

・エコツーリズムに関わる地域のコーディネーターの育成

ウ　戦略的広報

・認知度を高め、産業としての採算性を向上させるための重点的かつ戦略的情報発信

・「エコツーリズム」のイメージアップ

エ　科学的評価方法に関する調査研究

・実践的なモニタリング及び評価手法などの研究

オ　他施策との連携強化

・学校教育、社会教育施策との連携

・農山漁村の活性化施策との連携

・観光圏の整備施策との連携

・ニューツーリズムの創出・流通施策との連携

・その他観光諸施策との連携

第２章　エコツーリズム推進協議会に関する基本的事項

地域におけるエコツーリズムの推進に当たっては、ガイドなどの観光事業者、地域住民、特定非営利活動法人、自然観光資源又は観光に関し専門的知識を有する者、土地の所有者や各種の権利を有する者、その他のエコツーリズムに関連する活動に参加する者、関係行政機関、関係地方公共団体など、地域の多様な主体が参加及び連携し、相互に情報を共有するとともに、合意形成を図りつつ、取組を進めていくことが重要です。中でも市町村は、地域におけるエコツーリズム推進の中心的な役割を担うことが求められています。また、これら関係者が一堂に会し、様々な意見を取り込み、関係者の共通理解の下、合意形成を図ったり、意思決定を行うための場を設置することが必要となります。

このため、エコツーリズムを推進しようとする市町村は、上記関係者に広く参加を呼びかけ、法第５条の規定に基づき、エコツーリズム推進協議会（以下「協議会」という。）を組織することができることとされています。

協議会では、関係者の意見を取りまとめ、当該地域におけるエコツーリズムの推進に関するエコツーリズム推進全体構想（以下「全体構想」という。）を作成します。また協議会は、取組状況を定期的に点検するとともに、その結果に沿って、全体構想や取組の

見直しを行う役割も期待されます。なお、地域の関係者は、全体構想の素案を作成した上で、当該市町村に対して協議会を組織することを提案することができます。また、「認定エコツーリズム推進地域」を目指す場合には、本基本方針に沿って協議会を設置し、全体構想を作成する必要があります。

1　協議会の組織化

(1)　幅広い主体が参加することの必要性

エコツーリズムの推進に当たっては、プログラムの充実や実施による効果の波及、ルールの浸透、利害関係の調整などを図るために様々な主体の連携が必要となります。そのため、地域の自然環境や観光活動の状況、農林水産業や農山漁村の活性化との関連などの特性に応じて多様な主体の参加の機会を確保することが求められます。

特に、法第８条に基づく指定により、保護措置が図られる「特定自然観光資源」又は当該特定自然観光資源の所在する区域において動植物の採捕の権利が設定されている場合であって、その権利を有する者の代表者がいる場合には、その代表者の参加の意向等を考慮しつつ、可能な限りその代表者の参加を確保する必要があります。

また、自然観光資源を対象とした保全再生活動などに関わる団体の参加も望まれます。

加えて、必要に応じて広域行政機関としての都道府県や国などの関係行政機関の参加を求めることも重要です。特に、特定自然観光資源の所有者が国や都道府県である場合には、所有している省庁の地方支分部局又は都道府県の参加が必要です。

さらに、全体構想に係る地域において、国又は都道府県が所有する土地があり、当該国又は都道府県から協議会への参加の申入れがあった場合は、土地の所有者たる国の地方支分部局又は都道府県を構成員として加えることが必要です。

(2)　協議会の体制

協議会の規模については、効率的な運営に留意し関係団体の代表などから構成するなどにより、適切なものとすることが求められます。また、円滑な運営を確保する観点から、運営事務を取り仕切る事務局を市町村に設置することが求められます。ただし、既にエコツーリズム推進に係る協議会があり、その事務局が市町村以外に設置されている場合などは、状況に応じてその事務局と適切に役割分担する手法も取り得ます。

なお、事務局の運営を円滑に進めるためには、地域の取組全般に対して助言を行うアドバイザーの設置も有効な手段となります。

2　協議会の運営

合意形成に当たっては、地域の実情に応じて客観的な情報を用いたり、建設的な意見を集約し、自然観光資源の持続的利用など共通の利益の確認に努めることなどにより、効率的な運営に留意する必要があります。

また、協議会の構成員は、互いに協力して積極的に協議会の運営並びに全体構想の推進に努めることが求められます。

さらに、協議会には全体構想作成後もそのチェックや必要に応じた見直しなど継続的な運営が求められることから、定期的に協議会を開催することが必要です。

その際、地域において観光振興や地域づくりに関わる類似した協議組織が既に設立されている場合は、共同の開催や部会制とするなど構成員に配慮した運営とすることも検討される必要があります。

協議会はその開催などについて原則公開とし、運営に係る透明性を確保することが求められます。より適切な協議会の運営や取組の推進とするために、地域内の専門家だけでなく、必要に応じて、外部の専門家や研究者などからの意見聴取を行うことも必要です。さらに、多様な意見や情報を把握するため、住民を始めとする地域の関係者などを対象としたシンポジウムや説明会の開催などを通して、幅広い主体の意見を取り入れるだけでなく参加の促進についても促していくことが望まれます。

3　活動状況の公表・報告

市町村は、協議会の活動状況を毎年取りまとめて、環境大臣、国土交通大臣、文部科学大臣及び農林水産大臣（以下「主務大臣」という。）に報告を行うこととされていますが、併せて広く一般に公表することが求められます。

協議会は、会議などでの協議事項や決定事項などを、関係者間での共有に努めることとします。この際、協議の結果だけでなく、結果に至るまでのプロセスを必要に応じて共有することは、エコツーリズムに対する理解を広め、適切な推進につながります。

第３章　エコツーリズム推進全体構想の作成に関する基本的事項

協議会が作成する全体構想は、本基本方針に則して、エコツーリズムを推進する地域（以下「推進地域」という。）や、対象となる自然観光資源、エコツーリズムの実施の方法、自然観光資源の保護及び育成、協議会の参加主体と役割分担、その他エコツーリズム推進に必要な事項を定めるものです。

全体構想は、上記に挙げた各項目について、以下の基本的事項に留意しながら作成するものとします。

1　エコツーリズムを推進する地域

(1)　推進の目的及び方針

（基本的事項）

推進地域の設定を始めとする全体構想の作成に当たっては、まず地域が目指すエコツーリズム推進の背景や目的、取り組むに際しての基本的な方針や課題解決の方向性といった事項を明確にすることが望まれます。

（全体構想に記載すべき事項）

・推進の背景と目的

・推進に当たっての現状と課題

・推進の基本的な方針

⑵　推進する地域

（基本的事項）

推進地域の設定は自然環境の特性や社会的側面からその一体性を考慮し、過大又は過小にならないよう合理性のある範囲とする必要があります。

また、一つの推進地域の中にも異なる特性を持つ区域が併存する場合には、必要に応じてそれらを適切に区分（以下「ゾーニング」という。）し、それぞれの特性に応じて、想定される利用の形態や実施に当たって配慮すべき事項、利用を抑制すべき区域などエコツーリズムの実施の方法を示す必要があります。

上記のように自然環境の特性や社会的側面を考慮した結果によっては、複数の市町村にまたがる推進地域を設定することも考えられます。その場合には複数の市町村を一体として全体構想を作成することが望まれます。

その一方で、一つの市町村の中に海沿いの地域や山あいの地域など異なる自然環境の特性や社会的側面を持つ地域が複数あり、ゾーニングによる対応が困難な場合には、一つの市町村に複数の協議会が設置され、それぞれにおいて全体構想が作成されることも考えられます。

（全体構想に記載すべき事項）

・推進地域の範囲及び設定に当たっての考え方

・推進地域のゾーニングの考え方（ゾーニングする場合）

・ゾーニングの取扱方針（ゾーニングする場合）

2　対象となる自然観光資源

（基本的事項）

エコツーリズムの対象となる自然観光資源には、自然環境に係る観光資源だけでなく、自然環境と密接な関連を有する風俗慣習や伝統的な生活文化に係る観光資源も含まれます。

法第２条第１項第１号の「動植物の生息地又は生育地その他の自然環境に係る観光資源」については、クジラ、イルカ、ウミガメ、ホタル、チョウ、ブナの巨木などの「動植物」、海鳥の集団繁殖地やサンゴ礁、湿原などの「動植物の生息地・生育地」、滝や風穴、噴泉塔などの「地形・地質」といった資源が例として挙げられます。

また、法第２条第１項第２号の「自然環境と密接な関連を有する風俗慣習その他の伝統的な生活文化に係る観光資源」としては、棚田や魚垣（ながき）、火入れとそれによって維持されている半自然草原、カバタ（湧水を家に引き込みその水を炊事や洗濯に利用する仕組み）などの資源が例として挙げられます。

そのほか、上記の自然観光資源に該当しない一般的な観光資源で、プログラムの企画、実施に当たって活用することが見込まれるものについても、全体構想に併せて記述しておくことが考えられます。

（全体構想に記載すべき事項）

・対象となる主な自然観光資源の名称、所在地、特性、利用の概況及び利用に当たって配慮すべき事項など

・その他の観光資源の名称と所在地など（参考情報）

3　エコツーリズムの実施の方法

エコツーリズムは、観光旅行者が自然観光資源について知識を有する者から案内又は助言（以下「ガイダンス」という。）を受け、自然観光資源の保護に配慮しつつふれあい、知識や理解を深める活動（以下「プログラム」という。）の実施によって推進されるものです。

また、エコツーリズムは人為的な影響を受けやすい自然観光資源を対象として実施されることもあることから、それらが利用によって損なわれないように留意する必要があります。そのためには適切な利用の方法（以下「ルール」という。）を確認し必要に応じて明文化するとともに、その方法に従って実施することや、自然観光資源の状態などの実施の状況を監視し、その監視の結果に科学的な評価を加え（以下「モニタリング及び評価」という。）、これを反映させつつ実施することが重要です。

エコツーリズムの実施に当たっては、上記のルール、ガイダンス及びプログラム、モニタリング及び評価が特に重要な要素となることを踏まえつつ、以下に挙げるような各項目に留意して実施することが求められます。

⑴　ルール

（基本的事項）

エコツーリズムにおけるルールとしては、自然観光資源が損なわれることを防ぐため、必要に応じて罰則のような一定の強制力を持たせることによって遵守を図るものと、内発的な取組として関係者間の意識啓発によって実施するものとがあります。

その際、観光旅行者の安全確保や満足度の向上、地域の住民生活の質が観光によって損なわれることを防止することなどを目的としたルールについても必要に応じて検討することが求められます。

ルールの策定に当たっては、効率的に策定されるよう配慮しながら、それが実行されることにより影響を受ける幅広い関係者が議論に参加することが望まれま

す。

その際、議論や情報と併せて、自然観光資源の持続的利用など、そのルールを遵守することによって得られる共通のメリットが分かりやすい形で共有されることが重要です。

また、ルールの運用に当たっては、観光事業者や観光旅行者だけでなく、地域住民に対しても周知徹底を図ることが求められます。この際、ルールを遵守することによって得られるメリットを分かりやすい形で提示したり、又はルールの運用状況をチェックする体制を整えるなど、実効性の確保に留意する必要があります。

上記のように適切に運用されたルールに基づいて実施されるプログラムでは、観光旅行者は対象とする自然観光資源の損なわれていない本来の姿にふれあうことができる上、混雑が緩和されるなど快適な状態がもたらされることになります。このため、質の高いツアーの実現につながり、観光旅行者にとっての満足度が高まることになります。

(全体構想に記載すべき事項)

・ルールによって保護する対象

・ルールの内容及び設定理由

・ルールを適用する区域

・ルールの運用に当たっての実効性確保の方法

※特定自然観光資源については、「4　自然観光資源の保護及び育成」で詳述

⑵　ガイダンス及びプログラム

(基本的事項)

ガイダンスは、ガイドが直接案内及び解説する方法が基本となりますが、補助的には観光旅行者が自ら理解するための解説板やガイドブックなどの文字や携帯端末などの情報システムを活用した方法など様々な手段があります。

また、ガイドには、職業的なガイドのほか、ボランティアガイド、あるいは地域の住民や農林漁業者とのふれあいや協働を通しての地域密着型の案内及び解説といった様々なレベルが想定されます。

エコツーリズムの推進に当たっては、これらの各種のガイダンスを地域の状況やゾーニングに応じて、適切にプログラムとして組み合わせながら計画、実施していくことが重要です。

プログラムの企画及びその実施に当たっては、表面的な情報や知識を伝えるだけでなく、その背景にある歴史や文化、地域との関わりなどを観光旅行者に効果的に伝えることが重要です。また、観光旅行者が楽しみながら自然の奥深さなどに気づき、深い感動を得られるような内容となるよう留意する必要があります。

ガイドは、自然環境の成り立ちや保全の必要性、観光利用とそれに伴う自然環境への影響の現状、人の生活と自然の関わりなど、地域の自然観光資源に関する情報を日頃から収集することにより、深い知見を有していることが基本となります。

上記に加えて、観光旅行者の関心に応えられるように、文化や伝統、習慣、食、言語といった地域についての広範な知識を有していることが望まれます。さらに、観光旅行者が楽しみながら上記の情報や知識を理解できるようにプログラムを企画する能力や、効果的に情報を伝えるインタープリテーション技術、参加者を楽しませるエンターテイメント性、ホスピタリティー、観光旅行者の知識レベルや関心の度合いに応じた柔軟な対応、安全確保といった様々な能力を有していることが望まれます。

上記のような能力を備えたガイドによって実施されるプログラムは、内容に見合った対価を得られる質の高いものとなります。

（全体構想に記載すべき事項）

・主なガイダンス及びプログラムの内容

・実施される場所

・プログラムの実施主体

⑶　モニタリング及び評価

（基本的事項）

モニタリング及び評価は、地域の自然観光資源などが損なわれないよう調査及び把握する行為です。

その際、科学的かつ客観的な視点から実施されることが望まれますが、特に、原生的な自然が比較的多く残り、脆弱性が高い地域では、よりきめ細かなモニタリングが必要となることから、国や大学などの研究機関が実施する調査などとも連携しつつ、専門家や研究者の積極的な関わりを得ながら実施していく必要があります。

一方、里地里山など人の生活と自然環境が密接に関連する地域では、ガイドや地域住民が主体となって状況把握に努め、専門家や研究者に適宜チェックを受けられるような仕組みを構築して実施することが望まれます。さらに、観光旅行者と協働の下に実施する方法もあります。

モニタリングの対象の選定に当たっては、自然観光資源その他の自然環境の状態を的確かつ継続的に把握し、客観的に評価できるように留意する必要があります。

そして、モニタリングの継続的な実施のためには、日常的に出入りする土地の所有者や地域住民、ガイド、地域で活動する各種団体などが幅広く参加し、自然観光資源の状態を把握するなど、可能な限り効率的に実施しつつ、モニタリングや評価の各段階において適宜専門家の助言を得ることのできるような仕組みを構築することも重要になります。

また、風俗慣習その他の伝統的な生活文化に係る観光資源の評価については、画一的な評価が難しいこともあるため、このような場合にあっては、地域の人々の経験に基づく評価が必要になる場合もあります。

なお、協議会において上記のモニタリング及び評価の結果を共有するとともに、当該結果に基づいてガイダンス及びプログラムやルールなどエコツーリズムの実施の方法の見直しなど、評価の結果を適切に反映する仕組みを構築することが重要です。

（全体構想に記載すべき事項）

・モニタリングの対象と方法
・モニタリングに当たっての各主体の役割
・評価の方法
・専門家や研究者などの関与の方法
・モニタリング及び評価の結果の反映の方法

⑷　その他

ア　情報提供

（基本的事項）

市町村及び協議会は役割に応じて、地域の住民や観光旅行者に対して地域固有の魅力を伝え、ルールの内容を周知するとともに、地域における自発的な活動を促すための情報を適切な方法とタイミングで提供していく必要があります。

また、エコツーリズムの継続的な推進のためには、訴えかけるべき対象を適切に把握しながら、より効果が見込まれる方法により情報提供を行うことが望まれます。

（全体構想に記載すべき事項）

・主な情報提供の方法

イ　人材育成

（基本的事項）

ガイダンスは、地域全体での取組が必要であり、ガイドのみならず住民にも地域の魅力を伝える力が望まれます。そして、各種のガイダンスの質は、伝える側の知識や技術、ホスピタリティーなどの意識によることから、幅広い人材の育成が求められます。

とりわけ、観光旅行者を直接案内するガイドはその有する能力がプログラムの質に大きな影響を与えるものであり、積極的に人材育成を図っていくことが望まれます。そのための主な方法としては、知識や技術、意識の向上を図るための研修会の開催や、ガイド同士の情報交換の機会提供、他の取組地域との交流などが挙げられます。

また、円滑かつ継続的に取組を進めていくためには、各主体や住民の間の橋渡しや、様々な案件の調整といった役割を担う地域のコーディネーターの存在が望まれます。

（全体構想に記載すべき事項）

・ガイドなどの育成又は研鑽の方法

4　自然観光資源の保護及び育成

「自然観光資源」はそれぞれ固有の特性を持っており、その存在と特性を把握し、保護及び育成の措置を計画し、着実に実施していくことが必要です。自然観光資源の中でも、観光旅行者やその他の者の活動により損なわれつつある又は損なわれるおそれがあり、法的に保護のための措置を講ずる必要があるものについては、以下の方法により「特定自然観光資源」として指定することができます。

⑴　特定自然観光資源

（基本的事項）

ア　特定自然観光資源の指定

市町村長は、協議会が作成した全体構想が国に認定された場合にその認定された全体構想に従って、法第８条の規定に基づき特定自然観光資源を指定することができます。その指定に当たっては、特定自然観光資源が所在する区域（以下「所在区域」という。）の設定を併せて行う必要があります。

この際、土地の所有者、使用収益権者、漁業権者その他の法第２条第４項の土地の所有者等（以下「土地の所有者等」という。）の同意を得る必要があります。ただし、他の法令により適切な保護がなされている自然観光資源としてエコツーリズム推進法施行規則（平成20年文部科学省・農林水産省・国土交通省・環境省令第１号）で定められているものについては、二重規制となるため指定できません。さらに、既存の法令・計画及び他の公益との整合性に留意することが必要です。

特定自然観光資源の指定に当たっては、学術的な視点や、地域の住民に大切にされているなどの地域社会的な視点のほか、集客力など観光の視点などが考慮されます。所在区域の設定に当たっては、指定する特定自然観光資源の特性や周辺の自然環境の特性、社会的側面を考慮し、必要以上に広範囲に及ばないようにするなど、合理的に区域を設定するよう留意することが求められます。

イ　立入制限による利用調整

特定自然観光資源が多数の観光旅行者その他の者の活動により著しく損なわれる恐れがあるときは、市町村長は、所在区域内への立入りについて、法第10条の規定に基づき①立入制限期間の設定、②立入り時における市町村長の承認の義務付け、③立入人数の上限の設定を行うことができます。

立入りの承認に当たって条件を設ける場合は、合理性・透明性に留意する必要があります。

立入制限地域を設定する際の土地の所有者等の同意を得るに当たっては、市町村長は土地の所有者等に対して規制の内容を十分説明することが重要です。

ウ　その他の保護及び育成の措置

保護及び育成の方法としては、上記のような法に基づく規制以外にも、木道や柵の整備といった物理的な方法、日々の手入れや管理による方法などが考えられます。

保護及び育成の措置の計画及び実施に際しては、既存の制度及び計画との整合を図るとともに、必要な諸事項について協議会で協議を行うことが求められます。

エ　保護及び育成の方法の公表

市町村長は、特定自然観光資源を指定した場合には、標識の設置によって観光旅行者などに対して規制の趣旨及び内容を伝えるとともに、名称及び所在区域並びにその保護のために講ずる内容を公示する必要があります。

（全体構想に記載すべき事項）

・特定自然観光資源の名称、所在地、区域及び指定の理由
・特定自然観光資源の保護及び育成の方法
・立入制限（利用調整）の区域における制限の理由、期間及び上限の人数など
・特定自然観光資源の保護及び育成の方法の公表及び周知の方法
・特定自然観光資源の保護及び育成の方法に関する管理体制
・特定自然観光資源に関係する主な法令及び計画など

(2)　その他の自然観光資源

（基本的事項）

その他の自然観光資源についても、その存在と特性を把握し、その価値が損なわれないよう保護及び育成の措置を計画し、着実に実施していくことが必要です。

保護及び育成の措置については、物理的な方法、手入れや管理による方法及びルールによる利用の誘導が考えられます。

保護及び育成の措置を計画し実施していく上では、既存の制度及び計画との整

合を図るとともに、必要な諸事項について協議会で協議を行うことが求められます。

（全体構想に記載すべき事項）

・自然観光資源の保護及び育成の方法

・自然観光資源に関係する主な法令及び計画など

※ルールに関する事項については、「3　(1)　ルール」で記載

5　協議会の参加主体

（基本的事項）

参加する主体はそれぞれの特性や立場を理解した上で、適切な役割分担の下、連携及び協力することが求められます。

役割分担としては、ルールの周知徹底や運用状況の監視、ガイダンス及びプログラムの企画及び実施、モニタリングの実施、広報などが想定されます。

（全体構想に記載すべき事項）

・協議会に参加する者の名称又は氏名、その役割分担

6　その他エコツーリズムの推進に必要な事項

(1)　環境教育の場としての活用と普及啓発

（基本的事項）

エコツーリズムの一連の取組を通して環境教育の効果が発揮されます。

具体的には、観光旅行者はガイダンス及びプログラムへの参加をきっかけとして自然に対する理解が深まります。また、知識の取得や理解にとどまらず、人間と環境との関わりを踏まえて自ら責任ある行動を起こすことのできる人材の育成につながります。そのため、実施されるガイダンス・プログラムは、自然の奥深さ、大切さに気付く場となるようにする必要があります。

地域の関係者にとっては、エコツーリズムの一連の取組や観光旅行者などの参加者との関わりを通して、地域の宝としての自然観光資源の大切さを改めて認識するとともに、地域の理解や環境問題への関心を深めることになります。

取組の経過を住民に広報するとともに、小学校における自然体験・集団宿泊体験などの学校教育活動や公民館などの社会教育活動との連携により、積極的に普及啓発していくことが望まれます。

（全体構想に記載すべき事項）

・ガイダンス及びプログラムの実施に当たっての留意点

・地域住民に対する普及啓発の方法

(2)　他の法令や計画等との関係及び整合

（基本的事項）

全体構想はその策定に際し、他法令や関係法令に基づく各種計画などと調整

し、調和を保つべきものです。

（全体構想に記載すべき事項）

・主な関連法など

⑶　農林水産業や土地の所有者等との連携及び調和

（基本的事項）

地域の農林水産業や土地の所有者等との連携により、農林水産業の発展とエコツーリズムの推進の相乗効果が発揮されることが期待できます。

また、農山漁村地域においてプログラムが実施される場合には、農林水産業や土地の所有者等の理解を得ながら実施していくことが必要です。

（全体構想に記載すべき事項）

・農林水産業などとの連携方策や配慮事項

⑷　地域の生活や習わしへの配慮

（基本的事項）

ガイダンス・プログラムを実施する場合には、観光旅行者などの行為が地域住民の生活に悪影響を及ぼすことのないように配慮する必要があります。

特に、信仰の対象となっている自然観光資源やガイダンス・プログラムの対象となる伝統的な生活文化や慣習などに対しても、それらを尊重することが必要です。

（全体構想に記載すべき事項）

・地域の生活や習わしに対する配慮事項

⑸　安全管理

（基本的事項）

ガイダンス・プログラムの企画及び実施に当たっては、あらかじめ危険の可能性を想定して、それらを事前に回避する方策を立てることが求められます。

万が一の事故など緊急時に備えて、安全確保や連絡体制の整備など、地域で安全対策を協議する関係諸機関と日頃から連携を図っていくことが重要です。

（全体構想に記載すべき事項）

・安全管理に関する事項

⑹　全体構想の公表

（基本的事項）

法第５条第４項の規定では、市町村は、協議会が全体構想の作成、変更・廃止を行ったときは、広く一般に公開し、主務大臣へ報告を行うこととされています。

（全体構想に記載すべき事項）

・公表の方法

(7) 全体構想の見直し

(基本的事項)

協議会は、モニタリングの結果や全体構想の実施状況を適宜評価し、全体構想を定期的に点検することが求められ、必要が生じた場合には全体構想の変更を検討することが望まれます。

(全体構想に記載すべき事項)

・点検及び見直しの時期

第４章　エコツーリズム推進全体構想の認定に関する基本的事項

1　認定の趣旨

全体構想の認定は、協議会が作成した全体構想について法第６条第２項及び第３項の規定に基づき主務大臣が行うものです。全体構想が認定されると以下のようなメリットがあります。

・これまで保護措置が講じられていなかった自然観光資源を、必要に応じて特定自然観光資源として指定することにより、汚損、損傷、除去及び観光旅行者に著しく迷惑を及ぼす行為の禁止、特定自然観光資源が所在する区域への立入りの制限などの保護措置を講じることができるようになり、持続的かつ質の高い自然観光資源の利用が可能となります。

・国によって、法の基本理念に基づいており他の地域のモデルとなる取組として認められることになり、地域のブランド力が高まるとともに、国が積極的にその周知に努めることから、集客力の向上につながることが期待されます。

2　認定の手続

市町村は、その組織した協議会が全体構想を作成した際は、当該全体構想について環境省、国土交通省又は農林水産省の地方支分部局を通じて法第６条第１項の規定に基づき主務大臣に認定の申請を行います。その際、自然的経済的社会的条件から、一体としてエコツーリズムを推進することが適当であると判断し、隣接する市町村が共同して全体構想を作成した場合にあっては、当該市町村が共同で認定申請を行うことができます。

3　認定基準

全体構想の認定基準は、法第６条第２項の規定に基づき以下のとおりとします。

①　以下に示す事項その他の事項が本基本方針に適合するものであること

・当該市町村、観光旅行者に対し自然観光資源についての案内又は助言を業として行う者（そのあっせんを業として行う者を含む。）（以下「特定事業者」という。）、地域住民、特定非営利活動法人等、土地の所有者等、関係行政機関及び関係地方公共団体など推進地域における関係者が、効率的な運営に配慮しつつ、幅広くかつ片寄りなく協議会に参加していること。

・協議会に参加する者の間で、協議会における協議内容、モニタリング結果などの情報が共有され、関係者間の連携が図られていること。
・協議会の構成員に加える旨の申入れがあった際の手続など、協議会の組織及び運営に関し必要な事項が適切に整備されていること。
・協議会が透明性を確保しつつ運営されていること。
・全体構想などの公表の方法が適切であること。
・他法令や、関係法令に基づく各種計画との整合性が図られていること。
・推進地域が周辺の市町村にまたがる場合は、当該市町村との連携が図られていること。
・自然観光資源の保護及び育成のために講ずる措置の内容が適切であること。
・特定自然観光資源を指定する場合にあっては、あらかじめ市町村長が土地の所有者等の同意を得ていること。
・全体構想が定期的に点検され、必要に応じて見直しの検討がなされると見込まれること。

② 自然観光資源の保護・育成のために講ずる措置その他の全体構想に定める事項が確実かつ効果的に実施されると見込まれること
・特定事業者、自然観光資源の保護・育成のために講ずる措置の実施者などが存在し、その役割分担が明確にされていること。

4　認定の取消し

主務大臣は、認定した全体構想（以下「認定全体構想」という。）が本基本方針に適合しなくなったと認めるとき、また、エコツーリズムを推進する地域における自然観光資源に著しい影響を与えていたり、プログラムの実施主体が存在しなくなった場合など、認定全体構想に従ってエコツーリズムが推進されていないと認めるときは、文書などにより必要な技術的助言を行い、さらに改善が見られない場合にあっては、法第６条第６項及び第７項の規定に基づき、その認定の取消しを行います。その際、主務大臣は、当該市町村に理由を付して通知するとともに、インターネットなどにより公表します。

5　認定全体構想の周知

環境省、国土交通省、文部科学省、農林水産省は、法第７条第１項の規定に基づく認定全体構想の周知に当たっては、関係団体及び関係地方公共団体などとも連携の上、政府広報、インターネットなど各種媒体を活用し、観光旅行者、特定事業者、旅行業界団体など各主体に応じた適切な方法により、積極的かつ効果的にその周知に努めます。

第５章　生物の多様性の確保等のエコツーリズムの実施に当たって配慮すべき事項その他エコツーリズムの推進に関する重要事項

1　生物多様性の確保

我が国は、生物多様性条約に基づく生物多様性国家戦略を策定しており、この中でエコツーリズムの推進についても位置づけがなされています。

地球上の多様な生物は、誕生から約40億年の歴史を経て環境に適応し、環境との相互作用を通して進化してきたものであり、森林、河川、湖沼、サンゴ礁などの生態系の中でそれぞれ役割を担って相互に影響し合い、バランスを維持し、長い年月をかけて地球環境の形成に寄与してきました。豊かな生物多様性とは、こうしたバランスが維持され、自然環境が生態系、種、遺伝子の各レベルで健全に保たれている状態を意味するものであり、飲料水や食料の供給、気候の安定など、様々な恵みを人間にもたらす源泉であるとともに、人間のみならず、すべての生物の生存基盤となっています。

このような豊かな生物多様性に根ざした地域固有の自然環境や生活文化は、それ自体がエコツーリズムの題材として大きな観光的価値を持っています。その利用に当たっては、順応的管理を基本とし、本来の価値を損なわないよう十分配慮を行うとともに、積極的に保護・育成の方策を講ずることなどによって、その価値をさらに高めるような取組も必要となります。特に、湿原、高山植生など脆弱性の高い自然の地域においては、必要に応じて利用者数の制限を行うなどの利用調整を行うとともに、地域の宝探しなどを通じて、新たな自然観光資源を発見・創出することによって、特定の地域に利用が集中しないような配慮も必要となります。

また、人間活動の活発化に伴って、野生生物の本来の移動能力を超えて、意図的又は非意図的に国外や国内の他の地域から導入される外来種によって、地域固有の生物相や生態系に悪影響を与えないよう配慮することも重要です。外来種による影響は、生態系や種レベルにとどまらず、観光資源として同じ種であっても遺伝的特性の異なる他の地域のメダカやホタルを放つことなどによって生じる遺伝子レベルでの撹乱にも留意する必要があります。

一方、人との関わりの中で維持されてきた里地里山など自然に対する人間の働きかけが縮小することによって生物多様性が劣化している地域においては、維持管理の活動をプログラムに組み込むなどエコツーリズムの活用によって生物多様性の回復も期待されます。

観光旅行者は、プログラムでの体験を通じて地域の自然に対する理解が深まるとともに、環境保全に対する意識が啓発され、日常の生活の場においても、環境保全に配慮した行動をとることや、地球環境を意識するようになることが期待されます。また、地域においては、観光旅行者との交流などを通じて、地域の人々がその自然の価値に気付き、保全活動などに積極的に参加する効果が期待されます。

このような地域が主体となって資源を持続的に利用し管理する取組を通じて、地域のブランド力が高められ、集客力のさらなる向上につながるといった相乗効果が期待されます。

2　普及啓発の推進

政府は、エコツーリズムの実施状況などに関する情報の収集、整理、分析を進めるとともに、観光圏の形成、農山漁村の活性化、環境教育及び生涯学習など各種関連施策とも有機的な連携を図りつつ、観光旅行者、特定事業者、地方公共団体などに対し、各主体に応じた積極的かつ効果的な情報提供を行います。

地方公共団体に対しては、エコツーリズムが自然的経済的社会的条件によって、その導入手法や効果などが異なることを踏まえ、他地域における取組事例などに関する情報提供や情報交換の場の提供を進めます。

観光旅行者に対しては、エコツアーへの参加を促進するため、各地で実施されているガイダンス及びプログラムに関する情報やエコツアーの楽しさ、参加することの効用などについて、各種媒体を活用して情報提供を行うとともに、特定事業者に対しては、ガイダンスの質の向上などを目的として、各地でのガイダンス事例などの情報提供に努めます。

また、都道府県及び市町村は、エコツーリズムが地域の生物多様性保全、観光振興、地域振興、環境教育の推進などに寄与するものであることを踏まえ、関係部局が横断的に連携及び協力して、観光旅行者、特定事業者、地域住民などに対して、積極的かつ効果的にその周知に努めることが望まれます。

3　子どもの視点に立った継続的な取組の推進

地域においてエコツーリズムの取組を継続的に推進していくためには、プログラムの企画・運営に当たって、「子ども」を対象とした視点が重要となります。このことは、プログラムへの参加の潜在ニーズが、家族連れにおいて大きいことに加え、子どもの頃から自然とふれあうことで大人になってからもエコツーリズムへの継続的な参加が見込まれるなど、将来にわたってのニーズの発掘にもつながります。

また、推進地域においては、宝探しやプログラムづくりなどに地域の子どもたちが主体的に関わっていくことも重要です。子どもたちが主体的に関わることができれば、地域が一体となった取組への発展が容易になるとともに、子どもたちが地域の自然への理解を深め、地域に対して愛着を持つことで、将来的な地域の後継者づくりにもつながることが期待されます。

これらの取組を進めていくに当たっては、学校教育との連携も必要です。小学生の農山漁村での長期宿泊体験活動を推進する「子ども農山漁村交流プロジェクト」では、受入現場におけるエコツーリズム関係者の関わりも期待されており、今後、関連施策との連携強化を図っていきます。

4　技術的助言

環境省、国土交通省、文部科学省、農林水産省は、基本理念における自然環境の保全、観光振興、地域振興、環境教育の場としての活用などの観点から、推進地域などにおける自然情報や社会情報、他地域におけるエコツーリズムの取組事例、ノウハウ、他法令及び関連施策との関係などを踏まえ、市町村や協議会に対して必要な技術的助言を行います。

都道府県は、推進地域などにおける広域かつ詳細な自然的経済的社会的情報を有しており、それらの情報提供や、条例や関連施策との関係、隣接地域との調整などについて、市町村や協議会に対してきめ細かな技術的助言を行うことが期待されます。

5　エコツーリズムの推進体制

環境省、国土交通省、文部科学省、農林水産省は、各地の協議会において、法の基本理念である自然環境の保全、観光振興、地域振興及び環境教育の場としての活用に基づき、その活動が調和を保ちつつ進められているかを把握するとともに、国の責務であるエコツーリズムに関する広報活動などを連携して積極的に進めます。このため、４省を中心にした「エコツーリズム推進連絡会議」での連絡調整などを通じ、他の関係行政機関を含めた連携の一層の強化を図ります。また、エコツーリズム推進連絡会議では、必要に応じてエコツーリズムの適正な推進などに関して有識者などから助言を受けます。

政府は、地方公共団体の担当者を対象として開催する会議などを活用して、地方公共団体と緊密な情報交換を行い、推進地域などが抱える課題などを適切に把握するとともに、その結果を施策に反映させるなど地方公共団体との連携の一層の強化を図ります。

市町村は、エコツーリズムを推進しようとする地域の自然的経済的社会的条件などを踏まえ、あらかじめ都道府県及び周辺市町村の意見を聴くことなどにより、都道府県及び関係市町村との連絡調整などを円滑に行うことができるよう努めることが望まれます。

都道府県は、技術的助言や関係市町村などとの連絡調整を始めエコツーリズムの推進に関する市町村の取組を積極的に支援していくことが望まれます。

また、地方公共団体内でも、環境部局及び観光部局を始め、農林水産、教育、交通など関連部局間の横断的な連携が図られることが望まれます。

○エコツーリズム推進法の施行等について

〔平成20年７月28日　環自総発第080728002号・国総観資第31号・20生社教第18号・20農振第811号
都道府県エコツーリズム担当部局長宛　環境省自然環境局総務・国土交通省総合政策局観光資源・文部科学省生涯学習政策局社会教育・農林水産省農村振興局農村政策課長連名通知〕

改正　令和３年３月29日環自国発第2103291号

エコツーリズム推進法（平成19年法律第105号。以下「法」という。）は平成19年６月27日に、エコツーリズム推進法施行規則（平成20年文部科学省、農林水産省、国土交通省、環境省令第１号。以下「省令」という。）は平成20年４月１日に公布され、同日に施行された。また、法第４条第１項に基づくエコツーリズムの推進に関する基本方針は平成20年６月６日に閣議決定され、同月26日に告示（平成20年国土交通省・環境省告示第１号）された。

ついては、下記事項に十分留意の上、その運用に遺漏無きを期するとともに、貴管下市町村に対しては、貴職より周知願いたい。

なお、本通知は地方自治法（昭和22年法律第67号）第245条の４第１項の規定に基づく技術的な助言であることを申し添える。

記

1　「自然観光資源」の範囲（法第２条第１項関係）

法第２条第１項においては、「自然観光資源」を「動植物の生息地又は生育地その他の自然環境に係る観光資源」、「自然環境と密接な関連を有する風俗慣習その他の伝統的な生活文化に係る観光資源」と定義している。この「自然観光資源」は、具体的には、以下のようなものである。

⑴　動植物の生息地又は生育地その他の自然環境に係る観光資源の例

クジラ、イルカ、ウミガメ、ホタル、チョウ、ブナの巨木等の「動植物」、海鳥の集団繁殖地やサンゴ礁、湿原等の「動植物の生息地・生育地」、滝や風穴、噴泉塔等の「地形・地質」

⑵　自然環境と密接な関連を有する風俗慣習その他の伝統的な生活文化に係る観光資源の例

棚田や魚垣（ながき）、火入れとそれによって維持されている半自然草原、カバタ（湧水を家に引き込みその水を炊事や洗濯に利用する仕組み）

ただし、観察場所が一定でない水産動物は、自然観光資源ととらえることもできるが、市町村の管理の観点から法により特定自然観光資源として指定することは事実上困難であることに留意されたい。

2　エコツーリズム推進協議会の構成員（法第５条第１項）

法第５条第２項に基づき作成するエコツーリズム推進全体構想に係る地域において、国又は都道府県が所有する土地がある場合にあっては、土地を所有する国の地方支分部局又は都道府県に協議会への参加の意向を確認するとともに、当該国又は都道府県から協議会への参加の申し入れがあった場合は、構成員として加える必要があること。

3　全体構想の認定の申請（法第６条第１項関係）

⑴　認定申請書の提出

全体構想の認定申請は、主務４大臣あてとし、提出は、当該市町村を担当する地方支分部局等（環境省にあっては地方環境事務所、自然環境事務所又は自然保護官事務所、国土交通省にあっては地方運輸局（沖縄県にあっては内閣府沖縄総合事務局）、農林水産省にあっては地方農政局（北海道にあっては農林水産省農村振興局、沖縄県にあっては内閣府沖縄総合事務局））のいずれかの一機関に提出すること。

なお、全体構想の認定手続等に関する手順については、別紙1のとおりであるので業務の参考とされたいこと。

⑵　認定申請書の提出部数

全体構想の認定の申請書は、正本４部を提出すること。

⑶　認定申請書の添付書類

法第６条第１項に基づき市町村が全体構想の認定を申請する場合は、省令第２条に規定する書類を添えて申請することとしている。このうち、以下に掲げるものは以下の書類とされたい。

①　全体構想の対象となる区域を明らかにした地図（省令第２条第２号）

全体構想の対象となる区域を明らかにした縮尺１：200,000以上の地形図

②　全体構想に規定する自然観光資源の位置を表示した地図（省令第２条第３号）

自然観光資源の位置を明らかにした縮尺１：50,000以上の地形図

③　特定自然観光資源の境界を表示した地図（省令第２条第５号イ）

特定自然観光資源の境界を明らかにした縮尺１：25,000以上の地形図（海域にあっては１：50,000以上の海底地形図とするが、より詳細な地形図を用いることが必要な場合には１：10,000海底地形図。）

4　エコツーリズム推進協議会の構成員、特定自然観光資源の指定に当たっての調整対象としての「土地の所有者等」（法第５条第１項並びに第８条第２項及び同項を準用する第10条第５項関係）

法第５条第１項では、エコツーリズム推進協議会の構成員の例示として、「土地の所

有者等」が規定されている。また、法第８条第２項及び同項を準用する第10条第５項においては、特定自然観光資源を指定するに当たっては、当該特定自然観光資源の所在する区域の「土地の所有者等」の同意を得なければならないとしている。

この「土地の所有者等」には、エコツーリズムを推進する地域又は特定自然観光資源の所在する区域に河川等公物が存在する場合には、土地の所有者でない場合でも河川管理者等当該公物の管理者は含まれるものと解されたい。

5　特定自然観光資源の指定に当たっての他の公益との調整（法第８条第１項及び第10条第１項関係）

法第８条第１項では、市町村の長が、認定全体構想に従い、観光旅行者その他の者の活動により損なわれるおそれがある自然観光資源であって保護のための措置を講ずる必要があるものを、特定自然観光資源として指定することができるとしている。ただし、他の法令により適切な保護がなされている自然観光資源として省令第４条に規定されているものは適用できないとされている。省令第４条では「適切な保護がなされている」とは、法と同程度の規制を行っているものとしてこのような自然観光資源を規定した。

また、法第10条第１項では、市町村の長が、認定全体構想に従い、指定した特定自然観光資源が多数の観光旅行者等の活動により著しく損なわれるおそれがあると認めるときは、特定自然観光資源の所在する区域への立入りにつきあらかじめ市町村長の承認を受けるべき旨の制限をすることができるとしている。ただし、他の法令によりその所在する区域への立入りが制限されている自然観光資源として省令第６条に規定されているものは適用できないとされている。省令第６条でも「その所在する区域への立入りが制限されている」とは、法と同程度の規制を行っているものとして、このような特定自然観光資源を規定した。

しかし、これら以外にも法律や条例に従って規制をしているものがあるので、特定自然観光資源として規制を行う場合には、省令第４条又は第６条以外の規制と調整する必要がある場合がある。また、自然観光資源であっても、他の公益の観点からの利用がなされており、特定自然観光資源としての保護が困難な場合もある。この場合には、主務大臣による全体構想の認定（法第６条第２項）や特定自然観光資源への指定の際に、土地の所有者等の同意を得ること（法第８条第２項）により、他の公益や法益との調整がなされることとなるが、さらに事務の円滑化の観点から、他の公益や法益による国や都道府県の規制との調整は別途図られることが望ましい。

具体的には、特定自然観光資源として指定しようとするに当たっては、下記表の「調整対象となる機関」に掲載されている機関に対して、検討をしている旨一報し、当該自然観光資源が以下の計画、規制による地域と重なっていないか確認し、重なっている場合は、当該計画、規制を所管している機関と十分な時間的余裕をもって調整することが望ましい。

計画、規制による地域	調整対象となる機関	根拠法令
国立公園	環境省	自然公園法（昭和32年法律第161号）
国定公園	都道府県の自然保護部局	
都道府県立自然公園		
原生自然環境保全地域	環境省	自然環境保全法（昭和47年法律第85号）
自然環境保全地域		
沖合海底自然環境保全地域		
都道府県自然環境保全地域	都道府県の自然保護部局	
生息地等保護区	環境省	絶滅のおそれのある野生動植物の種の保存に関する法律（平成４年法律第75号）
保護増殖事業が行われる区域		
国指定鳥獣保護区	環境省	鳥獣の保護及び管理並びに狩猟の適正化に関する法律（平成14年法律第88号）
都道府県指定鳥獣保護区	都道府県の自然保護部局	
国営公園	国土交通省地方整備局	都市公園法（昭和48年法律第31号）
地方公共団体の管理する都市公園	地方公共団体の都市公園部局	
緑地保全地域	都道府県、指定都市又は中核市の緑地保全部局	都市緑地法（昭和48年法律第72号）
特別緑地保全地区		
近郊緑地保全区域	都府県又は指定都市の緑地保全部局	首都圏近郊緑地保全法（昭和41年法律第101号）、近畿圏の保全区域の整備に関する法律（昭和42年法律第103号）
近郊緑地特別保存地区		
歴史的風土保存区域	府県の古都保存部局	古都における歴史的風土の保存に関する特別措置法（昭和41年法律第１号）
歴史的風土特別保存地区		
地域森林計画対象森林	都道府県及び市町村の林務担当部局	森林法（昭和26年法律第249号）
国有林の地域別の森林計画の対象となっている森林	林野庁（森林管理局）	

保安林、保安林予定森林、保安施設地区、保安施設地区予定森林	都道府県の林務担当部局	
公衆の保健の用に供する計画の対象となっている森林	林野庁（森林管理局）	国有林野の管理経営に関する法律（昭和26年法律第246号）
地域管理経営計画の対象となっている森林		
国有林野施業実施計画の対象となっている森林	林野庁（森林管理局）	国有林野管理経営規程（訓令）
その他森林管理局長が定める国有林野事業の実施に関する計画	林野庁（森林管理局）	林野庁長官通知等
農業振興地域整備計画	都道府県及び市町村の農政担当部局	農業振興地域の整備に関する法律（昭和44年法律第58号）

＊表中の「環境省」については、実際に調整を行う場合、当該地域を担当する地方環境事務所又は自然環境事務所と行われたい。

6　特定自然観光資源に関する規制（法第９条第１項関係）

法第９条第１項では、特定自然観光資源の所在する区域内においては、何人も、みだりにしてはならない行為を定めているが、例えば、他の公益上やむを得ない以下のような行為は、同項の「みだりに」には当たらないと解すべきである。

・人命救助、災害防止のための緊急の行為
・河川、森林、施設等の通常の管理行為又は施設等の増築若しくは改築
・法令や条例に基づく計画に位置付けられている施設等の新築、増築又は改築
・通常の農林水産業を営むために行う行為
・木道の設置、標識の設置等特定自然観光資源の保全、管理のための行為
・動植物又は地形・地質等の自然物の保護の観点から規制している法令に基づき許可その他の処分又は国若しくは地方公共団体の同意を受けた行為
・通常の漁業により、非意図的に特定自然観光資源を捕獲、殺傷した場合

7　特定自然観光資源の所在する区域への立入りの承認（法第10条第１項関係）

(1)　立入承認申請

法第10条第１項の規定により立入りが制限されている区域への省令第５条第２項の規定による承認の申請に用いる申請書は、別紙２の様式を参考とすること。

(2)　立入承認証

法第10条第１項の規定により立入りの承認を受けた者に対し交付する立入りの承認証は、別紙３の様式を参考とすること。

8　身分証明書

法第９条第３項及び第10条第６項の規定に基づく市町村の職員が携帯する身分証明書は、別紙４の様式を参考とすること。

別紙１

エコツーリズム推進全体構想認定手続等に関する手順

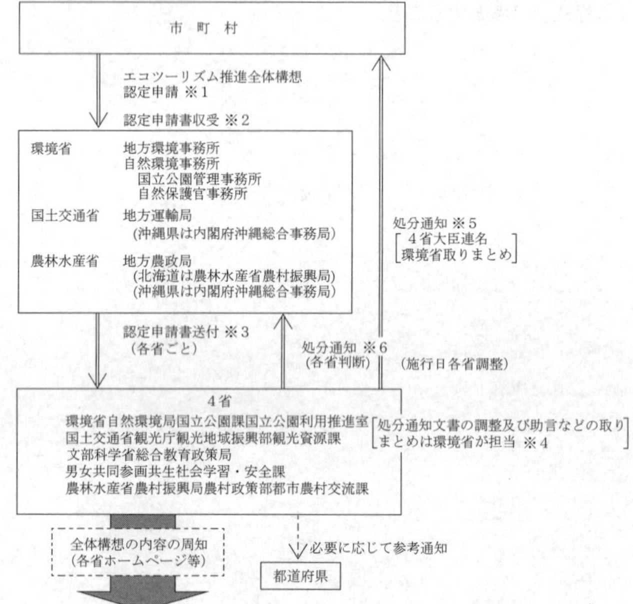

※１　○　全体構想の認定申請書は４大臣あて（連名）
　　　○　全体構想の認定申請書は４部提出
　　　○　提出先は、環境省、国土交通省又は農林水産省のいずれかの地方支分部局等に提出
　　　　・環境省　　　地方環境事務所国立公園課
　　　　　　　　　　　自然環境事務所国立公園課
　　　　　　　　　　　　国立公園管理事務所
　　　　　　　　　　　　自然保護官事務所
　　　　・国土交通省　地方運輸局観光部観光地域振興課
　　　　　　　　　　　　内閣府沖縄総合事務局運輸部企画室
　　　　・農林水産省　地方農政局農村振興部農村計画課
　　　　　　　　　　　　内閣府沖縄総合事務局農林水産部農村振興課
※２　○　認定申請書を収受した地方支分部局等は、各省の支分部局等に送付
　　　　ただし、文部科学省分については地方支分部局が無いため、総合教育政策局男女共同参画共生社会学習・安全課へ送付
　　　　また、北海道にあっては農林水産省分は農村振興局農村政策部都市農村交流課へ送付
※３　○　各省ごとに認定申請書を上部組織へ送付
※４　○　助言の要否、処分見込みなどの情報を各省共有するため環境省に適宜連絡
　　　○　処分通知文書の調整、助言の取りまとめは環境省が担当
　　　○　処分施行日を調整
※５　○　４省連名の処分通知を環境省が取りまとめ、送付
※６　○　地方支分部局への処分通知は各省ごとの判断

別紙２
（立入承認申請書様式）

エコツーリズム推進法第10条第１項の規定により、特定自然観光資源の所在する区域への立入り承認を受けたく、次のとおり申請します。

年　月　日

市（区町村）長　殿

代表者の住所：
代表者の氏名：
（法人申請にあっては、主たる事務所の所在地、名称及び代表者の氏名）

特定自然観光資源の名称	
立ち入ろうとする日時	
立ち入ろうとする者の数	
立入りの目的	□生物の観察　□登山、散策　□写真撮影 □その他（　　　　　　　）
立ち入る巡路又は範囲	
立入りの手段	
備　　考	

立入承認申請書記入要領

1　立入り申請を行う者が団体の場合にあっては、代表者の住所及び氏名を記載すること。
2　立ち入ろうとする者の数については、立入り承認を受ける者の総数を記載すること。
3　立入りの目的については、立ち入る目的を具体的に記載すること。
4　立ち入る順路又は範囲については、文字による表現が困難な場合などは、地形図に順路や範囲を表示し添付することで代えることも可能。

別紙３

立入承認証様式

（表面）	（裏面）
第　　号 年　　月　　日 殿 市（区町村）長 立入承認証 エコツーリズム推進法第10条第１項の規定に基づき、特定自然観光資源の所在する区域への立入りを承認する。 1　特定自然観光資源の名称 2　立入りの日時 3　立入りの人数 4　立入りの巡路又は範囲 5　立入りの手段	エコツーリズム推進法抜粋 （特定自然観光資源に関する規制） 第十条　市町村長は、認定全体構想に従い、第８条第１項の規定により指定した特定自然観光資源が多数の観光旅行者その他の者の活動により著しく損なわれるおそれがあると認めるときは、主務省令で定めるところにより、当該特定自然観光資源の所在する区域への立入りにつきあらかじめ当該市町村長の承認を受けるべき旨の制限をすることができる。ただし、他の法令によりその所在する区域への立入りが制限されている特定自然観光資源であって主務省令で定めるものについては、この限りでない。 2　前項の規定による制限がされたときは、同項の承認を受けた者以外の者は、当該特定自然観光資源の所在する区域に立ち入ってはならない。ただし、非常災害のために必要な応急措置を行うために立ち入る場合及び通常の管理行為、軽易な行為その他の行為であって主務省令で定めるものを行うために立ち入る場合については、この限りでない。 3　第１項の承認は、立ち入ろうとする者の数について、市町村長が定める数の範囲内において行うものとする。 4　市町村の当該職員は、第２項の規定に違反して当該特定自然観光資源の所在する区域に立ち入る者があるときは、当該区域への立入りをやめるよう指示し、又は当該区域から退去するよう指示することができる。 5～6　（略） （罰則） 第十九条　次の各号のいずれかに該当する者は、30万円以下の罰金に処する。 一　（略） 二　第10条第４項の規定による市町村の当該職員の指示に従わないで、当該特定自然観光資源の所在する区域へ立ち入り、又は当該区域から退去しなかった者

別紙４

（表）

	第　　　号
エコツーリズム推進法第９条第３項の規定による身分証明書	
写真	職名及び氏名 生 年 月 日　　　年　　月　　日生 年　　月　　日発行 市（区町村）長

（裏）

エコツーリズム推進法抜粋

（特定観光資源に関する規制）

第九条　特定自然観光資源の所在する区域内においては、何人も、みだりに次に掲げる行為をしてはならない。

一　特定自然観光資源を汚損し、損傷し、又は除去すること。

二　観光旅行者その他の者に著しく不快の念を起こさせるような方法で、ごみその他の汚物又は廃物を捨て、又は放置すること。

三　著しく悪臭を発散させ、音響機器等により著しく騒音を発し、展望所、休憩所等をほしいままに占拠し、その他観光旅行者その他の者に著しく迷惑をかけること。

四　前３号に掲げるもののほか、特定自然観光資源を損なうおそれのある行為として認定全体構想に従い市町村の条例で定める行為

２　市町村の当該職員は、特定自然観光資源の所在する区域内において前項各号に掲げる行為をしている者があるときは、その行為をやめるよう指示することができる。

３　前項の職員は、その身分を示す証明書を携帯し、関係者の請求があるときは、これを提示しなければならない。

（罰則）

第十九条　次の各号のいずれかに該当する者は、30万円以下の罰金に処する。

一　第９条第２項の規定による市町村の当該職員の指示に従わないで、みだりに同条第１項第１号から第３号までに掲げる行為をした者

二　（略）

第二十条　第９条第１項第４号の規定に基づく条例には、同条第２項の規定による市町村の当該職員の指示に従わないでみだりに同号に掲げる行為をした者に対し、30万円以下の罰金に処する旨の規定を設けることができる。

（表）

第　　　号

エコツーリズム推進法第10条第６項の規定による身分証明書

写真

職名及び氏名

生 年 月 日　　　年　　月　　日生

年　　月　　日発行

市（区町村）長

（裏）

エコツーリズム推進法抜粋

（特定観光資源に関する規制）

第十条　市町村長は、認定全体構想に従い、第８条第１項の規定により指定した特定自然観光資源が多数の観光旅行者その他の者の活動により著しく損なわれるおそれがあると認めるときは、主務省令で定めるところにより、当該特定自然観光資源の所在する区域への立入りにつきあらかじめ当該市町村長の承認を受けるべき旨の制限をすることができる。ただし、他の法令によりその所在する区域への立入りが制限されている特定自然観光資源であって主務省令で定めるものについては、この限りでない。

2　前項の規定による制限がされたときは、同項の承認を受けた者以外の者は、当該特定自然観光資源の所在する区域に立ち入ってはならない。ただし、非常災害のために必要な応急措置を行うために立ち入る場合及び通常の管理行為、軽易な行為その他の行為であって主務省令で定めるものを行うために立ち入る場合については、この限りでない。

3　第１項の承認は、立ち入ろうとする者の数について、市町村長が定める数の範囲内において行うものとする。

4　市町村の当該職員は、第２項の規定に違反して当該特定自然観光資源の所在する区域に立ち入る者があるときは、当該区域への立入りをやめるよう指示し、又は当該区域から退去するよう指示することができる。

5　第８条第２項から第６項までの規定は、第１項の制限について準用する。この場合において、同条第３項中「その保護のために講ずる措置の内容」とあるのは「立入りを制限する人数及び期間その他必要な事項」と、同条第５項中「同項ただし書の主務省令で定める自然観光資源」とあるのは「第10条第１項ただし書の主務省令で定める特定自然観光資源」と読み替えるものとする。

6　前条第３項の規定は、第４項の職員について準用する。

（罰則）

第十九条　次の各号のいずれかに該当する者は、30万円以下の罰金に処する。

一　（略）

二　第10条第４項の規定による市町村の当該職員の指示に従わないで、当該特定自然観光資源の所在する区域へ立入、又は当該区域から退去しなかった者

○エコツーリズム推進法の運用について

〔平成27年３月12日　事務連絡
各地方環境事務所・各自然環境事務所　国立公園・保全整備課長宛　自然環境局総務課自然ふれあい推進室長〕

エコツーリズム推進法（以下「法」という。）の運用については、下記事項に留意されたい。

なお、平成25年７月29日付け事務連絡「エコツーリズム推進法の運用について」は、本日をもって廃止する。

記

1　エコツーリズム推進協議会について

⑴　エコツーリズム推進協議会への参加

法第５条に基づき、市町村がエコツーリズム推進協議会（以下、「協議会」という。）を組織しようとするときは、協議会への関係行政機関の参加は必須であることから、自然環境行政を所掌する地方環境事務所等は、原則として、所管区域内のすべての協議会に参加すること。

また、管轄区域内の市町村（国立公園区域外の市町村を含む）の協議会の組織化に関する情報収集に努めるとともに、他の関係行政機関と共有等を図ること。

⑵　協議会での留意事項

地方環境事務所等は、協議会の構成員として他の構成員と相協力して、エコツーリズムの推進に努めるとともに、主務官庁として、エコツーリズム推進全体構想（以下「全体構想」という。）の内容がエコツーリズム推進基本方針に即したものとなるよう必要に応じ助言を行うこと。

2　全体構想について

⑴　認定申請に係る事前協議について

ア　事前協議の方法

事前協議の手順は、別紙１「エコツーリズム推進全体構想事前協議に関する手順」に基づくこととする。業務の効率化のため、事前協議の依頼（別紙１①と⑤の段階）、全体構想（案）等を送付する場合は電子メールにより行うよう地方環境事務所等は市町村に対し周知されたい。また、地方支分部局の事前協議の段階であっても法令の解釈等不明な点があれば、自然ふれあい推進室に相談されたい。

なお、電子メールによりがたい場合は、事務連絡により事前協議を行うよう周知されたい。

地方環境事務所等は、市町村から事前協議を受けた場合、該当する所管省庁の地方支分部局（国土交通省地方運輸局（沖縄県にあっては内閣府沖縄総合事務局運輸部）、農林水産省地方農政局（北海道にあっては農林水産省農村振興局、沖縄県にあっては内閣府沖縄総合事務局農林水産部）及び、林野庁森林管理局（当該対象区域内に国有林が含まれる場合）へ全体構想（案）の電子ファイルを送付する。あわせて、当室にも電子ファイルで情報提供を行うこと。

所管省庁の地方支分部局と事前協議が完了後、所管省庁（本省）との事前協議に移行する。当該手順に基づき、当室宛てに全体構想（案）の電子ファイルを提出すること。ただし、電子ファイルによりがたい場合、環境省、農林水産省、国土交通省、文部科学省に全体構想（案）を各省１部ずつ、計４部提出すること。

イ　事前協議の迅速化

事前協議にあたっては、別紙２「エコツーリズム推進全体構想チェックリスト」を活用し、全体構想（案）に記載すべき事項の確認を行い事前協議を２か月程度で終えるよう効率的な事務処理を図られたい。

また、２回目以降の事前協議を行う必要があるときは、変更箇所を容易に確認することができるよう市町村に対し、新旧対照表と全体構想（案）（見え消し版）を作成するよう周知されたい。

⑵　認定全体構想の周知等について

全体構想（案）が認定された場合、法第７条に基づき、環境省（本省）のホームページにおいて、認定全体構想の内容について周知することとしているが、地方環境事務所等においても、ホームページ等への掲載その他の適切な方法により公表すること。

なお、認定全体構想を作成した協議会の活動状況については、年１回程度自然ふれあい推進室においてとりまとめの上、公表することとする。

別紙1

エコツーリズム推進全体構想事前協議に関する手順

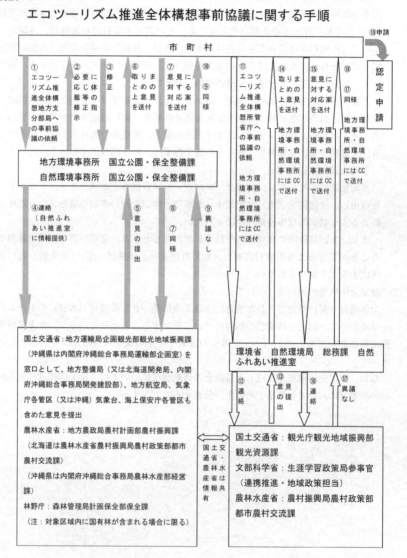

市町村

①エコツーリズム推進全体構想地方支分部局への事前協議の依頼
②必要に応じ体裁等の修正指示
③修正
⑥取りまとめの上意見を送付
⑦意見に対する対応案を送付
⑩⑨同様

地方環境事務所　国立公園・保全整備課
自然環境事務所　国立公園・保全整備課

④連絡（自然ふれあい推進室に情報提供）
⑤意見の提出
⑧⑦同様
⑨異議なし

国土交通省：地方運輸局企画観光部観光地域振興課（沖縄県は内閣府沖縄総合事務局運輸部企画室）を窓口として、地方整備局（又は北海道開発局、内閣府沖縄総合事務局開発建設部）、地方航空局、気象庁各管区（又は沖縄）気象台、海上保安庁各管区も含めた意見を提出
農林水産省：地方農政局農村計画部農村振興課（北海道は農林水産省農村振興局農村政策部都市農村交流課）（沖縄県は内閣府沖縄総合事務局農林水産部経営課）
林野庁：森林管理局計画保全部保全課（注：対象区域内に国有林が含まれる場合に限る）

⑪エコツーリズム推進全体構想所管省庁への事前協議の依頼
地方環境事務所・自然環境事務所にはCCで送付
⑭取りまとめの上意見を送付
地方環境事務所・自然環境事務所にはCCで送付
⑮意見に対する対応案を送付
地方環境事務所・自然環境事務所にはCCで送付
⑱⑰同様
地方環境事務所・自然環境事務所にはCCで送付

⑲申請

認定申請

環境省　自然環境局　総務課　自然ふれあい推進室

⑫連絡
⑬意見提出
⑯連絡
⑰異議なし

国土交通・農林水産省は情報共有

国土交通省：観光庁観光地域振興部観光資源課
文部科学省：生涯学習政策局参事官（連携推進・地域政策担当）
農林水産省：農村振興局農村政策部都市農村交流課

別紙２

エコツーリズム推進全体構想チェックリスト

エコツーリズム推進法施行規則　第２条

法第６条第１項の規定による全体構想の認定の申請は、その旨を記載した申請書に次に掲げる書類を添えて、これらを主務大臣に提出して行うものとする。

No.	書類の内容	記載ページ
1	全体構想を記載した書類	
2	全体構想の対象となる区域を明らかにした地図	
3	全体構想に規定する自然観光資源の位置を表示した地図	
4	全体構想に規定する自然観光資源に係る規制を条例で定めた場合にあっては、当該条例の内容を記載した書類	
5	全体構想に規定する自然観光資源を当該市町村長の長が特定自然観光資源として指定する場合にあっては、指定する特定自然観光資源ごとに次に掲げる書類 当該特定自然観光資源の境界を表示した地図（法第10条第１項の規定に基づき立入りを制限する場合にあっては、その対象となる区域を明らかにした地図を含む。）	
6	法第８条第２項（法第10条第５項において準用する場合を含む。）に規定する土地の所有者等の同意を得たことを証する書類	
7	法第10条第１項の規定に基づき立入りを制限する場合にあっては、その期間及び同条第３項に規定する市町村長が定める数を記載した書類	
8	前各号に掲げるもののほか、主務大臣が必要と認める書類	

エコツーリズム推進基本方針

第３章　エコツーリズム推進全体構想の作成に関する基本的事項

（全体構想に記載すべき事項）

No.	大分類	中分類	分類No.		記載ページ
1	1　エコツーリズムを推進する地域	1　推進の目的及び方針	①	推進の背景と目的	
2			②	推進に当たっての現状と課題	
3			③	推進の基本的な方針	
4		2　推進する地域	①	推進地域の範囲及び設定に当たっての考え方	
5			②	推進地域のゾーニングの考え方（ゾーニングする場合）	
6			③	ゾーニングの取扱方針（ゾーニングする場合）	
7	2　対象となる自然観光資源		①	対象となる主な自然観光資源の名称、所在地、特性、利用の概況及び利用に当たって配慮すべき事項など	
8			②	その他の観光資源の名称と所在地など	

9	3　エコツーリズムの実施の方法	1　ルール	①	ルールによって保護する対象	
10			②	ルールの内容及び設定理由	
11			③	ルールを適用する区域	
12			④	ルールの運用に当たっての実行性確保の方法	
13		2　ガイダンス及びプログラム	①	主なガイダンス及びプログラムの内容	
14			②	実施される場所	
15			③	プログラムの実施主体	
16		3　モニタリング及び評価	①	モニタリングの対象と方法	
17			②	モニタリングに当たっての各主体の役割	
18			③	評価の方法	
19			④	専門家や研究者などの関与の方法	
20			⑤	モニタリング及び評価の結果の反映の方法	
21		4　その他	①	主な情報提供の方法	
22			①	ガイドなどの育成又は研鑽の方法	
23	4　自然観光資源の保護及び育成	1　特定自然観光資源	①	特定自然観光資源の名称、所在地、区域及び指定の理由	
24			②	特定自然観光資源の保護及び育成の方法	
25			③	立入制限（利用調整）の区域における制限の理由、期間及び上限の人数など	
26			④	特定自然観光資源の保護及び育成の方法の公表及び周知の方法	
27			⑤	特定自然観光資源の保護及び育成の方法に関する管理体制	
28			⑥	特定自然観光資源に関係する主な法令及び計画など	
29		2　その他の自然観光資源	①	自然観光資源の保護及び育成の方法	
30			②	自然観光資源に関係する主な法令及び計画など	
31	5　協議会の参加主体		①	協議会に参加する者の名称又は氏名、その役割分担	
32	6　その他エコツーリズムの推進に必要な事項	1　環境教育の場としての活用と普及啓発	①	ガイダンス及びプログラムの実施に当たっての留意点	
33			②	地域住民に対する普及啓発の方法	
34		2　他の法令や計画等との関係及び整合	①	主な関連法など	

35		3　農林水産業や土地の所有者等との連携及び調和	①	農林水産業などとの連携方策や配慮事項	
36		4　地域の生活や習わしへの配慮	①	地域の生活や習わしに対する配慮事項	
37		5　安全管理	①	安全管理に関する事項	
38		6　全体構想の公表	①	公表の方法	
39		7　全体構想の見直し	①	点検及び見直しの時期	

第４章　エコツーリズム推進全体構想の認定に関する基本的事項

3　認定基準

①以下に示す事項その他の事項が本基本方針に適合するものであること。		記載ページ
1	当該市町村、観光旅行者に対し自然観光資源についての案内又は助言を業として行う者（そのあっせん業として行う者を含む。）（以下「特定事業者」という。）、地域主民、特定非営利活動法人等、土地の所有者等、関係行政機関及び関係地方公共団体など推進地域における関係者が、効率的な運営に配慮しつつ、幅広くかつ片寄りなく協議会に参加していること。	
2	協議会に参加する者の間で、協議会における協議内容、モニタリング結果などの情報が共有され、関係者間の連携が図られていること。	
3	協議会の構成員に加える旨の申入れがあった際の手続など、協議会の組織及び運営に関し必要な事項が適切に整備されていること。	
4	協議会が透明性を確保しつつ運営されていること。	
5	全体構想などの公表の方法が適切であること。	
6	他法令や、関係法令に基づく各種計画との整合性が図られていること。	
7	推進地域が周辺の市町村にまたがる場合は、当該市町村との連携が図られていること。	
8	自然観光資源の保護及び育成のために講ずる措置の内容が適切であること。	
9	特定自然観光資源を指定する場合にあっては、あらかじめ市町村長が土地の所有者等の同意を得ていること。	
10	全体構想が定期的に点検され、必要に応じて見直しの検討がなされると見込まれること。	
②自然観光資源の保護・育成のために講ずる措置その他の全体構想に定める事項が確実かつ効果的に実施されると見込まれること。		記載ページ
1	特定事業者、自然観光資源の保護・育成のために講ずる措置の実施者などが存在し、その役割分担が明確にされていること。	

第４章　早見表

○国立公園事業の執行に係る付帯施設

事業名＼付帯施設	車道	自転車道	歩道	橋	広場	園地	宿舎	避難小屋	休憩所	展望施設	案内所	野営場	運動場	水泳場	舟遊場	スキー場	スケート場	乗馬施設	車庫	駐車場	燃料等供給施設	昇降機	自動車運送施設
車道		△	△			△			△	△	△									△			
自転車道			△			△			△	△	△									△			
歩道						△		△	△	△	△									△			
橋																							
広場									○		○	▲								○			
園地									○	○	○	▲	△	○	△		△			○			
宿舎						○			○		○	▲	○	○	△					○			
避難小屋												▲											
休憩所						○				○	○									○			
展望施設						○			○		○									○			
案内所									○											○			
野営場					○	○			○		○		△		△					○			
運動場						○			○		○			○						○			
水泳場					○	○			○		○									○			
舟遊場						○			○		○									○			
スキー場								○	○		○									○			
スケート場						○			○											○			
乗馬施設						○			○		○									○			
車庫																							
駐車場						○			○		○												
燃料等供給施設									○		○									○			
昇降機																							
自動車運送施設					△	△			△	△	△									△			
船舶運送施設					○	○			○		○									○			
水上飛行機					○	○			○		○									○			
鉄道運送施設					○	○			○	○	○									○			
索道運送施設					○	○			○	○	○									○			
一般自動車道		△	△			△			△	△	△									△			
係留施設					○	○			○		○									○			
給水施設																							
排水施設																							
医療救急施設																				○			
公衆浴場						○			○		○									○			
公衆便所																							
汚物処理施設																							
博物館					○	○			○		○									○			
植物園					○	○			○		○									○			
動物園					○	○			○		○									○			
水族館					○	○			○		○									○			
博物展示施設					○	○			○		○									○			
野外劇場																				○			
植生復元施設																							
動物繁殖施設																							
砂防施設																							
防火施設																							
自然再生施設																							

○：限定なし　△：限定付き　▲：事業決定に留意

船舶運送施設	水上飛行機	鉄道運送施設	索道運送施設	一般自動車道	係留施設	給水施設	排水施設	医療救急施設	公衆浴場	公衆便所	汚物処理施設	博物館	植物園	動物園	水族館	博物展示施設	野外劇場	植生復元施設	動物繁殖施設	砂防施設	防火施設	自然再生施設
										△												
										△												
										△								○				
										○												
									○	○							○	○				
									○	○												
										○												
									○	○												
										○												
										○												
									○	○							○					
										○												
					○			○		○												
					○					○												
			○					○		○												
										○												
										○												
										○												
										○												
										△												
					○					○												
					○					○												
										○												
										○												
										△												
										○												
										○												
										○							○					
										○							○					
										○							○					
										○							○					
										○							○					
										○												

○自然公園法施行規則第11条（基準部分）引用関係整理表

（注　●印は、いずれかに適合すれば良いもの。この印がない場合は、すべて満たすことが必要。）

項	行為の種類	号	基準の内容
第１項	工作物の新築、改築又は増築のうち仮設の建築物（土地に定着する工作物のうち、屋根及び柱又は壁を有するものをいい、建築設備（当該工作物に設ける電気、ガス、給水、排水、換気、暖房、冷房、消火、排煙若しくは汚物処理の設備又は煙突、昇降機若しくは避雷針をいう。）を含む。）の新築、改築又は増築	第１号	設置期間が３年を超えず、かつ、当該建築物の構造が容易に移転し又は除却することができるものであること。
		第２号	次に掲げる地域（以下「特別保護地区等」という。）内において行われるものでないこと。
			イ　特別保護地区、第１種特別地域、海域公園地区
			ロ　第２種特別地域又は第３種特別地域のうち、植生の復元が困難な地域等（次に掲げる地域であって、その全部若しくは一部について文化財保護法第109条第１項の規定による史跡名勝天然記念物の指定若しくは同法第110条第１項の規定による史跡名勝天然記念物の仮指定（以下「史跡名勝天然記念物の指定等」という。）がされていること又は学術調査の結果等により、特別保護地区又は第１種特別地域に準ずる取扱いが現に行われ、又は行われることが必要であると認められるものをいう。以下同じ。）であるもの (1)　高山帯、亜高山帯、風衝地、湿原等植生の復元が困難な地域 (2)　野生動植物の生息地又は生育地として重要な地域 (3)　地形若しくは地質が特異である地域又は特異な自然の現象が生じている地域 (4)　優れた天然林又は学術的価値を有する人工林の地域
		第３号	当該建築物が主要な展望地から展望する場合の著しい妨げにならないものであること。
		第４号	当該建築物が山稜線を分断する等眺望の対象に著しい支障を及ぼすものでないこと。
		第５号	当該建築物の屋根及び壁面の色彩並びに形態がその周辺の風致又は景観と著しく不調和でないこと。
		第６号	当該建築物の撤去に関する計画が定められており、かつ、当該建築物を撤去した後に跡地の整理を適切に行うこととされているものであること。
		ただし書	既存の建築物の改築、既存の建築物の建替え若しくは災害により滅失した建築物の復旧のための新築（申請に係る建築物の規模が既存の建築物の規模を超えないもの又は既存の建築物が有していた機能を維持するためやむを得ず必要最小限の規模の拡大を行うものに限る。）又は学術研究その他公益上必要であり、かつ、申請に係る場所以外の場所においてはその目的を達成することができないと認められる建築物の新築、改築若しくは増築（以下「既存建築物の改築等」という。）であって、第１号、第５号及び第６号に掲げる基準に適合するものについては、この限りでない。
			第１号　設置期間が３年を超えず、かつ、当該建築物の構造が容易に移転し又は除却することができるものであること。
			第５号　当該建築物の屋根及び壁面の色彩並びに形態がその周辺の風致又は景観と著しく不調和でないこと。
			第６号　当該建築物の撤去に関する計画が定められており、かつ、当該建築物を撤去した後に跡地の整理を適切に行うこととされているものであること。
第２項	工作物の新築、改築又は増築のうち申請に係る国立公園若しくは国定公園の区域内にお	本文	第１項第２号　特別保護地区、第１種特別地域、海域公園地区、第２種特別地域又は第３種特別地域のうち植生の復元が困難な地域等内で行われるものでないこ

	いて公園事業若しくは農林漁業に従事する者その他の者であって、申請に係る場所に居住することが必要と認められるものの住宅及び昭和50年４月１日（同日後に申請に係る場所が特別地域、特別保護地区又は海域公園地区に指定された場合にあっては、当該指定の日。以下「基準日」という。）において申請に係る場所に現に居住していた者の住宅若しくは住宅部分を含む建築物（基準日以後にその造成に係る行為について法第20条第３項、第21条第３項又は第22条第3項の規定による許可の申請をした分譲地等（第４項に規定する分譲地等をいう。）内に設けられるものを除く。）の新築、改築若しくは増築又はこれらの建築物と用途上不可分である建築物の新築、改築若しくは増築（前項の規定の適用を受けるものを除く。）			と。	
			第１項第３号	当該建築物が主要な展望地から展望する場合の著しい妨げにならないものであること。	
			第１項第４号	当該建築物が山稜線を分断する等眺望の対象に著しい支障を及ぼすものでないこと。	
			第１項第５号	当該建築物の屋根及び壁面の色彩並びに形態がその周辺の風致又は景観と著しく不調和でないこと。	
			当該建築物の高さ（避雷針及び煙突（寒冷地における暖房用等必要最小限のものに限る。）を除いた建築物の地上部分の最高部と最低部の高さの差をいう。以下この項、第４項及び第６項において同じ。）が13m（その高さが現に13mを超える既存の建築物の改築又は増築にあっては、既存の建築物の高さ）を超えないものであること。		
		ただし書	既存建築物の改築等であって、前項第５号に掲げる基準に適合するものについては、この限りでない。		
			既存建築物の改築等	既存の建築物の改築、既存の建築物の建替え若しくは災害により滅失した建築物の復旧のための新築（申請に係る建築物の規模が既存の建築物の規模を超えないもの又は既存の建築物が有していた機能を維持するためやむを得ず必要最小限の規模の拡大を行うものに限る。）又は学術研究その他公益上必要であり、かつ、申請に係る場所以外の場所においてはその目的を達成することができないと認められる建築物の新築、改築若しくは増築	
			第１項第５号	当該建築物の屋根及び壁面の色彩並びに形態がその周辺の風致又は景観と著しく不調和でないこと。	
第３項	工作物の新築、改築又は増築のうち農林漁業を営むために必要な建築物の新築、改築又は増築（前２項の規定の適用を受けるものを除く。）	本文	第１項第２号	特別保護地区、第１種特別地域、海域公園地区、第２種特別地域又は第３種特別地域のうち植生の復元が困難な地域等で行われるものでないこと。	
			第１項第３号	当該建築物が主要な展望地から展望する場合の著しい妨げにならないものであること。	
			第１項第４号	当該建築物が山稜線を分断する等眺望の対象に著しい支障を及ぼすものでないこと。	
			第１項第５号	当該建築物の屋根及び壁面の色彩並びに形態がその周辺の風致又は景観と著しく不調和でないこと。	
		ただし書	前項ただし書に規定する行為に該当するものについては、この限りでない。		
			前項ただし書に規定する行為	既存の建築物の改築、既存の建築物の建替え若しくは災害により滅失した建築物の復旧のための新築（申請に係る建築物の規模が既存の建築物の規模を超えないもの又は既存の建築物が有していた機能を維持するためやむを得ず必要最小限の規模の拡大を行うものに限る。）又は学術研究その他公益上必要であり、かつ、申請に係る場所以外の場所においてはその目的を達成することができないと認められる建築物の新築、改築若しくは増築であって、第１項第５号に掲げる基準に適合するもの	
				第１項第５号	当該建築物の屋根及び壁面の色彩並びに形態がその周辺の風致又は景観と著しく不調和でないこと。
第４項	工作物の新築、改築又は増築のうち集合別荘（同一棟内に独立して別荘（分譲ホテルを含む。）の用に供せられる部分が５以上ある建築物をいう。	本文	第１項第２号	特別保護地区、第１種特別地域、海域公園地区、第２種特別地域又は第３種特別地域のうち植生の復元が困難な地域等で行われるものでないこと。	
			第１項第３号	当該建築物が主要な展望地から展望する場合の著	

<table>
<tr><td></td><td rowspan="15">以下同じ。）、集合住宅（同一棟内に独立して住宅の用に供せられる部分が５以上ある建築物をいう。以下同じ。）若しくは保養所の新築、改築若しくは増築、分譲することを目的とした一連の土地若しくは売却すること、貸付けをすること若しくは一時的に使用させせることを目的とした建築物が２棟以上設けられる予定である一連の土地（以下「分譲地等」という。）内における建築物の新築、改築若しくは増築又はこれらの建築物と用途上不可分である建築物の新築、改築若しくは増築（前３項又は次項の規定の適用を受けるものを除く。）</td><td></td><td><table><tr><td></td><td>しい妨げにならないものであること。</td></tr><tr><td>第１項第４号</td><td>当該建築物が山稜線を分断する等眺望の対象に著しい支障を及ぼすものでないこと。</td></tr><tr><td>第１項第５号</td><td>当該建築物の屋根及び壁面の色彩並びに形態がその周辺の風致又は景観と著しく不調和でないこと。</td></tr></table></td></tr>
<tr><td></td><td>第１号</td><td>保存緑地（第９項第４号及び第５号に規定する保存緑地をいう。以下この項において同じ。）において行われるものでないこと。</td></tr>
<tr><td></td><td>第２号</td><td>分譲地等内における建築物の新築、改築又は増築にあっては、当該建築物が２階建以下であり、かつ、その高さが10m（その高さが現に10mを超える既存の建築物の改築又は増築にあっては、既存の建築物の高さ）を超えないものであること。</td></tr>
<tr><td></td><td>第３号</td><td>分譲地等以外の場所における集合別荘、集合住宅又は保養所の新築、改築又は増築にあっては、当該建築物の高さが13m（その高さが現に13mを超える既存の建築物の改築又は増築にあっては、既存の建築物の高さ）を超えないものであること。</td></tr>
<tr><td></td><td>第４号</td><td>当該建築物に係る敷地の範囲が明らかであり、かつ、その敷地面積（当該敷地内に保存緑地となるべき部分を含むものにあっては、当該保存緑地の面積を除いた面積。以下同じ。）が1000㎡以上であること。</td></tr>
<tr><td></td><td>第５号</td><td>集合別荘又は集合住宅の新築、改築又は増築にあっては、敷地面積を戸数で除した面積が250㎡以上であること。</td></tr>
<tr><td></td><td>第６号</td><td>総建築面積（同一敷地内にあるすべての建築物の建築面積（建築物の地上部分の水平投影面積をいう。以下この項において同じ。）の和をいう。第６項において同じ。）の敷地面積に対する割合及び総延べ面積（同一敷地内にあるすべての建築物の延べ面積（建築基準法施行令第２条第１項第４号に掲げる延べ面積をいう。）の和をいう。以下同じ。）の敷地面積に対する割合が、次の表の上欄に掲げる地域の区分ごとに、それぞれ同表の中欄及び下欄に掲げるとおりであること。<table><tr><td>地種区分</td><td>総建築面積の敷地面積に対する割合</td><td>総延べ面積の敷地面積に対する割合</td></tr><tr><td>第２種特別地域</td><td>20%以下</td><td>40%以下</td></tr><tr><td>第３種特別地域</td><td>20%以下</td><td>60%以下</td></tr></table></td></tr>
<tr><td></td><td>第７号</td><td>当該建築物の水平投影外周線で囲まれる土地の勾配が30%を超えないものであること。</td></tr>
<tr><td></td><td>第８号</td><td>前号に規定する土地及びその周辺の土地が自然草地、低木林地、採草放牧地又は高木の生育が困難な地域（以下「自然草地等」という。）でないこと。</td></tr>
<tr><td></td><td>第９号</td><td>当該建築物の地上部分の水平投影外周線が、公園事業に係る道路又はこれと同程度に当該公園の利用に資する道路（以下「公園事業道路等」という。）の路肩から20m以上、それ以外の道路の路肩から５m以上離れていること。</td></tr>
<tr><td></td><td>第10号</td><td>当該建築物の地上部分の水平投影外周線が敷地境界線から５m以上離れていること。</td></tr>
<tr><td></td><td>第11号</td><td>当該建築物の建築面積が2000㎡以下であること。</td></tr>
<tr><td></td><td>ただし書</td><td>第２項ただし書に規定する行為に該当するものについては、この限りでない。<table><tr><td>第２項ただし書に規定する行為</td><td>既存の建築物の改築、既存の建築物の建替え若しくは災害により滅失した建築物の復旧のための新築（申請に係る建築物の規模が既存の建築物の規模を超えないもの又は既存の建築物が有していた機能を維持するためやむを得ず必要最小限の規模の拡大を行うものに限る。）又は学術研究その他公益上必要であり、かつ、申請に係る場所以外の場所においてはその目的を達成することができないと認められる建築物の新築、改築若しくは増築であって、第１項第５号に掲げる基準に適合するもの<table><tr><td>第１項第５号</td><td>当該建築物の屋根及び壁面の色</td></tr></table></td></tr></table></td></tr>
</table>

<table>
<tr><td></td><td></td><td></td><td></td><td></td><td>彩並びに形態がその周辺の風致又は景観と著しく不調和でないこと。</td></tr>
<tr><td rowspan="12">第５項</td><td rowspan="12">工作物の新築、改築又は増築のうち基準日（昭和50年４月１日（同日後に申請に係る場所が特別地域、特別保護地区又は海域公園地区に指定された場合にあっては、当該指定の日。））前にその造成に係る行為について法第20条第３項等の規定による許可の申請をし、若しくは基準日前にその造成に係る行為を完了し、若しくは基準日以後にその造成に係る行為について法第20条第６項、第21条第６項若しくは第22条第６項の規定による届出をした分譲地等内における建築物の新築、改築若しくは増築又はこれらの建築物と用途上不可分である建築物の新築、改築若しくは増築（第１項から第３項までの規定の適用を受けるものを除く。）</td><td rowspan="6">本文</td><td>第１項第２号</td><td colspan="2">特別保護地区、第１種特別地域、海域公園地区、第２種特別地域又は第３種特別地域のうち植生の復元が困難な地域等で行われるものでないこと。</td></tr>
<tr><td>第１項第３号</td><td colspan="2">当該建築物が主要な展望地から展望する場合の著しい妨げにならないものであること。</td></tr>
<tr><td>第１項第４号</td><td colspan="2">当該建築物が山稜線を分断する等眺望の対象に著しい支障を及ぼすものでないこと。</td></tr>
<tr><td>第１項第５号</td><td colspan="2">当該建築物の屋根及び壁面の色彩並びに形態がその周辺の風致又は景観と著しく不調和でないこと。</td></tr>
<tr><td>第４項第１号</td><td colspan="2">保存緑地において行われるものでないこと。</td></tr>
<tr><td>第４項第２号</td><td colspan="2">分譲地等内における建築物の新築、改築又は増築にあっては、当該建築物が２階建以下であり、かつ、その高さが10m（その高さが現に10mを超える既存の建築物の改築又は増築にあっては、既存の建築物の高さ）を超えないものであること。</td></tr>
<tr><td>第１号</td><td colspan="3">当該建築物の建築面積（建築基準法施行令第２条第１項第２号に掲げる建築面積をいう。以下この項において同じ。）が2000㎡以下であること。</td></tr>
<tr><td>第２号</td><td colspan="3">当該建築物に係る敷地の範囲が明らかであり、かつ、総建築面積（同一敷地内にあるすべての建築物の建築面積の和をいう。）の敷地面積に対する割合及び総延べ面積の敷地面積に対する割合が、次の表の上欄に掲げる地域及び敷地面積の区分ごとに、それぞれ同表中欄及び下欄に掲げるとおりであること。<table><tr><td>地種区分と敷地面積の区分</td><td>総建築面積の敷地面積に対する割合</td><td>総延べ面積の敷地面積に対する割合</td></tr><tr><td>第２種特別地域内における敷地面積が500㎡未満</td><td>10％以下</td><td>20％以下</td></tr><tr><td>第２種特別地域内における敷地面積が500㎡以上1000㎡未満</td><td>15％以下</td><td>30％以下</td></tr><tr><td>第２種特別地域内における敷地面積が1000㎡以上</td><td>20％以下</td><td>40％以下</td></tr><tr><td>第３種特別地域</td><td>20％以下</td><td>60％以下</td></tr></table></td></tr>
<tr><td rowspan="3">ただし書</td><td colspan="3">第２項ただし書に規定する行為に該当するものについては、この限りでない。</td></tr>
<tr><td rowspan="2">第２項ただし書に規定する行為</td><td colspan="2">既存の建築物の改築、既存の建築物の建替え若しくは災害により滅失した建築物の復旧のための新築（申請に係る建築物の規模が既存の建築物の規模を超えないもの又は既存の建築物が有していた機能を維持するためやむを得ず必要最小限の規模の拡大を行うものに限る。）又は学術研究その他公益上必要であり、かつ、申請に係る場所以外の場所においてはその目的を達成することができないと認められる建築物の新築、改築若しくは増築であって、第１項第５号に掲げる基準に適合するもの</td></tr>
<tr><td>第１項第５号</td><td>当該建築物の屋根及び壁面の色彩並びに形態がその周辺の風致又は景観と著しく不調和でないこと。</td></tr>
<tr><td colspan="4"></td></tr>
<tr><td>第６項</td><td>工作物の新築、改築又は増築のうち前各項の規定の適用を受ける建築物の新築、改築又</td><td>本文</td><td>第１項第２号</td><td colspan="2">特別保護地区、第１種特別地域、海域公園地区、第２種特別地域又は第３種特別地域のうち植生の復元が困難な地域等で行われるものでないこと。</td></tr>
</table>

	は増築以外の建築物の新築、改築又は増築		第１項第３号	当該建築物が主要な展望地から展望する場合の著しい妨げにならないものであること。
			第１項第４号	当該建築物が山稜線を分断する等眺望の対象に著しい支障を及ぼすものでないこと。
			第１項第５号	当該建築物の屋根及び壁面の色彩並びに形態がその周辺の風致又は景観と著しく不調和でないこと。
			第４項第７号	当該建築物の水平投影外周線で囲まれる土地の勾配が30％を超えないものであること。
			第４項第９号	当該建築物の地上部分の水平投影外周線が、公園事業道路等（公園事業に係る道路又はこれと同程度に当該公園の利用に資する道路）の路肩から20ｍ以上、それ以外の道路の路肩から５ｍ以上離れていること。
			第４項第10号	当該建築物の地上部分の水平投影外周線が敷地境界線から５ｍ以上離れていること。
			第４項第11号	当該建築物の建築面積が2000㎡以下であること。
		第１号	当該建築物の高さが13ｍ（その高さが現に13ｍを超える既存の建築物の改築又は増築にあっては、既存の建築物の高さ）を超えないものであること。	
		第２号	当該建築物に係る敷地の範囲が明らかであり、かつ、総建築面積の敷地面積に対する割合及び総延べ面積の敷地面積に対する割合が、前項第２号の表の上欄に掲げる地域及び敷地面積の区分ごとに、それぞれ同表の中欄及び下欄に掲げるとおりであること。	

地種区分と敷地面積の区分	総建築面積の敷地面積に対する割合	総延べ面積の敷地面積に対する割合
第２種特別地域内における敷地面積が500㎡未満	10％以下	20％以下
第２種特別地域内における敷地面積が500㎡以上1000㎡未満	15％以下	30％以下
第２種特別地域内における敷地面積が1000㎡以上	20％以下	40％以下
第３種特別地域	20％以下	60％以下

		ただし書	第２項ただし書に規定する行為に該当するものについては、この限りでない。	
			第２項ただし書に規定する行為	既存の建築物の改築、既存の建築物の建替え若しくは災害により滅失した建築物の復旧のための新築（申請に係る建築物の規模が既存の建築物の規模を超えないもの又は既存の建築物が有していた機能を維持するためやむを得ず必要最小限の規模の拡大を行うものに限る。）又は学術研究その他公益上必要であり、かつ、申請に係る場所以外の場所においてはその目的を達成することができないと認められる建築物の新築、改築若しくは増築であって、第１項第５号に掲げる基準に適合するもの
				第１項第５号：当該建築物の屋根及び壁面の色彩並びに形態がその周辺の風致又は景観と著しく不調和でないこと。
第７項	工作物の新築、改築又は増築のうち車道（分譲地等の造成を目的としたものを除く。）の	第１号	特別保護地区又は第１項第２号ロ⑴から⑷までに掲げる地域であって、その全部若しくは一部について史跡名勝天然記念物の指定等がされていること若しくは学術調査の結果等により特別保護地	

	新築			区に準ずる取扱いが現に行われ、若しくは行われることが必要であると認められるもの内において行われるものでないこと。 第１項第２号ロ⑴　高山帯、亜高山帯、風衝地、湿原等植生の復元が困難な地域 ⑵　野生動植物の生息地又は生育地として重要な地域 ⑶　地形若しくは地質が特異である地域又は特異な自然の現象が生じている地域 ⑷　優れた天然林又は学術的価値を有する人工林の地域			
				ただし書	●次に掲げる基準に適合するものについては、この限りでない。		
					イ	地表に影響を及ぼさない方法で行われるものであること。	
					ロ	当該車道が次のいずれかに該当すること。	
						●⑴	農林漁業、鉱業又は採石業の用に供される車道であって、当該車道を設けること以外にその目的を達成することが困難であると認められるもの
						●⑵	地域住民の日常生活の用に供される車道
						●⑶	公益上必要であり、かつ、当該車道を設けること以外にその目的を達成することが困難であると認められる車道
						●⑷	法の規定に適合する行為の行われる場所に到達するために設けられる車道であって、当該車道を設けること以外にその目的を達成することが困難であると認められるもの
						●⑸	法の規定に適合する行為により設けられた工作物又は造成された土地を利用するために必要と認められる車道
					ハ	当該行為により生じた残土を特別地域、特別保護地区又は海域公園地区内において処理するものでないこと。	
						ただし書	特別地域以外の地域に搬出することが著しく困難であると認められ、かつ、第２種特別地域又は第３種特別地域内においてその風致の維持に支障を及ぼさない方法で処理することとされている場合にあっては、この限りでない。
					●砂防工事等地形若しくは植生の保全に資すると認められる事業を行うために行われるものであってロ及びハ並びに次号ロからホまでに掲げる基準に適合するものについては、この限りでない。		
					ロ	当該車道が次のいずれかに該当すること。	
						●⑴	農林漁業、鉱業又は採石業の用に供される車道であって、当該車道を設けること以外にその目的を達成することが困難であると認められるもの
						●⑵	地域住民の日常生活の用に供される車道
						●⑶	公益上必要であり、かつ、当該車道を設けること以外にその目的を達成することが困難であると認められる車道
						●⑷	法の規定に適合する行為の行われる場所に到達するために設けられる車道であって、当該車道を設けること以外にその目的を達成することが困難であると認められるもの
						●⑸	法の規定に適合する行為により設け

				られた工作物又は造成された土地を利用するために必要と認められる車道
	ハ			当該行為により生じた残土を特別地域、特別保護地区又は海域公園地区内において処理するものでないこと。
		ただし書		特別地域以外の地域に搬出することが著しく困難であると認められ、かつ、第２種特別地域又は第３種特別地域内においてその風致の維持に支障を及ぼさない方法で処理することとされている場合にあっては、この限りでない。
	次号ロ			盛土部分の土砂の流出又は崩壊を防止する措置が十分に講じられるものであること。
	次号ハ			法面が、交通安全上又は防災上必要やむを得ない場合を除き、緑化されることになっているものであって、その緑化の方法が郷土種を用いる等行為の場所及びその周辺の状況に照らして妥当であると認められるものであること。
		ただし書		法面が硬岩である場合その他の緑化が困難であると認められる場合は、この限りでない。
	次号ニ			線形を地形に順応させること又は橋りょう、桟道、ずい道等を使用することにより、大規模な切土又は盛土を伴わないよう配慮されたものであること。
	次号ホ			擁壁その他付帯工作物の色彩及び形態がその周辺の風致又は景観と著しく不調和でないこと。
第２号				前号本文に規定する地域以外の地域内において行われるものにあっては、前号ハの規定の例によるほか、次に掲げる基準に適合するものであること。
	前号ハ			当該行為により生じた残土を特別地域、特別保護地区又は海域公園地区内において処理するものでないこと。
		ただし書		特別地域以外の地域に搬出することが著しく困難であると認められ、かつ、第２種特別地域又は第３種特別地域内においてその風致の維持に支障を及ぼさない方法で処理することとされている場合にあっては、この限りでない。
	イ	前号ロ		当該車道が次のいずれかに該当すること。
			●(1)	農林漁業、鉱業又は採石業の用に供される車道であって、当該車道を設けること以外にその目的を達成することが困難であると認められるもの
			●(2)	地域住民の日常生活の用に供される車道
			●(3)	公益上必要であり、かつ、当該車道を設けること以外にその目的を達成することが困難であると認められる車道
			●(4)	法の規定に適合する行為の行われる場所に到達するために設けられる車道であって、当該車道を設けること以外にその目的を達成することが困難であると認められるもの
			●(5)	法の規定に適合する行為により設けられた工作物又は造成された土地を利用するために必要と認められる車道

				ただし書	専ら自転車の通行の用に供される道路の新築にあっては、この限りでない。
			ロ	盛土部分の土砂の流出又は崩壊を防止する措置が十分に講じられるものであること。	
			ハ	法面が、交通安全上又は防災上必要やむを得ない場合を除き、緑化されることになっているものであって、その緑化の方法が郷土種を用いる等行為の場所及びその周辺の状況に照らして妥当であると認められるものであること。	
				ただし書	法面が硬岩である場合その他の緑化が困難であると認められる場合は、この限りでない。
			ニ	線形を地形に順応させること又は橋りょう、桟道、ずい道等を使用することにより、大規模な切土又は盛土を伴わないよう配慮されたものであること。	
			ホ	擁壁その他付帯工作物の色彩及び形態がその周辺の風致又は景観と著しく不調和でないこと。	
第８項	工作物の新築、改築又は増築のうち車道（分譲地等の造成を目的としたものを除く。）の改築又は増築	本文	前項第１号ハ	当該行為により生じた残土を特別地域、特別保護地区又は海域公園地区内において処理するものでないこと。	
				ただし書	特別地域以外の地域に搬出することが著しく困難であると認められ、かつ、第２種特別地域又は第３種特別地域内においてその風致の維持に支障を及ぼさない方法で処理することとされている場合にあっては、この限りでない。
			前項第２号ロ	盛土部分の土砂の流出又は崩壊を防止する措置が十分に講じられるものであること。	
			前項第２号ハ	法面が、交通安全上又は防災上必要やむを得ない場合を除き、緑化されることになっているものであって、その緑化の方法が郷土種を用いる等行為の場所及びその周辺の状況に照らして妥当であると認められるものであること。	
				ただし書	法面が硬岩である場合その他の緑化が困難であると認められる場合は、この限りでない。
			前項第２号ニ	線形を地形に順応させること又は橋りょう、桟道、ずい道等を使用することにより、大規模な切土又は盛土を伴わないよう配慮されたものであること。	
			前項第２号ホ	擁壁その他付帯工作物の色彩及び形態がその周辺の風致又は景観と著しく不調和でないこと。	
			当該車道が新たに前項第１号本文に規定する地域を通過することとなるものでないこと。		
				特別保護地区又は第１項第２号ロ⑴から⑷までに掲げる地域であって、その全部若しくは一部について史跡名勝天然記念物の指定等がされていること若しくは学術調査の結果等により、特別保護地区に準ずる取扱いが現に行われ、若しくは行われることが必要であると認められるもの 第１項第２号ロ⑴　高山帯、亜高山帯、風衝地、湿原等植生の復元が困難な地域 ⑵　野生動植物の生息地又は生育地として重要な地域 ⑶　地形若しくは地質が特異である地域又は特異な自然の現象が生じている地域 ⑷　優れた天然林又は学術的価値を有する人工林の地域	
第９項	工作物の新築、改築又は増築のうち分譲地等の造成を目的とした道路又は上下水道施設の新築、改築又は増築	本文	第７項第１号ハ	当該行為により生じた残土を特別地域、特別保護地区又は海域公園地区内において処理するものでないこと。	
				ただし書	特別地域以外の地域に搬出すること

					が著しく困難であると認められ、かつ、第２種特別地域又は第３種特別地域内においてその風致の維持に支障を及ぼさない方法で処理することとされている場合にあっては、この限りでない。
			第７項第２号ロ		盛土部分の土砂の流出又は崩壊を防止する措置が十分に講じられるものであること。
			第７項第２号ハ		法面が、交通安全上又は防災上やむを得ない場合を除き、緑化されることになっているものであって、その緑化の方法が郷土種を用いる等行為の場所及びその周辺の状況に照らして妥当であると認められるものであること。
				ただし書	法面が硬岩である場合その他の緑化が困難であると認められる場合は、この限りでない。
			第７項第２号ニ		線形を地形に順応させること又は橋りょう、桟道、ずい道等を使用することにより、大規模な切土又は盛土を伴わないよう配慮されたものであること。
			第７項第２号ホ		擁壁その他附帯工作物の色彩及び形態がその周辺の風致又は景観と著しく不調和でないこと。
		第１号			特別保護地区等又は自然草地等内において行われるものでないこと。
			特別保護地区等		特別保護地区、第１種特別地域、海域公園地区、第２種特別地域又は第３種特別地域のうち植生の復元が困難な地域等
			自然草地等		自然草地、低木林地、採草放牧地、高木の生育が困難な地域
		第２号			道路又は上下水道施設の新築、改築又は増築に関連する分譲地等（以下「関連分譲地等」という。）の造成が特別保護地区等又は自然草地等内において行われるものでないこと。
		第３号			関連分譲地等の造成の計画において、一分譲区画の面積（当該分譲区画内に保存緑地となるべき部分を含むものにあっては、当該保存緑地の面積を除いた面積）がすべて1000㎡以上とされていること。
		第４号			前号に規定する計画において、勾配が30％を超える土地及び公園事業道路等（公園事業に係る道路又はこれと同程度に当該公園の利用に資する道路）の路肩から20m以内の土地をすべて保存緑地とすることとされていること。
		第５号			第３号に規定する計画において、前号に規定する保存緑地以外に関連分譲地等の全面積の10％以上の面積の土地を保存緑地とすることとされていること。
		第６号			第３号に規定する計画において保存緑地とされた土地において新築を行うものでないこと。
		第７号			関連分譲地等が次に掲げる基準に適合する方法で売買されるものであること。
			イ		分譲区画とされるべき土地及び保存緑地とされるべき土地の区分を購入者に図面をもって明示すること。
			ロ		購入後において一分譲区画を保存緑地となる部分を除いた面積が1000㎡未満になるように分割してはならない旨及びそのように分割した場合には当該分割後の土地における建築物の新築、改築又は増築については法第20条第３項、第21条第３項又は第22条第３項の規定による許可を受けられる見込みのない旨を分譲区画の購入者に書面をもって通知すること。
		第８号			第３号に規定する計画において、下水処理施設、ごみ処理施設等環境衛生施設が整備される等分譲地等の造成がその周辺の風致又は景観の維持に支障を及ぼすことがないよう十分配慮されていること。
		第９号			関連分譲地等の全面積が20ha 以下であること。

第10項	工作物の新築、改築又は増築のうち屋外運動施設の新築、改築又は増築	本文	第１項第３号	当該屋外運動施設が主要な展望地から展望する場合の著しい妨げにならないものであること。		
			第１項第４号	当該屋外運動施設が山稜線を分断する等眺望の対象に著しい支障を及ぼすものでないこと。		
			前項第１号	特別保護地区等又は自然草地等内において行われるものでないこと。		
					特別保護地区等	特別保護地区、第１種特別地域、海域公園地区、第２種特別地域又は第３種特別地域のうち植生の復元が困難な地域等
					自然草地等	自然草地、低木林地、採草放牧地、高木の生育が困難な地域
		第１号	申請に係る場所以外の場所においてはその目的を達成することができないと認められるものであること。			
		第２号	申請に係る場所が、法第20条第３項又は第21条第３項の許可を受けて木竹の伐採が行われた後、５年を経過していない場所でないこと。			
			ただし書	木竹の伐採が僅少である場合はこの限りでない。		
		第３号	総施設面積（同一敷地内にあるすべての工作物（屋外運動施設のほか、建築物、駐車場、道路等を含む。）の地上部分の水平投影面積の和をいう。）の敷地面積に対する割合が、第２種特別地域に係るものにあっては40%以下、第３種特別地域に係るものにあっては60%以下であること。			
		第４号	当該屋外運動施設の水平投影外周線で囲まれる土地の勾配が10%を超えないものであること。			
		第５号	当該屋外運動施設の地上部分の水平投影外周線が、公園事業道路等（公園事業に係る道路又はこれと同程度に当該公園の利用に資する道路）の路肩から20m以上、それ以外の道路の路肩から５m以上離れていること。			
		第６号	当該屋外運動施設の地上部分の水平投影外周線が敷地境界線から５m以上離れていること。			
		第７号	同一敷地内の屋外運動施設の地上部分の水平投影面積の和が2000㎡以下であること。			
		第８号	当該屋外運動施設に係る土地の形状を変更する規模が必要最小限であると認められること。			
		第９号	当該行為による土砂の流出のおそれがないこと。			
		第10号	支障木の伐採が僅少であること。			
		第11号	当該屋外運動施設の色彩及び形態がその周辺の風致又は景観と著しく不調和でないこと。			
第11項	工作物の新築、改築又は増築のうち風力発電施設の新築、改築又は増築	本文	第１項第５号	当該風力発電施設の色彩並びに形態がその周辺の風致又は景観と著しく不調和でないこと。		
			第１項第６号	当該風力発電施設の撤去に関する計画が定められており、かつ、当該風力発電施設を撤去した後に跡地の整理を適切に行うこととされているものであること。		
			第10項第２号	申請に係る場所が、別の目的により法第20条第３項により同条第２号に係る行為として許可を受け、または第21条第３項第１号の前条第３項第１号に係る行為として許可を受けて木竹の伐採が行われた後、５年を経過していない場所でないこと（ただし、伐採の規模が僅少である場合は除く。）。		
				ただし書	木竹の伐採が僅少である場合はこの限りでない。	
			第10項第８号	当該風力発電施設に係る土地の形状を変更する規模が必要最小限であると認められること。		

			第10項第10号		支障木の伐採が僅少であること。
		第１号	第１項第２号		次に掲げる地域内において行われるものでないこと。
				イ	特別保護地区、第１種特別地域又は海域公園地区
				ロ	第２種特別地域又は第３種特別地域のうち、植生の復元が困難な地域等（次に掲げる地域であって、その全部若しくは一部について史跡名勝天然記念物の指定等がされていること又は学術調査の結果等により、特別保護地区又は第１種特別地域に準ずる取扱いが現に行われ、又は行われることが必要であると認められるものをいう。）であるもの (1)　高山帯、亜高山帯、風衝地、湿原等植生の復元が困難な地域 (2)　野生動植物の生息地又は生育地として重要な地域 (3)　地形若しくは地質が特異である地域又は特異な自然の現象が生じている地域 (4)　優れた天然林又は学術的価値を有する人工林の地域
			第１項第３号		当該風力発電施設が主要な展望地から展望する場合の著しい妨げにならないものであること。
			第１項第４号		当該風力発電施設が山稜線を分断する等眺望の対象に著しい支障を及ぼすものでないこと。
			ただし書		学術研究その他公益上必要であり、かつ、申請に係る場所以外の場所においてはその目的を達成することができないと認められる風力発電施設の新築、改築又は増築にあっては、この限りでない。
		第２号	野生動植物の生息又は生育上その他の風致又は景観の維持上重大な支障を及ぼすおそれがないものであること。		
第12項	工作物の新築、改築又は増築のうち太陽光発電施設の新築、改築、又は増築であって、土地に定着させるもの	本文	第１項第５号		当該太陽光発電施設の色彩並びに形態がその周辺の風致又は景観と著しく不調和でないこと。
			第１項第６号		当該太陽光発電施設の撤去に関する計画が定められており、かつ、当該太陽光発電施設を撤去した後に跡地の整理を適切に行うこととされているものであること。
			第10項第２号		申請に係る場所が、別の目的により法第20条第３項により同条第２号に係る行為として許可を受け、または第21条第３項第１号の前条第３項第１号に係る行為として許可を受けて木竹の伐採が行われた後、５年を経過していない場所でないこと（ただし、伐採の規模が僅少である場合は除く。）。
				ただし書	木竹の伐採が僅少である場合はこの限りでない。
			第10項第８号		当該太陽光発電施設に係る土地の形状を変更する規模が必要最小限であると認められること。
			第11項第２号		野生動植物の生息又は生育上その他の風致又は景観の維持上重大な支障を及ぼすおそれがないものであること。
		第１号	第１項第２号		次に掲げる地域内において行われるものでないこと。
				イ	特別保護地区、第１種特別地域又は海域公園地区
				ロ	第２種特別地域又は第３種特別地域のうち、植生の復元が困難な地域等（次に掲げる地域であって、その全部若しくは一部について史跡名勝天然記念物の指定等がされていること又は学術調査の結果等により特別保護地区又は第１種特別地域に準ずる取扱いが現に行わ

						れ、又は行われることが必要であると認められるものをいう。）であるもの (1)　高山帯、亜高山帯、風衝地、湿原等植生の復元が困難な地域 (2)　野生動植物の生息地又は生育地として重要な地域 (3)　地形若しくは地質が特異である地域又は特異な自然の現象が生じている地域 (4)　優れた天然林又は学術的価値を有する人工林の地域
			第１項第３号			当該太陽光発電施設が主要な展望地から展望する場合の著しい妨げにならないものであること。
			第１項第４号			当該太陽光発電施設が山稜線を分断する等眺望の対象に著しい支障を及ぼすものでないこと。
			ただし書			同一敷地内の太陽光発電施設の地上部分の水平投影面積の和が2000㎡以下であって、学術研究その他公益上必要であり、かつ、申請に係る場所以外の場所においてはその目的を達成することができないと認められる太陽光発電施設の新築、改築、又は増築にあっては、この限りでない。
		第２号	第４項第７号			当該太陽光発電施設の水平投影外周線で囲まれる土地の勾配が30%を超えないものであること。
			第４項第９号			当該太陽光発電施設の地上部分の水平投影外周線が、公園事業道路等（公園事業に係る道路又はこれと同程度に当該公園の利用に資する道路）の路肩から20m以上、それ以外の道路の路肩から５m以上離れていること。
			第４項第10号			当該太陽光発電施設の地上部分の水平投影外周線が、敷地境界線から５m以上離れていること。
			第10項第10号			支障木の伐採が僅少であること。
			ただし書			同一敷地内の太陽光発電施設の地上部分の水平投影面積の和が2000㎡以下であって、次に掲げる基準のいずれかに適合する太陽光発電施設の新築、改築、又は増築にあっては、この限りでない。
				●イ		学術研究その他公益上必要であり、かつ、申請に係る場所以外の場所においてはその目的を達成することができないと認められること。
				●ロ		地域住民の日常生活の維持のために必要と認められること。
				●ハ		農林漁業に付随して行われるものであること。
		第３号	自然草地等内において行われるものでないこと。			
			自然草地等			自然草地、低木林地、採草放牧地、高木の生育が困難な地域
			ただし書			前号ただし書に規定する行為に該当するものについては、この限りでない。
				前号ただし書に規定する行為		同一敷地内の太陽光発電施設の地上部分の水平投影面積の和が2000㎡以下であって、次に掲げる基準のいずれかに適合する太陽光発電施設の新築、改築、又は増築にあっては、この限りでない。
					●イ	学術研究その他公益上必要であり、かつ、申請に係る場所以外の場所においてはその目的を達成することができないと認められること。
					●ロ	地域住民の日常生活の維持のために必要と認められること。

				●ハ	農林漁業に付随して行われるものであること。
		第４号	当該行為による土砂及び汚濁水の流出のおそれがないこと。		
第13項	工作物の新築、改築又は増築のうち前各項の規定の適用を受ける工作物の新築、改築又は増築以外の仮設の工作物の新築、改築又は増築	本文	第１項第１号	設置期間が３年を超えず、かつ、当該工作物の構造が容易に移転し又は除却することができるものであること。	
			第１項第６号	当該工作物の撤去に関する計画が定められており、かつ、当該工作物を撤去した後に跡地の整理を適切に行うこととされているものであること。	
		第１号	第１項第２号	次に掲げる地域内において行われるものでないこと。	
				イ	特別保護地区、第１種特別地域又は海域公園地区
				ロ	第２種特別地域又は第３種特別地域のうち、植生の復元が困難な地域等（次に掲げる地域であって、その全部若しくは一部について史跡名勝天然記念物の指定等がされていること又は学術調査の結果等により特別保護地区又は第１種特別地域に準ずる取扱いが現に行われ、又は行われることが必要であると認められるものをいう。）であるもの (1)　高山帯、亜高山帯、風衝地、湿原等植生の復元が困難な地域 (2)　野生動植物の生息地又は生育地として重要な地域 (3)　地形若しくは地質が特異である地域又は特異な自然の現象が生じている地域 (4)　優れた天然林又は学術的価値を有する人工林の地域
			第１項第３号	当該工作物が主要な展望地から展望する場合の著しい妨げにならないものであること。	
			第１項第４号	当該工作物が山稜線を分断する等眺望の対象に著しい支障を及ぼすものでないこと。	
			ただし書	次に掲げる行為のいずれかに該当するものについては、この限りでない。	
				●イ	地下に設けられる工作物の新築、改築又は増築
				●ロ	既存の工作物の改築又は既存の工作物の建替え若しくは災害により滅失した工作物の復旧のための新築（申請に係る工作物の規模が既存の工作物の規模を超えないもの又は既存の工作物が有していた機能を維持するためやむを得ず必要最小限の規模の拡大を行うものに限る。）
				●ハ	学術研究その他公益上必要であり、かつ、申請に係る場所以外の場所においてはその目的を達成することができないと認められる工作物の新築、改築又は増築
		第２号	当該工作物の外部の色彩及び形態がその周辺の風致又は景観と著しく不調和でないこと。		
			ただし書	特殊な用途の工作物については、この限りでない。	
		第３号	照明装置を用いて特別保護地区、特別地域又は海域公園地区内の森林又は河川その他の自然物について照明を行うものについては、次に掲げる基準に適合すること。		
			イ	光の色彩及び形態がその周辺の風致又は景観と著しく不調和でないこと。	
			ロ	期間及び時間が必要最小限であると認められること。	
			ハ	当該照明を行う範囲が必要最小限と認められるものであること。	
			ニ	動光又は点滅を伴うものでないこと。	

			ホ	野生動植物の生息又は生育上その他の風致又は景観の維持上重大な支障を及ぼすおそれがないものであること。		
			へ	特別保護地区内の森林又は河川その他の自然物について行うものでないこと。		
			ただし書	学術研究その他公益上必要と認められるもの又は病害虫の防除のために行われるものは、この限りでない。		
第14項	工作物の新築、改築又は増築のうち前各項の規定の適用を受ける工作物の新築、改築又は増築以外の工作物の新築、改築又は増築	本文	前項第1号	第1項第2号		次に掲げる地域で行われるものでないこと。
					イ	特別保護地区、第1種特別地域又は海域公園地区
					ロ	第2種特別地域又は第3種特別地域のうち、植生の復元が困難な地域等（次に掲げる地域であって、その全部若しくは一部について史跡名勝天然記念物の指定等がされていること又は学術調査の結果等により、特別保護地区又は第1種特別地域に準ずる取扱いが現に行われ、又は行われることが必要であると認められるものをいう。）であるもの (1) 高山帯、亜高山帯、風衝地、湿原等植生の復元が困難な地域 (2) 野生動植物の生息地又は生育地として重要な地域 (3) 地形若しくは地質が特異である地域又は特異な自然の現象が生じている地域 (4) 優れた天然林又は学術的価値を有する人工林の地域
				第1項第3号		当該工作物が主要な展望地から展望する場合の著しい妨げにならないものであること。
				第1項第4号		当該工作物が山稜線を分断する等眺望の対象に著しい支障を及ぼすものでないこと。
				ただし書		次に掲げる行為のいずれかに該当するものについては、この限りでない。
					●イ	地下に設けられる工作物の新築、改築又は増築
					●ロ	既存の工作物の改築又は既存の工作物の建替え若しくは災害により滅失した工作物の復旧のための新築（申請に係る工作物の規模が既存の工作物の規模を超えないもの又は既存の工作物が有していた機能を維持するためやむを得ず必要最小限の規模の拡大を行うものに限る。）
					●ハ	学術研究その他公益上必要であり、かつ、申請に係る場所以外の場所においてはその目的を達成することができないと認められる工作物の新築、改築又は増築
			前項第2号	当該工作物の外部の色彩及び形態がその周辺の風致又は景観と著しく不調和でないこと。		
				ただし書		特殊な用途の工作物については、この

						限りでない。
			前項第３号			照明装置を用いて特別保護地区、特別地域又は海域公園地区内の森林又は河川その他の自然物について照明を行うものについては、次に掲げる基準に適合すること。
				イ		光の色彩及び形態がその周辺の風致又は景観と著しく不調和でないこと。
				ロ		期間及び時間が必要最小限であると認められること。
				ハ		当該照明を行う範囲が必要最小限と認められるものであること。
				ニ		動光又は点滅を伴うものでないこと。
				ホ		野生動植物の生息又は生育上その他の風致又は景観の維持上重大な支障を及ぼすおそれがないものであること。
				ヘ		特別保護地区内の森林又は河川その他の自然物について行うものでないこと。
				ただし書		学術研究その他公益上必要と認められるもの又は病害虫の防除のために行われるものは、この限りでない。
		第１号				廃棄物の処理及び清掃に関する法律第８条第１項に規定する一般廃棄物の最終処分場又は同法第15条第１項に規定する産業廃棄物の最終処分場を設置するものでないこと。
		第２号				次に掲げる基準のいずれかに適合するものであること。
			●イ			当該工作物の地上部分の水平投影外周線が公園事業道路等（公園事業に係る道路又はこれと同程度に当該公園の利用に資する道路）の路肩から20m以上離れていること。
			●ロ			学術研究その他公益上必要と認められること。
			●ハ			地域住民の日常生活の維持のために必要と認められること。
			●ニ			農林漁業に付随して行われるものであること。
			●ホ			既に建築物の設けられている敷地内において行われるものであること。
			●ヘ			前項第１号イ又はロに掲げる行為のいずれかに該当するものであること。
				前項第１号	●イ	地下に設けられる工作物の新築、改築又は増築
					●ロ	既存の工作物の改築又は既存の工作物の建替え若しくは災害により滅失した工作物の復旧のための新築（申請に係る工作物の規模が既存の工作物の規模を超えないもの又は既存の工作物が有していた機能を維持するためやむを得ず必要最小限の規模の拡大を行うものに限る。）
第15項	木竹の伐採	●第１号				第１種特別地域内において行われるもので、次に掲げる基準に適合するものであること。
			イ			単木択伐法によるものであること。
			ロ			当該伐採が行われる森林の最小区分ごとに算定した択伐率が当該区分の現在蓄積の10%以下であること。
			ハ			当該伐採の対象となる木竹の樹齢が標準伐期齢に見合う年齢に10年を加えたもの以上であること。
				ただし書		立竹の伐採にあっては、この限りでない。
		●第２号				第２種特別地域内において行われるもので、次に掲げる基準のいずれかに適合するものであること。
			イ			択伐法によるものにあっては、次に掲げる基準に適合するも

項	行為	号	区分	細目	ただし書	基準
						のであること。
				(1)		当該伐採が行われる森林の最小区分ごとに算定した択伐率が、用材林にあっては当該区分の現在蓄積の30％以下、薪炭林にあっては当該区分の現在蓄積の60％以下であること。
				(2)		当該伐採の対象となる木竹の樹齢が標準伐期齢に見合う年齢以上であること。
					ただし書	立竹の伐採にあっては、この限りでない。
				(3)		公園事業に係る施設（令第１条第７号、第10号及び第11号に掲げるものを除く。）及び集団施設地区（以下「利用施設等」という。）の周辺（造林地、要改良林分及び薪炭林を除く。）において行われる場合にあっては、単木択伐法によるものであること。
			ロ			皆伐法によるものにあっては、イ(2)の規定の例によるほか、次に掲げる基準に適合するものであること。
				イ(2)		当該伐採の対象となる木竹の樹齢が標準伐期齢に見合う年齢以上であること。
					ただし書	立竹の伐採にあっては、この限りでない。
				(1)		１伐区の面積が２ha 以内であること。ただし、当該伐採後に当該伐区内に残される立木の樹冠の水平投影面積の総和を当該伐区の面積で除した値が10分の３を超える場合又は当該伐区が利用施設等その他の主要な公園利用地点から望見されない場合は、この限りでない。
				(2)		当該伐区が、皆伐法による伐採が行われた後、更新して５年を経過していない伐区に隣接していないこと。
				(3)		利用施設等の周辺（造林地、要改良林分及び薪炭林を除く。）において行われるものでないこと。
		●第３号				第３種特別地域内において行われるものであること。
		●第４号				学術研究その他公益上必要と認められるもの、地域住民の日常生活の維持のために必要と認められるもの、病害虫の防除、防災若しくは風致の維持その他森林の管理のために行われるもの又は測量のために行われるものであること。
第16項	指定区域内における木竹の損傷	第１号				申請に係る場所以外の場所においてはその目的を達成することができないと認められるものであること。
		第２号				当該損傷の対象となる木竹の生育に支障を及ぼすおそれがないものであること。
第17項	鉱物の掘採又は土石の採取のうち露天掘りでない方法によるもの	第１号				特別保護地区又は海域公園地区内において行われるものでないこと。
			ただし書			次に掲げる基準のいずれかに適合するものについては、この限りでない。
				●イ		既存の泉源、水源等の掘替えのために行われるものであること。
				●ロ		農林漁業の用に供するために慣行的に行われるものであること。
				●ハ		学術研究その他公益上必要であり、かつ、申請に係る場所以外の場所においてはその目的を達成することができないと認められるものであること。
		第２号				坑口又は掘削口が第１種特別地域又は第２種特別地域若しくは第３種特別地域のうち植生の復元が困難な地域等内に設けられるものでないこと。
			ただし書			前号イからハまでに掲げる基準のいずれかに適合するものについては、この限りでない。
				●前号イ		既存の泉源、水源等の掘替えのために行わ

				れるものであること。
			●前号ロ	農林漁業の用に供するために慣行的に行われるものであること。
			●前号ハ	学術研究その他公益上必要であり、かつ、申請に係る場所以外の場所においてはその目的を達成することができないと認められるものであること。
第18項	鉱物の掘採又は土石の採取のうち露天掘りによるもの	●第１号		法第20条第３項、第21条第３項又は第22条第３項の規定による許可を受け、又は法第20条第６項、第21条第６項又は第22条第６項の規定による届出をして現に露天掘りによる鉱物の掘採又は土石の採取を行っている者がその掘採又は採取を行っている土地に隣接した土地において生業の維持のために行うもの（第２号又は第４号の規定の適用を受けるものを除く。）にあっては、次に掲げる基準に適合するものであること。
			イ	特別保護地区等内において行われるものでないこと。
			特別保護地区等	特別保護地区、第１種特別地域、海域公園地区、第２種特別地域又は第３種特別地域のうち植生の復元が困難な地域等
			ロ	自然的、社会経済的条件にかんがみ、掘採又は採取の期間及び規模が必要最小限と認められるものであること。
			ハ	当該掘採又は採取の方法が著しい自然の改変を伴うものでないこと。
			ニ	当該掘採又は採取に係る跡地の整理に関する計画が定められており、かつ、当該跡地の整理を適切に行うこととされているものであること。
		●第２号		河川にたい積した砂利を採取するものであって採取の場所が採取前の状態に復することが確実であると認められるものにあっては、前号イの規定の例によるほか、当該採取が河川の水を汚濁する方法で行われるものでないこと。
			前号イ	特別保護地区等内において行われるものでないこと。
				当該採取が河川の水を汚濁する方法で行われるものでないこと。
		●第３号		第３種特別地域（植生の復元が困難な地域等を除く。）内において行われるもの（第１号、第２号又は第４号の規定の適用を受けるものを除く。）にあっては、現在の地形を大幅に改変するものでないこと。
		●第４号		既に鉱業権が設定されている区域内における鉱物の掘採にあっては、第１号イの規定の例によるほか、次に掲げる基準に適合するものであること。
			第１号イ	特別保護地区等内において行われるものでないこと。
			イ	露天掘りでない方法によることが著しく困難と認められるものであること。
			ロ	平成12年４月１日以後に鉱業権が設定された区域内において行われるものにあっては、主要な利用施設等の周辺で行われるものでないこと。
		●第５号		前各号の規定の適用を受ける行為以外の行為にあっては、特別地域内において行われるものであって、前項第１号イからハまでに掲げる基準のいずれかに適合するものであること。
			●前項第１号イ	既存の泉源、水源等の掘替えのために行われるものであること。
			●前項第１号ロ	農林漁業の用に供するために慣行的に行われるものであること。
			●前項第１号ハ	学術研究その他公益上必要であり、かつ、申請に係る場所以外の場所においてはその目的を達成することができないと認められるものであること。
第19項	河川、湖沼等の水位、水量に増減を及ぼさせること	本文	第11項第２号	野生動植物の生息又は生育上その他の風致又は景観の維持上重大な支障を及ぼすおそれがない

項	行為	号	細目	細々目	基準
					ものであること。
		第１号			次に掲げる基準のいずれかに適合するものであること。
			●イ		学術研究その他公益上必要と認められること。
			●ロ		地域住民の日常生活の維持のために必要と認められること。
			●ハ		農業又は漁業に付随して行われるものであること。
		第２号			水位の変動についての計画が明らかなものであること。
		第３号			特別保護地区又は次に掲げる地域であって、その全部若しくは一部について史跡名勝天然記念物の指定等がされていること若しくは学術調査の結果等により、特別保護地区に準ずる取扱いが現に行われ、若しくは行われることが必要であると認められるものに支障を及ぼすおそれがないものであること。
			イ		野生動植物の生息地又は生育地として重要な地域
			ロ		優れた天然林又は学術的価値を有する人工林の地域
			ハ		優れた風致又は景観を有する河川又は湖沼等
					ただし、基準日（昭和50年４月１日（同日後に申請に係る場所が特別地域、特別保護地区又は海域公園地区に指定された場合にあっては、当該指定の日。））においてこれらの地域において法第20条第３項又は第21条第３項の規定による許可を受け、又は法第20条第６項又は第21条第６項の規定による届出をして現に行われているものであり、かつ、従来の行為の規模を超えない程度で行われるものにあっては、この限りでない。
第20項	指定湖沼又は湿原等に汚水又は廃水を排水設備を設けて排出すること	第１号			当該汚水又は廃水の処理施設が技術的に最良の機能を有すると認められるものであること。
		第２号			当該汚水又は廃水が法第20条第３項第６号又は第21条第３項第１号の規定により環境大臣が指定した湖沼又は湿原の水質の維持に著しい支障を及ぼすおそれがないものであること。
第21項	広告物等の掲出、設置又は表示	●第１号			所在地、名称、商標、営業内容その他の事業のために必要である事項を明らかにするために行われるもの又は土地、立木等の権利関係を明らかにするために行われるものにあっては、当該広告物等（広告物その他これに類する物又は広告その他これに類する物をいう。以下同じ。）が次に掲げる基準に適合するものであること。
			イ		店舗、事務所、営業所その他の事業所の敷地内若しくは事業を行っている場所において掲出され、若しくは設置され、又は表示されるものであること。
			ロ		表示面の面積が５㎡以下であり、かつ、同一敷地内又は同一場所内における表示面の面積の合計が10㎡以下のものであること。
			ハ		広告物等を設置する場合にあってはその高さが５ｍ、広告物等を掲出し又は表示する場合にあってはその表示面の高さが５ｍ（工作物に掲出し又は表示するものにあっては、当該工作物の高さ）以下のものであること。
			ニ		光源を用いる広告物等にあっては、次に掲げる基準に適合すること。
				⑴	照明の範囲が必要最小限であると認められるものであること。
				⑵	機関及び時間が必要最小限であると認められること。
				⑶	動光又は点滅を伴うものでないこと。
			ホ		色彩及び形態がその周辺の風致又は景観と著しく不調和でないこと。
		●第２号			店舗、事務所、営業所、住宅、別荘、保養所その他の建築物又は事業を行っている場所へ誘導するために行われるものにあっては、前号ニの規定の例によるほか、次に掲げる基準に適合するものであること。

			前号ニ	光源を用いる広告物等にあっては、次に掲げる基準に適合すること。	
				(1)	照明の範囲が必要最小限であると認められるものであること。
				(2)	機関及び時間が必要最小限であると認められること。
				(3)	動光又は点滅を伴うものでないこと。
			前号ホ	色彩及び形態がその周辺の風致又は景観と著しく不調和でないこと。	
			イ	設置の目的及び地理的条件に照らして必要と認められること。	
			ロ	広告物等の個々の表示面の面積が１㎡以下であること。	
			ハ	複数の内容を表示する広告物等にあっては、その表示面の面積の合計が10㎡以下であること。	
			ニ	広告物等を設置する場合にあってはその高さが５m、広告物等を掲出し又は表示する場合にあってはその表示面の高さが５m以下のものであること。	
			ホ	既に複数の広告物等が掲出され、若しくは設置され、又は表示されている地域において行われるものにあっては、当該行為に伴う広告物等の集中により周辺の風致又は景観との調和を著しく乱すものでないこと。	
		●第３号	指導標、案内板その他の当該地の地理若しくは自然を案内し若しくは解説するもの又は当該地と密接な関係を持つ歴史上の事件若しくは文学作品等について当該地とのかかわりを紹介するために行われるものにあっては、第１号ニ及び前号ニの規定の例によるほか、広告物等が次の基準に適合するものであること。		
			第１号ニ	光源を用いる広告物等にあっては、次に掲げる基準に適合すること。	
				(1)	照明の範囲が必要最小限であると認められるものであること。
				(2)	機関及び時間が必要最小限であると認められること。
				(3)	動光又は点滅を伴うものでないこと。
			第１号ホ	色彩及び形態がその周辺の風致又は景観と著しく不調和でないこと。	
			前号ニ	広告物等を設置する場合にあってはその高さが５m、広告物等を掲出し又は表示する場合にあってはその表示面の高さが５m以下のものであること。	
			イ	表示面の面積が５㎡（複数の内容を表示する広告物等にあっては、10㎡）以下であること。	
			ロ	設置者名の表示面積が300c㎡以下であること。	
			ハ	一の広告物等に設置者名が重複して表示されるものでないこと。	
		●第４号	広告物等としての機能を有するベンチ、くず箱等の簡易な物を設置するものにあっては、第１号ホ及び前号ハの規定の例によるほか、広告物等が次の基準に適合するものであること。		
			第１号ホ	色彩及び形態がその周辺の風致又は景観と著しく不調和でないこと。	
			前号ハ	一の広告物等に設置者名が重複して表示されるものでないこと。	
			イ	表示面積が300c㎡以下であること。	
			ロ	商品名の表示がないものであること。	
			ハ	設置者の営業内容の宣伝の文言を用いるものでないこと。	

		●第5号			前各号の規定の適用を受ける行為以外の行為にあっては、救急病院、警察等特殊な用途の施設を示すために行われるもの、地域の年中行事等として一時的に行われるもの、地域住民に一定事項を知らしめるためのものであって地方公共団体その他の公共的団体により行われるもの、社寺境内地等において祭典、法要その他の臨時の行事に関して行われるもの又は保安の目的で行われるものであること。
第22項	屋外における土石その他の指定する物の集積、又は貯蔵	第1号			第1種特別地域又は第2種特別地域若しくは第3種特別地域のうち植生の復元が困難な地域等若しくは自然草地等内において行われるものでないこと。
			自然草地等		自然草地、低木林地、採草放牧地、高木の生育が困難な地域
		第2号			廃棄物（廃棄物の処理及び清掃に関する法律第2条第1項に規定する廃棄物をいう。以下同じ。）を集積し、又は貯蔵するものでないこと。
		第3号			申請に係る場所以外の場所においてはその目的を達成することができないと認められるものであること。
		第4号			自然的、社会経済的条件にかんがみ、集積又は貯蔵の期間及び規模が必要最小限と認められるものであること。
		第5号			集積し、又は貯蔵する物が樹木その他の遮へい物により利用施設等その他の主要な公園利用地点から明瞭に望見されるものでないこと。
		第6号			集積し、又は貯蔵する高さが10mを超えないものであること。
		第7号			集積し、又は貯蔵する土地の外周線が、公園事業道路等（公園事業に係る道路又はこれと同程度に当該公園の利用に資する道路）の路肩から20m以上、それ以外の道路の路肩から5m以上離れていること。
		第8号			集積し、又は貯蔵する土地の外周線が敷地境界線から5m以上離れていること。
		第9号			集積し、又は貯蔵する物が崩壊し、飛散し、及び流出するおそれがないこと。
		第10号			支障木の伐採が僅少であること。
		第11号			集積又は貯蔵に係る跡地の整理に関する計画が定められており、かつ、当該跡地の整理を適切に行うこととされているものであること。
		ただし書			地域住民の日常生活の維持のために必要と認められるもの若しくは農林漁業に付随して行われるものであって第5号から第9号までに掲げる基準に適合するもの又は公益上必要であって第3号及び第5号から第9号までに掲げる基準に適合するものについては、この限りでない。
第23項	水面（海面）の埋立て又は干拓	第1号			次に掲げる地域内において行われるものでないこと。
			イ		特別保護地区若しくは第1種特別地域又はこれらの地先水面
			ロ		海域公園地区
			ハ		次に掲げる地域であって、その全部又は一部について史跡名勝天然記念物の指定等がされていること又は学術調査の結果等により、特別保護地区又は第1種特別地域に準ずる取扱いが現に行われ、又は行われることが必要であると認められるもの
				(1)	野生動植物の生息地又は生育地として重要な水辺地又は水面
				(2)	優れた風致若しくは景観を有する自然海岸、自然湖岸その他の水辺地又はこれらの地先水面
			ただし書		当該行為が学術研究上必要であり、かつ、申請に係る場所以外の場所においてはその目的を達成することができないと認められるものについては、この限りでない。

		第２号	次に掲げる基準のいずれかに適合するものであること。		
			●イ	学術研究その他公益上必要と認められること。	
			●ロ	地域住民の日常生活の維持のために必要と認められること。	
			●ハ	農業又は漁業に付随して行われるものであること。	
			●ニ	既存の埋立地又は干拓地の地先において行われるものであること。	
		第３号	当該行為又はこれに関連する行為が当該行為の場所に隣接する水辺地又は水面の風致又は景観の維持に及ぼす支障の程度が軽微であること。		
			ただし書	前号ニに掲げる基準に適合するものにあっては、この限りでない。	
				前号ニ	既存の埋立地又は干拓地の地先において行われるものであること。
		第４号	廃棄物の埋立てによるものでないこと。		
第24項	土地の開墾、土地の形状変更	第１号	特別保護地区、第１種特別地域又は第２種特別地域若しくは第３種特別地域のうち植生の復元が困難な地域等内において行われるものでないこと。		
			ただし書	当該行為が学術研究その他公益上必要であり、かつ、申請に係る場所以外の場所においてはその目的を達成することができないと認められるもの又は現に農業の用に供されている農地内において行われる客土その他の農地改良のための行為については、この限りでない。	
		第２号	集団的に建築物その他の工作物を設置する敷地を造成するために行われるものでないこと。		
		第２号の２	土地を階段状に造成するものでないこと（農林漁業を営むために必要と認められるものは除く。）。		
		第３号	ゴルフ場の造成のために行われるものでないこと。		
			ただし書	既存のゴルフコースの改築のために行われるものについては、この限りでない。	
		第４号	廃棄物の埋立てによるものでないこと。		
			ただし書	既に土石の採取等によりその形状が変更された土地において廃棄物を埋め立てる場合であって、埋立て及びこれに関連する行為により風致の維持に新たに支障を及ぼすことがなく、埋立て及びこれに際して行われる修景等の措置により従前より好ましい風致を形成することとなるときは、この限りでない。	
		第５号	申請に係る場所以外の場所においてはその目的を達成することができないと認められるものであること。		
			ただし書	農林漁業を営むために必要と認められるものについては、この限りでない。	
		第６号	開墾し、又は形状を変更する土地の範囲が必要最小限と認められるものであること。		
		第７号	当該行為による土砂の流出のおそれがないものであること。		
第25項	高山植物その他の指定する植物の採取又は損傷、指定する動物の捕獲、殺傷等	第１号	学術研究その他公益上必要であり、かつ、申請に係る場所以外の場所においてはその目的を達成することができないと認められるものであること。		
		第２号	採取し若しくは損傷しようとする植物、捕獲し若しくは殺傷しようとする動物又は採取し若しくは損傷しようとする卵に係る動物が申請に係る特別地域において絶滅のおそれがないものであること。		
			ただし書	当該動植物の保護増殖を目的とし、かつ、当該特別地域における当該動植物の保存に資する場合は、この限りでない。	

項	行為	区分	細目	基準
第26項	指定区域内における指定する植物の植栽又は播種	●第1号	前項第1号	学術研究その他公益上必要であり、かつ、申請に係る場所以外の場所においてはその目的を達成することができないと認められるものであること。
		●第2号		災害復旧のために行われるものであること。
第27項	指定区域内における指定する動物の放出（指定する動物が家畜である場合の放牧を含む。）	本文	第25項第1号	学術研究その他公益上必要であり、かつ、申請に係る場所以外の場所においてはその目的を達成することができないと認められるものであること。
				環境大臣が指定する動物が家畜である場合における当該家畜である動物の放牧にあっては、当該放牧が反復継続して行われるものでないこと。
第28項	屋根、壁面等の色彩の変更	本文		その周辺の風致又は景観と著しく不調和である色彩に変更するものでないこと。
			ただし書	特殊な用途の物の色彩の変更については、この限りでない。
第29項	指定区域への立ち入り 指定区域での車馬の使用等	●第1号		申請に係る場所以外の場所においてはその目的を達成することができないと認められる行為であって、次に掲げる基準のいずれかに適合するものであること。
			●イ	学術研究その他公益上必要と認められるものであること。
			●ロ	野生動植物の生息又は生育上その他の風致の維持上支障を及ぼすおそれがないものであること。
		●第2号		地域住民の日常生活の維持のために必要と認められるものであること。
第30項	指定道路での車馬の使用等	●第1号		申請に係る場所以外の場所においてはその目的を達成することができないと認められる行為であって、次に掲げる基準のいずれかに適合するものであること。
			●イ	学術研究その他公益上必要と認められるものであること。
			●ロ	野生動植物の生息又は生育上その他の風致の維持上支障を及ぼすおそれがないものであること。
		●第2号		地域住民の日常生活の維持のために必要と認められるものであること。
第31項	木竹の損傷 木竹以外の植物の採取、損傷等 動物の捕獲、殺傷等	第1号		学術研究その他公益上必要と認められるもの、地域住民の日常生活の維持のために必要と認められるもの、病虫害の防除、防災若しくは景観の維持その他森林若しくは野生動植物の保護管理のために行われるもの又は測量のために行われるものであって、申請に係る場所以外の場所においてはその目的を達成することができないと認められるものであること。
		第2号		採取し若しくは損傷しようとする植物、捕獲し若しくは殺傷しようとする動物又は採取し若しくは損傷しようとする卵に係る動物が申請に係る特別保護地区において絶滅のおそれがないものであること。
			ただし書	在来の動植物の保存その他当該特別保護地区における在来の景観の維持のために必要と認められる場合又は当該動植物の保護増殖を目的とし、かつ、当該特別保護地区における当該動植物の保存に資する場合は、この限りでない。
第32項	木竹の植栽 木竹以外の植物の植栽又は植物の種まき	●第1号	第25項第1号	学術研究その他公益上必要であり、かつ、申請に係る場所以外の場所においてはその目的を達成することができないと認められるものであること。
		●第2号		植栽し、又は種子をまこうとする地域に現存する植物と同一種類の植物を植栽し、又はその種子をまくものであること（在来の景観の維持に支障を及ぼすおそれがないと認められるものに限る。）
		●第3号		災害復旧のために行われるものであること。
第33項	動物の放出（家畜の放牧を含む） 屋外における物の集積、貯蔵	本文	第25項第1号	学術研究その他公益上必要であり、かつ、申請に係る場所以外の場所においてはその目的を達成することができないと認められるものであること。

	火入れ又はたき火 道路等以外の場所での車馬の使用等 物の係留 指定区域での動力船の使用		当該行為が反復継続して行われるものでないこと。			
第34項	指定区域内における熱帯魚その他の指定する動植物の捕獲、殺傷等	第１号	第25項第１号	学術研究その他公益上必要であり、かつ、申請に係る場所以外の場所においてはその目的を達成することができないと認められるものであること。		
		第２号	捕獲し若しくは殺傷し、又は採取し若しくは損傷しようとする動植物が申請に係る海域公園地区において絶滅のおそれがないものであること。			
			ただし書	当該動植物の保護増殖を目的とし、かつ、当該海域公園地区における当該動植物の保存に資する場合は、この限りでない。		
第35項	海底の形状を変更すること	本文	第23項第３号	当該行為又はこれに関連する行為が当該行為の場所に隣接する水辺地又は水面の風致又は景観の維持に及ぼす支障の程度が軽微であること。		
				ただし書	前号ニに掲げる基準に適合するものにあっては、この限りでない。	
					前号ニ	既存の埋立地又は干拓地の地先において行われるものであること。
			第25項第１号	学術研究その他公益上必要であり、かつ、申請に係る場所以外の場所においてはその目的を達成することができないと認められるものであること。		
第36項	汚水又は廃水を排水設備を設けて排出すること	本文	第25項第１号	学術研究その他公益上必要であり、かつ、申請に係る場所以外の場所においてはその目的を達成することができないと認められるものであること。		
			当該汚水又は廃水が海域公園地区の水質の維持に著しい支障を及ぼすおそれがないものであること。			
第37項	（基準の特例）	本文	その自然的、社会経済的条件から判断して前各項に規定する基準の全部又は一部を適用することが適当でないと、国立公園にあっては環境大臣が、国定公園にあっては都道府県知事が認めて指定した特別地域、特別保護地区又は海域公園地区内の区域及び当該区域内において行われる法第20条第３項各号、第21条第３項各号又は第22条第３項各号に掲げる行為については、環境大臣又は都道府県知事は、それぞれ当該基準の特例を定めることができる。			
第38項	（各行為共通の基準）	本文	法第20条第３項各号、第21条第３項各号及び第22条第３項各号に掲げる行為に係る許可基準は、前各項に規定する基準のほか、次のとおりとする。			
		第１号	申請に係る地域の自然的、社会経済的条件から判断して、当該行為による風致又は景観の維持上の支障を軽減するため必要な措置が講じられていると認められるものであること。			
		第２号	申請に係る場所又はその周辺の風致又は景観の維持に著しい支障を及ぼす特別な事由があると認められるものでないこと。			
		第３号	申請に係る行為の当然の帰結として予測され、かつ、その行為と密接不可分な関係にあることが明らかな行為について法第20条第３項、第21条第３項又は第22条第３項の規定による許可の申請があった場合に、当該申請に対して不許可の処分がされることとなることが確実と認められるものでないこと。			

○自然公園法の行為許可の基準の細部解釈及び運用方法について（対照表）

自然公園法施行規則第11条	自然公園法の行為の許可基準の細部解釈及び運用方法について（平成12年８月７日付け環自計第171号・環自国第448－１号、448－２号、448－３号環境庁自然保護局長通知）
（特別地域、特別保護地区及び海域公園地区内の行為の許可基準） **第11条**　法第20条第３項第１号、第21条第３項第１号及び第22条第３項第１号に掲げる行為（仮設の建築物（土地に定着する工作物のうち、屋根及び柱又は壁を有するものをいい、建築設備（当該工作物に設ける電気、ガス、給水、排水、換気、暖房、冷房、消火、排煙若しくは汚物処理の設備又は煙突、昇降機若しくは避雷針をいう。第20条第９号イ(5)において同じ。）を含む。以下同じ。）の新築、改築又は増築に限る。）に係る法第20条第４項、第21条第４項及び第22条第４項の環境省令で定める基準（以下この条において「許可基準」という。）は、次のとおりとする。ただし、既存の建築物の改築、既存の建築物の建替え若しくは災害により滅失した建築物の復旧のための新築（申請に係る建築物の規模が既存の建築物の規模を超えないもの又は既存の建築物が有していた機能を維持するためやむを得ず必要最小限の規模の拡大を行うものに限る。）又は学術研究その他公益上必要であり、かつ、申請に係る場所以外の場所においてはその目的を達成することができないと認められる建築物の新築、改築若しくは増築（以下「既存建築物の改築等」という。）であって、第１号、第５号及び第６号に掲げる基準に適合するものについては、この限りでない。	１　**「屋根及び柱又は壁を有するもの」**（第１項） 骨組みが簡易であり、かつ屋根及び壁が天幕、ビニール等（ガラスは除く。）で構成された工作物であって、屋根及び壁が容易に取り外し可能なもの（人の手で容易に巻き取って外せる等の仕掛けがあるものや迅速な撤去が可能なもの等。）については、建築物以外の工作物として扱う。 ２　**「既存の建築物の改築、既存の建築物の建替え若しくは災害により滅失した建築物の復旧のための新築」**（第１項） 本ただし書きは、法による規制対象となる以前から存在する既存の建築物に関し、当該建築物を生活基盤とする所有者等の既得権を保護する観点から設けられたものである。そのため、本ただし書きの適用は、申請に係る建築物が既存の建築物と同様の用途とする場合（許可基準の適用条項に変更が生じない場合）のみに限定される。ただし、廃屋化した既存建築物の建替え等、公園の風致の維持を図る観点から、従前より好ましい状態を生ずると認められる場合は、その適用の可否を個別に判断するものとする。なお、「既存の建築物」に法第20条第３項等の許可等を受けないで違法に建てられた建築物は含まれない。また、災害復旧の場合であって、防災上の観点から、災害前に建築物が位置していた場所における新築が不合理であるときを除き、既存の建築物が位置していた場所における新築に限るものとする。（以下同じ。） ３　**「(申請に係る建築物の規模が既存の建築物が有していた機能を維持するためにやむを得ず必要最小限の規模の拡大を行うものに限る。)」**（第１項） 例えば、建築基準法（昭和25年法律第201号）や消防法（昭和23年法律第186号）等に規定する建築物に係る基準の改正を踏まえ、新たな基準に適合させるために、やむを得ずその規模を変更する必要がある場合

一　設置期間が３年を超えず、かつ、当該建築物の構造が容易に移転し又は除却することができるものであること。

二　次に掲げる地域（以下「特別保護地区等」という。）内において行われるものでないこと。

イ　特別保護地区、第１種特別地域又は海域公園地区

ロ　第２種特別地域又は第３種特別地域のうち、植生の復元が困難な地域等（次に掲げる地域であって、その全部若しくは一部について文化財保護法（昭和25年法律第214号）第109条第１項の規定による史跡名勝天然記念物の指定若しくは同法第110条第１項の規定による史跡名勝天然記念物の仮指定（以下「史跡名勝天然記念物の指定等」という。）がされていること又は学術調査の結果等により、特別保護地区又は第１種特別地域に準ずる取扱いが現に行われ、又は行われることが必要であると認められるものをいう。以下同じ。）であるもの

⑴　高山帯、亜高山帯、風衝地、湿原等植生の復元が困難な地域

⑵　野生動植物の生息地又は生育地として重要な地域

等が考えられる。（以下同じ。）

4　「学術研究その他公益上必要と認められる」（第１項）

イ　学術研究のために必要な行為とは、その行為の主たる目的が学術研究のためになされるものをいい、単に学術研究が付随的な目的となっている行為は学術研究のため必要な行為とは認められないので、この観点から申請行為に関し、その申請主体、趣旨、内容、効果（研究結果の活用予定等）等を十分審査する必要がある。

ロ　公益上必要な行為とは、その行為が直接的に公益に資するものに限定して考えるべきであり、例えば、土地収用法（昭和26年法律第219号）第３条各号に掲げるような行為及び自然環境の保全を目的とした行為等が考えられる。

また、公益上必要と認められるか否かは、当該行為を当該地で行うことの公益性と当該地を当該行為から保護することの公益性を比較衡量の上、審査する必要がある。（以下同じ。）

5　「申請に係る場所以外の場所においてはその目的を達成することができないと認められる」（第１項）

「申請に係る場所以外の場所においてはその目的を達成することができないと認められる」ものとは、①当該行為の目的、内容から見て必然的にその行為地が限定されるもの又は②当該行為の目的、内容から見てその行為地が一定の範囲の地域内に限定され、かつ当該範囲の地域外で行うことが、経済的観点その他の観点から見て著しく不合理であるものをいう。①の例としては、現に地すべりが起きている土地又はそのおそれが顕著な土地における地すべり防止工事に関連してなされる行為、②の例としては、ある一定の区域を避けて設置するとその設置の意味がなくなってしまう航路標識の新築が考えられる。（60、84を除き、以下同じ。）

6　「植生の復元が困難な地域等」（第１項第２号ロ）

その地域の自然的価値が、特別保護地区又は第１種特別地域と同じ程度に高い地域であって、その地域が狭小であり、又はその自然の実態から見て、線引きにより特別保護地区又は第１種特別地域に指定することが技術的に困難であるものについて、特に貴重な自然を有する特定地域の保護のため、特別な配慮を行うものとする趣旨である。

このような取扱いは、地域地種区分制度が設けられている趣旨に鑑み、明確かつ合理的な場合に限られるべきであり、当該具体的地域における自然的価値の高さについて明確な認識が可能であることが必要である。具体的には、文化財保護法（昭和25年法律第214号）の規定に基づく史跡名勝天然記念物の指定又は仮指定がされている地域、学術調査の結果により当該地域の自然的価値が明らかにされている地域その他何ら

(3)　地形若しくは地質が特異である地域又は特異な自然の現象が生じている地域 (4)　優れた天然林又は学術的価値を有する人工林の地域	かの行政措置又は定着した地域的慣行が行われている地域が該当し得る。（以下同じ。）
三　当該建築物が主要な展望地から展望する場合の著しい妨げにならないものであること。	7　**「主要な展望地」**（第１項第３号） 利用者の展望の用に供するための園地、広場、休憩所、展望施設、駐車場（他の事業の付帯施設として設けられたものを含む。）等のほか、公園事業道路等（自転車道、歩道を含む。）のうち利用者の展望の用にも供せられている区間も含まれる。（以下同じ。）
四　当該建築物が山稜線を分断する等眺望の対象に著しい支障を及ぼすものでないこと。	8　**「主要な展望地から展望する場合の著しい妨げにならない」**（第１項第３号）及び**「山稜線を分断する等眺望の対象に著しい支障を及ぼすものでない」**（第１項第４号） 展望及び眺望に係る支障の程度については、検討の対象地及びその周辺における保全の対象、眺望の対象並びに利用の状況を踏まえるとともに、視点場と視対象との関係を十分に把握した上で判断する必要がある。その際には、景観の視覚特性に関する代表的指標として一般的に景観アセスメントに用いられている垂直視角等に関する既存の知見を、展望や眺望に係る支障を回避するための指針及び支障の程度を評価するための目安として採用することが望ましい。 また、第１項第４号においては視点場は明示されていないが、この場合「眺望の対象を眺望する際に利用される主要な展望地（ただし、国立公園又は国定公園の区域の内外を問わない。）」が視点場に該当すると解すべきである。 「山稜線を分断する」とは、山稜が空を背景として描く輪郭線（スカイライン）の連続性が工作物の出現により切断されることを意味しており、一般的にこのような場合には特に風致景観上の支障が大きくなるとされていることから、本号における代表的な事例として掲げているものである。なお、山稜線を分断する場合であっても、山稜が眺望の方向に位置しない、又は工作物が十分遠方に位置し目立たないときについては、必ずしも眺望の対象に著しい支障を及ぼすものとはならない。（以下同じ。）
五　当該建築物の屋根及び壁面の色彩並びに形態がその周辺の風致又は景観と著しく不調和でないこと。	9　**「色彩並びに形態」**（第１項第５号） 色彩については、原色を避けることは勿論、公園利用者に必要以上の強い印象を与える色彩は用いないようにさせる必要がある。また、色彩数も必要最小限にとどめさせることが望ましい。屋根の形態については、背景となる自然風景や周辺の既存建築物と調和を図るようにする。（以下同じ。）
六　当該建築物の撤去に関する計画が定められており、かつ、当該建築物を撤去した後に跡地の整理を適切に行うこととされているものであること。 2　法第20条第３項第１号、第21条第３項第１号及び第22条第３項第１号に掲げる行為（申請に係る国立公園若しくは国定公園の区域内において公園事業若しくは	10　**「跡地の整理を適切に行う」**（第１項第６号） 当該地に建築物が存する以前の土地の状態に近い状態に復する行為をいう。（以下同じ。）

農林漁業に従事する者その他の者であつて、申請に係る場所に居住することが必要と認められるものの住宅及び昭和50年4月1日（同日後に申請に係る場所が特別地域、特別保護地区又は海域公園地区に指定された場合にあつては、当該指定の日。以下「基準日」という。）において申請に係る場所に現に居住していた者の住宅若しくは住宅部分を含む建築物（基準日以後にその造成に係る行為について法第20条第３項、第21条第３項又は第22条第３項の規定による許可の申請をした分譲地等（第４項に規定する分譲地等をいう。）内に設けられるものを除く。）の新築、改築若しくは増築又はこれらの建築物と用途上不可分である建築物の新築、改築若しくは増築（前項の規定の適用を受けるものを除く。）に限る。）に係る許可基準は、前項第２号から第５号までの規定の例によるほか、当該建築物の高さ（避雷針及び煙突（寒冷地における暖房用等必要最小限のものに限る。）を除いた建築物の地上部分の最高部と最低部の高さの差をいう。以下この項、第４項及び第６項において同じ。）が13メートル（その高さが現に13メートルを超える既存の建築物の改築又は増築にあつては、既存の建築物の高さ）を超えないものであることとする。ただし、既存建築物の改築等であつて、前項第５号に掲げる基準に適合するものについては、この限りでない。

3　法第20条第３項第１号、第21条第３項第１号及び第22条第３項第１号に掲げる行為（農林漁業を営むために必要な建築物の新築、改築又は増築（前２項の規定の適用を受けるものを除く。）に限る。）に係る許可基準は、第１項第２号から第５号までの規定の例による。ただし、前項ただし書に規定する行為に該当するものについては、この限りでない。

11　「申請に係る場所に居住することが必要と認められる者」（第２項）

申請に係る場所が位置する公園内において既に執行され、若しくは執行されようとしている公園事業に従事する者及び従事しようとする者、当該公園内において農林漁業、鉱業、採石業等土地に定着した産業に従事する者及び従事しようとする者、又は申請に係る場所の位置する特別地域内で現に行われ、若しくは行われようとしている事業に従事する者及び従事しようとする者等のうち、諸般の状況から申請に係る場所に居住することが必要と、特に認められる者をいう。ただし、季節的に雇用される者又は短期の雇用につくことを常態とする者は除く。

12　「基準日において申請に係る場所に現に居住していた者」（第２項）

都市計画法（昭和43年法律第100号）第34条第９号に定める開発行為として特別地域内に住宅の新築、改築若しくは増築を行おうとする者であって、当該行為に係る都道府県知事への届出を基準日前に既に完了していた者、又は基準日現在、申請に係る場所に居住していた者から相続を受けた者等が含まれる。なお、ここでいう「相続」とは民法上の規定に基づいたものであり、人の死亡によってその財産上の権利義務を他の者が包括的に承継することをいう。

13　「住宅」（第２項）

もっぱら11、12に規定する者のみが居住するための建築物をいい、集合住宅を含むものとする。

14　「住宅部分を含む建築物」（第２項）

同一建築物内に当該建築物の所有者自らの居住の用に供する部分が延べ面積の２分の１以上である建築物をいうものであり、店舗併用住宅、民宿等がこれに含まれる。

なお、延べ面積が400平方メートルを超えるものについては、住宅以外の部分も規模が大きくなることから、第６項において取り扱うものとする。

15　「用途上不可分である建築物」（第２項）

住宅に付随して設けられる物置、車庫等のように、主たる建築物の用途を補完するために付随して設けられる建築物、又は研修所等における宿泊棟、研修棟、食堂棟、管理棟のように、それぞれの施設単独では用途上の目的を果たせず、いずれをとっても互いに補完しあう関係にある建築物のことをいう。一つの建築物のみで用途上の目的を果たすことが可能な貸別荘群と管理棟との関係はこれに含まれない。（以下同じ。）

16　「農林漁業を営むために必要」（第３項）

「農林漁業」とは、産物の生産・収穫から販売までの行為が含まれ得るが、販売及び販売に伴う行為のみを切り離してこれを生産場所以外で行う場合は、農林漁業とみなさない。

4　法第20条第3項第1号、第21条第3項第1号及び第22条第3項第1号に掲げる行為（集合別荘（同一棟内に独立して別荘（分譲ホテルを含む。）の用に供せられる部分が5以上ある建築物をいう。以下同じ。）、集合住宅（同一棟内に独立して住宅の用に供せられる部分が5以上ある建築物をいう。以下同じ。）若しくは保養所の新築、改築若しくは増築、分譲することを目的とした一連の土地若しくは売却すること、貸付けをすること若しくは一時的に使用させることを目的とした建築物が2棟以上設けられる予定である一連の土地（以下「分譲地等」という。）内における建築物の新築、改築若しくは増築又はこれらの建築物と用途上不可分である建築物の新築、改築若しくは増築（前3項又は次項の規定の適用を受けるものを除く。）に限る。）に係る許可基準は、第1項第2号から第5号までの規定の例によるほか、次のとおりとする。ただし、第2項ただし書に規定する行為に該当するものについては、この限りでない。	17　「分譲することを目的とした一連の土地若しくは売却すること、貸付けをすること若しくは一時的に使用させることを目的とした建築物が2棟以上設けられる予定である一連の土地（以下「分譲地等」という。）内における建築物の新築、改築又は増築」（第4項） 集合別荘（分譲ホテルを含む。）、集合住宅又は保養所であって、分譲地等内に設けられるものは、「分譲地等内に設けられる建築物」に含まれる。 用途上不可分の関係にある2つ以上の建築物は1棟として算定するものとし、「2棟以上」には該当しない。
一　保存緑地（第9項第4号及び第5号に規定する保存緑地をいう。以下この項において同じ。）において行われるものでないこと。 二　分譲地等内における建築物の新築、改築又は増築にあつては、当該建築物が2階建以下であり、かつ、その高さが10メートル（その高さが現に10メートルを超える既存の建築物の改築又は増築にあつては、既存の建築物の高さ）を超えないものであること。 三　分譲地等以外の場所における集合別荘、集合住宅又は保養所の新築、改築又は増築にあつては、当該建築物の高さが13メートル（その高さが現に13メートルを超える既存の建築物の改築又は増築にあつては、既存の建築物の高さ）を超えないものであること。	
四　当該建築物に係る敷地の範囲が明らかであり、かつ、その敷地面積（当該敷地内に保存緑地となるべき部分を含むものにあつては、当該保存緑地の面積を除いた面積。以下同じ。）が1000平方メートル以上であること。 五　集合別荘又は集合住宅の新築、改築又は増築にあつては、敷地面積を戸数で除した面積が250平方メートル以上であること。 六　総建築面積（同一敷地内にあるすべての建築物の建築面積（建築物の地上部分の水平投影面積をいう。以下この項において同じ。）の和をいう。第6項において同じ。）の敷地面積に対する割合及び総延べ面積（同一敷地内にあるすべての建築物の延べ面積（建築基準法施行令（昭和25年政令第338号）第2条第1項第4号に掲げる延べ面積をいう。第14条第1号イにおいて同じ。）の和をいう。以下同じ。）の敷地面積に対する割合が、次の表の上欄に掲げる地域	18　「敷地」（第4項第4号） 一つの建築物又は用途上不可分の関係にある2つ以上の建築物がある一区画の土地をいう。 なお、建築物の敷地界が所有界と一致しているか否かを問わない。貸別荘群のように、一連の土地に用途上可分は建築物を多数設けるような場合には、個々の建築物の敷地を区画させ図面等により明定させる必要がある。（以下同じ。）

の区分ごとに、それぞれ同表の中欄及び下欄に掲げるとおりであること。

第２種特別地域	20%以下	40%以下
第３種特別地域	20%以下	60%以下

七　当該建築物の水平投影外周線で囲まれる土地の勾配が30パーセントを超えないものであること。

19　「建築物の水平投影外周線で囲まれる土地」（第４項第７号）

建築物の地下部を含むものとする。

20　「土地の勾配」（第４項第７号）

建築物の水平投影外周線で囲まれる土地の勾配については、当該土地のうち最急部分の地形勾配を算定するものとするが、建築物の形態が複雑である場合等にあっては次の手順により算定する。

①　申請書に添付された地形図その他の地形を記した図面において、土地の形状変更を行わずに建築物を設けたと仮定した場合の当該建築物の水平投影外周線に接する部分の標高の最高点と最低点を選定する。（該当する点が複数存する場合には、最高に該当する点と最低に該当する点とを相互に結ぶ直線が最短となる場合の両点とする。）

②　最低点と等しい標高の線上の最高点から建築物の設けられる方向に向かって最短距離にある点と、当該最高点とを直線で結ぶ。同様に、最高点と等しい標高の線上の、最低点から建築物の設けられる方向に向かって最短距離にある点と、当該最低点とを直線で結ぶ。

③　②の直線のうち短い方の直線の勾配を算定する。

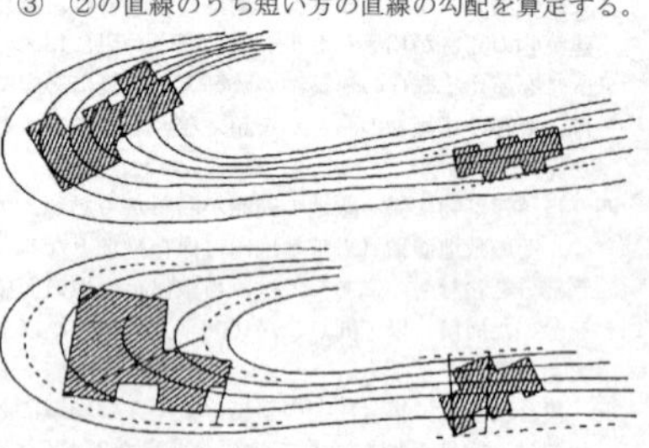

太陽光発電施設の水平投影外周線で囲まれる土地の勾配については、申請書に添付された地形図上に落とした30mメッシュごとに判断するものとし、メッシュの一辺又は対角線を基線として測定した勾配のいずれか一つでも30%を超えるメッシュの区域内全域を、30%を超える土地とする。

なお、この場合、地形勾配が30%を超えるか否かの算定は、等高線が基線と交差する本数を数えることで足りるものとし、その本数（メッシュの頂点を通過するものは含めない。また同一標高であるものは１本と数える。）が、次の表に掲げる数以上の場合に、当該勾配は30％を超えるというものとする。

等高 ＼ 基線	１ｍ間隔の等高線	２ｍ間隔の等高線
周辺の一辺	10	5
対角線	15	8

（例）勾配が30％を超えるものとする場合（１ｍ間隔の等高線）

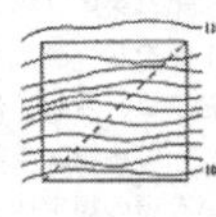

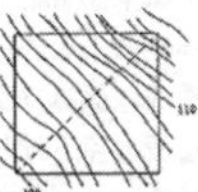

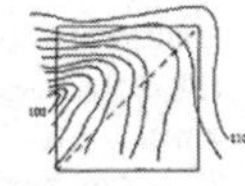

八　前号に規定する土地及びその周辺の土地が自然草地、低木林地、採草放牧地又は高木の生育が困難な地域（以下「自然草地等」という。）でないこと。

21　「前号に規定する土地及びその周辺の土地」（第４項第８号）

建築物が四囲から遮られることなく望見されることとなる場合には、当該地の風致景観に与える支障が大きいので、当該要件を定めたものである。したがって、この場合の「周辺の土地」の範囲は上記の趣旨を考慮して、それぞれ具体的な事例に即して判断されるべきものである。

22　「自然草地、低木林地、採草放牧地又は高木の生育が困難な地域（以下「自然草地等」という。）」（第４項第８号）

人の手が入らない状態で草地環境等が維持されているものだけでなく、採草、放牧、火入れ等の人為的攪乱を受けながら、自然の再生力の範囲内で持続的に維持されている半自然草地（二次草原）等についても、風致又は景観の重要な構成要素の一つであり、これに含まれる。（以下同じ。）

23　「低木林地」（第４項第８号）

気象条件等により平屋建ての建築物が、四囲から容易に望見される程度の高さしか樹木が生育し得ない樹林地をいう。

24　「高木の生育が困難な地域」（第４項第８号）

例えば、砂丘、溶岩原等の土地をいう。

九　当該建築物の地上部分の水平投影外周線が、公園事業に係る道路又はこれと同程度に当該公園の利用に資する道路（以下「公園事業道路等」という。）の路肩から20メートル以上、それ以外の道路の路肩から５メートル以上離れていること。

十　当該建築物の地上部分の水平投影外周線が敷地境界線から５メートル以上離れていること。

十一　当該建築物の建築面積が2000平方メートル以下であること。

25　「公園事業に係る道路又はこれと同程度に当該公園の利用に資する道路」（以下「公園事業道路等」という。）（第４項第９号）

公園事業として執行された道路（自転車道、歩道を含む。以下同じ。）及び同道路と同等の利用がなされ、管理計画等により当該公園の利用に資していると認められている公道に限るものとする。

ただし、長距離自然歩道の標識区間にあっては状況に応じて取り扱うものとする。（以下同じ。）

26　「路肩」（第４項第９号）

路肩が明確でない場合には、道路として認識され得る部分の両端を適宜路肩として選定する。なお、「路

5　法第20条第３項第１号、第21条第３項第１号及び第22条第３項第１号に掲げる行為（基準日前にその造成に係る行為について法第20条第３項、第21条第３項又は第22条第３項の規定による許可の申請をし、若しくは基準日前にその造成に係る行為を完了し、若しくは基準日以後にその造成に係る行為について法第20条第６項、第21条第６項若しくは第22条第６項の規定による届出をした分譲地等内における建築物の新築、改築若しくは増築又はこれらの建築物と用途上不可分である建築物の新築、改築若しくは増築（第１項から第３項までの規定の適用を受けるものを除く。）に限る。）に係る許可基準は、第１項第２号から第５号まで並びに前項第１号及び第２号の規定の例によるほか、次のとおりとする。ただし、第２項ただし書に規定する行為に該当するものについては、この限りでない。

一　当該建築物の建築面積（建築基準法施行令第２条第１項第２号に掲げる建築面積をいう。以下この項において同じ。）が2000平方メートル以下であること。

二　当該建築物に係る敷地の範囲が明らかであり、かつ、総建築面積（同一敷地内にあるすべての建築物の建築面積の和をいう。）の敷地面積に対する割合及び総延べ面積の敷地面積に対する割合が、次の表の上欄に掲げる地域及び敷地面積の区分ごとに、それぞれ同表中欄及び下欄に掲げるとおりであること。

第２種特別地域内における敷地面積が500㎡未満	10%以下	20%以下
第２種特別地域内における敷地面積が500㎡以上1,000㎡未満	15%以下	30%以下
第２種特別地域内における敷地面積が1,000㎡以上	20%以下	40%以下
第３種特別地域	20%以下	60%以下

6　法第20条第３項第１号、第21条第３項第１号及び第22条第３項第１号に掲げる行為（前各項の規定の適用を受ける建築物の新築、改築又は増築以外の建築物の

肩」については、道路構造令（昭和45年政令第320号）第２条第12号に規定する定義（道路の主要構造部を保護し、又は車道の効用を保つために、車道、歩道、自転車道又は自転車歩行車道に接続して設けられる帯状の道路の部分）によるものとし、車道付帯施設として歩道、自転車道等を有する場合には、それらを含む施設の外縁とする。（以下同じ。）

新築、改築又は増築に限る。）に係る許可基準は、第１項第２号から第５号まで並びに第４項第７号及び第９号から第11号までの規定の例によるほか、次のとおりとする。ただし、第２項ただし書に規定する行為に該当するものについては、この限りでない。

一　当該建築物の高さが13メートル（その高さが現に13メートルを超える既存の建築物の改築又は増築にあつては、既存の建築物の高さ）を超えないものであること。

二　当該建築物に係る敷地の範囲が明らかであり、かつ、総建築面積の敷地面積に対する割合及び総延べ面積の敷地面積に対する割合が、前項第２号の表の上欄に掲げる地域及び敷地面積の区分ごとに、それぞれ同表の中欄及び下欄に掲げるとおりであること。

7　法第20条第３項第１号、第21条第３項第１号及び第22条第３項第１号に掲げる行為（車道（分譲地等の造成を目的としたものを除く。）の新築に限る。）に係る許可基準は、次のとおりとする。

一　特別保護地区又は第１項第２号ロ(1)から(4)までに掲げる地域であつて、その全部若しくは一部について史跡名勝天然記念物の指定等がされていること若しくは学術調査の結果等により、特別保護地区に準ずる取扱いが現に行われ、若しくは行われることが必要であると認められるものの内において行われるものでないこと。ただし、次に掲げる基準に適合するもの又は砂防工事等地形若しくは植生の保全に資すると認められる事業を行うために行われるものであつてロ及びハ並びに次号ロからホまでに掲げる基準に適合するものについては、この限りでない。

イ　地表に影響を及ぼさない方法で行われるものであること。

ロ　当該車道が次のいずれかに該当すること。

(1)　農林漁業、鉱業又は採石業の用に供される車道であつて、当該車道を設けること以外にその目的を達成することが困難であると認められるもの

(2)　地域住民の日常生活の用に供される車道

(3)　公益上必要であり、かつ、当該車道を設けること以外にその目的を達成することが困難であると認められる車道

(4)　法の規定に適合する行為の行われる場所に到達するために設けられる車道であつて、当該車道を設けること以外にその目的を達成することが困難であると認められるもの

27　「車道」（第７項）

車両の用に供し得る道路をいう。

28　「車道の新築」（第７項）

新築とは、従来、車道の開設していない土地に新たに車道を設けることをいい、既設の車道を延長する行為を含む。

29　「地表に影響を及ぼさない方法」（第７項第１号イ）

ずい道によるものを指すが、ずい道であっても、新築（改築又は増築）により、地下水脈が切断されること等により地表の植生等に影響を与えることが予想されるもの又は排気口が植生復元の困難な地域等の地表に露出することとなるものは除く。

30　「法の規定に適合する行為」（第７項第１号ロ(4)及び(5)）

法の規定による同意を得た行為、認可又は許可を受けた行為、届出がなされた行為及び許可又は届出を要しない行為（公園区域外で行われるものを含む。）をいう。

31　「法の規定に適合する行為の行われる場所に到達するために設けられる車道」（第７項第１号ロ(4)）

この例としては、治山工事用車道等であって、工事

終了後は通れないような車道が該当する。

(5)　法の規定に適合する行為により設けられた工作物又は造成された土地を利用するために必要と認められる車道

32　「法の規定に適合する行為により設けられた工作物又は造成された土地を利用するために必要と認められる車道」（第７項第１号ロ(5)）

この例としては、法による許可を受けて新築された休憩所等を利用するための車道が考えられる。なお、当該休憩所等の新築が法による許可を要しない場合も本要件に該当する。

ハ　当該行為により生じた残土を特別地域、特別保護地区又は海域公園地区内において処理するものでないこと。ただし、特別地域以外の地域に搬出することが著しく困難であると認められ、かつ、第２種特別地域又は第３種特別地域内においてその風致の維持に支障を及ぼさない方法で処理することとされている場合にあつては、この限りでない。

33　「残土」（第７項第１号ハ）

工事の施行に伴い生ずる土砂のうち不要となる土砂をいうが、法による許可を受けて行われる行為又は許可を要しない行為に流用されるものは、ここでは残土として取り扱わない。（以下同じ。）

34　「その風致の維持に支障を及ぼさない方法で処理することとされている場合」（第７項第１号ハ）

特別地域の風致の維持に支障をきたすような残土の処理方法は認めないという趣旨であり、土砂の流出、崩壊防止措置及び捨土地の緑化等の措置が十分に講じられる計画になっているものをいう。（以下同じ。）

二　前号本文に規定する地域以外の地域内において行われるものにあつては、前号ハの規定の例によるほか、次に掲げる基準に適合するものであること。

イ　前号ロの規定の例によること。ただし、専ら自転車の通行の用に供される道路の新築にあつては、この限りでない。

ロ　盛土部分の土砂の流出又は崩壊を防止する措置が十分に講じられるものであること。

ハ　法面が、交通安全上又は防災上必要やむを得ない場合を除き、緑化されることになつているものであつて、その緑化の方法が郷土種を用いる等行為の場所及びその周辺の状況に照らして妥当であると認められるものであること。ただし、法面が硬岩である場合その他の緑化が困難であると認められる場合は、この限りでない。

35　「緑化が困難であると認められる場合」（第７項第２号ハ）

緑化に用いるべき郷土種と同種の植物の入手が困難である場合等をいう。

ニ　線形を地形に順応させること又は橋りよう、桟道、ずい道等を使用することにより、大規模な切土又は盛土を伴わないよう配慮されたものであること。

ホ　擁壁その他付帯工作物の色彩及び形態がその周辺の風致又は景観と著しく不調和でないこと。

8　法第20条第３項第１号、第21条第３項第１号及び第22条第３項第１号に掲げる行為（車道（分譲地等の造成を目的としたものを除く。）の改築又は増築に限る。）に係る許可基準は、前項第１号ハ及び第２号ロからホまでの規定の例によるほか、当該車道が新たに同項第１号本文に規定する地域を通過することとなるものでないこととする。

36　「車道の改築又は増築」（第８項）

改築とは、既存の車道の幅員を超えない範囲内の舗装、勾配の緩和、線形の改良又は前記の行為とあわせて行われるのり面の改良等をいう。増築とは、既存車道の幅員を拡大する行為をいう。

9　法第20条第３項第１号、第21条第３項第１号及び第22条第３項第１号に掲げる行為（分譲地等の造成を目的とした道路又は上下水道施設の新築、改築又は増築に限る。）に係る許可基準は、第７項第１号ハ及び第２号ロからホまでの規定の例によるほか、次のとおりとする。

一　特別保護地区等又は自然草地等内において行われるものでないこと。

二　道路又は上下水道施設の新築、改築又は増築に関連する分譲地等（以下「関連分譲地等」という。）の造成が特別保護地区等又は自然草地等内において行われるものでないこと。

三　関連分譲地等の造成の計画において、一分譲区画の面積（当該分譲区画内に保存緑地となるべき部分を含むものにあつては、当該保存緑地の面積を除いた面積）がすべて1000平方メートル以上とされていること。

四　前号に規定する計画において、勾配が30パーセントを超える土地及び公園事業道路等の路肩から20メートル以内の土地をすべて保存緑地とすることとされていること。

37　「勾配」（第９項第４号）

申請書に添付された地形図上に落とした30mメッシュごとに判断するものとし、メッシュの一辺又は対角線を基線として測定した勾配のいずれか一つでも30%を超えるメッシュの区域内全域を、30%を超える土地とする。

なお、この場合、地形勾配が30%を超えるか否かの算定は、等高線が基線と交差する本数を数えることで足りるものとし、その本数（メッシュの頂点を通過するものは含めない。また同一標高であるものは１本と数える。）が、次の表に掲げる数以上の場合に、当該勾配は30%を超えるというものとする。

基線＼等高	１メートル間隔の等高線	２メートル間隔の等高線
周辺の一辺	10	5
対角線	15	8

（例）　勾配が30%を超えるものとする場合（１m間隔の等高線）

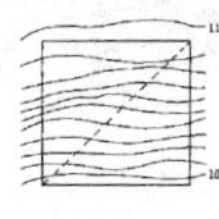

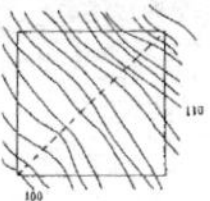

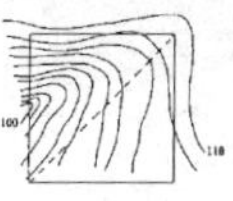

五　第３号に規定する計画において、前号に規定する保存緑地以外に関連分譲地等の全面積の10パーセント以上の面積の土地を保存緑地とすることとされていること。

38　「関連分譲地等の全面積の10%以上の面積の土地を保存緑地とする」（第９項第５号）

保存緑地は既存の樹林地に配置するものとし、やむを得ず植生が損なわれた場所を保存緑地とする場合にあっては、当該地域周辺により供給された種苗（外来種を除く。）等を用い緑化し樹林化するものとする。

保存緑地の配置に当たっては、勾配が30%を超える土地の周辺地域も必要に応じ保存緑地とする等、風致の維持上不自然とならない配置にするよう指導する。

関連分譲地等の造成の計画において保存緑地とされた土地では、分譲地等の造成を目的とした道路又は上下水道施設が新築された後においては、原則として現状を変更してはならないものとする。

六　第３号に規定する計画において保存緑地とされた土地において新築を行うものでないこと。

39　「保存緑地とされた土地において新築を行う」（第９項第６号）

道路又は上下水道施設が新築され、分譲地等の造成が行われた後において、新たに保存緑地において道路（駐車場を含む）又は上下水道の新築を行う場合をいう。

七　関連分譲地等が次に掲げる基準に適合する方法で売買されるものであること。

イ　分譲区画とされるべき土地及び保存緑地とされるべき土地の区分を購入者に図面をもつて明示すること。

ロ　購入後において１分譲区画を保存緑地となる部分を除いた面積が1000平方メートル未満になるように分割してはならない旨及びそのように分割した場合には当該分割後の土地における建築物の新築、改築又は増築については法第20条第３項、第21条第３項又は第22条第３項の規定による許可を受けられる見込みのない旨を分譲区画の購入者に書面をもつて通知すること。

40　「次に掲げる基準に適合する方法で売買されるものである」（第９項第７号）

イの図面及びロの書面文案を申請に当たって添付させ、本要件で要求されている内容になっていることを確認する必要がある。

八　第３号に規定する計画において、下水処理施設、ごみ処理施設等環境衛生施設が整備される等分譲地等の造成がその周辺の風致又は景観の維持に支障を及ぼすことがないよう十分配慮されていること。

九　関連分譲地等の全面積が20ヘクタール以下であること。

41　「関連分譲地等の全面積が20ha 以下である」（第９項第９号）

20ヘクタールを超える分譲地等の造成に係る道路及び上下水道施設の新築は許可しないという趣旨である。20ヘクタールを超える分譲地等の造成がなされることが明らかな計画になっているものにあっては、その計画のうち20ヘクタール以下の分譲地等の造成に係る道路及び上下水道施設の新築のみを許可の判断の対象とし、さらに、この部分を許可した場合であっても、これに続く分譲地等の造成に係る道路及び上下水道施設の新築の許否の判断は、前に許可したものの分譲地等の造成が、本号に掲げる全ての要件に該当する方法で実際になされたことを確認した上で行うものとする。

なお、この場合、１回の許可に係る分譲地等の相互間には十分な緩衝緑地を設けさせることにより、各分譲地等が独立した形態とみなせることが必要である。

10　法第20条第３項第１号、第21条第３項第１号及び第22条第３項第１号に掲げる行為（屋外運動施設の新築、改築又は増築に限る。）に係る許可基準は、第１項第３号及び第４号並びに前項第１号の規定の例によるほか、次のとおりとする。

一　申請に係る場所以外の場所においてはその目的を達成することができないと認められるものであるこ

42　「屋外運動施設」（第10項）

もっぱら屋外において運動を行うために設けられる施設をいい、テニスコート、プール、スケート場等をいう。なお、本区分は、当該屋外運動施設の表面がコンクリート、アスファルト、アンツーカー、クレイ、人工芝等によって被われることになっている場合に適

と。

二　申請に係る場所が、法第20条第３項又は第21条第３項の許可を受けて木竹の伐採が行われた後、５年を経過していない場所でないこと。ただし、木竹の伐採が僅少である場合は、この限りでない。

三　総施設面積（同一敷地内にあるすべての工作物（屋外運動施設のほか、建築物、駐車場、道路等を含む。）の地上部分の水平投影面積の和をいう。）の敷地面積に対する割合が、第２種特別地域に係るものにあつては40％以下、第３種特別地域に係るものにあつては60％以下であること。

四　当該屋外運動施設の水平投影外周線で囲まれる土地の勾配が10％を超えないものであること。

五　当該屋外運動施設の地上部分の水平投影外周線が、公園事業道路等の路肩から20メートル以上、それ以外の道路の路肩から５メートル以上離れていること。

六　当該屋外運動施設の地上部分の水平投影外周線が敷地境界線から５メートル以上離れていること。

七　同一敷地内の屋外運動施設の地上部分の水平投影面積の和が2000平方メートル以下であること。

八　当該屋外運動施設に係る土地の形状を変更する規模が必要最小限であると認められること。

九　当該行為による土砂の流出のおそれがないこと。

十　支障木の伐採が僅少であること。

十一　当該屋外運動施設の色彩及び形態がその周辺の風致又は景観と著しく不調和でないこと。

11　法第20条第３項第１号、第21条第３項第１号及び第22条第３項第１号に掲げる行為（風力発電施設の新築、改築又は増築に限る。）に係る許可基準は、第１項第５号及び第６号並びに前項第２号及び第８号及び第10号の規定の例によるほか、次のとおりとする。

一　第１項第２号から第４号までの規定の例によること。ただし、学術研究その他公益上必要であり、かつ、申請に係る場所以外の場所においてはその目的を達成することができないと認められる風力発電施設の新築、改築又は増築にあつては、この限りでない。

二　野生動植物の生息又は生育上その他の風致又は景観の維持上重大な支障を及ぼすおそれがないものであること。

用するものとし、単に地ならしする程度の場合は、土地の形状変更として取り扱う。

43　「総施設面積の敷地面積に対する割合」（第10項第３号）

テニスコート等の屋外運動施設と管理棟等の建築物が併設される場合が考えられるが、こうした場合にあっても建築物については第１項から第６項までの要件が適用されるので、第１項から第６項までの各区分に掲げる建築物ごとに定められている敷地面積に対する割合を超えた建築物は、当該要件に適合しない。

なお、この場合、敷地面積として算定する土地には屋外運動施設の敷地面積として算定する土地を含むこととする。

44　「土地の形状を変更する規模が必要最小限であると認められること」（第10項第８号）

屋外運動施設、風力発電施設及び太陽光発電施設の設置は土地の改変面積の大きな面的な開発行為であり、それに伴う風致景観の維持上の支障が大きくなるおそれがあることを踏まえ、施設の設置に伴う土地の改変の規模を抑制する趣旨で設けられたものである。

なお、「必要最小限」とは、単なる地ならし又は工作物の基礎の設置のための床堀程度を指す。

45　「支障木の伐採が僅少であること」（第10項第10号）

屋外運動施設、風力発電施設及び太陽光発電施設の設置は土地の改変面積の大きな面的な開発行為であり、樹林地に施設が設置された場合には風致景観の維持上の支障が大きくなるおそれがあることを踏まえ、樹林地への設置を除外するという趣旨で設けたものである。伐採には、幹を伐り倒す行為だけでなく、根から掘り採る行為も含む。

なお、「僅少であること」とは、行為に伴い伐採される立木（竹類は含まない。）が僅かであることを指し、行為地の植生等の状況に応じて、本数、敷地面積に対する割合、胸高直径、樹高、樹種等の観点から、個別の事例に則して判断されるものである。

46　「野生動植物の生息又は生育上その他の風致又は景観の維持上重大な支障を及ぼすおそれがないもの」（第11項第２号）

本要件は、単にこの計画内容のみから判断しても、他に資料を参照するまでもなく、野生動植物の生育又は生息を含めて風致又は景観の維持上重大な支障が生

12　法第20条第３項第１号、第21条第３項第１号及び第22条第３項第１号に掲げる行為（太陽光発電施設の新築、改築又は増築であつて、土地に定着させるものに限る。）に係る許可基準は、第１項第５号及び第６号、第10項第２号及び第８号並びに前項第２号の規定の例によるほか、次のとおりとする。

一　第１項第２号から第４号までの規定の例によること。ただし、同一敷地内の太陽光発電施設の地上部分の水平投影面積の和が2000平方メートル以下であつて、学術研究その他公益上必要であり、かつ、申請に係る場所以外の場所においてはその目的を達成することができないと認められる太陽光発電施設の新築、改築又は増築にあつては、この限りでない。

二　第４項第７号、第９号及び第10号並びに第10項第10号の規定の例によること。ただし、同一敷地内の太陽光発電施設の地上部分の水平投影面積の和が2000平方メートル以下であつて、次に掲げる基準のいずれかに適合する太陽光発電施設の新築、改築又は増築にあつては、この限りでない。

イ　学術研究その他公益上必要であり、かつ、申請に係る場所以外の場所においてはその目的を達成することができないと認められること。

ロ　地域住民の日常生活の維持のために必要と認められること。

ハ　農林漁業に付随して行われるものであること。

三　自然草地等内において行われるものでないこと。ただし、前号ただし書に規定する行為に該当するものについては、この限りでない。

四　当該行為による土砂及び汚濁水の流出のおそれがないこと。

13　法第20条第３項第１号、第21条第３項第１号及び第22条第３項第１号に掲げる行為（前各項の規定の適用を受ける工作物の新築、改築又は増築以外の仮設の工作物の新築、改築又は増築に限る。）に係る許可基準は、第１項第１号及び第６号の規定の例によるほか、次のとおりとする。

一　第１項第２号から第４号までの規定の例によること。ただし、次に掲げる行為のいずれかに該当する

ずることが明らかなものは許可しないという趣旨である。なお、野生動植物の生息又は生育その他の風致又は景観の状況が明らかでなく、この計画が重大な支障を及ぼすおそれの有無を判断するために必要と認められる場合にあっては、適切な事前調査の結果に基づき風致又は景観への影響評価を行う。（以下同じ。）

47　「同一敷地」（第12項第１号）

ひとまとまりの太陽光発電施設のある一団の土地をいう。なお、実質的に同一とみなせる申請者が、相互に近接する土地において、複数の太陽光発電施設の申請を行う場合においては、同一敷地内における行為として扱う。

48　「同一敷地内の太陽光発電施設の地上部分の水平投影面積の和」（第12項第１号）

同一敷地内に設置され、物理的な連続性を有していなくとも平面上の一様性を有するものと判断される太陽光発電アレイ（複数枚の太陽光発電パネルを結線し、架台等に設置したもの）及びパワーコンディショナー等の関連設備（配線、配電盤等を含む。ただし、外部系統の送電設備と接続するための配線等は除く。）の水平投影面積を合計して算定する。発電に直接関連しないその他の工作物（管理用道路等）は含まれない。

49　「地域住民の日常生活の維持のために必要と認められること」（第12項第２号ロ）

この例としては、地域住民が自己の用に供するための電力を得るための太陽光発電施設の設置が考えられ、売電が主目的のものは含まれない。

50　「農林漁業に付随して行われるもの」（第12項第２号ハ）

農林漁業を営むために必要な電力を得るための太陽光発電施設であり、この例としては、ビニールハウスに電力を供給するための太陽光発電施設の設置が考えられる。

ものについては、この限りでない。 イ　地下に設けられる工作物の新築、改築又は増築 ロ　既存の工作物の改築又は既存の工作物の建替え若しくは災害により滅失した工作物の復旧のための新築（申請に係る工作物の規模が既存の工作物の規模を超えないもの又は既存の工作物が有していた機能を維持するためやむを得ず必要最小限の規模の拡大を行うものに限る。） ハ　学術研究その他公益上必要であり、かつ、申請に係る場所以外の場所においてはその目的を達成することができないと認められる工作物の新築、改築又は増築 二　当該工作物の外部の色彩及び形態がその周辺の風致又は景観と著しく不調和でないこと。ただし、特殊な用途の工作物については、この限りでない。	
三　照明装置を用いて特別保護地区、特別地域又は海域公園地区内の森林又は河川その他の自然物について照明を行うものについては、次に掲げる基準に適合すること。ただし、学術研究その他公益上必要と認められるもの又は病害虫の防除のために行われるものは、この限りでない。 イ　色彩及び形態がその周辺の風致又は景観と著しく不調和でないこと。 ロ　期間及び時間が必要最小限であると認められるものであること。	51　「森林又は河川その他の自然物」（第13項第３号） 国立公園又は国定公園の自然の風景地としての構成要素となる自然物を指し、立木、滝のほか、岩壁や花畑、湖沼等も含まれる。プランターで造成される花壇又はコンクリート張りの池等、人工的に設けられたものは含まれない。（以下同じ。）
ハ　当該照明を行う範囲が必要最小限と認められるものであること。 ニ　動光又は点滅を伴うものでないこと。 ホ　野生動植物の生息又は生育上その他の風致又は景観の維持上重大な支障を及ぼすおそれがないものであること。 ヘ　特別保護地区内の森林又は河川その他の自然物について行うものでないこと。	52　「照明を行う範囲が必要最小限と認められるもの」（第13項第３号ハ） 照明を行う目的を達成するため、必要最小限の範囲を照明するもののみ認めるという趣旨であり、光量を低くする又は照明範囲を限定する等、光が照明の対象から漏れないよう十分な措置が講じられている必要がある。（以下同じ。）
14　法第20条第３項第１号、第21条第３項第１号及び第22条第３項第１号に掲げる行為（前各項の規定の適用を受ける工作物の新築、改築又は増築以外の工作物の新築、改築又は増築に限る。）に係る許可基準は、前項各号の規定の例によるほか、次のとおりとする。 一　廃棄物の処理及び清掃に関する法律（昭和45年法律第137号）第８条第１項に規定する一般廃棄物の最終処分場又は同法第15条第１項に規定する産業廃棄物の最終処分場を設置するものでないこと。 二　次に掲げる基準のいずれかに適合するものであること。 イ　当該工作物の地上部分の水平投影外周線が公園事業道路等の路肩から20メートル以上離れていること。 ロ　学術研究その他公益上必要と認められること。 ハ　地域住民の日常生活の維持のために必要と認められること。	

ニ　農林漁業に付随して行われるものであること。
ホ　既に建築物の設けられている敷地内において行われるものであること。
ヘ　前項第１号イ又はロに掲げる行為のいずれかに該当するものであること。

15　法第20条第３項第２号に掲げる行為及び法第21条第３項第１号に掲げる行為（法第20条第３項第２号に掲げる行為に限る。）に係る法第20条第４項及び第21条第４項の環境省令で定める基準は、次のいずれかとする。

一　第１種特別地域内において行われるもので、次に掲げる基準に適合するものであること。
イ　単木択伐法によるものであること。
ロ　当該伐採が行われる森林の最小区分ごとに算定した択伐率が当該区分の現在蓄積の10パーセント以下であること。
ハ　当該伐採の対象となる木竹の樹齢が標準伐期齢に見合う年齢に10年を加えたもの以上であること。ただし、立竹の伐採にあつては、この限りでない。

53　「伐採が行われる森林の最小区分ごとに算定した択伐率が当該区分の現在蓄積の10％以内であること」（第15項第１号ロ）

伐採予定森林が比較的大面積にわたる場合には、定められた択伐率内において伐採を平均化させる必要があるという趣旨である。

この趣旨に鑑み、森林の最小区分内においても伐採が一部の地域に集中しないよう指導することが望ましい。

なお、森林の最小区分としては、林班若しくは小班界又は土地所有界による区分を用いることが適当である。

二　第２種特別地域内において行われるもので、次に掲げる基準のいずれかに適合するものであること。
イ　択伐法によるものにあつては、次に掲げる基準に適合するものであること。
(1)　当該伐採が行われる森林の最小区分ごとに算定した択伐率が、用材林にあつては当該区分の現在蓄積の30％以下、薪炭林にあつては当該区分の現在蓄積の60％以下であること。
(2)　当該伐採の対象となる木竹の樹齢が標準伐期齢に見合う年齢以上であること。ただし、立竹の伐採にあつては、この限りでない。
(3)　公園事業に係る施設（令第１条第７号、第10号及び第11号に掲げるものを除く。）及び集団施設地区（以下「利用施設等」という。）の周辺（造林地、要改良林分及び薪炭林を除く。）において行われる場合にあつては、単木択伐法によるものであること。
ロ　皆伐法によるものにあつては、イ(2)の規定の例によるほか、次に掲げる基準に適合するものであること。
(1)　１伐区の面積が２ヘクタール以内であること。ただし、当該伐採後に当該伐区内に残される立木の樹冠の水平投影面積の総和を当該伐区の面積で除した値が10分の３を超える場合又は

54　「第２種特別地域内において行われるもの」（第15項第２号）

第２種特別地域において木竹の伐採を行おうとしている者から事前相談を受けた場合であって、皆伐法によれば風致の維持に支障が生ずるときは、択伐法にするよう指導することが望ましい。

55　「当該区分の現在蓄積」（第15項第２号イ(1)）

当該森林区分内に存する胸高直径３センチメートル以上の立木の材積の総和をいうものとする。

56　「標準伐期齢に見合う年齢」（第15項第２号イ(2)）

森林法第10条の５第２項第２号の規定により定められた標準伐期齢をいうものとする。

当該伐区が利用施設等その他の主要な公園利用地点から望見されない場合は、この限りでない。 ⑵　当該伐区が、皆伐法による伐採が行われた後、更新して５年を経過していない伐区に隣接していないこと。 ⑶　利用施設等の周辺（造林地、要改良林分及び薪炭林を除く。）において行われるものでないこと。	
三　第３種特別地域内において行われるものであること。	57　**「第３種特別地域内において行われるもの」**（第15項第３号） 第３種特別地域においては、要件を定めないということである。
四　学術研究その他公益上必要と認められるもの、地域住民の日常生活の維持のために必要と認められるもの、病害虫の防除、防災若しくは風致の維持その他森林の管理のために行われるもの又は測量のために行われるものであること。	58　**「地域住民の日常生活の維持のために必要と認められるもの」**（第15項第４号） この例としては、地域住民が自己の用に供する薪炭等を得るために行う木竹の伐採が考えられる。 59　**「測量のために行われるもの」**（第15項第４号） 測量のために行われる木竹の伐採であっても、当該測量の目的となる行為が法により許可される見込みのないものについては、第38項第３号の規定により許可しないものとする。
16　法第20条第３項第３号に掲げる行為に係る同条第４項の環境省令で定める基準は、次のとおりとする。 一　申請に係る場所以外の場所においてはその目的を達成することができないと認められるものであること。 二　当該損傷の対象となる木竹の生育に支障を及ぼすおそれがないものであること。	60　**「申請に係る場所以外の場所においてはその目的を達成することができないと認められるもの」**（第16項） 当該範囲の地域外で行うことが、その行為地の特殊性その他の観点から見て著しく不合理であるものをいう。心ない一部の利用者によるいたずらの防止が規制の主目的であるため、森林の整備及び保全を図るために行う木竹の損傷のほか、学術研究、公益上、地域住民の日常生活の行為を含め広範囲の行為が不要許可であり、許可を要する行為は限定される。
17　法第20条第３項第４号に掲げる行為（露天掘りでない方法によるものに限る。）並びに法第21条第３項第１号及び第22条第３項第１号に掲げる行為（露天掘りでない方法による法第20条第３項第４号に掲げる行為に限る。）に係る許可基準は、次のとおりとする。 一　特別保護地区又は海域公園地区内において行われるものでないこと。ただし、次に掲げる基準のいずれかに適合するものについては、この限りでない。 イ　既存の泉源、水源等の掘替えのために行われるものであること。 ロ　農林漁業の用に供するために慣行的に行われるものであること。 ハ　学術研究その他公益上必要であり、かつ、申請に係る場所以外の場所においてはその目的を達成することができないと認められるものであること。 二　坑口又は掘削口が第１種特別地域又は第２種特別地域若しくは第３種特別地域のうち植生の復元が困難な地域等内に設けられるものでないこと。ただ	61　**「露天掘り」**（第17項） 露出した鉱物若しくは土石又は表土を除いて露出させた鉱物若しくは土石を直接掘採し、又は採取することをいう（海底や湖底等水面下で行われる場合を含む。）。ただし、このようなものであって掘採又は採取の面積が１㎡を超えないものは露天掘り以外の方法によるものとして取り扱う。なお、土石の採取を行うことにより敷地を造成し、その上で工作物を新築し、改築し又は増築する行為については、工作物の新築（改築、増築）及び土石の採取として取り扱う。ただし、土石の採取に係る面積及び量が工作物の新築等に伴って通常必要とされる範囲にとどめられている場合は、主たる行為である工作物の新築等を許可申請に係る行為とし、土石の採取は関連行為として申請書にその旨明記させるものとする。（以下同じ。）

し、前号イからハまでに掲げる基準のいずれかに適合するものについては、この限りでない。

18　法第20条第３項第４号に掲げる行為（露天掘りによるものに限る。）並びに法第21条第３項第１号及び第22条第３項第１号に掲げる行為（露天掘りによる法第20条第３項第４号に掲げる行為に限る。）に係る許可基準は、次のいずれかとする。

一　法第20条第３項、第21条第３項又は第22条第３項の規定による許可を受け、又は法第20条第６項、第21条第６項又は第22条第６項の規定による届出をして現に露天掘りによる鉱物の掘採又は土石の採取を行つている者がその掘採又は採取を行つている土地に隣接した土地において生業の維持のために行うもの（第２号又は第４号の規定の適用を受けるものを除く。）にあつては、次に掲げる基準に適合するものであること。

イ　特別保護地区等内において行われるものでないこと。

ロ　<u>自然的、社会経済的条件にかんがみ、掘採又は採取の期間及び規模が必要最小限と認められるものであること</u>。

ハ　当該掘採又は採取の方法が著しい自然の改変を伴うものでないこと。

ニ　当該掘採又は採取に係る跡地の整理に関する計画が定められており、かつ、当該跡地の整理を適切に行うこととされているものであること。

二　河川にたい積した砂利を採取するものであつて採取の場所が採取前の状態に復することが確実であると認められるものにあつては、前号イの規定の例によるほか、当該採取が河川の水を汚濁する方法で行われるものでないこと。

三　第３種特別地域（植生の復元が困難な地域等を除く。）内において行われるもの（第１号、第２号又は第４号の規定の適用を受けるものを除く。）にあつては、<u>現在の地形を大幅に改変するものでないこと</u>。

四　既に鉱業権が設定されている区域内における鉱物の掘採にあつては、第１号イの規定の例によるほか、次に掲げる基準に適合するものであること。

イ　<u>露天掘りでない方法によることが著しく困難であると認められるもの</u>であること。

ロ　平成12年４月１日以後に鉱業権が設定された区域内において行われるものにあつては、主要な利用施設等の周辺で行われるものでないこと。

五　前各号の規定の適用を受ける行為以外の行為にあつては、特別地域内において行われるものであつて、前項第１号イからハまでに掲げる基準のいずれかに適合するものであること。

19　法第20条第３項第５号に掲げる行為及び法第21条第３項第１号に掲げる行為（法第20条第３項第５号に掲げる行為に限る。）に係る法第20条第４項及び第21条第

62　「自然的、社会経済的条件にかんがみ、掘採又は採取の期間及び規模が必要最小限と認められるものであること」（第18項第１号ロ）

地形そのものを改変させてしまう露天掘りによる鉱物の掘採又は土石の採取は、原則として許可しない。しかし、基準日現在生業として継続されてきた土石の採取行為が許可されなくなってしまうのは当該行為者の生活をおびやかすことになり適当でないため、生業の維持に係る場合の特例として本号を規定している。したがって本号で定める期間及び規模は、申請者等の生活を守るために必要な範囲に限定する。この場合、できるだけ早期に終掘させる方向で指導するのが適当である。

63　「現在の地形を大幅に改変するものでないこと」（第18項第３号）

この例としては、転石を採取するもの又は田畑等の地下２m程度までに存する土石を採取するもので、跡地に表土を埋め戻すことによりほぼ採取前と同様の状態に復することが可能であるものが考えられる。

64　「露天掘りでない方法によることが著しく困難と認められるもの」（第18項第４号イ）

鉱業権の対象となる鉱物が地表近くに存在する場合等であって、露天掘り以外の方法で掘採することが露天掘りで掘採する方法に比して技術的、経済的に著しく不合理と認められるものをいう。

４項の環境省令で定める基準は、第11項第２号の規定の例によるほか、次のとおりとする。 一　次に掲げる基準のいずれかに適合するものであること。 イ　学術研究その他公益上必要と認められること。	
ロ　地域住民の日常生活の維持のために必要と認められること。 ハ　農業又は漁業に付随して行われるものであること。	65　「地域住民の日常生活の維持のために必要と認められること」（第19項第１号ロ） この例としては、地域住民が自己の用に供するため引水する行為等が考えられる。
二　水位の変動についての計画が明らかなものであること。 三　特別保護地区又は次に掲げる地域であつて、その全部若しくは一部について史跡名勝天然記念物の指定等がされていること若しくは学術調査の結果等により、特別保護地区に準ずる取扱いが現に行われ、若しくは行われることが必要であると認められるものに支障を及ぼすおそれがないものであること。ただし、基準日においてこれらの地域において法第20条第３項又は第21条第３項の規定による許可を受け、又は法第20条第６項又は第21条第６項の規定による届出をして現に行われているものであり、かつ、従来の行為の規模を超えない程度で行われるものにあつては、この限りでない。 イ　野生動植物の生息地又は生育地として重要な地域 ロ　優れた天然林又は学術的価値を有する人工林の地域 ハ　優れた風致又は景観を有する河川又は湖沼等	66　「水位の変動についての計画が明らかなもの」（第19項第２号） 当該行為により水位又は水量が現状と異なることとなる時期及びその範囲並びに変動量に関する計画が明らかになっているものをいう。
20　法第20条第３項第６号に掲げる行為及び法第21条第３項第１号に掲げる行為（法第20条第３項第６号に掲げる行為に限る。）に係る法第20条第４項及び第21条第４項の環境省令で定める基準は、次のとおりとする。	
一　当該汚水又は廃水の処理施設が技術的に最良の機能を有すると認められるものであること。 二　当該汚水又は廃水が法第20条第３項第６号又は第21条第３項第１号の規定により環境大臣が指定した湖沼又は湿原の水質の維持に著しい支障を及ぼすおそれがないものであること。	67　「技術的に最良の機能を有すると認められるもの」（第20項第１号） 当該汚水又は廃水の排水量及び排水先水域の現況に鑑み合理的である範囲内で、申請時において、我が国で実用化されている汚水処理施設のうち、当該地域の気象条件等からして最高水準の浄化機能を発揮し得るものをいう。 68　「環境大臣が指定した湖沼又は湿原の水質の維持に著しい支障を及ぼすおそれがないもの」（第20項第２号） 前号の要件を満たす汚水処理施設を用いた場合であっても、当該湖沼等の現況を保全しないと認められる排出は、これを許可しないものとし、他の方法により汚水等の処理を行わせるという趣旨である。
21　法第20条第３項第７号に掲げる行為並びに法第21条第３項第１号及び第22条第３項第１号に掲げる行為（法第20条第３項第７号に掲げる行為に限る。）に係る許可基準は、次のいずれかとする。	

一　所在地、名称、商標、営業内容その他の事業のために必要である事項を明らかにするために行われるもの又は土地、立木等の権利関係を明らかにするために行われるものにあつては、当該広告物等（広告物その他これに類する物又は広告その他これに類する物をいう。以下同じ。）が次に掲げる基準に適合するものであること。

イ　店舗、事務所、営業所その他の事業所の敷地内若しくは事業を行つている場所において掲出され、若しくは設置され、又は表示されるものであること。

ロ　表示面の面積が５平方メートル以下であり、かつ、同一敷地内又は同一場所内における表示面の面積の合計が10平方メートル以下のものであること。

ハ　広告物等を設置する場合にあつてはその高さが５メートル、広告物等を掲出し又は表示する場合にあつてはその表示面の高さが５メートル（工作物に掲出し又は表示するものにあつては、当該工作物の高さ）以下のものであること。

ニ　光源を用いる広告物等にあつては、次に掲げる基準に適合すること。

⑴　照明の範囲が必要最小限であると認められるものであること。

⑵　期間及び時間が必要最小限であると認められるものであること。

⑶　動光又は点滅を伴うものでないこと。

ホ　色彩及び形態がその周辺の風致又は景観と著しく不調和でないこと。

69　「表示面の面積」（第21項第１号ロ）

表示面の面積は以下の方法により算定する。

イ　表示板の場合

表示板の面積を算定する。表示板の形状により板面積の算定が困難な場合には、当該表示板を内包できる長方形又は円の面積を算定する。

なお、表示板が複数であり、かつ、それらが一連のものとなっている場合には、一連の表示板を内包できる長方形又は円の面積を１表示面として算定する。また、表示面の両面に表示されている場合は、両面合わせて１表示面とする。表示面が複数であり、かつ、それらが一連のものとなっている場合であって、表示面の配列が同一平面上にないときには、ハにより算定する。

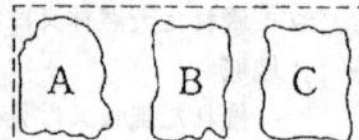

ロ　壁面等に表示する場合

表示する文字等を内包できる長方形又は円の面積を算定する。

なお、表示する文字等が複数であり、かつ、それらが一連のものとなっている場合には、一連の文字等を内包できる長方形又は円の面積を一表示面として算定する。

ハ　立体的な広告物の場合

広告物の側面積を算定する。広告物の形状により側面積の算定が困難な場合には当該広告物を内包できる円柱又は角柱の側面積を算定する。

なお、広告物が複数であり、かつ、それらが一連のものとなっている場合には、一連の広告物を内包できる円柱又は角柱の側面積を一表示面として算定する。

二　店舗、事務所、営業所、住宅、別荘、保養所その他の建築物又は事業を行つている場所へ誘導するために行われるものにあつては、前号ニからホまでの規定の例によるほか、次に掲げる基準に適合するものであること。

イ　設置の目的及び地理的条件に照らして必要と認められること。

ロ　広告物等の個々の表示面の面積が１平方メートル以下であること。

ハ　複数の内容を表示する広告物等にあつては、その表示面の面積の合計が10平方メートル以下であること。

ニ　広告物等を設置する場合にあつてはその高さが５メートル、広告物等を掲出し又は表示する場合にあつてはその表示面の高さが５メートル以下のものであること。

ホ　既に複数の広告物等が掲出され、若しくは設置され、又は表示されている地域において行われるものにあつては、当該行為に伴う広告物等の集中により周辺の風致又は景観との調和を著しく乱すものでないこと。

三　指導標、案内板その他の当該地の地理若しくは自然を案内し若しくは解説するもの又は当該地と密接な関係を持つ歴史上の事件若しくは文学作品等について当該地とのかかわりを紹介するために行われるものにあつては、第１号ニからホまで及び前号ニの規定の例によるほか、広告物等が次の基準に適合するものであること。

イ　表示面の面積が５平方メートル（複数の内容を表示する広告物等にあつては、10平方メートル）以下であること。

ロ　設置者名の表示面積が300平方センチメートル以下であること。

ハ　一の広告物等に設置者名が重複して表示されるものでないこと。

四　広告物等としての機能を有するベンチ、くず箱等の簡易な物を設置するものにあつては、第１号ホ及び前号ハの規定の例によるほか、広告物等が次の基準に適合するものであること。

イ　表示面積が300平方センチメートル以下であること。

ロ　商品名の表示がないものであること。

ハ　設置者の営業内容の宣伝の文言を用いるものでないこと。

五　前各号の規定の適用を受ける行為以外の行為にあつては、救急病院、警察等特殊な用途の施設を示す

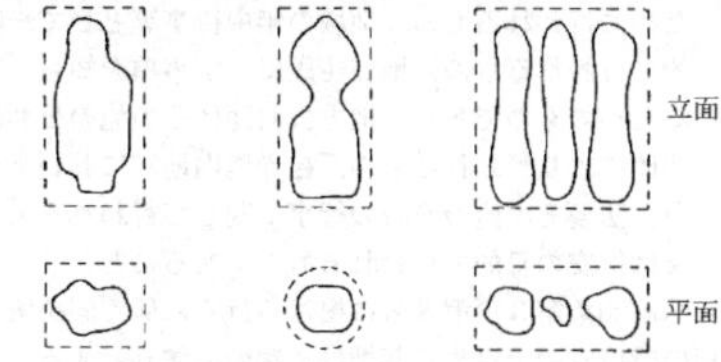

（以下同じ。）

70　「設置目的、地理的条件等に照らして必要と認められること」（第21項第２号イ）

第２号に規定する場所に誘導するという目的のため必要最小限のもののみ認めるという趣旨であり、設置場所は主要道路からの分岐点等に限られる。

71　「複数の内容を表示する広告物等にあっては、その表示面の面積の合計が10㎡以下であること」（第21項第２号ハ）

一定の地域に個々の広告物が無秩序に多数設置される場合よりも、一つの広告物に統合される方が風致景観の維持上望ましい場合には、表示面積が１㎡を超える統合広告物を認めるという趣旨である。

ただし、この場合であってもその統合広告物の表示面積は10㎡以下であり、かつ個々の表示面積は１㎡以下でなければならない。

72　「広告物等としての機能を有するベンチ、くず箱等の簡易な物を設置するもの」（第21項第４号）

広告が表示されたベンチ、くず箱等の簡易施設を設置する場合に適用する。

73　「表示面積」（第21項第４号イ）

表示する文字等が複数である場合は、これらの文字等を内包できる長方形又は円の面積を表示面積として算定する。

ために行われるもの、地域の年中行事等として一時的に行われるもの、地域住民に一定事項を知らしめるためのものであつて地方公共団体その他の公共的団体により行われるもの、社寺境内地等において祭典、法要その他の臨時の行事に関して行われるもの又は保安の目的で行われるものであること。

22　法第20条第３項第８号に掲げる行為に係る同条第４項の環境省令で定める基準は、次のとおりとする。ただし、地域住民の日常生活の維持のために必要と認められるもの若しくは農林漁業に付随して行われるものであつて第５号から第９号までに掲げる基準に適合するもの又は公益上必要であつて第３号及び第５号から第９号までに掲げる基準に適合するものについては、この限りでない。

一　第１種特別地域又は第２種特別地域若しくは第３種特別地域のうち植生の復元が困難な地域等若しくは自然草地等内において行われるものでないこと。

二　廃棄物（廃棄物の処理及び清掃に関する法律第２条第１項に規定する廃棄物をいう。以下同じ。）を集積し、又は貯蔵するものでないこと。

三　申請に係る場所以外の場所においてはその目的を達成することができないと認められるものであること。

四　自然的、社会経済的条件にかんがみ、集積又は貯蔵の期間及び規模が必要最小限と認められるものであること。

五　集積し、又は貯蔵する物が樹木その他の遮へい物により利用施設等その他の主要な公園利用地点から明瞭に望見されるものでないこと。

六　集積し、又は貯蔵する高さが10メートルを超えないものであること。

七　集積し、又は貯蔵する土地の外周線が、公園事業道路等の路肩から20メートル以上、それ以外の道路の路肩から５メートル以上離れていること。

八　集積し、又は貯蔵する土地の外周線が敷地境界線から５メートル以上離れていること。

九　集積し、又は貯蔵する物が崩壊し、飛散し、及び流出するおそれがないこと。

十　支障木の伐採が僅少であること。

十一　集積又は貯蔵に係る跡地の整理に関する計画が定められており、かつ、当該跡地の整理を適切に行

74　「地域住民の日常生活の維持のために必要と認められるもの」（第22項）

この例としては、地域住民が自己の用に供するため土石等の指定された物を集積又は貯蔵する行為をいう。

75　「農林漁業に付随して行われるもの」（第22項）

農林漁業に伴う行為をいい、例えば、耕作の際に発生した土石等を集積する行為をいう。

76　「自然的、社会経済的条件にかんがみ、集積又は貯蔵の期間及び規模が必要最小限と認められるものであること」（第22項第４号）

物の集積は風致の維持に支障を及ぼすおそれが大きいことから集積又は貯蔵の期間及び規模は必要最小限とすることが望ましく、例えば期間について集積又は貯蔵する物の取扱いに他法令の処分が必要な場合は当該他法令の処分に要する期間を許可の期限とし、規模については許可期限の範囲内に処理できる規模とする。

77　「主要な公園利用地点」（第22項第５号）

公園を利用する際の拠点等になっており、公園利用に供されている園地、広場、休憩所、展望施設、駐車場（他の事業の付帯施設として設けられたものを含む。）等のほか、公園事業道路等をいう。

78　「集積し、又は貯蔵する高さが10mを超えないもの」（第22項第６号）

「集積し、又は貯蔵する高さ」とは、当該物の占める空間の水平投影面上における当該物の最高点と最低地盤との差をいうものとする。

79　「崩壊し、飛散し、及び流出するおそれ」（第22項第９号）

上記のおそれを防止するため、①集積又は貯蔵の量等により変形・腐食・損壊しない性質又は品質を有する容器の使用、②安定勾配による物の集積又は貯蔵等

うこととされているものであること。

23 法第20条第３項第９号に掲げる行為、法第21条第３項第１号に掲げる行為（法第20条第３項第９号に掲げる行為に限る。）及び法第22条第３項第３号に掲げる行為に係る許可基準は、次のとおりとする。

一 次に掲げる地域内において行われるものでないこと。ただし、当該行為が学術研究上必要であり、かつ、申請に係る場所以外の場所においてはその目的を達成することができないと認められるものについては、この限りでない。

イ 特別保護地区若しくは第１種特別地域又はこれらの地先水面

ロ 海域公園地区

ハ 次に掲げる地域であつて、その全部又は一部について史跡名勝天然記念物の指定等がされていること又は学術調査の結果等により、特別保護地区又は第１種特別地域に準ずる取扱いが現に行われ、又は行われることが必要であると認められるもの

⑴ 野生動植物の生息地又は生育地として重要な水辺地又は水面

⑵ 優れた風致若しくは景観を有する自然海岸、自然湖岸その他の水辺地又はこれらの地先水面

二 次に掲げる基準のいずれかに適合するものであること。

イ 学術研究その他公益上必要と認められること。

ロ 地域住民の日常生活の維持のために必要と認められること。

ハ 農業又は漁業に付随して行われるものであること。

ニ 既存の埋立地又は干拓地の地先において行われるものであること。

三 当該行為又はこれに関連する行為が当該行為の場所に隣接する水辺地又は水面の風致又は景観の維持に及ぼす支障の程度が軽微であること。ただし、前号ニに掲げる基準に適合するものにあつては、この限りでない。

四 廃棄物の埋立てによるものでないこと。

24 法第20条第３項第10号に掲げる行為及び法第21条第３項第１号に掲げる行為（法第20条第３項第10号に掲げる行為に限る。）に係る法第20条第４項及び第21条第４項の環境省令で定める基準は、次のとおりとする。

一 特別保護地区、第１種特別地域又は第２種特別地

により適切な措置が講じられていない場合をいう。

例えば、廃棄物については、「廃棄物の処理及び清掃に関する法律等の一部改正について」（平成10年５月７日、衛環37、各都道府県・各政令市廃棄物行政主管部（局）長宛　厚生省生活衛生局水道環境部環境整備課長通知）第７廃棄物の保管基準に関する事項等を参考とし、適宜廃棄物関係部局に確認等を行った上で取り扱うものとする。

域若しくは第３種特別地域のうち植生の復元が困難な地域等内において行われるものでないこと。ただし、当該行為が学術研究その他公益上必要であり、かつ、申請に係る場所以外の場所においてはその目的を達成することができないと認められるもの又は現に農業の用に供されている農地内において行われる客土その他の農地改良のための行為については、この限りでない。

二　集団的に建築物その他の工作物を設置する敷地を造成するために行われるものでないこと。

80　「集団的に建築物その他の工作物を設置する敷地を造成するために行われるものでないこと」（第24項第２号）

いわゆる分譲地造成や墓地造成、複数の太陽光発電アレイを設置するための太陽光発電施設用地の造成等、工作物等を集団的に設置するために、あらかじめ行われる造成をいうものである。

なお、道路又は上下水道施設の設置のみを行う分譲地等の造成は、工作物の新築として把握し、第９項を適用する。太陽光発電施設の設置に伴い必要最小限の土地の形状変更を行う場合は関連行為として把握し、太陽光発電施設の設置と一体の行為として第12項を適用する。

二の二　土地を階段状に造成するものでないこと（農林漁業を営むために必要と認められるものは除く。）。

81　「土地を階段状に造成するもの」（第24項第２号の２）

傾斜地を階段状に造成するものであり、農林漁業を営むために必要と認められるものは、例えば、傾斜地の棚田や果樹園等が該当する。

三　ゴルフ場の造成のために行われるものでないこと。ただし、既存のゴルフコースの改築のために行われるものについては、この限りでない。

四　廃棄物の埋立てによるものでないこと。ただし、既に土石の採取等によりその形状が変更された土地において廃棄物を埋め立てる場合であつて、埋立て及びこれに関連する行為により風致の維持に新たに支障を及ぼすことがなく、埋立て及びこれに際して行われる修景等の措置により従前より好ましい風致を形成することとなるときは、この限りでない。

五　申請に係る場所以外の場所においてはその目的を達成することができないと認められるものであること。ただし、農林漁業を営むために必要と認められるものについては、この限りでない。

六　開墾し、又は形状を変更する土地の範囲が必要最小限と認められるものであること。

七　当該行為による土砂の流出のおそれがないものであること。

25　法第20条第３項第11号及び第13号に掲げる行為に係る同条第４項の環境省令で定める基準は、次のとおりとする。

一　学術研究その他公益上必要であり、かつ、申請に係る場所以外の場所においてはその目的を達成することができないと認められるものであること。

二　採取し若しくは損傷しようとする植物、捕獲し若しくは殺傷しようとする動物又は採取し若しくは損傷しようとする卵に係る動物が申請に係る特別地域

において<u>絶滅のおそれ</u>がないものであること。ただし、当該動植物の保護増殖を目的とし、かつ、<u>当該特別地域における当該動植物の保存に資する場合</u>は、この限りでない。	82　「絶滅のおそれ」（第25項第２号） 申請に係る特別地域内において、野生植物（又は動物）の種又は個体群について、当該種又は個体群の存続に支障を来す程度にその個体の数が著しく少ないこと、その個体の数が著しく減少しつつあること、その個体の主要な生育地（又は生息地）が消滅しつつあること、その個体の生育（又は生息）の環境が著しく悪化しつつあることその他当該野生植物（又は動物）の当該特別地域における存続に支障を来す事情があることをいう。 なお、絶滅のおそれのある野生動植物の種の保存に関する法律（平成４年法律第75号）第４条第３項に規定する国内希少野生動植物種及び同法第５条第１項に規定する緊急指定種は、本要件において絶滅のおそれがあるものとして取り扱う。（以下同じ。） 83　「当該特別地域における当該植物（又は動物）の保存に資する場合」（第25項第２号） 保護増殖した個体の当該特別地域内への再導入、当該特別地域内における当該種の保存（保護増殖）に必要な知見を得るための調査研究、当該特別地域における当該種の遺伝子を保存するために必要な行為（いわゆるジーン・バンク）等がこれに当たり、専ら他地域へ当該種を移植することを目的とする行為、保護増殖した個体を販売する場合等はこれに含まない。（以下同じ。）
26　法第20条第３項第12号に掲げる行為に係る同条第４項の環境省令で定める基準は、次のいずれかとする。 一　前項第１号に掲げる基準に適合するものであること。 二　災害復旧のために行われるものであること。 27　法第20条第３項第14号に掲げる行為に係る同条第４項の環境省令で定める基準は、第25項第１号の規定の例によるほか、法第20条第３項第14号の規定により環境大臣が指定する動物が家畜である場合における当該家畜である動物の放牧にあつては、当該放牧が反復継続して行われるものでないこととする。 28　法第20条第３項第15号に掲げる行為及び法第21条第３項第１号に掲げる行為（法第20条第３項第15号に掲げる行為に限る。）に係る法第20条第４項及び第21条第４項の環境省令で定める基準は、その周辺の風致又は景観と著しく不調和である色彩に変更するものでないこととする。ただし、特殊な用途の物の色彩の変更については、この限りでない。 29　法第20条第３項第16号及び第17号に掲げる行為並びに法第21条第３項第１号に掲げる行為（法第20条第３項第16号に掲げる行為に限る。）に係る法第20条第４項及び第21条第４項の環境省令で定める基準は、次のいずれかとする。 一　<u>申請に係る場所以外の場所においてはその目的を達成することができないと認められる行為</u>（法第20	
	84　「申請に係る場所以外の場所においてはその目的を達成することができないと認められる行為」（第29項

条第３項第16号に掲げる行為に限る。）であつて、次に掲げる基準のいずれかに適合するものであること。

イ　学術研究その他公益上必要と認められるものであること。

ロ　野生動植物の生息又は生育上その他の風致の維持上支障を及ぼすおそれがないものであること。

二　地域住民の日常生活の維持のために必要と認められるものであること。

30　令第３条に規定する行為及び令第４条に規定する行為に係る法第20条第４項及び第21条第４項の環境省令で定める基準は、次のいずれかとする。

一　申請に係る場所以外の場所においてはその目的を達成することができないと認められる行為であつて、次に掲げる基準のいずれかに適合するものであること。

イ　学術研究その他公益上必要と認められるものであること。

ロ　野生動植物の生息又は生育上その他の風致又は景観の維持上支障を及ぼすおそれがないものであること。

二　地域住民の日常生活の維持のために必要と認められるものであること。

31　法第21条第３項第２号、第７号及び第９号に掲げる行為に係る同条第４項の環境省令で定める基準は、次のとおりとする。

一　学術研究その他公益上必要と認められるもの、地域住民の日常生活の維持のために必要と認められるもの、病害虫の防除、防災若しくは景観の維持その他森林若しくは野生動植物の保護管理のために行われるもの又は測量のために行われるものであって、かつ、申請に係る場所以外の場所においてはその目的を達成することができないと認められるものであること。

二　採取し若しくは損傷しようとする植物、捕獲し若しくは殺傷しようとする動物又は採取し若しくは損傷しようとする卵に係る動物が申請に係る特別保護地区において絶滅のおそれがないものであること。ただし、在来の動植物の保存その他当該特別保護地区における在来の景観の維持のために必要と認められる場合又は当該動植物の保護増殖を目的とし、かつ、当該特別保護地区における当該動植物の保存に資する場合は、この限りでない。

第１号）

例えば、乗入れ規制地域の指定以前から生業として長期にわたり継続して行われていた行為であって、貨物、遊漁等の船舶運航業者が自ら行う動力船の使用、法による許可を得て行われる行為の遂行、自己所有地の管理のために行う車馬の使用等が考えられる。

85　「野生動植物の生息又は生育上その他の風致の維持上支障を及ぼすおそれがないもの」（第29項第１号ロ）

例えば、静ひつな雰囲気が保たれている場所において、静ひつさを著しく阻害するような爆音を発することや、野鳥等の生息を脅かしたり、林床植生を踏み荒らすようなこと等が含まれる。

86　「地域住民の日常生活の維持のために必要と認められるもの」（第29項第２号）

例えば、地域住民が行う物資の搬送を目的とする車馬の使用等が考えられる。

87　「在来の動植物の保存その他当該特別保護地区における在来の景観の維持のために必要と認められる場合」（第31項第２号）

当該地区において、在来の動植物以外の動植物（外来種等）の生息、生育により、在来の動植物の生息、

32　法第21条第３項第３号及び第８号に掲げる行為に係る同条第４項の環境省令で定める基準は、次のいずれかとする。

一　第25項第１号に掲げる基準に適合するものであること。

二　植栽し、又は種子をまこうとする地域に現存する植物と同一種類の植物を植栽し、又はその種子をまくものであること（在来の景観の維持に支障を及ぼすおそれがないと認められるものに限る。）。

三　災害復旧のために行われるものであること。

33　法第21条第３項第４号から第６号まで及び第10号並びに第22条第３項第５号及び第７号に掲げる行為に係る法第21条第４項及び第22条第４項の環境省令で定める基準は、第25項第１号の規定の例によるほか、当該行為が反復継続して行われるものでないこととする。

34　法第22条第３項第２号に掲げる行為に係る同条第４項の環境省令で定める基準は、次のとおりとする。

一　第25項第１号に掲げる基準に適合するものであること。

二　捕獲し若しくは殺傷し、又は採取し若しくは損傷しようとする動植物が申請に係る海域公園地区において絶滅のおそれがないものであること。ただし、当該動植物の保護増殖を目的とし、かつ、当該海域公園地区における当該動植物の保存に資する場合は、この限りでない。

35　法第22条第３項第４号に掲げる行為に係る同条第４項の環境省令で定める基準は、第23項第３号及び第25項第１号の規定の例による。

36　法第22条第３項第６号に掲げる行為に係る同条第４項の環境省令で定める基準は、第25項第１号の規定の例によるほか、当該汚水又は廃水が海域公園地区の水質の維持に著しい支障を及ぼすおそれがないものであることとする。

37　その自然的、社会経済的条件から判断して前各項に規定する基準の全部又は一部を適用することが適当でないと、国立公園にあつては環境大臣が、国定公園にあつては都道府県知事が認めて指定した特別地域、特別保護地区又は海域公園地区内の区域及び当該区域内において行われる法第20条第３項各号、第21条第３項各号又は第22条第３項各号に掲げる行為については、環境大臣又は都道府県知事は、それぞれ当該基準の特例を定めることができる。

生育に支障があり、景観の維持に支障が生じている場合、あるいは生じるおそれがある場合をいう。

88　**「その自然的、社会経済的条件から判断して前各項の規定による基準の全部又は一部を適用することが適当でないと、・・・（中略）・・・が認めて指定した・・・（中略）・・・区域」**（第37項）

これらの区域は、以下に掲げる要件に合致する地域について定めるものとする。

イ　風致景観上の実態その他の自然的条件から見て、規則第11条第１項から第36項までに規定する行為のいずれかについて、基準を強化することに合理的な理由があり、かつ、基準を強化しても過度の受忍を強いることにはならないと認められる区域であること、又は風致景観上の実態その他の自然的条件から見て、規則第11条第１項から第36項までに規定する行為のいずれかにつき基準を緩和することに合理的な理由があり、かつ、緩和しなければ極端に社会的に不公平な取扱いとなることが明らかな区域であること。

ロ　国立公園、国定公園の特別地域、特別保護地区又は海域公園地区内の一部の地域であり、かつ、一定の面的広がりを有するものであること。

なお、森林の施業に係るこれらの区域の指定に当たっては、地域森林計画との整合性に留意する必要があることから、事前に関係部局間での調整が行われていることが望ましい。

89　**「基準の特例を定める」**（第37項）

基準の特例の内容については、告示するとともに、その内容を記載した書類（指定区域を示す図面がある場合は、当該図面を含む。）を申請窓口に備え付ける等の方法により公表することが適当である。

また、森林の施業に係る基準の特例を定め、又は変更若しくは廃止する場合は、地域森林計画との整合性に留意する必要があることから、事前に関係部局間での調整が行われていることが望ましい。

なお、基準の特例を定めるに当たっては、「自然公園法施行規則第11条第37項の規定による基準の特例について」（平成12年６月21日付け環自国第361号、各地区自然保護事務所長宛自然保護局長通知）により行うこととしている。

38　法第20条第３項各号、第21条第３項各号及び第22条第３項各号に掲げる行為に係る許可基準は、前各項に規定する基準のほか、次のとおりとする。

90　**「許可基準は、前各項に規定する基準のほか、次のとおりとする。」**（第38項）

本項は、第１項から第37項までに定める基準に加え、風致又は景観の維持を図るために必要となる共通の要件を規定したものである。

なお、森林の施業に関する本項各号の規定の適用は、国有林野（公有林野等官行造林地を含む。）にあっては国有林の地域別の森林計画（公有林野等官行造林地施業計画を含む。）、民有林にあっては地域森林計画に基づき風致の維持を考慮して行わなければならない場合に限られる。

一　申請に係る地域の自然的、社会経済的条件から判断して、当該行為による風致又は景観の維持上の支障を軽減するため必要な措置が講じられていると認められるものであること。

91　**「申請に係る地域の自然的、社会経済的条件から判断して、当該行為による風致又は景観の維持上の支障を軽減するため必要な措置が講じられていると認められるもの」**（第38項第１号）

本号の適用は、申請に係る地域の自然的、社会経済的条件から、個々の申請ごとに個別に判断するものではあるが、同一の類型に該当する行為に共通の支障を軽減するための措置の実施を求める必要がある場合は、あらかじめ、これらの行為に係る許可の判断に共通してその基準となるべき事項を定め、これを公表しておくことが望ましい。

二　申請に係る場所又はその周辺の風致又は景観の維持に著しい支障を及ぼす特別な事由があると認められるものでないこと。

92　**「申請に係る場所又はその周辺の風致又は景観に著しい支障を及ぼす特別な事由があると認められるものでないこと」**（第38項第２号）

国立公園及び国定公園内において法による許可を要する行為については、各種行為の区分に応じ、本条に定める審査基準を適用して判断されるべきことは当然である。

	しかし、当該行為が本状各号に掲げる全ての要件に該当する場合であっても、射撃場、オートレース場、廃棄物処理施設、ある種の工場の設置等、その行為による騒音、悪臭、ふんじん等の発生により当該行為地周辺の風致又は景観に著しい支障を与えることが明らかなとき等においては風致の保護の全体的な立場からその行為を不許可とする必要があるという趣旨である。
三　申請に係る行為の当然の帰結として予測され、かつ、その行為と密接不可分な関係にあることが明らかな行為について法第20条第３項、第21条第３項又は第22条第３項の規定による許可の申請があつた場合に、当該申請に対して不許可の処分がされることとなることが確実と認められるものでないこと。	93　**「申請に係る行為の当然の帰結として予測され、かつ、その行為と密接不可分な関係にあることが明らかな行為」**（第38項第３号） 　ある行為の当然の帰結として予測され、かつ当該行為と密接不可分の関係にある行為が、法により不許可となることが確実な場合は、たとえその行為自体は前各項の要件全てに合致するものであっても許可しないことができる。このような例としては、地質調査ボーリングが第17項の要件に全て合致していても、これと密接不可分の関係にある工作物の新築が不許可となることが確実である場合に地質調査ボーリングを不許可とする事例が考えられる。

○自然公園法に基づく許可、協議の同意、届出の受理、認可等に係る権限区分・専決規定の早見表

※本表は早見表であって厳密ではないため、必要に応じて根拠規定等を参照すること。

1　国立公園内の行為の許可・協議の同意等の権限区分（国の直接執行事務のみの場合）

	環境大臣権限	地方環境事務所長権限	国立公園管理事務所長専決	首席自然保護官・国立公園保護管理企画官・四国事務所長専決
工作物の新改増築	○建築物（仮工作物、住宅及び農林漁業用を除く）の新増築（高さ13m超（建築設備を除く）又は水平投影面積2,000㎡超） ○道路（法面等付帯施設を含む）の新増築（水平投影面積4,000㎡超） ○工作物（建築物、道路、電柱、仮工作物及び農林漁業用索道等を除く）の新増築（高さ25m超又は水平投影面積4,000㎡超） ※増築では増築部分に係る最高部と最低部の高さの差又は増築部分の水平投影面積をいう。以下同じ。	○建築物（住宅）の新増築（専決事項以外） ○建築物（仮工作物、住宅及び農林漁業用を除く）の新増築（高さ13m以下（建築設備を除く）、かつ水平投影面積1,000㎡超～2,000㎡以下） ○道路（法面等付帯施設を含む）の新増築（水平投影面積2,000㎡超～4,000㎡以下） ○工作物（建築物、道路、電柱及び仮工作物を除く）の新増築（高さ25m以下、かつ、水平投影面積4,000㎡以下（規則第11条第14項の工作物にあっては水平投影面積2,000㎡超～4,000㎡以下）） ○工作物（高さ又は水平投影面積が基準の特例に適合するもの）の新増築 ○国の機関又は地方公共団体が行う災害復旧又は防災のために必要な工作物（防潮堤を除く）の新増築 ○農林漁業用索道の新増築	○工作物の改築 ○仮工作物（規則第11条第1項、第13項）の新増築 ○地域住民の住宅（規則第11条第2項）及び農林漁業用建築物（規則第11条第3項）の新増築 ○建築物（規則第11条第4項、第5項及び第6項）の新増築（高さ13m以下（建築設備を除く）、かつ1,000㎡以下） ○道路（法面等付帯施設を含む）の新増築（水平投影面積2,000㎡以下） ○工作物（規則第11条第14項）の新増築（高さ25m以下、かつ水平投影面積2,000㎡以下）（電柱（電話柱を含む）にあっては高さ25m超のものを含む）	○仮工作物（規則第11条第1項、第13項）の新改増築（高さ13m以下、かつ水平投影面積1,000㎡以下（改増築後において同規模を超えるものを除く）） ○地域住民の住宅（規則第11条第2項）及び農林漁業用建築物（規則第11条第3項）の新改増築 ○建築物（規則第11条第6項）の新改増築（高さ13m以下、かつ水平投影面積100㎡以下） ○工作物（規則第11条第14項）の新改増築（高さ13m以下、かつ水平投影面積200㎡以下）（電柱（電話柱を含む）にあっては高さ13m超のものを含む）
木竹の伐採	—	専決事項以外の当該行為	同右欄	伐採する立木幹材積の合計量が5㎥以下、又は伐採面積の合計300㎡以下、並びに森林法第5条第1項の地域森林計画に定める伐採要件に適合するもの
指定区域内木竹の損傷	—	—	同右欄	全ての当該行為

特別地域における許可等 法第20条関係	土石の採取	権限委任・専決事項以外の当該行為	○ボーリング機械を用いるもの（地熱開発に係るもの。ただし、坑口又は掘削口が特別地域に設けられるものを除く） ○許可を受け現に露天掘りによる採取を行っている者が採取を行っている土地に隣接した土地で生業の維持のために行うもの	次のうちいずれか ○採取量1㎥以下 ○ボーリング機械を用いるもの（地熱開発を除く） ○河川等のたい積砂利の採取で採取前の状態に復することが確実であるもの	学術研究目的、かつ採取量1㎥以下
	水位水量の増減	権限委任以外の当該行為	○水位水量を減少させる行為 ○水位水量を増加させる行為（当該行為により陸域から水域に変わる面積が10,000㎡以下のもの、又は許可を受け現に水位水量に増減を及ぼしている者が水位の変動についての計画を変更するもの）	—	—
	指定湖沼等への汚水等の排出	—	—	全ての当該行為	—
	広告物の掲出等	—	—	同右欄	全ての当該行為
	物の集積・貯蔵	—	全ての当該行為	—	—
	水面の埋立・干拓	権限委任以外の当該行為	水平投影面積1,000㎡以下（普通地域とまたがる場合は普通地域を含めた水平投影面積が1,000㎡以下）	—	—
	土地の形状変更	権限委任・専決項以外の当該行為	水平投影面積5,000㎡超～10,000㎡以下	水平投影面積5,000㎡以下	—
	指定植物の採取損傷	—	—	同右欄	全ての当該行為
	指定区域内での植物の植栽、種子まき	—	—	同右欄	全ての当該行為
	指定動物の捕獲等	—	—	同右欄	全ての当該行為
	指定動物の放出	—	—	同右欄	全ての当該行為
	色彩の変更	—	—	同右欄	全ての当該行為
	指定区域内への立入り	—	—	同右欄	全ての当該行為
	指定区域内における車馬動力船の使用・航空機の着陸	—	—	同右欄	全ての当該行為
	政令で定める行為（指定道路での車馬の使用）	—	—	同右欄	全ての当該行為

特別保護地区における許可等　法第21条関係	工作物の新改増築	○工作物（仮工作物を除く）の新増築（高さ13m超、又は水平投影面積1,000㎡超（防潮堤を除く国の機関又は地方公共団体が行う災害復旧又は防災のために必要な工作物においては高さ25m超、又は水平投影面積4,000㎡超）	○仮工作物の新増築（水平投影面積（10㎡超）） ○工作物（仮工作物を除く）の新増築（高さ13m以下、かつ水平投影面積1,000㎡以下） ○国の機関又は地方公共団体が行う災害復旧又は防災のために必要な工作物（防潮堤を除く）の新増築（高さ25m以下、かつ水平投影面積4,000㎡以下）	○工作物の改築 ○仮工作物の新増築（水平投影面積10㎡以下（増築後において同規模を超えるものを除く）） ○特別地域内不要許可行為相当の行為	仮工作物の新改増築（水平投影面積10㎡以下（改増築後において同規模を超えるものを除く））
	木竹の伐採	—	専決事項以外の当該行為	同右欄	伐採する立木幹材積の合計量が1㎥以下、伐採面積の合計100㎡以下
	土石の採取	権限委任・専決事項以外の当該行為	○採取量1㎥以下 ○河川等のたい積砂利の採取で採取前の状態に復することが確実であるもの	○学術研究目的、かつ採取量1㎥以下（ボーリング機械を用いるものを除く） ○特別地域内不要許可行為相当の行為	学術研究目的、かつ採取量1㎥以下（ボーリング機械を用いるものを除く）
	水位水量の増減	権限委任・専決事項以外の当該行為	○水位水量を減少させる行為 ○水位水量を増加させる行為（当該行為により陸域から水域に変わる面積が10,000㎡以下のもの、又は許可を受け現に水位水量に増減を及ぼしている者が水位の変動についての計画を変更するもの）	○特別地域内不要許可行為相当の行為	—
	指定湖沼等への汚水等の排出	—	全ての当該行為	—	—
	広告物の掲出等	—	—	同右欄	全ての当該行為
	水面の埋立・干拓	全ての当該行為	—	—	—
	土地の形状変更	水平投影面積2,500㎡超の当該行為	水平投影面積2,500㎡以下	—	—
	色彩の変更	—	—	同右欄	全ての当該行為
	指定区域内への立入り	—	全ての当該行為	—	—
	木竹の損傷	—	—	同右欄	全ての当該行為
	木竹の植栽	—	—	同右欄	全ての当該行為
	動物の放出	—	—	同右欄	全ての当該行為
	物の集積	—	全ての当該行為	—	—
	火入れ・たき火	—	—	同右欄	全ての当該行為
	木竹以外の植物等の採取損傷・落葉落枝の採取	—	—	同右欄	全ての当該行為

	木竹以外の植物の植栽・植物の種子まき	—	—	同右欄	全ての当該行為
	動物の捕獲殺傷・動物の卵の採取損傷	—	—	同右欄	全ての当該行為
	車馬動力船の使用・航空機の着陸	—	—	同右欄	全ての当該行為
	政令で定める行為（指定道路での車馬の使用）	—	—	同右欄	全ての当該行為
	全般	—	—	都市公園等の設置又は管理のうち規則第12条第28号に該当する行為	—
海域公園地区における許可等　法第22条関係	工作物の新改増築	権限委任・専決事項以外の当該行為	○工作物の新増築（水平投影面積1,000㎡以下） ○仮工作物の新増築	○工作物の改築 ○特別地域内不要許可行為相当の行為	—
	土石の採取	権限委任・専決事項以外の当該行為	○採取量１㎥以下	○学術研究目的、かつ採取量1㎥以下（ボーリング機械を用いるものを除く） ○特別地域内不要許可行為相当の行為	—
	広告物の掲出等	—	—	同右欄	全ての当該行為
	指定動植物の捕獲殺傷又は採取損傷	—	—	同右欄	全ての当該行為
	海面の埋立・干拓	全ての当該行為	—	—	—
	海底の形状変更	全ての当該行為	—	—	—
	物の係留	—	—	同右欄	全ての当該行為
	汚水又は廃水の排出	—	全ての当該行為	—	—
	規制区域内における動力船の使用	—	—	同右欄	全ての当該行為
普通地域における届出等　法第33条関係	工作物の新改増築	—	—	同右欄	全ての当該行為
	特別地域内の河川、湖沼等の水位水量の増減		全ての当該行為	—	—
	広告物の掲出等		—	同右欄	全ての当該行為
	水面の埋立・干拓		全ての当該行為	—	—
	土石の採取（海域内は海域公園地区の周辺１キロメートルの当該海域公園地区に接続する海域内に限る）。		全ての当該行為	—	—
	土地の形状変更		—	全ての当該行為	—
	海底の形状変更（海域公園地区の周辺１キロメートルの当該海域公園地区に接続する海域内に限る）。		全ての当該行為	—	—
	その他		○行為の禁止、制限その他必要な措置の命令※ ○措置命令等の期間	○措置命令等の期間の延長（専決処分に係るものに限る）	○措置命令等の期間の延長（専決処分に係るものに限る） ○行為の着手制限期間

			の延長（専決事項以外） ○行為の着手制限期間の短縮（専決事項以外）	○行為の着手制限期間の短縮（専決処分に係るものに限る）	の短縮（専決処分に係るものに限る）
共通・その他の事項		○大臣権限に係る不許可処分、不同意その他異例に属するものの処分 ○大臣権限に係る原状回復又はこれに代わるべき必要な措置の命令	○国立公園管理事務所長・首席自然保護官等不在地区の国立公園管理事務所長・首席自然保護官等専決 ○権限委任事項に係る不許可処分、不同意その他異例に属するものの処分※ ○権限委任事項に係る原状回復又はこれに代わるべき必要な措置の命令※	○既着手行為の届出の受理 ○非常災害のための応急措置の届出の受理 ○地方公共団体が作成する催しの計画の受理 ○公園管理団体が作成する業務計画の受理 ○利用調整地区の立入り許可	○地方公共団体が作成する催しの計画の受理 ○公園管理団体が作成する業務計画の受理 ○利用調整地区の立入り許可

・「地方環境事務所長権限」は、地方環境事務所長並びに釧路、信越及び沖縄奄美自然環境事務所長の権限、ただし※は、地方環境事務所長のみに存する権限。
・「国立公園管理事務所長専決」は、大雪山、支笏洞爺、阿寒摩周、十和田八幡平、日光、富士箱根伊豆、伊勢志摩、上信越高原、中部山岳、吉野熊野、大山隠岐、阿蘇くじゅう、霧島錦江湾、奄美群島国立公園管理事務所長の専決事項。
・「国立公園管理事務所長専決」及び「首席自然保護官等専決」（自然保護官事務所における国立公園保護管理企画官の専決を含む）は、地方環境事務所又は釧路自然環境事務所等の職員に併任されている等の理由により地方環境事務所又は釧路自然環境事務所等に常勤する場合には適用されない。
・「国立公園保護管理企画官専決」（国立公園管理事務所における国立公園保護管理企画官の専決）は、国立公園管理事務所に所長が常勤しない場合に限り、当該国立公園管理事務所に常勤する国立公園保護管理企画官のうち所長又は釧路自然環境事務所長等が指名した場合に適用される。
・権限区分は以下の規定による。
地方環境事務所長への権限の委任：自然公園法施行規則第20条
国立公園管理事務所長及び首席自然保護官・国立公園保護管理企画官・四国事務所長の専決：地方環境事務所行政文書管理要領第17条

2　国立公園内の行為の許可・協議の同意等の権限区分（都道府県が法定受託事務を行う場合）

		環境省の直接執行事務				都道府県の法定受託事務
		環境大臣権限	地方環境事務所長権限	国立公園管理事務所長専決	首席保護官・国立公園保護管理企画官・四国事務所長専決	
	工作物の新改増築	○建築物（仮工作物、住宅及び農林漁業用を除く）の新増築（高さ13 m超（建築設備を除く）又は水平投影面積2,000㎡超） ○道路（法面等付帯施設を含む）の新増築（水平投影面積4,000㎡超） ○工作物（建築物、道路、電柱、仮工作物及び農林漁業用索道等を除く）の新増築（高さ25m超又は水	○建築物（仮工作物、住宅及び農林漁業用を除く）の新増築（高さ13m以下（建築設備を除く）、かつ水平投影面積1,000㎡超～2,000㎡以下） ○道路（法面等付帯施設を含む）の新増築（水平投影面積2,000㎡超～4,000㎡以下） ○工作物（建築物、道路、電柱及び仮工作物を除く）の新増築（高さ25m以	○工作物の改築（法定受託事務に係るものを除く） ○農林漁業用建築物（規則第11条第3項）の新増築 ○建築物（仮工作物、住宅及び農林漁業用を除く）の新増築（高さ13m以下（建築設備を除く）、かつ1,000㎡以下） ○道路（法面等付帯施設を含む）の新増築（水平投影面積2,000㎡以下、法定受	○農林漁業用建築物（規則第11条第3項）の新改増築 ○建築物（規則第11条第6項、ただし住宅を除く）の新改増築（高さ13m以下、かつ水平投影面積100㎡以下） ○工作物（ダム、水門及びパラボラアンテナ）の新改増築（高さ13m以下、かつ水平投影面積200㎡以下） ○工作物（砂防施設等）の新築	○住宅及び仮工作物の新改増築 ○工作物（砂防設備、港湾施設、海岸保全施設、地すべり防止施設（以下「砂防設備等」という））の改増築（改増築後において、その高さが13m又は水平投影面積が1,000㎡を超えるものを除く） ○工作物（住宅、仮工作物、砂防設備等、ダム、水門及びパラボラアンテナを除く）の新改増築（高さ13m以下、かつ、水平

特別地域における許可等　法第20条関係		平投影面積4,000㎡超） ※増築では増築部分に係る最高部と最低部の高さの差又は増築部分の水平投影面積をいう。以下同じ。	下、かつ、水平投影面積4,000㎡以下（規則第11条第14項の工作物にあっては水平投影面積2,000㎡超～4,000㎡以下）） ○工作物（高さ又は水平投影面積が基準の特例に適合するもの） ○国の機関又は地方公共団体が行う災害復旧又は防災のために必要な工作物（防潮堤等を除く）の新増築 ○農林漁業用索道の新増築	託事務に係るものを除く） ○工作物（規則第11条第14項）の新増築（高さ25m以下、かつ水平投影面積2,000㎡以下、法定受託事務に係るものを除く） ○工作物（電柱（電話柱を含む））の新改増築（高さ13m超のもの）	（高さ13m以下、かつ水平投影面積200㎡以下） ○工作物（電柱（電話柱を含む））の新改増築（高さ13m超のもの）	投影面積1,000㎡以下（改増築後において、その高さが13m又は水平投影面積が1,000㎡を超えるものを除く））
	木竹の伐採	―	専決事項以外の当該行為	同右欄	伐採する立木幹材積の合計量が5㎥以下、又は伐採面積の合計300㎡以下	森林法第5条第1項の地域森林計画の伐採要件に適合するもの
	指定区域内木竹の損傷	―	―	同右欄	全ての当該行為	―
	土石の採取	権限委任・専決事項以外の当該行為	○ボーリング機械を用いるもの（地熱開発に係るもの。ただし、坑口又は掘削口が特別地域に設けられるものを除く） ○許可を受け現に露天掘りによる採取を行っている者が採取を行っている土地に隣接した土地で生業の維持のために行うもの	次のうちいずれか ○採取量1㎥以下 ○ボーリング機械を用いるもの（地熱開発を除く） ○河川等のたい積砂利の採取で採取前の状態に復することが確実であるもの	学術研究目的、かつ採取量1㎥以下	―
	水位水量の増減	権限委任以外の当該行為	○水位水量を減少させる行為 ○水位水量を増加させる行為（当該行為により陸域から水域に変わる面積が10,000㎡以下のもの、又は許可を受け現に水位水量に増減を及ぼしている者が水位の変動についての計画を変更するもの）	―	―	―
	指定湖沼等への汚水等の排出	―	―	―	―	全ての当該行為
	広告物の掲出等	―	―	―	―	全ての当該行為
	物の集積・貯蔵	―	―	―	―	全ての当該行為
	水面の埋立・干拓	権限委任以外の当該行為	水平投影面積1,000㎡以下（普	―	―	―

			通地域とまたがる場合は普通地域を含めた水平投影面積が1,000㎡以下）			
	土地の形状変更	権限委任・専決事項以外の当該行為	ゴルフコースの用に供する面積が5,000㎡超～10,000㎡以下	ゴルフコースの用に供する面積が1,000㎡超～5,000㎡以下	—	ゴルフコースの用に供する面積が1,000㎡超を除く全ての当該行為
	指定植物の採取損傷	—	—	—	—	全ての当該行為
	指定区域内での植物の植栽、種子まき	—	—	—	—	全ての当該行為
	指定動物の捕獲等	—	—	—	—	全ての当該行為
	指定動物の放出	—	—	—	—	全ての当該行為
	色彩の変更	—	—	—	—	全ての当該行為
	指定区域内への立入り	—	—	—	—	全ての当該行為
	指定区域内における車馬動力船の使用・航空機の着陸	—	—	—	—	全ての当該行為
	政令で定める行為（指定道路での車馬の使用）	—	—	—	—	全ての当該行為
	工作物の新改増築	○工作物（仮工作物を除く）の新増築（高さ13m超、又は水平投影面積1,000㎡超（防潮堤を除く国の機関又は地方公共団体が行う災害復旧又は防災のために必要な工作物においては高さ25m超、又は水平投影面積4,000㎡超）	○仮工作物の新増築（水平投影面積（10㎡超）） ○工作物（仮工作物を除く）の新増築（高さ13m以下、かつ水平投影面積1,000㎡以下） ○国の機関又は地方公共団体が行う災害復旧又は防災のために必要な工作物（防潮堤を除く）の新増築（高さ25m以下、かつ水平投影面積4,000㎡以下）	○工作物の改築 ○仮工作物の新増築（水平投影面積10㎡以下（増築後において同規模を超えるものを除く）） ○特別地域内不要許可行為相当の行為	仮工作物の新改増築（水平投影面積10㎡以下（改増築後において同規模を超えるものを除く））	—
	木竹の伐採	—	専決事項以外の当該行為	同右欄	伐採する立木幹材積の合計量が1㎥以下、又は伐採面積の合計100㎡以下	
	土石の採取	権限委任・専決事項以外の当該行為	○採取量1㎥以下 ○河川等のたい積砂利の採取で採取前の状態に復することが確実であるもの	○学術研究目的、かつ採取量1㎥以下（ボーリング機械を用いるものを除く） ○特別地域内不要許可行為相当の行為	学術研究目的、かつ採取量1㎥以下（ボーリング機械を用いるものを除く）	
	水位水量の増減	権限委任・専決事項以外の当該行為	○水位水量を減少させる行為	○特別地域内不要許可行為相当の	—	

特別保護地区における許可等　法第21条関係			○水位水量を増加させる行為（当該行為により陸域から水域に変わる面積が10,000㎡以下のもの、又は許可を受け現に水位水量に増減を及ぼしている者が水位の変動についての計画を変更するもの）	行為		
	指定湖沼等への汚水等の排出	—	全ての当該行為	—	—	
	広告物の掲出等	—	—	同右欄	全ての当該行為	
	水面の埋立・干拓	全ての当該行為	—	—	—	
	土地の形状変更	水平投影面積2,500㎡超の当該行為	水平投影面積2,500㎡以下	—	—	
	色彩の変更	—	—	同右欄	全ての当該行為	
	指定区域内への立入り	—	全ての当該行為	—	—	
	木竹の損傷	—	—	同右欄	全ての当該行為	
	木竹の植栽	—	—	同右欄	全ての当該行為	
	動物の放出	—	—	同右欄	全ての当該行為	
	物の集積	—	全ての当該行為	—	—	
	火入れ・たき火	—	—	同右欄	全ての当該行為	
	木竹以外の植物等の採取損傷・落葉落枝の採取	—	—	同右欄	全ての当該行為	
	木竹以外の植物の植栽・植物の種子まき	—	—	同右欄	全ての当該行為	
	動物の捕獲殺傷・動物の卵の採取損傷	—	—	同右欄	全ての当該行為	
	車馬動力船の使用・航空機の着陸	—	—	同右欄	全ての当該行為	
	政令で定める行為（指定道路での車馬の使用）	—	—	同右欄	全ての当該行為	
	その他	—	—	都市公園等の設置又は管理のうち規則第12条第28号に該当する行為	—	
	工作物の新改増築	権限委任・専決事項以外の当該行為	○工作物の新増築（水平投影面積1,000㎡以下） ○仮工作物の新増築	○工作物の改築 ○特別地域内不要許可行為相当の行為	—	—

海域公園地区における許可等　法第22条関係	土石の採取	権限委任・専決事項以外の当該行為	○採取量１㎥以下	○学術研究目的、かつ採取量１㎥以下（ボーリング機械を用いるものを除く） ○特別地域内不要許可行為相当の行為	—	—
	広告物の掲出等	—	—	—	—	全ての当該行為
	指定動植物の捕獲殺傷又は採取損傷	—	—	—	—	全ての当該行為
	海面の埋立・干拓	全ての当該行為	—	—	—	—
	海底の形状変更	全ての当該行為	—	—	—	—
	物の係留	—	—	—	—	全ての当該行為
	汚水又は廃水の排出	—	全ての当該行為	—	—	—
	規制区域内における動力船の使用	—	—	—	—	全ての当該行為
普通地域における届出等　法第33条関係	工作物の新改増築	—	—	同右欄	海域公園地区の周辺１km 以内のもの	海域公園地区の周辺１km 以内でないもの
	特別地域内の河川、湖沼等の水位水量の増減		全ての当該行為	—	—	—
	広告物の掲出等		—	—	—	全ての当該行為
	水面の埋立・干拓		全ての当該行為	—	—	—
	土石の採取（海域内は海域公園地区の周辺１キロメートルの当該海域公園地区に接続する海域内に限る）。		海域公園地区の周辺１km 以内のもの	—	—	海域公園地区の周辺１km 以内でないもの
	土地の形状変更		—	—	—	全ての当該行為
	海底の形状変更（海域公園地区の周辺１キロメートルの当該海域公園地区に接続する海域内に限る）。		全ての当該行為	—	—	—
	その他		○行為の禁止、制限その他必要な措置の命令※ ○措置命令等の期間の延長（専決事項以外） ○行為の着手制限期間の短縮（専決事項以外）	○措置命令等の期間の延長（専決処分に係るものに限る） ○行為の着手制限期間の短縮（専決処分に係るものに限る）	○措置命令等の期間の延長（専決処分に係るものに限る） ○行為の着手制限期間の短縮（専決処分に係るものに限る）	○行為の禁止、制限その他必要な措置の命令（法定受託事務に係るものに限る） ○措置命令等の期間の延長（法定受託事務に係るものに限る） ○行為の着手制限期間の短縮（法定受託事務に係るものに限る）

共通・その他の事項	○大臣権限に係る不許可処分、不同意その他異例に属するものの処分 ○大臣権限に係る原状回復又はこれに代わるべき必要な措置の命令	○国立公園管理事務所長・首席自然保護官等不在地区の国立公園管理事務所長・首席自然保護官等専決 ○権限委任事項に係る不許可処分、不同意その他異例に属するものの処分※ ○権限委任事項に係る原状回復又はこれに代わるべき必要な措置の命令※	○非常災害のための応急措置の届出の受理 ○既着手行為の届出の受理 ○地方公共団体が作成する催しの計画の受理 ○公園管理団体が作成する業務計画の受理 ○利用調整地区の立入り許可	○地方公共団体が作成する催しの計画の受理 ○公園管理団体が作成する業務計画の受理 ○利用調整地区の立入り許可	○都道府県の法定受託事務に係る行為の不許可処分その他異例に属するものの処分 ○都道府県の法定受託事務に係る行為の原状回復又はこれに代わるべき必要な措置の命令

・「地方環境事務所長権限」は、地方環境事務所長並びに釧路、信越及び沖縄奄美自然環境事務所長の権限、ただし※は、地方環境事務所長のみに存する権限。
・「国立公園管理事務所長専決」は、大雪山、支笏洞爺、阿寒摩周、十和田八幡平、日光、富士箱根伊豆、伊勢志摩、上信越高原、中部山岳、吉野熊野、大山隠岐、阿蘇くじゅう、霧島錦江湾、奄美群島国立公園管理事務所長の専決事項。
・「国立公園管理事務所長専決」及び「首席自然保護官等専決」（自然保護官事務所における国立公園保護管理企画官の専決を含む）は、地方環境事務所又は釧路自然環境事務所等の職員に併任されている等の理由により地方環境事務所又は釧路自然環境事務所等に常勤する場合には適用されない。
・「国立公園保護管理企画官専決」（国立公園管理事務所における国立公園保護管理企画官の専決）は、国立公園管理事務所に所長が常勤しない場合に限り、当該国立公園管理事務所に常勤する国立公園保護管理企画官のうち所長又は釧路自然環境事務所長等が指名した場合に適用される。
・法第68条に規定された国からの協議・通知にかかるものについては国の直轄執行事務のみの場合の区分による。
・権限区分は以下の規定による。
地方環境事務所長への権限の委任：自然公園法施行規則第20条
国立公園管理事務所長及び首席自然保護官・国立公園保護管理企画官・四国事務所長の専決：地方環境事務所行政文書管理要領第17条
都道府県が処理する事務：自然公園法施行令附則第２項、同附則別表に掲げる都道府県の区域に属する国立公園の区域のうち「自然公園法施行令附則第３項に規定する指定区域（平成12年環境庁告示第４号）」の指定区域に係るものに限る。

3　国立公園事業の認可等の権限区分（国の直接執行事務のみ）

環境大臣権限	公共団体が事業執行する場合	民間の者が事業執行する場合	国の機関が事業執行する場合
	○公園事業の執行の協議に係る同意・不同意	○公園事業の執行の認可・不認可	○公園事業の執行の協議に係る同意・不同意
		○公園事業に係る改善命令	
		○公園事業の認可の取消処分	
		○公園事業に係る原状回復又はこれに代わるべき必要な措置の命令	
地方環境事務所長権限	○公園事業の執行の協議に係る同意・不同意（工事の施行を要しないものに限る。）	○公園事業の執行の認可・不認可（工事の施行を要しないものに限る。）	○公園事業の執行の協議に係る同意・不同意（工事の施行を要しないものに限る。）
	○公園施設等の変更の協議に係る同意・不同意	○公園施設等の変更の認可・不認可	○公園施設等の変更の協議に係る同意・不同意
	○公園施設等の軽微な変更の届出の受理	○公園施設等の軽微な変更の届出の受理	○公園事業の執行の休止・廃止の通知の受理
	○公園事業の執行の休止・廃止の届出の受理	○公園事業の執行の休止・廃止の届出の受理	○その他各種通知の受理

	○法人の合併分割に伴う公園事業の承継の協議に係る同意・不同意	○公園事業の譲渡、法人の合併分割及び公園事業者の死亡に伴う公園事業の承継の承認・不承認	
		○認可の失効の届出の受理	
自然環境事務所長権限	○公園事業の執行の協議に係る同意（工事の施行を要しないものに限る。）	○公園事業の執行の認可（工事の施行を要しないものに限る。）	○公園事業の執行の協議に係る同意（工事の施行を要しないものに限る。）
	○公園施設等の変更の協議に係る同意	○公園施設等の変更の認可	○公園施設等の変更の協議に係る同意
	○公園施設等の軽微な変更の届出の受理	○公園施設等の軽微な変更の届出の受理	○公園事業の執行の休止・廃止の通知の受理
	○公園事業の執行の休止・廃止の届出の受理	○公園事業の執行の休止・廃止の届出の受理	○その他各種通知の受理
	○法人の合併分割に伴う公園事業の承継の協議に係る同意	○公園事業の譲渡、法人の合併分割及び公園事業者の死亡に伴う公園事業の承継の承認	
		○認可の失効の届出の受理	

○自然公園法施行規則において定めている特別地域、特別保護地区、海域公園地区において許可又は届出を要しない行為

●特別地域

※本表は早見表であって厳密ではないため、必要に応じて根拠規定等を参照すること。

自然公園法第20条第３項の規制対象行為		自然公園法施行規則第12条（特別地域内における許可又は届出を要しない行為として、法第20条第９項第５号に規定する環境省令で定める行為）	
第１号	工作物の新築、改築又は増築	第１号	溝、井せき、とい、水車、風車、農業用又は林業用水槽等を新築し、改築し、又は増築すること。
		第２号	門、生垣、その高さが３メートル以下であり、かつ、その水平投影面積が30平方メートル以下であるきん舎等を新築し、改築し、又は増築すること。
		第３号	社寺境内地又は墓地において、鳥居、灯ろう、墓碑等を新築し、改築し、又は増築すること。
		第４号	道路その他公衆の通行し、又は集合する場所から20メートル以上の距離にあつて、かつ、その水平投影面積が1000平方メートル以下である炭がま、炭焼小屋、伐木小屋、造林小屋、畜舎、納屋、肥料だめ等を新築し、改築し、又は増築すること（改築又は増築にあつては、改築又は増築後において、その水平投影面積が1000平方メートル以下であるものに限る。）。
		第５号	ひび、えりやな類、漁具干場、漁舎等を新築し、改築し、又は増築すること。
		第６号	法第20条第３項の許可を受けた行為又はこの条の各号に掲げる行為を行うために必要な工事用の仮工作物（宿舎を除く。）を新築し、改築し、又は増築すること。
		第６号の２	河川法（昭和39年法律第167号）第３条第２項に規定する河川管理施設（樹林帯を除く。）、砂防法第１条に規定する砂防設備、森林法第41条第１項又は第３項の規定により行う保安施設事業に係る施設、海岸法第２条第１項に規定する海岸保全施設、地すべり等防止法第２条第３項に規定する地すべり防止施設又は急傾斜地の崩壊による災害の防止に関する法律（昭和44年法律第57号）第２条第２項に規定する急傾斜地崩壊防止施設を改築し、又は増築すること。
		第６号の３	下水道法（昭和33年法律第79号）第２条第３号に規定する公共下水道、同条第４号に規定する流域下水道若しくは同条第５号に規定する都市下水路を改築し、又は増築すること。
		第７号	港湾法第２条第５項に規定する港湾施設又は同条第３項及び第４項に規定する港湾区域若しくは臨港地区以外の場所に設置する航路標識その他船舶の交通の安全を確保するために必要な施設若しくは廃油処理施設、航空保安施設、自記雨量計、積算雪量計その他気象、地象若しくは水象の観測に必要な施設又は鉄道若しくは軌道のプラットホーム（上家を含む。）を改築し、又は増築すること。
		第７号の2	漁港漁場整備法第３条第１号に掲げる施設若しくは同条第２号イ、ロ若しくはハに掲げる施設（同号イに掲げる施設については駐車場及びヘリポートを除き、同号ハに掲げる施設については公共施設用地に限る。）又は沿岸漁業（沿岸漁業改善資金助成法（昭和54年法律第25号）第２条第１項に規定する沿岸漁業（総トン数10トン以上20トン未満の動力漁船（とう載漁船を除く。）を使用して行うものを除く。）をいう。以下この号において同じ。）の生産基盤の整備及び開発を行うために必要な沿岸漁業の構造の改善に関する事業に係る施設を改築し、又は増築すること。
		第８号	信号機、防護柵、土留よう壁その他鉄道、軌道又は自動車道の交通の安全を確保するために必要な施設を改築し、若しくは増築すること（信号機にあつては、新築を含む。）。

		第９号	文化財保護法第115条第１項の規定により史跡名勝天然記念物の管理に必要な施設を新築し、改築し、又は増築すること。
		第10号	道路の舗装及び道路のこう配緩和、線形改良その他道路の改築で、その現状に著しい変更を及ぼさないもの
		第10号の２	宅地又は道路に送水管、ガス管、電線等を埋設すること。
		第10号の３	野生鳥獣の保護増殖のための巣箱、給じ台、給水台等を設置すること。
		第10号の４	測量法（昭和24年法律第188号）第10条第１項に規定する測量標又は水路業務法（昭和25年法律第102号）第５条第１項に規定する水路測量標を設置すること。
		第10号の５	境界標（不動産登記規則（平成17年法務省令第18号）第77条第１項第９号に規定する境界標をいう。）を設置すること。
		第10号の６	受信用アンテナ（テレビジョン放送の用に供するものに限る。）を設置すること。
		第10号の７	電波法（昭和25年法律第131号）第２条第４号に規定する無線設備を改築し、又は増築（新たに増築する無線設備の高さが、既存の無線設備の高さ又はそれが付帯する工作物の高さのうちいずれか高い方の位置を超えないものに限り、かつ、増築部分の最高部と最低部の高さの差が２メートル以下であるものに限る。）すること。
		第10号の８	既存の電線、電話線又は通信ケーブル（以下「電線等」という。）を改築すること又は既存の電線等に沿つて電線等を新築若しくは増築すること（既存の電線等の色彩と同等と認められるものに限る。）。
		第10号の９	既存の電線等に付帯する工作物を新築、改築又は増築すること（既存の電線等の色彩と同等と認められるものに限る。）。
		第10号の10	変圧器その他の電柱に付帯する設備を改築又は増築すること（当該電柱の高さを超えないものに限る。）。
		第10号の11	支持物から他の支持物を経ずに需要場所の引込口に至る電線、電話線又は通信ケーブル並びに引込みに要する設備を設置すること。
		第10号の12	野生鳥獣による人、家畜、農作物、森林又は生態系に対する被害を防ぐためにカメラを設置し、又は柵、金網その他必要な施設（その高さが３メートルを超えない施設であつて、道路その他公衆の通行し、又は集合する場所から20メートル以上離れているものに限る。）を新築し、改築し、若しくは増築すること。
		第10号の13	特定外来生物による生態系等に係る被害の防止に関する法律（平成16年法律第78号）第２条第１項に規定する特定外来生物（以下この条及び第13条において「特定外来生物」という。）の防除又は保安の目的で、カメラを設置すること。
		第10号の14	環境大臣が指定する地域以外の地域において既存の建築物の屋根面に太陽光発電施設（当該施設の色彩及び形態が、国立公園又は国定公園の風致の維持に支障を及ぼすおそれがないものとして、環境大臣が指定する色彩及び形態であるものに限る。）を設置すること。
		第10号の15	国立公園にあつては環境省、国定公園にあつては都道府県が、公園の保護又は適正な利用の推進のために人の立入りを防止するための柵又は当該公園の利用者数を計測するための機器その他の仮設の工作物（高さが３メートル以下であり、かつ、その水平投影面積が３平方メートル以下であるものに限る。）を新築し、改築し、又は増築すること。
第２号	木竹を伐採すること。	第11号	宅地の木竹を伐採すること。
		第12号	自家用のために木竹（法第20条第３項第11号の環境大臣が指定する植物（以下「採取等規制植物」という。）であるものを除く。）を択伐（塊状択伐を除く。）すること。
		第12号の２	生業の維持のため、必要な範囲内で竹（高さが50センチメートル以内のものに限る。）を伐採すること。
		第12号の３	施設又は設備の維持管理を行うため必要な範囲内で竹（高さが３メートル以内のものに限る。）を伐採すること。

		第13号	桑、茶、こうぞ、みつまた、こりやなぎ、桐、果樹その他農業用に栽培した木竹を伐採すること。
		第14号	枯損した木竹又は危険な木竹を伐採すること。
		第15号	森林の保育のために下刈し、つる切し、又は間伐すること。
		第15号の２	電線路の維持に必要な範囲内で木竹を伐採すること。
		第15号の３	道路（主として歩行者の通行の用に供するものを除く。）、鉄道又は軌道の交通の障害となる木竹を伐採すること。
		第16号	牧野改良のためにいばら、かん木等を除去すること。
		第16号の２	牧野その他の草原の維持のために必要な範囲内で竹又はかん木を伐採すること。
		第16号の３	採取等規制植物の保護増殖のために必要な範囲内で竹又はかん木を伐採すること。
		第17号	削除
第３号	環境大臣が指定する区域内において木竹を損傷すること。	第17号の２	宅地の木竹を損傷（法第20条第３項第３号の環境大臣が指定する区域内において損傷するものに限る。以下この条において同じ。）すること。
		第17号の３	自家用のために木竹（採取等規制植物であるものを除く。次号において同じ。）を損傷すること。
		第17号の４	生業の維持のために必要な範囲内で木竹を損傷すること。
		第17号の５	農業を営むために必要な範囲内で木竹を損傷すること。
		第17号の６	漁業を営むために必要な範囲内で木竹を損傷すること。
		第17号の７	枯損した木竹又は危険な木竹を損傷すること。
		第17号の８	病害虫の防除のために必要な範囲内で木竹を損傷すること。
		第17号の９	災害からの避難、災害復旧又は防災のために必要な範囲内で木竹を損傷すること。
		第17号の10	施設又は設備の維持管理を行うために必要な範囲内で木竹を損傷すること。
		第17号の11	電線路の維持のために必要な範囲内で木竹を損傷すること。
		第17号の12	牧野その他の草原の維持のために必要な範囲内で木竹を損傷すること。
		第17号の13	採取等規制植物の保護増殖のために必要な範囲内で木竹を損傷すること。
		第17号の14	環境教育等による環境保全の取組の促進に関する法律（平成15年法律第130号）第２条第３項に規定する環境教育を行うために必要な範囲内で木竹を損傷すること。
		第17号の15	国又は地方公共団体が法令に基づきその任務とされている遭難者を救助するための業務（当該業務及び非常災害に対処するための業務に係る訓練を含む。）、犯罪の予防又は捜査その他の公共の秩序を維持するための業務その他これらに類する業務を行うために必要な範囲内で木竹を損傷すること。
		第17号の16	土地又は木竹の所有者又は使用及び収益を目的とする権利を有する者がその所有又は権利に係る土地の維持管理を行うために必要な範囲内で木竹を損傷すること（土地又は木竹の所有者又は使用及び収益を目的とする権利を有する者の同意を得て行う場合を含む。）。
		第17号の17	法令の規定による検査、調査その他これらに類する行為を行うために必要な範囲内で木竹を損傷すること。
第４号	鉱物を掘採し、又は土石を採取すること。	第18号	宅地内の土石を採取すること。

		第19号	土地の形状を変更するおそれのない範囲内で、鉱物を掘採し、又は土石を採取すること。
		第20号	道路その他公衆の通行し、又は集合する場所から20メートル以上の距離にある地域で、鉱物の掘採のため試すいを行うこと。
第５号	河川、湖沼等の水位又は水量に増減を及ぼさせること。	第21号	宅地又は田畑内の池沼等の水位又は水量に増減を及ぼさせること。
		第22号	特別地域が指定され、又はその区域が拡張された際既にその新築、改築又は増築に着手していた工作物を操作することによつて、河川、湖沼等の水位又は水量に増減を及ぼさせること。
第６号	環境大臣が指定する湖沼又は湿原及びこれらの周辺１キロメートルの区域内において当該湖沼若しくは湿原又はこれらに流水が流入する水域若しくは水路に汚水又は廃水を排水設備を設けて排出すること。	第22号の２	耕作の事業に伴う汚水又は廃水を排出すること。
		第22号の３	森林施業に伴う汚水又は廃水を排出すること。
		第22号の４	漁船から汚水又は廃水を排出すること。
		第22号の５	養魚の事業に伴う汚水又は廃水を排出すること。
		第22号の６	漁港漁場整備法第25条の規定により指定された漁港管理者が維持管理する同法第３条に規定する漁港施設から汚水又は廃水を排出すること。
		第22号の７	宅地内で行う家畜の飼育に伴う汚水又は廃水を排出すること。
		第22号の８	建築基準法（昭和25年法律第201号）第31条第２項に規定する屎尿浄化槽（建築基準法施行令第32条に規定する処理対象人員に応じた性能を有するものに限る。）から汚水又は廃水を排出すること。
		第22号の９	住宅から汚水又は廃水を排出（し尿の排出を除く。）すること。
		第22号の10	河川法第３条第２項に規定する河川管理施設、砂防法第１条に規定する砂防設備、森林法第41条第１項又は第３項の規定により行う保安施設事業に係る施設、海岸法第２条第１項に規定する海岸保全施設、地すべり等防止法第２条第３項に規定する地すべり防止施設又は急傾斜地の崩壊による災害の防止に関する法律第２条第２項に規定する急傾斜地崩壊防止施設から汚水又は廃水を排出すること。
		第22号の11	下水道法第２条第３号に規定する公共下水道若しくは同条第４号に規定する流域下水道へ汚水若しくは廃水を排出すること又はこれらの施設から汚水若しくは廃水を排出すること。
第７号	広告物その他これに類する物を掲出し、若しくは設置し、又は広告その他これに類するものを工作物等に表示すること。	第23号	地表から2.5メートル以下の高さで、広告物等を建築物の壁面に掲出し、又は工作物等に表示すること。
		第24号	法令の規定により、又は保安の目的で、広告物に類するものを掲出し、若しくは設置し、又は広告に類するものを工作物等に表示すること。
		第25号	鉄道若しくは軌道の駅舎又は自動車若しくは船舶による旅客運送事業の営業所若しくは待合所において、駅名板、停留所標識、料金表又は運送約款若しくはこれに類するものを掲出し、若しくは設置し、又は工作物等にこれらを表示すること。
		第26号	森林又は野生動植物の保護管理のための標識を掲出し、又は設置すること。
		第26号の２	漁港漁場整備法第34条第１項の規定により定められた漁港管理規程に基づき、標識その他これに類するものを掲出し、若しくは設置し、又は工作物等に表示すること。
		第26号の２の２	特定外来生物の防除の目的で、標識その他これに類するものを掲出し、若しくは設置し、又は工作物等にこれらを表示すること。
第８号	屋外において土石その他の環境大臣が指定する物を集積し、又は貯蔵すること。	第26号の３	1.5メートル以下の高さで、かつ、10平方メートル以下の面積で物を集積し、又は貯蔵すること。
		第26号の４	耕作の事業に伴う物の集積又は貯蔵で明らかに風致の維持に支障のないもの

		第26号の５	森林の整備又は木材の生産に伴い発生する根株、伐採木又は枝条を森林内に集積し、又は貯蔵すること。
		第26号の６	木材の加工又は流通の事業に伴い発生する木くずを集積し、又は貯蔵すること。
		第26号の７	河川法第３条第１項に規定する河川その他の公共の用に供する水路の管理のために必要な物を集積し、又は貯蔵すること。
		第26号の８	砂防法第１条に規定する砂防設備の管理又は維持のために必要な物を集積し、又は貯蔵すること。
		第26号の９	海岸法第２条第２項に規定する一般公共海岸区域若しくは同法第３条第１項に規定する海岸保全区域の管理のために必要な物を集積し、又は貯蔵すること。
		第26号の10	地すべり等防止法第３条第１項に規定する地すべり防止区域の管理のために必要な物を集積し、又は貯蔵すること。
		第26号の11	急傾斜地の崩壊による災害の防止に関する法律第３条第１項に規定する急傾斜地崩壊危険区域の管理のために必要な物を集積し、又は貯蔵すること。
		第26号の12	港湾法第２条第５項に規定する港湾施設において荷役の目的に必要な物を集積し、又は貯蔵すること。
第９号	水面を埋め立て、又は干拓すること。	規定なし	
第10号	土地を開墾しその他土地の形状を変更すること。	規定なし	
第11号	高山植物その他の植物で環境大臣が指定するものを採取し、又は損傷すること。	第27号	宅地内において採取等規制植物を採取し、又は損傷すること。
		第27号の２	農業を営むために必要な範囲内で採取等規制植物を損傷すること。
		第27号の２の２	牧野その他の草原の維持のために必要な範囲内で採取等規制植物を損傷すること。
		第27号の２の３	採取等規制植物の保護増殖のために必要な範囲内で当該採取等規制植物を損傷すること。
		第27号の２の４	国、地方公共団体又は特定外来生物の防除を目的とする催し（国又は地方公共団体が実施するものであつて、あらかじめ、その内容及び実施期間を記載した書面が、国立公園にあつては環境大臣、国定公園にあつては都道府県知事に提出されたものに限る。）に参加した者が、特定外来生物である植物（木竹を除く。）を採取し、又は損傷すること。
第12号	環境大臣が指定する区域内において当該区域が本来の生育地でない植物で、当該区域における風致の維持に影響を及ぼすおそれがあるものとして環境大臣が指定するものを植栽し、又は当該植物の種子をまくこと。	第27号の３	農業を営むために法第20条第３項第12号の規定により環境大臣が指定する植物を植栽し、又は植物の種子をまくこと（同号の環境大臣が指定する区域内において行うものに限る。次号において同じ。）。
		第27号の４	森林の整備及び保全を図るために法第20条第３項第12号の規定により環境大臣が指定する植物を植栽し、又は植物の種子をまくこと。
		第27号の５	環境大臣が指定する地域以外の地域において木竹を植栽すること（法第20条第３項第12号に掲げる行為に該当するものを除く。以下この条において同じ。）。
		第27号の６	宅地内に木竹を植栽すること。
		第27号の７	桑、茶、こうぞ、みつまた、こりやなぎ、桐、果樹その他農業用に栽培する木竹又は現存する木竹と同一種類の木竹を植栽すること。
第13号	山岳に生息する動物その他の動物で環境大臣が指定するものを捕獲し、若しくは殺傷し、又は当該動物の卵を採取し、若しくは損傷すること。	第27号の８	有害なねずみ族、昆虫等を捕獲し、若しくは殺傷し、又はそれらの卵を採取し、若しくは損傷すること。

		第27号の９	国、地方公共団体又は特定外来生物の防除を目的とする催し（国又は地方公共団体が実施するものであつて、あらかじめ、その内容及び実施期間を記載した書面が、国立公園にあつては環境大臣、国定公園にあつては都道府県知事に提出されたものに限る。）に参加した者が、特定外来生物である動物を捕獲し、若しくは殺傷し、又は当該動物の卵を採取し、若しくは損傷すること。
		第27号の10	傷病その他の理由により緊急に保護を要する動物を捕獲し、又はそれらの卵を採取すること。
第14号	環境大臣が指定する区域内において当該区域が本来の生息地でない動物で、当該区域における風致の維持に影響を及ぼすおそれがあるものとして環境大臣が指定するものを放つこと（当該指定する動物が家畜である場合における当該家畜である動物の放牧を含む。）。	第27号の11	遭難者の救助に係る業務を行うために犬（法第20条第３項第14号の環境大臣が指定するものに限る。以下この条において同じ。）を放つこと（同号の環境大臣が指定する区域内において放つものに限る。以下この条において同じ。）。
		第27号の12	特定外来生物による生態系等に係る被害の防止に関する法律第９条の２第１項の規定による主務大臣の許可に係る特定外来生物の放出等をすること。
		第27号の13	人の生命、身体及び財産に危害を加え、自然環境保全上の問題を生じさせるおそれがない犬であつて、次に掲げるもの。 イ　警察犬、狩猟犬その他これらと同等と認められるものを、その目的のために放つこと。 ロ　野生鳥獣による人、家畜又は農作物に対する被害を防ぐために犬を放つこと。
		第27号の14	家畜を保留放牧すること（法第20条第３項第14号に掲げる行為に該当するものを除く。）。
第15号	屋根、壁面、塀、橋、鉄塔、送水管その他これらに類するものの色彩を変更すること。	規定なし	
第16号	湿原その他これに類する地域のうち環境大臣が指定する区域内へ当該区域ごとに指定する期間内に立ち入ること。	第29号の２	農業を営むために立ち入ること。
		第29号の３	森林の保護管理のために立ち入ること。
		第29号の４	林道の整備に当たつて必要な事前調査のために立ち入ること。
		第29号の５	森林法第25条若しくは第25条の２に規定する保安林、同法第29条若しくは第30条の２に規定する保安林予定森林、同法第41条に規定する保安施設地区若しくは同法第44条に規定する保安施設地区予定森林の管理若しくはそれら指定を目的とする調査又は同法第41条第１項若しくは第３項に規定する保安施設事業の実施に当たつて必要な事前調査のために立ち入ること。
		第29号の６	河川法第３条第１項に規定する河川その他の公共の用に供する水路の管理又はその指定を目的とする調査（同法第６条第１項に規定する河川区域の指定、同法第54条第１項の規定による河川保全区域の指定又は同法第56条第１項の規定による河川予定地の指定を目的とするものを含む。）のために立ち入ること。
		第29号の７	砂防法第１条に規定する砂防設備の管理若しくは維持又は同法第２条の規定により指定された土地の監視のために立ち入ること。
		第29号の８	海岸法第２条第２項に規定する一般公共海岸区域又は同法第３条第１項に規定する海岸保全区域の管理のために立ち入ること。
		第29号の９	地すべり等防止法第２条第４項に規定する地すべり防止工事の実施に当たつて必要な事前調査、同法第３条第１項に規定する地すべり防止区域の管理又は同項の規定による地すべり防止区域の指定を目的とする調査のために立ち入ること。
		第29号の10	急傾斜地の崩壊による災害の防止に関する法律第３条第１項に規定する急傾斜地崩壊危険区域の管理又は同項の規定による急傾斜地崩壊危険区域の指定を目的とする調査のために立ち入ること。
		第29号の11	文化財保護法第109条第１項に規定する史跡名勝天然記念物の管理又は復旧のために立ち入ること。
		第29号の12	測量法第３条の規定による測量のために立ち入ること。

		第29号の14	土地又は木竹の所有者又は使用及び収益を目的とする権利を有する者がその所有又は権利に係る土地における行為を行うために立ち入ること（土地又は木竹の所有者又は使用及び収益を目的とする権利を有する者の同意を得て行う場合を含む。）。
		第29号の15	法第20条第３項第16号又は第21条第３項第１号（法第20条第３項第16号に係る部分に限る。）の規定により環境大臣が指定する区域内に存する施設の維持管理を行うために立ち入ること。
		第29号の16	法第20条第３項第16号又は第21条第３項第１号（法第20条第３項第16号に係る部分に限る。）の規定により環境大臣が指定する区域の隣接地において、法第20条第３項若しくは第21条第３項の許可を受けた行為又はこの条の各号若しくは第13条各号に規定する行為を行うため、やむを得ず通過する目的で立ち入ること。
		第29号の17	犯罪の予防又は捜査、遭難者の救助その他これらに類する業務を行うために立ち入ること。
		第29号の18	法令の規定による検査、調査その他これらに類する行為を行うために立ち入ること。
第17号等	道路、広場、田、畑、牧場及び宅地以外の地域のうち環境大臣が指定する区域内において車馬若しくは動力船を使用し、又は航空機を着陸させること（第18号及び令第３条の規定による車馬使用規制含む。）。	第29号の19	森林施業のために車馬若しくは動力船を使用し、又は航空機を着陸させること。
		第29号の20	漁業を営むために車馬若しくは動力船を使用すること。
		第29号の21	漁業取締のために車馬若しくは動力船を使用し、又は航空機を着陸させること。
		第29号の22	河川法第３条第１項に規定する河川その他の公共の用に供する水路の管理又はその指定を目的とする調査（同法第６条第１項に規定する河川区域の指定、同法第54条第１項の規定による河川保全区域の指定又は同法第56条第１項の規定による河川予定地の指定を目的とするものを含む。）のために車馬若しくは動力船を使用し、又は航空機を着陸させること。
		第29号の23	砂防法第１条に規定する砂防設備の管理若しくは維持又は同法第２条の規定により指定された土地の監視のために車馬若しくは動力船を使用し、又は航空機を着陸させること。
		第29号の24	海岸法第３条に規定する海岸保全区域の管理のために車馬若しくは動力船を使用し、又は航空機を着陸させること。
		第29号の25	地すべり等防止法第３条第１項に規定する地すべり防止区域の管理又は同項の規定による地すべり防止区域の指定を目的とする調査のために車馬若しくは動力船を使用し、又は航空機を着陸させること。
		第29号の26	急傾斜地の崩壊による災害の防止に関する法律第３条第１項に規定する急傾斜地崩壊危険区域の管理又は同項の規定による急傾斜地崩壊危険区域の指定を目的とする調査のために車馬若しくは動力船を使用し、又は航空機を着陸させること。
		第29号の27	土地改良法（昭和24年法律第195号）第２条第２項第１号に規定する土地改良施設の管理のために車馬若しくは動力船を使用し、又は航空機を着陸させること。
		第29号の28	港則法（昭和23年法律第174号）第２条に規定する港の区域内において動力船を使用すること。
		第29号の29	海上運送法（昭和24年法律第187号）第３条の規定により一般旅客定期航路事業の免許を受けた者、同法第20条の規定により不定期航路事業の届出をした者又は同法第21条の規定により旅客不定期航路事業の許可を受けた者が当該事業を営むために動力船を使用すること。
		第29号の30	国又は地方公共団体が法令に基づきその任務とされている遭難者を救助するための業務（当該業務及び非常災害に対処するための業務に係る訓練を含む。）、犯罪の予防又は捜査その他の公共の秩序を維持するための業務、交通の安全を確保するための業務、水路業務その他これらに類する業務を行うために車馬若しくは動力船を使用し、又は航空機を着陸させること。

全般	第28号	都市公園法（昭和31年法律第79号）第２条第１項に規定する都市公園又は都市計画法（昭和43年法律第100号）第４条第６項に規定する都市計画施設である公園若しくは緑地を設置し、又は管理すること（都市公園法施行令（昭和31年政令第290号）第５条第６項に掲げる施設のうち、園内移動用施設である索道、鋼索鉄道、モノレールその他これらに類するもの（以下「園内移動用施設である索道等」という。）及び都市計画法第18条第３項（同法第21条第２項において準用する場合を含む。）の規定により国土交通大臣に協議し、その同意を得た都市計画に基づく都市計画事業の施行として行う場合以外の場合における高さが13メートルを超え、又は水平投影面積が1000平方メートルを超える工作物（園内移動用施設である索道等を除く。）を新築し、改築し、又は増築すること（改築又は増築後において、高さが13メートルを超え、又は水平投影面積が1000平方メートルを超えるものとなる場合における改築又は増築を含む。）を除く。）。
	第29号	前各号に掲げるもののほか、工作物等を修繕するために必要な行為
	第29号の31	公園管理団体が行う法第50条第１項各号及び第２項各号に掲げる業務のために必要な行為であつて、その行為の内容及び実施期間を記載した書面が14日前までに国立公園にあつては環境大臣、国定公園にあつては都道府県知事に提出されたものを行うこと。
	第29号の32	国立公園において絶滅のおそれのある野生動植物の種の保存に関する法律（平成４年法律第75号）第10条第１項の規定による環境大臣の許可に係る行為として、法第20条第３項各号に掲げるものを行うこと。
	第29号の33	絶滅のおそれのある野生動植物の種の保存に関する法律第47条第１項に規定する認定保護増殖事業等（次条において「認定保護増殖事業等」という。）の実施のために必要な行為として、法第20条第３項各号に掲げるものを行うこと。
	第29号の34	特定外来生物による生態系等に係る被害の防止に関する法律第３章の規定による防除の実施のために必要な行為として、法第20条第３項各号に掲げるものを行うこと。
	第29号の35	鳥獣の保護及び管理並びに狩猟の適正化に関する法律第28条の２第１項から第５項までの規定による保全事業の実施のために必要な行為として、法第20条第３項各号に掲げるものを行うこと。
	第29号の36	鳥獣の保護及び管理並びに狩猟の適正化に関する法律第９条第１項の規定により、国立公園にあっては環境大臣の許可、国定公園にあっては都道府県知事の許可に係る行為として、法第20条第３項各号に掲げるものを行うこと。
	第29号の37	鳥獣の保護及び管理並びに狩猟の適正化に関する法律第14条の２第１項の規定による指定管理鳥獣捕獲等事業による指定管理鳥獣の捕獲に伴う行為として、法第20条第３項各号に掲げるものを行うこと。
	第30号	道路、駐車場、運動場、芝生で覆われた園地、植生のない砂浜その他の原状回復が可能な場所において、地域の活性化を目的とする自然を活用した催しを実施するため、工作物を新築し、改築し、若しくは増築し、広告物等を建築物の壁面に掲出し、若しくは設置し、若しくは工作物等に表示し、小規模に土地の形状を変更し、又は屋根、壁面、塀、橋、鉄塔、送水管その他これらに類するものの色彩を変更すること（一時的に行われ、当該催しの終了後遅滞なく原状回復が行われるものであり、かつ、当該催しに関し、地方公共団体が作成する次に掲げる事項を記載した計画であつて、当該催しの開始の日の30日前までに、国立公園にあつては環境大臣、国定公園にあつては都道府県知事に提出されたものに基づき行われるものに限る。以下この号において「工作物の新築等」という。）。 イ　催しの名称、概要、主催者名、開催場所及び開催期間 ロ　風致の維持のために行われる措置の内容 ハ　原状回復を確実に実施するための体制及び方法並びにその実施期限 ニ　工作物の新築等に着手する15日前までに、その概要を、国立公園にあつては環境大臣、国定公園にあつては都道府県知事に通知する旨
	第31号	前各号に掲げる行為に付帯する行為

●特別保護地区

※本表は早見表であって厳密ではないため、必要に応じて根拠規定等を参照すること。

自然公園法第21条第３項の規制対象行為		自然公園法施行規則第13条（特別地域内における許可又は届出を要しない行為として、法第21条第８項第５号に規定する環境省令で定める行為）	
第１号（前条第３項第１号）	工作物の新築、改築又は増築	第１号（第12条第６号の３）	下水道法（昭和33年法律第79号）第２条第３号に規定する公共下水道、同条第４号に規定する流域下水道若しくは同条第５号に規定する都市下水路を改築し、又は増築すること。
		第１号（第12条第９号）	文化財保護法第115条第１項の規定により史跡名勝天然記念物の管理に必要な施設を新築し、改築し、又は増築すること。
		第１号（第12条第10号の４）	測量法（昭和24年法律第188号）第10条第１項に規定する測量標又は水路業務法（昭和25年法律第102号）第５条第１項に規定する水路測量標を設置すること。
第１号（前条第３項第２号）	木竹を伐採すること。	第２号	危険な木竹を伐採すること。
第１号（前条第３項第４号）	鉱物を掘採し、又は土石を採取すること。	規定なし	
第１号（前条第３項第５号）	河川、湖沼等の水位又は水量に増減を及ぼさせること。	規定なし	
第１号（前条第３項第６号）	環境大臣が指定する湖沼又は湿原及びこれらの周辺１キロメートルの区域内において当該湖沼若しくは湿原又はこれらに流水が流入する水域若しくは水路に汚水又は廃水を排水設備を設けて排出すること。	第１号（第12条第22号の２）	耕作の事業に伴う汚水又は廃水を排出すること。
		第１号（第12条第22号の４）	漁船から汚水又は廃水を排出すること。
		第１号（第12条第22号の８）	建築基準法（昭和25年法律第201号）第31条第２項に規定する屎尿浄化槽（建築基準法施行令第32条に規定する処理対象人員に応じた性能を有するものに限る。）から汚水又は廃水を排出すること。
		第１号（第12条第22号の９）	住宅から汚水又は廃水を排出（し尿の排出を除く。）すること。
		第１号（第12条第22号の10）	河川法第３条第２項に規定する河川管理施設、砂防法第１条に規定する砂防設備、森林法第41条第１項又は第３項の規定により行う保安施設事業に係る施設、海岸法第２条第１項に規定する海岸保全施設、地すべり等防止法第２条第３項に規定する地すべり防止施設又は急傾斜地の崩壊による災害の防止に関する法律第２条第２項に規定する急傾斜地崩壊防止施設から汚水又は廃水を排出すること。
		第１号（第12条第22号の11）	下水道法第２条第３号に規定する公共下水道若しくは同条第４号に規定する流域下水道へ汚水若しくは廃水を排出すること又はこれらの施設から汚水若しくは廃水を排出すること。
第１号（前条第３項第７号）	広告物その他これに類する物を掲出し、若しくは設置し、又は広告その他これに類するものを工作物等に表示すること。	第１号（第12条 第24号）	法令の規定により、又は保安の目的で、広告物に類するものを掲出し、若しくは設置し、又は広告に類するものを工作物等に表示すること（(道路標識、区画線及び道路標示に関する命令（昭和35年／総理府／建設省／令第３号）の規定によるものに限る。)）。
		第１号（第12条 第26号）	森林又は野生動植物の保護管理のための標識を掲出し、又は設置すること。

第１号（前条第３項第９号）	水面を埋め立て、又は干拓すること。	規定なし	
第１号（前条第３項第10号）	土地を開墾しその他土地の形状を変更すること。	規定なし	
第１号（前条第３項第15号）	屋根、壁面、塀、橋、鉄塔、送水管その他これらに類するものの色彩を変更すること。	規定なし	
第１号（前条第３項第16号）	湿原その他これに類する地域のうち環境大臣が指定する区域内へ当該区域ごとに指定する期間内に立ち入ること。	第１号（第12条第29号の２）	農業を営むために立ち入ること。
		第１号（第12条第29号の３）	森林の保護管理のために立ち入ること。
		第１号（第12条第29号の４）	林道の整備に当たつて必要な事前調査のために立ち入ること。
		第１号（第12条第29号の５）	森林法第25条若しくは第25条の２に規定する保安林、同法第29条若しくは第30条の２に規定する保安林予定森林、同法第41条に規定する保安施設地区若しくは同法第44条に規定する保安施設地区予定森林の管理若しくはそれら指定を目的とする調査又は同法第41条第１項若しくは第３項に規定する保安施設事業の実施に当たつて必要な事前調査のために立ち入ること。
		第１号（第12条第29号の６）	河川法第３条第１項に規定する河川その他の公共の用に供する水路の管理又はその指定を目的とする調査（同法第６条第１項に規定する河川区域の指定、同法第54条第１項の規定による河川保全区域の指定又は同法第56条第１項の規定による河川予定地の指定を目的とするものを含む。）のために立ち入ること。
		第１号（第12条第29号の７）	砂防法第１条に規定する砂防設備の管理若しくは維持又は同法第２条の規定により指定された土地の監視のために立ち入ること。
		第１号（第12条第29号の８）	海岸法第２条第２項に規定する一般公共海岸区域又は同法第３条第１項に規定する海岸保全区域の管理のために立ち入ること。
		第１号（第12条第29号の９）	地すべり等防止法第２条第４項に規定する地すべり防止工事の実施に当たつて必要な事前調査、同法第３条第１項に規定する地すべり防止区域の管理又は同項の規定による地すべり防止区域の指定を目的とする調査のために立ち入ること。
		第１号（第12条第29号の10）	急傾斜地の崩壊による災害の防止に関する法律第３条第１項に規定する急傾斜地崩壊危険区域の管理又は同項の規定による急傾斜地崩壊危険区域の指定を目的とする調査のために立ち入ること。
		第１号（第12条第29号の11）	文化財保護法第109条第１項に規定する史跡名勝天然記念物の管理又は復旧のために立ち入ること。
		第１号（第12条第29号の12）	測量法第３条の規定による測量のために立ち入ること。
		第１号（第12条第29号の14）	土地又は木竹の所有者又は使用及び収益を目的とする権利を有する者がその所有又は権利に係る土地における行為を行うために立ち入ること（土地又は木竹の所有者又は使用及び収益を目的とする権利を有する者の同意を得て行う場合を含む。）。

		第１号（第12条第29号の15）	法第20条第３項第16号又は第21条第３項第１号（法第20条第３項第16号に係る部分に限る。）の規定により環境大臣が指定する区域内に存する施設の維持管理を行うために立ち入ること。
		第１号（第12条第29号の16）	法第20条第３項第16号又は第21条第３項第１号（法第20条第３項第16号に係る部分に限る。）の規定により環境大臣が指定する区域の隣接地において、法第20条第３項若しくは第21条第３項の許可を受けた行為又はこの条の各号若しくは第13条各号に規定する行為を行うため、やむを得ず通過する目的で立ち入ること。
		第１号（第12条第29号の17）	犯罪の予防又は捜査、遭難者の救助その他これらに類する業務を行うために立ち入ること。
		第１号（第12条第29号の18）	法令の規定による検査、調査その他これらに類する行為を行うために立ち入ること。
第２号	木竹を損傷すること。	第１号（第12条第27号の２の４）	国、地方公共団体又は特定外来生物の防除を目的とする催し（国又は地方公共団体が実施するものであつて、あらかじめ、その内容及び実施期間を記載した書面が、国立公園にあつては環境大臣、国定公園にあつては都道府県知事に提出されたものに限る。）に参加した者が、特定外来生物である植物（木竹を除く。）を採取し、又は損傷すること。
		第３号	危険な木竹を損傷すること。
		第４号	国又は地方公共団体が法令に基づきその任務とされている遭難者を救助するための業務を行うために必要な範囲内で木竹を損傷すること。
		第15号	国又は地方公共団体が法令に基づきその任務とされている遭難者を救助するための業務を行うために必要な範囲内で植物（木竹を除く。）を損傷すること。
第３号	木竹を植栽すること。	第11号	漁業法（昭和24年法律第267号）第60条第１項に規定する漁業権（同条第５項第１号に規定する第一種共同漁業又は同項第５号に規定する第五種共同漁業に係るものに限る。）の存する水面において、漁業の免許を受けた者が当該漁業権に係る水産動植物を放ち、植栽し又はまくこと。
第４号	動物を放つこと（家畜の放牧を含む。）。	第１号（第12条第27号の12）	特定外来生物による生態系等に係る被害の防止に関する法律第９条の２第１項の規定による主務大臣の許可に係る特定外来生物の放出等をすること。
		第10号	遭難者の救助に係る業務を行うために犬を放つこと。
		第10号の2	人の生命、身体及び財産に危害を加え、自然環境保全上の問題を生じさせるおそれがない犬であつて、次に掲げるもの。 イ　警察犬その他これと同等と認められるものを、その目的のために放つこと。 ロ　野生鳥獣による人、家畜又は農作物に対する被害を防ぐために犬を放つこと。
		第11号	漁業法（昭和24年法律第267号）第60条第１項に規定する漁業権（同条第５項第１号に規定する第一種共同漁業又は同項第５号に規定する第五種共同漁業に係るものに限る。）の存する水面において、漁業の免許を受けた者が当該漁業権に係る水産動植物を放ち、植栽し又はまくこと。
		第12号	水産資源保護法（昭和26年法律第313号）第23条第１項の規定により農林水産大臣が定める人工ふ化放流に関する計画又は道県知事が定める人工ふ化放流に関する計画に基づきさけ又はますを放流すること。
		第13号	特別保護地区内で捕獲した動物又は採取した動物の卵を捕獲又は採取後直ちに当該捕獲又は採取をした場所に放つこと。
第５号	屋外において物を集積し、又は貯蔵すること。	規定なし	
第６号	火入れ又はたき火をすること。	第14号	道路、社寺境内地等において清掃のために行う法第21条第３項第６号又は第７号に掲げる行為

第７号	木竹以外の植物を採取し、若しくは損傷し、又は落葉若しくは落枝を採取すること。	第14号	道路、社寺境内地等において清掃のために行う法第21条第３項第６号又は第７号に掲げる行為
第８号	木竹以外の植物を植栽し、又は植物の種子をまくこと。	規定なし	
第９号	動物を捕獲し、若しくは殺傷し、又は動物の卵を採取し、若しくは損傷すること。	第１号（第12条第27号の８）	有害なねずみ族、昆虫等を捕獲し、若しくは殺傷し、又はそれらの卵を採取し、若しくは損傷すること。
		第１号（第12条第27号の９）	国、地方公共団体又は特定外来生物の防除を目的とする催し（国又は地方公共団体が実施するものであつて、あらかじめ、その内容及び実施期間を記載した書面が、国立公園にあつては環境大臣、国定公園にあつては都道府県知事に提出されたものに限る。）に参加した者が、特定外来生物である動物を捕獲し、若しくは殺傷し、又は当該動物の卵を採取し、若しくは損傷すること。
		第１号（第12条第27号の10）	傷病その他の理由により緊急に保護を要する動物を捕獲し、又はそれらの卵を採取すること。
		第16号	魚介類（法第20条第３項第13号の環境大臣が指定するものを除く。）を捕獲し、又は殺傷すること。
第10号等	道路及び広場以外の地域内において車馬若しくは動力船を使用し、又は航空機を着陸させること（令第４条で規定される車馬使用規制道路に係るものを含む）。	第１号（第12条第29号の29）	海上運送法（昭和24年法律第187号）第３条の規定により一般旅客定期航路事業の免許を受けた者、同法第20条の規定により不定期航路事業の届出をした者又は同法第21条の規定により旅客不定期航路事業の許可を受けた者が当該事業を営むために動力船を使用すること。
		第18号	森林の保護管理及び森林施業を目的とする調査のために動力船を使用し、又は航空機を着陸させること。
		第19号	漁業を営むために動力船を使用すること。
		第20号	漁業取締のために動力船を使用し、又は航空機を着陸させること。
		第21号	河川法第３条第１項に規定する河川その他の公共の用に供する水路の管理又はその指定を目的とする調査（同法第６条第１項に規定する河川区域の指定、同法第54条第１項の規定による河川保全区域の指定又は同法第56条第１項の規定による河川予定地の指定を目的とする調査を含む。）のために動力船を使用し、又は航空機を着陸させること。
		第22号	砂防法第１条に規定する砂防設備の管理若しくは維持又は同法第２条の規定により指定された土地の監視のために動力船を使用し、又は航空機を着陸させること。
		第23号	海岸法第３条に規定する海岸保全区域の管理のために動力船を使用し、又は航空機を着陸させること。
		第24号	地すべり等防止法第３条第１項に規定する地すべり防止区域の管理又は同項の規定による地すべり防止区域の指定を目的とする調査のために動力船を使用し、又は航空機を着陸させること。
		第25号	急傾斜地の崩壊による災害の防止に関する法律第３条第１項に規定する急傾斜地崩壊危険区域の管理又は同項の規定による急傾斜地崩壊危険区域の指定を目的とする調査のために動力船を使用し、又は航空機を着陸させること。
		第26号	土地改良法第２条第２項第１号に規定する土地改良施設の管理のために動力船を使用し、又は航空機を着陸させること。
		第27号	国又は地方公共団体が法令に基づきその任務とされている遭難者を救助するための業務、犯罪の予防若しくは捜査その他の公共の秩序を維持するための業務又は交通の安全を確保するための業務を行うために車馬を使用すること。

		第28号	国又は地方公共団体が法令に基づきその任務とされている遭難者を救助するための業務（当該業務及び非常災害に対処するための業務に係る訓練を含む。）、犯罪の予防又は捜査その他の公共の秩序を維持するための業務、交通の安全を確保するための業務、水路業務その他これらに類する業務を行うために動力船を使用し、又は航空機を着陸させること。
全般		第１号（第12条 第29号）	前各号に掲げるもののほか、工作物等を修繕するために必要な行為
		第１号（第12条第29号の31）	公園管理団体が行う法第50条第１項各号及び第２項各号に掲げる業務のために必要な行為であつて、あらかじめ、その行為の内容及び実施期間を記載した書面が14日前までに国立公園にあつては環境大臣、国定公園にあつては都道府県知事に提出されたもの
		第29号	国立公園において絶滅のおそれのある野生動植物の種の保存に関する法律第10条第１項の規定による環境大臣の許可に係る行為として、法第21条第３項各号に掲げるものを行うこと。
		第30号	認定保護増殖事業等の実施のために必要な行為として、法第21条第３項各号に掲げるものを行うこと。
		第31号	特定外来生物による生態系等に係る被害の防止に関する法律第３章の規定による防除の実施のために必要な行為として、法第21条第３項各号に掲げるものを行うこと。
		第32号	鳥獣の保護及び管理並びに狩猟の適正化に関する法律第28条の２第１項から第５項までの規定による保全事業の実施のために必要な行為として、法第21条第３項各号に掲げるものを行うこと。
		第33号	鳥獣の保護及び管理並びに狩猟の適正化に関する法律第９条第１項の規定により、国立公園にあっては環境大臣の許可、国定公園にあっては都道府県知事の許可に係る行為として、法第21条第３項各号に掲げるものを行うこと。
		第34号	国立公園において鳥獣の保護及び管理並びに狩猟の適正化に関する法律第14条の２第５項の規定により環境省が実施する指定管理鳥獣捕獲等事業又は同条第７項の規定により環境省から委託を受けた指定管理鳥獣捕獲等事業による指定管理鳥獣の捕獲に伴う行為として、法第21条第３項各号に掲げるものを行うこと。
		第35号	国定公園において鳥獣の保護及び管理並びに狩猟の適正化に関する法律第14条の２第１項の規定により都道府県が実施する指定管理鳥獣捕獲等事業又は同条第７項の規定により都道府県から委託を受けた指定管理鳥獣捕獲等事業若しくは同条第５項の規定により国の機関が実施する指定管理鳥獣捕獲等事業又は同条第７項の規定により国の機関から委託を受けた指定管理鳥獣捕獲等事業による指定管理鳥獣の捕獲に伴う行為として、法第21条第３項各号に掲げるものを行うこと。
		第36号	前各号に掲げる行為に付帯する行為

●海域公園地区

※本表は早見表であって厳密ではないため、必要に応じて根拠規定等を参照すること。

自然公園法第22条第３項の規制対象行為		自然公園法施行規則第13条の３（海域公園地区内における許可又は届出を要しない行為として、法第22条第８項第４号に規定する環境省令で定める行為）	
第１号（第20条第３項第１号）	工作物の新築、改築又は増築	第１号（第12条第６号の３）	下水道法（昭和33年法律第79号）第２条第３号に規定する公共下水道、同条第４号に規定する流域下水道若しくは同条第５号に規定する都市下水路を改築し、又は増築すること。
		第２号	港湾法第２条第６項の規定により港湾施設とみなされた外郭施設又は係留施設であつて、海域公園地区が指定され、若しくはその区域が拡張された際現に同項の規定による認定がなされているもの又は法第22条第３項の許可を受けて設置されたもの（法第68条第１項の規定による協議を了して設置されたものを含む。）を改築し、又は増築すること（既存の施設の規模と同程度のものに限る。）。
		第３号	航路標識その他船舶の交通の安全を確保するために必要な施設又は気象、地象若しくは水象の観測に必要な施設を改築し、又は増築すること。
第１号（第20条第３項第４号）	鉱物を掘採し、又は土石を採取すること。	第４号	海底の形状を変更するおそれのない範囲内で、鉱物を掘採し、又は土石を採取すること。
第１号（第20条第３項第７号）	広告物その他これに類する物を掲出し、若しくは設置し、又は広告その他これに類するものを工作物等に表示すること。	規定なし	
第２号	環境大臣が指定する区域内において、熱帯魚、さんご、海藻その他の動植物で、当該区域ごとに環境大臣が農林水産大臣の同意を得て指定するものを捕獲し、若しくは殺傷し、又は採取し、若しくは損傷すること。	第５号	学校教育法（昭和22年法律第26号）第96条の規定に基づき大学が附置する臨海実験所等の研究施設における研究計画又は正規の教育課程（都道府県知事に届け出たものに限る。）に基づいて行う法第22条第３項第２号に掲げる行為
第３号	海面を埋め立て、又は干拓すること。	規定なし	
第４号	海底の形状を変更すること。	第６号	藻場、干潟等における海底の底質等を改善するための耕耘その他海底の形状の変更で、その現状に著しい変更を及ぼさないもの
第５号	物を係留すること。	第７号	専ら海上の航行の用に供する船舶を係留すること。
		第８号	法令の規定により航路標識その他船舶の交通の安全を確保するための施設を係留し、又は気象、地象若しくは水象の観測に必要な機器を係留すること。
		第９号	船舶又は積荷の急迫した危難を避けるため、必要な応急措置として仮工作物を新築し、又は物を係留すること。
		第10号	敷設又は修理中の電気通信事業法（昭和59年法律第86号）第140条第１項に規定する水底線路の位置を示す浮標を係留すること。
第６号	汚水又は廃水を排水設備を設けて排出すること。	第１号（第12条第22号の２）	耕作の事業に伴う汚水又は廃水を排出すること。
		第１号（第12条第22号の８）	建築基準法（昭和25年法律第201号）第31条第２項に規定する屎尿浄化槽（建築基準法施行令第32条に規定する処理対象人員に応じた性能を有するものに限る。）から汚水又は廃水を排出すること。

		第1号（第12条第22号の9）	住宅から汚水又は廃水を排出（し尿の排出を除く。）すること。
		第1号（第12条第22号の10）	河川法第3条第2項に規定する河川管理施設、砂防法第1条に規定する砂防設備、森林法第41条第1項又は第3項の規定により行う保安施設事業に係る施設、海岸法第2条第1項に規定する海岸保全施設、地すべり等防止法第2条第3項に規定する地すべり防止施設又は急傾斜地の崩壊による災害の防止に関する法律第2条第2項に規定する急傾斜地崩壊防止施設から汚水又は廃水を排出すること。
		第1号（第12条第22号の11）	下水道法第2条第3号に規定する公共下水道若しくは同条第4号に規定する流域下水道へ汚水若しくは廃水を排出すること又はこれらの施設から汚水若しくは廃水を排出すること。
		第13号	海洋汚染等及び海上災害の防止に関する法律（昭和45年法律第136号）第3条第1号に規定する船舶又は同条第10号に規定する海洋施設から汚水又は廃水を排出すること。
第7号	環境大臣が指定する区域内において当該区域ごとに指定する期間内に動力船を使用すること。	第14号	森林施業のために動力船を使用すること。
		第15号	漁港漁場整備法第4条に規定する漁港漁場整備事業を実施するために動力船を使用すること。
		第16号	漁港漁場整備法第26条の規定により漁港管理者が、適正に、漁港の維持、保全及び運営その他漁港の維持管理を行うために動力船を使用すること。
		第17号	遊漁船業の適正化に関する法律（昭和63年法律第99号）第3条第1項の規定により遊漁船業の登録を受けた者が、同法第2条第1項に規定する遊漁船業を行うために動力船を使用すること。
		第18号	港湾運送事業法（昭和26年法律第161号）第4条の規定により一般港湾運送事業、はしけ運送事業又はいかだ運送事業の許可を受けた者がそれぞれ一般港湾運送事業、はしけ運送事業又はいかだ運送事業を行うために動力船を使用すること。
		第19号	港湾法第2条第3項に規定する港湾区域、同法第37条第1項に規定する港湾隣接地域又は同法第56条第1項の規定により都道府県知事が公告した水域において動力船を使用すること。
		第20号	海岸法第3条に規定する海岸保全区域の管理のために動力船を使用すること。
		第21号	美しく豊かな自然を保護するための海岸における良好な景観及び環境の保全に係る海岸漂着物等の処理等の推進に関する法律（平成21年法律第82号）第2条第2項に規定する海岸漂着物等及び海域におけるごみその他の汚物又は不要物の収集又は運搬を行うために動力船を使用すること。
		第22号	外国船舶が海洋法に関する国際連合条約第19条に定めるところによる無害通航である航行として動力船を使用すること。
		第23号	船舶又は積荷の急迫した危難を避けるために動力船を使用すること。
		第24号	自衛隊がその任務を遂行するために動力船を使用すること。
		第25号	郵便物の取集、運送及び配達を行うために動力船を使用すること。
		第26号	国又は地方公共団体が法令に基づきその任務とされている遭難者を救助するための業務（当該業務及び非常災害に対処するための業務に係る訓練を含む。）、犯罪の予防又は捜査その他の公共の秩序を維持するための業務、交通の安全を確保するための業務、水路業務その他これらに類する業務を行うために動力船を使用すること。
全般		第1号（第12条第29号の31）	公園管理団体が行う法第50条第1項各号及び第2項各号に掲げる業務のために必要な行為であつて、あらかじめ、その行為の内容及び実施期間を記載した書面が14日前までに国立公園にあつては環境大臣、国定公園にあつては都道府県知事に提出されたもの
		第11号	水産資源保護法第21条第1項に規定する保護水面の管理計画に基づいて行う行為

	第12号	電気事業法（昭和39年法律第170号）第42条の規定による保安規程に基づき、電気工作物を点検し、又は検査するために必要な行為
	第27号	前各号に掲げるもののほか、工作物等を修繕するために必要な行為
	第28号	前各号に掲げる行為に付帯する行為

五訂　自然公園実務必携

令和４年８月30日発行

監　修――環境省自然環境局国立公園課

発行者――荘村　明彦

発行所――中央法規出版株式会社

〒110－0016　東京都台東区台東3-29-1 中央法規ビル

TEL 03-6387-3196

https://www.chuohoki.co.jp/

印刷・製本／株式会社アルキャスト

ISBN978-4-8058-8752-3

定価はカバーに表示してあります。

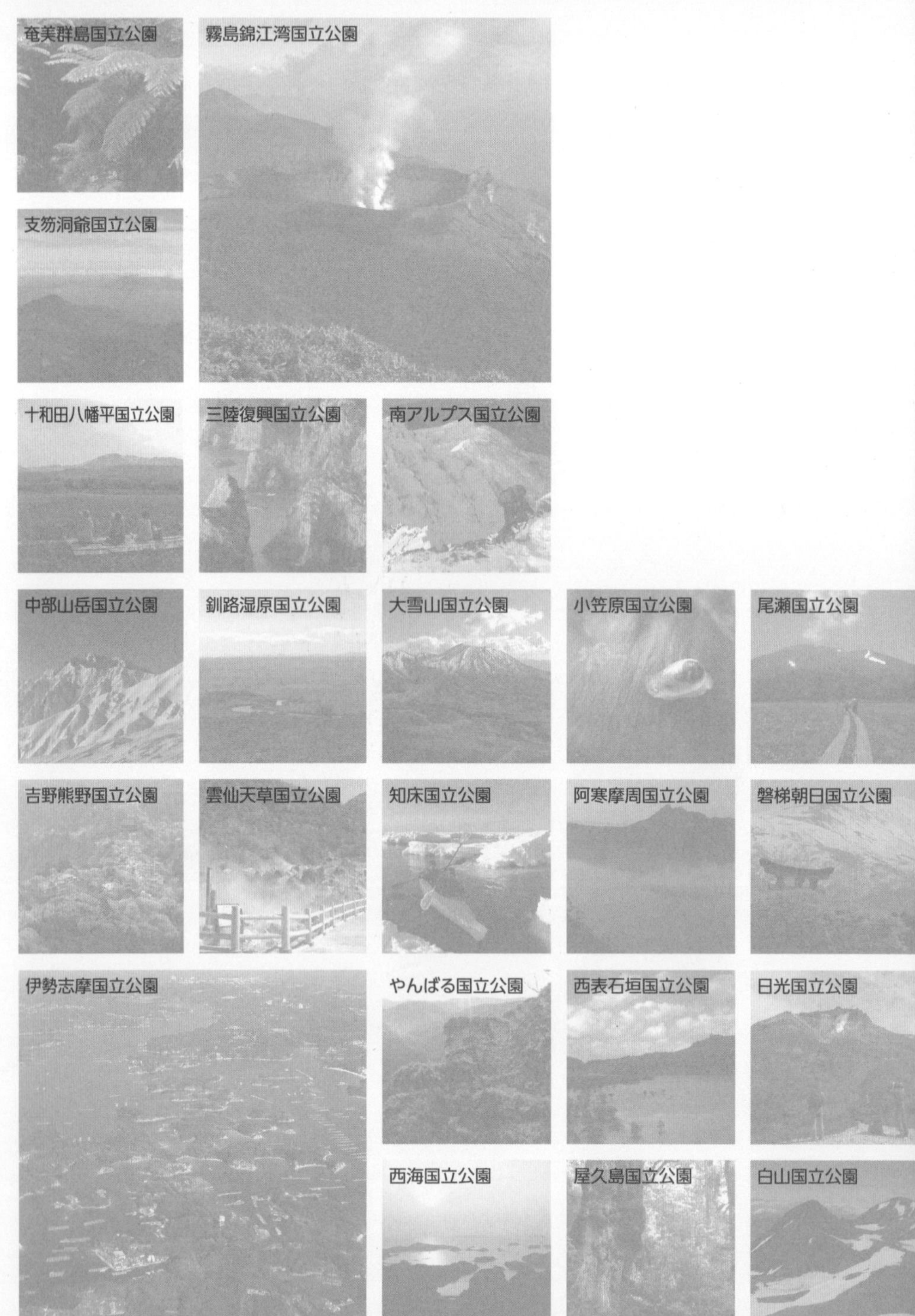

奄美群島国立公園
霧島錦江湾国立公園
支笏洞爺国立公園
十和田八幡平国立公園
三陸復興国立公園
南アルプス国立公園
中部山岳国立公園
釧路湿原国立公園
大雪山国立公園
小笠原国立公園
尾瀬国立公園
吉野熊野国立公園
雲仙天草国立公園
知床国立公園
阿寒摩周国立公園
磐梯朝日国立公園
伊勢志摩国立公園
やんばる国立公園
西表石垣国立公園
日光国立公園
西海国立公園
屋久島国立公園
白山国立公園